検査総論	1
治療総論	2
眼瞼疾患	3
涙器疾患	4
結膜疾患	5
角膜疾患	6
水晶体疾患	7
ぶどう膜疾患	8
強膜疾患	9
網膜疾患	10
緑内障	11
視神経・視路疾患	12
瞳孔疾患	13
眼球運動障害，眼振	14
弱視・斜視・小児眼科	15
眼窩疾患	16
全身性眼疾患	17
眼外傷	18
中毒性眼疾患	19
屈折・調節異常	20
眼精疲労，不定愁訴，心因性眼疾患	21
診察室，手術室での緊急事態に備えて	22
ロービジョンケア	23
索引	

今日の眼疾患治療指針

第4版

Today's Therapy in Ophthalmology

編集

大路正人　滋賀医科大学・教授
後藤　浩　東京医科大学・主任教授
山田昌和　杏林大学・教授
根岸一乃　慶應義塾大学・教授
石川　均　北里大学医療衛生学部・教授
相原　一　東京大学・教授

医学書院

ご注意

本書に記載されている治療法に関しては，出版時点における最新の情報に基づき正確を期するよう，執筆者，編集者ならびに出版社はそれぞれ最善の努力を払っていますが，医学，医療の進歩から見て，記載された内容があらゆる点において正確かつ完全であると保証するものではありません．

したがって実際の治療，特に新薬をはじめ，熟知していない，あるいは汎用されていない医薬品の使用にあたっては，まず医薬品添付文書で確認のうえ，常に最新のデータに当たり，本書に記載された内容が正確であるか読者ご自身で細心の注意を払われることを要望いたします．

本書記載の治療法・医薬品がその後の医学研究ならびに医療の進歩により本書発行後に変更された場合，その治療法・医薬品による不測の事故に対して，執筆者，編集者ならびに出版社はその責を負いかねます．

株式会社　医学書院

今日の眼疾患治療指針

発　行	2000年11月1日	第1版第1刷
	2007年10月15日	第2版第1刷
	2014年8月15日	第2版第4刷
	2016年10月15日	第3版第1刷
	2020年10月15日	第3版第4刷
	2022年9月15日	第4版第1刷Ⓒ

編　集　大路正人・後藤　浩・山田昌和
　　　　根岸一乃・石川　均・相原　一

発行者　株式会社　医学書院
　　　　代表取締役　金原　俊
　　　　〒113-8719　東京都文京区本郷1-28-23
　　　　電話　03-3817-5600（社内案内）

印刷・製本　アイワード

本書の複製権・翻訳権・上映権・譲渡権・貸与権・公衆送信権（送信可能化権を含む）は株式会社医学書院が保有します．

ISBN978-4-260-04807-1

本書を無断で複製する行為（複写，スキャン，デジタルデータ化など）は，「私的使用のための複製」など著作権法上の限られた例外を除き禁じられています．大学，病院，診療所，企業などにおいて，業務上使用する目的（診療，研究活動を含む）で上記の行為を行うことは，その使用範囲が内部的であっても，私的使用には該当せず，違法です．また私的使用に該当する場合であっても，代行業者等の第三者に依頼して上記の行為を行うことは違法となります．

JCOPY〈出版者著作権管理機構　委託出版物〉
本書の無断複製は著作権法上での例外を除き禁じられています．複製される場合は，そのつど事前に，出版者著作権管理機構（電話 03-5244-5088，FAX 03-5244-5089，info@jcopy.or.jp）の許諾を得てください．

第4版 序

『今日の眼疾患治療指針』を6年ぶりに改訂し，第4版を上梓することができた．初版は故 田野保雄先生，故 樋田哲夫先生が編集者となり，2000年に上梓され，2007年に第2版に改訂された．第3版は編集者を大幅に刷新，内容も更新し2016年に上梓された．近年の眼科領域に及ぶ，検査・診断・治療の進歩を考えた場合にはなるべく早い改訂が必要である．こうした情勢を鑑み，今版はこれまでで最も短い期間での改訂となった．一方で，企画から出版までに2年近くを要したことは反省し，今後に活かしていきたい．

内容に関しては，初版が目指した「眼科日常診療において座右の書となり得る実用書」を堅持した．内容の刷新をはかるために，半数以上の項目で新たな執筆者にお願いし，執筆者数は総勢310名となった．新たな疾患概念，検査，治療の追加を行う一方で，極めて稀な疾患や，一般に使用されなくなった検査を削除し，項目数は662となった．日常診療で役に立つ実用書を堅持するために，治療においては，薬品名，用量・用法を含めて具体的な処方を記載した．また，保険適用外である場合には，その旨を明示し，日頃の診療に問題が生じないように配慮した．眼科疾患の診断においては写真が非常に重要かつ有用である．カラー写真を含む図は800点近くになり，総ページ数も初めて1,000頁を超える大著となったが，外来や病棟で簡単に見ることのできる範囲に収まった．

第4版では，第1章の「検査総論」，第2章の「治療総論」に続いて，各論が第3章から始まり，第23章の「ロービジョンケア」まで続く．「ロービジョンケア」はすべての眼科医にとって最も重要な事項であるにもかかわらず，十分に認知されているとは言いがたい．第3版では治療総論に含まれていたが，新版では独立した章とし，拡充した．また，眼科薬剤一覧は第3版では割愛したが，近年の数多い新薬の登場に対応するために，第2章の治療総論において「薬物治療」の節を新設し，各種点眼薬，生物学的製剤などをわかりやすくまとめた．

今回の改訂は，近年の目覚ましい進歩を取り込み，最新の情報を提供することを目指して行った．本書が日々の診療に忙しい眼科の先生方の日常診療のバイブルとして役立ち，患者さんに最大の利益をもたらすことにつながれば，編集者，執筆者一同の喜びである．

本書を上梓するにあたり，今回の改訂にご賛同いただき，ご多忙にもかかわらず快く執筆していただいた諸先生方と，膨大な作業内容となった編集制作を最後まで丁寧にこなしていただいた新佐紘之氏をはじめとする医学書院の方々に深甚の謝意を捧げたい．

2022年7月

編集者一同

初版　序

　『今日の治療指針』（医学書院刊）は1959年から毎年刊行され，医学の全領域において広く親しまれており，いまや数ある医書の中でも超ベストセラーとして不動の評価を得ている．ご存知のように，同書は項目見直しと新執筆者により毎年全面改訂し，常に最新の治療年鑑となるように編集されている．自分の専門領域に関する情報源としてだけでなく，とかく情報を得にくい他科領域における最新の治療も網羅されているので，座右に置かれている臨床医が多いと思われる．

　一方，1,500頁を超える大部とはいっても，それぞれの専門領域に限って言えば，その極く僅かに過ぎないので，各科専門医としての診療に充分な情報を盛り込むことは無論不可能である．実際，2000年版で眼疾患の項目に割かれている頁数は僅かに21頁に過ぎず，数ある専門領域の中でもとりわけsubspecialty化が進んでいる眼科専門医が求めている治療指針としては，甚だ不十分な内容であることは否めない．

　以上のような観点から，眼科専門医のための『今日の治療指針』の必要性を痛切に感じ，眼科日常診療において座右の書となり得る実用書を目指して本書を企画した．したがって，日常の利便性を重視し卓上版とはせずに，企画当初から，敢えて携帯可能なポケット判（B6判）仕立てにすることとした．プラクティカルな実用書であるとともに，読み応えのある教科書としての機能も果たす「羊の皮を着た狼」のような書を目指した．

　項目立てに際しては，臨床で遭遇し得る眼疾患を一旦網羅的に列挙した後に，眼科専門医として明確な治療指針が求められる疾患を必要かつ充分に収載した結果，総計850項目余にも及ぶこととなった．それぞれの項目において，疾患概念，病因，病態，症状，診断，治療を簡潔かつ具体的に解説し，治療については必要に応じて処方例を盛り込むように努めた．また『今日の治療指針』の真骨頂である最新の知識が吸収できるように，執筆陣には，眼科各分野で現在もっとも活躍しておられる215人以上の先生方にご無理をお願いしたが，期待通りに最新の知識が十二分に盛り込まれており，文字通り『今日の眼疾患治療指針』を提供できるのではないかと自負している．

　最後に本書を上梓するにあたり，この企画にご賛同いただき，ご多忙にもかかわらず快く執筆をお引き受けいただいた諸先生方と，当初から，きめの細かい編集を心がけてくださった医学書院の和田勝義氏に深甚の謝意を捧げたい．

2000年10月

編集者一同

※本書においては，薬剤の保険適用外使用について及ぶ限り記載した．また，その際に効能・効果，用量，用法のいずれが適用外なのかについても及ぶ限り明示している．なお，これは保険適用外の使用を推奨するものではなく，またその記述の有無によって保険適用か否かを保証するものではないことに留意されたい．保険適用外の薬剤の使用にあたっては，読者自身で細心の注意を払われたい．

執筆者一覧(五十音順)

浅川　賢	北里大学医療衛生学部・准教授
浅見　哲	浅見眼科手術クリニック・院長
安積　淳	神戸海星病院 アイセンター・副院長
綾木　雅彦	慶應義塾大学・特任准教授
新井千賀子	杏林アイセンター・視能訓練士
荒木　信一	和歌山県立医科大学腎臓内科・教授
有田　玲子	伊藤医院・副院長
飯田　知弘	東京女子医科大学・教授
池田　華子	京都大学・特定准教授
伊佐敷　靖	通町眼科医院・院長
石井　清	さいたま赤十字病院・部長
石川　均	北里大学医療衛生学部・教授
石田　恭子	東邦大学医療センター大橋病院・臨床教授
石田　晋	北海道大学・教授
市邉　義章	神奈川歯科大学附属横浜クリニック・診療科教授
糸井　素啓	京都府立医科大学
伊藤　逸毅	藤田医科大学・教授
稲谷　大	福井大学・教授
稲富　勉	国立長寿医療研究センター・感覚器センター長
井上　俊洋	熊本大学・教授
井上　智之	いのうえ眼科・院長
井上　真	杏林アイセンター・教授
井上　康	井上眼科・院長
井上　裕治	帝京大学・准教授
井上　幸次	日野病院・名誉院長
今川　幸宏	大阪回生病院眼形成手術センター・部長
今宿　康彦	滋賀医科大学麻酔学・学内講師
岩佐　真紀	滋賀医科大学・助教
岩佐　真弓	井上眼科病院
岩﨑健太郎	福井大学・助教
岩田　大樹	北海道大学病院・講師
岩橋　千春	近畿大学・医学部講師
植木　智志	新潟大学医歯学総合病院・病院講師
上田　幸典	総合病院聖隷浜松病院眼形成眼窩外科・部長
上田　浩平	東京大学
上田真由美	京都府立医科大学・特任准教授
上野　真治	弘前大学・教授
上松　聖典	長崎大学・病院准教授
卯木　智	滋賀医科大学糖尿病内分泌腎臓内科・講師
臼井　智彦	国際医療福祉大学・主任教授
臼井　嘉彦	東京医科大学病院・准教授
内尾　英一	福岡大学・教授
内野　裕一	慶應義塾大学・特任講師／ケイシン五反田アイクリニック・副院長
江川麻理子	徳島大学・講師
江口秀一郎	江口眼科病院・院長
海老原伸行	順天堂大学医学部附属浦安病院・教授
遠藤　高生	大阪母子医療センター・医長
大家　義則	大阪大学・学部内講師
大久保真司	おおくぼ眼科クリニック・院長
大黒　伸行	JCHO 大阪病院・主任部長
大黒　浩	札幌医科大学・教授
大島　浩一	岡山医療センター・非常勤医師
大出　尚郎	幕張おおで眼科・院長
大鳥　安正	国立病院機構大阪医療センター・科長
大湊　絢	新潟大学医歯学総合病院・助教
岡田アナベルあやめ	杏林大学・教授
岡本　史樹	筑波大学・病院教授
小川　葉子	慶應義塾大学・講師(非常勤)
奥　英弘	大阪医科薬科大学・専門教授
奥村　直毅	同志社大学生命医科学部・教授
小幡　博人	埼玉医科大学総合医療センター・教授
小畑　亮	東京大学・准教授
尾花　明	総合病院聖隷浜松病院・部長
折井　佑介	福井大学
恩田　秀寿	昭和大学・主任教授
柿木　雅志	滋賀医科大学・講師
笠井　暁仁	福島県立医科大学
加治　優一	松本眼科・院長
柏井　聡	愛知淑徳大学健康医療科学部・教授
梶田　雅義	梶田眼科・院長
加島　陽二	日本大学医学部附属板橋病院
柏木　広哉	静岡県立静岡がんセンター・部長
加瀬　諭	北海道大学・講師
片岡　恵子	杏林大学・講師
加藤　聡	前 東京大学・准教授
加藤　直子	慶應義塾大学

執筆者一覧

嘉鳥　信忠	大浜第一病院/総合病院聖隷浜松病院・顧問
金井　聖典	大阪大学
狩野　　廉	福島アイクリニック・副院長
鎌尾　知行	愛媛大学・准教授
神谷　和孝	北里大学医療衛生学部・教授
家室　　怜	大阪大学
瓶井　資弘	愛知医科大学・教授
亀井　裕子	慈愛眼科クリニック・院長
亀田　隆範	京都大学大学院・講師
川島　秀俊	自治医科大学・教授
川島　素子	久喜かわしま眼科・副院長
川瀬　和秀	安間眼科/名古屋大学
川野　純廣	倉敷中央病院・医長
川守田拓志	北里大学医療衛生学部・准教授
木澤　純也	岩手医科大学・講師
喜田　照代	大阪医科薬科大学・教授
北岡　　隆	長崎大学大学院・教授
北川　裕利	滋賀医科大学麻酔学・教授
北野　滋彦	前 東京女子医科大学病院・教授
木村亜紀子	兵庫医科大学・准教授
木許　賢一	大分大学・准教授
桐生　純一	川崎医科大学・教授
日下　俊次	近畿大学・主任教授
楠原仙太郎	神戸大学・講師
國方　彦志	東北大学病院・特命教授
國見　敬子	国際医療福祉大学熱海病院
國吉　一樹	近畿大学・准教授
久保　江理	金沢医科大学・特任教授
久保田敏信	国立病院機構名古屋医療センター・医長
熊倉　重人	東京医科大学病院・講師
倉田健太郎	浜松医科大学・助教
栗本　拓治	神戸大学
栗本　康夫	神戸アイセンター病院・院長
黒坂大次郎	岩手医科大学・教授
慶野　　博	杏林大学・臨床教授
毛塚　剛司	毛塚眼科医院・院長/東京医科大学・兼任教授
小泉　範子	同志社大学生命医科学部・教授
古泉　英貴	琉球大学・教授
小岩　千尋	順天堂大学医学部附属練馬病院
髙　　静花	大阪大学・准教授
河野　剛也	大阪公立大学・准教授
小島　美帆	京都府立医科大学
後関　利明	国際医療福祉大学熱海病院・部長/准教授
兒玉　達夫	島根大学医学部附属病院・先端がん治療センター・准教授
後藤　　晋	後藤眼科診療所・院長
後藤　　浩	東京医科大学・主任教授
小西美奈子	こにし・もりざね眼科・院長
小林　　顕	金沢大学・講師
五味　　文	兵庫医科大学・主任教授
小室　　青	京都府立医科大学病院・客員講師
近藤　寛之	産業医科大学・教授
近藤　峰生	三重大学・教授
西信　良嗣	滋賀医科大学・准教授
齋藤　　瞳	東京大学・講師
齋藤　理幸	北海道大学・診療講師
齋藤　　航	回明堂眼科・歯科・院長
酒井　成貴	慶應義塾大学・形成外科
酒井　成身	新宿美容外科・歯科
酒井　　寛	浦添さかい眼科・理事
坂口　裕和	岐阜大学・教授
坂田　　礼	東京大学・講師
佐々木香る	関西医科大学・准教授
佐々木　洋	金沢医科大学・主任教授
佐藤　美保	浜松医科大学・病院教授
佐柳　香織	さやなぎ眼科・院長
澤井　俊宏	滋賀医科大学小児科学・講師
澤田　　修	滋賀医科大学・講師
澤田　智子	滋賀医科大学・助教
敷島　敬悟	東京慈恵会医科大学・教授
重安　千花	立正佼成会附属佼成病院
篠崎　和美	東京女子医科大学附属八千代医療センター/東京女子医科大学・准教授
篠田　　啓	埼玉医科大学・教授
島﨑　　潤	東京歯科大学市川総合病院・教授
清水　朋美	国立障害者リハビリテーションセンター病院・第二診療部長
重城　達哉	聖マリアンナ医科大学
庄司　　純	日本大学・臨床教授
白石　　敦	愛媛大学・教授
白柏　基宏	木戸眼科クリニック・院長
白神千恵子	元 香川大学・准教授
白鳥　　宙	日本医科大学・助教
榛村　重人	藤田医科大学・教授
菅野　幸紀	福島県立医科大学・学内講師
鈴木　茂伸	国立がん研究センター中央病院・科長

執筆者一覧　ix

鈴木　崇	東邦大学医療センター大森病院・寄附講座准教授
鈴木　智	京都市立病院・部長
鈴木　康夫	手稲渓仁会病院眼窩・神経眼科センター・センター長
鈴木　康之	東海大学・主任教授
鈴木　幸彦	弘前大学大学院・准教授
鈴間　潔	香川大学・教授
須藤　史子	東京女子医科大学附属足立医療センター・教授
角　環	高知大学・講師
石龍　鉄樹	福島県立医科大学・教授
相馬　剛至	大阪大学・講師
外園　千恵	京都府立医科大学・教授
園田　康平	九州大学・教授
髙木　均	川崎・多摩アイクリニック・院長
髙島　光平	滋賀医科大学救急・集中治療部
髙瀬　博	東京医科歯科大学・病院教授
髙津　央子	国立長寿医療研究センター
髙辻　樹理	富山県立中央病院
髙橋　寛二	関西医科大学・教授
髙比良雅之	金沢大学・病院臨床教授
髙村　浩	公立置賜総合病院・診療部長
太刀川貴子	東京都立大塚病院・部長
龍井　苑子	北里大学・診療講師
田中　住美	いでた平成眼科クリニック
田中　剛	六条眼科・院長
田中三知子	岩手医科大学・講師
田中　理恵	東京大学医学部附属病院・特任講師
田邉　美香	九州大学病院
谷戸　正樹	島根大学・教授
玉井　一司	名古屋市立大学医学部附属東部医療センター・部長
近間泰一郎	広島大学病院・診療教授
中馬　秀樹	宮崎大学・准教授
辻川　明孝	京都大学・教授
常吉由佳里	国立病院機構埼玉病院
角田　和繁	国立病院機構東京医療センター・部長
田　聖花	東京慈恵会医科大学葛飾医療センター・講師
土至田　宏	順天堂大学医学部附属静岡病院・先任准教授
戸塚　悟	北里大学
戸所　大輔	群馬大学・准教授
冨田　遼	名古屋大学
鳥居　秀成	慶應義塾大学・専任講師
内藤　知子	グレース眼科クリニック・院長
永井　由巳	関西医科大学・准教授
長岡　泰司	日本大学医学部附属板橋病院・診療教授
中澤　徹	東北大学・主任教授
中澤　祐則	鹿児島大学
中静　裕之	日本大学病院・教授
仲泊　聡	東京慈恵会医科大学・客員教授
中野　裕貴	香川大学
中村奈津子	東京大学
中村　誠	神戸大学・教授
中元　兼二	日本医科大学・准教授
中山　百合	砧ゆり眼科医院・院長
南場　研一	北海道大学・診療教授
難波　広幸	山形大学・病院講師
仁科　幸子	国立成育医療研究センター・診療部長
根岸　貴志	順天堂大学・准教授
野田　実香	野田実香まぶたのクリニック・院長
野村　耕治	兵庫県立こども病院・部長
橋田　徳康	大阪大学・講師
橋本　雅人	中村記念病院・部長
長谷川優実	筑波大学附属病院・病院講師
長谷部　聡	川崎医科大学・教授
畑　匡侑	モントリオール大学 / 京都大学
羽藤　晋	慶應義塾大学・特任講師
馬場　隆之	千葉大学・教授
林　孝雄	帝京大学・教授
林　英之	福岡大学・教授
原　直人	国際医療福祉大学視機能療法学科・教授
原　祐子	愛媛大学・准教授
稗田　牧	京都府立医科大学・講師
日景　史人	札幌医科大学・准教授
東出　朋巳	金沢大学・准教授
彦谷　明子	浜松医科大学・病院准教授
平岡　孝浩	筑波大学・准教授
平形　明人	杏林大学・教授
平塚　義宗	順天堂大学・先任准教授
平野　耕治	トヨタ記念病院・部長
廣岡　一行	広島大学・診療教授
福岡　秀記	京都府立医科大学・助教
福島　敦樹	ツカザキ病院・部長
福嶋　葉子	大阪大学・特任講師
福田　憲	高知大学・准教授

執筆者一覧

福田　昌彦	近畿大学奈良病院・教授
福地　健郎	新潟大学・教授
藤野雄次郎	JCHO 東京新宿メディカルセンター・診療部長
古田　実	相馬中央病院・部長
堀田　喜裕	浜松医科大学・教授
堀　純子	日本医科大学多摩永山病院・教授
堀　裕一	東邦大学医療センター大森病院・教授
本庄　恵	東京大学・准教授
本田　茂	大阪公立大学・教授
前川　聡	滋賀医科大学・名誉教授
前久保知行	眼科三宅病院・医長
前野　貴俊	東邦大学医療センター佐倉病院・教授
眞下　永	JCHO 大阪病院・部長
増田　明子	兵庫医科大学
町田　祥	長崎大学
松尾　俊彦	岡山大学・教授
松下　五佳	産業医科大学・講師
松島　博之	獨協医科大学・准教授
松田　彰	順天堂大学・准教授
松村　一弘	滋賀医科大学総合診療部・特任教授
松村　望	神奈川県立こども医療センター・顧問
松元　俊	出田眼科病院・副院長
松本　直	東邦大学医療センター大森病院・准教授
松本　長太	近畿大学・教授
丸子　一朗	東京女子医科大学・准教授
丸山　勝彦	八潮まるやま眼科・院長
三木　淳司	川崎医科大学・教授
溝上　志朗	愛媛大学・准教授
溝田　淳	帝京大学・主任教授
三村　達哉	帝京大学・准教授
三宅　琢	東京医科大学・兼任助教
宮崎　大	鳥取大学・教授
宮田　学	京都大学・講師
三輪まり枝	北里大学医療衛生学部・客員准教授・視能訓練士
村岡　勇貴	京都大学・病院講師
村木　早苗	むらき眼科・院長
村田　敏規	信州大学・教授
望月　清文	岐阜大学・准教授
森　和彦	京都府立医科大学・客員教授
森　隆史	福島県立医科大学・講師
盛　秀嗣	関西医科大学附属病院・講師
森　隆三郎	日本大学病院・診療教授
森實　祐基	岡山大学・教授
森重　直行	大島眼科病院・部長
森本　壮	大阪大学・准教授
門田　遊	久留米大学・教授
矢ヶ﨑悌司	眼科やがさき医院・院長
八代　成子	国立国際医療研究センター病院・医長
柳井　亮二	山口大学病院・講師
山岡　正卓	日本医科大学多摩永山病院
山上　明子	井上眼科病院
山上　聡	日本大学・主任教授
山口　剛史	東京歯科大学市川総合病院・准教授
山崎　芳夫	山崎眼科医院・院長
山田　晴彦	関西医科大学・病院教授
山田　昌和	杏林大学・教授
山本　孝	公立甲賀病院・副院長
山本　有貴	兵庫医科大学
横井　匡	国立成育医療研究センター・医長
横井　則彦	京都府立医科大学・病院教授
横山　連	大阪市立総合医療センター・主任部長
吉田　茂生	久留米大学・主任教授
吉田　正樹	東京慈恵会医科大学附属柏病院・准教授
吉田　宗徳	ふなばし眼科・院長
四倉絵里沙	慶應義塾大学
若倉　雅登	井上眼科病院・名誉院長
若林　美宏	東京医科大学・教授
渡辺　彰英	京都府立医科大学・学内講師
渡邉　潔	ワタナベ眼科・院長

薬剤情報査読協力

滋賀医科大学医学部附属病院薬剤部

森田　真也
巖西　真
堺　香輔

BAUSCH + LOMB
See better. Live better.

私たちの新しい生活様式は

Ocuvite

新しい発見に満ちている。

永い幸せ時間を支えるために。
新たなエッセンスを加えた、新しいオキュバイト

新しいライフスタイルは、家族の新たなチャレンジです。
別々の時間が流れても、ともに囲む食卓があれば、
そこが心と体を豊かに保つオアシスになります。

熟年世代こそ、日々の食事が大切です。
先を見て整えておくべき食事の質が問われます。

オキュバイトは、ボシュロム社の研究から生まれた
知見の結晶です。この度、より充実の内容で新登場です。

ボシュロム オキュバイト® 50+DX NEW

オメガ-3脂肪酸（EPA・DHA）と
ルテイン・ゼアキサンチンをしっかり、
さらに亜鉛とビタミンDも配合。

栄養機能食品（VE・VC）

ボシュロム オキュバイト® +ルテイン NEW

ルテイン、抗酸化ビタミン・ミネラル、
さらにビタミンDを加えた11種の
栄養素をバランスよく配合。

栄養機能食品（VE・VC）

ボシュロム・ジャパン株式会社　本社・東京営業所：〒140-0013 東京都品川区南大井6-26-2 大森ベルポートB館　TEL：(03) 5763-3861（代）　www.ocuvite.jp

2021年11月作成

選択的EP2受容体作動薬
緑内障・高眼圧症治療剤

オミデネパグ イソプロピル点眼液

劇薬、処方箋医薬品（注意－医師等の処方箋により使用すること） 薬価基準収載

エイベリス®点眼液0.002%
EYBELIS® ophthalmic solution

劇薬、処方箋医薬品（注意－医師等の処方箋により使用すること） 薬価基準収載

エイベリス®ミニ点眼液0.002%
EYBELIS® Mini ophthalmic solution

効能・効果、用法・用量、禁忌を含む
使用上の注意等については、
電子添文をご参照ください。

製造販売元
参天製薬株式会社
大阪市北区大深町 4-20
文献請求先及び問い合わせ先
製品情報センター

2022年7月作成
EB22G000A51WC_A

目次

1 検査総論

1 視力屈折測定

- 視力検査 …………………… 川守田拓志 1
- 付 視力の統計処理法 ………… 川守田拓志 3
- 自覚的屈折検査 ……………… 川守田拓志 4
- 検影法 ………………………… 森　隆史 6
- オートレフラクトメータ ……… 川守田拓志 8
- レンズメータ ………………… 川守田拓志 10
- 小児の視力・屈折検査 ……… 森　隆史 11
- 眼鏡処方 ……………………… 長谷部　聡 13
- 付 瞳孔間距離測定 …………… 長谷部　聡 15
- 付 眼鏡に対する検査 ………… 長谷部　聡 16
- 調節検査 ……………………… 梶田雅義 17
- 動体視力計・深視力計 ……… 長谷川優実 20
- VDT検査 ……………………… 川島素子 21
- コンタクトレンズフィッティング検査・レンズの検査 ………………… 渡邉　潔 23
- コントラスト感度・コントラスト視力 ……………………………… 長谷川優実 25
- グレア検査 …………………… 長谷川優実 27
- 付 干渉縞視力検査 …………… 長谷川優実 29
- ロービジョン検査 …………… 仲泊　聡 30
- 波面収差解析 ………………… 平岡孝浩 32
- 眼軸長測定 …………………… 須藤史子 38
- 眼内レンズ度数計算 ………… 須藤史子 43
- 付 屈折矯正手術後の眼内レンズ度数計算 ……………… 須藤史子 45
- 瞳孔検査・瞳孔径計測 ……… 浅川　賢 47

2 前眼部

- 細隙灯顕微鏡検査 …………… 井上幸次 49
- 角膜形状解析（オートケラトメータ, プラチド型, スリットスキャン型） ……………………………… 稗田　牧 53
- 前眼部OCT ………………… 臼井智彦 55
- 角膜厚測定 …………………… 臼井智彦 60
- スペキュラマイクロスコープ ……………………………… 奥村直毅 61
- 共焦点顕微鏡（コンフォーカルマイクロスコープ） ……………… 小林　顕 64
- レーザーフレアメータ ……… 慶野　博 65
- 超音波生体顕微鏡 …………… 栗本康夫 67
- 角膜ヒステリシス …………… 神谷和孝 69
- 角膜知覚検査 ………………… 小幡博人 71
- 結膜スメア …………………… 原　祐子 72
- Impression cytology ………… 原　祐子 73
- 微生物検査 …………………… 鈴木　崇 75
- 免疫クロマトグラフィ ……… 内尾英一 78
- 角結膜染色法 ………………… 小室　青 81
- 付 ブルーフリーフィルタ法 … 小室　青 83
- 涙液量検査 …………………… 横井則彦 84
- BUTとBUP ………………… 横井則彦 87
- 涙液インターフェロメトリ … 横井則彦 89
- マイボグラフィ ……………… 有田玲子 91
- 涙道検査 ……………………… 井上　康 92

3 緑内障

- 眼圧値と変動, 測定方法 ……………………… 白鳥　宙・中元兼二 95
- 誘発試験, 角膜厚 …… 白鳥　宙・中元兼二 98
- 隅角検査 ……………………… 森　和彦 99
- 視神経乳頭形状解析, 網膜神経線維層厚解析法 ……………… 齋藤　瞳 102
- OCT（緑内障） ……………… 齋藤　瞳 104
- 視野検査 ……………………… 大久保真司 106

4 後眼部

- 直像鏡眼底検査 ……………… 田中住美 109
- 倒像鏡眼底検査 ……………… 田中住美 111
- 付 眼底チャートの描き方 …… 田中住美 115
- 細隙灯顕微鏡眼底検査 …………………… 金井聖典・坂口裕和 116

眼底撮影……………………河野剛也 119
蛍光眼底造影検査(フルオレセインおよび
　インドシアニングリーン蛍光眼底造影
　検査)……………………河野剛也 126
自発蛍光撮影………………河野剛也 137
超広角眼底撮影(超広角走査型レーザー検
　眼鏡)………………………吉田宗徳 140
超広角眼底撮影(RetCam)……浅見 哲 142
走査レーザー検眼鏡(HRA)
　………………………………森 隆三郎 143
走査レーザー検眼鏡(HRT)……白柏基宏 147
光干渉断層計(OCT)
　…………………………宮田 学・辻川明孝 150
OCTアンギオグラフィ………村岡勇貴 154
OCT(網膜)………………宮田 学・辻川明孝 156
レーザードップラ網膜血流測定
　………………………………長岡泰司 158
超音波ドップラ血流検査………喜田照代 160
レーザースペックルフローグラフィ
　………………………………前野貴俊 161
眼底血圧測定…………中野裕貴・鈴間 潔 163

5 神経眼科・斜視

瞳孔反応検査………………浅川 賢・石川 均 164
赤外線瞳孔計………………………浅川 賢 166
Goldmann視野計(動的視野測定)
　……………………………………松元 俊 170
自動静的視野計(Humphrey, Octpus, imo
　視野計)…………………………松元 俊 172
色視野測定…………………………山崎芳夫 175
FDT視野計…………………………山崎芳夫 176
中心暗点計・Amslerチャート・
　M-CHARTS ……………………松本長太 177
微小視野測定(MP-3 /maia)
　………………………白神千恵子・田中 剛 178
フリッカ視野計……………………松本長太 180
他覚的視野計(OFA, 瞳孔視野計)
　……………………………………浅川 賢 182
固視検査……………………横井 匡・仁科幸子 184
角膜反射法, 他……………………太刀川貴子 185
γ角, λ角, κ角など…………太刀川貴子 190

両眼視機能検査……………………太刀川貴子 191
立体視テスト………………………太刀川貴子 194
不等像検査…………………………太刀川貴子 196
輻湊検査, AC/A比測定…………太刀川貴子 196
9方向むき眼位・Hessチャート試験・
　赤ガラス法………………………浅川 賢 198
眼球突出計…………………………山上明子 201
MRD測定, 眼瞼挙筋機能測定
　……………………………………山上明子 202
ひっぱり試験………………………山上明子 203
テンシロンテスト, アイスパックテスト
　……………………………………山上明子 203
筋電図………………………………増田明子 204
電気眼振図(ENG)・眼球電図(EOG)
　……………………………………溝田 淳 206
OCT(視神経乳頭)…………………畑 匡侑 208
OCTアンギオグラフィとLSFG
　……………………………………前久保知行 210

6 網膜機能・電気生理学的検査

色覚異常と色覚検査………………岩佐真紀 213
光覚検査……………………………岩佐真紀 221
中心フリッカ値測定………………松本長太 222
網膜電図(ERG)……………………國吉一樹 223
局所ERGと多局所ERG …………上野真治 225
視覚誘発電位(VEP)………………溝田 淳 230
fMRI, PET…………………………吉田正樹 231

7 その他の画像検査

画像診断(CT, MRI)………………橋本雅人 233

8 全身検査

血液検査……………………………岩橋千春 236
遺伝子診断…………………………堀田喜裕 240

4 涙器疾患

項目	著者	頁
涙液分泌不全(ドライアイ)	内野裕一	357
Sjögren症候群	内野裕一	359
涙腺炎	高比良雅之	362
涙液分泌過多(流涙)	小西美奈子	363
先天性鼻涙管閉塞	小西美奈子	364
副涙点	松村 望	364
ワニの涙症候群	松村 望	365
涙道閉塞	上田幸典	365
新生児涙囊炎	小西美奈子	367
涙囊炎	鎌尾知行	368
涙石症	鎌尾知行	368
涙小管炎	鎌尾知行	369

涙腺腫瘍 ⇒ 955
涙小管断裂 ⇒ 1027

5 結膜疾患

項目	著者	頁
結膜浮腫	田 聖花	371
結膜下出血	田 聖花	372
結膜結石	篠崎和美	372
結膜色素沈着	篠崎和美	373
新生児結膜炎・乳児結膜炎	庄司 純	374
細菌性結膜炎	庄司 純	375
淋菌性結膜炎	庄司 純	377
アデノウイルス結膜炎	内尾英一	379
急性出血性結膜炎	内尾英一	381
単純ヘルペスウイルス結膜炎	篠崎和美	382
クラミジア結膜炎	篠崎和美	383
アレルギー性結膜炎(花粉症,通年性アレルギー性結膜炎)	福田 憲	384
春季カタル	福田 憲	387
アトピー性角結膜炎	福田 憲	389
巨大乳頭結膜炎	角 環	391
接触性眼瞼結膜炎	角 環	392
結膜フリクテン	鈴木 智	393
結膜弛緩症	三村達哉	394
Lid-wiper epitheliopathy	白石 敦	398
上輪部角結膜炎	柳井亮二	399
リグニアス結膜炎	鈴木 崇	401
眼類天疱瘡	上田真由美	402
翼状片	加治優一	404
偽翼状片	加治優一	406
瞼裂斑	加治優一	407
デレン	上松聖典	408
結膜囊腫	上松聖典	408
結膜リンパ管拡張症	上松聖典	409
分離腫,類皮腫	重安千花	410
結膜悪性黒色腫	加瀬 諭	411
視神経乳頭黒色細胞腫	加瀬 諭	411
結膜リンパ腫	加瀬 諭	413
上皮性腫瘍	加瀬 諭	414
良性腫瘍,腫瘤	加瀬 諭	414

結膜異物 ⇒ 1008
乾性角結膜炎 ⇒ 357 [4章 涙器疾患「涙液分泌不全(ドライアイ)」]

6 角膜疾患

項目	著者	頁
細菌性角膜炎	戸所大輔	417
角膜真菌症	戸所大輔	420
アカントアメーバ角膜炎	福田昌彦	422
単純ヘルペスウイルス角膜炎(角膜ヘルペス)	井上智之	424
水痘帯状ヘルペス角膜炎	井上智之	428
サイトメガロウイルス角膜内皮炎	小泉範子	430
麻疹による角膜炎	宮崎 大	431
風疹による角膜炎	宮崎 大	431
アデノウイルスによる角膜炎	宮崎 大	432
梅毒性角膜実質炎	熊倉重人	433
結核性角膜実質炎	熊倉重人	434
点状表層角膜症	近間泰一郎	435

2 治療総論

1 処置

点眼……………………………山田昌和 245
洗眼……………………………山田昌和 246
涙道洗浄・涙道ブジー…………井上 康 247
結膜下注射……………………山田昌和 247
Tenon 囊下注射………………亀井裕子 248
硝子体内注射…………………澤田智子 249

2 薬物治療

抗菌薬・抗微生物薬……………望月清文 251
緑内障治療薬(総論)……………本庄 恵 252
プロスタノイド FP 受容体作動薬
　………………………………坂田 礼 253
交感神経β遮断薬………………鈴木康之 254
交感神経α₂作動薬………………中澤 徹 255
炭酸脱水酵素阻害薬……………内藤知子 256
ROCK 阻害薬……………………本庄 恵 257
プロスタノイド EP2 受容体作動薬
　………………………………坂田 礼 258
ステロイド・免疫抑制薬(局所)
　………………………………福島敦樹 259
ステロイド・免疫抑制薬(全身)
　………………………………柳井亮二 260
生物学的製剤……………………柳井亮二 263
抗 VEGF 薬………………………澤田智子 264
ボツリヌス毒素…………………後関利明 266

3 手術

眼瞼手術………………………野田実香 268
涙道手術………………………井上 康 269
角結膜手術……………………横井則彦 271
屈折矯正手術…………………神谷和孝 275
斜視手術………………………後関利明・國見敬子 278
眼窩手術………………………嘉鳥信忠 283
角膜移植術……………………山上 聡 285
白内障手術……………………黒坂大次郎 289

緑内障手術(総論)……岩﨑健太郎・稲谷 大 291
閉塞隅角緑内障への手術………栗本康夫 292
流出路再建術…………………谷戸正樹 296
濾過手術………………………東出朋巳 299
プレート付きインプラント手術
　………………………折井佑介・稲谷 大 304
網膜硝子体手術………………國方彦志 307

4 レーザー手術

レーザー光の種類と特性………尾花 明 313
レーザー光凝固―適応と方法
　………………………………尾花 明 315

3 眼瞼疾患

麦粒腫(外麦粒腫，内麦粒腫)
　………………………………江口秀一郎 321
霰粒腫…………………………江口秀一郎 322
マイボーム腺梗塞………………島﨑 潤 323
マイボーム腺炎…………………島﨑 潤 324
眼瞼膿瘍………………………島﨑 潤 325
眼瞼炎…………………………島﨑 潤 325
アレルギー性眼瞼炎……………福田 憲 326
ヘルペス性眼瞼炎………………福田 憲 327
眼瞼けいれん……………………山上明子 328
眼瞼下垂………………………田邉美香 330
眼瞼皮膚弛緩症…………………田邉美香 333
閉瞼不全………………………田邉美香 333
瞼球癒着………………家室 怜・相馬剛至 335
眼瞼内反・睫毛内反……………髙比良雅之 337
眼瞼外反………………………髙比良雅之 338
睫毛乱生………………………髙比良雅之 339
眼瞼腫瘍………………………兒玉達夫 340
眼瞼悪性腫瘍…………………兒玉達夫 342
眼瞼良性腫瘍…………………兒玉達夫 348
眼瞼浮腫・眼瞼気腫……………髙村 浩 353
眼瞼裂傷 ⇒ 1026

項目	著者	頁
Thygeson 点状表層角膜炎	近間泰一郎	437
単純性角膜上皮欠損	近間泰一郎	439
遷延性角膜上皮欠損	近間泰一郎	439
再発性角膜上皮びらん	内野裕一	442
糸状角膜炎	内野裕一	444
兎眼性角膜炎	森重直行	446
神経麻痺性角膜症	森重直行	448
薬剤起因性角膜上皮障害	堀 裕一	450
角膜血管新生	堀 裕一	453
角膜パンヌス	堀 裕一	453
コンタクトレンズによる角膜障害	土至田 宏	454
アレルギー性結膜炎による角膜障害	海老原伸行	456
角膜フリクテン	鈴木 智	458
カタル性角膜潰瘍	鈴木 智	459
Mooren 潰瘍	小島美帆・外園千恵	460
全身疾患に伴う周辺部角膜潰瘍	福岡秀記・外園千恵	461
角膜上皮の沈着物	山田昌和	462
角膜実質の沈着物	山田昌和	464
角膜の加齢性変化	難波広幸	465
スフェロイド変性	難波広幸	466
帯状角膜変性	佐々木香る	466
続発性角膜アミロイドーシス	佐々木香る	468
Salzmann 結節変性	佐々木香る	469
代謝異常に伴う角膜混濁	高 静花	470
角膜ジストロフィ	家室 怜・相馬剛至	471
角膜内皮障害	羽藤 晋	479
円錐角膜	加藤直子	481
Terrien 辺縁角膜変性	糸井素啓・外園千恵	484
ペルーシド角膜変性(角膜辺縁透明変性)	加藤直子	485
角膜化学傷	稲富 勉	486
角膜熱傷	稲富 勉	488
Stevens-Johnson 症候群	上田真由美	489
輪部疲弊症	大家義則	494
角膜軟化症	大家義則	495
前眼部形成異常	重安千花	496
小角膜	重安千花	497
巨大角膜	重安千花	498
角膜移植眼の術後管理	山口剛史	499
角膜移植後の拒絶反応	山口剛史	502
虹彩角膜内皮(ICE)症候群 ⇒ 805		
角膜異物 ⇒ 1009		
眼類天疱瘡 ⇒ 402		

7 水晶体疾患

1 水晶体偏位・奇形

項目	著者	頁
水晶体位置異常(後天性)	鳥居秀成	505
水晶体偏位(先天性)	仁科幸子	506
奇形(先天無水晶体,球状水晶体,重複水晶体,水晶体欠損,円錐水晶体)	仁科幸子	507

2 白内障

項目	著者	頁
白内障形態別分類	佐々木 洋	508
先天・発達白内障	仁科幸子	510
加齢白内障	木澤純也	512
糖尿病白内障	北野滋彦	513
アトピー白内障	木澤純也	514
その他の全身疾患に伴う白内障	木澤純也	515
ステロイド白内障	木澤純也	517
その他の薬物・毒物による白内障	木澤純也	517
外傷性白内障	松島博之	518
放射線白内障	佐々木 洋	519
電撃白内障	佐々木 洋	520

3 眼内レンズ

項目	著者	頁
眼内レンズ—種類と特徴	長谷川優実	522

4 白内障術中合併症

項目	著者	頁
後嚢破損	鳥居秀成	523
Zinn 小帯断裂	鳥居秀成	524

核落下 ··· 松島博之 525
創口不全 ··· 松島博之 526
脈絡膜滲出 ··· 石井　清 527
駆逐性出血 ··· 石井　清 528
球後出血 ··· 石井　清 529

5 白内障術後合併症

後発白内障 ··· 黒坂大次郎 529
眼内レンズ偏位 ······································· 川野純廣 530
瞳孔捕捉 ··· 鳥居秀成 531
眼内レンズ混濁 ······································· 松島博之 532
白内障術後乱視 ······································· 神谷和孝 533
白内障術後眼内炎 ····································· 中静裕之 534
白内障手術 ⇒ 289
囊胞様黄斑浮腫 ⇒ 671

8
ぶどう膜疾患

ぶどう膜炎の鑑別診断表 ······················· 岩田大樹 539
Behçet 病 ··· 後藤　浩 541
サルコイドーシス ··································· 南場研一 543
Vogt-小柳-原田病(原田病) ······················· 南場研一 547
交感性眼炎 ··· 南場研一 550
水晶体起因性眼内炎 ································· 園田康平 550
Fuchs 虹彩異色性毛様体炎 ······················· 臼井嘉彦 551
Posner-Schlossman 症候群 ······················· 臼井嘉彦 553
急性網膜壊死 ······································· 臼井嘉彦 554
サイトメガロウイルス網膜炎
 ·· 八代成子 557
AIDS に伴うぶどう膜炎 ·························· 八代成子 560
単純ヘルペス性ぶどう膜炎 ······················· 高瀬　博 563
水痘帯状疱疹ウイルス性ぶどう膜炎
 ·· 高瀬　博 563
眼トキソプラズマ症
 ······················· 岡田アナベルあやめ 565
眼トキソカラ症 ············· 岡田アナベルあやめ 568
眼ヒストプラズマ症
 ······················· 岡田アナベルあやめ 569
結核性ぶどう膜炎 ··································· 岩橋千春 570

梅毒性ぶどう膜炎 ··································· 岩橋千春 572
真菌性眼内炎 ······································· 慶野　博 573
全眼球炎 ··· 慶野　博 575
多発消失性白点症候群(MEWDS)
 ························· 岩橋千春・大黒伸行 576
急性後部多発性斑状網膜色素上皮症
 ·· 髙橋寛二 577
地図状脈絡膜炎 ················ 岩橋千春・大黒伸行 579
多発性後極部網膜色素上皮症
 ·· 髙橋寛二 580
Uveal effusion ······································· 山田晴彦 582
三角症候群 ··· 山田晴彦 584
急性前部ぶどう膜炎 ······························· 藤野雄次郎 586
中間部ぶどう膜炎 ································· 藤野雄次郎 588
膠原病に伴うぶどう膜炎 ··························· 岩田大樹 589
関節リウマチに伴うぶどう膜炎
 ·· 楠原仙太郎 590
糖尿病虹彩炎 ····································· 楠原仙太郎 591
悪性黒色腫 ··· 後藤　浩 592
脈絡膜血管腫 ······································· 後藤　浩 594
転移性ぶどう膜腫瘍 ································· 後藤　浩 595
脈絡膜骨腫 ··· 後藤　浩 596
眼内リンパ腫 ······································· 後藤　浩 597
中心性輪紋状脈絡膜ジストロフィ
 ·· 堀田喜裕 599
脈絡膜欠損 ··· 彦谷明子 600
瞳孔膜遺残 ··· 彦谷明子 601
脈絡膜ひだ ··· 髙橋寛二 602
脈絡膜出血 ··· 尾花　明 603
虹彩角膜内皮(ICE)症候群 ⇒ 805
脳回状脈絡網膜萎縮 ⇒ 715
コロイデレミア ⇒ 717
特発性脈絡膜新生血管 ⇒ 687

9
強膜疾患

青色強膜 ··· 後藤　晋 605
上強膜炎 ······························· 山岡正卓・堀　純子 605
強膜炎 ································· 山岡正卓・堀　純子 606

マイトマイシン C，5-フルオロウラシルによる強膜軟化症・・・・・・・・・・・・・後藤　晋　610
後部強膜炎・・・・・・・・・・・山岡正卓・堀　純子　611
前部ぶどう腫・・・・・・・・・・・・・・・若林美宏　613
後部ぶどう腫・・・・・・・・・・・・・・・若林美宏　613

10
網膜疾患

裂孔原性網膜剝離・・・・・・・・・・・・・馬場隆之　615
網膜格子状変性・・・・・・・・・・・・・・馬場隆之　616
敷石状網膜変性，囊胞様網膜変性
　・・・・・・・・・・・・・・・・・・・・・馬場隆之　618
網膜裂孔，網膜円孔・・・・・・・・・・馬場隆之　619
増殖性硝子体網膜症・・・・・・・・・・・前野貴俊　620
黄斑円孔網膜剝離・・・・・・・・・・・・柿木雅志　622
未熟児網膜症・・・・・・・・・・・・・・・福嶋葉子　624
Norrie 病・・・・・・・・・・・・・・・・・松下五佳　628
家族性滲出性硝子体網膜症・・・・・近藤寛之　629
後天網膜分離症・・・・・・・・・・・・・・本田　茂　630
近視性牽引黄斑症（近視性中心窩分離症）
　・・・・・・・・・・・・・・・・・・・・・平形明人　632
先天性網膜分離症（若年性網膜分離症）
　・・・・・・・・・・・・・・・・・・・・・鈴木幸彦　634
糖尿病網膜症・・・・・・・・重城達哉・髙木　均　637
糖尿病黄斑浮腫・・・・・・・・・・・・・・村田敏規　640
網膜中心静脈閉塞症・・・・・・・・・・・西信良嗣　642
網膜静脈分枝閉塞症
　・・・・・・・・・・・・・・・・髙津央子・瓶井資弘　644
網膜動脈閉塞症・・・・・・・・・・・・・・伊藤逸毅　647
眼虚血症候群・・・・・・・・・・・・・・・伊藤逸毅　650
網膜細動脈瘤・・・・・・・・・上田浩平・小畑　亮　651
Coats 病・・・・・・・・・・・・・・・・・・加瀬　諭　653
Eales 病・・・・・・・・・・・・・・・・・・加瀬　諭　654
黄斑部毛細血管拡張症・・・・・・・・・古泉英貴　655
硝子体出血・・・・・・・・・・・・・・・・長岡泰司　657
Terson 症候群・・・・・・・・・・・・・長岡泰司　658
閃輝性硝子体融解・・・・・・・・・・・・澤田　修　659
星状硝子体症・・・・・・・・・・・・・・・澤田　修　659
硝子体アミロイドーシス・・・・・・澤田　修　660

Wagner 症候群・・・・・・・・・・・・・近藤寛之　660
Stickler 症候群・・・・・・・・・・・・近藤寛之　661
Goldmann-Favre 症候群・・・・・・近藤寛之　662
特発性黄斑円孔・・・・・・・・・・・・・・北岡　隆　663
外傷性黄斑円孔・・・・・・・・・・・・・・北岡　隆　665
黄斑偽円孔・・・・・・・・・・・・・・・・森實祐基　667
分層黄斑円孔・・・・・・・・・・・・・・・森實祐基　668
黄斑上膜・・・・・・・・・・・・・・・・・・井上　真　669
硝子体黄斑牽引症候群・・・・・・・・・井上　真　671
囊胞様黄斑浮腫・・・・・・・笠井暁仁・石龍鉄樹　671
後部硝子体剝離・・・・・・・・・・・・・石龍鉄樹　672
飛蚊症・・・・・・・・・・・・・・菅野幸紀・石龍鉄樹　675
加齢黄斑変性・・・・・・・・・・・・・・・髙橋寛二　677
Pachychoroid・・・・・・・・山本有貴・五味　文　683
ドルーゼン・・・・・・・・・・・・・・・・森　隆三郎　685
特発性脈絡膜新生血管・・・・・・・・森　隆三郎　687
網膜色素線条・・・・・・・・・・・・・・森　隆三郎　690
点状脈絡膜内層症・・・・・・・・・・・森　隆三郎　694
クリスタリン網膜症・・・・・・・・・・池田華子　696
網膜色素上皮剝離，網膜色素上皮裂孔
　・・・・・・・・・・・・・・・・・・・・・森　隆三郎　698
高度近視に伴う網膜障害・・・・・・・佐柳香織　703
高度遠視・・・・・・・・・・・・・・・・・・佐柳香織　705
網膜色素変性・・・・・・・・・・・・・・・角田和繁　706
色素性傍静脈網脈絡膜萎縮
　・・・・・・・・・・・・・・・・中村奈津子・角田和繁　712
白点状眼底・・・・・・・・・・・・・・・・倉田健太郎　713
白点状網膜症・・・・・・・・・・・・・・・倉田健太郎　714
脳回状脈絡網膜萎縮
　・・・・・・・・・・・・・・・・中村奈津子・角田和繁　715
コロイデレミア・・・・・・・・・・・・・角田和繁　717
黄斑ジストロフィ・・・・・・・・・・・近藤峰生　719
錐体ジストロフィ・・・・・・・・・・・近藤峰生　721
先天停在性夜盲・・・・・・・・・・・・・近藤峰生　722
乳頭小窩（ピット）黄斑症候群
　・・・・・・・・・・・・・・・・・・・・・平形明人　724
朝顔症候群・・・・・・・・・・・・・・・・平形明人　726
硝子体血管系遺残（第 1 次硝子体過形成遺残）・・・・・・・・・・・・・・・・・・福嶋葉子　728
有髄神経線維・・・・・・・・・・・・・・・澤田　修　729

網膜血管腫（網膜血管増殖性腫瘍）
　‥‥‥‥‥‥‥‥‥‥‥‥‥兒玉達夫　730
母斑症‥‥‥‥‥‥‥‥‥‥‥盛　秀嗣　732
網膜芽細胞腫‥‥‥‥‥‥‥‥鈴木茂伸　736
眼内炎‥‥‥‥‥‥‥‥‥‥‥中静裕之　740
進行性網膜外層壊死‥‥‥‥‥上野真治　742
樹氷状網膜血管炎‥‥‥‥‥‥町田　祥　744
散弾状脈絡網膜症‥‥‥‥‥‥齋藤　航　745
網膜色素上皮炎‥‥‥‥‥‥‥永井由已　746
先天性網膜色素上皮肥大‥‥‥玉井一司　746
先天網膜ひだ‥‥‥‥‥‥‥‥仁科幸子　749
中心性漿液性脈絡網膜症
　‥‥‥‥‥‥‥‥丸子一朗・飯田知弘　750
高血圧性眼底変化‥‥‥齋藤理幸・石田　晋　753
高安病（脈なし病，大動脈炎症候群）
　‥‥‥‥‥‥‥‥‥‥‥‥‥長岡泰司　757
腎性網膜症‥‥‥‥‥‥‥‥‥河野剛也　758
妊娠高血圧症候群（子癇前症/子癇）
　‥‥‥‥‥‥‥‥‥‥‥‥‥河野剛也　759
貧血性網膜症‥‥‥‥‥‥‥‥澤田　修　761
血液粘性亢進網膜症‥‥‥‥‥澤田　修　761
膠原病に伴う網膜症‥‥‥‥‥西信良嗣　762
低眼圧黄斑症‥‥‥‥‥‥‥‥鈴木幸彦　764
光による網膜障害‥‥‥‥‥‥尾花　明　766
網膜振盪‥‥‥‥‥‥‥‥‥‥尾花　明　767
Leber 先天黒内障‥‥‥‥‥‥角田和繁　768
癌関連網膜症（メラノーマ関連網膜症，
　BDUMP）‥‥‥‥‥日景史人・大黒　浩　770
急性帯状潜在性網膜外層症‥‥‥齋藤　航　771
放射線網膜症‥‥‥‥‥‥‥‥溝田　淳　772
Purtscher 網膜症‥‥‥‥‥‥前野貴俊　773
Irvine-Gass 症候群
　⇒ 671［10 章 網膜疾患「嚢胞様黄斑浮腫」］
サイトメガロウイルス網膜炎 ⇒ 557
インターフェロン網膜症 ⇒ 1035［19 章 中毒性
　眼疾患「インターフェロン」］
クロロキン網膜症 ⇒ 1031［19 章 中毒性眼疾患
　「クロロキン，ヒドロキシクロロキン」］
黄斑低形成 ⇒ 922
白血病網膜症
　⇒ 987［17 章 全身性眼疾患「白血病」］

小口病
　⇒ 722［10 章 網膜疾患「先天停在性夜盲」］
犬回虫症
　⇒ 568［8 章 ぶどう膜疾患「眼トキソカラ症」］

11
緑内障

原発開放隅角緑内障‥‥‥‥‥福地健郎　775
正常眼圧緑内障‥‥‥‥‥‥‥福地健郎　778
高眼圧症‥‥‥‥‥‥‥‥‥‥大鳥安正　780
絶対緑内障‥‥‥‥‥‥‥‥‥大鳥安正　781
急性原発閉塞隅角緑内障‥‥‥栗本康夫　782
慢性原発閉塞隅角緑内障‥‥‥栗本康夫　785
プラトー虹彩緑内障‥‥‥‥‥酒井　寛　787
原発閉塞隅角症‥‥‥‥‥‥‥亀田隆範　789
原発閉塞隅角症疑い‥‥‥‥‥亀田隆範　790
混合型緑内障‥‥‥‥‥‥‥‥溝上志朗　791
ステロイド緑内障‥‥‥‥‥‥溝上志朗　792
落屑緑内障‥‥‥‥‥‥‥‥‥谷戸正樹　793
水晶体起因性緑内障
　‥‥‥‥‥‥‥‥川瀬和秀・冨田　遼　794
外傷性緑内障‥‥‥‥‥川瀬和秀・冨田　遼　796
アミロイド緑内障‥‥‥‥‥‥井上俊洋　799
角膜移植後の緑内障‥‥‥‥‥溝上志朗　799
ぶどう膜炎による続発緑内障
　‥‥‥‥‥‥‥‥‥‥‥‥‥丸山勝彦　800
血管新生緑内障‥‥‥‥‥‥‥大鳥安正　801
悪性緑内障‥‥‥‥‥‥‥‥‥狩野　廉　803
小眼球症に伴う続発閉塞隅角緑内障
　‥‥‥‥‥‥‥‥‥‥‥‥‥東出朋巳　804
虹彩角膜内皮（ICE）症候群‥‥‥石田恭子　805
小児発達緑内障‥‥‥‥‥‥‥廣岡一行　807
Posner-Schlossman 症候群 ⇒ 553
先天無虹彩症 ⇒ 919
Sturge-Weber 症候群 ⇒ 918

12 視神経・視路疾患

視神経乳頭コロボーマ ………… 植木智志　813
視神経低形成 ……………………… 植木智志　814
視神経乳頭ドルーゼン ………… 岩佐真弓　815
乳頭部の側副血管形成 ………… 市邉義章　816
牽引乳頭 …………………………… 岩佐真弓　817
乳頭逆位 …………………………… 市邉義章　818
傾斜乳頭症候群および傾斜乳頭
　　　…………………………………………… 畑　匡侑　819
うっ血乳頭 ………………………… 畑　匡侑　820
偽乳頭浮腫 ………………………… 畑　匡侑　821
視神経炎 …………………………… 毛塚剛司　822
抗アクアポリン4抗体陽性視神経炎
　　　…………………………………………… 毛塚剛司　824
乳頭血管炎 ………………………… 中村　誠　825
視神経周囲炎 ……………………… 中村　誠　826
視神経網膜炎 ……………………… 中村　誠　827
遺伝性視神経症 …………………… 中村　誠　828
虚血性視神経症 ………………… 前久保知行　830
鼻性視神経症 ……………………… 中馬秀樹　832
中毒性視神経症 …………………… 中馬秀樹　833
視交叉症候群 ……………………… 三木淳司　835
視索ないし外側膝状体の障害
　　　…………………………………………… 三木淳司　836
側頭葉・頭頂葉・後頭葉障害
　　　…………………………………………… 三木淳司　838
片頭痛，閃輝暗点 ………………… 原　直人　839
三叉神経痛 ………………………… 原　直人　841
一過性黒内障 ……………………… 原　直人　843
朝顔症候群 ⇒ 726
乳頭小窩（ピット）黄斑症候群 ⇒ 724
蔓状血管腫 ⇒ 730［10章 網膜疾患「網膜血管腫
　（網膜血管増殖性腫瘍）」］
甲状腺視神経症
　　　⇒ 984［17章 全身性眼疾患「甲状腺眼症」］
外傷性視神経障害 ⇒ 1012
視神経腫瘍 ⇒ 925［「第16章 眼窩疾患」］

13 瞳孔疾患

生理的瞳孔反応 …………………… 奥　英弘　845
相対的瞳孔求心路障害
　　（Marcus Gunn 瞳孔）………… 奥　英弘　847
橋性縮瞳 …………………………… 奥　英弘　848
Argyll Robertson 瞳孔 …………… 奥　英弘　849
緊張性瞳孔 ………………………… 敷島敬悟　849
Horner 症候群 …………………… 敷島敬悟　851
反復発作性片側性散瞳 …………… 敷島敬悟　852
脳疾患に伴う瞳孔異常 …………… 敷島敬悟　853
視蓋瞳孔 …………………………… 敷島敬悟　854
薬物中毒に伴う瞳孔異常 ……… 中澤祐則　854
瞳孔不同 ………………………… 中澤祐則　855

14 眼球運動障害，眼振

水平注視麻痺，内側縦束症候群（核間麻痺），
　One-and-a-half 症候群 ……… 加島陽二　859
上方注視麻痺，下方注視麻痺
　　　…………………………………………… 柏井　聡　862
両上転筋麻痺 ……………………… 柏井　聡　863
斜偏位 ……………………………… 柏井　聡　864
落陽現象 …………………………… 柏井　聡　864
輻湊不全 ………………………… 木村亜紀子　865
調節不全を伴う輻湊不全 ……… 木村亜紀子　865
輻湊麻痺 ………………………… 木村亜紀子　866
輻湊けいれん ……………………… 橋本雅人　867
開散麻痺 …………………………… 橋本雅人　867
動眼神経麻痺 ……………………… 橋本雅人　868
滑車神経麻痺 …………………… 木村亜紀子　870
上斜筋ミオキミア ………………… 橋本雅人　872
外転神経麻痺 …………………… 前久保知行　873
Fisher 症候群 ……………………… 大出尚郎　874
眼窩先端部症候群，上眼窩裂症候群，
　海綿静脈洞症候群 ……………… 大出尚郎　875

脳幹部障害による眼球運動障害
……………………………………鈴木康夫 877
重症筋無力症………………………木村亜紀子 878
進行性筋ジストロフィ………………伊佐敷 靖 880
慢性進行性外眼筋麻痺………………伊佐敷 靖 881
大脳障害による眼球運動障害………鈴木康夫 883
小脳障害による眼球運動障害………鈴木康夫 884
特発性眼窩筋炎 ⇒ 932

15
弱視・斜視・小児眼科

1 斜視・弱視

乳児内斜視………………………………野村耕治 887
調節性内斜視……………………………村木早苗 888
急性内斜視………………………………村木早苗 889
続発性内斜視……………………………村木早苗 890
周期内斜視………………………………林 孝雄 890
眼振阻止症候群…………………………林 孝雄 891
間欠性外斜視…………………………矢ヶ﨑悌司 892
感覚性外斜視……………………………龍井苑子 893
A-V 型外斜視……………………………龍井苑子 893
交代性上斜位……………………………林 孝雄 894
眼性斜頸（眼性異常頭位）………………佐藤美保 895
先天性上斜筋麻痺………………………佐藤美保 896
Brown 症候群……………………………佐藤美保 897
微小斜視…………………………………野村耕治 898
癒着症候群（adherence 症候群）
……………………………………矢ヶ﨑悌司 899
固定内斜視（強度近視性斜視）
……………………………………横山 連 900
Duane 症候群（眼球後退症候群）
……………………………………横山 連 902
先天性外眼筋線維症…………………矢ヶ﨑悌司 903
形態覚遮断弱視…………………………松本 直 904
斜視弱視………………………戸塚 悟・石川 均 905
不同視弱視………………………………村木早苗 906
屈折異常弱視……………………………村木早苗 906

微小斜視弱視……………………………野村耕治 907
眼振………………………………………野村耕治 908

2 小児眼科

先天眼瞼欠損……………………………遠藤高生 911
眼角解離症………………………………遠藤高生 912
先天涙点欠損……………………………遠藤高生 913
輪部デルモイド……………………家室 怜・相馬剛至 914
結節性硬化症……………………………遠藤高生 915
von Recklinghausen 病 …………………遠藤高生 916
von Hippel-Lindau 病 ……………………遠藤高生 917
Sturge-Weber 症候群……………………仁科幸子 918
先天無虹彩症……………………………根岸貴志 919
先天風疹症候群………………………田中三知子 920
白皮症……………………………………根岸貴志 921
黄斑低形成………………………………根岸貴志 922
小児虐待…………………………………中山百合 923
先天眼瞼下垂
　⇒ 330［3 章 眼瞼疾患「眼瞼下垂」］
先天性鼻涙管閉塞 ⇒ 364
新生児涙囊炎 ⇒ 367
新生児結膜炎・乳児結膜炎 ⇒ 374
Coats 病 ⇒ 653
先天・発達白内障 ⇒ 510
小児発達緑内障 ⇒ 807
未熟児網膜症 ⇒ 624
家族性滲出性硝子体網膜症 ⇒ 629
Wagner 症候群 ⇒ 660
Stickler 症候群 ⇒ 661
Bloch-Sulzberger 症候群 ⇒ 1003
Leber 先天黒内障 ⇒ 768
硝子体血管系遺残（PFV）（第 1 次硝子体過形成遺残）⇒ 728
脈絡膜欠損 ⇒ 600
視神経乳頭コロボーマ ⇒ 813
朝顔症候群 ⇒ 726
乳頭小窩（ピット）黄斑症候群 ⇒ 724
網膜芽細胞腫 ⇒ 736
先天性網膜分離症（若年性網膜分離症）⇒ 634
心因性視覚障害 ⇒ 1061
眼トキソカラ症 ⇒ 568

16 眼窩疾患

- 線維性骨異形成症……………古田　実　925
- 頸動脈海綿静脈洞瘻…………加藤陽二　926
- 眼窩静脈瘤……………………髙村　浩　928
- 眼窩蜂巣炎……………………上田幸典　929
- 特発性眼窩炎症（眼窩炎性偽腫瘍）
　……………………………………上田幸典　930
- 特発性眼窩筋炎………………久保田敏信　932
- IgG4関連眼疾患 ………………高比良雅之　933
- 嚢胞性病変……………………久保田敏信　934
- 眼窩サルコイドーシス………久保田敏信　936
- 眼窩骨折………………………今川幸宏　937
- 眼窩血腫………………………上田幸典　938
- 眼窩腫瘍とその頻度…………嘉鳥信忠　939
- 分離腫…………………………大湊　絢　941
- 母斑症…………………………大湊　絢　942
- 血管腫…………………………大湊　絢　943
- 脂肪腫，脂肪肉腫……………大島浩一　945
- 線維腫，線維肉腫……………大島浩一　946
- 横紋筋肉腫……………………松尾俊彦　947
- 平滑筋肉腫……………………松尾俊彦　948
- 骨腫……………………………松尾俊彦　948
- 神経線維腫，神経線維腫症…松尾俊彦　949
- 神経鞘腫………………………敷島敬悟　950
- 視神経膠腫……………………敷島敬悟　951
- 視神経鞘髄膜腫………………敷島敬悟　952
- 悪性リンパ腫…………………鈴木茂伸　953
- Histiocytosis X，Langerhans 細胞組織球症
　……………………………………大島浩一　954
- 涙腺腫瘍………………………渡辺彰英　955
- 副鼻腔悪性腫瘍………………渡辺彰英　959
- 転移性眼窩腫瘍………………渡辺彰英　959
- 眼球陥凹，義眼床陥凹
　……………………………酒井成貴・酒井成身　960
- 義眼………………………酒井成貴・酒井成身　961
- 甲状腺眼症 ⇒ 984
- 眼窩内異物 ⇒ 1010
- 白血病 ⇒ 987
- 多発性骨髄腫 ⇒ 989
- Wegener 肉芽腫（多発血管炎性肉芽腫症）⇒ 983

17 全身性眼疾患

- アトピー性皮膚炎……………松田　彰　965
- ホモシスチン尿症……………久保江理　966
- Marfan 症候群 ………………久保江理　966
- Weill-Marchesani 症候群 ……久保江理　968
- 感染性心内膜炎………………西信良嗣　969
- 伝染性軟属腫…………………小幡博人　969
- 強直性脊椎炎…………………眞下　永　970
- 全身性エリテマトーデス……喜田照代　971
- 結節性多発動脈炎……………井上裕治　974
- 多発性筋炎……………………喜田照代　975
- 反応性関節炎（Reiter 症候群）
　……………………………………楠原仙太郎　976
- 関節リウマチ…………………楠原仙太郎　977
- 若年性特発性関節炎（若年性関節リウマチ）
　……………………………………楠原仙太郎　979
- 強皮症…………………………江川麻理子　980
- 抗リン脂質抗体症候群………高辻樹理　981
- 再発性多発軟骨炎…小岩千尋・海老原伸行　982
- 潰瘍性大腸炎…………………田中理恵　983
- 多発血管炎性肉芽腫症………栗本拓治　983
- 甲状腺眼症……………………安積　淳　984
- 副甲状腺疾患…………………小川葉子　986
- Gardner 症候群 ………………北野滋彦　987
- 白血病…………………………橋田徳康　987
- 多発性骨髄腫…………………畑　匡侑　989
- 真性多血症……………………桐生純一　990
- 血小板減少性紫斑病…………小川葉子　991
- 川崎病…………………………南場研一　993
- 巨細胞動脈炎（側頭動脈炎）…川島秀俊　994
- 弾性線維性偽黄色腫…………木許賢一　995
- 先天性代謝性疾患と眼疾患…林　英之　999
- 転換性障害（ヒステリー）……岩佐真紀 1001
- 全身熱傷，顔面熱傷…………門田　遊 1001
- Ehlers-Danlos 症候群…………吉田茂生 1002

Bloch-Sulzberger 症候群 ……… 近藤寛之 1003
内因性眼内炎 ⇒ 740［10 章 網膜疾患「眼内炎」］
クラミジア
　　⇒ 383［5 章 結膜疾患「クラミジア結膜炎」］
眼トキソプラズマ症 ⇒ 565
梅毒 ⇒ 572［8 章 ぶどう膜疾患「梅毒性ぶどう膜炎」］
結核 ⇒ 570［8 章 ぶどう膜疾患「結核性ぶどう膜炎」］
AIDS（後天性免疫不全症候群）⇒ 560［8 章 ぶどう膜疾患「AIDS に伴うぶどう膜炎」］
サイトメガロウイルス網膜炎 ⇒ 557
Sjögren 症候群 ⇒ 359
糖尿病
　　⇒ 513［7 章 水晶体疾患「糖尿病白内障」］, 591［8 章 ぶどう膜疾患「糖尿病虹彩炎」］, 637［10 章 網膜疾患「糖尿病網膜症」］
貧血性網膜症 ⇒ 761
高血圧性眼底変化 ⇒ 753
高安病（脈なし病, 大動脈炎症候群）⇒ 757
腎性網膜症 ⇒ 758
Purtscher 網膜症 ⇒ 773
妊娠高血圧症候群（子癇前症/子癇）⇒ 759
癌関連網膜症（メラノーマ関連網膜症, BDUMP）⇒ 770
タバコ・アルコール弱視 ⇒ 1041

18
眼外傷

昆虫刺傷 ……………………… 恩田秀寿 1005
熱傷 …………………………… 榛村重人 1006
結膜異物 ……………………… 平野耕治 1008
角膜異物 ……………………… 平野耕治 1009
眼窩内異物 …………………… 今川幸宏 1010
電気性眼炎 …………………… 平野耕治 1011
外傷性視神経症 ……………… 恩田秀寿 1012
レーザーによる網膜障害 …… 日下俊次 1013
日光網膜症 …………………… 片岡恵子 1014
揺さぶられっ子症候群 ……… 野村耕治 1016

穿孔性眼外傷（裂傷および眼球破裂）
………………………………… 岡本史樹 1017
外傷性網膜剝離 ……………… 岡本史樹 1018
脈絡膜破裂 …………………… 岡本史樹 1019
鈍的眼球打撲 ………………… 恩田秀寿 1020
眼内異物 ……………………… 岡本史樹 1024
頸部損傷 ……………………… 石川　均 1026
眼瞼裂傷 ……………………… 恩田秀寿 1026
涙小管断裂 …………………… 恩田秀寿 1027
放射線白内障 ⇒ 519
放射線網膜症 ⇒ 772
電撃白内障 ⇒ 520
光による網膜障害 ⇒ 766
網膜振盪 ⇒ 767
外傷性黄斑円孔 ⇒ 665
外傷性白内障 ⇒ 518
眼窩骨折 ⇒ 937
眼窩血腫 ⇒ 938
交感性眼炎 ⇒ 550
Purtscher 網膜症 ⇒ 773

19
中毒性眼疾患

アトロピン, シクロペントラート
………………………………… 白石　敦 1029
β 遮断薬 ……………………… 白石　敦 1029
フェノチアジン系抗精神病薬
………………………………… 白石　敦 1030
アマンタジン ………………… 白石　敦 1031
クロロキン, ヒドロキシクロロキン
………………………………… 篠田　啓 1031
ビガバトリン ………………… 篠田　啓 1033
インターフェロン …………… 篠田　啓 1035
フィンゴリモド, シポニモド
………………………………… 篠田　啓 1036
ジギタリス …………………… 中馬秀樹 1037
エタンブトール ……………… 中馬秀樹 1038
有機リン（農薬, サリン）…… 中馬秀樹 1039
メチル水銀 …………………… 中馬秀樹 1039

シンナー……………………中馬秀樹 1040
タバコ・アルコール弱視……中馬秀樹 1041
抗腫瘍薬による前眼部・外眼部の副作用
　……………………………鎌尾知行 1041
抗腫瘍薬による後眼部副作用
　……………………………柏木広哉 1043
ステロイド（白内障・緑内障）⇒ 517 ［7 章 水晶体疾患「ステロイド白内障」］,
　792 ［11 章 緑内障「ステロイド緑内障」］

20 屈折・調節異常

遠視………………………四倉絵里沙 1045
近視………………………四倉絵里沙 1046
付 近視進行抑制 ……………鳥居秀成 1047
乱視………………………四倉絵里沙 1048
老視………………………常吉由佳里 1049
術後乱視および不正乱視の矯正方法
　……………………………神谷和孝 1050
調節障害……………………森本　壮 1051
不等像視……………………森本　壮 1052
屈折矯正手術 ⇒ 275
コンタクトレンズによる角膜障害 ⇒ 454

21 眼精疲労，不定愁訴，心因性眼疾患

眼精疲労……………………石川　均 1055
VDT 症候群 ………………石川　均 1057
不定愁訴……………………若倉雅登 1059
心因性視覚障害……………大出尚郎 1061
ブルーライトと眼…………綾木雅彦 1067
眼疾患と Quality of life ……綾木雅彦 1069

22 診察室，手術室での緊急事態に備えて

ショック（特にアナフィラキシーショック）
　に対する準備と初期治療…松村一弘 1071
全自動除細動器（AED）………松村一弘 1075
周術期における循環器疾患管理
　……………………………山本　孝 1076
周術期における糖尿病管理
　………………………卯木　智・前川　聡 1078
腎機能障害，透析患者の管理
　……………………………荒木信一 1080
術中における血圧管理
　………………………今宿康彦・北川裕利 1082
全身麻酔………………今宿康彦・北川裕利 1084
小児の管理……………高島光平・澤井俊宏 1086

23 ロービジョンケア

ロービジョンケア総論………清水朋美 1093
患者の心理的背景とニーズの把握
　……………………………新井千賀子 1096
視覚補助具の種類と選定……三輪まり枝 1099
新しいタイプの補助具………三宅　琢 1106
ロービジョンケアに必要な診断書
　……………………………加藤　聡 1109
スマートサイト（ロービジョンケア紹介リーフレット）……………平塚義宗 1112

和文索引…………………………………… 1115
欧文索引…………………………………… 1129

Atlas of Intraocular Tumor
眼内腫瘍アトラス

後藤　浩　東京医科大学／臨床医学系 眼科学分野・教授

まれな疾患、でも見逃せない。
だからこそ、本書を手元に！

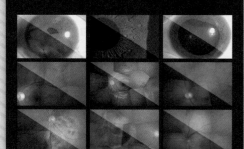

眼内腫瘍は見逃すと生命予後に直結することも多く、全眼科医にとって重要な疾患です。しかしその外観は千差万別。万一遭遇した際に、正しい臨床診断・鑑別疾患を想起することは容易ではありません。また、診断の９０％は見た目で決まります。つまり、多くの症例画像を見、『疑似体験』しておくことが大切です。特に診断にかかせない眼底所見・細隙灯顕微鏡所見は様々なパターン、バリエーションを掲載しました。眼内腫瘍アトラスの決定版、ここに誕生！

 目次

眼内腫瘍の診かたのコツ／
虹彩腫瘍／毛様体腫瘍／
脈絡膜腫瘍／網膜腫瘍／
視神経乳頭腫瘍／
眼内リンパ腫／白血病

●A4　頁224　2019年
定価：13,200円（本体12,000円＋税10％）[ISBN978-4-260-03892-8]

 好評！姉妹書

眼瞼・結膜腫瘍アトラス
著：後藤 浩

●A4　頁176　2017年
定価：本体12,000円＋税
[ISBN978-4-260-03222-3]

 医学書院

〒113-8719　東京都文京区本郷1-28-23　[WEBサイト]https://www.igaku-shoin.co.jp
[販売・PR部]TEL:03-3817-5650　FAX:03-3815-7804　E-mail:sd@igaku-shoin.co.jp

待望の遠近両用レンズ登場!
マイデイブランドのラインナップがさらに幅広くなりました。

遠近両用 — 老眼の進行度に合わせて対応できる、豊富な231アイテム。※1

MyDay® multifocal
マイデイ® マルチフォーカル

乱視用 — 最多※2の1,268アイテム※1で、処方の幅を広げる。

MyDay® toric
マイデイ® トーリック

近視用 遠視用 — 2つのBCで、患者様の満足度向上に貢献する。

MyDay®
マイデイ®

より多くの処方オプションが
アイケアプロフェッショナルの皆様のミカタに。

※1 2022年6月現在 ※2 当社製品比較 ◎コンタクトレンズは目に直接装用する高度管理医療機器です。必ず眼科医の検査、処方を受けてお求めください。◎コンタクトレンズをご使用の前には、必ず添付文書をよく読み、表現や内容で分からないところがあれば必ず眼科医に相談し、よく確認してからご使用ください。 特にご注意いただきたいこと(1日使い捨てレンズ) ●レンズの使用期間(1日)を超えた装用は絶対にしないでください。●一度目からはずしたら、再使用しないでください。●装用時間を正しくお守りください。●取扱方法を守り、正しく使用してください。●定期検査は必ず受けてください。●少しでも異常を感じたら直ちに眼科医の検査を受けてください。●破損などの不具合があるレンズは絶対に使用しないでください。販売名:マイデイ 承認番号:22700BZX00320000

あなたのミカタに。  CooperVision®

RetCam Envision™
広画角デジタル眼撮影装置

natus®

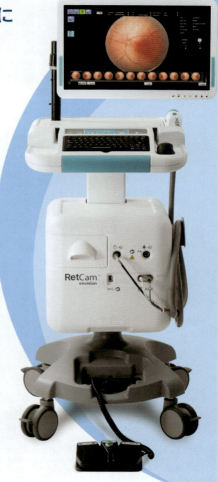

新しく誕生する全ての命に明るい世界を見てほしい

世界85か国以上の眼科や小児科のほか、手術室、NICUで2,500台以上のRetCamが稼働。1,500万人を超える子どもたちの、眼底疾患治療のために活用されています。更なる進化を遂げたRetCam Envisionは、革新的機能で次世代の眼科診療に貢献します。

鮮明で繊細な画像イメージにより様々な眼疾患の早期発見に寄与

革新的なLight Shaping Technologyや大型タッチスクリーンモニターの採用で、より鮮明で繊細な画像イメージの再現が可能に。様々な眼疾患の早期発見に寄与するとともに、各診療科との連携もシームレスに行えます。

ROP with Hemorrhages

External View of Retinoblastoma Through Pupil

Retinoblastoma

ROP

株式会社 アイネクスト
〒261-0023　千葉県千葉市美浜区中瀬1丁目9-1 スターツ幕張ビル13F
TEL/FAX：043-307-5533　URL：http://www.inext-med.com

1 検査総論

1 視力屈折測定

視力検査
Examination of visual acuity

川守田拓志　北里大学医療衛生学部・准教授

目的　視力は，屈折未矯正状態での裸眼視力と屈折矯正レンズを入れた状態での矯正視力に分けられる．視力障害を起こす眼疾患のスクリーニング，進行や治療効果判定，屈折矯正の必要性や手術適応の判定などを目的とする．屈折矯正レンズを入れた状態で良好な矯正視力が得られない場合は，器質的な疾患や心因性疾患，詐病などが疑われる．

対象　眼科を受診するほぼすべての患者が対象となる．健康診断や身体検査，眼鏡やコンタクトレンズ処方，眼科手術前後なども含む．

原理と特徴　視力は，形態覚の 1 つであり一般に 2 点または 2 線が分離できる最小の閾値で最小分離閾を指す．この最小分離閾は，物体の形態覚のうちの 1 つの尺度だが，そのほかにも 1 点または 1 線を認める閾値である最小視認閾，文字を判読できる閾値である最小可読閾，2 線あるいは 3 点が 1 つの線と識別される閾値である副尺視力などがある．視力測定の視標は，わが国では主に Landolt 環が使用さ

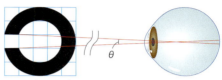

図 1　視力の定義概念図
θ＝MAR（最小可視角）

れる(図1)．Landolt 環は，切れ目（および環の太さ）と外形が 1：5 の関係となっている．視力値は，小数視力で表現され，Landolt 環の切れ目の方向を識別できた最小角度である最小可視角（minimum angle of resolution：MAR）（分）の逆数で表される．5 m の標準視力表においては，視力 1.0 の Landolt 環の切れ目の幅は，約 1.5 mm となる．ちなみに欧米では，分数視力で表され 20 フィートや 6 m が分子となり，20/20 や 6/6 が用いられることが多い．また Landolt 環だけでなく Snellen E chart という「E」の文字を使ったものがある．近見視力の評価は，小数視力や分数視力だけでなく，ポイント数や Jaeger スコアも用いられる．

　人の感覚は対数に比例しやすいことから，視標の配列は等差級数的な配列よりも等比級数的な配列のほうが望ましいとされる．現在，多くの眼科施設で利用されている視力表は，等差級数的な配列がベースになっているが，小数視力 0.15 が入ってい

たり，小数視力 1.0 のあとに続く視標が 1.2 や 1.5，2.0 と飛んでいたりすることから視標の一部の段で等比級数的な考え方を取り入れてはいる．すべて等比級数で並べた場合は，logMAR（logarithmic minimum angle of resolution）配列とよばれるが，具体的には後述の「付 視力の統計処理法」（⇒次頁）を参照されたい．小数視力，分数視力，視力の logMAR の関係について表1 にまとめる．

検査法

■ **準備** 視力検査表は国際標準式の 5 m 標準視力表が望ましいが，準標準視力表や省スペース視力表，電子ディスプレイタイプの液晶視力表などもある．検査距離に合わせた設置が必要であり，注意が散漫にならないような整理された環境にする．近見視力に関しては，検査距離が 30 cm の視標が多く，海外では 40 cm や 50 cm などもみられる．

視力検査の環境においては，視力表の照度について 1939 年の日本眼科医会により 200 ルクス，文部省科学研究費総合研究視力研究班（以下，視力研究班）では 500 ± 125 ラドルクス，2009 年国際標準化機構（International Organization for Standardization：ISO）により 80～320 cd/m^2，2002 年日本工業規格（Japanese Industrial Standards：JIS）により 200（80～320）cd/m^2 が提案されている．室内照度については，視力研究班より 50 ルクス以上で視標輝度を上回らないこと，日本眼科医会が視力表の照度基準の 1/10 以上の明るさが望ましいとしている．窓などを通して室外からの光源が視界に入らないようにする．

■ **手順** 視力検査は，裸眼視力，矯正視力を片眼ずつ実施する．日常視における必要に応じて，所持眼鏡装用時の矯正視力やコンタクトレンズ装用下の矯正視力，また両眼視力を計測する．

5 m 視力表において裸眼視力が 0.1 を下回る場合，0.1 の字ひとつ視力表を持ち，換算して計測する．具体的には，視力＝0.1×（検査距離/5）とする．その他任意の視標サイズや検査距離，判定距離であれば，視力＝視標に記載された視力×（患者から視標までの距離/設計された視力表の距離）で算出できる．例えば，5 m の 0.1 視標を 1 m で判別できた場合は，0.02 となる．

裸眼視力，矯正視力ともに検査距離が 50 cm を下回ってしまった場合は，0.01 未満になることから指数弁や手動弁，光覚の有無の判定となる．指数弁は，指の数を数えられるかで判定し，距離とともに記載する．表記は，numerus digitorum（n.d.）

表1 小数視力，視力の logMAR 値，分数視力の関係

logMAR	小数視力	分数視力	
		6 m	20 フィート
−0.3	2.00	6/3	20/10
−0.2	1.58	6/3.75	20/12.5
−0.1	1.26	6/5	20/16
0.0	1.00	6/6	20/20
0.1	0.79	6/7.5	20/25
0.2	0.63	6/10	20/32
0.3	0.50	6/20	20/40
0.4	0.40	6/15	20/50
0.5	0.32	6/20	20/63
0.6	0.25	6/24	20/80
0.7	0.20	6/30	20/100
0.8	0.16	6/38	20/125
0.9	0.13	6/48	20/160
1.0	0.10	6/60	20/200

あるいは counting finger(CF)である．手動弁は，手の動きの有無と方向(左右か上下かなど)を数えられるかで判定し，距離とともに記載する．表記は，motus manus (m.m.) あるいは hand motion(HM)である．光覚は，片眼を確実に遮閉した状態かつできれば暗所で，光覚の有無を確認する．表記は，sensus luminis(s.l.)あるいは light perception(LP)である．

屈折検査の最中にも随時レンズ装用下の視力を計測し，一定の基準で視力値を求める．屈折検査の詳細は，他項(⇒ 4 頁)を参照されたい．

◎ポイント　視標の提示について，ISO の附属書 A(規定)文字および図形視標と Landolt 環との相関試験方法によると，Landolt 環の切れ目方向をランダムな順序で，3 秒間視標を提示するとある．つまりできるだけ縦と横の切れ目をランダムに，3 秒提示が目安となる(ただし，疾患があり状況によってその限りではない)．また，視力表によっては，Landolt 環視標とひらがな視標が混合しているが，最小分離閾と最小可読閾で閾値が異なること，文字視標の制作基準がメーカーにより異なることなどから，両視標を混ぜての判定は，できれば避けたほうがよい．

■注意点　左右眼の計測や記載の間違いがないように細心の注意を払う必要がある．検査距離が短くなれば，相対的に Landolt 環の難度が大きく下がり，長くなれば難度が大きく上がる．遠方視力ではそれほど大きな変化ではないが，近見視力では距離の影響が大きなことから設置されている椅子の位置がずれていないか，患者がのりだして見ていないかなどを確認し，検査距離をしっかりと守る必要がある．また目を細めることで，焦点深度を深め，屈折度決定の誤差につながるため，目を細めて検査をしないよう促すことが重要である．

視力検査と屈折検査においては，熟練度が結果を大きく左右するため精度や再現性を高めるためにも十分な知識と練習，経験が必要である．また，患者，検者ともに心理的にも安定した状態で，誘導せずに行う必要がある．

▌判定　矯正視力が 1.0 以上あればおおむね良好とされるが，昨今の quality of vision 追求の流れから考えると，白内障あるいは屈折矯正手術後や屈折矯正後の視機能評価判定など，目的によっては 2.0 がでるか否かまで評価することも重要である．

また，ISO や JIS における視力の閾値判定は，提示個数の約 60％ とされている．規定ではない附属書において提示の好ましい個数は 5 個以上(8，10 個なども記載され，4 個以下の記載はない)とされることから，視力の閾値は 3/5 以上が望ましい．

付 視力の統計処理法
Statistical analysis of visual acuity

川守田拓志　北里大学医療衛生学部・准教授

▌原理と特徴　治療の効果判定や，統計処理を行う際の視力は，等比級数的な表現が望ましい．小数視力は，身長のような連続変量でなく離散変量という飛び飛びの値であり，単純な加減算や算術平均(各個体の観測値の合計をサンプル数で割った値)はできない．またグラフの表現においても標準偏差をそのまま記載することは誤った表現ということになる．そのため，

logMAR視標で計測するか，小数視力で計測し，視力のlogMAR値に変換する作業が必要となる．小数視力を等比級数的なlogMARに変換することで加減算や算術平均ができ，また標準偏差の記載が可能となる．わかりやすさなどの観点から小数視力での表現にしたい場合は，グラフを対数軸にするとよい．

logMARは，最小可視角の常用対数であり，視標サイズのステップは，約1.26倍である．この数字は，$\sqrt[10]{10} = 1.259$から導かれる．小数視力で1段階向上，悪化を表現したいときには，1段階向上では1.26倍，1段階悪化のときは1/1.26なので0.8倍となる．例えば，小数視力0.8の1段階上は，1.01であり，1段階下は0.64ということになる．

また，logMARで表現されたチャートには，ETDRS（early treatment diabetic retinopathy study）チャートがある．このチャートは，視標が等角度・等ステップで配列され，文字の難度が比較的に近い10文字のSloan letter setが採用されている．3/5の正答で視力値を判定せず，各視標正答で−0.02加算し，視力を算出する．

自覚的屈折検査
Subjective refraction

川守田拓志 北里大学医療衛生学部・准教授

目的 自覚的屈折検査は，近視や遠視，乱視など屈折異常の程度を患者の自覚的応答に基づき定量化する．自覚的屈折度や屈折値とよばれ，眼鏡面での球面度数と円柱度数，円柱軸で表現される．最良あるいは最高視力を得るために選択されたレンズの屈折度から屈折異常の有無や種類を判定する．

対象 裸眼視力が良好なものも含め，屈折異常や眼疾患を疑うほぼすべての患者が対象となる．

原理と特徴 検眼レンズを用いて遠方からの光が無調節の状態で，網膜に結像するための矯正レンズ度数を決定する．主に球面レンズと円柱レンズの組み合わせで検査を行う．

検査法

■**準備** 他覚的屈折度，所持眼鏡度数，前回来院時屈折度，瞳孔間距離を確認する．コンタクトレンズや眼鏡は非装用下で検査を実施する．レンズ後面と角膜頂点までの距離（頂間距離）は12 mmが望ましい．

■**手順** 視力表の検査距離に自然な体勢で座らせる．瞳孔間距離の合った検眼枠をかけさせ，片眼に遮閉板を入れる．＋0.50 D程度の凸（プラス）レンズを入れ，視力や自覚的な見やすさが不変あるいは向上するようであれば少し強めの凸レンズを入れる．次に凸レンズを弱め，最高視力が得られた最強度の凸レンズ度数を求める．一方，弱度の凸レンズを入れて視力が低下するようであれば，凹（マイナス）レンズを入れる．凹レンズを強めていき，最高視力の得られた最弱度の凹レンズ度数を求める．このとき乱視眼においては最小錯乱円が網膜上にある．

乱視検査には，主に乱視表を用いたものとクロスシリンダーを用いたものがある**（図2）**．

乱視表を用いた検査について，他覚的屈折検査で測定された乱視度1/2の球面度数をプラス側に負荷し（雲霧），後焦線を網

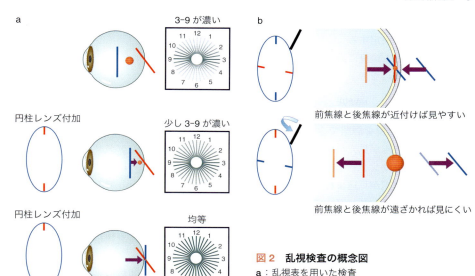

図2　乱視検査の概念図
a：乱視表を用いた検査
b：クロスシリンダーを用いた検査

膜上に置く．他覚的屈折検査を実施していない場合は，球面度数を＋0.50〜＋1.0 D程度負荷する．乱視表にある放射状の線のなかで濃く見える線を聞き，その方向と直交する方向に円柱レンズの軸を置く．直乱視では縦方向にぼけが生じて濃く見え，倒乱視は横方向が濃く見える．円柱レンズは徐々に強めていき，乱視表が均等に見えたらその度数が円柱度数である．さらに弱い雲霧を行い，特定の方向の線が濃く見えていたら乱視が残っているため，均等になるまでこの手順を繰り返す．

　クロスシリンダーは，同じ度数の凹円柱レンズと凸円柱レンズを互いに直交して組み合わせたレンズある．通常赤い線は凹円柱レンズの軸を指し，白あるいは黒い線は凸円柱レンズの軸である．このクロスシリンダーの軸を 90 度と 180 度方向に保持し，その柄を回転させ，レンズの表裏どちらがよく見えるか，変わらないかを聞く．

同様に 45 度と 135 度方向でも確認する．最もよく見えた方向に，軸を合わせて凹円柱レンズを挿入する．凹円柱レンズ度数絶対値の半分の球面度数を加え，最小錯乱円位置を合わせる．先ほど入れた凹円柱レンズの軸にクロスシリンダーの中間軸を置き，クロスシリンダーを表裏反転させてどちらが見やすいか，変わらないかを聞く．よく見えると回答したクロスシリンダーの赤い線に向かって，円柱レンズの軸を 5 度あるいは 10 度移動させる．この手順を表裏の見え方が等しくなるまで繰り返し，乱視軸を決定する．次に凹円柱レンズの軸にクロスシリンダーの赤い線を重ね，表裏の見え方を聞く．凹円柱レンズの軸とクロスシリンダーの赤い線が重なった場合に見やすいと回答した場合は凹円柱レンズとその半分の球面度数を加え，凸軸と重なったほうが見やすい場合は，凹円柱レンズ度数とその半分の度数を減じる．クロスシリン

ダーの表裏の見え方が等しくなったところで乱視度として決定する．

両者の方法とも最後に最高視力が得られる最もプラス側になるよう球面度数を微調整する．

- **ポイント**　乱視表を用いた検査は，0.25Dステップで乱視を調整でき実施しやすいが，放射状の線が見えない場合には向かない．クロスシリンダーを用いた方法においては，強い乱視が見込まれる場合に，小さな度数のクロスシリンダーで検査をしてもぼけの差を検出できない．
- **注意点**　屈折度がマイナス側にシフトする調節介入が起こりやすいため，近視は最弱度，遠視は最強度のレンズを選択する．小児など調節介入が強く疑われる場合には調節麻痺薬を点眼し，屈折検査を行う必要がある．
- **判定**　屈折異常の程度分類の一例として，近視は，弱度近視が−3.0 D以下，中等度近視が−3.0 Dを超え−6.0 D以下，強度近視は−6.0 Dを超え−10.0 D以下，最強度近視は−10.0 Dを超えるものである．遠視は，弱度遠視が＋2.0 D以下，中等度遠視が＋2.0 Dを超え＋5.0 D以下，強度遠視は＋5.0 Dを超えるものである．乱視は，垂直方向に最も強い屈折力を有する直乱視と水平方向に強い屈折力を有する倒乱視，斜め方向に強い屈折力を有する斜乱視がある．

検影法

Retinoscopy

森 隆史　福島県立医科大学・講師

- **目的**　検影法は他覚的屈折検査である．また，眼鏡やコンタクトレンズを装用したうえで行うことにより，屈折矯正の状態を評価できる．そして，近方視標を固視させて行うことにより，調節が評価できる．さらに，徹照法により中間透光体の混濁の有無とその状態を観察することができる．
- **対象**　眼底から反射光の得られる被検者である．
- **原理と特徴**　検影器からの光線束を瞳孔領に投射し，瞳孔内の網膜からの反射光を観察することで，被検眼の屈折値を測定するものである．オートレフラクトメータに比して，器械近視の影響を受けにくく，装置が簡便である利点があるが，検者の訓練が必要である．
- **検査法**
  - **準備**　検影器および板付きまたは検眼レンズセットのレンズを準備する．3〜5 mの距離がとれ，明るすぎない部屋が望ましい．検影器には点状検影器と線状検影器があり，後者には，光線束として，開散光線束と収束光線束がある．以下は，一般に用いられることが多い線状検影器の開散光線束での屈折検査法を記載する．
  - **手順**　検者は50 cmの距離で被検者と向き合い，右眼の測定時には，被検者に検者の右肩越しに遠方を見てもらい，検者は右眼で観察する．左眼の場合はこの反対である．

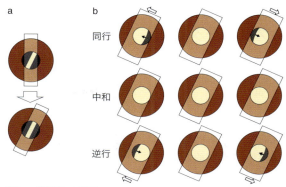

図3　検影法の手技
a：線状投射光と反射光の軸を一致させる．
b：瞳孔領を覆う開散光線束で走査する．

■**手技・方法**　水平または垂直に線状投射光で被検者の瞳孔を走査したとき，投射光の方向と瞳孔内を動く反射光の方向にずれがあるときには斜乱視が存在する．反射光が動く方向が主経線である．まず検影器の線状投射光を回転させて反射光と一致させる．続いて投射光が完全に瞳孔を覆う状態で，2つの主経線に沿って走査する(図3)．投射光を動かした方向と反射光が動く方向が同じであるときを同行という．投射光を動かしても反射光に動きがない状態を中和という．投射光を動かした方向と反射光が動く方向が反対であるときを逆行という．同行である場合には，プラスの球面レンズを順次度数を強めながら加えていき，中和となるレンズを求める．逆行である場合には，マイナスの球面レンズを順次度数を強めながら加えていき，中和するレンズを求める．

◎**ポイント**　検査距離がきわめて重要であるため，常に一定の距離を保たなければならない．被検者がどこを固視しているかも重要で，可能な限り遠方を見てもらう必要がある．

■**注意点**　散瞳下では，反射光の動きが瞳孔領中心部と周辺部で異なるため，中和の判定が難しくなる．中心付近の反射光の動きに注目して検影法を行う必要がある．

■**その他**　眼鏡の上から検影法を行うことで，患者が装用している眼鏡や処方しようとしている眼鏡の度数が適切かどうかを判断できる．固視標の距離を近方に変えることで調節量を推測できる．

判定　中和に要した検査レンズ度数と検査距離から屈折度は，（検査レンズの度数）－〔1/検査距離(m)〕で求められる．通常の検査距離は50cmであるため，屈折度＝検査レンズの度数－2.00Dで求められる．検査距離が67cmでは，屈折度＝検査レンズの度数－1.50D，40cmでは，屈折度＝検査レンズの度数－2.50Dとなる．

オートレフラクトメータ
Autorefractometer

川守田拓志　北里大学医療衛生学部・准教授

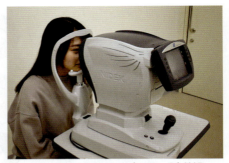

図4　オートレフ ARK-1s（ニデック）外観

目的　オートレフラクトメータ（図4）は、近視、遠視、乱視など屈折異常（球面度数、円柱度数および軸）を他覚的に定量化する。自覚屈折値を得るための参考値として使用することが多い。また、アトロピン硫酸塩水和物やシクロペントラート塩酸塩点眼による調節麻痺下で眼鏡処方や視野に入れた他覚屈折測定としても使用される。眼球全体の屈折度数を他覚的に評価するが、多くの機種が、角膜曲率半径（ケラト値）も計測できるオートレフケラトメータとして普及している。そのほか、調節介入の程度を軽減できる両眼開放型や、同時に高次収差、角膜厚、眼圧、調節を測定できる機種も存在する。

対象　オートレフラクトメータは、坐位で計測する据置型と、手持ち型がある。据置型は、坐位と顎台への顔の固定が可能な患者が対象である。手持ち型は、小児や寝たきりの症例、検診にも使いやすい。

原理と特徴　明室下で短時間に比較的再現性のよい結果が得られ、検影法に比べると熟練を要しない。調節麻痺薬を使用しない場合、自動雲霧機構を備えてはいるが、器械近視（覗き込むときに生じる調節介入）の影響で、自覚屈折検査結果に比べて結果がマイナス側に出やすい。また、強い中間透光体混濁や固視不良、測定可能屈折度範囲（機種によるが、球面度数±20 D、円柱度数±10 D 程度）を超える屈折度、測定可能最小瞳孔径（2.0〜2.5 mm 程度）未満では、計測不能になる。

測定原理は、画像解析式や合致式、結像式、検影式などいくつかの方法がある。

❶画像解析式　画像解析式は、眼底に測定用視標を投影し、その像の高さを撮像素子（CCD）で検出することで眼屈折度を測定する。例えば、近視の場合は大きな円形、遠視の場合は小さな円形、乱視の場合は楕円形となる。代表機種としては、WR-5100K（シギヤ精機製作所）がある。

❷合致式　合致式は、Scheiner板という数個の穴（通常2つ）をもつ板が測定光学系の入射瞳あるいは射出瞳付近に置かれる。正視眼では、眼底に1つだけ像が映るが、近視眼や遠視眼では2つ映る。次に、Scheiner板の穴を交互に遮閉することで生じる受光素子の光量変化および位相差をとらえて眼屈折度を計算している。代表機種としては、KR-800（トプコン）や ARK-1（ニデック）がある。

❸結像式　結像式は、結像レンズを前後させ、眼底のコントラスト強度分布が最大になる（眼底にできるぼけた像を鮮明にできる）光源位置を探り、屈折度を計算する。代表機種としては、RT-7000（トーメーコーポレーション）がある。

❹**検影式** 検影式は，検影法の原理を応用し，ナイフエッジという器具を動かして影を作り，その影の動きから眼の屈折度を計算する．代表機種としては，Speedy-"i"（ライト製作所）やOPD-Scan® III（ニデック）がある．

検査法

■ 手順（据置型）

①電源スイッチを入れ，ジョイスティック，画面表示，プリンター用紙の確認など始業点検を行う．
②額当てや顎台など被検者が接触する部分を，消毒用アルコール綿などでクリーニングする．
③被検者を誘導し，楽な姿勢で椅子に座らせ，検査の説明を行う．
④被検者がオートレフラクトメータの顎台に顔を置きやすい高さになるよう光学台と椅子の高さを調整する．
⑤被検者に，顎を奥につけるようにして顎台に乗せ，額当てに額を軽く接触するように指示する．
⑥被検眼の中心が，測定時における被検眼の高さの目安であるアイレベルマーカーにくるよう上下動ノブを回して，調整する．
⑦被検者の固視の状態や理解度，疾患に合わせて，オートトラッキング・オートショット，IOLモード，白内障モードの設定を行う（これらのモードがない機種もある）．
⑧ジョイスティックを操作して，照準を合わせる．オートトラッキングモードであれば，Meyerリングを照準マークに近づけると上下方向の照準および前後フォーカス合わせが自動で行われる．マニュアルの場合は，Meyerリング内に照準マークを入れ，虹彩紋理がはっきり見えるよう前後方向にフォーカスを合わせる．
⑨測定前に軽い瞬きをさせ，開瞼後の瞳孔が安定した頃に複数回計測する．
⑩プリントスイッチを押し，結果を出力する．

🔵 ポイント

❶**アライメントと頭位固定** 上下左右，フォーカスの照準ずれや，顎と額がしっかりと固定されていないと，再現性低下や，屈折度に影響を与える．オートアライメント機能を備えた機器は多いが，固視不良や瞬きが多い症例，涙液破綻が早く起こる症例は，この機能をオフにし，マニュアル測定にしたほうが安定した結果が得られることがある．手持ち型では特に注意が必要である．

❷**固視** 視標を固視するようしっかりと声がけを行う．覗き込み式では内部視標，両眼開放型では外部視標が用いられる．外部視標では，調節介入が緩和される．視標の中心を固視していない場合，周辺屈折を計測していることになり誤差が生じる．また固視が定まらない場合には，屈折値が変動し，再現性が低下する．

❸**涙液** 涙液が不整あるいは破綻した状態で計測すると，乱視度や軸に大きく影響を与えることがある．測定ごとに軽い瞬目を促し，素早く計測するとよい．目安として，瞬目後5秒前後，ドライアイでは瞬目後2〜3秒前後の計測を行うと安定した結果が得られる．

❹**上眼瞼および睫毛** 上眼瞼および睫毛が測定領域にかかると，特に乱視度や軸に影響を与える．声がけしても上眼瞼や睫毛が計測領域にかかり，屈折度の結果に影響を

❺**瞳孔径** 調節と瞳孔は連動しており，測定前の瞳孔径に変動がみられれば，他覚屈折値も変動している可能性が高い．したがって，瞳孔径の変化が小さくなった時点で測定を行うとよい．また，瞬目直後は，調節と瞳孔が変化しやすいため，開瞼後瞳孔径が安定したところでデータ取得すると比較的安定した結果が得られる．

| 判定 | 測定結果は，平均表示のみにせず，変動も参考にするとよい．測定結果の変動が大きい場合，必要であれば再測定を行う．目安として，オートレフラクトメータの2回計測の再現性は，等価球面値で0.25〜0.75 D程度であり，1.0 D以上変動するようであれば再測定を行うとよい．

角膜や水晶体などの形状や屈折率が変化したり，眼軸長が変化したりすると屈折度数が変化する．例えば，ドライアイや円錐角膜など，眼表面の病的変化は，重症になれば局所的な面屈折力の増大を導き，近視化や乱視度数に影響を与えうる．水晶体に関しては，調節緊張や調節けいれんにおいて屈折度数はマイナス方向に変化する．白内障に関しては，核白内障が進行すれば核と皮質の屈折率差が増加するため近視化し，皮質白内障が増加すれば遠視化する．オートレフラクトメータを用いて，このような症例に対して，他覚的かつ定量的に評価を行うことで，疾患の原因部位が変化しているか否か参考にできる．

レンズメータ

Lensmeter

川守田拓志 北里大学医療衛生学部・准教授

| 目的 | レンズメータは，レンズの後頂点屈折力を測る機器で，眼鏡あるいはコンタクトレンズの度数を確認する．プリズムディオプターや眼鏡光学中心間距離を計測することもでき，紫外線透過率の計測や累進屈折レンズの自動判別ができる機種もある．

| 特徴 | レンズメータは，大別して手動式（アナログ式）**(図 5)** と自動式（デジタル式）がある．また，セミオートとよばれる投影式のレンズメータもある．

検査法
■手順
①電源スイッチを入れて，内部照明点灯や各レバーの可動など始業点検を行う．
②手動式の場合は，視度調整を行う．自動式とセミオートは，視度調整は不要である．
③レンズ後面をレンズ受けに当て，レンズ押さえでレンズを固定する．眼鏡レンズの場合，レンズテーブルの上に乗せて，左右眼レンズが水平になるように置く．
④手動式の場合は，ディオプターハンドルとターゲット回転ハンドルを回して球面度数および円柱度数，軸を計測する．自動式の場合は，レンズを適切な位置に置き，自動計測を行う．さらに詳細は，測定マニュアルに従う．

■注意点
手動式は，視度調整を行わないと測定結果に誤差が生じ，検者に過度な調節介入が生じる．自動式は計測が簡単で早

1 視力屈折測定　11

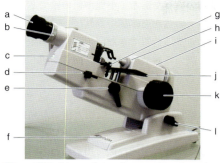

図5 手動式レンズメータ LM-8(トプコン)の外観と各部名称

a：視度調節環, b：角度目盛環, c：電源スイッチ, d：レンズ押さえレバー, e：レンズテーブル上下レバー, f：電池ボックス, g：軸打ちレバー, h：レンズ受け, i：ターゲット回転ハンドル, j：レンズテーブル, k：ディオプターハンドル, l：緊締レバー.

いが，レンズが傾いた状態で計測されてしまうと，乱視度数・軸に誤った値が出やすくなる．したがって，必ず眼鏡が水平に置かれていることを確認する必要がある．また，左右眼のレンズを逆に計測してしまうことや，乱視軸の読み取りを誤ることに注意する必要がある．

小児の視力・屈折検査

Techniques for testing for visual acuity and refraction in infancy and childhood

森 隆史 福島県立医科大学・講師

目的　小児の視力測定の目的には，視力の発達の確認や弱視治療の効果を判断することという成人と異なるものがある．また小児，特に乳幼児の屈折矯正は，斜視や弱視の治療目的として重要であり，そのためにも屈折検査は不可欠である．

対象　小児．

原理と特徴　Landolt 環による視力測定(自覚的屈折検査)が可能で斜視や弱視がない小児では，成人に対する検査と同様に行われる(⇒4頁，「自覚的屈折検査」項を参照)．しかし，就学前の乳幼児や就学後の児童でも発達遅滞などにより，Landolt 環による視力測定がうまくできない小児では，乳幼児向けの視力検査法で評価する必要がある．また検査が十分にできる小児でも，8歳程度までは，字づまり視力表よりも字ひとつ視力表での結果が良好なことが多いという特徴がある．そして，斜視や弱視が疑われる例では，調節麻痺薬を使用しての他覚的屈折検査が必須である．

検査法

■**準備**　視力検査と屈折検査のいずれでも，視標をきちんと見てくれるなど，小児の機嫌がよい状態で検査に協力的であることが重要である．したがって，これらの検査の前に，痛い，まぶしいなど苦痛を伴う検査や恐怖感を与えるような検査は行わないほうがよい．いずれの検査も小児にとっては初体験であることが多く，説明をしながら家族とともに遊び感覚で答えられるように誘導する．

視力検査では，小児の年齢と発達状態を参考にして，視力検査の方法(視力表)を選択する．屈折検査では，検影法やポータブルタイプのオートレフラクトメータ(図6)など，検査可能と思われる機器を準備する．また，調節麻痺薬の効果が十分となる時間や，機嫌よく機器を覗き込んでくれるタイミングを逃さないように配慮して，準備しておく必要がある．

図6　ポータブルオートレフラクトメータによる幼児の屈折検査

■ 手順・方法

❶視力検査

a. Landolt 環による字ひとつ視力　3 歳から小学校低学年までは，Landolt 環の字ひとつ視標を用いる．これには遠見用(5 m)と近見用(30 cm)がある．切れ目の方向を，言葉で答えるか，指で示すか，ハンドルを使用するか，検査に先立って説明と練習を行い，小児が応答可能な方法を選択する．遠くでは集中できない小児に対しては，遠見(5 m)用視標を使って 2.5 m や 1 m に近づいて検査を行い，測定後に視標の表す小数を実際の検査距離に換算して視力を求める．検者は字ひとつ視標を裏返して見えないようにしながらその方向を変えて，再び提示し小児に回答させることを繰り返すが，方向が決まった順序にならないように配慮する．また，小児はよく見ようとすると視標に近づいてしまうので，近見(30 cm)用を用いるときには，距離を一定に保つことを心がける．

b. 絵視力表での検査　Landolt 環での検査ができない 2～3 歳児に用いられる．蝶，魚，鳥，犬などのシルエットが視力に相当する大きさで描かれている．絵視標を用いて，図形を認知できる大きさを探る最小可読閾の検査である．小児が何の絵であるか知っているかを確認できれば，言葉で答えてもらう．口答できない場合は，小児の手元に置いた複数の絵から，検者が示した絵と同じものを指で示すあるいは手にとる方法（絵合わせ）で答えさせる．

c. 縞視力　新生児から絵視力検査が可能になるまでの年齢あるいは，知的発達障害があるが固視が可能な例で用いられる．何もない等質な画面よりも，縞模様のある画面を乳幼児がより多く，長く見ることを利用して開発された検査法である．PL(preferential looking)法や TAC(Teller Acuity Cards)法，手持ちのカード式などがある．縞模様のほうを見る，手で示す，縞模様のカードを動かしたとき眼で追うなど小児の反応と見えた縞視標の空間周波数から視力が換算される．

d. 森実ドットカード　ウサギの顔の輪郭に目と口またはクマの顔の輪郭に眼だけが描いてあるカードで，近見で目（ドット）を指さしてもらう最小視認閾の検査である．ほかの検査ができない 1～3 歳の幼児では有用である．検査距離(30 cm)を保つことが大切である．

❷屈折検査　検影法とオートレフラクトメータによる方法があるが，前者については別項(⇒ 6 頁参照)に譲る．3 歳以上では据え置き型のオートレフラクトメータでの検査が可能であるが，それ以下の乳幼児ではポータブルタイプが有用である．

　いずれにしても小児では器械近視の問題があり，自然瞳孔での検査値をそのまま鵜呑みにすることはできない．特に内斜視や弱視が疑われる乳幼児では，調節麻痺薬を使用しての屈折検査が不可欠である．調節麻痺薬としては 1％アトロピン硫酸塩水和

物点眼薬と1％シクロペントラート塩酸塩点眼薬があるが，内斜視の症例では，一度は調節麻痺効果の強いアトロピン硫酸塩点眼薬での検査を行うべきである．また，小児の屈折値の変化は特に乳幼児期に大きく，経過観察中も必要に応じて調節麻痺薬を使用して確認する必要がある．

　検影法とオートレフラクトメータ以外の屈折検査装置には，乳幼児健診での視覚スクリーニングに適した検査器機として自動判定機能付きのフォトスクリーナーがある．1 m の検査距離で測定可能であるため，器械近視をきたしにくく，自然瞳孔でのスクリーニングに有用である．また，フォトスクリーナーでの検査が完了できない場合には，眼底からの反射が減弱するような重大な眼疾患が存在している可能性がある．

● ポイント　小児の視力検査では，明るい声で問いかけて視標に興味を引き，答えたらたくさん褒めて，やる気を持続させる．はじめに両眼開放の視力，次に片眼ずつの視力と検査を進めるが，試験枠を掛けたがらない場合には，母親の手で片眼を隠すなどの工夫もよい．また，試験枠を使用する場合には，隙間から遮閉した眼で覗き込もうとしていないか注意を払う．視力に左右差がある場合には，再診時に視力の低かった眼から測定し，視力が不良であるのか視力検査がうまくできなかっただけなのか確認する．

　小児の集中力は大切であり，褒めながらやる気を持続させることに努めるが，検査を受けることが嫌にならないように手短に切り上げることも必要である．また，一緒に来たきょうだいとは日時を離して検査を行うなど，さまざまな状況に応じた工夫をする．

　さらに，外来で検査ができない小児については，ぬいぐるみで遊ぶときや絵本を読み聞かせしているときに眼を指さす練習をしてもらったり，絵視力表や Landolt 環のコピーを渡して家で視力検査の練習をしてもらったりするとよい．

■ 注意点　小児の内斜視，弱視，白内障術後などの治療用眼鏡は8歳まで保険適用があり，内容を確認のうえ，適切に処方すべきである．

| 判定 　小児の視力は発達途上にあり，年齢相応の発達がみられないものが弱視である．弱視では治療とともに矯正視力は上昇していくものである．視力が前回と同じか下がった場合には，屈折値の変化を確認して屈折矯正の状態を見直すことや，全く別の器質的疾患の可能性がないか確認すべきである．

眼鏡処方

Prescription of spectacles

長谷部 聡　川崎医科大学・教授

| 目的 　眼鏡は，屈折異常を矯正し，視力をはじめとする視機能を最大限に発揮させるために処方される．さまざまな方法論が登場しているが，歴史が最も長く，安全性，経済性の面で優れており，現在でも眼鏡は屈折矯正における第1選択である．

| 原理と特徴 　無調節状態で，無限遠方からの平行光線は，網膜面に対して近視では前方，遠視では後方へ焦点がずれ，また乱視では2か所の焦点(焦線)が生じるため，網膜像がぼけ，視力低下が起こる．近

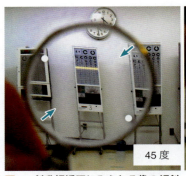 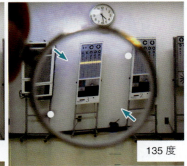

図7 斜乱視矯正にみられる像の傾斜

視は凹レンズ，遠視は凸レンズなど球面レンズ，乱視は円柱レンズで，それぞれ焦点ずれを矯正できる．老視では，調節力低下による近見時の網膜後方への焦点ずれを，凸レンズで矯正できる．

しかし眼鏡レンズは角膜頂点より約12 mm前方に置かれるため，ポイントに示すようにさまざまな光学的問題を抱えている．

検査法 屈折検査には自覚的検査と他覚的検査があり，得られた検査結果を総合的に判断して眼鏡を処方する．完全矯正度数が基本となるが，年齢，職業，生活様式，矯正視力，屈折度数，乱視や不同視の程度，斜視や弱視の有無など，考慮すべきファクターは多い．患者ごとに，眼鏡視力と装用感が高レベルで両立する眼鏡度数を見つける必要がある．

◎ポイント 眼鏡処方の際の装用テストは両眼開放で行うため，通常片眼で行う視力検査の屈折度とは適切な屈折度が異なる場合もある．

❶不等像視と眼鏡装用感 眼鏡レンズは角膜前方に置かれるため，凸レンズ，凹レンズではそれぞれ1Dに対し1.25%だけ拡大または縮小して見える．不同視が2Dを超えると，小児やすでに感覚的順応が成立している症例を除き，装用感が低下するため，完全矯正は困難になる．近視が強い片眼を1〜2Dの低矯正としてモノビジョン眼鏡を処方するのも有効かもしれない．

同様に円柱レンズでは像の変形や傾斜（図7）が起こり，度数や軸が左右眼で異なる症例では経線不等像視のため異常空間感覚が生じ，装用感が低下する．経験的に最も感覚的順応が期待しにくいのは，斜乱視で軸が直交する場合である（例：右－cyl 3.00 D A135°，左－cyl 3.00 D A45°）．このような症例では，眼鏡視力と装用感の間にはトレードオフの関係があることを説明し，以下に示す対策を考慮する．

乱視矯正眼鏡の装用感を改善させる対策には，以下のものがある．
①円柱レンズの度数を下げる．
②円柱レンズの軸を180度か90度方向へシフト（15度以下に止める．図8参照）．
③頂間距離を短めにする．

ただし感覚的適応力の強い小児期においては，多くの場合，球面レンズ円柱レンズにかかわらず，不同視は完全矯正できる．

❷強度近視の眼鏡矯正 超高屈折率（屈折率：1.74〜1.76）両面非球面レンズ（眼鏡）

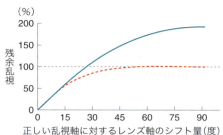

図8 円柱レンズの軸シフトと残余乱視の関係
軸シフトが30度に達すると,球面レンズのみで矯正しても見え方は同じ.破線(赤)は同時に円柱度数を弱めた場合.

は-20Dまで対応可能であり,従来型のCR39による球面レンズに比べると,非常に薄く,外見上の違和感も少ない.特殊(レンチキュラー)レンズを用いれば眼鏡は-48Dまで対応できる.有水晶体眼内レンズ(-23Dまで対応)を除けば,最も適用範囲が広い矯正法の1つといえる.

コンタクトレンズ(CL)では像の縮小効果が小さく,強度近視矯正には一般的に有利だと考えられる.しかしハイパワーのソフトCLは高次収差が大きく,ハードCLにはレンズの動きとともに視力が変動しやすいなど,欠点もある.加えて眼鏡レンズには,見かけの調節力があるため,強度近視の高齢者では恩恵は少なくない.

❸**近見加入度数の設定と焦点深度** 加齢に伴う調節力の低下は個体差が小さいため,遠見での完全矯正度数が判明すれば,一義的に定めることができる(調節力[D]=18.5-年齢/3).例えば年齢が51歳であれば,調節力は18.5-17=1.5D.視距離33cmを明視するためには3-1.5D=1.5Dの加入度数が必要であり,近用眼鏡を処方する際には,屈折度数(完全矯正度数)にこの値を加える.しかし眼球は±0.25〜0.5Dの焦点深度(ぼけを自覚しない焦点誤差の範囲)をもつため,実際には,加入度数は計算値よりやや少なめでよいだろう.

また軽度の近視性乱視には,焦点深度を広げる効果がある.-1D未満の乱視は矯正しないか残余乱視として残すとよいかもしれない.明視域が拡大し,近用眼鏡の装用感を改善できる場合がある.

付 瞳孔間距離測定
Measurement of interpupillary distance

長谷部 聡 川崎医科大学・教授

目的 眼鏡処方の際に,光心間距離を指定するうえで必要な検査である.

検査法 被検者に遠方の視標を注視させ,視線を妨げないようにやや下方から,左右どちらか一側の強角膜輪部の距離を物差しで測る(図9).検者の視点位置によるパララックスを避けるため,物差しは額に当てるとともに,左眼輪部は右眼で,右眼輪部は左眼で,片目をつぶりながら位置を求めるのがよい.

近用の瞳孔間距離を測定するためには,適当な視標を被検者の眼前約30cmの位置に保持する.これを注視させながら,同様に輪部の距離を求める.検者の視点位置によるパララックスを避けるため,物差しを額に当てるとともに,検者は片目を閉じて,視標の直後から両眼の位置を求めるのがよい.ペンライトを固視視標にすれば,輪部の代わりに角膜反射を目標とすることもできる.特に斜視症例では便利である(後述).

ポイント 斜視症例では,片眼ずつ遮閉

図9 強角膜輪部を目標とする瞳孔間距離の測定

2本の破線の幅が瞳孔間距離である．

しながら，上記と同様の手順で強角膜輪部の距離を測定する必要がある．つまり右眼を遮閉しながら左眼の，次に左眼に遮閉を移して右眼の輪部を観察する．

　しかし検査協力が得られにくい乳幼児や片眼中心視力不良の症例では，検査が難しいことがある．この場合には，近見距離にペンライトを置き，これを注視するよう促しながら，物差しで両眼の角膜反射の距離を測るだけでよい．片眼遮閉の必要はない．角膜反射は患者の注視方向によらず，常にペンライトの光軸上に作られるため，眼位ずれの影響を受けにくいためである．得られた近見瞳孔間距離から，標準的な瞳孔間距離や瞳孔面と眼球回旋点の距離を基に，遠見での瞳孔間距離を推定することができる（近見瞳孔間距離＋3.3 mm ≒ 遠見瞳孔間距離）．

■**注意点**　遠見の瞳孔間距離を測るときに，誤ってペンライトによる角膜反射を目標に用いる場合がある．大きなパララックスが介入するため，避けるべきであろう．瞳孔縁を用いる方法もあるが，日本人では瞳孔と虹彩のコントラストが弱く，照明条件によっては見づらくなる．また瞳孔変形や瞳孔不同がある症例では誤差が生じることも問題である．

付 眼鏡に対する検査
Inspection for glasses

長谷部 聡　川崎医科大学・教授

目的　屈折異常がうまく矯正されているかどうかは，良好な視力が得られているかどうかで，およそ判断できる．しかし例えば，近視では過矯正であっても良好な視力がみられる場合があり，またロービジョンや小児では自覚的屈折検査の信頼性に疑問がもたれる症例も少なくない．他覚的屈折検査により眼鏡度数をテストする必要があるが，この目的では検影法によるオーバー・レフラクションが有用である．

手技・方法　遠用眼鏡の検査では，まず検査すべき眼鏡を装用させ，遠方の固視視標を注視させる．次に両眼の眼前に＋2.00 D のレンズを置き，しばらく雲霧をかけたうえで，50 cm の距離から検影法を行う．

　また近用眼鏡（近見加入度数）を評価するときには，前置レンズは用いない（動的検影法）．まず検査すべき眼鏡を装用させ，患者の日常的な読書距離（30～40 cm）に調節を惹起しやすい視標（小さくコントラストの強い文字列など）を置き，視標の直後から検影法を行う．

ポイント　小児では豊富な調節力をもつため，しばしば近視の過大評価や遠視の過小評価が起こる．検影法によるオーバー・レフラクションでは，患者は両眼で実空間に置かれた視標を見ながら検査を受けるため，調節が介入しにくく，検査の信頼度は比較的高い．調節麻痺薬を必要とせず，診察室内において短時間で実施できるのもメ

リットである．雲霧を確実にするため，前置レンズは両眼の眼前に置くことが望ましい．

判定 開散光で眼底反射光が逆行すれば，被検者の焦点(網膜共役点)は無限遠より近くにあり，近視なら眼鏡は低矯正，遠視なら過矯正と判断できる(図10)．中和すれば眼鏡は完全矯正である．同行がみられれば，近視なら眼鏡は過矯正，遠視なら低矯正と判断できる．

近用眼鏡(近見加入度数)の検査では，眼底反射が同行すれば，被検者の焦点は近見視標より遠方にあるので(図11)，加入度数は不足していると判断できる．中和がみられれば，焦点は視標上にあり，調節は正確であり，加入度数は適切である(調節ラグを加味すれば，加入度数はやや過剰かもしれない)．

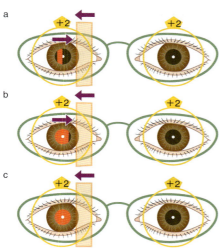

図10 検影法によるオーバー・レフラクションの判定(近視眼の場合)
＋2.00 Dの前置レンズを置き，50 cmの距離から検査する場合を示す．
矢印はそれぞれ，レチノスコープの光束と眼底反射光の動きを示す．低矯正なら逆行(a)，軽い低矯正では幅の広い逆行(b)，完全矯正または軽度の過矯正で中和する(c)．

調節検査
Examination of accommodation

梶田雅義 梶田眼科・院長

目的・対象 どのくらい近くまで明視することができるかを測定するための調節

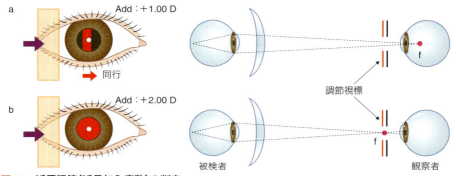

図11 近用眼鏡(近見加入度数)の判定
眼底反射が同行すれば(a)，焦点(f)は調節視標より遠方にあり，加入度数は不足．次に，加入度数を強めて中和が得られたなら(b)，焦点は調節視標に一致しており，加入度数は適切(b)．前置レンズは使用しない．

力検査，調節がどのくらいすみやかに行われているかを測定する調節機能検査，および調節を行ったときに起こる生体の反応を検出する近見反応測定装置と調節機能解析装置がある．老視，眼精疲労，VDT（visual display terminal）症候群（テクノストレス眼症，IT眼症），むち打ち症（Barré-Liéou症候群）などの診断と治療の効果判定に用いる．また，眼鏡，コンタクトレンズ処方時の適正矯正判断や屈折矯正手術の適応判定にも有用である．

図12　アコモドポリレコーダ

検査法
■ 装置を使わない検査

❶ **調節力の測定方法**　近点距離を測定して調節力を算出する調節力検査は特別な装置を使用しなくても測定が可能であるが，より精度を高く測定するために等速度近点計や等屈折度近点計が用いられる．等速度近点計は固視標が等速度で移動するため，自覚的には視標が眼に近づくほど速く移動するように感じられ，近点の測定値にばらつきが生じやすい．一方，等屈折度近点計では，視標が眼に近づくほど接近する速度が遅くなるので，近点測定の再現性が高い．

❷ **近点距離の測定**　完全矯正した状態で，片眼を遮閉し，被検眼の眼前50cmから視標を近づけて，視標がぼやけ始めた距離（近点距離）を測定する．このとき，調節力＝1/近点距離である．

老視眼や調節衰弱状態などで，完全矯正状態では眼前50cmの距離に提示された視標ではすでにぼけてしまっている場合には，眼前50cmの視標が明視できるまでプラスレンズ（負荷レンズ度数）を眼前12mmの位置に加えて，同様に近点距離を求める．この場合の調節力は，1/近点距離－負荷レンズ度数になる．

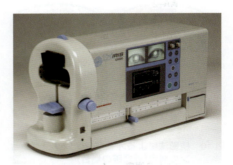

図13　TriIRIS C9000

通常はこの検査を数回繰り返して（反復近点測定）行う．正常では反復近点測定でばらつきのない安定した年齢相応の調節力が計測される．測定値に変動が大きい場合には調節異常が疑われ，調節力が年齢相応よりも小さい場合には調節衰弱が疑われる．しかし，年齢相応以上の調節力が計測されても，調節機能が正常か否かを診断することはできない．

■ 装置を使う検査

❶ **調節検査**　反復近点を求めたあとに遠方視標と近方視標を交互に提示して，それぞれの明視できるまでの時間を求め，遠方から近方を調節緊張速度，近方から遠方を調節弛緩速度として，ピント合わせの速さを

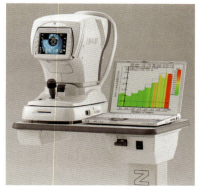
図14 AA-2

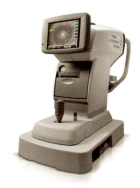
図15 アコモレフ2

a 調節緊張症
 （21歳男性）
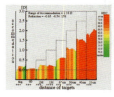

b 調節けいれん
 （28歳女性）
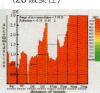

c 老視（51歳男性）
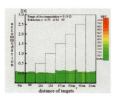

d 老視の調節けいれん
 （62歳女性）
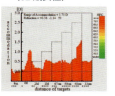

e テクノストレス眼症
 （22歳男性）

f IOLの調節緊張症
 （82歳女性）

g スマホ衰弱
 （24歳男性）
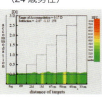

h スマホ緊張
 （22歳男性）
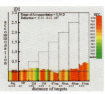

図16 調節異常
a：提示視標に調節が追随しているが，毛様体筋の活動状態はどの視標に対しても強い．
b：調節が提示視標にうまく追随できず，毛様体筋の活動状態が非常に高い．
c：提示視標に対して調節努力が生じておらず，毛様体筋はほとんど活動していない．
d：提示視標に対して調節努力が生じており，毛様体筋に強い負担をかけている．
e：遠方視標に対しては調節努力が生じておらず，近方視標に対して毛様体筋の活動が強い．
f：単焦点IOLで調節はできないが，調節努力が生じており，毛様体筋の活動が強い．
g：裸眼で長時間の近方視が持続することによって，調節する習慣がなくなった状態．
h：近くを長時間見続けることによって，毛様体筋が凝り固まった状態．

測定する装置（アコモドポリレコーダ）がある**（図12）**．明視ができたかは自覚的な判断となり，測定中に被検者が一定の判断基準を維持する必要があるため，再現性には個人差が大きい．

❷**近見反応測定装置** TriIRIS C9000（浜松ホトニクス）**（図13）**は等屈折度近点計に電子瞳孔計を組み込んだ装置であり，近接視

標を見るときに起こる縮瞳と輻湊反応を同時に記録する．眼鏡やコンタクトレンズ装用下でも測定が可能である．等屈折度近点計としても対光反射をみる電子瞳孔計としても使用できる．また，遠方と近方視標位置を設定し，固視標を反復移動させて，調節速度の記録も可能である．瞳孔の動きと輻湊の状態を同時に記録できる．

❸**調節機能解析装置**　AA-2（ニデック）**(図14)**，アコモレフ2（ライト製作所）**(図15)**は一定の距離を注視しているときに生じる屈折値の揺らぎ（調節微動）の高周波数成分出現頻度を計測することによって，毛様体筋の活動状態を記録する装置である．これによって，調節緊張症，調節けいれん，テクノストレス眼症（IT眼症），老視の他覚的な診断が可能になった**(図16)**．調節力がないはずの老視眼やIOL眼にも調節異常が発症し，VDT症候群のIT眼症は調節負荷を加えたときに症状が発現することがわかる．また，スマートフォンによる調節異常には衰弱型と緊張型があり，その対処方法が異なることも容易に理解できる．以前は医師の経験と勘で診断していた調節異常が他覚的に可視化でき，患者への説明や治療効果の判定にも有用である．

動体視力計・深視力計
Kinetic vision tester, Depth perception tester

長谷川優実　筑波大学附属病院・病院講師

1 動体視力計

目的・対象　優秀な運動選手や航空機乗務員などは動体視力が優れているといわれ，動体視力検査は運動選手や交通機関従事者の視機能評価に有用である．一方，加齢や眼精疲労に伴い動体視力は低下する．2002年より，運転免許更新時の高齢者講習で運転適性検査として動体視力検査が実施されている．

原理と特徴　動体視力には，dynamic visual acuity（DVA）と，kinetic visual acuity（KVA）がある．DVAは眼から一定距離の円弧上を水平移動するLandolt環を減速し，切れ目の方向を判別できた時点の1秒間の移動速度（角速度）で表す．視標の動きに合わせて円滑に眼球運動できることが重要である．KVAは，遠方から近づいてくるLandolt環の切れ目が判別できた距離を視力値に換算する．滑らかな調節作用が重要となり，どちらの検査も静止視力より高度な視機能を必要とするため，静止視力より値が低下する．動体視力といえば，欧米では一般的にDVAを指すのに対し，わが国ではKVAのことを指す．そのため，わが国で市販されている検査機器はKVAを測定する機器である．Badal光学系を用いており，実際には，視標は短い距離を移動もしくは固定しているが，移動プリズムとレンズによって高い縦倍率を獲得し，数十mの距離を視標が移動したように見せている．

検査法　動体視力検査で現在市販されているのはKVAが測定できるAS-4F（コーワ）である．見かけ上50〜3mの距離をLandolt環が遠方から近方に移動する．近づいてくるLandolt環の切れ目がわかったら，手元のジョイスティックで応答し，その距離を視力値に換算する．視力は3mで0.1に，50mで1.6に相当する．両眼，または左右どちらかの片眼で測定する．通常は予備検査を2回行ったあと，

本検査を 5 回行い，その平均値を KVA とする．視標の移動速度は 0，20，30，40，50，および 60 km/時と 6 段階の設定ができるが，通常は動体視力値が安定し，変化がよくとらえられる 30 km/時で行う．

| **判定**　KVA の判定は，同一年齢層基準と比較して 5 段階に評価され，運転免許更新時の高齢者講習の指導に用いられる．

2 深視力計

| **目的・対象**　深視力は，大型・中型・準中型・けん引・第 2 種免許の取得や更新の際に測定される．

| **原理と特徴**　深視力は三杆法を用いて測定している．3 本の棒が表示され，中央の 1 本が前後に動き，横並びになったと判断した際に応答させ，実際との誤差を測定する．

| **検査法**　深視力は AS-7JS7，AS-27α（コーワ），KYS-A0117（ケーワイエス工業）で測定できる．2.5 m の距離に 3 本の縦棒が表示され，中央の棒が前後に動く．左右の棒と横並びになったときにボタンを押す．3 回測定して実際との誤差を平均する．

| **判定**　深視力は 3 回測定した平均誤差が，2 cm 以下が免許取得・更新の条件である．

VDT 検査
Examination of VDT eye strain

川島素子　久喜かわしま眼科・副院長

| **目的**　急速な IT（情報技術）化が進み，モニターやテレビなどの VDT（visual display terminals）環境下での作業に身体的疲労，精神的疲労を感じる人たちが増えて問題となってきた．このため，厚生労働省は「VDT 作業における労働衛生管理のためのガイドラインについて」（平成 14 年 4 月 5 日，基発第 0405001 号）を発出した．

しかし，それ以降，ハードウェア・ソフトウェア双方の技術革新により，職場における IT 化はますます進行しており，情報機器作業を行う労働者の範囲はより広くなっている．また，携帯機器端末の多様化と機能の向上，タッチパネルの普及など入力機器の多様化，装着型端末（ウェアラブルデバイス）の普及などに伴い，作業形態はより多様化している．このため，従来のように作業を類型化してその類型別に画一的に健康確保を行うことは困難となってきた．このような状況を踏まえ，多様な作業形態に対応して，きめ細かい対策をするために，新たに「情報機器作業における労働衛生管理のためのガイドラインについて」（令和元年 7 月 12 日，基発 0712 第 3 号）**(表 2)** が発令された（平成 14 年のガイドラインは廃止）．情報機器作業者の健康管理の 1 つとして眼科学的検査が必要である．

| **対象**　情報機器作業を行う者**(表 2)**．本ガイドラインは，事務所において行われる情報機器作業を対象としたものであるが，ディスプレイを備えた当該機器を使用

表2 「情報機器作業における労働衛生管理のためのガイドラインについて」による新作業区分と健康管理

	作業区分の定義	健康管理
拘束性のある作業[注1]	1日に4時間以上情報機器作業を行う者であって次のいずれか ・常時ディスプレイを注視、または入力装置を操作 ・休憩や作業姿勢の変更に制約がある	健康診断 ・業務歴 ・既往歴 ・自覚症状の有無 ・眼科学的検査 ・筋骨格系検査
それ以外[注2]	上記以外の情報機器作業対象者	自覚症状を訴える者のみ上記の検査を行う

注1:作業時間または作業内容に相当程度拘束性があると考えられるもの(すべての者が健診対象)
注2:上記以外の者(自覚症状を訴える者のみ健診対象)
※「VDT作業における労働衛生管理のためのガイドラインについて」(旧)からの変更内容ポイント
　・「VDT」から「情報機器」への名称変更
　・技術革新への対応として、タブレットやスマートフォンに関する事項などの技術的見直し
　・情報機器作業の多様化を踏まえた作業区分の見直し

表3 「情報機器作業における労働衛生管理のためのガイドライン」における健康診断項目

	配置前健康診断	定期健康診断
調査内容	・業務歴の調査 ・既往歴の調査 ・自覚症状の有無の調査(問診)	
眼科学的検査	・遠見視力の検査(矯正視力のみでよい) ・近見視力の検査(50 cm視力または30 cm視力)(矯正視力のみでよい) ・屈折検査(問診、遠見視力および近見視力に異常がない場合は、省略可) ・眼位検査(自覚症状のある者のみ) ・調節機能検査(自覚症状のある者のみ)	・遠見視力の検査(矯正視力のみでよい) ・近見視力の検査(50 cm視力または30 cm視力)(矯正視力のみでよい) ・眼位検査(医師の判断による)(40歳以上の者が対象)(問診、遠見視力および近見視力に異常がない場合は、省略可) ・調節機能検査(40歳以上の者が対象)(問診、遠見視力および近見視力に異常がない場合は、省略可) ・その他医師が必要と認める検査
筋骨格系に関する検査	・上肢の運動機能、圧痛点などの検査(問診において異常が認められない場合は、省略可) ・その他医師が必要と認める検査	・上肢の運動機能、圧痛点などの検査(問診において異常が認められない場合は、省略可) ・その他医師が必要と認める検査

して、事務所以外の場所で行われる情報機器作業などについても、できる限り本ガイドラインに準じることを推奨している。

検査法　本ガイドラインより眼科にかかわる項目を抜粋して述べる(表3)。

❶**自覚症状の有無の調査:眼疲労を主とする視器に関する症状**　業務歴および既往歴の調査の結果を参考にしながら、問診票などを用いて問診によって行う。問診項目としては、眼の疲れ・眼の乾き・眼の異物感・遠くが見づらい・近くが見づらいなどの自覚症状の有無などが挙げられる。また、眼の疲労などに関しては、眼科定期受診、および点眼薬など治療薬の継続的な使用の有無

も聴取する．

❷眼科学的検査

a. 視力検査

(1) 5 m 視力の検査：ふだんの遠方視時（外を歩くなど）の屈折状態 （裸眼，眼鏡，コンタクトレンズ）で検査を行う．

(2) 近見視力の検査：ふだんの作業時の屈折状態（裸眼，眼鏡，コンタクトレンズ）で検査を行う．通常，50 cm 視力を測定するが，ふだんの情報機器作業距離がより近い場合には 30 cm 視力を測定することが望ましい．近見視力の検査はディスプレイの視距離に相当する視力が適正なレベルとなるよう指導することが目的であり，近見視力は，片眼視力（裸眼または矯正）で両眼ともおおむね 0.5 以上となることが望ましい．

b. 屈折検査
裸眼または眼鏡装用者は，裸眼での屈折状態をオートレフラクトメータにて測定する．コンタクトレンズ装用者は，着脱可能な場合は裸眼で，困難な場合はレンズ装用下で測定する．また，使用眼鏡の度数測定をレンズメータで行う．コンタクトレンズ装用者からは，可能であれば使用レンズの度数を聴取する．検査の結果，現在の矯正状態かつ情報機器作業距離で十分な視力が得られていないと判断された場合は，作業に適した矯正眼鏡などの処方を行う．なお，問診において特に異常が認められず，5 m 視力，近見視力がいずれも，片眼視力（裸眼または矯正）で両眼ともおおむね 0.5 以上が保持されている者については，屈折検査を省略して差し支えない．

c. 眼位検査
交代遮閉試験または眼位検査付き視力計で斜位の有無を検査する．

d. 調節機能検査
ふだん情報機器作業を行っている矯正状態での近点距離を測定する．また，ドライアイは，情報機器作業により症状が発現する可能性があるため，問診において眼乾燥感，異物感，痛み，間欠的な見づらさを訴える場合は，ドライアイを考慮して診察にあたる．ドライアイの悪化要因としては，コンタクトレンズの装用，湿度の低下，眼に直接当たる通風，ディスプレイ画面が高すぎて上方視し過度にまぶたを開く場合，読み取りにくい画面の凝視などによるまばたきの減少などがあるので，これらに留意して，アドバイスを行う．

コンタクトレンズフィッティング検査・レンズの検査

Contact lens fitting, Checking contact lens condition

渡邉 潔　ワタナベ眼科・院長

目的　適切なコンタクトレンズ（CL）のベースカーブ，直径などを選択する．

1 ソフト CL の処方

検査法　細隙灯顕微鏡で正面視と上方視における瞬目時の CL の動きを観察する．低含水ソフト CL（ISO 分類でグループⅠ）の場合は，ハード CL と同じように瞬目時に CL 下の涙液交換が行われないと角膜の酸素不足を生じる．瞬目の際に正面視で 0.5 mm 以上動く必要がある．一方，高含水の含水性ソフト CL（グループⅡまたはⅣ）やシリコーンハイドロゲルレンズ（グループⅤ）は酸素透過性が高いため，正面視での瞬目時の動きは 0.3 mm 以下でも

図 17　フィッティングに関する用語
a：スティープ，b：パラレル，c：フラット．

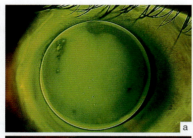

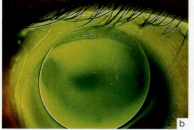

図 18　フルオレセインパターンに関する用語

a：アピカルクリアランス．周辺部に比べ中央部のほうが浮いている．
b：アピカルタッチ．周辺部に比べ中央部が角膜に接している．

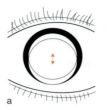

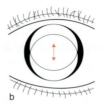

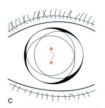

図 19　瞬目時のレンズの動きに関する用語
a：タイト．CL の動きが少ない．
b：スムーズ．CL の動きが適当である．
c：ルーズ．CL の動きが大きい．

よい．上方視させて 0.5〜1.5 mm の動きがあればよい．動きが少ない場合は，下眼瞼を指で押し上げて「プッシュアップテスト」を行う．

2000 年頃には，グループ I（HEMA の素材）は酸素不足による障害が多かったため，眼科では処方されなくなっていた．現在，通販やショップで CL を購入する人が増えたことにより，台湾製や韓国製のグループ I のカラー CL による角膜障害で受診する患者が増加した．フィッティングについてはグループ I とそれ以外のソフト CL を区別する必要がある．

2　ガス透過性ハード CL の処方

検査法　フルオレセイン染色を行い，フィッティングを観察する(図 17〜19)．

レンズの検査は，装用させたまま細隙灯顕微鏡で観察するか，実体顕微鏡で観察する．

コントラスト感度・コントラスト視力

Contrast sensitivity, Contrast acuity

長谷川優実　筑波大学附属病院・病院講師

｜目的｜　視力検査のみでは評価困難な「見え方の質」を評価する．

｜対象｜　視力が良好にもかかわらず，見えにくさを訴える症例が対象となる．具体的にはドライアイ，屈折矯正術後，軽度の円錐角膜，軽度の白内障，網脈絡膜疾患，視神経疾患，弱視眼などがある．

｜原理と特徴｜　コントラスト感度は，画像光学の分野で用いられている空間周波数特性（modulation transfer function：MTF）という概念を視覚に応用したものである．視標は，正弦波格子縞とよばれる，輪郭のはっきりしない，濃淡や明るさを変化させた縞模様で，その視標を認識するのに必要なコントラストを測定する．空間周波数は縞の細かさを表す指標で，単位視角あたりの縞の数を表すため，単位は cycles per degree（cpd）を用いる**（図 20）**．コントラストは，（最大輝度－最小輝度）/（最大輝度＋最小輝度）で計算され，それを%で示すことが多い．視覚系において，ある空間周波数の縞視標を認識できる最小のコントラストをコントラスト閾値とよび，コントラスト閾値の逆数をコントラスト感度という．各空間周波数におけるコントラスト感度をグラフ化したものをコントラスト感度曲線といい，視覚系の MTF を示す．この縞視標コントラスト感度は，空間周波数とコントラストの両方をさまざまに変化させた視標である．そのほかにも，視標の大きさは

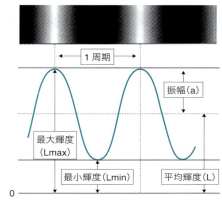

平均輝度（L）＝Lmax＋Lmin/2
振幅（a）＝Lmax－Lmin/2

Modulation（コントラスト）
＝振幅/平均輝度
＝Lmax－Lmin/Lmax＋Lmin

図 20　正弦波格子縞

〔根岸一乃：種々の視野検査，コントラスト感度．根木昭（編）：眼科プラクティス 15，視野．pp362-364，文光堂，2007 より〕

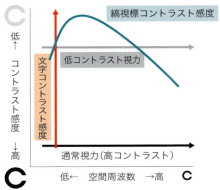

図 21　空間周波数特性と各種コントラスト感度検査の関係

一定にしてコントラストを変化させた文字コントラスト感度や，コントラストを低く一定にして，視標の大きさを徐々に小さくする低コントラスト視力なども臨床的にはコントラスト感度検査として含まれる．各

図 22　CSV-1000 の各視標
a：縞視標コントラスト感度，b：文字コントラスト感度，c：低コントラスト視力．

視標とコントラストや空間周波数の関係を図 21 に示す．

検査法　現在，コントラスト感度検査法に標準化されたものはなく，測定機器や視標にはさまざまなものがある．

❶ スタンド式

a. CSV-1000（Vector Vision 社）　印刷した視標をスタンドに貼りつけて測定する．(1)縞視標コントラスト感度，(2)文字コントラスト感度，(3)低コントラスト視力の 3 種類の視標がある．測定距離は 8 フィート（約 2.5 m）とし，完全矯正下で測定する．

(1) 縞視標コントラスト感度(図 22a)：A から D のサンプル視標があり，それぞれの空間周波数は 3, 6, 12, 18 cpd である．そして各サンプル視標の右側に 1 から 8 までの縞視標が上下 2 段に並んでおり，どちらかが縞視標，もう一方が単色視標となっている．サンプルの縞を確認後，1 から 8 まで順に上下の円どちらに縞があるか被検者に答えてもらう．どちらに縞があるか認識できなくなるところまでをカウントする．これを A から D まで行う．サンプル視標しか縞が判別できない場合は，A から D のアルファベットにプロットする．サンプルも見えなければ 0 にプロットする．プロットを結んで折れ線グラフにする．

(2) 文字コントラスト感度(図 22b)：同一サイズのアルファベットが 24 文字並んでおり，3 文字ずつ 8 組で，8 段階（100%，35.5%，17.8%，8.9%，6.3%，4.5%，2.2%，1.1%）のコントラストで描かれている．アルファベットの大きさは 2.5 m の距離で約 0.08 の Landolt 環の大きさに相当する．チャートのアルファベットを左上より順に答えてもらい，可視個数を記録する．

(3) 低コントラスト視力(図 22c)：ETDRS (early treatment diabetic retinopathy study)チャートと同様の配置で，視標のコントラストを 10% にしてある．通常の ETDRS チャートと同じく，1 つの視標に対し 0.02 logMAR が割り当てられており，正解した視標数に 0.02 をかけて logMAR 値を計算する．

❷ 印刷視標
ペリー・ロブソン(Pelli-Robson)文字コントラスト感度チャート（検査距離 1 m，40 cm），Mars 文字コントラスト感度チャート（検査距離 40 cm）がある（テイエムアイ）．

❸**ディスプレイ式** さまざまな特徴のある機器がある．視力，縞視標コントラスト感度，立体視，色覚などを測定できるOptec®6500(Stereo Optical社)，低コントラスト視力が測定できるBinoptometer® 4P(OCULUS社)やCAT-CP2(ナイツ)，縞視標コントラスト感度，低コントラスト視力，色覚検査ができるColorDx CCT-HD22(コーナン・メディカル)，14段階のコントラストをもつ輪の視標を用いたCGT-2000(タカギセイコー)，自動視野計にコントラスト感度検査の機能も追加されたアイモプラスCS(クリュートメディカルシステムズ)などがある．

| **判定** 縞視標コントラスト感度の記録用紙にはコントラスト感度曲線の正常範囲が記載されており，その範囲よりもコントラスト閾値が低下していれば異常と判断される．

グレア検査

Glare test

長谷川優実 筑波大学附属病院・病院講師

| **目的** 透光体に混濁があることにより，光が散乱してまぶしさを引き起こす現象をグレアとよぶ．グレアによる視機能低下を測定するのがグレア検査である．

| **対象** 通常の視力検査では良好な矯正視力を有するが視機能低下を訴える症例，特に夜間の運転時などに羞明を訴える症例が対象となる．軽度白内障，後発白内障，角膜疾患などの手術適応の決定や，眼内レンズ挿入眼，屈折矯正手術後の術後視機能評価などにも用いられる．

| **検査法** 標準化された検査方法や基準値はない．通常は，コントラスト感度測定の際のグレア障害を評価する．検査の際は検査室の照明を点灯または消灯した状態で視標を提示し，グレア光源を負荷したときとしないときの両方でコントラスト感度検査を行う．最初にグレアなしの夜間視，次にグレアありの夜間視，グレアなしの昼間視，グレアありの昼間視の順に検査を行う．グレア負荷をすることでグレアなしの結果よりも視機能が低下する場合，グレア障害ありと判定する．代表的な機種(図23)の概要は以下である．

❶ **CSV-1000HGT(Vector Vision社)**(図24) スタンド式で8フィート(約2.5 m)の距離で，完全矯正下で測定する．CSV-1000の両脇にハロゲンのグレア光源をつけたもので，CSV-1000の全種類チャート(縞視標，Landolt環視標，低コントラスト視力，ETDRSチャートなど)に対して使用できる．光源は，夜間に150フィート(約46 m)の距離にある車の2つのヘッドライトの明るさに相当するように調整されている．グレア光源は他の条件にも設定できる．

❷ **SSC-350CG(ニデック)** 5 m視力検査用チャート(Landolt環視標)の両脇にグレア光源(15万 cd/m^2，車のハイビームが17 m先で点灯している状態に相当する)が組み込まれている．

❸ **Optec®6500(Stereo Optical社)** 覗き込み型の多機能視機能検査器で，視力，縞視標コントラスト感度，立体視，色覚などを測定できる．コントラスト感度検査の際に，グレア負荷の有無を選択できる．

❹ **CGT-2000(タカギセイコー)** 覗き込み型のコントラスト感度検査機器．視標は二重

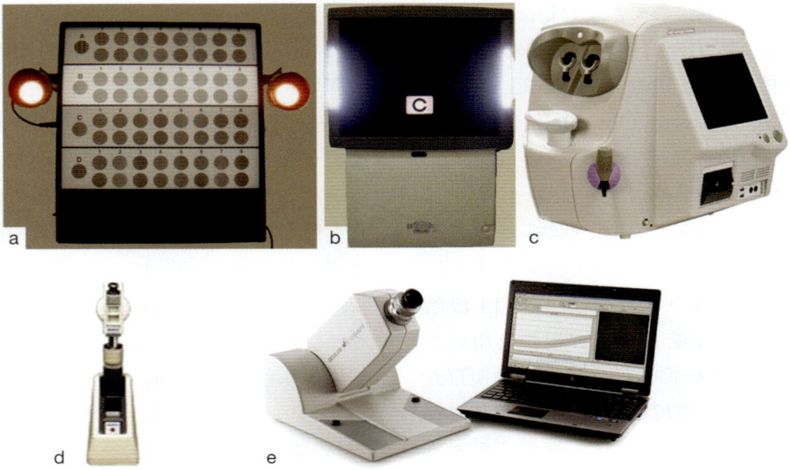

図23 さまざまなグレア検査装置
a：CSV-1000HGT，b：SSC-350CG，c：CGT-2000，d：BAT，e：C-Quant．

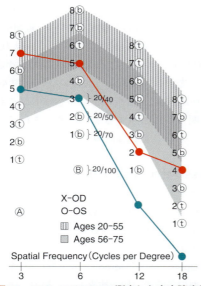

図24 CSV-1000HGTで測定した白内障症例
矯正視力は1.2である．赤はグレアなしの昼間視，青はグレアありの夜間視の結果．グレアありの夜間視では著明にコントラスト感度が低下している．

輪視標で，サイズは6種類あり，空間周波数に換算すると 1.1，1.8，2.9，4.5，7.1，10.2 cycles/degree である．コントラストは 0.19〜2.15 の 14 段階が測定可能である．検査距離は 5 m，1 m，60 cm，30 cm に設定でき，測定は被検者の応答に合わせて自動で行われる．グレア光は L（1万 cd/m^2），M（4万 cd/m^2），H（10万 cd/m^2）の3種類に設定できる．

❺ **CAT-CP2（ナイツ）** 覗き込み型のコントラスト感度視力検査機器．視標は Landolt 環視標で，コントラストは 100%，25%，10% の3段階のコントラスト視力を測定できる．測定は被検者の応答に合わせて自動で行われる．グレア光は 200 ルクスである．

❻ **BAT（Brightness Acuity Tester, Marco Ophthalmic 社）** 手持ち式の 60 mm の半球内部にグレア光源をもち，中心に 12 mm の覗き穴がある構造をしている．検査眼を半球で覆い，内部の照明を点灯した状

態で覗き穴から視力検査表を読ませる．光源の明るさは3種類あり，400フットランベルト（1,370.4 cd/m²；直射日光の当たるコンクリートの歩道や砂浜），100フットランベルト（342.6 cd/m²；曇天のコンクリートの歩道や砂浜），12フットランベルト（41.1 cd/m²；デパートや教室の蛍光灯の明かり）である．

❼ **C-Quant（OCULUS社）** 眼内の散乱を自覚的，定量的に測定する装置である．ほかの機器がグレア負荷によって視標がどの程度見えにくくなるかを評価するのに対し，眼内の散乱光の強さを定量するという点でほかの機器とは全く異なる．検査眼で覗き込むと，中心ディスクが左右の半円に分かれており，左右どちらの半円がより点滅しているかを答えてもらう．

図25 ラムダ100レチノメータの外観
（エムイーテクニカより提供）

90度　　　　　　　45度　　　　　　　0度
Visus=0.06$\left(\frac{20}{300}\right)$　Visus=0.32$\left(\frac{20}{60}\right)$　Visus=0.5$\left(\frac{20}{40}\right)$

図26 ラムダ100レチノメータの視標

付 干渉縞視力検査

Interferometry

長谷川優実 筑波大学附属病院・病院講師

目的 透光体に混濁を有する症例で，混濁の影響を受けていない場合を想定した潜在的な視機能を推定するための検査である．例えば，眼底評価が難しい強い白内障を有する症例に対して，白内障術後視力をおおまかに推定することが可能であり，白内障手術適応の有無を決定するうえで役立つ．

対象 角膜混濁，白内障，硝子体混濁など透光体に混濁を有する症例で，網膜以降の中枢系の機能を推定したい症例が対象となる．

原理 2本の平行光束を入射させると，干渉現象によって網膜面上に縞模様（干渉縞）が形成される．この縞模様は眼球光学系の影響を受けにくく，ほぼ一定に形成される．したがって間隔の広い平行光束は干渉縞の縞間隔も広く，狭い間隔で入れると干渉縞の縞間隔は縮小する．どこまで細かい縞間隔が認識できるかによって，白内障などの透光体混濁の影響を除外した，網膜以降の中枢系の機能を推定する．

検査法

■ **準備** 検査機器はラムダ100レチノメータ（Heine社）**（図25，26）**など白色電球を光源にした直像鏡タイプと，ロトマー・ビソメータ（Haag-Streit社），レチノメータ（Rodenstock社）などレーザー光源を用いて細隙灯顕微鏡に装着するタイプに大別される．

■ **検査方法** ラムダ100レチノメータの

検査方法を述べる．検査前に散瞳する．最初に被検者に視標が見えていることを確認する．干渉縞の縞方向は縦，横，斜があり，縞間隔を変更して提示して，被検者に縞方向を回答してもらう．まず最も太い縞模様を提示し，次第に縞間隔を狭くすることで，どこまで細かい縞模様の方向が正しく認識できるかを判定する．縞の方向が正答できた最も細かい縞模様の表示値を干渉縞視力とする．

判定 白内障の混濁が強い症例では，実際の術後視力との相関が弱くなり，潜在視力を過小評価している可能性がある．また，白内障の病型によっても影響が異なり，干渉縞は核白内障や皮質白内障の影響は受けにくいが，後囊下白内障では干渉縞が不明瞭になりやすく，過小評価される傾向がある．眼底疾患を有する症例では過大評価される傾向がある．

ロービジョン検査
Low vision test

仲泊 聡　東京慈恵会医科大学・客員教授

1 他覚的・自覚的屈折検査

ロービジョンに伴う固視不良の場合など，オートレフラクトメータでの測定が困難なときは，完全暗室で近距離の検影法を行うとよい．超音波による眼軸長測定による屈折値予測も有用である．

乳幼児期から中心窩機能が低下している場合は，偏心固視となっている場合もあるが，成人発症の偏心視の場合は，固視が不安定で，オートレフラクトメータで測定できたとしてもその値はあてにはならない．結局，自覚的屈折検査である矯正視力検査によって得られる最高視力での屈折が重要となる．この際には，時に±10.0Dもの加入での差を比較し，予測値に大きなブレがないかの確認が必要である．乱視の場合も，差分の大きなクロスシリンダーでの測定が必要である．

一般的には，ピンホールで最高視力を推定するが，極端な視野狭窄や偏心視の場合は，むしろわかりにくくなることもあるので注意を要する．このような固視不良の患者の測定に便利な視力表としてはHarrisら（1985年）が考案したマルチプルタンブリングEがある．多数のEの字が視標板に所狭しと並ぶ視標で，そのどれもが同じ大きさで同じ向きをしている．視線がずれていたとしても，たまたま見えた視標でその向きを判定できる．

2 logMAR検査

ロービジョン検査としての視力検査では，小数視力検査表では0.2前後の視標間隔が広いため，logMAR視力表を用いて0.02刻みで細かく測定したい．小数視力検査表とは異なり，logMAR視力表を使用する際には，視力列で1個でもわかれば，それをカウントする．例えば，患者がlogMAR＝0の列をすべて正しく答えたら，視力は0.0となるが，5個のうちの1つを正しく答えられなかったら，0.0＋0.02＝0.02となる．2個間違えた場合では，0.0＋（0.02×2）＝0.04である．

3 超低視力の定量評価

小数視力0.01以下の視力の評価には，指数弁，手動弁，光覚弁が広く使用されている．指数弁が50cm以上のほとんどの

患者がLandolt環で測定可能である．50 cm未満の指数弁は，その距離である程度の量的評価ができる．しかし，背景が一定でなく，視距離が屈折と調節に大きく影響するため，その信頼性は高くはない．まして，手動弁と光覚弁は形態覚の評価ではない．0.01前後の視力値を定量する1つの方法にBRVT（Berkeley rudimentary vision test）がある．指数弁の全例と手動弁の半数例は，この視力表を用いて数値化することができる．

4 読書速度測定

MNREAD-Jチャートは，1分間に読める文字数を数値化する．さまざまなサイズの文字列を読むことによって，すらすらと読める文字サイズのうち最小のもの（臨界文字サイズ）を知ることができる．視野が狭い場合，視線方向付近に深い暗点がある場合には文章が非常に読みにくくなる．この困難は，実際に文章を読んでみて評価をしないとわからない．MNREAD-JチャートiPad版が普及しはじめ，測定が平易になってきている．

5 拡大鏡の倍率の決定

新聞の文字サイズは多くの場合，25 cmの視距離に焦点を合わせれば，矯正視力0.3で読むことができる．一般に，拡大鏡の倍率は，25 cmの視距離で見たときの大きさの何倍かを意味する．したがって，矯正視力0.1であれば，3倍の拡大鏡（12 D）で新聞が読めるはずである．MNREAD-JチャートのM sizeの数値は，一般的な新聞を読む際の拡大鏡の推奨倍率である．ただし，読めることと読みやすいことは異なるため，やや大きめのほうが楽である．また，拡大鏡を使用する場合，近視や遠視はその倍率に影響する．乱視がある場合も含め，矯正眼鏡をかけて拡大鏡を使用することを推奨する．

6 偏心視域の同定

中心窩に病巣がある場合，中心暗点の周囲に中心窩よりも感度の高い部分があることは，いわれれば気づけるが，ここを使おうとしても思うようにはいかない．患者が比較的若い場合は，ここをうまく活用し細かいものを判別できるようになる．このように，病的に感度低下した中心窩と比較して感度がよく，活用可能な面積を有する網膜部位が中心窩に代わって使用されている場合，この網膜部位のことを偏心視域とよぶ．時計の文字盤の絵を活用して偏心視域の位置を同定することができる．

7 フィルタの活用

遮光眼鏡のようなフィルタの活用には，羞明の予防以外にも矯正視力や視野を改善するという効果が期待できる．低視力の対策として対象の拡大を行う場合，視野狭窄を合併する患者において同一視野内に5文字以上が同時に見えないと読書速度が著しく低下する．このようなときは，フィルタの活用が特に有効となる場合がある．

8 コントラスト感度

欧米では眼科外来でコントラスト検査が常用されている．さまざまな照明環境での見え方が求められる日常生活での困難さを推定するには，高照度・高コントラストの視力検査だけでは不十分で，低照度・低コントラストにおける視機能への影響を評価することが必要になる．従来のコントラス

図27 MARSレターコントラストセンサティヴィティチャート

(Arditi A: Improving the Design of the Letter Contrast Sensitivity Test. Invest Ophthalmol Vis Sci 46: 2225–2229, 2005 より)

ト感度検査表に加え，MARSレターコントラストセンサティヴィティチャート(図27)が簡易版として使いやすい．

波面収差解析
Wavefront analysis

平岡孝浩 筑波大学・准教授

目的 波面収差解析は，従来の単純な屈折検査では得ることのできなかった詳細な光学特性情報，すなわち不正乱視(≒高次収差)を含めた屈折状態を総合的に評価する解析法である．また収差データに基づくLandolt環シミュレーション像は患者の愁訴を理解するうえで大変参考になり，患者への説明の際にも重宝する．

また，市販化されているほとんどの機種で角膜形状解析装置が一体化されているため，眼球収差と角膜収差と内部収差をそれぞれ算出することが可能であり，高次収差が角膜前面に起因するのか，眼球内部(角膜後面や水晶体)に起因するのか，など原因の所在を判定できる．このような眼球のパーツごとの評価は白内障手術の手術適応や眼内レンズ(intraocular lens：IOL)の評価にも広く応用されるようになってきた．さらに連続測定によりドライアイや各種点眼薬の影響，さらにはコンタクトレンズの影響についても詳細な理解が可能となってきている．

対象 特に眼鏡による矯正では十分な視力が出ず，不正乱視の存在が疑われる症例がよい適応となる．円錐角膜や角膜外傷後などの角膜形状異常や初期白内障や核白内障に伴う水晶体屈折率分布の変化をきたしている症例では，波面収差に特徴的な変化が出やすく診断や病態の理解に役立つ．またスリットランプ観察にて混濁が軽度の白内障症例でも高次収差が増大しているケースがある．非球面IOLをはじめとする付加価値IOLの適応を判断する際にもきわめて有用である．さらに屈折矯正手術においてもwavefront-guided LASIKの登場以降は必須の評価項目となっており，近年の手術装置の高度化・複雑化に伴い，術後のアウトカムを従来の屈折検査のみで評価するには限界が生じているといっても過言ではない．

原理と特徴 従来の「幾何光学」は光を線としてとらえる学問であるが，波面光学では光を波として考える．例えば点光源から出射した光を考えると，時間経過とともに同心円状に光の波が拡散していく．均一で遮るものがない空間を通過した波面は，歪みのない理想的な波面を形成するが，実空間では媒質が不均一であるために波面は歪められる．眼球内も同様に考えることができ，理想的な光学系であれば，眼内を通過した波面は眼球光学系の凸レンズ

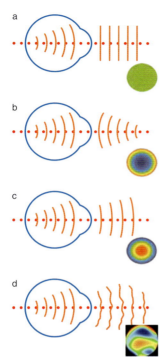

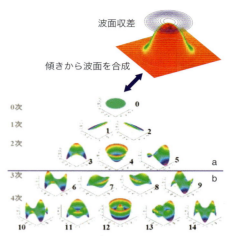

図29 **Zernike のピラミッド**
異なるパターンの特徴的な波面から構成されており，これらの各波面成分がどの程度存在するのかを定量的に解析することにより個々の眼球の光学特性を知ることができる．

図28 **屈折状態と波面の特徴**
a：正視眼．黄斑から反射した光は平面波として眼外に出ていく．この状態をカラーコードマップで示すと，緑一色となる．
b：近視眼．中央が遅く周辺が速い波面となるので，カラーコードマップでは中央が青く周辺が赤くなる．
c：遠視眼．逆に中央が速く周辺が遅い波面となるので，近視と逆パターンのマップとなる．
d：不正乱視眼．高次収差の増加に伴い，波面が不規則に波打つようになる．このためマップも寒色と暖色が入り乱れた状態となる．

系で収束し黄斑にきちんと集光するはずである．しかし，個々の眼球では程度の差はあるものの不均一な状態が存在するので理想波面からのずれが生じるのである．

図28 に概略図を示すが，無収差の正視眼では黄斑から反射した光は平面波として眼外に出ていく．この状態をカラーコードマップで示すと，緑一色となり基準面から

凹凸のない理想的な波面といえる〔基準面を緑色で表し，それよりも波が速く到達する場合に暖色系（赤色），遅く到達する場合に寒色系（青色）で表現する〕．近視眼の場合は，中央が遅く周辺が速い波面となるので，カラーコードマップでは中央が青く周辺が赤くなる．遠視眼では逆に中央が速く周辺が遅い波面となるので，近視と逆パターンのマップとなる．不正乱視眼では高次収差の増加に伴い，波面が不規則に波打つようになる．このためマップも寒色と暖色が入り乱れた状態となる．

多色が不規則に混在していれば高次収差が大きいということは直感的（定性的）にわかるが，それ以上の詳細はわからない．そこで得られた波面を数式で表して，Zernike（ゼルニケ）解析で展開することによって，特徴的な波面に分解している．図29 は Zernike のピラミッドとよばれるが，

表4　各測定法の特徴

	Hartmann-Shack方式	スリットスキャン方式(検影法)	ray tracing方式(光線追跡法)	Tscherning方式
市販機種	KR-1W(トプコン) iDesign(AMO)	OPD-Scan(ニデック)	iTrace(Tracey Technologies)	WaveLight(Alcon)
測定の方向	眼外への出射光(outgoing)	網膜からのスリット反射光	眼内への入射光(ingoing)	眼内への入射光(ingoing)
測定光	レーザー光	赤外光	レーザー光	レーザー光
測定時間	短い	やや長い	やや長い	短い
角膜形状解析装置	付随	付随	付随	付随
その他の特徴	最も汎用されている．瞬時に測定できるので連続波面収差解析にも向いている	検影法を繰り返す空間的ダイナミック検影法を採用し，測定範囲が広い	測定時に注視距離を任意に変更できる機能あり	グリッドパターンのスポット光を採用し，Hartmann-Shack方式と似ているが，測定方向が逆

異なるパターンの特徴的な波面から構成されており，これらの各波面成分がどの程度存在するのかを定量的に解析することにより個々の眼球の光学特性を知ることができる．例えば，コマ収差，球面収差，矢状収差などが何 μm 存在するのかを算出して，各成分を比較することにより波の特徴を数値として解釈できるようになる．

波面収差計の種類　では，波面をどうやって測定するのか？これまでにさまざまな手法が考案されてきた．Hartmann-Shack方式，スリットスキャン方式，ray tracing方式，Tscherning方式を応用した機種が市販化されており，それぞれの特徴を表4に示す．方法やプロセスの違いはあれど，目的は同じで眼球の光学特性を評価するために波面を検出している．最も汎用されているHartmann-Shack型波面センサーに関して以下に補足説明する．

装置と測定手順　眼外の1次光源から細いレーザービームを黄斑部に集光させる．網膜面で反射した光は2次光源となり眼外に向かって拡散していく．光の波面は同心円状に広がり，硝子体，水晶体，瞳孔，前房，角膜を通過して眼外に出射する．この波面をHartmannプレート(格子状に並べられた小さなレンズ群)を通過させ，複数のスポット光に集光させCCDカメラで撮影することによりHartmann像を得る(図30)．この像の各スポットのずれ情報から波面関数を求め，Zernike多項式で展開し，その係数から収差を求める(図31)．

測定は通常のオートレフラクトメータと同様の要領で行う．患者に内部視標を固視してもらい，ジョイスティックを動かして角膜のアライメントを合わせたのちに測定ボタンを押す．測定の際には必ずしも散瞳する必要はないが明室を避ける．明室では縮瞳して十分な解析径が得られないからである．また，プラチド型角膜トポグラフィと同様に涙液状態が測定に影響を及ぼすので，数回瞬目させ涙液層を安定させてから撮影を行う．

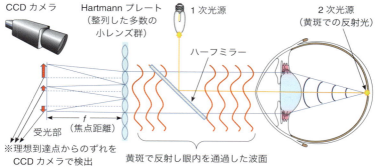

図30　波面センサーの原理

眼外の1次光源からレーザービームを黄斑部に集光させる．その後，黄斑で反射した光は2次光源となり眼外に向かって拡散していく．眼外に出射した波面はHartmannプレートを介して複数のスポット光に集光する．これをCCDカメラで撮影することによりHartmann像を得る．

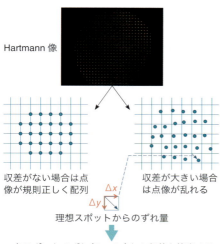

図31　Hartmann像と収差の算出

Hartmann像の各スポットのずれから波面関数を求め，Zernike多項式で展開し，その係数から収差を求める．

判定　Zernike係数の符号と値により各収差成分の方向と大きさが把握できる．単位はジオプトリー（D）ではなく，基準面からの距離（μm）として表わされる．

図29に示すピラミッド成分中の3番は斜乱視，4番は球面，5番は直（倒）乱視を反映しており，これら3成分はいずれも眼鏡レンズで矯正できることから，低次収差に分類される．これに対して眼鏡レンズで矯正できない成分を高次収差とよぶが，3次以降の収差成分がこれに相当する．

3次収差の代表は7番（垂直コマ，vertical coma），と8番（水平コマ，horizontal coma）である．3次収差の両端の6番と9番は矢状収差（トレフォイル，trefoil）とよばれ，三重視の原因となる．なお，3次の収差成分はいずれも中心から見て非対称な成分である．3次収差を総称してコマ様収差（S3）とよぶ．

4次収差の代表は真ん中の12番（球面収差）である．その両脇の11番と13番は非点収差（2nd astigmatism），両端の10番と14番はテトラフォイル（tetrafoil）とよばれ，いずれも中心から見て対称な収差成分である．4次の収差を総称して球面様収差（S4）とよんでいる．そして3次以降の収差すべてをまとめて全高次収差（S3＋4）と

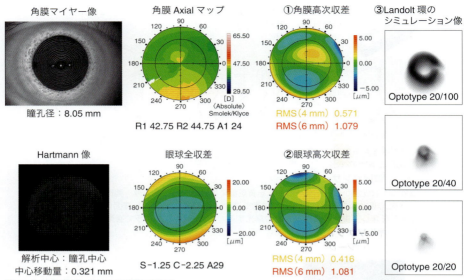

図32　円錐角膜の波面収差解析結果

角膜高次収差マップ(①)では下方が寒色，上方が暖色となっており，軸がやや斜めにずれてはいるが上下方向のコマ収差(垂直コマ)が大きいことを示している．眼球高次収差マップ(②)でも類似のマップとなっており，高次収差は角膜に由来することがわかる．Landolt環のシミュレーション像(③)では下方に尾を引く像の滲みが確認され，これは円錐角膜に特徴的な所見である．

よぶ(6次まで解析する場合にはS3+4+5+6が全高次収差となる)．

なお瞳孔領(測定面積)が大きくなると収差量も増加するため，収差量を比較する際には，解析瞳孔径を確認する必要がある．代表的な波面センサーでは，昼間視を4 mm，夜間視を6 mmの円形の瞳孔と仮定して収差量を算出している．正常眼の眼球全高次収差(S3+4)の平均値は瞳孔径4 mmで0.09 μm，6 mmで0.37 μm程度である．したがって，これらを大きく上回る測定値が得られた場合は高次収差による視機能低下を考える．また，Landolt環シミュレーション網膜像でぼけの程度を確認することも有用である．一般的な目安として，瞳孔径4 mmにおける高次収差量が0.30 μmを超えるような場合には臨床上問

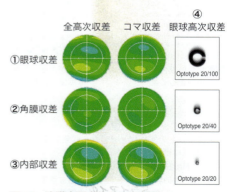

図33　強膜内固定後のIOL傾斜

上段(①)の眼球収差では垂直方向の高次収差(寒色と暖色の混在)が出現しており垂直方向のコマ収差が増大していることがわかる．中段(②)の角膜収差は小さい(緑色に近い)が，下段(③)の内部収差は大きいことから，眼球収差の増加は内部収差(IOLの傾斜)に起因していると考えられる．また右列のシミュレーション像(④)では上方に尾を引くような滲みを確認できる．

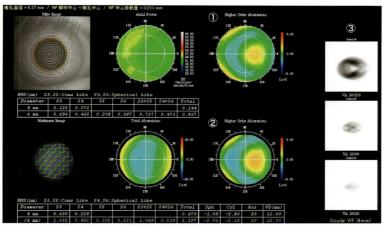

図34　オルソケラトロジーの波面収差解析結果
オルソケラトロジーレンズが耳側偏位したため高次収差が増大した症例である．角膜高次収差マップ(①)で，中央より右側に楕円状の暖色域が存在し，左側が寒色系となっている．つまり扁平化した領域が側方に偏心していることがわかる．眼球高次収差マップ(②)でも類似の所見が得られている．シミュレーション像(③)では水平方向へのぼけや滲みが強く，視機能低下が容易に見てとれる．

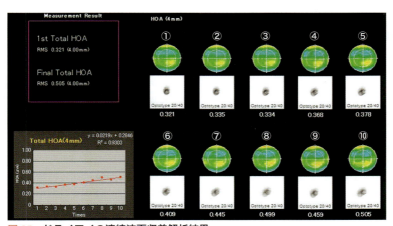

図35　ドライアイの連続波面収差解析結果
1秒ごとに10回(①～⑩)連続測定した結果を示している．左下のグラフにその経時変化が表示されるが右肩上がりに高次収差が増加していることがわかる．またシミュレーション像でも徐々に滲みが大きくなっている．開瞼後に涙液が徐々にドライアップするために眼表面の均一性が失われ，このような現象が生じると考えられている．

題となる視機能の低下をきたす場合が多い．

臨床応用例

❶ **円錐角膜の評価** 円錐角膜眼では突出した角膜下方の波面が遅れるため垂直コマ収差の増加が典型的な所見となり，シミュレーションでは下方に尾を引く網膜像となる(図32)．

❷ **IOLの評価** IOL評価においても波面収差解析は広く応用されている．例えばトーリックIOLの術後評価を行う場合，波面収差解析では眼球全体の乱視はもちろんのこと角膜乱視と内部乱視が一元的に求められるため，トーリックIOLの乱視矯正効果やミスアライメントの検出が容易である．IOL傾斜の定量評価にもきわめて有用である(図33)．

❸ **オルソケラトロジーの評価** オルソケラトロジーによる角膜形状変化を評価するためには角膜トポグラファーが必須であるが，波面収差解析でも有用な情報が得られる．特にLandolt環のシミュレーション像は参考になり，患者の訴えを簡便に理解することができる(図34)．

❹ **ドライアイの評価** ドライアイ診療においては連続波面収差解析がお勧めである．開瞼後の動的な光学特性変化をとらえることができる(図35)．

眼軸長測定
Axial length measurement

須藤史子 東京女子医科大学附属足立医療センター・教授

1 超音波Aモード法による測定

目的 軸性遠視や近視の診断，眼内レンズ（intraocular lens：IOL）度数計算のための生体計測．

対象 高度遠視眼や高度近視眼，白内障手術の術前患者．

原理と特徴 超音波Aモード法では，内境界膜からの反響音を利用して角膜表面から内境界膜までのエコー上の往復時間と音速から距離を算出する．光軸としての眼軸長が算出されるが，一般的には眼内組織の各部位（前房，水晶体，硝子体）のそれぞれの音速を使用する区分音速（セグメント）方式のほうが，各部位の音速を平均した平均音速を使用する等価音速方式より測定誤差は少ないとされている．区分音速の場合は水晶体が1,641 m/秒，前房と硝子体は1,532 m/秒と各々の音速を用いるが，等価音速値は有水晶体眼で1,550 m/秒，無水晶体眼は1,532 m/秒を用いる．

検査法 測定方法には接触法と水浸法があるが，通常国内では起坐位による接触法を用いて測定が行われる場合が多い．点眼麻酔ののち，被検者に顔を顎台にのせてもらい，探触子（プローブ）の中央にある内部固視灯を注視させる．検者はプローブの先端を被検者の角膜中央に接触させる．そのときに角膜を強く圧入しないように注意する．測定画面の波形が良好であるかどうかを判定する．

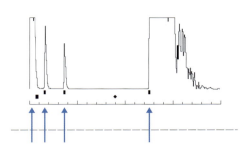

図36 超音波Aモードの波形
角膜,水晶体前面および後面,網膜エコーの4本の反射エコーが高いピークをもって観察されている.セグメント方式のため,それぞれの音速が異なっている.
(須藤史子:眼軸長の測定法.臨眼 64:81-87, 2010 より)

　超音波Aモード法による眼軸長測定においての問題点は,①検者の手技が要求され,初心者には難しい検査である,②検者の癖が目立ちやすく誤差が生じやすい,③極度に縮瞳している場合,散瞳が必要である,④固視不良・瞬目過多・瞼裂狭小・瞳孔の変形・斜視眼・角膜乱視など測定困難な症例がある,⑤測定時間が長いこと,が挙げられる.光干渉眼軸長測定装置では再現性がよくばらつきも少ないが,超音波Aモード法で行うときはたとえ熟練者が測定しても,眼軸長の測定誤差は 0.3 mm 程度存在することもある.一方で眼軸長 1 mm の測定誤差は,短眼軸長眼で 3.4 D,標準眼軸長眼で 2.9 D,長眼軸長眼 1.6 D の屈折誤差を生じることから,IOL 度数のステップは 0.5 D ステップのため,眼軸長測定ミスは 0.2 mm 以内に収めることが要求される.

　超音波Aモード検査におけるばらつきを少なくする方法として,以下の3点が推奨される.①熟練者を含む2名が測定しデータを比較検討すること,②起坐位で顎台に顔を固定するトノメータ型のほうが手持ち型よりも角膜の過剰な圧迫を予防でき,プローブと視軸の一致をあらゆる角度から確認できる利点があること,③複数の測定できた波形のなかから,明らかに不適切と思われるものを削除してから平均値を求めること,である.

測定値の信頼性　良好な波形の見極め方にはポイントがある.接触法では4本のスパイク〔角膜前面,水晶体前面,水晶体後面,網膜(内境界膜)〕が垂直に立ちあがっていること,その高さが波形の半分以上のゲインを超えていること,脈絡膜以降のエコーが充実性をもって次第に減衰していること,の3つを確認するとよい(**図 36**).測定結果がばらついた場合,左右差が大きい場合,屈折度数との整合性(強度

表5 超音波Aモード法と光学式眼軸長測定装置による比較

	超音波Aモード法	光学式眼軸長測定装置
測定原理	超音波Aモード	レーザー光干渉 TD方式　780〜850 nm FD方式　1,000 nm超
測定軸	光軸	視軸
測定範囲	角膜表面から網膜内境界膜までの反響音伝播時間	涙液表面から網膜色素上皮までの光路長
測定値	時間を距離に変換して表示 等価音速：1,550 m/秒 区分音速：角膜・水晶体 1,641 m/秒 　　　　　前房・硝子体 1,532 m/秒	等価屈折率（*）あるいは区分屈折率による光路長を幾何学長に変換して表示 （*水浸式超音波Aモード法の近似値になるように網膜厚を減じる補正がある）
測定形式	接触式	非接触式
測定率	100%	90（TD方式）〜98%（FD方式）
メリット	重度透光体混濁も測定可能	操作が容易かつ簡便 再現性が高い
デメリット	熟練が必要 プローブ接触による角膜圧平，感染のおそれ，患者の不快感	重度の透光体混濁は測定不能がある
散瞳	必要	不要

近視眼であれば長眼軸長眼）がない場合は再検する．

2　光学式眼軸長測定装置

原理と特徴　部分的光干渉測定法を利用した光学式眼軸長測定装置は，2002年から臨床使用されているIOLMaster®（Carl Zeiss Meditec）が登場してから，次々開発が進み普及した．レーザー光干渉法を利用し，光源には半導体ダイオードレーザーを使用し，指向性の高いレーザー光を直接中心窩に当ててその反射をとらえているため，視軸を測定しており，涙液表面から網膜色素上皮までを測定している．そのため実際には超音波Aモード検査のイマージョン法による測定値と相関するように1次関数をかけて補正されて，内境界膜までの値に換算して表示されている．

この眼軸長補正のプロセスとしては，まずレーザー光で角膜表面から網膜色素上皮までの光路長を取得し，次に測定波長に応じた屈折率を適用し，光路長から「光学式眼軸長測定装置で測定した眼軸長」という幾何学長に変換した値を表示している．非接触測定のための超音波プローブによる圧平の影響がなく，通常の超音波Aモード法の測定値よりも150〜300 μm長く測定されている**(表5)**．

光学式眼軸長測定装置による検査は，超音波Aモード法よりも簡便である．非接触で患者への負担が少ない，検者による差がほとんどない，再現性がよく高精度の測定が可能という利点もある．しかし最大の弱点は，成熟白内障や後囊下混濁が強い症例などは測定不能となり，測定可能率が100%にならないことである．光干渉方式

がタイムドメイン（TD）方式から深達度に優れているフーリエドメイン（FD）方式に改良され，測定率の向上が期待できるが，TD方式では5～10％，FD方式では2～3％に測定不能例がある．測定不能例では超音波Aモード法を用いることになる．そのため，光学式眼軸長測定装置で得られた測定値を，超音波Aモード法で適切に測定するための教育用ツールとしても活用し，超音波Aモード法の測定技術も習得しておくといざというときに困らない．

検査法

装置を正しく設定するのはもちろん患者の固視も正しく誘導し，中心窩固視を得ることが重要である．最近は自動測定の装置が増えたため，検査手技は簡便になったものの，患者が確実に中心窩で固視をしていないと，視軸に沿った眼軸長測定値を得ることは難しい．

測定値の信頼性

測定値の信頼度として，信頼係数（signal to noise ratio：SNR）が表示されている機種がある．SNRが高いからといって確実な中心窩固視であるわけではないが，視軸上の混濁が支障になり得られた測定値が微妙なときでも，信頼係数が5以上の場合なら採用できる．測定値の標準偏差で判定する機種もあり，測定値のばらつきの大小や標準偏差が0.02 mm以内に収まっているかなど，表示された測定値を鵜呑みにせずに，採用できる測定値なのかを確認する癖をつけるとよい．また特殊例として，黄斑病変が存在するときは，TD方式だと波形にダブルピークを示す例がある．黄斑前膜で35％，黄斑浮腫で20％，黄斑円孔で4％程度に観察される．1つの波形に2つのピークがみられたときは，網膜色素上皮までの正しい眼軸長を測定するためには，マニピュレーション（手動操作）でカーソルを後方ピークへ移動して補正する必要がある．一方，FD方式では自動認識となったため手動補正は必要がなく，より簡便により精度の高い測定が可能となっている．

測定方法と測定項目

2014年に発売されたIOLMaster®700はFD式OCTが搭載され，従来のIOLMaster®の測定項目であった眼軸長，角膜屈折力，前房深度，角膜横径（white-to-white：WTW），瞳孔径のほかに，角膜厚と水晶体厚も1台で測定される．同年OA-2000（トーメーコーポレーション）もFD方式に改良されて発売になり，眼軸長測定率が有意に向上している．2016年には，区分屈折率で測定可能なARGOS®（サンテック）が発売された．

原理でも述べた「光学式眼軸長測定装置で測定した眼軸長」を表示するにあたり，現行の大方の機種は先行機種のIOLMaster®にならい，等価屈折率を採用している．等価屈折率とは，各組織によって屈折率が異なる眼球を「おおむね押し並べて，ほぼ同一」と考える方法で，従来のTD方式であるIOLMaster®は測定光源波長が780 nmで等価屈折率1.3549を採用しており，これがすべての基本となっている．一方，区分屈折率とは角膜・房水・水晶体・硝子体それぞれに固有の屈折率を割り当てるもので，ARGOS®のみに採用になっている．本装置は眼球水平断2次元画像をもとに自動でセグメンテーションを行い，各組織に応じた屈折率を適用して，各セグメント長の総和を眼軸長として表示している（図37）．区分屈折率の眼軸長は，等価屈折率で測定したものと比較して，ARGOS®は短眼軸長眼では長めに，長眼軸長眼では短めに測定されるという特徴が

表6 光学式眼軸長測定装置

方式	製品名	波長	角膜厚	角膜後面	水晶体厚	区分屈折率	定数最適化
タイムドメイン（TD）	IOLMaster 500	780 nm	×	×	×	×	○
	LENSTAR	820 nm	○	×	○	×	×
	ALScan	830 nm	○	×	×	×	○
	ALADDIN	830 nm	○	×	○	×	×
	Pentacam AXL	475 nm	○	○	×	×	○
フーリエドメイン（FD）	OA-2000	1,060 nm	○	×	○	×	○
	IOLMaster 700	1,055 nm	○	○	○	×	×
	ARGOS	1,060 nm	○	×	○	○	○
	ANTERION	1,300 nm	○	○	○	×	×

○：測定可能あるいは機能あり．×：測定不可あるいは機能なし．

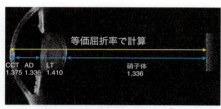

図37 区分屈折率採用のARGOS®と等価屈折率測定の違い

CCT：中央角膜厚，AD：前房深度，LT：水晶体厚
（須藤史子：光学式眼軸長測定装置．臨眼 75：206-213, 2021 より）

ある．等価屈折率か区分屈折率のどちらを採用しても，標準眼軸長眼であれば光学式眼軸長測定装置で測定した眼軸長はほぼ同じであり，それを用いた術後屈折誤差も臨床上問題にならないような僅差である．これはいかに等価屈折率がよく考え抜かれたもので，実臨床に即したものであるかを証明するものであろう．

2020年時点で，国内で使用できる装置の一覧を表6に示す．市場のシェアをみても，依然として等価屈折率の装置が多数派である．そのため早急に区分屈折率測定へシフトすることもないが，短眼軸長・長眼軸長においては眼軸長に占める水晶体の割合が標準眼軸長眼とは大きく異なるため，等価屈折率と区分屈折率による測定値の差がIOL度数選択に影響する．水晶体を正しくセグメンテーションできていることが前提とはなるが，特に長眼軸長眼の場合は区分屈折率でのIOL度数選択のほうが，術後成績は良好であるとの報告がある．

FD方式になってから，測定場面の可視化も1つのトレンドになっている．OA-2000は各組織の距離がB-scan像とともにA-scan波形により示される（図38）．

IOLMaster® 700およびARGOS®は，OCT画像が測定最中に視認でき，このスキャン画像で固視確認が可能である．例えばIOLMaster® 700であれば，眼底1 mmスキャン画像に中心窩陥凹を認めるか否かや水晶体の傾きで固視の良否判定ができる（図39）．特に長眼軸長眼は中心窩固視ではなく傍中心窩固視であることが20%程度あり，後部ぶどう腫があると傍中心窩固視となりやすいことが知られているため，固視確認がその場でできると，再検査も可

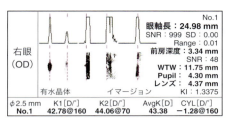

図38 OA-2000による眼軸長の測定スキャン像と各パラメータ

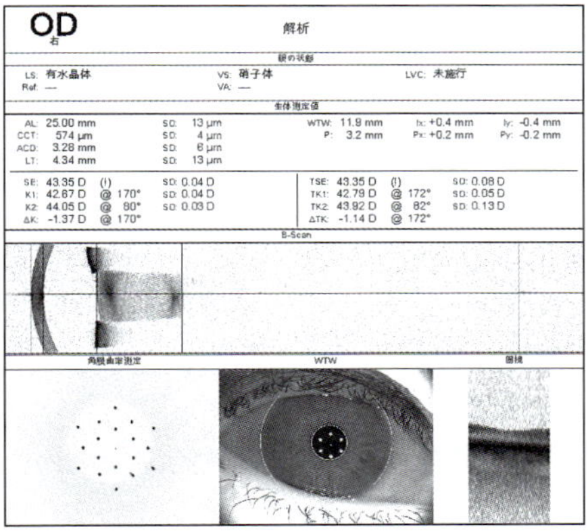

図39 IOLMaster® 700

OCT画面と固視点1mm幅で黄斑形態も観察可能である．OCT画像による角膜前後面のデータから角膜全屈折力も計算して表示されている．

能であり便利である．ただしIOLMaster® 700の眼底OCTは測定中のライブ画像ではないため，測定後に解析をしてみないと中心窩固視であったかどうかは判定できない．一方，ARGOS®は，角膜から網膜までのOCTライブ画像を見ながら測定はできるが，中心窩陥凹を認識できるほどの解像度はなく，固視ずれを判定することはできない．いずれにしても今後のバージョンアップが期待される．

眼内レンズ度数計算

IOL power calculation

須藤史子 東京女子医科大学附属足立医療センター・教授

目的 手術で挿入する眼内レンズ（IOL）の度数決定．

計算式 IOL度数計算式は，眼軸長測定装置のなかに搭載されているため，実際の計算式を目にすることはない．各施設が使用する装置ごとに，術後屈折誤差の低減の観点から使い勝手のよい計算式を最低2種はもち，IOL度数計算を行い決定することが基本である．特に光学式眼軸長測定装置は測定技術の進化とともに，術後屈折誤差の少なさを競う計算式が開発され，バージョンアップされている．

計算式の歴史としては，50年以上前にFyodorovが模型眼を用い，幾何光学に基づく理論式を考案したのが最初である．第1世代とされるこの時代は，虹彩支持型IOLであったので，虹彩平面をIOL固定位置としており，前房深度の個体差のため誤差も大きかった．第2世代からIOL定数という概念で個々の眼軸長によって加減されるように改良されたのが，SRK II式である．

第3世代では，角膜屈折力も加えて術後IOLの位置を予測するようになったのがSRK/T式であり，すでに30年の実績をもつ．そのため多くの臨床実績から標準的な眼軸長眼であれば精度が高いが，それ以外の場合はこの計算式の限界で，術後屈折誤差ずれを起こしやすい．

第4世代は術前の前房深度を組み込んでいることが多いが，Haigis式のみ角膜

表7 主な計算式の特徴

計算式	特徴	眼軸長	角膜屈折力	前房深度	水晶体厚	角膜横径	角膜厚	IOL定数
SRK/T式	・国内で90%以上が使用中，臨床実績が多数のため応用しやすい ・標準眼には精度良好であるが眼球均整が悪い場合には適さない	○	○	—	—	—	—	A定数
Haigis式	・光学式眼軸長測定装置に搭載され普及 ・200眼以上で最適化しないとIOL定数が3つとも最適化されない	○	—	○	—	—	—	a0, a1, a2
Barrett Universal Ⅱ式	・レンズ主平面の位置を考慮した厚肉レンズ系の理論式 ・ローパワーIOLの精度良好 ・有料搭載あるいはAPACRSのWebサイトで計算可能	○	○	○	任意	任意	—	Lens Factor
Hill-RBF	・人工知能によるデータ関数解析であり，特定の方程式ではない ・既存のビッグデータから測定結果を予測する方法で精度が高い ・有料搭載あるいはWebサイトで計算可能	○	○	○	任意	○	任意	SRK/T式の光学用A定数

屈折力を使用していないことが特徴である．最近はあらゆる眼軸長や前眼部解剖眼にも良好な成績が得られるとして，Barrett UniversalⅡ式やAIを利用したビッグデータ解析の算出方法のHill-RBFが，次世代として注目されている．近年眼球生体計測装置が眼軸長のみならず複数の測定項目を自動に測定可能になったことから，IOL度数計算式も進化している．**表7**に主な計算式の特徴と計算に使用するパラメータとレンズ定数についてまとめた．

度数決定に必要な手順 目標屈折値の設定は，重要な術前問診事項である．挿入するIOL度数は術後患者の生活の質のみならず視覚の質にも影響するため，術後の見え方および眼鏡使用に関して，患者の意思確認をしておく．特に患者の望む生活環境，仕事や趣味の活動性，術前の屈折度，他眼とのバランスを把握して，度数決定することが望ましい．患者の希望屈折度に仕上げることが患者満足度に直結するからである．

乱視矯正IOLを使用するかの適応基準についても，自施設内であらかじめ決めておく．例えばケラトメータで直乱視は2D以上・倒乱視は1.5D以上計測されたとき，角膜形状解析装置で不正乱視がない，術後正視希望などである．さらに多焦点IOLを選択した患者の高い要望に応えるためには，正確な術前生体計測によるIOL度数処方が必須となる．**表8**におおよその目標屈折値（等価球面値による予測値）を示す．

次に，IOL度数計算式の選択である．白内障手術希望者の約15%に眼軸長と角膜屈折力による眼球均整が整っていない眼球が認められる．国内では第3世代のSRK/T式が汎用されているが，眼軸長や

表8 患者希望と目標屈折値の目安

条件	目標屈折値に入力する値(D)
正視希望	−0.5〜−0.25
近視希望	−2.0(近見焦点距離 50 cm)
	−2.5(近見焦点距離 40 cm)
	−3.0(近見焦点距離 30 cm)
	−5.0(病的近視で脈絡膜萎縮が強い場合)
乱視矯正 IOL 使用	−0.25
多焦点 IOL 使用	限りなく 0 に近い〜−0.25

前眼部解剖(眼球均整)に応じて複数の計算結果を比較して，度数処方をすることが推奨される．

乱視矯正 IOL の場合，メーカー推奨のオンラインカリキュレータが簡便である．あるいは ASCRS や APACRS の学会 Web サイトも無料で使用可能である．しかしこれらは計測値を手入力しなくてはならないため誤入力の心配がある．現在は光学式眼軸長測定装置内に内蔵されている計算式(Haigis-T 式や Barrett Toric 式など)を使用すると計測値入力の手間がなくなり，誤入力の心配もない．つまり乱視矯正 IOL はどの媒体を使って計算するにしても，光学式の眼軸長，光学式の角膜屈折力，光学式の IOL 定数を使用することが基本となる．

そして忘れてはならないのが，最適化した IOL 定数を用いることである．非球面，乱視矯正，多焦点など高機能 IOL を使用する場合は，術後屈折誤差を最小にしないと患者満足度を高めることはできない．IOL 度数は角膜屈折力と眼軸長から計算されるが，光学式眼軸長測定装置で測定した測定値を使用し，光学式専用の IOL 定数を用いる．メーカー推奨 IOL 定数は従来の超音波 A モード法とオートレフケラトメータの数値に適応されるもの，光学式用とは異なる．自分で 50 眼以上のデータで最適化することが望ましいが，等価屈折率の IOLMaster®を使用する場合は，主要な IOL の IOL 定数は Web 上の User Group for Laser Interference Biometry (ULIB)あるいは IOLCon で検索することができるため，参考にすると便利である．区分屈折率を用いる ARGOS®は，上記の等価屈折率用の IOL 定数との互換使用は勧められないため，独自の IOL 定数を算出することが望ましい．

付 屈折矯正手術後の眼内レンズ度数計算

IOL power calculation after refractive surgery

須藤史子 東京女子医科大学附属足立医療センター・教授

目的 今後，近視 LASIK を受けた眼の白内障手術は増加することが予想される．近視 LASIK 術後眼は局所的に平坦な形状を呈するため，形状異常眼の中心角膜屈折力の正しい評価は難しく，標準角膜よりも角膜屈折力の過大評価となり，術後に遠視化しやすい．誤差が生じる原因は，①屈折矯正術後には角膜前面と後面の曲率が異なるため角膜屈折力を実際よりも過大評価してしまうこと，②測定された角膜屈折力から得られる術後前房深度予測値に大きな誤差を含むことが挙げられる．したがって計算式のパラメータに角膜屈折力を用いる計算式は誤差が大きくなる．

度数決定方法 度数計算としては，

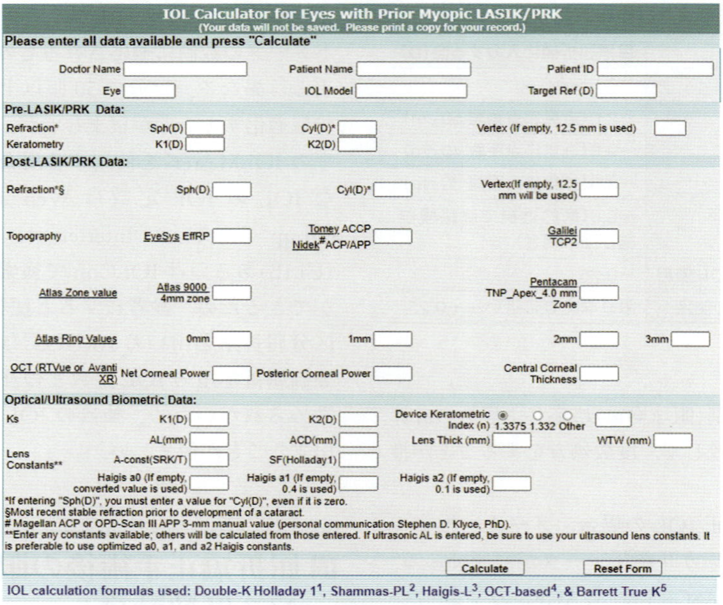
IOL Calculator for Eyes with Prior Myopic LASIK/PRK
(Your data will not be saved. Please print a copy for your record.)
Please enter all data available and press "Calculate"
Doctor Name Patient Name Patient ID
Eye IOL Model Target Ref (D)
Pre-LASIK/PRK Data:
Refraction* Sph(D) Cyl(D)* Vertex (If empty, 12.5 mm is used)
Keratometry K1(D) K2(D)
Post-LASIK/PRK Data:
Refraction*§ Sph(D) Cyl(D)* Vertex(If empty, 12.5 mm will be used)
Topography EyeSys EffRP Tomey ACCP Nidek#ACP/APP Galilei TCP2
Atlas Zone value Atlas 9000 4mm zone Pentacam TNP_Apex_4.0 mm Zone
Atlas Ring Values 0mm 1mm 2mm 3mm
OCT (RTVue or Avanti XR) Net Corneal Power Posterior Corneal Power Central Corneal Thickness
Optical/Ultrasound Biometric Data:
Ks K1(D) K2(D) Device Keratometric Index (n) 1.3375 1.332 Other
AL(mm) ACD(mm) Lens Thick (mm) WTW (mm)
Lens Constants** A-const(SRK/T) SF(Holladay1)
Haigis a0 (If empty, converted value is used) Haigis a1 (If empty, 0.4 is used) Haigis a2 (If empty, 0.1 is used)
*If entering "Sph(D)", you must enter a value for "Cyl(D)", even if it is zero.
§Most recent stable refraction prior to development of a cataract.
Magellan ACP or OPD-Scan III APP 3-mm manual value (personal communication Stephen D. Klyce, PhD).
**Enter any constants available; others will be calculated from those entered. If ultrasonic AL is entered, be sure to use your ultrasound lens constants. It is preferable to use optimized a0, a1, and a2 Haigis constants.
Calculate Reset Form
IOL calculation formulas used: Double-K Holladay 1[1], Shammas-PL[2], Haigis-L[3], OCT-based[4], & Barrett True K[5]

図 40 ASCRS の Web サイトにある無料オンラインカリキュレータ

ASCRS IOL Calculator の近視 LASIK/PRK 術後眼への IOL 度数計算画面に，誤入力しないように光学式のデータを入れていく．

LASIK 術前データがあるものとないものに大別される．LASIK クリニックの閉院や海外での施術など LASIK 術前データを入手することが困難なことも多く，現在では術前データがなくても可能な計算式が各種光学式眼軸長測定装置に搭載されているため，その計算式を使用することが簡便である．代表的なものとして Haigis-L, Shammas no-history, Camellin-Calossi, OKULIX, Barrett True-K 式などがある．さらに ASCRS の Web サイト（https://www.ascrs.org）から無料オンラインカリキュレータ（図 40）を使用すると，複数の計算式併用で度数計算がなされ，平均 IOL 度数を最大と最小値も示されるため，便利である．近視 LASIK・PRK のみならず，遠視 LASIK や RK 眼においては，APACRS の Web サイト（https://www.apacrs.org）から Barrett True-K 式（図 41）を用いると対応できる．

臨床成績 さまざまな計算式が考案されているが，特殊な測定機器が必要なものもある．どの施設でも計算可能で精度が高いものとしては，術前データを用いない場合のほうが術後成績は良好であるとの報告から，光学式眼軸長測定装置搭載式と無料オンラインカリキュレータを見比べ，決定するとよい．近視 LASIK・PRK 術後眼の ASCRS オンラインカリキュレータを駆使すると，± 0.5 D 以内に 55〜65%，± 1.0 D 以内には 90〜95% が入るようになってきている．ただし屈折矯正術後の患者は裸眼視力へのこだわりが強く要求も高いため，正常眼に比べて術後に屈折誤差ずれが

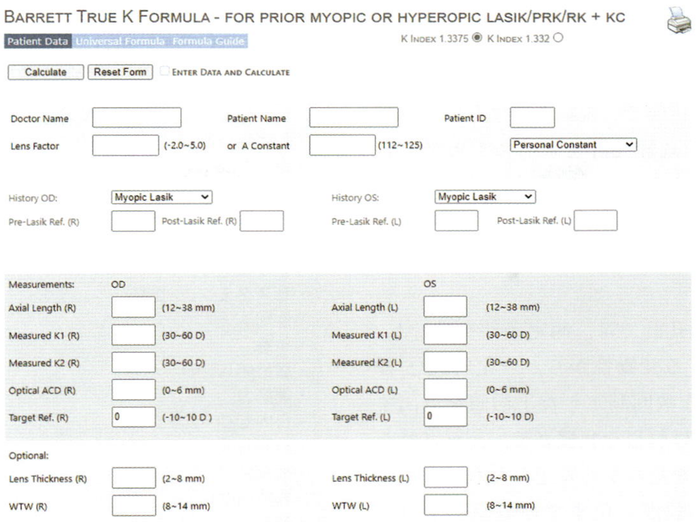

図41　APACRS の Web サイトにある無料オンラインカリキュレータ
APACRS の IOL Formulae から Barrett True-K を選択し，myopic LASIK，hyperopic LASIK，radial keratotomy，keratoconus の 4 種類から施術既往を選択し，データを入れていく．

起こりやすいことを十分に術前に説明し，理解してもらっておくことが重要である．

瞳孔検査・瞳孔径計測
Examination of pupil diameter

浅川 賢　北里大学医療衛生学部・准教授

| 目的　瞳孔の大きさ（横径）と左右差（瞳孔不同）の評価．

| 対象　自律神経異常や瞳孔の求心路・遠心路障害の診断．多焦点眼内レンズや屈折矯正手術の適応の評価．

| 原理と特徴　瞳孔径は，瞳孔の大きさを横径にて計測し，mm 単位で読みとる．Haab・三田式瞳孔計（はんだや）や Colvard pupillometer（OASIS Medical 社）などの目視によるものは，計測自体は簡便であるが，0.5 mm 間隔と大まかな評価であり，検者が接近するために輻湊反応（近見縮瞳）や心理的要因の影響が懸念される．

　一方，赤外線瞳孔計は高い精度を有するが，開放型と閉鎖型，両眼視（両眼開放）と単眼視，覗き式とゴーグル式など，機器特有の原理や測定条件によって数値が異なる．閉鎖型では開放型と比較して眼が覆われている分，わずかに散大した数値となり，両眼視とでは単眼視のほうが明所で約 1.0 mm，暗所で約 0.2 mm 大きくなる．また，角膜屈折率や入射瞳（実瞳孔に対して 13％の拡大率）として数値が補正されているか否かによっても変わる．

検査法

■手技・ポイント・注意点　輻湊反応の混入を避けるため，患者に 2 m 以上の遠方視をさせた状態で，視線を妨げないように Haab・三田式瞳孔計を眼前にもっていき計測する．Colvard pupillometer は非測定眼で視標を見させるが，覗き式であるため検者が測定眼に接近して内部の目盛を読みとる．

赤外線瞳孔計では，測定条件を統一し，瞳孔が有する変動性から，一定時間(5 秒ほど)にて複数回測定した平均値を算出する．計測中は瞬目を我慢させ，記録された動画や画像を見ながら安定した数値を採用するが，小数点 1 位までの数値で十分である．

瞳孔径は一定の環境照度や定常状態であっても，hippus や pupillary unrest と称される瞳孔の変動や動揺がみられる．また，日内変動も存在しており，日中は小さく深夜に大きい．さらに，乳幼児の小さい瞳孔(交感神経の未発達による)から 20 歳前後で最大となり，加齢に伴い縮瞳していく年齢差もみられる．そのほかにも疲労による中枢性の縮瞳や驚愕・痛みなどに伴う精神知覚散瞳(毛様脊髄反射)など，さまざまな要因により変動する**(表9)**．

判定　神経眼科領域からみた異常は，正常より大きい散瞳(瞳孔径 8 mm 以上)と，正常より小さい縮瞳(瞳孔径 2 mm 以下)である．散瞳を呈する病態には，中脳背側病変の Parinaud 症候群，脳動脈瘤に伴う動眼神経麻痺，瞳孔緊張症(Adie 症候群)，眼球打撲(外傷)や急性緑内障発作などによる瞳孔括約筋麻痺がある．縮瞳を呈する病態には，Horner 症候群，Argyll Robertson 瞳孔，サリンなどの有機リンやモルヒネ，農薬など薬剤の中毒，ぶどう膜炎や角膜異物などの三叉神経刺激，斜位近視や近見反応けいれんなど，調節性輻湊の代償によるものがある．

瞳孔径を診るときは，"散瞳(縮瞳)している"だけでなく，明所・暗所いずれの条件で散瞳(縮瞳)しているのかを規定することが重要である．これは，瞳孔不同と称される 1 mm 以上に及ぶ左右の大きさの違いがみられるためである．瞳孔不同は正常者でも約 20% にみられるが，左右差は 1 mm 以下であり，明所・暗所での差はなく，対光反射と輻湊反応は正常である(生理的瞳孔不同)．病的なものとして，動眼神経麻痺や瞳孔緊張症(Adie 症候群)，外傷性散瞳などの瞳孔の遠心路障害では明所にて著明となり，Horner 症候群は暗所にて著明な瞳孔不同をきたす．そのため，瞳

表9　瞳孔に影響する要因

- 疲労・眠気による縮瞳(中枢神経系)
- 情動(恐怖では散瞳，快適感では縮瞳)
- 驚愕・痛覚による散瞳(毛様脊髄反射)
- 角膜知覚による縮瞳(三叉神経)
- 虹彩平滑筋(自律神経系の二重神経支配)
- ホルモン
- ペプチド
- カフェイン(コーヒー)
- ニコチン(タバコ)
- アルコール
- ヒスタミン(かぜ薬)
- 性別
- 年齢
- 屈折値(近視)
- 調節力
- 日内変動
- 計測時間
- 検査距離(遠方・近方)
- 環境照度(明所・暗所)
- 音
- 色(赤・青)
- 生理的な変動・動揺(hippus・pupillary unrest)

〔浅川賢，石川均：丸尾敏夫，他(監)：眼科学，第 2 版，p591，文光堂，2011 より〕

孔径計測は明所と暗所の両方にて行うことで，瞳孔異常に隠れた重大な全身疾患を発見することができる．

眼科手術領域における多焦点眼内レンズの適応としては，レンズの種類によって若干異なるものの，概して瞳孔径3 mm以下の患者を適応外とすることが多い．しかし，明所（300～450ルクス）・暗所（0.5～5ルクス）の環境照度，測定条件を統一したうえでの正確な評価が，多焦点眼内レンズの特性を最大限に発揮し，視機能の質の向上につながる．

2 前眼部

細隙灯顕微鏡検査
Slit-lamp examination

井上幸次　日野病院・名誉病院長

目的　スリット光が入る眼球の各部位の解剖学的状態を，そのまま両眼立体視で観察できる．前置レンズやツーミラー・スリーミラーなどを併用すれば，さらに隅角・眼底の情報も得ることができる．

対象　ほとんどすべての眼科受診患者，特に角結膜疾患では最重要の検査である．

原理と特徴　観察系は単に双眼の実体顕微鏡であるが，これに斜め方向から細隙光（スリット）を当て，これが透明組織である眼球を横切っていくときに，各組織で反射してきた光をとらえることによって得られた光学切片から眼球の断面像を得ることができる．しかも，眼の平面像の上に断面像がスーパーインポーズされた形で，前眼部の状態を瞬時にとらえることができるのがこの細隙灯顕微鏡検査の優れた点である．発明されたのが1911年であるから，すでに100年を超えているにもかかわらず，眼底検査と並んで，眼科検査の必須項目として全世界で使用されている．このことからもわかるように，きわめて完成度の高い検査方法といえる．

細隙灯顕微鏡は平面的な情報と断面の情報を同時に得ることができる全科的に見ても稀有な検査である．頭部のCT検査やMRI検査をすると断面の情報は得られるが，同時にその人がどのような顔の人かを知ることはできない．細隙灯顕微鏡は眼についていわばそれができるのである．しかもその場で短時間できわめて安全にできることも特筆すべきである．

検査法　細隙灯顕微鏡検査には下記に示すさまざまな観察法があり，これらを組み合わせて多方面から眼球の状態を解析できる．これらの観察法はAlfred Vogtの教科書（1921年，1930年）で体系づけられたものであるが，基本的に同じ手法で現在も行われている．

❶**スリット法（図42）**　スリットによる光学切片によって，前眼部の各断面の情報の詳細を直接得ることができる．角膜や水晶体の断面のみならず，前房中の温流にのって動く前房細胞をとらえたり（倍率を上げ，観察光を明るくする），前房のフレアの程度を判定できる（スリットの丈を低くしたほうが判定しやすい）．また，角膜最周辺

図 42 スリット法
角膜の各層での混濁の状態や角膜後面沈着物が明瞭に把握できる．

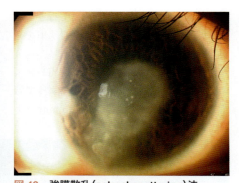

図 43 強膜散乱（scleral scattering）法
角膜の周辺に光の輪ができた状態で観察することによって，角膜混濁や角膜後面沈着物の分布がよくわかる（実質型角膜ヘルペスの1例）．

にスリット光を当てて角膜の幅と前房の幅から前房の深さを評価できる（van Herick法）．

❷ディフューザー法　スリット光ではなく，観察範囲全体を柔らかい光源で照らすことによって，外眼部，特に眼瞼や結膜，マイボーム腺，睫毛などの平面的な情報をそのまま得ることができる．

❸強膜散乱（scleral scattering）法（図43）
スリットの光軸をずらして，少し幅広くかつ丈を低くして輪部に近い強膜に当てると，その光が眼内に散乱して，角膜の周辺に光の輪ができた状態となる．このとき，角膜にピントを合わせると，角膜の混濁の部位が明瞭に浮き上がって見える．混濁の深さはスリット法で判断するが，混濁の分布を把握するには強膜散乱法が優れている．ごく淡い混濁もこの方法でとらえることができる．

❹虹彩反射法（図44）　スリットの光軸はそのままで，少し幅を広げて虹彩に当て，その反射光でピントを角膜に合わせると，角膜の混濁の状態が明瞭にわかる．

❺徹照法（図45）　散瞳状態で，スリットを完全に立てて（観察系と重ねて0度にする），光軸をわずかにずらして，少し幅広くかつ丈を低くして眼底に送り込むようにすると瞳孔領が赤く徹照された状態となり，角膜や水晶体の混濁の分布が明瞭となる．また，混濁をあまり伴わない角膜上皮の小水疱（epithelial bulla）などの観察に非常に効果を発揮する．

❻鏡面反射法（角膜内皮観察法）　スリット幅を最も細い状態から少し広げ，その上皮部分を角膜表面のミラー反射光に重ねて倍率を最高に上げ，ピントを角膜内皮に当てると角膜内皮を観察することができる．もちろんスペキュラマイクロスコープのように数を算定することはできないが，大きな異常の有無は判定できる．角膜中央の混濁や浮腫でスペキュラマイクロスコープが撮影不能な場合でも，この方法で周辺の内皮を観察できる場合がある．

❼生体染色法（角結膜染色法）　「角結膜染色法」項（⇒81頁）を参照．

　判定　細隙灯顕微鏡で得られる所見はあまりに多岐にわたるため，角膜の代表的な所見についてのみ述べる．

図44 虹彩反射法
虹彩からの反射光によって間接的に照明されて，格子状角膜ジストロフィのlattice lineが明瞭に観察できる．

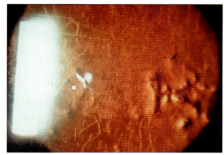

図45 徹照法
網膜からの反射光によって間接的に照明されて，格子状角膜ジストロフィのlattice lineが明瞭に観察できる．

❶上皮病変

a. 点状表層角膜症(superficial punctate keratopathy：SPK)　フルオレセインで点状に染色される状態．多発性に微細な範囲で角膜上皮が脱落した状態の総称であり，炎症の有無を問わない．

その重症度と分布を評価する方法として，わが国では，病変が及んでいる範囲(area)と点状染色の密度(density)を3段階ずつに分けたAD分類が広く用いられている．

b. 角膜糸状物(corneal filaments, filamentosa)　角膜の上皮に付着して認められる糸状物で，根本部分以外は瞬目で動く．脱落しかけた異常増殖上皮に炎症細胞・粘液・その他の残渣物が付着して形成される．

c. 上皮欠損(epithelial defect, 角膜びらん：corneal erosion)　角膜上皮が面状に脱落した状態であり，フルオレセインで境界明瞭に染色される．なお，角膜びらんについては時に点状角膜びらんという呼称が使用されることもあるが，現在それはSPKで用語統一されており，面状のものについて用いるべきである．

d. 上皮浮腫(epithelial edema)　角膜上皮に小水疱が多発する状態である．強膜散乱法や徹照法で明瞭に描出される．

e. 角膜潰瘍(corneal ulcer)　基本的には角膜上皮欠損と実質の明らかな欠損を伴った状態であり，多くは角膜の炎症性混濁を伴う．原因としては中央部のものには感染性，周辺のものには非感染性のものが多い．

f. 角膜上皮異形成(epithelial dysplasia)　角膜上皮が輪部をベースとして境界明瞭に混濁した状態である．さらに混濁部が厚く隆起し，この部にループ状や花火状の血管を伴ってきた場合は，病理学的にcarcinoma in situの状態となっている可能性が高い．

g. 結膜侵入(conjunctival invasion)　Stevens-Johnson症候群や眼類天疱瘡・角膜化学腐食では，障害された角膜上皮の代わりに結膜が侵入してくる．結膜侵入部では，palisades of Vogt(角膜輪部に認められる皺状構造であり，ここに角膜上皮幹細胞が存在する)が消失している．

h. 上皮角化(keratinization)　Stevens-Johnson症候群や眼類天疱瘡では，本来非角化上皮

である角結膜表面が皮膚表面のように角化する．重症例では表面がざらついた感じが細隙灯顕微鏡でわかる．

❷実質病変

a. 実質混濁(stromal opacity)　部位によって上皮下(subepithelial)，浅層(anterior stromal)，中層(midstromal)，深層(deep stromal)に分けられる．またその混濁の性質によって沈着性混濁(deposition)，炎症性混濁(infiltrates, abscess)，瘢痕性混濁(scar)に分けられる．

①沈着性混濁(deposition)：ジストロフィや変性症では角膜内に何らかの物質が沈着して混濁を生じるが，それぞれ特徴的な形態の混濁を生じる．一般的に沈着性の混濁は境界明瞭で硬い．

②炎症性混濁(infiltrates, abscess)：角膜実質の炎症性の混濁は浸潤(infiltrate)と総称されており，細隙灯顕微鏡では均一に白く軟らかい混濁として認められる．さらに混濁が強く，融解も伴ったものは膿瘍(abscess)という表現がなされる．

③瘢痕性混濁(scar, scarring opacity)：硬い混濁で，また混濁中に線状の強い濁りと，その間のやや混濁の薄い部分が混在する．

b. 実質浮腫(stromal edema)　角膜の光学切片が厚く，また全体に透明性が低下した状態として観察される．角膜内皮のポンプ機能不全によって発生する．

c. 角膜菲薄化(corneal thinning)　菲薄化が進んでDescemet膜のみとなると，眼内圧に負けて前方へ突出し，Descemet膜瘤(descemetocele)の状態となる．

d. 角膜穿孔(corneal perforation)　角膜が穿孔すると，前房は浅くなり，あるいは消失し，穿孔部にしばしば虹彩が嵌頓する．フルオレセインを点入して，瞬目をさせると，形成された緑色の涙膜が穿孔部から漏出する透明な房水によって押しのけられていく様子を観察できる(Seidel試験)．

e. 角膜新生血管(corneal neovascularization)　角膜は元来無血管であるが，さまざまな疾患に伴って血管侵入が生じる．位置，深さ，活動性，結膜侵入の有無を把握する必要がある．古い角膜炎の瘢痕性混濁では，血流が途絶えたghost vesselを認める．

❸内皮病変

a. 滴状病変(guttata, guttae)　細隙灯顕微鏡を用いて鏡面反射法により観察すると，内皮面に黒く丸い抜けとして観察される．角膜内皮が障害され，Descemet膜にDescemet膜様組織が瘤状に付加された状態である．guttataは本来形容詞であり，正式な名称はguttaeであるが，誤用が広まって，逆に正式名が通じなくなっている．

b. 角膜後面沈着物(keratic precipitates)　角膜後面沈着物は虹彩毛様体炎に伴って発生するが，種々の角膜の炎症性疾患に伴っても出現する．炎症が盛んなときは白い円形の沈着物として認められるが，時間の経過とともに色素性に変化し，やがて消失する．大きく軟らかいものは豚脂様角膜後面沈着物(mutton-fat keratic precipitates)といわれる．

c. 角膜後面膜様物(retrocorneal membrane/retrocorneal ridge)　角膜の後面に線状・面状の膜様物が認められることがある．病理学的にはDescemet膜様組織が過剰産生されたものである．

表10 角膜形状解析装置の特徴

	ケラトメータ	ビデオケラトスコープ	スリットスキャン
測定部位(約)	3 mm	9 mm	9 mm
結果表示	角膜屈折力	カラーコードマップ	カラーコードマップ
不正乱視	不可	可	可
角膜後面,厚み	不可	不可	可
角膜混濁	可	可	不可
再現性	◎	○	△
対象	すべて	不正乱視	円錐角膜,角膜拡張症

角膜形状解析(オートケラトメータ,プラチド型,スリットスキャン型)

Corneal topography

稗田 牧 京都府立医科大学・講師

目的 角膜の形を定量的に評価する.角膜中央部の曲率半径や乱視を定量化する.プラチド型やスリットスキャン型では広い面積を測定することで,非球面性や非対称性などの不正乱視(=高次収差)を定量化する.角膜形状異常の診断を行うのみならず,屈折矯正全般の正確性を上げるために用いられる.

対象 屈折矯正を行う患者全般が対象となる.眼鏡の乱視度数を決定するとき,コンタクトレンズのベースカーブを決定するとき,白内障手術の眼内レンズ度数を決定するときには必須である.視力測定のためにも参考にすることが多い.屈折矯正手術の対象から円錐角膜などの角膜形状異常を除外するなど,不正乱視を評価する場合にはプラチド型やスリットスキャン型が用いられる.

原理と特徴 角膜反射を利用する方法として中央部のみ測定するケラトメータと,より広い範囲の解析をするプラチド型がある.複数の角膜断面写真を組み合わせることで,厚みまで測定するのがスリットスキャン型である**(表10)**.

観察者と同軸で被検者が光源を固視した角膜反射像(subject-fixated coaxially sighted corneal light reflex)を中心とし,円形もしくは同心円が投影された像をマイヤー像とよぶ.角膜曲率半径が大きければマイヤー像が大きくなることを利用して曲率半径を計算する.

スリットスキャン型は角膜断面を複数記録し,角膜の高さの情報をつなぎ合わせて三次元の面を構築する.best fit sphereという誤差が最も少なくなる最適球面体を基準として,そこからの高さの違いを表示する**(図46)**.

検査法

■**手技** いずれの検査も顎台に顎と前額部を固定して,固視灯を見てもらいながら,被検者と観察者が同軸で測定する.見る方向が違えば形状は変化してしまうので,しっかり固視をしてもらう.角膜を眼瞼縁や睫毛が覆う,もしくは反射が映り込むとアーチファクトになるので大きく開瞼をしてもらい,必要であれば検者が他動的に開

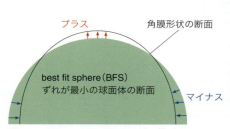

図46 エレベーションマップの模式図

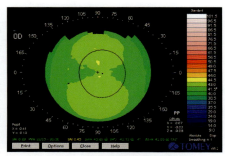

図47 プラチド型角膜形状解析の絶対スケール表示

緑が正常，より屈折力が大きいと暖色系，小さいと寒色系に色分けされている．

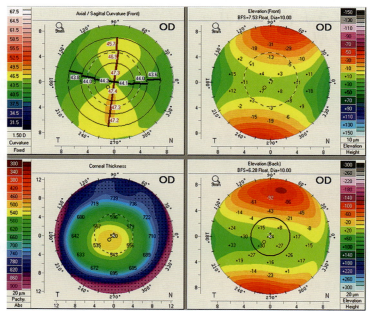

図48 Scheimpflugカメラによる角膜形状解析

左上：Axialマップ，左下：厚みマップ，右上：前面エレベーションマップ，右下：後面エレベーションマップ．

瞼する．

ポイント 涙の状態に影響を受けるので，撮影直前に瞬目をしてもらい，涙液層が不均一にならないようにする．また，スリットスキャン型の場合には，暗室で撮影すると画像が鮮明になる．

判定

❶**角膜屈折力** ケラトメータでは径3mm程度でマイヤー像を記録し，像を楕円で近似することで長径と短径を決め，弱主経線

と強主経線の曲率半径を算出する．曲率半径は換算角膜屈折率を用い，ジオプターに変換する．強弱主経線の角膜屈折力の差が角膜乱視で，平均が平均角膜屈折力である．プラチド型**(図 47)**，スリットスキャン型**(図 48)**では多くの角膜屈折力を色分けしたマップで表示する．

❷**角膜形状の指数** プラチド型，スリットスキャン型では不正乱視の程度を表す指標が算出される．隣り合う角膜屈折力の差を積分した指標(surface regularity index：SRI)や測定中心を挟んで対象な位置にある点同士の差を積分した指標(surface asymmetry index：SAI)は矯正視力と相関が高い．機種によって多くの指数があるので各機種のマニュアルを読み込む必要がある．

❸**離心率** 角膜の曲率半径は約 7.7 mm だが，輪部でより大きな曲率半径をもつ強膜につながっている．つまり，角膜は中央部から周辺部にいくに従い屈折力が減少する．ある経線でみた角膜中央から周辺への屈折力の変化を楕円近似して離心率(eccentricity)を算出できる．離心率 0 は円形で，通常の角膜は扁長(prolate)なので 0 から 1 の値をとる．1 に近いほど早く屈折力が低下する．

❹**角膜高次収差** 角膜形状の高さ情報を Zernike 多項式に当てはめて，球面・乱視成分以外の高次収差を評価することができる．解析径 4 mm で 0.1 μm 程度の角膜全高次収差は通常の眼にも存在する．

前眼部 OCT

Anterior segment OCT：AS-OCT

臼井智彦　国際医療福祉大学・主任教授

目的　前眼部 OCT は涙液，角膜，虹彩，水晶体，隅角，強膜の断層画像を取得し，前眼部疾患の病態掌握，生体計測，角膜形状解析を行う目的で使用される．

対象　前眼部疾患，屈折矯正手術・角膜手術・白内障手術の術前術後，緑内障(隅角評価，濾過手術後)，涙液涙道疾患．

原理と特徴　OCT の撮影方式にはタイムドメイン(TD)とフーリエドメイン(FD)があり，測定速度や解像度の点で有利かつ 3 次元解析可能な FD-OCT が主流である．FD-OCT は測定光の分光方式により，swept source OCT(SS-OCT)と spectral domain OCT(SD-OCT)がある．SS-OCT の波長は 1,310 nm と長波長で組織深達度が高く，角膜，前房，虹彩，水晶体，隅角を一画面に画像化できる．SD-OCT は波長が 840 nm であり，測定範囲は狭く，前眼部全域を一画面に描出することはできないが，SS-OCT よりさらに高倍率，高解像度の画像が得られる．

前眼部 OCT は，①非侵襲，②速い測定スピード，③被検者は羞明を感じない，④高い再現性，⑤高解像度，⑥高倍率での観察，⑦混濁，形状不整，涙液の影響を受けにくい，⑧明暗所ともに撮影可能，⑨定量的解析が可能，など従来の細隙灯検査や前眼部解析装置にはない多くの特徴を有する．

検査法　ここでは SS-OCT の CASIA2(トーメーコーポレーション)について説明

する(図49).まず被検者に固視点を見つめてもらう.タッチアライメント機能により,画面上の観察したい部位を指で触れるだけで,測定位置までオートアライメントで撮影装置が移動する.ただし,角膜移植後などで角膜表面が不整な場合や濾過胞の撮影では鏡面反射が1つにならないため,オートアライメントをoffにしてマニュアルで撮影したほうがよい.撮影したい部位のアライメントを行ったあと,撮影ボタンを押すとコンピューター画面に断層像のライブ画像が出現する.ライブ画像上の黄色の線(干渉中心)に近づいたところでもう一度ボタンを押すと360度の断層面がトレースされる.干渉中心に近いほうが高感度のため,角膜側の撮影の場合は角膜頂点が,隅角側の場合は虹彩裏面が,可能な限り黄色の線に近づくようアライメントするのが理想である.また上下眼瞼がかぶってしまうことがあるため,眼球を押さないようにしながら指で眼瞼を開けるとよい.撮影した画像は保存し,各種解析を行う.

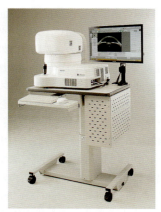

図49 CASIA2

評価

❶角膜疾患の評価 前眼部OCTはある程度角膜混濁があっても内部構造を画像化可能なので,角膜混濁を呈している疾患や,角膜移植の術前評価にはきわめて大きな威力を発揮する(図50).術前の隅角や虹彩前癒着の観察は,切開創やサイドポートの位置決め,術中の虹彩前癒着解除,虹彩損傷のリスク軽減に有用である.角膜内皮移植術前では前房深度や前房容積の評価が重要である.角膜混濁の深さや広がりを掌握することにより,角膜ジストロフィや瘢痕性角膜混濁における術式選択に役立つ.角膜厚マップは,菲薄部位が直感的に理解でき,特に深層層状移植におけるトレパンによる穿孔予防にも役立つ.術後は角膜形状解析に加え,グラフトホスト接合部の観察,角膜浮腫の定量,深層角膜移植での残存実質厚計測など,細隙灯検査では不可能であったさまざまな術後評価が可能である.

❷屈折矯正手術や白内障手術での評価 有水晶体眼内レンズ(ICL)手術では適応やサイズ決定に必要な,前房深度,強膜岬間距離,vault(水晶体ICL間の距離)などのパラメータを測定する.中村式,清水式ともに搭載されている.白内障周術期では水晶体や眼内レンズの傾斜や偏心の観察が可能であり(図51),またトーリック眼内レンズの固定状態(弱主経線軸度)と角膜乱視が同時に確認することができるのも前眼部OCTの利点である.LASIK後では球面収差が増えていることが多く,CASIA2では球面収差を簡便に検出するため,非球面レンズを選択し球面収差を減らすなど,眼内レンズ(IOL)選択の意味付けにおいても効果を発揮する.

❸隅角評価 明暗所ともに隅角全周の解析

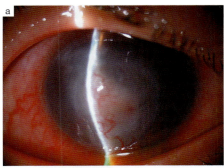
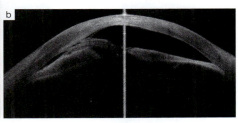

図 50　血管新生を伴った高度な角膜混濁眼
a：強い角膜混濁のため前房内の状況掌握は著しく制限されている．
b：前眼部 OCT により，かなり前房が浅くなっており，前房内プラークを示唆する所見を認める．

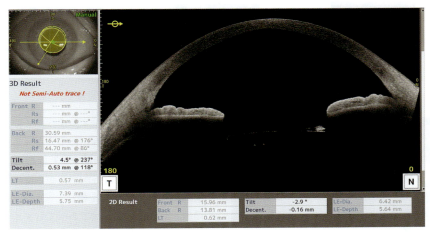

図 51　白内障周術期の前眼部 OCT

が可能である．隅角鏡から見たように再構築した 3 次元画像も得られ，患者への説明に便利である．狭隅角眼では，相対的瞳孔ブロックやプラトー虹彩形状が観察される(**図 52**)．ただし水晶体に起因する隅角閉塞の評価は超音波生体顕微鏡(UBM)が適している．また CASIA2 では，機能的，器質的隅角閉塞を合わせた概念である虹彩線維柱帯接触(iridotrabecular contact：ITC)領域が算出される．前眼部 OCT に

よる隅角評価では，隅角閉塞が機能的か器質的かの判定は不可能であり，また隅角の色素沈着，血管新生，結節の有無なども評価不能であるため，通常の隅角検査と併せて評価することが重要である．

❹**濾過胞評価**　CASIA2 では濾過胞の強膜弁，濾過開口部位(filtrating opening)，濾過胞壁，濾過胞の encapsulation，瘢痕化といった内部構造断面を観察可能である(**図 53**)．機能的濾過胞かどうかの定性的

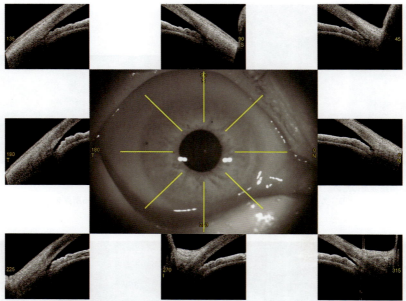

図52 狭隅角眼の前眼部OCT

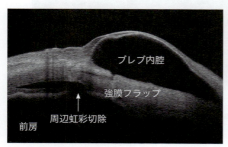

図53 Bleb mode
線維柱帯切除術後のブレブ内腔とともに，強膜フラップの間隙も観察される．

な評価にとどまらず，濾過胞内の液腔の体積，濾過胞の高さ，filtrating openingの開口部位の長さなど，さまざまな定量的解析も行うことができる．

❺**涙液評価** 前眼部OCTでは涙液三角（tear meniscus）の断層像も得られるため，メニスカスの高さ，断面積，体積の計測が可能となり，ドライアイ，流涙症，涙道手術術前術後の定量的評価に用いられる．

❻**角膜形状解析** 前眼部OCTは組織の後方散乱光を検出し，各断層像から直接角膜前面形状や裏面形状を検出しているため，浮腫，混濁や不整形状であってもマイヤーリング形式のトポグラフィで見られたデータのエラーがなく，また涙液層の影響も受けない．CASIA2の前眼部スクリーニングでは，角膜前・後面それぞれのrefractive, axial, instantaneous, elevationの各屈折力とpachymetryのカラーコードマップが表示可能である．角膜前面後面の屈折力を加重した情報（real値）も得ることが可能であり，円錐角膜などの不正乱視眼やLASIK後などの屈折矯正手術後の白内障手術におけるIOLパワー計算に有用である．

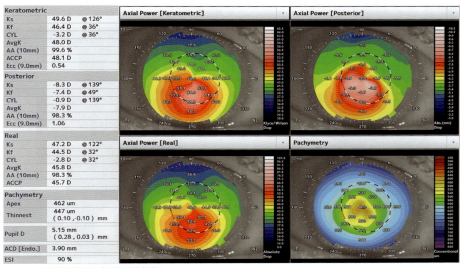

図54　円錐角膜眼の角膜形状解析

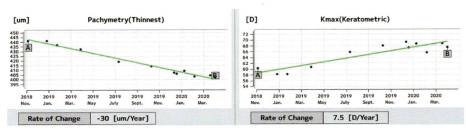

図55　円錐角膜眼の経時トレンド解析(最菲薄角膜厚, 最大角膜屈折力)
円錐角膜が経時的に進行していることがわかる.

　特に円錐角膜の診療にはなくてはならない機器であり, ectasia screening の結果は診断の決め手となる(図54). 左右差のある症例でもごく初期の後面の変化が描出されることも多い. またトレンド解析により各種パラメータの経時的変化を掌握することも容易であり, 円錐角膜進行の判定や角膜クロスリンクの適応を考える意味でも大きな力を発揮する(図55).

　最新の CASIA2 advance では total screening program が搭載予定であり, ax-ial power map, pachymetric map, 前眼部断層像, densitometry, 角膜高次収差による網膜像の Landolt 環シミュレーション, tear meniscus, 前眼部カラー写真の7種類が表示され, さらに角膜高次収差, 瞳孔径, 前房深度, 狭隅角の定量, 水晶体厚, 傾き, 水晶体混濁の程度などさまざまなインデックスを20種類一度に表示することが可能となる(図56). 左右眼の情報が1つの画面で表示されるため, 左右差についても掌握しやすいのも前眼部診療に大変役

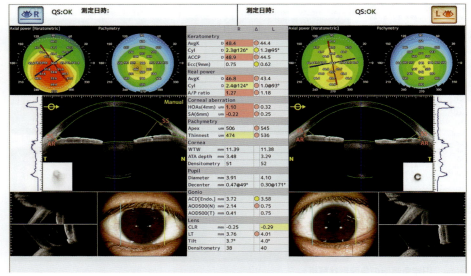

図56 total screening program

に立つ．

このように前眼部OCTにより効率的でかつ精度の高い検査データを取得可能となり，今後の前眼部疾患診療，屈折矯正手術・白内障手術・角膜移植手術の術前術後，緑内障診療にますます必須の検査機器になると考えられる．

角膜厚測定

Corneal pachymetry

臼井智彦　国際医療福祉大学・主任教授

目的　角膜屈折矯正手術や角膜移植の術前術後検査，円錐角膜やペルーシド角膜変性などの拡張（ectasia）疾患の進行度，重症度の判定に用いられる．また角膜厚は角膜内皮のポンプ機能とバリア機能による角膜実質内の含水率に依存している．よって角膜厚測定は角膜内皮細胞の機能を反映する検査として有用であり，角膜浮腫の定量評価や角膜内皮の予備能を推測するうえでも有用である．さらに角膜厚は眼圧測定値に影響を与え，角膜厚が25μm異なると眼圧は1mmHgの誤差が生じるため，緑内障診療においても重要な検査である．

対象　屈折矯正手術・角膜移植の術前術後，円錐角膜やペルーシド角膜変性などの角膜拡張症，角膜潰瘍などの角膜菲薄眼，角膜内皮減少眼，角膜浮腫眼，緑内障．

原理と特徴　正常の中心角膜厚は500〜550μm，周辺部では1,000〜1,200μmであり，一般に角膜厚は中央部で最も薄く，周辺部に向かうほど厚くなる．さまざまな角膜厚測定装置があるが，測定原理として光学的測定法，超音波測定法，干渉像による測定法に大別され，なかでも後者2つが主流である．測定方法により測定値

が異なり，各測定法の原理，特徴を理解したうえで測定値を評価する必要がある．

検査法

❶超音波測定法 プローブの先から発する超音波が角膜後面で反射して戻るまでの時間により角膜厚を測定する．接触法であるため，点眼麻酔後にプローブを角膜表面に垂直に当て測定する．通常ばらつきの少ない5回以上の測定値の平均をとる．機器が比較的小型であり，精度は高く，測定に熟練を要さない利点がある．また仰臥位でも測定可能であり，プローブを滅菌することで術中においても使用可能である．一方，接触法であるため侵襲的であり，かつプローブの接触の加減により測定値が変動しやすい．超音波速度が組織の状態に左右されることから，角膜混濁眼や角膜浮腫においては測定値が不正確になりやすい．

❷非接触型角膜内皮スペキュラー 角膜内皮スペキュラー装置に付随しているもので，上皮面から内皮面への焦点の移動距離から角膜厚を測定する光学的測定法である．簡便な測定機器で，測定時間も一瞬であるが，内皮面の撮影困難な角膜混濁，角膜浮腫では測定不可能である．また超音波測定法と比較して約 30 μm 程度薄く測定されることが報告されている．

❸角膜断層撮影法 Scheimpflug（シャインプルーク）カメラや光干渉断層計（optical coherence tomograph：OCT）では，角膜の断層像が撮影でき，その断層面から角膜厚を算出可能である．

Scheimpflug カメラは青色 LED の測定光を 180 度回転して走査することにより行われ，角膜前後面や虹彩や水晶体の位置情報を得る．角膜厚のマップ表示から任意の点の角膜厚を算出可能である．

前眼部 OCT では長波長赤外光を用いるため被検者は羞明を感じることがない．混濁や浮腫があっても高解像度な断層面を得ることが可能で，そのような病変部位でも角膜厚測定が可能である．角膜厚のカラーコードマップ表示では角膜厚の分布が可視化される．また角膜全体の厚さだけでなく，断層面の任意の点をプロットすることにより，角膜上皮厚の測定，角膜混濁の深さ，角膜内皮移植（Descemet's stripping automated endothelial keratoplasty：DSAEK）術後のホスト厚，グラフト厚など，部分的な厚みの測定も可能である．

スペキュラマイクロスコープ
Specular microscope

奥村直毅　同志社大学生命医科学部・教授

目的
スペキュラマイクロスコープを用いることで，角膜上皮，実質，内皮を観察することができる．日常臨床においては，角膜内皮の評価に使用される．

対象
対象は，角膜内皮に所見が生じうる以下のようなすべての疾患である．白内障，緑内障，硝子体手術などの内眼手術の前のスクリーニング検査．また，これらの術後の評価．コンタクトレンズ（特に以前使用されていた酸素透過性の低いハードコンタクトレンズ）の長期装用者．Fuchs 角膜内皮ジストロフィや滴状角膜における角膜内皮および guttae の評価．円錐角膜の急性水腫後．眼外傷．角膜内皮炎に伴う角膜内皮障害．posterior polymorphous corneal dystrophy, posterior corneal vesicles, iridocorneal endothelial syn-

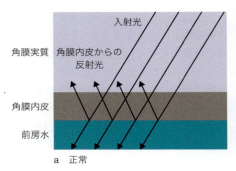

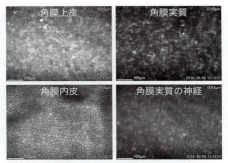

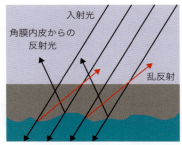

図57 角膜内皮の画像が得られる原理
スペキュラマイクロスコープからの入射光の角膜内皮面における反射光を観察する．一方，guttaeなどで角膜内皮面が不整である場合には，一部の光は乱反射することで（赤矢印），黒く抜けた像となる．
（Konan Medical USA, Inc. の資料より改変して作成）

図58 接触型スペキュラマイクロスコープによる角膜上皮，実質，内皮の観察像
（写真：コーナン・メディカルより提供）

drome などの角膜内皮疾患の評価，鑑別．角膜移植後の移植内皮細胞の生着，拒絶反応，長期的な角膜内皮細胞密度低下．

特に接触型スペキュラマイクロスコープでは，角膜内皮のみならず上皮，実質も観察できるが，上皮や実質の観察はレーザー生体共焦点顕微鏡で行われることが多い．

原理と特徴　角膜に向かう光線は，角膜を通過する際に，反射，透過，吸収のいずれかが生じる．通常，角膜は透明であるのでほとんどの光は透過するが，一部は反射あるいは吸収される．反射する光の多くは鏡の反射と同様に入射角＝反射角の関係で反射されるが，一部は角膜の浮腫，混濁，細胞のオルガネラ，guttae などでさまざまな角度で乱反射する（図57）．光の反射は，屈折率の異なる物質の境で生じるので，涙液と角膜上皮，角膜内皮面と前房水で多く生じる．

スペキュラマイクロスコープはこの原理を応用したものであり，角膜にスリット状の光を斜めから当てて，角膜からの反射光を撮影することで角膜を観察するものである．角膜のさまざまな層で反射するため，角膜上皮，実質，内皮などからの反射光を観察することでそれぞれの層の観察が可能である（図58）．一般的には，スペキュラマイクロスコープは角膜内皮の観察に用いられている．

1968年に Maurice が摘出した角膜を用いて角膜内皮の観察に成功したのがスペキュラマイクロスコープの初めての報告である．その後，Laing らは臨床で用いることのできるスペキュラマイクロスコープを開発した．さらにスペキュラマイクロスコープを用いて角膜内皮の生理学や病態が

調べられ角膜内皮の研究が大きく進められた．当初は患者の角膜に直接コーンが接触する，接触型スペキュラマイクロスコープであったが，1980 年代・90 年代には非接触型スペキュラマイクロスコープが開発され低侵襲化，撮影の簡便化が進んだ．さらに，解析ソフトウェアの開発も進められ，角膜内皮細胞密度などの定量的なデータが日常診療においても広く使われるようになった．一方で，非接触型スペキュラマイクロスコープは撮影範囲が狭いという問題もあり，近年接触型も再度販売されている．

検査法　一般的に広く使用されている非接触型スペキュラマイクロスコープの検査方法は簡便である．ほかの眼科検査機器と同様に，患者が苦しくない姿勢になるように高さを調整する．撮影前に何度か瞬目を促し，角膜表面が涙液で濡れた状態にする．眼球運動を控えるように促し，正面視でしばらく静止させ撮影する．

接触型スペキュラマイクロスコープを用いる場合は，コーンが角膜に直接触れるため点眼麻酔薬を使用する必要がある．角膜の中央部を撮影する際には正面視で行い，角膜の周辺部分を撮影する際には患者に眼球を動かしてもらい撮影したい部位がコーンに接触するようにする．患者の協力が得られ，検査に慣れるとかなり周辺部の角膜内皮まで観察することが可能である．

撮影した画像は，スペキュラマイクロスコープに搭載されているソフトウェアで解析する．現在市販されている機種では自動解析が可能であるが，一部手動で修正が必要なことも多い．また，解析プログラムは複数から選択できることが多い（図 59）．正確なデータを得たい，撮影した画像の質

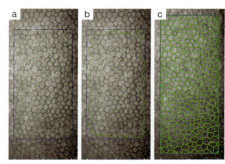

図 59　スペキュラマイクロスコープによる解析手法

a：オートセンター法による解析例．自動的に解析ソフトが細胞の中央を認識して解析を行う．長方形のなかに入っている細胞と，長方形の隣接する 2 辺に接している細胞を対象として解析する．
b：オートフレックスセンター法による解析例．本法は得られた画像に角膜内皮が観察しづらい場所があるときなどに，範囲を特定して解析する．
c：オートトレース法による解析例．自動的に解析ソフトが細胞の境界を認識して解析する．
（写真：コーナン・メディカルより提供）

があまり高くない，一部角膜内皮が撮影できていないといった場合は，すべて手動で細胞をプロットして解析することが望ましい．また，スペキュラマイクロスコープの機種間で得られる解析値がわずかに異なることが報告されていることも知っておきたい．

判定　角膜内皮の画像を取得したら，角膜内皮細胞密度や形状の異常などを評価する．また Fuchs 角膜内皮ジストロフィや滴状角膜においては guttae が黒く抜けた像として観察できる．guttae は Descemet 膜と角膜内皮の間に存在するイボ状の構造物であり，スペキュラマイクロスコープの入射光が乱反射することで黒く観察されるのであって，必ずしも黒い観察像の範囲に角膜内皮が存在しないというわけではない．病理組織では，guttae 上にも

引き伸ばされた角膜内皮が存在することが多いため，スペキュラマイクロスコープの原理を理解したうえで画像を読影したい．

定量的評価のため使用されることの多いパラメータは，細胞密度（個/mm²），細胞面積（μmm²），coefficient of variation（CV，細胞面積の標準偏差/平均細胞面積），六角形細胞率（%）である．細胞密度は，400～600個/mm²まで低下すると水疱性角膜症が生じるため臨床的に重要度が高く，最も用いられるパラメータである．特に，内眼手術前のスクリーニング検査にて細胞密度が低下している場合は，手術による水疱性角膜症の発生リスクについて考えておく必要がある．久米島スタディによると40歳以上の眼疾患のない日本人の角膜内皮細胞密度は2,943±387個/mm²であり，年齢とともに0.25%（7.43個/mm²）ずつ減少するとされる．

polymegathism（大小不同）と pleomorphism（細胞形態のバリエーション）は細胞密度と比べて，角膜内皮に生じた早期の変化をより鋭敏に検出できる指標である．例えば100個の隣接する角膜内皮から1個の細胞が脱落した場合には細胞面積は平均約1%大きくなる．ところが，周囲の2～6個の隣接する細胞が脱落した細胞の範囲を埋めるために形態が変化するため，2～6%の細胞の polymegathism と pleomorphism に変化が生じる．スペキュラマイクロスコープに搭載されているソフトウェアではそれぞれCVと六角形細胞率として数値化される．より鋭敏に角膜内皮の変化を知りたい場合に用いるとよい．

共焦点顕微鏡（コンフォーカルマイクロスコープ）

Confocal microscopy

小林 顕　金沢大学・講師

目的　角膜やオキュラーサーフェスの組織レベルの観察を，組織を固定することなく非侵襲的に行うことが目的である．

対象　正常角結膜組織（図60），角結膜疾患（感染症，角膜ジストロフィ，角膜変性など）や角膜手術後の角膜〔全層角膜移植，DSEAK（Descemet stripping automated endothelial keratoplasty），DMEK（Descemet membrane endothelial keratoplasty）〕などが観察対象である（図61）．具体的な対象物としては，角膜各層（上皮層，Bowman層，実質，Descemet膜，内皮層），角膜神経，結膜上皮，マイボーム腺や睫毛（根部）などの眼瞼縁などが考えられる．また，描出できる沈着物としては，炎症細胞（好中球やLangerhans細胞など），病原体（アカントアメーバシスト，真菌の菌糸，睫毛ダニ），角膜沈着物（鉄，金，銅，墨，ヒアリン，アミロイド）などがある．

原理　共焦点光学系とは，対物レンズと観察対象との間にピンホールを設置することで，焦点面からの光（画像）のみを対物レンズでとらえ，焦点面以外からの光（画像）を排除することにより，焦点の合った高い空間解像度を有する画像を得ることができる光学系である．この光学系を利用して角膜組織を前額断で観察することができる．

検査法　まず，患者に点眼麻酔を行

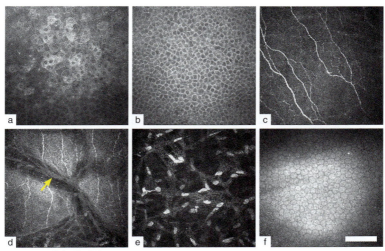

図 60　正常角膜所見
a：角膜上皮最表層．b：角膜上皮基底細胞層．c：Bowman 層．角膜上皮下神経叢が認められる．d：Bowman 層と角膜実質の境界面領域には角膜実質のコラーゲン線維の終末部と考えられる構造（矢印）（K-structure）が観察される．e：角膜実質．多くの実質細胞の核が観察される．f：角膜内皮層（Bar＝100 μm）．

い，開瞼器を用いて角膜を露出させる．対物レンズの先端にジェルをつけ，専用のカバーで覆ったあとに，カバー先端部を患者の角膜中央部に接触させる．次にモニター上で焦点を専用カバーの接触面に合わせて，少しずつ対物レンズの焦点を奥のほうに進め，組織を撮影する．観察される範囲は 1 辺が 400 μm である．

有用性と限界　リアルタイムで非侵襲的に眼表面の組織や沈着物を高解像度で可視化できることが利点である．臨床的に特に有用な疾患として，アカントアメーバ角膜炎，角膜真菌症，サイトメガロウイルス角膜内皮炎，角膜移植後拒絶反応が挙げられる．また，各種角膜ジストロフィではそれぞれ特徴的な所見を示すため，鑑別診断の補助となる．糖尿病における上皮基底膜や上皮下神経の異常の検出にも有用である．しかしながら，得られる画像が白黒であり，細胞内微小構造や細菌などの検出は困難である．また，混濁が強い場合には観察に限界があり，観察部位の正確な同定も困難である．

レーザーフレアメータ
Laser flare meter

慶野 博　杏林大学・臨床教授

目的　前房中に浮遊する蛋白質成分からの散乱光を測定することで血液房水関門の障害の程度を非接触，非侵襲的に定量的に評価する．

対象　レーザーフレアメータは前眼部炎症を主体としたぶどう膜炎症例の前房炎

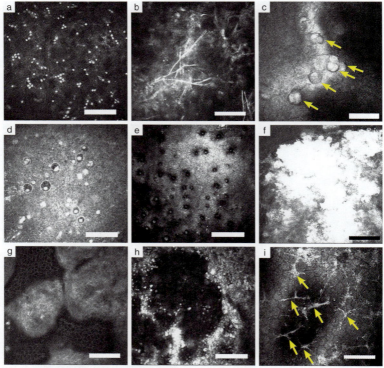

図61　病的角膜所見（Bar＝100 μm）

a：アカントアメーバ角膜炎では上皮から Bowman 層のレベルに多数のアカントアメーバシスト（直径 10〜20 μm）が認められる．

b：アスペルギルスによる角膜真菌症では，多くの菌糸が確認される．

c：サイトメガロウイルス角膜内皮炎患者に認められる「フクロウの目」様所見（矢印）．

d：Meesmann 角膜上皮ジストロフィ．角膜上皮内に囊胞が多数認められる．

e：Fuchs 角膜内皮ジストロフィ．角膜内皮に多くの guttae が観察される．

f：顆粒状角膜ジストロフィ2型では，さまざまな大きさの，辺縁不整な高輝度陰影が実質に散在して認められる．

g：Thiel-Behnke 角膜ジストロフィ（*TGFBI* R555Q）では，Bowman 層レベルに中輝度・非顆粒状陰影が認められる．

h：Reis-Bücklers 角膜ジストロフィ（*TGFBI* R124L）では，Bowman 層レベルに高輝度・顆粒状陰影が認められる．

i：全層角膜移植後に発症した内皮型拒絶反応では，角膜内皮層レベルに多数の Langerhans 様細胞が認められる（矢印）．

症の定量的評価に用いられる．そのほかに血液房水関門の障害が生じるような病態（内眼手術後など）における前房炎症の定量的評価，点眼治療効果の判定などに用いられる．

原理と特徴　眼内に炎症が生じると血液房水関門が破綻し血漿中の蛋白質成分が前房中に流入し，前房中の蛋白質濃度が上昇する．前房中に浮遊した蛋白質成分の粒子が存在する分散系にスリット光を斜めか

ら照射すると，その光は粒子に当たってさまざまな方向に散乱される．それにより光の通り道が見える現象(チンダル現象，フレア)が観察される．レーザーフレアメータはこの物理化学的な現象を利用して前房内にレーザー光を入射し，その散乱光をフォトカウンティング光電子増倍管で測定しフレア値を算出する．正常人のフレア値は 3〜5 photon counts/msec，炎症眼では 10〜150 photon counts/msec 以上に上昇する．

検査法

ポイント 散乱光の測定は前房中に設定した測定ウインドウ(縦 0.3 mm×横 0.5 mm)を含む 0.6 mm の領域を下から上にレーザー光を高速でスキャンさせる．1 回の測定時間は約 0.5 秒．フレアの測定には房水蛋白による散乱光強度と眼内組織からのノイズとの分離が不可欠である．そのため角膜，虹彩，水晶体などからの反射が入らないように測定部位を設定することが重要となる．そのため測定は散瞳下での検査が望ましい．

■**注意点** 正常人のフレア値は日内変動を示し房水流量の少ない早朝ではフレア値が高くなる傾向がある．また加齢に伴いフレア値は増加する．角膜混濁，小瞳孔や虹彩後癒着による散瞳不良，過熟白内障を有する症例では測定値に誤差が生じやすく，測定を繰り返し行う必要がある．散瞳薬によるフレア値への影響を回避するために散瞳薬点眼の 30〜60 分後に測定することが望ましい．

■**その他** レーザーフレアメータの測定値は細隙灯顕微鏡検査で得られるフレア値と高い相関性があることが報告されている．

超音波生体顕微鏡

Ultrasound biomicroscope：UBM

栗本康夫　神戸アイセンター病院・院長

目的　超音波生体顕微鏡(UBM)は主に前眼部を観察するための超音波検査機器である．本検査の主たる用途は，閉塞隅角緑内障眼などの前房隅角，虹彩，および毛様体形状の画像診断である．このほかに，脈絡膜剝離や周辺部網膜および毛様体剝離の検査，緑内障手術後の濾過胞などの検査，虹彩および毛様体腫瘍や前眼部の異物の検索などにも用いられる．

対象　緑内障(特に閉塞隅角緑内障)，網膜硝子体疾患(網膜最周辺部から毛様体扁平部にかけての病変)，ぶどう膜炎(網膜最周辺部から毛様体扁平部にかけての病変)，前眼部および毛様体の腫瘍，前眼部から中間透光体にかけての外傷および眼内異物．

原理と特徴　通常の B モード超音波検査装置との大きな違いは使用する超音波の波長を短くした点にあり，30〜60 MHz の高周波が用いられている．UBM では従来の超音波検査に比べてきわめて精細な検査画像が得られるが，解像度と引き換えに深達度が犠牲にされており，後眼部の検査には適さない．なお，近年，非接触で前眼部画像検査が行える前眼部 OCT(光干渉断層計)が普及し，最新の機種では描画の深達度が深くなっているので，これまで UBM で行われていた検査の多くは前眼部 OCT にとって代わられている．現時点における UBM 検査の意義は，前眼部 OCT では描出困難な毛様体突起の画像診断が主

なものとなっている．

検査法

■ **準備・手順** 通常，被検者をベッドに仰臥位で寝かせて検査を行う．検査は明室でも行えるが，閉塞隅角の画像診断では暗所での隅角閉塞の有無を観察する必要があるので，明室にも暗室にもできる部屋に機器を設置することが望ましい．右利きの検者の場合は被検者の頭の右側に座り，UBM本体のモニターをよく見える位置に配置し，フットペダルも上体をぶらさずに踏める位置にセットする．検査中に被検者の眼位を安定させるために天井に固視標を設けておくとよい．検査前に患者データを入力しておく．通常の超音波検査では閉瞼させて皮膚の上からスキャンするが，UBMでは開瞼して行う．検査前の処置としてオキシブプロカイン塩酸塩（ベノキシール®）などによる点眼麻酔を行っておく．

■ **手技・方法** メンブラン式のプローブを用いる場合にはメンブラン内に蒸留水を充填し被検眼に開瞼器を装着し眼表面にスコピゾル®を滴下する．アイカップを用いる場合には UBM 付属のアイカップを被検眼に装着し，アイカップ内をスコピゾル®あるいは生理食塩液などで満たす（スコピゾル®のほうが扱いやすいが画質は生理食塩液のほうがよい）．この場合にはプローブが眼に直接触れないように検査を行う．アイカップに生理食塩液を満たし，メンブランなしで検査を行う方法が最も画質のよい画像が得られる．スキャンを開始したら，モニター上の超音波画像を見ながら検査を行い，プローブの位置を調節する．望ましい画像が得られたらフットペダルを踏んでモニター画面をフリーズさせて確認し，その画像でよければ逐次保存する．検査の全体を動画として保存してもよい．前房中央部付近を検査する場合には僚眼でまっすぐ天井を固視してもらう．前房隅角や周辺部網膜および脈絡膜を検査する場合，耳側を検査する際には鼻側を向いてもらい，上側の検査ならば下方視という具合に，必要に応じて被検者に眼を動かしてもらう．

■ **ポイント・注意点**
- プローブを眼表面に対して垂直に当てることが重要である．斜めに当たっていると前房深度や隅角開度を正しく判定できず，さらには得られた画像のオリエンテーションに難をきたす．
- メンブラン内の蒸留水やアイカップ内のスコピゾル®に空気が混入しているとよい画像が撮れないので，気泡が入らないように気をつける．
- 虹彩の形状は瞳孔の大きさの影響を受けるので，閉塞隅角の画像診断を行う場合，明所での検査では原則として常に一定の照明条件下で行う．暗所での自然散瞳状態での画像診断を行う際には瞳孔反応を誘発する固視標は避ける．

判定

❶ **前眼部形状の客観的判定** かつては細隙灯顕微鏡検査や隅角鏡検査による主観的な判定に頼っていた隅角広狭の判定を隅角開度や強膜岬と対面する虹彩との距離など定量性をもって客観的に評価できる．瞳孔ブロックにおける虹彩の前弯や色素緑内障の逆瞳孔ブロックにおける虹彩の後弯の程度も客観的に評価できる（図62）．

❷ **隅角閉塞の有無の判定** 実際に隅角が閉じているのか開いているのかを容易に判定できる．また，明暗の両条件下での検査や散瞳下での検査を行うことにより機能的隅角閉塞の判定も行える．

体網膜症や前部硝子体線維血管増殖病変の判定が可能である．

❺腫瘍の評価　虹彩や毛様体腫瘍の位置と大きさを判定できる．

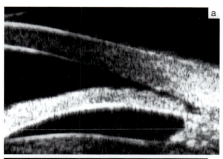

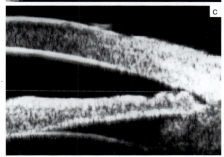

図62　隅角鏡検査でShaffer Grade 1 に分類された3症例のUBM画像

3症例はいずれも隅角の狭さは同じ程度であるが，瞳孔ブロック（虹彩の前弯の程度）の程度に差を認める．a：強い瞳孔ブロックを認める．b：瞳孔ブロックは軽度．c：瞳孔ブロックを認めず，プラトー虹彩による狭隅角である．

❸毛様体形状の評価　プラトー虹彩形状に関与するとされる毛様体突起の前方回旋や大きさを評価できる．

❹網膜・脈絡膜周辺部の評価　経瞳孔的光学的検査では死角になる眼底最周辺部の網膜剥離や脈絡膜剥離の有無，前部増殖性硝子

角膜ヒステリシス

Corneal hysteresis：CH

神谷和孝　北里大学医療衛生学部・教授

目的　角膜ヒステリシス（CH）は，外力変化に対して本来の形状に回復する過程で生じる時間的な遅れを指し，従来評価困難であった角膜生体力学特性を表す指標の1つとなる．

対象　円錐角膜，ペルーシド角膜辺縁変性，角膜拡張症，角膜屈折矯正手術後，正常眼圧緑内障など，角膜生体力学特性が低下する症例が対象となる．

原理と特徴　角膜組織は粘弾性体としての構造をとるため，外力変化に対して本来の形状に回復する過程で時間的な遅れを生じる．この内向きの圧（P_1）と外向きの圧（P_2）の差を角膜ヒステリシス（CH）と定義する（図63）．このCHは，角膜固有の粘性ダンピング，つまり角膜組織がエネルギーを吸収し，分散する能力を示すと考えられており，バイオメカニクスを表す指標の1つである．そのほか，corneal resistance factor（CRF）は，Reichert Technologies社が提供するバイオメカニクスの指標の1つであり，$P_1-k_1P_2$ と表現される．CRFは，空気の噴流に対する粘性および弾性抵抗の累積的効果を測定していて，より眼圧による影響を受けにくく，角膜厚に依存する角膜全体の抵抗力を反映している．ま

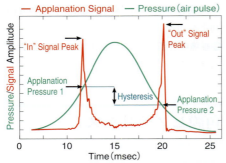

図 63 Ocular Response Analyzer の測定波形
角膜生体力学特性による影響で，内向きおよび外向きに平坦化する過程に遅れが生じるが，この内向きの圧と外向きの圧の差を CH とする．

た，corneal compensated IOP（IOPcc）という角膜厚の影響を受けにくい補正眼圧や，Goldmann-equivalent IOP（IOP$_G$）という Goldmann 眼圧計に相当すると考えられる眼圧も同時に計測可能である．CH は，年齢，角膜厚，眼圧などの影響を受ける．円錐角膜，角膜拡張症，角膜屈折矯正手術後，正常眼圧緑内障などの疾患では，CH は低下し，些細な病状の進行や重症度の指標にもなる．LASIK（laser *in situ* keratomileusis）など角膜屈折矯正手術後も低下し，手術自体の安全性や予測性にも影響を及ぼす．正常眼圧緑内障でも低下し，視野の進行とも相関しており，病態解明や診断精度の向上に役立つ．

検査法 Ocular Response Analyzer（Reichert Technologies 社）は，両方向性の動的な圧平過程を通じて，角膜生体力学特性および眼圧を測定する装置である．空気の噴流によって角膜を変形させるという圧平式原理は，現状の非接触式空気眼圧計と同様である．本装置では，角膜が平坦化するだけでなく陥凹するまで加圧し，その後減圧することにより，角膜が再び平坦化するまでの経時的な測定を行う．角膜中央部 3 mm を約 20 ミリ秒電気光学的にモニターすることにより，内向きおよび外向きに平坦化する時間を正確に測定し，その時点での空気圧を算出する．

判定 Reichert Technologies 社の臨床データからは，正常眼の CH の平均値は 11 mmHg 前後と報告されている．しかしながら，年齢や人種によっても変化する．日本人における自験例による検討では，CH が 10.2 ± 1.3 mmHg（平均±標準偏差）とわずかながら低値を示す傾向にあった．また，角膜厚が薄く，眼圧が高い症例ほど，CH は低下することが明らかとなった（図 64, 65）．また，加齢に伴い CH は低下する傾向を認めた（図 66）．したがって，加齢に伴うコラーゲンの架橋によって角膜硬度が増加し，粘弾性が低下する可能性が示唆された．CH を評価するうえで，年齢による影響を考慮する必要がある．

CH は，現状では角膜中央部のみにおける測定結果であり，局所的な角膜生体力学特性を評価するものではない．上述したように，年齢，角膜厚，眼圧などさまざまな因子の影響を受けるため，正常眼や疾患群において CH がオーバーラップすることも多い．したがって，疾患の診断としては，特異度・感度が高いわけではないので，結果の解釈には注意が必要であり，あくまで診断補助という位置付けとなっている．

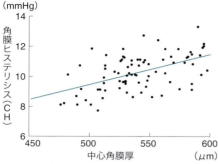

図64　正常眼におけるCHと中心角膜厚の相関
角膜が薄い症例ほど，CHが低下する．

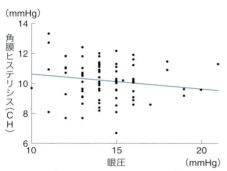

図65　正常眼におけるCHと眼圧の相関
眼圧が高い症例ほど，CHが低下する．

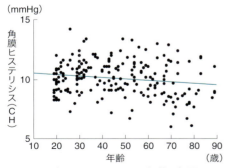

図66　正常眼におけるCHと年齢の相関
高齢者ほど，CHが低下する傾向を認める．

角膜知覚検査
Corneal sensitivity test

小幡博人　埼玉医科大学総合医療センター・教授

目的　角膜知覚の低下の有無を検査する．

対象　対象は三叉神経第1枝の麻痺を生じる疾患である．具体的には，①角膜ヘルペスが疑われる症例，②神経麻痺性(障害性)角膜症が疑われる症例，③その他の角膜知覚低下を生じる疾患(糖尿病，LASIK後，角膜移植後，外傷など)である．②の中枢性の原因として，聴神経腫瘍などの脳腫瘍術後，脳梗塞，脳動脈瘤などがある．

原理と特徴　角膜知覚計として古くから用いられているのはCochet-Bonnet角膜知覚計である**(図67)**．研究レベルでは，air puffによる非接触型角膜知覚計なども発表されている．Cochet-Bonnet角膜知覚計がない場合，滅菌されたコットンの先を細くして，角膜に接触させ，知覚の左右差をみるという方法もある．

　Cochet-Bonnet角膜知覚計の原理は，直径0.12 mmナイロン糸の長さを60 mmから5 mmずつ減じていき，単位接触面積あたりの圧を調節し，接触したかどうかを被検者に答えさせるというものである．圧は11〜200 mg/0.0113 mm^{2}で変化する．

検査法

■**準備**　ナイロン糸の先端をアルコール綿などで消毒する．ナイロン糸が曲がっていないかどうか確認する．

■**手順・手技・方法**

①ナイロン糸を最長の60 mmに伸ばす．

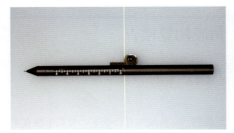

図67 Cochet-Bonnet 角膜知覚計

図68 Cochet-Bonnet 角膜知覚計を用いた角膜知覚の測定

糸の先端が角膜中央に垂直になるようにして，角膜中央部に触れる**(図68)**．
②ナイロン糸が軽く曲がるまで圧を加える．
③触れたことがわかったら，被検者に合図をしてもらう．わからなかった場合，5 mm ずつナイロン糸を短くしていく．
④ナイロン糸の先端が角膜に接触したことを自覚した長さの目盛りを記録する．
⑤僚眼も同様に測定する．
⑥以上を数回繰り返し，再現性があるかを確認する．
⑦使用後は，ナイロン糸の先端をアルコール綿などで消毒する．

ポイント 実際の圧は付属の換算表を用いて換算するが，臨床的にはナイロン糸の長さを何 mm と診療録に記載しておく．

■**注意点** 検査前に，他の検査などで，点眼麻酔をしていないかどうかを確認する．

■**その他** ナイロン糸の先端は曲がりやすいので取り扱いに注意する．研究レベルでは，角膜中央のみならず，上下左右の4象限を測定して平均を出すなど，検査方法に工夫も施される．

判定 正常値は 50 mm 以上である．50 mm 未満は角膜知覚低下があるといわれている．自覚検査であり，数回測定の結果，被検者の答えが一定でないことがある．左右を比べて，左右差がないかどうかを確認することが大切である．70 歳以上では加齢による角膜知覚の低下がみられる．被検者に接触の有無を答えさせるのではなく，瞬目したかどうかを判定に用いることもある．

結膜スメア
Conjunctival smear

原 祐子　愛媛大学・准教授

目的 眼脂，結膜擦過物を採取し，採取物より結膜炎の原因を推測する．

対象 感染性結膜炎，アレルギー性結膜炎．

原理と特徴 結膜炎の鑑別は，細隙灯顕微鏡所見のみでは難しい症例がある．結膜スメアで，眼脂や結膜擦過物中の細菌や真菌の有無を確認したり，白血球の種類を観察することが，鑑別の助けとなる．

検査法
■**準備** 点眼麻酔薬，ピンセット，綿棒，スパーテルなど検体を採取するもの，スライドガラス，染色キット（ギムザ染色，グラム染色など），光学顕微鏡．

■ 手順
① 必要な場合は点眼麻酔を行う．
② ピンセット，綿棒，スパーテルなどで，眼脂や結膜擦過物を採取する．
③ スライドガラスに塗布する．
④ 固定を行ったあと，染色する．
⑤ 光学顕微鏡で観察する．顕微鏡は弱拡大で全体を観察し，目的物の場所を確認したあと，強拡大にすると効率よく観察ができる．

◎ ポイント　染色方法は目的によって選択する．

基本となるのはギムザ染色で，白血球の区別，細菌，真菌などの微生物の有無，結膜上皮細胞の形態などが観察可能である．細菌にターゲットを絞って観察したいときにはグラム染色を行う．またアレルギー性結膜炎を疑う場合には，Hansel液（エオジノステイン®）で染色すると好酸球が検索しやすい．

■ 注意点　スメアで認められる微生物では，コアグラーゼ陰性ブドウ球菌やコリネバクテリウムなどの結膜嚢内常在菌も検出される．病態の起炎菌であれば，好中球に貪食された像を認められるので，常在菌なのか，病原菌なのかを見極めるポイントである．

| 判定　眼脂に含まれる白血球の種類により結膜炎の原因を推定する．病原微生物を検出する．

❶ 好中球　顆粒球で分葉した核を有する．細菌感染で多数の好中球の浸潤を認める．
❷ リンパ球　単核の白血球．アデノウイルスやエンテロウイルスなどのウイルス性結膜炎で増加する．
❸ 好酸球，好塩基球　エオジノステインでは好酸球はオレンジ色の顆粒をもった白血球として観察される．また好塩基球は青紫色の顆粒が観察できる．両者ともアレルギー性結膜炎の際に観察できる．
❹ 病原微生物　光学顕微鏡で検出できる微生物は，細菌，真菌，クラミジア，アカントアメーバなどである．観察に慣れてくると，菌の形態により菌種まで推定することも可能である．また，クラミジア結膜炎では，結膜上皮細胞に封入体が見つかれば確定診断できる．

Impression cytology

原 祐子　愛媛大学・准教授

| 目的　角結膜の表層上皮を面状に採取し，組織学的に観察することで，病因を検索する．

| 対象　上輪部角結膜炎，ドライアイ，瘢痕性角結膜上皮疾患（化学腐食，熱腐食，Stevens-Johnson症候群，眼類天疱瘡），角膜内への結膜上皮侵入．

| 原理と特徴　前眼部病変の病態を評価するためには，細隙灯顕微鏡での観察だけでなく，組織学的な検索が有用である．impression cytologyは，ニトロセルロース紙を用いて，角結膜の表層上皮を面状に採取し，細胞診として観察することが可能である．比較的侵襲も少なく，簡便に結膜上皮の健常性を評価できる．

| 検査法

■ 準備　点眼麻酔薬，ニトロセルロース紙，開瞼器，鑷子，ガラス棒，ホルマリン，染色キット（PAS染色，ヘマトキシリン染色），スライドガラス，光学顕微鏡．

図69 ニトロセルロース紙

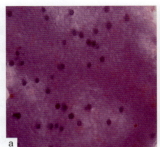

図70 正常結膜と扁平上皮化生
a：赤紫色に染色されているのが杯細胞である．
b：核は縮小し，杯細胞は認められない．

■ **手順**
①点眼麻酔をし，開瞼器をかける．
②眼表面を十分乾燥させてから，ニトロセルロース紙を採取部位に接着させる．鑷子やガラス棒で軽く圧迫し，鑷子で注意深くニトロセルロース紙を剝離する．
③剝離したニトロセルロース紙を10％ホルマリンで固定する．
④PAS−ヘマトキシリン染色を行う．
⑤エチルアルコールで脱水し，キシレンに透徹後，スライドガラスにのせて封入すると，そのまま光学顕微鏡で観察することができる．

ポイント ニトロセルロース紙は3×6 mm程度の非対称な台形にあらかじめ切っておいて，ガス滅菌しておく**(図69)**．非対称な形状に切っておくことで，裏表，採取場所のオリエンテーションがわかりやすい．表面がざらついた面のほうが接着性がよいので，表裏をしっかり確認して使用する．

また，採取の際には眼表面を十分乾燥させることがポイント．涙液や点眼麻酔薬で湿潤していると，ニトロセルロース紙が接着せず，十分な細胞が採取できない．

■ **注意点** impression cytology後は，採取した部分が上皮欠損になるため，処置後に軽度の眼痛，異物感を生じる．あらかじめ患者には説明を行い，感染予防の抗菌点眼薬を処方する．

判定

❶ **結膜の上皮形態の観察** 結膜の最表層上皮は通常では小型で核が大きい扁平な上皮細胞だが**(図70a)**，ドライアイなどのストレスが加わると結膜の扁平上皮化生が起こる．扁平上皮化生では細胞質は増大し核は小さくなることにより核／細胞質比(N/C比)が低下する**(図70b)**．

❷ **結膜杯細胞数の観察** 結膜杯細胞の有無や密度を観察することにより結膜上皮の健常性が判定できる**(図70a)**．ドライアイにより扁平上皮化生が起こると杯細胞密度は低下する．眼類天疱瘡やStevens-Johnson症候群では杯細胞密度は極端に減少，もしくは消失する．

微生物検査
Microbiological examination

鈴木　崇　東邦大学医療センター大森病院・寄附講座准教授

目的　眼部の感染部位から微生物を検出することで，原因病原体を見極め，感染症治療戦略の構築を行う．

対象　眼感染症疾患（角膜炎，結膜炎，眼瞼炎，涙道感染，眼内炎，感染性ぶどう膜炎）．

原理と特徴　微生物自体を培地で増殖させて検出する培養検査，微生物を顕微鏡で直接観察する塗抹標本検査，微生物の蛋白（抗原）を検出する免疫クロマトグラフィ法，微生物のDNA・RNA（DNAに変換後）を増幅して検出するPCR法がある．

1 検体の採取

検査法

■ 準備

❶**検体採取時使用**　点眼（麻酔・抗菌薬），結膜炎・眼瞼炎では清潔綿棒，角膜炎では開瞼器・スパーテル・先が細いダクロン綿棒・滅菌生理食塩液，眼内炎・感染性ぶどう膜炎では27もしくは30G針付きシリンジ（もしくは前房水採取用針付きピペット）．

❷**輸送・保存**　滅菌生理食塩液入り滅菌スピッツ・各種輸送培地（シードスワブ®・嫌気ポータ）（輸送培地は外来に常備しておく）．

■ 手順

❶**結膜炎・眼瞼炎**　点眼麻酔のあと，綿棒にて結膜や眼瞼を擦過しながら眼脂などの分泌物を採取する．このとき，できるだけ感染部位以外の場所は触れないようにする．

❷**角膜炎**　①点眼麻酔後，開瞼器で開瞼，②生理食塩液にて洗眼（これによって常在菌を洗い流す），③ゴルフメス，円刃メス，スパーテルにて病巣部（特に角膜炎病巣周辺部）を擦過，④綿棒にて擦過物のみを採取する（メスや綿棒を眼瞼・結膜に触れないようにする）．

❸**眼内炎・感染性ぶどう膜炎**　①点眼麻酔後，開瞼器で開瞼，②ヨード剤にて眼表面の消毒を行い，生理食塩液で眼表面を洗浄，③前房水は，角膜周辺部から針をなるべく角膜内を斜めに刺入し採取する．このとき，針先が水晶体や角膜内皮に当たらないようにする，④硝子体液は，針での吸引が難しいが，硝子体を針で刺入したあと，その針を直接培養検査に出すことが可能である．硝子体手術時に無灌流の状態で，硝子体を採取するのが望ましい．

■ **手技・方法**　採取した検体の処理・保管については，各検査方法で異なる．培養検査に関しては，大学病院など検査室にすぐに輸送できる場合は，直接培地に塗布するか，綿棒を0.5～1 mL生理食塩液入り滅菌スピッツに撹拌し輸送する．また，偏性嫌気性細菌を目的とする場合は採取後すぐに嫌気ポータに入れ輸送する．眼科クリニックや夜間など，検査まで時間を要する場合は，輸送培地（シードスワブ®・嫌気ポータなど）に入れ，4℃にて保存．前房水などは血液カルチャーボトルにて保存するのが望ましい．塗抹標本に関しては直接，スライドガラスに塗布する．免疫クロマトグラフィ法は，各検査キットの取り扱い説明書通りに処理する．PCR法に関しては，冷蔵もしくは冷凍で保存する．

- **ポイント** 感染症部位以外の常在細菌の汚染をできるだけ少なくすることが必要である．特に角膜炎や眼内炎の検体採取時に，眼瞼や結膜の常在細菌が混入すると，原因菌の判断が困難になる．また，角膜炎の場合は，採取する角膜試料が多ければ多いほど，検査感度が向上するため，角膜擦過は，広範囲に深く行う（角膜穿孔などには十分に気をつける）．
- **注意点** 採取した検体を不適切に保存，輸送すると検査感度が低下する．保存や輸送方法について，検査する機関と前もって話し合って決めておくのが望ましい．
- **その他** 各感染症疾患や機関によって，検査方法は異なるため，各施設でマニュアルを作成しておくと検体採取から保管までがスムーズに進む．

2 塗抹標本検査

検査法

- **準備** 塗抹標本作製・観察時：スライドガラス（できればリング付きスライド）・ガスバーナー・メタノール・各種染色液・光学顕微鏡．
- **手順**

❶**塗抹標本作製** 検体が付いた綿棒をスライドガラスに塗布する．サンプル量が多い場合は，綿棒を転がすように塗布し，サンプル量が少ない場合は，スタンプする要領で押し付けて塗布する．どこに塗布したかわかりやすくするため，リング付きのスライドガラスが望ましい．

❷**固定** アルコールランプによる火炎固定もしくは自然乾燥後メタノールによる固定を行う．

❸**染色** 各染色キットの取扱説明書に従って染色する．乾燥もしっかり行う．

❹**観察** まず低倍率でピントを合わせ，炎症の様相を確認し，徐々に倍率を上げて観察する．炎症細胞は400倍，菌は油浸を行い1,000倍で観察する．特に以下の点について，確認する．

a. **菌と炎症細胞の大きさの確認** 細菌の場合，球菌で直径1μm前後，桿菌では0.5〜1.0×1.5〜5.0μm．真菌の場合，カンジダ属は3〜5μm卵形（出芽も認める），糸状菌は2〜20μm菌糸，アカントアメーバの場合，栄養体は30〜40μm，シストは10〜20μm，好中球などの炎症細胞の場合，直径12〜15μmである．

b. **細菌・真菌の染色の観察** グラム陽性か陰性か，球菌か桿菌か，を確認する．

c. **炎症細胞の観察** 炎症細胞の種類（好中球，リンパ球）や量を確認する．

d. **貪食像** 菌が好中球に貪食されている像を多数認める場合は，その菌が起炎菌である可能性が高い．

- **ポイント** 標本は時に綿棒の糸状物や菌のように見える生体物質（虹彩のメラニン顆粒など）などアーチファクトがある．
- **注意点** 菌を確認する場合は，大小不同が少なく，染色性にムラがなく，形態がはっきりしていることを確認することが重要である．
- **その他** 細菌検査室を有する施設においては，できる限り検査技師のアドバイスのもと，協力して行うことが望ましい．なるべく，ダブルチェックできる体制で臨むのがよい．

判定 塗抹標本検査にて菌が好中球に貪食されている場合や確認できる菌数が明らかに多い場合は，その菌が炎症を引き起こしている可能性が高いため，原因菌の可能性が非常に高い．また，真菌やアカント

アメーバなど，通常眼部に認められない病原体が観察された場合も原因病原体である可能性が高い．

3 培養検査

検査法

■**準備** 輸送培地，検査用培地（血液寒天培地，チョコレート寒天培地，サブロー培地，増殖培地）．

■**手順**

❶**培地塗布** 確実に検体が塗布されることを確認する．角膜擦過物のように，サンプル量が少ない場合は，検査技師がその位置を確認せずに塗布すると菌が培養されないため，サンプルの位置を適切に伝えることが必要である．角膜擦過物に関しては，通常の寒天培地以外に，液体の増殖培地を使用することが望ましい．眼内液については，培地上に均等に拡散するように塗布する．

❷**培養** 目的とする病原体に最適な培養条件で培養する．細菌は，37℃，3〜10% CO_2培養が一般的である．真菌に関しては，温度によって発育状況が変わってくるため，室温および37℃での培養条件で，最低でも1週間培養することが望ましい．

❸**菌量の確認** 培養された菌量については，各検査機関の基準を確認しておく．菌量が多いほど，原因菌である可能性が高い．

❹**菌種の同定** コロニーの形態や生化学性状にて菌種を同定する．近年では，MALDI-TOFMS（マトリックス支援レーザー脱離イオン化質量分析法）による蛋白質量解析を利用することで，分離細菌を確実に短時間で同定することも可能になっている．

❺**薬剤感受性試験** 培養された菌を薬剤入りプレートに接種することで薬剤感受性試験を行う．

✅**ポイント** 原因病原体を検出できるように，複数の培養条件を選択するべきである．特に淋菌や糸状菌などが疑われる場合は，前もって検査機関に報告し対応してもらうのがよい．

■**注意点** 培養時のコンタミネーションに注意する．塗布時の画線上に菌が発育していることを確認する．

|**判定**| 原因菌は常在菌や汚染菌に比べて有位に菌量が多い．通常，菌1つあると培地上で1コロニー発育するため，培地上のコロニー数は菌量を反映している．そのため培地上のコロニーを確認し，非常に多く認める菌が原因菌である可能性が高い．

4 免疫クロマトグラフィ法

検査法

■**準備** 現在，わが国において，眼感染症の原因微生物として，免疫クロマトグラフィ法で検出できるのは，アデノウイルスと単純ヘルペスウイルスである．各検出キットを用意しておく．近年では，アデノウイルス抗原検出に対して，結膜擦過物・眼脂のみならず，Schirmer試験紙で採取した涙液を使用する場合もある．さらに，判定を目視するのではなく，銀反応を利用した機械で自動的に判定することも可能である．

■**手順** 各検査キットの取扱説明書に従って，検査を行う．アデノウイルス抗原検出キットには，結膜擦過物・眼脂・涙液を使用し，単純ヘルペスウイルスには角膜擦過物を使用する．

✅**ポイント** 検体採取時期が重要で，発症して数日以内が陽性になる可能性が高い．

■**注意点** アデノウイルス抗原検出キットの場合は，検者が感染しないように，手袋・ゴーグルをして検体採取するのが望ましい．また，検体採取後はすみやかに消毒を行う．

■**その他** 特異度が高い一方，感度がそれほど高くないため，偽陰性の可能性も考える必要がある．

|判定| 通常，コントロールラインとテストラインの2つのラインが出ると陽性と判定する．コントロールラインのみが出る場合は陰性，コントロールラインが出ない場合は再検査が必要になる．

5 PCR法

|検査法|

■**準備** エッペンドルフチューブ，各PCR用の保存液．

■**手順** 検体からDNA抽出したあとに，酵素やプライマーなどを混入し，サーマルサイクラー＋電気泳動やreal-time PCR機器にて増幅反応を行い，遺伝子の増幅を確認する．

✓**ポイント** real-time PCRの場合は，DNA量を定量することができるため，診断のみならず，治療経過のモニタリングとしても使用することが可能である．

■**注意点** 他の微生物検査と同様に，コンタミネーションには注意する必要があり，PCRには一定の偽陽性が含まれることも理解しておく必要がある．

■**その他** 現在，先進医療や研究の一環として，PCR法が普及しており，今後さらに使用できる機会が増えると考えられる．

|判定| 偽陽性の可能性の排除，DNA量なども加味しながら，原因病原体か判断する必要がある．

免疫クロマトグラフィ
Immuno chromatography：IC

内尾英一 福岡大学・教授

|目的| 感染症の病因検索のために，組織の一部あるいは滲出液を用いて，抗原が存在するかどうかを調べる検査法である．

|対象| 感染性結膜炎が主たる対象疾患であるが，細菌性結膜炎には免疫クロマトグラフィ(IC)キットはなく，アデノウイルス(adenovirus：AdV)結膜炎のほかに，単純ヘルペスウイルス(herpes simplex virus：HSV)に対するキットが角膜炎に用いられることがほとんどである．またアレルギー性結膜疾患の検査法である涙液総IgE値に対するIC法キットは感染性結膜炎の鑑別に用いられることがある．ただ本項ではその詳細には触れない．

|原理と特徴| 基本的には，IC法は抗原抗体反応を利用して抗体の有無を判別する検査法である．セルロース膜上を検体が試薬を溶解しながら進む毛細管現象を応用した免疫測定法である．検体中の抗原は検体滴下部にあらかじめ準備された金属コロイドなどで標識された抗体(標識抗体)と免疫複合体を形成しながらセルロース膜上を移動し，セルロース膜上にあらかじめ用意されたキャプチャー抗体上に免疫複合体がトラップされ呈色し，それを目視によって判定する．

|検査法|

■**準備** 検査に必要なものはキット内にパッケージ化されているので，特に準備すべきものはないが，感染性の検体を取り扱うので，使い捨ての手袋を用意するのが望

表11 アデノウイルス免疫クロマトグラフィ法キットの諸製品(角結膜用)

製品名	販売元・製造販売元	発売	形態
アデノチェック	参天製薬 大蔵製薬	1997年	プレート型
チェック Ad	アルフレッサファーマ Meiji Seika ファルマ	2000年	プレート型
アデノテスト® AD	アドテック	2002年	プレート型
キャピリア® アデノ アイ Neo	わかもと製薬 タウンズ	(2011年)	プレート型
クイック チェイサー® Adeno	ミズホメディー	2007年	プレート型
クイック チェイサー® Auto Adeno	ミズホメディー	(2013年)	デンシトメトリー
クイック チェイサー® Adeno 眼*	日本点眼薬研究所 ミズホメディー	(2007年)	プレート型
クイックチェイサー® Auto Adeno 眼**	日本点眼薬研究所 ミズホメディー	(2017年)	デンシトメトリー
イムノエース® アデノ	タウンズ 栄研化学	2008年	プレート型
クイックナビ™-アデノ	大塚製薬 デンカ	2008年	プレート型
クイックナビ™-アデノ 2		(2020年)	
クリアビュー™ アデノ	アボット ダイアグノスティクス メディカル 三和化学,富士製薬工業	2011年	スティック型
BD ベリター™ システム Adeno	日本ベクトン・ディッキンソン	2012年	デンシトメトリー
アルソニック® アデノ	アルフレッサ ファーマ	2015年	プレート型

主要なものを示す.いずれも保険点数189点に検体検査判断料144点を別に請求.( )は改定時.
*, **:同一品が富士フイルムより,それぞれ富士ドライケム IMMUNO AG カートリッジ Adeno(*), 富士ドライケム IMMUNO AG カートリッジ Adeno OPH(**)として販売されている.

ましい.十分なウイルス量を得るためには眼瞼結膜を強く擦過する必要があり,そのために点眼麻酔薬を準備することが必要である.点眼麻酔薬は本検査の感度には影響はないと考えられるので,使用してよい.

■**手順** ウイルス性結膜炎では眼瞼結膜を,ウイルス性角膜炎では角膜の病変部をそれぞれ強く綿棒で擦過し,擦過物をウイルス抽出用液中で抽出する.ウイルスを含む検体液を判定用のディスクに滴下し,判定部に1本ないし2本の線が出ることによって判定する.2本が発色すれば陽性である.判定までの時間は通常数分以内だ

が,ウイルス量が微量の場合には30分程度経過してから薄い陽性ラインが出ることもある.キットにはウイルス抽出用液が含まれており,感染性廃棄物として,綿棒その他のキットの内容とともに廃棄する.

現在臨床で使用できる AdV に対する IC 法キットは表11のように多数ある.上述の説明はプレート型という判定部がプラスチックのプレート状である場合の手順である.スティック型では判定部は尿検査のいわゆるテステープのような濾紙であり,これをウイルス抽出用液に浸してから判定に入ることになる.検体をスポイトなどで吸

図71 銀増感法を併用したアデノウイルスICの専用測定器（クイックチェイサー® Immuno Reader）

内部で銀増感反応を行い，15分間で自動測定をする．右手前の扉を開けるとテストカートリッジ挿入部がある．この専用リーダーはほかのウイルス（RSウイルス，インフルエンザウイルスなど）も測定できる汎用のものである．

い上げる手順を省略できるため，スティック型が若干簡便である．両タイプ間には特に感度の差はない．

　HSV角膜炎のIC法としてチェックメイト®ヘルペスアイが2011年に保険収載された．特異性は100％であるため，陽性であればHSV感染と判断できる．一方，感度は60％程度とあまり高くないため，陰性であってもHSV感染を否定することはできない．また，実質型・内皮型では感染細胞を採取できないため，使用できない．HSV結膜炎は通常臨床診断されることがまれなので，使用頻度は低いと思われるが，IC法によって陽性所見が得られると報告されている．

■ **手技・方法**　AdV結膜炎において，最近Schirmer法に使用される「濾紙」を用い，結膜に約5秒間接触させるだけで検体を得られるIC法キットが開発された．患者の不快感を大きく軽減でき，従来法と同等の感度が得られる．さらに判定を自動化した専用リーダーを用いたキットでは，銀増感法で発色線を拡大するデンシトメトリーにより，感度がさらに向上している（図71）．このIC法ではPCR法に対するAdVの感度が98％に達しており，診断精度が非常に高い．

● **ポイント**　アレルギー性結膜疾患の鑑別に涙液総IgE検査のIC法キット（アレルウォッチ涙液IgE）が行われる．ウイルス分離培養法，PCR法は，一般的な診療施設では行うことは難しく，地域の衛生研究所か臨床検査会社へ依頼する．衛生研究所では行政検査のため，結果を得るまでには相当日を要する．有料になるが，臨床検査会社に依頼したほうが確実かつ早期に病因ウイルスの種類を決定できる．

■ **注意点**　通常AdVは結膜に常在しないと考えられるため，検査で陽性であれば，AdV結膜炎と診断できる．しかしIC法は感度が約70〜95％で，陰性でも完全には感染を否定できない．また既往例では無症候性排出があり，これはAdV，HSVともにありうるが，PCR法による結果の報告である．IC法による抗原陽性では無症候性排出について考慮する必要はない．HSVのIC法では検体を長時間放置した場合に非特異的なバンドが出ることがある．

■ **その他**　クラミジア（*Chlamydia trachomatis*）に対するIC法キットは多数あり，臨床応用されているが，適応にクラミジア結膜炎は含まれていないため，結膜擦過物を保険診療で使用することはできない．保険上の検体は子宮頸管部と男性初尿のみである．

判定　発症から経過するほど陽性率は低下するために，陰性でも感染を否定できないことに注意を要する．発症早期，特に3日以内の検体であれば，感度は高い．IC

法には特別な機器は必要でなく，外来でも診察時間内に結果を得ることができる．

角結膜染色法
Corneal and conjunctival staining

小室 青 京都府立医科大学病院・客員講師

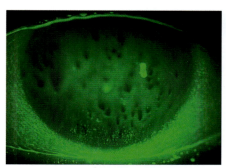

図72 ドライアイの角膜上皮障害(イエローフィルタ使用)

■目的　眼表面疾患および涙液層動態の観察，角膜上皮バリア機能の評価．

■対象　眼表面疾患全般，ハードコンタクトレンズのフィッティング検査，涙道疾患の評価．

■原理と特徴　眼科外来で使われる染色液には，フルオレセイン，ローズベンガル，リサミングリーンがある．臨床的には，フルオレセインナトリウム(分子式 $C_{20}H_{10}Na_2O_5$，分子量 376.275)が最もよく用いられる．フルオレセインの最大吸収波長は約 490 nm(青色光)で，最大放出蛍光波長は，520〜530 nm(緑色光)である．細隙灯顕微鏡による観察時は，コバルト励起フィルタを通した青色光を眼表面に照射し，励起された黄緑色蛍光を観察する．530 nm 以上の波長の光を選択的に透過させるブルーフリーフィルタやイエローフィルタを通して観察すると，反射してくる青色光がカットされ，コントラストが高くなり，病変をより明瞭に観察することができる．フルオレセインは，脱落した角結膜上皮細胞や角膜上皮バリアの障害部位を可視化させる．また水溶性であり，涙液が染色され可視化されることで，涙液層動態の観察も可能となる(図72)．

ローズベンガル(分子式 $C_{20}H_2Cl_4I_4Na_2O_5$，分子量 1017.64)は，赤色の色素で，

図73 lid wiper epitheliopathy(リサミングリーン染色)

ムチンで被覆されていない角結膜上皮を染色すると考えられている．特に球結膜の上皮障害の検出に優れており，ドライアイや上輪部角結膜炎の診断に有用であり，Sjögren症候群の診断基準にも用いられてきた．リサミングリーン(分子式 $C_{27}H_{25}N_2NaO_7S_2$，分子量 576.62)は，濃緑色の色素で，変性した上皮を染色するとされている．臨床的には，ローズベンガルとほぼ同様の染色性をもち，球結膜の上皮障害の検出に優れており，眼瞼結膜の観察にも有用である(図73)．ローズベンガルは，染色時の刺激が強く，光毒性を有するため，近年ではあまり使用されておらず，リサミングリーンが使われることが多い．

検査法

■**手順** フルオレセインの染色法には，フルオレセイン試験紙を用いる方法，マイクロピペットで投与する方法，フルオレセイン点眼，硝子棒を用いる方法など，さまざまな方法がある．侵襲が少なく（涙液量を変えない），簡便に外来で行える方法は，フルオレセイン試験紙に点眼液を2滴たらし，試験紙をよく振って水分を十分に切り，試験紙を下眼瞼のメニスカスのエッジに軽く触れて染色する方法である．ローズベンガルとリサミングリーンは，わが国では，試験紙が市販されておらず，自家調製（0.1％）が必要である．ローズベンガル染色の前には，点眼麻酔を行う．

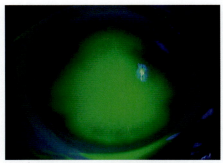

図74 delayed staining（薬剤性角膜上皮障害）

◎**ポイント** フルオレセインの至適濃度は0.1％程度であり，フルオレセイン溶液が入りすぎて濃くなりすぎるとクエンチング（蛍光強度の低下）現象が生じることがあるので注意する．

■**注意点** ローズベンガルとリサミングリーンは，眼瞼皮膚や結膜の染色が長時間残存するため，観察後には，すぐに洗い流すようにする．

■**その他** フルオレセイン試験紙を用いる方法でも，試験紙が結膜に強く接触すると，刺激による反射性流涙分泌を生じ，涙液の状態の正確な情報を得ることができなくなるため，注意が必要である．フルオレセイン染色後の観察は，涙液，結膜，角膜の順に行い，眼瞼接触によりマイボーム腺脂質や涙液の反射性分泌を生じうるため，眼瞼や眼瞼に隠れた部分の観察は，最後に行う．

判定 染色後数回瞬目させ，フルオレセインを眼表面にまんべんなく分布させる．まず涙液メニスカスの高さを観察し，涙液貯留量を評価する．涙液層破壊時間（tear breakup time：BUT）は，breakupが角膜全体のどこかに起きたときを電子メトロノームやストップウォッチを用いて正確に測定し，3回測定して平均値を求める．breakup patternの観察も同時に行う．その後角結膜上皮障害の評価を行う．デジタル写真による記録や染色スコアの記載が経過観察するうえで有用である．染色後5～10分して，delayed staining（バリア機能の低下により，フルオレセインが角膜内にしみこんだような所見）が観察されることがある（図74）．delayed stainingは，薬剤性角膜上皮障害，ソフトコンタクトレンズ（SCL）装用後の上皮障害，膠様滴状角膜ジストロフィなどでみられることがある．

付 ブルーフリーフィルタ法
Blue-free barrier filter

小室 青　京都府立医科大学病院・客員講師

目的　眼表面疾患および涙液層の詳細な観察.

対象　結膜上皮障害を生じる疾患. 主にドライアイおよびドライアイ関連疾患.

原理と特徴　フルオレセインは450〜510 nmの青色光を吸収し,約530 nmの黄緑色の蛍光を発する色素である. 通常は,コバルトブルーフィルタを通した青色光を眼表面に当てて,青色光の中に見える黄緑色の蛍光を観察する. この方法では,結膜では,コバルトブルーの反射光および強膜の自発蛍光によって,角膜に比べるとコントラストが得にくい. また,結膜は上皮バリア機能が角膜より弱く,フルオレセインが結膜下に拡散しやすく背景蛍光が増加することから,時間とともに結膜上皮障害がさらに検出しにくくなる. またコバルトブルーフィルタは,310〜510 nmの波長の光を通し,透過光のピークは400 nm付近である. そのためコバルトブルーフィルタでは,ピークが490 nmであるフルオレセインを効率よく励起することができない.

トプコン社のBlue Free Filter™システム(以下,BFF)は,細隙灯顕微鏡の照明系に波長選択性の高い蛍光励起フィルタを設置し,観察系に530 nm以上の波長の光を選択的に透過させるバリアフィルタ(イエローフィルタ)を設置している. ブルーフリーとは,イエローフィルタを入れることでブルーが抑えられているという意味で使われているが,BFFにおけるブルーフリーフィルタは,イエローフィルタのみを指すのではなく,蛍光励起フィルタ(490 nm付近にピークをもつバンドパスフィルタ)とバリアフィルタ(530 nm以上の光を選択的に透過させるハイパスフィルタ)の組み合わせである. BFFでは,反射してくる青色光がカットされ,コントラストが高くなり,病変をより明瞭に観察することができる. ドライアイでコバルトブルーフィルタのみの観察で結膜上皮障害が軽度〜中等度の場合,BFFを用いると約70%の症例でスコアが増加したとの報告がある. 特にSjögren症候群に伴う涙液減少型ドライアイでは,角膜上皮障害の程度よりも結膜上皮障害の程度が強く,角膜上皮障害がない場合でも,軽度の結膜上皮障害を認めることがあることから,BFFを用いた結膜の観察は診断に役立つ(図75). またコントラストが高まるため,角膜上皮障害や涙液層動態の観察にも有用である(図76).

検査法

■**手順**　フルオレセイン染色後に,蛍光励起フィルタとバリアフィルタを入れるだけで簡便に観察することができる(図77).

✓**ポイント**　BFFが使えない場合は,イエローフィルタだけでも青色の反射光がカットされ明瞭な観察像が得られるが,BFFのほうが透過する波長の選択性が高い.

判定　角結膜上皮障害の程度を耳側結膜,角膜,鼻側結膜に分けて評価する. ドライアイと薬剤性角膜上皮障害を鑑別するうえで,上皮障害の分布の違いがポイントなる. すなわち,ドライアイでは角膜上皮障害≦結膜上皮障害となるのに対して,薬剤性角膜上皮障害では,角膜上皮障害≧

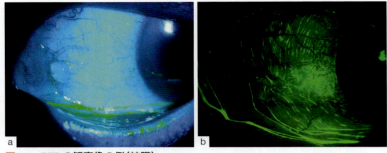

図75　BFFの観察像の例（結膜）
同一眼で，BFF使用前（a）と比較して，使用時（b）は上皮障害が明瞭に観察できる．

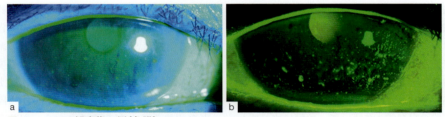

図76　BFFの観察像の例（角膜）
同一眼で，BFF使用前（a）と比較して，使用時（b）は上皮障害や涙液層のbreakupがより明瞭に観察できる．

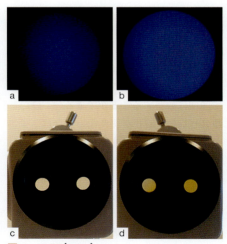

図77　BFF（b+d）
a：コバルトブルーフィルタの透過光．
b：BFFの蛍光励起フィルタの透過光．
c：バリアフィルタ OFF．
d：バリアフィルタ ON．

結膜上皮障害となる．BFFを用いることにより，正確に結膜上皮障害を評価することが可能であり，診断するうえで役立つ．

涙液量検査

Examination of tear volume

横井則彦　京都府立医科大学・病院教授

目的　涙液には，量と質の側面があり，涙液の質の検査としては，涙液層の安定性の検査が行われる．一方，涙液の「量」の検査としては，涙液の基礎分泌に関係し，現在，眼表面で利用されている涙液量，すなわち「涙液貯留量」の検査と，

眼表面に異常が生じたときに，それを回復に向かわせる涙腺の機能の指標となる「反射性涙液分泌量」を調べる検査の2つがある．涙液量の検査は，ドライアイでは，その減少程度を評価することが重要であり，流涙症では，その増加程度を評価することが重要である．涙液量の検査は，一般にドライアイの検査として行われるが，涙道疾患や眼瞼疾患の領域でも，治療の適応や効果判定など，徐々にその必要性が増してきている．

対象 一般には，ドライアイを対象とするが，眼表面疾患，涙道疾患，眼瞼疾患も検査対象となる．涙液量の検査の最も重要な対象は，ドライアイのなかでも，涙液減少型ドライアイである．

原理と特徴 眼表面の涙液は，涙液層として，瞼裂部の眼表面上皮の表面に分布することに加えて，上，下の涙液メニスカスに分布する．そして，それらの各部位において，涙液貯留量の絶対量を知ることは困難である．メニスカスに貯留する涙液量は，眼表面の涙液量の75～90％に相当するとされ，一般に，下方の涙液メニスカスの中央で評価され，それが涙液貯留量の指標となる．

涙液メニスカスの断面からは，高さ，曲率半径，奥行き，断面積の指標を得ることができるが，高さと曲率半径が健常眼とドライアイを区別するうえで役立つ指標とされる．

高さを計測する方法には，眼表面の写真をもとに計測ソフトで測定する方法，フルオレセインで染色して同様に測定する方法，光干渉断層計(optical coherence tomography：OCT)を用いて測定する方法，LipiView® II，Keratograph 5M，idraなどのドライアイ検査機器の内蔵ソフトを用いて測定する方法がある．

涙液メニスカスの曲率半径の測定は，ビデオメニスコメトリ法を用いて行う．メニスカス曲率半径は，眼表面全体の涙液貯留量と一次相関することが知られており，涙液貯留量の評価法として適しているが，曲率半径は，高さとも相関があることから，高さの測定も涙液貯留量の評価に利用できる．また，涙液貯留量のほかの評価方法として，専用のSMTube®を用いたストリップメニスコメトリ法がある．

一方，反射性の涙液分泌量の測定法としては，SchirmerテストⅠ法が最もよく用いられる．また，涙液の基礎分泌量の測定は，フルオロフォトメトリ法によってなされる．

1 涙液貯留量の評価法

■**準備** 涙液貯留量の評価には，細隙灯顕微鏡(写真撮影が可能なもの)，フルオレセイン試験紙，OCT，ビデオメニスコメータ，LipiView® II，Keratograph 5M，idraなどの市販の検査機器のいずれかを準備する．

■**手順** 涙液メニスカスの高さは，細隙灯顕微鏡下で撮影した観察像をキャプチャーして画像解析ソフトを用いて測定するのが簡便であるが，コントラストを上げるには，フルオレセインを用いて涙液を可視化するのがよい．OCTでは，メニスカスの断面像から専用ソフトで，高さを計測する．LipiView® II，Keratograph 5M，idraなどの機器でも同様である．ストリップメニスコメトリでは，SMTube®の先を涙液メニスカスに触れさせることで，チューブ内に涙液を吸引し，吸引された涙液量を青

い線を指標として測定する．

　涙液メニスカスの曲率半径の測定は，ビデオメニスコメータを用いて行う．ビデオメニスコメトリ法では，白色光を用いて水平縞のターゲットを涙液メニスカスの凹面に投影し，その鏡面反射像の線幅とターゲットの線幅を凹面鏡の光学式にあてはめて曲率半径を測定する．

■**手技・方法**　各検査において，被検者には，顎と額を固定させて，正面を見させ，検者は，被検者に対して，瞬目，開瞼維持を指示し，フォーカスを素早く合わせて，データを取得する．

◉**ポイント**　背景に結膜があって測定しづらい例では，フルオレセインを用いて染色してもよいが，実際には，フルオレセイン試験紙に，点眼液を2滴垂らして，よく振り切ったのち，下眼瞼の中央に試験紙の中央を当てるだけの操作で染色すると，フルオレセインで染色しない場合と比べ，高さの値に差がない．

■**注意点**　涙液貯留量の評価には，一般に下眼瞼中央のメニスカスを用いるが，眼瞼縁には，マイボーム腺開口部が分布し，瞼縁に貯留した油脂がメニスカスの形状に影響を与えることがあり，注意を要する．また，下方のメニスカスには結膜弛緩症が高率に合併するため，それが，涙液の流れを阻み，涙液を貯留させてしまっていることがあるため，一度しっかり閉瞼したのちメニスカスの測定を行う必要がある．また，開瞼維持によって涙液層破壊が生じると，反射性に涙液分泌を招くことがあるため，注意を要する．

▎**判定**　カットオフをそれぞれ，高さ<0.3 mm，曲率半径<0.25 mm，吸引涙液量<4 mmとして，OCT，ビデオメニスコメトリ，ストリップメニスコメトリによって測定した下方涙液メニスカスの値から，ドライアイ診断の感度・特異度を調べると，それぞれ，67.0%・81.0%，88.9%・77.8%，83.5%・58.2%との報告がある．検査対象の年齢や性別にも関係するが，メニスカスの高さや曲率半径の正常値は，0.2〜0.3 mmの値となり，異常値は，比較対象に依存して，それ以下あるいはそれを超える場合となる．

2 反射性涙液分泌量の評価法

■**準備**　反射性涙液分泌量の測定には，Schirmer試験紙を用いる．5分の時間測定のために，タイマーを準備する．

■**手順**　反射性涙液分泌量の測定は，SchirmerテストⅠ法で行う．

■**手技・方法**　SchirmerテストⅠ法では，専用のSchirmer試験紙を下眼瞼外側1/3に挿入し，自然瞬目下で5分間の結膜表面刺激による涙液分泌量を試験紙の折り目を0 mmとして計測する．

◉**ポイント**　Schirmer試験紙が角膜に当たらないよう，斜め上を見させて，Schirmer試験紙の折り目(先端から5 mm)近くを把持して，眼瞼の外側1/3のところで，試験紙を挿入する．瞼裂の狭い眼では，角膜への接触を避けるために，できるだけ外眼角に近いところにSchirmer試験紙を挿入する．

■**注意点**　涙液減少型ドライアイの重症例では，Schirmer試験紙を外すときに眼瞼結膜上皮が剝がれる危険があるため，注意して，ゆっくりと外すようにする．また，瞼裂の狭い対象では，Schirmer試験紙が角膜に当たりやすく，通常の結膜刺激とは異なる結果が得られる場合があるため，注

意が必要である．

■**判定** Schirmer テスト I 法は，眼表面の知覚神経（三叉神経）–副交感神経を経て涙腺に至る神経系のルート（reflex loop）と涙腺機能の両方を総合的に評価している点において優れた検査ではあるが，障害部位の高位診断はできない．また，涙液分泌量が多い場合には，検査値の再現性に乏しい欠点がある．5 分間に濡れた試験紙の長さを試験紙の折れ目（先端から 5 mm）から計測し，5 mm 以下を異常，10 mm を超える場合を正常とするのが一般的である．

　涙液検査は，互いに検査が影響し合うため，非侵襲的なものから順番に試行する必要があり，涙液メニスカスの評価（貯留量の評価）と Schirmer テスト I 法を続けて行う場合は，まず，涙液メニスカスの評価を行い，たとえ，涙液メニスカスの測定時に反射性に涙液が分泌されても，それがベースラインに戻るよう 10 分以上あけて，Schirmer テスト I 法を実施する．

BUT と BUP
Breakup time and breakup pattern

横井則彦　京都府立医科大学・病院教授

■**目的**　ドライアイの診断基準には，フルオレセインを用いた涙液層破壊時間〔breakup time（BUT）of tear film〕が用いられる（BUT ≦ 5 秒で異常）が，BUT および涙液層破壊パターン〔breakup pattern（BUP）of tear film〕は，ドライアイのコア・メカニズムである涙液層の安定性低下についての検査方法である．BUT は，ドライアイの診断に必須の項目であるが，BUP を評価すれば，①涙液層の破壊の原因になっていると考えられる眼表面の不足成分の看破，②涙液減少型，水濡れ性低下型，蒸発亢進型のドライアイのサブタイプ分類，③最も効果的な治療法（眼表面の層別治療，tear film oriented therapy：TFOT）の提案を行うことができる．BUP を用いたドライアイの診断方法は，眼表面の層別診断法（tear film oriented diagnosis：TFOD）とよばれ，TFOT を行ううえで，必須の診断法である．

■**対象**　涙液層の安定性が低下する疾患は，ドライアイであるため，BUT や BUP の検査対象は，ドライアイである．

1 BUT

■**原理と特徴**　涙液層の安定性が低下しているドライアイでは，開瞼を契機とする涙液層の形成過程において，あるいは，涙液層の形成後早期に，開瞼維持によって，涙液層の破壊を生じる．涙液をフルオレセインで染色すると，涙液層の破壊部位は蛍光強度が低下し，暗い領域（dark spot）として観察される．この dark spot が出現するまでの時間がフルオレセイン BUT（FBUT）であり，短いと涙液層の安定性はより悪い．

　一方，フルオレセインを用いない非侵襲的 BUT（non-invasive BUT：NIBUT）があり，FBUT が，涙液層の液層の菲薄化を反映するのに対し，NIBUT は涙液層の全層破壊を反映するため，一般に FBUT より長い．NIBUT の評価方法として，最も正確なのは涙液層を直接観察するインターフェロメトリであり，ほかに，ビデオトポグラフィやビデオケラトグラフィによる評価方法もある．

検査法

❶ BUT

■ **準備** フルオレセイン試験紙と生理食塩液などの電解質液，時間を計測するためのストップウォッチや電子メトロノーム．

■ **手順** フルオレセイン試験紙に生理食塩液などを2滴，滴下したあと，よく水分を振り切って，下眼瞼の中央やや耳側の眼瞼縁で涙液を染色し，自然開瞼後にdark spotが出現するまでの時間を測定する．

■ **手技・方法** 連続して3回測定し，平均値を求め，その値が5秒以下を異常とする．

● **ポイント** 試験紙に水分が過剰に残らないようによく振り，反射性涙液分泌が促されないよう，フルオレセイン試験紙が直接結膜に触れないように染色する．

■ **注意点** 涙液メニスカスに隣接したblack lineは，涙液貯留量が多い場合に見えやすいが，breakupとはしない．dark spotが現れたら，それ以上に開瞼を維持せずに次の測定に移る．

❷ NIBUT

■ **準備** ビデオインターフェロメトリコーワDR-1α，Keratograph 5M，idraなどの検査機器．

■ **手技・方法** コーワDR-1αでは，開瞼から涙液層の破壊が見えるまでの時間を測定する．Keratograph 5M，idraでは，装置がNIBUTの測定結果を与える．

● **ポイント** コーワDR-1αでは，光の照射により反射性涙液分泌が生じてNIBUTが長くなる可能性があるため，素早く測定する．

■ **注意点** コーワDR-1αでは，反射性の涙液分泌が生じる可能性があるため，開瞼維持は10秒までとし，FBUTと異なり開瞼維持時間が長くなりやすいため，測定は一度とする．

判定

❶ **BUT** 開瞼後dark spotが出現するまでの時間を3回測定し，3回の平均値をBUTとし，BUTが5秒以下の場合に異常とする(わが国のドライアイの診断基準)．

❷ **NIBUT** NIBUTの異常の判定基準は，検査手技により異なり，一定の基準はないが，コーワDR-1αでは10秒以下をもって異常としている．

2 BUP

原理と特徴 開瞼を契機として涙液層が角膜表面に形成される過程は，まず，開瞼時に涙液の水分が角膜表面に塗りつけられる過程，次に油層の上方伸展に伴って，液層が上方移動してゆく過程に分けられ，その完了によって，角膜上に涙液層が形成される．これらの過程で，眼表面の構成成分の不足により，涙液層の破壊パターンとして，次の6つが区別される．area breakは，涙液の水分が欠如している場合〔重症涙液減少型ドライアイ(aqueous deficient dry eye：ADDE)〕，line breakは，涙液の水分量が不足している場合(中等症までの涙液減少型ドライアイ)，spot break，dimple break，breakupのrapid expansionは，角膜表面の水濡れ性を決める膜型ムチン(MUC16)が不足している場合〔水濡れ性低下型ドライアイ(decreased wettability dry eye：DWDE)〕，random breakは，涙液油層や分泌型ムチンの不足により涙液層の水分の蒸発が亢進している場合〔蒸発亢進型ドライアイ(increased evaporation dry eye：IEDE)〕のBUPである．

検査法

■ **準備** フルオレセイン試験紙と生理食塩液などの電解質液．

■ **手順** フルオレセイン試験紙に水分を2滴，滴下したあと，よく水分を振り切って，下眼瞼の中央やや耳側の眼瞼縁で涙液を染色し，2, 3度瞬目したあと，軽く閉瞼させたのち，早く開瞼させて，その開瞼を維持し，フルオレセインの上方移動とフルオレセインの破壊とその拡大を観察する．

■ **手技・方法** 連続して3回評価し，BUPの再現性を確認する．

● **ポイント** 3回の評価で，同じBUPが出現する場合が望ましい（より病態を反映している）が，3回とも異なる場合は，陽性所見とはしない．

■ **注意点** 声がけ（「軽くつぶって」「パッとあけて」「あけたまま」）が重要である．

■ **判定** area breakは，開瞼後，フルオレセインの上方移動がみられず，角膜全面に点状表層角膜症（superficial punctate keratopathy：SPK）を伴い，重症の涙液減少型ドライアイに相当する．line breakは，フルオレセインの上方移動中に角膜下方で生じ，角膜下方にSPKがみられ，中等症までのADDEに相当する．spot break（開瞼直後にみられる），dimple break（フルオレセインの上方移動中にline breakより上方でみられる），breakupのrapid expansion〔開瞼維持でdark spotが急速拡大する．line breakの形をとる場合（この場合，SPKはないか，非常に少ない）と，Random breakに続く場合がある〕は，水濡れ性低下型ドライアイに相当する．random breakは，フルオレセインの上方移動が停止してから（涙液層が形成されてから），さらに開瞼を続けた場合にみられ（ドライアイでは開瞼後5秒以内），蒸発亢進型ドライアイに相当する．

涙液インターフェロメトリ
Interferometry of tear film

横井則彦　京都府立医科大学・病院教授

■ **目的** 油層と液層の2層からなる涙液層は，厚さ約3μmの涙液層として角膜上に分布し，油層の厚みは，正常眼では約100 nmとされる．角膜上の涙液層の厚み，油層の厚み，開瞼後の油層や涙液層の動態や角膜上での分布状態，涙液層の安定性や破壊パターンの情報を知る方法として，（ビデオ）インターフェロメトリ法があり，油層の評価あるいは涙液層そのものの評価に用いられる．

■ **対象** マイボーム腺機能不全（meibomian gland dysfunction：MGD）あるいは，ドライアイ．

■ **原理と特徴** 薄膜の表面と裏面で反射する光の光路差よって生じる光の干渉の原理に基づいて，油層や涙液層の厚み情報を得る．涙液層の厚みは，オハイオ州立大学のKing-Smithらのグループによって約3μmであることが報告されて，現在に至っている．ただし，角膜表面には，微絨毛（約500 nm）と膜型ムチン（最長のMUC16は500 nm）で約1μmあり，それが，角膜表面に不連続な突起を形成するため，角膜上の涙液層の厚みを安定して測定することは難しい．その点，油層は，比較的安定した厚み情報を提供しうる．コーワDR-1α（DR-1）は，ビデオ記録が可能で，高倍

モード(角膜上約 3 mm の領域)と低倍モード(角膜上約 7.5 mm の領域)が選択でき，それぞれ，油層の干渉像，および，油層の伸展動態，破壊パターン，非侵襲的涙液層破壊時間(non-invasive breakup time：NIBUT)の評価が可能である．最近では，LipiView® II や idra といった，多機能の装置も登場し，これらでは，涙液油層厚測定が可能である．ただし，コーワ DR-1α に比べて，油層の観察範囲が限られており，それぞれ角膜下方領域，角膜下方の限局した扇型領域となっている．

▎検査法　油層厚の測定はできないが，インターフェロメトリとして，多くの涙液情報が得られるコーワ DR-1α(コーワ DR-1)検査を紹介する．

■準備　NIBUT を計測するためのストップウォッチや電子メトロノーム．

■手順　自然開瞼による油層の上方伸展を確認し，高倍モードで油層の上方伸展が静止した時点の油層像をもとに油層の干渉像グレード(後述)を評価する．次に，低倍モードで，油層の上方伸展状態を観察し，伸展グレードを評価し，さらに開瞼を維持させて，NIBUT を測定する．breakup pattern(BUP)は，軽く閉瞼させたあと，早い開瞼と開瞼維持を指示して，評価する．

■手技・方法　被検者には，顎と額を固定させて正面を見させ，検者は被検者に対して，瞬目，開瞼とその維持を指示し，フォーカスおよび観察範囲の油層像に欠けがないかを確認しながら，観察する．

✓ポイント　遅滞なく，連続して，評価を行うことが重要である．

■注意点　NIBUT が長い眼(健常眼あるいはそれに近い状態を意味する)では，10秒を超えて開瞼を維持させると，反射性の涙液分泌をまねいて，あとの検査に影響を及ぼしうるため，開瞼維持は 10 秒までとし，10 秒で涙液層の破壊がみられない場合は NIBUT＝10 秒とする．

▎判定

❶油層の干渉像分類(高倍モード)　Grade 1：干渉色が灰色一色で縞模様なし．Grade 2：干渉色が灰色一色で縞模様あり．Grade 3：灰色以外の干渉色あり．Grade 4：多彩な干渉色あり．Grade 5：角膜表面の少なくとも一部が露出．

健常眼では，Grade 1，2 のみで，Grade 3～5 がなく，一方，ドライアイでは，Grade とその重症度(あるいは，涙液減少度)に相関があり，Grade 5 は上・下涙点プラグ治療のよい適応となる．

❷油層の伸展分類(低倍モード)　Grade 1：油層は，観察範囲の上縁まで早く伸展．Grade 2：油層は，観察範囲の上縁までゆっくりと伸展．Grade 3：油層の伸展は観察範囲の 1/2 以上だが，観察範囲の上縁には達しない．Grade 4：油層の伸展は観察範囲の 1/2 未満．Grade 5：油層の伸展がみられない．

健常眼では，Grade 1，2 のみで，Grade 3～5 がなく，一方，涙液減少型ドライアイ(aqueous deficient dry eye：ADDE)では，涙液減少と Grade に相関があり，Grade 4 は上・下涙点プラグ治療の適応となりやすく，Grade 5 は上・下涙点プラグ治療のよい適応となる．

❸ BUP 分類(低倍モード)　角膜上の涙液層の形成は，開瞼後の油層の上方伸展に伴って液層の上方移動が起こり，それらがほぼ同時に終了することで完了する．油層の上方伸展は，コーワ DR-1α で評価でき，液

層の上方移動は，フルオレセインで評価できる．涙液層の破壊はフルオレセインで観察したほうが，感度が高いが，涙液層の形成の完了はコーワ DR-1α で，油層の上方伸展の終了を観察したほうが，感度が高い．BUP の評価〔前項「BUT と BUP」(⇒87頁)を参照〕は，コーワ DR-1α でも可能であるが，注意点として，涙液減少型ドライアイ（ADDE）で，line break（LB）が観察しにくい場合があること〔観察範囲の広いコーワ DR-1α でも，角膜下方で生じる LB は観察しにくく，ADDE では油層が厚いため，涙液層の全層破壊が観察しにくいため〕，および，重症の ADDE でも，上皮の露出した area break が観察しにくい場合があること（油層の上方伸展の足場になれるほどではないが，角膜に塗り付けられるだけの水分がある場合に，角膜表面が露出しないため）が挙げられる．

マイボグラフィ

Meibography

有田玲子　伊藤医院・副院長

目的　マイボーム腺の腺構造を非侵襲的に生体内で観察すること．

対象　マイボーム腺関連疾患，特にマイボーム腺機能不全，霰粒腫など．

原理と特徴　眼瞼結膜側から赤外光を当てて赤外線カメラを用いて静止画，もしくは動画でマイボーム腺を観察する．マイボーム腺は白く写り，マイボーム腺が消失した部分は黒く写る（dropout）**(図 78)**．

検査法

■ **準備**　赤外光と赤外線カメラをスリット

図 78　マイボグラフィ
マイボーム腺は白く，マイボーム腺が消失した部分は黒く写る．

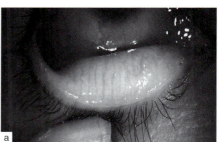
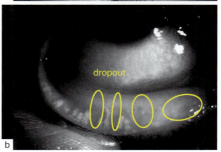

図 79　下眼瞼の撮影
眼窩に親指を入れ込むイメージで眼瞼結膜を露出する．
a：正常眼，b：マイボーム腺機能不全眼．

ランプに備えつけるか，専用の装置を準備する．現在では複合涙液診断装置など複数種類のマイボグラフィが入手可能．

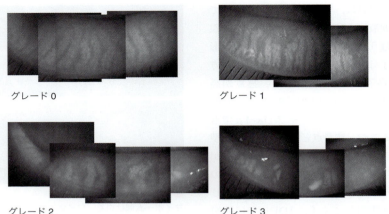

グレード 0　　　　　　　　　　グレード 1

グレード 2　　　　　　　　　　グレード 3

図 80　マイボスコア
マイボーム腺の消失面積によってグレード 0〜3 にスコア化する．
グレード 0：マイボーム腺の消失面積 0．
グレード 1：マイボーム腺の消失面積が眼瞼全体の 1/3 以下．
グレード 2：マイボーム腺の消失面積が眼瞼全体の 1/3 以上 2/3 未満．
グレード 3：マイボーム腺の消失面積が眼瞼全体の 2/3 以上．
(Arita R, et al: Noncontact Infrared Meibography to Document Age-Related Changes of the Meibomian Glands in a Normal Population. Ophthalmol 115: 911-915, 2008 より)

■**手順**　上・下眼瞼を翻転，瞼結膜側から赤外光を当て，必要であれば写真・動画撮影．
●**ポイント**　赤外光を用いるため，被検者はまぶしくない．また，非侵襲的であるため点眼麻酔の必要なし．
■**注意点**　上眼瞼の撮影は，被検者の眼瞼の形状により難しいことがある．下眼瞼の撮影では，皮膚を下に引っ張るのでなく，眼窩に親指を入れ込むイメージで眼瞼結膜を露出する**(図 79)**．

検査結果からわかること　マイボーム腺の構造変化（dropout や短縮，屈曲など）とその重症度（マイボスコアによる重症度判定）**(図 80)**．

涙道検査
Examination of lacrimal passage

井上 康　井上眼科・院長

目的・対象　流涙症は涙液分泌亢進による分泌性流涙と涙液の排出障害である導涙性流涙に分けられる．涙道閉塞もしくは狭窄による流涙症は導涙性流涙の主要な原因疾患である．涙道検査の目的は涙道閉塞もしくは狭窄の有無を調べることにある．

検査の種類　涙道検査としては涙管通水検査，色素消失試験，涙道プロービング，涙道内視鏡検査，鼻内視鏡検査，涙道造影，CT などが行われる．

1 涙管通水検査

原理と特徴 涙点から注入した生理食塩液が鼻腔に到達するか否かにより涙道閉塞の有無を確認する検査であり，最も一般的に行われる検査である．

検査法

■**準備** まず，点眼による局所麻酔を行っておく．涙管通水検査に使用する涙道洗浄針には直針と先端が直角に曲がった曲針がある．涙点のサイズにより1段針と2段針を使い分けるが，2段針での結果が明確でなければ，涙点を拡張したあとに，1段針で再検するべきである．生理食塩液を入れる注射用シリンジの容量は好みで決めてよいが，一般的には2.5 mLのシリンジが使用されることが多い．

■**手技・方法** 涙点から涙道洗浄針を挿入し，生理食塩液を注入する．上下それぞれの涙点から行い，通水の有無を確認する．通水がない場合には生理食塩液が逆流するが，注入している側の涙点から逆流するのか，対側の涙点から逆流しているのかを確認する（上下涙点間の交通の有無）．逆流物に膿や粘液が含まれているかどうかも観察する必要がある．検査の際にはできるだけ眼瞼を外側に牽引し，涙小管を直線化させておくことが重要になる．

● **ポイント** 通水の有無と上下涙点間の交通を確認することが重要である．

■**注意点** 不用意な操作で涙小管粘膜を損傷しないように注意深く施行する．

判定 上下涙点ともに通水があれば涙道以外の流涙症の原因を探す．通水がなく，上下涙点間の交通もなければ涙小管閉塞を考える．通水がなく，上下涙点間の交通がある場合，逆流物に粘液や膿が含まれていなければ総涙小管閉塞を，粘液や膿が含まれていれば鼻涙管閉塞の可能性が高い．通水があるにもかかわらず涙点から膿の逆流が認められる場合には涙小管もしくは涙嚢内の結石を強く疑う．

2 色素消失試験（色素残留試験）

対象 涙管通水検査が困難な乳幼児に対するスクリーニング検査として有用である．

原理と特徴 点眼したフルオレセイン色素が15分後に眼表面に残留しているかどうかを観察することにより導涙機能の有無を判定する検査である．

検査法

■**手技・方法** 両眼にフルオレセイン色素液を点眼し，15分後に暗室内で手持ち細隙灯顕微鏡の青色光を用いて残留したフルオレセイン色素を確認する．その際には鼻腔内への色素の到達も参考所見とする．

● **ポイント** あくまでスクリーニング検査であるので，本検査で導涙機能障害の可能性が疑われる場合にはほかの検査も行う．

判定 15分後に眼表面にフルオレセイン色素が残留していれば導涙機能が障害されている可能性が高い．眼表面にフルオレセイン色素が存在せず，鼻腔に存在が確認できれば導涙機能が維持されている可能性が高い．

3 涙道プロービング

原理と特徴 涙点から金属プローブを挿入し，挿入できた長さから閉塞部位を特定する．主に，涙小管閉塞における閉塞の範囲を確認する目的で行われることが多い．施行にあたっては涙道の解剖学を熟知する必要がある．

検査法

■**準備** 点眼による局所麻酔が必要である．

■**手技・方法** 診断目的の場合，涙点拡張もしくは涙点耳側切開を行い，05 程度の太めの金属プローブを使用するほうが安全に施行できる．

■**注意点** 検査目的で施行する場合には涙小管粘膜を損傷しないことが重要である．抵抗を感じた場合はそれ以上金属プローブを進めず，挿入できた長さを確認するべきである．

■**判定** 無理なく挿入できた金属プローブの長さを閉塞部位までの距離とする．

4 涙道内視鏡検査

原理と特徴 涙道内を灌流し，拡張させた状態で観察できることが最大のメリットである．涙道粘膜の変化，涙石や異物，閉塞部位などを容易に観察することができる．涙管通水検査では確認が難しい狭窄も，涙道内視鏡検査ではある程度評価することが可能になった．

検査法

■**準備** 点眼麻酔に加え症例に応じて滑車下神経ブロックもしくは皮下浸潤麻酔を行っておく．涙道内視鏡の外径は 20 G であり，挿入のためにはしっかりと涙点を拡張しておく必要がある．涙点耳側切開を行う術者もあり，それまでに習熟した方法を選択してよい．

■**手技・方法** 拡張された涙点から涙道内視鏡を挿入し，涙小管垂直部を越えたらほぼ直角に方向を変更し涙小管水平部に入る．その際重要なのは眼瞼を強く耳側に牽引し涙小管水平部を直線化させることである．屈曲した涙小管内では涙道内視鏡が涙小管壁に接近し十分な観察が困難になる．十分に直線化した涙小管内であれば内総涙点までを見渡すことが可能になる．涙嚢に到達したら鼻涙管方向に向きを変え，鼻涙管を観察する．

◎**ポイント** アングル付きの涙道内視鏡を用いれば，涙道内視鏡を回転させることにより観察方向を変えることができる．この機能を十分に活かすことが重要である．

■**注意点** 涙道粘膜，特に鼻涙管粘膜は軟らかく障害されやすい．十分に拡張したうえで直接観察しながら操作を進める必要がある．盲目的な操作は禁物である．

■**判定** 涙道内の異物，涙石および閉塞部位とその形状を記録する．

5 鼻内視鏡検査

原理と特徴 下鼻道外側壁にある鼻涙管下部開口の状態や涙嚢鼻腔吻合術の際に吻合部となる中鼻道の状態を観察する．

検査法

■**準備** 4％リドカイン塩酸塩（キシロカイン®）と 0.1％アドレナリン液（ボスミン®）の混合液に浸したガーゼによる鼻粘膜麻酔とともに鼻粘膜を収縮させておく．鼻内視鏡検査においては直径 2.7 mm，先端角度 70 度の鼻内視鏡を準備しておく．

■**手技・方法** 下鼻道は下鼻甲介を下方から回り込むように迂回して挿入する必要があり，導入には習熟者の指導が必要となる．それに比較すると中鼻道の観察は容易である．

◎**ポイント** 鼻粘膜は出血しやすく，出血による視認性の低下は著しい．十分な鼻粘膜収縮と丁寧な内視鏡操作がポイントになる．

■**判定** 鼻涙管下部開口の状態，下鼻甲

介と下鼻道外側壁の癒着，中鼻道においては中鼻甲介の位置などを確認し，手術方法の選択の参考とする．

6 涙道造影

| **原理と特徴** 　涙道内に造影剤を注入し涙道の形態，閉塞部位の確認，鼻腔との位置関係などを確認する検査である．
| **検査法**
- **準備**　非イオン性造影剤であるイオパミドールを安全性の観点から選択する．涙管通水検査を行い涙道内の洗浄をしておく．
- **手技・方法**　造影剤の入ったシリンジに涙道洗浄針をつけ，透視下で造影剤を注入する．
- **注意点**　ヨード過敏症などは禁忌となるので，詳細な病歴の聴取が必要になる．造影剤が涙道外に漏出すると腫れや痛みの原因となる．
| **判定**　閉塞部位と狭窄部位を確認できる．

7 CT

| **対象**　顔面外傷，副鼻腔手術の既往がある症例，鼻腔や副鼻腔の炎症もしくは腫瘍が疑われる症例が対象となる．涙囊鼻腔吻合術の術前検査としても有用である．
| **原理と特徴**　断層画像での涙道および鼻腔，副鼻腔の関係を確認できる．
| **検査法**
- **手技・方法**　できれば頭部 CT を最小のスライス間隔で撮影する．造影剤を用いて涙道造影を行うことも可能である．
| **判定**　鼻涙管の骨性閉塞，鼻腔および副鼻腔の炎症もしくは腫瘍性変化を診断できる．

3 緑内障

眼圧測定

眼圧値と変動，測定方法
Tonometry

白鳥 宙　日本医科大学・助教
中元兼二　日本医科大学・准教授

| **目的**　正確な眼圧を測定する．
| **対象**　眼科を受診するほぼすべての患者．特に緑内障・高眼圧症などの患者では必須．
| **原理と特徴**　それぞれの眼圧計の特徴を理解し，用途により使い分ける．一般的に，Goldmann 圧平眼圧計が臨床的に最も普及し，最も再現性・精度ともに高い眼圧計であり，現在，眼圧検査における "gold standard" である．
| **検査法**
❶ **Goldmann 圧平眼圧計(図 81)**　検査の原理は，内圧(P)の球体を外圧(W)の平面で圧平したときに，圧平面積(A)との間に，$W = P \times A$ が成り立つという Imbert–Fick の法則(図 82)に基づいている．細隙灯顕微鏡に取りつけて坐位で測定する．角膜に垂直にあてた圧平プリズムを見ながら，角膜を押す力を調整し，眼圧値を得る．測定値は，涙液と角膜剛性の影響を受ける．点眼麻酔とフルオレセイン染色が必要である．Goldmann 圧平眼圧計と同じ原理の手

図 81　Goldmann 圧平眼圧計

図 83　非接触式眼圧計

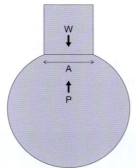

図 82　Imbert–Fick の法則
内圧(P)の球体を外圧(W)の平面で圧平したとき，圧平面積(A)との間に，W＝P×A が成り立つ．

持ち眼圧計(Perkins 眼圧計，Draeger 眼圧計など)もある．

❷非接触式眼圧計(non-contact tonometer：NCT)(図 83)　角膜への空気噴射によって角膜の圧平を行い，圧平に要した時間から眼圧値を得る．角膜に直接接触しないため，感染症や角膜障害のリスクが低く，スクリーニング検査に最適である．測定が瞬間であるため脈波や呼吸の影響を受けやすく，最低 3 回以上測定して平均値を算出する．Goldmann 圧平眼圧計と比較して，低眼圧では低めに，高眼圧では高めになりやすい．閉瞼動作や睫毛，角膜の異常により精度が低下する．角膜の影響を受けやすいが，同時に角膜剛性を測定し補正眼圧値を算出するもの(Ocular Response Analyzer®，Corvis®ST など)もある．携帯可能な手持ちタイプ(Pulsair®眼圧計など)もある．

❸ dynamic contour tonometer(DCT)(図 84)　内弯したチップを角膜表面にぴったりと接触させ，接触面中央部に搭載した圧センサーで眼圧値を得る．角膜を変形しないため角膜の影響をほとんど受けず，涙液や脈波の影響も受けない．測定値は，Goldmann 圧平眼圧計より平均で 1～4 mmHg 程度高く測定される．点眼麻酔が必要である(販売終了)．

❹ Tono-pen® XL/Tono-pen AVIA®(図 85)　眼圧計の先端部は sleeve(外筒)と内部の圧センサーにつながる plunger(内筒)からなり，先端部を角膜に接触していく際の圧変化から眼圧値を得る．脈波などの影響を受けやすく，最低 4 回の測定による平均値を算出する．涙液の影響は受けにくいが角膜剛性の影響を受ける．点眼麻酔が必要で

図84　dynamic contour tonometer
a：全体，b：角膜接触部分の拡大．

図86　iCare®（写真はiCare® IC200）

図85　Tono-pen® XL/Tono-pen AVIA®
a：全体，b：角膜接触部分の拡大．

図87　Triggerfish®

ある．持ち運びしやすく，あらゆる体位で測定可能である．接触面積が小さいため，角膜疾患症例の測定にも有用である．類似機種として，AccuPen®がある（Tono-pen® XLは販売終了）．

❺ **iCare® TA01i/PRO/IC200**（図86）　反跳式眼圧計であり，プローブの先端の球部を角膜に発射して跳ね返る際の速度変化から眼圧値を得る．Goldmann圧平眼圧計とよく相関するが，Goldmann圧平眼圧計より少し高い数値が示されることが多い．複数回の測定による平均値を算出する．涙液の影響は受けにくいが角膜厚の影響をより受けやすい．表面麻酔は必要としない．持ち運びしやすく，測定時のプローブの向きは，TA01iは水平，PROは水平または垂直，IC200は下向きの任意の角度で測定可能である．小児の眼圧測定や，角膜疾患症例の測定に有用である．自宅での眼圧自己測定が可能なモデル（iCare® HOME）もある（iCare® PROは販売終了）．

❻ **Triggerfish®**（図87）　眼圧変動パターンをモニターできるコンタクトレンズ型の眼圧計である．コンタクトレンズに内蔵されたセンサーが眼圧変化による角膜曲率の変動をとらえ，5分ごとに最長24時間自動計測する．測定結果は，眼周囲に設置したアンテナによりデータ受信し，レコーダーに保管される．睡眠中も覚醒することなく測定可能である．ただし，測定値は独自単位（mVeq）で表され，眼圧の絶対値（mmHg）には変換できない．

判定 正常眼圧は国際的には 10〜21（平均 15.5）mmHg 前後であるが，これらの値は欧米人を対象とした調査結果に基づいたものであり，多治見スタディによる日本人の平均眼圧は 10〜20（平均 14.5）mmHg とこれよりも低い．

その他（眼圧変動） 眼圧は常に変動しており，例えば日内変動では，一般に朝方に高いことが多いが，個人により変動パターンは異なる．季節変動では一般に冬季に高く，夏季に低いことが知られている．体位による変動では，坐位よりも仰臥位のほうが眼圧は高くなる．そのほか，関連する因子として，年齢，性別，屈折，人種，運動，血圧，眼瞼圧，眼球運動，種々の薬物やアルコール・カフェインなどの嗜好品も眼圧に影響を与える．特に日本人に多い正常眼圧緑内障などでは，日を変え，時刻を変えての複数回の眼圧測定が望ましく，症例によっては深夜や早朝の時間を含む眼圧日内変動測定も必要となる．

眼圧日内変動の測定には従来は入院が必要であったが，近年では iCare®HOME による自宅での眼圧自己測定や，Triggerfish® による眼圧変動パターン測定も行われるようになった．測定間隔は基本的に短いに越したことはないが，夜間帯の頻回測定は患者，測定者ともに負担が大きいうえに自然な日内変動リズムが狂う可能性も考えられ，2〜4 時間ごとなどとすることが多い．

眼圧測定

誘発試験，角膜厚
Provocative test, Corneal thickness

白鳥 宙　日本医科大学・助教
中元兼二　日本医科大学・准教授

目的 負荷を加えて眼圧変化を引き起こし，異常を検出する．眼圧の評価に，角膜厚の影響を考慮する．

対象 緑内障，高眼圧症，閉塞隅角眼．

原理と特徴

❶**誘発試験（表 12）** 外来診察時には正常眼圧を示すが隠れた高眼圧の存在が疑われる症例において，さまざまな状況下で高眼圧が生じるかを検出するために行う．閉塞隅角眼に対する暗室うつむき試験，散瞳試験，開放隅角眼に対する散瞳試験，飲水試験などがある．特に閉塞隅角眼において，隅角鏡などの形態的検査を補足する機能的検査としての意義がある．

ポイント 暗室うつむき試験では，全身の腹臥位をとると体位変動による眼圧上昇を検出してしまうため，うつむき坐位とする．また，睡眠時は縮瞳してしまうため，患者が眠らないように注意する．散瞳試験では，急性緑内障発作の誘発の可能性があり，必ずピロカルピンにて縮瞳確認後に帰宅させる．散瞳にはトロピカミドを使うべきであり，フェニレフリンを含む点眼薬ではピロカルピンで拮抗できないおそれがある．開放隅角眼でも，色素散布症や落屑緑内障では散瞳による色素散布に伴う眼圧上昇が起こりうる．

❷**角膜厚と眼圧** 現在臨床で広く用いられ

表12　誘発試験

	暗室うつむき試験	散瞳試験	飲水試験
方法	暗室でうつむき坐位1時間後，眼圧測定	トロピカミド点眼後10〜15分おきに眼圧測定	短時間に1L飲水後10〜15分おきに眼圧測定
陽性基準	6〜8mmHg以上の眼圧上昇	6〜8mmHg以上の眼圧上昇	6〜8mmHg，または30％以上の眼圧上昇
注意	偽陰性がある	急性緑内障発作の誘発	負担が大きい偽陽性が多い

ているGoldmann圧平眼圧計，非接触式眼圧計，Tono-pen®，iCare®などの眼圧計は，いずれも測定値が角膜に影響され，中心角膜厚(central corneal thickness：CCT)が厚い(薄い)ほど眼圧は高く(低く)測定されるため，真の眼圧より過大(過小)評価されることがある．Goldmann圧平眼圧計では，CCTが520μmのときに最も真の眼圧を反映し，10μm厚い(薄い)と0.12〜0.71mmHg高く(低く)測定されると報告されている．補正に用いる係数は，角膜厚の測定法により異なることもあり，さまざまな議論があるが，CCTが薄いことは積極的な眼圧下降治療を行う根拠となりうる．近年，LASICなどの屈折矯正手術後の症例が増えており，これらは角膜厚が通常よりも薄いため，多くの測定方法で真の眼圧よりも低く眼圧測定されてしまうことに注意が必要である．

隅角検査

Gonioscopy

森 和彦　京都府立医科大学・客員教授

目的　房水流出路である隅角を観察する検査であり，緑内障病型診断や治療方針決定，手術後の房水流出路の評価など緑内障の日常診療に必要不可欠である．また隅角に異常所見が出現する緑内障以外の疾患も多く，眼科基本検査の1つである．

対象　緑内障・高眼圧症・閉塞隅角眼のみならず，隅角に異常をきたしうるすべての眼疾患．

原理と特徴　接触型レンズを用いて隅角を観察する．観察光の経路により，直接型隅角鏡(Koeppe型，Barkan型，Swan-Jacob型など)による直接検査法と，間接型隅角鏡(Goldmann隅角鏡，Zeiss四面鏡，Sussman型など)による間接検査法に分類され，隅角底の観察が困難な狭隅角眼の場合には，静的隅角検査に引き続いて動的隅角検査，圧迫隅角検査を用いる．通常，直接検査法は乳幼児の隅角検査や隅角癒着解離術のような手術時に行う．また間接検査法では隅角の鏡面像を観察しているために，ミラーイメージであることに注意する．

検査法　点眼麻酔後にスコピゾル®を接眼部に滴下した隅角鏡を角膜に載せ，細隙灯顕微鏡(間接型)もしくは手持ち細隙灯顕微鏡や手術用顕微鏡(直接型)にて観察を行う．Sussman型やZeiss型隅角鏡では，角膜との接触面積が小さいためにスコピゾル®が不要．

❶ **静的隅角検査(static gonioscopy)**　暗室下で細隙灯顕微鏡の光量を極力下げ，瞳孔

表13 隅角の広さの分類

	van Herick 法	Shaffer 分類		Scheie 分類
Grade 0	—	隅角閉塞の存在（隅角角度 0 度）	—	—
Slit	危険なほど狭隅角	隅角閉塞の可能性大（slit 状）	Ⅳ	Schwalbe 線も見えない
Grade 1	角膜厚の 1/4 未満	隅角閉塞の可能性大（10 度以下）	Ⅲ	線維柱帯の半分が見えない
Grade 2	角膜厚の 1/4	隅角閉塞の可能性（20 度）	Ⅱ	隅角底が見えない
Grade 3	角膜厚の 1/4〜1/2	隅角閉塞は起こりえない（20〜35 度）	Ⅰ	毛様体帯の一部が見えない
Grade 4	角膜厚以上	隅角閉塞は起こりえない（35〜45 度）	Wide	毛様体帯までしっかりと見える

領に光を入れずに隅角鏡で眼球を圧迫しないようにして，第1眼位(正面視)における自然瞳孔状態での隅角開大度を評価する．隅角鏡の種類によって，ミラーの角度/高さ/位置が異なり隅角底の見え方に差が出るため，分類はある程度検者の技量に左右され，主観的な検査となる．機能的隅角閉塞と器質的隅角閉塞を鑑別することはできない．

❷**動的隅角検査(dynamic gonioscopy)**　静的隅角検査に引き続き施行する．細隙灯顕微鏡の光量を上げたり瞳孔領に光を入れたりして縮瞳させ，隅角鏡または眼位を傾斜させて軽度の圧迫を加えることにより隅角を開大させ，隅角底を観察する．器質的隅角閉塞の有無や範囲に加えて，隅角結節，新生血管など異常所見の有無を診断する．

❸**圧迫隅角検査(indentation gonioscopy)**　動的隅角検査の一種．隅角鏡で角膜中央を圧迫して変形させることにより，房水の移動から周辺部虹彩を後方に押し下げ，隅角底を観察する．Sussman 型や Zeiss 型のような角膜との接触面積の小さいレンズを使用．過度に圧迫すると Descemet 膜の皺に

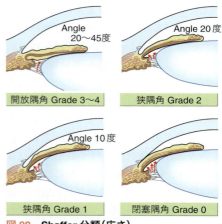

図88　Shaffer 分類(広さ)

よって視認性が落ちるのみならず，隅角を変形させてしまうことになる．

判定

❶**隅角開大度**　表13 参照．Shaffer 分類(広さ：図88)，Scheie 分類(深さ：図89)，Spaeth 分類(隅角形状：図90)がある．
❷**色素沈着**　Scheie 分類(図91)．
❸**異常所見**(図92)
a. 周辺虹彩前癒着(peripheral anterior syne-chia：PAS)(図92a)　隅角部と周辺虹彩の

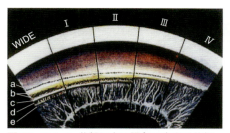

図89　Scheie 分類による隅角の広さの分類
0：線維柱帯，強膜岬，毛様体帯のすべてが見える．
Ⅰ：強膜岬は見えるが毛様体帯が見にくい．
Ⅱ：強膜岬は見えず線維柱帯の下半分が見にくい．
Ⅳ：線維柱帯が見えず Schwalbe 線まで虹彩が隠れている．

(Scheie HG: Width and pigmentation of the angle of the anterior chamber; a system of grading by gonioscopy. AMA Arch Ophthalmol 58: 510–512, 1957 より)

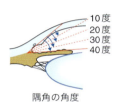

隅角の角度

虹彩周辺部の形状
s：急峻な凸状 (steep)
r：平状 (regular)
q：凹状 (queer)

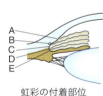

虹彩の付着部位
A：Schwalbe 線より前方に付着
B：Schwalbe 線より後方に付着
C：強膜岬に付着
D：毛様体より付着
E：毛様体のかなり深い部位に付着

図90　Spaeth 分類（隅角形状）

(Spaeth GL: The normal development of the human anterior chamber angle: a new system of descriptive grading. Trans Ophthalmol Soc UK 91: 709–739, 1971 より)

癒着．形状によりテント状，台形，広範な癒着などがある．原発閉塞隅角症/緑内障のほか，血管新生緑内障，ぶどう膜炎，ICE (iridocorneal endothelial) 症候群，鈍的外傷，レーザーや内眼手術後などにも形

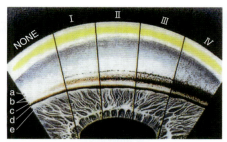

図91　Scheie 分類（色素沈着）
隅角部の色素沈着の程度により，NONE〜Ⅳ度の5段階に分類される．

(Scheie HG: Width and pigmentation of the angle of the anterior chamber; a system of grading by gonioscopy. AMA Arch Ophthalmol 58: 510–512, 1957 より)

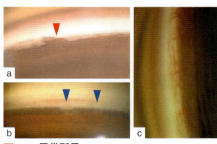

図92　異常所見
a：周辺虹彩前癒着（赤矢頭）．
b：隅角結節（青矢頭）．
c：新生血管．

成される．

b．隅角結節（図 92b）　虹彩や隅角部に観察される白色塊状の小結節．サルコイドーシスなどの肉芽腫性ぶどう膜炎で形成される．

c．色素異常　落屑緑内障では色素沈着が強く Schwalbe 線を越える（Sampaolesi 線）．Posner-Schlossman 症候群では患眼隅角の脱色素が認められる．

d．隅角後退　鈍的外傷の程度により範囲や幅が異なる．

e．新生血管（図 92c）　眼虚血性病変に続

表14　各種前房隅角検査の特徴

	隅角鏡	van Herick法	UBM	前眼部OCT
測定原理	細隙灯顕微鏡を使用	細隙灯顕微鏡を使用	超音波	光干渉断層計
表面麻酔	必要	不要	必要	不要
侵襲	接触	非接触	接触(水浸式/カバー式)	非接触
体位	坐位	坐位	仰臥位	坐位
感染リスク	消毒	なし	少ないがあり	なし
特徴	全周の隅角を直視可能必須	スクリーニングとして使用 上下は困難 隅角底は見えない	毛様体所見が得られる	高解像度 毛様体観察不可

発．虹彩根部より立ち上がり細かい枝分かれを形成．十分に拡大して探すことが重要．

f. 隅角形成不全　発達緑内障では虹彩高位付着．Axenfeld-Rieger症候群では索状ぶどう膜遺残やSchwalbe線肥厚(posterior embryotoxon, 後部胎生環)を認める．

その他の隅角検査法
各種前房隅角検査の特徴を**(表14)**にまとめる．

❶ **van Herick法(表13)**　細隙灯顕微鏡のスリット光束と観察系との角度を60度として，スリット光束を角膜輪部に対して垂直に当て，周辺部前房深度と角膜厚を比較することにより隅角の広さを推測する方法．Grade 2(角膜厚の1/4)より狭い場合には狭隅角の可能性が高く，隅角鏡による精査が望ましい．

❷ **超音波生体顕微鏡(UBM)**　詳細は「超音波生体顕微鏡」項(⇒67頁)参照．

❸ **前眼部光干渉断層計(AS-OCT)**　詳細は「前眼部OCT」項(⇒55頁)参照．

視神経乳頭形状解析，網膜神経線維層厚解析法

Optic disc topography, Retinal nerve fiber layer analysis

齋藤　瞳　東京大学・講師

目的　緑内障では網膜神経節細胞が障害され，その軸索である視神経線維が萎縮するため，視神経乳頭形状や視神経周囲の網膜神経線維層の菲薄化などの特徴的な変化を呈する．このため，緑内障の診断や経過観察には視神経乳頭およびその周囲の構造変化を丁寧に観察する必要がある．従来は検眼鏡的観察や眼底写真の読影より評価するのが標準であったが，主観的かつ定性的評価であるため医師による診断のばらつきが生じたり，進行評価に必要な精度の高い評価が困難であるなどの欠点があった．近年は眼底写真より乳頭形状を計測する方法や，共焦点走査レーザー検眼鏡(Heidelberg retina tomograph, GDx)，光干渉断層計(optical coherence tomography：OCT)などの画像解析装置の開発により，緑内障性眼底変化を定量的に記録で

きるようになり，緑内障診療において不可欠な補助検査となっている．

対象 緑内障，緑内障疑い，高眼圧症．

原理と特徴 OCT の詳細は他項(⇒150 頁)に譲り，ここでは簡単な原理と特徴を述べる．OCT では測定光を器械内で参照鏡に行く光と網膜に行く光に分光する．参照鏡と網膜からそれぞれ反射して返ってきた反射光の 2 つの波が重なることによって生じる可干渉光(coherent 光)が測定される．参照鏡からの反射光は常に一定であるのに対して，各網膜層から返ってくる反射光の位相が異なるため，可干渉光の差を検出し，網膜の構造を描出することが可能となる．

以前に用いられていた time domain OCT(TD-OCT)では，Z 軸(深さ方向)のスキャンを行う際に参照鏡を機械的に前後に移動させていたため，参照鏡を移動させる速度に撮影速度が制限されていた．しかし，近年主流となっている spectral domain OCT(SD-OCT)では，光波の干渉を実空間で行う代わりにフーリエ空間で行うことにより，Z 軸方向の情報取得を一度に行うことができるようになった．

SD-OCT の登場によりスキャンレートは 50 倍以上，Z 軸方向の解像度も 2 倍以上に改善された(図 93)．OCT の画質が飛躍的に向上したことにより，以前は困難だった網膜内層の正確な分層が可能となった(図 94)．以前は網膜の全層厚もしくは網膜神経線維層厚(retinal nerve fiber layer

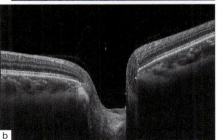

図 93 TD-OCT(a)と SD-OCT(b)

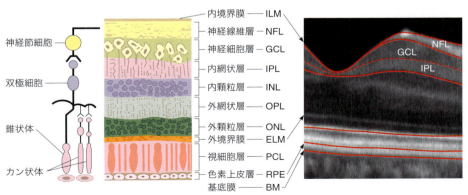

図 94 OCT で見える網膜層構造

thickness：RNFLT)のみで緑内障を評価していたが，緑内障で障害される RNFLT の測定がより正確になっただけでなく，黄斑部の網膜神経節細胞層(ganglion cell layer：GCL)厚，内網状層(inner plexiform layer：IPL)厚なども測定できるようになり，緑内障分野における OCT の活躍が目覚ましいものとなった．

さらに，最新の OCT 機種では乳頭部・黄斑部の angiography 解析も可能となっており，緑内障眼における血流変化という観点からも評価が可能となっており，今後の活躍が期待されている．

OCT（緑内障）

Optical coherence tomography：OCT (glaucoma)

齋藤 瞳　東京大学・講師

目的　視神経乳頭およびその周囲の構造的変化を客観的かつ定量的に解析・記録し，緑内障診断や経過観察を補助する．

対象　緑内障，緑内障疑い，高眼圧症．

原理と特徴　OCT の原理に関しては別項(⇒ 150 頁)を参照．spectral domain OCT(SD-OCT)には緑内障用の撮影モードとして視神経乳頭周囲網膜神経線維層厚(circumpapillary retinal nerve fiber layer thickness：cpRNFLT)，視神経乳頭形状，黄斑部厚，乳頭周囲・黄斑部の angiography を測定する4つのモードがある．過去の画像解析装置と異なり，1つの機器ですべてのパラメータを測定できるため，さまざまな角度から緑内障性障害を評価できる

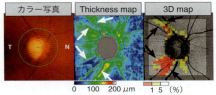

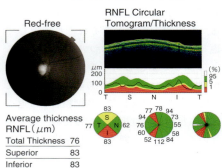

図 95　乳頭周囲網膜神経線維層厚（cpRNFLT）の解析結果

Thickness map に cpRNFLT の実測値をカラー表示している．上下の耳側の白矢印で囲まれた領域に神経線維束欠損(nerve fiber layer defect：NFLD)を認める．3D map では正常データベースと比較した異常確率がカラー表示されている．NFLD の部位に赤で異常表示が記されている（黒矢印）．

のが特徴である．

検査プログラム

❶ **視神経乳頭周囲網膜神経線維層厚（cpRNFLT）**　機種によって多少異なるが，視神経乳頭周囲をおおよそ 6 mm×6 mm の範囲で 3D scan する．SD-OCT では，短時間で大量の情報を取得・解析できるため，乳頭周囲の RNFLT のみならず，3D scan した全範囲における各測定点の異常確率を 3D map の形で表示し，神経線維欠損の存在範囲を可視化することができる（図 95）．cpRNFLT 測定のために行う視神経乳頭周囲の 3D scan で取得したデータより視神経乳頭形状を解析することも機種

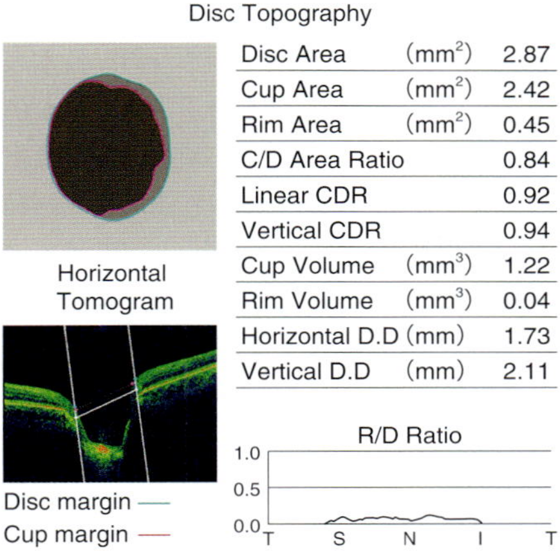

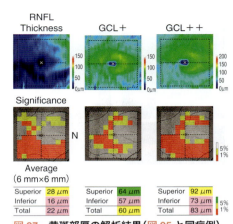

図96 乳頭形状解析結果(図95と同症例)

本バージョンではディスクパラメータはRPEから120μmの高さを基準に決定されています

図97 黄斑部厚の解析結果(図95と同症例)

上段に厚みの実測値のカラーマップ，下段に正常データベースと比較した異常確率が表示されている．上下にわたった黄斑部厚の菲薄化を認める．

によっては可能である．パラメータはさまざまであるが，乳頭面積，陥凹面積，rim面積，cup/disc ratioなどのパラメータが計測されている(図96)．

❷**黄斑部網膜厚** 黄斑部厚測定モードでは，緑内障性変化が出現する黄斑部の網膜内層厚〔黄斑部RNFLT，ganglion cell layer (GCL)厚，inner plexiform layer(IPL)厚〕を測定している．本来緑内障変化を鋭敏にとらえているのはRNFLとGCL厚と思われるが，GCLは画像の精度により必ずしも分層できないことが多いため，IPLとの複合層もしくは黄斑部RNFL，GCL，IPLの3層の複合層(一般的にganglion cell complex：GCCとよばれている)(図97)を代替的に用いている．

❸**視神経・黄斑部 angiography** 最新のSD-OCTは撮影が非常に高速化されており，70,000～100,000 A-scan/秒の取得が可能となっているため，数秒に間に撮影された多数のB-scan像から動きがあった箇所だけを検出することによって血流を描出することができるようになっている(図98，99)．血管に直接造影剤を流して，血管内の血流を見るFAGやIAとは異なり，全身的な副作用などのリスクなしに，短時間で簡便に行える検査として，さまざまな専門分野でその活躍が期待されている．緑内障眼においても緑内障性変化が起こっている部位と一致して血流低下が認められることが報告されており，今後緑内障分野でも頻用される検査となるかもしれない．

判定 OCTの機器内には正常人データベースが搭載されており，年齢や性別に合わせた正常眼データと比較し測定値の異常確率をカラーマップで表示しているので，それを参照しながら検眼鏡的に診察した乳頭周囲所見とあわせて判定していく．カラーマップの基準は各社多少の違いはあるが，おおむね正常の1%未満の厚みで赤色，5%未満の厚みで黄色，それ以上の厚みで正常を表す緑色で表示される．しか

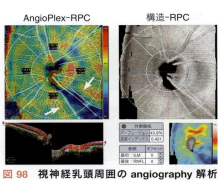

図98 視神経乳頭周囲の angiography 解析結果

初期緑内障眼の視神経乳頭周囲 4.5×4.5 mm の angiography 解析結果．左に乳頭周囲の放射状乳頭周囲毛細血管の密度がカラーマップで表示されている．下耳側に血管密度の低下を認める(矢印)．

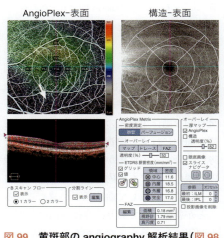

図99 黄斑部の angiography 解析結果(図98と同症例)

左に黄斑部表層血管の血管密度がカラー表示されている．下方の血管密度低下を認める(矢印)．

し，SD-OCT もカメラの一種なので，さまざまな artifact(強度近視，白内障などの透光体混濁，縮瞳，眼球運動など)に撮影画像が影響を受ける可能性があり，必ずしも測定データを鵜呑みにできない場合も多数あるので注意が必要となる．さらに，多くの機種では正常眼の定義を等価球面度数 −6 D 未満で区切っているため，日本人に頻度の高い強度近視眼の正常データが搭載されていない．視神経乳頭の近視性変化は多様であり，傾斜乳頭・乳頭周囲脈絡網膜萎縮(peripapillary atrophies：PPA)・全体的な網膜菲薄化などの影響も受けるため OCT のみで診断をするのには限界があることが今後の課題となっている．

視野検査
Visual field test

大久保真司　おおくぼ眼科クリニック・院長

目的　緑内障診療における視野検査は，緑内障の診断，障害程度(病期)の把握と進行判定およびそれらに基づいた治療方針の決定や変更を行うために必要である．

使用プログラム　検査点配置と測定アルゴリズムを選択する必要がある．

■**検査点配置**　緑内障の視野検査では中心30度内を6度間隔に配置するプログラム(Humphrey 30-2 など)が主に用いられる．臨床的には鼻側の2点以外の変動の多い最周辺部を除いた 24-2 も，広く用いられている．近年，従来考えられていたより早期から中心近くに障害をきたしている症例が多いこと，さらに6度間隔の検査点配置では極早期の視野異常が見逃されてしまうことが知られてきており，症例によっては中心10度内を2度間隔で測定する 10-2 も行う必要がある．imo では，24-2 の検査点に 10-2 の検査点において高頻度に視野異常が出現する点を追加した配置 24plus が搭載された．24plus は，24plus

(1)のみと 24plus（1-2）の 2 段階に分けて検査を行うことができる．Humphrey においても 24-2 に，10-2 の検査点のなかで早期緑内障において異常が生じやすい 10 点を加えた 24-2C が搭載されている．

■ **測定アルゴリズム**　閾値を算出する基本的な方法は，すべての測定点で 4dB-2dB ステップのダブルクロス法で閾値を絞り込み決定する全点閾値方法（4dB-2dB bracketing 法）である．しかし，全点閾値では膨大な時間を要するため，時間短縮のアルゴリズムが開発されてきている．

❶ **Humphrey 視野計**　全点閾値，Fastpac, Swedish Interactive Threshold Algorithm (SITA) Standard, SITA Fast, そして 2018 年 1 月からは SITA Faster というアルゴリズムが搭載されている．現在，緑内障診療では SITA が用いられていることが多い．SITA は，多数の正常者と緑内障眼から得られたデータベースを用いて，閾値の推定に心理測定関数を用いている．SITA Standard は，全点閾値と同じ 4dB-2dB bracketing で行う上下法であり，SITA Fast は視標呈示が 3dB 間隔のみとなり，1 回交差した時点で閾値を決定している．SITA Faster は，精度を保ちつつ検査時間の大幅な短縮化をはかった新しいアルゴリズムである．

❷ **その他の視野計**　Humphrey 視野計の全点閾値検査，SITA Standard, SITA Fast に大まかに対応するアルゴリズムは，KOWA AP-7700 では，全点閾値（クイック OFF），smart Strategy, smart Strategy α，imo では，全点閾値，Ambient Interactive ZEST（AIZE），AIZE-Rapid である．オクトパスにも，全点閾値に相当する Normal に加えて，Dynamic, TOP などの短縮アルゴリズムがある．

| **診断**　緑内障性視神経症は，網膜神経節細胞およびその軸索である網膜神経線維の障害であるため，緑内障性視野障害はその走行に一致する．緑内障性視野障害は，視野所見のみから判断されるものではなく，必ず「視神経乳頭所見や網膜神経線維層の所見」との対応を確認する必要がある．

■ **Humphrey 視野における視野異常の判定基準（Anderson and Patella の分類の判定基準）**　疫学調査や臨床研究では共通の視野判定基準が必要である．現在では Anderson and Patella の分類の判定基準が広く用いられている．Anderson and Patella の分類の判定基準では以下の 3 つのいずれかを満たす場合を緑内障性視野障害と判断する**（図 100）**．

①パターン偏差確率プロットで，最周辺部の検査点を除いて p＜5％の点が 3 つ以上隣接して存在し，かつそのうち 1 点が p＜1％（視神経乳頭所見に一致することが必要）．
②パターン標準偏差（pattern standard deviation：PSD）または修正パターン標準偏差（corrected pattern standard deviation：CPSD）が p＜5％．
③緑内障半視野テスト（glaucoma hemifield test：GHT）が正常範囲外．

しかし，臨床の場ではこれらの基準を満たさなければ緑内障と診断ができないわけではなく，眼底所見を参考に融通性をもった判断が必用である．この基準のうち，①と③は，神経線維層の走行を考慮したものである．特に①に関しては，網膜神経線維の走行は上下別であるので，上下半視野に

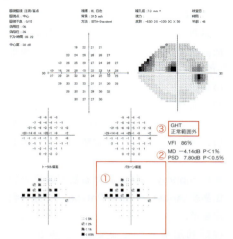

図 100 症例：48 歳女性，右緑内障眼の Humphrey 視野 24-2 SITA Standard のプリントアウト

①パターン偏差確率プロットで，p＜5%の点が 3 つ以上隣接して存在し，かつそのうち 1 点が p＜1% を満たす．②パターン標準偏差（PSD）が p＜5% を満たす．③緑内障半視野テスト（glaucoma hemifield test）が正常範囲外．

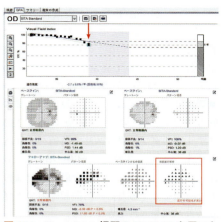

図 101 Humphrey 視野の FORUM を用いた GPA サマリー

上段にトレンド解析である VFI スロープ（赤矢印は判定時の VFI），中段に 2 回のベースライン視野，下段に判定時の視野が，左からグレートーン，パターン偏差，ベースラインからの偏差，イベント解析である GPA による視野進行解析（赤で囲んだ）が表示される．VFI スロープは，−2.7±0.8%/年であり，GPA では，「進行の可能性が高い」と表示されている．

またがるものは隣接していると判断してはいけない．

進行評価方法のコツ 視野検査が初めての場合，特に初回は結果が悪くなることが多いため，初回または 2 回目までの検査結果は除外するのが望ましい．視野測定頻度が高いほど進行の判定は容易になる．また，急な変化がみられた場合，視野の再検による再現性の確認や緑内障以外の他疾患などの影響がないかも確認する必要がある．視野進行評価は，視野計や電子カルテに備わったプログラムや独立した視野解析ソフトが有用である（図 101，102）．

■**進行判定** 進行判定にはトレンド解析とイベント解析という 2 つの方法が主流となっている．

❶**トレンド解析** MD や VFI などが 1 年間にどの程度悪化するか，線形回帰式から調べる方法である．利点としては，視野の進行の有無や進行の速度，将来の視野程度が予測できることである．欠点としては，進行の判定には最低でも 5 回の視野測定が必要であり，判定に時間を要すること，そのつど視野進行の判定ができない点である．

❷**イベント解析** 数回の視野検査をベースライン視野と設定し，変動の範囲をその後の視野が統計学的に有意に超える場合を進行と判定する方法である．利点は，検査ごとに進行判定が行えることで，欠点は変動の正常範囲が必要であることと，信頼性のあるベースライン視野が必要である．Humphrey 視野では，GPA（Guided Progression Analysis）というソフトで利用

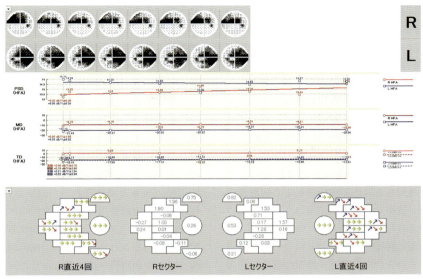

図 102　視野ファイリングソフト BeeFiles の緑内障 Pro の表示例
上段には，左右眼のグレートーンが，中段には BeeFiles で表示可能なパラメータのスロープを任意に選択して表示可能である．この症例では，PSD，MD および上下に分けた TD(total deviation) が表示されている．下段には，各クラスター内の平均感度の変化の有無の 3 回分表示と，各クラスターの TD の変化速度(dB/年)が表示され，各クラスターのトレンド解析も知ることができる．

可能である．2 回の視野検査結果をベースラインと設定し，それ以降の検査結果を比較する方法である．3 点以上の測定ポイントが 2 回以上連続して統計学的に有意に悪化した場合を「進行の可能性あり」，3 回以上の悪化は「進行の可能性が高い」と表示される．

4　後眼部

直像鏡眼底検査

Direct ophthalmoscopy

田中住美　いでた平成眼科クリニック

目的　主に眼底後極部，特に視神経乳頭や動静脈交叉部などの微細な所見を観察するのに用いる．

対象　緑内障にみられる視神経乳頭の変化(視神経乳頭陥凹拡大)，視神経乳頭周辺の出血(火炎状出血)，視神経欠損(nerve fiber layer defect：NFLD)，増殖糖尿病網膜症にみられる視神経乳頭上新生血管 (neovascularization of the optic disc：NVD)や血管腫などの血管異常，視神経炎

や視神経萎縮にみられる視神経乳頭の腫脹/萎縮，頭蓋内圧亢進時にみられるうっ血乳頭（視神経萎縮やうっ血乳頭は神経内科・脳神経外科でも頻繁に検査される），網膜動脈硬化症での重症度分類の参考となる動静脈交叉現象，糖尿病網膜症や高血圧性網膜症でみられる網膜出血や網膜動脈狭細化などの網膜血管異常（内科でも観察対象となる）などが診断の対象となる．このうち眼科では緑内障の分野で最も汎用され，熟練した緑内障専門医による視野変化との一致率などの診断精度はきわめて高いと考えられている．

原理と特徴
被検者と検者の屈折を矯正して向き合うと眼底が観察できる．両者の間に屈折矯正用レンズを入れるが，眼底は真っ暗であるため，プリズムなどを用いて両者間の光軸に照明光を挿入して被検者の眼底を照らして，眼内を観察可能にする．観察するのは直立の実像である．

基本的には散瞳を要しないため，脳神経外科手術後などの瞳孔反応をモニターする必要がある場合などは有利である．また，原則として暗室を要さず，装置も小型であるため，任意の場所で検査が可能であるという利点がある．

また，観察される像の拡大率が約 15 倍と倒像検眼鏡に比べて大きく，微細な観察が可能である．

欠点は，観察できる範囲が狭いことで，理論的にはある程度周辺まで観察が可能であるが，実際には被検者の注視が安定して得られることは少なく，観察されている眼底のオリエンテーションがつきにくくなるため，後極部以外の観察には不向きである．また，白内障や硝子体混濁といった中間透光体の混濁の制約を倒像検眼鏡検査よりも受けやすい．

検査法

■ **手順** 被検者の視線の方向が重要で，鼻側約 15 度方向を注視させる．眼底鏡の照明を正面から当てて瞳孔を照らし，検眼鏡に接する方向から瞳孔領内を観察し，オレンジ色に見える位置（視神経乳頭の反射）を探し，そのまま位置をずらさないように注意しながら検者は検眼鏡を覗き込む．視神経乳頭の反射を見失わないように被検者の眼に接近すると視神経乳頭が観察される．検眼鏡の屈折調整用のレンズ選択のダイアルを回転させ，フォーカスを合わせると明瞭な像が観察される．検眼鏡の屈折調整用のダイアルの目盛りは，あらかじめ検者と被検者の屈折の和に合わせておけば，フォーカスの微調整がしやすい．

◉ **ポイント** 視神経乳頭が見つからないとき（被検者が照明光を見つめて黄斑が見えていることが多い）は，少し観察部位をずらして網膜血管を見つけ，網膜血管の太いほう，あるいは血管分岐が見つかれば分岐する前の方向に網膜血管を追跡すれば，視神経乳頭にたどりつく．注意を要するのは，うっ血乳頭が高度な場合に，視神経乳頭の境界が不明瞭で，気づかずに通り過ぎてしまう場合があることである．この場合は，しばらく網膜血管を追跡すると，網膜血管分岐の方向が逆になるため気づくことができる．

初心者は被検者との距離が遠すぎてうまく眼底が検査できないことが多いため，意識して接近したほうが検査しやすい．

原則として被検者の眼と同じ側の眼で検者は観察すると鼻がぶつかり合わないが，検者の効き眼・効き腕でないほうでの検査は熟練を要するため，被検者が仰臥位の場

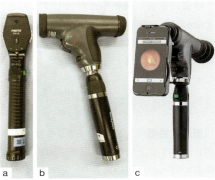

図 103　直像検眼鏡
a：イナミ製直像検眼鏡，b，c：ウェルチ・アレン・ジャパン製直像検眼鏡．スマートフォンを装着（c）．
（許諾を得て製品カタログより転載）

図 104　倒像検眼鏡
a：単眼倒像検眼鏡（ボン大式），b：＋20 D 非球面レンズ，c：双眼倒像検眼鏡（HEINE Optotechnik 社）．

合は，例えば被検者の左眼を検査する場合には検者は被検者の頭の上方に立つと，検者は右眼で検査しても鼻がぶつかり合わない．

状況が許せば，散瞳したほうが検査はやりやすい．また，暗室で行ったほうが対側の眼の対光反応間接反応での縮瞳が避けられるので検査はしやすくなる．

最近は，直像検眼鏡の接眼部にスマートフォンを装着して記録が可能な機種があり，画像や所見の共有も可能となっている（図 103）．

倒像鏡眼底検査

Indirect ophthalmoscopy

田中住美　いでた平成眼科クリニック

目的　眼底の広範囲を観察する検査である．強膜圧迫などを併用すると眼球内の 3 次元的な病巣の構築や，鋸状縁～毛様体扁平部に至る最周辺部眼底の所見を得ることができる．

対象　網膜・硝子体のあらゆる病巣が観察対象となる．特に，病巣が広い網膜血管病変・ぶどう膜炎，また立体的変化が大きな網膜剝離・眼内腫瘍・広範囲の増殖膜を伴う網膜静脈閉塞症や増殖糖尿病網膜症・硝子体混濁を伴うぶどう膜炎・硝子体出血を伴う網膜病変などは，現在なお倒像鏡眼底検査が汎用される病態である．

原理と特徴　被検者の瞳孔から眼内に照明光を入れ，被検者の眼底から返ってくる眼底の反射光を，被検者と検者の間に置いた集光レンズを通して，検者の眼前に形成される倒立虚像を観察する．単眼倒像検眼鏡と双眼倒像検眼鏡の 2 種類がある．（図 104）

■注意点　倒像検眼鏡検査の欠点は，観察できる範囲が広く眼底のオリエンテーションも把握しやすい反面，拡大率が低いことである．そのため，小さな病巣や淡い網膜症出血斑などを見落とすことがある．散瞳検査や暗室検査が原則となることも制約に

なりうる．散瞳に伴う閉塞隅角緑内障発作の誘発や散瞳薬アレルギーを惹起しうることに配慮が必要なことも欠点となりうる．

検者の老視が明らかになる年齢では，近用眼鏡の装用などの対策をとらないと，細かい病巣は見落としやすくなる危険がある．

検査法　十分な散瞳が得られれば得られるほど検査は容易になる．また，暗室のほうが検査はしやすい．

可能であれば暗順応したほうが，照明光は暗くてすむので，まぶしさが苦手な小児や無散瞳下での検査はしやすくなる．

ポイント　眼底を観察する際には，特に初心者は，①照明光を被検者の瞳孔内に入れ，瞳孔領内が明るく光ることを確認する．②被検眼に載せる感じで集光レンズをすぐ手前に入れる．この際，瞳孔領内にはすでに眼底が見えていることが通常である．③瞳孔の中に見える眼底像を見失わないように検者は集光レンズを手前に引く．この際，単眼倒像検眼鏡検査では，眼底鏡を把持している手がぶれて，被検者の瞳孔から照明光がずれてしまっていることがしばしばあり，検者は単眼倒像検眼鏡を持つ手の脇を締めたほうが安定しやすい．④眼底の像が集光レンズ一杯に広がったところまで集光レンズを引いたところで観察するが，双眼倒像検眼鏡検査では見えない影が出現することも多く，この影ができるだけ小さくなるように3つの光軸を調整する．一般的には3つの光軸が接近するように設定すると，影は解消されやすい．しかし，あえて3つの光軸の距離が被検者の瞳孔内で最も大きくなるように設定すると，集光レンズなどからの反射が減り，立体視が強くなる．

検者はあまり被検眼に接近しすぎると，光軸の設定が難しくなり，また鮮明な像が得にくくなる．経験を積むまでは，片手を楽に伸ばした距離を維持したほうが検査はしやすい．

1 単眼倒像検眼鏡

原理と特徴　通常は，光源を被検者の利き目のすぐ下方か脇に置き，照明光を被検者の瞳孔から眼内に入れ，返ってくる光を集光レンズを通して検者の瞳孔内に戻し，検者の眼前に形成される倒立虚像を観察する．原則的に照明光の位置は問わない（例えば眼内照明で眼内を照らしても，上記の観察系で眼内を観察することは可能である）が，診察室での診察では通常は照明光も集光レンズの中を通して被検者の眼に投射することになる．

基本的には，単眼倒像検眼鏡検査では立体視はできないが，集光レンズを傾けると，レンズの収差の関係で網膜からの距離が遠いほど大きく動いて見えるため，ある程度の奥行きの診断が可能である．

検査法

■**手順**　単眼倒像検眼鏡では，光源を検者の利き目のすぐ下ないし脇に置いて前方を照らす．照明光を検者の眼に近づけるほうが照明光と反射光の光軸の同軸性が高くなり，小瞳孔でも観察しやすくなるが，集光レンズや角膜・水晶体表面からの反射が強くなるため，眼底観察には，集光レンズを傾けてこれらの反射を逃がすなどの対策が必要である．照明光を検者の眼から離すと，集光レンズなどからの反射光が減り網膜像は見やすくなるが，照明光と眼底からの反射光の2本の光軸を同時に被検者の瞳孔を通すことに慣れが必要である．この

光軸の設定は，用途に応じて行う必要がある(図105)．

■注意点　単眼倒像検眼鏡では，検眼鏡を持った手の反対側の手で集光レンズを把持する．この際，親指と示指で集光レンズを持ち，集光レンズが掌の方向に落ち込まないように注意する．小指と薬指で被検者の眼瞼を開き，小指で集光レンズを持つ手を支えるようにする．

使用する集光レンズは＋14 D，＋20 Dが一般的である．＋14 Dレンズは＋20 Dに比べ反射光は少なめで，眼底は明るく見え，拡大は大きいが，視野はやや狭く，焦点距離が長いため集光レンズを持つ手をかなり広げないと集光レンズ面一杯に眼底が観察できないため，手の小さい検者には扱いにくい．＋20 Dレンズは，手の小さい検者にも扱いやすいが，眼底像は暗く小さめで，反射が若干強いのが難点である．

2 双眼倒像検眼鏡

原理と特徴

上方のランプハウスからの照明光をミラーで反射させて前方に投射し，集光レンズを通して被検者の瞳孔から眼内に入れ，網膜・硝子体からの反射光を集光レンズを介して検者の瞳孔に返して倒立虚像を観察するのは基本的に単眼倒像検眼鏡と同じである．しかし，返ってきた反射光をミラーで左右に分けて左右眼で観察することにより，眼底を立体的に観察することができる．ランプハウスから被検者眼底への照明光・被検者眼底から検者左眼への反射光・被検者眼底から検者右眼への反射光の3つの光の通り道が存在し，この3つの光軸の位置関係を調節することで，さまざまな観察条件を実現可能である．基本的な光軸設定の原理はSchepens-

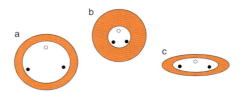

図105　瞳孔領における光軸のとり方
○：光源からの照明光の通り道，●：眼底からの光の通り道．
a：散瞳良好眼，b：散瞳不良あるいは無散瞳眼，c：周辺観察時．

Pomeranzeffの原理で，3つのミラーを前後させることで光軸のミラー上での反射位置を変え，3つの光軸間の角度・距離を調節することができる．このうちランプハウスからの光軸を反射させるミラーのみは，ほかの2つのミラーとは独立して動かせるようになっている機種があり，より詳細な観察条件が設定可能である．また，ランプハウスからの光を反射する上方のミラーは回転するものもあり，回転軸からずれたところで照明光が反射するため，照明光の位置をずらすことを併用してミラーを回転することにより照明光の光軸を繊細に設定できる(Fison型)．両方の原理を併用したものもある．

双眼倒像検眼鏡の機種にもよるが4 mm程度の瞳孔径でも眼底の立体視は可能であるが，散瞳をしたほうが観察しやすい．また，集光レンズ表面の余計な光の反射があると検査が困難となるため，暗室検査が原則である．最近は，装置も小型でバッテリーもコードレスの機種があるため，このような機種では任意の場所で検査が可能である．被検者と接近する必要がある直像検眼鏡とは異なり，知的障害者など検者が被検者に接近できないときにも検査が可能になりやすい．

眼内の3次元的病態を広範囲にわたって観察できるのは，倒像鏡検査の利点である．特に双眼倒像検眼鏡検査は，集光レンズを持たない手があくため強膜圧迫子を使用することが可能であり，強膜圧迫を併用すると毛様体扁平部までの3次元的構造を把握することが可能である．さらに，中間透光体の混濁があっても網膜面の観察がある程度可能であり，この利点は立体視が強い双眼倒像検眼鏡検査で大きい．

検査法

■ **手順** 双眼倒像検眼鏡では，最初の眼底鏡の設定が重要である．まず，3つの光軸を調節するレバーないしツマミを中央に設定して，左右の接眼部を照明光が検眼鏡の観察窓の中央に位置するように設定する．左右の接眼部を別々に調整するタイプの眼底鏡では，接眼部の目盛りが左右同じになるようにしないと，光軸が斜め側方に向くことになり，検査中の光軸の設定に困難をきたすので注意する．照明光と反射光の光軸とのなす角度は調節ツマミで調節できるが，この角度と観察される状態の関係は，単眼倒像検眼鏡の場合と同様である．

■ **注意点** 双眼倒像検眼鏡では，これに加えて左右の眼に返ってくる光軸の角度を調節するツマミがあり，角度を大きくすると立体視が強くなり，集光レンズなどからの余計な反射が減るが，光軸の設定が技術的に困難になる．左右眼への光軸の角度を小さくすると，小瞳孔や周辺部眼底観察の際に，被検眼の瞳孔を通る光軸を設定しやすいが，立体視は弱くなり，集光レンズなどからの反射は強くなる．3つの光軸を被検眼に合わせて調整することにより，角膜混濁があったり，縮瞳眼で周辺虹彩切除があったりするような眼でも眼底を立体的に

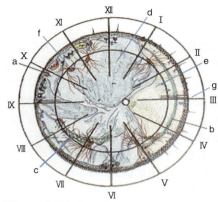

図106 眼底スケッチ
a：retinal tuft に形成された微小な網膜裂孔（青線に囲まれた赤），b：肥厚硝子体（＝硝子体混濁：緑），c：網膜格子状変性（青線に囲まれた青ハッチ），d：剥離網膜（青），e：非剥離網膜（赤），f：渦静脈，g：長後毛様動脈/神経．

観察できる．

双眼倒像検眼鏡では，集光レンズは＋20D程度のレンズが広く用いられる．＋25Dや＋30Dの集光レンズも用いられるが，視野は広く小瞳孔でも光軸の設定がしやすい一方で，集光レンズなどからの反射は強くなり，眼底像は暗く小さく見える．＋15〜＋18Dレンズは，拡大は大きくなるが，被検眼の瞳孔内に3つの光軸を設定するのには，熟練を要する．

双眼倒像検眼鏡検査では，被検者は仰臥位になり，検者は観察したい眼底の部位の反対側に位置して眼底を覗くのが原則であるが，中間透光体に混濁がある場合などでは，あえて見たい眼底と同側から眼底検査すると比較的明瞭に観察できる場合がある．

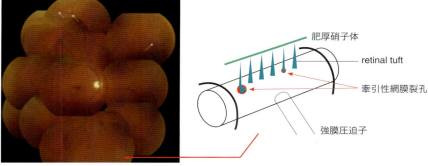

図 107　強膜圧迫併用眼底検査
微細な変化は右図のように強膜圧迫子による眼底の隆起の頂上に病巣を載せるようにして，病巣を接線方向（側面）から観察すると詳細がとらえられる．眼底写真ではこの 3 次元的な病巣を記載することは困難であるが，眼底スケッチでは記号化して病巣の解釈を記載する．

付 眼底チャートの描き方

How to record the fundus chart

田中住美　いでた平成眼科クリニック

1 眼底チャート記載の意義

　超広角眼底撮影は，歪みはあるが眼底最周辺部まで詳細な記録がきわめて短時間で可能であるが，実際の眼底病巣は 3 次元的な広がりをもつものであり，病巣を強膜圧迫検査などを駆使して 3 次元的にとらえた解釈を記号化して 2 次元の chart 用紙に投影したものが，眼底チャートである**（図 106）**．

2 強膜圧迫併用眼底検査

　強膜圧迫子はドラム型が繊細な眼瞼上からの圧迫が可能であるが，点眼麻酔後に結膜上から綿棒で圧迫することも可能で，特に瞼裂においては有用である．

　病巣を強膜圧迫による隆起の頂上に載せると，病巣を側面（接線方向）から観察できる．網膜剥離は色調ではなく圧迫隆起上で網膜面が網膜色素上皮から離れて隆起していることから診断し，原則として平坦なWWP（white with/without pressure）と鑑別する．網膜格子状変性や retinal tuft などの異常網膜硝子体癒着の部位は強膜圧迫隆起頂上では網膜面からわずかに立ち上がった組織として観察でき，網膜格子状変性巣内部は網膜面より窪んだ変化として観察できる**（図 107）**．

3 スケッチ用紙と記載

　通常の毛様体扁平部まで記載する用紙か，chart 上の赤道部より周辺側と後極側の比率を変えて眼底最周辺部の歪みを少なくすることを狙った Lincoff chart に直像で記載する．直像で詳細に記載するには，chart 用紙を上下逆に置いて，見たままを記載しあとで上下をひっくり返せばよい．長後毛様動脈/神経を眼底水平線の，渦静脈の強膜貫通部位を眼底赤道の指標として記載する．

4 万国共通カラーコード

　万国共通カラーコードで記載する**（表 15）**．

表15 万国共通カラーコード

色	記載所見
青	剥離網膜・網膜静脈
赤	非剥離網膜・網膜動脈・網膜出血
青で縁取りされた赤	網膜裂孔
黒	網膜色素・非剥離網膜を通して見た脈絡膜色素
茶	剥離網膜を通して見た脈絡膜色素
緑	硝子体出血を含む中間透光体混濁
黄	脈絡膜からの滲出・黄斑浮腫

細隙灯顕微鏡眼底検査
Slit-lamp ophthalmoscopy

金井聖典 大阪大学
坂口裕和 岐阜大学・教授

目的 硝子体出血や増殖性変化などの明らかな病的所見は検眼鏡でも観察可能であるが，硝子体線維や硝子体牽引などの観察は通常の検眼鏡による眼底検査では難しい．また，細隙灯顕微鏡単体で観察可能なのは水晶体後方の前部硝子体くらいまでであり，眼底を観察することはできない．そこで眼底や硝子体を観察するためには眼底観察用の前置レンズを用いる．

この方法は両眼で立体的に観察できるというメリットがあり，倍率を上げることでさらに詳細な観察が可能となる．特に周辺部網膜の裂孔を見つけたり，網膜硝子体界面や黄斑部病変を立体的に観察することに適している．スリット光を用いることで病変の一部を切片として観察することが可能となる．

原理と特徴 細隙灯顕微鏡眼底検査とは，細隙灯顕微鏡を用いて網膜硝子体およびその界面の詳細な眼底所見を立体的に観察する方法である．スリット光を照明光として眼底に入射させて観察する．後眼部の観察は眼球全体の屈折（角膜＋水晶体＝約60 D）を通しての観察になるため，その屈折を打ち消さなければならない．屈折を相殺する方法としては，凹レンズを使う方法と凸レンズを使う方法がある．凹レンズを前置する場合は正立虚像を観察し，凸レンズを前置する場合は倒立実像を観察する**(表16, 17)**．

付加する前置レンズは凹凸だけでなく，非接触型と接触型に分類される．

非接触型レンズは被検者の眼に接触することがないため，衛生的で気軽に使用できるが，その反面不安定で慣れるまでは像を結ばせるのも難しい．また，角膜表面の収差の影響を受け，開瞼時間が長いと角膜が乾燥してしまい像が悪くなってしまうため，こまめに瞬目させなければならない．それに対して，接触型レンズは点眼麻酔下で角膜表面にレンズを接着させる必要がある反面，角膜表面の収差の影響を受けることなく眼底観察が可能である．また，レンズを角膜に乗せている間は瞬目や眼球運動により妨害される心配もない．そのため，普段の日常診療では非接触型レンズを使用し，詳細な眼底観察が必要と思われた場合に接触型レンズを使用することが多い．

1 直像型前置レンズによる観察方法

❶**接触型の前置レンズ：Goldmann 三面鏡など(図108)** Goldmann 三面鏡を用いた観察は眼底観察としては最も優れているとされてきた検査方法である．約1倍という低倍率で光学的に歪みの少ない鮮明な像を得ることができるが，得られる画像が連続

表16　直像型前置レンズ例

使用用途	接触型前置レンズ		横倍率
後極部の正確な観察用	Ocular	Fundus Diagnostic	0.93×
	Ocular	Yannuzzi Fundus	0.93×
	Volk	Centralis Direct Laser	0.9×
後極部拡大超立体観察用	Volk	Fundus laser	1.25×
	Volk	Fundus 20 mm Laser	1.44×
3ミラーまたは4ミラーによる後極から周辺部観察用	Ocular	3 Mirror Universal	0.93×
	Ocular	3 Mirror 10 mm Gonio	0.93×
	Ocular	Karickhoff Diagnostic(4 mirror)	0.93×
	Ocular	High Definition 3 mirror	0.65×
	Volk	3 mirror	1.06×
	Volk	G3 Goniofundus	1.06×
	Volk	4 mirror	1.0×

表17　倒像型前置レンズ例

使用用途	非接触型前置レンズ		横倍率	静的観察視野	接触型前置レンズ		横倍率	静的観察視野
小瞳孔・周辺部観察	VOLK	Super Pupil XL NC	0.45×	103度	VOLK	Equator Plus	0.44×	114度
	Ocular	Ultra View Small Pupil	0.45×	99度	Ocular	ProRetina 120 PB	0.50×	120度
広視野観察用					VOLK	Super Quad 160	0.50×	160度
					Ocular	Minister PRP 165	0.51×	165度
	Ocular	Maxfield 120D	0.50×	120度	Ocular	Reichel-Mainster 2 × Retina	0.50×	117度
	VOLK	Super VitreoFundus	0.57×	103度	VOLK	Quadra Aspheric	0.51×	120度
					VOLK	Quad Pediatric	0.55×	100度
					VOLK	HR Wide field	0.5×	160度
標準観察用	Ocular	Maxfield 100D	0.60×	110度				
	Ocular	Maxfield 84D	0.71×	105度				
	VOLK	Digital Wide Field	0.72×	103度	VOLK	TransEquator	0.7×	110度
	VOLK	Super Field NC	0.76×	95度	Ocular	Mainster Wide Field	0.68×	118度
	VOLK	90D	0.76×	74度				
	Ocular	Maxlight Standard 90	0.75×	94度				
	Ocular	Osher maxfield 78D	0.77×	98度				
標準レンズの使いやすさと1倍レンズの観察精度の中間機能	VOLK	78D	0.93×	81度	Fundus		0.93×	35度
	Ocular	Maxlight High Mag 78	0.93×	84度	Yannuzzi Fundus		0.93×	36度
	Ocular	Maxfield 72D	0.83×	102度				
正確な観察用	VOLK	Digital 1.0x Image	1.0×	60度				
	VOLK	Super 66 Stereofundus	1.0×	80度	VOLK	Area Centralis	1.06×	70度
	Ocular	Maxfield High Mag 78D	0.98×	88度	Ocular	Mainster(Standard)Focal/Grid	0.96×	90度
	Ocular	Maxfield 60D	1.00×	85度	Ocular	Reichel-Mainster1xRetina	0.95×	102度
	VOLK	60D	1.15×	68度	VOLK	HR Centralis	1.08×	74度
	Ocular	Maxlight Ultra Mag 60	1.15×	76度				
	Ocular	Maxfield 54D	1.10×	86度				
後極部拡大超立体観察用	VOLK	Digital High Mag	1.30×	57度	Ocular	Mainster High Magnification	1.25×	75度
					VOLK	SUPER MACULA 2.2	1.49×	60度

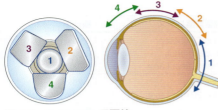

図108 Goldmann 三面鏡
1：後極部30度以内，**2**：30度～赤道部(73度)，
3：赤道部～鋸状縁(66度)，**4**：鋸状縁～隅角(59度)
※カッコ内の角度は接眼レンズからの傾斜角．

表18 眼底観察像の倍率

	大きさ（横倍率）	奥ゆき（縦倍率）
60 D レンズ	1 倍	1 倍
90 D レンズ	0.67 倍	0.44 倍
120 D レンズ	0.5 倍	0.25 倍

ではなく，慣れないと眼底の位置関係が把握しづらいというデメリットがある．また，観察視野は狭く，散瞳不良例では観察しにくい．圧迫子アダプター付きのものを使い，圧迫子で強膜を内陥することで鋸状縁や毛様体まで観察が可能となる．Goldmann 三面鏡も高屈折凸レンズの普及に伴い登場する機会は少なくなってきている．

❷非接触型の前置レンズ：Hruby レンズなど
以前の細隙灯顕微鏡には Hruby レンズなどのユニットが付属していたが，高屈折凸レンズの普及により現在はほとんど目にすることがない．

2 倒像型前置レンズによる観察法

観察像は眼前に形成されるため瞳孔径や中間透光体の影響を受けにくく，広い視野が得られる．Goldmann 三面鏡と比べ，観察が容易なうえに後極部より連続した観察像を得ることができ，硝子体の付着部位から網膜硝子体界面の状態まで動的に観察することができる．屈折度数が上がると平面的な像となってしまい，視神経乳頭陥凹や網膜浮腫が評価しにくくなってしまうというデメリットがある．

観察倍率(表18) 眼底観察像の倍率は下記の式で計算される．
- 眼底観察像の大きさ（横倍率）＝ 60 D／前置レンズの屈折力
- 眼底観察像の奥ゆき（縦倍率）＝（横倍率）^{2}

ポイント 90 D の前置レンズを用いた場合は横倍率＝ 0.67 倍，縦倍率＝ 0.44 倍となり平たく見える．細隙灯顕微鏡下では用いることはないが，20 D の前置レンズを用いた場合は横倍率＝ 3 倍，縦倍率＝ 9 倍となり立体感が強調される．

検査法
■**準備** 眼底周辺部まで詳細に観察するため，基本的には散瞳する．

❶接触型レンズと非接触型レンズ
a. 接触型レンズを使用する場合 点眼麻酔後，レンズの被検者側の凹面に角膜保護剤であるスコピゾル®を塗布し角膜上に装着する．Goldmann 三面鏡では，眼底後極部は中央のレンズから観察し，眼底周辺部は観察部位に応じて赤道部用ミラー，周辺部用ミラー，最周辺部・隅角ミラーを使い分ける．

ポイント スコピゾル®の量が少ないと空気が入り視認性が低下してしまう．逆に多すぎると頬部に垂れて不快感の原因となる．適量を使用することが重要である．

b. 非接触型レンズを使用する場合 前眼部にピントが合った状態からレンズを眼前に前

置し，顕微鏡を手前に引いていくと眼底にピントが合う．親指と人差し指でレンズを眼前に保持し，中指もしくは薬指で開瞼しながら観察する．肘置きを利用すると固定がよくなる．標準的な観察は 90 D 前後のレンズを用いて行う．詳細な観察が必要となった場合は高倍率レンズを用いる．広い視野や深い焦点深度を確保したい場合や，小瞳孔や中間透光体の混濁などで観察条件が悪い場合には 120 D 前後の高屈折レンズを用いる．

❷ **静的観察法と動的観察法**

a. 静的観察法 前置レンズの口径内でスリット光をスキャンさせて観察する．周辺部の観察範囲には限界がある．

b. 動的観察法 被検者に視線を変えてもらいレンズの位置と角度を調整することで，さらに周辺部まで眼底観察が可能となる．硝子体観察の際には，被検者に間欠的で急峻な眼球の動きをしてもらうことで硝子体が動揺して観察しやすい．また，その動き方から後部硝子体剝離の有無など，網膜硝子体界面の状態がわかることもある．接触型レンズを使う場合，レンズの位置や角度を変えるだけでなく，レンズ自体を強膜に圧入することでさらに周辺部まで観察することが可能となる．強膜圧迫子付きレンズを使う場合，圧迫部位を前後左右に変化させることで周辺部の立体構造がより明瞭にわかることがある．

❸ **直接照明法と間接照明法**

a. 直接照明法 細隙灯顕微鏡の真価を発揮する観察法である．スリット光の幅を調節することで観察する．硝子体などの透明組織では細くすることで深さの情報が得やすくなり，不透明組織を観察する際には太くすることで表面の凹凸を観察しやすい．幅の細いスリット光では光量を上げ，幅の広いスリット光では光量を下げるとよい．

b. 間接照明法 観察対象とはずれた位置に照明光を当て，眼底からの反射で組織を照らし出して観察する．硝子体内の浮遊物や剝離網膜下の増殖組織などの観察に有用である．同軸照明のまま対象をずらして観察する方法と同軸を解除してずれた位置を照明して対象を観察する方法がある．

❹ **照明光の色** 細隙灯顕微鏡内蔵のフィルタを用いる場合と着色された前置レンズを用いる場合がある．

a. 無青色光眼底検査（黄色系フィルタ） 無青色フィルタを用いると，透過性が高くなり中間透光体の散乱を抑え，被検者の羞明も軽減できる．また，網膜毒性が強い短波長光をカットできる．

b. 無赤色光眼底検査（緑色系フィルタ） 無赤色フィルタを用いると組織表面の散乱反射を得やすい．網膜神経線維層の観察に向いており，神経線維層欠損などが検出しやすくなる．多くの無赤色フィルタは毒性の強い短波長光もカットしている．

眼底撮影

Fundus photography

河野剛也　大阪公立大学・准教授

| **目的** 　眼底のカラー撮影で，眼底所見の記録が目的である．フルオレセイン・インドシアニングリーン蛍光眼底造影写真の読影の際に，眼底カラー写真にみられる当該部位の眼底所見との比較が必須である．

| **対象** 　健常人およびすべての眼底疾患が対象である．

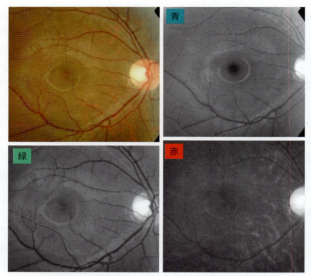

図 109　正常眼底写真
デジタルカラー写真には青，緑，赤成分が含まれており，画像解析により白黒画像を作成できる．走査型レーザー検眼鏡の青，緑，赤波長のレーザー光による写真に相当する情報が含まれている（注：左上のカラー写真では青情報は少ない．右上の青画像では，光量過多の別写真を利用している．通常の眼底写真からは近赤外成分の検出はできない）．

原理と特徴

眼底カメラは，フラッシュ光で撮影する機種と，スリット光やレーザー光で眼底を走査する機種がある．前者では白色光源を用い，自然な色調のカラー眼底写真が得られる(図 109)．眼底全体に光を照射するので焦点面以外の層からの散乱光が画像に影響する．後者では，光源としては LED，レーザー光を使用し，各色の光による反射光を合成して偽カラー眼底像を作成する．LED のほうが波長に幅があるので，単波長のレーザー光よりも自然に近い色調となる．散乱光の影響を制限する共焦点システムを用いるので，フラッシュ光で撮影する機種より中間透光体の混濁の影響を受けにくく，明瞭な画像が得られるが，逆に混濁の情報が欠落するので注意が必要である．また撮影レンズの周辺部の歪みの影響がないので，広角・超広角撮影が可能である．

眼底写真がもつ色情報は層別診断に利用できる．青色の短波長の光は，網膜表層の病変の検出に適しており，網膜前膜や神経線維層欠損を描出できる．緑色光は赤血球のヘモグロビンや，網膜色素上皮のメラニンに吸収される．網膜出血や網膜血管瘤などの網膜血管病変の描出に優れている．赤色光は，網膜深層から脈絡膜にかけての病変の描出に適する．近赤外光は脈絡膜深層までの観察を可能にする(図 109，110)．

フラッシュ光で撮影する機種では，カメラに装着されているレッドフリーフィルタを用いて無赤色光（緑色光）で撮影すると，

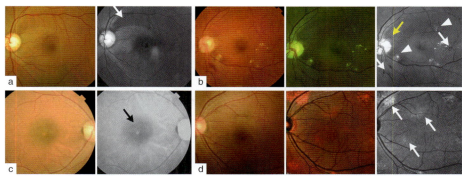

図110　色情報による層別診断

a：緑内障．カラー・青白黒画像．網膜表層病変の観察に適する．矢印：神経線維欠損．
b：糖尿病網膜症．カラー・Optos® 偽カラー（532 nm＋635 nm　緑がかった色調）・532 nm 画像．網膜病変の観察に適する．白矢印：網膜静脈異常，矢頭：硬性白斑，黄矢印：乳頭上新生血管．
c：脈絡膜母斑．カラー・赤白黒画像．網膜深層，脈絡膜病変の観察に適する．矢印：脈絡膜母斑．
d：神経線維腫 1 型．カラー・Heidelberg Spectralis® 偽カラー（488 nm＋532 nm＋785 nm　赤がかった色調）・785 nm 画像．網膜深層，脈絡膜病変（深層まで）の観察に適する．カラー写真では観察できない脈絡膜病巣を近赤外光は検出できる．矢印：神経線維腫．

白黒写真が得られる．最近では撮影後の画像を解析して，青，緑，赤の白黒画像を作成する方式を用いる機種もある．通常の色合いのカラー写真には青情報が少ないので，青成分の検出には光量過多の白くなっている別画像を用いることが必要である．

光源として，青色 LED（435〜500 nm），緑色 LED（500〜585 nm），赤色 LED（585〜640 nm），赤外線レーザーダイオード（785 nm），赤外線 LED（825〜870 nm），青色レーザー（488 nm），緑色レーザー（518，532 nm），赤色レーザー（635，670 nm），近赤外レーザー（785，802 nm）を搭載した走査型眼底撮影装置では，各色波長別の鮮明な層別写真が得られる．

❶**眼底カメラの種類**　無散瞳カメラ，散瞳型眼底カメラ，走査型眼底撮影装置（広角・超広角眼底撮影装置），光干渉断層計（OCT）搭載型眼底撮影装置，手持ち眼底カメラ，補償光学眼底カメラが市販されている．

無散瞳カメラは，散瞳剤を使用しなくても，低光量のフラッシュで撮影できる装置である．散瞳型に比べ，短時間で簡便に検査，撮影が行える．撮影時間の短縮や患者負担が軽減できる．

走査型眼底撮影装置では，搭載されている LED，青色レーザー，緑色レーザー，赤色レーザー，近赤外レーザーの波長が機種により異なるので，使用前に確認が必要である．

多くの機種で，後極から周辺部までのモンタージュ写真の自動作成機能が装備されている．また眼底自発蛍光，フルオレセイン蛍光造影，インドシアニングリーン蛍光造影にも対応可能である．OCT を搭載した機種では，眼底写真と OCT の走査部位の正確な位置合わせが可能である．

手持ち眼底カメラは，重量 500〜800 g で，軽量，持ち運びに適する．アタッチメントを変えることにより，前眼部撮影および眼底撮影が可能である．スマートフォン

をカメラとして使用するタイプも普及しつつある．乳幼児，小児，寝たきり，顎台に顔を載せることができない患者，救急病棟や無菌室管理のため眼科外来に移動しての診察ができない患者，超高齢化に伴い増加する往診，老人保健施設などでの訪問診療において必要度が増している．

補償光学技術を利用した眼底カメラでは，眼内の収差を補正し，視細胞（錐体細胞），網膜血管壁，神経線維層などの微細な構造の観察が可能である．

検査方法

■ 準備

❶**無散瞳カメラ** 暗室で撮影する．一度撮影すると，撮影時のフラッシュで縮瞳するため，しばらく待って再度散瞳してから撮影する．撮影用画像モニターを見ながらピント合わせを行う．多くの機種で自動調節機能が装備されている．

❷**散瞳型眼底カメラ** 散瞳剤で散瞳後に撮影する．最周辺部まで撮影する場合には数回の点眼で十分に散瞳する．十分な散瞳が得られない場合は，小瞳孔用の撮影モードを用いる．

❸撮影機器の機種別の撮影方法に精通する．接眼鏡で観察する機種では，視度調整を必ず行う．その際，両眼を開けて他眼で遠くを見ながら，カメラを覗いて中の指標が明瞭に見えるよう視度調節用リングを合わせる．

■ 撮影手順（例：散瞳型眼底カメラ）

①顎台に被検者の顎を載せ，額を額当てにあてる．被検者の目の高さを，顎台を上下して調整する．被検者の額と顎の位置が所定の位置にあることを確認する．撮影中，額が額帯から離れがちになる場合は，頭部をバンドで固定する．

②被検者の角膜上にカメラの光源の反射がリング様に見えるよう，カメラの高さを調節し，カメラを被検者に近づける．

③カメラを覗いて，被検者の角膜中心に向かってカメラ本体を近づけ，眼底ができるだけ広く見える位置に前後にカメラを動かす．

④ピント合わせダイヤルを回して，眼底，特に網膜血管にピントを合わせる．遠視または近視の強い場合は，屈折異常補正ノブを，遠視の場合は「＋」，近視の場合は「−」に合わせる（機種により設定方法が異なる）．

⑤シャッターボタンを押し撮影し，撮影画像のピント，明るさを確認する．光量過多で画像が白くなっている場合は，フラッシュの強度を下げて再度撮影する．

⑥眼底周辺部を撮影する場合には，被検者に目を動かしてもらって撮影する．機種によりカメラ本体を傾けるタイプと，指標の移動のみにより撮影するタイプがある．

⑦装置に付属する機能を用いて，眼瞼，角膜結膜，虹彩および水晶体の前眼部撮影も可能である．屈折異常補正ノブをA（前眼部用）に合わせてから，虹彩紋理が明瞭に見えるようにピントを合わせる．

■ ステレオ眼底撮影
眼底を立体的に観察できる撮影方法である．

眼底カメラ本体の移動用ノブを左あるいは右方向に眼底像が維持できるまで動かして一度撮影し，逆方向に移動用ノブを動かして再度撮影する．ノブを動かしすぎると，動かした側に眼底からの強い反射光が入ってくる．カメラを平行移動することによりステレオに必要な視差を得ることができる．

表19　各種網膜病変の色情報と位置から考える鑑別疾患

色情報	構成要素と位置（層）		鑑別疾患
赤色病変A	出血	網膜血管が出血で覆われている場合 A1	硝子体出血，網膜前出血
		網膜血管の間に刷毛ではいたような出血 A2	網膜表層出血
		網膜血管の間に斑状出血 A3	網膜内出血
		出血の上を網膜血管が走行 A4	網膜下出血，色素上皮下出血
	血管	異常既存血管 A5	網膜主幹静脈の怒張・蛇行（網膜中心静脈閉塞症，網膜毛細血管瘤，網膜内微小血管異常，糖尿病網膜症），静脈-静脈側副路（網膜静脈分枝閉塞症），網膜毛細血管拡張（Coats病），網膜血管腫，脈絡膜血管腫，視神経乳頭血管拡張による発赤（乳頭血管炎，ぶどう膜炎）
		新生血管 A5	網膜新生血管（糖尿病網膜症・網膜静脈閉塞症），脈絡膜新生血管（加齢黄斑変性，新生血管黄斑症）
偽赤色病変	網膜裂孔		周囲の網膜が白濁していると，裂孔部が赤色調に見える
	黄斑円孔		円孔部，網膜色素上皮と脈絡膜の色調が鮮明に見える
	偽黄斑円孔		周囲の白色様網膜前膜に囲まれて黄斑円孔様に見える
茶色〜黒色病変B		先天性 B1，B2	先天性網膜色素上皮過形成（B1），脈絡膜母斑（B2）
		後天性 B1，B2	網膜色素上皮・脈絡膜変性萎縮部でのメラニン色素の遺残，陳旧性網膜色素上皮剥離（B1），脈絡膜悪性黒色腫（B2），脈絡膜出血（B*）
	網膜色素上皮の円形，楕円形隆起	B3	網膜色素上皮剥離
	視神経乳頭からの放射状地割れ模様		網膜色素線条
メラニン脱色素病変C	網膜色素上皮	C1	網膜色素上皮の変性萎縮，網膜色素上皮裂孔，網脈絡膜萎縮
	脈絡膜	C2	夕焼け眼底（Vogt-小柳-原田病），無色素性肉芽腫性病変（サルコイドーシス）

B1：色素上皮内のメラニン色素の過剰．
B2：脈絡膜内のメラニン色素の過剰．

（つづく）

表19 各種網膜病変の色情報と位置から考える鑑別疾患（つづき）

色情報	構成要素と位置(層)		鑑別疾患
白色～黄白色病変 D	硝子体中	硝子体混濁 D1	Weissリング，閃輝性硝子体融解，雪玉状硝子体混濁(サルコイドーシス)，陳旧性硝子体出血による混濁
	乳頭周囲	先天性	乳頭ドルーゼン，コロボーマ
		後天性	循環障害(前部虚血性視神経症)，視神経蒼白(視神経萎縮)
	網膜表面	D2	網膜前膜，綿花様白斑(糖尿病網膜症，高血圧性網膜症，膠原病)
	網膜	先天性 D3	白点状網膜炎，Stargardt病，Best病
		後天性 D3	硬性白斑(血管透過性亢進病態)，網膜動脈閉塞症の虚血壊死性網膜，壊死性網膜炎の壊死病巣(急性網膜壊死，サイトメガロウイルス網膜炎)，白鞘化網膜血管(陳旧性網膜動脈閉塞・網膜静脈閉塞症)，reticular pseudodrusen
		腫瘍性 D2, D3	網膜芽細胞腫，結節性硬化症
	網膜下	加齢性 D4	硬性ドルーゼン，軟性ドルーゼン，pachydrusen，偽卵黄様病変
		血管透過性亢進由来 D4	フィブリン塊(ポリープ状脈絡膜血管症，劇症型中心性漿液性脈絡網膜症)
		炎症性 D4, D5	サルコイドーシス，地図状脈絡膜炎，散弾状脈絡網膜症，点状脈絡膜内層症などの眼底白点症候群
		血液由来 D4	陳旧性網膜下出血(加齢黄斑変性)
		瘢痕萎縮性	視神経乳頭コーヌス，網脈絡膜萎縮，線維瘢痕性組織
		腫瘍性 D4, D5	脈絡膜骨腫，転移性脈絡膜腫瘍，悪性リンパ腫

A1～D5は図111で色情報と位置を図示している．
〔白木邦彦：眼底撮影．大路正人，他(編)：今日の眼疾患治療指針，第3版．pp98-99, 医学書院, 2016 より改変〕

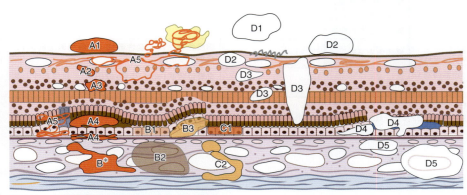

図111　各種網膜脈絡膜病変の色情報と位置
A1～D5の説明は表19を参照．

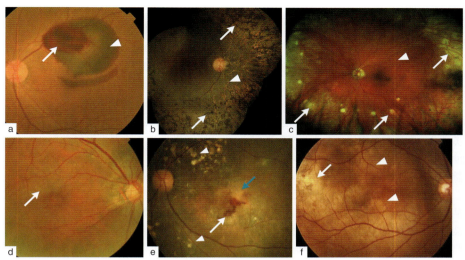

図 112　各種網脈絡膜病変のカラー眼底所見

a：網膜細動脈瘤．矢印：網膜前出血（A1），矢頭：網膜下出血（A4）．
b：網膜色素変性．矢印：網膜色素上皮萎縮部でのメラニン色素遺残，沈着（B1，B2），矢頭：網膜色素上皮での色素の乱れ．
c：Vogt-小柳-原田病の夕焼け眼底．矢印：網膜色素上皮の脱色素（C1），矢頭：脈絡膜の脱色素（C2）．
d：網膜前膜．矢印：網膜前膜（D2）．
e：加齢黄斑変性．白矢印：網膜下出血（A4），青矢印：フィブリン塊（D4），矢頭：pachydrusen（D4）．
f：転移性脈絡膜腫瘍．矢印：網膜色素上皮の脱色素（C1），矢頭：脈絡膜無色素性腫瘍（D5）．

■ **走査型眼底撮影装置**　撮影画像モニターを見ながら，撮影を行う．機種別の撮影方法が異なる．撮影可能な最小瞳孔径は2～3 mmであり，非散瞳でも良好な画像が得られる．青色レーザー光による撮影の場合は散瞳が必要である．広角・超広角撮影装置では，正面視でも画角100～200度の広角の画像が得られるが，散瞳したほうが人工産物の少ない良質な画像を得やすい．最周辺部を含む最大画角（270度）のモンタージュ写真を撮影する場合には，指標の移動により，被検者に目を動かしてもらい撮影する．

■ **注意点**

①散瞳の際には，十分に散瞳するまで待つ．十分な散瞳が得られない場合は，小瞳孔用の撮影モードを用いる．散瞳剤はミドリン®Pを用いるが，アレルギーの場合はミドリン®Mを用いる．多剤アレルギーの場合はサイプレジン®，アトロピンを例外的に使用する．

②前房深度が若干浅い場合は，ネオシネジンで散瞳し，検査後に1％もしくは2％ピロカルピン（サンピロ®）で縮瞳させておく．

③複数の撮影者が使用する施設では，視度調整が必要な機種では，視度調整ダイヤルの位置が変更されているので，撮影時に調整する．

④得られた画像の保存では，初期設定でTIFFなどの非圧縮ファイルと，JPEGなどの圧縮ファイルを選ぶことができ

る．後日画像解析を行う場合は非圧縮ファイルがよいが，画像1枚当たりの容量が大きくなる．

判定 カラー写真，白黒写真（波長別）に含まれる色情報を用いる．

眼底には，血液のヘモグロビンの赤色，網膜色素上皮と脈絡膜のメラニン色素による茶色，黄斑神経網膜にある黄斑色素（キサントフィル）の黄色，硬性白斑の黄白色，綿花様白斑や壊死網膜の白色がある．

表19に示すように，赤色病変，偽赤色病変，茶色～黒色病変，メラニン色素病変，白色～黄白色病変の存在部位を，細隙灯顕微鏡による立体観察，ステレオ眼底撮影・層別の白黒写真所見，超音波検査・OCTによる形態学的な情報を合わせて判定し，病変の構成要素と部位を類推する（図111, 112）．

❶**AIツールの利用** AIを用いた深層学習による画像解析が急速に進歩している．眼底写真の色情報や，網膜血管走行の情報から，年齢，性別，喫煙歴などの識別や，糖尿病網膜症，網膜剝離，加齢黄斑変性，緑内障などの眼底疾患の検出や病期分類，さらにはヒトでは認識が困難な変化の検出に応用されつつある．

蛍光眼底造影検査（フルオレセインおよびインドシアニングリーン蛍光眼底造影検査）

Fluorescein and indocyanine green angiography

河野剛也 大阪公立大学・准教授

目的 蛍光眼底造影検査は，正常，病的状態における網脈絡膜循環の検討（図113），網膜・脈絡膜血管の構造変化の描出（図114），網膜血管，網膜色素上皮，脈絡膜血管のバリア機能障害の検出（図115, 116）が可能である．網脈絡膜疾患の形態的，機能的評価に用いられる．

対象 眼底疾患全般（表20）．

フルオレセイン蛍光眼底造影（FA）は，網膜血管病変，網膜色素上皮病変の異常の検出に優れており，インドシアニングリーン蛍光眼底造影（IA）は，網膜色素上皮下，脈絡膜病変の検出に適する．

原理と特徴 蛍光色素が，特定波長の光で刺激されると，光を吸収し蛍光が発する．蛍光は励起光より長波長側にシフトするので，励起光と蛍光を分離することにより画像が得られる（図117）．色素はフルオレセインナトリウムとインドシアニングリーンが用いられる（表21）．

❶**偽蛍光と自発蛍光** 白色光源を利用する眼底カメラでは，励起光と蛍光が重ならないバリアフィルタを用いて蛍光を検出する．フィルタを透過する波長が重なる部分で偽蛍光を生じるが，最近の機種ではフィルタが改良され，ほとんど所見に影響しない．ダイオード光源やレーザー光源を用いた機種では，励起光より長い波長を透過するフィルタを用いるため，偽蛍光は生じない．

自発蛍光は眼組織に存在するリポフスチンなどの物質が発する蛍光であり，診断に利用される（⇒137頁，「自発蛍光撮影」項を参照）．

❷**FA** 蛍光色素としてフルオレセインナトリウムを用いる．青色の励起光を使用し，緑・黄色の蛍光が得られる．励起光も蛍光も網膜色素上皮のメラニン色素に吸収

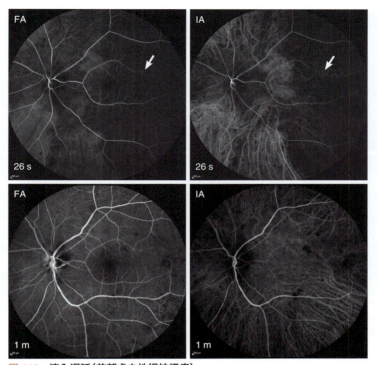

図113　流入遅延（前部虚血性視神経症）
FA：脈絡膜毛細血管への色素の流入が遅れる（矢印），脈絡膜血管は描出されない．
IA：脈絡膜血管の流入遅延がみられる（矢印）．

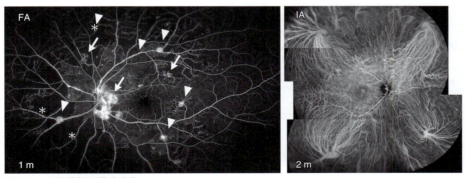

図114　血管構築の構造変化
FA：糖尿病網膜症．網膜血管異常（矢頭），網膜・乳頭上新生血管（矢印），無血管野（＊）．
IA：中心性漿液性脈絡網膜症．拡張した脈絡膜静脈．

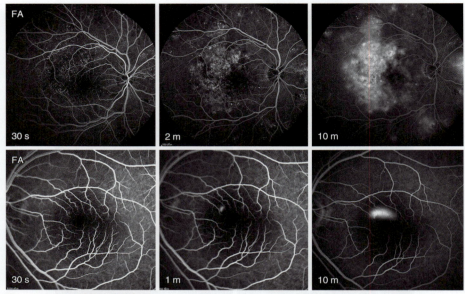

図 115　バリア機能の評価（FA）
上：糖尿病網膜症．網膜毛細血管，毛細血管瘤から旺盛な蛍光漏出．
下：中心性漿液性脈絡網膜症．網膜色素上皮障害部からの噴水状蛍光漏出．

表 20　対象疾患

分類	鑑別疾患
網膜疾患	糖尿病網膜症，網膜静脈閉塞症，網膜動脈閉塞症，網膜細動脈瘤，傍中心窩毛細血管拡張症，Coats 病，家族性滲出性硝子体網膜症，未熟児網膜症，サルコイドーシス，Behçet 病などの網膜血管炎，網膜血管腫など
網脈絡膜疾患	加齢黄斑変性，近視性脈絡膜新生血管，新生血管黄斑症，網膜色素線条，中心性漿液性脈絡網膜症，MEWDS などホワイトドット症候群，網膜打撲壊死，網膜ジストロフィ，網膜色素変性など
脈絡膜疾患	Vogt-小柳-原田病などのぶどう膜炎，脈絡膜血管腫，転移性脈絡膜腫瘍などの脈絡膜腫瘍，三角症候群（短後毛様動脈循環障害）など
視神経乳頭疾患	視神経乳頭血管炎，前部虚血性視神経症

され，脈絡膜血管を描出できない（図113）．一方，網膜色素上皮により暗めの均一な背景となるので，網膜血管のコントラストがよくなり，明瞭に描出される（図114）．遊離したフルオレセインは，網膜血管障害部や新生血管などの異常血管，網膜色素上皮の障害部から漏出しやすく，時間とともに旺盛な蛍光漏出として観察される（図115）．

❸ **IA**　蛍光色素としてインドシアニングリーンを用いる．近赤外域の励起光，蛍光を使用する．眼底カメラでは640〜780

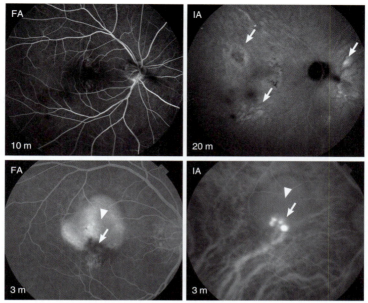

図116　バリア機能の評価（左列：FA，右列：IA）
上：中心性漿液性脈絡網膜症．脈絡膜内の色素漏出（矢印，脈絡膜組織染）．
下：ポリープ状脈絡膜血管症．ポリープ状血管からの色素漏出（矢印，FAでは検出不可），色素上皮剥離内の色素貯留（矢頭）．

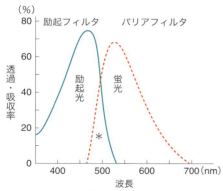

図117　励起光と蛍光
＊：偽蛍光．

nmの励起フィルタを使用し820〜900 nmのバリアフィルタを通して蛍光をとらえる．レーザー光を搭載した機種では励起光より長波長の光を通すフィルタを用いている．近赤外光は，メラニン色素を含む網膜色素上皮を透過するため，脈絡膜血管が検出できるが，網膜血管，脈絡膜血管が2次元画像として重なるので，網膜では網膜主幹動静脈のみが評価可能である**(図113，114)**．またインドシアニングリーンは98％以上が血漿蛋白と結合し，フルオレセインより漏出しにくいので，FAで旺盛な色素漏出を呈する網膜新生血管や網膜色素上皮障害部でもIAでは漏出が弱い．一方，FAで旺盛な蛍光漏出する毛細血管瘤のうち透過性亢進の強い毛細血管瘤や，FAでは検出できない網膜色素上皮下の異常血管や脈絡膜血管からの蛍光漏出を検出可能である**(図116)**．

表21 フルオレセインナトリウムとインドシアニングリーンの特徴

蛍光色素	フルオレセインナトリウム	インドシアニングリーン
分子量	376	775
吸収波長	465〜490 nm	640〜780 nm (血漿蛋白結合後 805 nm にシフト)
蛍光	520〜530 nm	835 nm 付近
血漿蛋白との結合	80%	98%
蛍光輝度	強い	弱い
特徴	・遊離した色素が蛍光を発する ・網膜血管からは漏出しない ・脈絡膜毛細血管から旺盛に漏出	・蛋白と結合した色素が蛍光を発する ・蛋白と結合した色素は脈絡膜毛細血管から漏出しがたい ・血管外に漏出した色素は組織中のより親和性の高い蛋白と結合する

❹眼底カメラ型と共焦点走査型レーザー検眼鏡

眼底カメラ型では，フラッシュ光で撮影し，眼底からの光を検出するので，散乱光による蛍光が生じる．共焦点システムでは，焦点面からの蛍光のみをとらえるのでコントラストのよい明瞭な画像が得られる．FA では，網膜色素上皮の背景効果により反射散乱光の影響は少ないが，IA では，網膜から脈絡膜に存在する色素が所見に影響するので，両システムで所見が異なる場合がある(図 118)．

検査法
■準備

①眼底撮影と同じ手順で前房深度を確認後，散瞳する．最大散瞳を得る目的で複数回の点眼を行う．

②翼状針や静脈留置針を使って静脈を確保する．手背静脈，肘静脈を用いる．アレルギー反応などの発症に備えて静脈留置針が望ましい．

③生理食塩液のボトルにつながったチューブと針の間に三方活栓を挟み，側管から蛍光色素を注射できるようにする．

④10%フルオレセイン(5 mL/バイアル)，インドシアニングリーン溶解液(25 mg のオフサグリーン®を添付の注射用水 2 mL でよく溶解し，5 mL の注射筒に吸っておく)を準備する．オフサグリーン®注射直後のフラッシュ用に生理食塩液 5〜10 mL の入った注射筒を準備する．

■手順
❶ FA(例：眼底カメラ)

①10%フルオレセイン(5 mL/バイアル)の入った注射筒を三方活栓に連結する．

②カラー眼底撮影時と同様に眼底にピントを合わせる．

③撮影者の合図でカメラのタイマーを押すと同時に，フルオレセインの急速静脈内注射を開始する．

④秒数を数えながら，励起フィルタとバリアフィルタを挿入し，観察光を最大にして眼底を観察する．蛍光が眼底に現れる少し前から，1 秒に 1 枚程度の頻度でシャッターを押し始める．肘静脈投与の場合は 6〜8 秒で，手背静脈の場合は 10〜12 秒で出現する．

⑤網膜動脈のみが描出される動脈期から静脈が十分に充盈される動静脈期まで，できるだけ早い頻度でシャッターを押す．

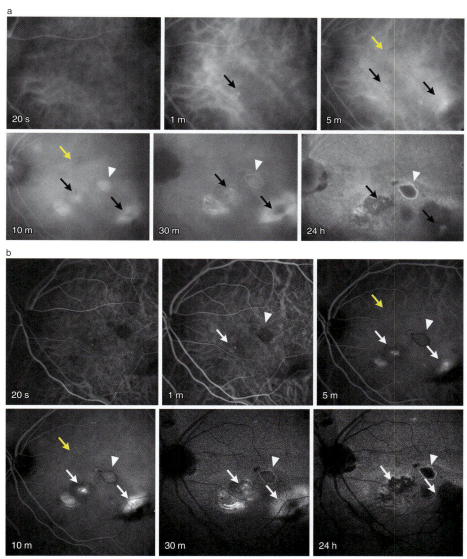

図118 眼底カメラ型（a）と走査型レーザー検眼鏡（b）

IAでは，両者の所見に違いがみられる．眼底カメラ型（a）では，反射散乱光により脈絡膜血管や間質に存在する少量の色素からの蛍光を検出でき，蛍光漏出の評価に適する．一方，脈絡膜間質に残存する色素が消失するまでの時間が長いので，網膜色素上皮，Bruch膜レベルでの組織染の評価ができる後期像が得られるまで時間を要する．
白・黒矢印：網膜色素上皮障害部の脈絡膜血管障害に伴う蛍光漏出．
矢頭：網膜色素上皮剥離．
黄矢印：脈絡膜内の蛍光漏出（脈絡膜組織染）．

光量過多でモニター上の画像が白くならないよう，また撮影画像が暗すぎないようフラッシュ強度を調整する．
⑥色素注入1分程度で，他眼の眼底後極部の動静脈期を撮影する．
⑦元の眼の眼底後極部を撮影後，糖尿病網膜症などでは眼底周辺部を順次撮影していく．
⑧他眼の眼底後極部を撮影後，同様に眼底周辺部を順次撮影していく．
⑨5分後と10分後の両眼後極部の後期像を撮影する．

❷ IA　通常はFAに引き続いて行う．
①インドシアニングリーン溶解液と，フラッシュ用に生理食塩液5〜10 mLの入った注射筒を三方活栓に連結する．
②観察モニター上で眼底にピントを合わせる．
③撮影者の合図でカメラのタイマーを押すと同時に，インドシアニングリーンの急速静脈内注射を開始する．完了後に生理食塩液でフラッシュする．
④蛍光が眼底に現れる少し前から，1秒に1枚程度の頻度でシャッターを押し始める．
⑤脈絡膜動脈，網膜動脈が描出される動脈期から脈絡膜静脈，網膜静脈が十分に充盈される動静脈期まで，できるだけ早い頻度でシャッターを押す．光量過多でモニター上の画像が白くならないよう，また撮影画像が暗すぎないようフラッシュ強度を調整する．
⑥1分程度の色素注入で，他眼の眼底後極部の動静脈相を撮影する．
⑦元の眼の眼底後極部を撮影後，ぶどう膜炎などでは眼底周辺部を順次撮影していく．
⑧他眼の眼底後極部を撮影後，同様に眼底周辺部を順次撮影していく．
⑨5分後と10分後の両眼後極部の中期像を撮影する．
⑩20〜30分後の両眼後期像を撮影する．

✓ 撮影のポイント
①眼底撮影での注意点は，造影検査でも同様である．
②小瞳孔の場合は，走査型の機種のほうが眼底カメラより撮影しやすい．
③フルオレセインによる悪心を訴える症例では，投与量を半量に少なくすることで悪心を減少させることができる．
④腎機能障害および透析患者：フルオレセインは腎臓から排泄されるため，腎機能低下症例にはフルオレセイン投与量を半量以下にする．また透析患者では投与量を半量以下にし，造影後早めに透析できるように調整する．内科担当医と連携する．インドシアニングリーンは肝臓から胆汁に排泄されるため，透析患者でも施行できる．
⑤インドシアニングリーンには安定剤としてヨードが添加されているので，CTや血管造影剤でアレルギーの既往があれば禁忌である．エビ，カニアレルギーでは慎重に適応を決める．
⑥FAでは，青色光による羞明をいかに抑えるかが，患者負担，質のよい写真を得るうえで大事である．光量を抑えてカラーもしくはモニターで眼底を観察し，撮影部位，ピントを合わせたあと，撮影直前にバリアフィルタを入れるなど，機種により撮影手技を工夫するとよい．IAでは，10分以降は，観察モニターでは画像は暗く観察しづらくなるので，近赤外光で眼底を観察して部位を決め，同

⑦造影早期(色素注入後,動脈期,動静脈期)の循環動態の撮影には,動画撮影が適する.網膜,脈絡膜血管の拍動など,静止画では記録できない情報が得られる.
⑧ステレオ撮影は,眼底撮影と同様の要領で,造影色素が網脈絡膜循環にいきわたった動静脈期に行う(眼底撮影参照).
⑨ FA と IA では,早期(動脈期,動静脈期),中期,後期の時間軸が異なる(表22).網脈絡膜病変の詳細な検討には,FA では 10 分前後までの画像でよいが,IA では 30 分後までの所見が必要である.

判定

❶ **FA** 脈絡膜毛細血管の由来の蛍光の出現と同時に視神経乳頭から網膜動脈への色素流入がみられる(動脈期).造影色素は網膜動脈から網膜毛細血管を通って網膜静脈に流入する.色素の動脈から静脈への流入時間を網膜内循環時間(10~15 秒)という.流入した色素は静脈壁に沿って流れ,静脈内の層流が描出され,次第に静脈管腔内全幅を色素が流れる.網膜動脈,静脈が明瞭に描出される時期を動静脈期という.色素の血中濃度の低下に伴い血管内の蛍光色素は次第に減弱し,5 分経過すると血管から漏出した色素からの蛍光が主体となる.後期像では,網膜色素上皮,Bruch 膜,強膜,視神経乳頭の染色がみられる.

❷ **IA** 脈絡膜動脈が描出され始め,同時に脈絡膜毛細血管由来のびまん性のベール状蛍光が出現し始める.すぐに脈絡膜静脈が描出され始めるとともに,脈絡膜動脈がわからなくなる.その間に網膜主幹動静脈も描出される.その後太い脈絡膜静脈がみられる時期が続く.1~2 分までは脈絡膜,網膜血管内の色素からの蛍光をとらえる.次第に血管内の色素は減少し,10 分になると網膜色素上皮,Bruch 膜,脈絡膜間質に漏出した色素が主体となる.5~20 分は脈絡膜内に存在するぶどう膜での肉芽腫性病変,神経線維腫などの占拠性病変および脈絡膜血管の透過性亢進の検出に適する.20 分以降は脈絡膜内に漏出した色素は次第に洗い流され,網膜色素上皮,Bruch 膜に結合した色素によるびまん性蛍光がみられる.

❸**異常所見の読影** 異常蛍光は,正常所見と比較して,暗い部位を低蛍光,明るい部位を過蛍光に分類できる.低蛍光には,流入障害(図 113)と蛍光阻止(図 119a, b)がある.過蛍光は,造影早期から中期にみられる血管内に存在する色素によるもの〔血管異常(図 114),window defect(図 119c)〕と,時間経過とともに血管外に存在する色素によるもの〔蛍光漏出(図 115, 116),色素貯留(図 116),色素染(図 119b)〕に分類される.

カラー写真,OCT と併せて,硝子体,網膜表層,網膜内層,網膜外層,色素上皮下,脈絡膜のどの部位に病変があるかを推察する(⇒ 119 頁,「眼底撮影」項を参照).

各所見の概要を**表 23** にまとめる.

副作用

❶**全身皮膚および尿の黄色化** 1~2 日かけてフルオレセインは尿から排泄される.
❷**悪心,嘔吐** フルオレセインでは,嘔吐中枢が刺激され,一過性の悪心,嘔吐をきたす場合がある.
❸**血圧低下や迷走神経反射** 気分不良を訴える場合,ベッド上に下肢挙上で頭を低くして臥床させる.血圧,脈拍を測定し経過を

表22 FA, IA の時間経過

	FA	IA	色素の部位
早期	動脈期　20〜30 秒 動静脈期　〜2 分	動脈期　20〜30 秒 動静脈期　〜5 分	血管内
中期	〜5 分	〜20 分	血管内, 血管外
後期	10 分	20〜30 分(症例によっては 30 分以降)	血管外
ポイント	・早期は網脈絡膜循環, 網膜血管構築, 異常血管の描出に適する ・中期, 後期所見から網膜血管, 網膜色素上皮のバリア機能障害を評価する	・早期は, 網脈絡膜循環, 脈絡膜血管構築, 網膜色素上皮下および脈絡膜の異常血管の描出に適する ・中期は, 脈絡膜毛細血管の状態を反映するびまん性蛍光, 脈絡膜内病変(ぶどう膜炎に伴う肉芽腫性病変, 神経線維腫などの占拠性病変)による蛍光阻止, 脈絡膜血管の透過性亢進の評価に適する ・後期は, 網膜色素上皮, Bruch 膜の色素染を評価できる. 色素染は時間経過しても残存するが, 蛍光漏出は減弱する ・眼底カメラ型と共焦点走査型検眼鏡では, 所見が異なる場合がある(図 118)	

観察する.

❹**アレルギー反応**　じん麻疹が時に発生する. 気分不良, 嗄声, 欠伸などを起こさない場合は抗ヒスタミン薬を側管から投与し経過観察する. 瘙痒感, じん麻疹が強い場合は, 経過を十分に観察し, 内服を追加処方する. まれだが, アナフィラキシーショックが起こりうる(0.05％未満).

アナフィラキシー様ショックなどの異常事態への対応

❶**事前準備**

①緊急セットの配備, 備品の定期チェック, 設置場所の周知.
②酸素設備の確認と緊急時を想定したベッドの配置.
③アナフィラキシー発生時の応援体制の確立(コードブルーなど).
④スタッフの事前教育.

❷**造影検査前**

①被検者および家族のアレルギー歴の聴取.
②血圧測定.
③アドレナリン注 0.1％(1 mg/1 mL)を緊急時に手にとれる場所に準備.

❸**造影検査中**　気分不良の有無の声がけを随時行う.

①気分不良があった場合：造影を中断し, 額帯を外す. 悪心によるものか判別する. 悪心による場合は様子をみて, 悪心が軽減した時点で造影検査を再開する.
②気分不良が持続する場合：全身の瘙痒感, 咳嗽や嗄声などの上気道閉塞症状, じん麻疹, 皮膚紅潮, 口唇や顔面浮腫, 腹痛, 下痢などの消化器症状を確認する.
　　被検者の転倒防止(患者の背後にまわるなどして安全をはかる).

❹**緊急時の初期対応(診察室, 手術室での緊急事態に備えて参照)**　薬剤投与＋血圧低下, 薬剤投与＋(じん麻疹, 呼吸困難, 消化器症状のうち 2 項目).

①コードブルー施行(過剰反応でも構わない).
②アドレナリン注(0.1％) 0.01 mg/kg〔小

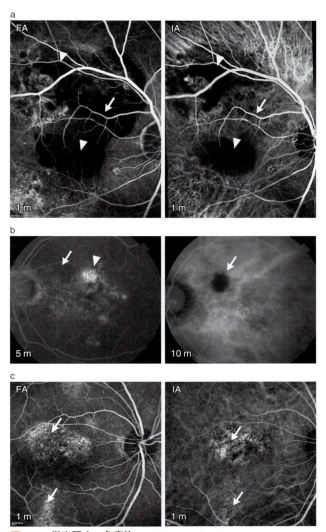

図 119 蛍光阻止，色素染，window defect

a：網膜下出血による蛍光阻止．IA では薄い出血部（矢印）では脈絡膜血管が透見できるが，厚い出血部では蛍光が阻止される（矢頭）．

b：脈絡膜内の無色素病変による蛍光阻止は，IA でのみ検出される（矢印）．矢頭の網膜下線維膜部は，時間とともに輝度が高くなり色素染を呈する．範囲の拡大はない．

c：window defect 部は，FA では，早期から過蛍光を呈し，時間とともに蛍光が減弱する（矢印）．IA では，脈絡膜毛細血管のベール状蛍光は減弱し，脈絡膜血管が透見される（矢印）．

表23 FA, IA 所見の解釈

所見	位相		読影
低蛍光	早期 (血管内の色素由来の蛍光) (図113)		・色素の流入がない流入欠損と，遅れて色素が流入する流入遅延がある ・網膜，脈絡膜，視神経乳頭の生理的，病的流入遅延部は，動静脈期に低蛍光を呈する ・FA では，網膜動静脈の閉塞，網膜毛細血管床の閉塞による無血管領域は，動静脈期に低蛍光部として描出される ・IA では，脈絡膜毛細血管障害部は，動静脈期からベール状蛍光の減弱がみられる
	中期〜後期 (血管外に漏出した色素由来)		・IA では，動静脈期にベール状蛍光の減弱がみられた脈絡膜毛細血管障害部は，中期にかけて低蛍光を呈する．脈絡膜毛細血管の完全閉塞部は，後期に低蛍光部として描出される
	蛍光阻止 (図119a, b)	ヘモグロビン，メラニン色素，無色素性物質(滲出物，腫瘍，線維性組織など)による蛍光阻止	・網膜からの蛍光は，前眼部，中間透光体，神経網膜の出血などの病変により阻止される ・脈絡膜からの蛍光は，網膜深層，網膜下，網膜色素上皮，網膜色素上皮下，脈絡膜の病変により阻止される
過蛍光	注射前		・自発蛍光(乳頭ドルーゼン，過誤腫，網膜色素上皮，卵黄様病変など) ・偽蛍光(フィルタの不適合)
	早期 (血管内の色素由来の蛍光)	血管構造異常(異常血管出現，血管消失，血管形成不全など) (図114)	・FA は，網膜血管拡張，血管吻合，網膜毛細血管拡張，網膜新生血管や血管瘤，腫瘍血管など網膜血管病変の検出に優れる ・IA は，網膜色素上皮下の新生血管，血管吻合，拡張した脈絡膜静脈，渦静脈が検出できる
		window defect (図119c)	・網膜色素上皮の脱色素部で，脈絡膜毛細血管からの蛍光が網膜色素上皮のメラニン色素で阻止されずに透見してくる．造影早期から後期まで過蛍光部の拡大はなく，色素の血中濃度の低下とともに輝度が低下する ・FA では，window defect がみられるが，IA では検出されない
	後期 (血管外に漏出した色素由来)	蛍光漏出 (図115, 116)	・色素の周囲への漏出により過蛍光部が拡大し，境界は不鮮明である ・FA では，網膜血管内皮や網膜色素上皮の血液網膜関門の破綻を意味する ・IA では，網膜血管内皮，脈絡膜毛細血管内皮，網膜色素上皮下に存在する脈絡膜新生血管および脈絡膜血管異常部の透過性亢進を意味する
		色素貯留 (図116)	・網膜色素上皮剝離や剝離網膜下腔など限局した空間に色素が貯留する．時間経過とともに過蛍光が現れ，貯留空間全体が過蛍光を呈するようになる．色素漏出とは異なり，境界は明瞭である
		色素染 (図119b)	・時間経過とともに，線維性組織やドルーゼンなどに色素が取り込まれ，次第に過蛍光を呈する．色素漏出と異なり，過蛍光の拡大はない．カラー写真で染色される組織や物質が確認できる ・IA 後期像は，網膜色素上皮細胞，Bruch 膜の組織染により均一なびまん性蛍光がみられる．加齢，病的状態では染色が亢進した部位は過蛍光，低下した部位は低蛍光を呈する

〔白木邦彦：蛍光眼底造影検査．大路正人，他(編)：今日の眼科疾患治療指針，第3版，p103，医学書院，2016 を元に著者作成〕

柄な成人と小児(0.3 mg 1/3 アンプル)，大柄な成人(0.5 mg)〕を大腿部外側前面，外側広筋(どうしても不可なら三角筋か大殿筋)部にルートの有無にかかわらず筋注を行う．必要に応じて5分ごとに2～3回繰り返す．
③患者を仰臥位にし，足を30 cm上げる．
④気道確保，酸素投与，急速輸液，心肺蘇生に備える．

自発蛍光撮影
Fundus autofluorescence

河野剛也 大阪公立大学・准教授

| **目的** ある波長の刺激光により蛍光を出す物質がある．水晶体，網膜色素上皮(retinal pigment epithelium：RPE)，視神経乳頭ドルーゼン，星状過誤腫などが以前から知られている．眼底自発蛍光は，青緑色光(488～580 nm)および，近赤外光(790 nm付近)を励起光として撮影する．正常眼底では青緑色光では視細胞外節の代謝産物であるRPE内のリポフスチンからの蛍光を，近赤外光ではRPE内に存在するメラニンからの蛍光を主にとらえている．眼底自発蛍光撮影は，視細胞，RPEの機能的画像診断法である．また青色，緑色光では黄斑色素の影響が異なるので，黄斑色素異常の評価にも利用できる．

| **対象** 眼底疾患全般で，視細胞およびRPE異常，黄斑色素異常をきたす疾患が対象となる．網膜色素変性，黄斑ジストロフィ(卵黄様黄斑変性，Stargardt病，クリスタリン網膜症など)，加齢黄斑変性，網膜色素線条，特発性脈絡膜新生血管，ぶどう膜炎(Vogt-小柳-原田病，multiple evanescent white dot syndrome，地図状網膜炎，acute zonal occult outer retinopathy など)，強度近視，傾斜乳頭症候群，黄斑円孔，類嚢胞黄斑浮腫，傍中心窩毛細血管拡張症など．網膜色素変性の診断，全身性エリテマトーデスの治療薬であるヒドロキシクロロキン硫酸塩使用時のスクリーニング検査では必須である．

| **原理と特徴** 励起光として，青緑色光(488～580 nm)および，近赤外光(790 nm付近)を用いる．青緑色光で励起される自発蛍光は，RPE内のリポフスチン，網膜下の視細胞外節代謝産物の分布や量の変化と相関する．リポフスチンは，視細胞外節に含まれる視細胞物質(ロドプシン)が光刺激に反応して消費されたあと，新たに再生される過程で生じるビスレチノイドがRPE内に蓄積したもので，加齢とともに増加する．リポフスチンの主たる蛍光物質である N-retinylidene-N-retinylethanol-amine(A2E)は，光酸化を受けて毒性の強いアルデヒドやケトンを生成し，RPE機能を障害する．

近赤外光で励起される自発蛍光では，RPE細胞内に大量に存在するメラニンおよびメラニン関連物質(メラノリポフスチン，メラノライソゾーム，酸化メラニン)が主な蛍光物質として考えられている．

| **検査方法**
■**撮影装置** レーザーおよびLED光源によるスリット光を用いた走査型眼底撮影装置と白色光を用いた眼底カメラがある．撮影装置の特徴(使用する光源，波長)を把握しておく**(表24)**．

走査型眼底撮影装置では，共焦点システムを用いるので，反射光，散乱光の影響が

表24 市販機器

	器名	励起波長
走査型眼底撮影装置	ハイデルベルグ　スペクトラリス® HRA	488 nm，785 nm
	ニデック　Mirante®	488 nm，532 nm
	オプトス　Optos®	532 nm
	カールツァイス　CLARUS®	435〜500 nm，500〜585 nm
	センタービュー　Eidon®	440〜475 nm
眼底カメラ	トプコン　TRC-50Dx®，TRC-NW8F®	535〜580 nm
	キヤノン　CX-1®，CR2 plus AF®	530〜580 nm

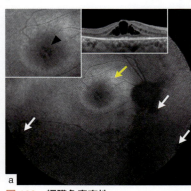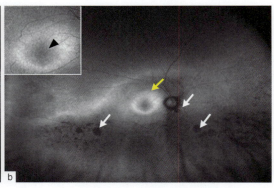

図120　網膜色素変性
a：488 nm，**b**：532 nm．
網膜色素上皮の障害の程度により，過蛍光(黄矢印)，低蛍光(白矢印)を呈する．
488 nm では，中心窩は黄斑色素により低蛍光となるが，囊胞様黄斑浮腫部では，黄斑色素の分布の乱れにより不均一となる．532 m では黄斑色素の影響を受けない(矢頭)．

なく，コントラストのよい画像が得られる．眼底カメラ型では，水晶体からの蛍光の影響を除くために，緑黄色を通すバンドフィルタを使用する．焦点深度が深いので，焦点面以外からの蛍光や散乱光をとらえるため，脈絡膜血管像や強膜像も観察される場合がある．

■**撮影条件による黄斑色素の影響の違い**
青色レーザー(488 nm)は黄斑色素やメラニンに吸収されるので，黄斑の自発蛍光は周囲より暗く写る．緑色レーザー(532 nm)や近赤外光では，黄斑色素やメラニンの影響が小さい(**図120**)．

眼底カメラ型では，水晶体からの蛍光の影響を除くために，緑黄色を通すバンドフィルタを使用するので黄斑色素の影響は小さい．

■**撮影装置による撮影方法の違い**　複数の画像を付属の画像解析ソフトで加算平均する装置，ワンショットで撮影する装置がある．

■**注意点**　青色光では，撮影時の羞明に配慮する．

出血では，発症時には自発蛍光を発せず

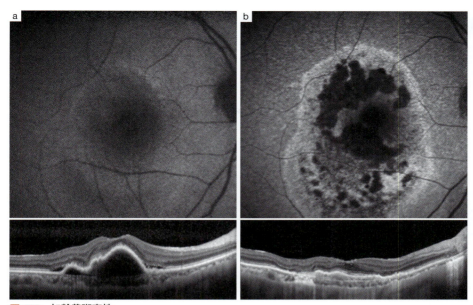

図 122　加齢黄斑変性
a：加療開始時　RV＝0.6，b：加療後 10 年　RV＝0.6．
抗 VEGF 加療中．病変部の活動性は低下しているが，経過中，網膜色素上皮萎縮（低蛍光部）が生じている．

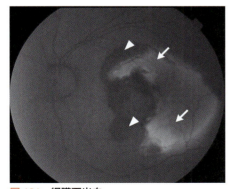

図 121　網膜下出血
部位により，低蛍光部（矢頭）と過蛍光部（矢印）がみられる．

蛍光阻止により低蛍光となる．経過中に出血中のヘモグロビンなどの成分の性状が変化すると蛍光を発する**（図 121）**．

判定　読影方法は，蛍光色素を用いた蛍光眼底造影と基本的に同じである．正常蛍光，過蛍光，低蛍光と分類して，正常，異常所見の判定を行う**（図 120〜123）**．自発蛍光物質が増加すると過蛍光，減少すると低蛍光となる．また，出血や黄斑色素など，蛍光を阻止する物質の量や位置（網膜前，網膜内，網膜下）により所見が修飾される．眼底写真，蛍光造影写真との比較および光干渉断層計（OCT）の立体所見を参考に判定する．

今後の展開　蛍光寿命測定：蛍光寿命は，励起された蛍光物質の蛍光強度が 36％に減衰するまでの時間である．蛍光寿命を用いることにより，リポフスチン以外の終末糖化産物の評価や，網膜代謝の変化の検討への応用が期待される．

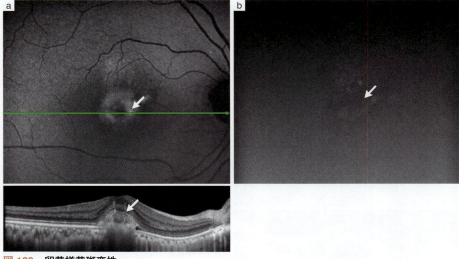

図 123　卵黄様黄斑変性
a：青緑光では，視細胞物質の蓄積部は過蛍光を示す（矢印）．
b：近赤外光では，視細胞物質蓄積部は正常蛍光である（矢印）．

超広角眼底撮影（超広角走査型レーザー検眼鏡）
Ultra-wide field fundus imaging

吉田宗徳　ふなはし眼科・院長

目的・対象　眼底の客観的記録として眼底カメラ撮影は重要であり，眼科臨床では広く行われてきた．しかし，従来の眼底カメラは最大でも画角が約50度であり，眼底周辺部の撮影は困難であった．さらに散瞳不良など条件の悪い症例では眼底周辺部の撮影には限界があった．近年，超広角走査型眼底撮影装置が開発され，眼底撮影の常識は大きく変化した．

その先駆的製品であるOptos® 200Txは走査型レーザー検眼鏡の原理を用い，1回約0.3秒の撮影で眼底の80％以上，約200度の範囲までを1枚の画像に収めることのできる眼底撮影装置である．Optos® 200Txを用いれば，カラー画像による眼底周辺部の観察，記録を容易に行うことができるほか，フルオレセイン蛍光眼底造影（FA），眼底自発蛍光（FAF）の超広角撮影が可能であり，従来検査が難しかった眼底周辺部のFAやFAFも行うことができる．

現在ではOptos® 200Txに代わり，Optos®シリーズとしていくつかの製品が発売されている**（図 124）**．例えばFA，FAFに加えて超広角のインドシアニングリーン蛍光造影（ICGA）検査も可能な装置や，機能を省いた安価で小スペース型の装置，OCTの撮影も可能な装置なども用途に応じて用意されている．また他社からも超広角眼底撮影のできる機器が発売され，さまざまな施設での利用が広がっている．

原理と特徴　Optos®シリーズでは楕円の凹面鏡を用い，レーザー光を反射させて眼底をスキャンしながら撮影する．瞳孔

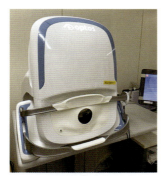

図124 Optos® California（ICG モデル）

面上に仮想の眼底スキャンの中心（バーチャルスキャンポイント）を置き，そこを中心として 200 度の範囲の眼底を撮影している．カラー撮影は，波長 532 nm（緑色）のレーザーで主に網膜色素上皮より内層を，波長 633 nm（赤色）のレーザーで網膜色素上皮より外層を撮影し，合成したうえで疑似カラーをつける方法をとっている．そのため，色調は通常の眼底写真とは少し異なり，画像診断する場合には注意が必要である．FA には波長 488 nm（青色），FAF には 532 nm のレーザーを使用する．

Optos®の最大の特徴は超広角の眼底撮影ができることであるが，無散瞳でも撮影ができる強みがある．例えば，検眼鏡での眼底検査を嫌がる小児の眼底検査の補助としても使えるし，眼底の検診や初期の糖尿病網膜症のフォローアップなどにも有用である．筆者の施設でも無散瞳で Optos®撮影をしてから必要な症例に散瞳検査をすることも多い．Optos®で得られる画像は 1 枚の画像に眼底の広い部分が含まれるため，一見細かい部分がわかりにくいように思えるが，高精細な画像なので拡大すれば従来の眼底カメラで撮影したものとさほど遜色のない画像が得られる．画像ファイリングシステムなどを用いて拡大して観察するとよい．

検査法

● **ポイント** Optos®の撮影自体は非常に簡単であるが，撮影にはいくつかのコツがある．まず，被検者の眼球を適切な位置に置く（瞳孔面がスキャンポイントにくるようにする）ことが重要で，結果として強めに機械に顔を押し付ける格好となる．撮影された画像はもともと上下が左右に比べ多少狭い範囲となるが，特に睫毛が写り込んで邪魔になることが多いので，検者の指でしっかり開瞼するか，テープや開瞼器で開瞼するとよい．ただし，角膜が乾燥すると画像ににじみが出てしまうため，撮影は手早くする必要がある．撮影したい眼底の位置によって眼球を少し上下左右に振ってもらうと，より周辺部までの撮影が可能である．

■ **その他** Optos® 200Tx は FA での利用も大きく注目された．その理由は，①眼底周辺部の FA がこれまでより広角に撮影できる，②面倒なパノラマ合成が不要である，③パノラマ合成と異なり，各視野のタイムラグや明るさのばらつきのないきれいな造影結果が得られる，④経時的な FA の変化を眼底全体でとらえることができる，⑤散瞳不良症例でも FA の撮影が可能である，など，多岐にわたる．図 125 に Optos® 200Tx で撮影した FA 写真を示す．眼底周辺部の ICGA や FAF も Optos® によって非常に研究が進んだ．ただし，Optos® の FAF を評価する場合には，上述したように緑色（532 nm）波長のレーザーを使用している点を注意しておきたい．

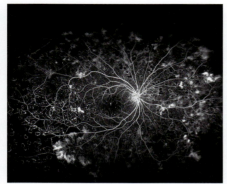

図125 Optos® 200Txで撮影した増殖糖尿病網膜症の超広角蛍光眼底造影（FA）

（吉田宗徳：超広角走査型レーザー検眼鏡 Optos200Tx. 眼科手術 25：379-382, 2012 より）

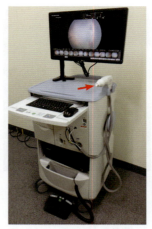

図126 RetCam 3の外観
光源，接触レンズを備えたハンドピース（矢印）と，フォーカス，光量，シャッター機能を一体化したフットスイッチ．

超広角眼底撮影（RetCam）
Wide field fundus photograph (RetCam)

浅見 哲 浅見眼科手術クリニック・院長

目的 卓上型の眼底カメラで撮影困難な，特に小児などの眼底疾患を仰臥位で超広角に撮影する．

対象 主に小児の眼底疾患．未熟児網膜症（retinopathy of prematurity：ROP），家族性滲出性硝子体網膜症，第1次硝子体過形成遺残，網膜芽細胞腫，Coats病など．

原理と特徴 現在，市販されているのは，Clarity Medical Systems 社の RetCam 3（図126）と，RetCam Shuttle がある．光源，接触レンズ一体型プローブ（図126矢印）であり，眼底を超広角に撮影できる．接触レンズは最も広画角のものが130度で，ROP の撮影に向いている．また，120度，80度，後極部の高解像度の撮影が可能な30度のレンズがある．レンズを外してそのまま撮影すると外眼部が撮影でき，散瞳状態や虹彩上新生血管を記録することができる．

静止画および動画の撮影が可能であり，動画は毎秒13枚，2分までの撮影ができる．また，動画撮影中に静止画の撮影も可能であり，保存した動画から静止画の作成も可能である．写真は，カラー（図127a）とフルオレセイン蛍光撮影（図127b）が可能である．保存画像は時系列に並べて比較することが可能であり，画像の加工，画像への所見の書き込みもできる．

カメラは，IDS 社の CMOS センサーカメラを使用し，画像解像度は 1,600×1,200 ピクセルである．画像のフォーマットは，clarity format か，DICOM 形式である．DICOM とは，画像以外の診療情報なども内包可能な医用画像のフォーマットである．画像の取り出しは USB で行う．また本体背面には Ethernet port があり

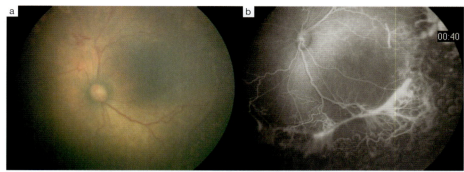

図 127　未熟児網膜症の眼底カラー写真(a)とフルオレセイン蛍光眼底写真(b)

LANケーブルで院内の電子カルテにつなぐことも可能である．

　フットスイッチは，フォーカスや光量の調整，シャッター機能が一体化しており，片足ですべての操作を行うことができる．

検査法

■ **準備**　ミドリン®Pで十分な散瞳を行う．開瞼器で開瞼し，テープを眼瞼耳側に内側は浮かせて外側だけ皮膚に貼った状態にして，たっぷりスコピゾル®を垂らすとプールができる．検査前にオキシブプロカイン塩酸塩（ベノキシール®）で表面麻酔をする．

■ **手技・方法**　ハンドピースと本体とをつなぐケーブルは結構な重さがあるため，撮影者の肩に乗せ，ハンドピースはケーブルを頭側に向けるような方向で保持する．レンズを角膜との間に空気が入らないように，必要以上に角膜を圧迫しないように乗せる．眼底をモニターで観察しながら，フットスイッチでピントや光量を調節し，シャッターボタンで撮影する．正面を撮ったあとは，上下左右にハンドピースを振ってさらに周辺部を撮影する．フルオレセイン蛍光撮影を行う際には，ハンドピースとレンズの間にフィルタを入れる．また，時間の経過がわかるようにタイマーをセットする．

● **ポイント**　眼内に入る照明が少しでもずれると周辺部が暗くなったりするので，慣れが必要である．

■ **注意点**　接触型であるので，外傷後や術後早期は避ける．また，感染性の病変の疑いがある場合には，院内感染予防の観点からも十分に留意する．角膜に過度な圧力がかからないようにハンドピースの持ち方を工夫する．

走査レーザー検眼鏡（HRA）

Scanning laser ophthalmoscope：SLO (HRA)

森 隆三郎　日本大学病院・診療教授

■ **目的**　共焦点レーザー走査（SLO）眼底検査装置であるHeidelberg Engineering社のHeidelberg Retina Angiograph（HRA）は，網膜，脈絡膜の細部にわたり，高コントラストで高解像の画像が得られるため，眼底疾患の診断と詳細な所見の解析を行う

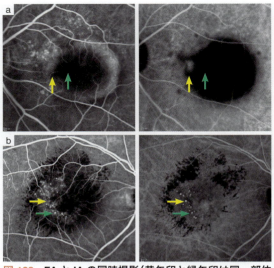

図 128 FA と IA の同時撮影（黄矢印と緑矢印は同一部位を示す）

a：Type 1 CNV．IA で認める CNV（黄矢印）と中心窩との位置関係は FA（緑矢印）で確認する．
b：傍中心窩毛細血管拡張症．FA だけでなく，IA でもより過蛍光となる網膜毛細血管瘤がより漏出が強い．

目的で撮影および読影する．

対象 眼底疾患全般．

原理 SLO は，眼底にレーザー光を入射させ，眼底を高速に走査し，その反射光を検出器で処理して画像を構築する装置で，眼底カメラ型との大きな違いは，共焦点（confocal）方式をとっていることである．共焦点方式とは，眼底からの反射光のうち散乱光を検出器の前の絞り（ピンホール）で遮断して直接光のみをとらえ，焦点の合った部分以外の余分な反射光は除去されるので，より解像度の高い画像が得られる．HRA は，この SLO を用いて，眼底自発蛍光（fundus autofluorescence：FAF），フルオレセイン蛍光眼底検査（fluorescein angiography：FA）およびインドシアニングリーン蛍光造影（indocyanine green angiography：IA）の画像を撮影するが，HRA 以外にも，Optos®，CLARUS®，Mirante® などの SLO 機種がいくつかある．

HRA の強みは，FA と IA の同時撮影そして光干渉断層計（optical coherence tomography：OCT）搭載の機種では FAF，FA，IA と OCT の同時撮影ができることである．同時撮影した画像は，所見の適切な診断の手助けとなる．

検査法 FAF，FA，IA，OCT の撮影方法はそれぞれの項にあるので割愛する．FA と IA は，それぞれの造影開始 1 分以内は，所見が大きく変わるため，FA と IA のそれぞれの画像に合わせた光量の調節やピント合わせに集中する必要があるので同時撮影はしないほうがよい．1 分以降に同

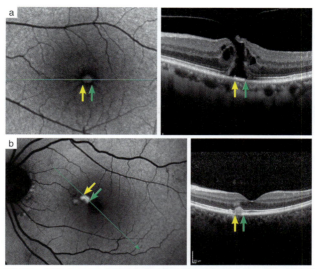

図 129 FAF と OCT の同時撮影（黄矢印と緑矢印は同一部位を示す）
a：黄斑円孔．黄斑円孔の部位に限局して過蛍光となる．
b：後天性卵黄様病巣．過蛍光部位は網膜下の高反射病巣と一致する．

時撮影をするが、その際に、それぞれの造影時間がずれていても読影の際に支障はない．FAF，FA，IA と OCT との同時撮影では、異常蛍光所見を認める部位を OCT でスキャンしておくと正確な読影が可能となる．

判定（読影）

❶ **FA と IA の同時撮影** IA 所見のみだと黄斑部の異常所見と中心窩との位置関係が判定できないが、同時撮影した FA の網膜血管と周中心窩の無血管領域から病変の位置関係を判定することが可能となる．IA で検出される網膜色素上皮下脈絡膜新生血管（Type 1 CNV）やポリープ状脈絡膜血管症など脈絡膜レベルの病変と中心窩との位置関係の把握に有用である（図 128a）．また、傍中心窩毛細血管拡張症（図 128b），糖尿病黄斑症や網膜静脈分枝閉塞症の網膜毛細血管瘤に伴う囊胞様黄斑浮腫の同時撮影では、FA だけでなく、IA でもより過蛍光となる網膜毛細血管瘤はより漏出が強く、レーザー光凝固を行う場合に優先的に行うべき部位の判定に有用である．

❷ **FAF と OCT の同時撮影** FAF の異常蛍光所見は、OCT との同時撮影で、両画像の所見の位置をずれることなく把握できる．HRA の FAF では、正常な中心窩は、キサントフィルに伴う蛍光遮断（ブロック）により低蛍光になるが、黄斑円孔では、OCT の黄斑円孔の部位に限局してブロックするキサントフィルがないため過蛍光となっていることが確認できる（図 129a）．後天性卵黄様病巣（acquired vitelliform lesions：AVLs）は、黄斑部に境界明瞭な網膜下黄色沈着物を認める病巣であるが、網膜色素上皮剥離の隆起を伴う軟性ドルーゼンとの鑑

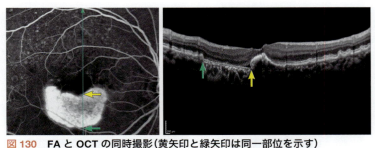

図130 FAとOCTの同時撮影（黄矢印と緑矢印は同一部位を示す）
網膜色素上皮裂孔．過蛍光の所見は，網膜色素上皮の欠損部位の脈絡毛細血管板の組織染であることが確認できる．

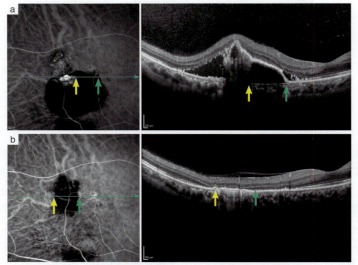

図131 IAとOCTの同時撮影（黄矢印と緑矢印は同一部位を示す）
ポリープ状脈絡膜血管症のIAで認める異常血管網とポリープ状病巣に対するレーザー光凝固前後（IAの低蛍光の理由が異なる）．
a：レーザー光凝固前．低蛍光は網膜色素上皮剝離内の貯留液によるブロックに伴う所見．
b：レーザー光凝固後．低蛍光は脈絡毛細血管板の充盈欠損に伴う所見．

別を要する．AVLsはFAFでは過蛍光となるが，その部位がOCTで網膜色素上皮の隆起のない網膜下の高反射病巣であることが確認できる**(図129b)**．

❸ **FAとOCTの同時撮影** FAの異常蛍光所見は，網膜色素上皮より上の網膜内および網膜下の病変に伴う所見と網膜色素上皮より下の病変に伴う所見があるが，FAとOCTの同時撮影で，FAの所見の異常蛍光を示す部位の深さを確認できる．加齢黄斑変性で認める過蛍光の所見が，脈絡膜新生血管（CNV）に伴う所見か，網膜色素上

皮の欠損による所見〔網膜色素上皮裂孔(図130)〕かを同時撮影したOCTで確認できる．

❹ **IAとOCTの同時撮影** OCTで認める網膜色素上皮剝離は，IAで網膜色素上皮剝離内の貯留液に伴うブロックにより低蛍光になることがあるが，CNVに対するレーザー光凝固部位は充盈欠損により低蛍光となるが，両所見の低蛍光となる理由をIAとOCTの同時撮影で把握できる(図131)．

走査レーザー検眼鏡(HRT)
Scanning laser ophthalmoscope：SLO (HRT)

白柏基宏 木戸眼科クリニック・院長

| **目的** 視神経乳頭(乳頭)の形状を測定する．

| **対象** 緑内障，乳頭形状に異常をきたすほかの疾患．

| **原理と特徴** Heidelberg retina tomograph(HRT, Heidelberg Engineering 社)は波長670 nmのダイオードレーザーを光源とした共焦点走査レーザー検眼鏡(confocal SLO：CSLO)である．眼底からの反射光を検出する際，検出器の前に小孔があるため，点光源と共役な関係にある焦点の合った像のみを検出し，コントラストの高い鮮明な画像を得ることができる(図132)．照射光量は少なく，無散瞳での検査が可能である．HRTの後継機種として，コンパクトな装置であるHRT ⅡとHRT3(図133)が使用されている．HRTでは，スキャン幅の間で2次元断層画像(256×256 ピクセル)が32 枚作成され，測定に使

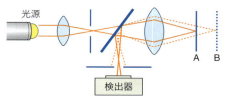

図132　CSLOの測定原理
眼底からの反射光を検出する際，検出器前に小孔があるため，点光源と共役な関係にある焦点の合った像(A)のみを検出し，焦点の合っていない像(B)は検出しない．

図133　CSLOの外観(HRT3)
HRT3はコンパクトなCSLOである．

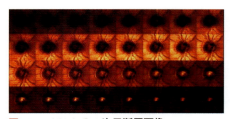

図134　CSLOの2次元断層画像
HRTでは，2次元断層画像が32枚作成され，測定に使用される．

用される(図134)．HRT ⅡとHRT3では，スキャン幅に応じて2次元断層画像(384×384 ピクセル)が16～64 枚作成され，測定に使用される．画像内の各測定点

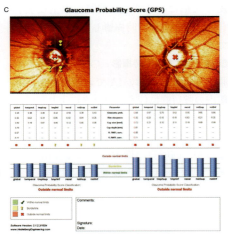

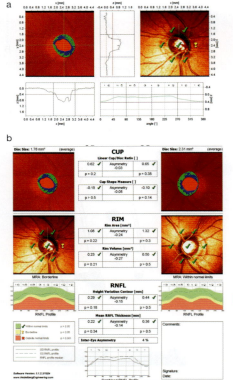

図135 CSLO HRT Ⅱ（バージョン3）による乳頭形状の測定

a：トポグラフィ画像，反射率画像，乳頭縁の高さを表したグラフ．
b：乳頭と網膜神経線維層に関する種々のパラメータの測定値とMRAによる判定結果．
c：GPSパラメータの測定値とGPSによる判定結果．

において眼底表面の高さが測定され，乳頭形状が3次元的に測定される．乳頭縁の耳側部から50μm後方（下方）の面（標準的基準面），あるいはcurved surfaceとよばれる乳頭縁で囲まれた面が基準となり，乳頭と網膜神経線維層に関する種々のパラメータが測定されるが，角膜曲率半径と屈折値による倍率補正により，絶対値が算出される．

■ **検査法**

■**手技・方法** 検査は，被検者を装置前に座らせ，通常は無散瞳で行う．HRTでは外部固視灯を用いて，HRT ⅡとHRT3では内部固視灯を用いて，画像を取り込む．

HRTでは，画角を10×10度，15×15度，20×20度の3つから選択し，スキャン幅を0.5〜4.0 mm（0.5 mm間隔）に設定する．HRT ⅡとHRT3では，画角は15×15度に固定されており，スキャン幅は装置により自動的に設定される．被検眼の瞳孔領中央に照射光を当て，測定部位をモニターで確認しながら，フォーカスを調整したのち，画像を取り込む．画像を取り込む際，HRTでは照射光の強度を調整する必要があるが，HRT ⅡとHRT3では照射光の強度は装置により自動的に設定される．HRTでは乳頭縁をトレースして決定して，HRT ⅡとHRT3では乳頭縁をドット状に

表25 CSLOの主なパラメータ

disc area	乳頭面積(mm²)
cup area	乳頭陥凹面積(mm²)
rim area	乳頭辺縁部面積(mm²)
cup volume	乳頭陥凹容積(mm³)
rim volume	乳頭辺縁部容積(mm³)
cup/disc area ratio	乳頭陥凹面積/乳頭面積
linear cup/disc ratio	"乳頭陥凹面積/乳頭面積"の平方根
mean cup depth	curved surfaceより後方(下方)の乳頭陥凹の深さの平均(mm)
maximum cup depth	curved surfaceより後方(下方)の乳頭陥凹の深さの最大値(mm)
cup shape measure	curved surfaceより後方(下方)の乳頭陥凹の深さの頻度分布の歪度
height variation contour	乳頭縁の高さの最高値と最低値の差(mm)
mean RNFL thickness	標準的基準面に対する乳頭縁の高さの平均(mm)
RNFL cross sectional area	mean RNFL thickness×乳頭縁の長さ(mm²)
glaucoma probability	緑内障の確率(GPSパラメータ)
rim steepness	乳頭辺縁部の勾配(GPSパラメータ)
cup size	乳頭陥凹のサイズ(mm²)(GPSパラメータ)
cup depth	乳頭陥凹の深さ(mm)(GPSパラメータ)
horizontal RNFL curvature	水平方向の網膜神経線維層の曲率(GPSパラメータ)
vertical RNFL curvature	垂直方向の網膜神経線維層の曲率(GPSパラメータ)

決定して乳頭形状を測定する.

●ポイント 画像の取り込みは,乳頭を中心として行う.

■注意点 取り込んだ画像は質が良好であることを確認したうえで測定に使用する.

判定 検査結果として,トポグラフィ画像(突出部が暗色,陥凹部が明色で表示),反射率画像,乳頭縁の高さを表したグラフ,乳頭と網膜神経線維層に関する種々のパラメータの測定値が示される(図135,表25).HRT II(バージョン3)とHRT3では,人種別の正常値が内蔵されており,パラメータの測定値は人種,年齢,乳頭サイズを考慮した正常値と比較され,正常,境界,または異常と判定される(図135b).FSMあるいはclassificationとよばれる緑内障診断プログラム(cup shape measure, rim volume, height variation contourの3つのパラメータと年齢を用いた判別式)により,乳頭形状の緑内障性変化の有無が判定される(判別式の値が正の場合に正常,負の場合に緑内障と判定).HRT IIとHRT3では,FSMのほか,Moorfields regression classification(MRA)という緑内障診断プログラム(乳頭の全体と6つのセクター別で,disc areaで補正したrim areaを健常値と比較)により,乳頭形状の緑内障性変化の有無が判定される(正常,境界,あるいは異常と判定)(図135b).HRT II(バージョン3)とHRT3では,さらに,glaucoma probability score(GPS)という緑内障診断プログラムにより,乳頭形状の緑内障性変化の有無が判定される(正常,境界,あるいは異常

と判定)(図 135c). GPS では，乳頭と網膜神経線維層の形状の数学的なモデル化と機械学習アルゴリズムにより緑内障の確率が算出され，乳頭形状の異常の有無が判定されるが，検者による乳頭縁の決定や測定基準面の設定が不要であり，従来の方法に比し乳頭形状を客観的に評価することができる．

図 136　広範囲の OCT 画像
16 mm の水平スキャン画像．視神経乳頭より鼻側の網膜や脈絡膜まで確認できる．後部硝子体剥離が生じていることもわかる．

光干渉断層計（OCT）
Optical Coherence Tomography：OCT

宮田 学　京都大学・講師
辻川明孝　京都大学・教授

目的　黄斑部を中心とした眼底の構造を断層像で観察する．機種によっては，広い範囲で撮像可能で，硝子体や脈絡膜，場合によっては強膜まで評価できる(図 136)．断層像を少しだけずらしながら連続撮像を行い，その画像を再構成することで，網膜や脈絡膜の一定の深さで切りとった網膜面と水平な眼底写真のような en face 画像(図 137)や 3 次元画像が取得できる．種々の疾患における網膜や脈絡膜の病態把握や，治療効果判定に使用する．

対象　硝子体黄斑牽引症候群のような硝子体と網膜界面の異常，黄斑上膜のような網膜表層の異常，網膜浮腫や黄斑円孔のような網膜内の異常，網膜剥離のような網膜下の異常，網膜色素上皮剥離のような網膜色素上皮下の異常，パキコロイド新生血管のような脈絡膜の異常，といった硝子体から脈絡膜の形態変化をきたす疾患すべてが対象となる．

原理と特徴　OCT は光の反射強度を測定し，その差分をもとに画像化する装置である．網膜では，一般的に光の反射が強い（高反射）ものは線維層と境界面であり，反射が弱い（低反射）ものは細胞層となる(図 138)．網膜神経線維層と内網状層は網膜面と平行であり，測定光と垂直になるため高反射となる．外網状層は少し複雑で，錐体細胞の軸索である Henle 線維層は，やや斜めに走行しているため，やや低反射となり，低反射の外顆粒層と区別しづらいが，それ以外の外網状層は高反射となる．ただし，視軸に対して測定光が斜めに入射したり，漿液性網膜剥離などで網膜面が斜めになっていたりすると，光軸と Henle 線維層が垂直に近くなることもあり，反射が強くなることがある(図 138)．網膜外層の 4 本の高反射のラインは内側から，外境界膜(external limiting membrane：ELM), ellipsoid zone(EZ), interdigitation zone(IZ), 網膜色素上皮層(retinal pigment epithelium：RPE)であると認識されている．以前，EZ は視細胞内節外節接合部(ellipsoid zone：IS/OS), IZ は錐体外節端(cone outer segment tips line：COST)と考えられてきたが，EZ はミトコンドリアが集簇する ellipsoid の高反射，IZ は錐体細胞外節終末端の sheath の高反射であることがわかってきた．補償光学を

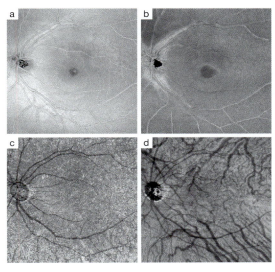

図 137　OCT en face 画像
12×12 mm の swept source OCT en face 画像である．任意の深さの構造が観察できる．a：網膜浅層毛細血管層，b：網膜深層毛細血管層，c：脈絡毛細血管板層，d：脈絡膜層．

利用した OCT により高解像度の画像が取得できるようになり，実態が把握できるようになってきた．

後眼部 OCT は 1996 年に商品化され，その後目覚ましい進化をとげてきた．現在臨床の現場で一般的に利用されているのは，spectral domain（SD）-OCT である．これは，反射を分光器にかけて波長の変化を検出するもので，得られる情報が増加することにより高速な撮像を可能にした．これにより複数回の同部位の撮像が可能となり，加算平均処理を行うことでノイズを減少させ，高解像度の画像が取得できるようになった(図 139)．SD-OCT は通常網膜に焦点が合っているが，後方の脈絡膜に焦点を押し込むことにより，脈絡膜の観察もある程度可能となった（enhanced depth imaging：EDI，図 140）．しかし，SD-OCT で用いられている赤外光の波長 840 nm では限界があった．そこで，1,050 nm の波長掃引光源を用いた，swept source（SS）-OCT が開発された．SS-OCT は深さ方向への信号強度減衰が少ないため，脈絡膜が明瞭に観察でき，高反射な物質の後方も観察しやすい(図 136，141)．

検査法

■ **準備**　無散瞳でも撮像可能であるが，散瞳しているほうが撮像しやすい．被検者が楽に顎台に乗せられるように椅子や台を調整する．瞬目を止めてもらうことや固視灯をしっかり見ることなどを被検者に事前に説明しておく．アイトラッキング機能が付いていない機械で撮像を行うと，瞬目や眼球運動の影響を受けてしまうため，被検者に注意点などを理解してもらい，協力してもらうことが重要である．

■ **手順**　機種により細かな点は異なるが，基本的な内容を記載する．まず被検者データを入力する．次に撮像パターン（ラインスキャン，ボリュームスキャンなど），画角（3×3 mm，6×6 mm など），加算枚数などを選択し，撮像を開始する．撮像中

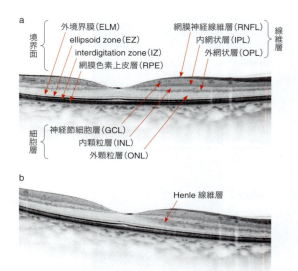

図138 OCT B-scan 画像
網膜では一般的に高反射なものは線維層と境界面であり，低反射なものは細胞層である（**a**）．測定光が視軸に対して斜めに入射したりして網膜面が斜めになると，光軸と Henle 線維層が垂直に近くなることがあり，反射が強くなる場合がある（**b**）．また，interdigitation zone が不鮮明となることもある．

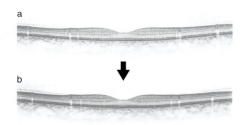

図139 加算平均処理
健常眼の垂直スキャン画像（**a**：加算平均処理なし，**b**：加算平均処理あり）．重ね合わせて加算平均処理を行うことで，ノイズを減らすことができる．

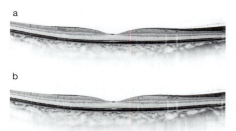

図140 enhanced depth imaging
健常眼の水平スキャン画像．spectral domain OCT は通常網膜に焦点が合っているが（**a**），後方の脈絡膜に焦点を押し込むことにより，脈絡膜の観察もある程度可能となった（**b**，enhanced depth imaging：EDI）．

は，OCT の断層像と赤外光による眼底画像がリアルタイムで表示されているため，これらを見ながら撮像したい部位を調節する．事前にほかのモダリティーから OCT で撮像するべき部位を確認できていれば，その部位を中心に撮像することが可能である．SD-OCT で脈絡膜を中心に撮像したい場合は，EDI を行う．

◎ポイント 基本的には機械が自動的に撮像してくれる．被検者がしっかりと開瞼し，固視が十分できており，測定光を邪魔

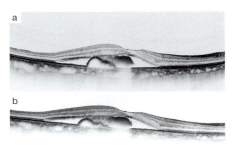

図 141　swept source OCT
ポリープ状脈絡膜血管症の水平スキャン画像．中心部に網膜下血腫（高反射）や漿液性網膜剥離，網膜色素上皮剥離が存在する．swept source OCT 画像（**a**）は，spectral domain OCT 画像（**b**）に比べて，病変より後方の脈絡膜もある程度観察できる．

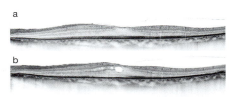

図 142　フォローアップモード
網膜色素変性の水平スキャン画像．フォローアップモードで撮像しており，同部位の経時的な変化がとらえやすい．ベースライン時（**a**）より 2 年後（**b**）では，ellipsoid zone が求心性に短縮しており，網膜浮腫も出現している．

するものがなければ，スムーズに撮像できる．自発的な開瞼が困難な場合，検者が少し補助する．ただし，やりすぎるのは逆効果である．瞬目を適度に行わなければ，角膜表面の乾燥により鮮明な OCT 像が得られなくなる．内部固視灯での固視が困難な場合，外部固視灯を使用するとよいことがある．特に黄斑部の評価には，網膜外層の狭い範囲に存在する ELM，EZ，IZ，RPE の描出が重要であり，鮮明な OCT 像が必須となる．また，経時的に評価する場合，撮像部位が変わると変化を正確にとらえられない．フォローアップモードで撮像すると，毎回同じ部位を撮像してくれる（**図 142**）．

■**注意点**　撮像条件が悪い場合は，OCT の画質が落ちてしまうため，工夫が必要になる．白内障や硝子体出血などで中間透光体に混濁がある場合，混濁を避けて測定光を入射させたり，少し押し込んだりすると，撮像しやすくなることもある．しかし，OCT 像が傾斜してしまうと，Henle 線維層が高輝度になったり，IZ が見づらくなったり，通常の OCT 像と異なる可能性があることを念頭におく必要がある（**図 138**）．また，特定の部位を撮像する場合，ラインが少しでもずれると所見が大きく変化することもあるため，少しだけずらして複数のラインで撮像しておくのがよい．

■**判定**　まず，全体像を確認して，中心窩の陥凹は正常か，明らかな異常がないかをみる．硝子体黄斑牽引症候群，黄斑上膜，黄斑円孔，網膜浮腫，網膜剥離，網膜色素上皮剥離などは一目瞭然である．次に，細胞層のレベルで細かく見る．特に黄斑部では，ELM，EZ，IZ のラインが途切れたり欠損したりしていないか，RPE のラインは不正に隆起していないか，などを確認することが重要である（**図 138**）．また，健常眼では視神経乳頭中心と中心窩を結ぶラインを軸として上下に対称であるので（**図 139**），垂直スキャンで対称性をみる．特に緑内障眼では神経線維層の厚みが薄くなり，上下非対称となることがあるので（**図 143**），視神経乳頭陥凹が大きい眼では，そういう視点で OCT 像を評価する．水平スキャンでは，神経線維層は中心窩より視神経乳頭側で厚くなるが，それ以外の層は中心窩を中心に左右対称である（**図 140**）．機種によっては，網膜の厚みを自

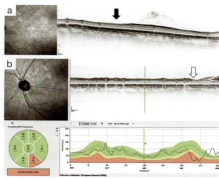

図143 緑内障の垂直スキャンと視神経乳頭周囲網膜神経線維層厚

緑内障の垂直スキャン画像（**a**）．上下に対称であるはずの神経線維層が，下方は菲薄化していることが簡便にわかる（黒矢印）．ソフトウェアで視神経乳頭周囲網膜神経線維層厚を，正常眼データベースと比較することができ，耳下側が異常に薄いことがわかる（**b**，白矢印）．

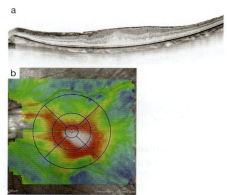

図144 黄斑上膜の網膜厚マップ

水平スキャン画像（**a**）で黄斑上膜が確認できる．ソフトウェアで内境界膜と網膜色素上皮の距離を自動で測定し，視覚的にわかりやすい網膜厚マップを作成することができる．赤い部分は網膜が厚く，黄斑上膜が存在すると推定される範囲を手術前に把握することが可能である．

動で計測し，正常眼データベースと比較して表示してくれる機能が備わっているものもあり，有用である（**図144**）．ただし，セグメンテーションが正確に行われているか確認する必要はある．

　注意点として，アーチファクトの可能性を考えておく必要がある．測定光を遮るほど，強く反射する物質があると，その後方はシャドーとなって正確に評価できない（**図141**）．網膜血管や出血，硬性白斑の後方が確認しづらいのはこのためである．逆に網膜色素上皮が萎縮すると，測定光の透過性が亢進し，その部分の後方の反射が増強する．また，網膜面が傾斜している部分は通常の反射と異なることがある（**図138**）．

　日頃から，健常眼のOCT像をじっくり見ておくと，異常な所見がわかりやすくなる．

OCTアンギオグラフィ

OCT angiography

村岡勇貴　京都大学・病院講師

目的　網脈絡膜疾患，視神経疾患，また結膜や虹彩，強膜などにおける循環の状態を造影剤を用いることなく非侵襲的に評価すること．

対象　網膜循環障害（糖尿病網膜症，網膜動・静脈閉塞症，網膜細動脈瘤破裂，高血圧網膜症，傍中心窩毛細血管拡張症など），脈絡膜新生血管を生じる疾患（加齢黄斑変性，近視性脈絡膜新生血管など），視神経の循環異常をきたしうる疾患（緑内障，虚血性視神経症，うっ血乳頭など），（また，前眼部アタッチメントを使用することで）結膜・虹彩・強膜などにおける循環異常を評価することが可能である．特に，造

影剤アレルギーや妊娠などにより造影検査が困難な例はよい適応である．

原理 OCT アンギオグラフィは OCT を機能的に拡張し，血球のモーションコントラストを検出することにより血管を描出する技術である．造影剤を用いずに，高精細かつ 3 次元的な血流情報を取得できるこの技術は，血漿を可視化した蛍光眼底造影にはない後述のメリットを有する．一方，画像上に OCT アンギオグラフィ特有のアーチファクトも生んでしまう．そのため読影には，OCT アンギオグラフィの原理，アーチファクトをよく理解しておくことが必要である．

OCT アンギオグラフィは，同一箇所を繰り返しスキャンし，取得した複数の断層画像間で変化する部位を抽出することによって画像を作成する(図 145)．静的な構造物は微小な変化しかみせず，動的な構造は複数の画像間で比較的大きな変化を示す．

OCT の B-scan において継時的に変化しうるものは血流のみであるといえる．例えば，血管を通る赤血球が OCT ビームに当たり反射・散乱が血管で大きく起こる場合と，赤血球密度が少ない血管を OCT ビームが通り抜けやすくなる場合とで，OCT 装置に戻る光が変化する．この断層像を取得するタイミングによって，組織の断層像に見える信号強度の変化が抽出され，血管の存在箇所が画像化される．

複数の B-scan 間での比較にはさまざまな手法が用いられ，断層画像間の脱相関(decorrelation)や差分，分散などを用いる方法が報告されている．

動的な変化を抽出したスキャンを眼底の目標とする範囲で密に繰り返し 3 次元

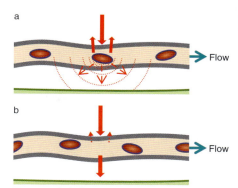

図 145 赤血球による OCT ビームの反射・散乱を示す模式図

血管内を移動する赤血球に OCT ビームが当たると，反射・散乱が大きく起こり，強い信号強度が検出される(a)．一方で OCT ビームが赤血球に当たらず，血管を通り抜ける場合は，赤血球にビームが当たる場合と比較して血管部の信号強度は弱く検出される(b)．この信号強度の違いを算出して，OCT アンギオグラフィ画像が生成される．

データを取得，そこから組織内の一定の層を分離(セグメンテーション)し，注目している層の血管画像データのみを利用した画像を形成し，特定層の血管像を 2 次元的に観察することが可能となる．

特徴
①造影剤を用いない簡便で非侵襲的な検査のため，病変の経過観察に有用．
②層別(3 次元的)に評価することが可能．
③高解像度で，蛍光漏出がないことから，血管の微細変化の評価も行いやすい．
④内蔵のソフトウェアにより，病変の定量評価が行いやすい．

検査法 無散瞳より散瞳下のほうがよりきれいな画像を取得可能である．画角を選択し，撮影部位に合わせて被検者の固視を誘導する．その状態で撮影範囲を決定し撮影を開始する．最近では，パノラマ撮影が可能な機種もでてきている(図 146)．

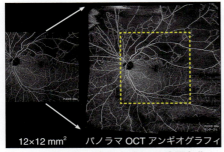

図146　OCTアンギオグラフィの高画角化
PLEX Elite 9000(Carl Zeiss Meditec)によるOCTアンギオグラフィの画角12×12 mm², とそれを5枚用いたパノラマ画像. 最近では, 1回の撮影で20 mm以上の画角が評価できる機種もでてきている.

■注意点
❶プロジェクションアーチファクト　OCTアンギオグラフィでは, OCTビームがスキャンしている間に, 血管内腔の反射光が変化し, その変化量が画像化される. その際, 例えば網膜色素上皮(retinal pigment epithelium：RPE)に落ちた影も画像化されてしまう. OCTでは, RPEは高輝度なラインとして描出されるが, 血管直下では影が落ちたり落ちなかったりすることでRPE上に輝度のちらつきが発生し, 強度が変化している箇所を抽出するOCTアンギオグラフィではそこに血管があるかのように画像化されてしまう. このようなアーチファクトは, 浅層の血管が投影されることで画像化されるため, プロジェクションアーチファクトとよばれる.

❷セグメンテーションエラー　OCTアンギオグラフィ画像を表示する際には, セグメンテーション(特定の層の分離)によって注目した層の血管画像を2次元的に観察する. この際, 正常眼ではセグメンテーションにミスが発生することはほぼないが, 疾病眼では網膜の萎縮や浮腫, 剥離などにより複雑な形状となるため, セグメンテーションがうまくいかない例がしばしばみられる. セグメンテーションエラーが生じている場合には, 本来評価すべき部位と異なる部位の血流が画像化されていることとなり注意が必要である. 画像評価の際には, その画像のセグメンテーションを確認することが重要である.

判定　網膜静脈閉塞症に生じた乳頭新生血管の例を示す**(図147)**.

OCT（網膜）
Optical Coherence Tomography (Retina)

宮田　学　　京都大学・講師
辻川明孝　　京都大学・教授

　網膜の観察において, 眼底写真では2次元の情報しか得られないが, OCTでは3次元の詳細な情報が得られる. OCTでなければ観察できないものもあるが, OCTだけですべての病態を把握することは困難である. カラー眼底写真, フルオレセイン・インドシアニングリーン蛍光眼底造影写真, 自発蛍光眼底写真・赤外光眼底写真などを適宜組み合わせて, 多角的に評価することが望ましい(マルチモダルイメージング). 本項では, OCTが診断の決め手となる代表的な網膜疾患のOCT画像を提示する. それぞれの詳細については説明は各論に譲る.

❶硝子体黄斑牽引(vitreomacular traction：VMT)症候群**(図148)**　後部硝子体皮質が黄斑部網膜の表面に強く接着した状態で, その周囲で後部硝子体剥離(posterior vitre-

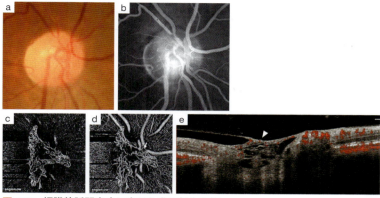

図147 網膜静脈閉塞症に生じた乳頭新生血管
カラー写真(a),フルオレセイン蛍光眼底造影の後期像(b)では,新生血管を示す血管構造,過蛍光所見は判然としない.しかし,網膜硝子体界面(c),網膜表層(d)のOCTアンギオグラフィでは,乳頭に微細な血管が明瞭に認められる.視神経のOCT断面(e)では,乳頭上の後部硝子体膜に血流信号(矢頭)が認められ,新生血管であることが理解できる.

図148 硝子体黄斑牽引症候群のOCT水平スキャン画像
後部硝子体皮質が局所的に網膜を牽引しており,網膜分離症を引き起こしている.

図149 黄斑上膜のOCT垂直スキャン画像
黄斑上膜は,高反射のラインが網膜表面に付着しているように見える.網膜が肥厚し,網膜表面の凹凸(網膜皺襞)を認める.

ous detachment:PVD)が生じ,黄斑部網膜が遠心性に前方へ牽引された状態を指す.OCTでは,硝子体と連続する高反射な膜により網膜はテント状に持ち上げられ,囊胞様腔や中心窩剥離を伴うことがある.

❷ **黄斑上膜(epiretinal membrane:ERM)**(図149) 黄斑部網膜の表面に膜を形成し,膜肥厚と収縮をきたすことにより,求心性前方牽引が生じ,網膜皺襞や網膜肥厚を生じるものである.進行すると,VMTと同様に囊胞様腔や中心窩剥離を伴うことがある.OCTでは高反射な膜が網膜表面の上に存在し,網膜内層の皺襞が認められる.

特発性ERMの90%はPVDが生じている.

❸ **黄斑円孔(macular hole:MH)**(図150) 生理的なPVDが生じる過程で,黄斑周辺部から中心窩に向かって剥離が進み,中心窩でのみ接着が残る状態(perifoveal PVD)となり,中心窩に遠心性前方牽引が加わることで,中心窩の構造を保つ働きのあるMüller cell coneが抜けて,中心窩網膜全層に円孔を形成した状態である.Gassが検眼鏡診察に基づきstage分類を行ったが,OCTはそれを補完することができた.代表的なstage 3のOCTでは,中心部の感覚網膜全層が離開し,黄斑部でPVDが生じた状態となる.円孔の直上の

図 150　黄斑円孔の OCT 水平スキャン画像

stage 3 の黄斑円孔．網膜は中心部で離開しており，その周囲の網膜は浮腫をきたしている．円孔の上方には高反射の弁が認められる．円孔底の網膜色素上皮表面は高反射となる．

図 151　滲出型加齢黄斑変性の OCT 水平スキャン画像

サブタイプはポリープ状脈絡膜血管症．中心部に急峻な網膜色素上皮の隆起（ポリープ状病巣）を認める．その直上には高反射なフィブリンを認め，その周囲には硝子体腔と同等の低反射な漿液性網膜剥離を認める．脈絡膜大血管は拡張しており，pachychoroid を示唆している．

後部硝子体皮質に高反射な物質が認められる．これは弁（operculum）とよばれる．

❹滲出型加齢黄斑変性（age-related macular degeneration：AMD）（図 151）　加齢黄斑変性は，中心窩を中心とする直径 6,000 μm 以内の領域である黄斑部に 50 歳以上で病変が生じるものの総称であり，滲出型と萎縮型に分類される．滲出型は脈絡膜新生血管（choroidal neovascularization：CNV）から血液成分が網膜内や網膜下，網膜色素上皮下に漏出し，視機能に影響を与える．滲出型の OCT では，どのレベルに滲出性変化があるのか，CNV は網膜色素上皮より下（type 1 に相当）か上（type 2 に相当）かなどを判断することができる．また，関連のある pachychoroid の OCT では，脈絡膜大血管の拡張とその直上の脈絡毛細血管板の圧排が認められ，診断の補助になる．

レーザードップラ網膜血流測定
Laser Doppler velocimetry

長岡泰司　日本大学医学部附属板橋病院・診療教授

目的　レーザードップラ法を応用して網膜動脈および静脈の血流量を数値化して測定する．

対象　網膜循環障害を疑う患者：糖尿病網膜症，網膜静脈閉塞症，網膜動脈閉塞症，眼虚血症候群．

原理　移動する物体が発生する波や受け取る波がその移動速度に比例した周波数変化を受ける現象がドップラ効果であるが，そこで発生する周波数変化はドップラシフトとよばれる．これを網膜血管に応用し，網膜血管内を流れる赤血球の移動速度（血流速度）を定量化するのがレーザードップラ速度法（laser Doppler velocimetry：LDV）である．ただしこの前提として，血管内の血流が Poiseuille の流れ（層流）であること，そして血球分布は一様であることが挙げられる．

特徴　蛍光眼底造影検査では検出できない軽度の網膜血流異常の定量化に適している．限界としては，網膜大血管を 1 本ずつしか測定できず，網膜全体の血流量を測定するには時間がかかりすぎる．さらに中間透光体の混濁（白内障や硝子体出血）や患者の固視不良に大きく影響を受けるため，上記疾患の進行した病期における網膜循環の評価には適さない．網膜血流の絶対値を測定するため眼軸長での補正が必要であり，眼内レンズ挿入眼では厳密な網膜血流の定量的評価はできない．

検査法 すでに販売は終了されているが，ここではキヤノン製レーザードップラ眼底血流計（CLBF-model 100）について述べる．

■**準備** 散瞳は必須であり，散瞳不良症例では測定できない．進行した白内障や硝子体出血があれば測定はできない．

■**手順** 被検者は慣れない検査の前は緊張しており，交感神経系が亢進していることが多い．網膜血流は全身血圧の変動に大きく左右するため，測定機器の前に着席してから15分程度時間をおいてから測定を開始するとともに，可能であれば検査前後での血圧測定が望ましい．

■**注意点** 散瞳後，測定を開始するが，測定部位が重要である．血流の流れが層流であることがこの測定方法の大原則であるため，乱流が起こると推定される視神経乳頭近傍や網膜動静脈交叉部や分岐部では血流測定は避けるべきとされる．CLBF-model 100にはオートトラッキング装置が内蔵されており，目標とする血管にトラッキングがかかっていることを確認したうえで測定を開始する**(図152)**．

判定 網膜血流量は変動する値であり，同一部位を3〜5回連続で測定し，その平均値および変動係数を確認する．変動係数が20%を超えている場合には信頼性に乏しいと考え，参考程度にとどめるべきである．同一患者を経時的に測定する場合，前回の測定の際に用いた固視灯の位置が記憶されており，同一部位の経時的測定が可能である．

CLBF-model 100では，血流量を数値で算出するほかにも，血流速度の脈波も測定しており，速度波形から動脈硬化の定量的な評価も可能である．

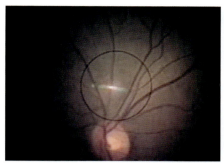

図152 **CLBF-model 100で網膜動脈の血流量を測定している際の眼底写真**

眼科臨床における位置付けと今後の発展性 レーザードップラ法による血流測定が開発されて40年以上経っているが，現時点では日常臨床に普及しているとはいえない．その理由はさまざまであるが，1つはトラッキングの精度の問題で安定した測定が難しく，検者側の熟練を要することが挙げられる．キヤノン製のCLBF-model 100は再現性も高く測定精度の高い測定機器であったが，その後登場した光干渉断層計（OCT）やOCTアンギオグラフィ（OCTA）に比べると汎用性に劣っていたことは否めない．現在OCTの原理を応用したドップラOCT血流速度計も開発されているが，実用化には至っていない．OCTAがこれほど普及した現在，レーザードップラ眼底血流計の臨床的意義については再検証されるべきである．

超音波ドップラ血流検査

Color Doppler imaging：CDI

喜田照代　大阪医科薬科大学・教授

目的　超音波カラードップラ法(color Doppler imaging：CDI)は眼窩内深部血管の血流動態を測定するものである．

対象　CDI は非侵襲的で繰り返し測定可能で，中間透光体の混濁があっても測定が可能である．内頸動脈閉塞症や眼虚血症候群，頸動脈海綿静脈洞瘻，糖尿病網膜症や網膜中心動脈閉塞症，緑内障性視神経障害などの網膜微小循環障害といった病態の解明に用いられてきた．

原理と特徴　超音波 B モードとパルスドップラ法を組み合わせて，眼窩内深部血管の血流動態を測定する．探触子に近づく血流は赤色，遠ざかる血流は青色系統で表示される．眼窩内の眼動脈の測定部位も断層像で確認可能で，網膜中心動脈と網膜中心静脈といった微細な血管まで測定可能である．種々の検査機器結果と組み合わせることにより，異常血管部位の同定や鑑別診断，各疾患における治療効果判定に有用である．

検査法　仰臥位で閉瞼した被検者の上眼瞼表面にヒドロキシエチルセルロース・無機塩類配合剤(スコピゾル®)を塗った探触子を当て，眼球を圧迫しないようにして，眼動脈，短後毛様動脈，網膜中心動脈，網膜中心静脈の測定を行う．眼瞼表面から約 3.5 cm の深さで視神経と平行に走る部位で眼動脈の流速を測定する．視神経乳頭から約 3 mm 中枢寄りの視神経内で，網膜中心静脈と平行に走っている部位で網膜中心動脈の流速を測定する．CDI で得られた実際の画像を示す．正常眼動脈の波形は上向きに直線的な立ち上がりを示し，収縮期から拡張期に移行する箇所に notch を有する順流の波形である**(図 153)**．B モードで目的血管にサンプリングポイントを置き，パルスドップラ法で得られるドップラ信号を高速フーリエ変換し継時的に記録することにより，各流速パラメータ〔peak systolic velocity(PSV)，end-diastolic velocity(EDV)，mean velocity(MV)，resistivity index(RI)，pulsatility index：(PI)〕が算出される．

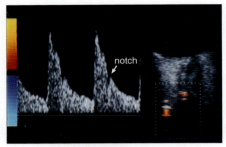

図 153　正常眼動脈の波形
上向きに直線的な立ち上がりを示し，収縮期から拡張期に移行する箇所に notch を有する．

CDI では測定血管の血流流速波形から収縮期最高血流速度，拡張期最低血流速度および時間平均血流速度が測定される．これらの血流速度から末梢の血管抵抗を反映する指標として RI と PI がある．これらは超音波ビームの入射角の影響を受けないため再現性が高いといわれており，眼動脈の RI で信頼係数は 5% 以下である．CDI の信頼係数は，最も低いものでは網膜中心動脈の PSV で 4.8%，高いものでは短後毛様動脈の EDV で 38.8% と報告されている．

| 判定

❶**内頸動脈疾患** 頸動脈エコーだけでなくCDIを併用することによって内頸動脈の枝である眼動脈の血流の向き・流速・脈波の変化を解析することは、眼虚血症候群の診断や重症度の推測、高位内頸動脈閉塞疾患の検出に役立つ。眼動脈が下向きに逆流している症例や収縮期流速値が低下していると、内頸動脈疾患が疑われる。眼動脈の逆流が確認されたら、MRA (magnetic resonance angiography) や脳血管造影などで眼動脈起始部までの頸動脈の状態を必ず確認する。頸動脈エコーで内頸動脈閉塞がみられなくても、頸動脈エコー描出部より上方の内頸動脈に閉塞があって、眼動脈が逆流していることもある。また、外頸動脈からの側副路として眼動脈が逆流したり、また、眼動脈が逆流していても網膜中心動脈や短後毛様動脈の血流が保たれていれば眼症状を示さないこともある。内頸動脈狭窄に対しては内頸動脈内膜剥離術が施行される。

❷**網膜疾患** 糖尿病網膜症・網膜静脈閉塞症・網膜動脈閉塞症・眼虚血症候群・未熟児網膜症などの網膜血管性病変、加齢黄斑変性・近視などの変性疾患、網膜剥離でCDI測定を行った報告が散見される。CDIは球後の血管でなく、渦静脈や腫瘍の栄養血管、剥離網膜の血管、硝子体・網膜の新生血管膜といった眼内の血管についても検討可能であるといわれている。

❸**緑内障とCDI** 眼動脈・網膜中心動脈・短後毛様動脈など視神経への支配血管の血流動態の異常が、緑内障性視神経障害の発症や進行との関連性があるといわれている。正常眼と比較し緑内障眼における眼動脈(および短後毛様動脈)の血流速度低下の報告や、正常眼圧緑内障における視野障害進行に眼窩内の微小循環障害が関与している可能性があるとの報告がある。

レーザースペックルフローグラフィ

Laser speckle flowgraphy：LSFG

前野貴俊 東邦大学医療センター佐倉病院・教授

| 目的 非侵襲的に眼底血流を測定するための装置である。

| 対象 血流が病態に影響を及ぼす可能性のある眼疾患が対象で、網膜血管性疾患・炎症性疾患・緑内障・視神経疾患など。

| 原理と特徴 生体組織にレーザー光を照射すると、赤血球で反射された光が干渉してランダムなスペックルパターンが形成される。スペックルパターンは時々刻々変化して、赤血球の移動速度と相関するので血流速度を反映する。血流が速い場合にレーザー光の散乱が多く、眼底カメラではぶれ率が大きくコントラストの低下した画像となる。レーザースペックルフローグラフィ (LSFG) では、波長が830 nmのレーザー光を照射して、毎秒30フレーム4秒間の連続したスペックル画像を画角21度で取り込み、ぶれ率を $1/(\text{contrast})^2$ で算出する。このぶれ率を mean blur rate (MBR) というパラメータで表示している。血流速度が速ければ、MBRは高値となる。

◎ **ポイント** 網膜血管内や網膜組織を測定して得られた画像で、血流の早い部位を暖色で、遅い部位を寒色で2次元マップと

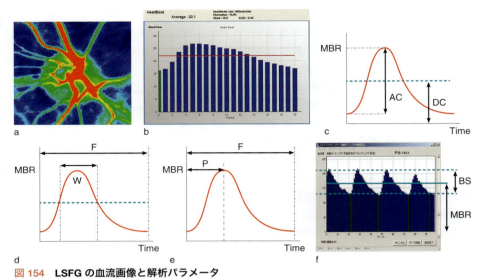

図154 **LSFGの血流画像と解析パラメータ**
a：視神経乳頭部の2次元マップ，b：平均化された1心拍波形，c：BOS（blowout score），d：BOT（blowout time），e：ATI（acceleration time index），f：BS（beat strength）.

して表示し，さらに平均化して横軸が時間，縦軸が血流値（MBR）の1心拍における波形としても表示される**（図 154）**．blowout score（BOS）は，平均血流量（DC）と血流値の変動幅（AC）を用いてBOS＝（2−AC/DC）/2×100で算出される．blowout time（BOT）は，半値幅の時間（W）が1心拍時間（F）に占める割合で，BOT＝W/F×100で算出される．acceleration time index（ATI）は，血流波形のピークに達するまでの時間（P）が1心拍時間（F）に占める割合で，ATI＝P/F×100で算出される．いずれの波形解析パラメータも血管抵抗の亢進や血管内皮機能の低下を示唆していると考えられている．血流の拍動強度を表すbeat strength（BS）は血流波形から計算し，心拍数に影響されず，BS/MBR値が血管の抵抗性を表す指標として使用されてきている**（図 154）**．

■**注意点** LSFG測定によって得られた値の取り扱いにおいて，血圧・脈圧・眼圧・使用薬剤・喫煙などの影響を受けることに注意すべきであり，MBRは血流速度や血流量の絶対値ではないことを認識しておくべきである．したがって，異なる症例の異なる測定条件で得られたMBRを単純に比較することは難しい．しかし視神経乳頭組織部位においては，動物実験でも色素の違いに関係なく絶対的血流量とMBRが相関する．レーザー光の特性上，組織内部へ向かうほどレーザー強度が減弱する．このため，網膜動脈では血管壁が網膜静脈に比べて厚く血管内へのレーザー光の浸透が悪いためMBRは静脈と比較して低値を示すこと，脈絡膜血流は網膜血流よりも流速が速いにもかかわらずMBRは低値を示すこと，などがある．

眼底血圧測定
Ophthalmodynamometry

中野裕貴 香川大学
鈴間 潔 香川大学・教授

図 155　加圧式眼底血圧計（Bailliart 式）

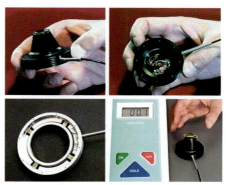

図 156　コンタクトレンズ式眼底血圧計

目的　心臓から送り出された血液は大動脈から内頸動脈，眼動脈を経て眼底に到達する．内頸動脈から眼動脈のどこかに狭窄があると眼底血圧が上腕血圧の 50％より有意に低下したり（20 mmHg 以上），眼底血圧の左右差（20％以上）が顕著になるといわれている．すなわち，眼底血圧を測定することにより眼球より中枢での動脈病変を予測することが可能となる．眼科的に最も重要なのは，眼球虚血の所見から大動脈炎症候群（高安病）や動脈硬化性頸動脈狭窄が疑われるときである．また左右差がなくても仰臥位と坐位で測定して有意差（15 mmHg）以上があれば，頭蓋内循環障害が疑われる．

原理と特徴　網膜血管は検眼鏡で直接観察が可能であるという，ほかの組織ではみられない特徴がある．しかし，その血圧を測定するという点では四肢の血圧測定のように容易ではない．四肢の血圧測定は上流をマンシェットで加圧し徐々に開放，血管雑音を聴診することで測定できる．眼の場合は閉鎖空間であるため，眼球を圧迫して人工的に眼圧を上昇させながら視神経乳頭の網膜中心動脈を観察することで，血流の途絶点を収縮期血圧，拍動の消失点を拡張期血圧として測定する．方法は 3 種類あり，以下の通りである．

❶**加圧式眼底血圧計（Bailliart 式，Müller 式）**眼球の外直筋付着部付近を圧迫することで眼内圧を高め，眼底血管の拍動を観察しながら血管圧を測定する（図 155，Bailliart 式）．

❷**吸引式眼底血圧計（oculocerebrovasculometer：OCVM）**　眼球をカップで吸引し眼内圧を上昇させて，眼内血管の拍動により生じる角膜脈波の変化から眼底血圧を知る．

❸**コンタクトレンズ式眼底血圧計（contact lens dynamometer）**　リング圧力センサーを付けた Goldmann 三面鏡で眼球を圧迫し，細隙灯顕微鏡下で眼底血管の拍動を観察しながら血管圧を測定する（図 156）．

検査法

■ **使用の際の留意点**　眼球を圧迫する際

に，必ず眼球中央に向かって行うことが重要である．眼球に接触する部分は案外滑りやすく，角膜や結膜の表面を傷害する可能性も考えられる．

■**その他**　眼底血圧とは別の概念に眼灌流圧(ocular perfusion pressure)があり，平均血圧と眼圧から以下の式で計算される．眼底血圧計と異なり物理的に眼球を圧迫する必要がなく簡便であるが，心臓から眼球までの動脈の血管抵抗は考慮されず，実際の眼底血圧に近似するとは限らない．

眼灌流圧＝2/3 平均血圧－眼圧＝2/3 {拡張期血圧＋1/3(拡張期血圧－収縮期血圧)} －眼圧

5　神経眼科・斜視

瞳孔検査

瞳孔反応検査
Examination of pupil response

浅川 賢　北里大学医療衛生学部・准教授
石川 均　北里大学医療衛生学部・教授

目的　瞳孔反応である対光反射と輻湊反応の評価．

対象　瞳孔反応(対光反射・輻湊反応)の経路の評価．自律神経異常や瞳孔の求心路・遠心路障害の診断．

原理と特徴　瞳孔反応には，光刺激に対する"対光反射"と近見刺激に対する"輻湊反応"とがある．そのため，光や近方視に際して生じる瞳孔反応を評価する．

検査法

■**手技・判定**

❶**対光反射**

a. 視診による方法　半暗室にてペンライトの光を一眼に照射して照射眼の縮瞳(直接反応)・非照射眼の縮瞳(間接反応)を確認し，同時に反応が迅速か遅鈍，程度が十分か不十分かを観察する．

b. 交互点滅対光反射試験(swinging flashlight test)　瞳孔の求心路障害，特に視神経疾患において，対光反射の左右差がある場合の他覚的評価法で，左右眼の交互光刺激による瞳孔の大きさを観察し，相対的な求心路の左右差を検出する．ペンライトのみで短時間で簡便，正確しかも診断価値の高い検査法である．

半暗室にてペンライトの光を一眼に照射すると，健常者では直接反応・間接反応により両眼とも十分に縮瞳する．約2秒の照射後，他眼に素早く光を移動させると，同様の反応が起こる**(図 157a)**．

視神経疾患では求心路が障害されているため，健眼に光を照射すると両眼とも十分に縮瞳するが，患眼に素早く光を移動させると両眼とも散瞳してくる．このような所見を相対的瞳孔求心路障害(relative afferent pupillary defect：RAPD)陽性あるいはMarcus Gunn瞳孔と称する**(図 157b)**．

遠心路が障害される動眼神経麻痺や外傷性散瞳などは，健眼に光を照射すると直接反応は正常で縮瞳するが，患眼は変化しない．患眼に素早く光を移動させても縮瞳しないが，求心路は正常のため間接反応である健眼の縮瞳は正常に生じる**(図 157c)**．

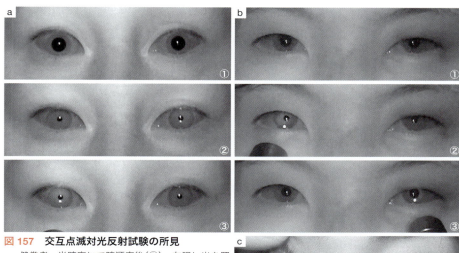

図 157 交互点滅対光反射試験の所見

a：健常者．半暗室にて暗順応後(①)，左眼に光を照射すると，直接反応・間接反応により両眼同時に縮瞳する(②)．右眼に光を照射すると，縮瞳は維持される(③)．

〔浅川賢，他：瞳孔の検査と診断．丸尾敏夫，他(監)：眼科学，第 2 版．p591，文光堂，2011 より〕

b：求心路障害（左眼外傷性視神経症）．半暗室にて暗順応後(①)，右眼に光を照射すると，直接反応・間接反応により両眼同時に縮瞳する(②)．左眼に光を照射しても，求心路障害のため直接反応・間接反応とも縮瞳せず，散瞳してくる(③)．

〔浅川賢，他：見落とせない神経眼科疾患—必要な視機能検査．眼科グラフィック 3：479，2014 より〕

c：遠心路障害（右眼外傷性散瞳）．半暗室にて暗順応後(①)，左眼に光を照射すると，直接反応にて左眼は正常に縮瞳するが，間接反応は遠心路障害のため右眼は変化しない(②)．右眼に光を照射すると，右眼の求心路は正常のため間接反応にて左眼は縮瞳するが，直接反応で右眼は縮瞳しない(③)．

〔浅川賢，他：瞳孔の検査と診断．丸尾敏夫，他(監)：眼科学，第 2 版．p592，文光堂，2011 より〕

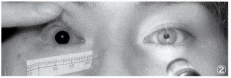

❷輻湊反応

a．視診による方法 輻湊反応（近見縮瞳）は，固視標を患者の眼前に接近させて，輻湊とともに縮瞳を確認し，同時に反応が迅速か遅鈍，程度が十分か不十分かを観察する．続いて遠方視をさせて，開散とともに瞳孔が瞬時に元の大きさに戻るか否かも確認する．これは，瞳孔緊張症（Adie 症候群）にてみられる緊張性を調べるのに有用である．

❸対光-近見反応解離（light-near dissociation）
対光反射は消失するも，輻湊反応が保存されている状態である（図 158）．中枢性は Parinaud 症候群や Argyll Robertson 瞳孔などの中脳背側病変，末梢

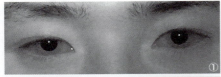
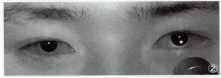

図158 対光−近見反応解離
半暗室にて暗順応後(①),対光反射による縮瞳は消失する(②)が,輻湊反応(近見縮瞳)は著明に観察される(③).
〔浅川賢,他:瞳孔の検査と診断.丸尾敏夫,他(監):眼科学,第2版,p592,文光堂,2011より〕

性は瞳孔緊張症(Adie症候群)(緊張性なのでゆっくり生じる)にてみられる.

❹**絶対性瞳孔強直** 対光反射と輻湊反応の両者が消失する状態である.外傷やぶどう膜炎による虹彩萎縮,動眼神経麻痺や急性緑内障発作,アトロピンなどによる瞳孔括約筋麻痺でみられる.詳細な問診,眼瞼下垂や眼球運動障害,狭隅角や浅前房などの所見と併せて鑑別する.

■**ポイント・注意点** 対光反射は潜伏時間(潜時)200ミリ秒ほどの皮質中枢を介さない反射である.正常者の反応を日頃から観察しておき,微小な減弱や遅延,左右差の評価には測定機器(赤外線瞳孔計)や細隙灯顕微鏡(光の強弱を繰り返して左右眼を比較)が有用である.交互点滅対光反射試験では,対光反射の経路を踏まえて求心路・遠心路の障害に伴う所見(求心路では限界フリッカ値の低下や視野異常など,遠心路では眼瞼下垂や眼球運動障害,明所にて著明な瞳孔不同など)を理解しておく.

輻湊反応は皮質中枢の複雑な経路を介したあとにEdinger-Westphal核に至るため,潜時や反応速度が対光反射とは全く異なる.また,近見反応と称されるように調節と輻湊のクロスリンクもあり,この障害は瞳孔異常が単独に生じることは少なく,単純に処理できない(潜時:輻湊160ミリ秒・調節360ミリ秒・近見縮瞳500ミリ秒).すなわち,調節(輻湊)麻痺や調節(輻湊)痙攣,開散麻痺などの病態も考慮せねばならず,診断には経験を必要とする.

瞳孔検査

赤外線瞳孔計
Infrared pupillography

浅川 賢 北里大学医療衛生学部・准教授

目的 赤外線瞳孔計による瞳孔径,対光反射と輻湊反応の客観的評価.

対象 瞳孔径や対光反射は,自律神経異常や瞳孔の求心路・遠心路障害の診断,向精神薬の効果判定や精神心理状態,化学物質過敏症の他覚的評価,メラノプシン含有網膜神経節細胞を介した概日リズムの評価,多焦点眼内レンズや屈折矯正手術の適応の評価.輻湊反応は,白内障手術後の収差減少や焦点深度による偽調節の解明,光学的屈折矯正(眼鏡・コンタクトレンズ)の適正判定や対光−近見反応解離,IT眼症の他覚的評価.

原理と特徴 パラメータの数値と波形(図159〜161)によって,高精度の瞳孔径

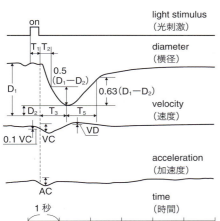

図 159　対光反射のパラメータ・波形（Iriscorder Dual C-10641 による測定）
1 回の測定ごとに 10 種のパラメータと波形にて対光反射が解析される．CR の低下や T_1 の延長は瞳孔の求心路障害でみられる．交感神経は散瞳相（T_5・VD），副交感神経は縮瞳相（T_2・T_3・VC・AC）に反映される．

計測，微小な瞳孔反応の記録や左右差の有無，経過観察や治療の効果判定など，瞳孔の他覚的評価にはきわめて有用である．一方，瞳孔は個人差が非常に大きく，その評価には多数の症例や被検者が必要になる．また，機器自体もさまざまな利点・欠点があり，原理や測定条件を把握しておく．瞳孔に影響する要因をすべて考慮することは困難であるが，最低でも測定時間と測定条件は施設内で統一する．測定時間は日内変動を考慮して午前 10 時〜午後 2 時の間に開始終了させるが，昼食後 1 時間以内の測定は避ける．測定条件は閉鎖型と開放型，両眼視（両眼開放）と単眼視，明所・暗所の環境照度，遠方視と近方視による違いがある．得られた数値は mm 単位で読みとるが，小数点 1 位までの数値で十分である．

検査法
■機器概要
❶瞳孔径

a. FP-10000 II（テイエムアイ）　測定条件は両眼開放であるが，測定自体は片眼ずつとなる．携帯性に優れており，視標を任意に呈示しての測定が可能だが，顔の形状（奥目）によっては前後方向の位置合わせが困難である．数値は角膜屈折率が補正され，閉鎖型であることを考慮する．

❷対光反射

a. Iriscorder Dual C-10641（浜松ホトニクス）　撮像部に CCD 固体撮像素子を採用し，ゴーグル式であるため両眼同時に測定できる．光強度（10，100，250 cd/m²）や計測時間（1〜60 秒），光刺激（赤色 635 nm・青色 470 nm）が任意に選択でき，視細胞と網膜神経節細胞に由来する対光反射が評価可能である．製造中止．

b. NPi-200・PLR-3000・VIP-300（アイ・エム・アイ）　NPi-200 はベッドサイドでも

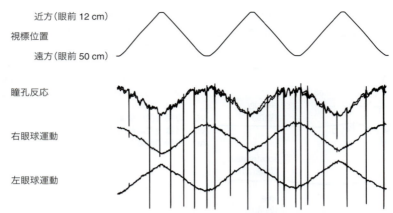

図160　輻湊反応の典型波形（健常者 21 歳女性，TriIRIS C9000 による測定）
外部視標の移動（近方視・遠方視）に伴う縮瞳・散瞳，輻湊・開散が同期する波形が得られる（縦のスパイク状波形は瞬目）．
（石川均，他：輻湊反応と調節．神経眼科 22：363，図 4，2005 より）

簡便に対光反射の評価が可能である．PLR-3000 は神経眼科領域における瞳孔異常や視神経疾患，自律神経障害の評価に使用され，VIP-300 は眼科手術領域での多焦点眼内レンズの適応決定に使用される．

c. RAPDx（コーナン・メディカル）　相対的瞳孔求心路障害を他覚的に評価可能である．光刺激部位は全視野・黄斑部・周辺部・上鼻側・下鼻側と 5 種から選択でき，刺激部位ごとにパラメータとともに左右差の指標である amplitude score, latency score が算出される．

❸輻湊反応

a. TriIRIS C9000（浜松ホトニクス・ワック）
赤外線瞳孔計に定屈折近点計（D'ACOMO）を組み込んだ機器で，外部視標の移動に伴う瞳孔径変化と輻湊・開散，自覚的調節近点（調節力）が測定できる．輻湊は測定開始時の瞳孔中心を基準に，近方視時での移動距離(mm)にて計測している**（図 160）**．製造中止．

b. 両眼開放型オートレフケラトメータ WAM-5500 & WMT-2（シギヤ精機製作所）　他覚的屈折値に加えて瞳孔径の同時測定が可能である．WMT-2 では調節の特性（動的・静的・準静的）を備えた視標移動システムが一体となり，1〜0.2 m の範囲で外部視標の移動方法（定屈折・等速度）も任意に設定できる．

c. オートレフケラトメータ ARK-1（ニデック）
AI アコモドメーター機能を使用することで，光学的な遠方から接近してくる内部視標に対する準静的特性による他覚的調節反応や調節安静位，調節ラグと瞳孔径が同時測定される．測定結果として経時的な波形が得られる．

d. PowerRef 3（Plusoptix 社）　外部視標を任意に呈示し，他覚的屈折値と瞳孔径，角膜反射位置（輻湊・開散）が同時記録される．唯一の近見反応の測定装置であり，ハーフミラーによる両眼開放のため，日常視を反映した測定条件である**（図 161）**．

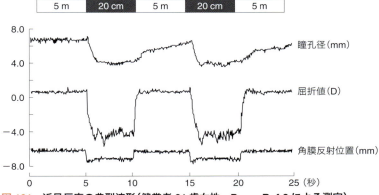

図 161　近見反応の典型波形(健常者 21 歳女性，PowerRef 3 による測定)
視標を 5 m と 20 cm に呈示し，5 秒ごとの他覚的屈折値と瞳孔径，角膜反射位置を記録している(右眼のみ表示)．20 cm 注視時に屈折値は近視化(調節)し，近見縮瞳とともに角膜反射位置が移動(輻湊)している．
(浅川賢：近見反応　測定装置と方法．眼科 61：259，2019 より)

■**ポイント・注意点**　室内照度への順応(明順応・暗順応)は，対光反射にも Purkinje 移動がみられることや，ロドプシンが完全に退色(飽和)する時間，錐体から杆体への移行である Kohlrausch の屈曲点を考慮する．よって，室内照度は明所 300〜450 ルクス，暗所 0.5〜5 ルクスとし，順応時間は明順応 5 分，暗順応 10〜15 分が望ましい(瞳孔径は 2 分ほどで安定)．視標はぼけを自覚しやすい「＊」のような図形や Landolt 環がよい．呈示位置は遠方視では視標が明視できる距離とし，近方視は患者の調節力を超えないようにする．また，Badal 光学系による内部視標か実空間での外部視標による違い，視標自体の大きさや輝度，コントラストにも影響される．さらに，視標の色は暗順応に影響しにくい赤色と視認性の点から緑色や青色を採用する機器がある．しかし，緑色では Purkinje 移動による視覚感度への影響，赤色と青色はそれぞれ視細胞と網膜神経節細胞由来の対光反射を選択的に誘発させるなど，色特性により反応する細胞の感受性が異なる．

瞼裂幅が狭く瞳孔領を覆う場合は，眼瞼挙上もやむを得ないが，得られた数値の解釈には注意を払う(瞼板筋を介して交感神経に影響)．また，測定機器の撮像部と眼球までの距離(前後方向)や視標と固視位置(左右方向)のずれも誤差を生じるため，角膜反射像や虹彩紋理が鮮明かつ正面となるように位置合わせを行う．さらに，眼球内に照射される光量が瞳孔径に左右されるため，対光反射の量(縮瞳率)や時間，速度の比較評価には初期瞳孔径の左右差(瞳孔不同・撮像部の位置ずれ)に注意する．対光反射測定において，光視標呈示中(光刺激中)に瞬目が混入した場合は，暗順応を含めて再測定を行うことになるが，疲労や眠気の影響も加味される．輻湊反応測定では，近方視時の輻湊により瞳孔径が過小評価されている点を考慮する．瞳孔径を正面

の撮像部から計測する機器では，輻湊により内転した瞳孔を斜めから（楕円形として）記録することになり，実測値より約0.2mm小さくなる．また，近見刺激（調節刺激）が重要であるが，視標のぼけは"ぼやける"の感覚が各個人で異なる．さらに，調節は自律神経系のみならず，高次レベルによっても支配されていることから，検査に対する患者の努力や集中力（協力性），検査日の心身状態なども数値に反映される．そのため，明視努力を促す検者の声かけや，実測値に影響しない程度の検査練習が必要である．

判定 対光反射測定では1回ごとに10種のパラメータにて解析される**(図159)**．瞳孔の求心路障害はCRの低下やT_1の延長，相対的瞳孔求心路障害がみられる．交感神経は散瞳相（T_5・VD），副交感神経は縮瞳相（T_2・T_3・VC・AC）に反映される．そのため，Horner症候群ではD_1の左右差（障害眼の縮瞳）やT_5の延長，瞳孔緊張症（Adie症候群）ではD_1の左右差（障害眼の散瞳）やT_3の延長，対光-近見反応解離，自律神経異常をきたすParkinson病や糖尿病，化学物質過敏症ではD_1の著明な縮小を呈する．

輻湊反応測定では近方視（調節負荷）時の縮瞳と遠方視時の散瞳の動態を評価する．不適切な屈折矯正状態やIT眼症では，視標が遠方にある時点でも縮瞳が持続し，輻湊より縮瞳が先行して誘発されるなど，皮質中枢でクロスリンクがある近見反応に解離がみられ，診断の一助となる．

視野検査

Goldmann 視野計（動的視野測定）

Goldmann perimeter (kinetic perimetry)

松元 俊 出田眼科病院・副院長

目的 視野の全体像を定量的に把握するために用いる．静的視野測定も可能であるが，主に動的視野測定に用いる．

対象 緑内障・視神経炎などの視神経疾患，網膜色素変性症・網膜剝離などの網膜疾患，下垂体腫瘍・後頭葉脳梗塞などの頭蓋内疾患など，視野異常を呈する疾患が対象となる．

原理と特徴 眼前30cmにあるドーム状の投影面に，さまざまな大きさ・輝度の光を視標として投影し，光が見えたら患者がブザーを押して検者に知らせることにより，視野を定量的に測定する方法である．視標を見えないほうから見えるほうへ動かしてイソプタを決定する方法（動的視野測定）と視標を動かさずに刺激強度を変更してその場所の網膜感度閾値を決定する方法（静的視野測定）の両方が可能であるが，Goldmann視野計による静的視野測定はその手技が煩雑なので，現在では静的視野測定が必要な場合は自動視野計を用いることが多い．

また自動視野計同様，網膜への刺激強度を正確に決定できるので結果の再現性は高いが，その構造上，中心2度以内の中心視野測定は困難である．

網膜への刺激強度の変更は，投影する視標の大きさと明るさを変化させて行う．視標の大きさは視角で表すのが理にかなって

表26 視標の大きさ

Goldmann視野計視標	投影面での面積(mm^2)	視角で表した平均直径(度)
0	1/16	0.05
I	1/4	0.11
II	1	0.22
III	4	0.43
IV	16	0.86
V	64	1.72

いるが，Goldmann視野計で投影される視標は正円ではないので，投影面での面積で表わされる(表26)．視標の明るさはフィルタを挿入することによって変化させ，4，3，2，1のフィルタで5dBずつ，a，b，c，d，eのフィルタで1dBずつ減光できるようになっている．以上より，視標の大きさで6通り，明るさで20通りを組み合わせて，合計120通りの網膜刺激強度を選べることになる．視標の位置はパンタグラフで操作でき，専用の記録用紙を用いて対応する視野の部位に素早く記録できるようになっている．

長所としては，視野の全体像を把握することに優れ，特に半盲の検出や網膜色素変性症などの複雑な視野異常の描出に威力を発揮する．また自動視野計での検査が不可能な患者でも，検査が可能である場合がある．一方，初期の緑内障性視野異常の発見は自動静的視野計に劣る．また，検査結果は検者の熟練度に依存することも欠点である．

検査法

■**準備** 静かな暗い部屋に視野計(図162)を設置する．定期的に輝度のキャリブレーションを行っておく．測定用紙をセットし，検査面までは30cmなのでそれに合わせた矯正レンズを準備しておく．患者に検査内容を説明し，検査中は固視標をぼんやり見つめること，光が見えたら目を動かさずにボタンを押すこと，などを指導しておく．非検査眼は遮閉する．

■**手技・方法** 患者が楽に顎台と額当てに顔を固定できるよう，椅子と視野計の高さおよび距離を調整する．患者に顎台に顔を乗せてもらい，額当てにしっかり額を押し付けて固視標をぼんやり見てもらう．視野計の顎台を左右上下に動かし，正面視で固視目標が正面にくるように調整する．

検者は，固視監視用望遠鏡で患者の瞳孔中央が望遠鏡の中央にあるか確認しつつ，視標のスイッチを押して視標を投影し，視野の周辺部から中心部へ向かって経線に沿って光をゆっくり(3〜5度/秒程度)動かしていく．患者がブザーを鳴らしたら，スイッチを離して視標を消し，記録紙に場所を記載して次の経線での検査に移る．

動的視野検査の基本は，視標を視野の外側(見えないほう)から内側(見えるほう)へ向かってゆっくり移動させ，患者の反応があった場所にマーキングする．視標を動かす方向はイソプタの境界に垂直になると想定される方向が望ましい．同じ視標でこの操作をさまざまな方向から行い，イソプタを描出する．視標はまずV-4視標を用い，イソプタを描き終わったら，より小さ

図 162　Goldmann 視野計の外観

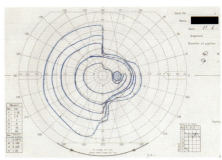

図 163　右同名半盲の Goldmann 視野（右眼）

く暗い視標へ変更して「視野の島」を描出していく．Ⅰ-4 でイソプタを描いたら，同じ視標で Mariotte 盲点を描出する．想定される盲点の中心から周辺へ向かって視標を動かして盲点の境界を決定する．最周辺部はⅤ-4，盲点はⅠ-4 の視標を最初に用いるのが基本であるが，症例により視野を適切に描出できる視標を選択する．暗点を検出したら，その内側を刺激強度のより強い視標を用いて検査し，暗点の深さを測定しておく．

また，中心部の視野検査では，30 cm の距離に合わせた近方矯正レンズを使用する．

静的視野検査の場合は，パンタグラフを固定した状態で視標の明るさを変えることにより，視野の特定の部位の網膜感度閾値を測定することができる．

◎ ポイント　検査中の患者の反応からその患者の視野異常を想定して，その異常を検出しやすいように視標を動かすことを心がけていくと Goldmann 視野計の検出力が向上する．検者は，眼で固視監視，右手で視標の ON/OFF と記録，左手で視標の移動を行うので，これらの動作に習熟する必要がある．

■ 注意点　高齢者などでは，視標が見えてもブザーを押すまでの反応が遅いので，患者の状態をよく把握し患者に合わせた検査速度を採用することが必要である．また，「動的視野検査」と「静的視野検査」の結果は原理的に微妙に異なるので，両者を比較する場合はその解釈に注意が必要である．

判定　正しく測定された半盲の Goldmann 視野では，垂直経線で各イソプタが重なった 1 本の線になるのが特徴である（図 163）．垂直経線上でイソプタが重ならない場合は，半盲でないか，検査方法に問題があると考える．

視野検査

自動静的視野計（Humphrey, Octpus, imo 視野計）

Automated perimeter (Humphrey, Octpus, imo)

松元 俊　出田眼科病院・副院長

目的　検者の技量にかかわらず，詳細な定量的視野検査やスクリーニング視野検査を自動的に行う．

| 対象 | 緑内障などの視神経疾患，網膜疾患，頭蓋内疾患などで，視野異常をきたしうる疾患．

| 原理と特徴 | 自動で動的視野検査ができる装置もあるが，ここでは静的視野検査についてのみ述べる．投影ドーム上のあらかじめ決められた位置（検査点）に視標を呈示し，視標の輝度を変更することによりその部位の視野感度を測定する．検査点の配置は対象とする疾患ごとに視野異常を検出しやすいようにあらかじめプログラムされているが，カスタマイズも可能である．検査方法は簡便なスクリーニング検査と閾値検査があるが，自動視野計は精密な閾値検査に非常な強みを発揮する．固視監視や検査の信頼性判定を自動で行うだけでなく，検査中の患者の応答に応じて視標の呈示方法を変更して検査時間の短縮・検査の信頼性の向上をはかっている．また複数の視野検査結果を内蔵できるので，過去のデータを用いて視野変化解析を行い，視野進行の判定ができることも大きな特徴である．

従来のドーム型の自動視野計ではGoldmann視野計と同様，非検査眼は遮閉して検査することが標準であるが，ヘッドマウントディスプレイを利用した視野計（ヘッドマウント型視野計アイモ，図164）では，両眼開放下で視野検査を行うので，より生理的な状態での視野検査が可能であると考えられている．アイモによる視野検査結果はHumphrey視野計での測定結果と微妙に異なるが相関はあることが証明されている．

| 検査法 |

■ 準備　検査に集中できる静かな暗室に装置を設置する．検査開始前に患者を十分暗順応させておき，視野検査の意義と方法に

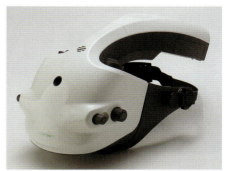

図164　アイモ視野計

ついてわかりやすく説明しておく．ヘッドマウント型視野計ではベッド上でも検査が可能であるが，それでも検査に集中できる静かな環境である必要がある．あらかじめ近方矯正用のレンズ度数と測定に用いるプログラムを決定しておく．

■ 手順　機種により違いがあるので，ここでは自動視野計のゴールドスタンダードであるHumphrey視野計（図165）について述べる．通常は非検査眼を遮閉し，顎台と額当てに顔が楽に固定できるように，視野計と椅子の高さおよび距離を調節する．検査眼が固視標に正対するように顔を固定し，ドーム中央の固視標をぼんやり見つめさせる．中心窩閾値を測定する場合は，本測定が始まる前に固視標下方に出てくるダイヤモンド型4点の中央を固視させる．中心窩閾値測定が終了したら，中央の固視標に視線を移して本測定を開始する．固視監視は後述の方法により自動で行われる．本測定が終了したら，遮閉眼を交代して僚眼の測定を行う．

✓ ポイント　自動視野計ではより正確な検査結果を得るためにさまざまな工夫がされているが，それでも患者の検査への集中力が検査精度を大きく左右するので，快適な

図 165　Humphrey 視野計

検査環境を整え，時には患者を励ますなどして，集中力を持続させるようにすることが重要になる．

判定　Humphrey 視野計では，固視監視方法として Heijl-Krakau 法・アイモニター・ゲイズトラック・ヘッドトラック・頂点間距離モニターなどを行っており，これらを総合して検査中の固視状態を判定する．検査の信頼性の指標として固視状態のほかに偽陽性や偽陰性も用いられる．

単一視野検査の判定には，視野全体の状況をイメージ的にとらえるためのグレースケール，視野計に内蔵された年齢別正常値との差を表すトータル偏差（total deviation：TD），瞳孔径・白内障などの影響を除き局所的な視野沈下を強調したパターン偏差（pattern deviation：PD）などが用いられる．ただし，グレースケールは視野イソプタの急峻な変化を表現することはできないので，特に半盲の評価にあたってはグレースケールではなく，実際の測定数値を参考にする．

また視野指標として，緑内障半視野テスト（glaucoma hemifield test：GHT），年齢別正常視野と比較した視野残存率（visual

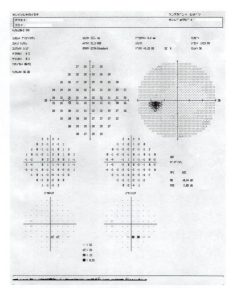

図 166　Humphrey 視野計測定結果のプリントアウトの一例（単一視野解析）

filed index：VFI），平均偏差（mean deviation：MD），パターン標準偏差（pattern standard deviation：PSD）などが用いられる**（図 166）**．

複数回の検査結果をもとにして視野進行の評価ができることが自動視野計の最大の特徴である．視野進行判定の方法として，ある視野のパラメータを時系列で並べてその回帰直線の傾きが有意か否かを判定する「トレンド解析」と，視野悪化の基準をあらかじめ定めておいてそれに該当するか否かで判定する「イベント解析」がある．トレンド解析には，VFI スロープや MD スロープが用いられ，イベント解析には緑内障進行解析（guided progression analysis：GPA）が用いられる**（図 167）**．

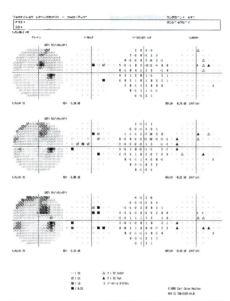

図 167 Humphrey 視野計の視野変化解析プリントアウト

視野検査

色視野測定

Blue on yellow perimetry

山崎芳夫　山崎眼科医院・院長

目的　青錐体系の網膜神経節細胞の機能障害を調べる.

対象　前視野緑内障(極早期原発開放隅角緑内障)や網膜虚血性疾患.

原理と特徴　緑内障や糖尿病網膜症では早期より後天色覚障害, 特に青錐体系の障害が生じる. 錐体には赤, 緑, 青の3種類がある. 高輝度黄色背景を用いて, 赤, 緑錐体の反応を抑制した選択的色順応法を用いた青色検査視標による青錐体感度測定は, blue on yellow perimetry とよば

れ, 臨床的には, 自動視野計に内蔵された測定プログラムの Short-wavelength automated perimetry(SWAP)**(図 168)** が用いられている. また, 青錐体系の情報伝達を司る網膜神経節細胞(koniocellular 細胞：K細胞)は細胞数が少なく, 余剰性が少ない障害が大きく検出しやく, 高眼圧や網膜虚血による影響を受けやすいと考えられている.

検査法　Humphrey 視野計, Octopus 視野計には SWAP の測定プログラムが内蔵されている. 背景光は, 輝度 100 cd/m^2, 波長 530 nm の黄色光, 検査視標は波長 440 nm の青色光で, サイズは Goldmann 視野計の視標 V (64 mm^2) を用いる. 通常用いられる白色背景光白色検査視標(white on white：W on W)による視野検査と同様に, 中心プログラム 30-2, 24-2, 10-2, 黄斑プログラムを用いることができる. 視野解析ではトータル偏差, パターン偏差視野指標, 緑内障半視野テストの結果も表示される. SWAP の欠点として, 白内障進行による検査精度の低下や W on W と比べ偽陽性, 偽陰性が多く変動が大きいこと, 測定時間が長いことなどの問題点がある. SWAP での網膜感度閾値変化について, 緑内障では OCT による視神経線維層厚や黄斑部神経節細胞複合体厚の測定結果, 網膜虚血性疾患では OCT angiography(OCTA)による網膜深層毛細血管の血流測定結果との対応評価が注目されている.

判定　前視野緑内障では, W on W で正常でも, SWAP では網膜感度低下を示し, W on W で正常で SWAP で異常を示す症例では, 数年後に W on W で暗点が出現し, 緑内障進行の予知能力をもつと考

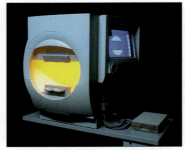

図 168　Short-wavelength automated perimetry

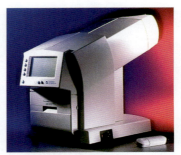

図 169　FDT 視野計

えられている．黄斑部虚血を示す糖尿病網膜症や網膜静脈閉塞症の黄斑部網膜感度は SWAP で W on W と比較し大きな感度閾値低下を示し，虚血部位の網膜深層毛細血管の血流と相関する．

視野検査

FDT 視野計

Frequency doubling technology perimetry：FDT

山崎芳夫　山崎眼科医院・院長

目的　Magnocellular 系網膜神経節細胞の機能障害のスクリーニング．

対象　高眼圧症（ocular hypertension：OH），原発開放隅角緑内障（primary open angle glaucoma：POAG），虚血性視神経症．

原理と特徴　周波数が 1 cycle/degree 以下の低空間周波数の正弦格子を 15 Hz 以上の高時間周波数で反転する視標を提示すると格子の数が 2 倍に知覚される現象は frequency doubling illusion とよばれる．この現象は，太い軸索径と大きな細胞体を有する Magnocellular 系網膜神経節細胞（M 細胞）の反応を反映する．M 細胞は，神経節細胞全体の 10～15％を占めるのみで余剰性が少なく易障害性であるため，frequency doubling illusion を検査視標に応用した視野計として frequency doubling technology perimetry（FDT）が開発された（図 169）．FDT は空間低周波数 0.25 Hz/度の正弦波格子に時間周波数 25 Hz の逆位相フリッカーを点滅させる．コントラスト感度は 0～56 dB で，視標呈示時間は 200～400 ミリ秒，呈示間隔は無作為に 0～500 ミリ秒となる．FDT の視標は中心視野 20 度以内に 10 度×10 度のサイズ（図 170）で，C-20 では各象限 4 点および中心 5 度の 17 点，N-30 では鼻側に 10 度の視標が 2 点追加され 19 点となっている．FDT は通常用いられる白色背景光白色検査視野での視野異常が検出されない OH，POAG 発症前段階の前視野緑内障（pre-perimetric glaucoma：PPG）や水平半盲を示す虚血性視神経症での正常視野を示す領域で感度閾値低下が検出され，M 細胞系の機能障害の有無のスクリーニングとして用いられている．

検査法　FDT では原則的に屈折矯正が不要である（±6～7 D まで）．FDT は従来の視野検査法（明度識別域測定）とは原理

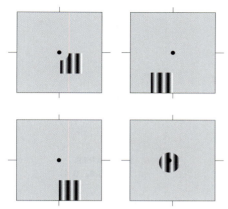

図170 検査視標

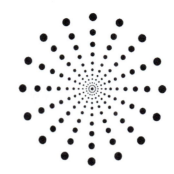

図171 河本式中心暗点計（第1表）

が異なるため，検査前にfrequency doubling illusionや縞模様の説明は行うが，測定中に「何か見えたら応答してください」と説明して検査を開始する．

| 判定 | FDTではスクリーニング検査と閾値検査があり，スクリーニング検査では年齢別健常視野から偏差を有意水準1%未満，2%未満，5%未満，5%以上の4段階の偏差確率プロットで表示される．検査時間はスクリーニング検査で40〜90秒，閾値検査では4〜5分である．

視野検査

中心暗点計・Amsler チャート・M-CHARTS

Visual field test charts

松本長太　近畿大学・教授

1 河本式中心暗点計

| 目的 | 中心暗点の有無，範囲ならびに程度を定性的に敏速に検出する．

| 対象 | 各種黄斑部疾患，視神経疾患ならびに中心視野に異常を呈する疾患．

| 原理と特徴 | 全8表（黒色，灰色，緑色，淡い緑色，赤色，淡い赤色，黄色，青色）から構成されている．同心円状に配置された色斑パターンで，定性的に暗点の有無を検出する（図171）．

| 検査法 | 片眼遮閉し，近見矯正で検査を行う．中心部の視標を注視させながら，①中心の視標の輪郭が周辺に比べ不明瞭でないか，②中心の視標の色が周辺に比べ淡くないか，黒ずんでないか，など確認する．

| 判定 | 視野中心に絶対暗点がある場合は第1表の中心部が全く見えない．相対暗点があれば，中心の視標がぼやけるか薄く見える．黄斑部疾患では黄色の表が見えにくく，相対暗点の検出に優れるとされている．

2 Amsler チャート

| 目的 | 簡便に，変視症や中心暗点を検出する．

| 対象 | 各種黄斑部疾患，視神経疾患な

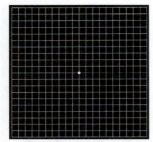

図172 Amslerチャート（第1表）

図173 M-CHARTS
（視標 0.3, 0.4）

らびに中心視野に異常を呈する疾患．

原理と特徴 Amslerチャートは全7表から構成されている．基本の第1表は中心20度に1度おきの碁盤目から構成され（図172），その自覚的パターンの乱れから変視症，中心暗点を検出する．

検査法 片眼遮閉し，近見矯正下で検査を行う．検査表の中心を固視し，①固視点が見えるか，②外周の四角が全部見えるか，③内部の編目が完全に見えるか，④線が歪んでいないか，編目の大きさが均一か，⑤動き，揺れ，輝き，色の変化はないか，⑥異常部位の位置はどうか，の6種の質問を要領よく行い記録する．

判定 変視症では線の歪みとして自覚される．視神経炎では中心，傍中心暗点が検出され，軽症では線が部分的にとぎれて見える．

3 M-CHARTS

目的 変視症を簡便に短時間で定量化する．

対象 変視症を有する黄斑部疾患．

原理と特徴 視角0.2〜2.0度まで0.1度刻みに間隔を変えた19種の点線から構成されている（図173）．点線の間隔を徐々に広くしていくと次第に変視は消失することを利用している．固視点上を通る1本線と，黄斑円孔のように中心暗点のある症例を対象とした固視点から1度離れた2本線の2種類からなる．

検査法 片眼遮閉，近見矯正下で検査を行う．まず，直線を呈示し，変視がなければ，変視量は0となる．変視があれば，間隔の細かい点線から間隔の広い点線へ，変視が消えるまで順に呈示する．

判定 最終的に変視が消失した時点の点線の視角をもって変視量とする．縦方向，横方向別々に行い，縦，横の変視量を記録する．視力が0.2以下の症例（黄斑円孔を除く），大きな中心暗点を有する症例は評価が困難である．

視野検査

微小視野測定（MP-3／maia）

Microperimetry

白神千恵子　元 香川大学・准教授
田中 剛　六条眼科・院長

概説 微小視野計は，眼底直視下で網膜感度を測定することが可能で，アイト

ラッキング機能が搭載されており，固視不良症例にも正確な網膜感度の測定ができる．

目的 網膜局所の感度測定，および固視点の評価などを目的とし，通常の静的視野検査と比較してさらに精度の高い結果を得ることができる．中心固視の難しい黄斑疾患の症例から緑内障など幅広い疾患を対象とする．固視安定性の評価も可能である．

検査装置の種類 CenterVue 社から 2009 年に発売された Macular Integrity Assessment (maia™) は，Micro Perimeter (MP)-1 (ニデック) の欠点を補うため改良されより進化した器械であるが，現在国内では販売中止となっている．2015 年に発売された MP-3 は MP-1 の進化型眼底直視下微小視野計で，赤外光で眼底像をモニターしながら網膜感度を自動で測定し，測定終了後に内蔵の眼底カメラで撮影した眼底像と貼り合わせて測定結果を表示する．maia，MP-3 ともに測定レンジが広く，アイトラッキング機能の精度が高い．

原理と特徴 maia と MP-3 の違いを表 27 で示す．固視の追従精度を左右する眼底画像解像度が，maia の 1,024×1,024 ピクセルに対し，MP-3 では 12 メガピクセルとかなり高いが，両者ともトラッキング精度は十分良好である．オートトラッキング機能は，コンピュータ制御によりあらかじめ設定した測定点を正確に刺激しながら網膜感度測定を行うため，固視がずれるたびに検査が中断されるという自動制御方式で行うが，MP-3 はトラッキング精度が高いため maia より測定時間が長時間となることが欠点である．眼底を刺激する光の測定レンジは，maia は 0～36 dB，MP-3 は 0～34 dB と双方とも詳細な網膜感度の測定が可能である．背景輝度は，maia は 4 asb (暗視下測定) のみで，MP-3 は 4 asb と 31.4 asb (明視下測定) の 2 つから選択できる．MP-3 の明視下測定では Humphrey 視野計と同程度の絶対暗点の検出が可能で，さらに，錐体優位となるため黄斑疾患の網膜感度測定に適している．

両者とも follow up 機能を用いて毎測定時に同じ部位の網膜感度を測定することが可能で，治療前後などの経時的変化をみることができる．なお，固視検査やロービジョントレーニングにも活用されている．

検査法
■**手技・方法** MP-3 では刺激光の大きさを Goldmann Ⅰ (視角 0.11 度) から Goldmann Ⅴ (視角 1.73 度) に任意で設定することが可能で，通常は Goldmann Ⅲ (視角 0.43 度) を用いるが，より詳細な網膜感度を測定する場合は Goldmann Ⅰ，Ⅱを用いる．一方，maia は最も使用頻度の多い Goldmann Ⅲ の刺激光サイズのみ搭載されている．

眼底に光刺激を与える測定点配置パターンは，黄斑疾患，緑内障検査で通常使用する標準パターンは中心 10-2 が頻用されているが，加齢黄斑変性や，中心 10 度よりも大きな病変を有する疾患に対しては，MP-3 は最大直径 40 度，maia は 30 度まで測定可能である．測定パターンは，MP-3 は自由に作成することが可能で，疾患別に数種類のパターンをあらかじめ作成しておく．maia では 4 段階の刺激閾値のみで測定する 4-Levels-Fixed (4LF：測定時間 2～4 分) や，絶対暗点のみを検出する Scotoma Finder が搭載されている．対象疾患や検査目的に応じて測定パターンを使い分けるのが好ましい．

表27 maia と MP-3 の違い

	maia	MP-3
眼底画像	共焦点ライン走査	カラー眼底カメラ
画角	36度×36度	45度円形
解像度（ピクセル）	1,024×1,024	12メガ
視標サイズ	Goldmann Ⅲのみ	Goldmann Ⅰ～Ⅴ
最小瞳孔径	2.5 mm	4 mm
最大刺激輝度	1,000 asb	10,000 asb
測定レンジ	0～36 dB	0～34 dB
背景輝度設定	4 asb（暗視下測定）	4 asb（暗視下測定） 31.4 asb（明視下測定）
トラッキング速度(Hz)	30	25

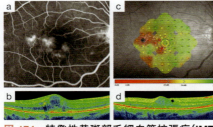

図174 特発性黄斑部毛細血管拡張症(IMT)の症例

a：IMTのフルオレセイン蛍光造影(FA)所見．複数の毛細血管瘤から蛍光漏出を認める．
b：治療前のOCT所見．黄斑浮腫を認める．
c：FAで蛍光漏出を認めた毛細血管瘤に対して直接光凝固術を施行1か月後のmaia（オリジナル作成による89刺激点）カラーマップ．光凝固部位は網膜感度が低下しているが，中心感度は良好である．
d：光凝固治療後のOCT所見．黄斑浮腫は軽減している．

■**注意点** 検査の注意点としては，測定時間が長くなると，被検者の注意力が散漫となり，固視安定性や検査結果が不正確なものになってしまうため，適宜休憩を入れながら検査を継続する必要がある．

判定 検査結果は測定部位の感度dBの数値表示，あるいはカラーマップにて表示される(図174，175)．

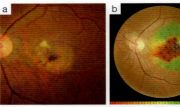

図175 滲出型加齢黄斑変性(AMD)治療後の黄斑萎縮症例

a：カラー眼底にて黄斑萎縮所見を認める．
b：MP-3で黄斑網膜感度をみると，黄斑萎縮部位に一致して網膜感度は0 dBであり，中心暗点の形状を判断可能である．

視野検査

フリッカ視野計
Flicker perimetry

松本長太　近畿大学・教授

目的 各種眼疾患の視野における限界フリッカ値(critical flicker frequency：CFF)の評価．

対象 緑内障，神経眼科疾患，白内障など中間透光体混濁を合併した眼疾患の視機能評価．

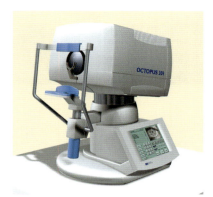

図 176　Octopus 300 シリーズ
単一 LED 視標を動かすことにより中心 30 度内視野における CFF を測定する.

原理と特徴

Octopus 300 シリーズでは，CFF を指標としたフリッカ視野がオプションで測定可能である**(図 176)**. 高コントラスト，高周波数の検査視標を用いるため，主に動きや時間的変化に鋭敏な M 細胞系の機能を評価していると考えられる. M 細胞系は網膜神経節細胞のなかでも数が少なく，視野検査としての余剰性に乏しいため，この機能を評価することで，従来の明度識別視野検査に比べ，より鋭敏に緑内障性視野障害を検出可能である. フリッカ視野の大きな特徴の 1 つに，中心フリッカ値と同様，白内障などの中間透光体の混濁や屈折の影響を受けにくいことが挙げられる**(図 177)**. 現在，臨床で広く一般的に行われている白色背景に白色視標を用いる視野測定，黄色背景に青色視標を用いる blue on yellow 視野，フリッカ視野と同じく M 細胞系の評価が可能とされる frequency doubling technology（FDT）視野などほとんどの視野検査法は，その閾値決定に視標のコントラストを変化させている. 白内障などによる中間透光体の混濁

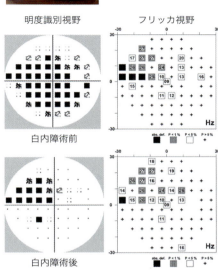

図 177　白内障を合併する緑内障症例における白内障術前術後の視野
Humphrey 視野計による明度識別視野検査において，術前では白内障の影響によるびまん性の強い感度低下を認めているが，術後では緑内障に起因する上鼻側の視野異常のみとなっている. 一方，フリッカ視野では，高輝度で視標コントラストが一定のフリッカ視標を用いるため，中間透光体の混濁を受けにくい.

は，主に検査視標のコントラストに影響を及ぼす. すなわち視標のコントラストをパラメータとして閾値を測定する視野検査法は，すべて中間透光体の混濁の影響を強く受けることになる. 一方，CFF を指標としたフリッカ視野では，高輝度で視標コントラストが一定のフリッカ視標を用いるた

め，中間透光体の混濁の影響を受けにくい特徴を有する．

検査法　中心30度内の各点におけるCFFを閾上で決定する．被検者は検査視標がちらついているか，いないかを判断し，視標がちらついて見えるときのみ応答する．検査視標そのものはいつも提示されるため，従来の視野検査に慣れた被検者の場合，偽陽性が増加することがあり，検査前に十分な説明と簡単な練習が必要である．

判定　早期緑内障において，従来の視野検査より鋭敏に異常を検出する．白内障，屈折異常の影響を受けにくい視野評価が可能である．

視野検査

他覚的視野計
（OFA，瞳孔視野計）
Objective perimeter (OFA, pupil perimeter)

浅川 賢　　北里大学医療衛生学部・准教授

目的　瞳孔反応を応用した他覚的視野評価．

対象　自動静的視野計による視野検査にて自覚応答が困難な症例．心因性や詐盲に起因する機能的視野異常の鑑別．

原理と特徴　瞳孔視野計は光刺激を網膜上の1点に集光させ，同一眼の異なる部位を光刺激して誘発される局所的瞳孔反応を記録する（図178）．局所的瞳孔反応は対光反射とみなすことができ，対光反射は段階的応答であることから，縮瞳量が網膜感度に比例する原理を応用している．視標の大きさや明るさを変え，閾値として網膜

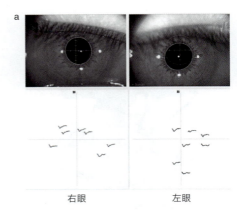

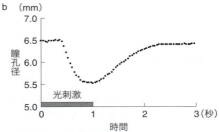

図178　瞳孔視野計の原理
a：1秒間の光刺激を網膜上の1点に集光させ，異なる網膜部位を光刺激して誘発される局所的瞳孔反応を評価する．
b：局所的瞳孔反応ではあるが，明らかな対光反射波形が得られている．
（浅川賢：瞳孔視野測定の最新技法．神経眼科 36：379，2019 より）

感度を評価する明度識別視野とは違い，網膜上の1点を1回の光刺激だけで測定が可能な閾上値測定であり，段階的応答を示す点で異なる．いかに最大の縮瞳量を得るかが重要で，微弱な光刺激では消失し，明るすぎても不安定になる．背景輝度は暗いほど大きな反応が得られるが，あまり暗くすると視野計の内部で過度の光散乱を生じ，正確な網膜部位別の光刺激ができないことや，軽微な視野異常や局所欠損の検出力が低下する．

瞳孔視野計は市販の自動静的視野計と瞳孔記録装置を同時に作動させるもので，Octopus，Humphrey Field Analyzer，AP-5000，imo を利用した基礎研究がなされている．また，最近では multifocal pupillography の技術を導入した Objective Field Analyzer（OFA）の臨床応用が進められている．

検査法

■ **ポイント・注意点** 瞳孔に影響する薬物や落屑物質の沈着，瞳孔偏位の有無を確認しておく．事前の暗順応（10〜15 分）は必須ではないが，施設内にて統一させる．固視標が見えれば屈折矯正（加入度数を含む）は不要である．角膜反射像や虹彩紋理が鮮明かつ正面となるように位置合わせを行う．アーチファクトとなるため，光視標の呈示前後 2 秒ほどは瞬目を我慢させる．また，検査中は固視標を注視させ，十分な開瞼を促すなど，他覚的とはいえ被検者の協力が必要となる．測定するプログラム（測定点）にもよるが，測定時間は片眼で 4 分を要する．

■ **判定** 視野の定量解析を行うためには，局所的瞳孔反応が視覚の感度分布と一致していることが前提である．縮瞳量を評価するか縮瞳率とするかは確立されていないが，前者が加齢に伴い低下するのに対し，後者は加齢変化が認められない．これらを踏まえた筆者の検討では，視標サイズ Goldmann V・背景輝度 31.4 asb・視標輝度 0 dB の測定条件にて得られた縮瞳率の特性が，視覚の感度分布と類似するものの，Mariotte 盲点は検出されなかった．

自動静的視野計による絶対暗点の箇所や光干渉断層計にて網膜神経節細胞複合体（神経線維層＋網膜神経節細胞層＋内網状

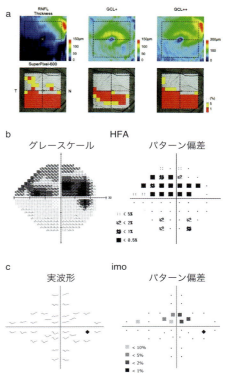

図 179　緑内障症例の測定結果

67 歳男性，原発開放隅角緑内障（MD −8.90 dB，PSD 8.83 dB，VFI 74％）の結果を示す．光干渉断層計（3D-OCT2000）にて，下方の網膜神経節細胞複合体（GCL^{++}）に菲薄化を認め（**a**），自動静的視野計（Humphrey Field Analyzer：HFA）（**b**）と瞳孔視野計（imo）（**c**）により視野測定を行うと，両者ともに菲薄化に対応した異常が認められている．対光反射の実波形では異常がわかりにくいが，パターン偏差や確率プロットにて解析すると異常が明確となる．

（浅川賢：瞳孔視野測定の最新技法．神経眼科 36：382，2019 より）

層）の菲薄化した部位は，瞳孔視野計においても縮瞳率の低下がみられる**（図 179）**．すなわち，瞳孔視野計は自動静的視野計に一致した視野異常や光干渉断層計の構造変化を検出することができる．一致性が低下

する要因として，測定原理や測定条件の差異，構造と機能との解離，瞳孔反応の変動が挙げられる．また，瞳孔径 3 mm 以下の症例では，微弱な反応となり信頼性は低い．さらに，睡眠障害（開瞼困難）や Parkinson 症状（振戦）を合併した認知症患者では測定不能であった．このような例を除けば，自覚応答が困難な症例でも約 90％ で測定可能である．機能的視野異常は，自覚応答が要求される静的視野にて高度な視野欠損となるが，瞳孔視野は正常な反応を示す．Leber 遺伝性視神経症は，静的視野では中心暗点を示すが，瞳孔視野は比較的保持（全くの正常ではない）されており，両者には解離がみられる．さらには外側膝状体以降の病変による同名半盲において，視野欠損部位にあたる瞳孔反応の低下を認める（半盲性瞳孔強直）．これは対光反射の経路が，外側膝状体より前方で中脳へ至るとする解釈への挑戦であるが，そのメカニズムは不明である．

固視検査

Diagnosis of fixation

横井 匡　国立成育医療研究センター・医長
仁科幸子　国立成育医療研究センター・診療部長

目的　固視とは，1 つのものに注意を集中してみている状態をいい，通常，網膜中心窩でみている．これを中心（窩）固視といい，良好な視力を反映する．斜視・弱視では，中心窩外で固視することがあり，これを検査することによって，診断と治療方針，経過，予後の判定に役立つため，日常的に用いられる重要な検査法である．ま た，固視訓練の必要性と可能性を知ることができる．

検査法　固視検査には，間接観察法，直接観察法がある．間接観察法は直接眼底を覗かず，他の現象を利用して間接的に固視状態を知る方法であり，角膜反射を利用する方法と，内視現象である Haidinger's brushes を利用する方法がある．直接観察法は眼底を覗き固視状態を直接観察する方法であり，ビズスコープ（visuscope）を用いた能動的，受動的検査法，ユーティスコープ（euthyscope）を用いた検査法，固視標つき眼底カメラを用いた検査法，細隙灯顕微鏡を用いた検査法，走査レーザー検眼鏡（SLO）を用いた検査法がある．

最も一般的な検査であるビズスコープを用いた直接観察法は，能動的検査法と受動的検査法に分かれるが，正確な検査ができるのは少なくとも 3 歳以降である．幼児においてはペンライトを用いた角膜反射による検査を行う．

■**角膜反射による固視検査**　角膜反射の位置と，遮閉試験との組み合わせで固視の状態を見る．まずペンライトを固視させて角膜反射を観察し，反射光が瞳孔の中心にあるかどうか観察する．次に，ペンライトを用い，片眼ずつ遮閉した場合に，それぞれ固視目標に向かって固視が持続するかどうかを確認する．わずかな偏心固視や γ 角異常がある場合には判定が困難である．

眼位異常がある場合には，両眼開放下で固視交代を行っているか，固視眼を遮閉すると斜視眼が直ちに固視目標に向かって中心固視するか，さらに健眼の遮閉を除去しても固視の持続が得られるかどうかを観察する．健眼を遮閉しても斜視眼の固視が得られない場合は，偏心固視に伴う高度の弱

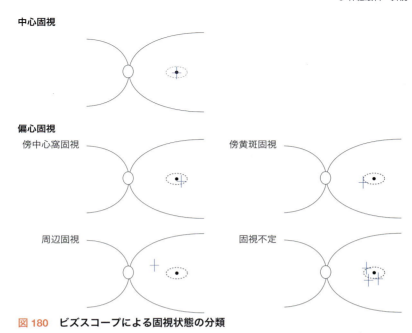

図180　ビズスコープによる固視状態の分類

視が疑われる．また斜視眼での固視が持続しない場合は視力の左右差があると考えられる．

■ **ビズスコープによる固視検査**　他眼を遮閉した状態で，できるだけ照度を下げたり，グリーンフィルタを入れたりして羞明を減らす．次に，固視目標の黒い星など図形の中心をしっかり見るように指示する（能動的検査法）．そのとき網膜に投影されている固視目標の位置を観察して固視状態を判定する方法が一般的である（図180）．まず健眼の検査が可能かどうか確認し，次に弱視眼の固視状態を観察し比較する．非散瞳下でも可能であるが，散瞳下のほうが観察しやすい．小児では集中力によって固視の持続が異なるため，繰り返し検査する．年長児になると，検者が患児の中心窩に視標を他動的に合わせ，その位置について尋ねる能動的検査法も可能である．偏心固視が確立している場合には視力予後不良である．

眼位検査

角膜反射法，他

Ocular alignment, Evaluating ocular alignment with a focused light

太刀川貴子　東京都立大塚病院・部長

1 Hirschberg法

目的　大まかな近見眼位の測定（図181）．

検査法　33 cmの距離で正面の光源を両眼開放で固視させる．被検者の眼の角膜面上の反射像の中心からのずれを目測する

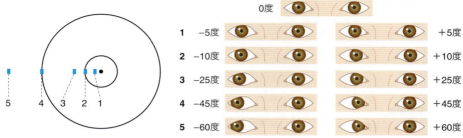

図 181　Hirschberg 法

（1 mm ＝ 12.3 度か 7 度；7 度はやや過小評価）．簡便だが，測定誤差が大きく，遠見眼位が測定できないという短所がある．角膜反射の位置を図示し診療録に記載する．角膜水平径は約 11.5 mm である．

2 Krimsky 法（prism corneal reflex test of Krimsky）

目的　顕性斜視角の測定．乳幼児や弱視などほかの定量的な斜視角の計測ができない場合に行われる．

検査法　33 cm の距離に光源を置き，両眼開放下で光源を固視させ，固視眼前（偏位眼前に置く方法もあり）にプリズムを入れ，弱い度数から角膜反射が瞳孔中央に位置するまで度を強めていく．角膜反射が中央にきたときのプリズム度数を記載する．プリズムを当てる方向は内斜視は base out，外斜視は base in（base はプリズムの厚い側）で，プリズムバーを使用すると瞬時に測定できる．γ角異常は考慮されない．

また，1 prism diopter（⊿）は，1 m 離れたところで 1 cm 光がずれる角度である（1 度は約 1.7⊿）．

3 遮閉・非遮閉試験

目的　眼位ずれの有無を判定する．

検査法　両眼開放で光源目標または固視目標を使い，斜位（phoria）か斜視（tropia）か，またはそのどちらである時間が長いかを観察することが大切である．

光視標では無調節下の眼位を測っているつもりでも，完全に無調節ではなく，不安定な調節の介入があることを念頭におく．調節視標では，見ようとするものに対して適切な調節状態を作り保たせる．注意点として「調節視標をただ見せるだけではなく，絵視標であれば「ねずみさんのおひげは何本ある？」「ヨットは何色かな？」など絶えず聞きながら検査する．文字視標は「見て」というだけでなく「読ませる」ことが大切である．

❶**遮閉試験（cover test：CT）**　斜視の有無，ずれの方向，性質の確認．

両眼開放で視標を固視させ，一眼を遮閉し，他眼の動きを観察する．遮閉は，専用の遮閉用具か，つや消し厚紙を 5×15 cm 程度にして使用する．子どもの場合は遮閉を嫌がることがあり，4 本の指で頭部を固定して親指を用いて遮閉する．5 m，33 cm で行う．

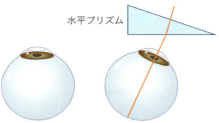

図 182 プリズムの当て方
プリズムバーは frontal plane position に保持(水平面を前額面に平行にする).

❷遮閉・非遮閉試験(cover-uncover test：CUT)　両眼開放下の各眼の視方向の確認.

両眼開放で視標を固視させ，一眼を遮閉(1〜2秒)，ついで遮閉を取り除き，その取り除かれたほうの眼の動きを観察する．5 m，33 cm で行う．

①斜位か斜視か，②交代固視可能か，③固視持続の程度，④優位眼はどちらか，⑤遮閉で眼振がないか，⑥遮閉で嫌がるか左右差があるか，診療録に記載する．

❸交代遮閉試験(alternating cover test：ACT)　融像を除去した状態での全偏位を検査．

各眼を交代に遮閉(2〜3秒)し，連続的に融像をやぶって，最大の眼位ずれを検出する．5 m，33 cm で行う．

4 プリズム遮閉試験

❶ simultaneous prism cover test(SPCT)　日常視における純粋な顕性偏位の定量．

両眼開放下で固視させる．斜視眼にプリズム，固視眼に遮閉を同時に当てる(図182)．プリズム度を上げながら，復位運動がなくなるところまで繰り返す．

❷ single prism cover test　プリズムバーを常時一眼の前に置いたまま他眼を cover-uncover test し，プリズム度を上げる(図

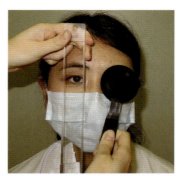

図 183　プリズムバーを使用した眼位検査
記載方法：
例)間欠性外斜視　35⊿XT′ 40⊿XT(近方は′をつける)
例)部分調節性内斜視〔眼鏡非装用時sc，眼鏡装用時(cc)〕
40⊿ET′ 35⊿ET sc，20⊿ET′ 20⊿ET (cc)
sc：sin correction　　cc：cum correction

183)．自然視から離れやすいので注意する．

❸ alternate prism cover test(APCT)　全斜視角の定量．

両眼開放下で固視させる．偏位眼前にプリズムを，他眼を遮閉する．遮閉を斜視眼に移す．プリズム度を上げながら，交互に繰り返し，復位運動がなくなったところのプリズム度が全斜視角である(APCT＝SPCT＋潜伏性の眼位ずれ量)．遮閉は長く，交代はすばやく行う．APCT は融像除去眼位が測定できるが，潜伏された眼位を出すことは短時間では困難なことがある．間欠性外斜視手術前の定量では，通常のAPCT，片眼(非優位眼)40 分遮閉後APCT やさらにプリズム装用後 APCT を行う．

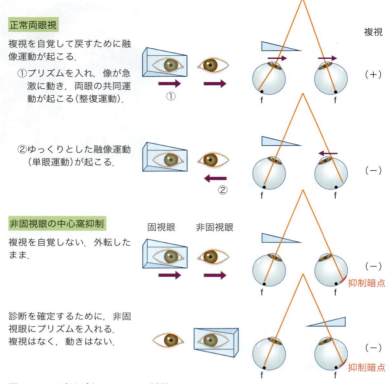

図184　4プリズム base-out 試験

5　4プリズム base-out 試験

目的　中心窩抑制暗点の検出．

概念　小さい中心抑制暗点（2〜4度）は健眼を遮閉しても患眼の動きがない場合がある．これは健眼の中心窩と患眼の偏心固視が対応しており，小さい異常角をもった調和性網膜対応異常を示す．このような微小斜視が疑われる片眼の抑制や対応異常の有無を小角度のプリズムを使い検査する．

検査法　点光源などの固視目標を固視させ，4⊿を基底外方に挿入し，他眼の動きを観察する(図184)．4⊿により折れた視線が，抑制暗点内に入っていれば，眼球運動が起こらない．

図185　Bielschowsky head tilt test

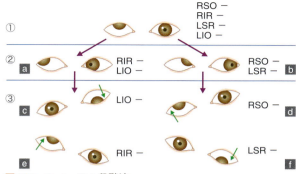

図186 Parksの3段階法

Step 1　①（正面眼位）第1眼位でどちらの眼が上斜視か．この図では右上斜視．RSO，RIR，LSR，LIOのいずれかの機能不全．

Step 2　②-a　（水平向き眼位）右方視で右上斜視角増大するとき，RIR，LIOのいずれかの機能不全．
　　　　②-b　左方視で右上斜視角増大するとき，RSO，LSRのいずれかの機能不全．

Step 3　（Bielschowsky head tilt test）
　　　　③-c　右への頭部傾斜で左眼が下転するときは，LIOの機能不全．
　　　　③-d　右への頭部傾斜で右眼が上転するときは，RSOの機能不全．
　　　　③-e　左への頭部傾斜で右眼が上転するときは，RIRの機能不全．
　　　　③-f　左への頭部傾斜で左眼が下転するときは，LSRの機能不全．

6 Bielschowsky head tilt test

概念　頭を傾斜させると，重力の変化が内耳の迷路を刺激し，前庭神経を介して，脳幹の眼球神経に伝達され，傾斜方向とは逆方向に反対回旋が起こる，眼耳石反射を利用した検査である．

検査法　頭部を右，左に傾斜させ，上下斜視の増強を判定する（図185）．

結果　上斜筋麻痺では上直筋の代償により，患側に傾斜すると患眼が上転する．整形外科的斜頸では陰性になる．

7 Parksの3段階法

概念　正面眼位，水平向き眼位，Bielschowsky head tilt testの組み合わせで上下筋の麻痺筋を診断する方法．

検査法　検査法，およびその結果については図186に示したとおりである．

8 プリズム順応試験（prism adaptation test：PAT）

概念　斜視手術の前にあらかじめ定量したプリズムを装用させ，再度眼位の測定をする．間欠性外斜視手術を行う前に最大斜視角を引き出す．異常対応内斜視では中枢神経の働きによる順応のため本来の眼位ずれが修飾され，プリズムを増やすたびに眼位ずれが増大する（eat-up）．

検査法　遠方斜視角を基準にFresnel

膜プリズムを被検者の眼鏡に貼るかもしくは膜プリズムトライアルセットを眼鏡枠に装着する．残余斜視がなく，複視がなければ 10～40 分後に再度 APCT をする．10⊿以上眼位が増加していた場合，プリズム度を増やし複視がなければさらに 10～40 分装用させる．

眼位検査

γ角，λ角，κ角など
Measuring the angle of deviation

太刀川貴子　東京都立大塚病院・部長

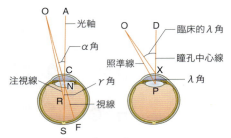

図 187　γ角，λ角，κ角
O：固視点，C：前極，S：後極，OF：視線
OR：注視線，PD：瞳孔中心線，N：結点
R：回旋点，F：中心窩
AS：光軸(角膜と水晶体の各屈折面の曲率中心を近似的に通る直線)
OF：視軸(固視点と中心窩を結ぶ直線)

1 γ角，λ角，κ角

概念　α角(視軸と光軸のなす角)．γ角(注視線と光軸のなす角)，λ角(瞳孔中心線と照準線のなす角)，κ角(瞳孔中心線と視軸のなす角)．客観的に測定できるものは照準線(固視点と入射瞳孔中心を結ぶ線)と瞳孔中心のみであり，実際には光軸は瞳孔中心線で，視軸は照準線で代用している．λ角をもって臨床的κ角，γ角として用いている(図 187)．

検査法
❶**γ角異常**　実際には斜視がないのに，光線と注視線のなす角が一致しないため，角膜反射が瞳孔中心からずれて斜視のように見えるが，遮閉試験で眼位は動かない．
❷**γ角測定方法**　検者の眼前にペンライトを持ってきて患者に固視させる．そのとき角膜反射が鼻側に偏位(外斜)しているものを陽性(＋)．耳側に偏位(内斜)しているものを陰性(－)とする．定量は大型弱視鏡や正切尺で行う．
判定　正常のγ角は＋5 度以内．

2 正切尺角膜反射法

目的　斜視眼の瞳孔中心よりの眼位ずれを，正切スカラを使用して，測定する．
検査法　正切スカラの 1 m 前方に座り，光源を固視させ，スカラ上の目盛りに沿って指示棒を動かし，斜視眼の角膜反射が，中央にくるときの目盛りを読む．水平に動かしたあと，垂直に動かす(図 188)．
結果　1 m で測定するため，1 D の調節を負荷したときの他覚的眼位となる．1 m での Krimsky 法に相当する．

3 Maddox 小杆法(Maddox rod)

概念　Maddox 小杆(図 189)を眼前に置き，正切尺の目盛りを読むことにより，斜位の自覚的斜視角の測定を行う．Maddox 小杆とは点光源が，線条になるような高い屈折力の円柱ガラスを平行に並べ，それに赤フィルタを重ねたものである．
検査法　正切尺の 1 m，5 m 前に座らせる．水平斜位では片眼に Maddox 小杆

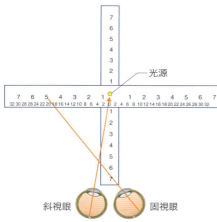

図 188 　正切尺角膜反射法
固視眼に指示棒を追視させ，斜視眼の角膜反射が中央にきたときの値が斜視角．小文字は 1 m，大文字は 5 m の測定値．

図 189 　Maddox 小杆

を水平に入れ，点光源を注視させると，赤の線条が縦に見える．このときの線条の位置が自覚的斜視角である．垂直斜位では Maddox 小杆を垂直に入れる．

結果 　内斜視では同側性に，外斜視では交差性に線条が見える．回旋も測定可能．測定可能域は 1 m での測定で 42 度，5 m で 10 度である．

4　Maddox wing 法

目的 　近見の斜位の自覚的斜視角測定を行う．

検査法 　Maddox wing を持たせ，両眼で覗かせる．左眼では水平，垂直のスケール，右眼は水平，垂直の矢が見える．眼位ずれは，水平は白い矢で，垂直は赤い矢で目盛りに示される．測定可能域は 22 度である．

5　Maddox 小杆プリズム法

目的 　正切尺を使わずに，Maddox 小杆とプリズムにより，自覚的斜視角を測定する．測定距離，視方向を変えて測定できる．

検査法 　眼鏡枠に Maddox 小杆を入れ，水平斜視では水平に入れ，線条が縦に見えるようにする．他眼では光源が見え，線条が光源に重なるようにプリズムを入れ，自覚的斜視角を測定する．

両眼視機能検査

Testing binocular vision

太刀川貴子　東京都立大塚病院・部長

概説 　両眼視は右眼の視覚と左眼の視覚が大脳中枢で同時に認識される感覚である．両眼視の成立には，①視力差，②不等像，③眼位，④網膜対応，⑤視覚中枢両眼視細胞が重要である．両眼視機能が正常であれば，左右それぞれの視覚は個々に認識（同時視）され，左右眼の視野の重なり部分で視野の融像（中心 P 小細胞系および周辺 M 大細胞系）が起こり，融像された結果として立体視が生まれる．両眼視機能の機器は数多くあるが，1 つの器械でいくつもの使用目的をもっているものもあれば，同じ使用目的の器械の間で結果が異なる場合がある**(表 28)**．また両眼の分離度が小さい

1 検査総論

表28 両眼視機能検査

	適応年齢	両眼分離方法	目的	方法	結果
Bagolini 線条レンズ試験	3歳〜	日常視に最も近い検査．45度と135度の線条眼鏡を装用し，点光源を見る．検査時斜位を保てるよう工夫する．	近方と遠方．対応と抑制の有無	半暗室．光源の距離 30 cm，5 m．あらかじめ想定される答えを図に用意する．屈折異常は矯正する．「線が何本見える？」「ばってんはどこにある？」	右眼で見た場合／左眼で見た場合／両眼で見た場合 正位-正常対応 斜視-調和性異常対応　複視+正常対応内斜視　複視+正常対応外斜視　抑制（左眼抑制，「交代抑制」）　右眼に45度，左眼に135度の線条眼鏡を装用したときの見え方　上下斜視では光源は上下に見える．
位相差ハプロスコープ	5歳〜	日常視に近い．90度位相差回転セクター．高速で回転させ，左右眼を瞬間的に交代視させ分離する（日常視に近い状態で検査できるが装置が大きく臨床応用は難）	近方と遠方．斜視角，網膜対応，抑制，融像，立体視（おおまか），不等像視	半暗室．近見 30 cm，遠見 1.5 m．各眼別々の視標をプロジェクターからスクリーンに投影し，自然な状態で検査	眼位／同時視／立体視／融像／不等像／回旋
大型弱視鏡	5歳〜	日常視の状態ではない．両眼中心窩に視標を別々に投影	遠方．斜視角，両眼視機能検査（網膜対応，抑制，融像，立体視，回旋，γ角）	明室	本文参照
Worth 4灯試験	3歳〜	日常視からかけ離れている．赤緑ガラスで左右分離．赤レンズからは緑は見えない．緑レンズからは赤は見えない．白は共通指標	検査距離を変えることで抑制の範囲がわかる．中心窩付近の抑制 5 m 抑制+ 33 cm 抑制−	明室．光の数と位置で斜視や抑制を調べる．検査距離：5 m（視角1度50分）30 cm（視角28度）	右眼の見え方（右に赤眼鏡）／左眼の見え方（左に緑眼鏡）／正常4灯／右抑制／左抑制／内斜視5灯／外斜視5灯
陰性残像試験 陽性残像試験	5歳〜	片眼ずつ検査（片眼ずつ棒状の電灯を固視して，残像をつくり，両眼の残像の位置関係をみる）	眼位に無関係に中心窩どうしの対応がわかる（両眼の中心固視がよい例に有効）	陰性残像試験 明室開瞼時．刺激と反対色．陽性残像試験 暗室または閉瞼時．刺激と同色	正常対応／異常対応／または／抑制か対応欠如
残像ひきとり試験 coordinator	5歳〜	片眼ずつ検査（健眼に電灯で残像をつくり，偏位眼に Haidinger's brush を見せる．両眼の残像の位置関係をみる）	眼位と無関係に中心窩どうしの対応関係がわかる（片眼の固視不良例に有効）	明室【中心固視不良】Haidinger's brush euthyscope【中心固視良好】Maddox 正切尺	正常対応／異常対応／または／抑制か対応欠如

表29 両眼視機能検査

	両眼分離度	日常視との差	眼位との関係
Bagolini 線条レンズ試験	小	小	+
位相差ハプロスコープ	↓	↓	+
偏光板試験			
大型弱視鏡			+
赤ガラス試験			
Worth 4 灯試験			+
陰性残像試験			−
陽性残像試験			−
両眼ビズスコープ	↓	↓	
残像ひきとり試験	大	大	−

図 190 視標(1)
左上:異質図形(同時視)　右上:異質図形(同時視)
左下:相似図形(融像)　右下:視差のある相似図形(立体視)

ほど，日常視に近い**(表29)**．年齢や理解度により検査方法を使い分ける．できるだけ両眼視を壊さない状態で検査するには，片眼ずつの視力測定や，遮閉試験（cover test）などを行う前にする．

1 大型弱視鏡検査

目的・対象　眼位あるいは眼球運動の異常が疑われる場合，斜視角，眼球運動，および両眼視機能の状態を調べる．自覚的，他覚的斜視角定量，むき眼位における斜視角の定量(9方向眼位)，抑制，同時視，融像幅，立体視，γ角定量．

検査法　2つに分かれた鏡筒を左右それぞれの眼で覗き，検査を行う．左右眼を分離した状態で測定するため，日常視の状態ではないことを念頭におくこと．

❶自覚的斜視角(subjective angle of strabismus：subj.A)

目的　正常両眼視の確認．
方法　両眼視できる状態で測定．異質図形のスライドを用いる．
結果
a. 自覚的斜視角定量
b. 同時視(simultaneous perception：SP)　両視標の合致感があるものを SP(+)と表記．SP(−)のときは，どのような状態か記載する．スライドには難易度があり，金魚と金魚鉢，自動車とガレージのように一方が中空のものは，視野闘争が起こりにくい．小さい絵より大きい絵のほうが，また異質より同質図形のほうが抑制されにくい**(図190)**．

SP(+)の角度で固視眼視標を見るように促しつつ消灯し，非固視眼のみ点灯させ，動かなければ眼位一致と記載．

c. 融像(fusion：Fu)　左右それぞれの眼に投影された像を1つに合わせ，運動性融像を測定する．相似図形のスライド**(図190)**を用いる．正常幅は−4〜+25度，上下方向1〜2.5度，回旋方向6〜10度．

d. 立体視(stereopsis：St.)　左右それぞれの中心窩に指標を投影するため，顕性斜視でも立体視の有無を調べられる．St.(−)のときでも，チェックマークを確認する．両方見えていれば，融像はできていることになる．Random dot視標で遠方立体視の定量720〜90秒．

e. 回旋偏位　回旋測定用の視標**(図191)**を用いる．

f. γ角　γ角用スライド**(図191)**を用いる．鼻側，耳側それぞれ5度以内が正常．

図191　視標(2)
左：γ角図形　右：回旋図形

	R Fix Subj. A		
	+3度 L/R 4度	+4度 L/R 5度	+7度 L/R 10度
R	+6度 L/R 5度 ex 2度	+7度 L/R 8度 ex 2度	+8度 L/R 10度 ex 1度	L
	+10度 L/R 8度 ex 8度	+11度 L/R 10度 ex 5度	+12度 L/R 12度 ex 2度

図192　9方向眼位記載方法（右固視自覚検査）左滑車神経麻痺

・記載方法

```
SP(＋)－8度眼位一致
SP(－)－8度～＋15度右眼抑制　車と
　　　　ガレージ　車がガレージに入ら
　　　　ず，反対方向に出てきた．
Fu(＋)－4度～＋23度（基点－8度）ネコ
St.(＋)　ブランコ(＋)　ピエロ(－)
Random-dot　720秒
```

❷他覚的斜視角（objective angle of strabismus：obj.A）

目的　他角的全斜視角（顕性斜視角＋潜伏斜視角）の測定．

方法　両眼視させない状態での測定．なるべく小さい図形のスライドを使用する．

結果　近接性輻湊が介入しやすいため，調節性要素のある内斜視は斜視角が大きく出て，動揺しやすい．

❸9方向眼位

対象　非共同性斜視が疑われる場合．

方法　右眼固視と左固視の両方を行う．水平20度垂直20度のむき眼位の測定．正常対応で同時視のある場合は自覚的斜視角で，正常対応がない場合，しっかりした同時視がない場合は他覚的斜視角で測定する．記載方法を図192に示す．

立体視テスト
Testing stereopsis

太刀川貴子　東京都立大塚病院・部長

立体視は最も高度な両眼視機能で，良好な視力，同時視，融像が可能なことが前提である．

正確な立体視測定は，相対的大きさ，重なり，きめ，遠近，明暗，運動視差などの影響（monocular depth cues）をできるだけ排除する必要がある．

立体視テストにはさまざまな種類がある（表30，図193）．

検査法

❶ **Two pencil test**　被検者の目の高さで検者の鉛筆の先端に被検者が自分の鉛筆の先端を垂直につける．

❷ **輪通し法**　小さな輪の中にかぎ針や針金を通してもらう検査．

どちらも片眼パッチをした場合と両眼で見た場合に差があるか比べる．簡便にできる日常視に近い立体視検査だが単眼視での立体要素を除去できない．

表30　立体視テスト

検査方法	適応年齢(歳)	両眼分離法	立体視差度(秒)	検査距離(cm)
Two pencil test	2〜	分離眼鏡なし	3,000〜5,000 程度	30〜40
輪通し法※	3〜		2,000〜3,000 程度	30〜40
Lang stereo test	2〜		猫 1,200　星 600　車 550	40
Lang stereo test II	2〜		象 600　車 400　三日月 200	40
KAT stereo test	2.5〜		800〜100	30〜40
Frsby stereo test※	3〜		600〜20	30〜80
3D multi vision tester	3〜		静的 5,000〜135	50
			動的 2,700　1,500　1,000	
三杆法			動的（定性検査），運転免許	250
Titmus stereo test	2〜	偏光	Fly 3,000　Animal 400, 200, 100 Circle 800〜40(5/9 100, 7/9 60)	40
Random-dot E stereo test	4〜	偏光	500〜50	50〜500
Random-dot stereo test	2〜	偏光	500〜20	40
Pcla test	2.5〜	偏光	遠方立体視の有無(定性検査)	500
Stereo smile test	0〜	偏光	480〜120	55
			240〜60	110
TNO stereo test	2.5〜	赤緑	I〜III 1,980 V〜VII 480〜15	40
New stereo test	2.5〜	赤緑	I 4,120〜770 II・III 800〜40	40
TV-Random dot stereo test	0〜	赤緑	2,340〜155	40
大型弱視鏡	5〜		720〜90(遠方立体視)random-dot	

※輪通し法と Frisby stereo test は，深径覚(depth perception)を含む．

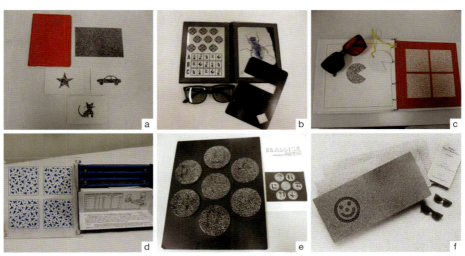

図193　立体視テスト

a：Lang stereo test，b：Titmus stereo test，c：TNO stereo test，d：Frisby stereo test，e：大型弱視鏡 Random-dot，f：Stereo smile test．

不等像検査
New aniseikonia tests

太刀川貴子　東京都立大塚病院・部長

概説　左右眼の視覚刺激からつくられた左右の中枢像の大きさや形の相違を不等像視という．両眼視の発達にも影響する．2.0〜2.5％で不等像視をきたし，頭痛，羞明，眼精疲労を起こすことがある．また5％以上では両眼視機能を障害するといわれている．

1 New aniseikonia tests

明室，検査距離40 cm．眼鏡を装用するときは，その外側に赤緑眼鏡を装用する．屈折異常の大きいほうの眼に赤フィルタ，屈折異常の小さいほうの眼に緑フィルタを装用する．赤ガラス装用眼では緑色半円図形が見える．赤色半円図形は一定の大きさである．赤ガラス装用眼の他眼に対するaniseikoniaを測定する．赤と緑の半円図形の大きさが同じに見えたところのNoの数字が，不等像視のパーセント値である．1％刻みで測定可能 **(図194)**．

- **記載方法**　右眼が左眼に対して7％大きく見えた場合，Aniseikonia R：＋7％．

2 Pola test

明室，検査距離5 m，屈折矯正を行ったうえで，偏光眼鏡を装用する．中心部に融像のために円視標を有す．右眼で右のコの字，左眼で左のコの字が見える．図形の1幅が3.5％の不等像視を示す．2幅以上であれば両眼視に支障をきたす．

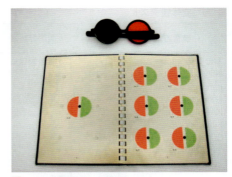

図194　New aniseikonia test
（1982年，粟屋が作製．半田屋商店）

3 3D multi vision tester

イメージスプリッターにより，両眼分離をする．コンピューターの画面に左右の半月の不等像が表示される．検者が大きさを変化させて被検者が半円を同じ大きさに見える程度を測定する．

輻湊検査，AC/A比測定
Accommodative convergence and the AC/A ratio

太刀川貴子　東京都立大塚病院・部長

1 輻湊検査

対象　近見時に複視を訴える，近見時の眼精疲労が著しい，検査距離によって斜視角が変動する，頭蓋内疾患が疑われる，外斜位など．

2 輻湊近点検査

原理と特徴　輻湊近点を測定することは，融像性輻湊＋調節性輻湊＋近接性輻湊を測定することになる．

検査法　指，おもちゃ，などの視標を

顔の正面 40〜50 cm の位置で水平よりやや下方をゆっくりと鼻根部へ向けて移動させる．視標が2つに見え始めるか，いずれかの眼が外転する点と鼻根部までの距離を測定する．ペンライトを視標とする場合は赤色フィルタを片眼に装用し，複視を自覚させる．

| 記載 | 視標：輻湊近点 cm，brake 眼，複視の有無．光源（赤ガラス）：輻湊近点 cm．

| 判定 | 正常値 6〜8 cm．幼児は鼻根部まで輻湊可能なことがある．輻湊が全くできないものを輻湊麻痺．成人で 5 cm 以内は輻湊過多．視標を取り除いても輻湊が続く場合，輻湊痙攣．調節視標を用いた検査では正常であっても融像性輻湊が弱い症例では赤フィルタでの検査では輻湊不全となることもある．

3 融像性輻湊検査

| 原理と特徴 | 融像性輻湊は，両眼の網膜の像を一致させようとして，随意的に起こる輻湊である．日常的には，融像性輻湊により調節が起き，近見を行っている．大型弱視鏡や，プリズムなどの検査で得られる融像幅は，調節を一定に保ちながら両眼単一視できる眼位の幅である．

| 検査の種類 | 大型弱視鏡，ロータリープリズム，Bagolini 線条レンズを用いる方法がある．

| 判定 | 正常値は −5 度〜+15 度．大型弱視鏡では，ぼけ始める，blur point か，複視が出る break point かどちらで測定したか，記載しておくとよい．

4 AC/A 比測定

| 原理と特徴 | 近見反応の強さを調節性輻湊の大きさと調節刺激の強さの比で表したもので，すなわち 1D の調節刺激に対する輻湊反応をプリズムジオプトリー（$\triangle$）で表したもの．測定条件として近接性輻湊，融像性輻湊，混入を除外する．完全矯正眼鏡装用下で測定する．固視眼の矯正視力が，0.8 以上であることが望ましい．

| 検査法 |

❶ グラディエント法（gradient method）

a. far gradient 法 遠方 5 m に調節視標を置き，完全矯正眼鏡装用下で alternate prism cover test（APCT）にて眼位測定．両眼眼前にその上から −1 D から −3 D 凹レンズを負荷し，APCT にて眼位測定．

b. 大型弱視鏡法 中心窩知覚用スライドを用い凹レンズを負荷（−1.0 D〜−5.0 D）しながら他覚的斜視角をそれぞれ測定する．

横軸は負荷した凹レンズ（D），縦軸は他覚的斜視角（$\triangle$），グラフに各データをプロットし結んだ傾きが AC/A 比である．電子カルテ内に計算式を入れ回帰分析から求めてもよい．簡便法として両眼に −3.0 D レンズを負荷し，負荷後眼位を $\triangle 2$，負荷前眼位を $\triangle 1$ とすると，以下の式で求められる．

$$\text{AC/A 比} = \frac{\triangle 2 - \triangle 1}{3}$$

❷ ヘテロフォリア法（heterophoria method）

遠見 5 m に視標を置き，完全矯正眼鏡装用下で APCT にて眼位測定．次いで近見 33 cm の眼位測定．瞳孔間距離を測定．（融像性，近接性輻湊の影響を受けやすいので値が大きく出やすい）

$$\text{AC/A 比} = \text{PD} + \frac{\triangle n - \triangle \theta}{3\,\text{D}}$$

PD：瞳孔間距離(cm)，$\Delta\theta$：遠方視時の眼位，Δn：近方視時の眼位．

判定 正常値(2〜6 Δ/D)，high AC/A(10Δ/D 以上)．加齢により減少する．

眼球運動検査

9方向むき眼位・Hess チャート試験・赤ガラス法

Subjective angle of deviation with major amblyoscope, Hess screen test, Red glass test

浅川 賢　北里大学医療衛生学部・准教授

目的 眼位ずれ(偏位)の性質や程度を自覚的に検査し，眼球運動障害における麻痺筋の診断や各外眼筋の運動制限を判定する．

対象 斜視や眼球運動障害，複視や頭位異常を示す疾患．

1 9方向むき眼位

原理と特徴 大型弱視鏡による自覚的斜視角を測定する要領で，固視眼の基点を20度として9方向にて眼位ずれを求める．自覚的な回旋偏位を定量できることが最大の利点である．

検査法

■**手技・ポイント・注意点** 回旋偏位が認識しやすい"円・十字"の視標を使用する．被検者に「円の切れ目に十字が正しく重なるようにする検査」であることを説明し，固視眼に円，測定眼に十字の視標を呈示する．被検者はアームを動かして水平偏位を補正し，上下偏位と回旋偏位は検者がノブを回して補正する．9方向とも均一に視標を呈示するには，眼と鏡筒との間の距離を近づけるように額当てを調整する(顎の位置を調整すると結果が変わるため注意)．また，わずかな頭位のずれでも回旋偏位が変化するため，頭を動かさないように指示をする．さらに，融像によって実際の偏位が過小評価されるため，各むき眼位の測定ごとにアーム・ノブの目盛りを0度の位置に戻す．

判定 9方向むき眼位(図 195a, 196a)は，①固視眼による眼位ずれの左右差をみる(麻痺性斜視では麻痺眼固視の眼位ずれのほうが大きい)．②麻痺筋の最大作用方向の注視時に眼位ずれが大きくなっているのかをみる(各外眼筋の最大作用方向：上斜筋は内下転位，下斜筋は内上転位，上直筋は外上転位，下直筋は外下転位)．③麻痺筋の直接拮抗筋は二次的に過動しているのかをみる．

2 Hess チャート試験

原理と特徴 左右眼を赤緑フィルタで分離し，赤色の格子模様にある測定点(丸・菱形)に被検者が操作する緑色の矢印を重ねさせることで，各外眼筋の運動制限や過動の有無を調べる．図式的に記録に残すことで，眼筋麻痺の経過観察や手術効果の評価に有用である．

検査法

■**手技・ポイント・注意点** 被検者の眼前1.4 m 前方に置いた白色スクリーンに，赤色の格子模様をプロジェクターにて投影する．最初に被検者の正面位(眼の高さ)と中心の測定点とが同じになるように調整する．次に被検者の眼前に赤緑フィルタを装着する．赤(緑)フィルタを装着した眼は，赤色の格子模様(緑色の矢印)は見えるが，緑色の矢印(赤色の格子模様)は見えないこ

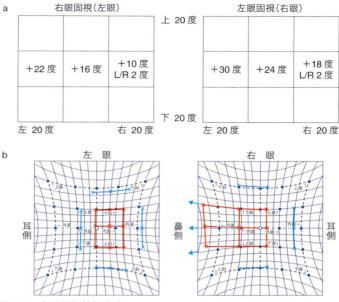

図 195　左眼外転神経麻痺

a：大型弱視鏡による9方向むき眼位(水平3方向むき眼位)にて，内斜視(+)が外転制限のある左方視で増大し，右方視では減少する．L/R は左上・右下偏位があることを意味するが，本症例では下斜筋の過動にてみられたものである(cf. 外斜視−)．
b：Hess チャート試験では，左眼の外直筋の作用方向で，最も大きな眼位ずれがみられる．また，外直筋が麻痺するため，正面位は内斜視となり偏位量は10°である．

(浅川賢，他：Hess 検査，大型弱視鏡，複像検査の手順と見かた．臨床眼科 67：60，2013 より)

とを，片眼を遮閉して確認する．両眼にて見せたときに，どちらかが見えなければ抑制であり，検査はできない．赤フィルタを装着したほうが固視眼になり，測定点に対する緑色の矢印のずれは，固視眼が測定点を注視したときの，僚眼の眼位ずれを示すことになる．そのため，固視眼を変えて(赤緑フィルタを入れ替えて)同様の手順で検査を行う．赤色の格子模様のうち，1個の格子の幅は視角5度に相当する．正面位から15度の位置に丸，30度の位置に菱形にて測定点(診断的むき眼位)が示されて

いる．検査は暗室で行い，まず中心の測定点(第1眼位)，続いて上方，時計回りに15度の位置の測定点(9箇所)を順に注視させる．その後，30度の位置の測定点(12箇所)も順に注視させ，最後に結果の再現性(変動)をみるために中心の測定点を再確認する．頭位のずれは上下・斜め方向の測定時に生じやすいため注意する．発症直後の眼筋麻痺は，抑制もなく Hess チャートと実際の眼位ずれは一致する．しかし，抑制や網膜対応異常のある先天斜視症例では測定が困難で，筋が拘縮した長期経過例や

a

右眼固視（左眼）

+5度 L/R 1度 ex 10度	+4度 L/R 1度 ex 10度	+4度 L/R 2度 ex 10度
+5度 L/R 1度 ex 10度	+4度 L/R 2度 ex 10度	+5度 L/R 4度 ex 10度
+4度 L/R 2度 ex 16度	+5度 L/R 5度 ex 12度	+6度 L/R 8度 ex 12度

左眼固視（右眼）

+7度 L/R 2度 ex 10度	+5度 L/R 3度 ex 10度	+6度 L/R 4度 ex 10度
+5度 L/R 2度 ex 10度	+5度 L/R 4度 ex 10度	+6度 L/R 6度 ex 10度
+8度 L/R 4度 ex 20度	+6度 L/R 6度 ex 14度	+6度 L/R 12度 ex 14度

上 20度　左 20度　右 20度　下 20度

b

左眼　　　　　　　　　右眼

耳側　　鼻側　　　　　　　　耳側

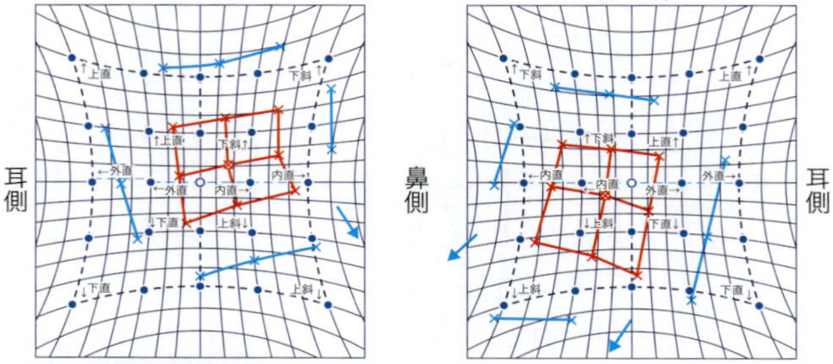

図196　左眼滑車神経麻痺

a：大型弱視鏡による9方向むき眼位にて，外方回旋偏位（excyclotropia：ex）を示すが，外方回旋偏位は外下転位で最大，上下偏位は内下転位で最大となる．直接拮抗筋である下斜筋が過動するため，内上転位でも上下偏位が大きくなることもある．〔cf. 内方回旋偏位（incyclotropia：in）〕

b：Hess チャート試験では，左眼の上斜筋の作用方向で，最も大きな眼位ずれがみられる．また，上斜筋が麻痺するため，正面位は上斜視となり偏位量は5°である．

（浅川賢，他：Hess検査，大型弱視鏡，複像検査の手順と見かた．臨床眼科 67：61，図4，2013 より）

両眼性の眼球運動障害は正確な診断ができない．

判定　共同性斜視・斜位では Hess チャートは左右同大で，対称的な眼位ずれのパターンとなる**（図195b，196b）**．眼筋麻痺や機械的眼球運動制限などの非共同性斜視は，注視方向によって眼位ずれの大きさが変化する．すなわち，麻痺眼で固視したときの眼位ずれ（第2偏位）は，健眼で固視したときの眼位ずれ（第1偏位）に比較して大きくなる．このため，Hess チャートは左右で大きさが異なり，非対称なパターンとなる．解釈の手順を以下に示す．①固視眼によって Hess チャートの大きさに差があるかどうかをみる〔非共同性斜視では大きさに差があり（小さいほうが麻痺眼），眼位ずれのパターンが左右非対称〕．②眼球運動障害における麻痺筋は，より大きさが小さい Hess チャートに注目し，測定点と矢印の位置ずれが最大になる注視方向と外眼筋の主作用方向との関連から推定する．③正面位での眼位ずれの性質（外斜偏位か，内斜偏位か，上下偏位か）と偏位量（度）をみる．

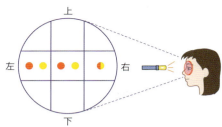

図 197　赤ガラス法
左眼に赤ガラスを装用してペンライトの光源を見させる．左方視にて複像が最も離れており，赤い光源がペンライトの光源より左側であることから同側性複視となり，左眼の外転制限と判定できる．

3 赤ガラス法

| 原理と特徴 |　赤ガラスを麻痺眼に装用してペンライトの光源（真像＝健眼に見える像）と赤い光源（仮像＝麻痺眼に見える像）とのずれの自覚を9方向にて問う．簡便に麻痺筋の同定や運動制限の判定ができ，スクリーニングとして優れている．

| 検査法 |

■ **手技・ポイント・注意点**　検査距離を50 cmとし，正面位から各方向30 cmの位置に視標を呈示すると，視角30度ほどに相当する．また，検査距離を変えると輻湊・開散の病態も検出できる．麻痺眼に赤ガラスを装用して（被検者に持たせるとよい）ペンライトの光源を見させる．被検者から見て時計回りにゆっくり動かし，何時の位置で複像が最も離れたかを尋ねる．12時，1時，2時…と声をかけながら動かしていくと被検者が理解しやすい．プリズムを併用すると偏位量も測定できる．

| 判定 |　麻痺筋の最大作用方向の注視時に仮像が出現し，仮像と真像との距離（複像間距離）が最大となることを確認する（図197）．

眼球突出計
Exophthalmometer

山上明子　井上眼科病院

| 目的 |　眼球突出の有無，程度を判定する目的．

　眼球突出度は個人差が大きいが，同一個体の左右差は小さい．眼球突出をきたす疾患では左右差があることが多く，左右差の評価が病的変化の判定や治療効果の判定に用いられる．

| 対象 |　眼球突出をきたす疾患：炎症性（甲状腺眼症，外眼筋炎，特発性眼窩炎症，眼窩蜂巣炎），腫瘍（眼窩腫瘍　眼窩周囲の腫瘍からの進展），血管性（海綿静脈洞瘻），外傷性（眼窩出血・気腫）など．

| 原理と特徴 |　両眼窩外側縁を結ぶ基準線と角膜頂点までの垂直距離を眼球突出として表す．

| 検査法 |

❶ **ディスタントメーター（図 198）**　ディスタントメーターの左右にはR・Lの記載があり，眼窩外側縁にディスタントメーターの端を前額面に垂直に軽く押し当て，細長い穴から見える角膜頂点の部分の目盛りを読みとる．診察室で容易に測定が可能であり，左右差を比較することができる．

❷ **Hertel 眼球突出計**　左右のアームを被検者の両眼窩外側縁に当てて，突出計に取り付けられた左右のプリズムを介して角膜頂点の部分の計測目盛りを測定する．両眼窩外側縁を結ぶ基準点（アーム間の間隔）を統一して測定しないと誤差が生じるので，基準値を必ず記載しておく必要がある．

| コメント |　同一被検者でも Hertel 眼

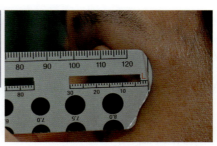

図 198　ディスタントメーター
メジャーのカーブを眼窩側壁に当てて細長い穴から角膜頂点の部分を測定する（図は左眼）．

球突出計では基準点のとり方（アーム間の間隔）によって突出度の値が異なるので，検者によるばらつきが生じる．基準点が長いと突出度は大きくなる傾向になる．

MRD 測定，眼瞼挙筋機能測定

Measurement of marginal reflex distance and levator function

山上明子　井上眼科病院

1 MRD（marginal reflex distance）測定

目的　眼瞼下垂の重症度分類．
対象　眼瞼下垂症例，筋無力症疑いの症例．
検査法・判定　角膜反射と眼瞼縁の距離であり，角膜反射と上眼瞼縁までの距離を MRD-1，角膜反射と下眼瞼縁までの距離を MRD-2 と定義されているが，MRD-1 を略して MRD とし，眼瞼下垂の重症度判定に用いられる**（図 199）**．MRD-1 が 3.5〜2 mm を軽症，2〜0 mm を中等症，0 mm 未満を重症と分類する．

筋無力症の診断に用いられるアイスパックテストでは患側にアイスパックを 2 分

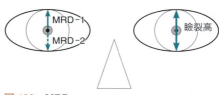

図 199　MRD

間当てたあとの MRD が 2 mm 以上上昇したものを陽性（改善）と定義している．眼瞼皮膚弛緩合併例や眉毛挙上している例では MRD 測定に誤差が生じる可能性があるので注意する．

2 眼瞼挙筋機能測定

目的　上眼瞼挙筋の機能の定量目的．
対象　眼瞼下垂症例，筋無力症疑いの症例．
検査法・判定　眼瞼下垂症例ではしばしば眉毛挙上しているため，眉毛を挙上しないようにリラックスした状態で検者の指で眉毛の中央を固定し，上方視と下方視をさせて瞼縁の動く距離を測定する．10 mm 以上が正常であり，2 mm 以下は挙筋機能なしと判定する．5 mm 未満は挙筋機能が不十分であり前頭筋つり上げ術の適応となる．

挙筋の断裂や接着不足も挙筋機能の低下として判定されるため，挙筋の筋力そのものを測定しているわけではない．

ひっぱり試験

Forced duction test

山上明子　井上眼科病院

目的　他動的に眼球を牽引（引っ張って），外眼筋の拘縮や絞扼性の有無を確認するため．

対象　眼球運動障害のある症例で，筋原性疾患（甲状腺眼症や外眼筋炎）や眼窩底骨折で外眼筋の絞扼が疑われる場合．

原理と特徴　他動的に眼球を動かし，抵抗の有無を確認することで，筋の拘縮や絞扼による伸展障害の有無を明らかにする．

検査法

■ **準備**　開瞼器，有鉤鑷子，局所麻酔薬．

■ **手順**

①局所点眼麻酔を数回点眼したのち，仰臥位で開瞼器を用いて開瞼する．

②角膜輪部付近の強膜を有鉤鑷子で把持し，眼球運動制限のある方向に眼球を牽引（引っ張り）する．

ポイント　眼球運動障害をみた場合に，拘縮や絞扼の有無を鑑別するために全例牽引試験を行うという考えもあるが，結膜下出血や痛みがある検査であるので適宜適応を検討する．

甲状腺眼症など筋の拘縮による斜視手術を行う際には，手術方針決定のためにひっぱり試験で拘縮の程度を調べることもある．

眼窩底骨折で筋の絞扼がある場合，強くひっぱり試験を行うと絞扼された外眼筋を損傷する可能性もあるので注意を要する．

判定　抵抗の有無を確認．わかりにくい場合には，眼球運動制限のない方向にも牽引して抵抗の差を確認する．

テンシロンテスト，アイスパックテスト

Tensilon test, Ice pack test

山上明子　井上眼科病院

目的　重症筋無力症の補助診断．

対象　重症筋無力症が疑われる症例（日内変動や再発を繰り返している眼瞼下垂や複視の症例）．

原理と特徴

❶ **テンシロンテスト**　抗コリンエステラーゼ阻害薬を投与し，神経筋接合部のアセチルコリンの濃度を上昇させ，筋収縮作用を一時的に回復させることで，眼瞼下垂や眼球運動障害が改善する．

❷ **アイスパックテスト**　眼瞼を冷却することで低温によるコリンエステラーゼによる触媒作用の抑制により眼瞼下垂が改善する．

検査法

❶ **テンシロンテスト**

a. **テンシロンテスト準備品**　点滴セット，シリンジ，アンチレクス®，アトロピン硫酸塩水和物，希釈用生理食塩液．

b. **手順**

①アンチレクス®（エドロホニウム塩化物）1アンプル（1 mL）を生理食塩液9 mLに溶いてアンチレクス®希釈液を作製する（1 mLあたりエドロホニウム塩化物1 mg）．100 mLの生理食塩液の点滴セットに三方活栓に希釈アンチレクス®準備．ムスカリン作用が強く出たらアトロピン硫酸塩水和物をすぐに投与できるよ

うに準備しておく．
② アンチレクス®希釈液2mL（エドロホニウム塩化物2mg）をゆっくり静注，ムスカリン性コリン過敏症状がないことを確認後，希釈液1mLずつ投与し，下垂や眼球運動の改善がないか確認していく．
③ 軽くムスカリン症状（発汗など）が出ていたら検査を終了して眼瞼下垂の写真判定やHessチャート試験で眼球運動判定を行う．
④ 徐脈，血圧低などムスカリン症状が強く出る場合はアトロピン硫酸塩水和物を点滴静注する．

c. 注意点　消化器・尿路疾患の既往のある患者には禁忌である．

❷ アイスパックテスト
a. アイスパックテスト準備品　アイスノン®，ガーゼ，もの差し．
b. 手順
① 検査前に瞼裂幅と眉毛と上眼瞼縁の距離を測定しておく．
② 両眼の眼瞼をガーゼでくるんだアイスノン®で2分冷却してもらう．

✅ **ポイント**　重症筋無力症を疑ったら，疲労テスト（1分間上方視させて眼瞼下垂が悪化するか）や休息テスト（1分間閉瞼させて眼瞼下垂が改善するか），アイスパックテストが有効である．

いずれも診察室で検査が可能であり，副作用が安全に短時間で施行できる．

眼球運動の改善は肉眼では難しいことが多いので，テンシロンテスト前後のHessチャートで確認するとわかりやすい．

テンシロンという言葉は抗コリンエステラーゼ阻害薬の商品名であり現在は存在しない．

| 判定

❶ **テンシロンテスト**　下垂の判定には写真判定が有効．瞼裂高だけでなく眉毛挙上が改善してくるかも見る．

眼球運動の改善にはHessチャート試験をテンシロンテスト検査前後で施行するとわかりやすい．Hessチャート試験が1マス以上変化してくれば陽性としている．

❷ **アイスパックテスト**　2分間冷却後瞼裂高が増加する．瞼裂高は変わりなくても眉毛と上眼瞼縁の距離が短縮するなど挙筋機能の改善が2mmあれば陽性とする．

筋電図
Electromyography：EMG

増田明子　兵庫医科大学

| 目的　外眼筋の活動電位を直接観察することで，眼球運動障害の原因が神経原性，神経筋接合部障害，外眼筋の障害または機械的な運動制限であるかが解明される．また，2015年に斜視へのボツリヌス毒素療法が保険適用されてからは，ボツリヌス毒素を注入する際の筋の同定にも用いる頻度が増えている．

| 対象　眼球運動障害で他の方法では診断がつかない場合．
① Duane症候群や異常連合運動など異常神経支配が疑われる場合．
② 重症筋無力症での疲労現象や単一筋線維筋電図による神経筋接合部での伝達の揺れの増大（jitter現象）が予側される場合．
③ 斜視へのボツリヌス毒素療法の際に，注射する外眼筋を同定する場合．

| 原理と特徴　筋電図は筋線維から発生

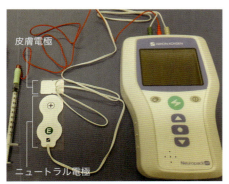

図200　ポータブル筋電計
（左から）1 mL シリンジを接続した針電極，皮膚電極，ニュートラル電極とポータブル筋電計 MEM-8301 ニューロパック nl®（日本光電工業）

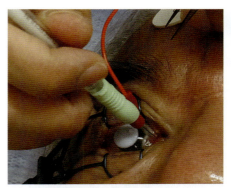

図201　右眼内直筋へ針電極を刺入

した個々の活動電位が電極に到達した時点の電位を加算して，波形として表現したものである．電気的な反応を見るものであり，直接筋力を反映するものではない．多くの活動電位の集合を干渉波，1つの神経筋単位の反応を単一筋線維（neuromuscular unit：NMU）筋電図という．

検査法

■**準備**　筋電図検査には電極，増幅器，コンピューターディスプレイ，ラウンドスピーカーが必要であるが，市販の筋電計にはこれらは組み込まれている．現在市販されているポータブル筋電計は，MEM-8301 ニューロパック nl®（日本光電工業）と Dantec® Clavis™（Natus Medical Incorporated 社）があり，それぞれに推奨される電極とコードが必要である．ボツリヌス毒素療法の際は，注射器が接続可能な単極電極を探査電極，銀板でできた皮膚電極を基準電極として使用する（図200）．

■**手順**
①患者を仰臥位に寝かせ，眼表面に点眼麻酔を複数回行う．
②筋電計本体に電極コネクタを接続し，電源を入れ，スピーカーの音量が十分か確認する．
③アルコール綿で清拭した前額部に皮膚電極とニュートラル電極を貼布する．
④開瞼器をかけ，図201のように外眼筋に針電極を刺入し，筋電図の波形と筋電音を確認し，目的とする外眼筋を同定する．
⑤ボツリヌス毒素療法の場合は，外眼筋が確認できたら，薬剤を注入する．

■**手技・方法**　開瞼器を使用して経結膜的に針電極を刺入する．

ポイント　針電極が目的の外眼筋に刺入されたかどうかは，アンプのスピーカー音で判断する．針を深部にゆっくり進め，筋肉に接近すると雑音が大きくなり，筋肉内に入ると「ザーザー」という放電音が聞こえ，観察画面では図202のように干渉波の振幅が大きくなるのが確認される．

■**注意点**　起こりうる合併症は，眼球穿孔である．強度近視眼で強膜の菲薄が予想される場合は特に注意が必要である．

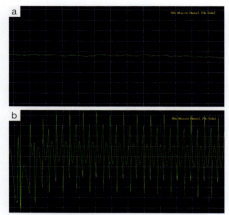

図202　筋電図波形
a：外眼筋伸展時，b：外眼筋収縮時．

判定

①干渉波は筋の作用方向に眼を動かすと放電が増加し，逆方向では減少する．
②単一NMU筋電図では，正常では同一波形が観察され，重症筋無力症では波形の揺れ（jitter現象）が観察される．

電気眼振図（ENG）・眼球電図（EOG）

Electronystagmography：ENG，
Electro-oculography：EOG

溝田 淳　帝京大学・主任教授

目的

眼球の周囲の電位の変化を測定することにより，眼振，眼球運動や網膜外層，主に網膜色素上皮の機能の評価を行う．EOGには眼球運動と網膜色素上皮の機能評価という全く異なる目的があるので，本項では誤解を避けるためあえて，網膜色素上皮機能の評価に関してはEOG，

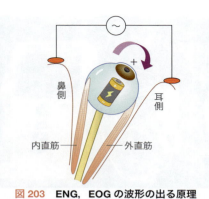

図203　ENG，EOGの波形の出る原理

眼球運動の評価に関してはENGとして述べることとする．

対象

❶ **ENG**　眼振，眼球運動障害，異常眼球運動のある症例．
❷ **EOG**　網膜外層や網膜色素上皮の機能が障害されている可能性のある症例が主な対象となる．そのため先天性あるいは後天性の網膜炎や網膜症など（例えば網膜色素変性症など）で異常を示すが，通常の網膜電図（ERG）のほうがEOGよりも診断価値が高いとされている．ただし卵黄様黄斑ジストロフィ（Best病），autosomal recessive bestrophinopathy，autosomal dominant vitreoretinochoroidopathyではERGの異常よりもEOGの異常が顕著に現れるとされており，確定診断や鑑別診断に有用とされている．

原理と特徴

眼球には角膜陽性，眼球後部が陰性となる常在電位が存在する．その電位自体を直接測定するのは困難であるが，眼球周囲に電極を置くことにより，眼球が動くことで眼球周囲に電位変化が生じる（**図203**）．その変化を測定することにより，ENGの場合は常在電位自体の変化で

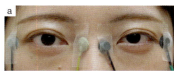

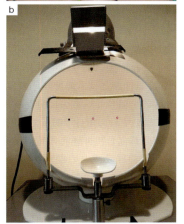

図204 ENG, EOGの電極(a), EOG記録用の網膜を均一に照射することのできるGanzfeld型のドーム(b)

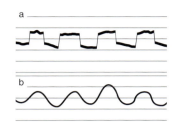

図205 正常者の衝動性眼球運動(a)と滑動性眼球運動(b)

はなく周囲の電位の変化で眼球運動,眼振の評価を,EOGの場合は常在電位自体の変化を測定する.

検査法

■ **電極** 脳波測定用の銀-塩化銀皿状電極を眼球の周囲に貼付する(図204a).ENGの場合は水平方向の眼球運動をみる場合は内眼角と外眼角に貼付する.上下方向の眼球運動も関係する場合は上眼瞼と下眼瞼,ただし上方は瞬目の影響を少なくするため眉毛の上とする.EOGの場合には両内眼角と外眼角に貼り内眼角と外眼角での電位の変化を測定する.接地電極は前額部とする.

■ **記録装置** 加算平均の必要はなく実際の振幅は250〜1,000 μVなので,通常の脳波計などで記録はできる.記録に当たってEOGの場合は左右眼で2チャンネル同時記録できる記録装置が望ましい.ENGで上下方向も測定する場合は4チャンネル同時記録できる装置が望ましい.また増幅のフィルタに関してはDC〜30 Hzが望ましいが,DCができないものもあるのでその場合は0.1〜30 Hzとする.

■ **記録方法**

❶ **ENG** 眼前に一定の間隔で視標を提示し,交互に視標を点滅させ,それを追って固視させることにより衝動性眼球運動と,正弦波様に視標を移動させそれを追視させることによる滑動性眼球運動の記録ができる(図205).また眼振の症例で正面視,右方視,左方視させてその眼振の振幅を測定して中和する位置を求めることも可能である.

❷ **EOG** 網膜を均一に照射することのできるGanzfeld型のドームを用いる(図204b).中心と左右に15度ずつのところに視標を置く.散瞳し,まず検査前の30分は室内で順応を行う.この間,眼底検査や眼底写真撮影などは行わない.記録は1分間のうち10秒だけ行い,固視視標は1秒ごとに動かす.このような条件でまず15分間暗所で記録を行い,その後バックグラウンドを明るくする.バックグラウン

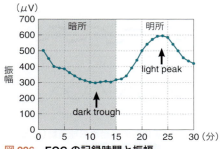

図 206　EOG の記録時間と振幅
最初の 15 分は暗所で，その後，明所で 15 分記録したもの．

ドの明るさは 100 cd/m² とする．その後明所下で 15 分同様に記録を行う．暗所では暗順応開始後徐々に振幅が低下し 10 分前後で最小となる（dark trough：D）明順応の開始後振幅は増大しそのピークとなる（light peak：L）（**図 206**）．その各々の振幅の比 L/D 比（Arden ratio）を求める．正常値に関しては各々の施設で求める必要があるが通常 1.7〜4.3 の範囲に収まっている．

◎ ポイント　ERG や視覚誘発電位（visual evoked potential：VEP）と比較すると，振幅が大きい反応なので加算平均など考えなくてもいいが，ゆっくりした反応なので増幅器のフィルタの影響を受けやすい．

■ 注意点　EOG の場合，眼球を動かす幅が大きいと振幅が大きくなってしまうので，一定の幅にすることが必要．特に視力の悪い症例などでは注意する．

判定

❶ ENG　眼球運動の異常や眼振の有無や程度．

❷ EOG　L/D 比の低い場合は網膜外層，色素上皮層の機能障害を考える．

OCT（視神経乳頭）

OCT (optic disc)

畑 匡侑　モントリオール大学/京都大学

目的・対象　視神経は，緑内障以外にもさまざまな原因により障害を受ける（**表 31**）．発症急性期には，視神経乳頭腫脹を呈するものと呈さないものに分かれるが，慢性期にはいずれの場合であっても網膜神経線維が菲薄化し視神経乳頭萎縮を示し，緑内障性視神経萎縮との鑑別が重要になる．視神経疾患における OCT 検査の役割は，それのみで診断が可能という症例は少ないが，いかに OCT 所見から非緑内障性視神経疾患の可能性を疑い，確定診断に重要な検査（血液検査や MRI 検査など）へと進むことができるかが重要となる．障害が軽度な乳頭腫脹症例や発症初期では，通常の検眼鏡検査，眼底写真では異常をとらえられないこともあるが，OCT を用いた乳頭周囲網膜神経線維層（cpRNFL）厚の測定によりわずかな形態的変化をとらえることが可能であり，さらに定量評価を行うことにより，予後の予測や治療効果判定など継時的なフォローアップが可能となる．

原理と特徴　OCT は，光干渉技術を用いた高分解能な画像取得機器であるが，短時間かつ非侵襲的に眼底の 3 次元構造を描出することが可能であり，各層厚や体積の定量も容易に行うことができる．また正常眼データベースとの比較により，障害部位やその程度をカラー表示で目視することができる．視神経疾患においては，視神経乳頭周囲のサークルスキャンにおける cpRNFL 厚や，黄斑部スキャンによる黄

表 31　視神経乳頭腫脹の主な原因(片側と両側乳頭腫脹)

片側乳頭腫脹	両側乳頭腫脹
・前部虚血性視神経症	・うっ血乳頭(乳頭浮腫)
・視神経炎	・偽乳頭浮腫
・圧迫性視神経症	・視神経炎
・うっ血乳頭(乳頭浮腫)	・前部虚血性視神経症(特に動脈炎性)
・乳頭腫瘍	・糖尿病性乳頭症
・偽乳頭浮腫	・Leber 遺伝性視神経症(初期)
・浸潤性視神経症	・浸潤性視神経症
・乳頭血管炎	・原田病
・糖尿病性乳頭症	・uveal effusion
・原田病	
・視神経網膜炎	
・uveal effusion	
・後部強膜炎	

斑部網膜神経節細胞複合体(ganglion cell complex：GCL)厚の評価がよく用いられている．このほかにも，視神経乳頭部を放射状スキャンすることで，篩状板やその周囲構造も同時に評価することが可能である．

検査法　視神経乳頭腫脹を診た場合と視神経萎縮を診た場合に分けて，鑑別すべき代表疾患とその OCT 所見の特徴を挙げる．

❶**視神経乳頭腫脹**　軽度な例では検眼鏡的には乳頭辺縁が blurred となるのみで時に判断に迷うことがある．このような際に OCT の cpRNFL 厚計測は有用である．また，視神経乳頭腫脹は，片側性か両側性かで考えるべき鑑別疾患は大きく異なり，片側性(**表 32**)では，前部虚血性視神経症と視神経炎の 2 疾患で半数以上を占める一方，両側性ではうっ血乳頭が約半数を占め，そのほかに，偽乳頭浮腫や，小児例では視神経炎，高齢者では動脈炎性前部虚血性視神経症が主な鑑別疾患となる．

前部虚血性視神経症では，急性期には 4 象限すべてで cpRNFL 厚の増加がみられるが，象限によるばらつきも多い．発症 1〜2 か月後には cpRNFL 菲薄化が認められる．また，軽度の網膜皺襞や乳頭周囲網膜浮腫，黄斑部浮腫を認めることもある．これらはうっ血乳頭でも認められる所見であるが，視神経炎ではまれであり，両者の鑑別に有用である．

視神経炎では，乳頭炎型ではすべての象限にびまん性の cpRNFL 厚の増加がみられるが，前部虚血性視神経症に比べて軽度である．その後，発症 3 か月程度で視神経乳頭萎縮へと転じる．うっ血乳頭では，急性期から全象限でびまん性の cpRNFL 肥厚を認める．その後，数か月〜数年の経過で視神経萎縮へとゆっくり移行する．脳脊髄圧と cpRNFL 厚は相関することが知られており，非侵襲的な脳脊髄圧のモニターに有用である可能性がある．また，視神経乳頭の OCT 水平断では，網膜色素上皮(RPE)/Bruch 膜(BM)層が硝子体腔側(内側)に沿った角度(逆 U 字型)でみられることが多い(**図 207**)．

❷**視神経萎縮**　視神経乳頭萎縮を診た場合は，緑内障と非緑内障を考える必要がある．両者では治療法・予後は大きく異なり，特に圧迫性視神経症では致死的疾患が背景に隠れている可能性もあることから，視神経乳頭萎縮のなかからいかに非緑内障を拾い上げるかが重要である．ここでは，圧迫性視神経症と緑内障の鑑別に焦点をあてて解説する．

圧迫性視神経症の OCT 所見では，cpRNFL の菲薄化を認めるが，緑内障眼では耳上側の視野が欠損しやすいのを反映して耳下側 cpRNFL が菲薄化しやすいのに対して，視交叉圧迫病変による圧迫性視神経症では，視交叉の交叉線維が優位に障

表32　片側乳頭腫脹の2大疾患の鑑別点

	特発性視神経炎	非動脈炎性前部虚血性視神経症
発症様式	亜急性	突然発症
痛み	半数に眼球運動時痛	なし
乳頭腫脹	軽度〜中等度	分節状，蒼白 対側は小乳頭陥凹
乳頭出血	なし	しばしばあり
MRI	造影効果あり	造影効果なし
治療	経過観察 もしくはステロイドパルスや血漿交換	循環改善薬 進行性ではステロイド
予後	良好	改善は最小限 20〜30％で進行あり

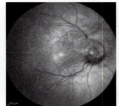

図207　うっ血乳頭の水平断OCT
視神経乳頭の水平断OCTでは，RPE/BM層が硝子体腔側にそられた角度でみられる．

害されることで鼻側網膜の網膜神経線維が障害され，視野は耳側半盲となる．鼻側網膜は乳頭の耳側と鼻側に入るため，cpRNFLは耳側と鼻側が菲薄化するのに対し上下は比較的保たれる．他のOCT所見として，篩状板周辺の所見も鑑別に有用である．圧迫性視神経症では緑内障様の乳頭陥凹が形成されても，緑内障に比べて陥凹が浅いこと，また篩状板が厚いことが圧迫性視神経症の形態的な特徴であるといえる．

OCTアンギオグラフィとLSFG

OCT angiography and LSFG (laser speckle flowgraphy system)

前久保知行　眼科三宅病院・医長

原理と特徴　レーザースペックルとはレーザーを生体組織に照射することで反射散乱光が干渉しあうことにより，形成されるランダムな光強度のパターンである．赤血球などの散乱粒子が移動することで時間とともに変化するこのスペックルパターンを解析することで，血流動態の評価に応用されるようになった．測定方法や解析方法

も進歩し血流速度，血流量の評価だけではなく血流波形から血管状態を評価することも可能となっている．mean blur rate (MBR)を1つのパラメータとし，測定範囲から関心領域を選択しその領域の血管 MBR 値(MV)，組織 MBR 値(MT)，全体 MBR 値(MA)を算出することができる．LSFG の測定波長が 830 nm であることから視神経乳頭では篩状板部前後の血流が反映されている可能性が高く，同部位の血流を高い再現性をもち量的に評価できることは視神経疾患を診断するうえで長所と考えられる．

OCT アンギオグラフィ(optical coherence tomography angiography：OCTA)は低侵襲，短時間に血管密度を測定できる機器であり，網膜浅層，深層，脈絡膜層など層別に構造的変化が血管密度(vascular density：VD)，flux index(FI)として評価される．この点は LSFG が流速から血流量を推定し領域で評価するのとは異なる点である．本項では，虚血性視神経症を中心に視神経疾患における LSFG，OCTA の有用性と現段階での課題についてまとめる．

検査と評価

❶緑内障性視神経症 視神経乳頭の循環動態と緑内障性視神経障害とは関連し，障害の進行に血流が大きくかかわっていることは以前より知られている．LSFG では Humphrey 静的視野検査における MD 値や網膜視神経線維層(retinal nerve fiber layer：RNFL)厚と視神経乳頭 MBR が相関し前視野緑内障(preperimetric glaucoma：PPG)群でも血流量低下を示すこと，進行群で有意に血流が低値であったことから緑内障の診断，進行予測，病態理解をするうえで有用であることが示されている．

OCTA では乳頭周囲浅層血管網(radial peripapillary capillary：RPC)だけではなく黄斑部 VD も減少を示し，視野と高い相関を示すことが報告されている．

❷非動脈炎性虚血性視神経症(NAION)
NAION(non-arteritic ischemic optic neuropathy)の病因は乳頭篩状板部前後の血流供給中心となる短後毛様体動脈分枝の一過性低灌流であると考えられている．病態より考え LSFG は NAION の評価に適している検査法といえる．急性視神経症の鑑別疾患として重要な視神経炎(optic neuritis：ON)との違いは NAION が MBR の低値を示すのに対し，ON では高値を示す．また，NAION における視野障害部位と一致する血流低下領域を評価することも可能である**(図 208)**．視神経萎縮の生じる慢性期 NAION では急性期の MBR 値よりもさらに低下する．しかしながら検眼鏡的に緑内障性障害などほかの視神経疾患と NAION の鑑別が困難になるのと同様に，LSFG での鑑別も難しくなる．それは網膜神経節細胞や神経軸索の減少に伴う代謝活性の低下が続発性に VD の減少，血流量の減少を生じるため血流減少はその影響を受け，神経線維の障害程度と相関はするが疾患特異性は認められなくなる．

OCTA を用いた急性期 NAION は視神経乳頭部(optic nerve head：ONH)血管網，RPC における VD は減少したとする報告が多い．一方で乳頭浅層血管密度の増加を示した報告もある．視神経乳頭深層における虚血性変化を補うための autoregulation による変化や軸索腫脹に伴った静脈うっ滞により VD の増加が引き起こされている可能性が考察されているが一定の見解は得られていない．低視力に伴う眼球運

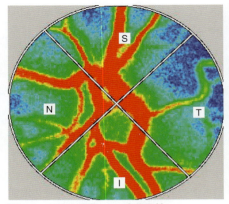

図208　LSFG画像　50歳代男性
NAION（下方視野障害）症例．上方領域の血流低下を認める．

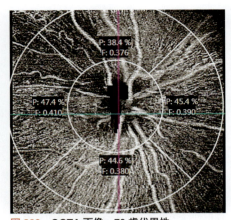

図209　OCTA画像　70歳代男性
NAION（下方視野障害）症例．10時〜11時部の血管脱落を認める．

動による motion artifact や乳頭腫脹による segmentation error が生じやすいこと，出血などの局所的な blockage の混在などにより結果のばらつきがあることによると考えられる．定量的には難しいものの形態的変化として大まかにつかむには優れており乳頭腫脹を伴う急性視神経症で RPC の区域的な VD の減少は NAION を疑うポイントとなる**（図209）**．

慢性期 NAION では RNFL，網膜内層厚に一致した RPC と黄斑部網膜血管密度の減少を認める．しかし，OCTA においても RNFL や網膜内層厚，静的視野検査と RPC の VD は相関を示すが原発開放隅角緑内障（primary open angle glaucoma：POAG）や ON との比較から NAION の疾患特異性は認められない．自験例からも RNFL，網膜内層厚には相関するものの VD 減少率に疾患特異性はなく，LSFG と同様に網膜神経節細胞や神経軸索の減少に伴う2次的変化を生じることから，その影響をみているのではないかと考えられ

OCTA のみでの診断を行うことは難しいと考えられる．

まとめ　LSFG，OCTA ともに短時間，非侵襲的に視神経疾患診断への一助となりうる可能性のある機器であるといえる．LSFG では急性期 NAION 診断において最も診断力を発揮し診断に有用となる．OCTA では乳頭腫脹を伴う急性期評価はいまだ少数例での検討が多く，また量的なばらつきが大きいため評価には注意が必要であるものの，NAION における区域性の RPC 減少は鑑別のうえで有用と考えられる．慢性期における LSFG における血流量，OCTA による ONH，RPC の VD 減少は神経線維の障害程度に依存し疾患特異性は認めないことから LSFG，OCTA のみでの診断は現段階では難しい．LSFG や OCTA，蛍光眼底造影など種々の血流評価機器おのおのの長所，短所を理解し組み合わせることで視神経疾患の病態解明が進み，診断や治療効果評価，障害予測の精度を高めていくことが期待される．

6 網膜機能・電気生理学的検査

色覚異常と色覚検査
Color vision deficiency and color examination

岩佐真紀　滋賀医科大学・助教

A 色覚異常

概念　色覚は光覚，形態覚とともに視機能の基礎となる．網膜には，短波長，中波長，長波長，それぞれの可視光に最大吸収波長特性をもつ短波長感受性錐体(S錐体)，中波長感受性錐体(M錐体)，長波長感受性錐体(L錐体)の3種類の錐体が存在し，通常，正常3色覚では3種類の錐体が機能している．先天色覚異常は錐体視物質を規定する遺伝子異常による，いずれかの錐体欠損もしくは機能不全が原因となって起こる．先天色覚異常は先天赤緑色覚異常，先天青黄色覚異常，杆体1色覚，S錐体1色覚に分類される．先天色覚異常は非進行性であり，いずれも有効な治療法は確立されていない．

　一方，後天色覚異常は先天色覚異常を除くすべての色覚異常を指す．後天色覚異常はさまざまな眼疾患(網脈絡膜疾患や視神経疾患，緑内障，白内障など)や大脳性色覚異常などの中枢神経疾患により引き起こされる．左右眼で障害の程度が異なることがあり，原疾患によって，色覚以外の視機能障害が付随することがある．青黄色覚異常と赤緑色覚異常に分類されるが，実際は両者が合併していることがほとんどである．後天色覚異常は原疾患の病状により症状の変化が起こり，原疾患の治療が色覚異常に対する治療となる．

病態　先天色覚異常は1色覚，2色覚および異常3色覚の3種類に分類される．1色覚は杆体のみが機能する杆体1色覚と1種類の錐体のみが機能する錐体1色覚に分けられる．2色覚は3種類の錐体の1つの機能が欠損するもので，異常3色覚は3種類の錐体のいずれかの最大感度波長が正常と異なるものである**(表33)**．

❶先天赤緑色覚異常　先天赤緑色覚異常はL錐体視物質，M錐体視物質の異常により引き起こされる．それぞれの錐体視物質をコードしているL遺伝子，M遺伝子はX染色体上(Xq28)に存在し，L遺伝子-M遺伝子の順に存在している．不等交差でL-MハイブリッドなりやM-Lハイブリッド遺伝子が生じることで，L錐体類似のL'錐体やM錐体類似のM'錐体が生じることがわかっている．一般的にL錐体の欠損を1型色覚，M錐体の欠損を2型色覚と分類し，1型2色覚ではM・S錐体のみ，2型2色覚ではL・S錐体のみをもつ．異常3色覚である，1型3色覚ではM・S錐体とM'錐体の3種の錐体をもち，2型3色覚ではL・S錐体とL'錐体の3種の錐体をもつ．一般的に3色覚より2色覚のほうが色覚異常の程度は強いとされている．

　先天赤緑色覚異常の遺伝形式はX連鎖性劣性であり，頻度は日本人男性5%，女性0.2%である．女性の保因者は約10%であり，保因者の色覚は正常である．臨床症状としては，赤緑の感覚差が正常色覚よりも弱くなるが，その程度は個人差が大き

表33 先天色覚異常の分類

		杆体	S錐体	M錐体	L錐体	遺伝形式
先天赤緑色覚異常	1型2色覚	○	○	○	×	X連鎖性劣性
	1型3色覚	○	○	○	M'	
	2型2色覚	○	○	×	○	
	2型3色覚	○	○	L'	○	
先天青黄色覚異常	3型2色覚	○	×	○	○	常染色体優性
先天全色盲	杆体1色覚	○	×	×	×	常染色体劣性
	S錐体1色覚	○	○	×	×	X連鎖性劣性

M':M錐体類似の錐体,L':L錐体類似の錐体.

い.色覚以外の視機能異常はない.診断は仮性同色表,色相配列検査で行う.型判定にはアノマロスコープが必要となる.

❷**先天青黄色覚異常** 遺伝子異常が原因となり,S錐体視物質がつくられないものを先天青黄色覚異常(3型色覚)という.S錐体視物質遺伝子は第7染色体上に存在し,遺伝形式は常染色体優性遺伝である.非常にまれな疾患で,臨床報告も少ない.臨床所見として白と黄色,青と緑の識別が困難であるが,非進行性で,色覚以外の視機能に異常を認めない.診断は標準色覚検査表第1部,第2部の表から青黄異常を検出すること,パネルD-15テストでtritanにフェイルすることから判定可能である.石原色覚検査表では検出が困難である.

❸**先天全色盲**

a.**杆体1色覚** 3錐体が機能せず,杆体のみが機能している.錐体の光伝達機構に関連する,網膜錐体細胞のcGMP依存性カチオンチャネルであるCNGチャネル異常,もしくはそのトランスデューシン異常が原因とされている.CNGA3,CNGB3,GNAT2の遺伝子変異が報告されており,それぞれ常染色体に存在する.遺伝形式は常染色体劣性遺伝となり,頻度は0.003%

とされている.臨床症状として,錐体細胞がすべて欠損し,杆体細胞のみによる視覚となる.そのため幼少時からの視力不良(0.1程度),羞明,昼盲,眼球振盪を有する.暗所では正常と変わらない.診断は全視野刺激網膜電図(ERG)検査で杆体反応が正常,錐体反応が著しく減弱する.視力不良であるにもかかわらず,眼底は異常を認めないことも多く,視野では中心暗点が検出される.パネルD-15テストではscotopic軸に一致し,アノマロスコープでは急峻な傾きの直線を示す.

b.**S錐体1色覚** 杆体に加え,S錐体のみが機能している.L・M遺伝子の転写調節を制御しているLCR(locus control region)領域の欠損やL遺伝子,M遺伝子の変異によるL・M錐体の発現異常などが原因となる.遺伝形式はX連鎖性劣性となり,頻度は10万人に1人以下と非常にまれな疾患である.臨床所見は杆体1色覚に類似しているが,S錐体が機能しているため,杆体1色覚と比較すると視力0.3程度とよい症例もあり,残存色覚を認める.眼底に異常所見を認めないことが多いが,黄斑病変を合併することもあり,かつ進行性の症例報告もある.診断は杆体1

色覚の結果と類似する．パネル D-15 テストでは protan 軸と deutan 軸の中間に軸がでることが多い．両者の鑑別に，家族歴の問診，色刺激 ERG で正常な S 錐体機能の検出が必要となる．

❹**後天色覚異常**　先天色覚異常を除く，すべての色覚異常がここに分類される．主な原因は水晶体疾患（白内障），緑内障，錐体ジストロフィ，網脈絡膜疾患一般（網膜色素変性症，糖尿病網膜症など），視神経疾患，Stargardt 病，薬物中毒，心因，加齢など多岐にわたる．L・M・S 錐体のうち，S 錐体は全錐体の数％と最も少なく，中心窩に分布しない．そのため機能障害を起こしやすく，網膜疾患ではまず青黄色覚異常（BY 異常）が出現するといわれている．進行すると BY 異常に加えて赤緑色覚異常（RG 異常）が出現する．多くは両者が混在し，重症例では杆体視様色覚となる．臨床所見は黄色を白，緑を青とする誤認が多く，原疾患に応じ左右差があり，視力低下や視野異常を伴うことが多い．疾患の増悪軽快に応じて症状が変化し，もともと正常色覚の記憶があるため，色覚異常の自覚をすることが多い．大脳性色覚異常など中枢性疾患が原因の色覚異常は色名呼称障害や色失認，色失語を伴うことがあり，視力障害の合併はまれである．診断は標準色覚検査表第 2 部後天異常用，パネル D-15 テスト，100 hue テスト，アノマロスコープで行い，必ず片眼ずつ施行する．治療は原疾患の治療となる．

B 色覚検査

1 仮性同色表

目的・対象　色覚異常の検出を目的に使用される．

原理と特徴　正常色覚では L 錐体，M 錐体の働きで異なって見える 2 色は，先天色覚異常の場合似た色に見える．このような色の組み合わせ（混同色）を用いて，数字や図形を表したものが仮性同色表である．

検査法

■**検査条件**　北向きの昼光下，もしくは検査用 D65 蛍光ランプ（東芝），昼光色蛍光灯（500 ルクス以下）の下で行う．検査距離は 75 cm の距離で，表の面が視線と垂直になるように提示する．1 枚の表は 3 秒以内で回答し，石原色覚検査表の曲線表は 10 秒以内でたどらせる．

■**方法**　検査表の数字を答えてもらい，結果を記録用紙に記載する．最初に誤読し，その後自発的に訂正したものは正読とする．石原色覚検査表の環状表は円のつながっていない箇所を筆で提示させる．分類表は 2 桁の数字が並ぶ．一方のみ読めた場合はその数字を記録用紙に記載し，2 つ読める場合はよりはっきり読めるほうを回答とする．先天色覚異常を対象とする場合は両眼で検査を行って問題ないが，後天色覚異常を対象とする場合は必ず片眼ずつ検査を行う．

■**ポイント・注意点**　検査への精神的ストレスが大きい．必ず個室もしくはプライバシーに配慮した環境で行い，検査は淡々と進める．また，検査表は褪色のおそれがあるため，5 年をめどに交換する．

検査と判定

❶**石原色覚検査表国際版 38 表**（図 210）　先天色覚異常の検出表として国際的にも普及度の高い検査表である．

　数字表，曲線表，環状表はそれぞれ検出

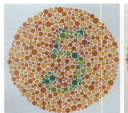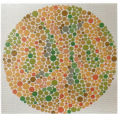

図 210 石原色覚検査表国際版 38 表

表と分類表で構成される．数字表は「正常色覚，赤緑色覚異常の両者ともに読める表（第 1 表）」「正常色覚と赤緑色覚異常で読み方が異なる表（第 2 表〜第 8 表）」「正常色覚のみが読める表（第 9 表〜第 12 表）」「赤緑色覚異常者のみ読める表（第 13 表〜第 15 表）」の検出表から構成されている．第 16 表〜第 19 表は分類表となる．第 32 表〜第 38 表は環状表である．数字が読めない幼児などは曲線表（第 20 表〜第 31 表）を用いる．

判定では，デモンストレーション表と数字表・環状表からなる検出表の計 22 表中，誤読数が 4 表以下を正常，誤読数 5〜7 表を色覚異常疑いとし，誤読数 8 表以上を色覚異常とする．正読でなければすべて誤読とし，誤読数が 7 表以下であっても，異常者特有の誤読が含まれる場合は軽度の色覚異常を疑い，アノマロスコープでの精密検査を行う．デモンストレーション表（第 1 表）は視力 0.1 以上で読める表であり，誤答する場合は，詐病，心因性視覚障害，視力低下を伴う器質的な疾患を疑う．幼児など数字が読めない場合，環状表のみで判定が可能とされるが，成長後に再検査をすることが望ましい．分類表は 1 型の数字，2 型の数字の読めた数字の多いほうに分類する．分類表による型判定の精度は高くなく，参考にとどめる．

❷ **標準色覚検査表　第 1 部　先天異常用 (SPP-1)**（図 211）　デモンストレーション表 4 表，検出表 10 表，分類表 5 表から構成される．デモンストレーション表第 1 表を誤答した場合，詐病の疑いがある．デモンストレーション表第 2 表，第 3 表が読めなければ，1 色覚，3 型色覚，後天異常などが疑われる．第 5 表〜第 19 表には 2 桁の数字があり，2 桁どちらも読めた場合はよりはっきりとしているほうを回答とする．

判定については，検出表 10 表のうち 8 表以上正読した場合を正常とする．分類表は 1 型の数字，2 型の数字の読めた数字の多いほうに分類する．分類表の精度は石原色覚検査表よりも高いが結果は参考程度とする．軽度の色覚異常では判定が正常となることがあるため，正常であっても，異常者特有の誤読が含まれる場合は軽度の色覚異常を疑い，アノマロスコープで精密検査を行う．

❸ **標準色覚検査表　第 2 部　後天異常用 (SPP-2)**（図 212）　デモンストレーション表 2 表，検出表 10 表から構成される．青黄異常が種々の疾患において比較的明瞭にみられることから青黄異常用表に重点をおいて作成されている．原則片眼ずつ検査を

図211 標準色覚検査表　第1部　先天異常用（SPP-1）

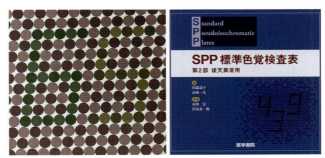

図212 標準色覚検査表　第2部　後天異常用（SPP-2）

行い，正しく読んだ数字に○，誤読した数字に×，2つの数字が両方読めた場合は見やすいほうを◎と記録用紙に記載する．青黄異常検出表（No.3～11・BY印），赤緑異常検出表（No.8～12・RG印），杆体視検出表（No.7, 12・S印）があり，BY印の数字が読めなければ青黄異常，RG印の数字が読めなければ赤緑異常，S印の数字が読めなければ杆体視と判定する．後天色覚異常は疾患ではなく正常色覚の感度低下であり，程度の差はあるが青黄色覚異常と赤緑色覚異常が合併する．

2 色相配列表

❶ パネルD-15テスト（Farnsworth panel D-15 test）（図213）

目的・対象　先天色覚異常の程度を強度と中等度以下に分けることができる．青黄異常と1色覚の検出も可能である．

原理と特徴　色度図（CIE）上の2色覚の混同色を利用した検査法．

検査法　照明は検査用D65蛍光ランプ，もしくは北向き昼光下で行う．検査は数分以内で行うようにする．箱の左端に固定されたキャップと，裏に数字が書かれた15個のキャップがある．固定キャップに近い色の順に15個のキャップを並べていく．並べ終わったら箱を裏返し，箱左からキャップ裏の番号順に記録用紙に線でつなぐ．

■ポイント・注意点　色票表面を素手で触れないようにする．被検者に裏面の番号が見えないよう注意する．

判定　記録用紙に記載された型別の傾きに平行な横断線が2本以上あればフェイル，それ以外はパスとする．フェイルで

図 213　パネル D-15 テスト

あれば強度の色覚異常と考える．フェイルの場合，1型色覚と2型色覚で線の方向が異なるため，その横線の傾きで型判定ができる．仮性同色表で明らかな異常があり，本検査でパスであれば中等度以下の色覚異常となる．隣同士や1つ飛ばした隣などを結ぶことが混在した minor errors や途中でいったん横断してから順番が逆まわりになる one error の場合，パスと判定してよいが，原則もう一度再検査を行う．2回の検査で結果が異なる場合はよいほうの結果を用いて判定する．中等度以下の分類について，中等度か軽度かはランタンテストを行い判定する．くれぐれも，パネル D-15 テストをパスした症例を正常色覚と診断してはならない．杆体1色覚では deutan 軸と tritan 軸の中間である，scotopic 軸を呈する．後天色覚異常では，青黄異常で横断線が tritan 軸に平行にみられる（図 214）．

❷ 100 hue テスト（Farnsworth-Munsell 100-hue test）（図 215）

目的・対象　色識別能を検査する目的で作成された．主に後天色覚異常の評価に用いられる．

原理と特徴　色度図（CIE）上の混同色を利用した検査法．

検査法　照明条件はパネル D-15 テストと同じである．裏に 1〜85 番の色相順番号がついた 85 個のキャップがあり，4つの箱に収められている．それぞれの箱の両端に固定キャップがあり，無彩色の机上でキャップを順不同に混ぜ，固定キャップに似た色順に並べていく．1箱ごとに検査を行う．

判定　記録用紙のキャップ番号の上に実際に並べた順に記入し，隣同士のキャップ番号の差をとり，さらに隣り合った差の和（偏差点）を算出する．この結果をスコアシートにプロットする．各偏差点から2を引いた数の合計を総偏差点といい，色識別能力の評価時に参考値として用いられる．総偏差点が低いほど色識別能力が高い．

3 ランタンテスト（図 216）

目的・対象　船舶や鉄道，航空などの職業適性検査として開発された．現在は先天色覚異常の程度判定を目的に行われている．

原理と特徴　色光の視認能力をみる検査で，先天色覚異常では短時間で小面積の色識別が困難であることを利用している．

検査法　検査は 3 m，視角 2 分 40 秒で，半暗室で行う．赤 630 nm・黄 580 nm・緑 555 nm の色光が縦に2灯ずつ，ランダムに点灯するため，その色名を答える．色光の提示は2秒で，1回に9組提示

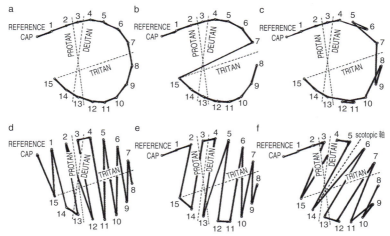

図214 パネルD-15テストによる診断
a：パス，b：one error（パス），c：minor error（パス），d：1型色覚（フェイル），
e：2型色覚（フェイル），f：杆体1色覚．

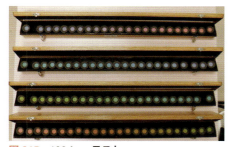

図215 100 hue テスト

図216 ランタンテスト

される．検査は原則9組を2回施行し，誤答数が少ない回の結果を判定に使用する．

判定 2灯とも正しく答えれば正答，1灯でも誤れば誤答とし，誤答数により程度を判定する．9組中誤答数が3以下は軽度の色覚異常，9組中誤答数が4以上であれば中等度以上の色覚異常と判定する．パネルD-15テストをパスし，中等度以下と判断された場合，本検査の結果と合わせて中等度，軽度の判別ができる．

■その他 現在製造中止となり，新規に入手することは難しい．

4 アノマロスコープ（図217）

目的・対象 先天色覚異常の確定診断を目的とし，型判定を行うことができる．

原理と特徴 アノマロスコープは赤色光（670 nm）と緑色光（545 nm）を混色して，黄色光（589 nm）と等色させる検査である．

検査法 接眼レンズを覗くと円の視標

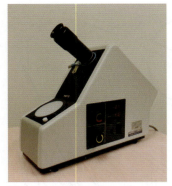

図217 アノマロスコープ

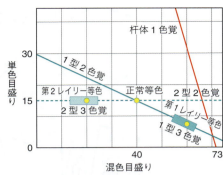

図218 アノマロスコープによる診断

が見える(視角約2度).上半円は赤と緑の混合光,下半円は黄色の単色光となっている.それぞれ赤と緑の混合割合を調節する混色ノブ(0〜73),黄の明るさを調節する単色ノブ(0〜87)を変えることで,上下の半円の色と明るさが同じになる値(等色)を求める.ノブの操作は検者が行う.視標を見る時間は1回数秒以内とし,視標を見たあとは一度接眼レンズから目をはなして,明順応板を見るようにする(明順応).

判定 正常等色,第1レイリー(Rayleigh)等色,第2レイリー等色,緑黄等色,赤黄等色があり,どの等色がでるかで,色覚異常の型診断が可能である.正常等色は混色目盛り40,単色目盛り15である.正常色覚では正常等色付近のみで等色する.2色覚では混色目盛り0〜73のすべてで等色する.1型2色覚では混色目盛り0,単色目盛り30付近,混色目盛り73,単色目盛り4付近で等色する.2型2色覚は混色目盛り0〜73,単色目盛り15付近で等色する.1型3色覚では第1レイリー等色を含む範囲で等色し,2型3色覚では第2レイリー等色を含む範囲で等色する.

異常3色覚の等色の範囲はさまざまである.正常色覚は他の色覚検査の結果と合わせて判断する.杆体1色覚では緑側を明るく感じるため1型2色覚よりも急峻な直線となる**(図218)**.

*

先天赤緑色覚異常の診断ポイント
型判定を含めた確定診断ができるのはアノマロスコープが唯一であるが,有している施設は限られる.診断は色相配列検査,パネルD–15テストがあれば可能である.

仮性同色表で異常,パネルD–15テストでフェイルであれば強度の色覚異常となる.パネルD–15テストの結果から1型か2型か推定ができる.

仮性同色表で異常,パネルD–15テストをパスしたものは,中等度以下の色覚異常となる.SPP–1の分類表から1型か2型の推定ができる.

仮性同色表で誤読数が少なく,異常と判定できなければ,仮性同色表の誤読の仕方に注目する.わずかでも異常者の読みが交じっていれば軽度の色覚異常を疑い,正常か,軽度の色覚異常かの判断のためにアノ

マロスコープでの精査を行う．

患児が幼少の場合，仮性同色表，パネルD-15テストとも典型的な回答を得られない場合がある．その際は一度の検査で診断をつけるのではなく，検査に対する十分な理解が得られる年齢に達してから再検査することを勧める．

光覚検査
Dark adaptation

岩佐真紀 滋賀医科大学・助教

| 概説・目的 | 光覚とは光を感じ，その強さを識別する機能である．明所から暗所へ入ると時間とともに光覚が増進し見えるようになる．これを暗順応とよぶ．逆に暗所から明所に入ると最初は見えないが数秒で見えるようになる．これを明順応とよぶ．光覚検査は認識できる最小の光の強さ（光刺激閾値）を測定するもので，主には暗順応検査を行い，その閾値と時間経過による変化を定量することを目的とする．

| 対象 | 錐体機能や杆体機能が障害される疾患が対象となる．
①網膜色素変性症，白点状網膜症などの進行性夜盲疾患．
②小口病，白点状眼底，先天停止性夜盲症などの停止性夜盲疾患．
③ビタミンA欠乏症性夜盲，腫瘍関連網膜症などの後天性の夜盲疾患．
④杆体1色覚，錐体ジストロフィなどの錐体機能不全をきたす疾患．

また，糖尿病，低酸素などでも暗順応異常の報告がある．

| 検査法 | Goldmann-Weekers暗順応計，Nagel暗順応計，日置式暗順応計などを用いて暗順応検査を行う．以下，国内で普及しているGoldmann-Weekers暗順応計の使用法について述べる．

■ **準備** 器機は完全暗室に設置する．
■ **手技・方法** 非検眼をアイパッチなどで遮閉後，暗室で10分間明順応用光源を見せて検査眼を明順応させる．その後，直ちに電気を消して完全暗室にし測定を開始する．頭を固定し，装置のドーム中央の穴を覗くと，刺激光が提示される．視標の光を感じる最低の値を時間ごとに測定する．横軸に時間（分），縦軸に輝度の対数値をプロットし，暗順応曲線を求める．

◎ **ポイント** 暗順応曲線は装置固有の基準光強度に対する相対値で示される．各施設ごとに正常眼の暗順応曲線と比較する必要がある．また，検査に長時間を要するため日常診療内での対応が難しい．

■ **その他** 現在Goldmann-Weekers暗順応計は製造終了となっており，国内で機器の入手は困難である．

| 判定 | 暗順応に入ると，急激に最低刺激閾値の低下が起こり，約10分後に緩徐となり，その後再び急激な低下を示し，30分～1時間後に一定の値に達する．そのため，健常者の正常暗順応曲線は，2相性曲線となる．暗順応開始後約10分は，錐体系の暗順応を表す第1相が出現し（第1次暗順応曲線），その後杆体系の暗順応を表す第2相に移行し，30分～1時間でほぼ平坦になる（第2次暗順応曲線）．この移行点をKohlrauschの屈曲点という．Kohlrauschの屈曲点の有無，第1次および第2次暗順応曲線の閾値とそれに要する時間により判定を行う**(図219)**．網膜色素変性症の初期では2相性の暗順

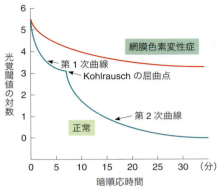

図219　暗順応曲線

応曲線を示すこともあるが，進行するとKohlrauschの屈曲点が不明瞭となり，最終閾値が上昇する．一般に網膜症が進行すると杆体系の暗順応を示す第2暗順応が障害され，最終的に暗順応全経過が障害される．小口病や白点状眼底では数時間経過して正常閾値に到達する．先天性停止性夜盲症の完全型では第1次暗順応曲線のみとなり，杆体1色覚では第2次暗順応曲線のみとなる．

中心フリッカ値測定
Critical fusion frequency：CFF

松本長太　近畿大学・教授

目的　視野中心部の限界フリッカ値（CFF）を測定することで，視神経の機能評価を行う．

対象　視神経炎をはじめとする各種視神経疾患．

原理と特徴　視神経疾患では，中心フリッカ値を測定することにより，視力に比べより鋭敏に機能異常を検出することができる．視神経疾患を経過観察するうえで簡便であり臨床上有用である．さらにCFFは，屈折異常や軽度の中間透光体の混濁の影響を受けないという特徴を有する．

検査法　片眼を遮閉したのち被検者に視標が見えることを確認する．はじめに十分低い周波数で視標を見せ，被検者が視標のちらつきがわかることを確認する．周波数を徐々に上げ，ちらつきがわからなくなった時点で合図させる．次に周波数をいったん上げ，視標がちらついていないことを確認する．そして逆に周波数をゆっくり下げ，今度は再びちらつき始めた時点で合図させる．この値を中心フリッカ値として記録する．検査は視力のよいほうの眼から始める．CFFは屈折の影響を受けにくいため，厳密な近見矯正は必要ない．

判定　近大式中心フリッカ装置を用いる場合は，一般的に35 Hz以上を正常，25 Hz以下を異常，26〜34 Hzを要精査とする．視神経炎の初期では，視力が低下する前にまず中心フリッカ値の低下が認められることが多い．その後，視力，中心フリッカ値ともに低下する．回復期では，視力が完全に回復したあとも中心フリッカ値の低下がしばらく続く．この現象は中心視力–中心CFF値解離現象とよばれる**（図220）**．一方，Leber遺伝性視神経症では中心フリッカ値が良好に保たれている症例が多く，中心視力–中心CFF値の逆解離現象ともよべる状態を示す．

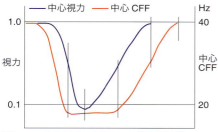

図220　中心視力−中心 CFF 値解離現象

網膜電図（ERG）

Electroretinogram：ERG

國吉一樹　近畿大学・准教授

ERGを記録する目的は？　網膜とは，デジタルカメラにおける CCD あるいは CMOS イメージセンサーにあたるもので，外界からの光刺激を電気信号に変換し，処理を行って視中枢へ伝える役割を担っている．網膜電図（ERG）とは，光刺激に対する網膜の電気生理学的応答を記録して，網膜機能を評価する検査である．したがって，ERG を記録する目的は，①網膜機能が正常か異常か，異常であれば網膜のどの層がどの程度異常なのか評価する，②ERG の波形から網膜疾患を診断する，の2点である．

ERG には網膜全体からの反応である全視野 ERG と，網膜の局所的反応である局所（あるいは多局所）ERG に分かれるが，本項では全視野 ERG について解説する．

対象疾患　ERG は，以下のような眼疾患で網膜機能を評価するのに有用である．

❶**眼底が見えない疾患**　硝子体出血，角膜混濁，進行した白内障，など．

❷**網膜循環障害や炎症性疾患**　糖尿病網膜症，網膜静脈/動脈閉塞症，眼動脈閉塞症，網膜・ぶどう膜炎，眼内炎，など．

❸**網膜変性疾患**　遺伝性網膜ジストロフィ全般（網膜色素変性，錐体ジストロフィなど）．診断に必須．

❹**眼底所見が正常な網膜疾患**　急性帯状潜在性網膜外層症（acute zonal occult outer retinopathy：AZOOR），自己免疫網膜症，腫瘍関連網膜症，など．

❺**その他**　視神経疾患，頭蓋内疾患，心因性視覚障害などが疑われる場合に，網膜機能に異常がないことを証明するためにERG は有用である．

原理と特徴　暗順応下では，網膜の視細胞は脱分極しており，光刺激を受けると視細胞外節内で光トランスダクションが惹起されて視細胞は過分極する．この電気シグナルは双極細胞，神経節細胞を経て視中枢へ伝達され，視覚として認知される．ERG は，この過程のうち，網膜の電位変化を縦軸に電位，横軸に時間をとってグラフ化したものである．暗順応後に強いフラッシュ光で記録した ERG を**図221** に示す．フラッシュ ERG の a 波は主として視細胞（杆体と錐体）と on 型双極細胞，b 波は on/off 型双極細胞，そして律動様小波はアマクリン細胞からの反応とされる．つまり，刺激光から早い段階に発生する成分（a 波）は主として網膜深層，遅い成分（b 波や律動様小波）は主として網膜の中層から浅層からの反応が含まれる（**図221**）．そしてそれぞれは，脈絡膜循環と網膜循環の影響を受ける（**図221**）．

検査法　ERG は網膜の電気的反応であるから，網膜の表面と裏面にそれぞれ関電極と不関電極を置いて電位の変化を記録

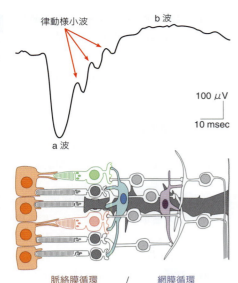

図 221 正常フラッシュ ERG の構成成分（上段）とその起源（下段）

a 波は下向きの波形成分で，視細胞や on 型双極細胞の機能を反映し，脈絡膜循環の影響を受ける．b 波は a 波に続く上向きの成分で，on/off 型双極細胞の機能を反映し，網膜循環の影響を受ける．律動様小波はアマクリン細胞を起源とし，網膜中層の機能を反映して網膜循環の影響を受ける．

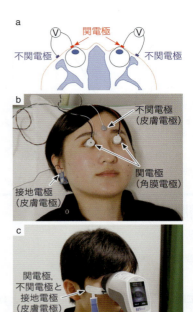

図 222 ERG 記録に用いる電極の種類と設置方法

a：関電極と不関電極．角膜電極と皮膚電極を用いる場合は，角膜電極が関電極（＋），皮膚電極は不関電極（−）となる．
b：角膜電極と皮膚電極を用いた ERG 記録．この写真では，前額部に設置した 1 つの皮膚電極を左右眼からの共通の不関電極として使用している．
c：手持ち式の装置による ERG 記録．本装置では，関電極，不関電極，接地電極は 1 枚のシール式皮膚電極にすべて含まれている．角膜電極を用いないので角膜損傷のリスクがなく，小児の症例や眼科手術後の ERG 検査を容易かつ安全に施行できる．

できればベストだが，生体ではそれが不可能なので，角膜電極と皮膚電極，あるいは皮膚電極間の電位変化を記録して ERG とする**（図 222）**．全視野 ERG はその記録方法により，6 種類が定められている**（表 34）**．大別すると，暗順応後に背景光なしに記録する杆体 ERG とフラッシュ ERG とその律動様小波，明順応後に背景光を用いて記録する錐体 ERG とフリッカ ERG に区分できる**（表 34）**．

■**準備，手順** 検査は仰臥位または坐位で行う．関電極（角膜または皮膚電極）と不関電極，耳朶などに接地電極を設置し**（図 222）**，**表 34** に示した所定の条件で ERG を記録する．角膜電極を用いる場合には，表面麻酔と角膜保護剤を併用する．

■**記録のポイントと pitfalls** ERG は数十〜数百 μV という小さな電位を増幅して記録する検査なので，環境ノイズや筋電図，眼球運動などの影響を受けやすい．電極を設置するときには皮脂をよくふきとっ

表34 国際臨床視覚電気生理学会(ISCEV)により定められた全視野ERG

ISCEV名称	一般名称	検査前順応	検査時背景光	記録に用いる刺激光（光刺激時間は5 msec以下）	発生起源
Dark-adapted (DA) 0.01 ERG	杆体ERG	20分以上の暗順応	なし	0.01 cd·s/m²	杆体系 on 型双極細胞
Dark-adapted (DA) 3 ERG	フラッシュERG			3 cd·s/m²	視細胞と on/off 型双極細胞（杆体系＋錐体系）
Dark-adapted (DA) 10 ERG				10 cd·s/m²	視細胞と on 型双極細胞（杆体＞錐体）
Dark-adapted 3 oscillatory potentials (DA 3 OPs)	律動様小波			3 cd·s/m²	アマクリン細胞（網膜中層の機能と網膜循環を反映）
Light-adapted (LA) 3 ERG	錐体ERG	30 cd/m² で10分以上の明順応	30 cd/m²	3 cd·s/m²	錐体と錐体系 on/off 型経路
Light-adapted (LA) 30 Hz flicker ERG	フリッカERG			3 cd·s/m²（28〜33 Hzで点滅）	L/M 錐体系 on/off 型経路

ISCEV: International Society for Clinical Electrophysiology of Vision
(Doc Ophthalmol 2015; 130: 1-12, Doc Ophthalmol 2015; 131: 81-83 より)

て皮膚にしっかりと接着させ，接地電極は適切に設置して，記録時には患者をリラックスさせて筋電図や眼球運動の混入を避けることが重要である．ERG記録装置の付近に大きな電磁ノイズを発生する機械があるとERGにノイズが混入しやすくなる．また，検査前の暗順応や明順応，そして記録時の背景光や刺激光が規定通りでない場合や，暗室の遮光が不完全な場合，そして検査時に眼球の上転や内外転などにより刺激光が被検眼に適切に入射しなかった場合にはERG波形が変形するので，誤診につながることがある．

最後に，電極の装脱着は清潔操作を心がけ，使用後の電極は規定通りに洗浄ないし消毒してから保管する．

判定 判定は，まずフラッシュERGの波形から行う(表35)．次に，杆体ERGや錐体ERG，フリッカERGが特異的に減弱していないかどうかをチェックする(表36)．

局所ERGと多局所ERG
Focal ERG, Multifocal ERG

上野真治 弘前大学・教授

目的 黄斑の光に対する応答を電位として，角膜や皮膚などに装着した電極で記録するのが局所/多局所ERGであり，黄斑部の局所機能を他覚的に評価することができる．最も有用なのは眼底に異常がみられない原因不明の視力低下や視野異常をきたした場合の鑑別である．局所/多局所ERGに異常があれば，その原因が，視細

表35 フラッシュERG

フラッシュERGの種類	病態	主な疾患
正常	—	—
準正常(subnormal)	網膜外層の障害 網膜のかなりの範囲にわたる強い障害	網膜色素変性の初期 網膜変性症 網膜剝離 眼動脈閉塞症 進行した糖尿病網膜症 ぶどう膜炎の一部 腫瘍関連網膜症 AZOOR complex 汎網膜光凝固後
消失型(non-recordable)	網膜全範囲にわたる強い障害	網膜色素変性 Leber先天黒内障 網膜全剝離 眼動脈閉塞症 網膜壊死(ぶどう膜炎や眼内炎を含む) 腫瘍関連網膜症
陰性型(negative) (b波がa波よりも減弱)	網膜中層の障害 強い網膜循環障害	先天停在性夜盲(小口病, 白点状眼底, 完全型, 不全型) 先天網膜分離症 網膜中心動脈閉塞症や虚血型網膜中心静脈閉塞症 メラノーマ関連網膜症 網膜血管炎やぶどう膜炎の一部
増大型(supernormal)	軽度の網脈絡膜循環障害	網膜中心静脈閉塞症の一部 糖尿病網膜症の一部 ぶどう膜炎の一部 眼白皮症

正常眼ではb波の振幅はa波の振幅よりも大きいが, b波の振幅がa波よりも小さな(赤矢印)フラッシュERGを陰性型(negative)ERGと呼称し, 表に示したような特定の疾患にみられる波形である.

胞・双極細胞レベルの異常であることを示唆している.

対象 黄斑ジストロフィなどの遺伝性網膜疾患, 急性帯状潜在性網膜外層症(acute zonal occult outer retinopathy: AZOOR)などの後天性網膜疾患が対象となる. また, 網膜硝子体手術前後に記録することにより, 手術の効果や影響を評価することができる.

原理と特徴

❶黄斑部局所ERGの原理 赤外線眼底カメラを用いて眼底観察しながら網膜の局所反応を記録する**(図223)**. 局所網膜を光刺激する際には, 散乱光の影響を除くため, 一

表36 錐体・杆体障害と ISCEV 規格の ERG

	正常	錐体障害型	杆体–錐体障害型	杆体障害型
杆体 ERG (DA-0.01)				100 μV / 25 msec
フラッシュ ERG (DA-10)				100 μV / 10 msec
錐体 ERG (LA-3)				100 μV / 10 msec
フリッカ ERG (LA-flicker)				100 μV / 10 msec

代表症例として，錐体障害型は錐体–杆体ジストロフィ，杆体–錐体障害型は区画型網膜色素変性，杆体障害型は白点状眼底の ERG 結果を提示した

定の背景光下に，弱い刺激光を使用する必要がある．そのため網膜の局所から発生する電位は非常に微弱であり，1回の刺激に対する反応だけでは，その信号は生体が発生するノイズに埋もれてほとんど観察できない．そのため，局所 ERG の記録には反応を加算平均して行うことにより，振幅の小さな波形を記録できる(図224)．長所は眼底観察を行いながら検査をするため，中心固視ができない患者でも記録ができることである．

❷ **多局所 ERG の原理** 多局所 ERG の刺激には，TV モニターの多数の六角形が使われる．この六角形は検査中に，75 Hz で白や黒にランダムに変化し，このパターンは疑似ランダム系列(m-sequence)とよばれている(図225)．実際の各局所 ERG の計算には相互相関という方法が用いられ，目的とする六角形の刺激のパターンと実際に得られた ERG 反応の相関から数学的に局所 ERG が導き出されている．つまり，多局所 ERG は局所 ERG と異なり局所の網膜反応を直接記録しているわけではない．

多局所 ERG の長所としては1度の検査で多くの部位の網膜の局所反応を得られる点であるが，欠点として中心固視ができない患者は多局所 ERG を記録するのは難しい．

検査法

■ **黄斑部局所 ERG の記録手順** 局所 ERG はコーワ ER-80(興和)を用いて記録されてきたが，現在はメイヨーがコーワ ER-80 の販売を引き継いでいる．この装置は，刺激と眼底観察を兼ねた赤外線眼底カメラ(図223)を用い，刺激や背景の光源としては白色 LED が使われている．

実際の記録方法は，散瞳・点眼麻酔後，双極型コンタクトレンズ電極を挿入する．検者は赤外線眼底カメラのモニターに被検者の眼底がきれいに写し出されていることを確認し，刺激スポットをモニター上で位置を調整しながら検査を開始する(図223)．300〜500 回程度の反応を加算平均して波形を記録する．刺激スポットのサイズは直径5度，10度，15度があるが，よく使われる刺激条件は15度の円形刺激，

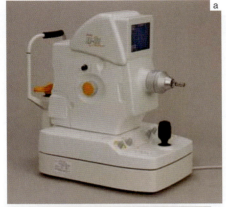

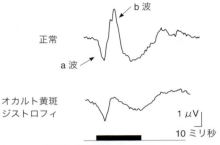

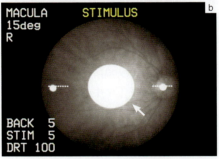

図 223 局所 ERG の外観と記録中の赤外線眼底カメラによる眼底モニター

a：局所 ERG の刺激装置の外観．赤外線眼底カメラを改良して局所刺激ができる仕組みになっている．

b：赤外線眼底カメラで観察した被検者の眼底．直径 15 度の刺激スポット（矢印）を黄斑中心部に照射している．

光刺激強度 30 cd/m², 背景は 3 cd/m², 刺激頻度は 5 Hz, 刺激時間は 100 ミリ秒（短時間刺激なら 10 ミリ秒）である．記録時間は 1 回 1～2 分程度である．正常者から 15 度の刺激スポットを用いて黄斑中心部から記録した黄斑部局所 ERG の波形を図 224 に示す．波形は主に a 波と b 波の律動様小波（OPs）から成り立っている．

■ **多局所 ERG の装置の記録手順**　多局所 ERG は VERIS（EDI 社）という名称で市販

図 224 黄斑部局所 ERG の波形

上：15 度の刺激スポット（刺激時間 100 ミリ秒）を用いて記録した，正常者の黄斑部局所 ERG の波形．a 波，b 波や律動様小波から成り立つ．

下：オカルト黄斑ジストロフィの患者の黄斑部局所 ERG．眼底に異常はないが，局所 ERG の b 波の振幅が低下している．

されていたが，現在 VERIS の販売代理店は日本になく，同様の機能をもつ LE-4100（図 226）が販売されている（製造販売元メイヨー，販売元トーメーコーポレーション）．実際の記録では，散瞳・点眼麻酔後，専用の双極型コンタクトレンズ電極を装着する．この後に屈折矯正を行い，テレビモニターの中心を見てもらう．検査が始まると，モニターの白と黒の模様が素早く変化するが，被検者には常に中心の固視点を見ているように伝える．検査時間は合計で 37 部位の刺激では約 2 分で，61 部位の刺激では 4 分だが 30 秒ごとに短い休憩を入れるのが普通である．

■ **多局所 ERG の波形解析のポイント**　多局所 ERG の刺激画面は多数の六角形で構成されているが，この六角形の面積は中心部で小さく，周辺では大きく設計されている（図 225）．これは，各部位から記録される局所の ERG の振幅が健常者においてだいたい等しくなるようにうまく調整されているためである（図 227a 上部）．また，多局所 ERG では各局所反応の振幅を用いて

6 網膜機能・電気生理学的検査　229

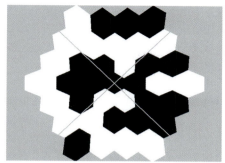

図225　多局所ERGの光刺激パターン（37か所刺激）
それぞれの六角形の白黒が75 Hzでランダムに変化する．

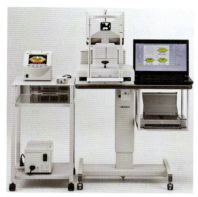

図226　多局所ERGの機械の外観
LE-4100多局所ERG記録ユニットをセットしたものである．

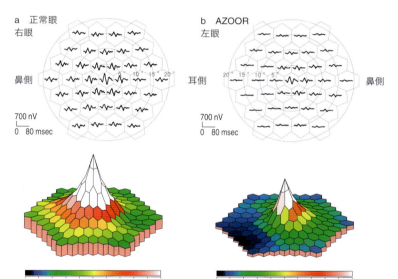

図227　正常波形（a）とAZOOR（b）の多局所ERGの結果
上段に多局所ERGの波形，下段に波形をもとに作成された3Dマップが表示されている．AZOORでは耳側視野に異常がみられ，それに一致する部位の多局所ERGに振幅低下がみられる．

立体的な3D表示をすることができる（図227a下部）．この3D表示は，各部位の単位面積あたりの振幅を高さで表示したものである．多局所ERGは局所の錐体ERGであるから，錐体系細胞の密度が高い中心部で単位面積あたりの振幅が高くなる．図227bにAZOORの多局所ERGを示す．多局所ERGでは，視野異常に相当すると

ころの振幅が低下している．

判定 視力もしくは視野に異常があり，局所/多局所 ERG が異常であれば主に視細胞レベルでの異常による機能障害であり，局所/多局所 ERG に異常がない場合は，神経節細胞以降の異常，もしくは心因性であると判定される．

視覚誘発電位（VEP）
Visual evoked potential：VEP

溝田 淳　帝京大学・主任教授

目的 視覚誘発電位（VEP）は目に入った刺激に対する大脳の反応である．角膜から大脳までのいずれの部位が障害されても影響が出るので，刺激の方法にもよるが，ある程度他覚的に視機能を評価できる方法である．

対象 視機能障害が疑われる症例はいずれも対象とはなりうるが，特に乳幼児などのように自覚的な検査ができない症例，視神経疾患のように検眼鏡的には診断の困難な症例，あるいは詐病のような症例などの診察に際して有用である．

原理と特徴 VEP は視覚刺激における脳波の変化であり，その振幅は網膜電図（electroretinogram：ERG）などと比較するとはるかに小さく，また脳波の α 波よりも小さく，その反応を検出するためには加算平均を行う必要がある．ERG と異なり波形の個体差が大きく，反応の有無の評価に苦労することがある．また後頭葉の 1 次視覚野の表面の皮膚で記録する反応なので，網膜と 1 次視覚野との関係から，1 次視覚野の表面にある細胞は黄斑部からの反応と関係するため VEP 自体も網膜中心部の機能と関係し，網膜周辺部が障害されていても中心部が保たれていると良好な反応が得られる．

検査法

■**準備** 測定には刺激装置と，それと同期することのできる加算平均が可能な記録装置が必要である．通常の記録だけなら 1 チャンネルだけのもので可能である．外からのノイズの混入を防ぐためにシールドルームでの測定が望ましいが，なくてもそれなりの環境であれば可能である．刺激に関しては代表的なものとしてはフラッシュ刺激，パターン反転刺激，パターン onset/offset 刺激があり，それらの刺激を出すことのできる刺激装置が必要である．パターン刺激では CRT モニターが輝度の均一性などから望ましい．LCD モニターでもある程度代用はできるが輝度の変化があるので反応に輝度変化の影響がみられる可能性がある．基本的には散瞳は必要ない．

■**手技・方法** 基本的には片眼ずつ測定する．使う電極は通常脳波の測定に使う皿状電極で，電極の位置は脳波測定の際に用いられる国際式 10/20 法での Oz の位置に関電極，Fz の位置に不関電極を設置し，接地電極は耳朶とする**(図 228)**．前置増幅器のバンドパスは 1～100 Hz より広く設定する．

また，前述のように非常に小さい反応のため加算平均を行う必要がある．加算平均の回数を増やせばノイズの少ない波形になるが，測定時間が長くなる．この点を考えても最低 50 回は必要であり，平均的には 100 回前後の加算を行っている施設が多い．

また，パターン刺激に際しては矯正レン

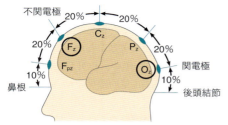

図228　VEPの記録の電極の位置

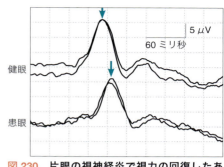

図230　片眼の視神経炎で視力の回復したあとのVEP
複数回測定し再現性がみられる．患眼のP100頂点潜時（矢印）に遅れがみられる．

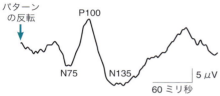

図229　パターン反転刺激の正常VEP波形

ズを用いてなるべくパターンが鮮明に見えるような矯正が必要である．測定時間は少なくとも250ミリ秒以上必要．刺激頻度に関してはフラッシュ刺激では1Hz，パターン反転刺激では2反転/秒（1Hz），パターンonset/offset刺激では1.67Hz．

● ポイント　刺激の種類であるが，角膜や中間透光体の混濁のない症例はまず比較的個人差の少ないパターン反転刺激で記録するのがよい（図229）．小児など固視の悪い者ではパターンonset/offset刺激がよい場合もある．基本的には複数回測定しその再現性をみることが重要である（図230）．個体差があるので，まず片眼のみ異常の疑われる症例では正常と思われるほうから測定し，反対眼に関してはその波形と比較する．

■ 注意点　ある程度他覚的に行える視機能検査ではあるが，被検者が視標を見ていなければ反応は出ないので，反応が出ないからといって視機能が悪いと簡単に結びつけることはできない．逆に反応が良好なときはそれなりの視機能があるものと考えてよい．ただしあくまでも中心からの反応なので，緑内障などの症例で中心部の視機能のよい症例では反応も正常となる．

■ その他　パターン刺激ではあくまでも輝度の変化がないことが前提なので，自分で視標を作る際などは注意が必要．

| 判定 |　まず再現性のある反応の有無を判定する．そのためには複数回の記録が必要である．再現性がみられる場合，その代表的な反応（パターン反転刺激ではP100）の刺激からの時間（頂点潜時）と振幅を測定する．個人差はかなりみられるが，同じ個体での左右差は少ないので左右眼刺激の比較は有用である．

fMRI，PET

吉田正樹　東京慈恵会医科大学附属柏病院・准教授

| 目的 |　電気生理学的検査と同様に，視

覚関連中枢の賦活を，非侵襲的に可視化することである．電気生理学的検査が脳賦活を直接電気的にとらえるのに対し，この2つの検査は，局所賦活に伴う血管拡張と血流増加をそれぞれに異なる原理で抽出している．

対象 視覚刺激に伴う皮質反応の検討を要する症例はすべて対象となりうる．PET，fMRI ともに装置の設置された施設に限定されるほか，PET では微量ではあるが放射線被曝が，fMRI では体内磁性体による制限などがそれぞれ問題となる．

原理と特徴 PET は，トレーサーとして血管内に投与した陽電子の放射する γ 線をとらえ，その局所濃度分布を可視化するものである．^{15}O で標識された $H_2^{15}O$ を投与することで局所脳血流量を観察できる．半減期の短い陽電子を使用するため，PET 検査施設は，サイクロトロンを設置した，比較的大規模な施設となる．被曝による繰り返し検査の限界から，局所賦活検査は，繰り返し検査回数に制限のない fMRI にシフトされつつある．^{18}F-fluoro-deoxyglucose を用いた局所グルコース代謝や，その他のトレーサーによる脳内受容体分布の検査に使用されることが多くなってきている．

fMRI は，局所脳血流増加に伴う磁性体である還元型ヘモグロビン濃度変化を，磁化率に鋭敏な撮像法で抽出する手法（BOLD 法）が一般的に用いられる．シールドルーム内で，磁性体や RF 波を発する装置を持ち込めないために，視覚刺激提示が制限を受けることが難点である．しかし，空間分解能は最も優れており（1.5 テスラ，3 テスラ装置でそれぞれ 3 mm，2 mm 四方程度），再現性も非常に良好な検査法である．しかし，視覚誘発電位（VEP）に比較し汎用性に劣ることから広く普及しているとはいい難い．BOLD 法以外に，拡散強調画像，定量的磁化率マップなどの撮像シーケンスと合わせて局所賦活以外に局所微細構造の評価をしたり，安静時の脳活動を BOLD 法でとらえ，脳内のネットワークを評価するなど，付加的な情報の検出が行われるようになってきている．

1 fMRI

検査方法 fMRI では，数秒～30 秒程度の刺激提示と同等の休止を繰り返し検査する．最低数回の繰り返しを要する．MRI の撮像と，刺激提示のタイミングを合わせるのが賦活部位の同定において重要である．

判定 SPM（University College London），FSL（University of Oxford）などに代表される複数のフリーソフトが使用されている．判定に至る前に，膨大な撮像データの前処理が必要である．撮像中の動き補正，スライスタイミング補正，空間フィルタ処理，異なる被検者間の比較には，空間的標準化が事前に行われる．刺激によって予想される信号変化パラメータを設定し，局所ごとに t 値が計算され，統計的に有意な血流変化があったかを検定する．格子縞反転刺激によって賦活された後頭葉視覚中枢領域と，視覚刺激提示後の平均時間信号変化を**図 231** に示す．異なる賦活部位における信号変化や，異なる被検者間における比較も可能である．

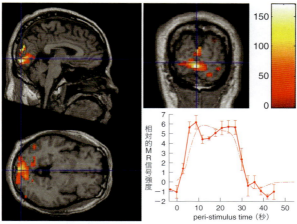
図231　格子縞反転刺激による後頭葉視覚中枢の賦活と信号変化

7　その他の画像検査

画像診断（CT，MRI）
Diagnostic imaging

橋本雅人　中村記念病院・部長

1 CT

目的　眼窩部病変の精査，骨折など骨異常の検出．

対象　眼外傷，異物のほか眼球突出，結膜浮腫，複視など，眼窩部病変を疑った場合，眼窩部CTをオーダーする．CTはMRIに比べて短時間で比較的簡便に撮影できる．眼外傷で眼窩底骨折などを疑った場合は必須である．

原理と特徴　CT内部のX線が照射され体内を通過して信号を受けとる検出器に入る．この作業を360度連続して行い画像を作成する．

検査法

■**準備**　造影剤の使用の有無を検討しておく．骨病変は造影不要．

■**手順**　眼窩部撮影か頭部撮影か，観察したい対象を明確にして依頼する．

■**手技・方法**　眼窩部であれば，厚さ2mmスライスの水平断および冠状断撮影が望ましい．外眼筋や視神経は眼窩内を前後に走行しているため，その腫脹や変位などの異常を判定するには冠状断が最も適している**（図232）**．撮影条件の階調処理（ウィンドウ値，ウィンドウレベル）は腹部撮影と同様の条件がよい．頭部撮影に使用する階調処理では眼窩内が暗くなり既存構造の異常がわかりにくい．また，眼窩底骨折，視神経管骨折を疑った場合は，骨条件（bone window）も追加オーダーするとよい．

●**ポイント**　外眼筋肥大の鑑別，眼窩部腫

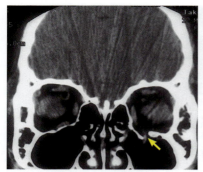

図232　眼窩底骨折 CT 冠状断
左眼窩下壁に骨折がみられ，下直筋が骨折部から上顎洞へ偏位している所見（矢印）を認める．

瘍，眼窩炎症の発見，眼窩骨折の診断，石灰化の検出．

■ **注意点**　X線に被曝するため妊婦などは禁忌である．

判定　出血，石灰化，金属片は高吸収域で描出され，一方，脂肪や空気，木片などは低吸収域で描出される．

2 MRI

目的　眼窩内，頭蓋内病変の描出のため．

対象　視神経障害の疑い，視神経乳頭腫脹（うっ血乳頭を含む），眼球運動異常，眼球突出，視野欠損，瞳孔異常，顔面けいれんなど．

原理と特徴　静磁場中の人体にラジオ波を照射することで体内の水素原子が共鳴（核磁気共鳴現象）し，さらに電波を切ることで励起状態から戻る過程を映像化する．この励起状態から元に戻る過程のことを"緩和"とよび，Z軸方向に集積した磁化の緩和を縦緩和（T1），Y軸方向に集積した磁化の緩和を横緩和（T2）とよぶ．これが

MRIの基本撮影法でありスピンエコー法といわれる手法である．

■ **検査法**

■ **準備**　MRIはCTに比べ検査時間が長く，静止した状態を維持していなければならないので，小児では睡眠薬や鎮静が必要な場合がある．さらに造影剤（ガドリニウムキレート剤：Gd-DTPA）を用いる場合は，喘息などアレルギー体質には危険であり，また重篤な腎障害がある場合は使用を避けるべきである．

■ **手技・方法**　スピンエコー法では，エコー時間，繰り返し時間の長さの変化によってT1強調画像，T2強調画像が作成される．近年，高磁場でかつ高解像度のMRIが臨床応用されるようになり，スピンエコー法以外のさまざまなシーケンスが開発されてきている．特に眼科領域で活用できる検査法が，反転回復法，高速グラジエントフィールドエコー法，エコープラナー法である．撮影方向は眼窩から視交叉，海綿静脈洞までは冠状断（2.5 mm厚），頭部全体（5 mm厚）または脳幹部（3 mm厚）は水平断撮影がよい．

● **ポイント**　眼窩炎症（視神経炎を含む）の診断には反転回復法で脂肪抑制法の1つである short tau inversion recovery（STIR）と造影MRIが最も有用な方法である．動眼神経麻痺の場合，内頸-後交通動脈分岐部動脈瘤がその原因となることもあるため即日高速グラジエントフィールドエコー法であるMRアンギオグラフィーが必要である．急性複視を訴えた場合は急性期脳梗塞を疑い，エコープラナー法である拡散強調画像（図233）を撮影するのが望ましい．

■ **注意点**　3テスラの高磁場 MRI装置を使用する場合は，カラーコンタクトレン

7 その他の画像検査　235

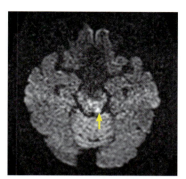

図233　左 MLF 症候群の拡散強調画像
橋左背側部にて高信号の微小梗塞巣(矢印)を認める.

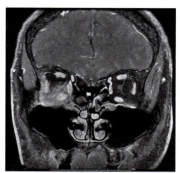

図234　特発性眼窩炎症の眼窩部造影（脂肪抑制法併用）MRI 冠状断
右外直筋, 下直筋の軽度肥大とその周囲の眼窩脂肪が造影されている.

ズ, 義眼装用患者にも注意を払う必要がある. また, 心臓ペースメーカー装着者, 眼内鉄片などの体内金属保有者, Parkinson 病の深部脳電極刺激療法術後, 人工内耳埋め込み患者, 水頭症術後でシャントに圧可変型バルブ使用患者(撮影後に圧調整を要する)は禁忌である.

判定　スピンエコー法の T1 強調画像では水は低信号, T2 強調画像では高信号を示す. 臨床の場において T1 強調画像で高信号を示すものには, 主に脂肪と出血が, T2 強調画像で低信号を示すものには, メラニン(脈絡膜悪性黒色腫など), デオキシヘモグロビン(亜急性出血), ヘモジデリン(慢性出血)がある. 視神経炎や眼窩炎症, 外眼筋炎ではその原因を問わず, STIR で高信号および造影 T1 強調画像で造影効果を示す**(図234)**. ただし, 視神経炎が軽度で視力, 視野が比較的保たれている場合は正常な画像所見のこともある. 頸

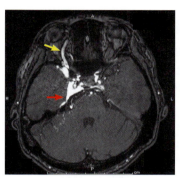

図235　CCF における高速グラジエントフィールドエコー法の SPGR 頭部水平断
拡張した右上眼静脈が高信号を示し(黄矢印), 海綿静脈洞から後方への動脈血の漏出(赤矢印)もみられる.

動脈海綿静脈洞瘻(CCF)では, 高速グラジエントフィールドエコー法の spoiled gradient echo(SPGR)において, 静脈洞内に漏出した動脈血が高信号で描出されるため診断可能である**(図235)**.

8 全身検査

血液検査
Blood examination

岩橋千春　近畿大学・医学部講師

　眼科における血液検査の目的は，①診断を目的とした検査，②内服薬の投薬前および投薬中の検査，③手術前の検査に分けられる．以下にそれぞれの対象および検査項目を概説する．

1 診断を目的とした検査

　眼所見のみでは確定診断ができない眼疾患に対し，疑われる疾患に特異的な項目を測定したり，糖尿病・血液疾患・悪性疾患・感染症・関節リウマチなど全身背景疾患を検索したりする目的で血液検査が用いられる．
　疾患に特異的な検査項目の代表的なものは以下の通りである．抗アクアポリン抗体陽性視神経炎の診断目的で，細胞膜に存在する水チャネルであるアクアポリンに対する自己抗体である抗アクアポリン4抗体(2013年11月より保険適用となっている)を，癌関連網膜症(cancer-associated retinopathy：CAR)の診断では網膜抗原の1つであるリカバリンに対する自己抗体である抗リカバリン抗体(外注で検査可能だが保険適用外である)を測定する．重症筋無力症が疑われる場合にはまず抗アセチルコリンレセプター抗体を測定し，陰性であれば，抗筋特異的受容体型チロシンキナーゼ(抗MuSK)抗体を測定する(ともに保険適用があるが，同時には測定できない)．また，Basedow病眼症では甲状腺ホルモン(free T_4)，甲状腺刺激ホルモン(TSH)およびTSHレセプター抗体(TRAb)の測定，IgG4関連疾患では血清IgG4値(2010年5月より保険適用となっており，135 mg/dL以上で診断基準を満たす)の測定により診断を行う．
　また，全身背景疾患を伴って発症することの多いぶどう膜炎では，初診時に表37に示すような項目をスクリーニング目的で検索する．それぞれの検査の意義を以下に示す．なお，ステロイド投薬開始後にスクリーニング検査を施行すると異常が検出できなくなる場合があるので，必ず投薬前に検査を行うことが重要である．また，血液検査の結果のみで診断するのではなく，尿検査，ツベルクリン検査，胸部X線検査などの血液検査以外の全身スクリーニング検査の結果と併せて鑑別を行い，その結果から推定される疾患が眼所見(細隙灯検査所見，隅角所見，蛍光眼底造影検査所見など)と一致しているかどうかを常に考えながら診断することが重要である．全身検査から推定される疾患と眼所見が矛盾する場合には，注意深くさらなる鑑別診断を行う必要がある．

❶末梢血液一般検査(血小板数，末梢血液像を含む)　Hb値の低下は貧血網膜症を疑う．
　リンパ球の増加は結核，梅毒，ウイルス感染などを疑う．
　リンパ球の著しい減少はHIV(human immunodeficiency virus)感染が疑われるため，CD4陽性T細胞数の追加検査を行

表37　ぶどう膜炎の原因精査のためのスクリーニング項目

① 末梢血液検査
② AST, ALT, BUN, Cr
③ CRP
④ 抗核抗体(ANA), リウマチ因子
⑤ IgE
⑥ TP抗体, RPR抗体, ATLA
⑦ ACE
⑧ 血糖

うことが望ましい．

好酸球の増多はトキソカラなどの寄生虫感染が疑われる．眼所見と併せて眼トキソカラ症が疑われる場合にはイヌ回虫幼虫抗原に対する抗体価測定を行う(保険適用外)．

❷肝機能・腎機能　明らかな肝障害，腎障害の除外目的の検査である．また，ぶどう膜炎ではステロイド治療が必要となることも多いため，治療前の全身スクリーニングとしても有用である．

小児のTINU(tubulointerstitial nephritis and uveitis)症候群ではBUN, Cr値の上昇がみられる．また，本症候群に特徴的な所見として尿中 $β_2$ ミクログロブリン値の上昇がみられるため，尿の詳細な検査を追加する．

❸空腹血糖(糖尿病の判定)　糖尿病の判定に用いる．糖尿病で虹彩炎を生じることは常に念頭に置くべきであり，血糖値が不安定なときには前房蓄膿を伴うこともある．① 朝の空腹時血糖 126 mg/dL 以上，② 75 g 経口ブドウ糖負荷試験 2 時間値 200 mg/dL 以上，③時間関係なく測定した血糖 200 mg/dL 以上のうちのいずれかと HbA1c 6.5%以上が確認された場合，糖尿病との診断になる．そのため，眼科での血液検査において①や③に合致する結果がみ

られた場合には糖尿病を疑い精査を行う必要がある．

❹CRP(C-reactive protein)，血沈(炎症マーカー)　炎症のマーカーとして用いる．

Behçet病，膠原病，TIUN症候群，細菌感染などで高値を示すが，炎症性疾患では高値であることが多く，スクリーニングというよりは炎症のマーカーとしての意味合いが強い．

CRPが 10 mg/dL 以上のときには内因性感染症(主として細菌感染)など全身に強い炎症病巣の存在を疑うべきである．急性前部ぶどう膜炎のような激しい炎症であっても眼に限局した病変ではCRPが 10 mg/dL 以上を示すことはきわめてまれである．

❺CH_{50}　補体系活性化の判定に用いる．

❻抗核抗体，リウマチ因子，その他の自己抗体　抗核抗体は免疫疾患の素因検査であり，関節リウマチ，膠原病で陽性となるため，免疫内科受診が望ましい．リウマチ因子は関節リウマチで陽性となるが，そのほかの自己免疫疾患でも陽性となり，疾患特異度は低い．そのほか，ANCA関連血管炎(多発血管炎性肉芽腫症，好酸球性多発血管炎性肉芽腫症など)で陽性となる抗好中球細胞質抗体(ANCA)，抗リン脂質抗体症候群で陽性となる抗リン脂質抗体，SLEで陽性となる抗DNA抗体，抗Sm抗体などの自己抗体を適宜測定する．

❼IgE(寄生虫感染，アレルギーの判定)　寄生虫感染，アレルギーの判定に用いる．好酸球の値を参考にする．寄生虫感染が疑われる場合には寄生虫に対する血清あるいは硝子体液からの抗体の検索を追加する．

❽感染症検査　梅毒，トキソプラズマ，ATLA(adult T-cell leukemia-associated antigen)は必須である．HIVはほかの検査

所見などから疑わしい症例のみ測定する．ただし，血清トキソプラズマ抗体は偽陽性を示すことが多いので注意が必要である．また，結核菌に対する免疫反応の評価として，ツベルクリン反応，インターフェロンγ遊離試験である QuantiFERON TB-Gold あるいは T-スポット．TB などの検査を行う．

ヘルペス感染の関与が疑われる場合にはウイルス抗体価を測定する．IgG 抗体のみでは過去の感染か現在の感染かを見極めることが難しいため，IgM 抗体を測定するかペア血清（急性期血清と 10〜14 日以降に採血した回復期血清で特異抗体を測定し，回復期に一定以上の抗体価を示すときに，その病原体による感染症と診断できる）を測定する．また，血清中の抗体価と前房水や硝子体液中の抗体価との比率（Q値）を算出することは，眼内においてその微生物に対する免疫反応が実際に起こっていることを検出するという意味で有意義である．

真菌性ぶどう膜炎が疑われる場合には血液中，硝子体液中の真菌検索を行う．

B 型肝炎ウイルス（HBV），C 型肝炎ウイルス（HCV）の検索はステロイド治療が必要となった場合の治療前の全身スクリーニングとしても有用である（詳細は「2 内服薬の投薬前および投薬中の検査」参照）．

❾ **ACE（angiotensin-converting enzyme）**
サルコイドーシスで上昇することが知られているが，ACE 阻害薬を服用中の場合は見かけ上正常値となるため，リゾチーム値の測定を行う．また，サルコイドーシスでは血清あるいは尿中 Ca 値が高値となることがあるため，Ca 値の測定も行う．

❿ **HLA（human leukocyte antigen：ヒト白血球抗原，保険適用外）** Behçet 病と HLA-B51，Vogt-小柳-原田病と HLA-DR4，急性前部ぶどう膜炎と HLA-B27 など，疾患と関係のある HLA が知られており，補助的な診断に有用である．ただし，HLA 検査は保険適用外のため，検査前には必ず説明が必要である．

2 内服薬の投薬前および投薬中の検査

❶ **投薬前の検査** 内服薬投薬前には起こりうる副作用を考えて投与の可否を判断する必要がある．免疫抑制薬投与中は潜在的な感染症の再燃のリスクが高まるため，HBV，HCV の検索は必須である．特に，HBV 再活性化が起こると劇症化し死亡につながることがあるので，注意を要する．免疫抑制薬投与前には HBV キャリアおよび既往感染者をスクリーニングする目的で全例でまず HBs 抗原を測定して HBV キャリアかどうかを確認し，HBs 抗原陽性例は全例，肝臓専門医にコンサルトする．また，HBs 抗原陰性で HBc 抗体あるいは HBs 抗体が陽性の症例は既往感染者である可能性があるため，HBV-DNA の定量を行い，DNA が検出された場合には肝臓専門医にコンサルトが必要である．DNA が検出されない場合にも定期的な HBV-DNA モニタリングが必要である**（図 236）**．また，高齢者では深在性真菌症の検索目的で β-D-グルカンを測定する．

❷ **投薬中の検査** 内服薬投薬中は常に全身副作用の出現の有無に留意する必要がある．例えば，ヘルペス感染症に対するアシクロビル（ゾビラックス®）投薬中には肝機能障害が出現する可能性があるため，定期的に肝機能検査（AST，ALT）を行うことが

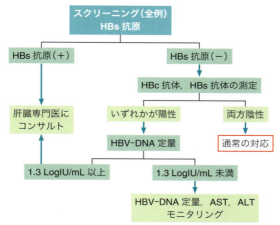

図236 免疫抑制・化学療法により発症するB型肝炎対策ガイドライン

〔日本肝臓学会(編):B型肝炎治療ガイドライン(第3.4版), 2021より作成〕

表38 梅毒の血清学的検査の読み方

	STS 陰性	STS 陽性
TPHA 陰性	感染なし 感染ごく初期(2〜5週未満)	感染初期(〜3か月) 生物学的偽陽性
TPHA 陽性	既感染 ほかのトレポネーマ感染 伝染性単核球症	感染期 治癒後の抗体保有

STS: serologic test for syphilis
TPHA: *Treponema pallidum* hemagglutination test

望ましい. また, ステロイド投薬中には耐糖能異常が出現する場合があるので, 血糖値, HbA1c を定期的に測定する. シクロスポリン投薬中は腎障害が出現する可能性があるため, 定期的に腎機能検査(Cr, BUN)をするとともに臨床効果および安全性を高めるために, 血中の薬剤濃度を測定する. トラフ値(服用前血中濃度, 最低血中濃度である), C_1値(服用1時間後の血中濃度), C_2値(服用2時間後の血中濃度)などが参考となる.

3 手術前の検査

手術室入室前の感染症スクリーニングとして, 各種感染症の検索を行う. 施設により基準は異なるが, 一般的にHBV, HCVのスクリーニング検査のほか, 梅毒のスクリーニング検査であるRPR(rapid plasma reagin)法, TPHA(*Treponema pallidum* hemagglutination)法が行われることが多い. RPR法は脂質抗原と血清を反応させることにより梅毒を判定する検査であり, 感染後比較的早期(4〜6週間)で陽性になるが,

特異的な検査ではないため，偽陽性が5～20％と高い．一方，TPHA法は梅毒トレポネーマに対する特異抗原を検出する検査であり，RPR法に比べて特異度が高いが，感染後陽性になるまでに期間が長いこと（数か月程度），梅毒治療後の陰性化が遅いといった欠点がある．梅毒の血清学的診断はこれらの検査の組み合わせで行う**(表38)**．

遺伝子診断
Genetic diagnosis

堀田喜裕 浜松医科大学・教授

眼科領域の遺伝子診断は，眼感染症と，遺伝性眼疾患を対象としている．現状では研究レベルで行われている検査が多いが，一部は先進医療に含まれている．

1 眼感染症の遺伝子検査

目的 眼感染症に対する遺伝子検査は一般的ではないが，一部の難治性の眼感染症に対して，先進医療として遺伝子検査が含まれている．

対象 ヘルペス性角膜内皮炎，ヘルペス性虹彩炎，急性網膜壊死，サイトメガロウイルス（CMV）網膜炎などは，ヘルペスウイルスが病因と疑われるが診断が容易ではない．また，中心静脈カテーテル治療などによる真菌血症に合併した真菌性眼内炎や，内眼手術後の感染性眼内炎は，失明する危険性の高い疾患である．起因菌の迅速な同定と，早期の治療開始が視力予後に大きく影響するが，症例によって起因菌の予測が困難なことがある．ウイルスや真菌が原因と考えられるとき，病原体を検出する目的で遺伝子検査が用いられることがある．

原理と特徴 前房水を前房穿刺，あるいは硝子体液を手術時に採取して，これらの眼内液からDNAを抽出し，単純ヘルペスウイルス（HSV），水痘帯状疱疹ウイルス（VZV），CMVなどのDNAを，PCR法によって増幅して同定したり，定量PCRを用いて細菌や真菌などのrDNAを増幅することによって起因菌を迅速に同定する．

検査法・判定 前房水，硝子体液のHSV，VZV，CMVそれぞれのDNAのPCR法による検査は，検査会社に依頼可能である．難治性ウイルス眼感染疾患（ヘルペス性角膜内皮炎，ヘルペス性虹彩炎，急性網膜壊死，サイトメガロウイルス網膜炎など）に対する包括的迅速PCR診断（HSV-1・2，VZV，EBV，CMV，HHV-6～8）と，重篤な眼内炎に対する難治性細菌・真菌眼感染疾患に対する包括的迅速PCR診断（細菌16S rDNA，真菌28S rDNA）は先進医療に含まれており，先進医療の実施機関で行われている（2022年7月現在）．それぞれのDNA断片が同定されれば陽性と考えられるが，どの程度検出すれば起因菌と判断するかなど，今後さらに検討されるべき問題もある．

2 遺伝性眼科疾患の遺伝学的検査

目的 遺伝性眼疾患に対して染色体検査，遺伝子検査を行うことによって，遺伝的要因を知ることができる．遺伝子検査は，病期にかかわらず診断可能であり，非定型例で診断困難な症例の確定診断や，原理的には発症前に診断が可能なこともあ

る．また，保因者診断も可能なことがある．易罹患性診断や薬剤感受性診断など，テーラーメード医療のための研究がさかんに行われているので，将来的にはこうした遺伝子診断の可能性がある．疾患の発症に関与していれば変異（mutation），関与していなければ多型（variant）という表現をしているが，こうした判断は必ずしも容易ではないこともあって，まとめてバリアントとよぶことが多くなっている．

対象　遺伝性眼疾患に対する遺伝子診断のうち，現在保険収載されている検査は，網膜芽細胞腫患者の染色体検査と遺伝子検査である．未発症の家族については，発端者に認めた変異のみの検査となるが自費診療である．先進医療に含まれているのは，角膜ジストロフィに対する遺伝子診断である．また，遺伝性眼疾患の原因遺伝子の知見は年々増加しており，遺伝性網膜視神経疾患を例に挙げると，RetNet（https://sph.uth.edu/retnet/）という web サイトにアップデートされた情報は有用である．RPE65 遺伝子異常による Leber 先天盲に対する遺伝子治療や，OAT 遺伝子異常による脳回状脈絡網膜萎縮に対するビタミン B_6 投与などがエビデンスのある治療と考えられる．現状では，遺伝性眼疾患の原因遺伝子検査は，研究機関などが行っている場合が多い．欧米では，原因遺伝子別の治療法に関する臨床試験が進行中であり，今後は，遺伝子検査のガイドラインを含めて，信頼できる検査を依頼できる仕組みが喫緊の課題と考える．

原理と特徴　代表的な遺伝性眼疾患について述べる．

❶**角膜ジストロフィ（corneal dystrophy）**　角膜ジストロフィの多くの疾患の原因遺伝子がすでに同定されている．TGFBI 遺伝子異常の R124C により I 型の格子状角膜ジストロフィ，R555Q により Thiel-Behnke 角膜ジストロフィ，R124H により Avellino 角膜ジストロフィ，R555W により顆粒状角膜ジストロフィ，というように，遺伝子異常の種類によって疾患（表現型）が変わる．角膜ジストロフィのなかでは Avellino 角膜ジストロフィが最も多いが，わが国では一般に顆粒状角膜ジストロフィとよばれてきた．膠様滴状角膜ジストロフィはまれな疾患で，TACSTD2 遺伝子異常が原因であるが，わが国には p.Gln118X という高頻度変異がある．角膜ジストロフィは比較的壮年に至るまで視力が良好な例も多く，臨床的に特に問題になるのは I 型の格子状角膜ジストロフィと，斑状角膜ジストロフィ，膠様滴状角膜ジストロフィであり，視力障害が進行すると角膜移植術などが行われる．Avellino 角膜ジストロフィや格子状角膜ジストロフィでは，遺伝子異常がホモ接合体になると症状が重篤になることが知られている．

❷**遺伝性視神経萎縮（inherited optic atrophy）**
遺伝性視神経萎縮のうち，わが国で臨床的に問題となるのは，ほとんどが Leber 病（Leber 遺伝性視神経症）と（常染色体）優性視神経萎縮である．Leber 病は重篤で予後不良の疾患であるが，ミトコンドリア遺伝子の 11,778 番塩基変異が多く，まれな 3,460 番塩基変異，14,484 番塩基変異を合わせると，Leber 病の約 9 割以上が検出できる．Leber 病はほとんどが両眼性であるため，片眼に発症している時点で遺伝子診断をすると，健眼の予後が不良なことまで診断することになる．副腎皮質ステロイドは無効とされ，確立された有効な治療法は

ない．優性視神経萎縮も高率に *OPA1* 遺伝子のバリアントが検出される．優性視神経萎縮は小児期に視力障害を主訴として来院して診断されることが多い．視力はLeber病に比べるとやや良好で，表現型がかなり幅広いこともこの疾患の特徴である．したがって，遺伝子異常があっても，ほぼ健常として生活している場合がある．c.2708_2711delTTAG という高頻度変異はわが国でも多い．この疾患も有効な治療法はない．

❸ **網膜芽細胞腫 (retinoblastoma)** 腫瘍は，両眼性が約2割，片眼性が約8割であり，約3割が遺伝性といわれている．本腫瘍では第13番染色体短腕の欠失が知られていたが，その座位に癌抑制遺伝子 *RB1* が同定された．白血球からはヘテロ接合体の異常が認められ，腫瘍細胞では2 hitの結果，対立遺伝子の片方は欠失していることが多い．両眼性の網膜芽細胞腫患者は高率に *RB1* 遺伝子異常を伴うが，*RB1* 遺伝子異常を伴うと発症リスクは高くなる．染色体検査で同定できる大きな欠失は少ない．*RB1* 遺伝子異常がはっきりしていれば，遺伝子診断によって血縁者の発症リスクを知ることもできる．

❹ **網膜色素変性と類縁疾患 (retinitis pigmentosa and related diseases)** 網膜色素変性が代表的疾患であるが，遺伝的異質性が高く，すでに80を超える原因遺伝子が知られている．それぞれの遺伝子の占める割合は均一ではなく，その比率は人種によって異なる．わが国では，*EYS* 遺伝子のc.4957_4958insA と c.8868C>A という2つの変異が高率である．次世代シークエンサーを用いた網羅的な解析研究が行われている．遺伝子パネル検査による網膜ジストロフィの遺伝子診断は先進医療の実施機関で行われている（2022年7月現在）．

■ **検査法** 網膜芽細胞腫患者の血液の *RB1* 遺伝子の欠失を G-band 法や FISH 法で検出すること，*RB1* 遺伝子の塩基配列の決定は検査会社に依頼可能である．Leber病のミトコンドリア遺伝子の3,460, 11,778, 14,484番塩基の変異は血液からも検出でき，検査会社に依頼可能である．そのほかの遺伝子検査は血液，口腔粘膜などからゲノムDNAを抽出して，研究機関などでそれぞれの遺伝子検査が行われていることが多い．遺伝性眼底疾患の遺伝子検査の充実が喫緊の課題と考える．

■ **検査をする前に** いうまでもないことであるが，患者の遺伝情報を調べる前に，検査の意義，問題点について十分な説明を行い，書面で同意を得る必要がある．必要に応じて施設の倫理委員会の審査を受ける．遺伝情報は究極の個人情報ともいえるので，DNA検査結果の匿名化と，連結させるための情報の管理に留意する．また，遺伝子検査前後の遺伝カウンセリングの実施など，必要に応じた配慮が必要である．さらに，最近のシークエンス技術の向上により，予期しないで偶然に検出した，患者の生命にかかわるような重篤な遺伝子変異（incidental finding/secondary finding：IF/SF）について，介入できるものと，できないものに分けて対応をどのようにするか，American College of Medical Genetics and Genomics (ACMG) からガイドラインが出ている．

■ **Sanger法と次世代シークエンシング** Sanger（サンガー）法シークエンシングでは単一の遺伝子に対して800塩基程度の精度の高い塩基配列データを得ることができ

るが，たくさんのゲノム領域をシークエンスすることは困難である．近年になって開発された次世代シークエンサーを用いれば，短期間で大量の情報を取得できる．一方でエラーが多いことが知られており，同じ塩基位置を複数断片読む（カバレッジを高くする）実験条件を用いてエラーを減らしている．

判定 過去の文献に対象のバリアントが疾患原因と掲載されていれば信じたいところであるが，文献に記載されていても報告が少なければ確実とはいえない．追試がなされたうえで変異と評価されていれば確率は高く，データベースの情報がどんどん増えていけば，この問題は軽減していくと考える．バリアントが疾患にどれだけ寄与しているかは，確率と症例の蓄積によって判断されていることを肝に銘じるべきで，遺伝相談における姿勢もそうあるべきである．

Serving Your Vision

Slit Lamp Microscope
700GL

LED

◎700GL NSWは、広角眼底観察装置を搭載したモデル
◎700GL NSWの特徴は、他社同一装置とは違い、リーチングディスタンスが長くなりません。

700GL NSW

製品の詳細と
カタログダウン
ロードはこちら

「診える」が実感できるスリットランプ

「診る」ことへのあくなき探求は、ここまでスリットランプを進化させました。
スリットランプは治療することはできませんが、最高の縁の下の力持ちとして活躍いたします。

デザイン ケーブルがない革新的なデザイン
- 電源ケーブルを含むケーブル類を一切出さない革新的なデザインを採用
- 顎台からランプハウスにある、電力供給ケーブルを廃止
- 映像システムを接続した際にも、ケーブル類を表に出さない工夫
- 製品カラーの一新

LED 最適化されたスリットランプ
光源をLEDに変更する最大のメリットは、人間の眼が最も強く感じる周波数の波長にLED光源のピークがくるよう設計することができ、今まで見えにくかった患部をより鮮明に診ることができるようになったことです。
当社のLEDスリットランプは、ハロゲンランプのランプユニットを交換する方式ではなく、ランプユニットを専用のLED光源にした、新しいモデルのスリットランプです。
LED光源に特化したスリットランプは、明るく・切れのあるスリット光を提供いたします。

LED LED特有の青色光を低減
新たにBlue correction filter(色補正フィルター)を追加し、LED特有の青色域にあるピークを減少させ、患者様の眼に優しい照明光を投影いたします。

光学系 照明長の拡大
- 高さを14mmに拡大し、前眼部をより広く照明することが可能になりました。
- 広い視野を持つスリットランプの能力を最大限に活かすことが可能となります。

操作性 バックグラウンド照明装置を標準搭載
- 映像システム用スリットランプとしての背景を基に、バックグラウンド照明装置を標準で搭載しました。
- メイン光源と同じLEDをバックグラウンド照明としても採用したことで映像の色バランスがくずれません。
- 手元でのバックグラウンド照明の調光が可能です。

https://www.takagi-j.com

本　　社	〒383-8585 長野県中野市岩船 330-2	TEL.(0269)22-4512　FAX(0269)26-6321
東日本支店	〒112-0012 東京都文京区大塚 6-37-5 藤和護国寺コープ1階C号	TEL.(03)5615-9282　FAX(03)5615-9283
西日本支店	〒561-0834 大阪府豊中市庄内栄町 3-24-5	TEL.(06)6334-4512　FAX(06)6334-4521

機械器具22　検眼用器具　35148000　細隙灯顕微鏡　一般医療機器　届出番号：20B2X00012000048

2 治療総論

1 処置

点眼
Eyedrops

山田昌和　杏林大学・教授

目的・概説　点眼は最も古くから頻用されてきた眼疾患の治療法である．①効率よく眼組織に薬剤を移行できる，②眼局所だけに薬剤を作用させ，全身への影響を減らすことができる，③簡単な投与法で，患者の苦痛や負担が少ない，などの特徴がある．ただし，点眼薬が移行する範囲は角結膜から前房・隅角までであり，後眼部には到達しない．

適応　外眼部，前眼部疾患．緑内障，虹彩毛様体炎，白内障など．

使用目的と薬剤
❶**治療薬**　抗菌薬，抗炎症薬，抗アレルギー薬，緑内障治療薬，調節麻痺薬，角膜疾患治療薬，白内障治療薬など．
❷**検査薬**　表面麻酔薬，調節麻痺薬（散瞳薬）．

点眼薬の剤型
❶**点眼薬の成分**　主剤と基剤で構成される．基剤には，防腐剤，可溶化剤，pH調整剤などが含まれる．防腐剤はベンザルコニウム塩化物やパラオキシ安息香酸エステル，クロロブタノールなどが用いられる．防腐剤を含まない点眼薬もあり，基剤や容器などに工夫が施されている．
❷**製剤の剤型**　水性点眼薬が一般的だが，懸濁液や軟膏製剤もある．用時溶解（主剤と基剤を使用する直前に混和）する薬剤もある．
❸**容器**　ボトルタイプが一般的で，容量は5 mLが多い．1日1回点眼の薬剤では2.5 mL，検査用の薬剤では10 mLの容量のものもある．1回使い切りタイプの容器もあり，防腐剤を含まない．
❹**剤型と組織移行**　角膜上皮はバリア機能が強く，特に水溶性の薬剤を透過しにくい一方で，角膜実質は脂溶性の薬剤を透過しにくい．点眼薬の眼内移行は薬剤の分子量や分配係数，濃度などに左右される．薬剤と角膜との接触時間を高めるために基剤としてゲル化剤，粘性剤などが配合されることがある．
❺**自家調剤**　点眼薬として製剤化されていない薬剤を点眼液や軟膏に自施設で調剤して用いる方法である．注射用の抗菌薬や抗真菌薬の一部が自家調剤として用いられることがある．

手技　点眼前に手洗い，またはすり込み式消毒薬を用いて手指の清潔を保つ．やや上向きの頭位をとり，下眼瞼を軽く引くようにする．点眼瓶の先が眼や睫毛に触れないようにして，点眼液1滴を下眼瞼結

膜に滴下する．点眼後は軽く閉瞼し，1分間程度待つ．点眼薬の全身移行を抑制するためには涙囊部を軽く圧迫するとよい．溢れた点眼液は清浄綿やティッシュペーパーで拭うようにする．2種類以上の点眼薬を用いる場合には，点眼の間隔を5分程度空けるようにする（続けて点眼すると先に点眼した薬剤の効果が減弱する）．

合併症　点眼瓶の接触による角膜障害や，汚染された点眼液による眼感染症のリスクがある．

点眼薬によって薬剤起因性角膜障害を生じることがある．角膜障害を生じやすい主剤もあるが，どの薬剤でも生じる合併症であり，頻回に使用する薬剤や長期に使用する薬剤は要注意である．ドライアイ治療薬や緑内障治療薬を長期に使用する場合には，薬剤起因性角膜障害に注意を払う必要がある．

洗眼

Eyewash

山田昌和　杏林大学・教授

目的・概説　洗眼は液体で眼表面を洗い流すことであり，臨床的には大きく2つの場面で用いられる．1つは目に入った異物や薬物を洗い流す場合であり，もう1つは各種の眼手術，処置の術前減菌処置としての場合である．

適応　前眼部の異物，薬物腐食，眼手術の術前など．

使用目的と薬剤

❶**異物，薬物腐食の処置の場合**　異物や薬物を洗い流すことが目的であり，多くの場合生理食塩液が用いられる．薬物腐食の場合，酸性の薬物とアルカリ性の薬物とで使い分けが推奨されることもあるが，薬物の物性が不明のことも多いので，生理食塩液で構わない．緊急性のある場合には水道水での洗眼を応急処置として指示することもある．

❷**術前処置の場合**　眼科手術や硝子体注射を行う際の感染予防のために，眼表面や眼瞼皮膚，マイボーム腺の常在菌を減らすことが目的である．ヨード剤が用いられることが多いが，希釈したクロルヘキシジングルコン酸塩を用いることもある．

手技　坐位または仰臥位で行う．受水器を患者自身あるいは介護者に持ってもらい，溢れた洗眼液が広がらないようにする．片手で適宜，上下の眼瞼を保持して開瞼を確保する．洗眼瓶を用いるのが普通だが，化学外傷などで大量に洗眼する必要がある場合には点滴のラインを使って持続的に灌流したほうが効率的に洗眼できる．

異物の洗浄では結膜円蓋部や上眼瞼の瞼縁に異物が残留しやすい．上眼瞼は翻転して洗浄し，できれば二重翻転を行う．

術前処置としての洗眼では，消毒薬と眼表面の接触時間を意識する．十分な減菌のためにはヨード剤では30秒以上の接触時間が必要であり，物理的に洗浄することと同時に，ある程度の時間をかけることがポイントとなる．

合併症　洗眼によってムチンなど眼表面の涙液成分が洗い流されることや消毒薬の細胞毒性のために角結膜上皮障害や創傷治癒遅延を生じる可能性がある．

涙道洗浄・涙道ブジー
Lacrimal probe

井上 康　井上眼科・院長

目的　涙道閉塞の部位診断もしくは閉塞部の開放に用いる．

適応　近年，涙道内視鏡の普及に伴い，治療的にブジーが用いられる症例は限られてきている．特に後天性涙道閉塞においては，原則として閉塞部の同定および穿破には涙道内視鏡が用いられ，閉塞部が非常に硬い場合，もしくは距離の長い涙小管閉塞に対してのみブジーによる開放を行う方向にある．またこの場合，涙管チューブ挿入術との併用が基本となる．逆に，先天性鼻涙管閉塞に対する初回治療に関しては，従来通りブジーが用いられている．ただし，改善の得られない症例に対しては繰り返しブジーを行わず，涙道内視鏡を使用することが推奨されている．

一方，診断的なブジーの使用に関しては，涙点から閉塞部までの距離の測定や閉塞部の硬さの確認などに用いることができる．

手技　紙幅の関係から，本項では使用頻度の高い乳幼児の先天性鼻涙管閉塞に対する手技を紹介する．

点眼麻酔を行い，涙点拡張針による涙点拡張を行ったあと，05-06ブジーを涙点から瞼縁に垂直もしくはやや外側に向け挿入する．約1mm挿入したら涙小管水平部方向にブジーの向きを変えて進める．この際，眼瞼を外側に強く引き，涙小管水平部を直線化させることが重要である．約10mm進めば先端は涙嚢に到達し，骨性抵抗を感じることができる．あまり強くブジーを把持すると指先の細かい感触が得られにくいので，できるだけ優しくブジーを支え，操作することが重要である．ここでブジーを骨性鼻涙管に向けて方向転換することになるが，ブジー先端を中心にブジーを回転させるイメージで行うとよい．先天性鼻涙管閉塞では鼻涙管下部閉塞のことが多いため，この段階では抵抗を感じることは基本的にない．ゆっくりとブジー先端を鼻涙管に沿って進めていくと最後に膜性の抵抗を感じる．挿入したブジーの長さを確認したあと，これを穿破し終了とする．

合併症　ブジー挿入による涙小管粘膜の損傷は医原性の涙小管閉塞の原因となり，その後の治療を困難にするため特に繊細な操作が必要となる．

結膜下注射
Subconjunctival injection

山田昌和　杏林大学・教授

目的・概説　薬剤を結膜下のスペースに貯留させることにより，前眼部，特に強角膜に薬剤を到達させて，局所の高い薬物濃度を長時間にわたり達成する方法．点眼と異なり，硝子体への薬剤の到達も期待できる．点眼よりも高い眼組織への移行と高い治療効果を期待でき，眼局所だけに薬剤を作用させるので全身への影響を最小限にできる．

適応　前眼部の炎症性疾患や感染性疾患．眼手術の終了時など．

使用目的と薬剤　さまざまな薬剤が使用可能と思われるが，実際に用いられるの

は病原微生物に作用する薬剤とステロイド，副交感神経遮断薬にほぼ限られている．ステロイドでは全身投与に比べて10〜100倍高い眼内薬剤濃度を示すことが知られている．

また，結膜下に貯留した薬剤は少しずつ涙液に溶け込んで角膜から眼内に移行するか，強膜を通して眼内に移行する．このために点眼よりも長時間にわたって有効な薬剤濃度を維持できる．ステロイドの懸濁液（トリアムシノロンアセトニドなど）を用いた場合には，より長期間にわたって効果が期待できる．

手技 坐位または仰臥位で行うが，仰臥位で行ったほうが安全性と確実性が高い．あらかじめ点眼麻酔を施しておく．オキシブプロカイン塩酸塩でもよいが，できれば点眼用リドカイン塩酸塩4%を用いるほうが望ましい．

薬液をバイアルから18G程度の注射針を用いて1mLの注射筒に0.3〜0.5mL程度吸引する．注射針を26Gまたは27Gの細いものに付け替えて，球結膜を穿刺し，結膜下のスペースに薬液を注入する．穿刺部位はどこでもよいが，4直筋の位置を避け，円蓋部付近を目標とする．患者の急激な体動に注意して，穿刺した針先が自由に動くこと，ベベル全体が結膜下に入っていることを確認してから薬液を注入すると安全である．1回に注入する量は通常0.2〜0.3mLである．

合併症 結膜下出血はしばしば生じる合併症の1つである．まれだが強膜や角膜穿孔の可能性もあるので，仰臥位で患者の頭が動かないようにして，処置用の顕微鏡を用いると安全性が確保できる．

Tenon 囊下注射
Sub-Tenon injection

亀井裕子　慈愛眼科クリニック・院長

目的 薬剤を Tenon 囊下に直接注入する治療法で，結膜下注射と同様に，薬剤の眼内移行が高まる投与法である．薬剤は筋円錐付近に注入されるので，経強膜的な後眼部への効果が期待できる．結膜下注射に比べて注入可能な薬液量が多いだけでなく，注射部位からの漏出が少ないという利点がある．球後麻酔に代わる局所麻酔手技としても用いられる．

適応 後眼部の炎症疾患（ぶどう膜炎），黄斑浮腫，局所麻酔．

使用薬剤

❶**ステロイド** ぶどう膜炎（中間部，後眼部）や，囊胞様黄斑浮腫の治療に用いる．一般に用いられるのはデキサメタゾンまたはベタメタゾンなどの水溶性薬剤であるが，トリアムシノロンアセトニド〔マキュエイド®眼注用をトリアムシノロンアセトニドとして20mg（懸濁液として0.5mL）に調製〕を用いることもある．1回の注射で1mL以上を注入することができる．

❷**局所麻酔薬** 注射用局所麻酔薬（キシロカイン®，マーカイン®，アナペイン®など）を用いる．1回の注射で2mL以上を注入することが可能であり，また追加投与もできる点で球後麻酔より優れる．

手技 使用薬剤を2.5mL注射器に充填し，Tenon囊針（鈍針，カニューラ）をつけておく．患者を仰臥位にし，点眼麻酔薬を用いて表面麻酔し（数回），開瞼器をかける．

注射部位は上方でも下方でもよい．将来的に緑内障手術を行う可能性がある場合には，上方結膜を温存するのが望ましい．

上方に行う場合には患者に内下方を見るように指示する．まず耳上側の結膜円蓋部を切開して，そこから針を子午線方向に刺入して，眼球壁に沿ってゆっくり進め，確実に針が後方に入ったところで注入する．赤道部より前方で注入すると，漏出が多いだけでなく眼圧上昇をきたす頻度が高くなるので，確実に後方に注入する．細いゲージの針を用いる場合は眼球壁に沿って針先を左右に振るようにしながらゆっくりと進めて，赤道部を越えた位置でゆっくり注入する．下方に行う場合には患者に内上方を見るように指示する．上方よりも円蓋部が浅いので，刺入する深さに注意しながら行う．

ステロイドを使用する際には，疼痛を軽減させる目的でキシロカイン®を0.1〜0.2 mL混注するとよい．

合併症　最も重篤な合併症は眼球穿孔である．特に細いゲージの針を用いる場合は細心の注意を払う．結膜下出血や疼痛は頻度が高いが，ほとんどの場合一時的である．

長期的にはステロイドによる眼圧上昇や白内障をきたすことがある．

硝子体内注射
Intravitreal injection

澤田智子　滋賀医科大学・助教

目的・概説　眼球結膜・強膜に注射針を刺して，硝子体腔内に薬剤を注入する治療法．「黄斑疾患に対する硝子体内注射ガイドライン」が日本眼科学会雑誌（小椋祐一郎，他：日眼会誌 120：87-90, 2016）に掲載されているので，参考にしていただきたい．

適応　抗 VEGF（vascular endothelial growth factor：血管内皮増殖因子）薬の適応となる中心窩下脈絡膜新生血管を伴う加齢黄斑変性症，網膜静脈閉塞症に伴う黄斑浮腫，糖尿病黄斑浮腫，病的近視における脈絡膜新生血管，未熟児網膜症，血管新生緑内障．トリアムシノロンアセトニドの適応となる糖尿病黄斑浮腫．

手技　われわれの施設における手順を次に記す．施設により差異があると思われるが，清潔操作を保つことが最も重要である．

■ **注射前の準備**　薬剤の添付文書に従い，注射3日前から当日まで，眼局所用抗菌薬の点眼を1日4回行う．

注射当日，患者および術眼を確認し，患者名，患者番号が印字されたリストバンドを装着する．アレルギーの有無，注射前の点眼の施行を確認し，術眼を散瞳点眼薬で散瞳する．眼科用清浄綿で術眼の周辺を拭く．患者に帽子をかぶってもらい，術眼側の頬部にテープを貼り，マーキングとする．眼科処置室に入る前に0.4%オキシブプロカイン塩酸塩点眼薬1回，ヨウ素系消毒用洗浄液を1回点眼する．

注射を担当する医師および看護師は，帽子，マスク，エプロンを着用する．

患者は手術室あるいは処置室に入り，眼科治療椅子に座る．医師および看護師は，患者に氏名と術眼をいってもらい，診療録とリストバンドで，患者，術眼，注射予定の薬剤を確認する．眼科治療椅子を作動さ

せ，仰臥位とする．

■**手技の実際**　医師は手洗い後，滅菌手袋を装着する．器具はすべて滅菌されたものを用いる．10％ポビドンヨード外用液に十分に浸した3つの綿球で術眼の眼瞼を3回消毒する．穴あきのサージカルドレープを術眼が見えるように貼る．綿棒で眼瞼を引っ張りながら，粘着性透明創傷被覆・保護材を睫毛を巻き込むように貼り，眼瞼縁に沿って粘着性透明創傷被覆・保護材を切開する．開瞼器を装着し，リドカイン塩酸塩（キシロカイン®点眼液4％）1回，ヨウ素系消毒用洗浄液を1回点眼する．90秒間のタイマーをセットする．

看護師と医師で投与薬剤を確認し，看護師が薬剤入りの注射器が入った容器のふたを開け，医師が薬剤入りの注射器を受けとる．薬剤がバイアルに入っている場合は，バイアルのゴム栓部分をアルコール綿などで消毒したあと，1 mLの注射器に添付の専用フィルタ付き採液針を付け，バイアル内の薬剤を全量吸引する．専用フィルタ付き採液針を外し30 G針に付け替え，各薬剤の添付文書に従って規定の用量にする．再び，リドカイン塩酸塩1回，ヨウ素系消毒用洗浄液を1回点眼する．

タイマーが鳴ったら顕微鏡下で，眼球結膜を鑷子でずらし，外眼筋付着部を避けて角膜輪部から4 mm（眼内レンズ挿入眼あるいは人工的無水晶体眼は3.5 mm）後方で，眼球中心部に向かって注射針を刺入し，硝子体腔内に薬剤を注入する．眼球結膜下への薬剤の逆流を防ぐため，刺入部位の眼球結膜に綿棒で数秒間圧迫するか，鑷子で結膜を把持する．

顕微鏡を術野から離し，指数弁があることを確認し，ヨウ素系消毒用洗浄液を1回点眼する．開瞼器，粘着性透明創傷被覆・保護材，サージカルドレープを外し，眼科用清浄綿で眼瞼の消毒液を拭きとる．眼科治療椅子の位置を坐位に戻す．

■**注射後**　帰宅後，術眼の眼局所用抗菌薬の点眼を再開，注射後3日間，1日4回行う．近医などで注射後の合併症が生じていないかどうかの診察を受けてもらう．視力低下，眼痛，飛蚊症などの症状が出現したら，すみやかに連絡するように伝えておく．

合併症

❶**眼局所の合併症**　感染性眼内炎，非感染性眼内炎，結膜下出血，眼圧上昇，注射による疼痛，水晶体損傷，網膜裂孔，網膜剥離，網膜血管炎，網膜血管閉塞．

❷**全身の合併症**　脳卒中（脳梗塞，脳出血など），心筋梗塞など．

注意点　注射前には適応疾患・手技・合併症についてのみならず，抗VEGF薬が高額であること，複数回の投与を行うことがあることを，施行前に患者に明確に伝えるべきである．

使用する器具や消毒用の薬剤の種類，注射前の洗眼の有無，硝子体内注射前後の眼局所用抗菌薬の点眼を行うかどうかについては，各施設によって異なるが，いずれにしても無菌操作を徹底することが重要である．

眼科処置室で行う場合は，独立した部屋で，空気清浄器などを設置して，クリーンな環境下で行うことが望ましい．

手技においては，注射針を刺入および抜去するときに，水晶体に接触しないようにする．あらかじめ注射器内に薬剤が封入してある硝子体内注射用キットを使用する場合は，添付文書に従って投与量を調整し，

規定量を超えないようにする．トリアムシノロンアセトニドの場合は希釈する必要があるので，添付文書に従って薬剤を希釈し，投与する．

注入後，光覚なしの場合，視神経乳頭の血流の確認を行い，血流が途絶していた場合，直ちに前房穿刺などで眼圧を下降させるなどの適切な処置を行う．そのような場合にすぐに対応できるように，単眼倒像検眼鏡や検眼レンズ（倒像レンズ 14 D，20 D）などを，処置を行う場所に準備しておく．

最も重篤な合併症である眼内炎の発症はまれではあるが，発症すると失明に至る危険性があるので，治療前から患者に十分に説明するとともに，注射後に視力低下や痛みなどがあれば直ちに受診することを，再度確認することが重要である．

2 薬物治療

抗菌薬・抗微生物薬
Antibacterial drug, Antimicrobial drug

望月清文 岐阜大学・准教授

目的・概説 眼感染症の治療を目的とする．使用される抗微生物薬には抗菌薬，抗真菌薬，抗ウイルス薬および抗原虫薬などがあり，本項では点眼薬ならびに眼軟膏による治療を中心に解説する．

選び方 わが国で市販されている医療用抗微生物薬において，抗菌点眼薬・眼軟膏には7系統，また抗真菌点眼薬・眼軟膏および抗ウイルス眼軟膏にはそれぞれ1系統の薬剤があるが，抗原虫薬はない．眼症状や眼所見から原因として推測される病原微生物に最も有効かつ安全性の高い薬物を使用する．処方に先立ち培養検査や塗抹検査など（ウイルス抗原検出キットやPCRなども含む）を行い，病原微生物が検出された場合（細菌感染では薬剤感受性試験の結果にも鑑み）には適切な抗微生物薬への変更あるいは選択を行う．また病原微生物によっては抗微生物薬の内服あるいは点滴が併用される．一方，特に抗菌点眼薬の使用時には耐性菌の出現を抑えるために，抗菌点眼薬（同系統含む）を漫然と長期間使用しないことが肝要である．

適応・使用法 添付文書を熟読し作用機序およびその適応菌種ならびに適応疾患を確認し，適切なルートから投与する．薬剤によっては投与期間および投与回数を厳守する．例えば，バンコマイシン塩酸塩眼軟膏ではバンコマイシンに感性のメチシリン耐性黄色ブドウ球菌およびメチシリン耐性表皮ブドウ球菌が適応菌種とされ，投与期間は14日間以内となっている．また，病原微生物の種類によっては（抗酸菌，真菌，サイトメガロウイルス，アカントアメーバなど），抗微生物薬あるいは消毒薬が自家調製して用いられることがある（保険適用外，各施設における倫理審査委員会の承認を要する）．なお，眼科周術期における予防的抗菌点眼薬の使用については統一された見解は得られていない．

安全性 小児あるいは妊産婦への使用に際しては安全性が確立されているか否か

に留意する．また，自家調製された点眼液あるいは眼軟膏を使用する際には，自覚症状をはじめ，角結膜・眼瞼などの眼組織ならびに全身への影響に十分注意する．

有効性 一般に眼瞼炎，涙囊炎，麦粒腫，結膜炎，瞼板腺炎あるいは角膜潰瘍を含む角膜炎などに抗菌点眼薬が使用される．また，抗真菌薬（ピマリシン点眼液・眼軟膏）は角膜真菌症に，抗ウイルス薬（アシクロビル眼軟膏）は単純ヘルペスウイルスに起因する角膜炎にそれぞれ用いられる．また洗眼殺菌剤のヨウ素・ポリビニルアルコール（PA・ヨード）点眼・洗眼液は角膜ヘルペスに保険適用を有する．

作用機序 抗菌薬の作用機序としては，細胞壁合成阻害（セフェム系，グリコペプチド系），細胞質膜阻害（ポリペプチド系），蛋白質合成阻害（アミノ配糖体系，マクロライド系，クロラムフェニコール系）およびDNA合成阻害（ピリドンカルボン酸系）などがある．ピマリシン点眼液・眼軟膏は真菌細胞の膜透過性を障害することにより抗真菌作用を発揮する．抗ウイルス眼軟膏はウイルスDNAの合成を阻害する．PA・ヨード点眼・洗眼液はエンベロープに作用しウイルスを不活化する．

緑内障治療薬（総論）
Drug for glaucoma

本庄 恵 東京大学・准教授

概説 原発開放隅角緑内障（primary open angle glaucoma：POAG）は隅角検査で正常開放隅角だが，眼圧は22 mmHg以上で，視神経乳頭の緑内障性変化とそれに相当する視野障害を示す疾患である．眼圧正常値（21 mmHg）以下の場合を正常眼圧緑内障（normal tension glaucoma：NTG）と定義するが，特定の眼圧値で両者の分類は困難で，治療方針にも差異はないことから，わが国の緑内障診療ガイドラインではPOAGとNTGを合わせてPOAG（広義），従来のPOAGをPOAG（狭義）としている．開放隅角眼における眼圧上昇は，隅角線維柱帯におけるマクロな病態変化による機能的房水流出抵抗増大によると考えられており，隅角検査などでの特異性の高い所見に乏しいため，POAGの診断には続発緑内障との鑑別が不可欠である．

前眼部・後眼部検査，隅角検査で角膜・虹彩所見，前房炎症混濁の有無，後眼部疾患の有無，隅角異常所見の有無を確認する．POAG（狭義）では眼圧値は22～40 mmHgの範囲であることが多く，片眼性や30 mmHgを超える症例では発達緑内障や続発緑内障を念頭におく．若年者では発達緑内障を，高齢者では落屑緑内障の頻度が高く，またぶどう膜続発緑内障，プラトー虹彩症候群などがPOAGと間違われる場合もある．ステロイド緑内障ではステロイド使用歴の確認が必須である．

海外の大規模多施設臨床研究により，緑内障の各病型に対して眼圧下降治療が緑内障性視神経障害，視野の進行抑制に有効であることが示されており，眼圧が正常範囲内であるNTGにおいてもエビデンスのある治療は眼圧下降治療のみである．

治療の原則 眼圧下降治療の第1選択は点眼治療である．現在，緑内障治療薬には9つの作用機序〔コリン作動薬，アドレナリン作動薬，α_2作動薬，α遮断薬，β遮断薬，炭酸脱水酵素阻害薬，プロスタ

グランジン関連薬(FP作動薬，EP2作動薬)，ROCK阻害薬〕が存在し，さらには配合剤が複数存在する．また，後発品が発売されている薬剤もあり，注意が必要である．第1選択薬としてはプロスタグランジン関連薬から開始することが一般的だが，現在近年臨床応用されたEP2作動薬も合わせて作用，副作用が異なるので留意して薬剤を選択する必要がある．目標眼圧の達成が難しい場合や薬物の効果が不十分な場合などに薬剤変更，もしくはβ遮断薬，炭酸脱水酵素阻害薬，α_2作動薬，ROCK阻害薬から追加薬を選択肢，多剤併用で用いることが多い．

長期的な視点で治療効果を判定し，治療方針を的確に変更していくために，治療開始時に無治療時のベースライン眼圧，正確な視神経乳頭所見，信頼性の高い視野検査データといった確実な初期データを得ることが重要である．

続発緑内障では可能な場合は原因治療，特にステロイド緑内障では可能な限りステロイドの減量，中止をはかることが重要である．閉塞隅角が関与する病態では閉塞隅角機転など病態の解除が第1である．しかしいずれの病型でも高眼圧が持続し，緑内障の進行がみられる場合は開放隅角緑内障に準じた薬物治療による眼圧下降，さらに眼圧下降効果が不十分な場合はレーザーや観血的緑内障治療を検討する．

プロスタノイドFP受容体作動薬

Prostanoid FP receptor agonists

坂田 礼　東京大学・講師

目的・概説　緑内障に対する唯一確実な治療法は眼圧下降治療のみであり，眼圧下降の方法として薬物治療，レーザー治療，手術治療の選択肢があるが，原発開放隅角緑内障の場合，一般的には薬物治療(単剤)から開始する．配合点眼薬を含めて多くの緑内障治療薬が使用できる状況ではあるが，薬物治療の原則は「必要最小限の薬剤と副作用で最大の効果を得ること」である(緑内障診療ガイドライン 第5版)．この点，プロスタノイドFP受容体作動薬(以下，FP作動薬)は優れた眼圧下降効果を期待でき，かつ点眼回数が少なく全身的な副作用の発現もほとんどないことから，第1選択薬として使用されることが多い．

選び方　強い眼圧下降効果，高い忍容性の面から緑内障点眼治療の核となる薬剤である．

適応　開放隅角緑内障のみならず，閉塞隅角緑内障や小児緑内障，続発緑内障においても眼圧下降効果を発揮するため，すべての緑内障において使用可能な点眼薬である．

使用法　1日1回点眼．朝点眼でも昼点眼でも夜点眼でも構わないが，一度決めた点眼時間は毎日変えないことが大切である．

安全性　点眼液が眼周囲に残ると，眼瞼色素沈着，睫毛伸長(産毛の増加)が起こる可能性が高くなるので，点眼後は眼周囲

の清拭（洗顔）を行うように指導する．治療開始時，初回の点眼後に結膜充血が目立つこともあるが，点眼を継続するに従って徐々に減少する．虹彩色素沈着（あるいは色調変化）は不可逆的であるが，日本人は虹彩メラニン色素がもともと多いため，この変化に気づきづらい．眼周囲の脂肪萎縮（主に上眼瞼溝深化）が起こることがある．これは片眼点眼の場合に外見上問題となることがあるので，あらかじめ患者に説明しておく．白内障手術後には一般的に点眼を中止することが多いが，炎症が少ない場合には早期の再開が可能である．しかし，眼内レンズ挿入の有無にかかわらず後嚢破損した眼に対する使用で黄斑浮腫が起こることもあるので，視力や眼底OCTを随時チェックする必要がある．

有効性　単剤で，高眼圧の緑内障のみならず，正常眼圧の緑内障に対しても眼圧下降効果を得ることができる点眼薬である．一部の患者では眼圧が下がらない（ノンレスポンダー）場合があり，この場合，まずは別のFP作動薬に変更することから検討する．最終的に単剤での効果が不十分であるときには，多剤併用療法（配合点眼薬を含む）を行う．

作用機序　点眼薬は角膜を通過する際に加水分解され，主にプロスタノイドFP受容体へ作用する．コラーゲン分解酵素であるマトリックスメタロプロテアーゼ（matrix metalloproteinase：MMP）が遊離され，毛様体，虹彩根部，強膜における細胞外マトリックスのコラーゲンが分解，房水流出抵抗が減少して，ぶどう膜・強膜流出路の房水流量が増加するとされている．

交感神経 β 遮断薬
Beta-adrenergic blocking agent

鈴木康之　東海大学・主任教授

目的・概説　緑内障，高眼圧症に対して眼圧下降目的で点眼薬として使われる．眼圧下降効果は高く，またその作用機序が房水産生抑制によるものであるため，房水流出路が強く障害されている症例や房水流出促進薬との併用，緑内障のレーザー治療後や手術治療後に眼圧コントロールが不良になってしまった症例にも有効である．

選び方　非選択的 β 遮断薬であるチモロールマレイン酸塩（0.25％，0.5％），カルテオロール塩酸塩（1％，2％），β_1 受容体選択性 β 遮断薬であるベタキソロール塩酸塩（0.5％），β 遮断効果に加え，α_1 遮断効果ももつニプラジロール（0.25％），レボブノロール塩酸塩（0.5％）がある．またチモロールマレイン酸塩は多くの眼圧下降配合薬に使われており，またカルテオロール塩酸塩とプロスタノイドFP受容体作動薬の配合薬も市販されている．

適応　すべてのタイプの緑内障および高眼圧症に適応がある．

使用法　点眼薬によって異なり，1回1滴，1日1回のものと1回1滴，1日2回点眼のものおよび1回1滴，1日1〜2回のものがある．β 遮断薬による眼圧下降効果は夜間では減弱するため，1日1回点眼のタイプの場合は，朝に点眼するのが適当である．

安全性・有効性　非選択的 β 遮断薬は気管支喘息，気管支けいれん，慢性閉塞性肺疾患，コントロール不十分な心不全，洞

性徐脈，房室ブロック（Ⅱ，Ⅲ度），心原性ショックと薬剤に対する過敏症の既往歴がある患者には禁忌，肺高血圧症による心不全，うっ血性心不全，糖尿病ケトアシドーシスおよび代謝性アシドーシス，コントロール不十分な糖尿病には慎重投与となっている．$β_1$受容体選択性$β$遮断薬についてはコントロール不十分な心不全および妊婦または妊娠している可能性のある婦人と薬剤に対する過敏症の既往歴がある症例には禁忌であり，洞性徐脈，房室ブロック（Ⅱ，Ⅲ度），心原性ショック，うっ血性心不全，コントロール不十分な糖尿病，気管支喘息，気管支けいれん，コントロール不十分な閉塞性肺疾患に対しては慎重投与となっている．さらにレボブノロール塩酸塩に関しては非選択的$β$遮断薬の禁忌，慎重投与に加えて甲状腺中毒症の疑いがある患者も慎重投与とされている．副作用としては充血，角膜上皮障害，眼類天疱瘡などの眼局所症状，徐脈，動悸，低血圧，不整脈，うっ血性心不全，心停止，脳虚血などの循環器症状，喘息，気管支けいれん，呼吸困難，呼吸不全などの呼吸器症状，全身性エリテマトーデス，頭痛，めまい，抑うつ症状，下痢，消化不良，倦怠感などが報告されている．有効性としては症例にもよるが原発開放隅角緑内障に対して 20〜25% 程度の眼圧下降が期待できる．

作用機序 　交感神経$β$遮断薬は主として毛様体においてサイクリック AMP（c-AMP）を減少させて房水産生を抑制し，眼圧を下降させる．

交感神経$α_2$作動薬
Sympathetic alpha2 agonist

中澤 徹　東北大学・主任教授

目的 　緑内障・高眼圧症患者に対し，点眼治療により交感神経$α_2$受容体を刺激して，房水産生の低下，房水流出の促進により眼圧を下降させる．

概説 　緑内障は視神経乳頭に特徴的な緑内障性視神経症があらわれ，網膜神経節細胞軸索の絞扼障害により視野障害が誘発される眼疾患である．通常，眼圧を低下させることにより進行が抑制される．眼球内を満たす眼房水は，毛様体で産生され，水晶体や角膜を栄養し，眼外に排出される．眼房水が眼内に滞ることが，眼圧上昇の主な要因となる．この眼房水の産生や流出（排出）に交感神経が関与する．交感神経受容体には$α$受容体や$β$受容体があり，$α$受容体にはいくつかのタイプがある．そのなかの$α_2$受容体を刺激すると，眼圧下降がみられる．現在，臨床で使用可能な交感神経$α_2$作動薬はブリモニジン酒石酸塩点眼液 0.1%（アイファガン®）とアプラクロニジン酒石酸塩点眼液 1%（アイオピジン® UD）である．

選び方 　本薬剤は第 2 選択薬であり，緑内障，高眼圧症で，他の緑内障治療薬で効果が不十分な場合や，アレルギーなどで第 1 選択薬が使用できない場合に選択される．わが国のアイファガン®点眼液は，海外での使用濃度の半分である 0.1% が採用されており，より眼表面の副作用が少ない．眼圧降下作用によらず視野を保持する作用が報告されており，視野保持を期待す

る症例で検討する．最近，アイファガン®点眼液とβ受容体遮断薬や炭酸脱水酵素阻害薬との配合剤も使用可能となり，アドヒアランス向上に貢献している．

| 適応 |

❶アイファガン®　緑内障，高眼圧症で，ほかの緑内障治療薬が効果不十分または使用できない場合．
❷アイオピジン®　主にレーザー手術（Nd-YAGレーザー後囊切開術・レーザー線維柱帯形成術・レーザー虹彩切開術）後の一過性の眼圧上昇を予防する目的で使用する．

| 使用法 |

❶アイファガン®点眼0.1%　通常，1回1滴，1日2回点眼．
❷アイオピジン®UD点眼液1%　レーザー照射1時間前，および照射直後に術眼に1滴ずつ点眼．

| 安全性 |　アイファガン®点眼液は眼局所への副作用軽減を目的とした防腐剤（亜塩素酸ナトリウム）を使用している．眼局所副作用として，点状角膜炎，眼瞼炎，結膜炎が5%以上にみられ，接触皮膚炎，結膜充血，眼瘙痒症，眼の異常感が1〜5%未満であった．長期投与において，アレルギー性結膜炎・眼瞼炎の発現頻度が高くなる傾向が認められている．まれではあるが全身副作用として，めまいや眠気などが現れる場合があり，2歳未満には使用しない．

アイオピジン®は単回投与のため，1%以上の頻度の高い副作用の報告はない．

| 有効性 |　アイファガン®点眼液は，国内第Ⅲ相比較試験において，プロスタグランジン関連薬との併用時にプラセボに対する優越性が検証された．また，国内第Ⅲ相長期投与試験において，長期（52週間）にわたり眼圧下降効果を示した．眼房水の産生抑制以外の作用として，視野を保持する作用が報告されている．

| 作用機序 |　交感神経α_2受容体に作用し，房水産生の抑制およびぶどう膜強膜流出路を介した房水流出の促進により眼圧を下降させる．

炭酸脱水酵素阻害薬
Carbonic anhydrase inhibitor

内藤知子　グレース眼科クリニック・院長

| 概説 |　炭酸脱水酵素阻害薬の内服薬であるアセタゾラミド（ダイアモックス®）は眼圧下降治療薬として従来から使用されていたが，全身性の副作用（手指や口唇周囲の知覚異常・頻尿・倦怠感・食欲不振・代謝性アシドーシス・低カリウム血症・尿路結石や腎結石）が多く出現するため長期使用には向かない．そのため全身性の副作用が少ない点眼薬が望まれ，ドルゾラミド塩酸塩（トルソプト®）点眼薬とブリンゾラミド（エイゾプト®）点眼薬が開発された．ドルゾラミド点眼薬は海外では2%製剤であるが，国内では1%製剤が使用されている．ブリンゾラミド点眼薬は海外・国内ともに1%製剤である．

| 適応 |　点眼薬は緑内障点眼治療の第1選択薬であるプロスタグランジン関連薬単剤では眼圧下降効果が不十分な緑内障・高眼圧症例．β遮断薬の処方が禁忌である循環器・呼吸器系疾患を有する症例や，それらの機能が衰退していると思われる高齢者にも処方しやすい．

アセタゾラミド内服は，腎不全や高度肝機能障害・副腎機能不全患者，体液中のナトリウム・カリウムの減少している患者には禁忌であるので注意する．

| 使用法 | ドルゾラミドは1日3回・ブリンゾラミドは1日2回点眼であり，これらの点眼薬を初めて処方する際には，ドルゾラミドの場合は"しみる"ことを，ブリンゾラミドの場合は懸濁液であるので一時的な霧視が生じることをあらかじめ伝えておくことが大切である．患者が点眼時の刺激感や霧視に驚いたり不安感を覚えると治療中断につながることがあるので，前もって説明しておくことにより点眼アドヒアランスの低下を防ぐことができる．

アセタゾラミド内服は1日250～1,000 mgを分割経口投与する．

| 安全性・有効性 | 点眼による眼局所の副作用としては刺激感・角膜上皮障害・異物感・眼瞼炎・霧視などが挙げられ，全身の副作用には味覚障害があるが，内服に比べると重篤なものはない．

単剤使用としての炭酸脱水酵素阻害薬は，メタ解析の結果プロスタグランジン関連薬やβ遮断薬に比べると眼圧下降効果は弱いと報告されており，プロスタグランジン関連薬やβ遮断薬に対するアレルギーやβ遮断薬の禁忌となる循環器・呼吸器系疾患がなければ，炭酸脱水酵素阻害薬が第1選択薬として選ばれることは少ないと考える．一方，追加点眼薬として炭酸脱水酵素阻害薬を用いる場合には，プロスタグランジン関連薬点眼をしている症例にβ遮断薬を追加した群と，炭酸脱水酵素阻害薬（2％ドルゾラミド・1％ブリンゾラミド）を追加した群で比較し，眼圧下降効果は同等と報告されており，2剤目に使用する場合ではβ遮断薬と遜色ない効果を発揮することがわかっている．

| 作用機序 | 眼圧下降機序は，毛様体に存在する炭酸脱水酵素を特異的に阻害して重炭酸イオンの形成を遅延させ，ナトリウムイオンの能動輸送を低下させて房水産生を抑制することによる．

ROCK 阻害薬
ROCK inhibitor

本庄 恵 東京大学・准教授

| 概説 | ROCK 阻害薬は隅角線維柱帯および Schlemm 管などの主経路の組織に直接作用し，主経路を介した房水流出を促進し眼圧を下降させる緑内障治療薬として，リパスジル塩酸塩水和物点眼液（グラナテック®点眼液 0.4％）が 2014 年に世界に先駆けてわが国で上市された．主要な眼圧下降薬と異なる作用機序であることから，併用して有意な眼圧下降効果が得られること，夜間も昼間も同等に眼圧が下降すること，また，神経保護効果，抗炎症効果，角膜内皮への作用など眼圧下降以外の効果など，既存の緑内障治療薬とは異なるプロファイルを示す可能性が報告されている．

| 適応 | 適応はほかの緑内障治療薬が効果不十分または使用できない場合となっており，基本的には併用薬としての適応となる．正常眼圧緑内障・原発開放隅角緑内障・続発緑内障・落屑緑内障において，その他の眼圧下降薬との併用でリパスジルは眼圧下降において十分に補助的な作用を示すことが報告されており，すべての緑内障

病型が適応となる．併用において重篤な副作用は報告されていない．また，リパスジルの単独使用でも既存のファーストラインの緑内障点眼と遜色のない眼圧下降作用，加えて既存のセカンドラインの眼圧下降薬（炭酸脱水酵素阻害薬，α_2作動薬）と比較しても同等の眼圧下降作用を示すことが報告されていることから，ほかの緑内障治療薬が使用できない場合にはファーストラインとしての使用も検討しうる薬剤である．

使用法　ほかの緑内障治療薬が効果不十分な場合に追加，1日2回点眼で使用する．ほかの緑内障治療薬が使用できない場合には単独使用も検討しうる．

安全性　特定使用成績調査の結果では副作用としては結膜充血が4%と最も多く，加えて眼瞼炎が0.8%の症例で報告されたが，重篤な副作用報告はなかった．結膜の充血は点眼30分ほどでピークとなり，その2時間後には点眼時前の状態に戻るとされているが，持続する場合は注意が必要である．全身性の副作用については目立った報告はこれまでされていない．

有効性　有効性の解析では追加，切り替え，新規など処方方法はさまざまであったが，全体として約3mmHgの有意な眼圧下降が得られており，病型ごとの解析ではすべての病型で有意な眼圧下降効果がみられ，特に投与前眼圧の高い高眼圧症や原発開放隅角緑内障，また続発緑内障で効果が高い傾向がみられた．続発緑内障（落屑，ぶどう膜炎，ステロイド）に対する多施設研究ではぶどう膜炎続発緑内障，ステロイド緑内障で効果が高いことが報告されている．

作用機序　開放隅角眼における眼圧上昇は，隅角線維柱帯Schlemm管における細胞外基質の過剰沈着，といったマクロな病態変化による機能的房水流出抵抗増大によると考えられている．ROCK阻害薬は線維柱帯細胞の弛緩，Schlemm管内皮の巨大空胞の増加，傍Schlemm管結合組織の拡張，Schlemm管の開大，細胞外基質の沈着抑制などの複合的作用機序により，主経路に直接作用し，房水流出促進によって眼圧下降効果を示すと考えられている．

プロスタノイドEP2受容体作動薬

Prostanoid EP2 receptor agonist

坂田 礼　東京大学・講師

目的・概説　緑内障に対するエビデンスに基づいた治療法は眼圧下降治療のみであり，薬物治療，レーザー治療，手術治療の選択肢のなかから選択することになる．開放隅角緑内障の場合，第1選択薬としてプロスタノイドFP受容体作動薬（FP作動薬）を選択することが多いが，この点眼薬と同じプロスタノイド受容体作動薬の1つである選択的EP2受容体作動薬（EP2作動薬）の使用が可能となった．これは眼圧下降効果においてFP作動薬と非劣性を示した初めての薬剤であり，長期の忍容性もよいことから，今後，第1選択薬の1つとなりうる可能性を秘めている点眼薬といえる．

選び方　FP作動薬と同様に，今後，緑内障の薬物治療において第1選択薬となる可能性がある．

適応　現時点では原発開放隅角緑内障のみに適応がある．ただし，どちらかの眼

に眼内レンズが挿入されている患者(「眼」ではなく「患者」)に対しての処方は禁忌である(眼内レンズ挿入眼への投与で黄斑浮腫が発生する可能性があるため).ほかの病型に対しての使用経験は少なく,知見の集積が待たれる.

| **使用法**　1日1回点眼.FP作動薬と同じく,決めた点眼時間は毎日変えないことが大切である.

| **安全性**　FP作動薬とは異なり,眼周囲の局所的副作用が起こらない.すなわち,眼瞼色素沈着,睫毛伸長(産毛の増加),眼周囲の脂肪萎縮(上眼瞼溝深化)を気にする必要はないため,点眼後の眼周囲の手入れについて,FP作動薬のようにしっかりと行う必要がない.一方で,結膜充血,黄斑浮腫,角膜厚増加,虹彩炎については注意が必要である.使用を継続するに従って,結膜充血は徐々に消退していくが,黄斑浮腫,虹彩炎が起こった場合は点眼をいったん中止し,場合によっては消炎剤を使用しなければいけない.角膜厚が増加するメカニズムはわかっていないが,眼圧値に影響を及ぼすほどの変化は認めないので,診察では気にしないでよい.

| **有効性**　治験から得られた主要な結果としては,①ラタノプロストとの直接比較試験(1か月間)で非劣性が示された,②FP作動薬で眼圧の下がりが悪い症例(眼圧下降効果10%未満)に対しての投与で,さらなる眼圧下降効果が得られた,③52週にわたる検討において,正常眼圧緑内障に対して約20%,高眼圧緑内障に対しては約23%,チモロールマレイン酸塩との併用では約36%の眼圧下降をそれぞれ認めた,ことが挙げられる.多剤併用療法を行う際の注意点としては,FP作動薬との併用は禁忌,またチモロールマレイン酸塩以外の併用についての知見が少ないことを頭に入れておく.

| **作用機序**　点眼薬は角膜を通過する際に加水分解され,前房内でプロスタノイドEP2受容体へ選択的に作用する.ぶどう膜・強膜流出路(副経路)のみならず,主経路の流出も促進されることがわかっているが,FP作動薬と同様に詳細な作用機序については不明な点が多い.

ステロイド・免疫抑制薬(局所)

Steroids, immunosuppressive drugs (local)

福島敦樹　ツカザキ病院・部長

| **目的・概説**　炎症を抑制することが目的である.原疾患の病態を理解したうえで,ステロイドは免疫応答を全般的に抑制すること,免疫抑制薬はT細胞に選択性が高いことに配慮し投与する.ステロイド・免疫抑制薬とも副作用として感染に注意を払う.ステロイドの場合はフルオロメトロンであっても緑内障にも注意を払う必要がある.

| **選び方**

❶**薬剤による選び方**　眼感染症を伴っていないことを前提とすると,ステロイドはほとんどすべての外眼部・前眼部の炎症性疾患に適応がある.免疫抑制点眼薬は春季カタルのみが適応となる.ステロイド抵抗性でT細胞の関与が強いと考えられる春季カタル以外の前眼部疾患(強膜炎など)では,適応外使用も考慮する.

❷**投与方法による選び方**　外眼部・前眼部と

も基本は点眼である．眼軟膏は外眼部炎症疾患に処方することが多い．結膜下注射は虹彩毛様体炎，内眼手術後，角膜移植後の拒絶反応などに用いる．ぶどう膜炎で後眼部炎症を伴う場合は，ステロイド懸濁液の後部 Tenon 囊下注射を選択する．

適応　ステロイド点眼・眼軟膏・結膜下注射は外眼部・前眼部の炎症性疾患が対象である．抗菌薬を配合するステロイド点眼薬・眼軟膏の適応は外眼部・前眼部の細菌感染を伴う炎症性疾患と記載されているが，感染を伴う場合は感染の治療を優先し，抗菌薬などで感染が沈静化したあとにステロイドを投与する．ステロイド Tenon 囊下注射は後眼部炎症ならびにそれに伴う黄斑浮腫に適応がある．免疫抑制点眼薬の適応は抗アレルギー薬に効果不十分な春季カタルである．

使用法　ステロイド点眼は炎症の程度に応じ 1 日 1～4 回が基本である．ただし，非常に強い炎症を認める場合は 1 時間あるいは 2 時間ごとの指示を出す場合もある．ステロイド眼軟膏は点眼ができない就寝中などに効力を発揮するので，眠前などに投与する．水溶性ステロイド結膜下注射は一過性の炎症に対して使用されるが，効果時間が短い点に注意を払う．ステロイド懸濁液 Tenon 囊下注射は 2～4 週間の効果があるため，繰り返し注射が必要な場合は注射間隔に注意を払う．免疫抑制点眼薬の点眼回数は，シクロスポリン（パピロック®）が 1 日 3 回，タクロリムス水和物（タリムス®）は 1 日 2 回である．タクロリムス水和物のほうが効力が強い点に注意を払い，使い分ける．

安全性・有効性　ステロイドも免疫抑制薬も免疫を抑制するので感染を合併する場合には基本的に投与すべきでない．感染症を伴っていない患者に投与する場合でも，投与中は感染症の出現にも注意を払う．感染症以外に，ステロイドは投与方法にかかわらず緑内障，白内障の副作用の発現率が高い．免疫抑制薬点眼の場合は感染症以外の副作用の報告は少ない．

作用機序　ステロイドは細胞質でグルココルチコイド受容体と結合し，その後，核内に移行し，直接あるいは間接的にさまざまな転写因子の働きを制御する．そのため，サイトカイン産生抑制などの消炎作用以外にも数多くの副作用をもたらす．免疫抑制薬はステロイドと同様な動態で作用を発揮するが，カルシニューリンを標的とし，カルシニューリン阻害薬ともよばれる．T 細胞への選択性が高い．

ステロイド・免疫抑制薬（全身）
Steroid, Immunomodulatory agent (systemic)

柳井亮二　山口大学病院・講師

目的・概説　ステロイド（グルココルチコイド）は近代医学に最も貢献した薬剤の 1 つで，眼科領域においてもその即効性と抗炎症作用に勝る薬剤はない．薬理作用としては，抗炎症作用に加え，免疫抑制作用，細胞増殖抑制作用，血管収縮作用などを有する．生理的に副腎皮質から分泌されるコルチゾールは安静状態で 1 日 20 mg であるが，薬剤で臨床的に十分な抗炎症効果と免疫抑制効果を得るためには生理分泌量よりも高用量が必要となる．ステロイド治療は臨床的に長期に使用されることも多

表1 合成ステロイドの作用時間と比較力価

	ステロイド		1錠，バイアル中含有量(mg)	抗炎症作用（1 mgあたり）	電解質作用
	一般名	商品名(例)			
短時間作用型	ヒドロコルチゾンリン酸エステルナトリウム	水溶性ハイドロコートン®	100 mg/2 mL	1	1
	コルチゾン酢酸エステル	コートン®	25	0.8	0.8
中間型	プレドニゾロン	プレドニン®	5	4	0.8
	メチルプレドニゾロン	メドロール®	4	5	0.8
	トリアムシノロンアセトニド	ケナコルト-A®	40 mg/mL	5	0
長時間作用型	デキサメタゾン	デカドロン®	0.5	25	0
	ベタメタゾン	リンデロン®	0.5	25	0

く，用量依存性に，きわめて多様な副作用を生じることが問題となる．

このため全身のステロイド治療は長期にわたって行うべきではなく，慢性炎症疾患では例えば免疫抑制薬であるシクロスポリンAを併用しながら(steroid-sparing effect)，ステロイドの漸減を行う必要がある．免疫抑制薬は自己免疫疾患領域や臓器移植後に使われる抗炎症作用を有する薬剤であり，眼科領域ではシクロスポリンAが2013年よりBehçet病およびその他の非感染性ぶどう膜炎に対して保険適用がある．生物学的製剤については「生物学的製剤」項(⇒263頁)を参照．

ステロイドの作用機序

ステロイドの抗炎症および免疫抑制作用は主にグルココルチコイド受容体を介した種々の炎症性サイトカインの産生抑制を介している．下記にその作用機序の代表を示す．

❶抗炎症作用
- アラキドン酸代謝物生成抑制．
- サイトカイン産生抑制．
- 肥満細胞での脱顆粒抑制．

❷免疫抑制作用
- TおよびBリンパ球機能低下．
- マクロファージ，リンパ球減少．
- サイトカイン産生抑制．
- 抗体産生抑制(αグロブリン低下)．

ステロイドの選び方

作用時間(表1)と投与経路から選択する．長時間作用型は即効性で抗炎症効果も高いが，下垂体-副腎皮質系の抑制が強くなるため，投与期間が長くなるとステロイド離脱が難しくなる．ステロイドパルス療法や大量漸減療法では中間型が用いられる．経口剤は活性型ステロイドであるのに対し，注射用剤は非活性型(リン酸エステルや硫酸エステルとの抱合剤)である．注射用剤は体内で加水解されて活性型となって作用を発揮するため，効果発現までに時間を要するもの(硫酸エステル)もある．

ステロイドの適応
- 視神経炎，視神経周囲炎．
- ぶどう膜炎，強膜炎．
- 網脈絡膜炎，網膜血管炎．
- 眼窩先端部症候群．

- 眼筋麻痺.
- 眼窩炎症性疾患（甲状腺眼症，IgG4 関連眼窩疾患，多発血管炎性肉芽腫症など）.

全身ステロイドの使用法

初回投与量に基準はなく，疾患と病期や活動性により投与法や投与量が異なる．注射用剤は非活性型のため，経口投与に比べ静注では 1.5 倍程度多く投与量を設定する必要がある．ステロイドの副作用を杞憂し初期の投与量が不十分であったり，減量スピードが早すぎると原病の炎症コントロールができなかったり，炎症の再燃をきたしたりしやすくなり，最終的な投与量が多くなることに注意が必要である．

❶大量点滴療法　急性期，炎症が強い場合の免疫抑制のために行う．プレドニゾロン換算で 1 日 200〜240 mg の注射用ステロイドを点滴静注する．

❷パルス療法　より強力な抗炎症・免疫抑制を要する例に用いる．メチルプレドニゾロンの静注剤 1,000 mg，3 日間連続投与を 1 クールとする．効果を判定しながら数クール繰り返して行う．パルス療法の後療法としてプレドニゾロン内服 40〜60 mg から漸減を行う．

❸経口投与　疾患とその炎症の程度に合わせて，0.5〜1.0 mg/kg のプレドニゾロンを開始し，徐々に減量する．生理的なコルチゾール分泌に合わせるため，朝，昼で投与する．夜間投与は副腎皮質機能を抑制しやすくなるため，減量や離脱を困難にする．突然の中止は原病の再燃や副腎クリーゼを生じる．

隔日投与は，ステロイドの長期服用者の下垂体・副腎機能の抑制作用を小さくすることを目的に行われる．

免疫抑制薬の作用機序

免疫抑制薬シクロスポリン A は，細胞の活性化に重要な細胞内蛋白であるカルシニューリンを阻害することで，T 細胞選択的に免疫抑制作用を発揮する．Behçet 病を含む非感染性ぶどう膜炎に対して保険適用となっている．効果発現までに 1〜2 か月を要するため，開始直後の即効性については期待できない点に留意する．

免疫抑制薬の使用法

❶Behçet 病に対するシクロスポリン投与
- 単独使用またはコルヒチンとの併用．
- 5 mg/kg から投与し，増減．

❷Behçet 病以外の非感染性ぶどう膜炎
- 基本的にはプレドニゾロンと併用し，抗炎症効果が十分に発揮されてからステロイドの減量・離脱を目的として追加する．通常，シクロスポリンとして 1 日量 5 mg/kg を 1 日 2 回に分けて経口投与を開始し，以後 1 か月ごとに 1 日 1〜2 mg/kg ずつ減量または増量する．
- 維持量 3〜5 mg/kg/日，1 日 2 回食後（または食前）．
- トラフ値（目標 100 ng/mL）150 ng/mL 以上で腎機能障害などのリスクが上昇する．臨床所見を評価しながら薬剤の増減を行う．腎機能異常など副作用がみられる場合も減量するが，中止を前提とする場合，ステロイドと異なり漸減は不要で即座に中止することができる．

安全性

全身ステロイドでは，消化性潰瘍，糖尿病（耐糖能異常），感染症（結核），骨粗鬆症の悪化，大腿骨頭壊死，劇症肝炎，心停止，精神症状などの重篤な副作用をきたすことがある．シクロスポリンでは腎機能障害をはじめ，発疹，嘔気，多毛，手足の震え，頭痛，めまいなどを生じるので，治療前に十分に説明し，同意書を

得ておくとともに，治療中，治療後も観察を行う．

| **治療前検査**　血液像，肝機能，腎機能，脂質，血糖，HbA1c，T-SPOT，β-D-グルカン，HBs抗原，HBs抗体，HBc抗体，HCV抗体，麻疹，HZV，HSV，風疹抗体などに加え，胸部X線，心電図，骨塩定量，胃内視鏡検査などを症例に合わせて適宜追加する．

ステロイド，免疫抑制薬ともに全身の副作用は時に重篤となる．上記治療前検査は症例に応じて適宜使用中も再検査を行う．スクリーニング採血は1〜2か月に1回，胸部X線や心電図・骨塩定量・β-D-グルカンなどは3〜6か月に1回を目安に検査を行うとよい．可能な限り他科と密に連携をとり，合併症が出現した際にはためらわずにコンサルトすることが肝要と考える．

生物学的製剤
Biologics

柳井亮二　山口大学病院・講師

| **目的・概説**　生物学的製剤は遺伝子工学的手法により生成された生物由来の蛋白製剤である．標的抗原が明確で高い特異性と親和性を有するため，有効性が高く，副作用は生じにくい．眼科領域で認可されている生物学的製剤は抗VEGF（血管内皮増殖因子）薬および抗TNF（腫瘍壊死因子）-α薬である．生物学的製剤により加齢黄斑変性や未熟児網膜症，難治性のぶどう膜炎など重篤な視覚障害を起こす疾患に対する視力予後が改善したことは朗報だが，いずれの製剤も重篤な感染症をはじめとした有害事象に対し留意が必要な薬剤である．

| **作用機序**　抗VEGF薬，抗TNF-α薬ともに抗体製剤であるため，表2に示した標的分子を阻害することで治療効果を発揮する．

| **適応・選び方・使用法**（表2）　抗VEGF薬は血管新生および血管透過性を抑制する作用があり，眼内の血管新生や黄斑部浮腫に対して治療効果がある．抗TNF-α薬はBehçet病あるいはその他の非感染性ぶどう膜炎の炎症抑制効果がある．

使用に当たっては，日本眼科学会ホームページで公開されている「黄斑疾患に対する硝子体内注射ガイドライン」「未熟児網膜症に対する抗VEGF療法の手引き」「非感染性ぶどう膜炎に対するTNF阻害薬使用指針および安全対策マニュアル 改訂第2版」に沿って行う必要がある．

| **安全性**　通常の薬剤は，化学合成された低分子化合物で，肝臓で代謝され腎臓から排出されるため，治療に伴い肝障害や腎障害が発生するほか，あらゆる臓器や組織で反応するためさまざまな副作用が発現する．一方，生物学的製剤は，通常の抗体と同様に細胞内に取り込まれて代謝・消化されたり，マクロファージに取り込まれて分解されたりすると推定されており，肝臓や腎臓への負担はほとんど生じない．

抗VEGF薬は硝子体内に注射した薬剤が全身循環に移行するため，動脈血栓塞栓に関連する血管死や心筋梗塞，虚血性脳卒中，出血性脳卒中などを生じる可能性がある．

硝子体内注射後の眼内炎は感染性と無菌性があり，ブロルシズマブ（ベオビュ®）は網膜血管炎や血管閉塞を含む眼内炎の副作用が報告されている．抗TNF-α薬は感

表2 わが国の眼科領域に導入されている生物学的製剤

一般名	抗VEGF薬			抗VEGF/抗Ang-2薬	抗TNF-α薬	
	ラニビズマブ	アフリベルセプト	ブロルシズマブ	ファリシマブ	インフリキシマブ	アダリムマブ
製品名	ルセンティス®	アイリーア®	ベオビュ®	バビースモ®	レミケード®	ヒュミラ®
標的分子	VEGF-A	VEGF-A VEGF-B PIGF Galectin-1	VEGF-A	Ang-2 VEGF-A	TNF-α	TNF-α
構造	ヒト化モノクローナル抗体のFab断片	遺伝子組換え融合糖蛋白質	ヒト化一本鎖抗体フラグメント	ヒト化二重特異性モノクローナル抗体	キメラ型モノクローナル抗体	ヒト型モノクローナル抗体
適応	・中心窩下脈絡膜新生血管を伴う加齢黄斑変性 ・網膜静脈閉塞症に伴う黄斑浮腫 ・病的近視における脈絡膜新生血管 ・糖尿病黄斑浮腫 ・未熟児網膜症	・中心窩下脈絡膜新生血管を伴う加齢黄斑変性 ・網膜静脈閉塞症に伴う黄斑浮腫 ・病的近視における脈絡膜新生血管 ・糖尿病黄斑浮腫	・中心窩下脈絡膜新生血管を伴う加齢黄斑変性 ・糖尿病黄斑浮腫	・中心窩下脈絡膜新生血管を伴う加齢黄斑変性 ・糖尿病黄斑浮腫 ・血管新生緑内障	・Behçet病による難治性網膜ぶどう膜炎	・非感染性の中間部,後部または汎ぶどう膜炎
投与方法	硝子体内注射 例)AMD 1回0.5 mg 導入期:1か月ごとに連続3回 維持期:1か月以上あけて適宜	硝子体内注射 例)AMD 1回2 mg 導入期:1か月ごとに連続3回 維持期:2か月とあるいは1か月以上あけて適宜	硝子体内注射 例)AMD 1回6 mg 導入期:1か月ごとに連続3回 維持期:3か月とあるいは2か月以上あけて適宜	硝子体内投与 例)AMD 1回6 mg 導入期:4週ごとに連続4回 維持期:16週ごとあるいは8週以上あけて適宜	点滴静注 1回 5 mg/kg 初回投与後,2週後,6週後,以後8週間隔で維持	皮下注 初回80 mg, 1週後40 mg, 以後2週間間隔で40 mg

AMD:加齢黄斑変性,Ang:アンジオポエチン関連因子,PIGF:胎盤増殖因子,TNF:腫瘍壊死因子,VEGF:血管内皮増殖因子.

染,特に結核やニューモシスチス肺炎に注意が必要で,投与前には感染ウイルス,脱髄疾患の既往,悪性腫瘍の既往についての評価が必要である.

治療前検査 全身精査については前項の「ステロイド・免疫抑制薬(全身)」項(⇒ 260頁)における使用前精査に準じるが,血液像やCRPを確認するほか,特にT-SPOT,胸部X線・胸部CT,HBs抗原,HBs抗体,HBc抗体,β-D-グルカン,KL-6,抗核抗体などを症例に合わせて検査する.

抗VEGF薬

Anti-VEGF drug

澤田智子 滋賀医科大学・助教

概要 現在(2022年6月末),わが国で承認され,使用可能な抗VEGF(vascular endothelial growth factor:血管内皮増殖因

子)薬の種類，成分，作用機序，適応疾患は前項(「生物学的製剤」項)の**表2**を参照されたい．

用量・用法

❶ラニビズマブ

a. 中心窩下脈絡膜新生血管を伴う加齢黄斑変性症：0.5 mg(0.05 mL)を1か月ごとに1回，連続3回(導入期)硝子体内注射を行う．その後の維持期では，症状により投与間隔を適宜調節するが，1か月以上の間隔をあける．

b. 網膜静脈閉塞症に伴う黄斑浮腫，病的近視における脈絡膜新生血管，糖尿病黄斑浮腫：0.5 mg(0.05 mL)の硝子体内注射を行う．再投与の場合は1か月以上の投与間隔をあける．

c. 未熟児網膜症：0.2 mg(0.02 mL)の硝子体内注射を行う．再投与の場合は1か月以上の間隔をあける．

❷アフリベルセプト

a. 中心窩下脈絡膜新生血管を伴う加齢黄斑変性：2 mg(0.05 mL)を1か月ごとに1回，連続3回(導入期)硝子体内注射を行う．その後の維持期では，通常2か月ごとに1回，投与する．症状により投与間隔を適宜調節するが，1か月以上の間隔をあける．

b. 網膜静脈閉塞症に伴う黄斑浮腫，病的近視における脈絡膜新生血管：2 mg(0.05 mL)の硝子体内注射を行う．再投与の場合は1か月以上の投与間隔をあける．

c. 糖尿病黄斑浮腫：2 mg(0.05 mL)を1か月ごとに1回，連続5回の硝子体内注射を行う．その後は，通常2か月ごとに1回，投与する．症状により投与間隔を適宜調節するが，1か月以上の間隔をあける．

d. 血管新生緑内障：2 mg(0.05 mL)の硝子体内注射を行う．再投与の場合は1か月以上の間隔をあける．

❸ブロルシズマブ

a. 中心窩下脈絡膜新生血管を伴う加齢黄斑変性：6 mg(0.05 mL)を4週ごとに1回，連続3回(導入期)硝子体内注射を行う．その後の維持期では，通常12週ごとに1回，投与する．症状により投与間隔を適宜調節するが，8週以上の間隔をあける．

b. 糖尿病黄斑浮腫：6 mg(0.05 mL)を6週ごとに1回，通常，連続5回(導入期)の硝子体内注射を行うが，症状により投与回数を適宜減らす．その後の維持期においては，通常，12週ごとに1回投与する．症状により投与間隔を適宜調節するが，8週以上の間隔をあける．

❹ファリシマブ

a. 中心窩下脈絡膜新生血管を伴う加齢黄斑変性：6 mg(0.05 mL)を4週ごとに1回，通常，連続4回(導入期)硝子体内注射を行うが，症状により投与回数を適宜減らす．その後の維持期では，通常，16週ごとに1回投与する．症状により投与間隔を適宜調節するが，8週以上の間隔をあける．

b. 糖尿病黄斑浮腫：6 mg(0.05 mL)を4週ごとに1回，連続4回の硝子体内注射を行うが，症状により投与回数を適宜減らす．その後は，投与間隔を徐々に延長し，通常，16週ごとに1回投与する．症状により投与間隔を適宜調節するが，4週以上の間隔をあける．

■**注意点** 適用外使用になるが，抗VEGF薬であるベバシズマブの硝子体内注射が行われている．ベバシズマブの使用に関しては，各施設の倫理委員会などで承認が必要である．

ボツリヌス毒素

Botulinum toxin

後関利明　国際医療福祉大学熱海病院・部長/准教授

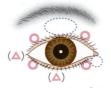

図1　ボトックス®投与部位
眼周囲の12か所へ（6か所×2：両眼）へ，眼瞼挙筋と涙点を避けて投与する．眼窩部眼輪筋（△）は症例ごとにアレンジし，眼周囲8か所（4か所×2：両眼）を基本とし投与する．

目的・概説　ボツリヌス毒素は1977年に米国のDr. Alan Scottによる斜視への臨床応用によって始まり，1989年に世界で最初に米国で承認された．わが国では1996年に初めて眼瞼けいれんに対して承認された．眼科領域では，その後2000年に片側顔面けいれん，2015年に斜視の追加効能が承認されている．ボツリヌス毒素は神経終末で，アセチルコリンの放出を抑え，アセチルコリンを介した神経伝達を阻害し，筋のれん縮，緊張の改善をきたす．

選び方　治療用に使用しているボツリヌス毒素は，A型毒素はグラクソ・スミスクライン製「ボトックス®」，Ipsen社製「Dysport®」，Merz Pharma社製「Xeomin®」など，そのほかに数剤存在する．B型毒素はエーザイ製の「ナーブロック®（海外名：MYOBLOC®，NeuroBloc®）」の1剤である．眼科領域で保険適用の通っている商品は，ボトックス®のみである．なお，使用にあたり講習・実技セミナー（Webもあり）を疾患ごとに受けなければならない．

適応　眼科領域では眼瞼けいれん，片側顔面けいれん，斜視が適応である．投与した部位の筋肉の収縮を3か月程度減弱することが可能である．

使用法　ボトックス®の溶解は投与単位に応じて少量の生理食塩液にて希釈をする．50単位のボトックス®を1 mLの生理食塩液で溶解すると0.1 mLが5.0単位，0.5 mLの生理食塩液で溶解すると0.1 mLが10単位となる．作り置きはせず溶解後にはすぐに使用する．

　初回投与は，眼瞼けいれんは眼周囲の12か所へ（6か所×2：両眼）各1.25〜2.5単位を眼瞼挙筋と涙点は避けて投与する（図1）．眼窩部眼輪筋は投与対象部位となっているが，効果が薄い症例もあるため，筆者は眼周囲8か所（4か所×2：両眼）を基本とし症例ごとにアレンジをしている．注射深度は添付文章には筋肉内注射と記載があるが，眼輪筋は表層筋のため深く刺入する必要はない．皮下注射で皮膚が盛り上がる程度で十分であり，逆に深く刺入すると眼瞼挙筋へのボトックス®が影響をきたし眼瞼下垂が出現することがある．

　片側顔面けいれんは，半側の眼周囲6か所に加え，小頬骨筋，大頬骨筋，頬筋へけいれんの状態をみて数か所に投与する．頬部の投与は，眼周囲より深く刺入させ筋肉注射をする．

　斜視は筋収縮を減弱させたい外眼筋（手術なら後転を施行する外眼筋）へ投与する．外斜視なら，外直筋へ，内斜視なら内直筋へ，上斜筋麻痺なら下斜筋へ投与する．近接する筋肉へ影響を及ぼさないため投与量を0.05 mLになるように調剤し，1.25〜5

単位を単一の外眼筋に，針付き筋電図を使用するか，直視下にて投与する．

3疾患とも，投与後1か月で診察をして効果判定，副作用の有無を確認し，次回の投与量・投与部位・投与日を患者と相談のうえ，決定する．投与ごとに，よりよい投与となるようにカスタムメイドしていく．

安全性・有効性　市販後使用成績調査の結果では，眼瞼けいれん患者6,445人に投与し，652人(10.12％)に副作用が報告された．その主なものは，眼瞼下垂141人(2.19％)，兎眼・閉瞼不全138人(2.14％)，流涙67人(1.04％)であった．片側顔面けいれん患者10,288人に投与し，725人(7.05％)に副作用が報告された．その主なものは兎眼・閉瞼不全195人(1.90％)，局所筋力低下，顔面麻痺各158人(1.54％)，流涙80人(0.78％)であった．水平斜視患者を対象とした国内臨床試験において，総症例41人中11人(26.83％)に副作用が報告された．その主なものは，眼瞼下垂7人(17.07％)，複視，斜視各2人(4.88％)であった．眼科領域のボトックス®の副作用は局所のものがほとんどで，全身の副作用は非常にまれである．

眼瞼けいれんの寛解は10％程度と少ない．ボツリヌス毒素療法のみで症状が完全に治まることは少なく60～70％の改善が目標である．さらに，効果無効例が10％程度存在する．片側顔面けいれんの寛解も眼瞼けいれんと同様に10％程度であるが，満足度は眼瞼けいれんより高く，繰り返し投与することに抵抗のない患者も多い．斜視の寛解は疾患ごとに違うが，内斜視，特に後天共同性内斜視で高く，報告によっては50％程度，寛解するという報告もある．

作用機序　A型ボツリヌス毒素は，神経終末に対し親和性が高い重鎖領域が，神経終末の受容体に結合する．エンドサイトーシス(細胞が細胞外の物質を取り込む過程)によりA型ボツリヌス毒素が，細胞内に取り込まれる．毒素を取り込んだ小胞が神経終末内部に形成されたのち，毒素の軽鎖領域が細胞質内に放出される．その後に，A型ボツリヌス毒素はSNAP-25とよばれ，細胞膜に局在し，アセチルコリンの放出に関与している蛋白を切断することにより，アセチルコリンの放出を阻害する．このようなメカニズムにより，アセチルコリンを介した筋収縮が阻害され，筋のれん縮，緊張の改善をきたす．神経と筋の接合部においてA型ボツリヌス毒素による化学的脱神経が起こると，軸索から側芽が形成される．新生した軸索側芽はやがて新しい接合部を形成し，神経からの情報伝達は徐々に回復する．新生した神経終板は最終的には消失し，もとの神経終板の活性が回復することが示唆されている．毒素は投与されると直ちに神経終末への取り込みが始まる．通常，毒素の薬理作用は，注射後24時間以内に発現するが，実際に臨床効果が確認されるのは2～3日後であることが多い．臨床的には，投与後およそ1～2週間以内に効果が安定し，数か月間持続する．

3 手術

眼瞼手術
Eyelid surgery

野田実香　野田実香まぶたのクリニック・院長

目的・概説　眼瞼の組織は眼球の組織とは全く異なる性質をもつ．したがって疾患や手術治療も眼球とは全く異なる．眼瞼疾患のある患者は眼科を訪れて愁訴することが多いため，眼科医が診断して適切な治療を提供できることが期待される．

適応　眼瞼下垂，眼瞼内反症，眼瞼外反症，睫毛内反症，眼瞼腫瘍のような，保存的治療が有効ではない眼瞼疾患に対して手術治療が行われる．

手術法

■**準備**　皮膚の消毒は，角結膜障害を起こすエタノール成分を含まないものを選択する．透明なヒビテン®・グルコネート液，またはマスキン®水 0.02％以上が望ましい．イソジン®液を用いる場合は，術後に顔面からよく拭きとる．ドレーピングは片眼の手術であっても左右の眼瞼を術野に開放するように行い，術中に左右を比較できるようにするため，消毒も広範囲に行う．また結膜嚢を洗う必要はない．

アドレナリン入りのキシロカイン®を用いて局所麻酔を行う．濃度は 0.5％，1％，2％のいずれかを用いる．バイポーラーにて焼灼する際には 2％を用いると痛みを抑えやすい．

■**手術手技**

❶**皮膚切開**　眼瞼は皮膚に余裕のある部分であり，さらに周囲組織との関係が疎で固定しにくいので，皮膚切開には困難な場所である．周囲の皮膚に上下左右へ張力をかけて，切開をしやすい条件を作り上げるとよい．一刀ですべて切開する必要はなく，丸刃メスで事前につけたマークに沿って丁寧に切開するとよい．高周波ラジオ波メスや炭酸レーザーを用いる方法も，眼瞼には適している．

❷**止血**　バイポーラーなどで行う．バイポーラーは小型の鑷子型のものが使いやすい．他科のもので共有できるものもある．出力は白内障手術のときの2倍程度を目安とする．少し焦げ目ができても，出血をそのままにしておくより術後の瘢痕を軽減できる．上下左右に大きく開創し，濡れガーゼを用いて出血点を確実に発見して止血する．この丁寧な止血にて，翌日の腫脹や皮下出血を軽減することができる．

❸**組織縫合**　縫合には 6-0 か 7-0 のナイロンやポリプロピレンといった非吸収糸，もしくは 6-0 の吸収糸である Vicryl® を使用する．組織内に縫合糸を留置する場合，吸収糸を使用するほうが癒着を作るため強固に接着できるという考え方は誤りで，無用な瘢痕を残すだけのことが多い．非吸収糸を用いると，瘢痕を残さないため再手術の際の術野の解剖がわかりやすい．シルク糸は炎症反応が強いため，眼瞼皮膚や留置する縫合には使うべきではないと考えられる．

❹**皮膚縫合**　瞼縁の皮膚割線に沿った切開に対する皮膚縫合は，やや間隔をあけて行う．組織に余裕がある部位なので創は寄せ

て軽く合わせれば十分である．滲出液を創から排出したほうが腫脹を軽減させられるからである．瞼縁は 7-0 または 6-0 のナイロン，またはポリプロピレンの非吸収糸で行う．眉毛付近の分厚い皮膚は 5-0 糸で埋没縫合を行い，6-0 糸で表皮を強めに結紮する．

合併症

❶内出血 術翌日に組織内出血が生じる場合がある．

❷眼表面の障害 外傷，手術，縫合糸によって障害が生じていないかをよく確認する．縫合糸が問題である場合には，すみやかに除去する．

❸感染 眼瞼は血流がよいため感染は生じにくい部位であるが，編み糸の縫合糸などの異物を埋没させそれが皮膚創から露出しているような場合，感染を起こしやすい．感染が生じたら，糸をすみやかに除去する．

❹再発 眼瞼下垂，眼瞼内反症には再発の可能性がある．再発であるのか，手術の一時的な影響であるのかを判定するには，3〜6 か月の経過観察を要する．

涙道手術

Lacrimal surgery

井上 康　井上眼科・院長

目的・概説

涙道手術では，涙道閉塞もしくは狭窄による流涙および眼脂の改善が主な目的となる．大きくは，閉塞した涙道を再建する手技である涙管チューブ挿入術と，涙嚢と鼻腔の間をバイパスする新たな涙道を作成する涙嚢鼻腔吻合術に分けられる．涙嚢鼻腔吻合術には皮膚側から行う鼻外法と鼻腔から行う鼻内法がある．

適応

涙小管の閉塞もしくは狭窄では涙管チューブ挿入術が適応となるが，鼻涙管閉塞に対する標準術式は涙嚢鼻腔吻合術とされている．鼻科的手術後や外傷などによる骨性閉塞の症例では唯一の治療法となる．鼻涙管狭窄もしくは閉塞後の期間が短い症例に対しては涙管チューブ挿入術も治療の選択肢の 1 つとなる．低侵襲で行うことができるため，全身状態や年齢を考慮して行われることが多い．また，涙嚢腫瘍が疑われる場合などには涙嚢摘出術を行う．

手術法

❶涙管チューブ挿入術 涙管チューブ挿入術は涙道内視鏡下に施行されるようになってきた．涙道内視鏡に外筒として装着した 18 G 血管内留置用エラスター針(以下シース)を使用したシース誘導内視鏡下穿破法 (sheath guided endoscopic probing：SEP) およびシース誘導チューブ挿入法 (sheath guided intubation：SGI) により正確な挿入が可能である．麻酔としては点眼，涙嚢内麻酔および滑車下神経ブロックを行うことが多い．

涙点拡張針にて涙点を拡張したのち，シースを装着した涙道内視鏡を涙点から挿入する．眼瞼を外側に強く牽引し，涙小管を直線化させればスムーズに涙道内視鏡を進めることができる．涙嚢に到達したら鼻涙管方向に向きを変え，鼻涙管を観察する．閉塞もしくは狭窄部位が確認できたら，シースを鑷子で約 1〜2 mm 先行させ，シース先端で閉塞もしくは狭窄部を開放する．鼻腔に到達したら涙道内視鏡のみを抜去し，残したシースと挿入する涙管

チューブを連結する．鼻腔からシースを引き出せば，涙管チューブは自動的かつ正確に開放した涙道に挿入される．涙小管の閉塞もしくは狭窄を開放する場合には専用クリップを用いてシースの位置を固定することにより，涙道内視鏡を保持していないほうの手で眼瞼を外側に牽引し，涙小管を直線化し閉塞および狭窄を開放することができる．対側の涙点から同様の手技で涙管チューブを挿入し，手術を終了する．

術後は約2週間ごとに涙管通水検査を行い，約8週後に涙管チューブを抜去する．涙管チューブ挿入中は抗菌薬および低濃度ステロイド点眼を使用する．

❷涙嚢鼻腔吻合術

a. 涙嚢鼻腔吻合術鼻外法　麻酔は滑車下神経ブロックを中心に周囲の皮下浸潤麻酔も併用し，4%リドカイン塩酸塩（キシロカイン®）と0.1%アドレナリン（ボスミン®）の混合液に浸したガーゼによる鼻粘膜麻酔も行っておく．

内眼角靱帯より下方の前涙嚢稜に沿って約2cmの皮膚切開を行う．前涙嚢稜もしくはやや前方を目標にして眼輪筋を鈍的に分け，開創器をかけていく．内眼角靱帯を確認し，その下方の上顎骨を十分露出したら，骨膜を切開し，骨膜ごと涙嚢を耳側に移動させる．電動ドリルで前涙嚢稜よりも鼻側から骨窓作製を開始する．骨窓の作製には骨ノミ，超音波切削装置を使用する術者も多い．骨窓の上限は内眼角靱帯，後方は篩骨洞，下限は骨性鼻涙管の入り口となる．ここまで広げるとほぼ十分なサイズの骨窓が作製できる．露出した鼻粘膜にボスミン®入りのキシロカイン®を注射し，麻酔効果とともに粘膜の収縮をはかる．鼻粘膜と涙嚢粘膜にそれぞれ前弁，後弁を作製し，後弁同士を縫合したのち，涙管チューブを2組挿入し，前弁の縫合を行う．眼輪筋および皮下組織の中縫いを行ったのち，皮膚を縫合し，最後に抗菌薬軟膏を塗布したガーゼを鼻内に挿入して終了する．

b. 涙嚢鼻腔吻合術鼻内法　まず，滑車下神経ブロックを行う．鼻腔には4%キシロカイン®と0.1%ボスミン®の混合液に浸したガーゼを挿入し，鼻粘膜を収縮させたうえで，鼻内視鏡下に2%キシロカイン®による局所麻酔を行う．

部位の特定には中鼻甲介の付着部からマキシラリーラインをたどるとよい．鼻粘膜および骨膜の切開は中鼻甲介を基底としたコの字型に行う．剥離した粘膜弁は切除せず，涙嚢を開放してステントを挿入したのち，粘膜の欠損部を覆うのに使用する．骨窓の作製には電動ドリルもしくは骨ノミを使用する．十分な大きさの骨窓が完成したら，露出した涙嚢外壁を縦に切開し，両端に減張切開を加える．涙嚢壁が展開され，涙嚢粘膜が確認できればガーゼにより圧迫固定する．残しておいた鼻粘膜弁で粘膜の欠損部分を覆っておくと粘膜の修復がスムーズに行われる．ステントとして涙管チューブやシリコーンスポンジなどを使用し，最後に抗菌薬軟膏を塗布したガーゼを鼻内に挿入して終了とする．

鼻外法，鼻内法いずれの術式を施行した場合でも，鼻内のガーゼは1週間後に抜去し，鼻外法では皮膚縫合を抜糸する．術後は涙管チューブ挿入術と同様に約2週間おきに涙管通水検査を行い，抗菌薬および低濃度ステロイド点眼を用いる．ステントの抜去は8〜12週後に行う．

❸涙嚢摘出術
涙嚢腫瘍が疑われる場合には涙嚢摘出術が適応となるが，通常の鼻涙

管閉塞においても重度のドライアイが合併している場合には涙囊摘出が選択肢の1つとなる．

麻酔は他の手術と同様に滑車下神経ブロックが用いられる．ピオクタニン希釈液を涙囊に注入し，涙囊粘膜を染色しておくと周囲の組織から剝離する際の確認が容易になる．前涙囊稜に沿って約2.5 cmの皮膚切開を行い，内眼角靱帯を目標に皮下組織および眼輪筋を鈍的に分けていく．内眼角靱帯が確認できたら周囲を剝離し，広い術野を確保するために切腱する．涙囊前面の結合織を鑷子でしっかり把持し，操作が容易な鼻側から涙囊の剝離を開始し，上方から後面へ剝離を進めていく．耳側の剝離は，涙小管を特定するために，金属ブジーを挿入した状態で行う．涙小管はできるだけ涙点側で結紮し，その涙囊側を凝固切断する．できるだけ下方で鼻涙管を切断し，涙囊を摘出する．切腱した内眼角靱帯を縫合したのち，皮膚を縫合する．

術後は抗菌薬の点眼を使用し，1週間後に皮膚縫合を抜糸する．

合併症　主な合併症は術後感染と出血である．抗菌薬点眼に加え涙囊鼻腔吻合術や涙囊摘出術では抗菌薬内服を最小限投与する．出血対策としては術中の止血操作と終了時のガーゼによるタンポナーデが重要になる．

角結膜手術
Cornea-conjunctiva surgery

横井則彦　京都府立医科大学・病院教授

角膜移植術以外の角結膜手術には各種の小手術があるが，大きく分けて，①視機能の改善を目的とした手術，②整容を目的とした手術，③眼不快感の改善を目的にその原因疾患に対して行う手術，④眼表面の腫瘍性病変に対する手術に分けることができる．各論は他項で述べられているため，ここではこれらの各手術について，包括的に，注意点を含めながら解説する．

1　視機能の改善を目的とした手術

この手術が行われる対象は，主に，瞳孔領の角膜の浅層に分布する沈着性混濁，瘢痕性混濁，異常上皮の瞳孔領への侵入（不正乱視および混濁による視機能への影響）であり，沈着性あるいは瘢痕性の角膜混濁では，角膜移植術を要さない表層の角膜混濁を除去することが手術の目標となる．マニュアル操作で除去するには，ゴルフメスなどを利用して角膜の層板構造を利用して層状に混濁を除去する．混濁がやや深い場合や表面が不整な場合は，マニュアル操作だけでは除きにくいため，エキシマレーザー PTK（phototherapeutic keratectomy）によって，100 μm程度の角膜切除を行う．

■**対象疾患**　対象疾患としては，帯状角膜変性におけるリン酸カルシウムの沈着，各種疾患によるアミロイドの沈着，アレルギー性結膜疾患のシールド潰瘍ならびに，それに伴う角膜混濁，顆粒状角膜ジストロフィ，Salzmann角膜変性，翼状片，感染症後の浅層の角膜混濁など．

■**シールド潰瘍の手術のポイント**　アレルギー性結膜疾患のうち，春季カタルやアトピー性角結膜炎では，角膜にシールド潰瘍とよばれる遷延性上皮欠損が生じることがある．シールド潰瘍の上皮の欠損部の表面には，炎症性残渣や好酸球などの炎症細胞

および細胞障害性蛋白，ムチンなどの集積を認め（それがさらに堆積するとプラークとなる），それらが上皮欠損部の表面に堆積するとともに，その表面が疎水性になっているため，潰瘍周辺からの上皮の伸展が得られなくなっている．視機能に影響の出ない角膜領域に生じたシールド潰瘍に対しては，そのまま保存的に経過をみることもあるが，瞳孔領に生じると視力障害をきたすため，内科的治療が奏効しなければ手術に踏み切る．手術は，上皮欠損縁より一回り大きいところに切り込みを入れ，上皮欠損辺縁の肥厚した異常上皮を除去して，上皮欠損部の表面が親水性になるまで，蓄積物の郭清を行い，治療用コンタクトレンズを装用させれば，良好な上皮の伸展が得られるとともに上皮欠損の消失が得られる．シールド潰瘍とともに，巨大乳頭がある場合には，それを同時に切除しておくとよい．上皮欠損部の角膜実質浅層に瘢痕性混濁を伴うシールド潰瘍では，エキシマレーザー PTK による角膜切除が，視機能の面においても，早期に欠損部に上皮の伸展を得る意味においても，より効果的である．

2 整容を目的とした手術

　整容を目的とした手術は，結膜疾患が多い．結膜は血管や線維組織に富み，術後の炎症を起こしやすい組織であるため，整容を目的とした手術を行う場合には，その適応と術式の選択に細心の注意を払う必要がある．しかし，マイトマイシン C（MMC）の術中塗布や羊膜移植が用いられるようになり，良好な術後成績が得られるようになってきた．羊膜は，1 層の羊膜上皮とIV，V型コラーゲンを含む基底膜，および絨毛膜からなり，角結膜上皮に対して良好な基質になるとともに，その伸展，増殖，分化を促進する．さらに，消炎作用，新生血管抑制作用，線維芽細胞の増殖抑制作用を介して術後の瘢痕形成を抑制しうるため，増殖性の結膜疾患において，その再発や術後の瘢痕形成が懸念される場合には，大きな力を発揮する．

　MMC は，通常，0.04％の溶液をマイクロスポンジなどに浸して，スポンジごと結膜下で作用させて，結膜の線維芽細胞の増殖を抑制する．この処理により，結膜下に残存した増殖組織の再増殖が抑制されるとともに，血管侵入が妨げられて，ホワイトアイを実現することができる．羊膜も同様に作用するが，羊膜は，さらに，上皮に対して良好な基質として作用するため，強膜の露出部を羊膜で被覆し，結膜の切除縁の下に羊膜の辺縁を潜り込ませておけば，結膜の切除縁から上皮が伸展し，羊膜上にも良好な上皮化が得られる．

■**対象疾患**　翼状片，メラノーシス，瞼裂斑など．

■**翼状片の手術のポイント**　初発翼状片においては，軽症の場合は一般に整容目的に手術を行うが，瞳孔領に進行した重症例になると，不正乱視などによる視機能の低下を改善することも目的となる．また，再発翼状片においては，整容目的や視機能改善以外に増殖組織にしばしば内直筋が巻き込まれて，眼球運動障害をきたしている場合や，瞼球癒着を伴っている場合があるため，内直筋と増殖組織との癒着や眼瞼結膜と球結膜間の癒着を，ともすれば制御しにくい大量の出血のなかで，解離してゆく操作が必要となる場合がある．

　したがって，再発翼状片に対する手術においては，眼表面再建術に要する基本技術

が要求される．しかも，初発，再発ともに，再発を起こさないことに全力を注ぐ必要があるため，初発翼状片で年齢が若く，血管に富み，肉厚の厚い場合や，再発翼状片では，積極的に MMC の術中塗布や羊膜移植を併用するのが効果的である．

さらに，線維増殖組織を切除したあとに残された結膜組織は，通常短縮するため，再発翼状片では，露出する強膜が広くなりやすい．加えて，強膜の露出は強い術後炎症，ひいては再増殖の引き金となるため，羊膜移植，輪部バリアの構築（角膜移植の際の残りの周辺部角膜を利用したレンチクルを使用），遊離結膜弁移植などを用いた露出強膜部の被覆によって，露出強膜の面積を減らして，早く上皮化させることが重要である．また，術後に治療用ソフトコンタクトレンズをつければ，術後の非特異的炎症の抑制，ひいては眼痛の抑制や良好な上皮化に効果的である．

羊膜の使用にあたっては，上皮側を上にして，羊膜と強膜との密着性を高めるように十分に伸展させて強膜に縫着する．特に輪部にはナイロン糸でタイトに縫着して，周辺部の羊膜は，切除結膜縁から結膜下に潜り込ませておくとよい．

3 眼不快感の改善を目的にその原因疾患に対して行う手術

眼不快感の原因疾患には涙液に関連した眼表面疾患が多いが，そのなかに結膜疾患が関与することも多い．代表的な疾患として，結膜弛緩症，上輪部角結膜炎，ドライアイがある．

❶**結膜弛緩症の手術**　結膜弛緩症は，涙液メニスカスの機能不全あるいは，弛緩結膜と角膜あるいは眼瞼縁との機械的作用（瞬目摩擦の増強）を介して異物感，流涙，ドライアイの増悪因子となる．手術目標は，涙液メニスカスを完全再建し，かつ球結膜表面をできるだけスムーズにすることに尽きる．弛緩結膜の下には，組織学的にリンパ管拡張を伴っている場合が多く，このために結膜の表面に起伏を生じている場合がある．したがって，結膜を円蓋部にこすりおろして強膜に縫着する手法では，再発をまねくことがあったり，完全な球結膜の平坦化やメニスカスの再建が得られなかったりすることがある．したがって，症例によって縫合と切除のいずれがよいかをよく考えてみたほうがよい．しかし，あらゆる結膜弛緩症に対して同一の手法で目的を達成するには，弛緩結膜領域をブロックごとに処理するやり方が確実である．なお，結膜弛緩症の手術に対しては，CPF（capsulopalpebral fascia）の弛緩を伴っているか否かを術前によく検討しておくことも大切である．

❷**上輪部角結膜炎の手術**　上輪部角結膜炎の病態には，上方の球結膜の弛緩が大きくかかわっていることが知られているが，点眼治療が無効で，涙液減少型ドライアイを伴わない場合は，上方の結膜弛緩を解除するように結膜切除術（実際には，2時から10時の位置で，輪部から 2 mm の位置あるいは，病変部の遠位上方で，弛緩程度に応じた三日月型の結膜切除を行う）を行うと非常に効果があり，再発もない．眼瞼下垂術後に生じた上輪部角結膜炎や単なる上方の結膜弛緩症で，強い異物感を訴える場合にも同様の術式が奏効する．

❸**ドライアイに対する手術**　重症の涙液減少型ドライアイに対しては，上・下の涙点プラグ挿入術が奏効するが，涙点プラグは脱

落の繰り返しによって涙点が拡大してしまう，あるいは肉芽形成によりプラグが入らなくなることがあるため，外科的涙点閉鎖術の適応となることがある．外科的涙点閉鎖術には，いまだ，絶対確実なものはなく，再開通が起こりうる．そこで，涙点閉鎖の際には，閉鎖の確率を上げることに主眼をおく．手術目標は，涙小管の上皮を除去して上皮下組織の癒着を全周で得ることに尽きる．近年，ドリルを用いて涙小管上皮を可及的に除去し，涙丘下線維組織を涙点垂直部に充填し，8-0吸収糸を用いて涙点を縫合する方法によって良好な成績が得られているが，本法は，涙点周囲の線維輪の弾性や瞬目ごとに生じる導涙系の圧変化，あるいは，ジアテルミーなどの熱傷による術後の過剰炎症による，閉鎖後の再開通を回避した方法である．

4 眼表面の腫瘍性病変に対する手術

眼表面の腫瘍性病変は，まれなものを含めれば多岐にわたるが，手術の対象となる比較的重要なものとして，結膜の肉芽腫・巨大乳頭，輪部デルモイド，結膜上皮内癌，結膜扁平上皮癌，結膜悪性黒色腫がある．

❶**結膜の肉芽腫・巨大乳頭**　これらは異物感の原因となりうるが，巨大乳頭は，アレルギー性結膜疾患においてアレルギー炎症の足場となり，高度な角膜上皮障害をきたす要因となる．また，巨大乳頭は，保存的治療に反応しない場合に切除の適応となるが，術後の再燃を防ぐためのベースラインの点眼治療を術後に維持することが大切である．手術は容易で，好みに応じて挟瞼器を用いて，巨大乳頭組織をスプリング剪刀などで，切除するだけでよい．

❷**輪部デルモイド**　輪部デルモイドの手術のポイントとしては，まず，主なデルモイド組織を除去したのち，それを含むぎりぎりのサイズのトレパンを用いて，グラフトを置くフロアを作る．次に，ゴルフメスを用いてアンダーマイニングを繰り返しながら，トレパンの切除縁に達し，カッチン剪刀を用いて，特に角膜側のエッジを鋭く仕上げることが重要である．

❸**結膜上皮内癌・結膜扁平上皮癌**　ocular surface squamous neoplasia(OSSN)は，組織学な重症度によって，dysplasia〔mild CIN(conjunctival intraepithelial neoplasia)〕，severe CIN，SCC(squamous cell carcinoma)に分けられ，多くは輪部に発症して結膜あるいは角膜方向へと進行する．切除すべき範囲は，フルオレセイン染色を用いれば，明瞭に観察しやすい．dysplasiaでは，病変が上皮内にとどまるため，異常上皮は基底膜からスパーテルで簡単にはがれて，容易に一塊として除去しうる．しかし，SCCでは，異常組織が実質内にも侵入しているため，術中迅速病理診断を併用しながら，取り残しが生じないように切除する．眼瞼結膜に生じた病変には，冷凍凝固術(凝固斑が隣接するように1分間行う)を併用する．また，輪部病変に対しては，MMCを染み込ませたスポンジを1分間ほど静置して，再発を防ぐ．

❹**結膜悪性黒色腫**　結膜悪性黒色腫は非常にまれではあるが，悪性度が高く生命予後に影響を及ぼすため慎重な対応が必要となる．安易な生検は転移の危険があり，黒褐色の隆起性病変を認めた場合は，本疾患を疑う．手術は完全切除を目標とし，腫瘍の範囲に応じて，局所切除，眼球摘出術，眼窩内容除去術から選択する．手術では取り

残しがないよう，安全域を十分にとって切除し，術中迅速病理診断を行って断端に腫瘍細胞がないことを確認する．

屈折矯正手術
Refractive surgery

神谷和孝 北里大学医療衛生学部・教授

概説 近視，遠視，乱視など屈折異常に対する外科的療法として，角膜屈折矯正手術と眼内レンズによる屈折矯正手術に大別される．一般的に，前者は通常軽度から中等度までの屈折異常に，後者は強度の屈折異常に対して施行される．いずれの手術においても，術後の屈折度数は将来を含めて過矯正にならないことを目標とする．原則術後6か月まで経過観察を行うが，その後も一般検査のなかで，長期経過観察を行うことが望ましい．屈折矯正手術の安全性や有効性は高く，予測性や安定性にも優れており，患者にとって眼鏡やコンタクトレンズから解放されるという恩恵は，多くの医師が想像する以上に大きい．しかしながら，一部の症例では手術加療に適さないこともあるため，十分な術前スクリーニングを行い，慎重に手術適応を判断する必要がある．

適応 手術療法の適応となるのは，原則として18歳以上，屈折が安定しているすべての近視，遠視，乱視である．術前検査としては，通常の眼科診察以外にも，視力，自覚屈折，他覚屈折，調節麻痺下屈折，角膜形状解析，角膜厚，瞳孔径，前房深度，角膜径などがある．角膜屈折矯正手術の場合，近視矯正は6Dを限度とし，それ以上の場合は，角膜厚と矯正量のバランスから10Dまでの範囲で適応を慎重に検討する．遠視・乱視矯正も同様に6Dを矯正量の限度とする．有水晶体眼内レンズ手術の適応は6D以上の近視とし，3D以上6D未満の中等度近視および15Dを超える強度近視の場合は慎重に対応する．詳細については，「屈折矯正手術のガイドライン 第7版」(日眼会誌 123：167-169, 2019)を参照されたい．

手術法
❶角膜屈折矯正手術
a. レーザー屈折矯正角膜切除法(photorefractive keratectomy：PRK) エキシマレーザー照射により角膜中央部を削り，屈折力を変化させる．同様の術式として，LASEK(laser assisted subepithelial keratectomy)，Epi-LASIK(epipolis laser *in situ* keratomileusis)があり，surface ablationと総称される．術直後の疼痛はほぼ必発であり，矯正量が多いと上皮下混濁を生じることがある．

b. laser *in situ* keratomileusis(LASIK) フェムト秒レーザーやマイクロケラトームを用いて角膜フラップを作製し，翻転後にエキシマレーザー照射により，角膜中央部を削り，屈折力を変化させたあと，フラップを戻す．安全性や有効性が高く，最も確立された標準術式となっているが，長期的にリグレッション(再近視化)を生じたり，夜間視機能が低下することがある．

日本白内障屈折矯正手術学会による国内多施設共同研究では，PRK，LASIK術後3か月における平均裸眼視力はそれぞれ1.32，1.41，矯正視力は1.45，1.51と，いずれの術式も安全性や有効性が高く，アイトラッキング・眼球回旋補正やカスタム

表3 PRK，LASIK，SMILE の術式比較

特徴	PRK	LASIK	SMILE
エキシマレーザー	要	要	不要
フラップ作製	不要	要	不要
眼球運動による照射ずれ	あり	あり	なし
周辺切除効率低下	あり	あり	なし
角膜含水率変化	なし	あり	なし
眼球回旋補正	あり	あり	なし
術後疼痛	++	±	−〜±
バイオメカニクス低下	±〜+	+	±
ドライアイ	±〜+	+	±
長期予後	あり	あり	なし

照射が可能である．特に不正乱視の治療に関しては，エキシマレーザーによるカスタム照射が効力を発揮する．なかでも術前不正乱視が大きい症例では，不正乱視を軽減する一定の効果を有する．他項を参照されたい(⇒1050頁，「術後乱視および不正乱視の矯正方法」項を参照)．

処方例 下記1)，2)を手術当日より術眼に1週間併用，3)を適宜併用する．

1) フルメトロン点眼液(0.1%) 1日4回点眼
2) クラビット点眼液(1.5%) 1日4回点眼
3) 人工涙液マイティア点眼液 適宜点眼

c. small incision lenticule extraction (SMILE) フェムト秒レーザーのみを用いて，約2〜3mmの小切開創から角膜中央部実質をレンチクル片として引き抜き，角膜屈折力を変化させる．LASIKと異なり，フラップを作製しないため，角膜強度低下が生じにくく，ドライアイへの影響も少ない．PRK，LASIK，SMILE手術の特徴を**表3**に示す．

国内多施設共同研究では，SMILE術後3か月における平均裸眼視力は1.32，矯正視力は1.48であった．LASIKと違いフラップを作製しないので，ドライアイ症状が生じにくく，バイオメカニクスへの影響も少ないので，長期的なリグレッションを生じにくい．その一方で問題点として，術直後の視力回復が比較的緩徐であり，眼球回旋補正，カスタム照射，遠視矯正に対応していない点が挙げられる．

❷眼内レンズによる屈折矯正手術

a. 有水晶体眼内レンズ 前房内に固定する隅角支持型，虹彩支持型有水晶体眼内レンズおよび虹彩と水晶体間に埋植する後房型有水晶体眼内レンズ(implantable collamer lens：ICL)が存在する．特にICLは2010年に厚生労働省より認可され，最も普及している．ICLは約3mmの角膜切開から虹彩下にある毛様溝にレンズを固定する．術前後の投薬や管理は，通常の白内障手術にほぼ準じるが，特に術直後の管理が重要となる．

国内多施設共同研究では，ICL術後3か月における平均裸眼視力は1.41，矯正視力は1.62と，安全性や有効性が高く，

術後視機能の優位性も報告されている．理由としては，第1にLASIKでは角膜中央部の切除により4次収差が増加することやフラップ作製や照射ずれにより3次収差が増加すること，第2に瞳孔面上で矯正を行うため，網膜像の倍率変化を生じにくいことが指摘されている．個体差を有する角膜創傷治癒反応も受けにくく，予測性・安定性も良好であり，調節力も温存可能である．さらに，高価なレーザー装置も不要であり，内眼手術に習熟した術者であれば手術手技も比較的容易である．当初LASIKなどの角膜屈折矯正手術が適応となりにくい強度近視に対する手術として施行されていたが，「屈折矯正手術のガイドライン 第7版」では中等度近視や非進行性軽度円錐角膜も慎重適応ではあるが，適応が拡大している．

処方例 下記を手術当日より術眼に1週間併用，以降漸減する．

リンデロン点眼・点耳・点鼻液(0.1%)
　1日4回　点眼
クラビット点眼液(1.5%)　1日4回　点眼

b. refractive lens exchange(RLE)　屈折矯正を主な目的として水晶体を摘出して眼内レンズ挿入を行う．通常50歳以上の中高年者で調節力が低下している症例に行う．通常の白内障手術より，RLEでは術前生体計測や眼内レンズ度数計算はより正確に行う必要がある．必要に応じて，多焦点眼内レンズやトーリック眼内レンズを使用することも多い．

c. ピギーバックレンズ　眼内レンズ挿入眼に対する残余屈折異常に対して，眼内レンズを毛様溝に追加挿入する．アドオンレンズや本来有水晶体眼内レンズに用いる後房型レンズは自覚屈折度数によって度数決定が可能であり，挿入されている眼内レンズ度数や眼軸長に依存しない．乱視矯正効果としては高く，球面度数ずれにも対応できる利点があるが，レンズ間混濁(interlenticular opacification)，レンズ接着・変形，屈折ずれ(特に遠視化)が考えられる．

合併症　角膜屈折矯正手術の合併症として，①疼痛，②角膜感染症，③ハロー・グレア，④不正乱視，⑤ステロイド緑内障，⑥上皮下混濁(PRK，LASEK)，⑦iatrogenic keratectasia，⑧フラップ異常(LASIK)，⑨術後角膜層間炎症(diffuse lamellar keratitis：DLK)(LASIK)，⑩ドライアイ，⑪残余屈折異常(低・過矯正，リグレッション)などが挙げられる．矯正量に依存して高次収差が増加すること，角膜神経を切断するためにドライアイ症状を生じること(特にLASIK)，ハロー・グレアといった光学現象を生じることがあり，矯正量が多いと長期的にリグレッションを生じやすくなる．PRKはLASIKよりリグレッションを生じにくく，屈折安定性に優れることから，近年見直されつつある．ドライアイに対しては，人工涙液の点眼，症状によっては涙点プラグを用いる．上皮下混濁やDLKは通常ステロイド点眼にてほとんどの症例が軽快する．フラップに皺が認められ，視機能に影響する症例は，早期にフラップ整復を行う．

有水晶体眼内レンズ手術の合併症として，①瞳孔ブロック，②角膜内皮細胞密度低下，③白内障，④術後炎症，⑤瞳孔異常，⑥網膜剝離，⑦眼内炎，⑧残余屈折異常などが挙げられる．現在ではレンズ光学中央部に貫通孔を作製した有水晶体眼内レンズ(hole ICL)が認可され，術前のレーザー虹彩切開が不要となり，術後白内障の

発症リスクも約0.5％と大幅に低下している．角膜径と前房深度によるメーカーノモグラムを用いてレンズサイズを選択するが，サイズが大きすぎると隅角閉塞や角膜内皮細胞密度低下のリスクが，小さすぎると白内障やトーリック眼内レンズ回転のリスクを伴うため，約1％の症例で交換を要する．角膜内皮細胞密度は長期にわたって経過観察を行い，著明な低下を認める場合はレンズ摘出を考慮する．

いずれも屈折矯正手術を受けた症例は，視機能（特に裸眼）に対する要求度が高い．患者への十分な説明が重要であり，必要に応じて専門施設への紹介も考慮する．

斜視手術
Strabismus surgery

後関利明　国際医療福祉大学熱海病院・部長/准教授
國見敬子　国際医療福祉大学熱海病院

目的・概説　斜視治療には，非観血的治療として視能訓練やプリズム眼鏡が，観血的治療として斜視手術が存在する．また，近年ではボツリヌス毒素療法が保険適用となった．本項では斜視手術について説明する．

適応　斜視手術は，整容面の改善のみならず，小児に対しては，両眼視機能の成長，成人に対しては，複視や眼精疲労の改善を目的に施術される．外眼筋麻痺や眼振に対しては，異常頭位の改善，単一視野の拡大が可能である．このように，斜視手術は整容的改善だけではなく，複視の改善や視機能の回復が可能であり，再建術の側面も持ち合わせている．

術式の決定　手術方法は斜視の性状によって異なる．①共同性または非共同性斜視，②水平または上下斜視，③回旋斜視の有無など，術前の検査，診察が治療方針に重要である．それぞれの術式について説明する．

❶**水平斜視手術**　内斜視および外斜視に対し，当院で使用している定量表を**表4，5**に示す．表記以上の目標量を後転または短縮すると，術後眼球運動制限を発症する可能性があるため，3，4筋同時手術やボツリヌス毒素療法の併用が選択される．

❷**上下斜視**　上下斜視に対して，当院では3プリズム(△)/1 mmとして定量している．甲状腺眼症や特発性外眼筋炎など，筋肉の拘縮・線維化が疑われる場合には，4△/1 mmとして計算している．術後上下斜視が逆転すると，患者の自覚症状が増悪するため，注意が必要である．

❸**回旋斜視**　回旋斜視は，右方視と左方視で上下の斜視角が変動することが多い．垂直斜視角が最大となる眼位での作用が強いまたは弱い外眼筋に対し，斜視手術を行う．

麻酔　ほとんどの症例は局所麻酔で施術可能だが，筋拘縮が強い場合や斜筋など筋露出に疼痛を伴う場合や小児が対象の場合は全身麻酔が適応となる．全身麻酔が適応外で麻酔効果を高めたい場合，Tenon囊下麻酔および球後麻酔を追加する．

手術方法　斜視手術は基本的に以下の順に行う．①施術する外眼筋や結膜の状態により，結膜切開法を選択し，②強膜露出後は外眼筋と強膜の間に斜視鉤を挿入し，外眼筋を牽引する．筋周囲Tenon囊を剝離し，外眼筋弱化・強化術，筋移動術を行い，③結膜縫合する．

表4 外斜視の定量の例

	斜視角(⊿)	外直筋後転量(mm)	内直筋 plication 量(mm)
両眼	15	4.0	3.0
	20	5.0	4.0
	25	6.0	5.0
	30	7.0	5.5
	35	7.5	6.0
	40	8.0	6.5
	50	9.0	
単眼	15	4.0	3.0
	20	5.0	4.0
	25	6.0	5.0
	30	7.0	5.5
	35	7.5	6.0
	40	8.0	6.5
	50	9.0	7.0

表5 内斜視の定量の例

	斜視角(⊿)	内直筋後転量(mm)	外直筋 plication 量(mm)
両眼	15	3.0	3.5
	20	3.5	4.5
	25	4.0	5.5
	30	4.5	6.0
	35	5.0	6.5
	40	5.5	7.0
	50	6.0	8.0
	60	6.5	
	70	7.0	
単眼	15	3.0	3.5
	20	3.5	4.5
	25	4.0	5.5
	30	4.5	6.0
	35	5.0	6.5
	40	5.5	7.0
	50	6.0	7.5
	60	6.5	8.0

〔表4, 5は, Parks MM, et al: Concomitant esodeviations. *In* Tasman W, et al (eds). Duane's Foundations of Clinical Ophthalmology Vol 1. Lippincott Williams & Wilkins. 2002 より〕

❶**結膜切開** 結膜縫合には輪部切開，円蓋部切開，Swan 切開がある．

a. **輪部切開** 角膜輪部に切開創を作製する方法である．手術終了時には，結膜を元の位置の角膜輪部に縫合する．術野の確保には最適な方法である．

b. **円蓋部切開** 水平筋と垂直筋の中間の円蓋部結膜に切開創を作製する方法である．特に斜筋に施術する場合には外眼筋の露出が容易となる．眼瞼に隠れ，切開創が目立たないことや無縫合で終了できることも利点である．

c. Swan 切開 外眼筋直上または 1〜2 mm 輪部側の結膜に切開創を作製する方法である．上下直筋への施術では眼瞼に隠れるため，術後創部が目立たない利点があるが，水平筋の場合，創部が目立つことがある．しかし，加齢により結膜が裂けやすい症例に対しては，水平筋への施術でも輪部切開より Swan 切開のほうが術後の縫合がきれいに仕上がることが多い．

❷水平垂直筋減弱・強化術

a. 直筋減弱術 後転法が最も一般的である．外眼筋を露出後，外直筋付着部の後極側を縫合する．外眼筋を付着部で切筋後，後転予定量をキャリパーでマーキングし，筋肉の走行と直行するように，強膜半層縫合を行う．強膜穿孔の危険性が高い場合，元の付着部の強膜に通糸し，縫合糸を吊り下げた状態で縫合する hung-back 法が用いられることもある．

b. 直筋強化術 短縮法が最も一般的である．短縮予定量の部位の外眼筋にキャリパーを用いてマーキングする．外眼筋の両端を縫合し，筋付着部を切筋後，付着部の強膜に縫合する．短縮術は筋を切断するため，muscle lost する可能性がある．一方，plication は筋を切断せずに筋付着部の強膜に縫合する方法で，安全性も高く，また，前眼部虚血のリスクを最小限に抑えることができる．

上方視，下方視で水平斜視角が 15 ⊿以上変化する場合，上方視で斜視角が増える外斜視，減る内斜視を V 型，下方視で斜視角が減る外斜視，増える内斜視を A 型というが，この場合，水平筋の後転術および短縮術に上下移動を追加する．V 型では下方を，A 型では上方を頂点とすると，内直筋は頂点方向に筋移動し（例：A 型内斜視では上方に移動），外直筋は頂点方向と反対に筋移動する（例：V 型外斜視では上方に移動）．

5 ⊿以下の垂直斜視が合併している場合は，内直筋・外直筋を同一方向に 1/2 筋腹上下に移動して縫着する（下斜視眼の場合には上へ，上斜視眼の場合は下に移動する）．

❸斜筋弱化術・強化術
回旋斜視を伴う上下斜視の場合，上下直筋の施術では回旋に対する治療効果が低いことがある．その場合，斜筋弱化術や強化術を行う．

a. 下斜筋弱化術 上斜筋麻痺に伴う下斜筋過動や V 型外斜視に対して施行される．上斜筋麻痺は，下斜筋の二次的な過動のため内上転時に眼球が上転することが多く，下斜筋の作用を弱めると，第 1 眼位の垂直斜視角が 15 ⊿程度と外方回旋が修正される．さらに効果を出したいときは，下斜筋の付着部を下直筋耳側に前方移動させると（下斜筋前方移動術），上方視での下斜筋の外転・上転作用が弱くなる．そのため，下斜筋前転術は，交代性上斜位（dissociated vertical deviation：DVD）の治療にも有効で，DVD と下斜筋過動が複合する場合には特に有効である．また，V 型外斜視には，両眼の下斜筋弱化術が効果的である．

b. 上斜筋弱化術 上斜筋弱化術は，Brown 症候群の治療や下斜筋遅動以外にはあまり行われない．上斜筋は前方 1/3 が内方回旋作用，後方 2/3 が外転・下転作用を持つ．下方視での外転作用を弱めることにより，上方視ではほとんど偏位をかえず，下方視のみで外転作用を弱めることも目的に，上斜筋後方 2/3 のみを切腱する上斜筋後部切腱術が A 型外斜視に選択されることがある．

c. **下斜筋強化術** 下斜筋強化術である下斜筋短縮術が選択されることはほとんどない．技術的に難しく，黄斑部を傷つける可能性がある．

d. **上斜筋強化術** 上斜筋麻痺など過度な外方回旋やV型外斜視に対して行われる．特に，上斜筋の前方1/3を外直筋の付着部より8mm後方の強膜に縫合する術式（原田・伊藤法）が，外方回旋斜視に対して施行されることが多い．

❹ **筋移動術** 麻痺性斜視，Duane syndrome，double elevator palsyなど，ほぼ完全に外眼筋の機能を失った疾患に対して施行される．例えば外転神経麻痺に対してはこれまで，上直筋と下直筋を切腱し，外直筋付近に移動するHummelsheim法，上直筋と下直筋と外直筋を筋腹中央で割いて上直筋と外直筋，下直筋と外直筋を縫合するJensen法が選択されてきた．近年では上下直筋の筋腹を割かずに外直筋付近の強膜に縫合することにより，外転作用を強化する西田法が選択されることが多い．

❺ **Posterior fixation（Faden procedure）**

直筋を角膜輪部より12〜14 mm後方の強膜に縫合する術式である．この術式は，第1眼位にはほとんど影響なく，第2眼位での過動を抑える効果を持つ．特に麻痺性斜視の治療に有効で，麻痺眼のとも向き筋の過動を減弱し，第2眼位での複視を軽減する．同様の効果をもつ術式として，直筋を眼窩pulleyに縫合する，posterior pulley fixationという術式もあり，特に内直筋への施術を容易にする．

合併症

❶ **眼心臓反射** 眼心臓反射とは，外眼筋，特に内直筋の牽引により心拍数が低下することである．この反射により失神することがあるため，心拍数が過度に低下した場合，アトロピンを静脈内投与する．

❷ **複視** 術後の複視は特に成人の斜視術後に出現する．手術により，視野が抑制性域を外れるため，また，新規の抑制域の出現のためである．術前に定量予定のプリズムレンズを装用してもらうことで，術後の複視のリスクを評価することができる．複視が術後4〜6週間以上持続し，特に第1眼位で強い場合には，初回手術から3か月後を目標に再手術を計画する．再手術以外の方法ではプリズム眼鏡での補正，Fresnel膜などの遮閉膜やOCULUA®（オクルア®）などの遮閉レンズで遮閉し，複視を除去する方法がある．

❸ **術後眼位の低矯正・過矯正** 術直後眼位の低矯正・過矯正は，改善する可能性があるため，まず1か月は経過観察とする．輻湊融像力が低い場合や，外眼筋の拘縮が強い場合には術後複視が残存する可能性が高いため，術前の説明が重要である．

❹ **医原性 Brown 症候群** 上斜筋強化術である上斜筋腱縫縮術により生じる．後天性上斜筋麻痺に8 mm以上の縫縮量を施術した場合，上内転時に上斜筋が8 mm伸展する必要があるにもかかわらず移動できないため，必発であるといわれている．そのため，腱を過度に縫縮しないことが重要である．発症した場合，通常のBrown症候群に用いられる上斜筋弱化術を行う．

❺ **Lost and Slipped Muscles** 外傷や医原性に眼窩に外眼筋が迷入することをlost muscleというが，内直筋では特に発見が困難である．術野を確保することが最も重要で，下直筋や下斜筋はTenon嚢やLockwood靱帯で保持されていることがあり，慎重に鈍的に展開することで発見でき

る．slipped muscle は，強膜への縫合が不十分なために術後，外眼筋が後退することを指す．臨床的には，外眼筋麻痺の状態となる．

❻**強膜穿孔** 強膜へ通糸時，脈絡膜や網膜に穿孔することがある．網膜剥離や眼内炎の原因となることがある．明らかな硝子体液の脱出があった場合には，まず通糸した糸を抜去し，眼底を確認する．網膜剥離が術中確認された場合，局所凍結療法やレーザー治療を行う．術後，必要に応じて網膜硝子体専門医に紹介する．

❼**術後の感染症** 斜視手術後の眼内感染はまれではあるが，前眼部や眼窩の蜂巣炎を発症することがある．術後 2～3 日で発症し，抗菌薬の内服で改善する．

❽**アレルギー性肉芽腫** 斜視術後に縫合部位に異物性肉芽腫が発生することがある．この肉芽腫は，局所的に充血し，軟らかい隆起を特徴とし，ステロイド点眼薬で改善するが，持続する場合は外科的切除が必要である．

❾**結膜充血，術後瘢痕** 術後眼位が正位でも，充血が持続し，サーモンピンク様の色調が長期にわたり残存するなど結膜の整容面での不具合のため，満足度が低下することがある．原因として以下が挙げられる．

a. **Tenon 嚢が角膜輪部に隣接している** 例えば短縮術では，結膜縫合時，短縮された外眼筋に引きずられ Tenon 嚢が前転することがある．特に再手術の際には Tenon 嚢が肥大していることもあり，注意しなければならない．

b. **半月ひだの前転** 内直筋への手術の際，半月ひだが結膜縫合部に迷入することがある．治療法は，瘢痕化した結膜の切除と隣接する結膜の再縫合を伴う結膜形成術，結膜下の線維組織の切除，瘢痕化した結膜の後退，羊膜移植などがある．

c. **上皮性囊胞** 結膜上皮が結膜内に埋没すると，非炎症性の結膜下囊胞を生じることがある．自然消失するが，持続する場合には外科的切除が必要となる．囊胞が外眼筋に巻き込まれていることがあるため，前眼部 OCT などの検査も有効である．

❿ **Adherence Syndrome** 術中，眼窩脂肪が Tenon 嚢下に脱出すると，線維性脂肪の瘢痕が形成され，癒着による運動障害を発症することがある．下斜筋手術では，眼窩脂肪と下斜筋が隣接するため，特に発症しやすい．脂肪が脱出した場合，切除し，吸収性縫合糸で閉鎖する．

⓫**前眼部虚血(ASI)** 前眼部への血液供給は，主に 4 つの直筋内を走行する前毛様体動脈によって行われている．一眼に対し，3 つ以上の直筋を同時に手術すると，前眼部虚血(anterior segment ischemia：ASI)を引き起こす可能性がある．ASI の初期症状は，前房内の cell と flare である．重症化すると，角膜上皮浮腫，デスメ膜皺襞，不正瞳孔などが出現する．最悪の場合，前眼部壊死や眼球癆となる．治療法は，ASI はぶどう膜炎所見を示すため，ステロイドの局所・結膜下，投与，または内服を行う．予防は，リスクが高い場合には複数筋の同時手術は避けて，二期的に斜視手術を行うこと，円蓋部切開を用いることで，ASI の発生をある程度防ぐことができる．

⓬**術後眼瞼内反，外反** 術後の眼瞼異常は垂直筋の手術で最も起こりやすい．下直筋短縮術では下眼瞼は内反し，後転術では後退する．上直筋手術は上眼瞼への影響は少ない．下直筋後転術後の下眼瞼後退を防ぐ

⓭**屈折の変化** 特に1眼に2筋以上手術をしたときに屈折が変化しやすい．通常，数か月以内に改善することが多い．

⓮**悪性高熱症** 遺伝的な異常により，脱分極性筋弛緩薬（スキサメトニウムなど）と強力な揮発性の吸入全身麻酔薬の併用に対する代謝亢進反応により生じる，生命を脅かす体温上昇のことで，診断と治療が遅れると致命的になる可能性があり，特に小児に対する全身麻酔手術では重要である．初期には原因不明のCO_2濃度の上昇がみられる．診断がついた時点で，手術は中止すべきで，身体を強力に冷却するとともに，筋肉の過剰な収縮を抑制するダントロレンナトリウム水和物の投与などを行う．

眼窩手術
Orbital surgery

嘉鳥信忠　大浜第一病院/
　　　　　総合病院聖隷浜松病院・顧問

目的・概説　眼窩骨折による眼球運動制限や腫瘍による視力低下は，QOV に関与する部分であるだけでなく，治療や検査の躊躇や不適切な加療によって QOL までを損なう可能性があることを肝に銘じておかなければならない．

適応　すべての眼窩部病変に対して行われる．骨折，腫瘍，囊胞，炎症，外傷，斜視，難治性鼻出血などが対象になる．外科的治療が必要な眼窩部疾患のみならず，放射線・内科的治療を行うための生体組織検査（生検）も含まれる．

手術法　腫瘍など目的とする組織の局在によって，アプローチを適宜選択する．主なアプローチには以下のものがある．

❶**眼窩外上方（涙腺部腫瘍など）**　クレーンライン法に代表される比較的頻度の高いアプローチ法の1つで，眉毛下の皮膚切開，眼窩外側の骨切りを行うことが多い．このアプローチで下方は下眼窩裂まで上方は頭蓋底外側1/2まで展開でき，深部は上眼窩裂まで対応できる．

❷**眼窩内上方（眼窩内壁骨折，滑車部損傷など）**　Lynch 切開法に代表される眼窩内側経皮アプローチ法が適応となる．眉毛下から鼻根部を経て鼻涙管直上までを眼窩縁に沿って皮膚切開する方法であり，このアプローチで，下方は眼窩下壁内側1/2まで，上方は頭蓋底内側1/2まで，深部は視神経管まで到達可能である．

❸**眼窩下方（眼窩下壁骨折など）**　睫毛下切開アプローチに代表される．下眼瞼睫毛の5 mm ほど下方の皮膚を切開し眼輪筋直下の眼窩隔膜の上を展開することで，下眼窩裂から眼窩内側下1/3まで，深部は下眼窩裂まで到達可能となる．

❶～❸のアプローチにそれぞれ経結膜法や骨切り，涙囊離断などを併用することで，より整容的に優れた，またはより広い術野を得られる方法が報告されている．ただし，眼窩前方アプローチには限界があることも知っておくべきであろう．すなわち眼窩先端部病変においてはこれらのアプローチでは，眼窩先端部の術野は狭い．眼窩先端部の神経鞘腫などの神経の走行に伴う腫瘍は，摘出に際して working space 確保が難しく，視機能障害など術後合併症が危惧されるため，開頭を行い頭蓋底アプローチを選択するほうがよい．

合併症

❶浮腫 眼窩手術において最も頻度の高い合併症は浮腫である．いったん浮腫が始まると眼窩内圧が上がり眼窩内脂肪が膨大し，術野はどんどん狭くなる．結果的に誤操作が誘発されるのみならず，術後圧迫性視神経症を呈することもしばしば経験する．

回避するためには，何より手術プランニングがきわめて重要である．すなわち，目的とする手術術式を十分理解し，解剖学的な構造を熟知すること，そして手早く手術を行うことである．しかし，熟練者においても難渋するケースは多いため，あらかじめ下記の予防を講じる．

経験上，おおむね眼窩内操作が1.5時間を超える場合は，浮腫の軽減目的でステロイドを全身投与している〔メチルプレドニゾロンコハク酸エステルナトリウム（ソル・メドロール®）を，10 mg/kgで生理食塩液100 mLに溶解し，約2時間で点滴静注〕．単回使用であれば血糖上昇程度の副作用であるため，術野における重篤な合併症のことを考えると，患者状態さえ許されれば積極的に使用する．また，術後も著しい腫脹が続く場合は，2病日（3日間，計3回）まで継続する．

❷血腫 術後血腫も重篤な合併症の1つである．眼窩下壁に貯留する血腫は，下眼窩裂内の組織がバリアのような働きをするため，直接視神経まで圧迫が加わることはまれであるが，あまりにも大量の血腫貯留の場合や内壁に存在する血腫は，眼窩内圧の上昇がそのまま眼窩先端部まで及ぶことで，視機能障害をきたすことがある．

術中に十分な止血操作をすることはもちろんだが，副鼻腔粘膜からの出血が生じる可能性についても注意が必要である．明らかな動脈性出血を認める場合は，バイポーラによる電気凝固で確実に止血する必要がある．出血源の好発部位は，腫瘍摘出部のほかには，三叉神経Ⅱ枝の伴走動静脈，前および後篩骨動脈である．展開する際に，この部分は特に念入りに処理することで未然に防ぐことができる．

しかし，予期せず出血をきたすこともあるため，閉創直前に出血を危惧される場合はドレナージをしたほうが賢明である．出血しそうな部分に確実にドレーン（ペンローズドレーン®を細く割いたものを使用）を留置し，脱落・迷入を避けるために皮膚に縫合糸で固定する．これだけで十分リスク回避ができる．ただし，長期（3〜5日間）留置すると，ドレーン周囲に形成されてしまう瘢痕組織による拘縮や癒着が生じることもあり，後日修正術が必要になる可能性についても，インフォームド・コンセントを得ておく必要がある．

術後管理 浮腫や出血を抑えるためには，術後圧迫眼帯を行う．一度間質に出てしまった血液や血漿成分は，やがて代謝吸収されるまでそこにとどまることになる．したがって，出さないに越したことはない．術翌日までは確実に圧迫を行い，ドレーンが留置されている場合は抜去するまでは圧迫眼帯を継続する．ただし，毎日ガーゼ交換をして，視機能をチェックすることはいうまでもない．

いかなる術者が，いかなる手術を行った場合も油断は禁物である．上記合併症のような事態をきたしていないかどうか，骨折の場合整復した部分のアライメントの確認，頭蓋内への出血の有無など術野周辺の状況把握など，周術期管理も含むすべてが

手術である．術直後または術翌朝には，ベッドサイドで行える最低限の視機能検査（光覚の有無，眼球運動の状態など）を行ったうえで，必ずCTなどの画像検査を行い総合的に評価する．

緊急再手術を要すると思われた場合は，ためらわず施行する決断力が特に重要である．

角膜移植術
Corneal transplantation

山上 聡　日本大学・主任教授

目的　角膜移植術は，異常をきたした角膜上皮，実質，内皮層の機能や形態を補うことで角膜の状態を回復させる移植手術である．以前は全層角膜移植術と表層角膜移植術のみが角膜移植術であったが，現在は角膜の上皮，実質，内皮の各層の障害を治療する多くの術式があり，障害された部位により選択される手術適応が異なっている．そこで障害されている部位別に術式を紹介し概説する．

適応

❶**角膜上皮層の障害に対する角膜移植術**　透明角膜の周辺部は角膜輪部とよばれ角膜上皮細胞の幹細胞が存在し，角膜中央部へ常に正常な上皮細胞を生涯にわたり供給している．これらの幹細胞が十分供給されなくなるアルカリ外傷，熱傷，眼類天疱瘡，および Stevens-Johnson 症候群，無虹彩症，多重手術後眼などの角膜上皮幹細胞疲弊症眼が，上皮系の幹細胞移植の適応となる．片眼性の場合は，患者本人からの正常な角膜輪部上皮組織を使用することができるが，両眼性の場合は，状態により口腔粘膜，結膜上皮，ドナー角膜の角膜輪部上皮が細胞ソースとして用いられる．

❷**角膜実質層の障害に対する角膜移植術**　角膜実質混濁が 100〜150 μm 以下に限局している場合はエキシマレーザーによる治療が選択される．角膜ヘルペスによる角膜穿孔眼では光学的な全層角膜移植術を行う場合と，穿孔部位を塞ぐために治療的な表層角膜移植術を行う場合もある．Mooren 潰瘍の進行による周辺部角膜の穿孔を治療する目的では，表層角膜移植術を行う．角膜輪部のデルモイドシスト切除後などでも，菲薄化した角膜実質層を補うことと整容的な目的で表層角膜移植術を行う．急性水腫を発症していない円錐角膜や，角膜変性症による角膜実質の混濁や角膜ヘルペス実質混濁など（角膜実質深層まで混濁が及ぶが内皮細胞は正常な眼）では，深層前部層状角膜移植術を行う．

❸**角膜内皮層の障害に対する角膜移植術**　白内障術後，レーザー虹彩切開後および濾過手術後などの角膜内皮細胞数減少眼や Fuchs 角膜内皮変性症による角膜内皮細胞異常による角膜浮腫などで，角膜実質混濁が強くない症例では，角膜内皮移植術や Descemet 膜内皮移植術が行われる．全層角膜移植後の移植片不全であっても移植片が透明だったときの矯正視力が十分であった場合も全層角膜移植術ではなく角膜内皮移植術を選択することが多い．

❹**光学的全層角膜移植術の適応**　角膜実質混濁と内皮細胞数減少による水疱性角膜症が同時に起こっている場合は，全層角膜移植術の適応となる．急性水腫の既往のある円錐角膜，Descemet 膜まで混濁が及んでいる角膜実質混濁，長期間放置され角膜実質

層の混濁が強い水疱性角膜症，および全層角膜移植後の移植片不全で移植後の矯正視力が不十分であった症例は，全層角膜移植術を選択する．

❺**治療的全層角膜移植術の適応**　角膜の感染症で抗菌薬，抗真菌薬治療に抵抗する場合で，予定している角膜の切除で感染巣をほぼ完全に取り切れる場合が治療的全層角膜移植術の適応となる．

手術法

❶**角膜上皮層の手術法**

a. 培養自己輪部上皮細胞シート移植・培養自己口腔粘膜上皮細胞シート移植　角膜輪部外側から瘢痕化した結膜組織をスプリング剪刀またはゴルフ刀で丁寧に剝離し，必要に応じて出血源の凝固やマイトマイシンC処理を行う．2〜3週間前に患者自身の遼眼または口腔粘膜上皮を採取し，羊膜上または温度応答性培養皿上で培養した培養自己輪部上皮細胞シート・培養自己口腔粘膜上皮細胞シートの皺を伸ばすように眼表面にのせ10-0ナイロンまたは吸収糸などで縫合する**(図2)**．術後はソフトコンタクトレンズを装用し，移植直後の上皮細胞を保護する．培養自己上皮細胞シートの受託培養システムも利用可能となっている（ネピック®）．

❷**角膜実質層の手術法**

a. 表層角膜移植術　角膜穿孔などに対する移植ではまずヒアルロン酸でサイドポートから前房を形成する．層間に上皮が迷入すると接着不良の原因となるので，移植片の大きさより少し大きい範囲で角膜上皮をゴルフ刀などで剝離する．移植片は縫合後に上皮面の段差が大きくならないように移植片周辺部の下側をトリミングする．10-0ナイロンなどで縫合し，可能ならサイド

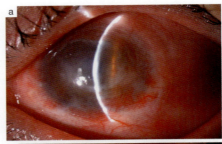
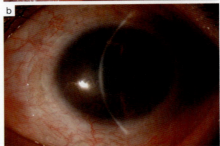

図2　角膜上皮幹細胞疲弊症眼の術前・術後前眼部写真

a：アルカリ外傷による角膜上皮幹細胞疲弊症眼の術前写真．輪部上皮のヒダ状構造は壊れ，角膜全周から線維芽細胞を伴う血管侵入を起こしている．

b：培養自己角膜輪部上皮シート移植後の前眼部写真．角膜内の血管侵入は除去され，透明な角膜が維持されている．

ポートから眼科用シリンジを用いて虹彩癒着をはずし終了する．

b. 深層前部層状角膜移植術　真空トレパンでホスト角膜を1/2から2/3の深さまで切開し，角膜実質の表層を剝離する．サイドポートから前房内を空気置換し眼圧を上げ，ゴルフ刀などでDescemet膜ギリギリまで切開を加える．Descemet膜直上にスパーテルを挿入後，同部位から空気または粘弾性物質を注入しDescemet膜を含んだプレデスメズレイヤーのみを前房側へ剝離する．このときDescemet膜のみが剝離した場合はホスト角膜に穿孔を起こし全層角

図3 角膜内皮移植後の前眼部 OCT 所見
手術直後の前眼部 OCT の所見．移植片がホスト角膜内皮にきれいに接着している．

膜移植に移行せざるをえない場合がある．カッチン剪刀などで残存実質を4分割して切除し，Descemet 膜を剥離した移植片を10-0 ナイロン糸にて縫合する．層間の水はできるだけ除去して手術を終了する．

❸角膜内皮層の手術法

a. 角膜内皮移植術 国内ドナーを使用する場合は，移植角膜の上皮を剥離し，マイクロケラトームを用いて実質浅層から300 μm か 350 μm でカットして再び2つに分けた角膜を合わせて保存する．海外ドナーを用いる場合は pre-cut 角膜を用意する．あらかじめカットした角膜をドナーパンチにセットし，7.5～8.5 mm 径で打ち抜く．ホスト角膜は，角膜側方5 mm 切開で3面切開を行う．6時方向の虹彩に外来でレーザー虹彩切開をおくか，手術時に25 G 硝子体カッターなどで周辺虹彩切除を行うことで，術後の空気瞳孔ブロックを予防できる．逆 Sinskey フックで Descemet 膜と内皮細胞を剥離する方法と剥離を行わない非 Descemet 剥離法がある．Busin グライドに角膜内皮と薄い実質層からなる移植片をセットし180度対側から引き込む方法や移植片のインサーター(NS インサーター®)で移植片を前房内へ入れ角膜裏面に空気で固定する．25 G の V ランス

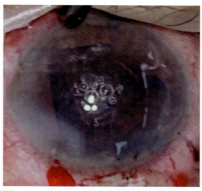

図4 Descemet 膜内皮移植術の術中写真
トリパンブルーで濃く染色された Descemet 膜が不完全に開いてきているところ．Descemet 膜は，内皮細胞面が外側にロールする性質をもつ．

でグラフトの位置の微調整と層間の水抜きを行い終了する**(図3)**．

b. Descemet 膜内皮移植術 ドナー角膜の内皮面をトリパンブルーなどの染色液で染色しながら剥離する．前房内操作で表裏がわからなくならないようにマーキングを行う．ホスト角膜の Descemet 膜は逆 Sinskey フックを用いて移植片と重ならないように大きめに剥離する．インジェクターにロールした Descemet 膜を充填し前房内へ流し込む．ドナーの Descemet 膜と内皮細胞はロールして内皮面が外側になる．主創口を1針縫合し，タッピングしながら Descemet 膜を展開する**(図4)**．Descemet 膜が広がったら，今度は内皮面の下側に空気を入れて角膜内皮面に貼り付ける．

❹全層角膜移植術

無水晶体眼，無硝子体眼では眼球が虚脱しやすいのでフリリンガーリングを縫着するほうがよい．サイドポートを作製し粘弾性物質を前房内へ注入する．ホスト角膜を真空トレパンで打ち抜

き剪刀で残りの角膜を切開する．通常0.25〜0.50 mm 程度大きいサイズの移植片を用意して，連続縫合または単結紮を行う．前房内の粘弾性物質を Simcoe 針で吸引し手術を終了する．

術後合併症

❶**培養自己輪部上皮細胞シート移植・培養自己口腔粘膜上皮細胞シート移植**　細胞シートの基質とホスト角膜の層間に水隙ができることがある．通常はソフトコンタクトレンズを装用して経過観察していると自然に吸収され水隙はなくなるが，量が多い場合は注射針をさして吸引すると少し早く水隙が減ることもある．

❷**表層角膜移植術**　縫合離開が起こることがあるが，主に上皮が層間に迷入することによると考えられる．またホストグラフトジャンクションの段差が大きいと移植片上の上皮化が得られないこともある．Mooren 潰瘍などで病勢が沈静化していない場合は，移植片が数か月で再び融解することもある．

❸**深層前部層状角膜移植術**　術中最も多い合併症は Descemet 膜穿孔で小さな穿孔ならそのまま移植片をのせてよいが大きいものでは結局 Descemet 膜の接着が得られないため全層角膜移植術に変更したほうが安全である．術後に二重前房になっている場合は Descemet 膜穿孔があるなら空気注入で積極的に接着をはかり，同時にホストグラフト接合部に眼科用シリンジをあてて層間の水を抜く．有水晶体眼では瞳孔ブロックになりやすいので空気注入の量は多すぎないように注意し，空気注入後も眼圧が上昇するなら 1〜2 時間で空気を抜く慎重さが必要である．

❹**角膜内皮移植術**　手術終了時に空気を残しすぎると空気瞳孔ブロックを起こすことがある．6 時方向に周辺虹彩切除を行ってあれば頻度は低くなる．空気瞳孔ブロックを起こしたときは仰臥位で眼科用シリンジをサイドポートにあてて空気をごく一部除去すれば解除できる．術後に移植片の接着が不良のため二重前房が起こることがある．この場合空気の再注入を行い，さらに接着が得られない場合は移植片が剝がれ始める場所を見つけたうえでその部位に 1 針縫合したうえで空気再注入を行う．術後の拒絶反応は，数％から 10 数％の確率で起こるとされるが，全層角膜移植後の拒絶反応と異なり反応が弱く，角膜後面沈着物と前房内炎症程度なのでステロイド点眼の回数を増やす程度で消退させることができる．

❺**Descemet 膜内皮移植術**　移植片の再剝離が最も多い術後合併症で空気の再注入が必要となる．また手術時に内皮細胞に対する侵襲が大きすぎるために生じる primary graft failure もときどき起こる．拒絶反応はまれである．

❻**全層角膜移植術**　術後に問題になるのがステロイド点眼液に関連する合併症で，術後の高眼圧，縫合糸感染症，角膜ヘルペスの再発などが比較的多い．また他のパーツ移植に比べて拒絶反応の確率が高く，また一度拒絶反応が起こると反応が強いのでステロイド点眼液は長期間必要となる．ステロイドレスポンダーの場合は，タリムス®点眼液，ネオーラル®内服などを用いて免疫反応をコントロールする．全層角膜移植後は，角膜の強度はかなり弱くなるため，眼球への鈍的外傷などで創離開が起こりやすく術後は注意が必要である．

白内障手術
Cataract surgery

黒坂大次郎　岩手医科大学・教授

目的・概説　混濁した水晶体（白内障）を除去し，人工的なレンズによって視機能を回復・向上させることを目的とする．水晶体皮質・核を除去し，残存した水晶体嚢に眼内レンズを挿入するのが一般的な手術である．

適応　白内障があり，視機能を低下させ，患者が不自由を訴え，白内障手術により改善が期待される場合に手術となる．視力などによる適応基準はなく，視力 1.0 で手術を行うこともあるが，一方，0.1 でも行わない場合がある．ただし，良好な視力で患者が不自由を訴える場合には，他疾患の可能性を評価するとともにコントラスト感度を検査し，視機能障害を評価することが望ましい．角膜後面から水晶体までの光学的収差については，波面センサー解析によって評価することが可能である．また，核白内障などは視力がよくても屈折が近視化し，不同視の原因となり手術適応となることがある．また，認知機能が衰える場合や，何らかの要因で本人が視機能障害を訴えられない場合であっても，その行動から周囲が視機能障害を認識し，患者に相当の白内障が認められる場合には，手術が行われる．

白内障が視機能に影響を与えている場合でも，慎重に適応が検討されるケースは，緑内障やぶどう膜炎などほかの眼疾患があり，白内障手術によってその状態に影響を及ぼす場合や角膜内皮細胞が少ないなど術後の視機能に重大な影響を及ぼす手術の合併症のリスクが高いケース，他眼が社会的失明であるケースなどである．

白内障手術が医学的に望ましいのは，水晶体が膨化し隅角が狭くなり，緑内障発作の危険性が高い場合，水晶体が一部融解し眼圧上昇や炎症を惹起している場合，白内障がほかの眼疾患の治療の妨げになっている場合（例えば糖尿病網膜症に対するレーザー治療が行えない場合），乳幼児で白内障により視機能発達が妨げられる場合などである．さらに，硝子体手術を行うと，核白内障が進行する場合が多く，壮年期以降の硝子体手術の場合には，白内障手術も同時に行われることがある．

白内障除去後には，通常眼内レンズを挿入する．水晶体前嚢の中央部の嚢を残存させ，この部に眼内レンズを白内障除去時に同時に挿入するのが一般的であるが，白内障手術時にトラブルが生じた場合，外傷例などでは，2期的に行われる場合もある．また，水晶体嚢も除去された場合や水晶体を支える Zinn 小帯に問題がある場合には，嚢外固定，毛様溝縫着，強膜内固定などの方法がとられる．また，生後 6 か月未満の乳児に眼内レンズを挿入すると，有意に視軸の混濁をきたし，再手術が必要になるリスクが高まる．コンタクトレンズケアができない場合などを除き挿入せず，成長してから必要な場合に 2 次移植を行うのが一般的である．

眼内レンズには，基本的に紫外線吸収剤が添加され網膜への有害光を除去する．これに加え，青色領域の光を減弱する着色レンズ，角膜の球面収差と相補い眼球全体の球面収差を減弱する非球面レンズ，乱視成分を減弱するトーリックレンズなどの種類

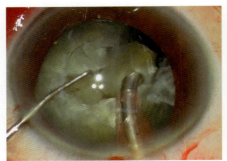

図5　超音波水晶体乳化吸引術
核片を破砕吸引しているところ．

図6　眼内レンズ挿入術
2.4 mm の切開創から眼内レンズを挿入している．

があり，これらが複数加わっている．患者の状況により選択される．

　通常の眼内レンズは，焦点が1点の単焦点レンズであるが，光学デザインにより，複数の点や幅をもった領域に焦点を合わせる多焦点眼内レンズがある．遠方から中間視などの従来の焦点から少し幅をもたせた眼内レンズは，保険適用のものがあるが，そのほかのものは基本的に評価療養の対象で患者負担がある．眼鏡で調節することなしに，遠近などがある程度見えるメリットは大きい反面，コントラストの低下，ハロー・グレアが強いなど多焦点眼内レンズにはデメリットもあり，患者のライフスタイルに適合しているか術前のヒアリングが大切である．

　　手術法　麻酔は，点眼麻酔・Tenon囊麻酔などが一般的である．

❶水晶体囊内摘出術　水晶体を囊ごと眼外へ摘出する方法である．水晶体（亜）脱臼している場合などに用いられる．約半周にわたる強角膜切開が必要であり，縫合を行う．術後の炎症も強く，炎症や乱視などが安定するのに3か月以上必要である．眼内レンズは，水晶体囊がないため，毛様溝縫着か強膜内固定を行うのが一般的である．

❷水晶体囊外摘出術　水晶体の前囊の中央部を除去し，そこから水晶体核のみを眼外へ娩出する方法である．約1/3周の強角膜切開を行う．残った皮質は，眼内で吸引除去し，水晶体囊内に眼内レンズを挿入する．術後の安定には，数か月程度を要する．核が固い場合や術中合併症で超音波水晶体乳化吸引術が継続できない場合に選択されることが多い．

❸超音波水晶体乳化吸引術　水晶体の前囊の中央部を除去し，水晶体囊内で核を分割し，破砕除去する方法である（図5）．現在最も標準的に選択される方法である．切開の幅は約2.4 mm 前後で，これは超音波チップや眼内レンズを挿入するのに必要な幅である（図6）．創口が小さく，多くの場合，縫合を必要としないので，術後の炎症や乱視の変化が少なく視機能が早期から回復する．

❹フェムトセカンドレーザー白内障手術　フェムトセカンドレーザーによって，創口，前囊切開，核分割などを行う方法である．細かく分割された核片は，超音波水晶体乳化

吸引術で除去される．コンピュータ制御し創口作製や前囊切開を行うため，精度が高く術後の乱視などへの影響を軽減でき，また，超音波水晶体乳化吸引術の破砕に要するエネルギーを軽減でき眼への負担が少ない．

❺**水晶体囊内リング**　水晶体囊が残っているもののそれを支える Zinn 小帯の一部に断裂が生じた際，水晶体囊内に挿入し水晶体囊を拡張するものである．

| **合併症**　術中に生じるものとして，後囊破損，硝子体脱出，Zinn 小帯断裂，駆逐性出血，虹彩損傷などがあり，術後の早期には，一過性眼圧上昇，皮質・核残存，囊胞様黄斑浮腫，重篤なものでは眼内炎，後期には，水疱性角膜浮腫，眼内レンズ偏位，後発白内障，網膜剝離などがある．

緑内障手術（総論）
Glaucoma surgery

岩﨑健太郎　福井大学・助教
稲谷　大　福井大学・教授

| **目的**　緑内障の手術治療は，眼圧下降のために行う．眼圧下降によって緑内障性視神経症の進行を抑制することが目的であり，緑内障性視神経症そのものを治療するものではない．観血手術は，薬物治療やレーザー治療などほかの治療法によっても十分な眼圧下降が得られない症例，副作用やアドヒアランス不良などによってほかの治療法が適切に行えない症例，ほかの治療では十分な眼圧下降が得られないと考えられる症例が適応となる**(表 6)**．手術の適応は，それぞれの患者について，病型，病期，病識，アドヒアランス，年齢，全身状態，患者の社会的背景などから総合的に判断し決定しなければならない．

表 6　緑内障手術適応例
- 薬物治療（多剤併用療法），レーザー治療でも目標眼圧未達成．
- 薬物治療継続困難
  点眼アレルギー，認知症などによるアドヒアランス低下，寝たきりにて点眼不能など．
- 病態により，薬物治療，レーザー治療では効果が得られない．
  全周虹彩前癒着のある緑内障，水晶体起因の眼圧上昇など．

| **分類**　現在行われている緑内障手術の術式は，大きく分けて房水流出路再建術，濾過手術，瞳孔ブロックを解消する手術，毛様体破壊術の 4 つに分類される**(表 7)**．

❶**房水流出路再建術**　線維柱帯切開術（トラベクロトミー）が代表的であったが，近年は低侵襲化と時間短縮をはかる手術として MIGS（minimally invasive glaucoma surgery）が主流となっている．MIGS は眼内から線維柱帯にアプローチすることで結膜への侵襲を与えないため，追加の緑内障手術の妨げにならないことや，手術による合併症が少なく安全性が高いことから初回手術として適応されることが多い．また，隅角切開術は小児緑内障に，隅角癒着解離術は主に原発閉塞隅角緑内障に適応となる．

❷**濾過手術**　線維柱帯切除術（トラベクレクトミー）が最も一般的な術式であり，優れた眼圧下降が得られる．また，プレートのないチューブシャント手術としてエクスプレスというデバイスを用いた術式があり，トラベクレクトミー類似の濾過胞を作製し同等の効果が得られる．そして，トラベクレクトミーが不成功に終わった症例などのトラベクレクトミーの効果が期待でき

表7 緑内障手術の種類

①房水流出路再建術
- 線維柱帯切開術(トラベクロトミー) ┐
- トラベクトーム
- Kahook Dual Blade
- 360° suture trabeculotomy
- マイクロフック   ├ MIGS
- TrabEx＋
- 白内障手術併用眼内ドレーン
  (iStent, iStent inject W)
- 隅角切開術
- 隅角癒着解離術   ┘
- レーザー線維柱帯形成術

②濾過手術
- 線維柱帯切除術(トラベクレクトミー)
- プレートのないチューブシャント手術:エクスプレス
- プレートのあるチューブシャント手術:Baerveldt緑内障インプラント,Ahmed緑内障バルブ

③瞳孔ブロックを解消する手術
- 周辺虹彩切除術
- レーザー虹彩切開術
- レーザー隅角形成術
- 水晶体再建術

④毛様体破壊術
- レーザー毛様体破壊術(経強膜法,経瞳孔法,眼内法)
- 毛様体冷凍凝固術
- マイクロパルス経強膜的毛様体光凝固術

ない症例に対しては,プレートのあるチューブシャント手術が適応となり徐々に定着してきている.わが国では,Baerveldt緑内障インプラントとAhmed緑内障バルブが保険診療にて使用可能となっている.

❸瞳孔ブロックを解消する手術 周辺虹彩切除術やレーザー虹彩切開術が代表術式であるが,水晶体再建術で瞳孔ブロックを解消できる症例が多く,水晶体再建術を第1選択として適応する術者も増えてきている.また,レーザー隅角形成術は,プラトー虹彩形状が起因している場合に適応となる.

❹毛様体破壊術 レーザー装置を用いた経強膜毛様体破壊術が主流であり,複数回の緑内障手術既往がある視機能不良例に適応となることが多い.しかし,マイクロパルスを用いた毛様体光凝固術が登場し,重篤な合併症がなく,より低侵襲であることから適応が拡大してきている.マイクロパルスにより毛様体扁平部を刺激してぶどう膜強膜流出路からの房水流出を促進することを目的としているが,眼圧下降機序の詳細は明らかとなっていない.マイクロパルス毛様体光凝固術は,結膜への侵襲が軽微で,追加濾過手術の妨げにならないことからMIGSとして適応できる可能性と,複数回緑内障手術後の治療法としても適応できるという両端の選択肢の可能性がある.

それぞれの術式に特徴はあるが,一般的に安全性が高い術式は眼圧下降効果が弱く,眼圧下降効果が強い術式ほど視機能を脅かす合併症が多い傾向にある.したがって,患者の状態に応じて,目標眼圧を達成できる最も安全性が高い術式を選択しなければならない.また,緑内障再手術の場合には,初回手術と同等かより眼圧下降効果が強く,病型選択の幅が広い術式を選択する必要がある.

閉塞隅角緑内障への手術
Surgery for angle closure glaucoma

栗本康夫 神戸アイセンター病院・院長

目的・概説 緑内障治療においては「治療できる原因があれば原因治療」が大

原則である．閉塞隅角緑内障（angle closure glaucoma：ACG）は房水の流出路がある前房隅角が閉塞して眼圧が上昇する緑内障病型であり，隅角閉塞という明確な原因が存在する緑内障病型である．したがって，「治療できる原因があれば原因治療」の大原則に則り，ACG治療の第1目標は隅角閉塞の解除である．この目標を病初期に達成できればACGの治癒に持ち込むことができる．ACGは失明リスクが高い病型である一方で，原発開放隅角緑内障と異なり治療的介入により治癒させうる緑内障病型でもあるので，確実に診断してすみやかに適切な治療を行うことがきわめて重要となる．

隅角の閉塞は，機能的隅角閉塞と器質的隅角閉塞の2つの様態に分けられる．機能的隅角閉塞とは虹彩が線維柱帯に接触しているだけで，瞳孔反応や姿勢の変化など生理的条件の変動により解除されうる可逆的隅角閉塞である．一方，器質的隅角閉塞とは周辺虹彩前癒着（peripheral anterior synechia：PAS）によって虹彩と線維柱帯が癒着してしまうもので，治療的介入を行わなければ原則として解消されることはない．

開放隅角にPASを生じる血管新生緑内障やぶどう膜炎などによる続発閉塞隅角緑内障の一部を例外として，ACGでは一般に機能的隅角閉塞が先行し，この状態が継続することでPASが生じて器質的隅角閉塞に至ると考えられている．したがって，原則として機能的隅角閉塞がACGの原因ということになる．機能的隅角閉塞をきたすメカニズムは，瞳孔ブロック，プラトー虹彩形状，水晶体因子，水晶体より後方の因子と4つのメカニズムに分けて考える

のがグローバルコンセンサスとなっているが，実際の症例ではこれらのメカニズムのいくつかが混在している場合がほとんどである．ACGの治療にあたっては，これらの機能的隅角閉塞メカニズムを解消してやることが治療の第1目標であり，この目的のためには手術治療が第1選択となる．

適応　閉塞隅角により高眼圧をきたしている症例全般が手術適応となる．病期分類でいうと原発閉塞隅角緑内障（primary angle closure glaucoma：PACG）と眼圧が高い原発閉塞隅角症（primary angle closure：PAC）がこれに該当する．PACについては治療が原則ではあるが，PASを認めるだけで眼圧上昇がないPAC症例の手術適応は慎重に検討する．また，原発閉塞隅角症疑い（primary angle closure suspect：PACS）については，一律に治療することは推奨できないが，急性原発閉塞隅角症（acute primary angle closure：APAC）のリスクが高いと判断されれば手術適応となりうる．APAC発症のリスクとして，APACの僚眼，著しい浅前房などが挙げられ，社会的な要因として，APAC発症時の眼科医療機関へのアクセスの困難さ，眼底疾患併発による頻繁な散瞳の必要性，PACSの病態への患者の理解度なども手術適応決定にあたって考慮すべきである．

手術法

❶**レーザー周辺虹彩切開術**　レーザー光にて周辺虹彩に穴を開けて房水のバイパス路を作成し，瞳孔ブロックを永久的に解除する．瞳孔ブロックに対しては強力な治療効果を有する一方，プラトー虹彩形状や水晶体因子など瞳孔ブロック以外の隅角閉塞メカニズムには無効である．APAC症例に適用する際には，角膜が浮腫で混濁してい

る状態で施行すると角膜内皮障害のリスクが上がるので、薬物治療などでいったん眼圧を下降させて角膜の透明性を確保してから行うべきである。アルゴンレーザーのみを用いる方法とYAGレーザーを用いる方法があるが、角膜内皮を保護する観点から可能であればYAGレーザーを用いることを強く勧める。

a. アルゴンレーザーによる方法
アルゴングリーンレーザーなどを用いて、熱凝固により虹彩を焼灼切開する。

(1) 手術手技

① 前処置：術後の眼圧上昇予防のために、施行1時間前にアプラクロニジン塩酸塩（アイオピジン®UD）を点眼。その後、2%ピロカルピン塩酸塩（サンピロ®）を数回点眼して十分に縮瞳させ、直前にオキシブプロカイン塩酸塩（ベノキシール®）で点眼麻酔を行う。

② Abraham虹彩切開レンズなどレーザー虹彩切開用レンズを用いる。

③ 切開部位は、光学的な悪影響が出にくい虹彩周辺部の上耳側もしくは上鼻側を原則とする。12時の位置は術施行中に気泡が溜まりレーザー照射に支障が出ることがあるので避ける。角膜内皮との距離を安全に保つために極端な最周辺部は避け、老人環などの角膜混濁がなく、虹彩が比較的に薄そうな場所を選定する。

④ 2段階照射

A) 500 μm、200 mW、0.2秒程度の出力で切開予定部の周囲を囲むように4～6発凝固する。凝固された組織が収縮し、切開予定部の虹彩が菲薄化する。

B) 50 μm、1,000 mW、0.05秒程度の出力で切開予定部を穿孔するまで照射する。総照射エネルギー量を減らすために、フォーカスには細心の注意を払う。虹彩を穿孔したら、これをおよそ200 μm程度の大きさに広げる。穿孔部が小さすぎると後日に閉塞する。

⑤ 後処置：術後にアプラクロニジン塩酸塩をもう1回点眼する。炎症予防のためにステロイド点眼(4, 5回/日)を処方。さらに眼圧上昇予防のために炭酸脱水酵素阻害薬内服を処方してもよい。翌日に診察し、眼圧上昇や炎症の程度をチェックする。

b. Q-スイッチNd:YAGレーザーによる方法
高エネルギーレーザーによるバーストで組織をメカニカルに破壊。組織への光吸収に頼らないので脱色素した虹彩では特に有利であり、照射エネルギーの総量を減らすことができる。

(1) 手術手技

①～③「a. アルゴンレーザーによる方法」と同じ。

④ 2段階法

A) 第1段階としてアルゴンレーザーを用いて a.④ A)を行う。これにより予定切開部の虹彩の菲薄化を得ると同時に組織凝固作用のないYAGレーザー照射でみられる出血を予防する。このステップは省略される場合もある。

B) YAGレーザーにて予定切開部位を穿孔する。出力は機種により設定が異なるが1～5 mJ程度。通常は数発で穿孔する。途中で虹彩から出血した場合にはレンズで眼球を圧迫し眼圧を上げて止血する。

⑤ 「a. アルゴンレーザーによる方法」に同じ。

(2) 合併症 一過性眼圧上昇、前房出血、虹彩炎、水疱性角膜症など。

❷**レーザー隅角形成術**　虹彩周辺部の表面を熱凝固し，虹彩根部付近のプラトー形状を緩和する．

(1) 手術手技

① 前処置：オキシブプロカイン塩酸塩（ベノキシール®）で点眼麻酔を行う．

② Abraham 虹彩切開レンズを用いる．隅角鏡を用いてもよい．

③ 虹彩根部付近をアルゴングリーンレーザー，500 μm，200 mW，0.5〜1.0 秒程度の出力で全周を照射する．

④ 後処置：炎症予防のためにステロイド点眼（4〜5 回/日）を処方．眼圧上昇予防のために炭酸脱水酵素阻害薬内服を処方．翌日に診察し，眼圧上昇や炎症の程度をチェックする．

(2) 合併症　一過性眼圧上昇，虹彩炎，縮瞳不全など．

❸**観血的周辺虹彩切除術**　虹彩周辺部を観血的に切除し，瞳孔ブロックによる前後房圧較差を解消する．APAC 時で角膜が混濁した状態などレーザー周辺虹彩切開術が困難な症例にも適用できる．また，術後の角膜内皮障害のリスクがレーザー周辺虹彩切開術よりも低いと考えられる．

(1) 手術手技

① 前処置：急性発作時など眼圧が著しく高い場合は，高浸透圧薬点滴，炭酸脱水酵素阻害薬などにより可及的に眼圧を下降させておく．2％ピロカルピン塩酸塩（サンピロ®）を数回点眼して縮瞳させ，4％リドカイン塩酸塩（キシロカイン®）やオキシブプロカイン塩酸塩（ベノキシール®）で点眼麻酔を行う．Tenon 嚢麻酔を追加してもよい．

② 上方結膜を輪部基底もしくは円蓋部基底で切開し，外科的輪部の強膜寄りで 3〜4 mm 幅の切開を強角膜に垂直に作成する．創の一部が前房に穿孔したら，虹彩を損傷しないようにナイフの刃を上向きに反転して切り上げるように創を広げる．

③ 創の角膜側を虹彩鑷子で軽くつまみ，強膜側を虹彩剪刀で軽く圧迫し虹彩を創に嵌頓させる．嵌頓が得られない場合の多くは創の幅が狭いことに起因する．

④ 脱出した虹彩を虹彩鑷子で把持し強膜方向に引き出す．この操作は，顕微鏡の倍率をやや下げて，虹彩全幅切除にならないように瞳孔の状態を確認しながら行う．

⑤ 虹彩剪刀の刃で虹彩をはさみ，剪刀よりも手前側の虹彩を角膜側に折り返して軽く引きつつ剪刀を強膜に押しつけるようにして虹彩を切除する．全幅切除になるのをおそれるあまり剪刀を浮かせたまま浅く切除すると虹彩全層の切除が得られない．追加切除を行うことは出血など合併症の原因となるので，一度で十分な切除を行うよう心がける．

⑥ 結膜弁をかぶせて創の上を軽くなでると虹彩が整復される．虹彩後葉を含めて全層が切除されていることを確認する．

⑦ 強膜創を 10-0 ナイロン 1 糸で縫合し，結膜を吸収糸などで縫合する．

⑧ 後処置：術後は直ちに 1％アトロピン（硫酸塩水和物）もしくはトロピカミド・フェニレフリン塩酸塩（ミドリン®P）を点眼し，当日もしくは翌日よりステロイドと抗菌薬点眼（4〜5 回/日）を開始する．

(2) 合併症　一過性眼圧上昇，前房出血，悪性緑内障など．

❹**水晶体摘出（水晶体再建術）**　瞳孔ブロック

以外の隅角閉塞メカニズムにも有効で治療効果も強力である．近年，有効性のエビデンスが積み上がり，PACG 治療の第 1 選択としてレーザー周辺虹彩切開術にとって代わりつつある．ただし，APAC 眼での本手術は難易度が高く手術合併症のリスクが高いので，合併症に対応できる術者と設備で手術に臨む必要がある．具体的な手術手技は「白内障手術」項(⇒ 289 頁)を参照されたい．

❺隅角癒着解離術 器質的隅角閉塞に対する治療である．PAS を剝離して隅角閉塞を解消する．おおよその目安として癒着範囲が隅角全周の半周～3/4 周以上が適応となる．再癒着防止のために，術後のレーザー隅角形成術，あるいは術中のコアビトレクトミーや水晶体再建術を併用するとさらに効果的である．

(1) 手術手技

① 前処置：2% ピロカルピン塩酸塩(サンピロ®)を数回点眼して縮瞳させ(コアビトレクトミー，水晶体再建術を併用する場合は行わない)，4% リドカイン塩酸塩(キシロカイン®)やオキシブプロカイン塩酸塩(ベノキシール®)で点眼麻酔を行う．Tenon 囊麻酔を追加してもよい．

② 角膜輪部から 120 度程度の間隔を空けて 2 か所，V ランスなどで前房に穿刺し粘弾性物質を注入する．穿刺場所は術操作のやりやすいところを選んでよい．

③ Swan-Jacob，あるいは Thorpe 隅角レンズで隅角を観察する．前房穿刺部対側の隅角が見えやすいように頭位，眼位，顕微鏡の傾きを調整する．隅角がいかによく見えるようにするかが本手術の決め手である．

④ 輪部穿刺部から隅角癒着解離針を挿入し，対側隅角の癒着部上端に解離針を軽く当てて毛様体帯が見えるところまで虹彩を軽く押し下げる．剝離場所を順次ずらしてゆき，1 か所の穿刺部につき，90～120 度の範囲を剝離する．剝離範囲を広げるために第 3 の前房穿刺を行ってもよい．

⑤ 前房の粘弾性物質を吸引除去する．

⑥ 後処置：ステロイドと抗菌薬を点眼(4～5 回/日)する．散瞳薬を入れるべきともされるが，虹彩のプラトー形状が強い症例では再癒着の原因になる可能性もある．広範な PAS による器質的隅角閉塞を伴う症例に対しては，機能的隅角閉塞を解除する手術に加えて，本手術を行って隅角癒着を解消する必要がある．

(2) 合併症 一過性眼圧上昇，前房出血，虹彩炎，医原性毛様体解離など．

❻開放隅角メカニズムに対する緑内障手術 閉塞隅角を完全に解除しても 2 次的な線維柱帯の劣化による開放隅角メカニズムが残存する症例や閉塞隅角を完全に解除するのが困難な症例，あるいは緑内障視神経症(glaucomatous optic neuropathy：GON)がすでに高度に進行している症例ではトラベクロトミー，トラベクレクトミー，およびチューブシャント手術など開放隅角メカニズムに対する緑内障手術を検討する．

流出路再建術
Outflow pathway reconstruction surgeries

谷戸正樹　島根大学・教授

目的・概説　眼圧下降を目的として行われる緑内障手術のうち，経 Schlemm 管

からの房水流出を増加させることで眼圧下降をはかる術式を総称して流出路再建術とよぶ．流出路再建術では，開放隅角緑内障において房水流出抵抗の首座と考えられている傍Schlemm管結合織やSchlemm管内壁を，切開・除去あるいはステントによりバイパスすることで房水流出抵抗の減弱がはかられる．結膜・強膜フラップ下でSchlemm管にアプローチする従来の方法（眼外法）に加えて，近年は隅角プリズムによる観察下に前房内からアプローチする方法（眼内法）が登場し，主流となっている．線維柱帯を切開・切除する方法は，線維柱帯切開術（トラベクロトミー）の派生手術である．眼内法の流出路再建術は，眼表面への侵襲の低さから低侵襲緑内障手術（minimally invasive glaucoma surgery：MIGS）に分類される．

| 適応　流出路再建術の眼圧下降効果は濾過手術よりも弱く，術後眼圧は通常10 mmHg台半ばあるいは術前から20～30％程度の眼圧下降となる．そのため，初期から中期の開放隅角緑内障（原発開放隅角緑内障，落屑緑内障，ステロイド緑内障など）が適応となる．濾過手術とは異なり，白内障同時手術を行うことで眼圧下降効果が減弱しないという利点があるため，白内障による視力低下を伴った緑内障はよい適応である．原発閉塞隅角緑内障も白内障同時手術を行うことで適応となりうる．隅角発達異常に関連した小児緑内障では第1選択となるが，角膜混濁を伴う場合など眼内法が困難であれば眼外法を選択する．血管新生緑内障や活動性のぶどう膜炎では眼圧下降が期待できないため禁忌である．目標眼圧が1桁の場合，何らかの理由で薬物を中止する必要がある場合，術後の一過

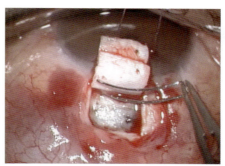

図7　眼外法トラベクロトミー

性眼圧上昇による視力低下が危惧される末期の症例では濾過手術を選択したほうがよい．

| 手技

❶眼外法トラベクロトミー　結膜を切開し，9割程度の厚さの強膜フラップを角膜輪部方向に作成することでSchlemm管を同定する．Schlemm管内にコの字型の金属製プローブ（トラベクロトーム）を挿入し，前房側に回転させることで線維柱帯を切開する（図7）．フラップの両側で切開することで合計90～120度の切開範囲となる．

❷トラベクトーム　通電装置と灌流・吸引が一体となったハンドピースを用いて，90度程度の範囲で線維柱帯を除去する．ハンドピースは専用本体と接続して使用する．集合管への房水流出が豊富な鼻側隅角で手術が行われることが多い．

❸カフーク デュアルブレード　2枚の刃がついた鋭匙状の器具を用いて，90度程度の範囲で鼻側線維柱帯を帯状に切除する．

❹トラベックスプラス（TrabEx+™）　鋭匙状の刃と灌流・吸引が一体となったハンドピースを用いて，90度程度の範囲で鼻側線維柱帯を帯状に切除する（図8）．ハンドピースは白内障手術機器と接続して使用す

図8 トラベックスプラス

図9 谷戸氏 ab interno トラベクロトミーマイクロフック

図10 マイクロフックトラベクロトミー

図11 iStent®
(グラウコス・ジャパンより提供)

図12 Schlemm 管内に挿入された iStent®

図13 iStent inject® W
(グラウコス・ジャパンより提供)

る．集合管への房水流出が豊富な鼻側隅角で手術が行われることが多い．

❺ **マイクロフックトラベクロトミー**　金属製の小フック(図9)を用いて線維柱帯を切開する(図10)．耳側から鼻側隅角にアプローチするためのストレートフックと，鼻側から耳側隅角にアプローチするための曲がりフックがある．ストレートフックと曲がりフックを組み合わせることで，耳側120度，鼻側120度，合計240度程度の線維柱帯切開が可能である．

❻ **360 度スーチャートラベクロトミー**　先端を丸く加工したナイロン糸などを Schlemm 管全周に通糸したあとに線維柱帯を全周切開する．意図的に半周切開とする術式もある．

表8 iStent®, iStent inject® W の症例選択基準

対象患者
- 緑内障点眼薬で治療を行っている白内障を合併した初期中期の開放隅角緑内障で20歳以上の成人に対する白内障同時手術

選択基準
- 初期中期の原発開放隅角緑内障(広義), 落屑緑内障で白内障を併発
- レーザー治療を除く内眼術の既往歴がない
- 開放隅角(Shaffer分類Ⅲ度以上)
- 緑内障に対して点眼1成分以上
- 緑内障点眼薬を併用して眼圧が25 mmHg 未満

除外基準
- 水晶体振盪または Zinn 小帯断裂を合併している症例
- 水晶体再建術で後嚢が破損する可能性が高い症例
- 認知症などにより術後の隅角検査が困難な症例
- 小児
- 角膜内皮細胞数が 1,500 個/mm² 未満の症例

〔日本眼科学会:白内障手術併用眼内ドレーン使用要件等基準(第2版). 日眼会誌 124:441-443, 2020 より〕

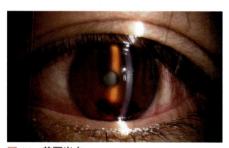

図14 前房出血

❼ iStent®, iStent inject® W iStent®(図11)では,長径1 mm,内腔120 μm のチタン製のデバイスを Schlemm 管内に挿入(図12)することで線維柱帯の抵抗をバイパスする. iStent inject® W(図13)では,内腔80 μm のデバイス2個を使用する.手術に関してガイドラインが作成されており(表8),白内障同時手術で施行する場合のみ保険診療となる.

合併症 最も高頻度な術後合併症は前房出血(図14)で,一般的に切開範囲が広くなればなるほど程度は強く頻度は高い. トラベクロトミーを行う際には術後5日間程度前房出血による視力低下があることを説明しておく. 10%前後の頻度で一過性の高眼圧を生じるため,特に末期緑内障では注意が必要である.

濾過手術
filtering surgery

東出朋巳 金沢大学・准教授

目的・概説 濾過手術の目的は,生理的房水排出経路に依存せずに眼内から眼外への房水流出の経路を新たに作成することによって,眼圧下降をはかることである. 濾過手術には歴史的にさまざまな術式があった. 1960年代に登場した線維柱帯切除術(トラベクレクトミー)は,結膜下への濾過経路である線維柱帯切除部を半層強膜弁で覆う術式であり,濾過胞瘢痕化を抑制する代謝阻害薬の併用によって手術成績が飛躍的に向上し,現在でも代表的な術式である. 線維柱帯切除の代わりに結膜下への濾過のためのインプラントを輪部に留置する術式もある. そのうち現在国内で使用承認されているのはアルコン™エクスプレス™緑内障フィルトレーションデバイス(以下,エクスプレス)のみである. 濾過手術には,赤道部付近の強膜上に設置したプレート周囲に眼内からチューブを介して房水を導くインプラント手術もあるが,本項では線維柱帯切除術とエクスプレスについ

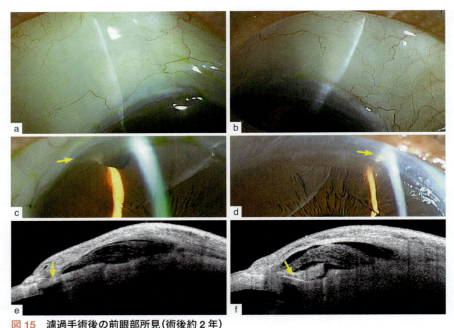

図15　濾過手術後の前眼部所見（術後約2年）
線維柱帯切除術（a, c, e），エクスプレス（b, d, f）．眼圧は両眼とも7 mmHgであった．同様な有血管性のびまん性濾過胞が形成されている（a, b）．角膜輪部近くで周辺虹彩切除部（c 矢印），エクスプレスの先端（d 矢印）が確認できる．前眼部OCTでは，濾過胞の内部構造が観察できる．強膜弁の先端に線維柱帯切除部（e 矢印），強膜弁下にエクスプレスのプレート部が確認できる（f 矢印）．

て解説する．

　術後の前眼部所見を図15に示す．結膜下への濾過手術は，原理的に10 mmHg以下の眼圧を達成しうる術式であり，あらゆる緑内障病型に適応可能である．しかし，濾過量調節のための術後管理が重要であり，過剰濾過は低眼圧による合併症を惹起する．また，濾過の持続によって濾過胞感染などの重篤な合併症が起こりうる．

適応　緑内障の観血的手術治療の適応は，予想される合併症リスクと眼圧下降効果の両面を勘案して決定される．一般的に薬物やレーザー治療によって眼圧下降が不十分あるいは不十分と予測される症例，副作用やアドヒアランスなどの問題のある症例が適応となる．さらに，緑内障病型，病期，患者の年齢，既往歴，職業などの社会的背景なども考慮する．

　緑内障にはさまざまな病型があるが，濾過手術は原理的に隅角の状態に影響されないため，すべての病型が適応となりうる．術前眼圧によらず強力な眼圧下降作用をもつが，過剰濾過や濾過胞関連の合併症などのため，房水流出路再建術など比較的安全性の高い術式が優先される．また，結膜瘢痕の存在など濾過胞作成が困難な症例，血管新生緑内障などの濾過胞の維持が難しい病型，あるいは濾過胞の管理の難しい小児緑内障などでは本術式を回避する術者が多い．エクスプレスの適応は線維柱帯切除術

と基本的に同様であるが，添付文書によるとぶどう膜炎，閉塞隅角緑内障，眼感染症，金属アレルギーなどは禁忌であり，狭隅角，角膜内皮障害，強膜菲薄化，小児には慎重適用である．一方，線維柱帯・周辺虹彩切除が不要であるため，無硝子体眼や無水晶体眼での術中の眼球虚脱や出血が生じにくい利点がある．

手技

■ 線維柱帯切除術

❶**術前処置** 線維柱帯切除時に低眼圧となり駆出性出血などの重篤な合併症が起こる可能性があるので，著しい高眼圧や高血圧の症例では術前に対処しておく．頻尿のある症例には尿道カテーテル留置が望ましい．線維柱帯・虹彩切除時に出血により濾過経路が閉塞する可能性があるので，抗凝固・抗血小板薬の中止，血管新生緑内障では抗血管内皮増殖因子薬の硝子体内注射などを考慮する．周辺虹彩切除のために単独手術ではピロカルピン塩酸塩点眼液で縮瞳させるが，水晶体再建術との同時手術では散瞳させる．

❷**麻酔** Tenon 囊下麻酔が一般的である．下方または結膜弁作成部位で行う．特に deep set 眼では後部 Tenon 囊麻酔によって眼球が持ち上がり手術操作が容易となる．

❸**制御糸** 瞼裂が狭い眼では術野確保のために不可欠．上直筋よりも角膜に設置したほうが手術操作の妨げとなりにくい．

❹**結膜切開** 強膜弁作成予定部位に合わせて切開する．下方の濾過胞は濾過胞感染リスクが高いので上方（上鼻側，上耳側）が強膜弁作成部位となる．輪部で切開する円蓋部基底結膜切開と輪部の後方 8〜10 mm の位置で輪部に平行に切開する輪部基底結膜切開の 2 つの方法がある．前者のほうが濾過胞の限局化と無血管化の頻度が低い．切開幅は小さいほうが縫合による創閉鎖が容易であるが，術野が狭くなるために組織剝離や強膜弁作成・縫合などが難しく結膜損傷リスクが増える．

❺**結膜・Tenon 囊剝離** 強膜弁を作成し，濾過胞を形成する部位を丁寧に剝離し強膜表面を露出する．アドレナリン入りの眼内灌流液を結膜下に注入して組織を膨化させると組織損傷や出血を抑制できる．結膜下や強膜上の瘢痕も丁寧に切除する．高齢者など Tenon 囊が後退している症例では，結膜を直接把持すると裂けるおそれがある．直筋の縁をたどって Tenon 囊を前方に引き出し，結膜の代わりに把持する．強膜上の出血は適宜止血する．

❻**強膜弁作成** 1 辺が 3〜4 mm 程度の 4 角弁が基本である．強膜弁の奥行きは短いほど縫合が容易で後方へ濾過させやすいが，過剰濾過となりやすい．結膜前端より輪部が後退している眼では，線維柱帯切除部が強膜弁後端に近くなるので要注意である．切開予定部位を止血して半層強膜弁を作成する．強膜が薄いと強膜弁が損傷され過剰濾過となりやすいので丁寧に操作する．後方への濾過のために強膜弁下に深層強膜弁を作成する術式もある．

❼**マイトマイシン C 塗布** 濾過胞形成部位の強膜上にマイトマイシン C（0.2〜0.4 mg/mL）を塗布する．スポンジ小片を使用するが，広範囲の塗布と遺残防止が肝要である．3〜5 分後にスポンジを除去して生理食塩液などで十分に洗浄する．

❽**線維柱帯切除** 急激な眼圧下降を防ぐためにサイドポートから前房水を抜いて眼圧を下げておく．万が一の駆出性出血や硝子

 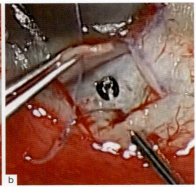

図 16 濾過手術の術中所見
線維柱帯切除術（線維柱帯切除と虹彩切除後）(a)とエクスプレス（エクスプレス挿入後）(b).

体脱出に備えて強膜弁に仮縫合をかける．強膜弁下で線維柱帯部を切除する．メスと剪刀で長方形に切除するかKellyパンチなどで切除する．大きすぎる切除は過剰濾過となり，小さすぎたり前方すぎたりする切除部位では濾過しにくくなり，後ろすぎると毛様体を損傷する．出血はジアテルミーで止血する(図16a).

❾**周辺虹彩切除** 線維柱帯切除部位から虹彩を引き出し剪刀で切除する．縮瞳が不十分だと切除範囲が大きくなりやすい．切除が後方すぎると毛様体損傷による出血や硝子体脱出を起こす可能性がある．出血はジアテルミーで止血する(図16a).

❿**強膜弁縫合** 10-0ナイロン糸で強膜弁の角とサイドを縫合する．左右で均等な張力となるようにする．仮縫合を外して前房内に眼内灌流液を注入し，濾過量を確認する．過剰に漏れる部位には縫合を追加する．濾過が少なければ縫合糸を引っ張って緩める．前房が維持され眼圧が高くない状態で強膜弁後方からわずかに濾過する程度がよい．

⓫**結膜縫合** 10-0ナイロン糸で縫合する．結節縫合や連続縫合などいろいろな縫合方法があるが，創口からの房水漏出を確実に阻止する．輪部切開では輪部強膜への結膜縫着の際に後退したTenon囊を前転させて同時に縫合する．縫合後に前房内に眼内灌流液を注入して濾過胞を形成し，房水漏出の有無を確認する．

■**水晶体再建術併用** ❼のマイトマイシンC塗布と洗浄のあとに水晶体再建術を行う．線維柱帯切除と同一創（強膜弁下から）あるいは別創（耳側角膜切開）で行う．眼内レンズ挿入とI/A(irrigation and aspiration)のあとにアセチルコリン塩化物（オビソート®）を注入して縮瞳させる．

■**エクスプレス** 線維柱帯切除と虹彩切除の代わりにエクスプレスを挿入する．強膜弁下中央の強膜岬付近で虹彩と平行に25G針を刺入する．その穴に沿ってデリバリーシステム（インジェクター）を使ってエクスプレスを横向きに前房内に挿入し，縦に戻して留置する(図16b). エクスプレス挿入前後の手術手技は線維柱帯切除術と同様である．

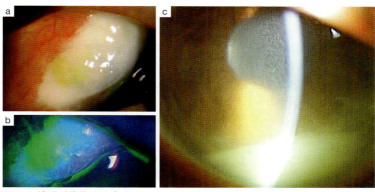

図17　濾過手術後の眼内炎
血管新生緑内障に対する線維柱帯切除術後9年．無血管濾過胞は白濁し周囲に著明な充血がみられた（a）．フルオレセイン染色にて濾過胞に結膜びらんがみられた（b）．前房内には著明な前房蓄膿がみられた（c）．

術後管理・合併症対策

❶早期　術後1～2週間は創傷治癒反応による強膜弁や結膜の癒着によって濾過が徐々に減少することを念頭において管理する．過剰濾過によって，浅前房，毛様体・脈絡膜剝離，低眼圧黄斑症などが生じる．房水漏出に対しては原因部位を同定してすみやかに結膜縫合を追加する．強膜弁からの過剰濾過は保存的に経過観察し，改善しなければ経結膜縫合などの処置を行う．濾過が少なく高眼圧の場合，眼球マッサージで濾過胞形成をはかる．濾過胞形成が不良の場合，強膜弁縫合糸のレーザー切糸を行う．その後も濾過不全の場合，隅角鏡で線維柱帯切除部の出血や虹彩・硝子体の嵌頓による閉塞がないか確認する．レーザー切糸を行っても濾過胞に癒着がある場合，ニードリングによって解除する．前房出血が高度な場合は前房洗浄を考慮する．浅前房にもかかわらず高眼圧の場合（aqueous misdirection），悪性緑内障を疑う．眼圧下降薬とアトロピン硫酸塩での保存的治療に抵抗性の場合は前部硝子体切除などを考慮する．

❷晩期　低眼圧の持続による脈絡膜剝離や低眼圧黄斑症が遷延する場合，強膜弁の経結膜縫合や濾過胞再建術を考慮する．濾過胞が縮小し眼圧が上昇する場合，ニードリングを考慮する．術後の眼圧上昇時に点眼薬などによって房水産生を抑制すると濾過がさらに減少し濾過胞瘢痕化が進むので，緑内障点眼薬の再開は慎重に行う．ニードリングに抵抗性であったり強膜弁が視認できない場合，濾過胞再建術や他の手術などを考慮する．白内障が進行し視力が低下する場合は水晶体再建術を考慮するが，術後経過期間が長いほうが水晶体再建術後の濾過胞不全リスクが低い．落屑緑内障などでは角膜内皮障害が起こりやすいので，角膜内皮細胞密度を定期的に測定する．

　濾過胞感染は濾過手術による最も重篤な合併症である．日本のマイトマイシンC併用線維柱帯切除術後の濾過胞感染の累積発症確率は5年で2.2%であった．濾過の

持続により濾過胞の無血管化と房水漏出が生じ，濾過胞感染リスクとなる．濾過胞炎から眼内へ感染が波及し眼内炎に至る(図17)．起炎菌同定とともに感染の段階に応じてすみやかに抗菌薬投与や硝子体切除を行う．

プレート付きインプラント手術

Implant surgery with plates

折井佑介 福井大学
稲谷 大 福井大学・教授

適応 わが国の「緑内障診療ガイドライン」では，代謝拮抗薬を併用した線維柱帯切除術が不成功に終わった症例，手術既往により結膜の瘢痕化が高度な症例，線維柱帯切除術の成功が見込めない症例，他の濾過手術が技術的に施行困難な症例がチューブシャント手術の適応とされている．

線維柱帯切除術が奏効しにくい症例としては，以下のようなものが挙げられる．

❶**血管新生緑内障** 血管新生緑内障では，隅角や虹彩からの出血や，フィブリンの析出などにより流出路が機械的に閉塞しやすいため，濾過不全を生じることが多いとされている．マイトマイシンC(MMC)併用線維柱帯切除術後の血管新生緑内障患者において，眼圧22 mmHg以上，光覚消失，追加緑内障手術を不成功とした場合の手術成功率は術後1，2，5年後でそれぞれ62.5％，58.2％，51.7％であったという報告がある．またそのなかで，予後不良因子として，若年，硝子体手術の既往，糖尿病による血管新生，両眼性であることが挙げられている．

❷**ぶどう膜炎続発緑内障** MMC併用線維柱帯切除術を施行したぶどう膜炎続発緑内障および原発開放隅角緑内障患者の比較において，眼圧21 mmHg以上または追加緑内障手術を不成功とした場合の手術成功率は，術後3年時点でぶどう膜炎続発緑内障群が有意に不良であったとされている．

❸**眼内手術既往眼** 開放隅角緑内障に対しMMC併用線維柱帯切除術を施行した症例では，有水晶体眼に対して眼内レンズ挿入眼で線維柱帯切除術の成功率が有意に劣っていたことが報告されている．

❹**線維柱帯切除術再手術** 線維柱帯切除術が不成功となった症例は，そもそも線維柱帯切除術が奏効しにくい素因を持つ可能性が疑われる．また，MMC併用線維柱帯切除術において，再手術の症例では初回手術の症例と比較して術後3年時点で眼圧下降効果が有意に劣っていたという報告がある．

A プレート付きインプラントの種類

わが国で承認されているプレート付きインプラントは，Baerveldt®緑内障インプラントのうちBG101-350，BG103-250(小児または短眼軸長用)，およびBG102-350(毛様体扁平部挿入タイプ)の3種類および，Ahmed™緑内障バルブのうちFP7，FP8(小児または短眼軸長用)の2種類である．いずれもシリコン製のプレート1つとチューブで構成されている．

各インプラントの仕様は**表9**の通りである．

表9 プレートのある緑内障インプラント

	Baerveldt® 緑内障インプラント			Ahmed™ 緑内障バルブ	
モデル名	BG101-350	BG102-350	BG103-250	FP7	FP8
表面領域	350 mm^2	350 mm^2	250 mm^2	184 mm^2	96 mm^2
弁構造	なし	なし	なし	調圧弁	調圧弁
配置	前房	硝子体腔	前房	前房	前房
用途	難治緑内障	硝子体手術既往眼	小児・短眼軸長用	難治緑内障	小児・短眼軸長用

1 Baerveldt®緑内障インプラント

有効性 Baerveldt®緑内障インプラントとMMC併用線維柱帯切除術の比較試験(TVT Study)において,5年報告では,術後眼圧が5 mmHgを超える,かつ21 mmHg以下,術前よりも20％以上の眼圧下降を維持し,再手術がなく,光覚弁がある症例を成功と定義したときの成功率は,Baerveldt®緑内障インプラント群が70.2％,線維柱帯切除術群が53.1％($p = 0.002$)と,Baerveldt®緑内障インプラントのほうが良好な結果であったが,両群の眼圧に有意差はなかったとされていた.しかし,のちに報告された初回手術におけるBaerveldt®緑内障インプラントとMMC併用線維柱帯切除術の比較試験(PTVT Study)では,術後3年目の眼圧はBaerveldt®緑内障インプラント群が14.0 ± 4.2 mmHg,MMC併用線維柱帯切除術群が12.1 ± 4.8 mmHg($p = 0.008$)で有意差を認め,眼内手術の既往のない眼に対する初回手術としての眼圧下降効果はMMC併用線維柱帯切除術のほうが高いという結果となっている.

硝子体手術後などで結膜瘢痕が強い症例や,輪状締結術後,線維柱帯切除術後の症例でも設置が可能で,線維柱帯切除術後の症例においては,下方に設置することも可能であるし,フラップを避ければ上方にも設置が可能である.

安全性・合併症 TVT Studyでは,術後後期の合併症の発症には差はなかったものの,術後早期の合併症はBaerveldt®緑内障インプラントのほうが少なかったと報告されている.

主な合併症としては以下のようなものが挙げられる.

❶過剰濾過 Baerveldt®緑内障インプラントは弁構造を有さないため,そのまま挿入すると過剰濾過となってしまうので,挿入前にチューブの結紮やリップコードの挿入が必要である.結紮が不十分であったり,プレート周囲の被膜が形成される前にチューブが開放してしまったりした場合には過剰濾過となり低眼圧をきたし,脈絡膜剥離を生じることがある.

しかし,チューブの結紮などを行うと術直後は高眼圧となることが多いので,一過性の高眼圧を避けるためにチューブにSherwood slitを開けるなどの処置を行う.

❷角膜内皮障害 前房にチューブを留置した症例では,術後1年で13.1％の角膜内皮の減少を認めたという報告がある.チューブと角膜が近い症例ではより内皮の減少が大きかったとされており,チューブはできる限り虹彩に沿うよう挿入するのが望ましい.また,近年ではチューブを毛様

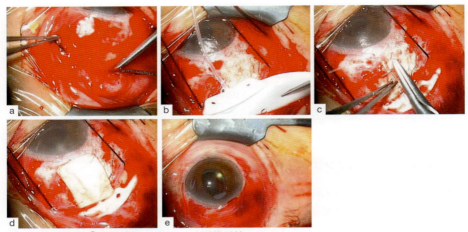

図18 Baerveldt®緑内障インプラントの手術手技
a:外眼筋下に牽引糸を通糸する.b:プレートを外眼筋下へ挿入する.チューブの根本は8-0 VICRYL®糸で結紮してある.c:チューブを挿入し強膜へ固定したのち,チューブにSherwood slitを作成する.d:チューブを保存強膜で被覆する.e:結膜を縫合して手術を終了する.毛様溝にチューブが挿入されているのが確認できる.

溝へ挿入する方法がとられることもある.一方で,硝子体腔へ挿入した症例では角膜内皮の減少は認めなかったため,硝子体手術既往のある眼では硝子体腔への挿入を考慮する.

❸**チューブ,プレートの露出** プレートや被覆材料の固定が緩んだり外れたりして,チューブやプレートが露出してくる場合がある.感染や低眼圧の原因となるため,早期の再被覆が必要となる.

❹**複視** Baerveldt®緑内障インプラントは外眼筋下にプレートを挿入するため,手術操作による筋肉の損傷や,プレートおよび濾過胞による機械的な干渉などにより複視を生じることがある.

手術法 Baerveldt®緑内障インプラントの場合は,プレート内に調圧弁がないため,術後早期の過剰濾過を防止する目的で,チューブの根元を8-0 VICRYL®糸で結紮して完全閉塞させておくか,リップコードとしてナイロン糸をチューブ内へ通しておく(図18).

プレートを設置する領域の結膜を1象限以上2象限未満切開して,Tenon囊下麻酔を2 mL注入し,その後,強膜を露出させる.Baerveldt®緑内障インプラントでは上直筋および外直筋下に5-0絹糸などを通し,またAhmed™緑内障バルブでは角膜に8-0 VICRYL®糸や7-0絹糸などで半層を1〜2針通糸し,牽引糸として術野を確保する.

プレートを角膜輪部から10 mmの位置に設置して,ナイロン糸やDacron®糸などで結紮固定する.前房に粘弾性物質を注入し前房を深くしておき,角膜輪部から1.5〜2 mm後方から23 Gの針で前房へ針道を作製する.毛様溝へ挿入する場合は針が虹彩の後方へ出るように角度を調整す

る．シリコンチューブを，前房に2 mm程度先端が出る長さに，前房挿入の場合はベベルアップ，毛様溝挿入の場合はベベルダウンでトリミングし，作製した針道へ挿入する．硝子体腔へ挿入する場合は，角膜輪部から3.5〜4 mm後方から毛様体扁平部へ20 GのMVRナイフで穿刺し，挿入する．チューブは強膜に9-0ナイロン糸などで結紮固定する．チューブの根元を結紮した場合は，術後高眼圧を回避するために9-0ナイロン糸の針を用いてSherwood slitとよばれる切開を3〜5か所程度チューブに作製する．

術後のチューブ露出を防止するために，保存強膜を用いてチューブを被覆する．最後に結膜を縫合し，術野を覆って手術を終了する．

2 Ahmed™緑内障バルブ

| **有効性** Ahmed™緑内障バルブとBaerveldt®緑内障インプラントの比較試験（ABC Study）の5年成績では，眼圧はAhmed™緑内障バルブが14.7 ± 4.4 mmHg，Baerveldt®緑内障インプラントが12.7 ± 4.5 mmHg（$p = 0.015$）でAhmed™緑内障バルブのほうが有意に眼圧が高く，眼圧下降目的の再手術の頻度はAhmed™緑内障バルブのほうが有意に多かった．術後眼圧が5 mmHgを超える，かつ21 mmHg以下，術前よりも20％以上の眼圧下降を維持し，再手術がなく，光覚弁がある症例を成功と定義したときの成功率は，Ahmed™緑内障バルブで55.3％，Baerveldt®緑内障インプラントで60.6％（$p = 0.65$）と両群に有意差はなかった．

| **安全性・合併症** 基本的にはBaerveldt®緑内障インプラントと同様の合併症に注意が必要だが，Ahmed™緑内障バルブはBaerveldt®緑内障インプラントと異なり弁構造を有するため，基本的にはチューブに対する処置が不要である．まれに不具合により通水が不能の場合があり，その場合挿入しても眼圧下降効果が得られないため，挿入前に通水を確認しておく必要がある．

プレートの面積において，Baerveldt®緑内障インプラントは350 mm^{2}と250 mm^{2}であるのに対し，Ahmed™緑内障バルブは184 mm^2（FP7）と96 mm^2（FP8）と小さく，特に短眼軸眼や小児などの術野の確保しにくい症例ではAhmed™緑内障バルブのほうが扱いやすいと思われる．プレートを直筋下に挿入する必要がないため，筋肉への操作はBaerveldt®緑内障インプラントより少ないが，ABC Studyでは複視の合併症の頻度は同等であったとされている．

網膜硝子体手術
Vitreoretinal surgery

國方彦志　東北大学病院・特命教授

| **定義** 網膜硝子体手術（硝子体手術）は，網膜硝子体疾患に対し，主に眼内の硝子体を切除し，治癒を促す手術である．硝子体手術は，毛様体扁平部を経て硝子体・網膜に到達し，硝子体カッターや鑷子を用いて行う．網膜硝子体疾患の多岐にわたる状態に応じて，増殖膜切除，網膜レーザー光凝固，液空気置換などを行い，治癒させる．

| **歴史** 硝子体手術は，1955年に百々次夫（日本）により世界で初めて行われたが，これは硝子体出血を経瞳孔的に切除し

たものである．この術式は，術中に硝子体が大気中に開放されるため，open sky vitrectomy とよばれる．そののち，経毛様体扁平部硝子体手術の基礎が Robert Machemer（米国）により 1970 年代に確立されるが，この術式は術中に眼球の閉鎖空間を維持したまま行われるため closed vitrectomy とよばれる．当初，硝子体手術に必要な切除吸引，灌流，照明をすべて備えた 1 つの器具で 1 か所からアプローチする one port system であったが，やがて，それらを独立し 3 か所からアプローチする three port system が開発され，その基本的概念は現在まで大きく変わることはない．わが国では，田野保雄，樋田哲夫らの努力により，20 G 硝子体手術は広く普及した．

そののち，2002 年に Eugene de Juan Jr.（米国）によって，小切開硝子体手術(micro-incision vitrectomy surgery：MIVS)が開発され，強膜に設置したカニューラを通して，より細い口径の器具を挿入し作業することが可能になった．この MIVS には，23，25，27 G があり，現在，さまざまな網膜硝子体疾患に対して施行されている．MIVS は強膜創縫合を要することが少なく，20 G 硝子体手術と比較して，術後視機能の早期回復，術後炎症の低減，手術時間の短縮など利点には枚挙にいとまがない．23，25，27 G MIVS の違いは，手術に用いるニードルの太さ(G)であり，順に 0.6，0.5，0.4 mm ほどの口径である．25 G MIVS はシャフト剛性や吸引効率も高くバランスに優れ，一方，27 G MIVS は最高精度の繊細な操作を可能とし強膜創縫合もほとんど要することがない．このように，網膜硝子体手術は急速に小切開化が進み，より高精細な器具・手技で行うことが可能となった．

手術デバイス革新による硝子体手術を取り巻く環境の変化は，小切開のみにとどまらず，術者の観察系も刻々と進歩している．広角観察システム，シャンデリア眼内照明，術中光干渉断層計(optical coherence tomography：OCT)，ヘッズアップ手術，内視鏡などの発展により，術中における術者の視覚情報をより充実するに至っている．広角観察システムは，小瞳孔からでも眼底を全体的に俯瞰でき，シャンデリア眼内照明と組み合わせ威力を発揮する．さらに，術中 OCT は，顕微鏡だけでは確認できない OCT 網膜断層像を術中にライブで確認することが可能であり，術前評価困難例では特に重宝する．また，ヘッズアップ手術は，大型 3D モニターを見ながら執刀する手術であるが，デジタル技術により鮮明なコントラストや進化した立体感を得ることができ，低照明でも正確な手術を可能としている．また，内視鏡も高精細な画像を得ることができつつあり，角膜混濁が強い症例でも硝子体手術を可能としている．このように，硝子体手術は，飛躍的に進化し，最高の術後視機能獲得を達成しうる重要なツールになっている．

目的

❶硝子体の除去 通常，出血や炎症性混濁が遷延し，視機能低下が持続する際に行う．硝子体の網膜牽引が病態を悪化させている際も，その軽減につながり，視機能回復が期待できる．疾患によっては，硝子体を除去することで，血管内皮細胞増殖因子(vascular endothelial growth factor：VEGF)やインターロイキン(interleukin：IL)-6 など炎症性サイトカインの除去にも

つながり，硝子体腔クリアランスの上昇も予想される．採取した硝子体を用いて細胞診や培養を行い診断確定につなげることもできる（硝子体生検）．感染性眼内炎であれば，細菌およびエンドトキシンも除去でき，効果的である．

❷網膜前後の増殖膜の除去　さまざまな網膜硝子体疾患において，網膜の前面（網膜上）あるいは後面（網膜下）に増殖膜が生じることがある．視力低下や網膜剝離にも至りうるため，硝子体切除ののち，網膜を極力傷害しないように丁寧に除去する．線維血管増殖膜（fibrovascular membrane：FVM）の切除に際しては，出血を伴うことが多く注意を要する．

❸網膜の復位，裂孔の閉鎖　神経網膜の解剖学的復位は，網膜硝子体手術の主目的の1つである．裂孔原性網膜剝離（rhegmatogenous retinal detachment：RRD）であれば，硝子体切除ののち，硝子体腔の液空気置換を行い網膜を復位させ，裂孔を眼内レーザー光凝固で閉鎖する．ガスタンポナーデなども行い，網膜復位の維持に努める．

❹眼内異物の除去　外傷による穿通性眼内異物は，緊急手術を行うことが多い．強角膜裂傷を縫合したのち，硝子体切除を行い，網膜を極力傷害しないように眼内異物を摘出する．手術に際しては，感染性眼内炎にも留意し，抗菌薬入りの眼内灌流液を用いる．

> **適応**　MIVSは開発当初，硝子体混濁や黄斑疾患などが適応とされ，また手術成績低下や眼内炎の問題なども議論になった歴史もあるが，現在ではその有効性や安全性が確認されており，手術を要するほとんどの網膜硝子体疾患が適応となりうる．MIVS適応の代表疾患は以下である．

❶黄斑疾患　黄斑前膜，黄斑円孔，黄斑浮腫，黄斑下出血，黄斑前出血，硝子体黄斑牽引症候群など．黄斑処置は，黄斑の前の増殖膜や硝子体牽引を除去することが主であり，内境界膜（internal limiting membrane：ILM）の切除も併施することが多い．術中に周辺部網膜裂孔の見落としなどがあれば，MIVS後にRRDに至るので注意を要する．また，黄斑前膜の患者は多いが，そもそも失明することがなく，視機能も比較的良好な疾患である．黄斑前膜術後に視機能障害など合併症を生じることもあるため，特に視力良好例や自覚のない患者などでの手術は，十分に患者と話し合い慎重を期すべきである．

❷硝子体出血・混濁　術前評価が大切であるが，情報量が多い簡便な検査として，超音波検査（Bモード）が挙げられる．Bモードは，何より網膜剝離の有無が判断できることが大きく，また増殖膜や牽引も描出されれば，術前に手術難易度までも想定できる．すみやかな手術加療を要する症例は，ポリープ状脈絡膜血管腫や網膜細動脈瘤の破裂で黄斑下に新鮮出血をきたしている症例，増殖糖尿病網膜症（proliferative diabetic retinopathy：PDR）で牽引性網膜剝離が黄斑に及びつつあり進行性の症例，外傷性網膜剝離を併発している症例などである．硝子体出血が軽度で網膜剝離もなければ，時間をかけて自然消退を待ち，原疾患の精査と治療を行っていくことが可能な場合もある．手術に際しては，特に陳旧性で濃厚な硝子体出血の場合，MIVSカニューラに出血塊が嵌頓し手術に支障をきたすことがあるため，カニューラ周辺のゲル切除に留意する

❸ RRD　手術には強膜バックリングと

MIVS があるが，20〜30 歳代など若年で後部硝子体剥離(posterior vitreous detachment：PVD)のない扁平網膜剥離は，強膜バックリングが第 1 選択である．もし若年に硝子体手術を行う場合，硝子体網膜癒着が強く手術に難渋したり水晶体が温存しづらいなど，患者にデメリットが多いため，術前に十分に説明しておく必要がある．硝子体手術の不成功は，またたく間に全剥離・増殖性硝子体網膜症(proliferative vitreoretinopathy：PVR)につながり難治なものとなる．高齢の RRD には，MIVS がよい適応である．高齢者で PVD がすでに起こっていても，単一裂孔や術後体位保持不可能な症例であれば，強膜バックリングの適応である．裂孔の数が多く，多象限にわたり存在，深さが異なる裂孔，巨大裂孔，眼内レンズ(intraocular lens：IOL)挿入眼，黄斑円孔を伴う症例には，MIVS を行うことが多い．MIVS の術前には，強膜バックリングと同様，すべての裂孔を術前に同定・把握する．uveal effusion などの滲出性網膜剥離は，治療方針が異なるため，術前精査によりに否定しておき，手術に臨まなければならない．

❹ **PVR**　RRD から自然に PVR に移行することは少なく，硝子体手術後や過剰冷凍凝固後の裂孔閉鎖不全により形成されることが多い．一般に PVR は，硝子体出血，脈絡膜剥離，巨大裂孔を伴う網膜剥離などに合併しやすい．硝子体基底部など前部硝子体残存による PVR は，anterior PVR と称され，最難治の病態の 1 つとされる．よって，RRD に対する硝子体手術を選択する場合，最周辺部ゲル郭清がきわめて重要である．また，若年扁平網膜剥離で網膜下増殖を伴う PVR であっても，網膜下増

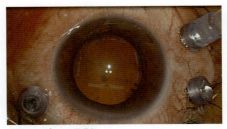

図 19　ポート作製
25GMIVS 3 ポートを作製しカニューラを留置したところ．

殖が強固でなければ，強膜バックリングのみで治癒することも多い．PVR 手術では，増殖膜除去と網膜復位が目標であり，再剥離防止のため，強膜バックリングや強膜輪状締結を併施することもある．

手術法　MIVS における局所麻酔は，Tenon 嚢下麻酔か球後麻酔が主体である．Tenon 嚢下麻酔では，球後麻酔と異なり，眼球運動が残りやすいため，特に黄斑処置の際には注意を要する．高齢者や水晶体混濁が明らかな場合は，白内障手術も併施する．同時手術では，連続環状嚢切開(continuous curvilinear capsulorrhexis：CCC)を若干大きくしたほうが術後の前嚢収縮を回避でき，眼底検査による術後フォローアップも行いやすい．IOL の嚢内固定は硝子体手術前に行うか，あとに行うか，議論がある．無水晶体の状態での硝子体手術は最もクリアーな術野が得られるが，IOL 固定後の硝子体手術と異なり，思わぬ後嚢損傷が起こりうるので注意が必要である．広角観察システムやシャンデリア照明を併用して眼内全体を俯瞰しながら，硝子体手術を行ってもよい．

❶**ポート作製**　白内障手術の前に MIVS 用の 3 ポートを作製する(**図 19**)．ポート作製に際し，トロカールカニューラは，角膜

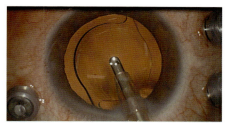

図20　白内障手術
白内障/硝子体手術装置 Fortas（株式会社ニデック・日本）を用いて，超音波乳化吸引と皮質の吸引を行い，IOLを角膜切開部より囊内固定したあと，粘弾性物質を除去している．

輪部から 3.5〜4.0 mm の強膜に斜め 45 度の角度で刺入する．追加的に，シャンデリア照明用ポートを 3 ポート以外に置くこともある．RRD 手術で網膜裂孔の位置が明らかな場合，シャンデリア照明はその対側に置くと裂孔を視認しやすい．黄斑疾患の手術には，通常，シャンデリア照明は不要なことが多い．

❷**白内障手術**　角膜切開，CCC，フックを用いた核処理を行い，そのあと IOL を角膜創より囊内挿入し，粘弾性物質を除去する**(図20)**．

❸**コアビトレクトミー・PVD 作製**　PVD が起こっていない場合，コアビトレクトミーののち，トリアムシノロンアセトニド（TA）を用いて後部硝子体皮質前ポケットを描出し，硝子体カッターで吸引をかけ，PVDを作製する．RRD 症例では PVD はすでに起こっていることが多い．

❹**周辺部硝子体切除**　周辺部のゲル処理は RRD，PVR などでは重要で，広角観察といえども，強膜圧迫を行わずゲルシェーヴィングするのみでは不十分である．強膜圧迫子などを用い最周辺部まで十分にゲル郭清する．

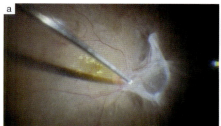

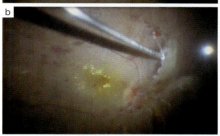

図21　増殖膜切除
PDR 症例に対し，白内障/硝子体手術装置 Fortas（株式会社ニデック・日本）の Bi-Blade 硝子体カッターを用いて，視神経乳頭から鼻側に及ぶ FVM を切除している**(a)**．医原性裂孔を生じることなく，FVM はほぼ切除された**(b)**．

❺**増殖膜・ILM 切除**　PDR，PVR では，増殖膜を切除する．その際，網膜を損傷することなく，増殖膜を除去し，すべての牽引を解除することが大切である**(図21)**．網膜下の増殖膜は，必要があれば意図的に網膜裂孔を作製し除去する．PDR，PVR，黄斑円孔や黄斑前膜での黄斑処置に際しては，ILM の切除も併施することが多い**(図22)**．

❻**液空気置換**　黄斑円孔や RRD では，液空気置換を行う．黄斑円孔では，ILM 切除を行ったあとに，液空気置換を行う．RRD では，意図的裂孔は作製せずに，原因裂孔から網膜下液を排液し網膜を復位させる．むやみに意図的裂孔を作製すると，術後に暗点を生じたり再剝離の原因にもなりうるため注意する．やむを得ず意図的裂

図22 ILM切除
PDR症例に対して，増殖膜切除を終えたあと，HOYAディスポ硝子体手術用マイクロセッシ（HOYA株式会社・日本）を用いTA補助ILM切除を行っている．このあと，黄斑部のILMは完全に切除された．

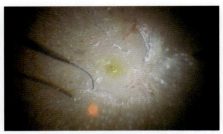

図23 眼内レーザー光凝固
PDR症例に対して，増殖膜切除とTA補助ILM切除を終えたあと，汎網膜光凝固を行っている．

孔を作製する場合，原因裂孔と同一象限，より上方，赤道部より後方に作製する．液体パーフルオロカーボン（perfluorocarbon liquid：PFCL）を後極に満たし液空気置換を行うことも可能だが，わが国では開放性眼外傷，巨大裂孔，PVRに伴う難治性網膜剝離でない限りPFCL使用適応はない．液空気置換時の空気灌流圧は35 mmHgほどで十分である．

❼**眼内レーザー光凝固** 液空気置換し網膜復位後に網膜裂孔の周囲に2列ほど施行する．網膜下液残存部位への光凝固や過剰凝固は，さらなる網膜裂孔を生じるので注意したい．PDRでは汎網膜光凝固を行う（図23）．

❽**ポート閉鎖** 斜め刺入のポート作製で縫合を要することが少なくなった．25G MIVSや27G MIVSの場合，原則的に創縫合は不要であるが（図24），再手術の場合は創縫合を要することがある．ガスタンポナーデを行う場合，液空気置換眼に長期滞留ガスである六フッ化硫黄（SF_6）を20%希釈したものを灌流し，適正な圧で終術する．硝子体腔に純粋なSF_6を0.8 mL注入

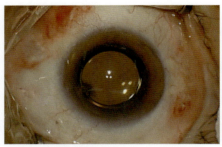

図24 ポート閉鎖
25GMIVS 3ポートのカニューラを抜去し，縫合を要することなくMIVSを終了したところ．

する方法も簡便でよい．

合併症への対応 硝子体手術にはさまざまな合併症がある．よって，起こりうる合併症をあらかじめ想定しておきたい．

❶**3ポート作製困難** RRDに対しMIVSを行う場合，全網膜剝離，強度近視，低眼圧，脈絡膜剝離を伴う症例の場合，手術開始時にポート作製が困難な場合がある．その際には，対側からカウンターを当てトロカールカニューラを硝子体腔へ完全挿入してから，硝子体手術を開始する．

❷**PVD作製時の裂孔形成** PVD作製時には，周辺部網膜変性に留意し，新裂孔を作らないように気を配る．周辺部を含めて広

く明るい広角観察下で PVD を作製するとより安全である．

❸**再剝離の防止**　下方裂孔の RRD では，術後のガスタンポナーデ効果も不十分なことが多く，特に裂孔周囲のゲル郭清が不十分な場合，再剝離をきたしやすく注意が必要である．TA でゲルをよく視認しながら裂孔周囲のゲル郭清を十分に行う．

❹**液空気置換**　虚脱による脈絡膜出血や空気による視野障害などの合併症を回避するため，短時間で終わらせる．

❺**裂孔閉鎖不全**　硝子体手術後に裂孔閉鎖不全に至った場合，全剝離・PVR にすみやかに移行しやすいので術後の経過観察でも注意を要する．

4　レーザー手術

レーザー光の種類と特性
Characteristics of various laser sources

尾花 明　総合病院聖隷浜松病院・部長

概説　"laser" は light amplification by stimulated emission of radiation（誘導放出による光の増幅）の頭文字からなる造語で，自然光と異なり単一波長の干渉光であるため，①高指向性，②高出力という特徴をもつ．レーザーは，発振媒体によって気体・液体・固体（半導体を含む）レーザーに分けられる．眼科治療には紫外から赤外に及ぶさまざまな波長を連続波やパルス波として使用する．レーザーの生体作用は，破壊（photodisruption），蒸散（photoablation），凝固（coagulation），温熱作用（hyperthermia），光化学反応（photochemical reaction）に分けられ，照射出力と照射時間によって作用が決まる．

眼科治療に使用されるレーザーには，以下のものがある．

1　アルゴン・フッ素（ArF）エキシマレーザー

適応　屈折矯正手術や治療的レーザー角膜切除術（phototherapeutic keratectomy：PTK）に使用する．波長 193 nm，パルス幅 10〜25 nsec（ナノ秒）で，分子間結合の切断により組織を蒸散（photoablation）する．

手技　1986 年に角膜を面状に削るレーザー屈折矯正角膜切除法（photorefractive keratectomy：PRK）が考案され，2000 年代後半に角膜実質だけを切除する LASIK（laser in situ keratomileusis）が始まった．LASIK は，マイクロケラトームで作製した角膜上皮フラップを翻転し，露出した角膜実質にエキシマレーザーで近視・遠視・乱視矯正用に設定したデザインの切除を行ってからフラップをもどす．なお，治療は日本眼科学会の「屈折矯正手術のガイドライン」に準拠しなければならない．PTK は顆粒状角膜変性，帯状角膜変性，格子状角膜変性，再発性上皮びらんに対して，角膜表層の混濁病巣をエキシマレーザーで切除する治療である．

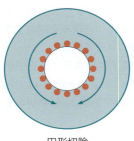  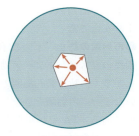

円形切除　　　　　　十字切除　　　　　　中央切開拡大

図25　Nd：YAGレーザー後嚢切開術

2 ネオジウム(Nd)：フェムトセカンドレーザー

適応　屈折矯正手術，角膜移植，白内障手術に使用する．波長1,053 nm，パルス幅600～800 fsec（フェムト秒）で，きわめて短時間に高エネルギーを集中することで組織を破壊(photodisruption)し，周囲組織障害を抑制して，組織切開が行える．

手技　small incision lenticule extraction(SMILE)は，角膜実質にレーザーを照射し，あらかじめデザインした形の実質片(レンチクル)を切り出し，角膜周辺にあけた3 mmの小切開創から取り出す手術である．上皮フラップを作らないので，LASIKより安全性，有効性が高いと考えられているが，長期成績を観察する必要がある．

3 ネオジウム(Nd)：YAGレーザー

適応　後発白内障の後嚢切開に使用される．波長1,064 nm(赤外)，パルス幅4 nsec前後で，発生したプラズマの膨張力で後嚢が切開される．また，急性閉塞隅角緑内障のレーザー虹彩切開術にも使用する．

手技

❶**後嚢切開術**　散瞳下で後嚢切開用のコンタクトレンズを使用する．後嚢のわずか後ろにビーム焦点を合わせ，シングルパルスで出力0.8 mJ程度から照射する．できる限り低出力が安全だが，実際は出力1.2 mJ前後を要する．切開方法は，円形切開，十字切開，中央切開拡大法の3つがある(図25)．円形切開は12時の位置から円を描くように照射し，丸い穴をあける．十字切開は12時から縦，横に切開し，ひし形の穴をあける．中央切開拡大法は中心にまず小さな穴をあけ，その周囲に広げていく．3法に優劣はなく，いずれかに習熟すればよい．ただし，十字切開と中央切開拡大法は視軸の中心を照射するので，眼内レンズ(intraocular lens：IOL)を傷(pit, crack)つけないように注意する．特に，中央切開拡大法は最初に中心に照射するので初心者には勧めない．ただし，緊張の強い後嚢では1発で大きな穴ができ，少ない照射で済むのが利点である．いずれにしても通常は切開した後嚢は遊離させない．術後の一過性眼圧上昇の予防目的で，術前後にアプラクロニジン塩酸塩(アイオピジン®UD点眼液1%)を点眼する．

❷レーザー虹彩切開術　次項参照（⇒「レーザー光凝固―適応と方法」項）．

4 半波長ネオジウム（Nd）：YAGレーザー

適応　開放隅角緑内障の選択的レーザー線維柱帯形成術（selective laser trabeculoplasty：SLT）に使用する．波長 532 nm（緑色），パルス幅 30 nsec で，隅角線維柱帯のメラニン色素に吸収される．

手技　次項参照（⇒「レーザー光凝固―適応と方法」項）．

5 炭酸ガス（CO_2）レーザー

適応　眼瞼下垂，眼瞼皮膚弛緩症など眼瞼手術の皮膚切開に使用する．波長 10.3 μm，パルス発振で用いる．レーザー光は水に吸収され組織に蒸散（photoablation）が生じる．

6 マルチカラーレーザー

適応　最も広く使用されるレーザー装置で，主に網膜光凝固に使用するほか，開放隅角緑内障の SLT，閉塞隅角緑内障の虹彩切開，隅角形成術に使用する．波長 532 nm（緑），577 nm（黄），659 nm（赤）の複数波長が選択できるように半導体励起 OPS 素子やクリプトンレーザーを組み合わせた製品である．

手技　次項参照（⇒「レーザー光凝固―適応と方法」項）．

7 赤色半導体レーザー

適応　滲出型加齢黄斑変性における脈絡膜新生血管の光線力学療法（photodynamic therapy：PDT）に使用する．ベルテポルフィン（ビスダイン®）の最大吸収波長 689 nm に合わせた装置を使う．

手技　散瞳下でコンタクトレンズを装着し，病巣に照射する．使用するコンタクトレンズの種類を選択画面で選び，照射径を設定する．ビスダイン®静注用 15 mg を溶解し，ベルテポルフィン 6 mg/m²（体表面積）相当量をシリンジポンプで 10 分間かけて静脈内投与し，投与終了 5 分後（投与開始 15 分後）に，出力 600 mW/cm²，83 秒間照射する（照射量 50 J/cm²）．眼科 PDT 認定医の制度がある．

8 近赤外半導体レーザー

適応　波長 810 nm は組織透過性に優れ，経強膜毛様体光凝固や経強膜網膜光凝固に使用する．また，脈絡膜新生血管や脈絡膜メラノーマの経瞳孔温熱療法も行える．インドシアニングリーン（ICG）の最大吸収波長に一致するので，ICG 色素増強光凝固に使用できる．さらに，マイクロパルスモードで使用すると，糖尿病黄斑症のびまん性黄斑浮腫に対する閾値下凝固が行える．

手技
❶経強膜毛様体光凝固　次項参照（⇒「レーザー光凝固―適応と方法」項）．
❷マイクロパルス閾値下凝固　次項参照．

レーザー光凝固
―適応と方法

Laser photocoagulation
―application and methods

尾花　明　総合病院聖隷浜松病院・部長

概説　可視光波長レーザーを連続発振

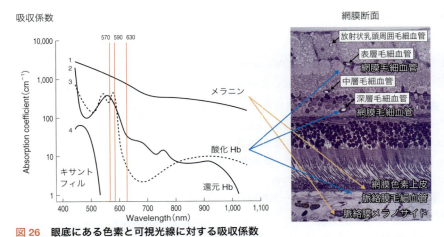

図26 眼底にある色素と可視光線に対する吸収係数

(Mainster MA：wavelength selection in macular photocoagulation. Tissue optics, thermal effects, and laser systems. Ophthalmology 93：952-958, 1986 より改変)

で使用し，組織の熱凝固（coagulation）を行う．眼内では網膜色素上皮細胞やぶどう膜のメラニンと血管内ヘモグロビンが光吸収色素（chromophore）として働く．メラニン吸収は長波長（赤色側）ほど低下し，ヘモグロビン吸収は黄で最も高く赤で低い（図26）．熱変換効率の高さから黄色が多用される．赤色はヘモグロビン吸収率が低く組織透過性に優れるので，網膜下出血など出血下の病変，白内障・硝子体混濁など中間透光体混濁のある症例に適する．

　一般的には，照射径が大きく，照射時間が長いほど安全に凝固を行える出力範囲は大きく安心である．逆に，小さな照射径，短い照射時間では，少しの過剰出力で組織が破壊されて出血を生じるので注意を要する．また，黄斑色素のキサントフィルは青色光を吸収するので，黄斑部にアルゴンブルーレーザーを使用すると網膜内層障害を生じる．

適応と手技

❶ **網膜無血管野の凝固（表10）**　虚血網膜を凝固して酸素需要を低下させ，血管内皮増殖因子の発現を抑えて網膜や虹彩新生血管発生を抑制する．

❷ **網膜血管瘤の凝固（表11）**　黄斑浮腫の原因となる毛細血管瘤や網膜細動脈瘤を直接凝固し，出血や滲出液漏出を防ぐ．

❸ **黄斑浮腫の治療（表12）**　びまん性黄斑浮腫に対して網膜外層を凝固する．浮腫軽快機序は完全には解明されておらず，有効性は確定していない．

❹ **脈絡膜新生血管の凝固（表13）**　脈絡膜新生血管を閉塞させる．

❺ **網膜色素上皮の修復（表14）**　病的な網膜色素上皮細胞を凝固し，その周囲の健常な色素上皮細胞による修復を促す．

❻ **網膜色素上皮と網膜の癒着形成（表15）**　網膜外層に瘢痕を形成することで，感覚網膜と色素上皮層を癒着させる．

❼ **腫瘍の直接凝固（表16）**　腫瘍細胞を壊死

表10 網膜無血管野の凝固

対象疾患	使用レーザー	治療条件（照射径，照射時間，出力例）	方法	合併症
糖尿病網膜症，網膜静脈閉塞症，Eales病，網膜血管炎，放射線網膜症，ぶどう膜炎，未熟児網膜症など	マルチカラーレーザー（主に黄色を使用．中間透光体混濁例では赤色）．パターンスキャンレーザー	アーケード付近は200〜300 μm，周辺部は500 μm，100〜200 msec，150〜250 mW程度（赤色使用時は長時間，低出力で行うこと）．広角倒像レンズ使用時は倍率に合わせて照射径を設定する．パターンスキャンレーザーは別途設定のこと．	フルオレセイン蛍光造影の網膜毛細血管閉塞領域を凝固する．閉塞が広範囲なら4回程度に分けて汎網膜光凝固を行う．未熟児網膜症では血管の生育していない無血管野を凝固する．	過剰な汎網膜光凝固では網膜萎縮が進行し，高度の視野障害や夜盲を生じる．出力過剰で脈絡膜出血が生じる．

表11 網膜血管瘤の凝固

対象疾患	使用レーザー	治療条件（照射径，照射時間，出力例）	方法	合併症
糖尿病黄斑症，網膜静脈閉塞症などの毛細血管瘤	マルチカラーレーザー（黄色）	50〜100 μm，100 msec，70〜120 mW程度	スポットを毛細血管瘤サイズに合わせ，ピントは毛細血管瘤よりわずかに手前に合わせるのがコツ．血管瘤の白色化を目指す．	中心窩を誤照射すれば視力は0.1以下になる．
網膜細動脈瘤，Coats病の血管瘤など		200〜300 μm，200〜300 msec，100〜200 mW程度	破裂させないように低出力長時間照射で行う．再燃時は再治療を行う．	破裂時はすぐにコンタクトレンズを押し付けて眼圧を上げ，出血拡大を防ぐ．過剰凝固では動脈閉塞を生じる．

表12 黄斑浮腫の治療

対象疾患	使用レーザー	治療条件（照射径，照射時間，出力例）	方法	合併症
糖尿病黄斑症，網膜静脈閉塞症など	マルチカラーレーザー（黄色，赤色）．パターンスキャンレーザー	100〜200 μm，100 msec，赤色使用時は200 msec，100〜200 mW程度．パターンスキャンレーザーは別途設定のこと．	格子状に網膜深層の灰色凝固斑を作る．閾値下凝固では凝固斑ができるより低い出力でパルス照射する．	過剰凝固では感覚網膜障害による暗点ができる．

させる．

❽緑内障治療

a. レーザー虹彩切開術（表17）
上鼻側または上耳側の虹彩周辺部に切開窓を作る．縮瞳下にAbrahamレンズなどの虹彩切開用コンタクトレンズを使用する．穿孔すると破壊されたデブリが房水とともに流出してくる．スリット光を瞳孔に入れ，切開窓か

表13 脈絡膜新生血管の凝固

対象疾患	使用レーザー	治療条件 (照射径, 照射時間, 出力例)	方法	合併症
滲出型加齢黄斑変性 中心窩外病巣がよい適応で, 中心窩下病巣は視力低下をきたす.	マルチカラーレーザー(黄色. 網膜下出血や乳頭黄斑線維束下の病巣には赤色)	200〜300 μm, 200 msec, 100〜200 mW 程度	新生血管病巣全体が白色調になる程度に重ね打ちを行う. 病巣辺縁の約100〜200 μm 外側まで凝固する.	過剰凝固で出血を生じる. 凝固部位には暗点ができる. 凝固斑は時間経過で拡大する(atrophic creep)ので中心窩にかからないように注意.
滲出型加齢黄斑変性	半導体(近赤外810 nm)による経瞳孔温熱療法	1,000〜3,000 μm, 60 sec, 140〜400 mW 程度	病巣全体を加温する.	過剰照射で網膜萎縮を生じる.

表14 網膜色素上皮の修復

対象疾患	使用レーザー	治療条件 (照射径, 照射時間, 出力例)	方法	合併症
中心性漿液性網脈絡膜症, 多発性後極部網膜色素上皮症	マルチカラーレーザー(黄色)	200 μm, 100 msec, 90〜150 mW 程度	フルオレセイン蛍光造影で診断された色素漏出点を凝固する. 網膜深層に淡い灰色凝固斑ができる程度の弱い凝固にとどめる.	過剰凝固で Bruch 膜破裂を伴えば脈絡膜新生血管ができる.

表15 網膜色素上皮と網膜の癒着形成

対象疾患	使用レーザー	治療条件 (照射径, 照射時間, 出力例)	方法	合併症
網膜裂孔, 裂孔原性網膜剝離	マルチカラーレーザー(黄色)パターンスキャンレーザー	500 μm, 200 msec, 120〜300 mW 程度 広角倒像レンズ使用時は倍率に合わせて照射径を設定.	網膜裂孔周囲を白色凝固斑で2〜3重に囲む.	過剰治療では長期経過後に黄斑パッカーができることがある.

らレトロイルミネーションが見えることを確認する. 術後の一過性眼圧上昇の予防目的で, 術前後にアプラクロニジン塩酸塩(アイオピジン®UD点眼液1%)を点眼する.

b. 選択的レーザー線維柱帯形成術(表 18)

隅角鏡を使用し, エイミングビームを線維柱帯に合わせる. 線維柱帯の色素細胞が破壊され, 房水流出が促進される. 術前後にアプラクロニジン塩酸塩(アイオピジン®UD点眼液1%)を点眼する.

c. レーザー隅角形成術(表 19)

狭隅角, 閉塞隅角緑内障で虹彩根部を収縮させて, 隅角を広くしたり周辺虹彩前癒着(peripheral

表16 腫瘍の直接凝固

対象疾患	使用レーザー	治療条件 (照射径, 照射時間, 出力例)	方法	合併症
網膜血管腫 (von Hippel病)	マルチカラーレーザー(黄色)	200〜500 µm, 200〜400 msec, 120〜300 mW 程度	腫瘍周囲を凝固後, 網膜血管腫が白色化するまで重ね打ちをする.	小照射径, 短時間, 高出力が出血発生リスクなので, 大きな照射径でじっくり凝固する. 大きな腫瘍では治療後反応性に滲出性網膜剥離を生じる.
脈絡膜血管腫, 網膜芽細胞腫, 転移性脈絡膜腫瘍	マルチカラーレーザー(黄色, 赤色)	200〜500 µm, 200〜300 msec, 200〜400 mW 程度	灰白色化するまで重ね打ちをする.	大きな腫瘍では治療後反応性に滲出性網膜剥離を生じる.
	半導体(近赤外810 nm)による経瞳孔温熱療法	1,000〜3,000 µm, 60 sec, 400〜700 mW 程度	直後に変化がないか, ごく淡い灰色化程度を目指す.	

表17 レーザー虹彩切開術

対象疾患	使用レーザー	治療条件 (照射径, 照射時間, 出力例)	方法	合併症
狭隅角眼, 閉塞隅角緑内障	マルチカラーレーザー(黄色) Nd:YAGレーザー	黄色レーザー ①200〜500 µm, 　200 msec, 200 mW 程度 ②50 µm, 20 msec, 　600〜800 mW YAGレーザー 1〜1.5 mJを数発照射し, 穿孔させる.	虹彩切開 ①で虹彩表面を10発程度下打ちする. ②で虹彩全層を穿孔する. またはYAGレーザーで穿孔する. YAGレーザーのほうが角膜障害が小さい.	一過性眼圧上昇 晩期の角膜内皮障害が大きな問題である.

表18 選択的レーザー線維柱帯形成術

対象疾患	使用レーザー	治療条件 (パルス幅, 出力例)	方法	合併症
開放隅角緑内障, 落屑緑内障, 色素性緑内障, ステロイド緑内障	半波長Nd:YAGレーザー	パルス幅30 nsec, 出力は0.4 mJから徐々に上げる.	気泡ができるぎりぎりの出力が適正である. 実際には気泡ができた値より一段階落とすか, わずかに気泡のできる出力を使用する. 色素の量を見ながら適宜出力を調節する. 1 spot間隔で2/3周に60発前後照射する.	過剰照射によりSchlemm管を障害すると眼圧が上昇する.

表19 レーザー隅角形成術

対象疾患	使用レーザー	治療条件（照射径，照射時間，出力例）	方法	合併症
狭隅角，閉塞隅角緑内障	マルチカラーレーザー（黄色）	200〜300 μm，200 msec，200 mW 程度以上	虹彩根部が収縮する程度の強さで，円周方向に1列の凝固をする．	術後炎症を生じやすい．

表20 経強膜毛様体光凝固術

対象疾患	使用レーザー	治療条件（照射時間，出力例）	方法	合併症
ほかの治療に抵抗する緑内障	近赤外半導体レーザー	照射時間2秒で，出力は600 mW程度から徐々に上げる．	球後麻酔を行う．専用のプローブで，強膜上から毛様体皺襞部に向けて照射する．毛様体が破壊されたときに組織がはじける音（pop sound）が聞こえるので，音がする手前の出力を使用する．3時，9時の長後毛様動脈流入部を避け，それ以外の全周に20発程度（1象限5発）照射する．	眼圧下降効果が予測困難で，過剰に行うと眼球ろうになる．少量の出血がみられるが大きな問題はない．術後に炎症が強く出るので消炎点眼を処方する．

anterior synechiae：PAS）を解除する．

d. 経強膜毛様体光凝固術（表20） 毛様体を破壊し，房水産生を抑制することで眼圧下降を得る．緑内障治療の最終手段といえる．

3 眼瞼疾患

麦粒腫（外麦粒腫，内麦粒腫）
Hordeolum, Sty (external, internal)

江口秀一郎　江口眼科病院・院長

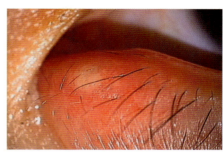

図1　麦粒腫

概念　眼瞼の皮脂腺，汗腺またはマイボーム腺の急性化膿性炎症．

病態　麦粒腫は，睫毛周囲の皮脂腺であるZeis腺や汗腺のMoll腺に急性化膿性炎症が生じる外麦粒腫と，マイボーム腺に急性化膿性炎症が生じる内麦粒腫に大別される．麦粒腫の起炎菌は，結膜囊の常在菌であるcoagulase negative *Staphylococcus*（CNS）や*Cutibacterium*（*Propionibacterium*）*acnes*，*Corynebacterium*属，ブドウ球菌などの報告が多い．

症状　初期には小さな硬結と紅斑腫脹を伴う小丘疹で始まり，発赤，腫脹を呈し，その部位に一致した圧痛や自発痛も伴うが，軽度の場合は瞬目に伴う疼痛を主訴とする場合が多い．進行すると，頂点に膿栓を有する膿瘍を形成する．外麦粒腫では皮膚側に，内麦粒腫では結膜側に膿点が観察される(図1)．乳幼児の麦粒腫では眼瞼膿瘍や眼窩蜂巣炎へと急速に移行することがあるため，頻回の経過観察が必要である．

診断　鑑別診断として，眼瞼腫瘍，結膜腫瘍，霰粒腫，マイボーム腺由来の囊胞（intratarsal keratinous cyst of the meibomian gland），感染性結膜炎などが挙げられる．

治療

■**薬物治療**　細菌感染症であるため抗菌薬投与が治療の主体となる．排膿がある例では，膿の細菌分離培養と薬剤感受性試験を行うことが望ましいが，細菌分離培養を行っても菌の検出率が70％程度であること，起炎菌が結膜常在菌であるため検出菌が起炎菌であるか判断に迷うことが多いことなどより，多くの症例で経験的に抗菌薬と消炎薬の投薬が行われている．

■**手術治療**　膿瘍を形成して自然排膿がみられない場合，特に内麦粒腫では放置すると強い自発痛が伴い，患者の苦痛が大きいため切開排膿する．眼瞼皮下および結膜下の浸潤麻酔後，挟瞼器を装着し，外麦粒腫の場合は，皮膚側からメスを用いて切開する．皮膚切開を行う場合，切開を眼瞼皮膚割線に沿って瞼縁に平行におき，眼瞼の瘢痕拘縮を残さないようにすることと，上眼瞼縁から3 mmほど上方を走行している瞼板動脈を避けて切開し，術野の出血を少量にとどめることが留意点として挙げられ

る．内麦粒腫では，挟瞼器を装着後，眼瞼を翻転して眼瞼縁に直角に膿点を切開し，隣接するマイボーム腺導管を障害しないようにする．十分に排膿したら必要に応じて圧迫止血を行い，その後抗菌薬の眼軟膏点入と眼帯装用を行う．

予後　大半の症例は薬剤治療，外科治療によく反応し，後遺症を残さず治癒するが，強い炎症が継続，または反復した症例では眼瞼縁に発赤，腫瘤を残す場合もある．治療の時期が遅れたり，適切な治療が行われない場合や，マイボーム腺由来の嚢胞に感染を生じると，眼瞼，眼窩膿瘍へと進展する場合もある．感染が反復する場合は易感染性を疑い，糖尿病や白血病などの全身疾患の検索を行う．

霰粒腫
Chalazion

江口秀一郎　江口眼科病院・院長

概念　霰粒腫は，瞼板の脂腺であるマイボーム腺の分泌物の質的変化により分泌物が梗塞，貯留し，その変性した分泌物に対して異物反応が生じて慢性肉芽性炎症を生じた疾患である．

病態　マイボーム腺分泌物は脂肪と角質を含む細胞崩壊産物の混合物である．この分泌物が長い導管の中で梗塞を起こすと，腺管内に貯留，変性した分泌物に対する異物反応が生じ，類上皮細胞，多核巨細胞，リンパ球浸潤を伴う炎症が引き起こされる．時間の経過とともに膠原線維の増殖が生じ，線維化をきたし肉芽腫が形成され霰粒腫となる．

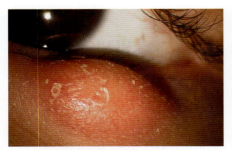

図2　霰粒腫

症状　眼瞼皮下に粟粒大から大豆大の円形で硬い腫瘤を触れる．限局性の発赤，腫脹を認めるが自発痛はなく，腫瘤は瞼板中に存在して可動性はない．腫瘤が大きくなると瞼結膜や眼瞼皮下に発赤を認める**(図2)**．さらに大きくなると，結膜側に破れた場合はポリープ状肉芽腫となり，皮膚側に破れた場合は肉芽が皮膚面に露出する．

合併症・併発症　放置された霰粒腫では眼瞼の著しい腫脹，変形のため眼瞼下垂，睫毛内反を呈する場合がある．

診断　霰粒腫は比較的弾性に富み，皮膚との癒着がない．鑑別診断として重要な脂腺癌では，皮膚面または結膜面の表面が凹凸不整で不規則な増殖パターンを有し，走行血管の口径不同や走行異常を呈する．脂腺癌は，下眼瞼よりも上眼瞼に多く，脂肪を有するため黄白色の色調を呈し，切開した場合，その内容物が粥状を呈さず黄白色の小粒状腫瘤であることが特徴である．短期間の経過観察では霰粒腫と脂腺癌を鑑別することは非常に難しく，薬剤に対する反応を観察するとともに，摘出時には必ず病理組織検索を行う．霰粒腫に感染を併発すると急性霰粒腫と呼称され，内麦粒腫との鑑別は事実上困難である．

治療 治療は保存的治療と外科的治療に大別される．

■ **保存的治療** 初期，軽度の霰粒腫に対しては温罨法およびステロイド局所注射が行われる．温罨法では保温製品など用いて眼瞼を10分ほど温め，その後眼瞼をマッサージする．加えて眼瞼のシャンプーによる洗浄を行うと，瞼縁の異常分泌物を一掃するだけでなく擦過洗浄が眼瞼マッサージにもなっているため，温罨法治療効果を高める．ステロイド局所注射は通常，トリアムシノロンアセトニド0.25〜0.1 mLを眼瞼腫脹部位の結膜下へ注入する．ステロイド注射施行後1〜2週して腫瘤の縮小が認められなければ，再度施行する．

■ **外科的治療** 手術は，経結膜アプローチと経眼瞼皮膚アプローチに大別される．両アプローチとも，2%リドカイン塩酸塩（キシロカイン®）にて結膜下および眼瞼皮下に浸潤麻酔を行う．その後，経結膜アプローチ法では挟瞼器で霰粒腫を挟み込み，眼瞼を翻転させ結膜面を露出させる．霰粒腫の部位を確認し，腫瘤中央に眼瞼縁に垂直に2〜3 mmの小切開を加える．貯留していた脂肪や細胞崩壊産物からなる粥状物が流出してきたら，ガーゼや鋭匙にて粥状物を掻き出す．さらに有鉤鑷子と剪刀を用いて，残存する膠原線維を十分に切除する．経眼瞼皮膚アプローチ法では，挟瞼器装着後，霰粒腫近傍の皮膚を眼瞼縁と平行に1.5〜2 cm程度切開し，皮下組織，眼輪筋を剝離する．さらに，腫瘤の直上で正常瞼板組織より隆起した霰粒腫前壁を露出させ，霰粒腫前壁上端で眼瞼縁と平行に切開して，内部に貯留している粥状物を排出する．さらに膠原線維郭清を有鉤鑷子と剪刀を用いて行うのは経結膜アプローチ法と同様である．両アプローチ法とも，霰粒腫摘出が終了したら，挟瞼器を外し，触診にて腫瘤が残存していないことを確認するとともに十分な圧迫止血を行う．経眼瞼皮膚アプローチ法では，眼瞼皮膚を縫合して手術を終了する．

予後 保存的治療の成功率は80%前後の報告が多いが，腫瘤に線維化をきたした症例では眼瞼の硬結を完全に取り除くことはできない．外科的治療の予後は通常良好であるが，膠原線維の郭清が不十分である場合，術後に眼瞼の硬結を残し患者クレームとなりやすい．

マイボーム腺梗塞
Infarct of meibomian gland

島﨑 潤 東京歯科大学市川総合病院・教授

病態 瞼板腺（マイボーム腺）の導管もしくは開口部が閉塞して，分泌物が貯留した状態．導管の閉塞は，瞼結膜下にマイボーム腺の走行に沿って黄色〜黄白色の沈着物が認められ，開口部の閉塞は，小円形の隆起として認められる(図3)．

病因 マイボーム腺開口部，導管上皮の角化や内容物の質的変化が関係していると考えられている．老化や性ホルモンとの関連も推測されている．

症状 通常は無症状であるが，感染を生じると麦粒腫となる．また，閉塞がびまん性になると涙液油層に変化をきたすことがある．

治療 孤発性で無症状の場合は放置して差し支えない．びまん性に生じたり，霰粒腫，麦粒腫を繰り返したりする場合に

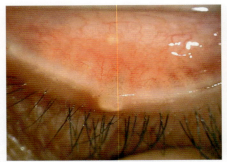

図3 マイボーム腺梗塞

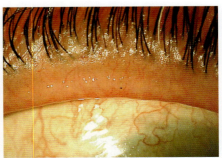

図4 閉塞性マイボーム腺炎
瞼縁の血管拡張と開口部の閉塞がみられる.

は，温罨法やマイボーム腺の走行に沿ってマッサージを1日1度程度行うとよい．導管内の沈着物が炎症を起こすなど異物感の原因となっている場合には，切開して内容を除去する．

マイボーム腺炎
Meibomitis

島﨑 潤　東京歯科大学市川総合病院・教授

病態　瞼板腺（マイボーム腺）の導管，開口部に生じる炎症．

病因　主としてマイボーム腺の閉塞をきたす「閉塞性マイボーム腺炎」，脂漏性の変化から分泌過多をきたす「脂漏性マイボーム腺炎」の2つがある．特に前者は「マイボーム腺機能不全」と称されることもあるが，炎症を伴うものを「マイボーム腺炎」として区別する場合もある．後者は，全身的な脂漏性皮膚炎を合併していることが多い．その他，眼瞼縁の炎症（眼瞼炎）の波及によるもの，結膜嚢常在菌に対する炎症の一症状としてマイボーム腺に炎症をきたすものなども本疾患に含まれる．

症状　炎症が高度の場合は，鈍痛，灼熱感などの不快感を自覚する．閉塞性マイボーム腺炎の場合は，炎症の程度が軽く，涙液油層の減少・質的変化に続発する角結膜上皮障害による慢性眼不快感が主体となることが多い．他覚的には，閉塞性マイボーム腺炎では，腺開口部の閉塞，瞼縁の血管拡張(図4)，配列の乱れ，皮膚-粘膜移行部の移動を認め，瞼板を圧迫することで開口部から黄色の液状物または固化した内容物が圧出されることが多い．脂漏性マイボーム腺炎では，周囲の血管拡張や瞼縁の泡（マイボーム泡）を認め(図5)，瞼板圧迫によって多量の内容物が圧出される．眼瞼を含む広い範囲の炎症では，瞼板の肥厚，瞼結膜の乳頭形成などを伴う．

治療　閉塞性マイボーム腺炎の場合は，局所の温罨法，マッサージ，瞼縁洗浄(lid hygiene)によって閉塞の解除をはかることが治療の主体となる．脂漏性マイボーム腺炎や常在菌に対する炎症によるものでは，テトラサイクリン塩酸塩(1,000 mg/日から250 mg/日に漸減)，ミノサイクリン塩酸塩(200 mg/日から100 mg/日へ)，あるいはクラリスロマイシンなどのマクロライド系抗菌薬の内服の併用が奏効する場合

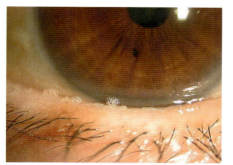

図5 脂漏性マイボーム腺にみられる涙液中泡（foamig）

もある．これらは直接の抗菌作用よりも，細菌の出す酵素の活性を抑制したり，細菌のバイオフィルム形成を抑えたりすることで効果を表すと考えられている．

眼瞼膿瘍

Palpebral abscess

島崎 潤　東京歯科大学市川総合病院・教授

病態　眼瞼の軟部組織に感染を生じ，炎症が広がり，眼瞼の浮腫・腫脹をきたした状態．眼窩蜂巣炎とほぼ同義語であるが，眼瞼膿瘍は病巣が限局している場合により多く用いられる．

病因　細菌感染，特に黄色ブドウ球菌によることが多い．外傷や上顎洞炎，呼吸器系感染に続発して生じる．若年者，特に小児に好発する．

症状　眼瞼の腫脹，熱感，自発痛．

診断　膿瘍の原因と広がりを把握することが重要である．

■**必要な検査**　眼窩CTによって骨組織への波及を，MRIによって眼窩への病巣の広がりを調べる．原因検索のために，耳鼻咽喉科，歯科的疾患の検索も行う．分泌物，内容物が採取可能な場合は，病原菌の検索と抗菌薬感受性を調べる．

治療　感受性をもつ抗菌薬の全身投与を行う．病変が限局して膿点を認める場合には，切開・排膿する．

眼瞼炎

Blepharitis

島崎 潤　東京歯科大学市川総合病院・教授

病態　眼瞼縁を中心とした炎症性疾患．「眼瞼縁炎」ともいう．眼瞼皮膚の炎症が主体の場合は，「眼瞼皮膚炎」として区別されることもある．

　病因は細菌による感染性のものと，非感染性で特に皮膚科的疾患に合併するものとに大別される．前者の原因としては，ブドウ球菌が代表的である．*Moraxella*属は，眼角眼瞼炎の原因として重要である．合併する皮膚疾患としては，脂漏性皮膚炎，酒皶性皮膚炎が挙げられる．

症状　ブドウ球菌性眼瞼炎では，急激に発症する眼瞼の灼熱感，異物感，眼瞼縁の発赤を自覚し，寛解増悪を繰り返す．他覚的には，睫毛根部の浅い潰瘍，瞼縁の血管拡張，睫毛を取り囲むような鱗屑（collarettes）形成を認める**(図6)**．collarettesは，瞼縁の潰瘍部に形成されたフィブリンが睫毛の成長とともに持ち上げられた結果生じる．ブドウ球菌の出す外毒素によって，隣接する角結膜上皮に点状上皮障害を生じることがある．また，*Moraxella*による眼角眼瞼炎では，外眼角の充血と同部の灼熱感を生じる．

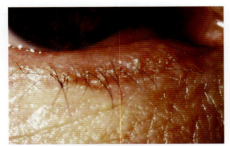

図6　ブドウ球菌性眼瞼炎

図7　脂漏性睫毛

　脂漏性眼瞼炎は，比較的穏やかな慢性の灼熱感と異物感を自覚し，瞼縁の充血を伴う．他覚的には睫毛が数本ずつ束になる「脂漏性睫毛」が特徴的である**(図7)**．酒皶性皮膚炎は，血管拡張を主体とした疾患で，わが国では比較的まれであるが，欧米では眼瞼炎の主要原因の1つであり，重症例では角膜内血管侵入や角膜潰瘍を生じる．

　診断

　■**必要な検査**　眼瞼縁の細菌培養を行う．角結膜上皮障害の合併の有無を調べる．

　治療　眼瞼縁の洗浄を定期的に行う．希釈した界面活性剤を用いることが推奨されているが，温水でも十分であり，綿棒などを用いて正しく睫毛根部を洗浄することが重要である．ブドウ球菌性の場合は，抗菌薬点眼および内服治療を併用する．非感染性で炎症症状が強い場合には，0.1％フルオロメトロン点眼を短期間併用する．

アレルギー性眼瞼炎
Allergic blepharitis

福田 憲　高知大学・准教授

　概念　アレルギー反応に起因する眼瞼の炎症である．

　病態　I型あるいはIV型アレルギーが関与する眼瞼炎には，眼瞼のアトピー性皮膚炎であるアトピー性眼瞼炎や，スギ花粉などによる花粉眼瞼炎，点眼薬・軟膏・化粧品・石鹸などによるアレルギー性接触性皮膚炎がある．

　症状　いずれの疾患にも共通する主症状は，瘙痒感を伴う眼瞼の発赤・腫脹である．花粉眼瞼炎はスギ花粉の飛散時期に生じる花粉皮膚炎の眼の一症状である．眼瞼や頬部などの露出部分や頸部などの間擦部に，赤みが強く境界鮮明な蕁麻疹様の浮腫性紅斑が生じ，痒みを自覚する．アトピー性眼瞼炎は，眼瞼のびらん，痂皮，浸潤性紅斑，亀裂，鱗屑，苔癬化など種々の程度がある**(図8)**．眼瞼の湿疹と掻破により眉毛外側の1/3が疎毛になるHertoghe徴候や，下眼瞼鼻側の深い皺(Dennie-Morgan line)が特徴的である．接触性皮膚炎は原因物質が接触した部位に一致して発赤が生じる．

　合併症・併発症

❶**スギ花粉性結膜炎**　花粉眼瞼炎はスギ花粉症の患者に生じるため，ほとんどの症例は花粉症・スギ花粉性結膜炎も合併して

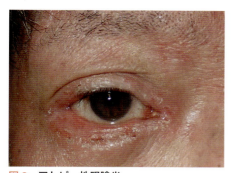

図8　アトピー性眼瞼炎
眼瞼のびらん，痂皮，紅斑，亀裂に加え，眉毛・睫毛の疎毛化がみられる．

いる．

❷**伝染性膿痂疹・Kaposi 水痘様発疹**　アトピー性皮膚炎患者では，眼周囲皮疹部にブドウ球菌感染による伝染性膿痂疹やヘルペスウイルス感染による Kaposi 水痘様発疹を合併することがある．

診断　花粉眼瞼炎は花粉抗原の血清抗原特異的 IgE を測定するが，季節性や花粉症の合併，臨床症状により臨床診断が可能なことが多い．アトピー性眼瞼炎を疑う症例で，アトピー性皮膚炎が未治療の場合には皮膚科にて全身的な皮膚炎の診断・治療を行うのが望ましい．接触性皮膚炎が疑われる場合は，点眼薬などの被疑薬剤のパッチテストを行う．

治療　花粉眼瞼炎は，洗顔による花粉の除去を基本とし，軽症の場合はワセリンやヘパリン類似物質などの保湿剤，中等症以上ではステロイド軟膏を用いる．アトピー性眼瞼炎やその花粉飛散時期の増悪症例においては，アトピー性皮膚炎の治療に準じるが，保湿剤に加えステロイド軟膏やタクロリムス軟膏を用いる．アトピー性眼瞼炎で感染を合併している場合には，まず感染症から治療を始める．

接触性皮膚炎は原因薬剤を中止するのが治療の原則である．パッチテストが陰性あるいは未施行で原因が特定できていない場合は，点眼薬をいったんすべて中止するか，疑わしい点眼薬を1剤ずつ中止して改善するかをみてもよい．炎症が強い場合にはステロイド軟膏を用いると早く改善する．

ヘルペス性眼瞼炎
Herpetic blepharitis

福田 憲　高知大学・准教授

概念　単純ヘルペスウイルス(herpes simplex virus：HSV)および水痘帯状疱疹ウイルス(varicella-zoster virus：VZV)感染による眼瞼炎である．

症状　HSV による眼瞼炎は，HSV-1型によることが多く，小児の初感染型と成人の再発型がある．初感染型では，口唇ヘルペスや発熱などを併発することが多いが，再発型では全身症状は伴わないことが多い．リンパ節腫脹(耳前，顎下など)を伴うことが多い．典型的には，眼瞼に数個の小水疱，小膿疱が集簇した臨床像を示す．皮疹は中央部が陥凹した中心臍窩を伴っているのが特徴である(図9)．またアトピー性皮膚炎などの皮膚基礎疾患を有する患者には，HSV による播種状で広範囲な皮膚感染症である Kaposi 水痘様発疹症を発症し，眼周囲・眼瞼を含んだ広範囲に皮疹が生じることがある．

VZV は帯状疱疹として三叉神経第1枝の支配領域に沿って皮疹(丘疹や小水疱)が集簇性に出現し，HSV よりも疼痛や眼

図9　ヘルペス性眼瞼炎
HSV-1型による眼瞼炎で，中央部が陥凹した臍窩を伴った皮疹が下眼瞼にみられる．

腫脹が強い．水疱は破れてびらん・潰瘍になったあとに痂皮化して治癒する．

合併症・併発症

❶ **結膜炎**　リンパ節腫脹を伴う急性濾胞性結膜炎を呈するので，結膜の所見のみではアデノウイルス結膜炎との鑑別は困難なことが多い．眼瞼の皮疹を見逃さないことや，フルオレセイン染色で結膜潰瘍や輪部の上皮びらんを見つけることが診断につながる．

❷ **角膜ヘルペス**　上皮（樹枝状，地図状，偽樹枝状）病変を伴うことがある．

❸ **Hutchinson の法則**　三叉神経第1枝の帯状疱疹で，鼻尖部や鼻背部にも皮疹がある場合には高率に結膜炎，角膜炎や虹彩炎などの眼合併症をきたすことが知られている．

診断　HSV と VZV の鑑別が困難な場合があるが，VZV は三叉神経に沿って皮疹が発現するのに対し，HSV は神経支配とは関連せず上下の眼瞼に分布することなどが判断の補助になる．確定にはウイルス抗原の検出を行うが，モノクローナル抗体を用いた蛍光抗体直接法が用いられ，病巣擦過物をスライドガラスに塗布し蛍光抗体法で HSV-1型と2型，VZV を鑑別することができる．また角膜病変には HSV，皮疹には VZV のそれぞれイムノクロマト法による抗原迅速検出キットも用いることができる．併発する急性濾胞性結膜炎はアデノウイルス結膜炎との鑑別が難しいことが多く，結膜炎患者においても眼瞼などの皮疹の所見が鑑別に重要である．

治療　ヘルペス性眼瞼炎の治療の基本は抗ウイルス薬の全身投与である．特に VZV による眼瞼炎（三叉神経第1枝の帯状疱疹）では，抗ウイルス薬（アシクロビルあるいはバラシクロビルなど）の全身投与を発症早期から行うことで，早期改善，重症化や後遺症を防ぐことが期待できる．抗ウイルス薬は腎排泄性の薬剤であるため，腎機能をチェックしてクレアチニンクリアランスに応じて投与量の調整が必要である．

全身投与に加え，アシクロビル軟膏（ゾビラックス®軟膏）を，また結膜炎や角膜ヘルペスなどの合併がみられる場合にはアシクロビル眼軟膏も用いる．1日5回塗布から症状に応じて漸減していく．結膜炎を合併している場合には混合感染の予防のために抗菌点眼薬も併用する．

予後　多くの場合は瘢痕を残さずに治癒する．

眼瞼けいれん
Blepharospasms

山上明子　井上眼科病院

概念　眼瞼けいれんとは，眼瞼がピクピクとけいれんする病気ではなく，眼瞼周囲の筋，主として眼輪筋の間欠性あるいは持続性の過度な収縮により不随意な閉瞼を

生じる局所ジストニアと定義される．本来1分間に20回程度無意識に快適に行われている瞬目が，ジストニアによる瞬目回数の増加や開瞼維持が困難になる状態である．

症状　眼瞼けいれん症例の訴えとしては光がまぶしい，目をつぶっていたい，目が乾く・ゴロゴロするなどドライアイと同じであり，また多くの症例はドライアイを合併している．ドライアイの治療を行っても自覚症状が軽快しない場合や角膜所見と訴えがあわない症例では眼瞼けいれんを疑って精査する．また，手指を使わないと開瞼できない，眉間にしわが寄る，眼周囲が動くなど眼瞼けいれんに特有の症状を訴える場合もある．

診断

■ **診断法**　主訴から眼瞼けいれんを疑ったら，瞬目テストを行って瞬目異常の有無を精査する(表1)．重症例では診察室でジストニア様の瞬目過多や強い瞬目の様子が確認できるが，軽症〜中等症では訴えの割にジストニア症状がはっきりせず，瞬目テストをしなければ異常を検出できない症例も多く，症状にも変動があるので診断が難しい場合がある．

■ **鑑別診断**　筋無力症症例では開瞼困難を訴えて受診することに加え，瞬目テストでも眼瞼けいれん様に異常所見が現れる．羞明の合併や知覚過敏などがない場合は筋無力症を疑ってテンシロンテストを施行し，鑑別する．

治療

❶**誘因除去**　睡眠導入薬・抗不安薬の内服や新築・改装などによる化学物質過敏症などが誘発因子になることもあるので投薬歴や環境について問診し，薬の減量や環境の

表1　瞬目テスト

- 軽瞬(眉毛部分を動かさないで歯切れのよいまばたきをゆっくりしてみる)
  - 0点：できた
  - 1点：眉毛部分が動く，強いまばたきしかできない
  - 2点：ゆっくりしたまばたきができず，細かく早くなってしまう
  - 3点：まばたきそのものができず，目をつぶってしまう
- 速瞬(できるだけ早くて軽いまばたきを10秒間してみる)
  - 0点：できた
  - 1点：途中でつかえたりして30回はできないが，だいたいできた
  - 2点：リズムが乱れたり，強いまばたきが混入した
  - 3点：早く軽いまばたきそのものができない
- 強瞬(強く目を閉じ，素早く目を開ける動作を10回してみる)
  - 0点：できた
  - 1点：すばやく開けられないことが1，2回あった
  - 2点：開ける動作がゆっくりしかできなかった，またはできたが後でしばらく閉瞼してしまった
  - 3点：開けること自体が著しく困難であるか，10回連続できなかった

0点：正常　1，2点：軽症眼瞼けいれん　3〜5点：中等度眼瞼けいれん　6〜8点：重症眼瞼けいれん

改善などを勧める．

❷**ボツリヌス毒素療法**　眼瞼けいれんの治療として保険適用のある治療である．眼周囲の眼輪筋の筋力を低下させることで，開瞼維持を補助する対症療法であり，根本治療ではない．治療効果の程度はさまざまで効果不良例・無効例も存在する．また，効果持続期間は3〜6か月であり，この治療が対症療法であることや期待される効果やデメリットなど丁寧に説明してから行うことが治療成功のポイントである．

❸**クラッチ眼鏡や遮光眼鏡**　クラッチ眼鏡は

ジストニアのトリック効果を利用した治療法で，眼鏡にクラッチ（上眼瞼に一部接触する器具，眼鏡に装着）を取り付けることで開瞼維持を補助すると，症状が改善することがある．また羞明を伴う症例では遮光眼鏡も症状の軽減に有効である．ボツリヌス治療より痛みもなく，副作用もないので，治療の受け入れは良好な方法である．

❹**内服加療** 対症療法であり，根治的な内服はない．漢方薬の抑肝散（もしくは抑肝散加陳皮半夏）内服を処方し，症状の改善があるかみる．効果として即効性はないので副作用がなければ内服継続して症状が軽減するか確認する．ボツリヌス治療などの対症療法無効例や効果不良例ではトリヘキシフェニジル塩酸塩（アーテン®）内服を処方する．ベンゾジアゼピン系の抗うつ薬や抗不安薬もジストニアの治療薬とされているが，ベンゾジアゼピン系薬剤は眼瞼けいれんの誘発（あるいは症状増悪）因子にもなりうるので使用は控える．

予後 根治治療がないので症状が持続する場合が多いが，誘因が除去されると症状が軽快する症例も存在する．眼球内は異常がないので視力が低下する疾患ではないが，開瞼維持時間が極端に低下すると，視覚情報を処理するうえでは非常に不自由であり，診察室での見た目以上に不自由を感じている状態である．また重症例ではほとんど開瞼できない症例も存在する．

眼瞼下垂

Blepharoptosis

田邉美香 九州大学病院

概念 上眼瞼縁から角膜中心までの距離（margin reflex distance-1：MRD-1）が3.5 mm以下の状態を指す．MRD-1が3.5〜2 mmを軽度，2〜0 mmを中等度，0 mm未満を重度の眼瞼下垂とする．

症状 眼瞼下垂が生じると，上方の視野狭窄をきたす．また，眼瞼下垂の代償として，眉毛挙上，前額部の皺が生じる．交感神経の緊張により，首や肩の張りの一因となることがある．

病態・診断 眼瞼下垂は先天性と後天性に大別され，前者は挙筋機能に乏しいことが多い．原因別には以下の5つに分類される．

❶**腱膜性** 退行性，コンタクトレンズ性，内眼手術後など，上眼瞼挙筋腱膜（aponeurosis）の菲薄化や伸展による眼瞼下垂．重瞼線の上昇や不整，上眼瞼陥凹を生じる．

❷**神経原性** 動眼神経麻痺，Horner症候群（交感神経遠心路の障害），Fisher症候群（免疫介在性）など神経障害による眼瞼下垂．動眼神経麻痺では眼球運動障害による複視や瞳孔異常の合併に注意し，脳動脈瘤など頭蓋内病変の精査が重要である．Horner症候群では，患側の瞼裂狭小化や縮瞳を合併するのが特徴である．Fisher症候群では，急性の外眼筋麻痺・運動失調・腱反射消失を特徴とする．

❸**筋原性** 重症筋無力症，外眼筋ミオパチー，筋緊張性ジストロフィなど筋障害に

図10 左先天性眼瞼下垂
a:術前,b:術後.左先天性眼瞼下垂に対してゴアテックス®シートを用いたつり上げ術を施行し,眼瞼挙上が得られている.

図11 両腱膜性眼瞼下垂
a:術前,b:術後.両腱膜性眼瞼下垂に対して挙筋前転術を施行し,開瞼良好となっている.

よる眼瞼下垂.重症筋無力症では下垂の日内変動が存在することが多い.近年,高齢者の重症筋無力症が増加しており,念頭におく必要がある.

❹続発性 眼瞼腫瘍,眼窩腫瘍,眼窩内炎症性疾患の症状として眼瞼下垂を生じることがあるため,眼球運動障害,眼球突出を評価することを忘れてはならない.また眼痛や症状進行の程度を聴取することが大切である.

❺心因性 心因性視力障害の一症状として眼瞼下垂が現れることがある.診察所見や病歴に矛盾がある場合や除外診断の結果で疑う.重症筋無力症の既往がある小児では,テンシロンテストのときに生理食塩液を注射しても改善する場合があり,心因性を疑う.

■ **鑑別診断** 鑑別を要する疾患として,眼瞼皮膚弛緩症(⇒333頁参照),顔面神経麻痺(⇒333頁,「閉瞼不全」項を参照)があり,各々の項を参照されたい.

治療

■ **手術適応** 内科的治療のある重症筋無力症などの筋原性疾患以外は,手術治療となる.手術適応について以下に示す.

❶先天性眼瞼下垂(図10) 上眼瞼が瞳孔領にかかる場合や,上眼瞼による眼球圧迫で乱視が強い場合は,両眼視機能や視力発達に影響を及ぼすため手術適応となる.先天性眼瞼下垂のなかには顎を挙上して見る児がいるが,それにより生活に支障が出ている場合は手術適応となる.

❷後天性眼瞼下垂(図11) MRD-1が3.5 mm以下の眼瞼下垂,眉毛挙上,前額の皺などの所見と,自覚症状(瞼の重い感じ,上方視野狭窄,眼痛,頭痛,肩こりなど)が一致し,眼瞼下垂手術によって両者が改善すると考えられる場合に適応になる.他覚的所見と自覚症状が一致しない場合には,慎重に適応を検討するべきである.

■ **術前に評価すること**

❶挙筋力 患者の眉毛を固定した状態で,患者が下方視した状態の上眼瞼縁の位置を0 mmとして,そこから上方視した状態の

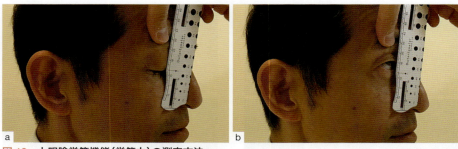

図12 上眼瞼挙筋機能(挙筋力)の測定方法
a:下方視時,b:上方視時.患者の眉毛を固定した状態で,患者が下方視した状態の上眼瞼縁の位置を0 mmとして,そこから上方視した状態の上眼瞼縁の位置を計測する.

上眼瞼縁の位置を計測する**(図12)**.10 mm以上を excellent,8 mm以上を good と判定する.
❷**眼球運動障害** 動眼神経麻痺,double elevator palsy など眼球運動障害がある場合,術前に用手的に患側の眼瞼を挙上し,両眼視での複視の有無を確認する.複視がある場合は,斜視手術を先に行うか,片側の眼瞼下垂手術にとどめたほうがよい場合がある.
❸**外傷後か否か** 外傷後の眼瞼下垂は一過性の眼瞼挙筋麻痺による下垂のこともある.一般的に神経が回復する目安である受傷後半年以降で手術を検討する.

■**術前説明のポイント** 患側の上眼瞼を用手的に挙上すると,対側の眼瞼が下垂してくる現象を Hering の法則という.上眼瞼の神経支配が両側性のため生じる現象である.片眼の眼瞼下垂手術を施行した際に,術前には下垂のないように見えた対側の上眼瞼が,術後に下垂してくる原因となる.術前にその可能性を説明する必要がある.

また,眼瞼下垂の術後には瞼裂(縦)幅の増大により,涙液蒸発の亢進や涙液排出のポンプ機能が改善し,ドライアイが起こりやすいため,術前のドライアイ評価や説明が重要である.

経皮的に眼瞼下垂手術を行う場合,術後のダウンタイムについて説明しておく必要がある.通常,眼瞼腫脹が落ち着くまでに3週間,完全に落ち着くまでには6か月程度要する.また,完全に左右対称にすることは困難であることや,手術により顔の印象が変化することも術前に説明しておく必要がある.

■**術式** 眼瞼下垂の術式は,挙筋力が良好か,不良かによって大きく2つに分けられる.

❶**挙筋力が良好な症例に対する眼瞼下垂手術の術式** 挙筋腱膜のみ扱う挙筋前転術,挙筋腱膜と Müller 筋を同時に短縮する挙筋短縮術,Müller 筋のみ短縮する Müller 筋タッキングなどがある.術式の選択は,術者によって異なるが,病因に即した術式を選択する.

❷**挙筋力が 5 mm 以下と不良な症例に対する術式** 前頭筋つり上げ術を行う.前頭筋つり上げ術とは,眼瞼部と眉毛上の間にトンネルを作成し,瞼板と前頭筋に自家筋膜,ゴアテックス®シート,糸などを縫合することで,前頭筋の力を眼瞼に伝えて開閉瞼する術式である.例えば,先天性眼瞼下垂は上眼瞼挙筋の先天的な変性によるもので,

挙筋機能が不良な場合が多く，前頭筋つり上げ術の適応になることが多い．

眼瞼皮膚弛緩症
Dermatochalasis

田邉美香　九州大学病院

図13　両側眼瞼皮膚弛緩症
a：術前，b：術後．両側の上眼瞼余剰皮膚切除と重瞼線作成を行った症例．MRD-1も術後に改善していることがわかる．

概念　上眼瞼皮膚弛緩症は，margin reflex distance-1(MRD-1)が3.5 mm以上あるが，上眼瞼の皮膚が弛緩し瞼縁を越えて下垂し，視野障害を生じる状態を指し，真の眼瞼下垂とは区別される．しかし両者はいずれも退行性変化であるため合併することが多い．

病態・症状　基本的には退行性変化である．若年でも眼瞼皮膚炎，眼窩内炎症後に生じることがある．余剰皮膚による上方や側方の視野障害，外眼角部の上下皮膚接触，流涙により眼瞼縁炎を引き起こす．

診断　眼瞼皮膚弛緩症では代償的に眉毛挙上がみられることが多い．診察時は眉毛位置を観察し，眉毛挙上が起こらないように指で眉毛を固定して患者に正面視をしてもらうことで真のMRD-1を測定することができる．上眼瞼の皮膚が弛緩し瞼縁を越えて下垂していれば診断される．

■**鑑別診断**　顔面神経麻痺による前頭筋不全のため眉毛下垂を生じた場合，眼瞼余剰皮膚弛緩の状態を呈するが，顔面神経麻痺では眉毛下垂を生じていることから鑑別可能である．

治療　治療は手術となる．術式は瞼縁部皮膚切除と眉毛下皮膚切除があり，それぞれにメリット，デメリットがあるため症例に応じて使い分ける．

瞼縁部から行うメリットは，同一術野で上眼瞼挙筋腱膜へのアプローチが可能であること，重瞼線を新たに作成できることである(図13)．瞼縁部から行うデメリットは，皮膚切除に伴い瞼縁の薄い皮膚を切除し，眉毛側の厚い皮膚と縫合するため，術後に瞼が厚く腫れぼったい印象になるということである．

眉毛下から行うメリットは，瞼縁部の薄い皮膚を温存できるということ，重瞼線を触らないため，整容的な印象変化が少ないことが挙げられる．デメリットは挙筋腱膜へのアプローチができないため，眼瞼下垂を合併している症例では二期的手術になるということである．

閉瞼不全
Lid closure insufficiency

田邉美香　九州大学病院

概念　瞬目時や閉瞼時に瞼裂の閉鎖が

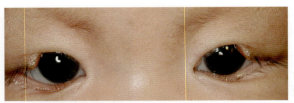

図 14　両先天性眼瞼欠損
生後 4 か月．生直後より閉瞼不全を生じていた．

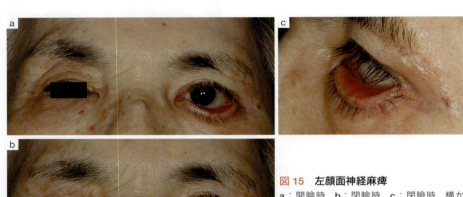

図 15　左顔面神経麻痺
a：開瞼時，b：閉瞼時，c：閉瞼時，横から診た状態．
82 歳．左耳下腺腫瘍摘出後の左顔面神経麻痺．下眼瞼外反と眼輪筋不全による兎眼がみられる．

不十分なために，眼表面の露出が残る状態．ドライアイや角膜感染を引き起こし，角膜穿孔につながることもある．

病態
❶**眼瞼の形態変化によるもの**　先天性眼瞼欠損(図 14)，外傷，熱傷，手術による眼瞼の瘢痕拘縮や欠損などによって物理的に閉瞼不能の状態となる．

❷**顔面神経麻痺によるもの**　先天性，Bell 麻痺などの特発性，Ramsay Hunt 症候群，腫瘍，外傷，多発性硬化症，重症筋無力症，サルコイドーシスなどが原因となる．眼輪筋麻痺により上眼瞼の瞼縁は高位となる一方で，前頭筋麻痺により眼瞼皮膚の弛緩が生じる．眼輪筋麻痺のため，下眼瞼下垂や外反が起こり，閉瞼不全となる(図 15)．

❸**眼球突出によるもの**　甲状腺眼症，眼窩腫瘍，眼窩炎症性疾患(IgG4 関連眼疾患や特発性眼窩炎症など)などにより，眼球突出を生じた際，眼瞼に異常がなくとも閉瞼不全を呈することがある(図 16)．

症状
閉瞼不全により，結膜充血，角膜障害による眼痛，流涙などの症状を呈する．

治療
❶**眼瞼の形態変化によるもの**　瘢痕拘縮や眼瞼欠損の程度により術式が異なる．また眼

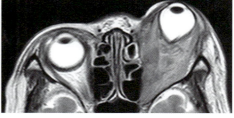

図16　左眼窩悪性リンパ腫
58歳．左眼窩悪性リンパ腫．NK/T細胞リンパ腫による高度な左眼球突出により閉瞼不全を呈している．

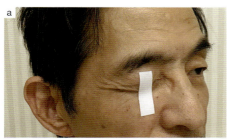
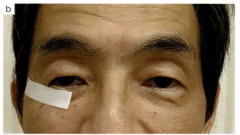

図17　兎眼のテープ固定方法
a：上下眼瞼に垂直にテープを貼る方法．上眼瞼の皮膚のみが牽引されないように瞼板から下方に牽引し，貼付するのがポイントである．
b：主に下眼瞼下垂による兎眼に対して，lateral tarsal strip を行う要領で下眼瞼を外眥側に牽引して貼付する方法である．

瞼は前葉(皮膚，眼輪筋)と後葉(上眼瞼挙筋，瞼板，結膜)に分けられ，どちらに問題があるかによっても術式が異なる．眼瞼の1/3の欠損では単純縫縮が可能であることが多い．

❷**顔面神経麻痺によるもの**　麻痺回復の可能性があり経過観察中の場合や手術施行不可能な場合の対症療法として，まずテープ固定(図17)と薬物療法を施行し，固定した麻痺に対しては手術を検討する．薬物療法では，人工涙液の頻回点眼や眼軟膏を適宜点入する．手術では，上眼瞼に対して上眼瞼挙筋延長術や，下眼瞼に対して lateral tarsal strip 法，水平眼瞼短縮術(Kuhnt-Szymanowski 法)，耳介軟骨移植などが用いられる．

❸**眼球突出によるもの**　眼窩腫瘍や眼窩炎症(甲状腺眼症など)の内科的あるいは外科的治療を行うことが根本的な治療になる．対症療法としては人工涙液や眼軟膏を使用し，眼表面の環境を整える．

瞼球癒着
Symblepharon

家室　怜　大阪大学
相馬剛至　大阪大学・講師

概念・病態・症状　瞼球癒着は眼球結

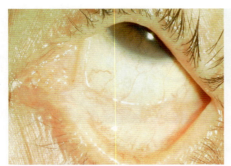

図 18　瞼球癒着
薬剤毒性による偽眼類天疱瘡．鼻側の下方結膜に瞼球癒着を認め，結膜囊の短縮を伴っている．

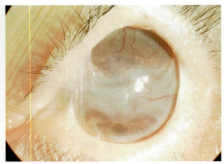

図 19　眼球運動障害を伴う瞼球癒着
眼類天疱瘡の重症例．全周性に瞼球癒着が生じ，全方向性に眼球運動が障害されている．

膜と眼瞼結膜が癒着する病態をいう．球結膜と瞼結膜に遷延する上皮欠損が存在し，そこに炎症反応が加味されて生じることが多い．外傷・眼科手術後のほか，熱・化学腐触，Stevens-Johnson 症候群，眼類天疱瘡，偽眼類天疱瘡および骨髄移植後の移植片対宿主病(graft-versus-host disease：GVHD)による偽膜性結膜炎などが原因となる(図 18)．

　原因疾患の多くは既往歴が参考になるが，眼類天疱瘡は特徴的な病歴に乏しく，慢性の結膜炎として漫然と点眼加療をされている場合や，あるいは無症状で経過していることも少なくない．さらに眼類天疱瘡の患者は眼科手術を契機として病状が進行することがあるため，前眼部に関連する訴えのない患者においても意識的に結膜円蓋部を観察し，瞼球癒着を見逃さないことが重要である(図 19)．

■ **診断**　通常のスリット検査で，患者を正面視で観察するだけでは瞼球癒着の所見を見逃すことも多い．患者に上方視や下方視をしてもらい，低倍率で結膜円蓋部を観察することが診断のコツである．瞼球癒着を認めた場合には，上述の疾患を念頭に原因を鑑別しなければならない．外傷・眼科手術後，熱・化学腐触，Stevens-Johnson 症候群，GVHD は既往歴が参考になる．中高年の女性で，外傷や手術既往がなく，両眼性の慢性結膜炎症状と瞼球癒着がみられるときには，まず眼類天疱瘡を考える．薬剤による偽眼類天疱瘡の場合，抗緑内障点眼薬やアシクロビル眼軟膏など，上皮細胞への毒性を有する薬剤が原因となることが多いので，それらの薬剤を長期使用していないか確認する．原因薬剤が片眼のみ投与されていれば片眼で発症する．

■ **治療**

■ **予防法**　持続性の結膜上皮欠損が球結膜と瞼結膜に生じた場合，抗菌薬の眼軟膏を1日4回点入して，常時，瞼結膜と球結膜の間に軟膏が存在している状態にしておく．

　それとともに炎症を抑えるように，ステロイドの点眼や内服を行う．化学腐食や偽翼状片の手術後などで，結膜上皮欠損が広範囲の場合，自己結膜移植術や羊膜移植術などを行い瞼球癒着の発生を防止する．角膜上皮欠損も同時に存在する場合は，治療用ソフトコンタクトレンズを装用させる．

処方例 症状に応じて下記を単独で使用，もしくは併用する．

1) フルメトロン点眼液(0.1%)　1日4回点眼
2) リンデロン点眼・点耳・点鼻液(0.1%)　1日4回　点眼
3) リンデロン錠(0.5 mg)　2錠　分1

■ **外科的治療**　外科的に瞼球癒着を解除する際には，炎症細胞が多く存在している結膜下組織を十分に除去する．その後は再発予防のため，結膜上皮欠損部分に対し羊膜移植や自己結膜移植術を行う．眼類天疱瘡では，さらに免疫抑制薬などによる原疾患の治療が必要である．

眼瞼内反・睫毛内反

Eyelid entropion, Epiblepharon

高比良雅之　金沢大学・病院臨床教授

概念　眼瞼内反とは，眼瞼縁が内側に向かうことにより睫毛が眼表面に触れる病態を指し，先天性の睫毛内反(epipleharon，図 20a)と，後天性の加齢性(退行性)眼瞼内反(involutional entropion，図 20b)や瘢痕性眼瞼内反とに大別される．

病態　先天性の眼瞼内反である睫毛内反(図 20a)は，眼瞼前葉(皮膚と眼輪筋)が後葉(瞼板)に比較し生来余剰であるために睫毛が眼表面に触れる病態であり，一般にその程度は下眼瞼の鼻側により強い．

一方，後天性の眼瞼内反の多くは，眼瞼支持組織が加齢により弛緩することにより生じ，下眼瞼全体が内反して睫毛を含む眼瞼皮膚が眼表面に触れるのが典型的な病態である(図 20b)．そのほか外傷や炎症などの瘢痕によっても眼瞼内反が生じうる．

症状　睫毛や内反した眼瞼皮膚が眼表面に触れることで，異物感，眼痛，流涙，眼脂，羞明，視力低下などの症状がみられる．

診断　睫毛が眼表面に触れる病態の視診は容易である．生来なかった眼瞼内反が若年，壮年で生じる際には，外傷や炎症などの要因を考慮すべきである．手術適応は，上記の自覚症状に加え，視力と惹起される乱視，角膜の上皮障害や混濁の程度により判断する．睫毛内反は年齢とともにある程度の自然回復は見込めるものの，学童期以下の小児で矯正視力が 1.0 未満の不良例では積極的に手術を勧めるべきである．

治療　本症では，眼瞼全体が内反し，眼表面に触れる睫毛は多いので，睫毛抜去による対処には限界があり，治療の原則は手術である．

若年者の睫毛内反症に対する手術法は，通糸法と皮膚切開に大別される．通糸法には，絹糸を用いるビーズ法やナイロン糸埋没法があり，余剰な眼瞼前葉の切除を行わない点で簡便であるが，矯正の程度には限界がある．皮膚切開法は Hotz 法に代表され，余剰な皮膚や眼輪筋を切除し，睫毛列を含む眼瞼前葉を外反させて瞼板に縫合する．いずれの方法でも必ず戻りがあるので，眼瞼結膜が軽度外反する程度の過矯正で手術を終えることが再発率を下げるコツである．

加齢性(退行性)下眼瞼内反症では，瞼板支持組織の弛緩が病態であり，それを矯正する手術方法を選択する．すなわち Jones 変法や柿崎法に代表される下眼瞼牽引筋腱膜(lower eyelid retractor)の短縮，Wheeler 変法−久冨法併用術や lateral tarsal strip 法

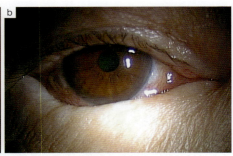

図20 睫毛内反と加齢性眼瞼内反症
a：6歳女児の左下眼瞼睫毛内反．鼻側でより強く内反している．
b：77歳女性の右眼瞼内反症．眼瞼皮膚ごと内反している．

に代表される眼瞼水平方向の支持組織の短縮，あるいは両者の組み合わせを選択する．病態を考慮すると，加齢性下眼瞼内反症に対してHotz法単独手術を選択するのは不適切である．

予後 術後には必ず戻りがあり，特に先天性の睫毛内反では再発する率がより高い．ただし，低矯正による再発に対する再手術はそれほど困難ではなく，あらかじめ再発の可能性を説明しておくことが重要である．

眼瞼外反

Eyelid ectropion

高比良雅之 金沢大学・病院臨床教授

概念 眼瞼外反とは，本来は角膜や球結膜の眼表面に接している眼瞼結膜面が外側に向いて露出した状態を指す．

病態 眼瞼外反は，瞼板の支持組織である内外眼角靱帯や眼輪筋の弛緩，あるいは眼瞼前葉（皮膚と眼輪筋）が後葉（瞼板）に比較して足りない病態により生じる．重力の関係から，多くは下眼瞼に生じる．頻度の高いものには，顔面神経麻痺後の下眼瞼外反症や，加齢性（退行性）眼瞼外反症がある．そのほか外傷，熱傷や巨大霰粒腫の治癒後の瘢痕もその原因となる．

症状 眼瞼縁が眼表面から離れ，涙点も外反することにより，流涙，眼脂，羞明，異物感，眼痛，視力低下などの症状がみられる．美容上の問題が最も深刻な訴えであることも多い．顔面神経麻痺では，眉毛下垂，口角下垂や鼻唇溝消失も併発している．加齢性下眼瞼外反症では，外反した眼瞼結膜が角化・肥厚し，腫瘤のように見えることがある．

診断 顔面神経麻痺では，その病歴や，併発する眉毛下垂，口角下垂などの所見から，一般に診断は容易である．眼瞼を指でつまんで引っ張るピンチテスト（pinch test）において，眼球から眼瞼が6～8mm離れるなら弛緩ありと判断される．加齢性下眼瞼外反症（図21）では，外反した眼瞼結膜の肥厚が高度であると，腫瘍との鑑別を要する場合もある．手術適応は，流涙や眼脂などの愁訴の程度や，角膜の状態とそれに起因する視力低下，また整

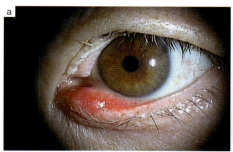 

図21 加齢性下眼瞼外反症（73歳男性）
a：術前．眼瞼外反により眼瞼結膜の肥厚がみられる．
b：lateral tarsal strip 法の術後2か月．眼瞼外反は消失した．

容上の改善の希望などにより決定する．

| **治療** 　症状が軽度な症例や，麻痺性で発症から間もないものでは，眼軟膏や点眼の局所投与によって対処する．角膜障害が高度な症例や，整容上の改善を望む症例では手術の適応となる．

　手術法にはさまざまなものがあるが，代表的な手術法としては，眼瞼全幅の楔形切除，さらに眼輪筋短縮と余剰皮膚切除を追加する Kuhnt-Szymanowski 法，また下眼瞼瞼板の最外側を切断し，新たな外眼角靱帯に見立てて眼窩骨に縫合する lateral tarsal strip 法**（図21b）**があり，ほとんどの眼瞼外反症はこれらいずれかの手技で対処が可能である．最近では下眼瞼牽引筋腱膜を剝離して眼瞼結膜面に固定し眼瞼を内反させる手術法も報告されている．重度の症例に対しては，耳介軟骨移植などの補強を行う手技もある．内眼角靱帯を短縮する手技では，涙道閉塞に留意すべきである．眼瞼皮膚の不足による眼瞼外反症では，時に皮弁や皮膚移植などの手技を要する．

| **予後** 　顔面神経麻痺後や加齢性眼瞼外反症に対する上記手術の予後は概して良好である．

睫毛乱生

Trichiasis

高比良雅之　金沢大学・病院臨床教授

| **概念** 　睫毛乱生とは，外側に向かって整列して生える通常の睫毛とは異なる方向に睫毛が生える状態である．

| **病態** 　睫毛乱生は睫毛の生える方向自体の異常であり，眼瞼全体が内外反しているか（眼瞼と眼表面の位置関係）は問わない．ただし，眼瞼内反症ではしばしば睫毛乱生を併発している．本来は睫毛がないマイボーム腺開口部付近から睫毛が生えて，その睫毛列全体が内側に向かっているような病態は睫毛重生（distichiasis）とも呼称され，広義の睫毛乱生に含まれる．外傷や炎症などの瘢痕によっても睫毛乱生が生じる．長期にわたるプロスタグランジン製剤の点眼では，睫毛が増生してカールし，睫毛乱生の症状をきたすことがある．

| **症状** 　睫毛が眼表面に触れることで，異物感，眼痛，流涙，眼脂，羞明，視力低下などの症状がみられる．

診断 睫毛乱生は概して局所的であり，すなわち，正しい走行の睫毛に混じって，生える方向の異なる睫毛が存在するといった病態が多い．この点で，眼瞼全体が内反する小児の睫毛内反や，眼瞼皮膚ごと内反して眼表面に触れてしまうような加齢性眼瞼内反とは病態が異なる．ただし，睫毛乱生は加齢性眼瞼内反にしばしば合併する．

治療 睫毛乱生の本数が少ない症例や，もろもろの理由で手術を希望されないような症例では睫毛抜去により対処する．しかし必ず再び生えてくるので，睫毛抜去を定期的に続ける必要があり，根治には手術を要する．睫毛電気分解は，その手技自体は簡便ともいえるが，不十分な麻酔では疼痛を訴えること，毛根部を直視下で焼灼するわけではないので再発率が高いことなどから，数の多い睫毛乱生の対処には不向きである．

皮膚切開を併用する手術では，一部の睫毛根ごと切除してしまう睫毛列部分切除，睫毛根を含む眼瞼前葉を一端瞼板から切離して（eyelid splitting），睫毛列を毛根ごと切除し，残った眼瞼前葉を後方にずらして固定する方法などがある．ただし，手術の時点で睫毛が生えそろっているとも限らず，根治にはしばしば複数回の手術を要する．

睫毛乱生があると，内眼手術，とくに緑内障の濾過手術に際しては術後感染のリスクが高まるので，それらの術前に対処しておくことが望ましい．

予後 手術で毛根ごと除去されれば予後は良好である．手術を行わない限りは，定期的に睫毛を抜去する必要がある．

眼瞼腫瘍
Eyelid tumors

兒玉達夫　島根大学医学部附属病院・先端がん治療センター・准教授

概念 眼瞼の構成要素は，眼瞼皮膚および皮膚付属器，瞼板，眼瞼結膜の3層に大別される．皮膚付属器にはZeis腺（睫毛脂腺），Moll腺（睫毛汗腺），エクリン汗腺などの分泌腺や睫毛関連組織があり，皮下には眼輪筋などの筋組織，血管，リンパ管，末梢神経が分布する．瞼板にはマイボーム腺が並び，瞼結膜面には副涙腺も開口する．これらを発生母地にして多種多様な良性・悪性眼瞼腫瘍が発症しうる．

注意すべきは眼窩腫瘍に起因する眼瞼腫脹や眼窩縁腫瘤，眼瞼皮下に触知する涙腺腫瘍まで"眼瞼腫瘍"と誤認されやすいことである．注意深い前眼部の視診と触診により腫瘍性病変の眼瞼内局在を確認する必要がある．

診断

■**病歴** 霰粒腫に代表される炎症性腫瘤の経過は発症から数日〜数週間で，疼痛を伴うことがある．悪性腫瘍は数週間〜数か月，良性腫瘍は数か月〜数年の経過をたどるのが一般的であるが，前眼部所見と病歴の合わない症例をしばしば経験する．小児期から自覚しているはずの真皮内母斑を3か月前に発症したと訴える患者も多いため，前眼部所見を優先し，聴取病歴は参考程度にする．

■**診察・記録方法**（図22, 23）　眼瞼腫瘍の診察時には，眼瞼全体が写る開閉瞼像，上下眼瞼結膜面（上眼瞼も必ず翻転して病変の有無を確認する），腫瘍部分の拡大像

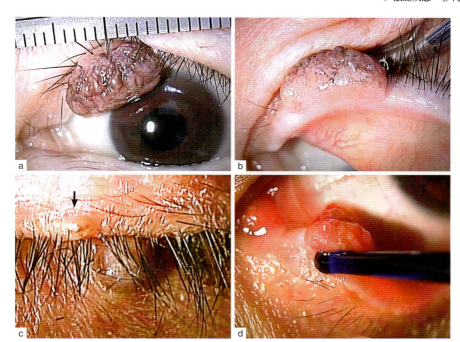

図 22　前眼部腫瘍の記録方法

a：母斑細胞母斑．上眼瞼縁に桑実状で横径 10 mm の色素性結節性腫瘍を認める．睫毛脱落はみられない．
b：症例 a の上眼瞼を翻転すると腫瘍後面は瞼縁に境界を有し，瞼結膜は正常である．
c：基底細胞癌．下眼瞼中央にドーム状で睫毛脱落を認める主病変と，上眼瞼縁に小病変（矢印）を認める．病理診断はいずれも基底細胞癌であった．
d：結膜乳頭腫．下眼瞼結膜面に赤色でカリフラワー状の乳頭腫を認める．硝子棒による触診では有茎性であった．

（表面の性状，色調，腫瘍血管・睫毛の有無など），そして瞳孔計のスケールを用いた腫瘍サイズを写真で記録しておくとよい．経過観察や眼腫瘍専門医への紹介時に有用である．健側と思われた眼瞼にも腫瘍をみる場合があるため，両側の眼瞼も診察する．眼窩縁に腫瘍を触れないかどうか，耳前・顎下・頸部リンパ節の触診も忘れてはいけない．結膜隆起性病変は，点眼麻酔下に硝子棒を用いて弾性と可動性の評価，腫瘍底の広がり（有茎性か無茎性か）を記録する．眼窩内腫瘍による眼瞼腫脹や，眼窩腫瘍が大きく眼窩内浸潤が疑われる場合，眼窩部 CT や MRI を適宜オーダーして病変の広がりを確認する．

❶部位別診断

a. 皮膚・皮膚付属器由来　良性では母斑，脂漏性角化症，血管腫，表皮嚢腫，神経鞘腫，汗腺由来腫瘍が，悪性では基底細胞癌，Merkel 細胞癌などがみられる．良性皮膚病変は皮膚とともに可動し，瞼板との癒着は乏しい．

b. 瞼板由来　良性では炎症性肉芽腫性病変（霰粒腫を含む），マイボーム腺嚢胞，脂腺

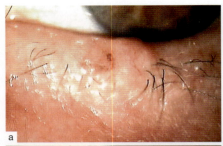
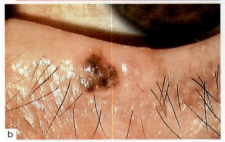

図23　前眼部腫瘍の経過観察
下眼瞼縁に睫毛脱落を伴う扁平隆起性病変を認める（**a**）．3か月後の同条件撮影で色素沈着と腫瘤の増大傾向を認めた（**b**）．病理診断は基底細胞癌であった．

過形成が，悪性では脂腺癌がみられる．瞼板病変は皮下腫瘤として触れることがある．上眼瞼の瞼板病変は，翻転すると上眼瞼皮下に腫瘤を触れなくなることで確認できる．

c. 瞼結膜由来　良性では乳頭腫，化膿性肉芽腫が，悪性ではリンパ腫，扁平上皮癌，悪性黒色腫などがみられる．球結膜と連続した病変として発見される場合もある．

❷色調別診断

a. 黒色調　メラノサイトあるいはメラニン色素が豊富な腫瘍は黒色調を呈する．良性では色素性母斑，脂漏性角化症が，悪性では基底細胞癌に色素沈着を伴うことが多い．色素沈着が乏しければ，真皮内母斑のように周辺の正常表皮と同色調になる．

b. 黄色調　脂腺系腫瘍や脂質を多く含む腫瘍は黄色調を呈する．良性では脂腺過形成，黄色腫，悪性では脂腺癌が代表的である．

c. 赤色調　血液・血管系腫瘍，腫瘍血管が豊富な上皮性腫瘍，炎症性腫瘤は赤色調を呈する．良性では血管腫や血管奇形，乳頭腫や化膿性肉芽腫，悪性ではリンパ腫やMerkel細胞癌，血管肉腫などがある．結膜扁平上皮癌で角化の乏しい乳頭状病変も赤色調を呈する．リンパ腫は結膜下にsalmon-pink massを形成する．

d. 白色調　良性の上皮性腫瘍や扁平上皮癌で，角化傾向の強い領域は白色調を呈する．角化とは無関係な線維腫も白色調である．

色調別鑑別の留意点として，母斑や基底細胞癌は漆黒の病変もあれば色素沈着を全く伴わないものもある．脂腺癌や脂腺腫は黄色調だが，分泌排出物は白色である．これらの色調は一般的特徴を示したものであり，腫瘍特異的ではない．

眼瞼悪性腫瘍

Malignant eyelid tumors

兒玉達夫　島根大学医学部附属病院・先端がん治療センター・准教授

概念　眼瞼悪性腫瘍の一般的特徴として，①急速な増大傾向，②表面と辺縁の不整，③睫毛脱落，④潰瘍形成，⑤不規則に拡張・蛇行した腫瘍血管と易出血性，⑥圧痛を伴わない不整硬結，⑦周辺組織との癒着，などがある．しかしながら，これらの所見は必ずしも悪性に特異的ではなく，肉眼所見だけでは良性腫瘍と鑑別困難な症例

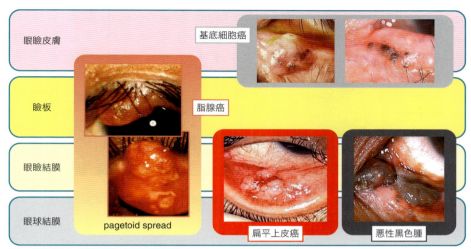

図24　眼瞼上皮性悪性腫瘍の局在鑑別
基底細胞癌は眼瞼表皮内に発生母地をもち，瞼縁から皮膚側にかけて好発する．脂腺癌の多くは瞼板腺から発症するため瞼縁から瞼結膜面にかけて病変が表出し，結膜上皮内に腫瘍細胞が浸潤するとpagetoid spreadをきたす．扁平上皮癌と悪性黒色腫は瞼結膜面に好発し，円蓋部を越えて球結膜に広がることもある．

も多い．良性病変と思われても切除検体を必ず病理組織検査に提出する習慣が大切である．代表的な眼瞼上皮性悪性腫瘍の好発部位（発生母地）を図24に示す．

　リンパ腫を除く上皮性悪性腫瘍治療の基本は腫瘍の全摘出である．良性・悪性の判別に迷う場合，生検（incisional biopsy）後に根治切除を選択する方法もある．手術時は腫瘍の種類ごとに安全域を設けて切除する手法がある．安全域とは腫瘍の肉眼的・触診的境界からこれだけ離せば治癒切除できる可能性が高いという距離であるが，腫瘍の根治切除を保証するものではない．脂腺癌や悪性黒色腫では，3〜5 mm以上離しても飛び石状に病変が散在することがある．術中の迅速病理検査で切除断端での腫瘍細胞の有無を確認したうえで欠損部を再建する方法もあるが，迅速診断は最終診断ではない．必ず永久標本で腫瘍細胞を取り

きれていたかどうか確認する必要がある．根治切除術が視機能を奪う場合，全身状態不良や高齢者で根治切除に耐えられない場合は，局所化学療法や放射線治療も選択肢である．術後は局所再発の有無だけでなく，全身転移の有無も画像検査で定期的に行う．

1 基底細胞癌

概念　表皮の基底細胞が真皮に向かって腫瘍性増殖をきたしたもので，頻度の高い眼瞼悪性腫瘍である．細胞増殖能は他の悪性腫瘍より低く，遠隔転移をきたさない．好発部は下眼瞼で，瞼縁・睫毛部付近に発症しやすい．内眼角や外眥部にもみられる．

診断　腫瘍の発育形態では結節型と潰瘍型に大別される．眼瞼皮膚が病変の主座であり，初期病変の瞼結膜面は正常であ

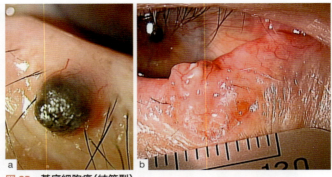

図 25　基底細胞癌（結節型）
瞼縁皮膚面に睫毛脱落と腫瘍血管を伴う結節性腫瘤を認める．小病変は瞼板温存が可能であるが(**a**)，進行例では眼瞼全層切除と再建術を要する(**b**)．

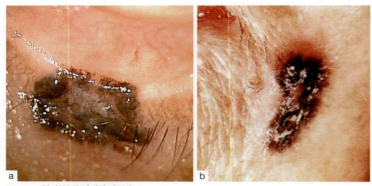

図 26　基底細胞癌（潰瘍型）
瞼縁皮膚面に色素沈着と潰瘍形成を伴う不整腫瘤を認める．初期病変では瞼板との癒着や瞼結膜病変はみられない(**a**)．内眼角部の潰瘍型は眼窩深部に浸潤しやすい(**b**)．

る．悪性腫瘍の一般的特徴に加えて黒色調のメラニン色素沈着を伴う傾向にあるが，その程度はさまざまである．眼瞼母斑，脂漏性角化症との鑑別に苦慮する症例もある．

治療　結節型(**図 25**)の多くは比較的境界が明瞭であり，安全域を 1〜2 mm とれば全摘出が可能な場合が多い．進行例や瞼縁に病変がかかる場合は瞼板ごと腫瘍切除が必要である．瞼縁から離れた皮膚病変で瞼板癒着がみられない場合は，眼輪筋を含めた眼瞼前葉切除のみで対応可能である．潰瘍型(**図 26**)は境界が不明瞭で深部へ浸潤性に増殖する．内眼角の潰瘍型は瞼板という障壁がなく眼窩深部へ浸潤する傾向があるため，病理標本で deep margin が取りきれているかどうか確認する必要がある．

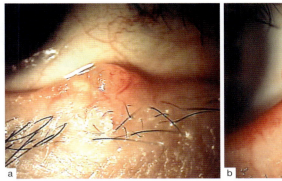
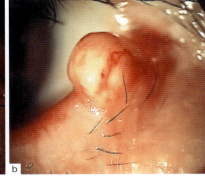

図27　脂腺癌
瞼板腺由来の典型例では瞼縁から黄色調で腫瘍血管を伴う不整結節性腫瘤を認める(**a**)．睫毛脂腺から発症することもある(**b**)．

2 脂腺癌

概念　東洋人に多く，瞼板腺，睫毛脂腺，涙丘部の脂腺を発生母地とする(図27)．腫瘍サイズが15 mmを超えると局所リンパ節転移のリスクが増大する．脂腺癌の診断後は頭頸部CTやMRIなどで転移病巣の有無を確認する必要がある．

診断　悪性腫瘍の一般的特徴に加え，眼瞼皮下や瞼縁に脂性分泌物を反映した黄色調の結節性腫瘤を認める．瞼板腺由来が大半を占めるため，瞼結膜面に病変が穿破することもある．主病巣から眼球結膜上皮内に腫瘍細胞がシート状に増殖拡大することがあり，pagetoid spreadと呼ばれる(図28)．病変の広がりを判定するために，眼瞼皮膚や眼球結膜を複数箇所生検する方法がある(map biopsy)．

■ **仮面症候群**　本来の病変と紛らわしい一連の疾患を仮面症候群という．脂腺癌の結節性病変は霰粒腫と誤認されやすく，切開後に再発増大を繰り返すことがある．霰粒腫と思われても搔爬内容物は病理検査に提

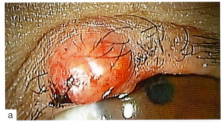
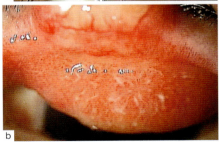

図28　脂腺癌(pagetoid spread)
上眼瞼縁中央部に睫毛脱落を伴う結節性の黄赤色腫瘤を認める(**a**)．同症例の上眼瞼を翻転すると，瞼結膜全面を覆うように白色分泌物を伴うシート状の腫瘍増生がみられる(**b**)．

出すべきある．pagetoid spreadは瞼縁の発赤腫脹や角化様白色病変を表出することがあり，眼瞼縁炎と類似する．抗菌薬眼軟膏投与による改善の有無をみることで鑑別

可能である．

■ **Muir-Torre 症候群**　脂腺系腫瘍に内臓悪性腫瘍，特に家族性大腸癌が合併する常染色体優性遺伝疾患．DNA mismatch 修復遺伝子変異による希少疾患であるが，脂腺癌や脂腺腺腫をみたときは家族歴や消化器症状も聴取するとよい．

治療

■ **外科的治療**　眼瞼限局の場合，安全域を 3 mm 以上つけて切除する．瞼板欠損が 1/3 以下の場合は単純縫縮や局所皮弁で再建可能である．瞼板（眼瞼後葉）が主病巣のため，皮膚（眼瞼前葉）切除を小さくできる場合もあり，前葉と後葉を別々に再建する方法もある．広範な眼瞼全層切除を要した場合，対向あるいは対側から健常な眼瞼を移植する．下眼瞼を上眼瞼欠損部に移植する方法として，switch flap や Cutler-Beard 法がある．これらの術式は他の眼瞼悪性腫瘍でも用いられる．

■ **抗腫瘍薬点眼**　脂腺癌の pagetoid spread，結膜扁平上皮癌，結膜悪性黒色腫のように瞼球結膜全体を覆う病変の場合，根治切除＝眼窩内容除去となる．病変が上皮内に限局していれば，抗腫瘍薬の点眼を併用することで眼球や視機能を温存できる場合がある．以下の薬剤は保険適用外使用であり，施設によって保険適用外使用申請や倫理委員会の承認を要し，点眼の取り扱いには種々の注意点がある．保険適用外使用であるため混合診療にならないよう留意する．病変が基底膜を越えて浸潤すると無効である．

❶ **マイトマイシン(0.04%)点眼**　用法・用量：細胞周期に依存せず DNA の複製を阻害する．強力ではあるが，充血，眼瞼皮膚炎，角膜上皮障害などの副作用も出や

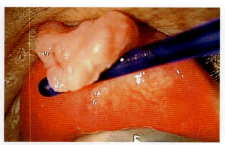

図 29　扁平上皮癌
上眼瞼結膜面から不整な結節性隆起を認める．角化により白色調を呈している．

すい．

2022 年現在，緑内障手術以外では薬剤供与されていない．

> 処方例
> マイトマイシン(0.04%)　1 日 4 回点眼　保外
> 1 週間点眼，1 週間休薬を 2～3 クール施行する．

❷ **フルオロウラシル(5-FU)(1%)点眼**　用法・用量：ウラシルの代謝拮抗薬であり，S 期の細胞に取り込まれる．細胞増殖能の高い腫瘍細胞ほど障害されやすく，角膜上皮障害をきたしやすい．

> 処方例
> 5-FU(1%)　1 日 4 回点眼　保外
> 1 週間点眼，1～4 週間休薬を 2～6 クール施行する．

❸ **インターフェロンアルファ-2b 点眼**　用法・用量：免疫賦活作用，腫瘍細胞増殖抑制作用を有する．

2022 年現在，新薬開発による需要低下で製造中止となっている．

> 処方例
> インターフェロンアルファ-2b　100 万単位/mL に溶解後，1 日 4 回点眼　保外
> 6 週間～半年間投与する．

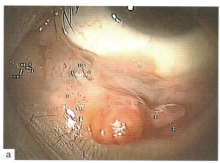 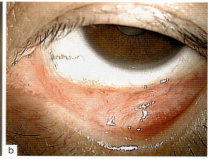

図 30　扁平上皮癌の結膜上皮内病変に対するフルオロウラシル(5-FU)点眼治療
下眼瞼中央部に乳白色の隆起性腫瘤と瞼結膜面全体に扁平な腫瘍増殖をみる．結膜腫瘍領域は円蓋部を越えて球結膜および涙丘部に広がる(**a**)．隆起腫瘤部を生検後，扁平上皮癌と判明した．残存した結膜面腫瘍に対して 5-FU(1%)点眼を投与し，4 クール後に上皮内病変は消退した(**b**)．

3 扁平上皮癌

診断　結膜面に好発し，眼瞼皮膚面での発症はまれである．瞼結膜面にループ状の腫瘍血管が透見できる扁平な赤色調の腫瘍を形成する．角化が強いと白色調になり，腫瘍が増殖隆起すると結節性病変を呈する(図 29)．初期病変は良性の結膜乳頭腫と鑑別を要する．乳頭腫の多くが細い血管茎を介し結膜面から成長するのに対し，扁平上皮癌は広基性に発育する．脂腺癌同様，診断後は転移病巣の有無を検索する．

治療

■**外科的治療**　初期病巣は瞼結膜面に限局しており，瞼板の一部を含めて全摘出が可能である．切除断端陰性を確認し，切除面に冷凍凝固(freeze and thaw)を 2〜3 セット追加する．腫瘍が瞼縁を越え，瞼板の前方にまで浸潤していれば，脂腺癌に準じて眼瞼全層切除と再建術が必要となる．

■**抗腫瘍薬点眼**　結膜上皮内病変が広範に増殖している場合，前述の抗腫瘍薬点眼治療を併用することで拡大切除を回避できる症例がある(図 30)．主病巣領域は基底膜を越えて結膜下に浸潤しているため，根治切除あるいは放射線照射で対応する．

4 悪性黒色腫

診断　結膜面に好発し，眼瞼皮膚面での発症はまれである．結膜母斑や primary acquired melanosis を発生母地とする．黒色〜褐色調で境界不鮮明な色素斑が多発し，肥厚増大するとミルクチョコレート状の結節性腫瘤を形成する．

治療　局所切除が困難な症例は眼窩内容除去を要するが，表層性病変はインターフェロンアルファ-2b 点眼やインターフェロンベータの局所注射で制御できる場合がある(図 31)．

5 Merkel 細胞癌

診断　表皮・真皮接合部から発症する比較的まれな腫瘍である．眼瞼皮膚側にドーム状に隆起する紅色結節を形成し，拡張した腫瘍血管を観察できる(図 32)．その赤色調で平滑な所見から臨床診断は比較的容易である．

治療　増殖速度が速く転移を生じやす

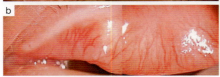

図31 悪性黒色腫に対するインターフェロンベータ局所注射

悪性黒色腫の眼瞼結膜病変(a)に対し，インターフェロンベータ(100万単位を生理食塩液1 mLに溶解)を1～4週ごと20回局所注射を施行した．注射開始から9か月後に色素性病変は消失した(b)．

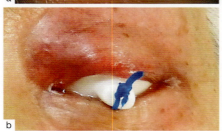

図32 Merkel細胞癌

眼瞼皮膚面にかけて，拡張した腫瘍血管を伴う赤色調で表面平滑な隆起性腫瘍を認める(a)．同症例に対して鉛コンタクトレンズ装用下に眼球を保護しながら電子線を60グレイ照射し，腫瘍は消失した．照射経過中の写真(b)．

いため，迅速に診断・治療を行う．表皮から瞼板に癒着浸潤するため，脂腺癌に準じて眼瞼全層切除と再建術が必要となる．放射線感受性が高いため，根治切除困難例では生検による病理診断確定後に放射線治療が推奨される．

眼瞼良性腫瘍

Benign eyelid tumors

兒玉達夫　島根大学医学部附属病院・先端がん治療センター・准教授

概念　良性腫瘍には先天性と後天性があり，ステロイドに反応して縮小する炎症性腫瘤も含まれる．一般的特徴として境界は明瞭で表面平滑，腫瘍血管に乏しい．整容的に切除を希望されることが多いが，術後の病理検査は必須である．手術希望がなくても，悪性腫瘍と鑑別困難な症例に対しては前眼部撮影による経過観察を行う．

1 母斑細胞母斑(真皮内母斑，複合母斑，接合部母斑)

概念　母斑細胞とは未熟な色素細胞が表皮基底部から真皮内にかけ増殖したものであり，表皮に近いほどメラニン色素が豊富で，真皮下深層に行くほど色素は減少する．母斑細胞巣の主座が表層から深層に移行するにつれ，組織学的に接合部(境界)母斑，複合母斑，真皮内母斑と呼称される．

診断　瞼縁から睫毛の間に好発するが，涙点付近に発症することもある．母斑のなかでは真皮内母斑が最多であり，真皮内の母斑細胞が増殖することで表皮を平滑ドーム状に押し上げる(図33)．小児期から腫瘍を自覚しているので問診が参考となる．複合母斑は褐色で桑実状の隆起性腫瘍を，接合部母斑は黒色で平坦な病変を呈する．

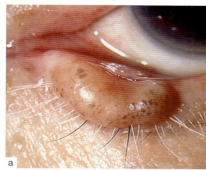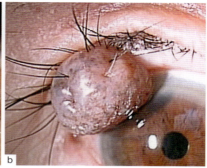

図33 真皮内母斑
瞼縁に表面平滑で光沢を有するドーム状腫瘤を形成し，睫毛脱落はみられない．眼瞼皮膚と同等の色調もあれば(a)，色素沈着を伴う症例(b)もある．

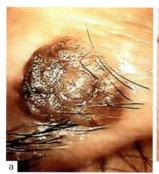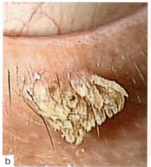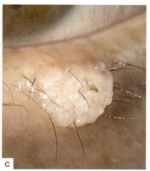

図34 脂漏性角化症
脂が滲み出したかのように光沢をもつ境界明瞭な褐色隆起病変が病名の由来である(a)．実際はザラザラと乾燥した粗造な外観を呈する症例が多いが(b)，同症例に対して周術期処方として抗菌薬眼軟膏を処方したところ，角化物が脱落して，手術当日は光沢を有する腫瘤に変貌した(c)．

| 治療 | 真皮内母斑は悪性化しないため，整容面で切除希望する場合が手術適応となる．しかしながら子どもの頃から顔の一部としてともに育ったせいか，患者の切除希望は希薄であることが多い．術式は腫瘍隆起部のみを部分切除(shaving)し，開放創とする open treatment が一般的である．複合母斑と接合部母斑は，まれではあるが悪性転化するリスクがあるため，経過をみながら完全切除を勧める．

2 脂漏性角化症（老人性疣贅）

概念 中高年に発症する最も頻度の高い良性眼瞼腫瘍で，数年単位で増大傾向を示すが悪性化しない．表皮の肥厚あるいは水平方向への増殖により隆起性病変をきたす．

診断 睫毛から皮膚側に好発する．色調は淡褐色から黒色までさまざまで，表面は角化によりざらざらと不整なものから桑実状に光沢をもつものまである（図34）．

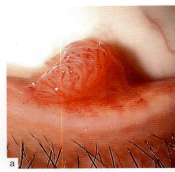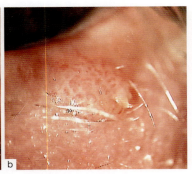

図35　乳頭腫
孤発性の結膜乳頭腫は有茎性で(a)，眼瞼皮膚面の乳頭腫は広基性である(b)．いずれもループ状の腫瘍血管コアを透見できる．

その外観から基底細胞癌との鑑別に苦慮することがある．

治療　表皮ごと腫瘍切除を行う．高齢者は余剰皮膚のおかげで単純縫縮が可能な症例が多い．良性とは言え，腫瘍境界部ぎりぎりで切除すると再発することがある．腫瘍縁に睫毛を含む場合，瞼縁部は open treatment で対応する．

3 乳頭腫

概念　腫瘍血管を枝として腫瘍細胞が木の葉のように増殖し，赤色でカリフラワー状の腫瘤を形成する．しばしばパピローマウイルスが発症に関与する．結膜乳頭腫の孤発例は有茎性で扁平上皮癌との鑑別点となる．結膜乳頭腫の多発例や眼瞼皮膚に生じる乳頭腫は多房性・広基性となる**(図35)**．

治療　腫瘍根部を切除し焼灼止血する．単純切除のみでは再発しやすいため，切除面に冷凍凝固(freeze and thaw)を2セット追加するとよい．広範囲に多発する切除困難例に対しては，冷凍凝固やシメチジン内服を試みる場合もある．

4 乳児血管腫(苺状血管腫)

概念　従来，苺状血管腫や毛細血管腫とよばれていた乳児血管腫を「血管腫」，その他の海綿状血管腫や血管拡張症，リンパ管腫などを「静脈奇形」と分類する．乳児血管腫は先天性であり，生後1歳半まで増大傾向を示し，数年かけて縮小していく．生後より赤色で境界明瞭な隆起性病変を呈し，その性状から苺状血管腫ともよばれる**(図36a)**．

治療　自然治癒傾向を有するが，腫瘍部位とサイズにより形態覚遮断弱視をきたす危険がある場合は積極的に治療する．従来は切除以外にステロイドや色素レーザーが試みられてきたが，現在プロプラノロール内服の有用性が証明され保険収載されている．小児科管理のもとで投薬される．

5 海綿状血管腫(静脈奇形)

乳幼児期から存在していた小病変が若年以降に増大し，中高年で増殖停止する低流速血管奇形である．眼瞼皮膚に赤色で境界明瞭な隆起性病変を呈する**(図36b)**．自然

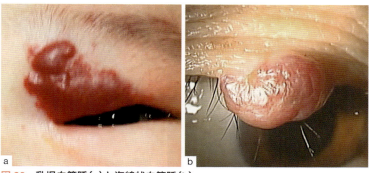

図36　乳児血管腫(a)と海綿状血管腫(b)
生後5か月で血管腫により開瞼障害をきたしている(a). 50歳代男性に境界明瞭・弾性軟の赤色腫瘤を認める(b).

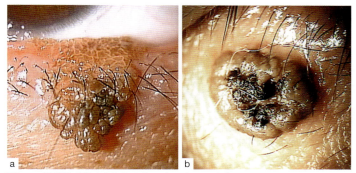

図37　尋常性疣贅(a)とケラトアカントーマ(b)

治癒傾向はなく薬物治療に反応しないため，希望があれば切除する．

6 尋常性疣贅

パピローマウイルス感染で生じ，粗造な角質結節が乳頭腫状増殖を呈する(図37a)．非ウイルス性の脂漏性角化症と類似所見を示す．皮膚科的には液体窒素による冷凍凝固治療が推奨されている．瞼縁付近の病変に対しては，隆起部を切除後に冷凍凝固や電気凝固を併用する方法が確実で病理診断も得られる．

7 ケラトアカントーマ(角化棘細胞腫)

高齢者の顔面に好発する．数週間で境界明瞭なドーム状隆起を呈して中央部に角質塊をみる(図37b)．病理学的には核異型や核分裂像が目立つため，良性か扁平上皮癌の亜型とするかの結論は出ていない．数か月で高率に自然退縮・脱落することがあるため注意深い経過観察を行う方法もあるが，悪性化リスクがあるため完全切除を勧める意見が多い．

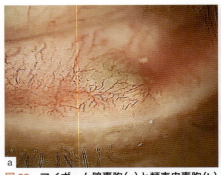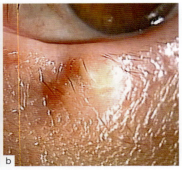

図38 マイボーム腺嚢胞(a)と類表皮嚢胞(b)

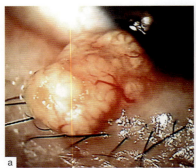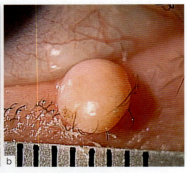

図39 脂腺過形成(a)と神経鞘腫(b)

8 マイボーム腺嚢胞(瞼板内角質嚢胞)

　眼瞼皮下と癒着のない平滑腫瘤として触知し，瞼結膜面に円形の扁平隆起腫瘤を生じる**(図38a)**．嚢胞内には角質と脂質が混在しており，内容物により灰黒色～黄白色を呈する．治療は嚢胞壁ごと摘出する．

9 類表皮嚢胞

　毛囊脂腺の開口部が閉鎖して生じる停滞嚢胞と，皮膚の外傷や炎症を契機に表皮付属器が真皮内に迷入して生じる封入嚢胞がある**(図38b)**．嚢胞内には表皮から剝離した角質が貯留する．可動性がなく霰粒腫と誤認されやすいが，瞼板との連続性はない．治療は嚢胞壁ごと摘出する．

10 脂腺過形成

　比較的まれな瞼板腺由来の良性腫瘍で，涙丘部にも発症しうる．脂腺腺腫とほぼ同義である．瞼縁部から白色～黄色調で脳回転状や羊歯状の隆起性病変を生じ，白色脂性物を分泌することがある**(図39a)**．グロテスクな外観を呈して脂腺癌との鑑別を要するが，腫瘍結節や血管の発育パターンは比較的整然としており健常皮膚との境界は明瞭である．治療は瞼板ごと腫瘍を切除し単純縫縮を行う．

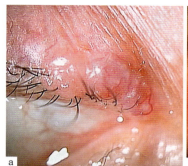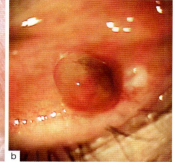

図40 汗管腫(a)と化膿性肉芽腫(b)

11 神経鞘腫

Schwann細胞由来で桃白色の境界明瞭な隆起性病変を呈する(図39b).皮下腫瘤として触れる場合もある.治療は全摘出である.

12 汗管腫

表皮内エクリン汗腺への分化を示す.ドーム状に隆起する常色の硬い小結節で,しばしば多発する(図40a).治療は全摘出を試みる.

13 化膿性肉芽腫

炎症性肉芽であり腫瘍細胞はみられない.微小血管の増生と炎症細胞浸潤を認める.霰粒腫に合併して結膜面に表出することが多い.瞼結膜面に赤色調で有茎性の平滑な球状〜乳頭状腫瘤を呈する(図40b).治療は単純切除,あるいはステロイドの局所投与で縮小するか反応性をみてもよい.自然脱落することもある.

眼瞼浮腫・眼瞼気腫

Palpebral edema, emphysema

髙村 浩　公立置賜総合病院・診療部長

1 眼瞼浮腫

概念　浮腫とは細胞外液である間質液の増加により軟部組織の腫脹が生じた状態である.眼瞼は皮膚が全身のなかで最も薄く,皮下組織も疎であり,伸展性に富んでいるために浮腫が起こりやすい部位である.

病態　眼瞼浮腫の原因には眼瞼の炎症,感染症,外傷などの眼瞼疾患,結膜,涙器,眼窩,副鼻腔など眼瞼に近接した部位の疾患,および全身疾患によるものがある.

眼瞼局所の疾患としては,点眼薬などの薬品,化粧品,金属などによる接触性皮膚炎,季節性あるいは通年性過敏症などのアレルギー,麦粒腫,急性霰粒腫,眼瞼膿瘍,帯状疱疹などの感染,虫刺症に伴う炎症,眼瞼を強く擦ったりする機械的刺激や眼部打撲や眼瞼裂傷などの外傷などがある.さらに眼瞼内反症や眼瞼下垂などの手

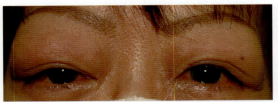

図 41　IgG4 関連眼疾患
両側の涙腺腫脹に伴って両上眼瞼が腫脹している．

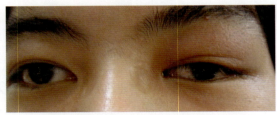

図 42　副鼻腔膿嚢胞
左前頭洞の膿嚢胞に伴って左上眼瞼に発赤・腫脹がみられる．

術後，網膜硝子体手術後のうつぶせ姿勢や整形外科，脳神経外科の長時間にわたる腹臥位での手術後にも眼瞼浮腫が生じる．

眼瞼に近接する部位の疾患としては，流行性角結膜炎やアレルギー性結膜炎などの結膜疾患，角膜潰瘍などの角膜疾患，涙嚢炎などの涙道疾患，眼窩蜂巣炎や眼窩腫瘍，特発性眼窩炎症（炎症性偽腫瘍），IgG4 関連眼疾患 **(図 41)** などの眼窩疾患，副鼻腔膿嚢胞 **(図 42)** や慢性副鼻腔炎などの副鼻腔疾患などがある．

全身疾患には，うっ血性心不全などの心疾患，急性腎炎やネフローゼ症候群などの腎疾患，慢性肝不全，肝硬変，低アルブミン血症などの肝疾患，甲状腺機能低下あるいは亢進症や Cushing 症候群などの内分泌疾患，NSAIDs，Ca 拮抗薬，ACE 阻害薬，ステロイドなどによる薬物性，悪性腫瘍などによる栄養失調などがある．また，Quincke 浮腫や遺伝性血管性浮腫（heredi-tary angioedema：HAE）などの血管性浮腫，リンパ管閉塞によるリンパ性浮腫などもある．

症状　特に上眼瞼に眼瞼腫脹，二重瞼の消失，眼瞼重苦感，眼瞼下垂などがみられる．多くは無痛性であるが，感染症の場合は発赤や疼痛，アレルギーの場合は瘙痒感を伴う．

合併症・併発症　Quincke 浮腫では咽喉頭浮腫の程度によっては呼吸困難の危険があるので注意が必要である．

診断

■**診断法**　基本的には視診による．また，一般的に浮腫は患部を母指で圧迫すると圧痕が残るかどうかによって圧痕性浮腫と非圧痕性浮腫に分類する．腎疾患，肝硬変，心不全，炎症性（炎症，血管炎）によるものは圧痕性浮腫，リンパ性，血管性浮腫，甲状腺機能低下症では非圧痕性浮腫である．眼瞼浮腫の場合は，母指で圧迫するのでは

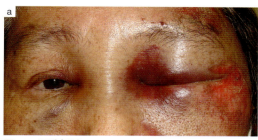
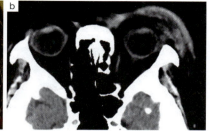

図 43　眼瞼気腫
a：顔写真．転倒して左顔面を強打した外傷後．左上眼瞼は皮下出血を伴って著明に腫大し，自力開瞼も不能である．
b：CT 所見．眼瞼は腫脹し，皮下に気体の貯留（気腫）がみられる．別の CT スライスでは左眼窩内側壁の骨折がみられた．

なく，眼瞼皮膚をつまみ上げてそれが復位するまでの時間の延長の有無をみる．

■**必要な検査**　甲状腺眼症や腫瘍性疾患などの検索目的に眼窩部の CT・MRI 検査を行う．腎疾患，心疾患，肝疾患，甲状腺疾患などの全身疾患の検索目的に血液や尿検査，心電図，心臓・腹部超音波検査などを行う．

■**鑑別診断**　腫瘍や血腫など．

|　治療　| 浮腫の原因が明らかであれば，その原疾患の治療をする．アレルギー性のものはアレルゲンの除去をする．

急性期で浮腫が著明な場合には，冷湿布，ステロイド軟膏の塗布，抗ヒスタミン薬の全身投与などを行う．浮腫が長期間持続する場合は，ステロイドの全身投与も考慮する．

|　予後　| 浮腫が早期に消退すれば局所の変形などの後遺症は生じないが，遷延すると皮膚の弛緩，萎縮，皮下組織の線維化などが生じる．

2　眼瞼気腫

|　概念　| 鼻腔・副鼻腔を通じて空気が眼瞼皮下に迷入した状態が眼瞼気腫である．眼窩内気腫と併存することが多く，眼瞼気腫単独の発症はまれである．

|　病態　| 眼窩壁骨折などの外傷が契機となるが，その直後に眼瞼気腫が生じることは少なく，鼻をかむこと（擤鼻）やくしゃみにより鼻腔内圧が急上昇して発症することが多い．

|　症状　| 眼瞼が腫脹し（図 43a），眼瞼を圧迫すると捻髪音が聞こえる．

|　合併症・併発症　| 併発した眼窩気腫による眼球突出，複視，眼球運動障害，眼窩内圧上昇による網膜中心動脈閉塞など．時に脳気腫が随伴した頭蓋底骨折の合併．

|　診断　| 捻髪音の有無や CT・MRI 検査による画像診断（図 43b）．

|　治療　| 擤鼻をしないように指導し，必要によって抗菌薬や消炎鎮痛薬の投与を行って保存的に気腫の自然吸収を待つ．

保存的治療で気腫が消退しない場合は，外眼角切開，18 G 針による穿刺で気腫の吸引除去，経篩骨洞的眼窩減圧術などを行う．

ストリップメニスコメトリ法による涙液貯留量評価デバイス

SMTube®

ストリップメニスコメトリ チューブ®

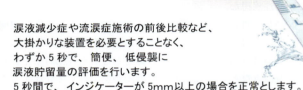

涙液減少症や流涙症施術の前後比較など、
大掛かりな装置を必要とすることなく、
わずか5秒で、簡便、低侵襲に
涙液貯留量の評価を行います。
5秒間で、インジケーターが5mm以上の場合を正常とします。

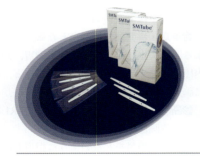

一般的名称：導涙チューブ
販売名：ストリップメニスコメトリチューブ
医療機器製造販売届出番号：07B3X10002000001
特許番号：特許第5757371号

お客様の心に響く製品を
エコー電気株式会社
SPIRIT　Echo Electricity Co.,Ltd.

製造販売元　〒961-0024　福島県白河市新夏梨1-2
資料請求先　〒123-0851　東京都足立区梅田6-24-14　TEL 03-3880-0455
E-mail gr-smtube@echo-mf.jp　URL：http://www.echo-mf.jp

4 涙器疾患

涙液分泌不全（ドライアイ）
Hypolacrimia, Dry eye

内野裕一 慶應義塾大学・特任講師/
ケイシン五反田アイクリニック・副院長

表1 ドライアイの診断基準（2016年版）

1，2の両者を有するものをドライアイとする
1．眼不快感，視機能異常などの自覚症状
2．涙液層破壊時間（BUT）が5秒以下

概念 わが国におけるドライアイの定義は約10年ごとに改変され，最新の定義は2016年にドライアイ研究会が発表した，「ドライアイは，さまざまな要因により涙液層の安定性が低下する疾患であり，眼不快感や視機能異常を生じ，眼表面の障害を伴うことがある」となっている．

症状 ドライアイの自覚症状は「乾く」だけではなく，実に多彩である．「疲れる」「痛い」「ゴロゴロする」「目が開けづらい」「目がかすむ」など日常生活に大きな影響を及ぼす．また，目が乾くことに対する反射的過剰分泌により，「涙が出る」などの相反するような症状を訴える患者も存在し，多彩な自覚症状のなかで患者が最も気にしているドライアイ自覚症状を1つ聞き出すことで，どの点眼薬を使うべきか治療方針が決定しやすくなる．

病態・診断 わが国におけるドライアイの診断基準は，定義とともに2016年に表1のように改定された．すなわち，ドライアイ特有の自覚症状と涙液の不安定化が認められれば，ドライアイと確定診断してよい．ドライアイにおける病態生理の根幹は，涙液の不安定化と角結膜上皮障害の悪循環にあり，これを促進させる多くの因子がドライアイの病態を修飾し複雑化させる．しかしながら病態の理解が進むに従い，涙液層別診断（tear film oriented diagnosis：TFOD）が提唱され，臨床におけるドライアイ病態生理の理解と適切な診断に有効となっている．さらに新しい薬理作用をもつドライアイ治療点眼薬が国内でも次々と処方可能となり，上記の涙液層別診断に基づくドライアイに対する涙液層別治療（tear film oriented therapy：TFOT）が定着しつつある（図1）．TFOD/TFOTでは，眼表面は涙液層と上皮層に分けて考える必要があり，涙液層はさらに油層と液層の二層構造ととらえて，ドライアイ患者において，涙液層/上皮層のどの部分に問題が生じているかをイメージしながら治療にあたる必要がある．

診断方法は涙液層破壊時間（tear break-up time：BUT）の計測であり，フルオレセイン染色により涙液を可視化して，開瞼から5秒以下で涙液層が破綻し，前述のドライアイ特有の自覚症状を認めればドライアイとして確定診断する．ドライアイにはサブタイプが存在し，涙液分泌減少型と水濡れ性低下型の大きく2つに分けることができる．涙液分泌減少型は細隙灯顕微鏡による涙液メニスカス量や，Schirmer検

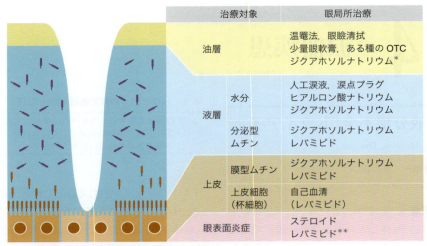

図1 眼表面における涙液層別治療(TFOT)
* ジクアホソルナトリウムは，脂質分泌や水分分泌を介した油層伸展促進により涙液油層機能を高める可能性がある．
** レバミピドは抗炎症作用によりドライアイの眼表面炎症を抑える可能性がある．
(ドライアイ研究会 Web サイト. http://dryeye.ne.jp/for-member/research-achievements/tfot/ より)

査による涙液分泌量の計測で確認することができる．特に Schirmer 検査で 5 mm 以下の場合には，明らかに涙液分泌量が低下しているため，全身検索とともに点眼以外の外科的治療も念頭におく必要がある．

また近年，涙液層破綻パターン(tear breakup pattern：BUP)から眼表面における病態生理をイメージする臨床診断が進められている．特に開瞼直後から涙液層が全く確認できない area break は最重症の涙液分泌減少型ドライアイであり，開瞼直後に眼表面において円形の涙液層がはじかれる所見があれば spot break で，水濡れ性低下型ドライアイである．また開瞼後わずか 1～2 秒で角膜下方の涙液層が急速に割れる line break は涙液分泌減少型ドライアイであり，BUT だけでなく BUP も利用することで病態生理の把握がより簡易となる．

治療

■**治療方針** 現在でも臨床で最も使用されるドライアイ治療点眼液はヒアルロン酸ナトリウム点眼であるが，TFOT を参考にすれば，その薬理作用を考慮した点眼選択が重要であることがわかる．まず眼表面における上皮側の治療では上皮細胞における膜型ムチン発現低下や，結膜杯細胞における分泌型ムチンの産生や分泌低下を念頭に治療する．眼表面における水濡れ性低下は，ムチン発現減少から引き起こされるという病態生理に基づいている．膜型ムチンは非常に大きな糖蛋白で，グリコカリックスという粘膜表面を保護するバリア構築に必須の蛋白であることから，眼瞼との摩擦ならびに異物感の減少に貢献する．レバミピド点眼液(ムコスタ®点眼液 UD)は，この膜型ムチン発現の改善に寄与するため，

ドライアイ症状のなかでも，特に異物感や眼痛などに有効な臨床試験結果が出ている．

一方，液層の治療では，量的/質的低下に着目する必要がある．量的低下とはまさに水分の減少であるため，唯一薬理作用として直接的に水分泌を結膜上皮細胞などから促すことができるジクアホソルナトリウム点眼液（ジクアス®点眼液）はドライアイ治療の第1選択というべき点眼薬となる．

■ **薬物治療**
❶ **涙液分泌減少型ドライアイ/水濡れ性低下型ドライアイ（軽症）**

処方例 主訴が乾燥感に対しては1)を，異物感に対しては2)を第1選択とする．また，どちらの自覚症状も混在している場合や症状が強い場合には，1)と2)を併用する．1)および2)の使用感に問題がある場合には，別に3)の使用を考慮するが，薬理作用機序を説明し，1)および2)のほうがドライアイ治療に適していることを常に患者へ説明する必要がある．

> 1) ジクアス点眼液　1日6回　点眼
> 2) ムコスタ点眼液UD　1日4回　点眼
> 3) ヒアレイン点眼液(0.1%)　1日4～6回　点眼

❷ **重症ドライアイ(Sjögren症候群/GVHDなどの重症涙液分泌減少型ドライアイ)**

処方例 まず1)のような防腐剤フリー人工涙液の頻回点眼，さらに2)もしくは3)を併用する．充血を認める場合には4)を，起床および睡眠中に痛みがある場合は5)を併用する．

> 1) ソフトサンティア点眼液　1日6～10回　点眼
> 2) ムコスタ点眼液UD　1日4回　点眼
> 3) ヒアレインミニ点眼液(0.1%)　1日4～6回　点眼
> 4) フルメトロン点眼液(0.1%)　1日2～4回　点眼
> 5) タリビッド眼軟膏　1日1回　点入　就寝前

■ **手術治療** 涙点プラグ挿入が必要な場合も多い．Schirmer検査にて0～2 mm程度で，かつ瞳孔領の点状表層角膜症(SPK)が強い場合は躊躇せずプラグを挿入する．高濃度ヒアルロン酸点眼(0.3%)は盗涙現象でSPKが悪化するため，その使用を避ける．

Sjögren症候群

Sjögren syndrome：SS

内野裕一　慶應義塾大学・特任講師/
　　　　　　ケイシン五反田アイクリニック・副院長

概念　Sjögren症候群(SS)は涙腺，唾液腺を標的とする臓器特異的自己免疫疾患である．1933年にスウェーデンの眼科医Henrik Sjögrenが関節リウマチに合併した乾燥性角結膜炎と口腔内乾燥感を伴う症例群を報告した．男女比は1：17と女性に多く，発症年齢のピークは40～60歳である．また2010年度の厚生労働省研究班の検討では，SSの有病率は人口10万人当たり約55人で，少なくとも国内患者数は66,000人，実際にはその数倍の20万人前後と予想されている．

膠原病を伴わない「一次性(primary)SS」と，関節リウマチや全身性エリテマトーデスなどの膠原病を合併する「二次性(secondary)SS」とに大別される．さらに，一次性SSには病変が涙腺，唾液腺などの腺

性症状だけの「腺型」と，病変が全身諸臓器に及ぶ「腺外型」に分けられる．

病態 病因はいまだ不明で，遺伝的素因，免疫学的素因，環境要因が関与していると考えられており，いくつかの自己抗体や涙腺，唾液腺などに浸潤した自己反応性リンパ球の存在から，自己免疫応答がその病因と推定される．発症機構は抗原特異的免疫応答と抗原非特異的免疫応答に分けて考えられるが，詳細は解明されていない．

抗原特異的免疫応答となる先行因子として，ヒトT細胞白血病ウイルス（HTLV-1），Epstein-Barr（EB）ウイルスなどのウイルス感染が考えられ，それらの構成成分の一部が抗原として提示されている可能性がある．また，臓器特異的な自己抗原としては，α-アミラーゼやムスカリン作動性アセチルコリン3（M3R）が報告されている．免疫応答が誘導されたあとは，抗原特異性をもたないさまざまなサイトカインが産生され，唾液腺のB細胞やマクロファージから炎症性サイトカインであるIL-1やTNF-αが産生され，慢性に炎症が継続され，組織破壊が進むと推定される．特に涙腺や唾液腺の生検病理診断では小葉内導管周囲のリンパ球浸潤，小葉内，小葉間間質の線維化などが認められる．

症状 腺症状としては眼乾燥症状と口腔内乾燥症状が主となるが，腺外症状は後述する通り多彩である．眼所見としては，涙腺が炎症性に破壊されることにより涙液減少型ドライアイを生じる．涙液分泌が減少するために涙液層の中でも液層の水分量が維持されないことから涙液安定性が低下し，角結膜上皮に障害が生じる．また涙腺が障害されるために反射性分泌も十分量が得られないため，上皮障害も回復できず，

表2　Sjögren症候群の改訂診断基準（1999年）

1. 生検病理組織検査で次のいずれかの陽性所見を認めること
   a. 口唇腺生検で4 mmあたり1 focus以上
   b. 涙腺生検で4 mmあたり1 focus以上
2. 口腔検査で次のいずれかの陽性所見を認めること
   a. 唾液腺造影でStage 1（直径1 mm未満の小点状陰影）以上の異常所見
   b. 唾液分泌量低下（ガムテスト10 mL/10分以下，またはSaxonテスト2 g/2分以下）があり，かつ唾液シンチグラフィにて機能低下の所見
3. 眼科検査で次のいずれかの陽性所見を認めること
   a. Schirmerテストで5 mm/5分以下で，かつローズベンガル染色テスト（van Bijsterveldスコア）で3以上
   b. Schirmerテストで5 mm/5分以下で，かつ蛍光色素テストで陽性
4. 血清検査で次のいずれかの陽性所見を認めること
   a. 抗SS-A/Ro抗体陽性
   b. 抗SS-B/La抗体陽性

以上の4項目中，2項目以上が陽性であればSSと診断

（厚生省特定疾患免疫疾患調査研究班 平成10年度研究報告書より）

悪循環が継続される．

合併症・併発症 涙腺および唾液腺以外の全身性の臓器病変を伴う腺外型SSでは，関節症状（関節痛，関節炎），甲状腺疾患（甲状腺腫，慢性甲状腺炎），呼吸器症状（間質性肺炎，慢性気管支炎，嗄声），消化管症状（胃炎），腎症状（遠位尿細管性アシドーシス，低カリウム血症による四肢麻痺，腎石灰化症），皮膚症状（環状紅斑，高ガンマグロブリン血症による下肢の網状皮斑や紫斑）などが挙げられる．腺外性SSのなかでも特に予後に大きく影響する悪性リンパ腫や多発性骨髄腫などの血液腫瘍疾患，肝症状（原発性胆汁性肝硬変症，自己免疫性肝炎），肺動脈性肺高血圧症を伴う場合は内科との密な連携が重要である．

表3 Sjögren症候群における一般検査所見と自己抗体陽性率

一般検査所見		自己抗体陽性率	
高γグロブリン血症(IgG, IgA)	60〜80%	抗核抗体	86%
クリオグロブリン血症(IgM, IgG)	5〜10%	リウマトイド因子	69%
貧血	30〜60%	抗SS-A/Ro抗体	69%
血小板減少	<10%	抗SS-B/La抗体	20%
CRP陽性	少ない	抗M3受容体抗体	14〜50%

抗SS-A/Ro抗体は他の膠原病でも検出されるため,特異性は抗SS-B/La抗体より低い.一方で抗SS-B/La抗体は20〜30%に見いだされ,Sjögren症候群に特異性が高いことから診断的意義が高い.

診断 日本と海外では診断基準が異なり,国際的な統一基準はない.日本における診断基準は厚生省研究班によるSS改訂診断基準(1999年)(表2)が用いられる.眼科医が正しく記憶すべき診断基準項目は第3項であり,Schirmer試験第Ⅰ法(無麻酔下)で5mm/5分以下で,かつ蛍光色素染色試験で陽性となるか否かである.細胞毒性の強いローズベンガル染色を用意する必要はなく,フルオレセイン染色もしくはリサミングリーン染色で角膜結膜染色を行い,角膜上皮障害や,涙液減少型ドライアイに特徴的な結膜上皮障害を確認する.この第3項を認める患者には口腔内乾燥感の有無を問診し,血液検査では表3の一般検査項目や自己抗体について検査を進める.自己抗体が陽性であれば,耳鼻咽喉科や口腔外科へ依頼して,口唇腺組織の生検,唾液腺造影による陰影所見の確認,唾液分泌量低下(ガム試験),唾液腺シンチグラフィなどで機能低下を確認してもらう.

治療 涙液分泌減少が主病態であるため,水分補充が治療の主体となる.

眼表面は重篤な点状表層角膜症(SPK)を認めることが多く,涙液層のbreakup patternはarea break/line breakなどであり,Schirmer検査でもほぼ0mmという臨床所見である.高濃度ヒアルロン酸点眼使用は盗涙現象により角膜中央部でSPKが悪化するため,ほぼ禁忌といってよい.実際には防腐剤フリー人工涙液(ソフトサンティア®点眼液)の頻回点眼と涙点プラグ挿入が必須である.涙液分泌を促すP2Y2受容体作動薬であるジクアホソルナトリウム点眼液(ジクアス®点眼液)も推奨されるが,SPKが強いときには痛みを訴える患者も多いため,レバミピド点眼液(ムコスタ®点眼液UD)やヒアレイン®ミニ点眼液(0.1%)のほうが使いやすい.また自己免疫疾患による眼表面炎症をコントロールするため,低濃度ステロイド点眼も有効である.就寝時にタリビッド®眼軟膏を点入すると起床時の開瞼が楽になる.

■ 薬物治療

❶軽度から中等症

処方例 下記1)〜3)を併用する.

1) ソフトサンティア点眼液 1日5〜10回点眼 またはジクアス点眼液 1日6回点眼
2) ムコスタ点眼液UD 1日4回 点眼 またはヒアレインミニ点眼液(0.1%) 1日6回 点眼
3) フルメトロン点眼液(0.1%) 1日2回 点眼

❷**重症例**

処方例 下記 1)〜4)を併用する．また 5)，6)を必要に応じて追加する．

1) 上下涙点プラグ挿入
2) ソフトサンティア点眼液　1 日 5〜10 回 点眼　かつ可能であれば，ジクアス点眼液　1 日 6 回　点眼
3) ムコスタ点眼液 UD　1 日 4 回　点眼
4) フルメトロン点眼液(0.1%)　1 日 2 回 点眼
5) ヒアレインミニ点眼液(0.1%)　1 日 6 回 点眼
6) タリビッド眼軟膏　1 日 1 回　点入　就寝前

予後　一般に慢性の経過をとるが，予後は良好である．従来，乾燥症のために患者の QOL は必ずしも良好とはいえなかったが，新薬(セビメリン塩酸塩，ピロカルピン塩酸塩など)の登場と積極的な涙点閉鎖により QOL が改善してきている．生命予後を左右するのは，活動性の高い腺外症状や合併した他の膠原病による．

涙腺炎

Dacryoadenitis

高比良雅之　金沢大学・病院臨床教授

概念　主涙腺に急性あるいは慢性の炎症をきたした病態である．副涙腺の炎症は眼瞼・結膜炎の症状を呈する．

病態　急性の涙腺炎は局所の細菌感染による片側性のものが多い．抜けた睫毛が涙腺開口部から逆行性に多数迷入している場合もある．一方で感染を伴わない涙腺炎(**図 2**)では，その背景として IgG4 関連疾

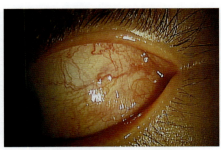

図 2　**20 歳代女性にみられた左涙腺炎**
左外眼角の主涙腺開口部に発赤腫脹，結膜充血がみられる．亜急性の経過で，抗菌薬には反応せず，ステロイド内服で改善した．

患，Sjögren 症候群などの膠原病，サルコイドーシスなどが挙げられ，時に両側性である．涙腺開口部付近の外眼角部結膜が膨隆する病態は涙腺貯留囊胞(dacryops)と呼称される．

症状　急性の感染性涙腺炎では眼瞼外眼角部の疼痛，発赤，腫脹がみられる．慢性の涙腺炎では眼瞼腫脹以外の症状を欠く場合もある．

診断　急性感染性涙腺炎は抗菌薬への反応により診断される．抗菌薬に抵抗する際には MRI などの画像検査や涙腺生検を要する．

治療　急性・亜急性の涙腺炎では抗菌薬の全身投与を行う．抗菌薬に抵抗する例では睫毛の迷入も想定し，病変を切除し，病理を確認する場合がある．慢性の病態ではステロイドの全身投与が奏効する場合がある．

処方例 下記のいずれかを用いる．

1) ロセフィン注(1g)　1 回 1g　1 日 1 回 点滴
2) メロペン注(0.5g)　1 回 0.5g　1 日 2 回 点滴

予後 概して涙腺炎の予後は良好であるが，Sjögren 症候群では重度の角結膜障害をみる場合がある．

涙液分泌過多（流涙）
Lacrimal hypersecretion, Epiphora

小西美奈子　こにし・もりざね眼科・院長

概念・病態・症状　瞼裂に涙液が過剰に貯留，もしくは瞼裂から涙液が流れ出る状態で，涙道の通過障害による場合と何らかの原因で実際に涙液の分泌が増加している場合がある．どちらの病態であるか鑑別することが重要になる．

涙道の通過障害が生じる例としては鼻涙管の狭窄，閉塞が多いが，涙小管の閉塞，涙小管炎や涙嚢炎などの疾患もある．また結膜弛緩症でも涙点まで涙が到達しにくくなるため流涙を呈することがある．涙液の分泌が増加する例としては，結膜炎（アレルギー性結膜炎を含む）や，ドライアイにおいて刺激により反射的に涙液分泌が亢進した状態などがある．

診断　まず細隙灯顕微鏡で結膜炎の有無，角膜上皮びらんの有無を確認し，さらに涙液メニスカスが増加していることを確認する．涙道の通過障害に関しては，涙道洗浄を行い，注入した生理食塩液の逆流があれば通過障害があると判断する．また涙嚢や涙小管部の圧迫で涙液の逆流がみられる場合もある．ドライアイでは乾燥や角膜上皮びらんが刺激となって反射性の涙液分泌を生じ，流涙を訴える場合があるので，BUT（tear film breakup time，涙液層破壊時間）の測定などを行ってドライアイの有無を調べる．

治療　涙道の通過障害に対しては初期の場合は，ステロイド点眼，抗菌薬点眼，涙囊部のマッサージにより経過をみるが，軽快しない場合や流涙が生じてから時間が経っている場合には，手術（ヌンチャク形シリコンチューブ挿入など）を検討する．

ドライアイやほかの前眼部疾患がある場合は，その治療を行う．結膜弛緩症が原因である場合は，訴えの重症度に応じて手術を検討する．

❶涙道通過障害が原因の場合
処方例　下記を併用する．

> フルメトロン点眼液（0.02％もしくは0.1％）　1日4回　点眼
> クラビット点眼液（0.5％もしくは1.5％）　1日4回　点眼

❷ドライアイが原因の場合
処方例　重症度に応じて下記を単独使用，もしくは併用する．角膜上皮びらんが重症の場合は防腐剤無添加の点眼薬を選択する．

> 1) ヒアレイン点眼液（0.1％もしくは0.3％）　1日4～6回　点眼
> 2) ジクアス点眼液（3％）　1日4～6回　点眼
> 3) ムコスタ点眼液UD（2％）　1日4回　点眼

❸アレルギー性結膜炎が原因の場合
処方例　軽度であれば1)の抗アレルギー薬点眼のみ，症状や所見が強ければ2)を併用する．

> 1) ゼペリン点眼液（0.1％）　1日4回　点眼
> 2) フルメトロン点眼液（0.02％もしくは0.1％）　1日3回　点眼

先天性鼻涙管閉塞
Congenital nasolacrimal duct obstruction

小西美奈子 こにし・もりざね眼科・院長

概念・病態・症状 出生直後から持続する流涙，眼脂などの症状を呈する．鼻涙管が下鼻道に開口する部分で Hasner 弁が閉鎖しているため，鼻涙管が袋状になって症状が出現する．

診断 ハンドスリットで角結膜の状態を観察し，結膜炎，角膜疾患，睫毛内反などがないことを確認する．生後 4～5 か月以降であれば涙道洗浄を行い，鼻涙管閉塞があることを確認する．鼻涙管閉塞がある場合，生理食塩液（生食）の逆流，膿排出を認める．鼻涙管閉塞がなければ，患児が注入した生食を飲み込むこと（嚥下運動）で涙道から喉に流れたことが確認される．

治療 まずは涙嚢部のマッサージで経過観察する．眼脂が多い場合は抗菌薬点眼を追加する．マッサージは内眼角と鼻根部の間（涙嚢部）と，鼻翼部を揉むように行う．生後 1 歳頃までに自然開通がありうるので，最近は 1 歳頃まではマッサージや眼脂の多いときに抗菌薬点眼併用で経過観察することが増えている．この方法で改善しなければ，プロービングを行い，閉鎖している部分を穿破する．膿の貯留の多い場合や眼瞼の皮膚炎が生じている場合は早めに処置に踏み切らざるを得ない状況もありうる．また患児が大きくなると，押さえて処置することが困難となるため，プロービングの適応と行う時期を考慮する必要がある．

プロービングの方法としては，まず涙道洗浄を行い，貯留している膿を排出する．その後鼻涙管ブジー（ブジーは 03 号以上の太さが望ましい）もしくは鼻涙管洗浄針で，まず涙点に垂直に挿入後，瞼縁に沿って水平に挿入し涙嚢部に達し，骨様の抵抗を感じたところで涙道の鼻側壁に沿ってプローブを垂直にし，ゆっくりと鼻孔に向かって挿入する．涙小管から涙嚢に移行する総涙小管部分は突起があるため仮道を形成しないよう，針の先端を鼻側壁から離さないように注意する．力をかけなくても自然に針を進められるようであれば正しく挿入されていると考えられる．鼻腔に出る部分は多少の抵抗があり，それを突き破るように挿入する．その後涙嚢洗浄を行い，開通したことを確認する（患児の嚥下運動，および生食の通過状態で判断）．術後は眼脂が一過性に増加するので，抗菌薬点眼とマッサージをしばらく続行する．

鼻涙管洗浄針は通水しながら無理な力をかけずに針を進められ，穿破後もそのまま通水して開通できたか確認可能である．

処方例

トスフロ点眼液（0.3％）　1 日 4 回　点眼

副涙点
Accessory punctum

松村 望 神奈川県立こども医療センター・顧問

概念 涙点は通常では両眼瞼鼻側に上下に 1 つずつ開口しているが，副涙点は同一瞼縁上に複数の涙点があるものを指す（図 3）．

病態 先天的な涙点・涙小管の発生過

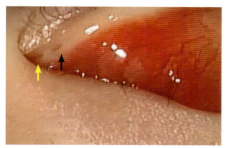

図3 副涙点
涙点(黒矢印)の鼻側の同一瞼縁上に，裂隙状の副涙点(黄矢印)を認める．

程において生じたバリエーションである．主涙点(正常涙点)以外の過剰な涙点を副涙点(異常涙点)とよぶ．副涙点は通常は涙乳頭をもたず，大部分は裂隙状の形をしている．副涙点は通常は瞼縁に開口しているが，膜状に閉鎖していることもある．副涙点と涙小管の関係は，1つの涙小管に2つの開口部が存在しているものと，正常の涙点・涙小管とは別に副涙点から過剰涙小管(異所性涙小管)が続いているものとがある．過剰涙小管は涙囊につながることが多いと報告されている．

症状　副涙点そのものは機能的障害の原因とはならず，無症状で偶然発見されることが多い．

治療　無症状の場合，特に治療は必要ない．

ワニの涙症候群
Crocodile tear syndrome

松村 望　神奈川県立こども医療センター・顧問

概念　異常な神経支配に起因するまれな涙液分泌異常疾患である．飲食の際に流涙が起こる．

病態　先天性と後天性があり，発生機序は異なると考えられているが，不明な点が多い．

❶**先天性**　Duane症候群，Marcus Gunn現象とともに，先天性の異常な神経支配による症候群と考えられており，これらが合併している症例が多い．発生頻度はまれである．先天性の場合の障害部位は，末梢神経ではなく脳幹における核および核上性であると推察されている．特に橋の外転神経核，上唾液核の異常や，網様体および内側毛(絨)帯と外転神経核との異常連絡が原因と考えられている．

❷**後天性**　後天性は顔面神経麻痺ののち，数週間～数か月で発症することが多い．原因としては，障害された顔面神経が再生する際に，涙腺と唾液腺を支配する神経が癒着したり，再生の方向性に異常が生じるmisdirection theory が提唱されている．

症状　飲食の際に流涙が起こる．
治療　後天性の場合は自然治癒することがある．手術治療としては，顔面神経の神経ブロックや涙腺の部分切除などが従来行われてきた．近年，涙腺へのボツリヌストキシンの注射が流涙の軽減に有用であると報告されている．

涙道閉塞
Obstruction of the lacrimal drainage

上田幸典　総合病院聖隷浜松病院眼形成眼窩外科・部長

概念　涙道内の粘膜に癒着を生じ，閉塞することで涙液の通過障害をきたした状

態である．閉塞部位によって涙小管閉塞や鼻涙管閉塞などに分類される．原因に習慣プール利用や抗癌薬，外傷，眼表面の炎症性疾患などが挙げられるが，原因不明であることが大半である．

症状　流涙，眼脂が主な症状である．閉塞部位によって症状はやや異なり，涙小管閉塞の場合は，涙囊内に眼脂が貯留しないため，眼脂の訴えは比較的少ない一方で流涙を強く訴える．鼻涙管閉塞の場合，涙小管閉塞と比較して流涙症状は軽度であるが，時に涙囊炎をきたすことで眼脂症状が強く出る．また，急性涙囊炎は涙囊周囲に感染性の炎症が波及した状態であり，涙囊部皮膚の発赤，腫脹，疼痛を生じる．

診断　眼科日常診療において流涙や眼脂を訴える患者は多いが，涙道閉塞を見逃さないためにその訴えを聞き流さず，通水検査を行って通過障害の有無を確認することが望ましい．

通水検査は涙洗針を上下の涙点のうちどちらか一方に挿入し，生理食塩液などを注入して鼻腔や咽頭に流れることを確認する方法である．涙道閉塞や狭窄がない場合は，涙洗針を挿入していない涙点から逆流せずに鼻腔へ通過する．通過障害を認めた場合，逆流してくる生理食塩液の性状を確認することで閉塞部位を推測することができる．鼻涙管閉塞の場合，涙囊内の眼脂が逆流してくることが特徴であり，生理食塩液が涙囊内にいったん入ってから逆流するため，逆流してくるタイミングは涙小管閉塞と比較し遅い．涙小管閉塞の場合，涙囊手前の内総涙点付近のみの閉塞で上下涙小管の交通があれば，眼脂の逆流はなく，生理食塩液がすぐに逆流してくる．涙小管の水平部に及ぶような閉塞で上下の交通がなければ，通過しないばかりか逆流も認めない．涙小管閉塞が疑われた場合は，ブジーを挿入し閉塞範囲を確認する．

次に可能であれば涙道内視鏡検査も行う．閉塞部や涙道内の粘膜の状態，涙道内結石の有無などを直接確認できる．

■**鑑別診断**　まれではあるが，涙囊内に腫瘍を生じることがある．血性の流涙の訴えがある場合や，通水試験にて血性涙液もしくは凝血塊の逆流を認める場合は，CTや造影MRIを行い腫瘍性病変の有無を鑑別する．

治療　涙小管閉塞および鼻涙管閉塞の両者で，まず行うべき治療法が涙管チューブ挿入術である．涙管チューブ挿入術は，閉塞した涙道を物理的に開通させたのちに，ステントとしてチューブを数か月留置し，涙道の再建をはかるものである．近年では涙道内視鏡の機器や手技の発達により，正確で確実なチューブ挿入が可能となっている．具体的には，シースを被せた涙道内視鏡を涙点より挿入し，閉塞部にシースを誘導して穿破，開放後，さらにシースをガイドにチューブを涙道内に留置する方法などが用いられている．涙道内視鏡を使用せずにチューブを挿入する場合は，涙道の解剖学的構造をイメージしながら挿入角度に注意して行う．チューブ留置後は，チューブに対する炎症を抑える目的でステロイド点眼薬と必要に応じて抗菌点眼薬を処方し，1か月に1〜2回ほど涙道洗浄を行う．術後2か月前後で挿入したチューブを抜去する．抜去後もしばらくは定期的に涙道洗浄を行いフォローすることが望ましい．涙管チューブ挿入術は本来の涙道を再建することができるため，低侵襲で生理的によい方法であるが，一定の確率

で術後の再閉塞をきたすことに注意が必要である．

鼻涙管閉塞に対して，次に検討すべき治療法が涙囊鼻腔吻合術である．涙管チューブ挿入術後に再閉塞をきたした症例や，閉塞が強固でチューブ挿入が困難な症例，慢性涙囊炎を長期間罹患し涙管チューブ挿入術では術後再閉塞が予想される症例などで行われる．涙囊窩に骨窓を作成後，涙囊粘膜と鼻腔粘膜を吻合することで，閉塞した鼻涙管をバイパスして通過障害を解消する治療法である．アプローチ法として，涙囊部皮膚を切開して行う鼻外法と，鼻内視鏡を用いて鼻内から行う鼻内法が存在する．鼻外法は古くから行われ，大きな吻合口を作成できることが利点であり，皮膚切開を行う必要があることが欠点である．鼻内法は，皮膚切開を行わず比較的低侵襲に行えることが利点であり，鼻内操作を習熟する必要があること，十分な吻合口を作成できない可能性があることが欠点である．それぞれの利点・欠点に鑑みて術式を選択するとよい．

涙小管閉塞に対する治療は時に難渋する．まずは涙管チューブ挿入術を試みるが，閉塞が強固，閉塞長が長いなどで挿入が困難な場合，涙囊を切開し逆行性に涙小管を再建する方法，涙囊を剝離し結膜へ移動させ吻合する方法などが行われる．S-1（ティーエスワン®）など抗癌薬投与中に生じる涙小管閉塞は，重症化する危険性が高い．時に急速に閉塞をきたし，涙小管が瘢痕化し開通させることが困難となる．そのため，抗癌薬投与中に流涙を訴える場合は完全に閉塞してしまう前に管腔を確保するため，可能な限り早期に涙管チューブ挿入術を行うことが望ましい．

予後 重度の涙小管閉塞は涙道を開通できたとしても流涙が残存したり，高頻度に再閉塞したりするため，予後はよくない．一方で，それ以外の涙道閉塞は涙管チューブ挿入術や涙囊鼻腔吻合術を適切に行うことで治癒可能である．

新生児涙囊炎
Neonatal dacryocystitis

小西美奈子　こにし・もりざね眼科・院長

病態・症状 先天性鼻涙管閉塞が基礎にあり，2次的に感染を起こし，涙囊部の発赤，腫脹を生じた状態．涙囊の周囲組織にも炎症が及ぶことがある．症状としては涙囊部の腫脹，粘液膿性眼脂，流涙を呈する．涙囊洗浄や涙囊部を圧迫すると膿の逆流がみられる．原因菌として黄色ブドウ球菌，インフルエンザ桿菌が多いとの報告もある．

治療 抗菌薬の点眼，涙囊部マッサージを行い，炎症や周囲の腫脹が強ければ抗菌薬の全身投与も行う．改善が得られなければ，涙道のプロービングにより鼻涙管の閉塞部を開通し，膿を排出する．プロービングの方法は先天性鼻涙管閉塞(⇒ 364 頁参照)と同じである．

まず涙道洗浄を行い貯留している膿を排出．その後鼻涙管ブジーもしくは鼻涙管洗浄針で涙点に垂直に挿入後，瞼縁に沿って水平に挿入し涙囊部に達し，骨様の抵抗を感じたところで涙道の鼻側壁に沿ってプローブを垂直にし，ゆっくりと鼻孔に向かって挿入する．涙小管から涙囊に移行する総涙小管部分は突起があるため仮道を形

成しないよう注意する．鼻腔に出る部分は多少の抵抗があり，それを突き破るように挿入する．その後涙嚢洗浄を行い，開通したことを確認する（患児の嚥下運動，および生理食塩液の通過状態で判断）．

処置後はしばらく抗菌薬点眼を続ける．

>[!処方例]
>トスフロ点眼液(0.3%)　1日4回　点眼

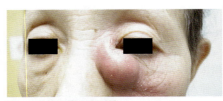

図4　急性涙嚢炎（左側）

涙嚢炎
Dacryocystitis

鎌尾知行　愛媛大学・准教授

概念　涙嚢炎は，涙道通過障害により涙嚢内で病原微生物が感染を起こした炎症性疾患である．急性涙嚢炎と慢性涙嚢炎がある．

病態　急性涙嚢炎は，涙嚢から周囲組織へ急性化膿性炎症が波及した状態である．起因菌として黄色ブドウ球菌や *Corynebacterium*，肺炎球菌が多い．

慢性涙嚢炎は，涙嚢・鼻涙管の狭窄・閉塞部位より近位の涙道に老廃物や粘液が貯留し，涙道内に細菌が異常増殖して慢性炎症を生じた状態である．狭窄・閉塞の原因としてアレルギー，プール通所，鼻手術，顔外傷などがある．

症状・診断　急性涙嚢炎は流涙，眼脂，涙嚢周囲の著明な発赤，腫脹，疼痛を訴える（図4）．慢性涙嚢炎は流涙，眼脂があり，涙嚢周囲はやや腫脹し，難治性の慢性結膜炎を合併する．涙嚢圧迫や涙管通水検査で涙点から膿の逆流を認める．排出した膿を塗抹鏡検や細菌培養に提出し，起因菌の同定，薬剤感受性を明らかにする．

治療・予後　急性涙嚢炎は炎症が拡大しないように全身および局所への抗菌薬投与を行う．涙嚢部の疼痛が強い場合，穿刺排膿を行う．慢性涙嚢炎は，抗菌薬の投与のみでは完治が困難である．根治療法は涙道再建術であり，涙管チューブ挿入術や涙嚢鼻腔吻合術を要する．慢性涙嚢炎の涙管チューブ挿入術の再閉塞率は45〜80％と報告されている．

涙石症
Dacryolithiasis

鎌尾知行　愛媛大学・准教授

概念　涙石症は涙道内に結石が生じる疾患である．涙小管結石を含む場合と含まない場合があるが，涙小管結石は涙小管炎を起こすため「涙小管炎」項を参照のこと（⇒次頁）．本項では涙嚢結石について解説する．

病態　50歳以下の女性，喫煙者，大きく拡張した涙嚢，鼻涙管閉塞がリスク要因として報告されている．涙嚢結石の形成には，扁平上皮化生やムチン，トレフォイルファクターペプチドの変化の関与が指摘されているが，詳細なメカニズムはいまだ

不明である．

症状・診断　涙嚢内に結石を生じた場合，多くは慢性涙嚢炎を起こし，流涙，眼脂，涙嚢周囲の腫脹といった症状を認める．ただ，無症候性のものも存在し，涙管通水検査や涙道内視鏡検査で偶然発見される場合もある．結石が涙道内に嵌頓すると涙道閉塞を生じるが，可逆性の場合があり，流涙・眼脂といった症状が増悪，寛解を繰り返すことがある．

診断は結石を同定することである．涙管通水検査で通水量が変化する場合，通水を認めるが排膿がある場合，血性逆流を認める場合に涙嚢結石を疑うが，これらの所見を認めない症例も多く，涙管通水検査などの一般的な涙道検査では診断が困難である．特に，鼻涙管閉塞・狭窄に涙嚢結石を伴うものと伴わないものとの鑑別が困難で，涙嚢鼻腔吻合術などの外科的治療時に偶然発見されることが多かった．しかし，海外では鼻涙管閉塞も涙嚢結石も涙嚢鼻腔吻合術が治療の第1選択であり，術前に涙嚢結石を診断することに重点がおかれていない．わが国では硬性涙道内視鏡が上市され，涙嚢結石の術前診断・治療に有用であることが報告されており，術前診断の重要性が増している．

近年，レバミピド点眼液による涙嚢結石が報告されるようになったが，因果関係や形成機序について一定の見解が得られていない．

治療・予後　治療は結石を涙道内から完全除去することである．炎症による疼痛を伴うため十分な局所麻酔を行う．涙嚢の結石は涙道内視鏡を用いて除去する．涙道内視鏡で除去できない場合は，顕微鏡下に涙嚢を切開して除去する．

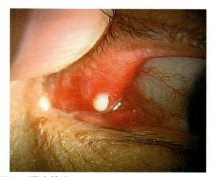

図5　涙小管炎
左上涙小管炎症例．上涙点周囲の充血・腫脹・突出が著明で，涙点から黄色の排膿が観察される．

涙小管炎
Canaliculitis

鎌尾知行　愛媛大学・准教授

概念　涙小管に炎症が生じる疾患である．涙小管結石に伴って起こることがほとんどである．

病態　50歳以上の高齢女性に好発する．涙小管結石の形成には，真菌の関与が指摘されているが，詳細なメカニズムはいまだ不明である．

症状・診断　涙小管炎を起こした場合，流涙，眼脂，眼瞼腫脹，疼痛といった症状を認める．無症候性のものも存在し，涙管通水検査や涙道内視鏡検査で偶然発見される場合もある．

涙小管炎の場合，涙点周囲にも炎症が波及し，涙点の拡張，涙点周囲の充血・腫脹・突出を認めることが多い**(図5)**．ただし涙点周囲にそれらの異常所見を認めない場合もあり，所見がないからといって涙小管炎を否定することはできない．診断は結

石を同定することである．涙小管結石は，涙点・涙小管付近の眼瞼の圧迫や涙管通水検査で結石が涙点から排出される場合が多く，涙小管炎を疑えば診断に難渋することは少ない．しかし，涙小管炎は発症から診断までの期間が平均2～5年と報告されている．涙点付近の観察がおろそかになり，片眼性難治性慢性結膜炎として長期に経過観察される場合が多いためである．

結石の起因菌としては放線菌が最も多く，嫌気性の*Actinomyces*属が代表的菌種である．起因菌の同定のためには分離培養と塗抹鏡検を行うが，*Actinomyces*属の分離培養の成功率は低い．そのため，塗抹鏡検や病理学的検査が必須である．

治療・予後 治療は結石の除去である．抗菌薬の局所，全身投与で治癒することはない．涙点を切開後，外から菌石を圧出，または鋭匙で中から搔き出す方法がある．盲目的治療であり1回で完全に除去することは困難である．涙道内視鏡を用いればより確実な除去が可能である．

OCT アトラス 第2版

OCT画像の決定版、待望の改訂!

[監修] 吉村長久 京都大学・名誉教授
　　　 板谷正紀 前・埼玉医科大学教授・眼科
[編集] 辻川明孝 京都大学大学院教授・眼科

今や眼科診療に不可欠の検査機器となったOCT(optical coherence tomography：光干渉断層計)画像を存分に盛り込んだカラーアトラス、待望の改訂第2版。初版の方針を踏襲し"アトラス"としてのビジュアルな紙面づくりを意識しつつ、OCT angiographyをはじめここ10年での進歩を踏まえて画像・記述を全面的にアップデートした。

OCT画像の決定版,待望の改訂!
大好評の初版のビジュアルを継承し,
症例・写真を大幅に増やしてパワーアップ!
美しさ,ここに極まれり
医学書院

● A4　頁504　2022年
　定価：27,500円(本体25,000円+税10%)
　[ISBN978-4-260-04905-4]

目次

- ① OCT 読影の基礎
- ② 網膜硝子体界面病変
- ③ 糖尿病網膜症
- ④ 網膜血管病変
- ⑤ 中心性漿液性脈絡網膜症
- ⑥ 加齢黄斑変性
- ⑦ 黄斑疾患
- ⑧ 網膜変性症
- ⑨ ぶどう膜炎
- ⑩ 病的近視とその類縁疾患
- ⑪ 網膜剝離
- ⑫ 腫瘍
- ⑬ 緑内障
- ⑭ 視神経疾患

医学書院　〒113-8719　東京都文京区本郷1-28-23　[WEBサイト]https://www.igaku-shoin.co.jp
　　　　　　[販売・PR部]TEL:03-3817-5650　FAX:03-3815-7804　E-mail:sd@igaku-shoin.co.jp

5 結膜疾患

結膜浮腫
Chemosis

田 聖花　東京慈恵会医科大学葛飾医療センター・講師

図1　急性の結膜浮腫

概念　結膜が本来の表面積を超えて，いわゆる「膨れた」状態になっている所見を，結膜浮腫という．原因はさまざまで，局所性のほかに，全身疾患に合併するものもある．

病態　結膜は球結膜と瞼結膜に分けられるが，どちらにも血管やリンパ管，リンパ組織が豊富に存在する．

結膜浮腫は血管やリンパ管の透過性が亢進し，漏出液が周囲に貯留して生じる．

球結膜でも瞼結膜でも起こりうるが，瞼結膜には固い瞼板組織があり，あまり目立たない．

症状　結膜浮腫は結膜炎の随伴所見として，結膜充血とともに生じることが多く，症状は結膜炎の原因によって異なる．

アレルギー性結膜炎では瘙痒感を伴う．アレルギー性結膜炎は，例えば漆のような抗原性の強いものをふいに触ってしまったときなどの急性と，花粉症に代表される慢性があるが，特に急性アレルギーでは強い結膜浮腫を生じる．結膜はやわらかい組織のため，瞼裂からはみ出るような丈の高い浮腫となったり（図1），時にドーナツ状に角膜を取り囲むような全周性の浮腫となったりすることがある．慢性アレルギーでは球結膜の浮腫は比較的軽度で，充血のほうが目立つことが多い．

感染性結膜炎では眼脂を認める．流行性角結膜炎などウイルス性の場合は漿液性眼脂，細菌性では黄白色膿性眼脂となることが多い．

診断　まず，球結膜・瞼結膜の充血や眼脂の有無・程度などから，アレルギー性か感染性かを鑑別することが重要である．図1のような急性の結膜浮腫の場合は，アレルゲンとして心当たりのものやイベントがないかといった問診が，診断の鍵となる．

治療　急性アレルギー性結膜炎の場合は，ステロイド点眼ですみやかに消退する．慢性アレルギーの場合は，季節性・通年性に応じて，抗アレルギー薬点眼とステロイド点眼を組み合わせて用いる．

細菌感染性結膜炎では，ステロイド点眼は不要であり，広域抗菌薬か，原因菌がわかる場合は感受性のある薬剤の点眼をで

きる限り用いて加療する．ウイルス性では，ステロイド点眼を必要とすることが多い．

結膜下出血
Hyposphagma, Subconjunctival hemorrhage

田 聖花　東京慈恵会医科大学葛飾医療センター・講師

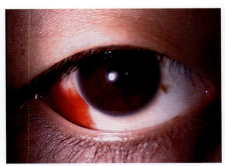

図2　結膜下出血

概念　いわゆる「白目が赤くなる」状態で，日常臨床で高い頻度で遭遇する自然発症するケースと，外傷性とがある．嘔吐など静脈圧が高まったときに生じることもある．原因にかかわらず，結膜下出血に対する直接的な加療はない．

病態　結膜の表面には多数の毛細血管が走っており，外的な要因で切れると結膜下に出血が広がる**(図2)**．自然発症例では，瞬目や眼球運動がきっかけになることが多いようだが，明らかではない．自覚症状はないとされ，鏡を見て気づいた，他人に指摘された，といって受診するケースが多いが，軽度の痛みや違和感を覚えることもある．出血の程度によっては，球結膜全周性であったり，血腫のように隆起性に生じたりすることもある．いずれにしても視機能への影響はない．

外傷性は直接的に血管が切れて生じる．嘔吐や強くいきむことによって生じることもあり，Valsalva効果とよばれ，静脈圧が高まることに起因する．

診断　診断は容易であるが，高度の結膜充血との鑑別を行う．

治療　原則的に治療は必要なく，自然に吸収消退する．血腫性に隆起し，閉瞼しても瞼裂から溢れるほどの程度であれば，穿刺して内出血の容量を減じるとよい．

結膜結石
Conjunctival concretion

篠崎和美　東京女子医科大学附属八千代医療センター／東京女子医科大学・准教授

概念　結膜結石は，瞼結膜に生じる黄白色の顆粒状〜小結節状の変性物質が凝集し固形化したものである．通常結膜下に存在するが，時に結膜上皮から露出する．

病態　瞼結膜に偽腺管様（pseudogland of Henle）にみえる上皮が粘膜固有層に嵌入したHenleの陰窩（crypt of Henle）がある．結膜結石は，そこにムチン，蛋白質や脱落した上皮細胞などが変性し固形化したヒアリンと考えられているが，明らかではない．杯細胞（goblet cell）が比較的多く存在する部位に生じやすい．

症状　基本的に無症状である．結膜上皮から露出すると異物感や角結膜上皮障害の原因となる．

診断　特徴的な臨床所見で容易に診断できる．フルオレセイン染色すると，結膜上皮より結膜結石が露出しているか否か容易に判別できる．また，角結膜上皮障害への影響も明瞭になる．

治療 無症状の場合は経過観察する．

症状がある場合は，露出した結膜結石のみを点眼麻酔下で除去する．露出した結膜結石の周囲の結膜を鑷子で軽く押し下げるだけで脱出することも多い．体部に比較し突出部が小さい場合は，注射針で除去する．針先をフックのように曲げて使用すると安全に除去しやすい．初心者や安定した姿勢での処置が難しい患者などの除去には，おたま型小異物鑷子を利用するのが便利かもしれない．

除去する際に，結膜に不必要な侵襲を加えないよう心がけることが大切である．深部から掘り出すと結膜の瘢痕化を引き起こすため，強引な除去はしない．

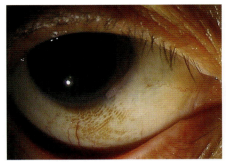

図3 メラノーシス

結膜色素沈着

Conjunctival pigmentation

篠崎和美　東京女子医科大学附属八千代医療センター/東京女子医科大学・准教授

概念　正常結膜でも結膜上皮にはメラノサイトやメラニンを含有した結膜上皮細胞が存在する．輪部の特に上下には色素沈着がよく観察され，輪部の上皮の基底細胞層にはメラノサイトが多く存在する．結膜の色素沈着はこのメラニンの沈着，メラノーシス，代謝異常，薬剤性，金属沈着などがある．

病態

❶**メラニンの沈着**　細胞から分泌されたメラニンの結膜上皮基底細胞内への蓄積である．細胞の異形成を伴わない．正常でもみられる．

❷**メラノーシス(図3)**　メラノサイトの増殖．茶褐色～黒褐色のびまん性，斑紋状の隆起を伴わない色素としてみられる．後天メラノーシスで細胞異型がみられると悪性黒色腫を生じる可能性がある．原因がないものが多いが，手術，慢性炎症，化学物質の刺激により生じることがある．

❸**代謝異常**　Gaucher病，Addison病で沈着をみることがある．

❹**薬剤性沈着**　アドレナリンが酸化し形成した黒褐色の色素顆粒(adrenochrome)が，アドレナリン含有の点眼液の長期点眼で沈着する．また不整脈治療薬のアミオダロン塩酸塩も，角膜と同様に結膜にも沈着をきたす．

❺**金属沈着**　金療法による金の沈着や，銀職人などでは銀の沈着をみることがある．

症状　無症状である．整容面での受診がある．

診断　隆起や変化もない場合は色素沈着の可能性が高い．メラニン沈着やメラノーシスは臨床所見のみで悪性か否かの判別が難しく，増大傾向を示す場合は生検を行う．

治療　基本的には経過観察．原因がある場合は原因の除去．

新生児結膜炎・乳児結膜炎
Neonatal conjunctivitis

庄司 純　日本大学・臨床教授

概念　新生児結膜炎は，産道由来または新生児涙嚢炎などの眼付属器由来の病原微生物による感染性結膜炎が特徴である．出生時の経産道感染では，淋菌，クラミジアおよび単純ヘルペスウイルスなどの性感染症(sexually transmitted disease：STD)関連結膜炎に注意する必要がある．上記以外の新生児結膜炎では，黄色ブドウ球菌，レンサ球菌，モラクセラ菌などが検出頻度の高い原因菌である．

乳児結膜炎では，肺炎球菌，レンサ球菌，ブドウ球菌，インフルエンザ菌などによる細菌性結膜炎の頻度が高く，単純ヘルペスウイルスやアデノウイルスによるウイルス性結膜炎もみられる．

病態・症状

❶新生児の細菌性結膜炎　淋菌結膜炎，モラクセラ結膜炎，クラミジア結膜炎(後述)およびその他の細菌性結膜炎を鑑別診断する必要がある．分娩後発症までの期間は鑑別診断上重要であり，淋菌結膜炎は短く生後1〜3日，モラクセラ結膜炎は7〜10日以降，クラミジア結膜炎は3〜10日である．淋菌結膜炎は多量の膿性眼脂を伴い，化膿性結膜炎を呈するが，新生児の *Moraxella catarrhalis* 結膜炎では重症化して，淋菌結膜炎に類似した化膿性結膜炎となるため pseudogonococcal conjunctivitis ともよばれている**(図4)**．その他の細菌性結膜炎では，急性カタル性結膜炎の所見を呈する．

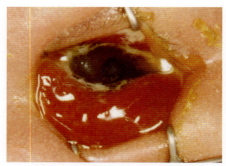

図4　新生児の *Moraxella catarrhalis* による pseudogonococcal conjunctivitis
pseudogonococcal conjunctivitis は，膿性眼脂および高度の眼瞼腫脹と結膜充血とを伴い淋菌結膜炎に類似した臨床所見を呈する．

❷乳児の細菌性結膜炎　急性カタル性結膜炎として発症し，粘液膿性または膿性眼脂および結膜充血を呈するが，濾胞や乳頭形成はまれである．乳児のインフルエンザ菌結膜炎では，高度の結膜充血に加え，眼瞼腫脹や発熱などの全身症状を呈する重症例がみられることがある．

❸新生児クラミジア結膜炎　膿性眼脂を伴う偽膜性結膜炎を特徴とするが，瞼結膜が易出血性のため血性眼脂となることがある．新生児のため，濾胞形成はほとんどみられない．上咽頭炎，肺炎を合併することがある．

❹ヘルペス性結膜炎　新生児では粘液性眼脂，眼瞼腫脹，結膜充血など，所見にあまり特徴がない．乳幼児では歯肉口内炎(初感染ヘルペス)に伴って発症し，濾胞性結膜炎，耳前リンパ節腫脹を呈する．7〜10日遅れて上皮性角膜病変(星状・樹枝状角膜炎)が出現することがある．

❺アデノウイルス結膜炎　アデノウイルスの血清型により，偽膜性結膜炎を主症状とする流行性角結膜炎，または咽頭炎，結膜

炎，発熱を主症状とする咽頭結膜熱の臨床症状を呈する．新生児および乳児の場合には濾胞形成に乏しく，成人でみられる濾胞性結膜炎とは異なる臨床所見を呈する．

| 診断 | 原因微生物を検出することにより診断と原因検索とを同時に行う．微生物学的検査として，①結膜嚢内分離培養（細菌，クラミジア，ウイルス），② PCR 法（クラミジア，ヘルペスウイルス，淋菌），③免疫クロマトグラフィ法（アデノウイルス）などが用いられている．

| 治療

■ 治療方針　原因微生物に合わせて，治療薬を選択する．また，細菌の場合には，細菌培養検査時に薬剤感受性試験を合わせて行い，薬剤感受性試験の結果に基づき抗菌薬の種類を選択する．

■ 薬物治療

❶細菌性結膜炎　β-ラクタム系薬剤（ベストロン®）が第 1 選択となる．また，原因菌によってはフルオロキノロン系薬剤を選択するが，小児に対する保険適用が承認されている薬剤は，トスフロキサシントシル酸塩水和物（オゼックス®，トスフロ®）である．抗菌点眼薬を選択する場合には，薬剤耐性菌〔キノロン耐性淋菌（quinolone-resistant Neisseria gonorrhoeae：QRNG），メチシリン耐性黄色ブドウ球菌（methicillin-resistant Staphylococcus aureus：MRSA），ペニシリン耐性肺炎球菌（penicillin-resistant Streptococcus pneumoniae：PRSP），β-ラクタマーゼ非産生アンピシリン耐性インフルエンザ菌（β-lactamase-negative ampicillin-resistant Haemophilus influenzae：BLNAR）など〕に注意して薬剤選択を行う必要がある．

> 処方例
> ベストロン点眼用（0.5％）　1 日 4 回　点眼

❷新生児クラミジア結膜炎　オフロキサシン（タリビッド®）眼軟膏を 1 日 5 回，8 週間を目安に投与する．また，結膜炎の重症例または咽頭炎や肺炎などの全身症状を有する症例に対しては，マクロライド系抗菌薬の内服を併用する．

> 処方例　下記 1）に，必要に応じて 2）を併用する．
> 1）タリビッド眼軟膏（0.3％）　1 日 5 回　塗布
> 2）ジスロマック細粒小児用（10％）　10 mg/kg　分 1　3 日間

❸ヘルペス性結膜炎

> 処方例
> ゾビラックス眼軟膏（3％）　1 日 5 回　塗布

| 予後　原因微生物を特定し，適切に抗微生物薬が投与されれば，1～2 週間で治癒する．

細菌性結膜炎

Bacterial conjunctivitis

庄司 純　日本大学・臨床教授

| 概念　細菌性結膜炎は，細菌感染を原因とする結膜炎である．臨床的には，急性カタル性結膜炎の臨床像を呈するが，原因菌によっては，慢性カタル性結膜炎，化膿性結膜炎，偽膜性結膜炎などを生じる場合がある．

| 病態　細菌性結膜炎の代表的原因菌は，ブドウ球菌，レンサ球菌，肺炎球菌，インフルエンザ菌，モラクセラ菌などである．また，性感染症に関連した結膜炎とし

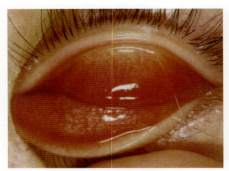

図5　小児のインフルエンザ結膜炎
瞼結膜に高度の充血がみられるが，濾胞や乳頭の所見に乏しい．

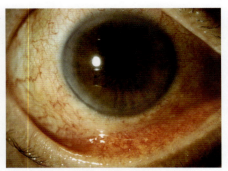

図6　成人のブドウ球菌結膜炎
結膜充血が主体のカタル性結膜炎がみられる．

て，淋菌感染による化膿性結膜炎とクラミジアトラコマティス感染による濾胞性結膜炎とがある．

　細菌性結膜炎は，発症する年代により原因菌に特徴がみられる．新生児の結膜炎では，産道感染による淋菌結膜炎（新生児膿漏眼）とクラミジアトラコマティスによる新生児封入体結膜炎とがある．また，新生児涙嚢炎から結膜炎を併発することがあり，その原因菌としてはレンサ球菌やコアグラーゼ陰性ブドウ球菌（CNS）が検出される．乳幼児では，インフルエンザ菌（図5），肺炎球菌，モラクセラ菌などが主な原因菌である．成人ではブドウ球菌属（図6）の割合が増加する．高齢者ではブドウ球菌属に加え，肺炎球菌，インフルエンザ菌による結膜炎がみられるが，近年コリネバクテリウム属による難治性の慢性結膜炎が問題になっている．

　抗菌薬治療においては，薬剤耐性菌が問題になる．結膜炎では，メチシリン耐性黄色ブドウ球菌（MRSA），メチシリン耐性コアグラーゼ陰性ブドウ球菌（MRCNS），ペニシリン耐性肺炎球菌（PRSP），薬剤耐性インフルエンザ菌（BLNAR, BLPACR）などに注意する必要がある．薬剤耐性菌による結膜炎は，治療に抵抗し，時に難治化することもある．

　症状　自覚症状は，異物感，充血および眼脂である．カタル性結膜炎の場合は，粘液膿性眼脂を呈し，淋菌およびモラクセラ菌による結膜炎では膿性眼脂となる．他覚所見は，球結膜に結膜充血と結膜浮腫，瞼結膜に結膜充血と結膜腫脹とがみられる．カタル性結膜炎の場合，瞼結膜に顕著な濾胞形成や乳頭増殖はみられず，クラミジア結膜炎では濾胞形成がみられる．乳児のインフルエンザ結膜炎では，球結膜浮腫，眼瞼腫脹および発熱などの全身症状などを伴う重症例がみられることがある．ブドウ球菌結膜炎の場合は，眼瞼炎を併発し，眼瞼結膜炎となる場合がある．

　診断　迅速診断には，眼脂や結膜擦過物の塗抹標本検査が有用で，グラム染色あるいはギムザ染色後に細菌の有無と炎症細胞の判定を行う．塗抹標本の簡易染色キットとして，グラム染色のためのフェイバーG，ギムザ染色のためのディフ・クイッ

ク®，サンゴディッフ，ヘマカラー®染色などがある．塗抹標本検査の鏡検では，炎症細胞の大多数が好中球であることを確認し，好中球に貪食された細菌が観察されれば原因菌であると判定する．

さらに，治療薬を決定するうえで，可能な限り眼脂などの細菌分離培養検査および薬剤感受性検査を行う．検体採取には輸送培地に付属している綿棒を用いて行い，検体採取後直ちに培養検査に提出することが望ましい．保存する場合には，雑菌の繁殖を抑制するために冷蔵保存する．

■**鑑別疾患** 感染性結膜炎ではウイルス性結膜炎，非感染性結膜炎ではアレルギー性結膜炎，ドライアイなどが挙げられる．ウイルス性結膜炎の代表疾患は，アデノウイルス感染による流行性角結膜炎・咽頭結膜熱，エンテロウイルスまたはコクサッキーウイルス感染による急性出血性結膜炎，単純ヘルペスウイルス感染による単純ヘルペス結膜炎である．流行性角結膜炎は濾胞性結膜炎を呈し，漿液線維素性眼脂，偽膜形成，耳前リンパ節腫脹がみられる．単純ヘルペス結膜炎も濾胞性結膜炎を呈するため，眼瞼周囲の皮疹（水疱）と角膜炎の有無が鑑別には重要である．

|**治療**| 細菌性結膜炎の治療には，抗菌薬の点眼あるいは眼軟膏を使用する．乳幼児や immunocompromised host において，結膜炎に加え高度の眼瞼腫脹や発熱を伴う場合には抗菌薬の全身投与を行う場合がある．

初期治療では，エンピリック治療として，患者の年齢や誘因を考慮して抗菌薬を選択する．次に，塗抹検査や分離培養検査・薬剤感受性試験結果により原因菌が判明すれば，適正な抗菌薬へと変更する．小児に対しては，インフルエンザ菌，レンサ球菌，肺炎球菌，モラクセラ菌による結膜炎を想定して，セフェム系もしくはフルオロキノロン系抗菌点眼薬を選択する．小児に対して適応症を得ているフルオロキノロン系抗菌点眼薬は，トスフロキサシントシル酸塩水和物（オゼックス®）点眼液である．成人に対しては，ブドウ球菌属を念頭において，第4世代フルオロキノロン系抗菌点眼薬やセフェム系抗菌点眼薬を選択する．

処方例 下記のいずれかを用いる．

1）新生児：ベストロン点眼用（0.5％） 1日4回 点眼
2）乳幼児：オゼックス点眼液（0.3％） 1日4回 点眼
3）高齢者：ガチフロ点眼液（0.3％） 1日4回 点眼

|**予後**| 抗菌薬局所投与によって数日で軽快することが多いが，重症例や難治化する症例においては，ほかの感染病巣の検索や薬剤耐性菌を確認する必要がある．

淋菌性結膜炎
Gonococcal conjunctivitis

庄司 純　日本大学・臨床教授

|**概念**| 淋菌結膜炎は，淋菌（*Neisseria gonorrhoeae*）による急性化膿性結膜炎である．

|**病態**| 淋菌結膜炎は，自己または他人の淋疾から手指などを介して接触感染する．主な感染ルートとしては，性行為により感染した尿道炎や子宮頸管炎からの自家感染，新生児の産道感染などがある．乳幼

児の発症はまれであるが，感染ルートを特定できない幼児感染例の報告がある．薬剤耐性菌としてキノロン耐性淋菌（QRNG）に注意が必要である．

症状　淋菌結膜炎は潜伏期が半日〜3日であり，眼瞼腫脹，高度な結膜充血・腫脹・浮腫，および白黄色・クリーム状の膿性眼脂がみられる．特に膿漏眼または化膿性結膜炎とよばれるように，多量の膿性眼脂が特徴である．瞼結膜の充血および腫脹が高度で，下眼瞼結膜がビロード状乳頭増殖様に充血，腫脹する**(図7)**．角膜合併症は，潰瘍を伴った角膜混濁が，角膜中央部にみられる場合と周辺部角膜を中心にみられる場合とがあり，急激に進行して角膜穿孔を生じる．周辺部に発症する角膜潰瘍は，Mooren角膜潰瘍に酷似するが，膿性眼脂および結膜炎の所見から両者は鑑別できる．

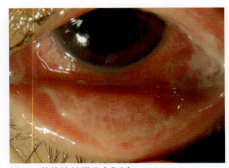

図7　淋菌性結膜炎（成人）
眼瞼および球結膜の強い充血と膿性眼脂がみられる．

診断　迅速診断には，眼脂あるいは結膜擦過物の塗抹検査が有用であり，好中球に貪食されたグラム陰性双球菌の所見により診断する．また，細菌分離培養検査を必ず行い，原因菌の確定と薬剤感受性試験を行う．

淋菌感染症診断の補助検査としては，PCR法を臨床応用した検査キットが販売されている．市販キットは，淋菌とクラミジアとが同時検出できる遺伝子検出試薬キットで，PCR法（コバス®アンプリコア® STD-1 CT/NG），real-time PCR法（cobas® 4800システム CT/NG），SDA（strand displacement amplification）法（BDプローブテック™ET CT/NG），TMA（transcription mediated amplification）法（アプティマ® Combo 2 CT/NG）などがある．これらのキットは，泌尿器科や婦人科での使用を目的として作られているが，眼脂や結膜擦過物を検体する場合には婦人科用キットにより検査する．しかし，PCR検査を眼科応用した場合の精度に関しては不明であり，陰性となった場合の検査結果は不明となる．

治療　淋菌感染症の治療に用いる抗菌薬は，ペニシリン系，フルオロキノロン系，テトラサイクリン系である．しかし，抗菌薬に対し耐性化が進んでいることから，薬剤感受性試験により使用中の抗菌薬を再検討する必要がある．

局所投与薬としては，セフェム系抗菌薬などを選択する．また，角膜潰瘍がみられ，角膜穿孔の危険がある場合，抗菌点眼薬に耐性を示す場合などは，積極的に抗菌薬の全身投与を行う．全身投与薬としては，第3世代セフェム系薬であるセフトリアキソンナトリウム水和物（ロセフィン®）の静脈注射，アミノグリコシド系抗菌薬であるスペクチノマイシン塩酸塩水和物（トロビシン®）の殿部筋注が推奨されている．角膜穿孔した場合には，角膜移植術などの外科的処置を考慮する．

処方例　下記1）を用いる．1）に耐性を示す

場合は2)を用いる.

1) ベストロン点眼用(0.5%) 2時間ごと点眼
2) ロセフィン注 1回1g 1日1〜2回静注

予後 早期に淋菌結膜炎と診断し,感受性のある抗菌薬が投与されれば,数日で炎症所見は改善する.

アデノウイルス結膜炎
Adenoviral keratoconjunctivitis

内尾英一 福岡大学・教授

概念 流行性角結膜炎(epidemic keratoconjunctivitis:EKC)はアデノウイルス感染によって発症する感染力の高い急性結膜炎である.わが国では,眼科領域で最も多い流行性疾患であり,アジア諸国では例年多数の発症者がみられる公衆衛生学的にも重要な疾患である.型によって,臨床所見の重症度に相違があり,近年ウイルス学的研究が進みつつある.

病態

❶**病因** アデノウイルス科(*Adenoviridae*)は正20面体(直径70〜90 nm)の構造の2本鎖DNA(分子量$20〜25×10^6$)をもつ.かつては血清型による分類がされていたが,PCR法と遺伝子系統解析による分類が広く行われるようになったことから,52型以降はそれまでの血清型も含めて,「型」とよぶことになった.型はその近縁性からA〜Gの7種に分類され,結膜炎を生じる型は3, 4, 7, 8, 11, 19, 37型などが従来報告されている.種ではB種(3, 7, 11),E種(4)およびD種(8, 19,

表1 ヒトアデノウイルスの分類

種	型
A	12, 18, 31, 61
B	3, **7**, **11**, 14, 16, 21, 34, 35, 50, 55, 66, 76〜79
C	1, 2, 5, 6, 57, 89
D	8, 9, 10, 13, 15, 17, **19**, 20, 22〜30, 32, 33, 36, **37**, 38, 39, 42〜49, 51, **53**, **54**, **56**, 58, 59, 60, 62, 63, **64**, 65, 67〜75, 80〜84, **85**, 86, 87, 88, 90
E	4
F	40, 41
G	52

主要な結膜炎起炎型を**太字**で示す.

37)がそれぞれ該当する**(表1)**.新型のなかで,角結膜炎を発症することがわが国で報告されているのは53型,54型,56型,64型および85型の5つの型である.これらはいずれもD種である.

❷**発症機序** アデノウイルス結膜炎では,まずアデノウイルスに親和性のあるレセプターを有する結膜上皮細胞にアデノウイルスのファイバーが接着して感染が始まる.レセプターは型により異なっている.結膜炎症状の強い流行性角結膜炎EKCタイプと全身症状が前面に出る咽頭結膜熱(pharyngoconjunctival fever:PCF)タイプの臨床像が異なるメカニズムは,レセプターとウイルスファイバーとの関係に規定されていることが明らかになっている.

❸**感染経路** 感染経路で最も重要なものは手指を介する経路である.アデノウイルスは非常に強い生物学的性質をもっており,多様な感染経路がある.医療者の手指や眼圧計チップなど,直接患者に触れるものの感染リスクは高い.アデノウイルス浮遊液を自然乾燥しても10日以上感染性を維持できるとされているが,アデノウイルスは

一般には湿潤な環境よりは乾燥に弱い．汚染された点眼瓶を介した感染経路も重要である．処置用点眼薬は多数の患者に使用されることから，不適切な使用法によっては感染源となることがある．

症状　本症の潜伏期は7〜10日である．典型的なアデノウイルス結膜炎では急性濾胞性結膜炎，角膜上皮下混濁，耳前リンパ節腫脹がみられる．

EKCの典型例は8型をはじめとするD種に属する19型や37型でみられる．発症早期にはしばしば点状表層角膜症を生じ，時に結膜偽膜，結膜下出血や瞼球癒着のみられる症例もある．臨床症状は発症後5〜8日頃に最も強くなり，以後は症状は消退する．一方，PCFは3型などのB種によるものが多く，上記の結膜症状は比較的軽症であるのに対し，咽頭痛，気管支炎，発熱などの全身症状が強くみられる．しかし臨床症状と型，種は完全には一致しない症例もある．アデノウイルス結膜炎の症状は患者の年齢やアトピー性皮膚炎などの全身，局所の免疫状態により異なって現れることがあるからである．

新型アデノウイルスのなかでも，わが国で最も結膜炎に多くみられているのは54型である．54型による症例では，強い角膜上皮障害（びらん，潰瘍など）がみられるほかに，急性期経過後の期間にThygeson点状表層角膜炎に類似した上皮の隆起を伴う浸潤が遷延して，視力低下を生じる症例は治療抵抗例も多く**(図8)**，これまでのアデノウイルス結膜炎ではまれな臨床像がみられる．

診断

■**診断法**　アデノウイルス結膜炎の診断に関する検査法には，大別して細胞培養によ

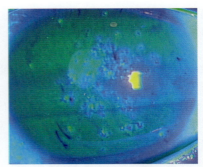

図8　**54型でみられた上皮の隆起を伴う浸潤病変**
発症後2か月経過しても遷延して観察された．

る分離同定法，PCR法を用いたウイルス抗原検査法，そして免疫クロマトグラフィ法による迅速診断法がある．分離および中和抗体による同定法はウイルス学的な標準的診断法であるが，型によっては増殖しにくく，長時間を経て結果が出るため，結果を治療に反映させにくい．PCR法はデータベース上の各型の遺伝子配列との相同性から型を判別するPCR-sequence法が行われ，さらに系統解析まで行うバイオインフォマティクスも研究領域では広く行われている．アデノウイルスの迅速診断キットはアデノウイルスヘキソンモノクローナル抗体を使用しており，簡便ではあるが，感度は70〜80％である．陽性率はウイルス量ときわめて密接な関係がある．

■**鑑別診断**　臨床的に鑑別の対象となる感染性の急性濾胞性結膜炎を呈するものにクラミジアと単純ヘルペスウイルスによるものがある．前者は片眼性で，2週間以上続く亜急性濾胞性結膜炎を呈し，尿道炎，子宮頸部炎などの病歴を有することが特徴である．また単純ヘルペスウイルス結膜炎はアデノウイルス結膜炎と臨床的な鑑別は困

難である.

治療

■ **薬物治療** アデノウイルスに対する特異的な抗微生物薬はなく，発症初期は，重複感染予防の目的で抗菌薬ないし合成抗菌薬点眼で経過を観察し，広範な点状表層角膜症，結膜偽膜合併例にはステロイド点眼薬を投与する．ただし，初期の角膜病変から角膜ヘルペスをアデノウイルス結膜炎とみ誤ることがあり，ステロイド点眼薬は慎重に用いる必要がある．非ステロイド性抗炎症点眼薬は流涙，異物感など自覚症状の強い例に併用するが，一般的には不要である．

処方例 下記1)で経過を観察したのち，症状に応じて2)を用いる．

1) クラビット点眼液(1.5%)　1日4回　点眼
2) フルメトロン点眼液(0.1%)　1日4回　点眼

予後

一般的には自然に軽快することが多いが，角膜上皮下混濁を残し，羞明を数年自覚することもまれにある．このような場合にはステロイド点眼薬を使用する．角膜穿孔などの重篤な合併症はほとんどない．

急性出血性結膜炎

Acute hemorrhagic conjunctivitis：AHC

内尾英一　福岡大学・教授

概念

急性出血性結膜炎(AHC)は流行性角結膜炎と並ぶ眼科領域における感染性の高い代表的な疾患である．原因ウイルスであるエンテロウイルスがRNAウイルスであるために，遺伝学的変異が速く，過去に何度も世界的な大流行を生じている．

病態・病因

AHCの病原ウイルスは，エンテロウイルス70(enterovirus 70：EV70)とコクサッキーウイルスA24変異株(coxsackievirus A 24 variant：CA24v)である．これらはピコルナウイルス科 (*Picornaviridae*) に属している．EV70は西アフリカ・ガーナ付近から出現後，1969〜1970年に世界大流行を生じた．CA24vは1970年にシンガポールでAHCを流行させたのち，15年間東南アジアおよびインド亜大陸に限局して流行を繰り返していたが，1985年に突如爆発的に世界に広がり，沖縄で1985年，1994年，最近では2011年にそれぞれ大流行を起こしている．AHCは家族内感染も多く，接触感染でありながら，空気感染のインフルエンザに匹敵する発症率があるとする理論疫学的報告がある．国内の流行では中高生に発症が多く，学校閉鎖に至ることは少なくない．

症状

潜伏期は約1日で急激に発症する．片眼のみに発症した場合も翌日には両眼性となることが多い．耳前リンパ節は腫脹することもある．眼瞼結膜は充血と濾胞を強く認める．球結膜出血は70〜90%に出現する．出血は斑状，点状や広範なものまでさまざまで，発症後3〜5日で広がりをもった形になることが多い(図9)．アデノウイルス結膜炎のような点状上皮下混濁を残すことはまれである．

診断

■ **診断法** エンテロウイルス感染の証明は培養細胞を用いたウイルス分離・中和法による同定が確定診断となる．しかしEV70は1984年にサウジアラビアでの分離報告

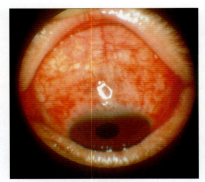

図9　急性出血性結膜炎
眼球結膜にびまん性に散在する結膜下出血がみられる.

を最後に通常の培養細胞での分離は不可能になっているため，EV70 と CA24v を同時に検出できる reverse transcription PCR（RT-PCR）法を用いた分子生物学的解析によって検出する．RT-PCR 法では 3 病日以上からは陽性例が得られないので，ウイルス RNA の証明には発症後早期のごく短期間で検体を採取する必要性がある．

■ **鑑別診断**　アデノウイルス 11 型をはじめとするアデノウイルス特に B 種による結膜炎は臨床的には AHC と診断されることもある．これは尿中からも分離されることが多く，急性出血性膀胱炎の病因ウイルスでもある．

■ **治療**　現在のところ，EV70 および CA24v に対する特異的な治療薬で確立されたものはなく，流行性角結膜炎に準じて感染予防の抗菌薬点眼を行うが，数日で臨床症状は改善するので不要な場合も少なくない．ステロイド点眼薬が必要な重症例はまれである．

単純ヘルペスウイルス結膜炎

Herpes simplex virus conjunctivitis

篠崎和美　東京女子医科大学附属八千代医療センター／東京女子医科大学・准教授

■ **概念**　主に 1 型であるが，単純ヘルペスウイルス（herpes simplex virus：HSV）1 型・2 型（HSV-1・2）による結膜炎である．初感染と再発性の場合がある．

初感染は主に小児であるが，最近では成人の HSV 抗体保有率が 45％程度といわれており，成人の初感染にも注意を要する．再発性 HSV 結膜炎は成人が主で，HSV の再活性化により発症する．約 8 割が片眼性である．

■ **病態**　HSV-1 の多くは口や手指などに感染し，HSV-2 は性器などの下半身に感染する．接触感染が多いが飛沫感染もある．粘膜や皮膚に感染し増殖して，小水疱やびらんなどを形成するとともに知覚神経を上行して潜伏感染する．

HSV 結膜炎は，結膜上皮細胞に HSV が感染し，結膜上皮下にリンパ球が集簇し濾胞が形成された状態である．初感染では眼瞼ヘルペスに合併することが多い．再発は，三叉神経節に潜伏感染した HSV の再活性化で発症する．

■ **症状**　急性濾胞性結膜炎を呈し，充血，流涙，眼脂，球結膜には結膜びらん，耳前リンパ節の腫脹などをきたす．眼瞼ヘルペスの合併も多い．樹枝状角膜炎をみることもある．

■ **診断**　迅速な診断には，蛍光抗体法，免疫クロマトグラフィ法（チェックメイ

ト®ヘルペスアイ，保険適用外）による抗原検出がよい．ウイルス分離は迅速性に劣るが確定診断となる．PCRはHSVの眼表面へのsheddingを考慮し検査結果を解釈する．

■**鑑別診断** 鑑別には特にアデノウイルス結膜炎などが挙げられる．皮膚や角膜病変がない場合，初期の臨床所見での鑑別は難しい．初感染ではペア血清が参考になるが，再活性化では血清抗体価の診断的意義はあまりない．

| 治療法

処方例

ゾビラックス眼軟膏(3%)　1日5回　点入　2週間

混合感染予防に抗菌薬点眼を併用する．ステロイド局所投与は禁忌である．

眼瞼ヘルペスを合併する場合は，成人では下記の併用も考える．

バルトレックス(500 mg)　2錠　分2　5日間

初感染は全身症状を伴うこともあり注意を要する．小児は小児科と連携をとる．

| 予後　一般的に予後良好．

クラミジア結膜炎
Chlamydial conjunctivitis

篠崎和美　東京女子医科大学附属八千代医療センター/東京女子医科大学・准教授

| 概念　クラミジアトラコマティス（*Chlamydia trachomatis*）による結膜炎で，トラコーマと封入体結膜炎の2つの臨床像がある．
❶**トラコーマ**　わが国や欧米ではみないが，WHOのVision 2020（主要失明疾患対策）の対象疾患にもなり，衛生環境の不備な国には今も存在する．
❷**封入体結膜炎（クラミジア結膜炎）**　一方，現在，封入体結膜炎（最近ではクラミジア結膜炎と呼称される傾向）は，性感染症（sexually transmitted diseases：STD）として重要な疾患である．結膜炎が受診の動機のことも多く，早期診断ができたか否かが全身合併症の予後を左右する．成人では泌尿生殖器や呼吸器（特に上咽頭）感染，新生児では肺炎などを合併する．淋菌などほかのSTDを合併していることもあり注意する．まれであるが，乳幼児や小児では性的虐待も念頭におく必要がある．

| 病態

❶**トラコーマ**　接触感染やハエの媒介により伝播する．潜伏期は約1週間，結膜炎，角膜の浸潤や血管侵入を生じ，反復感染や炎症の慢性化により結膜瘢痕化，睫毛・眼瞼内反，角膜障害が進行し重篤な視力障害をきたす．
❷**封入体結膜炎（クラミジア結膜炎）**　潜伏期は約1週間．性器クラミジアから眼に伝播し発症．新生児は主に産道感染による．

| 症状

❶**トラコーマ**　両眼の急性や慢性の結膜炎．初期には充血，流涙，粘液膿性眼脂，眼瞼腫脹，角膜炎を呈し，反復感染や慢性化により結膜の瘢痕，睫毛・眼瞼内反，重篤な角膜障害，視力障害をきたす．
❷**封入体結膜炎（クラミジア結膜炎）**　成人型では粘液膿性眼脂，片眼の急性の濾胞性結膜炎で，耳前リンパ節腫脹を伴うことも多い．感染から約3週後には混濁し癒合した数珠状や堤防状の濾胞形成を下眼瞼結膜にみる**(図10)**．上眼瞼結膜には乳頭増殖，角膜上方に角膜表層への血管侵入や上皮下

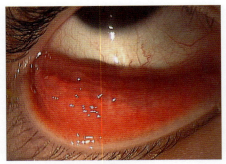

図10 クラミジア結膜炎

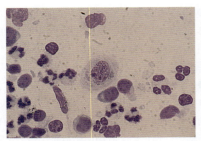

図11 ギムザ染色

浸潤,混濁を生じる.新生児も生後1週間前後で発症し,濾胞形成はせず,両眼性の偽膜性結膜炎をきたす.角膜上皮下に混濁をみることもある.

診断 結膜擦過物のディフ・クイック染色による鏡検では,多核白血球が単核球より優位で,結膜上皮細胞質内の封入体(Prowazek 小体),Leber 細胞や形質細胞もみることがある(図11).保険適用外であるが結膜擦過物の PCR 検査も簡便である.外注も可能であり,淋菌の同時検査も可能である.アデノウイルス結膜炎,偽膜性結膜炎をきたす疾患との鑑別を要する.

治療法 特殊なライフサイクルのため,局所では6~8週間治療を継続する必要がある.全身合併症やパートナーの治療

も行う.乳幼児・小児については小児科と連携をとる.

処方例 局所には1)を用いる.眼軟膏の点入が困難な場合は2)を用いる.成人で咽頭炎,泌尿生殖器の感染の合併が懸念される場合は,3)を併用する.

〈局所〉
1) タリビッド眼軟膏(0.3%)またはエコリシン眼軟膏 1日5回 点入
2) タリビッド点眼液(0.3%)またはトスフロ点眼液(0.3%)またはオゼックス点眼液(0.3%) 1時間おきに点眼(結膜炎に保険適用があるが,クラミジアは適応菌種に含まれない)

〈内服〉
3) ジスロマック錠(250 mg) 4錠 分1 1日間 またはクラリス錠(200 mg) 2錠 分2 1週間

予後 トラコーマは失明に至ることがある.封入体結膜炎は適切な治療により予後良好である.

アレルギー性結膜炎(花粉症,通年性アレルギー性結膜炎)

Allergic conjunctivitis (pollinosis, perennial allergic conjunctivitis)

福田 憲　高知大学・准教授

概念 I型アレルギーが関与する結膜の炎症性疾患である「アレルギー性結膜疾患」のうち,巨大乳頭や輪部病変などの増殖性変化や,アトピー性皮膚炎を伴わないものである.症状の発現が季節性のものを季節性アレルギー性結膜炎(seasonal allergic conjunctivitis：SAC），季節あるいは気候の変化により増悪，寛解があるが，症状の発現が通年性のものを通年性アレルギー性結膜炎（perennial allergic conjunctivitis：PAC）とよぶ．SAC のなかで花粉によって引き起こされるものは花粉性結膜炎ともよばれる．

病態 アレルゲンに感作されたあとに，再度アレルゲンが眼表面に飛入し，マスト細胞の IgE 受容体に結合しているアレルゲン特異的 IgE をアレルゲンが架橋することで，マスト細胞が活性化・脱顆粒して I 型アレルギー反応が生じる．I 型アレルギー反応はアレルゲン侵入後 15〜20 分程度で生じる即時相と数時間後に生じる遅発相の 2 つからなるが，アレルギー性結膜炎の症状の発現には即時相でマスト細胞から放出されるヒスタミンなどのメディエーターが重要である．

症状 SAC は，花粉の飛散時期など毎年同時期に瘙痒感が最もよくみられる症状で，ほかに流涙，充血，異物感などの自覚症状が生じる．PAC では症状の増減はあるがほぼ 1 年を通して瘙痒感，充血，流涙，眼脂などの症状を自覚する．SAC，PAC とも他覚所見としては特異性の高いものはなく，結膜充血，結膜浮腫や瞼結膜の乳頭・濾胞がみられる．巨大乳頭などの増殖性病変は伴わない．

合併症・併発症 SAC，特に花粉性結膜炎には花粉症による鼻炎症状を合併することが多い．また花粉症患者は花粉による花粉眼瞼炎を伴っていることも多い．

診断 アレルギー性結膜疾患の診断は，I 型アレルギー素因および，アレルギー炎症に伴う自他覚症状により行う．確定には結膜局所での I 型アレルギー反応の証明が必要である．「アレルギー性結膜疾患診療ガイドライン 第 3 版」の診断基準としては，①臨床診断，②臨床的確定診断，③確定診断に分類され，それぞれ①は臨床症状のみ，②臨床診断に加え，下記の I 型アレルギー素因の証明された症例である．I 型アレルギー素因は，全身的には推定される抗原の血清抗原特異的 IgE あるいは皮膚反応が陽性で，局所的には涙液中総 IgE 抗体検査で陽性であれば証明できる．③確定診断は，①または②に加え結膜擦過物や眼脂での好酸球の同定でなされる．

日常診療においては，典型的な花粉症・花粉性結膜炎は臨床症状のみで診断することも多い．SAC ではスギ・ヒノキ・シラカンバなどその地域で飛散している花粉抗原の特異的 IgE 検査を行うと，確実な診断といつまで治療すべきかがわかる．涙液中総 IgE の陽性率は約 6 割と報告されている．PAC は慢性に経過し，自覚症状や他覚所見も乏しい症例などは診断に苦慮する場合もある．季節性の抗原に加え，ダニ抗原・ハウスダスト，ペットの動物上皮などに感作されていることも多く，それらの血清抗原特異的 IgE 検査をするとよい．結膜擦過物や眼脂の好酸球が証明できれば，確定診断となるが，陽性率はそれほど高くない．またコンタクトレンズ装用者で瘙痒感を訴える患者では，コンタクトレンズ関連乳頭結膜炎や巨大乳頭結膜炎との鑑別が必要であるため，必ず上眼瞼を翻転して上眼瞼結膜での乳頭増殖を確認する．

治療

■**治療目標** 花粉症を含むアレルギー性結膜炎は，頻度が非常に高く，公共の利益として適切な治療を行うことが重要である．

表2　抗アレルギー点眼薬の作用機序による分類

作用	薬剤名	主な商品名
メディエーター遊離抑制	クロモグリク酸ナトリウム	クロモグリク酸Na
	トラニラスト	リザベン® トラメラス®
	ペミロラストカリウム	アレギサール® ペミラストン®
	アシタザノラスト水和物	ゼペリン®
	イブジラスト	ケタス®
メディエーター遊離抑制 ＋ ヒスタミン H_1 拮抗	ケトチフェンフマル酸塩	ザジテン®
	オロパタジン塩酸塩	パタノール®
	エピナスチン塩酸塩	アレジオン® LX アレジオン®
ヒスタミン H_1 拮抗	レボカバスチン塩酸塩	リボスチン®

スギ花粉症での労働生産性の低下による1日の経済的損失は2,000億円以上に上ると算出されており，また労働生産性を最も低下させる因子が眼瘙痒感であることが報告されている．したがって花粉症・花粉性結膜炎患者では瘙痒感を素早く改善させることが治療の目標となる．しかしながら，治療を行わなくても視力障害はみられない疾患であり，ステロイド点眼薬などによる医原性の副作用には特に注意が必要である．

■ 治療法

❶抗アレルギー点眼薬の種類と使い方　SAC・PACいずれもⅠ型アレルギー反応によって惹起される症状であるため，治療の中心はマスト細胞をターゲットとした抗アレルギー点眼薬を用いた薬物療法である．抗アレルギー点眼薬は作用機序の観点から，メディエーター遊離抑制点眼薬と抗ヒスタミン薬の2つに大別される．メディエーター遊離抑制点眼薬はマスト細胞の膜安定化作用を有し，マスト細胞の脱顆粒によるヒスタミンなどのメディエーターの遊離を抑制する薬剤である．抗ヒスタミン薬はヒスタミン H_1 受容体に競合的に作用して，遊離されたヒスタミンと H_1 受容体との結合を阻害する．メディエーター遊離抑制点眼薬は5種類，H_1 受容体拮抗薬は4種類上市されている．H_1 受容体拮抗薬のうち3種類はメディエーター遊離抑制作用も有している（**表2**）．

SACにおいては，花粉飛散前より点眼を開始するいわゆる初期療法が勧められる．初期療法とは花粉飛散開始予測日の2週間程度前よりメディエーター遊離抑制点眼薬を開始する治療法で，これにより症状発現の時期を遅らせる効果や，発現する症状の軽減が期待できる．次年度にはそれぞれの地域における花粉飛散開始時期の少し前に受診するように伝えることが重要である．PACにおいても，メディエーター遊離抑制点眼薬を継続的に使用することで，マスト細胞の膜安定化が維持され，症状の緩和が期待できる．

点眼薬に含まれる防腐剤ベンザルコニウム塩化物はソフトコンタクトレンズに吸着するため，ソフトコンタクトレンズを装用

したままベンザルコニウム塩化物を含んだ点眼薬を使用することは勧められない．ソフトコンタクトレンズ装用したまま点眼を希望する症例やドライアイの症例においては，防腐剤を含まないアレジオン®LX点眼液やケトチフェンPF点眼液などを処方する．

❷**セルフケア・洗眼** スギ花粉は涙液に接すると短時間で破裂しアレルゲンを放出することが知られており，花粉飛散時期には抗アレルギー点眼薬による治療に加えて，セルフケアとして眼表面に飛入・付着した花粉を洗い流すことも有効である．水道水や点眼薬などで頻回に洗眼することは涙液の安定性や細胞毒性などの観点から勧められず，防腐剤の入っていない人工涙液や点眼型洗眼薬などで洗眼することを患者に勧める．

❸**ステロイド点眼薬** ステロイド薬はさまざまな免疫細胞に効果を示すため，Ⅰ型アレルギー反応の即時相および遅発相の両者に効果を示す．力価と濃度の異なる点眼薬が数種類販売されている．アレルギー性結膜炎に対しては，抗アレルギー点眼薬および洗眼でも症状の抑制が不十分である場合にのみステロイド点眼薬を用い，かつ短期間の使用にとどめるべきである．アレルギー性結膜炎は視力障害をきたさない疾患であり医原性の副作用には特に注意が必要で，継続使用の場合は定期的な眼圧測定が必要である．

❹**アレルゲン免疫療法** アレルゲン免疫療法は，病因アレルゲンを反復投与していくことで，アレルゲンの曝露で生じる症状を緩和する治療法であり，長期の寛解も期待できる治療法である．スギ花粉症に対して舌下免疫療法で用いるスギ花粉舌下錠が保険収載されており，スギ花粉症に対し鼻症状のみならず眼症状も有意に軽減させることが報告されている．「鼻アレルギー診療ガイドライン（2020年版）」には鼻炎に対する治療法の1つとして免疫療法が記載されているが，「アレルギー性結膜疾患診療ガイドライン 第3版」には免疫療法についての記載はまだなく，現時点では花粉症に対する舌下免疫療法は主に鼻炎に対し耳鼻咽喉科・小児科などで施行していることが多い．花粉症による結膜炎症状，スギ花粉性結膜炎に対しても処方が可能であり，眼症状のみのスギ花粉症患者に対しては眼科で免疫療法を施行すべきと思われ，今後免疫療法の普及が期待される．

処方例 下記1)～3)のいずれかを処方する．ソフトコンタクトレンズ装用者であれば防腐剤を含まない1)を処方する．また一般用医薬品の人工涙液や洗眼薬での洗眼を勧める．1)～3)の点眼でも瘙痒感などの症状が治まらない場合のみ一時的に4)を用いる．

1) アレジオンLX点眼液(0.1％) 1日2回 点眼
2) パタノール点眼液(0.1％) 1日4回 点眼
3) リザベン点眼液(0.5％) 1日4回 点眼
4) フルメトロン点眼液(0.1％) 1日4回 点眼

春季カタル

Vernal keratoconjunctivitis：VKC

福田 憲　高知大学・准教授

概念 結膜に増殖性変化がみられるア

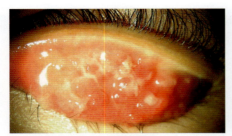

図12　春季カタルの増殖性病変
上眼瞼結膜に巨大乳頭と粘稠性眼脂がみられる．

図13　春季カタルの角膜病変
フルオレセインで染色される落屑様の点状表層角膜炎がみられる．

レルギー性結膜疾患が春季カタルである．

病態　Ⅰ型アレルギーが関与する炎症疾患であるが，特にTリンパ球と好酸球の病態への強い関与が考えられている．巨大乳頭の病理所見は，好酸球・2型Tリンパ球の浸潤に加え，細胞外マトリックスの過剰な沈着，線維芽細胞の増生などもみられ，強い2型炎症が生じていると考えられる．涙液中の好酸球数と角膜傷害の程度が相関することから，巨大乳頭から浸潤した好酸球の角膜傷害の発症や遷延への関与が推察される．結膜で生じた強い2型炎症・好酸球性炎症が，角結膜を構成する上皮細胞や線維芽細胞を巻き込んで病態が形成される．

症状　瘙痒感や結膜充血のみならず，眼脂・異物感や角膜傷害を伴うと眼痛・羞明・視力低下を訴える．

合併症・併発症　アトピー性皮膚炎・眼瞼炎：半数以上の症例でアトピー性皮膚炎を合併し，皮膚炎に伴う眼瞼炎などがみられる．

診断　春季カタルは結膜に増殖性病変を有するアレルギー性結膜疾患と定義される．増殖性病変は眼瞼型では上眼瞼結膜に巨大乳頭を，眼球型では輪部病変(輪部結膜の堤防状隆起やTrantas斑)を，混合型では巨大乳頭と輪部病変の両方を認める(図12)．また，しばしば落屑様点状表層角膜炎，シールド潰瘍，角膜プラークなどの特徴的な角膜病変を伴う(図13)．増殖性病変や角膜病変は特徴的であり，臨床診断は比較的容易である．小さな輪部病変のみの軽症の眼球型春季カタルは見逃されやすいが，フルオレセイン染色をするとわかりやすい．

ダニやハウスダスト，花粉などの血清抗原特異的IgE，涙液中総IgE抗体，結膜擦過物での好酸球の陽性率も高率であり，確定診断も容易である．

治療

■**治療方針**　結膜での強い炎症により角膜傷害を伴い視力低下をきたすため，十分な消炎治療が必要である．結膜でのTリンパ球による2型炎症が関与するため，マスト細胞に作用する抗アレルギー点眼薬のみでは不十分で，Tリンパ球の抑制作用を有する免疫抑制点眼薬(シクロスポリン：パピロック®ミニ点眼液，タクロリムス：タリムス®点眼液)あるいはステロイド点眼薬を用いる．免疫抑制点眼薬の免疫抑制効果はシクロスポリンに比してタクロリム

スのほうが強く，眼瞼型などの重症例にはタクロリムス点眼を用いる．免疫抑制点眼薬でも消炎が不十分な場合にのみ，ステロイド点眼薬を追加する．春季カタルは小児に多く，若年者ほどステロイドレスポンダーの割合が多いため，ステロイド点眼薬を使用する場合には定期的な眼圧測定が必須である．

治療経過においては活動性・治療効果の判定が重要である．活動性は巨大乳頭の腫脹の程度，Trantas 斑の数や角膜病変の程度により判定する．角膜プラークがあると物理的に角膜上皮が伸展できず上皮欠損が持続するが，これは活動性の指標にはならず，角膜プラーク周囲の角膜の状態（点状表層角膜炎）などで治療効果を判断する．残存した角膜プラークは結膜の炎症の活動性が沈静化したあとに外科的搔爬を行う．

点眼薬でコントロールできない場合は，ステロイド内服や巨大乳頭切除などの外科的治療を行うこともあるが，免疫抑制点眼薬の登場後は非常に少なくなった．

処方例 以下を症状に合わせて用いる．

1) リザベン点眼液(0.5%) 1日4回 点眼
2) アレジオン LX 点眼液(0.1%) 1日2回 点眼
3) パピロックミニ点眼液(0.1%) 1日3回 点眼
4) タリムス点眼液(0.1%) 1日2回 点眼
5) フルメトロン点眼液(0.1%) 1日4回 点眼
6) リンデロン点眼・点耳・点鼻液(0.1%) 1日4回 点眼

重症度にかかわらず，ベースには1)や2)などの抗アレルギー点眼薬を使用する．軽症例や眼球型では3)あるいは4)を追加する．3)で治療を開始するも効果が不十分な場合は4)に変更する．眼瞼型や角膜傷害を伴っている場合は4)を追加する．3)，4)でも改善が得られない場合はステロイド点眼薬である5)あるいは6)を追加する．5)，6)の追加で巨大乳頭の平坦化や角膜傷害の改善が得られた場合は，それらから漸減・中止する．

1)または2)と，3)または4)の2剤による治療で寛解の期間が続けば，点眼薬を急に中止するのではなく，3)または4)のプロアクティブ療法，すなわち再燃予防のために症状をみながら点眼回数を減らして維持する治療をするとよい．例えば1日2回の点眼で寛解期間が長くなれば，1日1回，その後隔日に1回などに減らしながらも使用を継続する．

アトピー性角結膜炎

Atopic keratoconjunctivitis：AKC

福田 憲　高知大学・准教授

概念　アトピー性角結膜炎（AKC）は顔面・眼周囲のアトピー性皮膚炎を伴う症例に生じる慢性の角結膜炎である．特に成人のアトピー性皮膚炎患者に伴うことが多い．

病態　結膜での強い炎症の遷延により，アレルギー性結膜炎とは異なり上眼瞼結膜の線維化(図14)や瘢痕化，球結膜の色素沈着や瞼球癒着，角膜には混濁や血管侵入などのさまざまな組織のリモデリングを生じる．巨大乳頭などの増殖性病変を伴わないことが多いが，春季カタルのように巨大乳頭を伴う症例も含まれる．アトピー性皮膚炎を伴わない春季カタルは思春期以

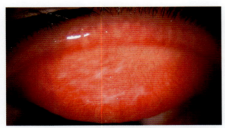

図 14　アトピー性角結膜炎患者の上眼瞼結膜
上眼瞼結膜には充血, 乳頭増殖に一部線維化を伴っている.

降に寛解することが多いが, AKC は成人以降も遷延する症例が多い.

症状　自覚症状としては, 通年性・慢性に眼の痒み・眼脂・充血を自覚し, 角膜病変を併発すると眼痛や視力障害なども訴える. 特に眼瞼炎の重症の症例においては非常に強い痒みを自覚する.

他覚所見としては, 診断の定義にもなっているが, 顔面および眼瞼にアトピー性皮膚炎による皮膚病変がみられる. 上眼瞼結膜にビロード状と形容される乳頭増殖および線維化, 角膜には新生血管や混濁を伴うことが多い. 円錐角膜を伴うこともある. 経過が長い症例においては慢性炎症の結果, 結膜囊の短縮や瞼球癒着がみられることもある. 急性期に巨大乳頭や輪部病変などの増殖性病変を伴うこともあり, その場合は春季カタルと同様に落屑様点状表層角膜炎やシールド潰瘍などの角膜病変を生じることが多い.

合併症・併発症

❶**アトピー性皮膚炎・アトピー性眼瞼炎**
AKC の定義により顔面の皮膚炎を伴っており, 眼瞼炎を伴っている症例が多い.

❷**アトピー眼症**　特に眼の周りの搔破行動の強い症例では, アトピー性皮膚炎に合併する眼症状である円錐角膜, 白内障, 網膜剥離を併発することも多い.

❸**角膜ヘルペス**　特にステロイド点眼薬や免疫抑制点眼薬を用いているときは角膜ヘルペスの発症に注意が必要である.

❹**ドライアイ**　杯細胞の減少や結膜上皮の角化, マイボーム腺機能不全などによりドライアイを生じる.

❺**外眼部感染症**　顔面のアトピー性皮膚炎を伴っている症例では, 眼周囲に黄色ブドウ球菌などが原因の伝染性膿痂疹や, 単純ヘルペスウイルス 1 型によるカポジ水痘様発疹症が生じる頻度が高いとされる.

診断　アトピー性皮膚炎を伴っており, ダニやハウスダストなどの血清抗原特異的 IgE や, 涙液中総 IgE・結膜での好酸球も高率に陽性となる.

治療　点眼薬を用いて結膜のアレルギー性炎症の鎮静化をはかるが, 同時に眼瞼炎・アトピー性皮膚炎の治療が必要である. 点眼療法は抗アレルギー点眼薬(アレジオン®LX, リザベン®, パタノール®)にステロイド点眼薬(フルメトロン®, リンデロン®)の併用が中心となる. ステロイド点眼薬は, 重症度により力価の違う点眼を使い分ける. 急性増悪時に巨大乳頭などを呈する場合は免疫抑制点眼薬を用いる. 軽症例にはパピロック®ミニを, 中等症から重症例に対してはタリムス®を用いる. 眼瞼炎の治療は保湿を基本として, 炎症の程度に応じてステロイドや免疫抑制薬の軟膏を用いる. 眼瞼に感染を伴っている場合は, 感染の治療を優先する.

処方例　以下を症状に合わせて用いる.

〈抗アレルギー点眼薬〉
アレジオン LX 点眼液(0.1%)　1 日 2 回点眼, リザベン点眼液(0.5%)　1 日 4 回点眼, パタノール点眼液(0.1%)　1 日 4

回 点眼などの抗アレルギー点眼薬のいずれかを選択する.
〈ステロイド点眼薬〉
フルメトロン点眼液(0.1%) 1日4回 点眼，またはリンデロン点眼・点耳・点鼻液(0.1%) 1日4回 点眼
〈免疫抑制点眼薬〉
パピロックミニ点眼液(0.1%) 1日3回 点眼，またはタリムス点眼液(0.1%) 1日2回 点眼
〈ドライアイ点眼薬〉
ムコスタ点眼液UD(0.2%) 1日4回 点眼，またはヒアレイン点眼液(0.1%) 1日4回 点眼
〈眼瞼炎治療〉
プロペト眼軟膏 1日2回 塗布に加え，プレドニン眼軟膏あるいはプロトピック軟膏(0.03%小児用) 1日2回 塗布

予後 AKCの重症度は，顔面・眼瞼のアトピー性皮膚炎の重症度に比例することが多い．眼瞼炎の増悪・遷延は白内障や網膜剥離などのアトピー眼症の原因となるので，AKCの治療においては皮膚科医と連携して眼瞼炎の治療を同時に行うことが重要である．

巨大乳頭結膜炎

Giant papillary conjunctivitis：GPC

角 環 高知大学・講師

概念・病態 上眼瞼結膜に巨大乳頭(直径1mm以上の結膜乳頭増殖)の増殖を生じるアレルギー性結膜疾患である．コンタクトレンズ(CL)，義眼，非吸収性縫合糸(突出や緩み)などの眼表面への機械的刺激と，CLや義眼などの表面に沈着した物質に対するアレルギー反応が発症要因と考えられている．上眼瞼の一部分に巨大乳頭が発症する局所型と，全体に発症するびまん型がある．局所型は，ハードCLや硬めのソフトCL，縫合糸による機械的刺激が原因で発症することが多い．シリコーンハイドロゲルレンズは蛋白が付着しにくい反面，比較的弾性率が高いため1日使い捨ての場合でも眼瞼縁の局所に巨大乳頭が発生しやすくなる．びまん型は，レンズの汚れなどが誘因となるアレルギー反応が原因となることが多く，イオン性素材やヒドロキシエチルメタクリレート素材で起こりやすい．患者自身が使用CLを把握していない場合でも巨大乳頭の性状からCLの推察が可能となる．

症状 異物感，瘙痒感，眼脂，結膜充血，巨大乳頭(図15)を認める．軽度の異物感に始まり，次第に異物感の悪化，CLへの眼脂の付着による霧視など症状が増悪する．

診断 特徴的な眼所見から診断は容易である．CLや義眼の装用歴に加えて，細隙灯顕微鏡で上眼瞼に巨大乳頭を認めれば診断となる．また，巨大乳頭結膜炎は角膜病変を伴わないため，同じ巨大乳頭を形成する春季カタルとの鑑別は容易である．

治療 CLや義眼が原因の場合はそれらの装用中止を徹底する．縫合糸が原因の場合は抜糸による機械的刺激の解除で改善する．これらの対応で改善が得られない場合は，抗アレルギー点眼薬を使用する．再発予防のために点眼薬の継続が必要な場合も多い．点眼液の防腐剤として含有されるベンザルコニウム塩化物はCLへの吸着の問題があるため，最初からベンザルコニウ

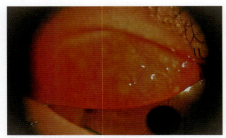

図15 巨大乳頭結膜炎
上眼瞼に巨大乳頭を認める.

ム塩化物フリーの抗アレルギー点眼薬を処方することで,アドヒアランス向上が期待できる.抗アレルギー点眼薬のみで改善が乏しい場合は低濃度ステロイド点眼液を短期間併用する.

処方例 下記1)を用いる.重症例では2)を用い,改善すれば1)に切り替える(機械的刺激の除去を必ず行う).

> 1) アレジオンLX点眼液(0.1%) 1日2回点眼
> 2) フルメトロン点眼液(0.1%) 1日4回点眼 眼圧を測定し副作用に注意する

予後 予後は良好であるため,症状改善後,CLや義眼使用者は治療を自己中断しすぐに使用を再開する患者が多い.治療後の再開には汚れが付きにくくやわらかいCLに変更するなどの規格の変更や義眼の調整,洗浄ケアと装用時間の短縮に関しての再指導を行う.また,アレルギー性結膜炎がベースにある場合は,症状改善後も抗アレルギー点眼薬を継続することで再発防止が期待できる.これらを行わない場合,高い確率で再発するため,症状が改善しても必ず再診し,治療を継続する必要があることを初診時に説明することが重要である.

接触性眼瞼結膜炎
Contact dermatoconjunctivitis

角 環 高知大学・講師

概念・分類 外来性の刺激物質や抗原(ハプテン)が眼瞼皮膚に接触することで発症する限局性の湿疹性の炎症反応である.眼瞼皮膚は薄いため,発生しやすい.角層が破壊され生じる刺激性のものと,抗原による感作・惹起反応が起こって成立するアレルギー性などに分類される.

症状 急性期の組織反応は真皮上層からTリンパ球が表皮に浸潤し表皮細胞を障害し表皮細胞間浮腫,海綿状態となり,眼瞼周囲の紅斑,丘疹,腫脹,浮腫,痒み,流涙が生じる.さらに進むと表皮内水疱の形成,湿疹による痛み,灼熱感,腫脹による開眼困難(図16)となる.結膜はアレルギー症状である充血,浮腫,腫脹,眼脂を認める.慢性期は新旧の湿疹病変が混在し苔癬化に至る.

診断 問診と経過から本症を疑った場合は点眼薬,軟膏,外用薬,化粧品の使用を確認し,原因の特定のためパッチテスト(遅延型アレルギー検査)を施行する.パッチテストは48時間貼付,72,96時間後,1週間後に判定する.アミノグリコシド系抗菌薬やステロイド主薬では陽性反応が遅く出現する場合があり1週間後判定まで行う.フラジオマイシン硫酸塩,カインミックス(局所麻酔薬,市販外用薬),パラベンミックス(防腐剤),チメロサール(化粧品やワクチン,コンタクトレンズ液の防腐剤)は比較的陽性率が高い抗原である.

治療 原因となる刺激因子や抗原を見

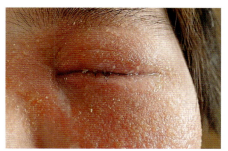

図16 接触性眼瞼結膜炎

つけ出し，除去することが第1である．軽症では原因の除去のみで軽快する．進行例や治療期間短縮をはかる場合はステロイド外用薬（点眼）を使用する（使用薬のパッチテストも行う）が，フラジオマイシン硫酸塩含有のものは使用しない．原因が特定できていない場合，疑わしいものから順に中止・変更，防腐剤フリー薬への変更，それでも改善が乏しい場合は点眼薬をいったんすべて中止する．複数の緑内障点眼薬使用症例ではアセタゾラミド内服に切り替え眼圧を管理する．

　アトピー性皮膚炎の合併や長期経過症例，職業性のものでは治療に難渋する可能性があるため，皮膚科専門医に紹介する．

結膜フリクテン
Phlyctenular conjunctivitis

鈴木 智　京都市立病院・部長

概念　若年者に多くみられる角膜輪部近傍の球結膜上に生じる白色〜黄色の結節性隆起病変で，表層性血管の集積や上皮欠損を伴う．

病態　局所の細菌蛋白に対する遅延型

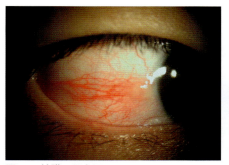

図17 結膜フリクテン
球結膜に結節病変とそこに向かう表層血管の集積を認める．下眼瞼縁のマイボーム腺に炎症を認める．

（Ⅳ型）アレルギー反応による炎症細胞浸潤が本態であると考えられている．基本的には角膜フリクテン（⇒458頁，「角膜フリクテン」項を参照）と同様の発症機序と考えられ，1960年代以前には結核菌が，現在では黄色ブドウ球菌やアクネ菌の関与が考えられている．マイボーム腺炎を合併している症例（図17）もあるが，合併していない軽症例も多い．

症状・眼所見　症状は，充血，異物感などが主である．球結膜上に表層性血管の集積を伴う結節性病変を認め，隆起部分の上皮は脱落している．

診断　特徴的な眼所見から診断は容易である．細隙灯顕微鏡で低倍率・拡散光で観察し，マイボーム腺炎の合併の有無を確認しておくことが重要である．

治療　局所の抗菌点眼薬と低濃度ステロイド点眼薬の併用が中心であるが，マイボーム腺炎を合併している場合には，マイボーム腺炎の治療も同時に行うことで再発予防ができる．

処方例　下記1)を用いる．マイボーム腺炎合併例では，1)と3)の併用，あるいは2)を単剤で使用する．

1）ベストロン点眼用(0.5％)およびフルメトロン点眼液(0.1％)　各1日4回　点眼
2）アジマイシン点眼液(1％)　はじめの2日間：1日2回，その後12日間：1日1回点眼　およびフルメトロン点眼液(0.1％)1日4回　点眼
3）フロモックス錠(100 mg)　3錠　分3食後　あるいはクラリス錠(200 mg)　2錠　分2　食後

結膜弛緩症

Conjunctivochalasis

三村達哉　帝京大学・准教授

概念　結膜弛緩症とは，明確な定義はないが，簡単にいうと結膜が緩んで皺が寄り，結膜がむくむ病気である．日本角膜学会のホームページ(https://cornea.gr.jp/)によると，結膜弛緩症は非炎症性に加齢とともに進行する両眼の球結膜に生じる結膜の皺襞状の変化とされる．

病態　結膜下の組織学的所見としては，膠原線維や弾性線維がルーズとなり断裂している．加齢に伴う結膜下組織の変性や，摩擦や炎症に伴う変性などが考えられる．各年代の結膜弛緩症の重症度を図18に示す．結膜弛緩症は中央で低く，鼻側と耳側で皺が多くなる＝重症度が上がる傾向がある．これは眼球表面に出る結膜面積が中央部よりも鼻耳側で広いからである．加齢による重症度の変化をみると，30歳代から結膜弛緩症の罹患率が急激に上がってきていることがわかる．下方視や指で眼球を下側から圧迫したときに，結膜弛緩は一般的に増えるが，これは結膜の結合組織が眼球からずれてくるためである．若年者にみられる結膜弛緩症では圧迫などによる増加がみられないが，高齢者にみられる結膜弛緩症では圧迫による結膜弛緩症のずれが大きくなるのが特徴である．

❶**コンタクトレンズとの関連**　結膜弛緩症はコンタクトレンズ(CL)装用により悪化することが知られている．CL装用者は非装用者と比較して結膜弛緩症の罹患率が高く，重症化する．CLの装用期間と年齢がCL装用者における結膜弛緩症の重症化と関係していることもわかっている．ソフトCL(SCL)とハードCL(HCL)装用者で比較した場合には，HCL装用者のほうがSCL装用者よりも結膜弛緩症が悪化する傾向がある．瞼裂斑も同様に，SCL装用者よりもHCL装用者のほうが悪化する．CLのエッジの部分が結膜に刺激を与えているのが原因と考えられる．HCLはSCLと比較してレンズ径が小さいため結膜に対する影響は少ないようにみえるが，HCLは上眼瞼を使ってもち上げるために，SCLよりも動きが多く，動きの少ないSCLと比較して結膜との摩擦が強い可能性がある．また，SCLはHCLよりもレンズ径が大きいため，角膜輪部と結膜を覆うことにより，瞼裂斑部位での紫外線を予防している可能性がある．

❷**眼軸との関連**　また，眼軸も結膜弛緩症に影響する．近視眼や眼球が大きいほうが，結膜面積が広いため結膜弛緩症は強くなるように思われるが，実際には遠視眼や眼球が小さいほうが，結膜弛緩症は強くなる傾向にある．遠視眼では加齢に伴う眼球後退により結膜が余剰となり，弛緩症が強くなると考えられる．また長眼軸眼のほうが短眼軸眼と比較して，結膜のテンション

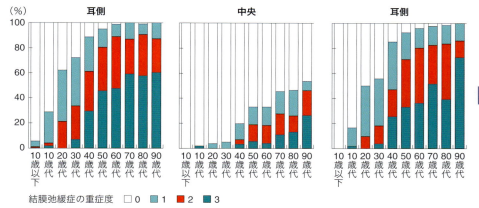

図18　年齢と結膜弛緩症の重症度
加齢とともに，結膜弛緩症は重症化する(n＝1,146人，年齢1〜94歳)．
(Mimura T, et al: Changes of conjunctivochalasis with age in a hospital-based study. Am J Ophthalmol 147: 171-177, 2009より)

が高いため，結膜の皺が出にくい可能性もある．短眼軸眼は長眼軸眼と比較して，下眼瞼の形態異常の頻度が高いことがよく知られている．特に短眼軸では内反になりやすく，長眼軸では外反になりやすい傾向にある．例えば，短眼軸眼で眼瞼内反症，睫毛乱生，眼瞼拘縮などが生じた場合には，下方視や瞬目のたびに，下眼瞼や睫毛と結膜がこすれるために，結膜弛緩症が強くなると考えられる．

❸**白内障手術との関連**　白内障手術など，結膜切開を行う眼内手術後に結膜弛緩症が悪化するイメージはあるが，結膜弛緩症が術前と比較して悪化しないことがわかっている．また白内障手術において，角膜切開と結膜切開で術後の結膜弛緩症に差がないことも報告されている．

症状　瞬目時の眼瞼結膜と角膜との間の摩擦や，涙液層の安定性低下，ひいてはドライアイや流涙症の原因となりうるとされる．結膜弛緩症の症状としては，ドライアイ，異物感，充血などが挙げられる．下方視や眼瞼の圧迫により，結膜のずれや結膜弛緩症の増悪するタイプは，流涙感，眼精疲労，充血，結膜下出血と関係が深い．特に結膜弛緩症が強い人が，読書時に下向きをしたときに悪化するドライアイ感も，下方の結膜弛緩症周囲の涙液動態の変化が関与していると考えられる．

合併症・併発症　結膜弛緩症の合併症として，ドライアイ，結膜充血，結膜下出血を引き起こすことがある．さらには，眼精疲労，何となく頭が重い，イライラするなどの主観的な不定愁訴につながることもある．

診断　細隙灯顕微鏡にて，下眼瞼縁と眼球の接触部位に圧迫された結膜の壁が観察される．フルオレセイン染色を行うと，結膜弛緩症の程度と涙液メニスカスを同時に観察することができる．瞬目により，結膜襞のずれとともに，涙液メニスカスの途絶がないかを観察する．

結膜弛緩症の重症度の判定を行うとともに，ドライアイ検査として，涙液層破

壊時間(tear film breakup time：BUT)やSchirmer試験を行う．角膜や上皮障害の有無を確認するために，フルオレセイン，ローズベンガル，リサミングリーンなどによる角結膜染色を行う．円蓋部結膜が浅く上方にずれている場合には，眼瞼縁部位から結膜囊円蓋部の深さを川北式結膜測定スケールで測定しておくと，涙囊形成術の治療の指標となる．

治療

■**治療方針** 軽い結膜弛緩症に対しては，人工涙液やドライアイに対する点眼液で潤いを与えることにより，症状が緩和する．点眼液を使用しても結膜弛緩症に伴う症状が改善しない症例，異物感が強い症例，結膜下出血を繰り返す症例は，結膜弛緩症の手術の適応となる．

■**薬物治療** ドライアイ治療に対しては，防腐剤フリーの人工涙液を使用し，結膜表面の摩擦ならびに上皮のバリアを改善させるためにムチン生産促進製剤〔レバミピド（ムコスタ®）点眼液，ジクアホソルナトリウム（ジクアス®）点眼液〕を使用する．結膜浮腫が強い症例に対しては，非ステロイド性消炎点眼液あるいは低濃度ステロイド点眼液を併用する．

処方例 下記1)を2)か3)と併用する．重症例では4)か5)を追加する．

1) ソフトサンティア点眼液　1日6回　点眼　保外　一般用医薬品
2) ムコスタ点眼液UD(2％)　1日4回　点眼
3) ジクアス点眼液(3％)　両眼　1日6回　点眼
4) ブロナック点眼液(0.1％)　両眼　1日2回　点眼
5) フルメトロン点眼液(0.1％)　両眼　1日

2～4回　点眼

■**外科的治療** 結膜弛緩症の術式については多くの方法があるが，ここでは日常診療で多く行われている，結膜焼灼法，結膜縫着法，結膜切開法について説明をする**(図19)**．どれも一長一短があり，最終的に弛緩症の改善により，結膜下出血の再発や異物感などが改善されれば，どの術式でもよいと考えられる．

❶**結膜焼灼法** 結膜焼灼法はバイポーラで余剰の結膜を焼灼して，熱凝固により短縮する術式である**(図19a)**．筆者は専用の焼灼用の鑷子を使用している．小林氏結膜弛緩症鑷子のレギュラーサイズとスモールチップの2本と中西氏結膜弛緩症鑷子の合計3本を1セットとしてそろえ，結膜弛緩症の広さと重症度に合わせて，使い分けて使用するとよい．強く摘みたいときや，小眼球では小林氏結膜弛緩症鑷子のスモールチップが使いやすい．オキシブプロカイン塩酸塩やリドカイン塩酸塩点眼麻酔を行い，開瞼器を装着し，結膜弛緩症鑷子で余剰結膜を把持し，鑷子からはみ出た部分をバイポーラで焼灼して結膜を短縮させる．

❷**結膜縫着法** Otakaにより報告された結膜縫着法(大高法)は結膜を切除することなく，下方に結膜を縫着することにより結膜囊を再建することが可能で，涙液のプーリングの観点からも有効である**(図19b)**．特に，結膜組織と強膜組織の接着が脆弱となり，結膜囊が眼球壁から下方にずれを生じている症例に，結膜縫着法は適していると考えられる．術後の縫合糸の軽度の異物感を除けば，出血もなく，短時間で終了するので患者への負担も少ない．可能な限り深い位置での円蓋部に8-0シルクあるいは

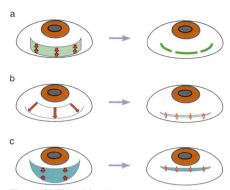

図 19　結膜弛緩症手術のアプローチ
a：結膜熱凝固法．余剰結膜をジアテルミーの熱凝固で収縮させる．
b：結膜縫着法．結膜切除せずに，下方に縫着して結膜嚢を形成する．
c：結膜切除法．余剰結膜を切除して，縫い縮める．

8-0 バイクリルで 3〜5 針を均等に強膜に 2-1-1 縫合で縫着する．

❸**結膜切除法**　繰り返し結膜下出血を生じる症例や，結膜が眼瞼より上に漏出している症例など，根本的に結膜を短縮する必要のある症例は結膜を切開切除する方法が適している(**図 19c**)．結膜は下方のみ短縮させても，耳側と鼻側に余剰結膜が残るために，広い範囲で下方結膜を摘出する必要がある．特に結膜弛緩症に伴い結膜下出血を繰り返す症例では，耳側と鼻側の下方結膜で出血することが多いため，鼻耳側の結膜弛緩をしっかり切除することが大事であると考えられる．スタンダードな切除法は横井氏カレーシスマーカーを用いた 3 分割切除法（横井法）である．切除位置を決定するために切除部位の結膜マーキングを行うと，切除後の結膜のオリエンテーションがつきやすい．3 分割切除法は次のように行う．

①点眼麻酔をしたのち，マイクロスポンジで結膜上の水分を拭き取ってから，マーキングを行う．

②角膜輪部から約 2 mm 下方で，結膜を切開する．結膜下出血を繰り返すなど，結膜弛緩症が重症化している症例では，広範囲に 180 度切開を行うとよい．まず，中央部分の下方ブロックの両端に縦方向に結膜切開を加え，両端を上方に引っ張り，余剰結膜を切除して縫合する．

③耳側と鼻側の結膜の切除部位の端に子午線方向に切開し，耳側ブロックと鼻側ブロックの結膜を角膜側にもち上げた状態で余剰となった結膜を摘出する．

④下方結膜切除の縫合を行う．

⑤下方結膜切除の縫合が終わったら，dog ear の予防に耳側の水平部分の余剰結膜を切除し縫合する．

⑥鼻側半月襞を切除すると，仕上がりがきれいになる．結膜縫合は眼瞼の手術に慣れていると連続縫合が楽だが，引きつれなどを防ぐためには端々縫合のほうが好ましい．

⑦下方の結膜を切除したあとに，上方の結膜の弛緩が目立つ場合には，追加で上方結膜切除縫合を行う．縫合は横井法原法では 9-0 シルクが用いられ，術後 2 週間をめどに抜糸を行う．8-0 シルクあるいは 8-0 バイクリルを用いて縫合し，強膜には通糸せず，結膜と結膜を縫合し，術後の抜糸を行わないなどの変法でも構わない．

　予後　いずれの術式においても，術後の結膜弛緩症の重症度は軽減し，再発は少ない．再発した場合には再手術を行う．結膜弛緩症は改善するもののドライアイ症状が改善しない症例には，処方例で示した点眼液を併用する．

Lid-wiper epitheliopathy

白石 敦　愛媛大学・教授

概念　Lid-wiper epitheliopathy（LWE）とは，2002年にKorbらによって提唱されたドライアイ症状を高率に伴う上眼瞼結膜縁の上皮障害である．その後，下眼瞼結膜縁にも同様の上皮障害が認められることが報告され，上下の眼瞼結膜縁の上皮障害と認識されている**(図20)**．

病態　瞬目運動による眼瞼縁結膜と眼表面の間の摩擦の上昇による眼瞼縁結膜上皮の脱落と変性が起こると考えられている．インプレッションサイトロジーでは，杯細胞は消失し，扁平上皮化生が認められる．

ドライアイ症状を呈するにもかかわらず，ドライアイとの関連は明らかではない．

症状　ドライアイ症状を訴えるソフトコンタクトレンズ（SCL）装用者や症状の強いドライアイ患者に高率にLWEが認められたとの報告があり，LWEの症状は一般的にドライアイ症状と認識されている．しかしながら，若年者では高齢者より高率にLWEが認められるが，無症状であることも多く，特徴的なLWEの症状は定まっていない．

合併症・併発症　上眼瞼よりも下眼瞼に高率にLWEを認め，下眼瞼LWEでは，涙丘部や，鼻側結膜に強い染色を認めることがある．このような症例では，異物感や瘙痒感が強い．

診断　フルオレセイン染色や，ローズベンガル染色でも検出は可能であるが，眼

図20　リサミングリーンで染色された上下眼瞼縁のLWP

瞼結膜の色調との対比からリサミングリーン染色がLWEの検出には最も有効である．また，ブルーフリーフィルタを用いたフルオレセイン染色であれば，比較的良好に検出可能である**(図21)**．

LWEはドライアイ症状を呈するためドライアイの1つの所見と考えられがちであるが，ドライアイ（涙液分泌低下）との関係は明らかではない．特に若年者のLWE症例では，ほとんどの症例で涙液分泌機能が正常であるため，ドライアイ症状があるにもかかわらず，涙液が豊富な症例では本疾患を疑い眼瞼結膜も観察することがLWEを見逃さないためには重要である．

■鑑別診断　ドライアイ症状や不定愁訴を訴える疾患を念頭におく必要があり，上輪部角結膜炎，結膜異物，アレルギー性結膜炎，甲状腺眼症，マイボーム腺機能不全，眼瞼けいれんとの鑑別が重要である．甲状腺眼症では瞬目時の摩擦が亢進してLWEを併発する可能性があるため，眼球突出や眼球運動などの観察が重要である．結膜異物，アレルギー性結膜炎では眼部不快感から異常瞬目となるためにやはりLWEを併発することがあり，LWEを含めた眼瞼結膜の観察が重要である．上輪部角結膜炎

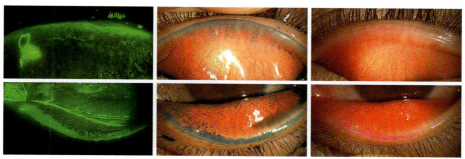

図 21　各生体染色による LWP 検出の比較
通常のフルオレセイン染色やローズベンガル染色（中）でも検出は可能であるが，リサミングリーン染色（右）とブルーフリーフィルタを用いたフルオレセイン染色（左）が LWE の検出には有効である．

は，LWE と同様に上眼瞼と眼球表面の摩擦亢進が原因と考えられ，近縁疾患と位置づけられるが，LWE との併発は少ない．またマイボーム腺機能不全でも摩擦亢進による不定愁訴が認められるが，LWE との併発は少なく，鑑別には眼瞼結膜縁を含めた眼瞼結膜の観察が重要である．眼瞼けいれんでは異常瞬目のため LWE を併発することがあるが，ボツリヌス治療により LWE は改善する．

| 治療 　LWE の病因が明らかにされておらず，確立した治療方法はない．しかし，眼瞼結膜縁と眼表面の摩擦が LWE の病態と推測されるため，摩擦軽減を考えた治療方法が中心となる．

❶ **CL 装用に生じた LWE**　CL 中止が治療の原則である．CL の変更はほとんど無効であり，装用の中止が困難な場合には，装用時間の短縮や，人工涙液の点眼を行うが，LWE の消失をみることはほとんどない．

❷ **CL 非装用者に生じた LWE**　若年者に多く認められ，治療抵抗性である．眼軟膏による摩擦軽減が有効なことがある．

処方例　下記のいずれかを，単剤もしくは適宜組み合わせて用いる．

> 1) タリビッド眼軟膏(0.3%)　1 日 4 回　塗布
> 2) ジクアス点眼液(3%)　1 日 6 回　点眼
> 3) ムコスタ点眼液 UD(2%)　1 日 4 回　点眼

| 予後 　眼瞼と眼表面の摩擦亢進の原因が特定され，原因の除去が可能であれば，予後は良好である．しかしながら，原因の特定されない症例では点眼や眼軟膏治療が奏効しない場合も多く，治療に難渋することも多い．

上輪部角結膜炎

Superior limbic keratoconjunctivitis：SLK

柳井亮二　山口大学病院・講師

| 概念 　非感染性に上方の眼瞼結膜や球結膜，角結膜輪部に炎症を生じ結膜が角化する疾患．Frederick H. Theodore により 1963 年に初めて報告された．細隙灯顕微鏡検査で，上方の球結膜の角化・肥厚，血

管の拡張蛇行，瞼結膜の乳頭増殖がみられる．男女比は女性に多く，両眼性にみられることが多い．フルオレセイン染色で結膜の点状ステイニング(図22)や上皮欠損が観察され，これらの部位はローズベンガル染色やリサミングリーン染色が陽性となる．角膜の上方 1/3 程度に点状表層角膜症や糸状角膜炎がみられることもある．充血を繰り返すことが特徴で，上輪部の球結膜付近が最も強く，結膜嚢には充血はみられない．

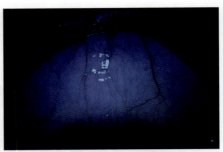

図22 **フルオレセイン染色像(前眼部写真)**
上方結膜に限局的なステイニングがみられる．

病態 本疾患の病態はいまだ解明されていないが，上方の眼瞼結膜と球結膜の過度な機械的摩擦により炎症が惹起されていると考えられている．さらに，自己免疫機能の異常や涙液の質的機能の低下が上輪部角結膜炎の病態に関与しているのではないかと推測されている．

組織学的には，結膜上皮の角化，肥厚，上皮細胞の異型(N/C 比の増加，核の濃縮)がみられる．

症状 片眼性あるいは両眼性に異物感，羞明，充血，流涙，灼熱感などを訴えることが多い．時に瘙痒感や眼瞼下垂，眼瞼けいれんを訴えることもあり，症状が不安定な場合には不定愁訴として見逃されている例もある．他覚的所見に比べ，自覚的な訴えが強いことも本疾患の特徴である．

合併症・併発症 ドライアイや乾性角結膜炎，Sjögren 症候群，甲状腺眼症に併発する．

診断

■ **診断法** 細隙灯顕微鏡による上方の球結膜および眼瞼結膜の注意深い観察により，充血や毛様充血，結膜血管の異常走行，角化などの結膜上皮障害，輪部の肥厚，点状表層角膜症や糸状角膜炎を評価することにより診断する．

■ **必要な検査** 併発症として甲状腺眼症，ドライアイ，Sjögren 症候群，アレルギー性結膜炎を評価しておくことが必要である．

❶ **甲状腺機能検査** free T_3，free T_4，甲状腺刺激ホルモン(TSH)，甲状腺自己抗体には抗 TSH 受容体抗体(TRAb，TSAb)，抗 TPO 抗体，抗 Tg 抗体．

❷ **Sjögren 症候群** 抗 SS-A 抗体と抗 SS-B 抗体，リウマチ因子，抗核抗体，Shirmer テスト．

❸ **アレルギー性結膜炎** 瞼結膜のブラシサイトロジーによる結膜細胞診で好酸球が陽性となるが，上輪部角結膜炎では免疫細胞の浸潤は少ない．アレルギー性結膜炎においても瞼結膜に乳頭増殖がみられるが，上輪部角結膜炎では充血と腫脹が強く，痒みの訴えや眼脂が少ない．

■ **鑑別診断** 上強膜炎，ウイルス性結膜炎(アデノウイルス)，結膜上皮異形成，トラコーマ，眼瞼弛緩症候群．

治療 上方結膜の機械的な刺激を抑制し，結膜の角化を予防する内科的治療と病変を除去する外科的治療があるが，根治的な治療法はない．

■ 内科的治療

処方例 人工涙液として下記 1）あるいは 2），3）ジクアホソルナトリウム液の点眼，5）油性眼軟膏，低濃度ステロイドの点眼を用いる．3）に抵抗性の例では，4）を試みる．6）治療用ソフトコンタクトレンズを併用すると治療効果が高くなる．7）ビタミン A 内服はムチン産生を担う結膜上皮の杯細胞を賦活化し，結膜の角化予防に有効と考えられる．これらの治療により自覚症状が改善しない場合には，涙点プラグの挿入により，涙液の滞留を増加させることで涙液を補填する．流涙の自覚がある例では，上方のみの涙点プラグ挿入にとどめる．

1) ソフトサンティア点眼液　1 日 6 回　点眼　保外 一般用医薬品
2) ヒアレイン点眼液（0.1％）　1 日 4 回　点眼
3) ジクアス点眼液（3％）　1 日 6 回　点眼
4) ムコスタ点眼液 UD（2％）　1 日 4 回　点眼
5) タリビッド眼軟膏（0.3％）　1 日 2 回　点入
6) 治療用ソフトコンタクトレンズ 1 日交換型
7) チョコラ A 錠（1 万単位）　1 日 3 万～10 万単位　分 3

■ 外科的治療　内科的治療に抵抗する場合には外科的治療を選択する．病変部の結膜を切除する方法と結膜を固定縫合する方法がある．上方の結膜弛緩症による機械的な刺激を取り除くことができるほか，結膜切除では病因に関係すると考えられる肥満細胞の除去を目的として行う．

予後　一般に予後は良好で，上記の治療により自覚症状は改善することが多い

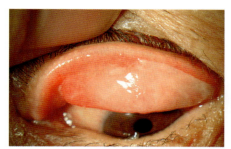

図 23　リグニアス結膜炎
偽膜を認める．

が，治療をやめると再発し慢性化しやすい．繰り返し症状が出現するため，寛解に数年を要することもある．

リグニアス結膜炎
Ligneous conjunctivitis

鈴木 崇　東邦大学医療センター大森病院・寄附講座准教授

概念　慢性，再発性の偽膜を有する結膜炎．

病態　リグニアス結膜炎は，プラスミンの前駆体であるプラスミノーゲンの量的，機能的低下によって，フィブリンを溶解できずに偽膜として出現している．

症状　粘性の眼脂，充血，異物感を生じ，眼瞼結膜上の硬くて比較的厚い偽膜（図 23），眼瞼の硬結を認める．偽膜を除去しても，再発する．

合併症・併発症　耳，鼻腔，上気道，子宮に膜形成を示す．

診断

■ 診断法　①偽膜性結膜炎，②偽膜の組織所見でフィブリンの集積，③プラスミノーゲン量，活性値の低下，④ほかの粘膜疾患

の除外によって診断できる．

■**必要な検査** 偽膜の組織検査，血中プラスミノーゲン量，活性値の測定．

■**鑑別診断** ウイルス性結膜炎，クラミジア結膜炎．

治療法

■**治療方針** フィブリン産生抑制とフィブリン溶解促進の点を考慮するべきである．

■**薬物治療** フィブリン産生の抑制としてステロイドによる抗炎症療法，ヘパリンの局所投与が有効である．フィブリン溶解の促進のためプラスミノーゲンの量や活性値が正常な血漿（新鮮凍結血漿など）の局所投与を行う．

処方例 下記 1)を用いる．再発する場合は 2)あるいは 3)を追加する．

> 1) リンデロン点眼・点耳・点鼻液(0.1%) 1日4回～(重症度に合わせて回数を決定)
> 2) 自家調製ヘパリン(5,000 U/mL) 1日4回～ 点眼(重症度に合わせて回数を決定) 保外 効能・効果
> 3) 新鮮凍結血漿 1日4回～ 点眼(重症度に合わせて回数を決定) 保外 効能・効果

■**外科的治療** 偽膜除去．

眼類天疱瘡
Ocular cicatricial pemphigoid

上田真由美 京都府立医科大学・特任准教授

■**概念** 皮膚科では粘膜類天疱瘡とよばれており，眼科では眼病変のあるものを眼類天疱瘡とよんでいる．粘膜類天疱瘡は，口腔，眼表面，鼻咽頭，喉頭，食道，生殖器などの粘膜に水疱・びらんが生じる，一方，皮膚に水疱を認めないことは珍しくない．眼科では，角膜上皮幹細胞が消失する瘢痕性角結膜上皮症の1つに分類される．

■**病態** 明らかな病因・病態は不明であるが，上皮基底膜の接着成分に対する自己抗体をもつ患者が多く，自己免疫疾患の一種であると考えられている．眼類天疱瘡では，抗 integrin $\beta 4$ 抗体，抗 BP180 抗体または抗ラミニン抗体を患者の多くで認めることが報告されている．

■**症状** 軽度充血を主体とする慢性結膜炎症状を有する．病変の進行とともに結膜囊が次第に短縮して瞼球癒着，睫毛乱生などが生じる．また，涙導管の閉塞や結膜杯細胞の消失，マイボーム腺の消失によりドライアイが生じる．進行した場合は角膜表面が角化し皮膚のようになる．Foster の眼類天疱瘡臨床分類**(図 24)**は，病期を理解するうえで有用である．

- Ⅰ期：慢性結膜炎，Rose bengal 結膜陽性所見(ムチンの障害)，結膜組織の瘢痕性変化(conjunctival subepithelial fibrosis)．
- Ⅱ期：結膜円蓋部の短縮．
- Ⅲ期：瞼球癒着，角膜への血管侵入，睫毛乱生，涙液分泌減少．
- Ⅳ期：眼表面の角化**(図 24)**．

通常，病変はゆっくり進行するが，しばしば外科的手術により急速に病変が進行する．また，急性増悪により大きな遷延性上皮欠損を生じることもある**(図 25)**．

■**合併症・併発症** 眼類天疱瘡であることに気づかずに白内障手術や涙点閉鎖術などの外科的治療を施行すると，眼表面の炎症を誘発し眼表面の癒着や角化が急激に進行することがあるので注意を要する**(図 26)**．

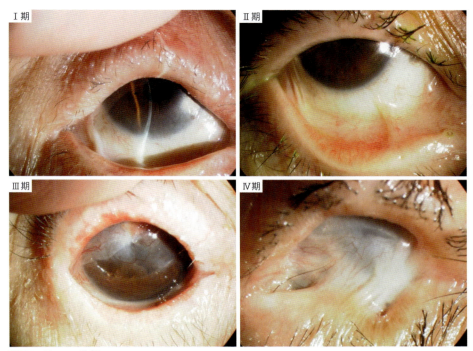

図24 Foster 分類
〔上田真由美:眼類天疱瘡と偽眼類天疱瘡.木下茂(編):角膜疾患外来でこう診てこう治せ.pp100-101,メジカルビュー社,2005 より〕

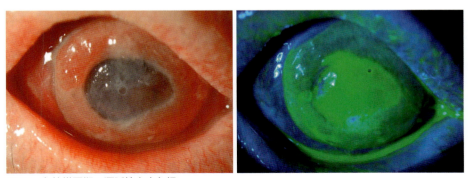

図25 急性増悪期の遷延性上皮欠損

診断

■**診断法** 両眼性に角結膜上皮の慢性炎症が生じ,緩徐に角結膜の瘢痕性変化が進行する.高齢の患者(特に女性)に睫毛乱生や内反症を認める場合には,本疾患の可能性を考慮して結膜囊の短縮や瞼球癒着がないかを検討する.Impression cytology では,結膜の杯細胞の消失が認められる.

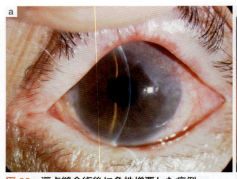 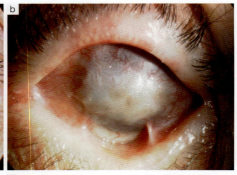

図26 涙点縫合術後に急性増悪した症例
a：術前．角膜への結膜侵入，血管侵入を認める．Foster 分類Ⅲ期．**b**：涙点縫合術後．Foster 分類Ⅳ期．
〔上田真由美：眼類天疱瘡と偽眼類天疱瘡．木下茂（編）：角膜疾患外来でこう診てこう治せ 改訂第 2 版．pp106-107，メジカルビュー社，2015 より〕

■**鑑別診断** 眼類天疱瘡と同様に瘢痕性角結膜上皮症の 1 つである Stevens-Johnson 症候群との鑑別は，全身性の発熱・発疹の既往のないことにより行う．また，抗緑内障点眼薬など上皮毒性を有する点眼薬の長期投与によって生じる偽眼類天疱瘡との鑑別には，点眼薬の長期使用や既往歴により行う．

■**治療** 保存的治療が主体であり，局所的に低濃度のステロイドの点眼を行って消炎に努める．また，人工涙液を主体とするドライアイの治療，睫毛乱生の管理なども重要である．睫毛乱生や内反症に対する外科的治療は癒着や角化を進行させることがあるので注意を要する．

眼類天疱瘡の患者に白内障手術などの外科的治療を行う場合は，術当日から，ステロイド，シクロスポリン（保険適用外，効能・効果），シクロホスファミド（エンドキサン®：保険適用外，効能・効果）などの内服を用いて，十分に消炎しておく．消炎せずに手術を行った場合，術後，癒着や角化が急激に進行する可能性が高い．何らかのきっかけで急性に増悪した場合には，ステロイド内服を用いて消炎する．

急性増悪により生じた遷延性上皮欠損に対して，ステロイド内服による保存的治療を行うが，難治例では，培養粘膜上皮移植も有効である．角膜への結膜侵入・角化を生じた重症例に対する視力回復を目的とした外科的治療は，予後が悪いため通常行わない．

翼状片
Pterygium

加治優一 松本眼科・院長

■**概念** 角結膜における変性疾患の 1 つで，結膜由来の増殖組織が輪部を越えて角膜内に侵入することによって生じる．多くは角膜の鼻側に生じ，角膜中心に向かって三角形をなす．角膜側より cap（先端の白色組織），head（角膜上で特に突出した部分），neck（角膜上の隆起した増殖組織），body（強膜上の増殖組織）に分けられる．cap の角膜側には，鉄の沈着が弓状に

表3 江口の分類

Grade 1：	角膜内に侵入する翼状片の先端の位置が角膜の中心より 1/3 半径以下しか侵入していないもの
Grade 2：	瞳孔領に達していないが角膜半径の 1/3 以上輪部より侵入するもの
Grade 3：	瞳孔領に達したもの
Grade 4：	瞳孔領を覆うもの
Grade 5：	角膜を鼻側より耳側にかけて横断するもの

認められる(Stocker's line)．増殖組織は先端部の cap で角膜実質と強固に癒着しているものの，輪部付近では癒着が少なく，プローブを病変の下に通すことが可能である(Bowman's probe test)．翼状片の分類の1つとして江口の分類があり**(表3)**，病巣の範囲や活動性の指標として用いられる．

病態 加齢・男性・屋外従事者・タバコの煙への曝露などが悪化因子として知られている．北極圏や赤道部地域で罹患率が高いために，紫外線曝露が発症に深くかかわると考えられる．ヒトパピローマウイルスやヘルペスウイルスの関与も示唆されている．テロメラーゼ活性の低下や腫瘍マーカーである p53 の活性化など，上皮の異常が病態にかかわるという考えもある．

症状 充血や角膜が白濁してきたことを主訴に受診する場合が多い．進行すると視力低下・不正乱視の増大・眼球運動制限による複視につながる**(図27)**．

診断 細隙灯顕微鏡所見より診断は容易である．ただし，手術を念頭におく場合には，病変の広がりや輪部機能の破綻など詳細に観察する必要がある．

治療 充血や異物感の軽減のために，低濃度ステロイドや非ステロイド系抗炎症薬の投与がなされることがある．しかし，薬物療法では病変の進行を食い止めること

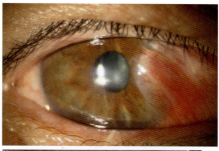
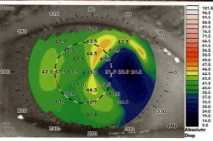

図27 翼状片の所見

ができないために，病変が拡大した際には手術療法が必要となる．

手術の時期は，視軸に病変がかかった場合，眼球運動制限が生じた場合，審美的な要因などを加味しながら判断する．ただし患者の年齢が低いほど再発しやすいことを念頭におく．

翼状片の単純切除(強膜露出)を行った場合，再発率は 30〜70％ と高いために，現在は行われることがない．翼状片が再発すると，角膜から内直筋に至るまで活動性の高い増殖組織が強固に癒着するために，初回手術よりも難易度が高い．

再発率を下げるためには，結膜再建と増殖組織の抑制を組み合わせる必要がある．結膜の再建には，有茎結膜弁や遊離結膜弁を用いることが多いが，切除範囲が広範に及んだ際には結膜欠損部位を羊膜で被覆する場合もある．結膜下の増殖組織の抑制の

ためには，手術時に増殖組織をできるだけ除去(わた抜き)・0.025％マイトマイシンC溶液の塗布・放射線照射・術後にベタメタゾンリン酸エステルナトリウム〔リンデロン®(0.1％)〕やトラニラスト(リザベン®)点眼を組み合わせる．

処方例 術後の消炎および結膜下増殖組織の抑制のために以下の点眼薬を併用する．

クラビット点眼液(1.5％) 1日4回 点眼
リンデロン点眼・点耳・点鼻液(0.1％) 1日4回 点眼
リザベン点眼液(0.5％) 1日4回 点眼

予後 適切な初回手術を行うことにより再発率は1.5〜5％になる．翼状片が再発をした際には，内直筋周囲を含めて広汎な病巣切除が必要となることが多いため，羊膜移植・0.025％マイトマイシンC溶液の塗布・自己輪部移植が必要となる場合が多い．

0.025％マイトマイシンC溶液の塗布や放射線照射を行った場合，強膜の菲薄化や穿孔に至ることがあり，強膜移植の適応となる．さらに手術後，数年経過していたとしても*Candida*などの病原菌による感染が生じることがある．

偽翼状片
Pseudopterygium

加治優一　松本眼科・院長

概念 結膜の炎症性疾患や外傷などに続発して，結膜由来の増殖組織が角膜内に侵入する状態を指す．翼状片は主に鼻側に生じるが，偽翼状片は鼻側だけではなくすべての方向で認めうる**(図28)**．さらに結

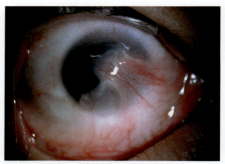

図28 偽翼状片の前眼部写真

膜由来の増殖組織は角膜面全体にわたって癒着をしているため，プローブを病変下に通すことができない(Bowman's probe test)．

病態 偽翼状片の誘因となる眼表面疾患としては，角結膜の化学外傷・眼科手術後・外傷・角膜潰瘍・遷延性角膜上皮びらん・角膜感染症・瘢痕性結膜疾患など多岐にわたる．これらの疾患により輪部結膜の機能の破綻や角膜からの炎症の波及により結膜由来の増殖組織が角膜内に侵入すると考えられる．

症状 誘因となる眼表面疾患に伴い，眼痛・視力低下・流涙・充血などを生じる．

合併症・併発症 偽翼状片が増大するにつれて，視力低下・不正乱視の増大・眼球運動制限・瞼球癒着などを生じることがある．

診断 細隙灯顕微鏡検査により，結膜増殖組織が角膜へ侵入していることだけではなく，誘因となっている眼表面疾患や全身の所見に留意する．翼状片と比較して広範囲に及んでいる場合や，輪部機能が破綻している場合も多い点にも留意する．手術を念頭におく場合には瞼球癒着の範囲につ

いても把握する．

治療　誘因となっている疾患の治療を優先する．感染性角膜潰瘍や非感染性角膜潰瘍に続発する場合などは，適切な抗菌薬あるいは消炎により偽翼状片が消退する場合もありうる．しかし，誘因となっている疾患を治療困難な場合，あるいは治療に反応しない場合，かつ自覚症状を伴う場合には外科的切除が必要となる．

外科的切除は，翼状片に準じて行う．ただし，偽翼状片は範囲が広い（鼻側と耳側を合併するなど）ことや，残された輪部も疲弊していることが多いため，病変切除後の眼表面の再建が難しい．そのため羊膜移植や患眼あるいは僚眼より採取した自己輪部移植の併用，結膜下増殖組織の抑制のために術中0.025％マイトマイシンC溶液の塗布などを併用することがある．

予後　翼状片に比較して患者の年齢は若い傾向にある．病変の大きさや，瞼球癒着の程度に応じて，外科的切除後の再発率は，翼状片と比較して高くなることがある．

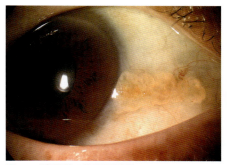

図29　瞼裂斑の前眼部所見

瞼裂斑

Pinguecula, Pingueculum

加治優一　松本眼科・院長

概念　角膜の耳側あるいは鼻側結膜で認められる，やや褐色調の隆起性病変である（図29）．加齢とともに罹患率が増大し，50歳を越えると多かれ少なかれほとんどの人に認められるという点で，最も目立つ加齢性変化の1つといえる．

病態　紫外線曝露や加齢の影響により，結膜下に変性した蛋白質が蓄積することによって生じる．

症状　審美的に問題となることがあるが，瞼裂斑は一般に無症状である．

合併症・併発症　瞼裂斑は隆起しているために，瞬目に伴って表面にびらんを生じやすい．特に誘因なく炎症を起こすこともあり，瞼裂斑炎とよばれる．ソフトコンタクトレンズ装用者においては，レンズの縁が瞼裂斑に当たることにより，充血しやすい．

診断　細隙灯顕微鏡にて，結膜の特徴的な隆起性病変を見ることで明らかである．

治療　瞼裂斑は一般に無症状であるために，治療は要さない．瞼裂斑炎を生じた際には，低濃度ステロイド点眼を行うことがある．

> 処方例
>
> フルメトロン点眼液(0.1％)　1日4回　点眼

フルオレセインあるいはリサミングリーン染色において瞼裂斑の表面のびらんを認める際には，コンタクトレンズの中止を指示する．

審美的に気になる場合には，外科的切除

を行うことがある．単純切除では充血が残りやすいために，周囲の結膜を寄せて縫合するほうがよい．

予後 良性の病変であるが，加齢に伴い増大する傾向にある．翼状片の前駆病変であるかどうかの結論は出ていない．紫外線曝露を減らすことにより病変の拡大が緩徐になる可能性がある．

デレン

Dellen

上松聖典 長崎大学・病院准教授

概念 デレン（単数形：デレ）は結膜隆起に隣接する角膜周辺部の部分的な菲薄化病変である(図 30)．

病態 結膜隆起による局所的な涙液減少が原因となる．

症状 無症状のこともあるが，進行すると異物感や疼痛を訴える．

診断 結膜隆起部に隣接した角膜の部分的な混濁や菲薄化を認める．緑内障術後の濾過胞や結膜下出血でも生じる．フルオレセイン染色では涙液動態の異常と菲薄部の染色液貯留がみられる．上皮障害を伴うこともある．

治療 軽度の場合は経過観察でよい．進行する場合は角膜穿孔の危険もあり，治療を行う．ドライアイ点眼や，隆起した結膜に炎症があればステロイド点眼を投与する．進行例では涙点プラグや，保護用ソフトコンタクトレンズ，眼帯を使用する．根治的には結膜隆起を切除する．

処方例 下記1)を用いる．隆起結膜の炎症を伴う場合は2)を用いる．

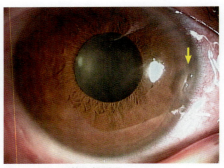

図 30 デレの前眼部所見
斜視手術後の結膜隆起に隣接してデレ（矢印）を認める．

1) ソフトサンティア点眼液　1日6回　点眼　保外 一般用医薬品
2) フルメトロン点眼液(0.1%)　1日4回点眼

予後 通常は視力に影響しないが，角膜穿孔した場合は相応の視力低下をきたす．

結膜囊腫

Conjunctival cyst

上松聖典 長崎大学・病院准教授

概念 結膜囊腫は結膜囊胞ともよばれ，主に球結膜や円蓋部結膜内に生じる囊胞状の腫瘤である．

病態 さまざまな病態で結膜内に囊胞が生じる．結膜封入囊胞では囊胞壁内側に結膜に類似した上皮層があり，透明もしくは混濁した液体が貯留する(図 31)．胎生期に眼窩に形成された囊胞の原基が徐々に拡大し，結膜内に出現するという説もある．続発性では，手術や外傷を契機に結膜

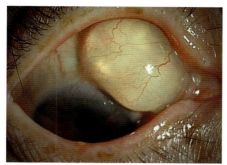

図 31　結膜囊腫の前眼部所見
球結膜に結膜囊腫（結膜封入囊胞）を認める.

上皮が結膜内に迷入し発症する．結膜のリンパ管が拡張する結膜リンパ囊胞や，導管が閉塞し拡張する涙腺囊胞や副涙腺囊胞などの貯留囊胞もある．

| 症状　軽度の囊胞では無症状のことが多いが，進行すると異物感や結膜充血をきたす．

| 診断　球結膜や円蓋部結膜内に，液体が貯留する囊胞が認められる．1つの囊胞がドーム状に隆起するものや，多房性の囊胞を形成するものもある．

| 治療　軽度の場合は経過観察でよい．異物感や結膜炎を伴えば，低濃度ステロイド点眼などを投与する．症状が強い場合は穿刺術や摘出術を行う．穿刺術では注射針で穿刺し貯留物を吸引するが，再発や癒着をきたしやすい．注射針で囊胞壁を吸引固定し，囊胞を引き出す方法などもある．確実な方法は摘出術であり，隣接する結膜を切開し，なるべく囊胞を穿孔しないように鈍的に摘出する．全摘できれば通常は再発しない．

処方例 結膜炎を伴う場合は，以下を用いる．

> フルメトロン点眼液(0.1%)　1日2～4回点眼

| 予後　通常は視力に影響しない．切除しても囊胞壁が残ると再発しやすい．

結膜リンパ管拡張症

Conjunctival lymphangiectasia

上松聖典　長崎大学・病院准教授

| 概念　結膜リンパ管拡張症は，結膜のリンパ管が拡張し隆起する病変である．

| 病態　結膜内のリンパ管が拡張する．加齢や炎症，手術なども原因となる．管腔内には透明～黄色のリンパ液が貯留する．出血や血管からの流入により血液が充満することもある．囊胞状のものは結膜リンパ囊胞（図32）ともよばれ，眼窩内病変に続発したリンパ液の滞留が原因となる場合もある．

| 症状　通常自覚症状はないが，増大すると異物感を訴えることもある．

| 診断　球結膜に数珠状に連なり蛇行するような透明な隆起部を認める．

| 治療　軽度の場合は経過観察でよい．増大し異物感や結膜炎を伴えば，低濃度ステロイド点眼などを投与する．症状が強い場合は，穿刺術のみでは再発しやすいため，摘出術を行う．摘出術では隣接する結膜を切開し，一塊として摘出する．

処方例 結膜炎を伴う場合は，以下を用いる．

> フルメトロン点眼液(0.1%)　1日2～4回点眼

| 予後　視力には影響しない．通常は全摘出すれば再発はしない．

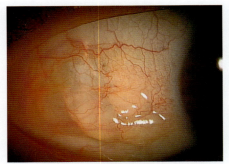

図32 結膜リンパ管拡張症の前眼部所見
球結膜に囊胞状に拡大した結膜リンパ管拡張症(結膜リンパ囊胞)を認める.

分離腫, 類皮腫
Choristoma, Dermoid

重安千花 立正佼成会附属佼成病院

概念・病態・症状 分離腫(choristoma)とは, 正常な構造をした組織の一部が異所性に存在し, 腫瘤を形成した発生異常である. 結膜に発生する分離腫は3型に分類され, ①類皮腫(dermoid)と皮様脂肪腫(dermolipoma), ②異所性涙腺(ectopic lacrimal gland), ③上強膜骨性分離腫(epibulbar osseous choristoma)と neuroglial choristoma である.

類皮腫は先天性の良性腫瘍で, 胎生期の第1・第2鰓弓の分化異常により扁平上皮で覆われた外胚葉由来の毛や皮膚組織に加え, 中胚葉由来の脂肪や軟骨組織などが異所性に増殖した状態である. 遺伝性はなく孤発性で, 片眼性のものが多く, 生後に大きさの変化はない. 下耳側の角膜輪部に好発する3〜5 mm 程度の輪部デルモイドが大半を占めるが, 結膜デルモイド, まれに角膜デルモイドもみられる. 皮様脂肪腫は類皮腫に類似しているが, 外直筋付近に好発し黄色の脂肪の貯留がみられる. 両者とも小眼球症, 虹彩コロボーマ, 無虹彩症, Duane 症候群, 網膜血管腫, 眼瞼コロボーマなどの発生異常を併発しやすい. また全身の先天異常がみられることが多く, 30%に鰓弓の形成障害である Goldenhar 症候群(先天眼耳脊椎形成異常)の合併がみられる.

診断 類皮腫は, 出生時よりみられる充実性の乳白色〜黄褐色の隆起した腫瘤で, 毛を伴うことが多い. 隣接する角膜実質には脂肪沈着による混濁がみられることが多く, 前眼部三次元光干渉断層計(anterior segment optical coherence tomography:AS-OCT)や超音波生体顕微鏡検査(ultrasound biomicroscope:UBM)で角膜実質, 強膜への伸展を確認することが望ましい.

■**鑑別診断** 皮膚分泌物が内腔に貯留する類皮嚢胞(dermoid cyst), 上耳側領域に好発する線維性結合組織に覆われた小豆〜アーモンド大の緻密骨からなる上強膜骨性分離腫と鑑別を要する. 角膜中央を覆う角膜デルモイドとは, 前眼部形成異常(Peters 異常, 強膜化角膜)などとの鑑別を要する.

治療 角膜乱視が惹起されることが多く, 弱視治療を優先する. そのうえで整容面の改善には切除術を行うが, 組織の菲薄化に伴い表層角膜移植術を併用することが多い.

予後 手術加療で乱視が改善されることは少なく, 弱視治療で視力予後の改善に努める. 瞳孔領にかかり形態覚遮断弱視の要因になる場合は早期に手術を行うこともある.

結膜悪性黒色腫
Conjunctival malignant melanoma

加瀬 諭　北海道大学・講師

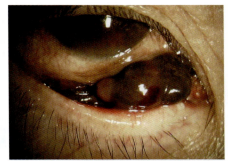

図33　結膜悪性黒色腫の細隙灯顕微鏡所見

概念・病態　結膜に発生するメラノサイト系悪性腫瘍である．発生基盤となる病態として原発性後天性メラノーシス（PAM）と結膜母斑が重要である．PAMは結膜上皮基底層に存在するメラノサイトの増生により色素沈着を伴う病態であり，初期には増生するメラノサイトに異型はないが（PAM without atypia），進行すると細胞異型を伴ってくる（PAM with atypia）．後者が悪性黒色腫の発生に重要である．腫瘍が進展すると所属リンパ節転移，涙嚢転移，肺などへの遠隔転移をきたす．腫瘍は黒色調を呈することが多いが，肌色調の無色素性腫瘍の形態を示すことがある．腫瘍は眼球結膜，結膜円蓋部，涙丘に発生し，眼瞼に色素性腫瘍が浸潤することもある．

症状　片眼性の結膜の黒色調の変化，しこりを自覚する（図33）．比較的高齢者に多いが，壮年期や，まれに若年者にもみられる．視力低下や炎症を示唆する痛みや流涙の症状はない．

診断　典型的な症例では臨床診断が可能であり，すみやかに治療方針を決定する．母斑やPAM，扁平上皮癌などの鑑別診断に迷う場合には，腫瘍の試験切除を行う．腫瘍の試験切除は禁忌ではない．

治療　基本は安全域を含めた腫瘍の全摘出である．PAMから発生した腫瘍であれば，PAMを含めた腫瘍の摘出が必要である．摘出した腫瘍部に有茎あるいは遊離結膜弁移植，羊膜移植による再建が必要である．PAMが広範に存在し，一塊にしての摘出が困難な場合には，数回にわたり追加切除が必要になる．PAMの全摘が困難な場合には，冷凍凝固を行ったり，長期にわたり慎重な経過観察を行う．PAM，悪性黒色腫とも，マイトマイシンCやインターフェロンによる局所治療が有効であるが，近年その使用が困難になっている．腫瘍の再発がみられ，局所切除が困難な場合には，眼窩内容除去術が必要になる．

視神経乳頭黒色細胞腫
Optic disc melanocytoma

加瀬 諭　北海道大学・講師

概念・病態　視神経乳頭に発生するメラノサイト系良性腫瘍である．病理学的には腫瘍は色素を有する異型の乏しい多角形細胞で構成され，母斑の一種と考えられている．視神経乳頭から強膜篩状板へと年単位で緩徐に浸潤する傾向を示す．腫瘍の存在部位に関連した神経線維の軸索損傷や乳頭血流障害を伴う．

症状　無症状で，検診で偶然に見つか

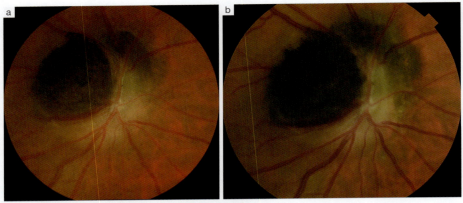

図34　視神経乳頭黒色細胞腫の眼底所見(同一症例)
a：初診時の眼底所見．乳頭鼻側に軽度の脈絡膜病変を伴う視神経乳頭腫瘤がみられる．
b：初診より約10年の眼底所見．脈絡膜病変の軽度の拡大所見があるが，悪性転化の所見はないと考えられる．

ることがあるが，片眼性の緩徐な視力低下を自覚することもある．若年者から中高年にかけて幅広くみられる．

診断　眼底検査にて視神経乳頭に黒色調の腫瘍や色素沈着がみられれば，本症を疑う(図34)．腫瘤部の視神経乳頭の網膜動脈は白鞘化していることがある．視力は良好な症例が多いが，0.5以下に低下している症例もある．腫瘍の増大とともに壊死を伴い，硝子体中に色素が散布されたり，乳頭周囲の網脈絡膜にも色素病変を伴う．フルオレセイン蛍光眼底造影では，腫瘍の色素量が多い場合には終始低蛍光を示し，色素量が少量であれば過蛍光を示すことがある．インドシアニングリーン蛍光眼底造影では腫瘤部は低蛍光を示す．乳頭部の光干渉断層計(OCT)では腫瘤部に高輝度な顆粒状病巣が検出され，診断に有用である．一方，乳頭周囲には網膜剝離はみられないが，網膜前膜を伴うことがある．視野検査では，初期では欠損や感度低下所見はないが，腫瘍細胞の増大により，種々の程度で視野狭窄がみられる．超音波Bモードでは視神経乳頭上に高エコーを示す腫瘤がみられる．腫瘍が乳頭径大に増大した場合には，MRIで視神経乳頭部に，T1強調画像で等〜高信号，T2強調画像で低信号の腫瘤がみられる．

治療　視野障害に対しては，有効な治療はない．基本的には悪性黒色腫への転化の有無について経過観察していく．1年に1回は眼底検査を行う．経過中に約1割の症例で眼底検査において軽度の腫瘍の増大があるが，それは悪性転化ではないことが多い．既報では，患者の生涯にわたり1〜2％の症例で悪性転化することが示唆されている．その際の臨床的な特徴として，重度の視力低下が最も重要である．視力が0.1未満になる症例に加え，網膜剝離や硝子体出血を伴う場合は，造影MRIで造影増強効果や視神経への浸潤を検索し，[123]I-IMP-SPECTの集積の有無を確認し，可能な限りの検査を行う．悪性転化の可能性が否定できない場合には，十分なインフォー

ムド・コンセントののち，眼球摘出術など悪性黒色腫に準じた治療を行う．

結膜リンパ腫
Conjunctival lymphoma

加瀬 諭　北海道大学・講師

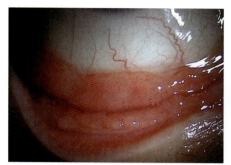

図35　結膜 MALT リンパ腫の細隙灯顕微鏡所見

概念　結膜に発生するリンパ腫の大部分はB細胞性リンパ腫で，そのなかでもMALT(mucosa-associated lymphoid tissue)リンパ腫といわれる粘膜関連リンパ性組織から発生するリンパ腫が最も多い．結膜は節外性リンパ組織の1つであり，MALTリンパ腫はリンパ濾胞の辺縁帯のB細胞が単クローン性に増殖して腫瘍を形成する．結膜にびまん性大細胞型B細胞リンパ腫や成人T細胞白血病リンパ腫がみられることもある．

病態　多くはB細胞由来の腫瘍細胞が増殖する．MALTリンパ腫の腫瘍細胞は免疫グロブリン重鎖遺伝子再構成(IgH)陽性のモノクローナリティを示し，形態学的には小型～中型の裸核状の異型細胞である．腫瘍細胞にB細胞マーカーであるCD20，CD79が陽性となる．

症状　結膜の充血やしこり，違和感などの不定愁訴を自覚する(図35)．

診断　切開生検が必須となる．腫瘍を部分切除し，ホルマリン固定して病理組織診断を行う．未固定の生材料も採取し，IgHモノクローナリティの検索を行う．結膜の検体は微量であるため，PCR法での検討でも差し支えない．さらに検体を採取することが可能であれば，生材料を追加で採取し，フローサイトメトリーで免疫グロブリン軽鎖κ，λの偏位，B細胞マーカー，T細胞マーカー陽性細胞率を検討する．いずれも当該施設の病理部や検査部に問い合わせると，どのように提出したらよいか教えてくれるものである．

治療　MALTリンパ腫に関しては，全身精査を行い，結膜に限局する場合には，30グレイほどの放射線外照射(電子線照射)を行うことが多く，寛解率も高い．円蓋部や眼瞼結膜に限局している場合には，放射線白内障の予防に鉛義眼を装用し，照射することが可能である．結膜に限局している場合には，ほかに放射線外照射を行わずに経過観察することも可能であるが，全身への播種の可能性があり，PETなどによる定期的な全身精査が必要である．結膜腫瘍の冷凍凝固が腫瘍の発育を制御する可能性もある．結膜と全身に病巣がみられる場合には，抗CD20抗体治療であるリツキシマブの全身投与が行われることもある．

上皮性腫瘍
Ocular surface squamous neoplasia

加瀬 諭　北海道大学・講師

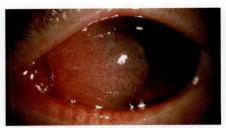

図36　結膜扁平上皮癌の細隙灯顕微鏡所見

概念・病態　結膜は本来，杯細胞を含む重層円柱上皮で，加齢などにより扁平上皮化生をきたし，上皮系腫瘍である異形成・上皮内癌が発生する．これらは上皮内に扁平上皮由来の異型細胞が増生するため，角結膜上皮内新生物（corneal/conjunctival intraepithelial neoplasia：CIN）と呼称される．組織学的には上皮内癌は上皮内扁平上皮癌（squamous cell carcinoma *in situ*）であり，臨床的には扁平上皮癌は上皮下へ浸潤した上皮内癌である．自然経過として腫瘍は数か月単位で発育し，結果的には広範囲に眼表面にCINが形成されたり，眼球内浸潤や眼窩内浸潤をきたす．まれにリンパ節や耳下腺への転移を認める．

症状　白目（結膜）のしこり，充血，眼脂を自覚する．

診断　細隙灯顕微鏡による詳細な観察が必須である．腫瘍は鼻側の角膜輪部に及ぶ球結膜に発生することが多いが，結膜円蓋部や眼瞼結膜にみられることもある．腫瘍は肌色調を呈し，腫瘤内に打ち上げ花火状の微小血管が多数観察される（**図36**）．腫瘍を栄養する拡張・蛇行した結膜血管も観察される．角膜へ浸潤した腫瘍は蒼白となる．臨床診断が可能であれば，すみやかに治療を計画する．フルオレセイン染色試験を行うことにより，腫瘍部が色素貯留を示し，角膜浸潤部への範囲も把握が容易になる．乳頭腫やほかの結膜腫瘍の鑑別に苦慮する場合には，腫瘍の試験切除を行い，病理組織診断を得てから治療を計画する．

治療　基本は外科的切除である．CINであろうと扁平上皮癌であろうと，治療方針に大きな差はない．腫瘍の安全域を確保し全摘出する．角膜へ浸潤する部は安全域を確保して角膜表層を切開し，Bowman膜から実質表層を含むように角膜浸潤部の腫瘍を切除する．切除した結膜の断端や腫瘍が存在した部の強膜に冷凍凝固を置く．腫瘍が大型で眼窩内へ進展したり，広範囲にCIN病巣がみられる場合には，眼窩内容除去術を要する．広範囲にCIN病巣がみられる症例では，マイトマイシンCや5-フルオロウラシル，インターフェロンによる抗腫瘍薬の点眼が奏効する場合がある．手術が困難な症例や眼窩内再発がある場合には，放射線外照射を行う．

良性腫瘍，腫瘤
Benign tumor

加瀬 諭　北海道大学・講師

概念・病態　結膜は重層円柱上皮で上皮基底層にはメラノサイトが存在し，上皮下の粘膜固有層には毛細血管やリンパ球を主体とする軽微な炎症細胞浸潤がみられ

る．上皮由来の良性腫瘍では，乳頭腫が代表的で，肌色調の放射状の手指状増殖と増殖の中央に血管がある(図37)．メラノサイト由来の良性腫瘍は母斑であり，黒色調を呈する．上皮下固有層由来の腫瘍に毛細血管腫や粘液腫が発生する．なお，化膿性肉芽腫は近年，毛細血管腫を指すようになり，注意を要する．霰粒腫などの炎症に続発する赤色腫瘤は化膿性肉芽腫ではなく，肉芽組織である．粘液腫は比較的黄色調の腫瘤が形成され，球結膜や円蓋部付近に形成される．反応性リンパ過形成が結膜円蓋部に形成され，MALT(mucosa-associated lymphoid tissue)リンパ腫との鑑別を要する．

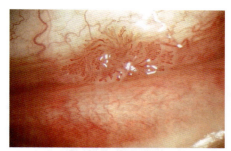

図37　結膜乳頭腫の細隙灯顕微鏡所見

| **症状**　白目(結膜)の黒色調や赤色調のしこり，違和感，眼脂を自覚する．

| **診断**　細隙灯顕微鏡による観察で，臨床診断が可能である．診断に迷う場合には，腫瘍の切除生検を行い，病理組織診断を仰ぐ．

| **治療**　結膜の良性腫瘍は，局所麻酔後に腫瘤の単純切除を行い，病理組織診断で確定する．乳頭腫や粘液腫の場合には再発する可能性があるため，切除部の結膜に冷凍凝固を行うこともある．粘液腫は結膜以外にも心臓などの全身諸臓器に腫瘍が形成される可能性があるため，診断がついた際には全身精査が必要である．肉芽組織の場合には，低用量副腎皮質ステロイドの点眼により，腫瘤が縮小することもある．

シリーズ《眼科臨床エキスパート》
◎進歩の著しいオキュラーサーフェス疾患診療の最新「ストラテジー」

角結膜疾患の治療戦略
薬物治療と手術の最前線

エキスパートの手術手技などが閲覧できるWeb動画付き！

編集　**島﨑　潤**　東京歯科大学市川総合病院眼科教授

眼科診療のエキスパートを目指すための好評シリーズの1冊。薬物治療・手術ともに変化が著しい角結膜疾患治療の最前線を網羅。治療方針決定に必要な検査の進め方を概説し、主要疾患ごとに治療戦略・治療法を徹底解説。アンチエイジングや再生医療などのトピックスにも触れ、この1冊で角結膜疾患診療の知識がアップデートできる。ビジュアルな紙面に加え、エキスパートの手術手技などが閲覧できるWeb動画付き。眼科臨床の必携書。

目次

第1章　総説
　角結膜疾患の治療概論

第2章　角結膜疾患の治療方針決定に必要な検査
　病理検査／微生物学検査／涙液検査・角膜知覚／マイボーム腺検査／生体染色検査／角膜トポグラファー／前眼部OCT／角膜厚測定、スペキュラーマイクロスコピー、コンフォーカルマイクロスコピー／高次収差／角膜生体力学特性

第3章　結膜疾患
　感染性結膜炎／アレルギー性結膜疾患／ドライアイ／GVHDとドライアイ／結膜弛緩症／翼状片／角結膜腫瘍

第4章　角膜疾患
　細菌性角膜炎／真菌性角膜炎、アカントアメーバ角膜炎／ヘルペス性角膜炎／遷延性角膜上皮欠損／再発性角膜上皮びらん／糸状角膜炎・上輪部角結膜炎／兎眼性角膜炎、神経麻痺性角膜炎／角膜ジストロフィ、角膜変性／角膜穿孔／周辺部角膜潰瘍／水疱性角膜症／熱傷・化学外傷／瘢痕性角結膜症／円錐角膜

● B5　頁424　2016年　定価：18,700円（本体17,000円＋税10%）　[ISBN978-4-260-02504-1]

医学書院
〒113-8719　東京都文京区本郷1-28-23　[WEBサイト] https://www.igaku-shoin.co.jp
[販売・PR部] TEL:03-3817-5650　FAX:03-3815-7804　E-mail:sd@igaku-shoin.co.jp

6 角膜疾患

細菌性角膜炎
Bacterial keratitis

戸所大輔　群馬大学・准教授

図1　黄色ブドウ球菌による角膜炎
小円形の限局した角膜膿瘍があり、前房蓄膿を伴っている．

概念　細菌性角膜炎は，日本における感染性角膜炎の8〜9割を占める．発症年齢は10〜40歳代の若年者と60歳代以上の高齢者の二峰性となっており，前者はほとんどがコンタクトレンズ装用者である．後者は外傷，糖尿病，既存の角膜疾患などに続発することが多いが，特に誘因がない場合もある．

病態　原因となる細菌にはグラム陽性菌とグラム陰性菌がある．グラム陽性菌では黄色ブドウ球菌と肺炎球菌，グラム陰性菌では緑膿菌とモラクセラが代表的な起炎菌であり，4大起炎菌とよばれる．4大起炎菌に次いで多くみられるのはレンサ球菌とセラチアである．まれにコリネバクテリウム，放線菌，非結核性抗酸菌による角膜炎もみられる．2週間頻回交換型コンタクトレンズ装用者に発症する細菌性角膜炎の原因は圧倒的にグラム陰性桿菌（緑膿菌やセラチア）が多いが，これはユーザーがマルチパーパスソリューション（MPS）でレンズを消毒・保管する際に汚染されやすいためである．高齢者の細菌性角膜炎の起炎菌は多岐にわたり，一定の傾向はない．

症状　初発症状としては，眼痛，異物感，充血，視力低下，眼脂などを訴える．

眼所見は角膜浸潤，角膜上皮欠損または角膜潰瘍，毛様充血，前房内炎症，角膜浮腫，角膜裏面沈着物などを認める．重症例では前房蓄膿，虹彩後癒着，虹彩ルベオーシス，角膜穿孔を呈することがある．

以下に4大起炎菌による角膜炎の眼所見の特徴を示すが，あくまで典型所見であり非典型的な所見を示す症例もある．

❶ **ブドウ球菌性角膜炎**　ブドウ球菌による角膜炎は小円形の限局した角膜膿瘍であることが多い**(図1)**．角膜炎の原因となるブドウ球菌は，ほとんどの場合黄色ブドウ球菌（*Staphylococcus aureus*）である．最近ではキノロン耐性菌，メチシリン耐性黄色ブドウ球菌（MRSA）の分離率が増えている．

❷ **肺炎球菌性角膜炎**　肺炎球菌（*Streptococcus pneumoniae*）による角膜炎も比較的限局する角膜膿瘍を呈するが，円形**(図2a)**，輪状，半輪状**(図2b)**などさまざまな形をとる．前房内の炎症は強い．進行が早く，重

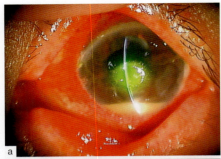

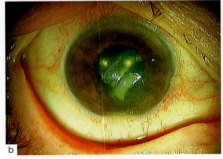

図2 肺炎球菌による角膜炎
a：円形の角膜膿瘍と前房蓄膿がみられる．b：半輪状の角膜膿瘍を認め，背の低い前房蓄膿を伴っている．

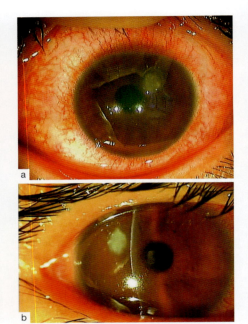

図3 緑膿菌による角膜炎
a：小円形の角膜浸潤とすりガラス状角膜浮腫を認める．前房蓄膿もみられる．b：時に羽毛状ないしブラシ状の角膜浸潤を呈することがある．

図4 モラクセラによる角膜炎
病変が拡大し，輪状膿瘍を呈している．前房蓄膿もみられる．

症化しやすい．

❸**緑膿菌性角膜炎** 緑膿菌(*Pseudomonas aeruginosa*)によるコンタクトレンズ装用者の典型的な角膜所見は小円形の角膜浸潤とすりガラス状の角膜浮腫である**(図3a)**．進行すると病変は拡大して膿瘍の中心が融解し，輪状膿瘍となる．時に羽毛状またはブラシ状の角膜浸潤を呈することがあり，真菌性角膜炎との鑑別が必要となる**(図3b)**．

❹**モラクセラ角膜炎** モラクセラ属(*Moraxella* spp.)による角膜炎は糖尿病患者，高齢者に多い．小円形膿瘍，不整形の膿瘍，輪状膿瘍**(図4)**など，さまざまな病変がみられる．高齢者では眼瞼縁に接する部位の角膜周辺部病変をきたすことが比較的多い．強い前房内炎症がみられる．高齢者では感染が沈静化しても角膜上皮欠損が遷延化しやすい．

合併症・併発症 進行した細菌性角膜炎では角膜実質の菲薄化や融解により角膜

穿孔を生じることがある．特に肺炎球菌，緑膿菌による角膜炎で注意が必要である．起炎菌および薬剤感受性が判明し改善傾向が確認できている場合，小さな角膜穿孔に対してはそのまま治療を続けるか治療用コンタクトレンズ装用を行う．大きな角膜穿孔に対しては治療的角膜移植術，結膜被覆術などの外科的治療を行う．

診断

■ **診断法** 診断確定のためには，角膜擦過を行って検体を採取し，鏡検と培養で起炎菌を同定する必要がある．クリニックですべての症例に角膜擦過を行うのは現実的に難しいが，重症例，所見が非典型的な症例，他院で治療されるも改善せず紹介された症例，真菌性角膜炎やアカントアメーバ角膜炎との鑑別が必要な症例では積極的に検査を行うべきである．角膜擦過は検体を採取するだけでなく，菌量を減らす効果があること，角膜表面のデブリスを除去することで病変の大きさ・深さがわかりやすくなること，直接触れることで角膜実質の融解の有無がわかることなどのメリットがある．角膜擦過は点眼麻酔後に開瞼器をかけ，ゴルフ刀やスパーテルなどを用いて行う．

■ **必要な検査**

❶ **塗抹鏡検** 塗抹鏡検はその場で検査結果が得られる迅速検査であり，治療方針の決定にきわめて有用である．詳細は「微生物検査」項（⇒75頁）を参照．

❷ **培養** 角膜擦過物を細菌培地に直接接種し，検査室へ提出する．角膜炎から得られる検体は微量であるため，シードスワブ®などの輸送培地ではほとんど陽性結果が得られない．細菌培養の結果が出るまでには通常2〜3日間かかる．培養検査で報告された細菌がすべて起炎菌というわけではなく，常在菌や汚染菌の可能性があるため，塗抹鏡検の結果や臨床経過と併せて判断する．抗菌薬を投与すると培養検査では陽性結果が得られにくくなるため，治療開始前に検体を採取する．

■ **鑑別診断** 難治性の細菌性角膜炎は角膜真菌症との鑑別が必要である．角膜真菌症を否定するためには角膜擦過が必須で，塗抹鏡検と培養を行う．

治療

■ **初期治療** 抗菌薬点眼による治療を行う．塗抹鏡検でグラム陽性球菌を認めた場合，軽症〜中等症であればキノロン系抗菌薬またはセフメノキシム塩酸塩（ベストロン®）の単剤，重症例であれば併用を行う．塗抹鏡検でグラム陽性双球菌を認め，肺炎球菌による角膜炎が疑われる場合はセフメノキシム塩酸塩を必ず用いる．2週間頻回交換コンタクトレンズ装用者で緑膿菌による角膜炎が疑われる場合，軽症であればキノロン系点眼薬の単剤，中等症以上であればキノロン系点眼薬とアミノグリコシド系抗菌薬の併用を行う．塗抹鏡検で大型のグラム陰性桿菌を認め，モラクセラ属による角膜炎が疑われる場合は，角膜上皮障害の少ない点眼薬を選択し，過剰な頻回点眼を行わないよう留意する．起炎菌が全く推定できないときは，軽症ならキノロン系抗菌薬の単剤，中等症以上ならキノロン系抗菌薬とセフメノキシム塩酸塩の併用を行う．流涙や眼脂が高度な場合，点眼薬が涙液で希釈されてしまうため1時間ごとの頻回点眼を行う．ただし，アミノグリコシド系抗菌薬は角膜上皮障害が強いことに注意すべきである．

■ **確定治療** 塗抹鏡検と培養で起炎菌が判

明した場合は，薬剤感受性を参考に点眼薬を最適化する．起炎菌が MRSA の場合，重症例にはバンコマイシン点眼薬（自家調剤）が必要となる．軽症例であれば 1.5%レボフロキサシン点眼（クラビット®）やクロラムフェニコール点眼が臨床的に有効な場合がある．

❶**グラム陽性菌による角膜炎（中等症～重症例）**

処方例 下記を併用する．

| ガチフロ点眼液（0.3%） 1日6回 点眼 |
| ベストロン点眼用（0.5%） 1日6回 点眼 |

❷**グラム陰性菌による角膜炎（中等症～重症例）**

処方例 下記を併用する．

| クラビット点眼液（1.5%） 1日6回 点眼 |
| トブラシン点眼液（0.3%） 1日3回 点眼 |

❸ **MRSA による角膜炎（重症例）**

処方例

| 1%バンコマイシン点眼液（自家調剤） 1日6回 点眼 保外 用法 |

角膜真菌症

Keratomycosis

戸所大輔 　群馬大学・准教授

概念　角膜真菌症は真菌（カビ）が角膜に感染することで発症する．感染性角膜炎の 5～10% を占める．発症誘因としては，植物による外傷（突き目）やステロイド点眼長期使用が多いが，特に誘因がなく発症する場合もある．

病態　真菌には酵母と糸状菌があり，角膜炎を起こす酵母はほとんどがカンジダである．カンジダはヒトの皮膚および粘膜の常在菌で，健常な角膜に感染を起こすことはない．糸状菌は植物や土壌や水回りに存在する環境真菌であり，フザリウム，アスペルギルス，プルプレオシリウム，アルテルナリアなどいろいろな種類がある．やはりバリア障害のない健常な角膜に感染を起こすことは少ない．患者側の要因として，既存の眼疾患に対しステロイド点眼の長期使用，遷延性上皮欠損，角膜縫合糸などがあると真菌感染が起こりやすくなり，酵母または糸状菌いずれの感染も起こりうる．それ以外には植物による外傷（突き目）やコンタクトレンズ装用などの外的要因により健常な角膜に真菌感染を生じる場合があり，原因は糸状菌が多い．

症状　充血，異物感，眼痛，流涙，視力低下など一般的な感染性角膜炎の症状がみられる．細菌性角膜炎に比べて進行は遅い．抗菌点眼薬を投与しても徐々に悪化する感染性角膜炎では，本症を疑う．以下に酵母と糸状菌それぞれによる角膜炎の典型所見を示す．

❶**酵母（カンジダ）**　カラーボタン様と称される小円形，限局性の病変が特徴である（図 5）．ブドウ球菌による角膜炎の所見と似ている．角膜実質深層へ波及する傾向は少ない．カンジダは角膜移植後の縫合糸感染も起こしやすい．その場合，ゆるんだ縫合糸に沿った浸潤病変を形成する．

❷**糸状菌**　羽毛状と称される辺縁の不明瞭な白色病変がみられる（図 6）．病変サイズに比して前房内炎症が高度で，病変がある程度の大きさになると前房蓄膿を呈する．虹彩ルベオーシスもしばしばみられる．病変が角膜実質深層に及ぶと，角膜内皮面に角膜内皮プラークとよばれる円板状の沈着物が形成される．原因真菌はフザリウムが最も多く，4～5 割を占める．フザリウム以外の糸状菌はアスペルギルス，プルプレ

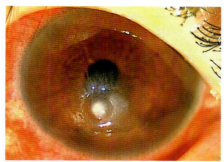

図5 カンジダによる角膜炎
カラーボタン様と称される小円形，限局性の病変を呈する．

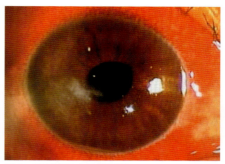

図6 糸状菌による角膜炎
淡く境界の不明瞭な羽毛状病変を呈する（写真はフザリウムによる角膜炎）．

オシリウム，アルテルナリアなど多岐にわたる．フザリウムによる角膜炎は進行が速いうえ実質深層に波及する傾向が強く，重症化しやすい．

合併症・併発症
角膜実質の融解が進み，角膜穿孔することがある．

診断
■ **診断法** 角膜真菌症は難治であり，不確実な診断で治癒させることは難しい．角膜擦過物の塗抹鏡検と真菌培養を行い，確実に診断する必要がある．

❶塗抹鏡検 真菌はグラム陽性に染色されるが，染色性が悪いため熟練しないと検出が難しい．使用可能であれば，ファンギフローラY染色は見落としがなく診断に有用である．

❷真菌培養 真菌の培養には25〜30℃で1〜3週間かかる．細菌とは培養条件が異なるため，検査室へ真菌感染を疑っていることを伝えておく．細菌培養に用いるチョコレート寒天培地でも角膜炎の原因となる真菌はほとんど発育するが，真菌用培地にはポテトデキストロース寒天培地やサブロー寒天培地などが用いられる．細菌性角膜炎の場合は抗菌薬を開始すると起炎菌の検出が難しくなるが，角膜真菌症の場合は治療開始後でも真菌は検出できる（それだけ治りにくいということでもある）．

■ **鑑別診断** ブドウ球菌による角膜炎では，カンジダによるカラーボタン様病変に類似した所見を示す．緑膿菌による角膜炎はブラシ状，羽毛状の病変を呈することがあり，糸状菌による角膜炎との鑑別が必要となる．また，非結核性抗酸菌による角膜炎も境界不明瞭な角膜浸潤病変を示し，糸状菌による角膜炎に類似している．まれに角膜ヘルペスも角膜真菌症によく似た羽毛状の病変を呈することがある．

治療
■ **薬物治療** 角膜真菌症の認可された治療薬はピマリシンしかない．ピマリシンには5％ピマリシン点眼液と1％ピマリシン眼軟膏の2種類の製剤があるため，これらをうまく使い分ける．ピマリシンは刺激感や角膜上皮障害が強いため，ベースに角膜移植後など角膜疾患がある場合は1％ピマリシン眼軟膏を選択する．5％ピマリシン点眼液は懸濁液であり，点眼すると潰瘍部および眼瞼縁に白色粉末が沈着することを説明しておく．注射薬の自家調剤が可能な

施設であれば，1％ボリコナゾール点眼が菌種によって有効である．フルコナゾール点眼は以前よく使われたが，糸状菌に対しては効果がない．糸状菌のなかでもフザリウムはアゾール系抗真菌薬の感受性が低いため，フザリウムとそれ以外で分けて考えるほうがよい．以下に処方例を示す．

❶カンジダ角膜炎

処方例 下記のいずれかを用いる．

1) ピマリシン眼軟膏（1％） 1日5回 点入
2) 1％ボリコナゾール点眼液（自家調剤） 1日6回 点眼 保外 用法

❷糸状菌（フザリウム）による角膜炎

処方例 下記1)と2)を併用する．角膜実質深層の病変に対しては3)を追加する．

1) ピマリシン点眼液（5％） 1日6回 点眼
2) ガチフロ点眼液（0.3％） 1日3回 点眼（細菌感染の予防目的）
3) アムビゾーム注 2.5 mg（力価）/kg 1日1回 1〜2時間以上かけて点滴静注

❸糸状菌（フザリウム以外）による角膜炎

処方例 注射薬の自家調剤が可能であれば，1)と3)を併用し，できなければ2)と3)を併用する．起炎真菌がプルプレオシリウムの場合2)は無効なため，1)と3)を併用する．

1) 1％ボリコナゾール点眼液（自家調剤） 1日6回 点眼 保外 用法
2) ピマリシン眼軟膏（1％） 1日5回 点入
3) ガチフロ点眼液（0.3％） 1日3回 点眼

■ **外科的治療** 上記の薬物治療と並行してゴルフ刀や擦過用スパーテルなどで週1〜2回病巣を掻爬する．薬物療法の効果がない真菌性角膜炎では，取り切れるサイズのうちに治療的角膜移植を行う．

アカントアメーバ角膜炎

Acanthamoeba keratitis

福田昌彦 近畿大学奈良病院・教授

概念 アカントアメーバは土壌，淡水，水道水，洗面所などの水回り，室内塵など環境のいたるところに広く生息する原虫である．栄養体（トロホゾイド）と囊子（シスト）の2つの形態をとる．ケア不良のコンタクトレンズ（CL）装用者のケース内には高率にアカントアメーバが存在すると考えられ，CL装用や外傷により角膜に侵入し感染を起こす．1974年Nagingtonらが初めて報告，わが国では1988年の石橋らの報告が初報である．感染後の所見はある程度特徴のある初期病変，移行期病変，完成期病変をとる．やっかいなのは特効薬がなく，病巣掻爬でアカントアメーバの物理的除去の繰り返しと抗真菌薬点眼，消毒薬点眼の長期の使用が必要な点である．

病態 CL装用による上皮障害，あるいは外傷によってもち込まれたアカントアメーバが，角膜上皮内で増殖することにより発症する．

症状 主たる症状は充血と眼痛である．ごく初期は異物感で始まり，徐々に眼痛と充血が強くなる．ある程度病状が進行すると激痛になる場合が多い．強い流涙，眼瞼腫脹，視力低下を伴う．

合併症 虹彩炎，角膜後面沈着物，前房蓄膿，治療薬による上皮障害．角膜穿孔はまれである．

診断

■ **診断法** 臨床所見と微生物学的検査によ

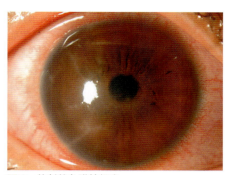

図7 放射状角膜神経炎

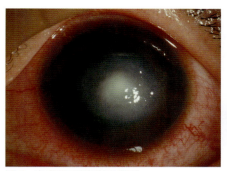

図8 完成期の円板状の混濁

り行う．

❶臨床所見

a. 初期　初期は最初の1〜2か月程度で，角膜上皮や上皮下の点状，線状，斑状混濁，偽樹枝状角膜炎，放射状角膜神経炎(図7)，結膜輪部の腫脹，充血などがみられる．放射状角膜神経炎はアカントアメーバ角膜炎に特徴的な所見のため診断的意義は大きい．

b. 移行期　病状が進行し移行期になると輪部からほぼ等距離の輪状浸潤が出現する．しばしば輪状浸潤上の一部に上皮欠損を伴うことがある．この時期になると強い前房内炎症，角膜後面沈着物も伴う．

c. 完成期　輪状浸潤は中央に広がり円板状の混濁(図8)となる．しばしば潰瘍を伴う．この時期になると前房内炎症はさらに強くなり前房蓄膿を伴うこともある．

❷微生物学的検査　角膜病巣部からの検体より直接鏡検でアカントアメーバのシストを検出するのが直接の証明になる．それ以外に分離培養，real-time PCR，レーザー生体共焦点顕微鏡などの方法もある．初期病変では検体量も少なく鏡検で見つけるのが困難なこともあり，real-time PCRは有用な方法である．また，患者が使用していたCLケース内からのアカントアメーバの検出も参考にする．

■ **鑑別診断**　角膜ヘルペス，角膜真菌症と類似した所見があるので注意を要する．初期の偽樹枝状角膜炎は上皮型角膜ヘルペスと類似している．鑑別点は角膜ヘルペスのようにterminal bulbを形成しないこと，病変が隆起していないことなどである．輪状浸潤あるいは円板状の混濁の時期には実質型角膜ヘルペスや真菌性角膜炎との鑑別が必要になる．実質型角膜ヘルペスでは混濁部の辺縁が比較的明瞭，角膜真菌症では強いendothelial plaqueを伴うことなどを参考に判断する．

治療

■ **治療方針**　薬物治療と角膜掻爬の2本立てで治療する．

■ **薬物治療**　消毒液〔クロルヘキシジングルコン酸塩(ヘキザック®)，ポビドンヨード，ポリヘキサメチレンビグアナイド(PHMB)〕やアゾール系抗真菌薬(フルコナゾール，ボリコナゾール)を点眼薬として局所治療に用いる．細菌混合感染対策として抗菌点眼薬を併用する．アゾール系抗真菌薬は重症例に対して用いることがある．

処方例 下記を併用する．

ヘキザック水 W(0.02%)（自家調製） 1日6回 点眼 保外

1%ボリコナゾール点眼（自家調製） 1日6回 点眼 保外

クラビット点眼液(1.5%) 1日3回 点眼

■**外科的治療** 病巣の角膜上皮を掻爬する（一部健常部を含める）．初期は週2回程度から始めて，改善がみられれば週1回程度にする．

■**合併症への対応** 強い前房内炎症を伴う場合はアトロピン点眼液(1%)1日1回を併用する．

■**患者への対応** 角膜掻爬は大変な苦痛を伴うが必要な処置であるので，十分な説明のもと相談しながら処置を行う．また，治療が数か月に及ぶ場合があることも十分説明しておく必要がある．CLユーザーであった場合，CLの再装用はアカントアメーバの再感染のリスクがあることを説明し，十分なケアの指導を行う．

予後 初期段階でうまく治療できれば視力低下を最小限にすることができる．移行期以降の治療開始や治療への反応が悪ければ，強い混濁を残し視力は不良となる．強い角膜混濁，角膜穿孔などで角膜移植となった場合も良好な視力は期待できない．

単純ヘルペスウイルス角膜炎（角膜ヘルペス）

Herpes simplex virus keratitis

井上智之　いのうえ眼科・院長

概念 単純ヘルペス角膜炎とは，単純ヘルペスウイルス(herpes simplex virus：HSV)によって生じる角膜炎である．HSV初感染は幼少期に起こることが多く，眼症状を呈することなく三叉神経節に潜伏感染する．初感染で本症が生じることは少なく，通常は成人期にストレス，発熱，紫外線曝露などが契機となり，潜伏感染ウイルスが再活性化して，三叉神経に沿って角膜局所に伝播して再発性病変として角膜病変が生じる．全身性または眼局所の免疫抑制状態で発症しやすい．臨床上，HSVによる角膜病変は病変の主座により上皮型，実質型，内皮型の3型があり，病態および治療が異なるので，各々に分けて述べる．さらに，ウイルス性でない2次的な病変である栄養障害性角膜潰瘍がある．

1 上皮型

病態 上皮型は再活性化したHSVが，三叉神経から角膜上皮に到達して増殖すると生じる．上皮欠損の中央でなく，辺縁部にて活発なウイルス増殖が存在する．

症状 充血，異物感，羞明，流涙．強い痛みを訴えるのはまれである．病変が瞳孔領に生じた場合は視力低下や霧視をきたす．片眼性である．基本的に片眼性病変であるが，アトピーや糖尿病などの全身素因をもつ場合は両眼性に発症することもある．

診断 典型例では，細隙灯顕微鏡検査所見から診断可能である．臨床病型は角膜上皮欠損の大きさによって，樹枝状角膜炎と地図状角膜炎に分けられ，樹枝状角膜炎は樹の枝様の角膜びらんである樹枝状病変を示す(図9)．辺縁を中心にフルオレセイン染色でよく染まり，先端部が瘤状のterminal bulbを呈する．この線状病変が面状に拡大すると地図状角膜炎になる．びら

図9　樹枝状角膜炎
末端膨大部と上皮内浸潤を伴う枝分かれ状の潰瘍病変.

ん辺縁に不規則な凹凸である dendritic tail を呈する．辺縁部の上皮は盛り上がり，浸潤を伴うために縁取りが鮮やかに見える．再発性であることから，同様の既往の存在の有無が診断に重要である．Cochet-Bonnet 角膜知覚計の計測による角膜知覚の低下を示す．実験室検査として，病変の角膜上皮擦過物からの HSV 分離が確定診断であるが，時間を要し，施行可能な施設は限られている．ほかに，血清抗体値にて，陰性ならば，本症を否定できる．角膜上皮擦過物に対してキットを使用して，イムノクロマト法や蛍光抗体法によって角膜上皮細胞中の HSV 抗原を定性的に同定できる．短時間で結果が得られて簡便であるが，陰性であっても HSV 感染を否定できない．

また，分子細胞生物学的に微量ウイルス DNA を検出する PCR 法により，上皮病変における HSV-DNA の同定が可能である．高感度で有力な方法であるが，確定診断にはならない．real-time PCR 法にて，さらに鋭敏に定量的に解析が可能できる．

■ **鑑別診断**　帯状疱疹ウイルス角膜炎，アカントアメーバ角膜炎，または創傷治癒の過程で生じる偽樹枝状病変や角膜潰瘍などの角膜上皮障害が対象となる．非典型的な病変を示す場合は，総合的な診断が必要になる．

■ **治療**　上皮型の治療は，抗ウイルス薬としてアシクロビル（ゾビラックス®）を用いて，上皮細胞における HSV 増殖を抑制する．アシクロビルは単純ヘルペスウイルスに由来するチミジンキナーゼの存在下で活性型となりウイルス DNA 合成を特異的に阻害する．樹枝状病変，地図状病変をはじめとする上皮型病変には，アシクロビル製剤の局所投与が原則で，アシクロビル眼軟膏1日5回点入を開始して，症状の改善に合わせて数週ずつ漸減し経過観察する．

上皮欠損が存在するため細菌混合感染の予防に抗菌薬点眼を併用する．アシクロビル眼軟膏投与にて点状表層角膜症などの角膜上皮障害や眼瞼結膜炎といった合併症を生じる場合があるので，アシクロビルのプロドラッグであるバラシクロビル塩酸塩内服に切り替えを検討する．

アシクロビル眼軟膏を1週以上投与して効果がない場合は，軟膏をきちんと使用できていない，HSV 以外による病変，薬剤耐性 HSV などの可能性を考える必要がある．コンプライアンスについては，点入指導の徹底，家族への見守り依頼，入院管理などを検討する．

HSV 以外による病変は，偽樹枝状病変の原因疾患を検討する．慢性的にアシクロビルを長期使用した場合，アシクロビルが効果のないアシクロビル耐性 HSV 株による角膜炎が生じ，上皮型の病態を示すことがある．確定診断はウイルス培養と薬剤感

受性試験によるが，前述の real-time PCR 法によるウイルス量の比較が有用である．HSV-DNA 陽性で，アシクロビル眼軟膏を開始するも病変が改善しないで，治療開始後も診断時の HSV コピー数と比較して減少していない場合は，薬剤耐性 HSV の関与を見分けることが可能である．ウイルス増殖が乏しいために，上皮病変は一般に小さく潰瘍縁もはっきりしないことが多く，線状病変を呈する場合も偽樹枝状病変に近い．治療は，米国で使用されている抗ヘルペス薬である trifluorothymidine 点眼やガンシクロビル点眼が有効である．

処方例 下記 1)を用い，混合細菌感染予防のために 2)を併用する．

1) ゾビラックス眼軟膏(3%)　1日5回　点入
2) クラビット点眼液(1.5%)　1日3回　点眼

2 実質型

病態　実質型は，実質細胞に発現したウイルス抗原に対する宿主の免疫反応である．HSV が再活性化して実質内で病変を生じる．病変の主体はウイルス増殖ではなく，免疫反応である．基本的な病態は下記の円板状角膜炎と壊死性角膜炎である．

症状　視力低下，霧視，充血など．上皮病変を伴っていれば，異物感や流涙もみられる．

診断　角膜実質内に炎症の主座が存在する病態として，円板状角膜炎と壊死性角膜炎がある．実質型の初期には円板状角膜炎で発症して，前房内炎症細胞，角膜後面沈着物，毛様充血を伴う角膜傍中央部における円形の淡い実質混濁と角膜上皮・実質浮腫を呈する(図10)．混濁は中央よりも

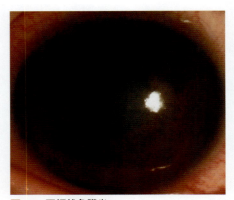

図10　円板状角膜炎
角膜後面沈着物，毛様充血を伴う円形の淡い実質混濁と角膜上皮・実質浮腫病変．

周辺に強い immune ring like である．

円板状角膜炎の鎮静・再発を繰り返すと，角膜内血管侵入および角膜実質瘢痕や脂肪沈着が生じ，壊死性角膜炎を呈する(図11)．

ウイルス分離，イムノクロマト法，PCR 法のいずれも HSV 同定に十分な感度が得られないため，上記細隙灯顕微鏡検査所見に加えて，再発性であることを確認するための HSV 感染既往の有無や角膜知覚低下がより重要性が高い．

治療　実質型の治療は，ウイルス感染に対するアシクロビル眼軟膏1日3回点入であるが，加えて宿主免疫反応の抑制にステロイド局所投与として，ベタメタゾンリン酸エステルナトリウム(サンベタゾン®)やフルオロメトロン〔フルメトロン®(0.1%)〕を症状に応じて使用する必要がある．点眼の使用方法は，ベタメタゾンリン酸エステルナトリウムなど強い点眼から始めて，症状に応じて回数を減らし，1か月程度でフルオロメトロンに変更して3か月ほどで中止する．症状が軽ければ，フ

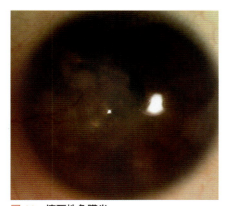

図 11 壊死性角膜炎
角膜内血管侵入を伴う角膜実質瘢痕病変.

ルオロメトロンから開始する．より強い炎症を伴う角膜ぶどう膜炎や，上皮欠損を伴う場合には，ステロイド内服を使用して消炎する．ステロイドのみの治療を行うと，いったん改善を認めるが，再発しやすい．時に上皮型を併発する場合もある．

処方例 下記 1)，2) を併用する．

1) サンベタゾン眼耳鼻科用液(0.1%)　1 日 5 回　点眼
2) ゾビラックス眼軟膏(3%)　1 日 3 回　点入

上記 1)，2) で症状軽快を認めた場合，または軽症の場合には 3)，4) を併用する．

3) フルメトロン点眼液(0.1%)　1 日 3 回　点眼
4) ゾビラックス眼軟膏(3%)　1 日 3 回　点入

予後　病変の増悪を繰り返して瞳孔領に瘢痕形成が残存すると，視力予後不良で，混濁角膜の透明化のために角膜移植を行うこともある．

3 内皮型

病態　内皮型は，角膜内皮細胞層に炎症の主座が存在し，角膜内皮細胞の機能不全による角膜上皮および実質浮腫，前眼部炎症による角膜後面沈着物，眼圧上昇などを呈する．HSV の内皮細胞への特異的感染なのか宿主の自己免疫によるのか病態は不明である．HSV による角膜炎の内皮型は，上皮型や実質型ヘルペスの既往が存在することが多い．進行した症例では，実質浸潤を伴う病態との区別が困難になる場合があるが，角膜内皮病変が炎症の主座であるものを指す．

症状　視力低下，霧視，充血など．角膜浮腫の増悪による 2 次的な上皮障害が生じると眼痛を訴える．

診断　角膜浮腫は角膜内皮細胞の機能不全により生じ，角膜上皮浮腫および実質浮腫を呈する．角膜周辺部または角膜中央部から限局的に始まり，進行すると角膜全体の浮腫を呈する．炎症の関与から角膜後面沈着物を伴う．角膜実質浮腫の程度によって Descemet 膜皺襞を伴う．また，前部ぶどう膜炎の病態を伴う場合は眼圧上昇をしばしば呈する．実質型と異なり，浸潤などによる実質混濁は認めない．炎症が鎮静化したあとに角膜内皮細胞密度の減少をきたす．角膜浮腫は周辺部型と中心近傍型などが存在する．確定診断は前房水からのウイルス培養だが，実際には検出率が低いため，PCR を用いてウイルス DNA を同定する．

治療　内皮型の治療は「2 実質型」に準じて行うが，内皮細胞の脱落防止のために，実質型と比較して，やや強めで長期の治療が必要になることがある．ウイルス感

染に対してアシクロビル眼軟膏点入，宿主免疫反応の抑制にステロイド点眼，眼圧上昇に対して点眼もしくは内服の降眼圧治療薬を行う．角膜浮腫や炎症の程度に応じて，治療は漸減する．重症化症例に対しては，上記に加えて，バラシクロビル塩酸塩内服やステロイド内服を追加，ステロイド点眼の回数を増やすなど症状に応じて調整する．

角膜浮腫が不可逆性になった場合は，角膜移植術の適応になる．

4　栄養障害性角膜潰瘍

病態　上述の上皮型や実質型病変の再燃・鎮静化を繰り返すと，上皮基底膜障害，角膜知覚神経障害，実質炎症，抗ウイルス薬による上皮障害などが重なって，ウイルス増殖に関係なく上皮修復が進まない状態に陥る．さらに角膜融解や潰瘍病変の重症化や炎症による瘢痕化により次第に角膜混濁や角膜菲薄化が生じる創傷治癒異常を栄養障害性角膜潰瘍とよぶ．

症状　視力低下，異物感，眼痛，充血など．

診断　角膜上皮伸展障害を伴うため，栄養障害性角膜潰瘍の上皮欠損は楕円形で，辺縁上皮は丸く盛り上がっている．

治療　上皮の伸展を促すため，圧迫眼帯や治療用ソフトコンタクトレンズなどを用いる．炎症が強い場合はステロイド内服を用いる．ウイルス再活性化抑制のために，バラシクロビル塩酸塩内服を用いることもある．

水痘帯状ヘルペス角膜炎

Herpes varicella-zoster keratitis

井上智之　いのうえ眼科・院長

概念　水痘帯状ヘルペス角膜炎は水痘帯状疱疹ウイルス(varicella-zoster virus：VZV)感染による角膜炎で，水痘角膜炎と帯状ヘルペス角膜炎がある．

病態　VZVの初感染である水痘に続発する角膜炎は水痘角膜炎である．また初感染後，VZVが宿主神経節に潜伏感染し，何らかの誘因で再活性化して三叉神経第1枝領域に一致した特徴的な皮疹および眼痛を生じるのが眼部帯状疱疹で，それに合併して生じる角膜炎が帯状ヘルペス角膜炎である．日光曝露，発熱，過労，悪性腫瘍，免疫抑制薬使用，HIV保有など宿主の免疫能低下状態が再活性化のリスクと考えられている．

症状　皮疹に続発する同側眼の充血，異物感，羞明，流涙．病変が瞳孔領に生じた場合は視力低下や霧視．皮疹のない眼病変(zoster sine herpete)も存在するため注意を要する．

合併症・併発症　角膜炎以外にも，濾胞性結膜炎，虹彩炎，強膜炎，網膜ぶどう炎，視神経炎，続発性緑内障など多彩な眼合併症を生じる．虹彩萎縮は，本症に特徴的である．

診断　典型的な皮疹を伴っている場合は診断をつけやすい．

❶**水痘角膜炎**　多くは小児例で水痘に続発して生じ，充血を伴った角膜中央の浮腫と混濁を伴う円板状角膜炎を呈する．水痘直後のみでなく，水痘罹患後数か月で角膜炎

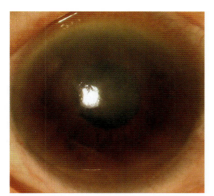

図12 帯状ヘルペス角膜炎（実質炎）
さまざまな形態の多発性角膜混濁を認める．

が生じてくることもあるので注意が必要である．

❷**帯状ヘルペス角膜炎** 帯状疱疹発症から1週間以内では上皮病変を，2週間以降では実質病変を認める．点状表層角膜症，偽樹枝状病変，角膜実質炎，角膜ぶどう膜炎，角膜内皮炎などを認める**(図12)**．特に上皮病変は，角膜の周辺部に，ヘルペスと異なり偽樹枝状とよばれる浅く，terminal bulbをもたない小さな上皮びらんを伴う偽樹枝状角膜炎を呈する．角膜ぶどう膜炎や角膜内皮炎は，皮疹出現から約1週間程度ののち，Descemet膜皺襞と，実質および上皮の浮腫から発症し，角膜後面沈着物や前房内炎症細胞，眼圧上昇を伴っていることもある．円板状角膜炎は，急性期を過ぎて，数週間〜数か月が経過したあとに生じる．内皮は保たれており，あまり浸潤もなく浮腫が主体である．これに対して，発症から1年以上経過したあとに角膜浮腫を生じる場合，内皮細胞が代償不全に陥っている．これは慢性的なVZV感染の持続による内皮細胞の破壊や免疫反応を原因として生じるとされ，軽快する場合もあるが内皮細胞数が著しく減少すると治癒困難となる．

■**必要な検査** 特徴的な皮疹と所見より，臨床的に眼部帯状ヘルペスの診断をつけることは比較的容易であるが，VZVは単純ヘルペスウイルスと比較して，病変部位でのウイルス量が微量であるため，ウイルス分離培養は非常に困難で，PCRが有用である．偽樹枝状病変では上皮擦過物から，実質炎や内皮炎では前房水からウイルスのDNAを検出する．

|**治療**| 皮疹に対しては，バラシクロビル塩酸塩の内服を用いる．角膜病変では，偽樹枝状病変に対してアシクロビル（ゾビラックス®）眼軟膏を投与することは単純ヘルペス角膜炎と同様である．だが，ぶどう膜炎の頻度が高く，ステロイドの局所投与を併用する必要のある症例が多い．角膜実質炎に対しても，アシクロビル眼軟膏に加えてステロイド点眼を使用する．フルオロメトロン点眼やベタメタゾンリン酸エステルナトリウム点眼などで，個々の症例に対して状態に応じて投与量を調節する必要がある．感染症と免疫反応による2次的な障害を見極める必要がある．

角膜混濁や水疱性角膜症による視力低下が高度の場合，角膜移植術を行う．

処方例 実質炎に対して，下記を併用する．

サンベタゾン眼耳鼻科用液(0.1%) 1日5回 点眼

ゾビラックス眼軟膏(3%) 1日5回 点入

|**予後**| 瞳孔領に瘢痕形成が残存する，内皮炎による障害が高度で水疱性角膜症に陥る，続発性緑内障を発症するなどで予後不良である．

サイトメガロウイルス角膜内皮炎

Cytomegalovirus (CMV) corneal endotheliitis

小泉範子　同志社大学生命医科学部・教授

概念　サイトメガロウイルス(CMV)は，免疫不全のない患者に発症する角膜内皮炎や虹彩炎，Posner-Schlossman症候群などの原因として注目されている．CMV角膜内皮炎の病態は明らかにされていないが，前眼部におけるCMVの再活性化による一連の病態と推測され，CMV角膜内皮炎は中高年の男性に多い．

症状　角膜浮腫による羞明や視力低下を自覚する．片眼性または両眼性．

合併症・併発症　慢性・再発性の虹彩炎や，続発緑内障を高頻度に合併する．進行すると水疱性角膜症となる．

診断　角膜後面沈着物(keratic precipitates：KP)を伴う限局性の角膜浮腫を認める．角膜周辺部から中央に向かって進行する角膜浮腫のパターンが多い．円形に配列するKP様病変(コイン・リージョン)や，拒絶反応線様のKPはCMV角膜内皮炎に特徴的な所見である．確定診断には，前房水を用いたPCRによるウイルス検索が必要である．角膜移植後の症例では，移植後拒絶反応との鑑別が重要であり，ステロイド薬や免疫抑制薬に反応しないKPや角膜浮腫を認めた場合にはCMV角膜内皮炎を疑ってPCRを行う．

治療　ガンシクロビル(デノシン®)やバルガンシクロビル塩酸塩(バリキサ®)など抗ウイルス薬の有用性が報告されているが，いずれも保険適用外であり，標準治療は確立されていない．患者への十分なインフォームド・コンセントを行ったうえで，各施設で定められた手続きを経て使用する必要がある．

初期治療として，抗ウイルス薬の全身投与と局所投与，およびステロイド点眼薬の併用治療を行う(処方例参照)．眼圧上昇を伴う症例には，緑内障点眼薬を併用する．抗ウイルス薬の全身投与には骨髄抑制などの副作用があるため，定期的に血液検査などを行う．全身投与終了後は，自家調製0.5%ガンシクロビル点眼液とステロイド点眼を継続し，症状をみながら漸減する．軽症例では局所治療のみを行う場合もあるが，角膜内皮細胞が減少している症例や，続発緑内障による視野障害のある症例では，全身投与を併用した初期治療を行うことが望ましい．

慢性・再発性の疾患であるため，定期的に経過観察を行い，KPの増加や眼圧上昇など再発を疑う所見を認めた場合には治療を再開(強化)する．

処方例　CMV角膜内皮炎治療法の1例．1)か2)のいずれか1剤と3)，4)を併用する．

> 1) デノシン注(500 mg)　1回5 mg/kg　1日2回　点滴静注　2週間　保外　効能・効果
> 2) バリキサ錠(450 mg)　4錠　分2　食後　2週間　その後2錠　分1　食後　2〜10週間　保外　効能・効果
> 3) 0.5%ガンシクロビル点眼液(自家調製)*　1日4〜8回　点眼　保外　効能・効果
> 4) フルメトロン点眼液(0.1%)　1日4回　点眼

*自家調製0.5%ガンシクロビル点眼液は，デノシン注(500 mg)を生理食塩液

に溶解して作製する．施設の規程に従って薬剤部のクリーンルームなど清潔な環境で作製する．分解されやすい薬剤であるため，冷暗所で保存し，12週間以内に使用することが望ましい．

予後　角膜内皮障害と続発緑内障が視機能予後を左右するため，早期の診断，治療が重要である．

麻疹による角膜炎
Measles keratitis

宮崎 大　鳥取大学・教授

病態　麻疹は，10～14日の潜伏期間ののち，発熱，悪心，咳，結膜炎，鼻水などの症状で発症する．その後，全身に発疹が出現する経過をたどる．

角膜炎は，両眼性であり，結膜炎に続いて，半数近くに発症し，視力低下，羞明などの症状をきたす．結膜炎を伴わない場合もあれば，発疹出現2週間後に発症する場合もある．結膜下出血を併発することもある．角膜炎のびまん性角膜上皮症あるいは上皮下混濁をきたす．また，結膜びらんが，角膜炎へと進展する場合もある．所見は1週間程度で消失する．

合併症・併発症　麻疹の重篤な合併症は，発展途上国でみられ，角膜潰瘍をきたし，失明の大きな原因となる．特に栄養不良やビタミンA欠損がその誘因とされている．また，ヘルペスウイルス，アデノウイルス，細菌感染などの併発症により角膜混濁，失明をきたす場合もある．

治療　治療には，感染予防に加えてステロイド点眼が用いられる．麻疹は，公衆衛生上重要な疾患であり，ワクチンによる予防が最も有効な手段となる．しかしながら，麻疹はきわめて伝播しやすいため（基本再生産数12～18），予防には90％以上のワクチン接種率を達成する必要がある．

風疹による角膜炎
Rubella keratitis

宮崎 大　鳥取大学・教授

病態　出生後の風疹感染は，多くの場合，無症候性である．症状が出る場合，咽頭痛，発熱，発疹，リンパ節腫脹をきたす．その際，結膜炎を併発することがある．結膜炎例のおおむね1割において角膜炎を併発する．角膜炎は，発疹が生じてから1週程度で起こり，角膜中央に分布する小さく点状に多発する角膜表層混濁を呈する．特に治療の必要もなく，さらに1週程度で消失する．

一方，風疹は，再発性かつ慢性に眼圧上昇を伴う前部～中間部ぶどう膜炎をきたすことがある．この場合，Fuchs虹彩異色性毛様体炎に似た症状を呈するが，同時に角膜内皮面では星状角膜後面沈着物，内皮細胞への浸潤，内皮細胞境界の拡大など内皮炎所見の併発がみられることがある．

アデノウイルスによる角膜炎

Multiple subepithelial corneal infiltrates in adenoviral infection

宮崎 大　鳥取大学・教授

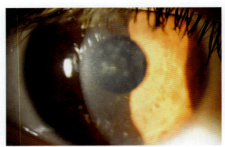

図 13　アデノウイルスによる多発性上皮下浸潤

病態　アデノウイルス D 種（8，19，37，53，54，56）による流行性角結膜炎の経過中，急性期を過ぎた発症 10 日頃から多発性上皮下浸潤（図 13）として角膜炎がみられる．現在，日本における流行性角結膜炎の主体は 54 型である．アデノウイルスの DNA は，結膜炎症状の発症の前から PCR で検出でき，結膜炎症状が消失しても最低 1 週程度はウイルス DNA が検出される．上皮下浸潤は，角膜内に滞留したアデノウイルス蛋白に対する免疫反応と想定されている．

結膜炎の症状は，充血，眼脂，異物感であり，5〜8 月が発症のピークとなる．発症年齢は，0〜4 歳の小児と 30 歳代の成人の二峰性を示す．54 型の基本再生産数は 1.4 と，感染は比較的伝播しやすい．例年，年間約 50〜75 万人が罹患していると推定されるが，2020 年は新型コロナウイルスの影響で発症者は例年より減少した．

症状　角膜炎を発症した場合，視力低下や羞明をきたす．流行性角結膜炎に伴う多発性上皮化浸潤は再発性のこともあり，45 日以上角膜炎症状が残存することがある．また，重症例では角膜後面沈着物を伴う虹彩炎を併発する．

診断　濾胞，眼瞼腫脹，耳前リンパ節の腫脹などの臨床症状に加え，免疫クロマトグラフィ法が頻用される．特異度が高いものの偽陰性例があるため，アウトブレイクの制御にはより感度の高い PCR 法が用いられる場合がある．なお，52 型以後は，血清型でなく遺伝子型として定義されており，現在における型判定は遺伝型の配列決定が用いられる．

治療・予防　現在，流行性角結膜炎の治療に利用可能な抗ウイルス薬はないが，併発感染の予防のため，抗菌薬の点眼が使用される．一方，多発性上皮化浸潤の発症予防および治療のため，ステロイド点眼（0.1％ベタメタゾンリン酸エステルナトリウムあるいは 0.1％フルオロメトロン点眼）が併用される．

接触および飛沫感染予防の対策が重要である．消毒薬として通常の消毒用アルコールは有効性が低い．次亜塩素酸ナトリウムによる消毒やイータック®スプレー，アルタント®スプレーなどが推奨される．また，眼圧測定のためのアプラネーショントノメーターチップの消毒には，10 倍希釈のブリーチ（次亜塩素酸ナトリウム）が推奨されている．

処方例　下記を併用する．

クラビット点眼液（1.5％）　1 日 4 回　点眼
リンデロン点眼・点耳・点鼻液（0.1％）　1 日 4 回　点眼

梅毒性角膜実質炎
Syphilitic interstitial keratitis

熊倉重人 東京医科大学病院・講師

概念 角膜上皮および内皮に病変がなく，角膜実質内にびまん性の浸潤病変があるものを角膜実質炎とよび，さまざまな原因により引き起こされるが，重要なものとして梅毒がある．*Treponema pallidum* 感染症である梅毒により引き起こされる梅毒性角膜実質炎には先天性および後天性のものがあり，大部分が先天性感染によるものである．先天梅毒は *T. pallidum* が母体から胎盤を通じて，または産道を介して感染して生じる．現在，わが国では妊婦の梅毒検査が厳密に行われているため，活動性のある梅毒性角膜実質炎に遭遇することはほとんどない．一方，高齢者の先天梅毒による角膜実質瘢痕は日常診療でまれにみられる．先天梅毒にみられる角膜実質炎，Hutchinson 歯牙，難聴を Hutchinson 3 主徴という．

病態 本症は角膜実質における *T. pallidum* 抗原に対する免疫反応と考えられている．病理学的には，びまん性のリンパ球浸潤を主体とし，菌体自体はみられない．

症状 先天梅毒の角膜実質炎は 5〜20 歳で発症し，病変は両眼角膜にびまん性もしくは多巣性に生じる．一方，後天性の梅毒性角膜実質炎は梅毒に感染後 2〜15 年で発症し，通常，片眼性に限局性病変を生じ，先天梅毒によるものより軽症である．

❶**活動期** 強い毛様充血，角膜後面沈着物を伴う虹彩毛様体炎が起きる．びまん性もしくは多巣性の角膜細胞浸潤が出現し，角膜実質深層への血管侵入を生じる．時間経過とともに角膜浸潤は濃厚となり角膜浮腫も生じ，角膜はすりガラス様に混濁する．また，角膜実質深層への血管侵入もさらに著明となり，角膜全体が淡い赤色を呈し，この状態を salmon-colored patch とよぶ．このあと，1〜2 年を経て上記の所見は徐々に消退し瘢痕期に至る．

❷**瘢痕期** 角膜実質深層を中心とした瘢痕形成によりさまざまな程度の白斑がみられ，その一部は菲薄化していることもある．実質内には血流がなくなった血管 (ghost vessel) が残る．角膜内皮も障害され，角膜後面に特徴的な retrocorneal hyaline ridge (サンゴ状の索状物) が形成される．

診断
■**診断法** 角膜所見から本症を疑った場合，梅毒の血清学的検査を行う．
■**必要な検査** 病原体である *T. pallidum* に非特異的な RPR (rapid plasma regain test) と抗原特異的な TPHA (*T. pallidum* hemagglutination) があり，これらの検査を行う．TPHA が陽性であれば梅毒の診断は確定できる．RPR は梅毒の活動性を反映し，治療効果判定としても有用である．
■**鑑別診断** 種々の角膜感染症後や角膜ジストロフィなどの角膜に白斑をきたす疾患と本症の瘢痕期の鑑別には ghost vessel や retrocorneal hyaline ridge などの本症に特徴的な所見が役に立つ．これらの所見があるときには梅毒の血清学的検査を行う．

治療
■**治療方針** 活動性の角膜実質炎に対しては全身的には駆梅療法を行い，眼局所にはステロイド点眼を行う．瘢痕期の患者が高齢となり視力低下を訴える場合は外科的治

療を検討する.

■ **薬物治療**

処方例 活動性の角膜実質炎に対して下記を併用する.

〈駆梅療法〉サワシリン錠（250 mg） 4 錠
　分 4　4 週間
リンデロン点眼・点耳・点鼻液（0.1%）　1 日 4 回　点眼

■ **外科的治療（手術治療）**　実質炎後の瘢痕性白斑の患者が高齢となり，白内障の進行によるさらなる視力低下をきたした場合，角膜混濁の程度および術後の視力回復の見込みなどを考え合わせ，白内障手術単独もしくは全層角膜移植および白内障の同時手術のいずれかについて検討する．細隙灯顕微鏡の観察光を全開にして正面から当て，水晶体や虹彩が観察できれば白内障手術を行うことができる．全開の観察光による観察が困難であるが，スリット光で水晶体や虹彩が観察可能であれば，以下の方法で白内障手術が可能となる．①硝子体手術用の眼内照明ライトガイドで角膜周辺部から前房内を照らす．②硝子体手術用のシャンデリア照明により硝子体側からの照明を用いる．③スリット照明付きの手術顕微鏡を用いる．これらの場合，前囊切開（continuous curvilinear capsulorrhexis：CCC）時にトリパンブルーなどの前囊染色を併用する．

　なお，瘢痕期の症例は角膜内皮障害を伴っているので，術後に角膜浮腫をきたす可能性があることに注意が必要である．角膜混濁が高度であれば全層角膜移植および白内障の同時手術の適応となる．

結核性角膜実質炎
Tuberculous interstitial keratitis

熊倉重人　東京医科大学病院・講師

概念　結核性角膜実質炎は結核菌に対するアレルギー反応により引き起こされると考えられているまれな疾患であり，肺結核などの全身性結核病変が先行する．結核罹患患者は近年，増加傾向にあり，本症は肺結核の約 0.1%にみられる．角膜実質炎は炎症が角膜実質のみにあり角膜上皮に障害がないものであるが，その多くは梅毒によるものであり，結核によるものは 2%程度といわれている．

病態　本症は結核菌抗原に対する生体のアレルギー反応により生じると考えられている．結核の主病巣は角膜にはなく，肺など身体のほかの部分にある．病理学的に，角膜病変はびまん性のリンパ球浸潤を主体とし，そこに結核菌の菌体はみられない．

症状　片眼性が多いが両眼性のこともある．主に角膜周辺部に限局性の角膜浸潤を生じ，同部位の角膜浮腫や血管侵入を引き起こす．角膜浸潤は濃厚で角膜実質の深層にみられることが多い．しばしば角膜実質炎に隣接した上強膜炎を合併し，患者本人は充血として自覚し，病院を訪れる．実質炎がひどくなれば虹彩炎や毛様体炎を併発する．数週〜数か月で病変部は瘢痕化し，病変部の菲薄化を生じることもある．遷延性であり，長期的には角膜血管侵入や角膜瘢痕形成を繰り返す傾向がある．

診断

■ **診断法**　上記の所見から本症を疑い，身

体のほかの部分にある結核の主病巣を検索する必要がある．そのためには内科などに精査を依頼する．主病巣は肺であることが多いが，結核菌が検出されないことも多く，眼所見，全身の検査結果などから総合的に判断する．

■**必要な検査**　喀痰培養による結核菌の証明，胸部画像診断，ツベルクリン反応陽性，梅毒血清検査陰性，などにより本症を疑う．BCGワクチン接種歴がある場合，クォンティフェロン検査(QFT検査)が有用である．QFT検査は，全血中のリンパ球を結核菌群の特異抗原(ESAT-6，CFP-10，TB7.7)で刺激し，血漿中に産生されたインターフェロン-γの濃度をELISA法により定量する．これによりBCGの影響を受けずに結核感染の有無を調べることができる．

■**鑑別診断**　本症との鑑別で最も重要なのは梅毒性の角膜実質炎である．本症では片眼性が多いのに対し梅毒性角膜実質炎は両眼性が多い．また，本症は主に角膜周辺部に生じるが，梅毒性角膜実質炎の病変が生じるのは角膜中央部で，角膜後面にretrocorneal hyaline ridge(サンゴ状の索状物)がみられる．梅毒血清検査も参考となる．

治療

■**治療方針**　ステロイド点眼で角膜実質炎の消炎を行う．角膜病変は肺などの全身臓器への結核菌感染の2次的病変であるので，内科などと連携し，結核菌の感染成立部位の精査，抗結核治療を実施してもらう必要がある．

■**薬物治療**　眼局所に対する治療は角膜所見をみながら眼科で処方し，結核に対する全身投与は内科などで行ってもらう．結核に対する全身投与薬は，リファンピシン，イソニアジド，ピラジナミド，エタンブトール，ストレプトマイシンなどがあり，これらの薬剤を組み合わせて投与する．

> **処方例**
> リンデロン点眼・点耳・点鼻液(0.1%)　1日4回　点眼

■**外科的治療(手術治療)**　視軸にかかる角膜瘢痕を生じた場合，その程度に応じて角膜移植を検討する．

■**予後**　最終的に角膜病変部に瘢痕を形成することもあるが，病変が角膜周辺部に限局していることが多いため視力予後は悪くはない．

点状表層角膜症

Superficial punctate keratopathy：SPK

近間泰一郎　広島大学病院・診療教授

■**概念**　角膜上皮の表層細胞が1～数個単位でびまん性あるいは多発性に脱落している状態である．フルオレセイン染色は，その上皮欠損部が点状あるいは集簇した染色として観察される．基底細胞層は保たれている．点状表層角膜症(SPK)はあくまで所見であり，疾患名ではない．

■**病態**　さまざまな原因により角膜上皮細胞の脱落亢進もしくは再生が遅延したことにより生じる．

■**症状**　自覚症状としては，異物感・疼痛・視力低下・霧視・羞明・乾燥感・充血・疲労感・眼脂・瘙痒感などさまざまな症状が出現する．

■**診断**　細隙灯顕微鏡検査による観察では，フルオレセイン染色が点状あるいは集簇したように染色される．障害の程度によ

表 1 点状表層角膜症の発生部位による原因の推測

①上方
・アレルギー性結膜炎(春季カタル)
・上輪部角結膜炎
②瞼裂部
・ドライアイ
・兎眼
・神経麻痺性角膜症
③下方
・マイボーム腺機能不全
・眼瞼内反
・薬剤性
・結膜弛緩症
④びまん性
・ドライアイ
・感染性結膜炎
・薬剤性
⑤局所的
・結膜異物
・ヘルペス感染
・コンタクトレンズ(3時, 9時)

り染色性は異なり, 点状・渦巻き状・クラックラインなどの形態を呈する. 定量化には SPK の範囲(area：A)と密度(density：D)を各3点満点で表現する AD 分類や, 角膜上皮障害の程度を9点満点で表現するフルオレセイン染色スコアなどがある. また障害の原因により染色部位が異なることから, 染色部位により原因疾患を推測することができる**(表1)**.

臨床所見に加えて, 上皮障害の原因となる因子を検索する目的で, 角膜を取り巻く環境因子の評価を行うことが必要である. 角膜を取り巻く環境因子の評価として, ①涙液機能, ②眼瞼の状態, ③角膜知覚, ④結膜の状態, ⑤使用薬剤, ⑥全身疾患などについて検査を行う. これらの検査結果から上皮障害の原因を検討したうえで確定診断を下し, 治療方針を決定することになる.

❶**涙液機能** Schirmer テスト第Ⅰ法を用いて涙液の基礎分泌および反射性分泌を測定する. 5分後の測定値が 10 mm 以上あれば正常であるが, 5 mm 以下の場合は異常であるため, SPK の原因として涙液分泌減少型ドライアイの可能性を疑う. また涙液メニスカスや涙液層破壊時間(tear film breakup time：BUT)も合わせて観察することが重要である.

❷**眼瞼の状態** 脂漏性あるいは閉塞性マイボーム腺機能不全, マイボーム腺炎, 粘膜皮膚移行部の移動, トラコーマなどによる眼瞼内反, 睫毛乱生などがないかを観察する.

❸**角膜知覚** Cochet-Bonnet 角膜知覚計などを用いて測定する. 角膜ヘルペスや糖尿病角膜症の診断に有用である. 角膜知覚の低下は三叉神経障害によるが, 顔面神経麻痺, コンタクトレンズ装用者, LASIK 術後などでみられることがあり, 涙液の反射性分泌を低下させる.

❹**結膜の状態** 結膜の観察においては, 感染症を疑わせる所見の有無, 増殖組織の存在や結膜組織の角膜上への侵入の有無あるいは結膜弛緩症の存在について観察する. 涙液分泌減少型ドライアイの場合は, 結膜上皮も高率に障害される. 瞼結膜では, アレルギー疾患でみられる乳頭増殖の有無も角膜上皮障害の鑑別には重要な所見となる.

❺**使用薬剤** 使用している点眼薬や内服薬により病態が修飾されている可能性がある. 用いられている点眼薬の種類やその使用頻度などの把握に努める必要がある. また, お薬手帳による内服薬の把握も参考になることがある.

❻**全身疾患** 関節リウマチなどの膠原病, 糖尿病, アトピー性皮膚炎などの全身疾患

についての聴取が重要である．

治療 SPK に対する治療は，原因の除去と補充療法である．そのため，原因の検索が治療の第一歩となる．また原因疾患により治療法は異なる．

❶ドライアイ

処方例 下記 1)を用いる．ただし，BUT 短縮型ドライアイの場合，2)，3)のいずれかを基本として使用する．

1) ヒアレイン点眼液(0.1%) 1日4～6回点眼
2) ジクアス点眼液(3%) 1日6回 点眼
3) ムコスタ点眼液 UD(2%) 1日4回 点眼

涙液の分泌量が非常に少なく，上皮障害が強い場合には涙点プラグ挿入，涙点縫合術を行う．

❷マイボーム腺機能不全

処方例 症状に応じて下記を適宜用いる．

1) ホットパック＋眼瞼マッサージ
2) ヒアレイン点眼液(0.1%) 適時
3) タリビッド眼軟膏(0.3%) ごく少量を適時点入

炎症が強い場合(マイボーム腺炎)には，4)～6)の3剤併用に変更する．

4) クラリス錠(200 mg) 2錠 分2
5) ベストロン点眼用(0.5%) 1日4回 点眼
6) フルメトロン点眼液(0.1%) 1日4回 点眼

❸アレルギー性結膜炎

処方例 重症度に応じて 1)→ 2)と追加する．

1) アレジオン LX 点眼液(0.1%) 1日2回 点眼
2) タリムス点眼液(0.1%) 1日2回 点眼

炎症が強い場合には，3)あるいは4)を追加する．重症度に応じて判断する．

3) リンデロン点眼・点耳・点鼻液(0.1%) 1日4回 点眼
4) フルメトロン点眼液(0.1%) 1日4回 点眼

❹薬剤起因性角膜上皮障害

原因点眼薬(抗緑内障薬，NSAIDs など)を中止する．上記の治療に変更しても防腐剤が所見の悪化を招いている場合は，防腐剤無添加の点眼薬に変更する．

所見の改善後，原疾患の治療に必要最小限の点眼薬を処方する．同一の薬効で防腐剤無添加の点眼薬が存在する場合は，そちらを選択する．

❺神経麻痺性角膜症，糖尿病角膜症，兎眼性角膜症

角膜上皮保護として，メパッチ™クリアによる強制閉瞼や，保護用ソフトコンタクトレンズ装用を行う．

処方例 下記を適宜用いる．

1) ヒアレイン点眼液(0.1%) 1日4～6回点眼
2) タリビッド眼軟膏(0.3%) 1日2～4回点入

❻睫毛乱生，眼瞼内反

定期的な睫毛抜去を行い，可能であれば，眼瞼形成手術を施行する．

Thygeson 点状表層角膜炎
Thygeson superficial punctate keratitis

近間泰一郎　広島大学病院・診療教授

概念 1950 年に Phillips Thygeson が報告した特異な表層角膜炎である．結膜や角膜実質に炎症を伴わず，基本的に両眼性で角膜上皮から実質ごく浅層に限局した，

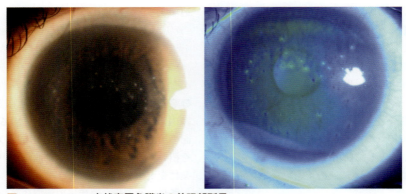

図14　Thygeson 点状表層角膜炎の前眼部所見
混濁部に一致したわずかな隆起とフルオレセインで染色される点状の上皮欠損.

再発性で多発性の点状病変を呈する．

病態　ウイルスによるものと考えられているが，水痘帯状疱疹ウイルスの分離例が1例報告されたのみである．また，HLA-DR3 との関連を示唆する報告もあるが，現時点では原因は不明である．

症状　異物感や羞明感あるいは流涙を訴えることはあるが，眼痛を生じることはまれである．一般的に両眼性であるが片眼性のこともある．男女差はなく，各年齢層でみられる．

診断　細隙灯顕微鏡による観察では，わずかに隆起した灰白色で類円形の点状病変が散在性に観察される．やや強い混濁を呈している各病巣の中心部はフルオレセインで染色される**(図 14, 15)**．病変部以外の上皮は正常で，角膜周辺部より中央部に多くみられる傾向にある．

■ **鑑別疾患**　上皮型角膜ヘルペスの初期にみられる点状や星芒状変化やアデノウイルス結膜炎でみられる多発性上皮下浸潤がある．

治療法　自然に消退する傾向にあるので自覚症状が軽ければ経過観察でよい．自

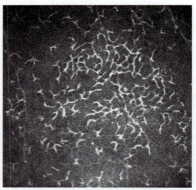

図15　生体共焦点顕微鏡で観察される Bowman 層付近の樹状細胞の集簇（図 14 と同一症例）

覚症状がある場合には，低濃度ステロイド点眼を使用する．再発を繰り返す場合には，点眼回数あるいは使用するステロイド点眼の濃度に関して比較的長期にわたる漸減をステロイドの副作用に注意しながら考慮する．

処方例

フルメトロン点眼液(0.1%)　1日4回　点眼

経過・予後　数年にわたり再発を繰り

返すことはあるが，視力予後は良好である．角膜上皮内に病変が限局しているので，病変が消退したあとは瘢痕形成もみられない．

単純性角膜上皮欠損
Simple corneal epithelial defect

近間泰一郎　広島大学病院・診療教授

概念　角膜上皮全層が欠損した状態で，Bowman層，実質は無傷の状態をいう．単純性角膜びらんとよばれる．

病態　主として外傷を契機に発症する．基本的にはすみやかに上皮欠損は修復され，角膜上皮は正常な構造に回復するが，まれに再発性角膜びらんに移行することがある．

症状　疼痛，流涙，充血を訴えることが多く，糖尿病などの既往やステロイド点眼使用中など易感染性のある症例では，特に感染症の合併に注意する必要がある．

診断　細隙灯顕微鏡検査による他覚的所見として，フルオレセイン染色を行うことにより，辺縁が明瞭な上皮欠損が観察される．外傷などによる単発性の角膜びらんであれば自然治癒傾向があるが，びらんの原因にほかの基礎疾患がないか，問診を含めて十分に鑑別する必要がある．具体的には，コンタクトレンズ装用の有無とその使用法，アトピー素因などアレルギー疾患の既往，外傷の転帰などに注意する．薬物による化学熱傷であれば，その薬物を確認しpHなどの情報を把握する必要がある．基礎疾患に角膜ジストロフィや糖尿病がある場合は，再発性角膜びらんの可能性もあるため精査する必要がある．

治療　基本的には無治療で治癒することがほとんどであるが，感染予防目的で抗菌薬の点眼薬を使用する．疼痛が強い場合は，緩和目的として抗菌薬の眼軟膏を使用し，眼帯による閉瞼を行う．十分でない場合には，鎮痛薬の内服を処方する．鎮痛目的での点眼麻酔薬の処方は中毒性角膜症の発症につながるので，厳に慎まなければならない．

帰宅後の注意として，入浴や飲酒など全身の血行がよくなることが疼痛の増強を招くため，患者へ注意することが望ましい．

処方例　下記を必要に応じて適宜併用する．
1) ガチフロ点眼液(0.3%)　1日4回　点眼
2) タリビッド眼軟膏(0.3%)　1日2回　点入
3) ロキソニン錠(60 mg)　疼痛時頓服

経過・予後　単純性びらんであればすみやかに治癒し，混濁などによる視力障害もみられない．

遷延性角膜上皮欠損
Persistent corneal epithelial defect：PED

近間泰一郎　広島大学病院・診療教授

概念　遷延性角膜上皮欠損(PED)とは，さまざまな原因により発症した角膜上皮の全層性欠損が持続している状態である**(表2)**．

典型例では，横長の楕円形の上皮欠損を示すことが多く，単純性びらんとは異なり，浮腫により上皮が周堤(rolled-up edge)を築いたように輪状に盛り上がり，上皮欠損の期間が長くなるとすりガラス様

表2 遷延性角膜上皮欠損の原因

病態	代表的な疾患
三叉神経麻痺 （神経麻痺性角膜症）	糖尿病，角膜移植眼，角膜ヘルペス，聴神経腫瘍などの頭蓋内腫瘍とその手術歴，三叉神経形成不全，三叉神経圧迫病変
角膜ジストロフィ	格子状角膜ジストロフィI型（R124C）
感染，アレルギー	角膜ヘルペス，重症感染症治療後（多剤併用），春季カタル
眼表面の乾燥	重症ドライアイ，閉瞼不全，兎眼，盗涙現象
自己免疫疾患	関節リウマチなどの膠原病
幹細胞疲弊症	Stevens-Johnson 症候群，眼類天疱瘡，GVHD，化学外傷，熱傷
薬剤性	点眼薬（β遮断薬，アミノグリコシド，ジクロフェナクナトリウム，オキシブプロカイン塩酸塩，ステロイドなど），抗癌薬（S-1など），眼局所でのMMC使用

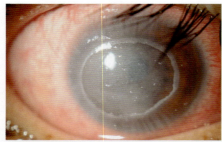

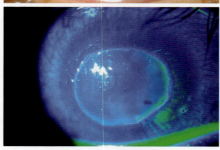

図16 28歳女性，右小脳橋角部腫瘍に対する複数回手術後に生じた遷延性角膜上皮欠損

顔面神経麻痺の合併があり兎眼も併発していた．腫瘍の残存により経過中に右の聴力が消失した．角膜知覚は5 mm（Cochet-Bonnet 角膜知覚計）と著しい低下がみられた．実質浮腫を伴う横楕円形の角膜上皮欠損がみられる．欠損部周囲の上皮は周堤（rolled-up edge）を築くように浮き上がり，上皮細胞の接着不良が示唆される．

混濁が観察される（図16）．周堤があれば遷延化している可能性が高く，現在の治療内容の見直しと，ほかの有効な治療法の検討が必要である．また，角膜化学熱傷やStevens-Johnson症候群などで角膜輪部上皮幹細胞が障害された場合にもPEDが生じるケースがあるが，治療法を考えるうえで分けて考える必要がある．角膜上皮の正常な創傷治癒のスピードを考えると，1週間以上治癒せずに残存している角膜上皮欠損は遷延化しているとみなして原因を検索する必要があると考える．PEDはあくまで所見であり原因疾患と混同してはならない．

症状 PEDに特徴的な自覚症状はなく，原因となる疾患に伴う自覚症状が主な訴えになるため，主訴は視力障害から眼痛まで多岐にわたる．

診断

❶原因疾患　PED患者の角膜知覚を測定し，知覚低下があれば神経麻痺性角膜症を疑う．PEDの多くはこの神経麻痺性角膜症である．重症の涙液分泌減少症は角膜上皮の創傷治癒を遅延させる最大要因となる．PED患者に重症の涙液分泌減少がみ

られる場合には，涙点プラグなどによる涙液貯留療法が必要である．また，兎眼の原因の1つとして顔面神経麻痺があるが，三叉神経麻痺を合併している症例もあり，この場合のPEDは非常に難治性となる．細隙灯顕微鏡検査で睫毛乱生や眼瞼結膜に乳頭増殖や異物などの病変の有無を確認することで，角膜をとりまく環境因子の観察を十分に行う．これらのなかには眼瞼の形成手術など外科的処置が著効するケースもある．角膜上皮幹細胞疲弊症では輪部の障害が部分的か全周性かで予後は大きく異なる．部分的であれば残っている健常部から角膜上皮細胞が供給され，上皮欠損の再被覆が得られる可能性がある．細隙灯顕微鏡でPOV（palisades of Vogt）の有無を観察する．

❷**問診の重要性**　問診により，投与薬剤（全身，局所）や手術歴について必ず確認する．眼局所でのβ遮断薬点眼，アミノグリコシド点眼，ピマリシン点眼，ジクロフェナクナトリウム点眼，ステロイド点眼，オキシブプロカイン塩酸塩点眼の頻回使用，マイトマイシンC（MMC）使用歴・投与歴の有無などに加えて，抗癌薬に起因すると思われる角膜上皮の創傷治癒遅延症例も報告されている．

治療法

■ **保存的治療**　遷延化をきたす明確な要因が同定でき，除去可能であれば除去する．複数の点眼薬や上皮創傷治癒遅延が生じる可能性のある点眼薬を使用中であれば点眼の整理を行う．角膜知覚低下を認めれば，最小必須ペプチド合剤であるFGLM-NH_2＋SSSR点眼もしくはPHSRN点眼が有効であるが，一般的には入手が困難なため，油性眼軟膏の点入と強制閉瞼の併用や治療用ソフトコンタクトレンズ装用を行う．重症の涙液分泌減少症を認めれば涙点プラグの挿入を行う．

以上のように，難治性のPEDに対する治療は画一的ではなく，原因を明らかにしたうえで，適切な治療法を単独もしくは複数組み合わせて行い，その効果を定期的に評価し必要に応じて治療法の変更や追加を考慮する必要がある．

■ **外科的治療**

❶**瞼板縫合**　確実なアイパッチで代用が可能な場合が多いものの，眼瞼，眼窩部の形状やコンプライアンスの程度により十分な閉瞼が得られない場合には瞼板縫合を考慮する．

❷**羊膜移植**　PEDに対する羊膜移植は，羊膜カバーにより脆弱な角膜上皮を被覆することによる保護作用を期待して行う．羊膜下の角膜上皮の伸展はフルオレセイン染色により観察されることもあり，上皮の再被覆が得られたことを確認して角膜上皮の羊膜を除去する．

❸**輪部移植，培養上皮移植**　PEDの原因が角膜上皮幹細胞疲弊症の場合には，角膜輪部移植術が1つの治療法である．治療用ソフトコンタクトレンズあるいは羊膜カバーの併用などによる術後の上皮管理が重要である．しかしながら，同種他家（アロ）移植であり長期的には結膜上皮の侵入を許してしまうことが多い．近年，角膜上皮幹細胞疲弊症に対して自家（オート）培養角膜上皮あるいは口腔粘膜上皮細胞を用いた角膜上皮再生治療が臨床応用され，保険適用となった．片眼性の幹細胞疲弊症では健常眼の輪部からの角膜上皮幹細胞を，両眼性の幹細胞疲弊症では患者本人の口腔粘膜上皮細胞を用いて，温度応答性培養皿を用い

て培養上皮細胞シートを作製して角膜上に移植する．

■**事前確認の必要性** PEDの治療には一定のフォーマットはなく，原因を確定し，それに応じた治療法を選択することが重要である．いずれにしても，上皮の再被覆を得ることが重要である．実質に及ぶ欠損がいったん生じると治癒後に瘢痕性混濁，不正乱視を残すことになるので，眼科手術の術前検査の際に涙液の量的・質的検討や角膜知覚検査を行い，PEDが生じやすい眼を認識しておくことが望ましい．

再発性角膜上皮びらん
Recurrent corneal erosion

内野裕一 慶應義塾大学・特任講師/
ケイシン五反田アイクリニック・副院長

概念 再発性角膜上皮びらんは，文字通り角膜上皮びらんが繰り返し発症する「症候群」である．さまざまな原因で発症するが，生じた上皮びらん自体は数日以内に治癒する．しかし数日～数か月経過したところで突然再発するため，発症予防の長期継続が重要である．

病態 基底膜の変性による上皮基底細胞と基底膜の接着不良と考えられる．病理学的には基底膜の断裂や欠損，基底細胞の接着機構であるhemidesmosomeの減少などが報告されている．接着構造物の異常に加えて，瞬目などの物理的刺激が発症の契機となることも多い．睡眠中は涙液蒸発量が低下し，相対的に涙液が低浸透圧となり，角膜上皮浮腫をきたしている可能性が示唆されており，起床時の開瞼が物理的刺激となって接着不良の上皮を剝離させると考えられている．原因疾患としては欧米ではMeesman角膜上皮ジストロフィが発症原因の約半数を占めるといわれているが，わが国では紙や爪などの鋭いものによる擦過傷を契機としたものが多い．そのほかの原因としては格子状角膜変性症やmap-dot-fingerprint dystrophyなどの基底膜異常を示す角膜変性症や，糖尿病患者の角膜上皮基底膜肥厚によるanchoring fibrilのBowman膜への未達などが挙げられる．

症状 上皮びらんの発作は早朝，起床時に生じることが多く，びらんの大きさに比べて疼痛や異物感などの自覚症状がとても強いのが特徴である．発症が突然で激烈な痛みであるため，患者の多くは発症時に大きな不安を抱えている．非発作時にも起床時の異物感を訴えることが多いが，前眼部に明らかな異常所見を認められないことがほとんどである．

診断 発作時に生じる上皮びらんは通常あまり大きくはない．角膜びらんの発生する場所は瞳孔領付近からやや下方までであることが多い．フルオレセイン染色で角膜を染色すると上皮欠損部は均一に染まり，びらんの範囲がはっきりとわかる．上皮と基底膜の接着異常が原因のため，上皮が浮いている場合も多くフルオレセイン染色で広い範囲に接着異常が認められる(**図17**)．非発作時には，細隙灯顕微鏡を高倍率にして観察すると，上皮基底膜付近に微細なシスト(**図18**)や，上皮下の灰白色混濁がみられたり，フルオレセイン染色では色素がはじかれるような所見がみられることも多い．

臨床的な診断は比較的容易であるが，上皮びらんが生じた原因を探索するためには問診が重要である．外傷や糖尿病などの基

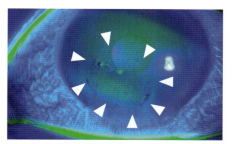

図17 角膜上皮びらんのフルオレセイン染色写真
角膜上皮は接着が緩やかになっている程度で収まっており，一見，正常角膜上皮に見える．

図18 Meesman角膜上皮ジストロフィにおける上皮内シスト
虹彩からの反帰光で，明瞭に確認することができる．

礎疾患の有無，発症する時間帯などについて把握する必要がある．症状が片眼性で，再発性であることから鑑別疾患としては上皮型角膜ヘルペスが挙げられ，ゾビラックス®眼軟膏を使用して副作用である角膜上皮障害が起こると，完治へ向かえず苦慮することも多い．

治療 びらん発作時の治療は通常の角膜上皮びらんの治療と変わらない．上皮欠損部の修復促進目的にヒアレイン®点眼液（0.1%）を1日6回点眼，睡眠中の疼痛緩和も兼ねてタリビッド®眼軟膏，1日1回点入，就寝前を処方する．比較的短期間のうちに再上皮化するものの，上皮欠損が存在すると感染を引き起こすこともあるため，ニューキノロン系抗菌薬点眼を併用してもよい．また圧迫眼帯やエアオプティクス®など治療用コンタクトレンズなどで積極的に疼痛コントロールを行うことも患者QOLを高めるうえでは重要である．

また再発性角膜上皮びらんの治療ポイントは，びらんの治療よりも再発防止にある．患者にも本疾患の病態生理を理解してもらい，上皮びらんが修復した時点から再発予防を長期間にわたり実行してもらう．

❶**就寝前の眼軟膏の点入と起床時の人工涙液点眼** 就寝前にタリビッド®眼軟膏を点入し，起床直後には枕元に置いた人工涙液点眼もしくはヒアレイン®点眼液（0.1%），点眼を励行する．びらんが消失してから最低でも1か月以上，場合によっては1年近く上記習慣を継続する．涙液分泌減少を伴わない限り日中の点眼は必要ないものの，日中にびらんが発症したことがある患者の場合には，日中からヒアレイン®点眼液（0.1%）などで眼表面摩擦を軽減するように指導する．

❷**治療用ソフトコンタクトレンズの装用** 特に酸素透過性に優れ，連続装用が認可されている治療用コンタクトレンズであるプラーノのエアオプティクス®を長期にわたり使用する．毎日の付け外しは上皮びらん発症を誘発するおそれがあるため，治療目的であれば連続装用が重要である．

❸**外科的治療**

a. デブリードマン びらん周辺の上皮にも異常が認められる場合は，細隙灯顕微鏡や手術用顕微鏡で確認しながら，生理食塩液を浸した綿棒やスパーテルなどで異常上皮を外科的に剝離除去（débridement）する．

b. 角膜表層穿刺（anterior stromal puncture：ASP） 26 G などの注射針の先を白内障手術時のチストトームのように曲げて，接着不良が起こりやすい領域の上皮ごと直下の実質内へ約 1/3〜1/2 まで穿刺する方法である．接着不良上皮周辺の健全な角膜上皮まで密に穿刺すると効果的である．作用機序には不明な部分も多いが，Bowman 膜から実質に至る穿刺創を作ることで anchoring fibril などの生成が促され，上皮との接着機構が再構築されると考えられている．治療効果が高い方法とされているものの，瘢痕形成の可能性が否定できないため，瞳孔領も含むような広範囲な症例にはあまり適さない．

c. 治療的レーザー角膜切除術（phototherapeutic keratectomy：PTK） PTK は，難治性角膜上皮びらんを完治させうる外科的治療法である．ただし，施行できる施設が限られていること，遠視化する可能性が高いことなど問題点も存在する．

■**予後** 基本的には自然治癒傾向の疾患である．ただし，本疾患名である「再発」を繰り返さないことが治癒したこともいえるため，発症しない期間が最低でも 3 か月以上は必要である．時には 1 年以上経過してから再発することもあり，再発のリスクを繰り返し患者に説明し，再発予防の起床時の点眼および就寝前の軟膏点入を継続するように促す必要がある．

糸状角膜炎
Filamentous keratitis

内野裕一 慶應義塾大学・特任講師/
ケイシン五反田アイクリニック・副院長

■**概念** 糸状角膜炎は，角膜上皮から連なる糸状の構造物を形成する疾患であり，糸状物はフルオレセインなどで染色され，約 0.5〜数 mm とさまざまな長さで確認される**（図 19）**．また多様な眼表面異常や眼瞼状態をベースとして生じ，糸状物の起始部は角膜上皮に連なるが，その先端は瞬目により自由に動くことができるため，角膜の知覚神経が刺激されて強い異物感や疼痛を生じる原因になる．糸状角膜炎はさまざまな基礎疾患に合併しており，単純に糸状物を除去するだけでは再発しやすく，完治させるためには，基礎疾患に対する効果的な治療が必要となる．

■**病態** 糸状角膜炎は涙液減少型ドライアイ，角膜移植術後，兎眼，閉瞼異常（長期閉瞼，眼瞼下垂），重症眼表面疾患〔Stevens-Johnson 症候群，眼類天疱瘡，graft-versus-host disease（GVHD）〕などで認められる．いずれも角膜上皮に何らかの障害が認められる疾患であり，眼瞼による瞬目時の摩擦により，脱落した上皮細胞が連なり芯を形成し，その芯の周りに涙液中の分泌型ムチン MUC5AC や，膜型ムチンである MUC16 などが取り巻いて，糸状物が形成されると考えられている．糸状物の構成成分には炎症細胞や結膜上皮細胞も含まれている．また眼表面における涙液量減少はムチンのターンオーバーの減少を引き起こし，結果的に涙液中におけるムチンの滞留が生じる．この眼表面ムチンの過

図19 薬剤性角膜上皮障害患者における糸状角膜炎

剰な滞留が糸状物形成を悪化させることから，角膜上皮障害と眼表面ムチンの滞留が発症病態の根幹といえる．

症状 瞬目とともに，糸状物が摩擦により移動するため，強い痛みおよび充血が生じる．瞳孔領に多数の糸状物を認める場合は視力低下をきたすこともある．

診断 診断は細隙灯顕微鏡により容易である．特にフルオレセインなどで染色され，角膜に糸状物が付着していることが確認できる．糸状角膜炎の診断後に，その発症原因を探索することが治療につながる．観察すべき臨床所見のポイントは，①糸状物の部位と量，②涙液量（BUT・涙液メニスカス量・Schirmer値）減少の有無，③閉瞼/開瞼状態（兎眼・眼瞼下垂），④充血，疼痛の強さ，⑤眼球運動の異常である．

①糸状物が上方に密集していれば眼瞼との摩擦が原因であり，下方に多く認めれば閉瞼不全によるものが考えられる．

②涙液減少型ドライアイでは角膜上皮障害が生じやすく，かつ眼表面ムチンの滞留量が増えることで，角膜上での糸状物が発症しやすくなる．また防腐剤や点眼成分に対する薬物毒性による上皮障害も考慮する．

③兎眼では眼表面の露出増加や瞬目不全によるムチンの蓄積が生じやすい．また眼瞼下垂や眼帯の長期装用では，上眼瞼との摩擦悪化や上皮の脱落機構の障害，低酸素により角膜上皮障害が生じやすいため，糸状角膜炎が生じやすくなる．

④充血や疼痛の強さを把握する．糸状物内から炎症細胞が確認されていることから，眼表面の慢性的な炎症も糸状角膜炎発症に寄与している可能性が高い．

⑤眼球運動障害，特に脳出血などで生じる眼球の不随意運動では眼表面摩擦や瞬目不全が多発するため，角膜上皮障害に加えて，ムチンの滞留が起こりやすく，糸状角膜炎が発症しやすくなる．

治療

①糸状物はそのまま残しても異物感が続くだけなので，できる限り除去する．点眼麻酔後に，睫毛鑷子などで糸状物のみ除去し，糸状物周囲の上皮細胞は剥離しないように気をつける．上皮が面状に持ち上がる場合には，糸状物の起始部をスプリング剪刀などで慎重に切除する．

②糸状角膜炎の多くは涙液減少型ドライアイを背景としている．防腐剤フリーの人工涙液の頻回点眼やムコスタ®点眼などで眼表面治療を行い，所見と自覚症状の改善が得られない場合には，涙点プラグなどによる涙点閉鎖が効果的である．ヒアルロン酸点眼は，涙液保持に働くが，涙液分泌量が極端に低下している場合には，眼表面のムチンが蓄積し，点眼防腐剤が薬物毒性の上皮障害を引き起こして，角膜糸状物を生じやすくする可能性があるので注意を要する．

③顔面神経麻痺などによる兎眼は眼瞼形成手術である程度は治療することが可能で

あり，眼瞼下垂についても挙筋短縮術やHotz法などで対処する．眼瞼けいれんが強い場合にはボツリヌス注射も検討する．

④消炎のためにステロイド点眼を考慮する．また眼瞼との摩擦軽減や上皮障害抑制を兼ねて，治療用コンタクトレンズであるプラーノのエア オプティクス®装用が有効な場合も多い．連続装用が基本で1週間ほど連続装用するとよいが，その間に眼表面が乾燥しないように防腐剤フリーの人工涙液の頻回点眼を併用する．

⑤相対的に涙液中ムチンの濃度が増加することは糸状角膜炎を悪化させる可能性があるものの，臨床的にはムコスタ®点眼が非常に有用である．理由としては分泌型/膜型ムチン増加が涙液安定性向上に寄与すること，抗炎症作用を含む角膜上皮創傷治癒に貢献すること，膜型ムチン増加が眼瞼との摩擦軽減に寄与するなど，眼表面における有効性が欠点を上回っていること，からである．

予後 糸状物の除去→涙液量確保→治療用コンタクトレンズ装用→眼瞼異常の改善，となる．特に涙液量確保には涙点プラグ挿入が有用なことが多いので，難治性の場合には積極的にプラグによる涙点閉鎖治療を考える．

兎眼性角膜炎
Lagophthalmic keratitis

森重直行 大島眼科病院・部長

病態 兎眼性角膜炎は，眼瞼の運動障害による瞬目不全や下眼瞼の下垂・後退，重度の眼球突出によって，眼瞼による眼表面を保護する機能が障害された結果，角膜上皮障害およびそれに伴う角膜炎が惹起された状態である．多くは顔面神経麻痺による眼輪筋機能低下による瞬目不全が原因で発症するが，下眼瞼の下垂も伴うため，角結膜障害は顕著となる．また，脳梗塞や脳出血，脳腫瘍などの頭蓋内病変や，ウイルス感染，甲状腺眼症，外傷，眼瞼手術合併症によっても閉瞼不全による兎眼性角膜炎が生じることがある．睡眠時に閉瞼不全がある場合では症状がより重篤化する．

症状 充血，流涙，異物感，眼脂，眼痛・異物感(頭蓋内病変による兎眼性角膜炎で三叉神経障害を伴うものでは自覚しない)．

診断 瞼裂に一致した角結膜上皮障害を認め，瞬目不全や眼瞼異常・眼球突出を認めた場合，本症と診断できる．角膜所見は，兎眼の重症度によってさまざまである．涙液分泌は保たれているものの，瞬目不全によって角膜上皮への涙液分布が行われないため，瞼裂に一致した角膜上皮障害がみられる(図20a, b)．角膜上皮欠損が生じ遷延化し，それに伴い角膜の炎症も遷延化すると，角膜中央部に血管侵入を伴う混濁がみられるようになる(図20c, d)．慢性的な上皮障害は感染症の原因となりうるため，感染性角膜炎の合併についても診断する必要がある．

治療

■ **保存的治療** 瞬目不全による兎眼では，涙液が角膜上に正常に分布しないため，極度の分泌低下型ドライアイの状態となっている．1日数回の油性眼軟膏点入により，眼表面の乾燥を防ぐ治療が必要である．ま

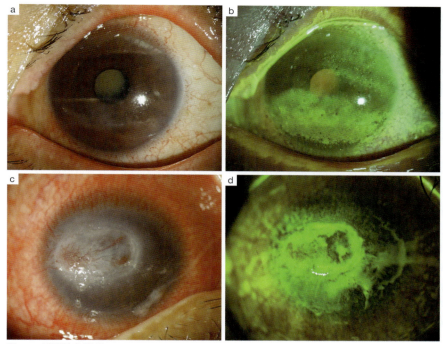

図20 兎眼性角膜炎

a, b：眼瞼下垂手術後の兎眼性角膜炎．a：角膜下方に実質混濁および血管侵入を認める．b：瞼裂に一致して顕著な点状表層角膜症（SPK）を認める．
c, d：脳幹出血後中枢性顔面神経麻痺後の兎眼性角膜炎．c：結膜の充血および血管侵入を伴う角膜混濁を認める．d：角膜全体のSPKを認め，角膜中央部の上皮欠損修復縁には弓状のフルオレセイン染色を認める．

た，角膜の炎症が強い場合，感染の合併がないことを確認したうえで，抗菌薬点眼＋ステロイド点眼を用いることもあるが，ステロイド投与中は易感染状態となるので，慎重に経過観察を行う．

補助的に，閉瞼できるようにテープを使用したり，ラップで眼周囲を覆ったりすることもある．糖尿病性ないしは特発性顔面神経麻痺であれば，数か月で自然に閉瞼可能となることがある．睡眠時には閉瞼不全が悪化しやすいので，就寝前の油性眼軟膏点入を継続する必要がある．

■ **外科的治療** 瞬目が行えない状態が不可逆的となった場合，根治的には外科手術が必要となる．麻痺性の場合，その病因は眼輪筋の弛緩による瞼板のゆるみにあるので，瞼板の横方向の短縮が第1選択となる．ただし，この処置だけでは下眼瞼の挙上が不十分のことがあり，この場合は耳介軟骨などの移植を併用する．外眥を上方へつり上げるlateral tarsal stripや耳側上下瞼板縫合を行うこともある．甲状腺機能症，外傷，眼瞼手術合併症などで兎眼を生じた場合，これはlower eyelid retractorsの牽引や瘢痕が原因となるので，物理的に耳介軟骨などの移植が必要となる．重度の眼球突

出が原因の場合には，眼窩減圧術を行うこともある．

神経麻痺性角膜症
Neurotrophic keratopathy

森重直行　大島眼科病院・部長

概念　角膜には，三叉神経第1枝である眼神経から知覚神経が分布しており，角膜知覚を司っている．涙液中および角膜にはサブスタンスPや，calcitonin gene-related peptide, neuropeptide Y, vasoactive intestinal peptide, galanin, methionine-enkephalin, カテコールアミン，アセチルコリンなどの神経伝達因子が存在することが知られており，これらが角膜の恒常性維持に重要であると考えられている．神経麻痺性角膜症は，さまざまな原因でこれらの神経性因子による制御が失われることにより角膜上皮障害をきたす症候群である．

病態　角膜における神経性因子の低下は角膜知覚の低下として現れるため，角膜知覚の低下をきたす病態，すなわち角膜ヘルペスや糖尿病，脳神経外科手術後などで本症がみられる．角膜上皮障害の程度はさまざまであり，点状表層角膜症（superficial punctate keratopathy：SPK）から遷延性角膜上皮欠損，時に角膜潰瘍まで至ることもある．

角膜における神経性因子制御の喪失は，創傷治癒遅延として顕著に現れる．三叉神経を破壊した動物モデルでは，角膜上皮欠損が対照動物群と比較して遅延することが知られている．また，角膜の知覚低下により角膜に対する刺激に対しても鈍感となるため，反射性の涙液分泌や瞬目が適切に行われていないと考えられる．これらの因子が複合的に作用し，角膜上皮に障害が起こりやすく，かついったん傷ができると治りにくい状態に陥り，重篤な角膜上皮障害へと進展しやすいと考えられる．

聴神経腫瘍や三叉神経血管減圧術などの脳神経外科手術後に，何らかの原因で三叉神経の機能が障害され神経麻痺性角膜症を発症することがある**(図21)**．顔面神経の障害を伴い顔面麻痺をきたし，閉瞼不全に陥り病像が複雑化することもしばしばである．

糖尿病患者において発症する角膜上皮障害（糖尿病角膜症）も，神経麻痺性角膜症の一面を併せもつと考えられる．糖尿病患者では，糖尿病網膜症の重症度と呼応して角膜知覚が低下すること，また腎機能などと相関して角膜知覚神経の形態が変化することなどが知られている．糖尿病患者における難治性皮膚潰瘍や足壊疽などに類似した病態であることが考えられる．

症状　角膜上皮障害による視力低下をきたす．結膜充血や眼脂などがみられることもあるが，疼痛を自覚しないことが多い．

診断　角膜知覚の低下を検出することが必須である．Cochet-Bonnet角膜知覚計を用い定量的に評価する．また，涙液分泌障害などを併発していることがあるので，涙液評価も必要である．角膜上皮障害は，フルオレセイン染色を併用した細隙灯顕微鏡検査を行い，SPKや上皮欠損の有無を評価し，上皮欠損を認める場合には周堤の形成や細胞浸潤の有無を観察し，感染症などの類似疾患を除外し確定する．

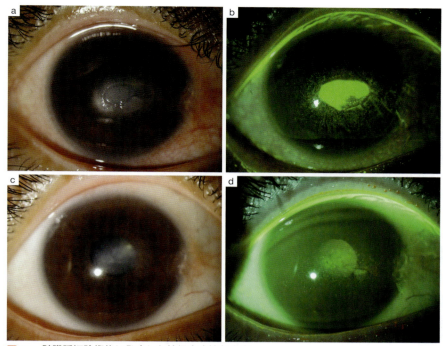

図21 髄膜腫切除術後に発症した神経麻痺性角膜症
a：角膜中央部に周堤を伴う上皮欠損を認める．b：上皮欠損の周囲にはSPKを認める．c：治癒後，角膜実質の瘢痕が残存している．d：軽度のSPKの残存を認める程度である．

治療

神経麻痺性角膜症の主たる病因は三叉神経の機能不全であるため，その機能を回復させる根治療法はなく，基本的には対症療法となるが一般的にきわめて難治である．

角膜上皮が脆弱となり，上皮障害が起こりやすく治りにくい状態であるため，まず，角膜上皮治癒遅延の原因となるさまざまな因子に対する対策をとり，上皮障害が自然治癒できるよう促すことが基本となる．

処方例 上皮保護を目的として，下記1)を行う．涙液分泌低下がある場合には2)を追加したり，涙点プラグを挿入したりする．薬物投与だけでなく，治療用ソフトコンタクトレンズ連続装用による上皮保護や強制閉瞼など，必要に応じてできる限りの上皮保護治療を併用する．睫毛乱生や眼瞼異常などがみられる場合には，きちんと対策をとる．薬物療法に反応しない場合には，羊膜移植や瞼板縫合などの外科的処置を行うこともある．

> 1) タリビッド眼軟膏(0.3％) 適量 1日適回 点入
> 2) ヒアレインミニ点眼液(0.1％) 1日5〜6回 点眼 and/or, ムコスタ点眼液UD(2％) 1日4回 点眼

神経麻痺性角膜症に対して，角膜上皮細胞に直接働きかけ上皮欠損修復を促す治療も臨床研究レベルで行われている．サブス

タンスPとインスリン様成長因子1(それらの必須最小配列)の合剤点眼,フィブロネクチン点眼,神経成長因子点眼,血清点眼,臍帯血清点眼などの有用性が報告されている.治療抵抗性の症例に対しては,これら先進的な治療が行える医療機関へのコンサルトが必要な場合も少なくない.

予後 SPKが完全に消失することは難しく,継続した管理が必要となる.遷延性角膜上皮欠損を治癒することができても,定期的な経過観察が必要である.

薬剤起因性角膜上皮障害
Keratitis medicamentosa

堀 裕一　東邦大学医療センター大森病院・教授

概念 薬剤起因性角膜上皮障害は,薬剤毒性によるものと,薬剤のアレルギーによるものの大きく2つに分けられる.ほかに,薬剤が沈着することで生じる角膜障害もあるが,薬剤の沈着については,「角膜上皮の沈着物」項(⇒462頁),「角膜実質の沈着物」項(⇒464頁)を参照していただきたい.

病態 点眼による薬剤起因性角膜上皮障害においては,点眼薬に含まれる主剤(抗緑内障薬,抗アレルギー薬,抗炎症薬,抗菌薬など)によるものと,防腐剤や緩衝剤などの添加物によるものに分けられる.防腐剤は,ほとんどすべての点眼薬に含まれているが,ベンザルコニウム塩化物による角膜上皮障害が有名である.点眼回数や種類が多くなると,特に防腐剤による影響が強くなる.また,まれではあるが,防腐剤無添加の点眼であっても,過剰な頻回点眼を行った場合に角膜上皮細胞への影響が出る場合もある.多くの場合,角膜の広範囲の上皮障害を生じる.また,原疾患が角膜疾患(ドライアイや角膜感染症など)の場合,角膜の状態が原疾患によるものなのか,使用している点眼薬によるものなのか判断に迷うこともある.

最近では,点眼ではなく,抗癌薬などの内服によって角膜上皮障害を生じる場合もある.これらも薬剤起因性角膜上皮障害に含まれる.

薬剤アレルギーによるものは,即時型(I型反応)の急性結膜炎のようなものと,遅延型(IV型反応)の接触皮膚炎などさまざまであり,重症度も多岐にわたる.超重症の薬剤起因性偽眼類天疱瘡といった病態もある.

症状 充血や異物感,疼痛などが生じる.薬剤アレルギーによるものでは,眼脂がみられる.また,特に角膜中央の角膜上皮障害が強い場合には視力低下を生じる.

診断

■**診断法**　診断には細隙灯顕微鏡を用いて詳細な観察を行うことが重要である.特にフルオレセイン染色を行って上皮障害の性状や程度を把握する必要がある.

さらに,問診でどのような点眼薬を使用している(使用していた)かを尋ねることが重要である.具体的には,点眼の種類(商品名),点眼回数,点眼の期間,1回に何滴くらいさしていたかなどを詳細に尋ねる.また,原因不明の角膜上皮障害をみた場合,点眼だけでなく抗癌薬の内服歴の有無を聞いておくことも重要である.

■**薬剤毒性による角膜上皮障害の特徴**　薬剤毒性角膜上皮障害は重症度に応じて特徴的な角膜所見を呈し,以下の❶～❹の順番

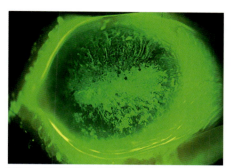

図22 薬剤起因性角膜上皮障害
角膜全面のSPKを呈する．

図23 薬剤起因性角膜上皮障害
フルオレセイン染色10分後に実質に染色液が染み込んでいく像がみられる(late staining)．

で重症化する

❶点状表層角膜症および上皮バリア機能の低下（late staining） 最初の段階は，通常の点状表層角膜症（superficial punctate keratopathy：SPK）を呈する．初期のSPKは角膜中央部よりやや下で瞼裂に沿うような形であるが，重症化すると角膜全面のSPKを呈する(図22)．また，角膜上皮のバリア機能（タイトジャンクションや膜型ムチン）が低下することで，フルオレセイン染色後，数分〜十分して角膜実質に色素が染み込んでいく所見（late staining）がみられることもある(図23)．

❷渦巻き角膜症とクラックライン 角膜上皮障害が進行し重症化すると，細胞増殖だけでの代償では不十分となり，表層細胞自体が遊走して角膜表面を覆おうとする．表層細胞は渦を巻く（vortex pattern）ように動くので渦巻き角膜症（vortex keratitis）とよばれる．さらに病態が進行すると，代償が限界に達し，ひび割れ状の角膜混濁が角膜中央部にみられる．これをクラックライン（epithelial crack line）とよぶ(図24)．

❸遷延性上皮欠損 角膜上皮欠損部への代償性変化が限界に達し，修復できない状態

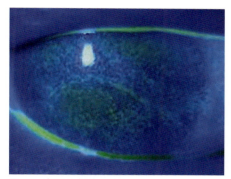

図24 クラックライン
角膜中央部に横一文字の線がみられる．

になると，角膜上皮細胞の進展が止まってしまい，遷延性上皮欠損となる(図25)．

❹輪部機能不全 角膜上皮細胞の増殖に影響を与えるような点眼薬を長期間にわたって使用すると，角膜上皮の幹細胞が存在する輪部が疲弊し，幹細胞から上皮細胞への分化が行われにくくなる．これを輪部機能不全という．輪部機能不全が角膜全周に及ぶと，遷延性上皮欠損部が結膜上皮で覆われてしまうようになる．点眼による薬剤起因性の眼類天疱瘡（偽眼類天疱瘡）において

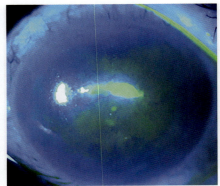

図 25 薬剤起因性角膜上皮障害による遷延性上皮欠損

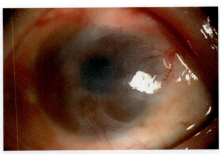

図 26 薬剤起因性偽眼類天疱瘡
輪部機能不全になっており，結膜が角膜上へ侵入している．

も同様の輪部機能不全を起こす**(図 26)**．
■**鑑別診断** 多くの場合，ドライアイとの鑑別が重要である．また，知覚神経(三叉神経)障害に伴う神経因性角膜症や糖尿病患者の角膜上皮障害(糖尿病性角膜症)などとの鑑別が必要になることもある．

ドライアイとの鑑別は，一般的にドライアイはフルオレセイン染色で角膜だけでなく，結膜上皮の障害が強くみられることが特徴である．神経因性角膜症の場合は，角膜知覚の検査を行うことが重要である．

治療
■**治療方針** 原因薬剤の中止が治療の原則である．複数の点眼薬を使用している場合には，事情が許せばすべての点眼薬を中止したほうがよい．または，防腐剤を含まない点眼薬が上市されている場合には，そちらへ切り替える．
■**薬物治療** 防腐剤を含まない人工涙液やヒアルロン酸点眼は使用してもよい．抗緑内障点眼薬が原因と考えられる場合は，防腐剤を含まない点眼薬に変更するか，炭酸脱水酵素阻害薬内服を一時的に処方することもある．また，薬剤起因性角膜上皮障害では炎症を起こしている場合が多く，ステロイド点眼(防腐剤を含まないものがよい)や，ステロイド内服が有効であることもある．
■**その他の治療** 治療用コンタクトレンズが有効な場合がある．特に，SPKが強く視力低下をきたしている場合には有効である．また，自家製剤ではあるが，血清点眼が有効な場合もある．

遷延性上皮欠損が長引く場合や輪部機能不全を伴う場合は，羊膜移植(羊膜パッチ)などの外科的治療が行われることもある．
■**患者への対応** 薬剤起因性角膜上皮障害は治療時の患者への説明が重要である．点眼が原因である可能性が高いので，可能性のある点眼薬はすべて中止する必要があること(患者は点眼薬を多くさしたがる傾向がある)，改善には時間がかかり数か月以上を要する場合もあること，辛抱強く通ってもらうこと，など丁寧に説明する．

予後 本疾患における角膜上皮障害の所見は，前述の❶〜❹のように重症化していき，治癒するときはその逆の形をとりながら治っていく．また，薬剤による障害が

治ってからも原疾患(緑内障やドライアイなど)の治療は続けていかなければならないので,長期にわたって経過観察をすることが重要である.

角膜血管新生
Corneal neovascularization

堀 裕一　東邦大学医療センター大森病院・教授

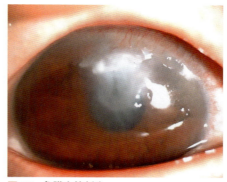

図27　角膜血管新生
原因疾患は,角膜感染症(コリネバクテリウム).角膜傍中央部の感染巣に向かって血管が侵入している.

| 概念 | 無血管組織である角膜に何らかの原因で周辺から血管が侵入している状態(図27).
| 病態 | 血管が侵入する原因としては,感染症,アレルギー,免疫反応,低酸素状態,結膜上皮の侵入などが考えられる.
| 症状 | 原因疾患によるさまざまな症状(眼痛,異物感,瘙痒感,充血,眼脂,視力低下,羞明感)を生じる.コンタクトレンズ装用者によくみられる血管新生は,無症状であることも多い.
| 診断 | 診断は細隙灯顕微鏡検査で容易に行うことができる.侵入している血管の深さ,程度,原因となっている部位(感染巣や炎症部位)などを把握することが重要である.フルオレセイン染色で上皮欠損の有無や,結膜上皮侵入の確認も重要である.
| 治療 |
■治療方針　基本的に原疾患に対する治療を行う.抗微生物治療,抗炎症治療,角膜保護などが中心となるが,コンタクトレンズ装用による血管新生に対しては,適切な装用指導も重要である.
| 予後 | 原因疾患が改善・治癒すると,多くの場合新生血管は消退する.瘢痕による角膜混濁や,血液の流れがみられない血管の跡(ghost vessel)が残存することもある.

角膜パンヌス
Corneal pannus

堀 裕一　東邦大学医療センター大森病院・教授

| 概念 | パンヌスとは,異常な線維血管組織や,結合組織が層状に角膜へ表在性に侵入することである.
| 病態 | 角膜上に発生した何らかの原因(感染性・非感染性)に対して血管が輪部から反応性に侵入し,線維芽細胞の侵入を伴う.周囲に浸潤を伴い混濁をきたすことが多い.角膜フリクテンや春季カタルなどの炎症性疾患でみられる(図28).
| 症状 | 原疾患によるさまざまな症状(眼痛,異物感,充血,眼脂,羞明感,視力低下)を呈する.パンヌス自体の症状はあまりないが,侵入部位が瞳孔領にかかる

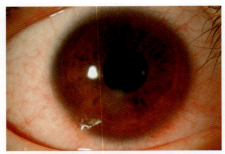

図28 角膜パンヌス
原疾患は角膜フリクテン．

ことで，視力低下をきたすことがある．

▎診断　基本的に細隙灯顕微鏡を用いた観察で診断は可能である．写真を記録に残す際は，強膜スキャッタリング法や，虹彩や水晶体に幅広スリット光を当てる間接照明法が有用である．

▎治療
■治療方針　パンヌスそのものへの治療というよりも，原因疾患の治療（抗微生物治療，抗炎症治療など）を適切に行う．

▎予後　原因疾患への治療が適切になされていれば，パンヌス自体が残存したとしても予後は良好である．

コンタクトレンズによる角膜障害

Corneal complications induced by contact lenses

土至田 宏　順天堂大学医学部附属静岡病院・先任准教授

▎概念　コンタクトレンズ（CL）の装用が原因または誘因となって発症する角膜障害．その程度は無症候例から失明に至る重症例まで多岐にわたる．

▎病態　CLのフィッティング不良，酸素不足，レンズの過装用・誤使用，レンズケア不足，ケア剤不適合，ケア剤の消毒効果不足，レンズやレンズケース汚染など，さまざまな原因や誘因がきっかけとなって角膜障害が生じるが，原因を特定できない場合もある．

▎症状　主に異物感，違和感，眼痛，眼脂，充血，流涙，霧視，視力低下などを生じるが，無症状のものもある．特に充血，眼脂，疼痛を併発したものは角膜感染症の発症を疑う．

▎診断
■診断法
❶問診　使用レンズの種類と銘柄，装用期間や装用方法遵守の有無，レンズケア剤の種類やこすり洗いの有無などの使用状況について尋ねる．
❷診察　細隙灯顕微鏡検査が必須．CLを装用中の場合はまず外す前にCL装用状態を確認したのち，上皮欠損のパターン判定のためにハードCL（HCL），ソフトCL（SCL）ともにCLを外してフルオレセインで染色するのが有用である．
❸CLの状態の確認　CL装用状態やCLの汚れ，変形などの状態確認も診断のための重要な判断材料となる．

■代表的な眼所見　酸素透過性の低いCL装用やタイトフィッティングにより慢性的な角膜の酸素不足をきたすと，角膜新生血管（図29），角膜知覚低下，角膜浮腫，角膜内皮細胞数減少などが生じることがある．
　一方，CL眼合併症として最も頻度が高いのは角膜上皮障害で，点状表層角膜症，角膜びらん，角膜浸潤，角膜潰瘍に分類され，この順に重症度が増す．
❶点状表層角膜症　原因によって所見が異

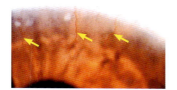

図29　角膜新生血管(低酸素透過性SCLの長期装用者)

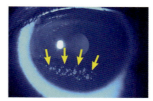

図31　スマイルマークパターン(ドライアイのSCL装用者)

図30　3時-9時ステイニング(スティープなHCL装用)

図32　上方角膜弧状病変(SEALs)(素材の硬いSCL装用者)

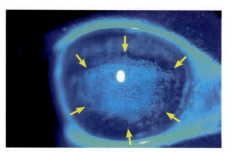

図33　びまん性表層角膜症

なるため,所見からある程度原因を推測する手がかりとなる.

a. 3時-9時ステイニング　時計に見たてた3時と9時方向の角膜輪部付近に限局した染色像で,HCL装用者のドライアイやスティープなフィッティングの際にみられる(図30).

b. スマイルマークパターン　スマイルマークの口の形に似た角膜下方の弧状のフルオレセイン染色像で,ドライアイのあるSCL装用者に特有である(図31).無症候のことも多い.

c. 上方角膜弧状病変(superior epithelial arcuate lesions：SEALs)　シリコーンハイドロゲルなどの硬い素材のSCL装用時に,角膜上方周辺部に輪部と平行するような弧状の角膜上皮障害が生じ,眼球上方の異物感や充血を呈する(図32).

d. びまん性表層角膜症　HCL装用例では主に洗浄剤のすすぎ不足,SCL装用例では過酸化水素消毒剤やヨード消毒剤の中和し忘れ,液量不足や反応不足など,多目的洗剤(multi-purpose solution：MPS)との相性が悪い場合やMPS含有の防腐剤や界面活性剤に対する反応,刺激,アレルギーなどにより生じる(図33).

❷角膜浸潤　機械的刺激による非感染性のもの(図34)から,感染性のものまで存在する.

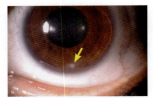

図34 角膜浸潤(SCLのフィッティング不良例)

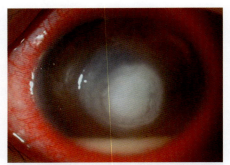

図35 角膜潰瘍(頻回交換型SCL装用者，緑膿菌検出)

❸**角膜潰瘍** 充血，眼脂，疼痛を生じ，角膜所見で原因病原体がある程度推定できる場合もある(本章の病原体別の角膜炎を参照⇒417〜434頁)．特に緑膿菌(図35)，アカントアメーバによる場合，いずれも重症化しやすいので，迅速かつ的確な診断と治療が重要である．

治療

■**治療方針** 最初に行うことはCL装用の中止と原因の検索である．非感染性の場合は病態に応じて人工涙液，角膜保護剤点眼薬や眼軟膏などを投与する．感染が疑われる場合にはステロイド点眼薬は禁忌で，抗菌薬投与前に眼脂や角膜擦過物の培養を行うと同時に，抗菌薬のエンピリックセラピーを開始する．病原体が検出されたら薬剤感受性のある薬剤に絞る．治癒後には原因を排除し再発を回避すべく，CLの種類やケア方法の変更をはかる．

アレルギー性結膜炎による角膜障害

Corneal disorders related allergic conjunctivitis

海老原伸行　順天堂大学医学部附属浦安病院・教授

概念 春季カタルや急性期のアトピー性角結膜炎では多様な角膜上皮障害が合併する．角膜上皮症や遷延性角膜上皮欠損以外に，結膜上皮細胞や好酸球の細胞残渣が角膜表面に付着する落屑様角膜上皮症，上皮欠損部に細胞残渣が堆積して生じるシールド潰瘍や角膜プラークがある．上記の角膜障害が遷延すると周辺部より血管侵入が起こり，角膜混濁・瘢痕化が生じ，不正乱視とともに恒久的な視力障害につながる．年少の患者が多いため角膜上皮障害を未然に防ぐことが治療目標の1つである．慢性期のアトピー性角結膜炎では，角膜輪部機能不全による周辺部からの血管侵入，混濁を認める．両眼性の角膜ヘルペス，角膜剛性低下による円錐角膜様変化，杯細胞の消失・涙液層破壊時間(breakup time：BUT)低下によるドライアイ様所見も呈することがある．

病態 角膜上皮障害は，結膜組織に多数浸潤している好酸球より放出される強塩基性細胞障害性蛋白である major basic protein(MBP)や eosinophil cationic protein(ECP)などや，肥満細胞より放出される顆粒特異的プロテアーゼであるキマーゼなどによって生じる．一方，MBPやECP

には細菌（大腸菌，黄色ブドウ球菌など）に対する殺菌・静菌作用がある．また，好酸球はDNAを放出し細菌の捕獲（extracellular trap cell death：ETosis）をすることも確認されている．ゆえに重症の春季カタルや急性期のアトピー性角結膜炎では上皮欠損はあっても細菌性角膜炎が発症することは少ない．寛解期に漫然とステロイド点眼液を継続すると感染が生じやすくなる．特に，アトピー性角結膜炎患者の角膜ヘルペスの発症には注意が必要である．

症状 視力低下，異物感，羞明，流涙，疼痛を訴える．

合併症・併発症 細菌性角膜炎，角膜ヘルペス，円錐角膜，ドライアイ．

診断・鑑別診断 角膜障害が春季カタル・アトピー性角結膜炎の増悪によって生じているのか，それとも細菌・ヘルペス・真菌などによる感染によって生じているのかを鑑別することが最も大切である．なぜなら，春季カタル・アトピー性角結膜炎の治療はステロイド点眼液・免疫抑制薬点眼液が主であり，感染症を増悪させる可能性があるからである．

■ **感染との鑑別ポイント**
① 結膜所見と角膜所見の解離：前述したように，重症アレルギー性結膜疾患では浸潤した好酸球・肥満細胞より放出される種々のメディエーターにて角膜障害が誘発される．ゆえに，結膜所見が寛解しているのに角膜所見が悪化するときは感染を疑う．
② シールド潰瘍や角膜プラークは角膜Bowman膜を越えることはない．細隙灯顕微鏡検査にて混濁・細胞浸潤・血管侵入が実質中層まで達していたときは感染を疑う．
③ シールド潰瘍や角膜プラークでは細胞残渣が上皮欠損部を被覆しているので痛みを訴えることはない．強い疼痛，充血を訴えるときは感染を疑う．
④ Descemet膜皺襞，前房内細胞を認めるときは感染を疑う．重症アレルギー性結膜疾患の角膜病変が前房内に波及することはない．
⑤ 角膜ヘルペスの既往があるとき，特にアトピー性皮膚炎患者では両眼性の角膜ヘルペスが発症することがある．また定型的な樹枝状潰瘍を呈さないことがあるので注意が必要である．

治療 上皮障害を認めるものの，ヒアルロン酸ナトリウムなどの点眼は無効である．原疾患の治療のため，高力価ステロイド点眼液，免疫抑制薬点眼液〔0.1%タクロリムス水和物点眼液（タリムス®）〕を使用する．前述した理由で，抗菌点眼液の併用は必ずしも必要ない．また角膜プラークを外科的に除去するときは，病勢の安定した寛解期に施行する．または一時的にステロイド内服を処方し，病勢が鎮静化したのち施行する．上皮が被覆したらステロイド内服を中止する．

❶ **春季カタル・アトピー性角結膜炎（急性期）**

処方例 軽症の場合は1）を，中等〜重症の場合は2）を用いる．

> 1）アレジオンLX点眼液（0.1%） 1日2回点眼＋パピロックミニ点眼液（0.1%） 1日3回 点眼
> 2）アレジオンLX点眼液（0.1%） 1日2回点眼＋タリムス点眼液（0.1%） 1日2回点眼〔＋リンデロン点眼・点耳・点鼻液（0.1%） 1日4回 点眼〕

❷ **アトピー性角結膜炎（慢性期）**

処方例 下記を症状に応じて適宜用いる．

1) アレジオン LX 点眼液(0.1%) 1日2回点眼
2) フルメトロン点眼液(0.1%) 1日4回点眼
3) ムコスタ点眼液 UD(2%) 1日4回点眼

❸ **細菌性角膜炎の合併(起炎菌不明のとき)**
感染が疑われるときはステロイド・免疫抑制薬点眼液を中止し,抗菌薬点眼液を処方する.点眼中止によるアレルギーの増悪があるときは,ステロイド内服〔プレドニゾロン(プレドニン®)20 mg/日,成人〕を処方する.

処方例

クラビット点眼液(1.5%)+ベストロン点眼用(0.5%)+トブラシン点眼液(0.3%)
それぞれ1〜2時間おき 頻回点眼

アレルギーの増悪による角膜病変を認めるときはさらに下記を追加する.

プレドニン錠(5 mg) 4錠 分1

❹ **角膜ヘルペスの合併** 角膜ヘルペスの合併では,ステロイド・免疫抑制薬点眼液を中止し,アシクロビル眼軟膏(5回/日)を処方する.アレルギーの増悪やアシクロビル眼軟膏による角膜上皮障害が強いときは,ステロイド・アシクロビル内服を併用する.

処方例 下記1)を用いる.アレルギーの増悪による角膜病変を認めるとき2)を追加する.1)による角膜上皮障害が強いときは1)を中止し,3)を処方する.

1) ゾビラックス眼軟膏(3%) 1日5回点入
2) プレドニン錠(5 mg) 4錠 分1
3) バルトレックス錠(500 mg) 3錠 分3

予後 アトピー性角結膜炎に角膜ヘルペスが合併すると治療に苦慮することが多い.寛解・増悪を繰り返し,壊死性角膜炎,角膜穿孔に至ることもあるので,早い時期に専門機関に紹介したほうがよい.

角膜フリクテン

Phlyctenular keratitis

鈴木 智　京都市立病院・部長

概念　角膜に結節性細胞浸潤とそれに向かう表層性血管侵入を特徴とする疾患である.小児〜若年女性に好発し,マイボーム腺炎を合併していることが多い.

病態　角膜における結節病変は,局所の細菌蛋白に対する遅延型(IV型)アレルギー反応による炎症細胞浸潤であると考えられている.1960年代以前には結核菌が,それ以降は黄色ブドウ球菌が主な起因菌と考えられてきたが,近年 *Cutibacterium acnes*(旧 *Propionibacterium acnes*)の重要性が指摘されている.発症以前より霰粒腫の既往歴がある症例が多い.

症状・眼所見　患者は,異物感,充血,眼痛,羞明,流涙,視力低下などを訴える.重症例では,角膜の混濁と菲薄化が生じ高度の視力低下をきたす.

角膜に白色・楕円形の結節性細胞浸潤とそれに向かう表層性血管侵入,対応する球結膜の充血を特徴とする**(図36)**.細隙灯顕微鏡で低倍率・拡散光のもとに観察することでマイボーム腺炎の合併を認める場合が多い**(図36)**.マイボーム腺炎の重症度と角結膜炎症の重症度は相関し,マイボーム腺炎角結膜上皮症の一病型と考えられる.

診断　若年者(特に女性)の角膜に結節

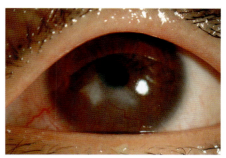

図36 角膜フリクテン
角膜に結節性細胞浸潤とそこに向う表層血管侵入を認め，その延長線上のマイボーム腺に炎症を伴っている．

```
錠　分2　食後
3) エコリシン眼軟膏　1日1回　眠前　マ
   イボーム腺開口部に塗布
4) アジマイシン点眼液(1%)　はじめの2日
   間：1日2回　点眼　その後12日間：1
   日1回　点眼
```

カタル性角膜潰瘍
Catarrhal ulcer

鈴木 智　京都市立病院・部長

性細胞浸潤と表層性血管侵入を認めれば診断は容易である．再発を繰り返す重症例では細胞浸潤と血管侵入が高度となり，壊死性角膜炎と見誤ることがあるが，高度のマイボーム腺炎の合併の有無で鑑別が可能である．

治療　角膜の結節病変には，マイボーム腺炎が大きく関与していると考えられるので，点眼治療のみならず，マイボーム腺炎に対する抗菌薬内服治療の併用が有効である．ステロイドについては，眼表面の炎症が強い初期には抗菌薬との併用が効果的であるが，細菌が十分に除菌されるまで抗菌薬を中心とした治療を継続する．

処方例　下記1)～3)を併用する．2)については，マイボーム腺炎が重症なときは殺菌的なセフェム系抗菌薬を，中等度になれば静菌的なマクロライド系抗菌薬へ移行して継続する．さらに軽快したら1, 2)を中止し4)へ移行する．

```
1) ベストロン点眼用(0.5%)およびフルメト
   ロン点眼液(0.1%)　各1日4回　点眼
2) フロモックス錠(100 mg)　3錠　分3
   食後　あるいはクラリス錠(200 mg)　2
```

概念　ブドウ球菌抗原あるいは毒素によって，角膜周辺部に生じる「無菌性」の浸潤・潰瘍である．中高年に多く，慢性的なブドウ球菌性眼瞼縁炎を合併している症例が多い．

病態　眼瞼縁の細菌培養では，通常，黄色ブドウ球菌(*Staphylococcus aureus*)が陽性となるが，角膜の病変部を擦過してグラム染色を行っても好中球を認めるだけで細菌は認められず，細菌培養を行っても陰性である．すなわち，病変部は細菌の直接感染によって生じるのではなく，ブドウ球菌抗原に感作された患者の角膜周辺部実質で補体の活性化と好中球の浸潤を伴う抗原-抗体反応(III型アレルギー反応)が生じた結果と考えられている．

症状・眼所見　患者は，充血，疼痛，異物感などを主訴とする．細隙灯顕微鏡では，角膜周辺部に1つあるいは複数の楕円形の，灰色の上皮下〜実質の細胞浸潤を認める(図37)．眼瞼縁と交差する2, 4, 8, 10時の位置に好発する．特徴は，浸潤病巣が角膜輪部と平行であり，かつ輪部と浸潤病巣の間に1〜2 mmの浸潤のない

図37　カタル性角膜潰瘍
角膜周辺部4時を中心とした角膜輪部と平行な浸潤・潰瘍．輪部と浸潤との間に透明帯を認める．

「透明帯」を認めることである．また，対応する球結膜に充血を認める．浸潤は輪部と平行に同心円状に広がる．浸潤が高度になると，その部分の角膜上皮が脱落し，びらん，潰瘍を生じるようになる．再発を繰り返した症例では，表層性血管侵入を認めることもある．

診断　細隙灯顕微鏡による角膜の特徴的な所見と，ブドウ球菌性眼瞼炎の確認による．

治療　細菌に対する局所の免疫反応の結果病変が生じたものであるため，抗菌薬および低濃度ステロイドの点眼が効果的である．長期間にわたるコントロールには睫毛根部のブドウ球菌を減少させるために，眼瞼縁の清拭＋抗菌眼軟膏の塗布が重要である．再発を繰り返す症例では，眼瞼縁および結膜嚢の細菌培養と薬剤感受性試験によって，適切な抗菌薬を選択する必要がある．

処方例　主に1)を用いる．ブドウ球菌性眼瞼炎を合併している場合は2)を併用する．

1) ガチフロ点眼液(0.3%)，およびフルメトロン点眼液(0.1%)　各1日4回　点眼

2) タリビッド眼軟膏(0.3%)　1日1回　眠前　睫毛根部に塗布

Mooren 潰瘍
Mooren ulcer

小島美帆　京都府立医科大学
外園千恵　京都府立医科大学・教授

概念　Mooren（モーレン）潰瘍（蚕食性角膜潰瘍）は，急性に角膜周辺部に生じる非感染性の難治性角膜潰瘍であり，慢性的な炎症と眼痛を伴う．好発年齢は若年から壮年である．

病態　発症には，角膜上皮細胞に対する自己抗体の関与が示唆されており，手術や外傷などを契機に放出された角膜組織に対する抗原に対して自己抗体が産生されて生じるとされる．病理学的には，潰瘍部や隣接する結膜にリンパ球や形質細胞，好中球，コラゲナーゼなどが認められる．診断には膠原病や兎眼，眼球突出，感染による角膜潰瘍，カタル性角膜潰瘍を除外する必要がある．

症状・臨床所見　症状は充血と強い眼痛，羞明，流涙である．片眼または両眼に突然に発症し，発症早期には周辺部の角膜実質浅層に細胞浸潤を認め，徐々に進行して角膜周辺部に深い掘れ込みを伴って輪部に沿って広がる弧状の角膜潰瘍を認め，潰瘍縁には細胞浸潤を認める．潰瘍は角膜実質が表面よりもやや下の部分で深く掘れ込み（undermined），角膜中央側の潰瘍縁は周辺部から中央へ突出（overhanging edge）した潰瘍が特徴的である．診断のポイントは特徴的な潰瘍の形態（輪部に沿って生じ

る円弧状角膜潰瘍で細胞浸潤および急峻な掘れ込みを伴う，透明帯は伴わない，毛様充血を伴う）である．また，潰瘍に隣接する輪部結膜は腫脹し強い毛様充血を伴う．潰瘍は徐々に深くなり，輪部に沿って，角膜中央に向かって広がる．適切な治療が行われずに進行すると角膜穿孔する場合もあるが頻度は高くない．治癒の過程で潰瘍部は血管侵入を伴った結膜上皮で被覆される．

診断

■**鑑別診断**　リウマチや多発血管炎性肉芽腫症（Wegener 肉芽腫症）などの膠原病による周辺部角膜潰瘍，Terrien 角膜変性やカタル性角膜潰瘍が挙げられる．リウマチ性角膜潰瘍は Mooren 潰瘍とよく似ており，潰瘍は輪部に沿って弧状に，角膜中央に向かって進行する．強い血管炎や強膜炎，ドライアイを伴うことが特徴でMooren 潰瘍と比較して高率に角膜穿孔をきたす．Terrien 角膜変性では，角膜辺縁変性の菲薄部は Mooren 潰瘍同様に弧状であるが，非炎症性で充血や細胞浸潤，上皮欠損がなく，進行が遅いことで鑑別できる．また，カタル性角膜潰瘍は輪部との間に透明帯があり，overhanging edge や眼痛がないことから鑑別する．

治療

■**局所療法**　ステロイド点眼が治療の主体となる．免疫抑制薬であるシクロスポリン点眼やタクロリムス点眼も有効との報告がある（保険適用外，効能・効果）．ステロイドはフルオロメトロンでは消炎不十分であるため，ベタメタゾンリン酸エステルナトリウムを使用する．

処方例
リンデロン点眼・点耳・点鼻液(0.1%)　1日4～6回

点眼のみでは不十分なことも多く，下記の全身療法を併用する．

■**全身療法**　局所治療で効果が乏しい症例や両眼性の症例には，ステロイドや免疫抑制薬の内服が行われる．

処方例　下記のいずれかを用いる．
1) リンデロン錠　1～2 mg　分2　[保外] 効能・効果
2) ネオーラルカプセル　100～150 mg　分2　[保外] 効能・効果

■**外科的治療**　保存的治療では寛解が得られないときには外科的治療を施行する．潰瘍が1象限以内で角膜菲薄化が軽度であれば結膜切除が有効である．潰瘍が1象限以上で潰瘍底に幅がある場合には，角膜上皮形成術（keratoepithelioplasty：KEP）の併用が有効である．穿孔例では，表層角膜移植術と KEP を併用する．術後再発予防として治療用ソフトコンタクトレンズを長期装用するとともに，ステロイドや免疫抑制薬の局所，全身投与を行う．寛解期においても再発することがまれではなく，0.1% フルオロメトロンなどの低濃度ステロイド点眼を再発予防目的で用いる．

全身疾患に伴う周辺部角膜潰瘍

Corneal ulcer associated with systemic diseases

福岡秀記　京都府立医科大学・助教
外園千恵　京都府立医科大学・教授

■**概念**　関節リウマチをはじめとする膠原病に合併する重篤な周辺部角膜潰瘍．
■**病態**　膠原病により，自己組織に対す

る抗体や細胞によって組織が破壊されると考えられている．免疫複合体が補体系を活性化させ，炎症細胞（好中球およびマクロファージ）が浸潤する．浸潤した炎症性細胞からのコラゲナーゼやプロテアーゼ放出，角膜実質細胞からのマトリックスメタロプロテアーゼ産生により組織破壊が進行する．膠原病には関節リウマチ，多発血管炎性肉芽腫症などの抗好中球細胞質抗体(ANCA)関連血管炎や全身性エリテマトーデス(SLE)などの混合性結合組織病などを含む．

■ 症状・臨床所見・診断　羞明，充血，視力低下および異物感を自覚症状とする．片眼または両眼に突然発症し急速に進行する．細胞浸潤を伴い，輪部に沿って進展する透明帯を有さない．円弧状潰瘍（図38）が典型的であり，潰瘍に一致して，強膜炎を合併していることが多い．潰瘍は進行すると角膜穿孔に至るが，リウマチ性角膜穿孔は，角膜周辺部よりも瞳孔辺縁や中間部に多く生じる．続発性Sjögren症候群による高度の涙液減少型ドライアイのためSchirmerテストで低値を示すことが多く，フルオレセイン染色パターンはarea breakを呈する．

■ 治療　関節リウマチなどの膠原病の治療歴について問診を行い，内科未受診の際は必ず関節リウマチを疑って他科と連携して診断および治療にあたる．ただ，関節リウマチの活動性と眼部の状態が相関しないこともある．

■ 局所療法　角膜潰瘍に対してはベタメタゾン点眼液が主体となる．角膜穿孔例では感染を合併していることがあり，まず眼脂培養などによる保菌の確認，あるいは感染の除外を行う．並行して重症ドライアイに

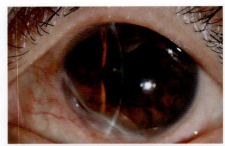
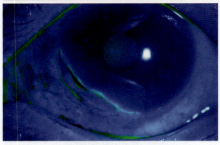

図38　リウマチ性角膜潰瘍の一例
5時から9時にかけての輪部に沿って潰瘍を認める．リウマチ治療の強化と局所治療によって潰瘍部位の上皮化を得た．

対し上・下涙点への涙点プラグ挿入と人工涙液での治療を行う．
■ 外科的治療　穿孔例では，観血的手術が必要になる．膠原病の他科での治療コントロールが落ち着いた段階で表層角膜移植を施行する．

角膜上皮の沈着物
Deposits in corneal epithelium

山田昌和　杏林大学・教授

■ 概念　角膜上皮に何らかの異常物質が沈着した状態．全身疾患に伴うものや薬剤（内服，点眼）によるものなど原因はさまざまである．

病態 角膜上皮内と上皮下に沈着する場合があり，沈着しやすい物質として鉄，カルシウム塩，脂質の一部，脂溶性の高い薬剤，アミロイドが挙げられる．鉄，薬剤，脂質は角膜上皮内に沈着し，カルシウム塩は上皮下に沈着する．アミロイドは上皮内に沈着する場合と上皮下に沈着する場合がある．

症状 カルシウム塩の沈着は角膜上皮下にみられ，典型的には帯状角膜変性となる．上皮びらんによる異物感や疼痛を呈することがあり，混濁が瞳孔領にかかると羞明や視力障害を生じる．アミロイドの沈着は円錐角膜や睫毛乱生などに続発して生じることがあり，異物感や視力障害が主な症状となる．これら以外の角膜上皮の沈着物は一般に無症状である．

診断

❶渦巻き状，線状の上皮混濁 脂質代謝異常症であるFabry病でみられる角膜上皮混濁に類似した渦巻き状，線状の上皮混濁が脂溶性の薬剤の全身投与で生じることがある．抗不整脈薬であるアミオダロン塩酸塩が代表的（図39）であるが，ヒドロキシクロロキン硫酸塩，インドメタシンでも生じることがある．いずれも薬剤の細胞内蓄積が原因である．

❷鉄の沈着 鉄の沈着は上皮内の線状の混濁としてみられる．正常者でも角膜下方に水平の線状混濁がみられることがあり，Hudson-Stähli lineとよばれる．翼状片に伴うものはStocker line，濾過胞に伴うものはFerry lineとよばれ，円錐角膜でみられるFleischer ringの本態も角膜上皮の鉄の沈着である．

❸カルシウム塩の沈着 カルシウム塩は上皮下に沈着し，典型的な病態は帯状角膜変性

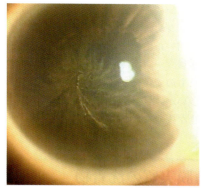

図39 アミオダロン角膜症
上皮の渦巻き状混濁がみられる．

である．正常でも加齢に伴って3時9時の周辺部に限局したカルシウム塩沈着が観察されることがあり，Vogt's limbal girdleとよばれる．このほかに遷延性角膜上皮欠損，角膜潰瘍がある場合に上皮欠損部に急性に石灰化が生じることがある．

❹点眼薬の沈着 溶解度の低い点眼薬成分が上皮内あるいは上皮欠損部に沈着することがあり，ピマリシン，ニューキノロン薬の一部（ノルフロキサシンなど），水銀などが代表的である．上皮欠損部に沈着した場合には上皮化の妨げとなることがある．

❺アミロイドの沈着 睫毛乱生や縫合糸などの慢性の刺激により角膜にアミロイドが沈着することがあり，続発性アミロイドーシスとよばれる．上皮内に沈着する場合には膠様滴状角膜ジストロフィに類似した形態をとり，上皮下に沈着する場合には格子状角膜ジストロフィに類似した形態を示す．

治療 異物感，羞明，視力低下などの自覚症状がないものは経過観察とする．カルシウム塩の沈着や続発性アミロイドーシスなどで自覚症状の強いものは角膜表層切除術を行う．帯状角膜変性では，エキシマ

レーザーによる治療的角膜表層切除術，エチレンジアミン四酢酸(EDTA)または希塩酸を用いた化学的表層切除術が行われる．

| 予後 |　原因により異なる．薬剤に関連したものでは投与中止により可逆的なものが多いが，全身疾患の治療の必要上，薬剤中止が困難なことも多い．

角膜実質の沈着物
Deposits in corneal stroma

山田昌和　杏林大学・教授

| 概念 |　角膜実質に何らかの異常物質が沈着した状態．広義には角膜ジストロフィや角膜変性の多くがこのなかに含まれる．ここでは全身疾患に伴うものと薬剤が原因となるものを中心に述べる．

| 病態 |　角膜実質に沈着する物質は脂質，蛋白，アミノ酸，重金属など多岐にわたる．全身疾患や薬剤が原因となるものでは主に輪部の血管網から漏出した成分が実質に沈着する．

| 症状 |　炎症所見を伴うことは通常ない．沈着の程度が軽度の場合には無症状であり，視力も良好に保たれるが，進行例では視力低下をきたすことがある．

| 診断 |

❶**脂質の沈着**　正常者の加齢性変化として老人環があるが，その本態は角膜周辺部に脂質が沈着したものである．同様の所見が40歳以下でみられる場合には若年環とよぶ．若年環では冠動脈疾患のリスクが高いとされ，家族性高コレステロール血症を念頭において全身検索を行う．老人環，若年環で視力低下をきたすことはない．一方，

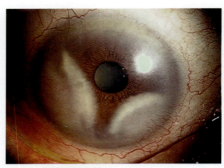

図40　**角膜脂肪変性**
実質内に脂質沈着がみられる．

角膜炎や外傷に続発して生じる実質の脂質沈着は環状ではなく，不整形を呈する(**図40**)．また，全身的な脂質代謝異常症(LCAT欠損症，fish eye disease，Tangier病など)に伴って実質に脂質沈着が生じることがあり，この場合には視力低下の原因になる．

❷**重金属の沈着**　金(関節リウマチの治療薬)や銀(硝酸銀点眼液や化粧品の一部に含まれる)により，実質深層に微細な混濁を生じることがある．また銅の代謝異常症であるWilson病では角膜周辺部に黄色の沈着輪(Kayser-Fleischer輪)をきたし，診断的価値がある．

❸**その他**　ムコ多糖症では代謝異常によりグリコサミノグリカンが角膜実質内に蓄積，沈着して角膜混濁をきたすことがある．多発性骨髄腫や良性モノクローナル高γグロブリン血症では免疫グロブリンが結晶状に実質に沈着し，クリスタリン角膜症を呈することがある．場合によっては視力低下をきたし，角膜移植の適応となる．またシスチン症ではシスチンが，黄疸ではビリルビンが，痛風では尿酸が角膜実質に微細な結晶状混濁としてみられることがあ

る．抗精神病薬であるクロルプロマジン塩酸塩の長期投与で角膜実質に薬剤の沈着が生じることがある．

| 治療　羞明，視力低下などの自覚症状がないものは経過観察とする．脂質や免疫蛋白の沈着などで視力低下の強いものは角膜移植を行うことがある．

| 予後　原因により異なるが，全身の代謝異常に伴うものは一般に進行性である．薬剤に関連したものでは投与中止により可逆的なものもある．

角膜の加齢性変化
Age-related changes of the cornea

難波広幸　山形大学・病院講師

| 概念　加齢に伴って角膜にはさまざまな変化が生じる．病的意義があるものは少ないが，疾患との鑑別が必要になることがある．加齢による変性としては老人環，Vogt's limbal girdle, crocodile shagreen, senile furrow degeneration, cornea farinataなどが挙げられる．年齢により角膜厚が菲薄化するという報告もあるが，性別・体重などで調整すると差を認めないという報告もあり，意見が分かれている．

　組織，形態学的変化の影響はそれのみではなく，光学的にも変化をきたす．角膜は若年時には直乱視を示すが，40歳代以上で徐々に倒乱視化が進む．また不正乱視の主因となる角膜高次収差は，加齢とともに増大することが示されている．

| 病態　老人環は角膜周辺部の脂質沈着，Vogt's limbal girdle は3時〜9時の角膜周辺部のカルシウム塩沈着が本態である．crocodile shagreen では実質のコラーゲン層に不規則なのこぎり歯様構造や，空胞形成が報告されている．

　角膜の倒乱視化は，角膜前面の形状変化と一致することが示されており，主に眼瞼圧の減少によると考えられている．角膜高次収差の増大は，加齢に伴う瞳孔径の減少によって代償され（瞳孔径が大きいほど眼球全体での高次収差は増大する），表面化することは少ない．

| 症状　通常はほとんどの加齢性変化は無症状である．光学的には，若年時に水晶体乱視を代償していた角膜が倒乱視化することで，眼球全体の乱視は増大する方向にはたらく．乱視や高次収差は少ないほど鮮明な像が得られるが，これらが疑似的な調節力として明視域を拡大している側面も指摘されている．

| 診断　老人環が広範な例では，脂質代謝異常の存在を疑う必要がある．senile furrow degeneration は Mooren 角膜潰瘍や Terrien 角膜変性との鑑別が問題になることがある．cornea farinata は Fuchs 角膜内皮ジストロフィとの鑑別が必要となるが，細隙灯顕微鏡では区別は難しく，スペキュラマイクロスコープが必要である．cornea farinata では角膜内皮には異常はみられない．

| 治療　通常は治療を要さない．

| 予後　加齢性変化の多くは徐々に進行するが，いずれも緩徐であり，臨床的に問題となることは少ない．

スフェロイド変性
Spheroidal degeneration

難波広幸　山形大学・病院講師

概念　スフェロイド変性は瞼裂に沿った形で，角膜および結膜の上皮下～実質浅層に黄褐色の滴状物質が沈着する疾患である．3時，9時の角膜周辺部から徐々に中央へ進行し，重症例では沈着物が結節状に隆起する．別名である climatic droplet keratopathy が表すように，極端な気候の地域，砂漠地帯や氷雪地帯などにみられることが多く，わが国ではまれである．屋外活動が多い男性に多く，瞼裂斑や翼状片と同様に紫外線などの環境要因が原因と考えられている．発症年齢は主に40歳代以降で，重症度は高齢者で高い．また，種々の眼疾患，炎症などにより2次的に生じてくることもある．Fraunfelder らは本症を，原発性角膜型(type 1)，続発性角膜型(type 2)，結膜型(type 3)の3つのタイプに分類している．

病態　角膜上皮下，Bowman 層，実質浅層に蓄積する沈着物はフィブリノイド変性を生じており，高濃度の血漿蛋白を含む．発症部位と併せ，輪部血管の関与が疑われる．翼状片や瞼裂斑でみられるエラストイド変性を伴うとも報告されている．

症状　初期～中期は無症状であるが，病変が瞳孔領に及ぶと視力低下をきたす．異物感や疼痛の原因となることもある．

診断　病変範囲は帯状角膜変性と類似するが，所見は大きく異なる．透明から黄褐色の小隆起性病変を呈し，表層性の血管侵入を伴うことがある．鑑別が必要である膠様滴状角膜ジストロフィは沈着物がアミロイドであり，発症年齢がより若年である．軽症では Salzmann 角膜変性や Reis-Bücklers 角膜ジストロフィなどが鑑別に挙げられる．診断は主に臨床所見で行われるが，可能であれば病理学的検討も有効である．沈着物は好酸性・無構造であり，アミロイドを含まないためコンゴレッド染色は陰性である．

治療　有効な薬物治療はない．視力低下や疼痛がある場合には，外科的治療が適応となる．中等症までは表層切除，重症では層状もしくは全層角膜移植術が必要である．

予後　角膜移植後でも再発が報告されている．その場合も発症時と同様，移植片の周辺部から水平方向に進行する．

帯状角膜変性
Band keratopathy

佐々木香る　関西医科大学・准教授

概念　各種眼炎症に伴い，角膜上皮下にカルシウム塩の沈着をきたしたジストロフィである．

病態　角膜上皮下に沈着したカルシウム塩は，主としてハイドロキシアパタイトである．ぶどう膜炎，実質性角膜炎，緑内障などの慢性疾患に続発することが多い．さらには，副甲状腺機能亢進症，慢性腎不全などによる高カルシウム血症にも生じる．リン酸を含んだステロイド点眼によって生じる場合もある．カルシウムが高度に沈着すると Bowman 膜を障害し，断裂するため，角膜上皮の接着異常も生じる．

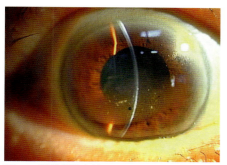

図41 帯状角膜変性

診断　特徴的な帯状の白濁による臨床所見による．通常，3時と9時方向の角膜周辺部から生じるが，角膜輪部と沈着の間には透明帯が存在する**(図41)**．徐々に角膜中央に進行し，融合して帯状の形態をとる．軽症では無症状のことが多い．進行して瞳孔領を覆うと視力障害をきたす．実質混濁と鑑別が難しい場合があるが，特徴的な形状やざらざらした光沢，鑷子などで触れた感触で診断が容易となる．進行すると上皮びらんによる疼痛，異物感を生じる．特に，沈着カルシウム上には上皮が貼りづらく，線状の上皮欠損を呈し，しばしば角膜ヘルペスと間違えられる．また，同部に感染症を生じると診断が遅れる場合があるので注意が必要である．原因となる慢性眼疾患，全身的高カルシウム血症，あるいは点眼などをチェックする．健常者でもみられることがあり，Vogt's limbal girdle とよばれる．

治療　軽症は無治療で経過観察可能である．涙液カルシウム濃度を下げる目的で，人工涙液点眼を処方してもよい．視力の妨げや異物感など自覚症状が生じた場合に，積極的治療の対象となる．大きく分けて，3つの方法がある．①異物針や注射針による機械的なカルシウム塩除去，②薬液塗布による除去，③エキシマレーザーによる角膜切除である．

① 局所的にカルシウムが突出している場合，板状に沈着している場合に27 G 針を用いて剝離するように除去する．ただし，実質が菲薄化していることも多く，事前に前眼部 OCT を用いて確認する．

② 部位が広く，かつ角膜厚が薄い場合や遠視眼の場合には，薬液塗布を選択する．角膜上皮を機械的に除去後，0.4〜1％エチレンジアミン四酢酸（EDTA）液あるいは1％塩酸液を綿棒につけて角膜を擦過するように作用させて十分量の生理食塩液で洗浄する．

③ 角膜の厚みが十分ある場合で，遠視化が問題とならなければ，エキシマレーザーを用いて表層角膜切除を行う．上皮剝離せずに直径 7 mm，約 100 μm 深度で照射する．施行に当たっては，術後約 3 D 遠視化の了解を得ることが重要である．

②および③は，いずれも施行後に治療用ソフトコンタクトレンズを装用して，抗菌薬点眼およびステロイド点眼を投与し，すみやかな上皮再生をはかる．

予後　物理的除去，薬物搔爬，治療的レーザー角膜切除術（phototherapeutic keratectomy：PTK）いずれも予後良好であるが，再発しやすい．

続発性角膜アミロイドーシス

Secondary corneal amyloidosis

佐々木香る　関西医科大学・准教授

概念　種々の眼疾患に続発し角膜にアミロイドが沈着したものである.

病態　アミロイドとは,蛋白が異常凝集した状態であるが,種々の慢性炎症に伴って角膜にアミロイドが沈着したものを続発性角膜アミロイドーシスとよぶ.異常に凝集する蛋白の本体として,ラクトフェリンやケラトエピテリンが報告されている.慢性炎症としては,睫毛乱生,円錐角膜が代表的であるが,その他,各種疾患や角膜術後,コンタクトレンズ装用などがある.女性に多い特徴がある.

症状　アミロイドの沈着具合によって程度は異なるが,異物感,流涙,充血,羞明を訴える.

診断　膠状滴状角膜ジストロフィに類似した乳白色の隆起性病変(**図42**)あるいは格子状角膜ジストロフィに類似した線状病変(**図43**)の2つの臨床所見を呈する.また,両者の合併も認めたり,血管侵入を伴うこともある.病変は睫毛が角膜と接触する部位,ハードコンタクトレンズが角膜とタイトに接触する部位など,刺激の多い部分に生じる.前述の臨床所見に加え,遺伝歴がないこと,慢性眼表面炎症の背景があることが診断のポイントとなるが,確定診断には,組織切片において,コンゴレッド橙赤の陽性染色,偏光顕微鏡による緑色複屈折所見が必要である.

治療　隆起性病変の場合は局所麻酔に

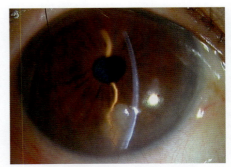

図42　膠状滴状角膜ジストロフィに類似した続発性角膜アミロイドーシス(原疾患:睫毛乱生)

睫毛が接触した部位に血管侵入を伴った隆起性病変を認める.

図43　格子状角膜ジストロフィに類似した続発性角膜アミロイドーシス(原疾患:睫毛乱生)

睫毛が接触した部位に格子状病変を認める.

て角膜掻爬による除去が可能である.前眼部OCTがその深さの確認に有用であるが,Bowman膜は保たれている場合が多い.そのほか,刺激となる睫毛抜去,コンタクトレンズの休止,また摩擦軽減の目的でヒアルロン酸点眼を,充血が強い場合は消炎のためのステロイド点眼を処方する.線状病変や隆起性病変が実質にまで及び,異物感,流涙,充血などの症状が強い場合には角膜表層切除あるいは表層移植が施行

される.

予後 原因となる刺激除去による自然寛解も報告されている．外科的除去の予後は良好であるが，刺激が完全に除去されない場合は，再発もありうる．

Salzmann 結節変性
Salzmann's nodular degeneration

佐々木香る　関西医科大学・准教授

概念 1925年，Salzmann（ザルツマン）により報告された疾患概念で，わが国では，1985年に1例が報告されている．角膜の中間周辺部に好発する結節性の混濁であり，種々の角膜炎の経過後に生じる．非炎症性の進行の遅い角膜変性疾患である．女性に多いが小児にも生じる，マイボーム腺機能不全を合併し，白色人種，中年女性に多い，など，近年，疾患概念が広く周知されたマイボーム腺関連角結膜症（meibomian gland related keratoconjunctivitis）とオーバーラップする可能性がある．

病態 各種角膜炎症性疾患ののち，上皮修復過程で涙液層が不安定となり，びらん創傷治癒を繰り返した結果，結節を形成するとする説や，創傷治癒の際，結膜上皮が侵入し，角膜上皮と結膜上皮の境が隆起するなどの説がある．組織学的には，結節部の上皮層の菲薄化，基底膜物質の不均一な増加，Bowman膜の消失，実質コラーゲン線維の走行異常が報告されている．いずれにせよ，炎症後の創傷治癒が，何らかの原因で平坦で透明な治癒に向かわず，基底膜や実質コラーゲン線維を含め異常で不均一な増殖を示した結果，結節性病変を形成する．

図44　Salzmann角膜変性症の結節性混濁

診断 Salzmann角膜変性症は角膜フリクテン，春季カタル，トラコーマ，角膜実質炎，ウイルス性角膜炎など種々の角膜炎に続けて，徐々に進行する結節性の病変をみた場合に本症を疑う．結節は傍中心部に好発し，大小さまざまであり，融合することもある（図44）．隆起は灰白色で血管侵入を伴うことも多く，結節部に向かい結膜上皮の侵入を認める．結節部位は，突出のため上皮びらんを伴うこともある．組織診断で続発性角膜アミロイドーシスを鑑別する必要がある．

治療 軽度の場合には，治療は必要なく経過観察を行うが，異物感が生じれば，人工涙液あるいは眼軟膏などで突出部の涙液の安定化をはかる．さらに部位によって視力低下が生じる場合には，角膜表層切除や表層移植などが考慮される．

予後 緩徐ではあるが，進行性である．

代謝異常に伴う角膜混濁
Corneal opacity associated with metabolic disease

高 静花 大阪大学・准教授

概念 角膜混濁をきたす先天代謝異常疾患としては，ライソゾーム病，脂質代謝異常，金属代謝異常などが挙げられるが，この項では，ライソゾーム病(Fabry 病，ムコ多糖症)について述べる．「角膜上皮の沈着物」項(⇒ 462 頁)，「先天性代謝性疾患と眼疾患」項(⇒ 999 頁)の項も併せて参照されたい．

1 Fabry 病(FD)

病態 α-ガラクトシダーゼ A の活性低下により糖脂質であるグロボトリアオシルセラミドが全身臓器に沈着する遺伝性の疾患．X 連鎖性遺伝形式であり，Fabry 病(FD)の父親からは，娘には 100％遺伝し，息子には遺伝しない．FD の母親からは，娘，息子ともに 50％で遺伝する．FD 女性では正常の場合から重症まで程度がさまざまである．最近の新生児スクリーニングの報告によれば 10,000 人に 1 人よりも多いと考えられている．

症状 渦状角膜混濁(cornea verticillata)が約 70％にみられ，最も頻度が高い眼科所見である．角膜上皮細胞への糖脂質の沈着による混濁で，角膜上皮内または上皮下にみられる．

そのほかに，白内障，結膜血管異常，網膜血管異常(蛇行，まれに動脈閉塞)が知られている．全身症状としては，四肢疼痛，腎症状，心症状，脳血管症状，皮膚症状，眼症状，耳鼻科症状など多彩な全身症状を呈し，年齢とともに症状が重症化する．多くが学童期までに発症する．

診断 細隙灯顕微鏡検査で角膜混濁を認める．ほかの眼科所見と併せて，細隙灯顕微鏡検査が基本である．眼科以外の他科で全身の詳細な検査，酵素活性測定や遺伝子検査，カウンセリングが行われる．鑑別診断としてはアミオダロン塩酸塩(抗不整脈)内服による角膜沈着で，内服者の約 70％で出現することが知られている．すでに他科で FD の診断がついてから眼科受診が一般的には多いが，最初に眼科で発見される例もある．それゆえ，家族歴がある渦状角膜混濁をみたらまず FD を疑いたい．その際，必ず薬剤使用歴も聴取する．

治療 酵素補充療法(点滴)とシャペロン療法(経口による酵素活性化治療)，症状を緩和させる対症療法がある．他科(主に小児科)の診療方針に基づく．基本的に眼科で治療を行うことはない．

2 ムコ多糖症

病態 体内のムコ多糖を分解するライソゾーム酵素が欠損することにより，全身にムコ多糖が蓄積する．7 つの病型がある(Ⅰ～Ⅸまであり，Ⅴ，Ⅷは欠番)．

症状 角膜混濁をきたすのは，Ⅰ型の重症型 Hurler 病，中間型 Hurler-Scheie 病，軽症型 Scheie 病(以下，疾患としてまれだが Ⅳ 型の Morquio 病，Ⅵ 型の Maroteaux-Lamy 病，Ⅶ型の Sly 病)である．びまん性すりガラス状の角膜実質混濁を認める．びまん性混濁の中に斑状混濁が散在していることもある．骨格異常，皮膚・結合組織病変，精神発達遅滞，呼吸器・循環器・消化器異常，角膜混濁，網膜

色素変性などの臨床症状を呈する．

診断　細隙灯顕微鏡検査で角膜混濁を認める．ほかの眼科所見と併せて，細隙灯顕微鏡検査が基本である．眼科以外の他科で全身の詳細な検査，酵素活性測定や遺伝子検査，カウンセリングが行われる．

治療　他科（主に小児科）の診療方針に基づく．

角膜ジストロフィ
Corneal dystrophy

家室 怜　大阪大学
相馬剛至　大阪大学・講師

　角膜ジストロフィとは遺伝性に発症し，両眼性，進行性，非炎症性に角膜混濁をきたす疾患と定義される．分類については，従来は病変の主座，遺伝形式，臨床像，病理・組織学的所見によって分類されてきたが，最近では原因遺伝子に基づく分類〔The International Committee for Classification of Corneal Dystrophies（IC3D）〕が浸透してきている．この分類に基づき原因遺伝子が明らかになっている角膜ジストロフィについて，病変の主座，疾患名，遺伝形式，原因遺伝子を表3にまとめた．分類の詳細については原著を参照されたい．以下に代表的な疾患について概説する．

1 Meesmann 角膜ジストロフィ

病態　Meesmann 角膜ジストロフィは角膜上皮層に微小囊胞を形成する常染色体優性の遺伝性疾患である．原因遺伝子は角膜上皮特異的な中間径フィラメントであるケラチン 3（KRT3）およびケラチン 12（KRT12）と報告されている．

　生後早期から発症するが，進行は緩徐で症状を訴えるのは中年期以降のことが多い．ほぼ均一な大きさの微小囊胞が，初めは角膜周辺部に分布し，加齢とともに増加しながら角膜中央部へと広がっていく．この囊胞は角膜上皮基底部で形成されたのち，上皮のターンオーバーの影響を受けながら徐々に表層へ移動する．最表層に達すると破裂して点状びらんを形成する．

症状　幼少期から青年期までは，微小囊胞が角膜上皮内にとどまっていることが多く，ほとんどは無症状である．しかし，中年期になり表層に達した微小囊胞が点状びらんを形成すると，異物感や羞明，霧視を訴えるようになる．

診断　細隙灯顕微鏡では，両眼の角膜上皮内に透明もしくは灰白色の点状混濁として観察される微小囊胞が特徴的である．間接法や反帰光線法を用いると微小囊胞を観察しやすい．囊胞が破裂して点状びらんを形成している場合，フルオレセイン染色で点状表層角膜症様の所見を認める．このため，点状表層角膜症を呈するほかの疾患と鑑別が必要になる．鑑別法については，「点状表層角膜症」項（⇒ 435 頁参照）に譲る．

　病理所見はびまん性に角膜上皮は不整化しており，debris を含む囊胞を上皮層に認める．変性した上皮細胞にインプレッションサイトロジーを施行すると，囊胞は PAS（過ヨウ素酸フクシン）染色陽性を示す．

治療　無症状の場合には治療を要さない．点状びらんによる刺激症状に対しては人工涙液点眼，眼軟膏や治療用ソフトコンタクトレンズ装用で対応する．角膜移植な

表3 IC3Dによる角膜ジストロフィの分類

分類	疾患名	遺伝形式	原因遺伝子
上皮-上皮下ジストロフィ	Meesmann角膜ジストロフィ	AD	KRT12 KRT3
	上皮基底膜ジストロフィ	AD,孤発	TGFBI
	膠様滴状角膜ジストロフィ	AR	TACSTD2
上皮-実質TGFBI関連ジストロフィ	Reis-Bücklers角膜ジストロフィ	AD	TGFBI
	Thiel-Behnke角膜ジストロフィ		
	格子状角膜ジストロフィ: Ⅰ型,Ⅲa型,Ⅳ型		
	顆粒状角膜ジストロフィ: Ⅰ型,Ⅱ型		
実質ジストロフィ	斑状角膜ジストロフィ	AR	CHST6
	Schnyder角膜ジストロフィ	AD	UBIAD1
	先天性実質性角膜ジストロフィ	AD	DCN
	Fleck角膜ジストロフィ	AD	PIKFYVE
内皮ジストロフィ	Fuchs角膜内皮ジストロフィ Ⅰ型 Ⅲ型 Ⅳ型 Ⅵ型 Ⅷ型	AD	 COL8A2 TCF4 SLC4A11 ZEB1 AGBL1
	後部多形性角膜内皮ジストロフィ Ⅰ型 Ⅱ型 Ⅲ型 Ⅳ型	AD	 OVOL2 COL8A2 ZEB1 GRHL2
	先天性遺伝性角膜内皮ジストロフィ	AR	SLC4A1

AD:常染色体優性遺伝,AR:常染色体劣性遺伝

どの外科的治療は効果がないとされている.

2 上皮基底膜ジストロフィ

病態 上皮基底膜ジストロフィは角膜上皮内に地図状混濁(map),小囊胞(dot, microcyst),指紋状の皺襞(fingerprint)が単独もしくは合併してみられる疾患である.これらの病変は,異常な角膜上皮基底膜が多層化もしくは上皮層内へ侵入した結果生じるとされる.この特徴的な所見からmap dot fingerprint dystrophyとよばれる場合や,報告者Coganの名前からCogan's microcystic dystrophyとよばれる場合もある.

基底膜が異常なために角膜上皮基底細胞の接着が脆弱になり,些細な外傷もしくは外傷既往もなく再発性角膜びらんを発症することがある.

原因遺伝子はTGFBI(transforming growth factor, beta-induced),遺伝形式は常染色体優性とされているが原因不明例が多い.

症状 ほとんどは成人発症で,多くは

無症状である．角膜びらんを発症すれば，急激な眼痛と流涙を自覚する．

診断　角膜上皮内に地図状混濁，小囊胞，指紋状の皺襞を認める．両眼性で左右差は少ない．所見は直接法で観察可能だが，間接法や散瞳下に眼底からの反帰光線を利用した徹照法を用いると鮮明に観察できる．

原因不明例が多いことから，遺伝子検査のみでは判断できない．また，再発性角膜びらんを診察する際は，家族歴がなくとも本疾患を鑑別疾患として念頭におく必要がある．

治療・予後　自覚症状がなければ治療は要さない．角膜びらんに対しては，眼軟膏の投与，ソフトコンタクトレンズの装用，病巣部の機械的な上皮掻爬を行う．

3 膠様滴状角膜ジストロフィ

病態　膠様滴状角膜ジストロフィは，角膜上皮下にアミロイド沈着をきたす常染色体劣性の遺伝性疾患である．原因遺伝子は *TACSTD2* で，この遺伝子の変異によりタイトジャンクション蛋白質の Claudin 1・7 の分解が亢進して角膜上皮のバリア機能が低下する．その結果，涙液中のラクトフェリンが角膜上皮下に蓄積し，アミロイドを形成すると考えられている．

症状　10 歳前後に異物感や羞明，流涙，眼痛などの刺激症状を訴える．進行とともに視力低下をきたす．

診断　典型例では両眼の角膜上皮下にびまん性の乳白色点状隆起物が出現する．隆起物は次第に増加・癒合し，しばしば表層性の血管侵入を伴いながら角膜全体を覆う（typical mulberry type，図 45）．背景に角膜上皮のバリア機能低下があるため，フ

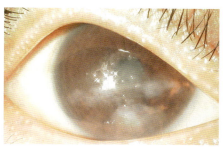

図 45　膠様滴状角膜ジストロフィ

ルオレセイン染色後に一定時間経過すると透過性亢進がみられる．これは delayed staining とよばれ，比較的特徴的な所見とされる．上述の典型的な typical mulberry type 以外に，帯状角膜変性に類似した band keratopathy type，角膜実質混濁を主体とする stromal opacity type，金柑様の所見を呈する kumquat-like type の 4 型に大別される．このような所見のバリエーションに加え，左右差がある場合も少なくないため，しばしば鑑別に難渋する．近親婚歴や delayed staining の所見から本疾患が疑わしいのであれば，遺伝子検査を行うことが望ましい．

治療　治療用ソフトコンタクトレンズ連続装用によってアミロイド沈着は抑制され，外科的介入時期を遅らせることができる．隆起物による角膜表面不整に対しては，掻爬や治療的角膜レーザー切除が行われる．角膜中央部の混濁が強い場合には，表層角膜移植や深層層状角膜移植の適応となる．外科的治療後においても再発を抑制する目的で治療用ソフトコンタクトレンズ装用を継続する．

4 Reis-Bücklers角膜ジストロフィ

病態 Reis-Bücklers角膜ジストロフィは TGFBI 遺伝子 R124L 変異により Bowman 膜を主体とした角膜混濁をきたす常染色体優性の遺伝性疾患である．角膜の地図状混濁と再発性角膜びらんを特徴とする．

症状・所見 幼少期から再発性角膜びらんによる疼痛を訴える．混濁の進行が早く，若年で視力低下を訴えることが多い．

初期は Bowman 膜を主体に混濁が始まり，進行すると上皮と実質浅層にも達する．

細隙灯顕微鏡では角膜混濁が地図状に分布するのが特徴である．角膜の大部分が混濁するが，混濁は輪部には達しない．

病理所見では Bowman 膜が帯状の顆粒状沈着物に置き換わり，これがマッソン・トリクローム染色で赤く染色され，電子顕微鏡では同部位に rod-shaped body を認める．沈着物は前眼部光干渉断層計（OCT）で Bowman 膜レベルに境界明瞭な帯状の高輝度領域として観察できる．確定診断には遺伝子診断が有用である．

治療 表層混濁が主体のため治療的レーザー角膜切除術が適応となるが，術後数か月で高率に再発する．進行例では混濁に応じて表層角膜移植，深層層状角膜移植を行う．

5 Thiel-Behnke角膜ジストロフィ

病態 Thiel-Behnke角膜ジストロフィは TGFBI 遺伝子 R555Q 変異により Bowman 膜を主体とした角膜混濁をきたす常染色体優性の遺伝性疾患である．角膜の蜂巣状混濁と再発性角膜びらんを特徴とする．Reis-Bücklers角膜ジストロフィと混同されやすいが，遺伝子の変異部位が異なり，比較的緩やかな経過をたどる．

症状 小児期から再発性角膜びらんによる疼痛を訴える．混濁の進行は緩徐で，視力低下は青年期から中年期に訴える場合が多い．

診断 細隙灯顕微鏡では角膜混濁が蜂巣状に分布するのが特徴である．

病理所見では上皮と実質の間に線維性組織が鋸歯状に分布する（saw-tooth pattern）．電子顕微鏡では同部位に curly collagen fiber を認める．沈着物は前眼部 OCT で Bowman 膜レベルに鋸歯状の高輝度領域として観察できる．確定診断には遺伝子診断が有用である．

治療 表層混濁が主体のため治療的レーザー角膜切除術が適応となるが，しばしば再発する．進行例では混濁に応じて表層角膜移植，深層層状角膜移植を行う．角膜移植後の再発は少ない．

6 格子状角膜ジストロフィ

病態 格子状角膜ジストロフィは角膜実質に lattice line とよばれる線状の沈着性混濁をきたす遺伝性疾患である．原因遺伝子によりⅠ型とⅡ型に大別され，Ⅰ型には変異型としてⅢA型，Ⅳ型がある．Ⅰ型，ⅢA型，Ⅳ型は TGFBI 遺伝子変異，Ⅱ型は家族性アミロイドーシスの原因遺伝子である GSN 遺伝子変異に由来する．いずれも常染色体優性遺伝で，混濁の主体はアミロイド沈着である．

症状 Ⅰ型は学童期から角膜中央部の実質浅層に lattice line が出現し始める．両眼対称性，進行性であり，lattice line が重なり合うことで格子状混濁を呈するよう

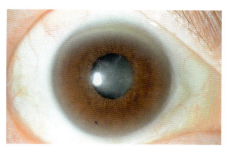

図46　格子状角膜ジストロフィⅠ型

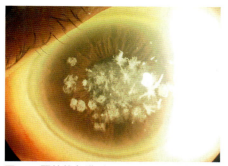

図47　顆粒状角膜ジストロフィⅡ型（強膜散乱法）

になる（図46）．また，角膜上皮の接着が不良なため，外傷歴のない再発性角膜びらんを発症して眼痛や充血で受診する．繰り返す上皮剝離と lattice line の増加によって，30歳代以降には角膜中央部にびまん性の実質混濁を呈するようになる．

その他，ⅢA型では実質中層の太い格子状混濁，Ⅳ型は実質深層から Descemet 膜直上の小粒状混濁をそれぞれ認めるが，臨床症状は比較的軽微である．

治療　再発性角膜びらんに対しては人工涙液点眼，眼軟膏，治療用ソフトコンタクトレンズで対応する．再発予防目的に治療的レーザー角膜切除術（phototherapeutic keratectomy：PTK）を選択する場合もある．また，角膜中央部の混濁が実質表層に限局する場合も PTK の適応となる．進行した角膜中央部の混濁に対しては角膜移植の適応となる．

7　顆粒状角膜ジストロフィ

病態　顆粒状角膜ジストロフィは角膜上皮下から実質にヒアリンとアミロイドの沈着をきたす常染色体優性の遺伝性疾患である．原因遺伝子の TGFBI 遺伝子に R555W 変異があるものを顆粒状角膜ジストロフィⅠ型（従来の顆粒状角膜ジストロフィ），R124H 変異があるものをⅡ型（従来の Avellino 角膜ジストロフィ）と分類する．

症状　わが国で臨床的に遭遇する症例の多くはヘテロ接合体変異のⅡ型である．小児期に角膜上皮下から実質浅層にヒアリンによる顆粒状の白色沈着を生じ，その後に実質浅層から中層にアミロイドによる星状，針状の沈着を生じる（図47）．これに対しⅠ型ではヒアリンによる顆粒状沈着のみを認める．

両眼性に進行性の角膜混濁を呈するが，ヘテロ接合体変異では中高年までは無症状のことが多い．加齢とともに角膜上皮下の混濁が集簇し，淡いびまん性の混濁を生じる．これが瞳孔領を覆うと視力低下をきたす．

まれにみられるホモ接合体変異では，幼少期から周辺部を除いた角膜全体に白色円形の密な沈着病変を生じ，治療抵抗性である．

治療　沈着病変による視力低下をきたせばエキシマレーザーによる PTK が第1

選択となる．エキシマレーザーの加療が困難な場合には角膜移植が適応となる．

8 斑状角膜ジストロフィ

病態 斑状角膜ジストロフィは，*CHST6* 遺伝子の異常により角膜実質がすりガラス様に混濁する常染色体劣性の遺伝性疾患である．

角膜実質は主に角膜実質細胞，コラーゲン，プロテオグリカンの3つで構成される．このうちプロテオグリカンは，ケラタン硫酸を付加されることで可溶性を保ちつつ，コラーゲン線維の規則的な配列に寄与している．*CHST6* はケラタン硫酸生合成の硫酸化反応に携わっており，変異すると正常なケラタン硫酸が産生されなくなる．その結果，プロテオグリカンが難溶性となり角膜に沈着性の混濁をきたす．

遺伝子変異部位でケラタン硫酸の分布が異なり，以下の2つのサブタイプに分類される．

- Ⅰ型（コーディング領域）：血清と角膜のいずれも正常なケラタン硫酸が検出されない
- Ⅱ型（プロモーター領域）：血清と角膜のいずれも正常なケラタン硫酸が検出される

症状 多くは10歳までに羞明や視力低下を訴える．視力障害は徐々に進行し，青年期から壮年期までには角膜移植を要することが多い．

診断 初期は角膜中央部の上皮下や実質浅層にびまん性すりガラス混濁を呈し，次第に角膜周辺や実質深層にも混濁は広がっていく．その後，灰白色の斑状病変が実質浅層に散在して生じる**(図48)**．さらに進行するとDescemet膜や角膜内皮細胞

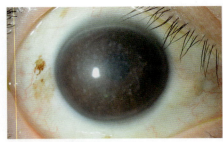

図48 斑状角膜ジストロフィ

にも沈着をきたすが，水疱性角膜症に至ることは少ない．

特徴的な角膜所見，いとこ婚など疑わしい家族歴があれば，おおむね診断は可能である．ただし，確定診断には遺伝子検査が必要である．

治療 視力低下が進行すれば混濁の深さに応じて深層層状角膜移植または全層角膜移植を行う．移植によりドナーの正常な *CHST6* 遺伝子が機能するため再発は少ない．しかし，拒絶反応もしくは術後長期の経過で角膜実質細胞がドナーからホストのものへと置き換わっているケースでは再発が生じることがある．

9 Schnyder角膜ジストロフィ

病態 Schnyder角膜ジストロフィは角膜実質の脂質沈着による両眼性の角膜混濁を特徴とする常染色体優性の遺伝性疾患である．原因遺伝子は *UBIAD1* であり，この蛋白質の機能は不明だが，アポリポ蛋白E（apoE）と結合することが確認されている．このため *UBIAD1* の異常によってapoEを介した脂質代謝に異常をきたし，コレステロールなどの脂質が細胞内に沈着する可能性が示唆されている．

症状 幼少期から発症するが，角膜混

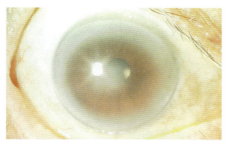

図49　Schnyder 角膜ジストロフィ

濁の進行は緩徐なため 20 歳代以降に診断されることが多い．両眼性で左右差は少ない．初期には全般的に視力は保たれるが，やがて羞明により明所での視力が低下する．さらに混濁が進行すると暗所での視力も低下する．

診断　角膜中央部に円板状の実質混濁，角膜周辺部に老人環様のリング状混濁を認める(図49)．進行するとびまん性角膜混濁に移行する．混濁は主に Bowman 膜および実質浅層に分布し，進行とともに実質深層にも広がるが，Descemet 膜や内皮には沈着しない．

かつては角膜中央部の上皮下に結晶沈着を認めることが特徴的な所見の 1 つとされていたが，これを認めない症例が半数程度あることが判明し，IC3D では Schnyder crystalline corneal dystrophy(SCCD)から Schnyder corneal dystrophy(SCD)へと名称が変更された．脂質異常症の合併例が多いが，脂質異常症の重症度と角膜混濁の程度は相関しない．

治療　自覚症状がなければ治療は要さない．混濁の進行により，視力低下や羞明の自覚が強まれば外科的治療を考慮する．混濁は実質全層に分布するため深層層状角膜移植が適応となる．

10 Fuchs 角膜内皮ジストロフィ (FECD)

病態　両眼の角膜内皮細胞に進行性の障害をきたす疾患である．

Descemet 膜と角膜内皮細胞の間にコラーゲン様物質が蓄積して小円形病変(guttae)を呈し，滴状角膜とよばれる．guttae の存在は角膜内皮細胞の障害，機能低下を示唆する．初期には自覚症状はないが，guttae は徐々に増加・癒合していき，内皮細胞の脱落やポンプ機能障害をきたす．

わが国よりも欧米で有病率が高く，米国では 40 歳以上の 5％と推測されている．遺伝形式は常染色体優性遺伝の報告が多いが，孤発例も多い．男性よりも女性に多い．サブタイプは 1〜8 まである．このうち原因遺伝子が判明しているサブタイプは 5 つで，FECD1 が *COL8A2*，FECD3 が *TCF4*，FECD4 が *SLC4A11*，FECD6 が *ZEB1*，FECD8 が *AGBL1* と同定されている．これらのうち FECD1 のみ若年発症タイプと性質を異にする．

症状　重症度分類があり，4 つのステージに分けられている．各ステージの症状と所見を概説する．

a. ステージ 1　滴状角膜のみで患者に自覚症状はない．細隙灯顕微鏡の鏡面法で guttae が内皮面に黒く抜けた小円形の病変として観察できる．guttae は主に角膜中央部に分布し，徐々に周辺に広がっていく．また，guttae はしばしば色素沈着を伴う．スペキュラーマイクロスコープでは guttae が沈着した部位に黒く抜けた類円形の像(dark area)を認める(図50)．

b. ステージ 2　guttae の増加，角膜内皮細

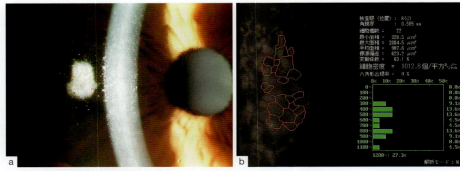

図50　Fuchs角膜内皮ジストロフィ
a：滴状角膜．
b：スペキュラーマイクロスコープにより，角膜内皮密度の減少と，guttae沈着部の黒く抜けた像（dark area）が観察される．

胞の脱落によって内皮機能の障害をきたす．その結果，角膜厚の増大，角膜実質浮腫およびDescemet膜皺襞をきたし，患者は視力低下を自覚する．特に朝方の視力低下を訴えることが多い．これは就眠時における閉瞼のために，涙液の蒸発が低下して涙液浸透圧が低下するためとされる．内皮機能障害がさらに進行すれば視力低下は不可逆性になる．

c. ステージ3　角膜上皮および上皮下に小水疱（bullae）が出現する．しばしばbullaeは破裂して角膜びらんをきたすため，患者は眼痛や流涙を訴えるようになる．

d. ステージ4　慢性的な角膜実質浮腫により角膜上皮下と角膜実質に瘢痕が形成される．混濁は高度なために患者は強い視力低下を訴えるようになる．しばしば表層性血管侵入を認める．

治療　滴状角膜のみの段階では経過観察とする．滴状角膜を内眼手術の術前検査で発見した場合，術後に角膜内皮機能の一時的低下が生じて，視力回復に時間がかかりうること，角膜内皮細胞の予想を上回るロスがありうることを患者に説明する．

朝方の視力低下を訴え始めた患者には，内皮機能賦活作用のあるステロイド点眼や，高張食塩液点眼または高張食塩眼軟膏が有効なことがある．進行してbullaeの破裂による眼痛を訴える場合には治療用ソフトコンタクトレンズ装用が有効である．

外科的治療についてはDSAEK（Descemet's stripping automated endothelial keratoplasty）やDMEK（Descemet's membrane endothelial keratoplasty）といった角膜内皮移植が行われている．欧米ではDMEKが普及しており，Fuchs角膜内皮ジストロフィの初期から中期の症例に施行されているが，技術的な難易度が高い．また，アジア人の眼球は前房が浅く，硝子体圧が高いためにDMEKの難易度はさらに高いといわれている．手術の難易度の問題だけでなくわが国ではドナー数が限られていることもあり，比較的安全に行えるDSAEKのほうが一般的に行われている．

これら外科的治療前に角膜実質浮腫を遷延させると，続発する角膜上皮下および実

質混濁が生じて内皮移植後の視力予後に影響する．そのため，視力低下を自覚し始めた段階で角膜移植が可能な施設に紹介して，患者が適切な時期に治療が受けられるよう配慮する必要がある．

11 後部多形性角膜ジストロフィ

病態　後部多形性角膜ジストロフィ（posterior polymorphous corneal dystrophy：PPCD）は比較的まれな角膜内皮ジストロフィである．

角膜内皮細胞の一部が異形成により重層化し，上皮細胞様の形態や遺伝子発現を示す．また，この異常細胞が線維柱帯まで進展し緑内障を併発することがある．遺伝形式は常染色体優性である．サブタイプごとに原因遺伝子が判明しており，PPCD1 で *OVOL2*，PPCD2 で *COL8A2*，PPCD3 で *ZEB1*，PPCD4 で *GRHL2* が同定されている．

症状　両眼性に発症するが，多くは無症状かつ非進行性であり，検診などで偶然発見されることが多い．10%程度に水疱性角膜症をきたし，視力低下や角膜びらんによる眼痛，流涙を訴える．

診断　両眼性だが，左右眼で所見や程度が異なることがある．

細隙灯顕微鏡では，水疱様病変，帯状病変，びまん性混濁を内皮から Descemet 膜のレベルに認める．水疱様病変と帯状病変の頻度が高く，しばしば混在する．このほか，内皮機能障害による角膜実質浮腫，周辺虹彩前癒着（PAS），眼圧上昇の合併を認めることがある．

■ **鑑別診断**　片眼に同様の所見を認める posterior corneal vesicle（PCV）がある．PPCD は遺伝性・両眼性，PCV は非遺伝性・片眼性として鑑別する．ただし，PPCD は両眼の所見に差があるため，一見 PCV にみえる症例があることに注意する．また，家族歴の聴取は参考になるが，無症状者が多いために問診ではわからないことが多い．可能であれば血縁者の眼科的検査も行う．

治療　無症状の場合には経過観察となる．眼圧上昇や周辺虹彩後癒着がある場合には，緑内障の合併に注意する．水疱性角膜症を発症した症例では，全層角膜移植あるいは角膜内皮移植が適応になる．

角膜内皮障害
Corneal endothelial disorders

羽藤　晋　　慶應義塾大学・特任講師

概念　角膜内皮細胞数が何らかの原因により減少して角膜内皮のポンプ機能が限界を超えて低下する，あるいは角膜内皮細胞のバリア機能が破綻することによって，角膜実質の含水率の恒常性を維持できなくなること．結果として角膜が浮腫性混濁を生じ透明性を失った状態を水疱性角膜症とよぶ．

病態　角膜内皮細胞数の減少により角膜内皮のポンプ機能が角膜の透明性を維持するのに必要な閾値よりも低下してしまうと，角膜実質が浮腫を生じて白濁し，水疱性角膜症に至る．

ヒトの角膜内皮細胞は分裂能がきわめて乏しく，加齢や長期のコンタクトレンズ装用などにより少しずつ減少していくが，通常はこれだけでは臨床的に問題とならない．しかし何らかの原因なり病因（**表4**）が

表4　角膜内皮細胞減少をもたらす病因

- 外的要因：手術（白内障手術・硝子体手術など），外傷（鉗子分娩）
- 炎症：角膜内皮炎，虹彩炎，拒絶反応（角膜移植後）
- 毒性：蜂の針による刺傷，手術時の前房内薬物誤注入（局所麻酔薬・消毒薬など）
- アルゴンレーザー虹彩切開術後
- Fuchs角膜内皮ジストロフィ
- 偽落屑症候群
- 糖尿病
- Werner症候群（早老症，若年性白内障となり，術後に水疱性角膜症となりやすい）

〔細谷比左志：角膜内皮障害．田野保雄，他（総編集）：今日の眼疾患治療指針，第2版，p164，医学書院，2007より一部改変〕

加わり，角膜内皮細胞の障害が進行し閾値を超えると，角膜実質の含水率の恒常性を維持できなくなり，浮腫性の混濁を生じ水疱性角膜症となる．この角膜内皮細胞密度の閾値についてはかなり個人差が大きいが，おおよそ500 cells/mm^{2}以下に減少すると水疱性角膜症に至る可能性が高い．病因としては白内障手術や内眼手術による影響や，アルゴンレーザー虹彩切開術，Fuchs角膜内皮ジストロフィが多い．

また，角膜内皮細胞数が保たれていても，虹彩炎など強い前房内の炎症に伴いバリア機能が破綻した場合も，急性の角膜内皮障害を生じて浮腫性の混濁をきたすことがある．

症状　初期の症状としては，1日のうちで朝の起床時に最も強く霧視を訴えるが，起床後しばらくすると改善してくる．これは夜間睡眠時の閉瞼により角膜の浮腫が強くなり，起床後，開瞼状態の持続により，角膜の乾燥と酸素不足が解消されることで浮腫が改善され，角膜の透明性が増して視力が回復するためと考えられる．

さらに進行すると角膜浮腫は不可逆性となり，角膜の透明性も著しく低下し，視力低下が持続する．羞明も自覚する．上皮下には水疱を形成し，しばしばgiant bullaeの形成がみられる．この上皮下の水疱形成が水疱性角膜症の名前の由来である．この水疱が破裂すると眼痛をもたらす．

最終的には，上皮の炎症の遷延化に伴い角膜周辺部からの血管侵入と実質の瘢痕性混濁を生じる．

診断　診断は細隙灯顕微鏡検査およびスペキュラマイクロスコープにより比較的容易である．細隙灯顕微鏡検査所見としては，角膜実質浮腫，混濁，Descemet膜皺襞，上皮下水疱形成がみられる．Fuchs角膜内皮ジストロフィについては「角膜ジストロフィ」項の「10 Fuchs角膜内皮ジストロフィ（FECD）」（⇒477頁）を参照されたい．

スペキュラマイクロスコープで角膜内皮細胞密度に著明な減少がみられれば診断可能である．ただし進行した水疱性角膜症では，スペキュラマイクロスコープ自体が撮影不可能である場合も多い．日本角膜学会が角膜内皮障害の重症度分類を作成している**（表5）**．

また，水疱性角膜症では角膜厚が著しく増大するため，パキメータや前眼部OCTなどの検査により角膜厚が測定できると診断の参考になる．

治療

■**保存的治療**　虹彩炎などの急性炎症に伴う角膜内皮機能障害については，原疾患の治療とステロイドの点眼で回復可能な場合がある．

角膜内皮細胞減少による内皮機能障害では，初期においては塩化ナトリウム眼軟膏点入，ドライヤーによる角膜の乾燥などの

表5　日本角膜学会「角膜内皮障害の重症度分類」

正常	角膜内皮細胞密度 2,000 cells/mm² 以上.
Grade 1	角膜内皮細胞密度 1,000 cells/mm² 以上 2,000 cells/mm² 未満. 正常の角膜における生理機能を逸脱しつつある状態.
Grade 2	角膜内皮細胞密度 500 cells/mm² 以上 1,000 cells/mm² 未満. 角膜の透明性を維持するうえで危険な状態. わずかな侵襲が引き金となって水疱性角膜症に至る可能性がある.
Grade 3	角膜内皮細胞密度 500 cells/mm² 未満で角膜浮腫を伴っていない状態.
Grade 4	水疱性角膜症. 角膜が浮腫とともに混濁した状態.

(木下 茂, 他:角膜内皮障害の重症度分類. 日眼会誌 118：83, 表, 2014 より)

治療が行われるが, 効果は限定的である.

また, 進行した水疱性角膜症の上皮下水疱による痛みの軽減の目的で, 治療用コンタクトレンズの装用が行われる.

■**外科的治療**　全層角膜移植あるいは角膜内皮パーツ移植が行われる. 後者は実質深層レベルでドナー角膜を切り出して角膜内皮細胞層を含んだ移植片を作製し, レシピエント角膜の Descemet 膜を剥離したのち, 移植片を小切開創から前房内へ挿入し, 角膜後面に貼り付けて移植する DSAEK (Descemet's stripping automated endothelial keratoplasty) や, ドナー眼の Descemet 膜と角膜内皮細胞層をひとまとめに剥離してレシピエント角膜後面に移植する DMEK (Descemet's membrane endothelial keratoplasty) が行われており, 移植片の挿入をサポートするさまざまなインジェクターも開発されている. DSAEK や DMEK は水疱性角膜症の移植手術として適応が拡大してきているが, 極度に進行し血管侵入や実質の瘢痕性混濁が生じている症例では内皮パーツ移植による改善が難しいため, 全層角膜移植の適応となる.

また, Fuchs 角膜内皮ジストロフィ以外の, Descemet 膜の異常を伴わない水疱性角膜症には, レシピエント角膜の Descemet 膜剥離を行わずにそのまま角膜内皮移植片を移植する nDSAEK (non-Descemet's stripping automated endothelial keratoplasty) も行われている.

予後　角膜内皮細胞減少による水疱性角膜症では, 程度の差はあれ次第に進行し角膜移植の適応になる場合が多い. 移植後も長期的には角膜内皮細胞密度が徐々に減少していくため, 経過を注意深く観察していく必要がある. 拒絶反応などの合併症を生じると, 一段と角膜内皮細胞の減少が進行する. 拒絶反応発症率は角膜内皮パーツ移植のほうが全層角膜移植よりも低いとされる.

円錐角膜

Keratoconus

加藤直子　慶應義塾大学

概念　円錐角膜は, 角膜形状の異常をきたす疾患で, 角膜中央部から傍中央部にかけての菲薄化と前方突出が特徴である (図51). 思春期から青年期にかけて発症し, 年齢とともに進行するが, 中年以降は進行が緩やかになり 40 歳を過ぎると進行停止する症例が多い.

病態　円錐角膜の病因については, 完全には明らかにされていない. しかし, アトピー性皮膚炎をはじめとするアレルギー

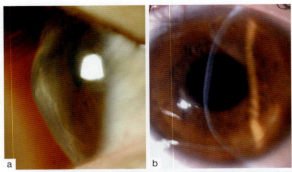

図 51　円錐角膜症例の前眼部写真（a）と細隙灯顕微鏡写真（b）

疾患の合併頻度が高いこと，家族歴のある症例がみられることなどから先天的な要因の関与が疑われている．近年，円錐角膜の発症と相関する遺伝子変異も複数報告されている．一方で，目を擦るなど機械的な力をかけることや炎症性サイトカインによる増悪の可能性も指摘され，後天的な因子の関与も疑われている．

病理学的には，角膜中心部から傍中心部にかけての実質の菲薄化と，Bowman 層の断裂が特徴とされている．急性水腫を起こしていない症例では，Descemet 膜，内皮細胞には異常はみられない．

症状　10 歳代〜20 歳代半ばぐらいの年齢で，角膜の非対称な前方突出に伴って近視性乱視と不正乱視が増加する．最初は，近視・乱視が進行したと考えて，眼鏡店や眼科を訪れ円錐角膜を疑われる症例が多い．

軽度のうちは眼鏡矯正視力が良好であるが，中等度になると眼鏡矯正では日常生活に必要な視力が得られなくなり，重度になるとハードコンタクトレンズの装用が必須になる．進行してハードコンタクトレンズの装用が困難になった場合には，角膜移植が行われる．

合併症・併発症

❶**急性角膜水腫**　急性角膜水腫は，菲薄化した Descemet 膜に亀裂が入り，その部分の内皮細胞機能が失われ，前房水が角膜実質に入ることで強い浮腫が発生する．急性角膜水腫は，比較的重度の症例で円錐角膜が急激に進行するときに起こりやすい．発症後数か月で自然に瘢痕治癒することが多いため，まずは保存的に経過観察を行う．

❷**角膜拡張症**　円錐角膜のある症例に LASIK などの角膜屈折矯正手術を行うと，術後に角膜拡張症を生じる可能性がある．術後数か月〜数年経過してから角膜が再び菲薄化，前方突出して，医原性円錐角膜とよばれる状態になる．そのため，円錐角膜症例への角膜屈折矯正手術は禁忌とされている．

診断

■ **必要な検査**

❶**角膜形状解析検査**　円錐角膜の確定診断には，角膜形状解析検査が必要である．円錐角膜の最初の徴候は，思春期から青年期における近視性乱視の急激な進行である．特に，2 D を超える角膜乱視で，斜乱視や

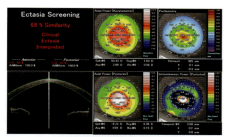

図52 角膜形状解析検査装置に搭載された円錐角膜自動診断プログラムの一例

倒乱視があるもの，左右眼の屈折度数に差があるもの，経時的な進行がみられるもの，アトピー性皮膚炎などのアレルギー疾患を合併しているもの，円錐角膜の家族歴があるものは，積極的に角膜形状解析を行い，確定診断を行う必要がある．近年では角膜形状解析検査装置に円錐角膜の自動診断プログラムが搭載されているので参考にするとよい**(図52)**．

❷細隙灯顕微鏡検査 軽度の症例の診断は困難である．中等度以上の症例では，特徴的な角膜中央部から傍中央部の前方突出と菲薄化がわかるようになり，Vogt's striaeやFleisher's ringが視認できることがある．重度の症例では，角膜頂点付近に瘢痕形成やアミロイド沈着を生じる症例が多い．

治療 円錐角膜の治療は進行予防と屈折矯正に分けて考える必要がある．

■**進行予防** 2021年現在，円錐角膜の進行予防に効果があるというエビデンスがある治療は角膜クロスリンキングのみである．角膜クロスリンキングは，リボフラビンを角膜実質に浸透させてから長波長紫外線照射を行い，光化学反応を利用して角膜実質の剛性を上げることで，角膜実質の形状を固定する方法である．90％以上の症例に進行停止効果が得られ，重篤な合併症はまれである．円錐角膜の進行を停止させるが，角膜形状を矯正する効果はほとんどないため，できるだけ視機能が低下する前の早期の症例に行うのが望ましい．ただし，保険適用外である．

■**屈折矯正** すでに進行が止まったと思われる症例に対しては，日常生活に必要な視機能が得られるように屈折矯正を行う．軽症例では眼鏡やソフトコンタクトレンズでの矯正が可能である．中等度以上になると，ハードコンタクトレンズによる矯正が必要になる．近年では，円錐角膜用の特殊レンズが開発されており，かなりの重症例にも対応できる．しかし，特殊レンズでも装用困難な症例や，さまざまな理由でコンタクトレンズ装用ができない場合には，角膜移植の適応である．全層角膜移植または深層層状角膜移植が行われる．

■**アレルギー治療** 円錐角膜症例にはアレルギー疾患を合併することが多い．アレルギー炎症と痒みで目を擦ることの双方が疾患の進行を促進する可能性があると考えられている．アレルギー性結膜炎，春季カタルなどを合併した場合には，抗アレルギー薬，ステロイド，免疫抑制薬などの点眼を適切に処方し，アレルギーをコントロールする必要がある．

予後 円錐角膜の予後は基本的には良好である．軽度の場合には，眼鏡やソフトコンタクトレンズでの矯正が可能で，近視性乱視とほぼ同じ生活が行える．中等度から重度に進行した円錐角膜症例も，コンタクトレンズ矯正が可能なことが多い．急性水腫を発症した症例でも，瘢痕治癒後はコンタクトレンズ装用が可能になる場合が多く，致命的な視機能不全に陥ることはほと

んどない．角膜移植の予後も良好である．

しかし，たとえ矯正視力が良好な場合でも角膜の不正乱視や収差のために見え方の質が悪く，コンタクトレンズが使用できる場合でも装用感が悪かったり紛失のリスクも高いために，特に中等度以上の症例は職業選択や就労の面で制約を強いられていることも少なくない．視力予後は悪くないとはいえ，患者は生活の質の低下や将来への不安と向き合っていることを理解する必要がある．

Terrien 辺縁角膜変性
Terrien marginal corneal degeneration

糸井素啓　京都府立医科大学
外園千恵　京都府立医科大学・教授

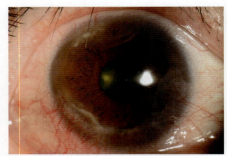

図53　Terrien 辺縁角膜変性の前眼部写真

概念・病態・症状　Terrien 辺縁角膜変性は，通常両側性かつ非対称性に，角膜周辺部の菲薄化をきたす進行性の疾患である．あらゆる年齢にみられるが，非常にまれな疾患であり，その詳細な病因はわかっていない．発症初期には，細かい点状の実質混濁が，角膜周辺部に透明体を伴って弓状に生じる（図53）．その後，表在性の血管侵入・脂肪沈着・菲薄部の拡大・菲薄化を伴って緩徐に進行する．菲薄部は，角膜上方に好発するが，周辺部であればいずれの方向でも発症し，菲薄部の辺縁は，中心側が急峻で，周辺側は比較的なだらかという特徴を有する．また，比較的早期には偽翼状片，進行期にはまれではあるが角膜穿孔や急性水腫を合併することが知られている．一般に角膜上皮障害を生じないため，発症初期には無症状なことが多いが，菲薄化が著明になると角膜乱視が増強し視力が低下する．乱視については，上方の菲薄化から出現することが多いため，倒乱視を示しやすく，進行すると角膜不正乱視を呈する．通常は炎症所見に乏しいが，結膜炎・上強膜炎を間欠性に生じる場合もある．

診断　脂肪沈着や偽翼状片を伴った角膜周辺部の菲薄化は，本疾患に特徴的な所見であり，細隙灯顕微鏡検査や角膜トモグラフィが診断・進行の評価に有用である．同じく周辺部に菲薄化を生じる疾患として，ペルーシド角膜変性，Mooren 角膜潰瘍，リウマチ性周辺部角膜潰瘍，デレンや，周辺部に脂肪沈着を認める疾患として老人環との鑑別が重要である．

ペルーシド角膜変性は，通常角膜下方の菲薄化を特徴とし，脂肪沈着は伴わない．Mooren 角膜潰瘍やリウマチ性周辺部角膜潰瘍は角膜上皮障害を生じるため角膜潰瘍を形成し，高度な炎症を認め，進行が早い点で鑑別可能である．また，老人環については，角膜の菲薄化を伴わないという点で異なる．

治療　現在，本疾患に対して進行抑制に有効性が認められた治療はなく，対症療法として，炎症を生じた場合にステロイド

点眼を行う．また，角膜乱視に対しては，メガネによる矯正を第1選択とし，角膜不正乱視が高度な場合はハードコンタクトレンズを処方する．角膜穿孔例や，角膜穿孔が切迫している重症例では，周辺部表層角膜移植を施行する．

予後　通常，炎症性変化に乏しく進行が緩徐なため，無治療にて経過観察となり，視力予後は良好なことが多い．しかし，炎症性の発作を繰り返す症例では，長期的なステロイド点眼が必要となる．本疾患に対する周辺部表層角膜移植は，比較的予後がよいとされている．

ペルーシド角膜変性（角膜辺縁透明変性）

Pellucid marginal corneal degeneration

加藤直子　慶應義塾大学

概念　ペルーシド角膜変性は円錐角膜の亜型の1つとされるが，一般的な円錐角膜と異なって，角膜下方辺縁部の前方非薄化，前方突出が特徴である．

病態　ペルーシド角膜変性の病因は明らかにされていない．

症状　一般的な円錐角膜は10〜20歳代半ばぐらいの年齢で発症し，中年になると進行が緩やかになり，やがて停止する症例が多いが，ペルーシド角膜変性の症例の多くは成人してから発症し，40〜50歳を過ぎても進行していくものが多い．

円錐角膜と同様，軽度のうちは眼鏡矯正視力が良好であるが，中等度になると眼鏡矯正では日常生活に必要な視力が得られなくなり，重度になるとハードコンタクトレンズの装用が必須になる．

合併症・併発症　強い斜乱視が進行することにより，視機能が低下する．

ペルーシド角膜変性へのLASIKなどの屈折矯正手術は，術後に角膜拡張症を生じる可能性があるため禁忌である．

診断　進行する強い角膜斜乱視と，細隙灯顕微鏡検査で角膜の下方周辺部に菲薄化と前方突出が観察される．角膜形状解析検査で"カニ爪様"といわれる特徴的な角膜下方の前方突出がみられる**(図54)**．

治療　円錐角膜の治療と同様に，進行を予防するための角膜クロスリンキングと，屈折矯正に分けて考える必要がある．

■**進行予防**　ペルーシド角膜変性は，疾患の発症年齢，進行する年齢が高いために，中年以降でも診断したら早めに角膜クロスリンキング（保険適用外）を行い，それ以上の進行を予防するのがよい．

■**屈折矯正**　屈折矯正の基本は，眼鏡で矯正できる症例では眼鏡処方，乱視が強い場合にはハードコンタクトレンズ矯正を行う．重症でこれらの矯正が困難な症例は角膜移植の適応になる．

予後　ペルーシド角膜変性の予後は，円錐角膜と同様に基本的には良好である．重症度に合わせて，眼鏡やソフトコンタクトレンズ，ハードコンタクトレンズなどで矯正を行うことができる．ほかの疾患を合併しない限り，視機能不全に陥ることはない．角膜移植の予後も良好である．しかし，円錐角膜と同様，患者は今後の生活の質の低下や，職業を失うことへの不安と向き合っていることを理解する必要がある．

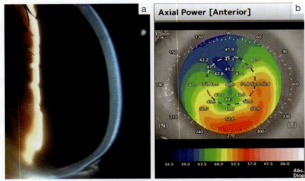

図54 ペルーシド角膜変性における角膜下方周辺部の菲薄化（a）と，角膜形状解析検査のAxialマップでみられるカニ爪様の前方突出（b）

角膜化学傷

Chemical burns (Alkali burn, Acid burn)

稲富 勉　国立長寿医療研究センター・感覚器センター長

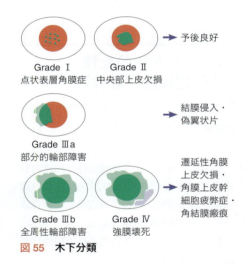

図55 木下分類

概念・病態　アルカリや酸物質が眼表面へ飛入することで生じる角結膜および眼瞼皮膚の外傷である．アルカリは脂質親和性が高いことにより細胞膜の障害が強く組織侵襲が強いため重症化しやすい．角膜輪部の角膜上皮幹細胞障害程度と，角膜や前房組織への薬剤浸達度が予後に大きく影響する．

症状　眼痛，流涙，充血などの刺激感を訴える．結膜の炎症と角結膜上皮欠損を認め，深達度により角膜実質障害や前房炎症を認める．角膜輪部の上皮障害範囲と深達度が予後を大きく左右し，木下分類が予後判定に有用である（図55）．角膜輪部上皮が障害されていないGrade I〜IIでは軽度の結膜充血や角膜上皮障害のみで数日で治癒する．輪部上皮が部分的に障害されるGrade IIIaでは結膜侵入や偽翼状片を生じることがあるが，残存角膜上皮の範囲により予後が異なる．輪部上皮が全周性に消失するGrade IIIbや強膜壊死を伴うGrade IVでは遷延性上皮欠損を経て，角膜穿孔や角結膜瘢痕をきたし予後不良となる．受傷時には全角膜上皮欠損にみえても輪部に角膜上皮幹細胞が残存しているとIIIa同等の経過をとる．深達度が高いと角膜実質混濁や角膜内皮機能不全をきたし，虹彩萎縮や白内障を合併する．

合併症・併発症

❶遷延性角膜上皮欠損 全角膜上皮欠損や角膜実質障害では遷延性角膜上皮欠損が生じる．

❷角膜融解・角膜穿孔 高度炎症のため急速な角膜潰瘍の進行や角膜穿孔に至ることが多い．

❸続発緑内障 消炎のためのステロイドや前房炎症，虹彩前癒着により続発緑内障を生じる．短期間に視野障害が生じることが多いので注意が必要である．

❹角膜感染症 受傷時の汚染により細菌性角膜炎を生じる．

診断
受傷時には洗浄後に涙液の pH を測定する．フルオレセイン染色にて角膜上皮障害や輪部の上皮幹細胞の消失範囲を評価する．角膜融解や虹彩前癒着は前眼部光干渉断層撮影により評価する．

治療
受傷直後は生理食塩液や蒸留水にて洗眼と異物の除去を行う．重症の化学腐食では顔面部を水に浸けて長時間洗眼し，結膜嚢が正常 pH に戻るまで継続する．ニューキノロン系点眼薬とステロイド〔中〜重症：リンデロン®(0.1%)，軽症：フルメトロン®(0.1%)〕点眼を使用する．Grade Ⅲ以上の重症例では初期の消炎が予後に影響するため，メチルプレドニゾロンコハク酸エステルナトリウム（ソル・メドロール®）125 mg の点滴により急速な消炎を試みる．重症例ではステロイド全身投与を併用しながら消炎し，角結膜上皮欠損範囲をモニタリングする．感染リスクがなければ受傷後数日目から治療用コンタクトレンズを使用し，残存角膜上皮の保護と実質融解を予防する．角膜上皮幹細胞疲弊症により遷延性上皮欠損が 30 日を超える場合には，急性期の外科的治療として羊膜被覆や角膜上皮移植を考慮する．

化学傷では一度上皮化が得られていても，再度角膜上皮欠損や実質融解を亜急性期に発症することがあるため注意する．

■薬物治療

処方例 受傷日に 1)を使用し，重症度に応じて局所投与 2)，3)，4)の回数を調整しながら，全身ステロイド投与 5)を 1 週間程度併用する．

> 1) ソル・メドロール注 1 回 125 mg 点滴静注
> 2) ガチフロ点眼液(0.3%) 1 日 4 回 点眼
> 3) リンデロン点眼・点鼻・点耳液(0.1%) 1 日 4 回 点眼
> 4) サンテゾーン眼軟膏(0.05%) 1 日 1 回 点入
> 5) リンデロン錠(0.5 mg) 2 錠 分 1

■手術治療

❶急性期遷延性角膜上皮欠損 治療用コンタクトレンズを長期継続しても改善が得られない場合は羊膜移植を考慮する．

❷角膜融解が進行する場合 表層角膜移植や角膜上皮移植を考慮する．

❸瘢痕性偽翼状片が進行する場合 羊膜移植や輪部移植を用いた翼状片切除を行う．

❹瘢痕期角膜上皮幹細胞疲弊症 輪部移植や角膜上皮形成術を行う．結膜瘢痕に対しては羊膜移植による再建を併用する．難症例では培養角膜上皮移植術や培養口腔粘膜上皮移植術などの再生医療が有効となる．

❺角膜混濁 表層角膜移植を第 1 選択とし，角膜内皮機能不全を併発する場合は全層角膜移植を選択する．

■合併症への対応
感染徴候があれば細菌検査を行いながら感受性抗菌薬を選択する．角膜融解には治療用コンタクトレンズを装用し，ステロイド局所および全身投与

を併用する．眼圧上昇が認められれば抗緑内障薬とアセタゾラミド内服にて眼圧降下を行い，ステロイド緑内障が危惧される場合はステロイド量を調整し，眼圧降下が不十分な場合は緑内障手術を選択する．

■予後■　角膜輪部障害程度により予後が左右される．広範囲に角膜輪部が障害されると結膜侵入と角結膜瘢痕をきたし高度の視力障害となり眼表面再建術が必要となる．

図56　爆発熱傷の亜急性期
瘢痕性内反症の発症と角膜上皮幹細胞消失による遷延性角膜上皮欠損と実質融解を特徴とする．

角膜熱傷
Corneal burn

稲富 勉　国立長寿医療研究センター・感覚器センター長

■概念・病態■　角膜熱傷は高熱の金属接触，爆発事故，火災，花火など不慮の事故によることが多い．重症になると皮膚熱傷や気道熱傷を合併し全身管理なども必要となる．化学傷と異なり，広範囲の皮膚熱傷や気道熱傷のためICUでの診療となる．眼瞼熱傷による兎眼や内反症などの2次的な角膜障害にも注意がいる．花火熱傷や爆発事故などでは眼球全体に障害が及ぶことが多い．

■症状■　軽症では疼痛や充血を認め，睫毛の消失や眼瞼皮膚熱傷による紅斑や水疱形成を認める．軽症では角結膜上皮障害は瞼裂部に限局する．高度熱傷では角膜上皮欠損，実質障害を認め，化学外傷と同様に角膜上皮幹細胞や熱傷深度の障害程度により予後が大きく左右される(図56)．角膜上皮幹細胞の完全消失や強膜壊死に至ると予後不良となり，花火熱傷・爆発事故などでは鈍的外力により眼球破裂や眼内外傷を伴い失明に至ることもある．

■合併症・併発症■　広範囲の角膜上皮欠損から遷延性角膜上皮欠損に至り，角膜潰瘍や角膜穿孔に至る．眼瞼部熱傷を併発すると瘢痕収縮により内反症や兎眼となるため，眼瞼形成手術を考慮する必要がある．感染症や眼圧上昇などに注意する．

■診断■　角膜化学傷と同様にフルオレセイン染色にて角膜上皮障害範囲と角膜輪部の角膜上皮幹細胞障害範囲を評価する(⇒486頁，「角膜化学傷」項を参照)．重症熱傷では全身管理のためICUでの診察の場合もあり，壊死組織の除去を行いながら重症度を判定する．化学傷同様に木下分類(図55)が予後判定には重要である．花火熱傷や爆発熱傷では超音波検査などで後眼部の障害を判定し，遷延性角膜上皮欠損では前眼部光干渉断層撮影により角膜厚や隅角の状態を把握しておく．

■治療■　治療は角膜化学傷と同様に，急性期はステロイドによる消炎と感染予防を行う．軽症では局所ステロイド点眼で十分な症例が多いが，重症化した場合はメチルプレドニゾロンコハク酸エステルナトリウム(ソル・メドロール®)の静脈内注射，ス

テロイド内服などの全身投与を併用する．角膜上皮欠損が遷延すれば受傷後数日目から治療用コンタクトレンズを使用し，残存角膜上皮の保護と実質融解を予防する．角膜上皮幹細胞が温存されている Grade Ⅱ，Ⅲaでは上皮化が容易である．Grade Ⅲb，Ⅳでは難治性となり，羊膜移植や角膜上皮移植などが必要となる．重症例では再生医療である培養角膜上皮細胞シート(ネピック®)や培養口腔粘膜由来上皮細胞シート(オキュラル®，サクラシー®)などを用いた眼表面再建術が試みられている．

■薬物治療

❶軽症

処方例　下記を併用する．

| ガチフロ点眼液(0.3%)　1日4回　点眼 |
| リンデロン点眼・点耳・点鼻液(0.1%)　1日4回　点眼 |

❷中等症

処方例　下記を併用する．

| ガチフロ点眼液(0.3%)　1日4回　点眼 |
| リンデロン点眼・点耳・点鼻液(0.1%)　1日4回　点眼 |
| 眼・耳科用リンデロンA軟膏　1日4回　点入 |
| リンデロン錠(0.5mg)　2錠　分1　7日間 |

❸重症

処方例　下記を併用する．

| ソル・メドロール注　1回125mg　静注　受傷日 |
| ガチフロ点眼液(0.3%)　1日6回　点眼 |
| リンデロン点眼・点耳・点鼻液(0.1%)　1日6回　点眼 |
| 眼・耳科用リンデロンA軟膏　1日4回　点入 |
| リンデロン錠(0.5mg)　2錠　分1　7日間 |

■手術治療

❶**急性期遷延性角膜上皮欠損**　羊膜移植を考慮する．
❷**角膜融解が進行する場合**　表層角膜移植や角膜上皮移植を考慮する．
❸**瘢痕期偽翼状片が進行する場合**　羊膜移植を併用した偽翼状片切除を行う．
❹**瘢痕期角膜上皮幹細胞疲弊症**　輪部移植や角膜上皮形成術を行う．結膜瘢痕に対しては羊膜移植による再建を併用する．難症例では培養角膜上皮移植術や培養口腔粘膜上皮移植などの再生医療が有効となる．
❺**角膜混濁**　表層角膜移植を第1選択とし，角膜内皮機能不全を併発する場合は全層角膜移植を選択する．

予後　軽症では予後良好であるが，広範囲に角膜輪部が障害されると結膜侵入と角膜瘢痕をきたし高度の視力障害に至る．角膜移植や角膜上皮移植後にはハイリスク眼になるため適切な術後管理が必要である．また，眼内障害や続発緑内障を併発すると予後不良となる．

Stevens-Johnson 症候群

Stevens-Johnson syndrome：SJS

上田真由美　京都府立医科大学・特任准教授

概念　Stevens-Johnson症候群(SJS)は，突然の高熱，結膜炎，皮膚の発疹に続いて，全身の皮膚・粘膜にびらんと水疱を生じる皮膚粘膜疾患である．中毒性表皮壊死症(toxic epidermal necrolysis：TEN)は，SJSの重症型を含んだ病型であり，日本では皮疹の面積が10%未満のものをSJS，それ以上のものをTENとよんでいる．発症

率は，1年あたり百万人に数人で，大変まれな疾患であるが，小児を含めあらゆる年齢に発症する．SJSとTENの眼所見は類似し，急性期ならびに慢性期を通して，眼所見より両者を鑑別することは困難であること，また眼科では瘢痕性角結膜上皮症に至った慢性期の患者を診ることが多いことより，眼科ではSJSとTENを併せて広義のSJSと呼称している．

病態　SJS/TENは，薬剤の投与が誘因となって発症することが多い．重篤な眼後遺症を伴うSJS/TEN患者を対象に行った調査では，約8割が感冒様症状に対する解熱鎮痛薬などの薬剤投与や，市販の感冒薬が誘因となって発症していた．このように重篤な眼後遺症を伴うSJS/TENでは，薬剤投与の前にウイルス感染症やマイコプラズマ感染症を思わせる感冒様症状を呈することが多い．このことより，発症に自然免疫応答異常が関与していることが示唆される．

HLA解析を行ったところ，重篤な眼合併症を伴う日本人SJS/TENでは，HLA-A*02：06が強い関連を示す．HLA-A*02：06とSJS/TENとの有意な関連は，感冒薬に関連して発症していても重篤な眼合併症を伴わない症例では認めず，また，感冒薬以外の薬剤による発症でも関連を認めなかった．このことは，HLA-A*02：06との有意な関連が，感冒薬に関連して発症した重篤な眼後遺症を伴うSJS/TENに特異的な遺伝素因であることを示唆している．

遺伝子多型解析を行ったところ，全ゲノム関連解析にて，プロスタグランジン(PG)E_2の受容体の1つであるEP3の遺伝子 *PTGER3* の遺伝子多型との関連が確認できた．ヒト眼表面結膜組織のEP3の免疫染色を行ったところ，正常結膜においてEP3は結膜上皮に蛋白発現が強く認められるのとは対照的に，SJS/TEN患者の結膜では著しくその蛋白発現が減弱していた．また，マウスモデルを用いた解析により，眼表面上皮や表皮に発現しているEP3を介してPGE_2が皮膚粘膜炎症を抑制していることが明らかとなっている．これらのことから，SJS/TEN患者眼表面におけるEP3の発現の減弱が眼表面炎症に関与していると推測される．

さらに，重篤な眼後遺症を伴うSJS/TENがさまざまな感冒薬で発症していることより，感冒薬(非ステロイド抗炎症薬)共通の作用機序であるPG抑制作用が，その発症に大きく関与していることが示唆される．

さらに，*IKZF1*遺伝子も有意な関連があり，患者ではこの*IKZF1*遺伝子の蛋白質であるIKAROSの機能が亢進していることも示唆されている．実際，IKAROSを皮膚粘膜上皮に強発現させた遺伝子改変マウスでは，皮膚粘膜炎症が自然発症する．

症状

❶**重篤な眼合併症を伴うSJS/TENの急性期の眼所見**　眼後遺症を残す重篤な眼合併症を伴うSJS/TENの急性期の眼所見の特徴は，粘膜疹や皮疹とほぼ同時に両眼性の重度の結膜充血，偽膜形成，角結膜上皮欠損を生じることである(**図57**)．眼瞼の発赤腫脹や，睫毛の脱落もみられる．皮疹に気づく前に眼科を受診した場合，ウイルス性結膜炎と誤診されることもある．

❷**重篤な眼合併症を伴うSJS/TENの眼後遺症**　重度の結膜炎，角結膜上皮欠損，偽膜など

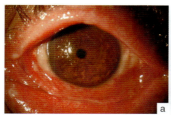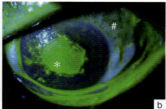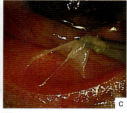

図 57　眼後遺症を残す重篤な眼合併症を伴う SJS/TEN の急性期の眼所見
皮疹，粘膜疹とほぼ同時に両眼性の重度の結膜充血(a)，角結膜上皮欠損(b)，偽膜形成(c)を生じる．
＊：角膜上皮欠損，＃：結膜上皮欠損．
(上田真由美：眼科における Stevens-Johnson 症候群の病型ならびに遺伝素因．あたらしい眼科 32：59-67, 2015 より)

の重篤な眼合併症を生じた SJS/TEN 患者の多くに重篤なドライアイならびに睫毛乱生が生じ，瞼球癒着や眼瞼の瘢痕化を認めることも多い．急性期に角膜上皮幹細胞が消失した症例では，結膜組織が角膜表面を覆い著しい視力障害をきたす．

|　診断　| SJS と TEN の厚生労働研究班の 2016 年の診断基準を表 6, 7 に示す．

SJS/TEN 全体における重篤な眼合併症（偽膜ならびに角結膜上皮欠損の両方を認める）発生率は約半数であり，眼科で診療する SJS は，皮膚科で診断される SJS/TEN の一部である(図 58)．

|　治療　|
❶急性期の眼科的治療　広範囲な角結膜上皮欠損を生じる急性期の治療は，患者の視力予後を決定する．急性期に十分な眼表面の消炎がされないと急性期に角膜上皮幹細胞が消失し，慢性期に角膜が結膜組織で被覆され，著しく視力が低下する(図 59a)．一方，急性期に十分な消炎ができて角膜上皮幹細胞が残存した場合には，角膜の透明性は維持できる可能性が高い(図 59b)．このように角膜上皮幹細胞が消失するか否かが，その後の角膜の透明性ならびに視力予後に大きく影響する．急性期の眼表面の十分な消炎のためには，全身的なステロイドパルス療法に加えて，眼局所のステロイド点眼薬の頻回投与が必要である．また，感染予防のために抗菌薬の点眼も行う．

❷慢性期の眼科的治療
a. 眼表面の管理　慢性期の眼後遺症に対しては，眼表面の管理が必要である．ドライアイに対しては，人工涙液の頻回点眼に加えて，ムチン産生亢進ならびに抗炎症作用を有するレバミピドの点眼が有効である．また，涙点プラグなどの処置も効果がある．睫毛乱生は，眼表面炎症を誘発する要因となるので，定期的に抜去するなど細かい管理が必要である．また，睫毛根を切除する眼形成手術も開発されており効果を上げている．

b. 再炎症に対する治療　眼脂を伴って充血を生じた場合には，結膜嚢培養を行い，適切な抗菌薬による治療を行う．重篤な眼後遺症を伴う SJS/TEN では，メチシリン耐性黄色ブドウ球菌(MRSA)またはメチシリン耐性表皮ブドウ球菌(MRSE)を保菌し，それが原因となって眼表面炎症が悪化することがある．

慢性期に軽度の炎症が持続，あるいは再燃を繰り返す症例に対しては，低濃度のステロイド点眼により炎症を抑制し，瘢痕性変化の進行を抑制する．

表6 Stevens–Johnson 症候群(SJS)の診断基準

概念
発熱と眼粘膜，口唇，外陰部などの皮膚粘膜移行部における重症の粘膜疹を伴い，皮膚の紅斑と表皮の壊死性障害に基づく水疱・びらんを特徴とする．医薬品の他に，マイコプラズマやウイルス等の感染症が原因となることもある．

主要所見(必須)
1. 皮膚粘膜移行部(眼，口唇，外陰部など)の広範囲で重篤な粘膜病変(出血・血痂を伴うびらん等)がみられる．
2. 皮膚の汎発性の紅斑に伴って表皮の壊死性障害に基づくびらん・水疱を認め，軽快後には痂皮，膜様落屑がみられる．その面積は体表面積の10%未満である．但し，外力を加えると表皮が容易に剥離すると思われる部位はこの面積に含まれる．
3. 発熱がある．
4. 病理組織学的に表皮の壊死性変化を認める*．
5. 多形紅斑重症型(erythema multiforme [EM] major)** を除外できる．

副所見
1. 紅斑は顔面，頸部，体幹優位に全身性に分布する．紅斑は隆起せず，中央が暗紅色の flat atypical targets を示し，融合傾向を認める．
2. 皮膚粘膜移行部の粘膜病変を伴う．眼病変では偽膜形成と眼表面上皮欠損のどちらかあるいは両方を伴う両眼性の急性結膜炎がみられる．
3. 全身症状として他覚的に重症感，自覚的には倦怠感を伴う．口腔内の疼痛や咽頭痛のため，種々の程度に摂食障害を伴う．
4. 自己免疫性水疱症を除外できる．

診断
副所見を十分考慮の上，主要所見5項目を全て満たす場合，SJSと診断する．初期のみの評価ではなく全経過の評価により診断する．

参考
1) 多形紅斑重症型との鑑別は主要所見1〜5に加え，重症感・倦怠感，治療への反応，病理組織所見における表皮の壊死性変化の程度などを加味して総合的に判断する．
2) * 病理組織学的に完成した病像では表皮の全層性壊死を呈するが，少なくとも200倍視野で10個以上の表皮細胞(壊)死を確認することが望ましい．
3) ** 多形紅斑重症型(erythema multiforme [EM] major)とは比較的軽度の粘膜病変を伴う多形紅斑をいう．皮疹は四肢優位に分布し，全身症状としてしばしば発熱を伴うが，重症感は乏しい．SJSとは別疾患である．
4) まれに，粘膜病変のみを呈するSJSもある．

(塩原哲夫，他：重症多形滲出性紅斑　スティーヴンス・ジョンソン症候群・中毒性表皮壊死症診療ガイドライン．日皮会誌 126：1637-1685, 2016 より)

表7 中毒性表皮壊死症(TEN)の診断基準

概念
広範囲な紅斑と全身の10%以上の水疱・びらん・表皮剥離など顕著な表皮の壊死性障害を認め，高熱と粘膜疹を伴う．原因の多くは医薬品である．

主要所見(必須)
1. 広範囲に分布する紅斑に加え体表面積の10%を超える水疱・びらんがみられる．外力を加えると表皮が容易に剥離すると思われる部位はこの面積に含める．(なお，国際基準に準じて体表面積の10〜30%の表皮剥離は，SJS/TEN オーバーラップと診断してもよい)
2. 発熱がある．
3. 以下の疾患を除外できる．
   ・ブドウ球菌性熱傷様皮膚症候群(SSSS)
   ・トキシックショック症候群
   ・伝染性膿痂疹
   ・急性汎発性発疹性膿疱症(AGEP)
   ・自己免疫性水疱症

副所見
1. 初期病変は広範囲にみられる斑状紅斑で，その特徴は隆起せず，中央が暗紅色の flat atypical targets もしくはびまん性紅斑である．紅斑は顔面，頸部，体幹優位に分布する．
2. 皮膚粘膜移行部の粘膜病変を伴う．眼病変では偽膜形成と眼表面上皮欠損のどちらかあるいは両方を伴う両眼性の急性結膜炎がみられる．
3. 全身症状として他覚的に重症感，自覚的には倦怠感を伴う．口腔内の疼痛や咽頭痛のため，種々の程度に摂食障害を伴う．
4. 病理組織学的に表皮の壊死性変化を認める．完成した病像では表皮の全層性壊死を呈するが，軽度の病変でも少なくとも200倍視野で10個以上の表皮細胞(壊)死を確認することが望ましい．

診断
副所見を十分考慮の上，主要所見3項目の全てを満たすものをTENとする．全経過を踏まえて総合的に判断する．

参考
1) サブタイプの分類
   ・SJS 進展型(TEN with spots あるいは TEN with macules)
   ・びまん性紅斑進展型(TEN without spots, TEN on large erythema)
   ・特殊型：多発性固定薬疹から進展する例など
2) びまん性紅斑に始まる場合，治療等の修飾により，主要所見の表皮剥離体表面積が10%に達しなかったものを不全型とする．

(塩原哲夫，他：重症多形滲出性紅斑　スティーヴンス・ジョンソン症候群・中毒性表皮壊死症診療ガイドライン．日皮会誌 126：1637-1685, 2016 より)

図58 皮膚科で診断されるStevens-Johnson症候群/中毒性表皮壊死症（SJS/TEN）における重篤な眼合併症を伴うSJS/TENの位置づけ
（上田真由美：眼科におけるStevens-Johnson症候群の病型ならびに遺伝素因．あたらしい眼科 32：59-67, 2015 より）

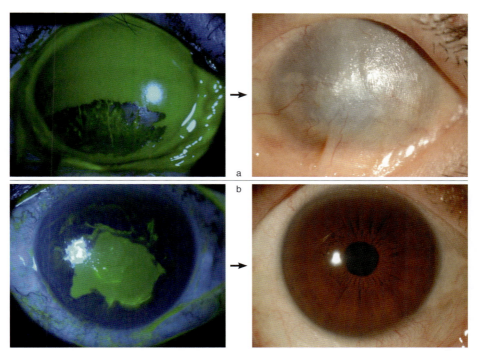

図59 急性期の角結膜上皮欠損と視力予後
a：十分に眼表面の消炎がされないと急性期に角膜上皮幹細胞(輪部上皮の基底部に存在)が消失し，慢性期に角膜は結膜組織で被覆され混濁する．
b：十分に消炎ができて角膜上皮幹細胞が残存した場合には，角膜はほぼ透明化する．
（上田真由美：眼科におけるStevens-Johnson症候群の病型ならびに遺伝素因．あたらしい眼科 32：59-67, 2015 より）

上眼瞼結膜に強い瘢痕化を伴い、それにより角膜に障害を与える症例では、ソフトコンタクトレンズによる角膜保護が有効であるが、感染症のリスクも上がるので慎重に処方する必要がある。海外では、上眼瞼結膜の瘢痕化に対して、口唇粘膜移植を行い有効な結果を得ているという報告もある。白内障などの眼科手術を契機に眼表面炎症が再燃するので、軽症例でも手術後にステロイド内服による十分な消炎を行う。

c. 視力障害に対する治療 角膜への薄い結膜組織侵入による視力障害に対しては、輪部支持型ハードコンタクトレンズを用いることにより視力が向上する症例も珍しくない。角膜への分厚い結膜組織侵入による視力障害に対しては、培養粘膜上皮移植術後に輪部支持型ハードコンタクトレンズを装用することで視力が向上する症例もある。

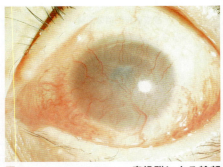

図60 Stevens-Johnson症候群による輪部疲弊症の前眼部写真
角膜全体が結膜上皮によって被覆されている。充血や睫毛乱生も認める。

輪部疲弊症
Limbal stem cell deficiency

大家義則 大阪大学・学部内講師

▎**概念** 角膜輪部に存在する角膜上皮幹細胞が消失し、角膜上に血管と混濁を伴う結膜上皮が侵入することで視力が低下する。

▎**病態** 病因として、後天性非免疫原性(熱・化学外傷など)、後天性免疫性(Stevens-Johnson症候群や類天疱瘡など)、先天性(無虹彩症など)に分類される。

▎**症状** 角膜上に結膜上皮が侵入することで視力低下や羞明の原因となる。ドライアイや睫毛乱生を合併した場合は異物感や不快感の原因となる。

▎**合併症・併発症** ドライアイ、眼瞼異常、睫毛乱生、慢性炎症を合併することがある。

▎**診断**

■**診断法** 細隙灯顕微鏡検査で角膜上に血管や混濁を伴った結膜侵入を認める(図60)。結膜化に伴う角膜新生血管は通常表層性である。角膜輪部の上方および下方で著明な強膜の皺襞構造(palisades of Vogt：POV)が消失していれば、その部位の輪部機能異常が示唆される。

■**必要な検査** ドライアイの合併を疑う場合には、SchirmerⅠ法が涙液検査として有用である。

■**鑑別診断** 翼状片や上皮性腫瘍(ocular surface squamous neoplasia：OSSN)が鑑別疾患として挙げられる。翼状片は通常鼻側から角膜に侵入する。OSSNでは輪部に沿ってフルオレセインに染色される不整な上皮が進展する。

▎**治療**

■**治療方針** 輪部疲弊症では角膜上皮幹細胞消失が疾患の本態であり、治療は幹細胞移植である。しかしながらドライアイ、眼

瞼異常，睫毛乱生，慢性炎症などの合併症の管理状況が悪ければ長期的に移植した幹細胞を保つことは困難である．よって幹細胞移植に先立って合併症を適切に管理することが重要である．

■ 薬物治療
❶ドライアイ

処方例 下記のいずれかを用いる．
1) ヒアレイン点眼液（0.1%・0.3%） 1日6回 点眼
2) ジクアス点眼液（3%） 1日6回 点眼
3) ムコスタ点眼液 UD（2%） 1日4回 点眼

❷慢性炎症

処方例 炎症の程度に応じて下記のいずれかを用いる．
1) フルメトロン点眼液（0.1%） 1日4回 点眼
2) リンデロン点眼・点耳・点鼻液（0.1%） 1日4回 点眼
3) リンデロン錠（0.5mg） 2錠 分1 朝食後

■ 外科的治療
ドライアイに対して点眼薬で治療効果が不十分の場合は涙点プラグ挿入や涙点閉鎖術を検討する．眼瞼異常については形成外科や眼形成の専門医に相談して手術加療を含めて検討する．睫毛乱生が重症の場合は毛根破壊術などの手術加療を検討する．

幹細胞移植として，用いる細胞源の違いから他家および自家輪部移植，自家培養角膜上皮細胞シート移植，培養口腔粘膜上皮細胞シート移植，iPS細胞由来角膜上皮細胞シート移植などが挙げられる．培養角膜および口腔粘膜上皮細胞シートはそれぞれネピック®およびオキュラル®の製品名で再生医療製品として承認されている．

■ 合併症への対応
他家輪部移植に対する拒絶反応に対しては，ソル・メドロール®注（125 mg） 点滴静注 週2回，0.1%リンデロン®点眼・点耳・点鼻液 1時間ごと，リンデロン®A眼軟膏 眠前での加療を行う．緑内障/高眼圧に対しては緑内障点眼薬の投与や手術を行う．感染性角膜炎に対しては，「感染性角膜炎診療ガイドライン 第2版」に従って診療を行う．

予後 他家輪部移植後の予後は不良であったが，再生医療製品を用いた輪部疲弊症の眼表面再建率は70%程度で良好と考えられる．

角膜軟化症
Keratomalacia

大家義則 大阪大学・学部内講師

概念 ビタミンA欠乏によって角結膜の角化をきたし，重症例では角膜混濁や角膜穿孔を発症するものである．

病態 ビタミンAは角結膜上皮の正常な分化や維持に重要であり，その欠乏によって上皮の角化をきたす．角膜上皮欠損を起こすと急激に角膜融解を起こすことがあり，この状態が角膜軟化症とよばれる．栄養状態が悪いことが少ない先進国でみることはきわめてまれであるが，アルコール依存症や発達障害などによって極度の偏食となると発症することがある．

症状 角膜混濁が高度の場合は視力低下を引き起こす．

合併症・併発症 ビタミンAはロドプシンの生成に必要であることから，夜盲症を合併することも多い．

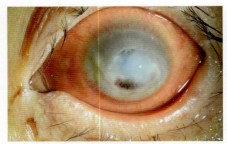

図 61 角膜軟化症による角膜穿孔
アルコール依存による角膜軟化症によって角膜穿孔をきたしたと考えられる症例．角膜は白く混濁し，一部虹彩が透見できる．

診断

■ **診断法** 細隙灯顕微鏡による前眼部所見として特徴的なものは，軽症例では涙液減少，点状表層角膜症，角膜角化である．重症例では角膜潰瘍，角膜混濁，場合によっては角膜穿孔を認める**(図 61)**．血清レチノール値を測定することで診断がつく（正常範囲は 28〜86 μg/dL 程度）．

■ **必要な検査** 細隙灯顕微鏡検査，血液検査．

■ **鑑別診断** 眼表面に涙液減少や角化をきたす疾患として Stevens-Johnson 症候群や類天疱瘡が挙げられる．Stevens-Johnson 症候群では通常急性転帰を認めるため，問診によって鑑別可能である．またビタミン A 欠乏症の原因となるような偏食がないかや採血でも鑑別可能である．

治療

■ **薬物治療** レチノールパルミチン酸エステルの全身投与を行う．

■ **外科的治療** 該当なし．

■ **合併症への対応** 角膜穿孔をきたした症例では治療的角膜移植の適応となる．

予後

角膜穿孔などを合併しない限り，適切なビタミン A 補充を行えば予後は良好である．

前眼部形成異常
Anterior segment dysgenesis

重安千花　立正佼成会附属佼成病院

概念 先天異常のうち主な異常所見が前眼部（角膜・虹彩・隅角）に限局しているものであり，後部胎生環，Axenfeld 異常，Rieger 異常，後部円錐角膜，Peters 異常，強膜化角膜，前部ぶどう腫の総称である．わが国では出生 12,000〜15,000 人に 1 人，年間 70〜90 例程度と推定される希少疾患で，指定難病である．

病態 孤発例が多いが，常染色体劣性遺伝または常染色体優性遺伝を示す例もみられ，*PAX6*，*PITX2*，*CYP1B1*，*FOXC1* などの遺伝子変異が報告されている．

症状 前眼部形成異常を示す代表所見として，① Schwalbe 線の前方移動，②虹彩索，③虹彩実質の萎縮，④角膜後面陥凹，⑤角膜後部欠損・角膜混濁，⑥角膜混濁部位への虹彩癒着，⑦角膜混濁部位への水晶体前方移動，が挙げられる．

Axenfeld 異常（①②），Rieger 異常（①②③）は通常，瞳孔領にかかる角膜混濁はみられず，後部円錐角膜（④）の角膜混濁はあっても軽微である．最も頻度の高い Peters 異常（⑤⑥⑦）の角膜混濁の程度は軽度から重度までの多岐にわたる．強膜化角膜は角膜の大部分またはすべてが強膜と判別困難な白色組織で形成され，角膜混濁の程度が強い．前部ぶどう腫は角膜実質の広範な菲薄化と前房消失があり，虹彩が角膜上皮を裏打ちした状態で眼圧によって前方に突出し，眼球突出や角膜穿孔を生じることがある．

わが国の統計では両眼性が3/4程度を占めているが、片眼性のこともある．特に両眼性の症例において全身合併症を有する報告が多く、全体の20〜30％に心血管異常、神経疾患、発達遅滞、全身多発奇形など多様な全身異常を合併する．発生学的に神経堤（neural crest）を共通の起源とする正中線上の組織の異常が多くみられることを特徴とする．このうち、歯奇形、顔面骨奇形、臍異常、下垂体病変などを合併したものを Axenfeld-Rieger 症候群とよぶ．*PITX2* 遺伝子異常が報告されており、常染色体優性遺伝を示す．また口唇裂・口蓋裂、成長障害、発達遅滞、心奇形などを合併したものを Peters plus 症候群と呼ぶ．*B3GALTL* 遺伝子変異が報告されており、常染色体劣性遺伝を示す．

合併症・併発症 前眼部形成異常全般に、学童期から思春期にかけて続発緑内障をきたしやすく、視機能維持のためにも眼圧管理に注意を払う必要がある．続発性に水晶体混濁（白内障）をきたす場合もある．

診断 細隙灯顕微鏡において新生児、乳幼児の片眼または両眼の全面または一部の角膜混濁で、角膜後面から虹彩に連続する索状物や角膜後部欠損を伴っている場合には前眼部形成異常を考慮する．角膜混濁が強く、細隙灯顕微鏡検査で観察困難な場合には、前眼部光干渉断層計（前眼部OCT）や前眼部超音波検査（ultrasound biomicroscope：UBM）が有用である．後眼部の異常の有無を検索するためにBモード超音波検査、可能なら眼底検査を行う．

■ **鑑別診断** 乳児期から角膜混濁を生じうる疾患〔胎内感染に伴うもの、分娩時外傷（主に鉗子分娩）、生後の外傷、感染症などに伴うもの、全身の先天性代謝異常症に伴うもの、先天角膜ジストロフィ、先天緑内障、無虹彩症、角膜輪部デルモイドなど〕との鑑別を要する．

治療 成長に伴って角膜混濁自体は軽快することが多いが、強膜化角膜、前部ぶどう腫では混濁は変化しない．いずれの場合も形態覚遮断弱視を伴い、特に片眼性の場合は弱視治療を早期から開始する必要があるが、視力予後は概して不良である．ロービジョンケアを行い残存視機能の発達と活用をはかることが重要である．

Peters 異常や強膜化角膜では全層角膜移植術が施行されることもまれにあるが、術後の視力は疾患重症度に依存することが多く、また乳幼児の角膜移植は手術手技と術後管理が難しく、わが国ではほとんど行われていない．

予後 症例により角膜混濁の程度に幅があるため視機能障害の程度は異なるものの、視力は Peters 異常では6割以上が0.1未満、4割以上が0.01未満と重度の視覚障害を呈する例が多く、強膜化角膜と前部ぶどう腫ではほぼ全例が0.01未満である．ロービジョンケアを行い残存視機能の発達と活用をはかることが重要である．

前眼部形成異常全般に、学童期から思春期にかけて続発緑内障をきたしやすく、視機能の維持のためにも眼圧管理に注意を払う必要がある．

小角膜

Microcornea

重安千花　立正佼成会附属佼成病院

概念・病態・症状 眼球自体は正常の

大きさであるものの,角膜横径が 10 mm 以下と定義される先天異常である.非進行性であり,片眼性のことも両眼性のこともある.発症に性差はなく,常染色体優性もしくは劣性遺伝であり,まれに孤発例もみられる.小角膜が単独でみられることは少なく,種々の眼疾患(前眼部形成異常など)や母体感染・遺伝性の全身性疾患(先天風疹症候群,Ehlers-Danlos 症候群,Turner 症候群など)に併発することが多い.

角膜の透明度は良好で角膜厚も正常であり組織学的にも問題はないが,正常角膜と比較をして角膜曲率半径が大きく扁平化していることが多い.小角膜に伴い,解剖学的に緑内障を発症しやすい.

診断 角膜径が 10 mm 以下であることに加え,眼球自体の大きさが正常であることを確認する.細隙灯顕微鏡検査,眼底検査に加え,超音波 A・B モードで眼軸長・眼内構造を確認し,ほかの疾患との鑑別を要する.前眼部 3 次元光干渉断層計(anterior segment OCT:AS-OCT)や超音波生体顕微鏡検査(ultrasound biomicroscope:UBM)も前房・隅角構造の把握に役立つ.

■ **鑑別診断** 前眼部の小さい anterior microphthalmos,眼球自体が小さいことに加え眼内の先天異常を伴う小眼球 (microphthalmos),眼球自体が小さくとも機能異常のない真性小眼球(nanophthalmos)との鑑別を要する.

治療 角膜の扁平化に伴い遠視を生じる症例が多いものの,眼球の大きさにより屈折状態はさまざまであり,屈折矯正を要する.20% に緑内障を合併し,特に閉塞隅角緑内障が多くみられ,治療を必要とする.

予後 ほかの合併症のない場合の視力発達は良好である.しかしながら多くの症例において他疾患を合併するため,視力予後は多岐にわたり原疾患の治療を要することが多い.

巨大角膜

Megalocornea

重安千花 立正佼成会附属佼成病院

概念・病態・症状 眼球自体は正常の大きさであるものの,角膜横径が成人で 13 mm 以上(新生児で 12 mm 以上)と定義される先天異常である.非進行性であり,通常は両眼性で左右対称性である.伴性劣性遺伝(Xq23 の *CHRDL1* 遺伝子変異)が多く,90% は男性であるが,常染色体優性遺伝,常染色体劣性遺伝や孤発例の報告もある.巨大角膜は単独でみられることが多いものの,種々の眼疾患や遺伝性の全身性疾患(Marfan 症候群など)に合併することもある.

角膜の透明度は良好で角膜厚は正常か軽度菲薄していることもあるが,組織学的には正常構造を保つ.正常角膜と比較してやや急峻な形状であることが多く,正乱視や近視を生じることが多い.巨大角膜では前眼部の拡張に伴い 2 次的に水晶体,虹彩,隅角に変化がみられることもあり,後述の原発性の疾患との鑑別を要する.

診断 角膜径の増大に加え,眼球自体の大きさが正常であることを確認する.細隙灯顕微鏡検査で虹彩振盪,水晶体振盪の有無を確認し,眼圧が正常であり眼底検査で緑内障様所見がないこと,超音波検査で

眼軸長が正常であることを確認し，ほかの疾患と鑑別する．前眼部3次元光干渉断層計（anterior segment OCT：AS-OCT）や超音波生体顕微鏡検査（ultrasound biomicroscope：UBM）は前眼部および隅角構造の把握に有用である．

■**鑑別診断**　原発先天緑内障に伴い眼球拡大を伴う状態（buphthalmos）は手術加療の適応を考慮するため，鑑別する必要がある．そのほか，先天的に巨大角膜，虹彩形成不全，水晶体の偏位・振盪，白内障を伴う anterior megalophthalmos，角膜径は正常であるものの角膜全体が菲薄化し前方に突出する球状角膜（keratoglobus）との鑑別を要する．

■**治療**　巨大角膜のみであれば視力発達は良好であり，屈折矯正が主体になる．2次的な緑内障，水晶体偏位，白内障などに対し，長期的に診療を要する．

■**予後**　30〜50歳代で白内障を併発することが多い．白内障手術は，2次的な前眼部の拡張に伴う組織の脆弱性により，難治性である．

角膜移植眼の術後管理
Postoperative management of keratoplasty

山口剛史　東京歯科大学市川総合病院・准教授

角膜移植の術式別の術後処方，術後早期・晩期管理に分けて述べる．

1 術後処方

全層角膜移植後

❶**通常例**　術後早期に消炎と感染予防を行う．ステロイド点滴・内服は術後1週間ほど全身投与し，ステロイド点眼はベタメタゾンリン酸エステルナトリウム（リンデロン®）を1日4回程度投与し，術後3か月から点眼回数を漸減し，術後6か月で低濃度ステロイド点眼に変更する．抗菌薬は，術当日から数日間，スペクトラムの広い抗菌薬の全身投与を併用する．点眼は術前の結膜嚢培養検査で検出菌があれば薬剤感受性を考慮して抗菌薬を選択し，検出されなければ広域に感受性をもつ点眼薬を手術3日前から開始する．抗菌薬点眼は低濃度ステロイド点眼に切り替える時期に中止する．

処方例　下記を併用する．

> クラビット点眼液（1.5％）　1日4回　点眼　術後3〜6か月で中止
> リンデロン点眼・点耳・点鼻液（0.1％）　1日4回　点眼→漸減→術後6か月でフルメトロン点眼液（0.1％）　1日2〜3回　点眼
> フルマリン注　1日1g＋リンデロン注　1日4mg　点滴静注　術当日
> リンデロン錠（0.5mg）　4錠　分3　術翌日から3日間，その後2錠　分3　5日間

❷**ハイリスク症例**　2象限以上の角膜実質への血管侵入，虹彩前癒着，再移植例，拒絶反応の既往などのハイリスク症例では，ステロイドの点眼・全身投与を強化する．

処方例　下記を併用する．

> クラビット点眼液（1.5％）　1日4回　点眼　術後3〜6か月で中止
> リンデロン点眼・点耳・点鼻液（0.1％）　1日6〜8回　点眼→漸減→術後6か月でフルメトロン点眼液（0.1％）　1日2〜3回　点眼
> フルマリン注　1日1g＋リンデロン注　1日6〜8mg　点滴静注　術当日

リンデロン錠(0.5 mg)　6錠　分3　術翌日から3日間，その後4錠　分3　3日間→3錠　分2　3日間→2錠　分1　7日間

表層/深部層状角膜移植術後
全層角膜移植に準じるが，角膜内皮型拒絶反応は起きず，長期ステロイド点眼は術後感染の原因となるため，ステロイド・抗菌薬点眼は3か月をめどに中止する．Mooren角膜潰瘍など炎症性角膜穿孔では移植直後から角膜融解をきたすことがあるため，周術期に免疫抑制薬を十分投与する．

処方例 下記1)～3)を併用する．両眼性Mooren角膜潰瘍の場合は4)を追加する．

1) クラビット点眼液(1.5%)　1日4回　点眼　術後3か月で中止
2) リンデロン点眼・点耳・点鼻液(0.1%)　1日4回　点眼　術後3か月で中止
3) フルマリン注　1日1g+リンデロン注　1日2mg　点滴静注　術当日
4) リンデロン錠(0.5 mg)　1日4錠　分3　3日間から漸減(場合によっては免疫抑制薬を併用)

角膜内皮移植後
点眼は全層角膜移植後に準じる．角膜内皮移植は小切開で侵襲が少ないが，虹彩異常眼やレーザー虹彩切開術後眼で，術後にフィブリン析出がみられる症例では虹彩後癒着予防のためトロピカミド点眼を用いて瞳孔管理を行う．ステロイド緑内障で眼圧上昇しない限り，角膜内皮型拒絶反応予防とグラフト長期生存のために低濃度ステロイド点眼を継続する．

処方例 下記を併用する．

クラビット点眼液(1.5%)　1日4回　点眼　術後3か月で中止
リンデロン点眼・点耳・点鼻液(0.1%)　1日4回　点眼→漸減→術後6か月でフルメトロン点眼液(0.1%)　1日1～2回　点眼
フルマリン注　1日1g+リンデロン注　1日2mg　点滴静注　術当日

角膜輪部移植・眼表面再建術後
角膜輪部移植・眼表面再建術を行う際には，術前に眼瞼異常・ドライアイ・眼表面の消炎など治療を十分に行い，環境を整えてから手術に臨む．自己角膜輪部移植の場合は，免疫抑制薬の全身投与は必要ないが，他家(アロ)角膜輪部移植では通常のステロイド点眼・内服に加え，シクロスポリンA(ネオーラル®)やタクロリムス(プログラフ®)内服による免疫抑制が必要となる．C2値(内服2時間後の薬物血中濃度)やトラフレベル(内服前血中濃度)を測定しながら投与量を調節し，術後約3～6か月間継続する．免疫抑制薬投与期間は，腎機能を中心として全身副作用を随時モニタリングしながら投与する．

処方例 下記1)，2)を併用する．他家角膜輪部移植の場合は3)または4)のいずれかを追加する．

1) フルマリン注　1日1g+リンデロン注　1日6～8mg　点滴静注　術当日
2) リンデロン錠(0.5 mg)　6錠　分3　術翌日から3日間，その後4錠　分3　3日間→3錠　分2　3日間→2錠　分1　7日間
3) ネオーラルカプセル　2～3 mg/kg　分2　トラフレベルを70～100 ng/mLに維持
   保外 効能・効果
4) プログラフカプセル　0.05～0.1 mg/kg　分2　トラフレベル　術後2か月：8～10 ng/mL，2か月以降：5～6 ng/mLに維持
   保外 効能・効果

2 術後早期の管理

❶疼痛　術後の疼痛には非ステロイド性抗炎症薬を投与するが，頭重感，頭痛，嘔気など眼以外の症状を呈する場合には，瞳孔ブロック・悪性緑内障などの重篤で早期処置を要することがある．したがって術後早期の疼痛は投薬だけでなく必ず診察する必要がある．

❷房水漏出による浅前房　針穴からの房水漏出は上皮化すると自然消失するので治療用コンタクトレンズ装用で経過観察する．グラフト接合部の間隙からの房水漏出は，縫合を追加する．

❸前房内炎症　術後の前房内炎症が強く，フィブリン析出がみられる場合には，ステロイドの頻回点眼（や内服）に加え，アトロピン硫酸塩水和物やトロピカミドの散瞳薬で瞳孔管理をする．

❹眼圧上昇　角膜移植直後，特に白内障手術や硝子体手術，虹彩前癒着の解除，角膜輪部移植を同時に行った場合には，眼圧上昇が起きやすいため，炭酸脱水酵素阻害薬の内服や緑内障点眼を処方する．角膜内皮移植や深部層状角膜移植で前房内に空気を入れた症例では手術2～5時間後の瞳孔ブロックに注意を払う．

❺角膜上皮化遅延　角膜上皮化が遅い原因として，眼表面の炎症，薬剤毒性，感染症，涙液分泌不全，眼瞼異常（瞬目不全）が挙げられる．原因に応じて，全身免疫抑制薬の強化，防腐剤を含まない点眼薬への切り替え，培養検査および抗菌薬治療，ヒアルロン酸ナトリウム点眼/ムチン分泌促進薬/涙点プラグ，眼瞼形成/治療用コンタクトレンズなど，角膜上皮化を促す治療を行う．角膜輪部疲弊症など重症例では瞼板縫合や羊膜移植を併用する．

3 術後晩期の管理

❶角膜乱視　角膜移植後の乱視の軽減のために，術後は縫合糸の調整を行う．乱視の評価はマイヤーリング像やトポグラフィを用いるため，角膜上皮が安定した時点から開始する．乱視の矯正法は縫合法で異なる．端々縫合の場合には強主経線方向の縫合糸を選択的に抜糸すると同部位がフラット化し乱視が軽減する．連続縫合の場合には，縫合糸の張力を調整する．弱主経線にある連続縫合糸を締め強主経線側へ移動させると乱視が軽減する．手術終了前に連続縫合糸の調整で乱視を十分に軽減し，術後3か月くらいまで乱視が十分に改善するまで繰り返し行う．乱視が高度な場合には，ハードコンタクトレンズによる矯正や乱視矯正角膜切開術（astigmatic keratotomy：AK）や角膜縫合（compression suture）などの外科的処置を検討する．裸眼視力の改善を望む近視性乱視や不同視では，photorefractive keratectomy（PRK）やLASIKを検討する．

❷縫合糸　角膜移植後の縫合糸の緩みは，縫合糸部位への感染症や炎症惹起から拒絶反応の原因となるため，緩んで露出した縫合糸はすみやかに抜糸を行う．縫合糸は術後上皮下に埋没するが，緩むと表面に露出するためフルオレセイン染色で緩みの鑑別が容易である．連続縫合の場合に，緩んだ部位だけの抜糸が行われている例を散見するが，部分的な抜糸は残存縫合糸の緩みが必発なので，必ず全抜糸する．術後6か月以上経過していれば，抜糸するだけでいいが，術後6か月以内では端々縫合をおいたほうが安全である．抜糸後に，グラフ

ト接合部の段差や離開が生じた際はすぐに角膜縫合を追加する．縫合糸周囲の浸潤，crystalline keratopathy は細菌/カンジダ感染が考えられるため，全抜糸と同時に，抜糸した縫合糸の培養検査を行う．縫合糸を抜糸すると，近視化と乱視の変化（増えることが多い）が起きる．

❸**感染症** 角膜移植は，ほかの眼科手術に比べ術後晩期の感染症の頻度が高い．術後の角膜知覚の低下，ステロイド点眼の長期使用，縫合糸などの要因がリスクとなる．術後早期の感染は，ドナー角膜由来の病原菌か結膜囊常在菌が考えられる．術前の患者結膜囊とドナー角膜保存液の培養検査を必ず行い，微生物が検出されたときはしかるべく対処する．術後晩期に起こる感染症は，縫合糸や角膜上皮欠損に起因するものが多い．感染を示唆する所見があるときは，培養検査を行い（縫合糸感染では縫合糸の抜糸と培養），起因菌と薬剤感受性検査に基づき治療を行う．ヘルペス角膜炎への角膜移植後，ヘルペス角膜炎の既往がない症例でも，術後にヘルペス角膜炎が誘発されることがある．グラフト/ホスト角膜をまたぐ樹枝状角膜炎（上皮型），グラフト/ホスト両方に散在する角膜後面沈着物（ぶどう膜炎・内皮型）があり，後者は内皮型拒絶反応と鑑別を要する．

❹**慢性角膜内皮細胞減少/角膜内皮機能不全** 角膜移植後のグラフト機能不全の最も多い原因である．角膜内皮細胞の年間減少率は正常眼で 0.5%/年だが，角膜移植後には拒絶反応がなくても 2～8%/年と上昇する．虹彩損傷や前房内環境が関与するとされるが，減少率が大きい一部の症例では前房水 PCR でサイトメガロウイルスが検出されることもあり，ウイルス性内皮炎との鑑別が重要である．術後に定期的に角膜内皮細胞密度をモニターし，内皮機能不全となれば再移植を要する．

❺**ドライアイ** 角膜移植後，特に 360 度角膜神経の切断を伴う全層角膜移植や深部層状角膜移植では，術後知覚低下によるドライアイがほぼ必発で，角膜上皮治癒の遅延や感染症の原因となりうる．軽症には人工涙液やヒアルロン酸ナトリウム点眼，重症例では自己血清点眼や涙点プラグ，涙点閉鎖術を考慮する．

❻**創離開** 角膜移植後の創離開は重篤な合併症で，長期的に約 1～2% に起こり，高齢者に多く，転倒や打撲が原因で，術後の生活指導で予防する．創離開は可及的すみやかに 1 次縫合を要する．水晶体/眼内レンズ（IOL）の脱出を伴っていると視力予後が不良である．

❼**続発緑内障** 「角膜移植後の緑内障」項（⇒ 799 頁）を参照．

❽**拒絶反応** 「角膜移植後の拒絶反応」項（⇒次項）を参照．

角膜移植後の拒絶反応
Corneal allograft rejection

山口剛史　東京歯科大学市川総合病院・准教授

概念 角膜は免疫特権の特性を有し拒絶反応は少なく高い成功率が得られる．拒絶反応の発症率は，全層角膜移植では 10～30%，角膜内皮移植では 5%（Descemet 膜内皮移植は 1%），深部層状角膜移植の 1% とパーツ移植で少ない．一方で，血管侵入などのハイリスク症例では拒絶反応が高頻度に起こるため，パーツ移

植をできるだけ選択する．拒絶反応は1年以内が多いとされるが，術後1年以上経過して発症する場合も少なくない．拒絶反応は角膜内皮細胞の慢性減少に次ぐ角膜移植片不全の原因とされ，上皮型，実質型，内皮型の3種類がある．症例ごとに拒絶反応のリスクを正しく評価し，適切な周術期および術後管理によって未然に防止し，発症時に早期診断することが，グラフトの長期透明維持に重要である．

■病態　拒絶反応とは，レシピエントのT細胞が主体のドナー角膜組織に対する炎症反応である．まず，レシピエントの抗原提示細胞がドナー角膜内の同種異系（アロ）抗原を取り込み，レシピエントの角膜からリンパ管を介して頸部リンパ節に到達し，リンパ節でアロ抗原を認識するT細胞が増殖する．次にアロ抗原特異的なT細胞は血管・前房を介してドナー角膜に到達し，ドナー角膜細胞を攻撃し炎症を起こす（拒絶反応）．グラフト内のドナー細胞が破壊しつくされると移植片にマクロファージや線維芽細胞が入りこみ，不可逆的な混濁をきたす．

■危険因子　拒絶反応の危険因子として，2象限以上の深層血管侵入，再移植眼，重症眼表面疾患，ヘルペス角膜炎の既往，感染症やMooren角膜潰瘍などの炎症性角膜疾患，8 mm以上の大きいグラフト径，輪部を含む移植，虹彩前癒着，アトピー性皮膚炎などの全身炎症疾患の合併，緑内障の既往が挙げられる．

■予防　術後のステロイド点眼に加え，ハイリスク症例ではステロイド・免疫抑制薬の全身投与を追加する．全層角膜移植・角膜内皮移植では，術後6か月以降でも低濃度ステロイド点眼を1日1～2回継続すると，拒絶反応の予防になるとされる．拒絶反応は，早期発見・早期治療が移植片の予後を左右するため，充血，羞明，視力低下などの異常を自覚したときには，直ちに医療機関を受診するように指導する．また，術後の縫合糸の緩みやヘルペス角膜炎の再発，縫合糸感染など，局所の炎症も拒絶反応の契機となりうるため，これらが生じた際は拒絶反応にも十分に注意して治療をする．

■診断
■臨床所見
❶**上皮型拒絶反応**　全層角膜移植，表層角膜移植，特に角膜輪部移植後にドナー上皮細胞を標的とする拒絶反応．比較的早期（数週間～半年以内）に生じる．Bowman膜直下に生じる0.2～0.5 mmの上皮下浸潤を前駆病変として，ドナー由来の上皮細胞に浮腫状に隆起した線状あるいはリング状病変（epithelial rejection line）が特徴的である．拒絶反応が通過した部分はドナー由来の上皮が消失し，レシピエントの細胞と置き換わる．全層角膜移植後の上皮型拒絶反応と同時または引き続いて内皮型拒絶反応が起こることが多い．

❷**実質型拒絶反応**　深部層状角膜移植・全層角膜移植後の毛様充血・実質浮腫で発症し，全層角膜移植後では内皮型拒絶反応を伴うことが多い．

❸**内皮型拒絶反応**　全層角膜移植，角膜内皮移植後に，ドナー内皮細胞を標的とする拒絶反応．術後3か月以降で縫合糸の緩みやグラフト感染，ヘルペス角膜炎再発を契機に生じる．毛様充血，前房内炎症，角膜内皮面の拒絶反応線（Khodadoust line）の所見を呈する．拒絶反応線は攻撃リンパ球が内皮細胞へ集簇したもので，治療が遅

れると移植片の内皮面全体に角膜後面沈着物が付着し強い角膜浮腫をきたす．3次元前眼部 OCT などの前眼部解析装置で，治療開始前から角膜厚をモニターすると，治療効果の有無を客観的に評価できる．

■ 鑑別診断

❶移植片内皮機能不全　拒絶反応を伴わず，角膜内皮細胞の慢性減少から角膜内皮機能不全に陥った状態で，緩徐に進行する角膜浮腫と視力低下をきたす．初期には前房内炎症や角膜後面沈着物がないことから拒絶反応との鑑別は容易だが，進行例で角膜浮腫が強くなると拒絶反応後の角膜混濁との鑑別は難しい．

❷ヘルペス性角膜ぶどう膜炎　角膜移植後に，毛様充血・前房内炎症・角膜後面沈着物など拒絶反応に類似した所見を呈する．線状でない角膜後面沈着物がレシピエントの内皮面にも付着する，眼圧上昇を伴うことが多いなどで拒絶反応と鑑別するが，臨床上診断が難しいことも多い．ヘルペス角膜炎の既往がない患者でも生じうる．

治療　上皮型・実質型拒絶反応はステロイド点眼が著効するため，深部層状角膜移植・表層角膜移植では点眼治療のみ行う．全層角膜移植後の内皮型拒絶反応はステロイド頻回点眼に加えて，ステロイドパルス療法を行うが，高齢の全層移植後の内皮型拒絶反応は全身合併症を考慮しステロイドの全身投与を少量にすることもある．一方，角膜内皮移植後の内皮型拒絶反応は，ステロイドパルスは必要なく，ステロイド頻回点眼で治癒する．

❶上皮型・実質型拒絶反応

処方例　下記を併用する．

> クラビット点眼液（1.5％）　1日3回　点眼　1か月で中止
>
> リンデロン点眼・点耳・点鼻液（0.1％）　2時間ごと　点眼→漸減→1か月でフルメトロン点眼液（0.1％）　1日1～2回　点眼

❷全層角膜移植後の内皮型拒絶反応

処方例　下記を併用する．

> クラビット点眼液（1.5％）　1日3回　点眼　1か月で中止
>
> リンデロン点眼・点耳・点鼻液（0.1％）　1時間ごと　点眼→漸減→1か月でフルメトロン点眼液（0.1％）　1日1～2回　点眼
>
> ソル・メドロール注　1日500 mg　点滴静注　3日間　その後，リンデロン（0.5 mg）4 mg　分3　3日間　その後，3 mg　分3　3日間　その後，2 mg　分3　3日間　その後，1.5 mg　分3　3日間　その後，1 mg　分3　7日間と漸減

❸角膜内皮移植後の内皮型拒絶反応

処方例　下記を併用する．

> クラビット点眼液（1.5％）　1日3回　点眼　1か月で中止
>
> リンデロン点眼・点耳・点鼻液（0.1％）　1時間ごと　点眼→漸減→1か月でフルメトロン点眼液（0.1％）　1日1～2回　点眼

7 水晶体疾患

1 水晶体偏位・奇形

水晶体位置異常（後天性）
Lens displacement (dislocation, malposition)

鳥居秀成　慶應義塾大学・専任講師

概念　水晶体を支える Zinn 小帯の損傷や脆弱性により水晶体の位置がずれたものを水晶体偏位（位置異常）という．Zinn 小帯の支えがほぼなくなり，瞳孔領から水晶体が完全に偏位しているものを水晶体脱臼（lens luxation），Zinn 小帯の支えが残っており水晶体が正常な位置からずれるものの，瞳孔領にあるものを水晶体亜脱臼（lens subluxation）という．

病態　後天性水晶体位置異常は，外傷・落屑症候群・網膜色素変性・強度近視・アトピー性皮膚炎などに伴う Zinn 小帯脆弱・断裂が原因となりうる．

症状・所見　偏位の程度に応じ，軽度では無症状，それ以上で視力低下や単眼性複視を生じる．水晶体前方偏位の進行・曲率増大に伴う近視化，急性緑内障発作，水晶体傾斜・変形による乱視，屈折変動などがみられる．

診断　細隙灯顕微鏡所見で水晶体偏位，水晶体前嚢の曲率の増大や部分的な差，前房深度の変化（多くは浅前房化，図1）や部位差，水晶体振盪，虹彩振盪，前房中への硝子体脱出などの所見を参考にする．

治療　硝子体中への完全脱臼の場合，

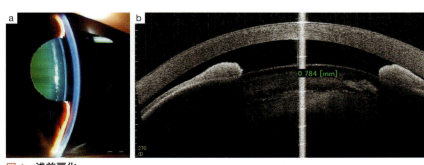

図1　浅前房化
85 歳女性．落屑症候群を認め（a），眼軸長 22.98 mm，眼圧 16 mmHg，前房深度は 1 mm 未満（0.78 mm）の浅前房を認める（b）．白内障手術時，ほぼ全周の Zinn 小帯断裂を認め，眼内レンズ毛様溝縫着術を同時に行った．

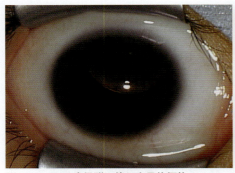 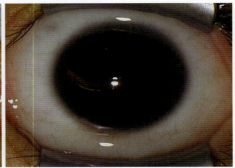

図2 Marfan症候群に伴う水晶体偏位

緑内障，眼内の炎症，網膜浮腫などがある場合以外は積極的な手術適応とはならず，保存的に治療する．上記のほか，一般的手術適応としては，①前房内（亜）脱臼，②白内障による視力障害，③水晶体の偏位・変形による視力障害，④水晶体偏位の進行，⑤急性緑内障発作，などが挙げられる．

　手術を行う場合の術式は屈折値・角膜の状態を含む眼合併症の有無・年齢などにより決定されるため多様であるが一例として，Zinn小帯断裂が広範囲の場合や前房内への（亜）脱臼の場合，水晶体囊内摘出術を選択し，硝子体の処理を十分に行うことが必要である．硝子体中への完全脱臼の場合は硝子体手術により切除するが，パーフルオロカーボンを用いることもある．

　眼内レンズ挿入に関しては，ほかに合併症がなければ眼内レンズ毛様溝縫着術や眼内レンズ強膜内固定術を行い，角膜内皮細胞密度減少などほかに合併症がある場合にはその治療とともにコンタクトレンズ装用などの保存的治療も検討する．

予後　緑内障・網膜剝離などの眼合併症の有無により左右される．

水晶体偏位（先天性）

Lens dislocation, ectopia lentis (congenital)

仁科幸子　国立成育医療研究センター・診療部長

概念・病態　先天性にZinn小帯の一部が脆弱なため伸展・離断して水晶体の位置異常を起こしたものである**（図2）**．先天性の水晶体偏位（ectopia lentis）はほとんどが両眼性で，遺伝性，基礎疾患のあるものが多い．基礎疾患としてMarfan症候群，Weill-Marchesani症候群，ホモシスチン尿症などの全身疾患が挙げられる．主要3疾患の鑑別点を**表1**に示す．他の眼先天異常に合併することもある．

症状　初期や軽症例では無症状であるが，水晶体の偏位・傾斜の進行に伴って近視，乱視が高度になり，屈折の変動，単眼性複視，視力低下をきたす．

診断　高度の偏位では，無散瞳で水晶体辺縁が瞳孔領に観察される．通常は散瞳して偏位の程度，傾斜を診断し，虹彩・水晶体震盪，硝子体脱出の有無を観察する．また，心血管系や骨格系などの全身検索を

表1 遺伝性水晶体偏位の鑑別

	Marfan 症候群	Weill-Marchesani 症候群	ホモシスチン尿症
遺伝	常染色体優性 FBN1 (fibrillin-1)	常染色体劣性または優性 ADAMTS101 (a disintegrin-like and metalloproteinase with thrombospondin type 1 motif 10), FBN1 (fibrillin-1)	常染色体劣性 CBS (cystathionine-β-synthase)
水晶体異常	上方偏位	偏位・球状水晶体	下方偏位，進行性
骨格系	くも指，脊柱側弯症	短指，短躯，短頭蓋	くも指，骨粗鬆症
心血管系異常	(＋)	(＋)	(＋)
精神発達遅滞	(－)	(－)	(＋)

治療 視機能の発達途上の小児では，弱視の予防のため早期診断が重要である．軽症例は眼鏡による屈折矯正を行って経過観察する．偏位が進行して矯正困難な屈折異常をきたした場合には手術適応となる．特に左右差の著明な例は，屈折矯正，健眼遮閉による弱視治療を早期に開始し，手術の適否について慎重な経過観察が必要である．進行例では，時に無水晶体部を使っており，無水晶体眼として屈折矯正すると視力が向上することがある．

手術治療は水晶体・前部硝子体切除術が一般的であり，術後にコンタクトレンズまたは眼鏡で屈折矯正し，弱視治療を行う．網膜剥離，緑内障などの合併症に対し，十分な経過観察を要する．

奇形（先天無水晶体，球状水晶体，重複水晶体，水晶体欠損，円錐水晶体）

Anomaly (congenital aphakia, etc.)

仁科幸子　国立成育医療研究センター・診療部長

概念・症状 水晶体の発生異常によって，水晶体の形状，大きさ，位置，透明性などに異常が起こり，さまざまな水晶体の奇形（形態異常）を生じる．

❶**先天無水晶体** 先天無水晶体症は，発生初期（胎生4週）の異常によって，表面外胚葉から水晶体板の形成が障害されて起こる．通常，水晶体の無形成のほかに，角膜，隅角，虹彩など前眼部の形成不全や後眼部のコロボーマを伴い，小眼球である．母体の風疹感染症などが原因として知られている．続発性無水晶体症は，水晶体が発生過程で吸収または排出されて起こったもので，原発性に比べて他の眼異常が軽度である．細隙灯顕微鏡検査のほか，超音波検査やCT検査を行って診断する．一般に視力予後はきわめて不良である．

❷**球状(小)水晶体** 球状(小)水晶体は，Weill-Marchesani症候群など全身疾患に伴って起こることが多い．水晶体の赤道径が小さく（直径6.8〜7.5 mm），前後径がやや大きいため（4.5〜4.9 mm），球状を呈する．水晶体偏位や瞳孔ブロックによる緑内障を起こしやすい．高度近視を生じるため屈折矯正が必要であり，水晶体偏位が進行した場合は手術適応となる．

❸**重複水晶体** 重複水晶体は，表面外胚葉から水晶体板が形成される際の異常による

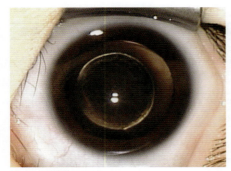

図3　後円錐水晶体

非常にまれな疾患であり，角膜の形成異常を伴う．

❹**水晶体欠損（コロボーマ）**　水晶体欠損は，毛様小帯線維の部分的欠損によって水晶体辺縁に凹みを生じたものである．通常は片眼性であり，白内障の合併が多い．胎生裂閉鎖不全と関連し，しばしば虹彩，毛様体，網脈絡膜コロボーマに伴って下方に欠損を生じる．

❺**円錐水晶体（図3）**　水晶体の前面または後面に円錐状の突出を生じる先天異常である．水晶体嚢と水晶体上皮の発生異常に起因する．後円錐水晶体のほうが頻度が高い．孤発性に片眼性に起こるものと，家族性に両眼性に起こるものがあり，全身疾患や他の眼合併症の検索が必要である．

不正乱視を伴った水晶体起因性の近視を呈し，極白内障を高頻度に合併する．細隙灯顕微鏡検査で円錐状所見が観察され，徹照法では油滴状反射がみられる．

前円錐水晶体はしばしば Alport 症候群に合併し，腎臓や聴覚の異常を伴う．

後円錐水晶体は Lowe 症候群や Down 症候群に合併することがある．また硝子体血管の遺残に伴って生じることがある．

小児期に屈折矯正や弱視訓練が必要であるが，高度の円錐水晶体や白内障合併例では手術適応となる．後円錐水晶体では円錐部に一致して後嚢破損を起こしやすいため注意が必要である．

2　白内障

白内障形態別分類
Morphological classification of cataract

佐々木 洋　金沢医科大学・主任教授

概要　白内障の混濁病型としては核，皮質，後嚢下混濁の3主病型と retrodots，watercleft，coronary flakes，focal dots，vacuoles，fiber folds などの副病型がある．

病態　水晶体が混濁する疾患の総称で約80種類の病型がある．なかには明らかな混濁を呈さず，局所の屈折率が変化することで視機能障害を生じるタイプもある．混濁の主因は加齢だが，紫外線，赤外線，喫煙，過剰飲酒，低栄養，薬物・毒物，全身疾患，眼疾患などにより，さまざまな混濁病型を生じる．

症状　水晶体混濁により高次収差の増加，前方散乱の増加，後方散乱の増加に伴う網膜照度の低下を生じることで，視機能低下をきたす．明らかな矯正視力の低下がなくても，単眼複視，羞明，straylight の増加，コントラスト感度の低下，実用視力

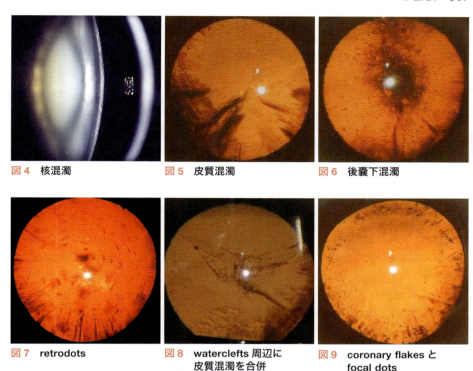

図4 核混濁　　図5 皮質混濁　　図6 後囊下混濁

図7 retrodots　　図8 waterclefts 周辺に皮質混濁を合併　　図9 coronary flakes と focal dots

の低下を生じていることも多く，視力以外の視機能評価が重要となる．水晶体核部の硬化は調節力低下の要因となる．また，核混濁および retrodots では近視化，waterclefts では遠視化を生じることがある．なかでも強度近視眼の核混濁は，軽度でも高次収差の増加と著明な近視化を生じる．これらの症状の多くはゆっくり進行するため，患者の多くは比較的高度の視力低下を生じるまで自身の視機能低下に気がつかないことが多い．

診断　極大散瞳下，細隙灯顕微鏡により診断する．WHO 分類，LOCS III 分類，Wilmer 分類，Wisconsin 分類，AREDS 分類，Oxford 分類など多くの診断基準がある．

核混濁(図4)はスリット法で観察し，核の内部構造(中心間層および前後胎生核)の見え方，核の後方散乱光強度，色により程度を診断する．皮質混濁(図5)は徹照法により陰影として観察できる混濁だけを診断する．瞳孔領中央の混濁は視機能低下に影響する．後囊下混濁(図6)も徹照法により陰影として観察できる混濁を診断する．retrodots(図7)は斜照法では観察しにくいことがあるが，徹照法では核周囲に同心円状に分布するソラマメ状陰影として観察できる．waterclefts(図8)は Y 字縫合の解離により生じ，斜照法で前後の皮質浅層に黒く抜けた像として観察できる．waterclefts 周囲の屈折率が変化しているものや内部に顆粒を伴う場合は，徹照法でも観察するこ

とができる．進行するとwaterclefts の内部は混濁を生じ皮質混濁となる．coronary flakes(図9)は周辺部深層皮質に冠状に生じる棍棒状の白色混濁で，皮質混濁との鑑別が難しいことがある．瞳孔領に進展することは少なく，単独では視機能低下を生じることはない．focal dots(図9)は皮質内に生じる小型の白色・灰白色点状混濁で，通常は視機能への影響は少ない．vacuolesは皮質浅層に生じる小型の水疱で，後囊下中央に集簇して生じる場合は後囊下混濁に移行することがある．

治療 視機能低下が進行し，手術により確実に視機能が改善する場合は積極的に手術を行うべきである．最近はトーリック眼内レンズ，老視矯正眼内レンズが一般的になり，白内障手術により遠視，近視，乱視，老視のすべてを治すことが可能になった．手術による患者のQOL改善はきわめて大きいので，手術適応眼では早期の治療が勧められる．

先天・発達白内障
Congenital, developmental cataract

仁科幸子　国立成育医療研究センター・診療部長

概念・病態・症状 先天素因によって起こる水晶体の混濁であり，しばしば他の眼異常や全身疾患に伴う．一般に生後3か月以内に発症するものを先天白内障(congenital cataract)，生後4か月以降に発症するものを発達白内障(developmental cataract)とよぶ．病因として遺伝性，子宮内感染，代謝異常，染色体異常などが挙げられるが約半数は原因不明である**(表2)**．

瞳孔領の白濁，視反応不良，斜視，眼振などの症状によって発見されることが多い．

高度の混濁のある場合には，形態覚遮断弱視を形成するため早期手術が必要である．

検査・診断 固視反射，追従反応，PL法，Teller Acuity Cards™，視覚誘発電位(VEP)など，視反応を片眼ずつアイパッチを用いて検査する．斜視，眼振，異常眼球運動などを示す場合は，形態覚遮断弱視が形成されており予後不良である．細隙灯顕微鏡検査，角膜径，眼圧検査，隅角検査，眼底検査，超音波検査，眼軸検査，全身検索を行って，白内障の程度と合併症の有無について診断する．白内障の形態的分類を**表3**に示す．

治療 手術適応は年齢，発症時期，水晶体混濁の程度と左右差，合併症の有無，弱視の程度と予後の評価，術後管理と弱視治療に対する家族の理解と同意が得られるかどうかを検討したうえで判断する．

生直後から高度の混濁のある先天白内障は，両眼性では生後3か月以内，片眼性では生後1，2か月以内の早期手術を行わないと良好な視力予後が得られない．一般に斜視や眼振，異常眼球運動の生じた例では形態覚遮断弱視が形成されているため予後不良である．また，眼・全身合併症を伴う例は予後不良である．発症時期が不明な場合には，臨床所見に加えてVEPの検査結果によって予後を推測できる．重篤な中枢神経系疾患のある例，片眼性で高度の眼合併症を伴う例，VEPで反応不良の例，術後の弱視訓練に家族の協力が得られない例は，視機能の向上が望めないため一般に手術適応とならない．視覚の感受性の高い

表2　先天白内障の病因

特発性（原因不明）	30〜50%
遺伝性	常染色体優性遺伝が多い．常染色体劣性，伴性劣性もあり
子宮内感染	風疹，ヘルペス，サイトメガロウイルス，トキソプラズマなど
代謝異常	ガラクトース血症，低カルシウム血症，ホモシスチン尿症，Lowe 症候群，Alport 症候群など
染色体異常	Down 症候群など
眼疾患に伴うもの	小眼球，先天無虹彩，第1次硝子体過形成遺残など
全身疾患・症候群	骨疾患，中枢神経系疾患，筋疾患，皮膚疾患，Hallermann-Streiff 症候群，Pierre Robin 症候群など

表3　先天白内障の形態的分類

嚢白内障　capsular cataract	水晶体前嚢・後嚢および嚢下の混濁
極白内障　polar cataract	水晶体の前極・後極の混濁
核白内障　nuclear cataract	胎生核の混濁
層間白内障　zonular cataract	皮質の層状の混濁
点状白内障　punctate cataract	点状の混濁
縫合（軸性）白内障　sutural cataract	Y字縫合の部位の混濁
完全白内障　total cataract	完全混濁

時期に発症した白内障ほど弱視を形成しやすいが，一般に生後2歳以降に発症した発達白内障では術後の視機能の予後は良好である．

一方，点状白内障，縫合白内障，前嚢白内障は視力障害を生じない．また，左右差のない層間白内障や粉状の核白内障の場合には経過観察とし，進行した場合に手術適応とする．

手術方法は，生後6か月までは水晶体および前部硝子体切除術が第1選択である．合併症のない発達白内障では眼内レンズ（IOL）挿入術（計画的後嚢切開）が検討される．しかし，特に生後1歳6か月までは視覚刺激遮断に対する感受性が高く，術後合併症のリスクや眼球の成長による屈折の変化が大きいため，IOL の適応は慎重に検討する．

術後は無水晶体眼に対し，両眼性ではコンタクトレンズ（CL）または眼鏡，片眼性では CL による屈折矯正が必要であり，IOL を挿入した年長児でも眼鏡または CL による屈折の追加矯正が必要である．乳幼児では近見 33 cm，2歳児では 50 cm，就学前では 1 m の近見に焦点を合わせて視機能の発達を促す．また，片眼性や左右差のある例では健眼遮閉による弱視治療が不可欠である．

術後管理として屈折の変化や弱視に対する治療のほか，緑内障，後発白内障，網膜剝離などの合併症の有無につき，長期にわたる経過観察が必要である．

加齢白内障
Age-related cataract

木澤純也　岩手医科大学・講師

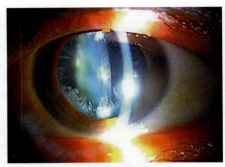

図10　加齢白内障の前眼部写真

概念　加齢白内障とは，ほかに明らかな原因がなく，加齢変化によって生じた水晶体蛋白質の変性による後天性の水晶体混濁(図10)により，視機能が低下する疾患である．

疫学　白内障の70%以上が加齢白内障であるとされ，初期病変を含めた年代別の有病率は50歳代で37〜54%，60歳代で約66〜83%，70歳代で84〜97%，80歳以上では100%とされる．

分類　白内障の主病型は核白内障，皮質白内障，後嚢下白内障の3つである．そのほかに副病型として vacuoles, retro dots, water clefts, focal dots, fiber folds, coronary cataract, Christmas tree cataract などがある．3主病型の疫学分類は WHO 分類，LOCS III 分類，Wisconsin 分類，Wilmer 分類，Oxford 分類など多くあり，わが国では日本白内障疫学研究班分類が用いられている．

症状　視力低下，霧視，片眼性複視，羞明，屈折異常，眼精疲労などを生じる．

治療

■**薬物療法**　現在，白内障治療薬はないが，進行を予防する薬剤としては，白内障惹起物質であるキノイド物質の水溶性蛋白への結合を競合的に阻害するピレノキシン点眼薬(カタリン®)がある．進行抑制の内服薬としては，漢方薬の八味地黄丸，牛車腎気丸などがある．

■**手術治療**　白内障による視機能が低下した場合の手術治療は，2〜3 mm 切開創からの超音波乳化吸引術と眼内レンズ挿入術が広く行われるようになり，その術後成績は良好で，術翌日から視力改善することが多くなっている．また，フェムトセカンドレーザーなど新たな手術器具を用いた白内障手術なども行われるようになり，手術機器と手技はさらに進歩している．超音波乳化吸引術は合併症のない普通の症例において水晶体摘出の第1選択の術式となる．

合併症のある症例，水晶体脱臼症例や核硬度が高いなど難症例においては，8〜12 mm の大きな切開創から水晶体の嚢外摘出術や嚢内摘出術を行うこともある．大まかな術式選択について表4に示す．しかし，大きな切開創による水晶体摘出術では術後に乱視が増加し，術後の視機能改善に影響を及ぼすため，可能であればすべての症例において超音波乳化吸引術を選択したい．ただし，手術中に水晶体後嚢破損や水晶体脱臼を合併した際に超音波乳化吸引を続けていると，水晶体が硝子体腔に落下し，更なる合併症を生じる恐れがあるので，嚢外摘出術や嚢内摘出術に術式を変更することがある．

眼内レンズは軟らかい素材の疎水性アク

表4　水晶体摘出術の選択基準

水晶体摘出の術式選択基準	超音波乳化吸引術	嚢外摘出術	嚢内摘出術
普通の白内障	◎	×（乱視増加）	×（乱視増加）
核硬度の高い例	○〜△（角膜内皮細胞障害）	○	×
水晶体脱臼例	×	○	◎

◎：第1選択，○：適応，△：時に適応，×：適応外

リルなどが主流となり，挿入器（インジェクター）を用いることで小切開から安全・確実に挿入できる．眼内レンズは通常は水晶体嚢内に固定されるが，合併症が生じた場合は毛様溝固定や縫着あるいは強膜内固定などを行う．

糖尿病白内障
Diabetes cataract

北野滋彦　前　東京女子医科大学病院・教授

概念　真性糖尿病白内障は，重症の糖尿病を有する若年者の両眼性に発症する水晶体混濁で，頻度は低く，加齢や他の原因による白内障との判別は困難とされる．しかし，糖尿病患者は白内障を起こしやすく，非糖尿病患者の2〜10倍と報告される．血糖のコントロールが悪いほど，そして，糖尿病網膜症が重症なほど，進行しやすいとされる．わが国においては，2型糖尿病が多くを占め，年齢層も中高年が多いため，加齢による白内障との併発が大部分を占める．糖尿病があると，40〜50歳代のより若年層で発症し，白内障の進行も速いとされる．糖尿病患者眼の白内障手術は，健常眼に比し，術後合併症の頻度も高いため，注意を要する．

病態　糖尿病白内障の病態として，持続する高血糖が挙げられ，高血糖によるポリオール蓄積，終末糖化産物（advanced glycation end-products：AGEs）蓄積，酸化ストレスなどが挙げられている．

ポリオールは，細胞膜を糖化できないため，細胞内浸透圧が上昇し，水分が細胞内に流入し，水晶体線維細胞が崩壊する．糖化によって生成されたAGEsが水晶体の混濁の程度と相関するとの報告がある．活性酸素は，細胞膜を破壊して白内障を生じると考えられている．高血糖による水晶体混濁の成因は，糖尿病網膜症の病態とともに，単一のものではなく，複合的に関連していると考えられている．

症状　加齢による白内障と同様に，霧視，羞明，多重視，近視化などを自覚するが，糖尿病に伴う白内障は，若年層で発症し，進行も速いため，急激に視力が低下する症例もしばしば認められる．

診断　加齢に伴う白内障と同様に，細隙灯顕微鏡で混濁の程度を診断する．糖尿病患者眼は，散瞳不良のことが多い．糖尿病に伴う白内障は，皮質・後嚢下混濁が多く，核硬化も強いとされるため，徹照法を併用すると観察しやすい．

治療　有効とされる薬物はなく，超音波乳化術および眼内レンズ挿入による水晶体再建術が行われる．

散瞳不良で，後囊下混濁が多く，核硬化も強いとされ，核分割が難しいとされる．水晶体囊・皮質間の癒着も強いことからZinn小帯断裂を生じやすい．糖尿病による角膜上皮障害により角膜浮腫を生じやすい．

糖尿病による血液房水関門機能低下により，術後に炎症が強く生じることが多い．術後のフレア値は正常眼に比し高値を示し，糖尿病網膜症の程度に相関するといわれる．また，炎症遷延による前囊収縮と前囊混濁や後囊混濁の頻度も，非糖尿病患者に比し5％ほど高いとされる．

糖尿病患者の白内障手術による糖尿病網膜症の悪化は，10～15％程度にみられるとされる．さらに，術後の糖尿病黄斑浮腫の進行は，視力予後に大きく影響する．光干渉断層計(OCT)において，糖尿病患者の白内障術後の中心窩網膜厚は20～40％と，非糖尿病患者の5％と比べ有意に増加する．すでに黄斑症を有する糖尿病患者は，白内障手術後に15～20％が悪化するといわれ，ステロイドの局所投与や抗VEGF療法の併用が検討される．

アトピー白内障

Atopic cataract

木澤純也 岩手医科大学・講師

概念 アトピー性皮膚炎(atopic dermatitis：AD)に合併した水晶体混濁により視機能が低下する疾患である．わが国におけるアトピー白内障の発症率は，軽症例のアトピー性皮膚炎を含めた場合では8～13％，中等度以上のアトピー性皮膚炎症例に限定した場合では17.3～28％と報告されている．

病因 アトピー白内障の発症メカニズムは諸説あるが，アトピー性眼瞼炎や眼周囲の顔面皮膚の瘙痒感に伴う眼球殴打などが原因となっている．そのためアトピー白内障発症の危険因子は，眼瞼を含めた顔面皮膚のAD重症度，眉毛部の状態(擦過傷や眉毛がすれて薄くなっている)，眼球殴打歴，虹彩炎などによる前房フレア値上昇などである．

診断 白内障のタイプとしては前囊下白内障と後囊下白内障が多く，若年男性に多くみられる．時に水晶体皮質が乳化した成熟白内障となることもある．

治療 眼瞼皮膚の瘙痒感が強い症例や十分なADのコントロール治療を行われていない症例は，必ず術前の皮膚科コンサルトを行う．ADによる瘙痒感のコントロールが得られたあとに白内障手術を行うことが，術後合併症の眼内レンズ脱臼や網膜剝離のリスクを軽減するために重要である．

アトピー白内障では前囊切開(continuous curvilinear capsulorrhexis：CCC)を完全に行うことが最重要な手術手技となる．CCCの際に最も問題となるのは，前囊下白内障の線維性組織の大きさと形状と成熟白内障であり，白内障の程度によりCCCを遂行することが困難な場合がある．不完全なCCCになった場合は，術後の眼内レンズ脱臼や色素緑内障、網膜剝離などの合併症の危険性が高くなるため，前囊染色と眼内滞留性の高い眼粘弾性物質を使用してCCCを完成させることが最も重要な手技となる．

アトピー白内障は若年者の男性に合併す

ることが多く，水晶体核は軟らかく超音波による破砕は容易であるが，超音波を必要とせずに吸引除去が可能なこともある．水晶体皮質吸引後の眼内レンズを挿入する前には，必ず眼球を斜視鉤や綿棒などを使用して圧迫しながら，鋸状縁まで含めてしっかりと眼底検査を行うことが最重要である．アトピー白内障手術例の術中眼底検査において 10.8％で毛様体あるいは網膜に裂孔のみが，37.3％で毛様体あるいは網膜の剥離が認められるとの報告がある．鋸状縁付近や毛様体扁平部に白濁，線維化などの硝子体変化がある所見や，網膜裂孔や毛様体裂孔を認めた場合は冷凍凝固を行う必要がある．さらに網膜剥離を合併している場合は，強膜内陥術を術中あるいは近日中に追加する必要がある．

眼内レンズは確実に囊内固定する必要がある．囊のみ残す無水晶体眼や眼内レンズの囊外固定では，AD 患者は術後に CCC 縁の収縮と線維化が強く生じるため Zinn 小帯を介して毛様体が牽引され，毛様体皺襞部や扁平部に毛様体裂孔を生じやすく，術後の網膜剥離を合併する可能性がある．また，眼内レンズを囊外固定した場合は，術後の眼球殴打による眼内レンズと虹彩の接触により虹彩色素が散布され，隅角に沈着するために色素緑内障を合併する可能性も高くなるので，網膜剥離以外の合併症にも注意する必要がある．

■**術後経過観察**　術後の眼帯をテープ固定する際は，カブレステープ U（共和）を使用し，必要最小限にする．しかし，術後にどうしても眼球を殴打する，こすっている症例には夜間のみハードアイパッチをカブレステープでしっかりと固定するなど，対応しなければならない場合もある．眼科的には眼底検査を含め定期的な経過観察を行う必要がある．特に術直後は炎症に十分に注意し，また眼瞼および眼周囲の瘙痒感により眼をこすらない，眼球を叩かないように注意することを指導する．また，術後の眼球殴打は眼内レンズ脱臼や亜脱臼，網膜剥離の原因となるので，術後の皮膚治療についても状況を確認し，時には皮膚科にコンサルトし瘙痒感のコントロールを持続していく必要がある．

その他の全身疾患に伴う白内障

Cataract associated with the other systemic diseases

木澤純也　岩手医科大学・講師

概念　全身疾患により白内障を合併する疾患は多く，加齢による白内障とは異なったそれぞれ特徴的な水晶体混濁を呈するため，水晶体混濁から全身疾患を推測できることもある．原因疾患は，糖尿病などの代謝異常，アトピー性皮膚炎などの皮膚疾患，筋骨格異常，腎疾患，神経疾患，風疹感染による先天白内障などさまざまである．

診断　全身疾患に伴う白内障は，それぞれ特徴的な水晶体混濁を呈することが多い．白内障のほかの眼疾患として角膜や網膜疾患，眼球形成異常などもある．下記に白内障を合併する疾患を列記する．

❶代謝異常

a. 糖尿病（⇒ 513 頁，「糖尿病白内障」の項も参照）　皮質の waterclefts が周辺部から中央部に向かって生じ，進行すると浅層皮質

混濁と後嚢下混濁となる．小型の retro dots の合併も多く，さらに進行すると前嚢下混濁も生じる．これらの混濁は糖尿病に合併する特徴的な白内障所見であるので，加齢白内障と糖尿病による白内障の鑑別が困難とされるが，水晶体混濁から糖尿病を推測することは難しくない．糖尿病のコントロールが不良の症例では白内障の進行が早い．

b. ガラクトース血症　水晶体核の油滴状混濁で発症し，周辺部の混濁を伴った層状白内障を呈する．

c. Fabry 病　車軸状の水晶体混濁を呈する．

d. 低カルシウム血症，副甲状腺機能低下症　テタニー白内障の合併は多く，前後の浅層皮質に多色性の色素を含む顆粒状混濁を生じる．

e. Wilson 病　瞳孔領を中心に前嚢下の多色性顆粒状混濁が放射状に広がるひまわり状白内障を呈する．

❷筋骨格異常

a. Hallermann-Streiff 症候群　両目に先天性白内障を高率に合併し，小眼球症や緑内障なども合併する．

b. Stickler 症候群，Wagner 症候群　若年者では皮質白内障を呈し，硝子体変性の進行により 30～40 歳代で急激に核白内障が進行する．

c. Pierre Robin 症候群　後嚢下白内障を呈する．

d. Rubinstein-Taybi 症候群　血縁婚や同胞婚による先天性白内障．

❸皮膚疾患

a. アトピー性皮膚炎（⇒ 514 頁，「アトピー白内障」の項も参照）　アトピー性眼瞼炎や眼周囲の顔面皮膚の瘙痒感に伴う眼球殴打なとが原因となり，若年者の白内障で最多であり，男性に多い．白内障のタイプとしては前嚢下白内障と後嚢下白内障が多い．時に水晶体皮質が乳化した成熟白内障となることもある．

b. 色素失調症（Bloch-Sulzberger 症候群）

c. Rothmund-Thomson 症候群　小児期に急速に進行する白内障を呈する．

d. Schaffer 症候群　先天白内障を合併することがある．

e. Werner 症候群　後嚢下白内障を呈する．

❹腎疾患

a. Alport 症候群　球状水晶体，前部および後部円錐水晶体などの水晶体形状異常に伴う白内障を合併する．

b. Lowe 症候群　水晶体形成不全があり，白内障厚みは薄い．

❺神経疾患

a. 筋強直性ジストロフィ　90％以上に白内障を合併し，水晶体混濁は前後嚢下混濁（Vogt 型混濁）と後嚢下皮質にヒトデ型の混濁（Fleischer 型混濁）の 2 タイプがある．Fleischer 型混濁は進行すると線維性の白色混濁を呈し視機能が低下するので，手術を要する．

b. Refsum 症候群　後嚢下白内障を呈する．

c. 神経線維腫症 2 型　若年者に発症し，後嚢下白内障を呈する．

d. Marinesco-Sjögren 症候群　後天性に白内障を発症し，2～4 歳時に数日から数か月で全白内障に急速に進行する症例がある．

　治療　全身疾患の治療により白内障の進行が予防できる疾患もあるが，進行した白内障は手術加療を要する．

ステロイド白内障
Steroid induced cataract

木澤純也　岩手医科大学・講師

概念　ステロイド白内障は，長期間に大量のステロイド全身投与を行う症例に合併することが多く，混濁が生じ始めると短期間で不可逆的な強い混濁となり，視機能を低下させる疾患である．ステロイド内服による全身投与だけでなく，長期間に及ぶ点眼薬，眼軟膏，吸入薬の使用により白内障を発症することがあるので，ステロイドを投与されている患者はステロイドによる緑内障合併のリスクも含めて，定期的な眼科検査を要する．

病態　ステロイド白内障の機序は明らかではないが，代謝異常，膜機能異常などのさまざまな機序が報告されている．全身性エリテマトーデス(systemic lupus erythematosus：SLE)などの膠原病，ネフローゼ症候群，関節リウマチ，腎臓移植など生体臓器移植の患者では，大量のステロイド全身投与による白内障合併のリスクがあるため，ステロイドを早期離脱し，その後は免疫抑制薬などほかの治療方法への切り替えが進んでいる．しかし，ステロイド切り替えによるリバウンドによりほかの薬剤への切り替えができない症例も多く存在する．ステロイド白内障の発症は，大量投与が1年以上の長期に及ぶとリスクが高くなり，プレドニン®換算10 mg/日以下の症例での発症は比較的まれとされる．全身投与に比べて頻度は低いものの，長期間に及ぶ点眼薬，眼軟膏や気管支喘息のステロイド吸入薬でも後囊下混濁のリスクとなる．

診断　ステロイド白内障は全身投与の場合は，両眼性の後囊下白内障として発症する．水晶体混濁は視軸上の後囊直下に淡い点状混濁や空胞として発症し，混濁が融合して皿状の混濁を呈する．

治療　水晶体混濁が後囊下に強くなり，視機能が大きく低下し，白内障手術による加療を患者が希望した場合，手術による改善が期待できることが多いが，原疾患の治療の状況により手術時期は慎重な判断が必要である．後囊下混濁に遅れ，核白内障も合併することがある．

その他の薬物・毒物による白内障
Cataract induced by drug and toxic substance

木澤純也　岩手医科大学・講師

概念　向精神薬作用のあるフェノチアジン系誘導体(クロルプロマジン)，ベンゾフラン誘導体(アミオダロン塩酸塩)，ブチロフェノン系薬剤，抗マラリア薬のクロロキン，アルキル化剤の抗悪性腫瘍薬のブスルファン，高尿酸血症治療薬のアロプリノールなどの薬物で白内障の報告がある．金，銀，銅，水銀，鉄などの金属が水晶体前囊および瞳孔皮質の浅層へ沈着すること，またタバコのシアン化物や多量のアルコール摂取も白内障との関連が示唆されている．

病態　薬物・毒物・化学物質は水晶体前囊下に沈着することで混濁を生じることが多いが，視機能を低下させるような混濁は比較的少ない．

診断　ステロイド以外の薬物・毒物・

金属・化学物質による水晶体混濁はそれぞれに特徴がある．フェノチアジン系誘導体では前嚢下に茶褐色混濁を生じる．ブチロフェノン系薬剤では水晶体線維の膨化で白内障を呈する．ブスルファンとフェニトインでは後嚢下白内障，アロプリノールでは前嚢下白内障を呈する．クロロキンは20～40％に後嚢下混濁，アミオダロン塩酸塩は黄色の前嚢下混濁を生じる．Wilson病では銅が水晶体に沈着し，多色性顆粒が放射状に広がるひまわり状白内障を呈する．金，銀は瞳孔領の前嚢あるいは浅層皮質に沈着する．鉄の沈着は茶色の前嚢混濁から始まり，進行すると水晶体全体が茶色に着色する．喫煙によりシアン化物が水晶体蛋白を変性させ，核白内障発症のリスクが増加する．

これらの白内障は加齢による変化でも生じるため，薬物・毒物・金属・化学物資による白内障を診断するには詳細な既往歴と治療歴の問診が重要となる．特に若年者の後嚢下白内障や水晶体前嚢および浅層皮質混濁を認めた場合は，積極的に薬物・毒物・金属による白内障を疑うことが大切である．

| 治療 | ステロイド以外の薬物・毒物・金属・化学物質による白内障では視機能が低下することは比較的まれである．

外傷性白内障
Traumatic cataract

松島博之　獨協医科大学・准教授

| 概念 | 外傷が原因となって生じる白内障．穿孔性と非穿孔性がある．働き盛りの若い男性に多い．

| 病態 |
❶ **穿孔性外傷**　鋭利な異物が角膜や強膜を穿孔し，水晶体を傷つけることで発生する．急激に進行し融解した水晶体蛋白質によって強い炎症が生じる．異物が眼内に残存し，開放創による感染のリスクがあるので，緊急手術の適応となる．

❷ **非穿孔性外傷**　鈍的外傷による白内障．ケンカや球技などによって強く眼球を打撲したときに生じ，受傷時は前房出血を伴うことも多い．白内障は数か月～数年を経て進行する．隅角，虹彩，Zinn小帯，網膜硝子体など周辺組織の損傷を伴うことも多い．

| 診断 |
❶ **穿孔性外傷**　既往から診断は容易である．受傷した状況を詳しく聞き，異物が眼内に残存する可能性があるか推察する．細隙灯顕微鏡で穿孔創の状態と水晶体嚢の破損状況を観察し，手術戦略を立てる．また，頭部X線やCT検査で異物の有無と位置や眼球の状態を判定する．金属片ではMRI検査は禁忌である．

❷ **非穿孔性外傷**　受傷直後から白内障が発生することは少ないが，小児では後嚢に亀裂が発生することがある．通常は外傷後しばらく経過を経て白内障が発生する．受傷眼に麻痺性散瞳，虹彩後癒着，虹彩離断，前房への硝子体脱出，Zinn小帯断裂などを伴うことも多い．広範囲でZinn小帯損傷があると前房が深くなり，左右差が生じる．白内障が前嚢線維化や限局した皮質混濁であることも診断の助けとなる．

| 治療 |
❶ **穿孔性外傷**　緊急手術の適応になることが多い．まず穿孔創の縫合が必要である．

電動草刈機による外傷では，穿孔創が小さいため受診時には閉じてわかりにくい場合がある．水晶体囊に亀裂が入っていることが多い．前囊が切れている場合は前囊染色し，亀裂部分が拡大しないように前囊切開を行う．後囊まで穿孔している場合は，硝子体処理の準備が必要である．眼底が透見できない場合は網膜硝子体の処理まで念頭におく必要がある．水晶体囊が保たれており，他の組織の損傷が少なければ眼内レンズの挿入が可能であるが，組織損傷が強い場合や感染のおそれがある場合は無理に挿入せず，視機能の改善が確認できたのちに2次挿入を行う．創口が網膜硝子体に及ぶ場合や，角膜中央部の穿孔であると視力予後が悪い．

❷**非穿孔性外傷**　Zinn小帯脆弱や脱臼を伴う場合は，capsular tension ringを活用する．大きく脱臼している場合は水晶体囊内摘出術に変更し，眼内レンズは縫着または強膜内固定を行う．虹彩根部離断を伴う場合は虹彩根部の縫合が必要となる．Zinn小帯脆弱部から前房中に硝子体脱出を生じることがあり，疑われる場合はマキュエイド®を用いて脱出硝子体を確認処理する．網膜剝離のリスクも高いので，術前後の眼底管理も必要である．

放射線白内障
Radiation cataract

佐々木 洋　金沢医科大学・主任教授

概念　眼部放射線被ばくでは白内障を生じることが知られており，低線量被ばくでも長期的な白内障リスクが上昇することが明らかになってきた．原子力発電所事故での緊急作業者の被ばく，医療従事者における職業被ばく，CTなどによる医療被ばくなどの低線量被ばくも長期的には白内障のリスクになる．

病態　水晶体は放射線感受性が非常に高い組織で，分裂能が高い赤道部（germinal zone）の水晶体上皮細胞が放射線被ばくをすることにより，細胞内にフリーラジカルが産生され，DNAに損傷を生じる．水晶体蛋白であるクリスタリンの構造変化をきたし，上皮細胞および有核の水晶体線維が変性して後方へ移動し，水晶体後囊中央部まで迷入することにより混濁を生じる．分裂能が高いgerminal zoneの水晶体上皮細胞の分裂異常や線維細胞への分化障害が放射線白内障の要因であることは，動物実験でも証明されている．germinal zoneのみを遮蔽物で保護した状態で水晶体に放射線をばく露しても，放射線白内障は生じない．このことは，高度の分裂能を有するgerminal zoneの放射線ばく露による遺伝子障害が白内障発症に必須の条件であることを示している．

放射線被ばくによる白内障の閾値は，さまざまな疫学調査の結果からこれまでより大幅に低い可能性があるとされ，2011年に国際放射線防護委員会（International Commission on Radiological Protection：ICRP）は閾値の見直し，すべての被ばく条件に関しては，視力低下をきたす白内障についての総被ばく線量閾値を0.5グレイ以下にすべきとの勧告を出した．それに伴い厚生労働省では，「電離放射線障害防止規則」と「電離放射線障害防止規則第3条第3項並びに第8条第5項及び第9条第2項の規定に基づく厚生労働大臣が定める限

度及び方法」を改正し，2021（令和3）年4月1日から施行・適用された．事業者は放射線業務従事者の眼の水晶体に受ける等価線量が，5年間につき100 mSvおよび1年間につき50 mSvを超えないようにすべきと改定された．放射線白内障が，従来考えられていた被ばく量より大幅に低線量の被ばくで生じる可能性が出てきたことは，放射線療法や診断における患者の被ばく，医療従事者や宇宙飛行士における職業被ばく，CTなどによる医療被ばくが放射線白内障のリスクになっている可能性を示唆するものである．

診断 放射線による水晶体混濁は後囊下中央に多色性の微細な点状混濁およびvacuolesを生じ，これらの変化が徐々に拡大し斑状混濁，顆粒状混濁となる．進行すると中央が比較的透明なドーナツ状後囊下混濁を呈し，さらに進行すると透明部は前後2層の膜様混濁からなる皿状混濁となり，著明な視機能低下を生じる．放射線医療従事者では線源に近い左眼に白内障を生じやすい．しかし，低線量被ばくによる放射線白内障は，これらの変化が長期間をかけてきわめて緩やかに進行し，点状混濁およびvacuolesなどの微小混濁は，約20年で視力障害をきたす視覚障害性白内障に進行するとされている．加齢白内障でもvacuoles，後囊下混濁，waterclefts，皮質浅層混濁などを生じるため，加齢水晶体眼にみられる混濁が放射線被ばくにより生じたものかを判定することは容易ではない．低線量放射線被ばくは，水晶体の加齢変化を加速する作用があると考えるべきである．

治療 典型的な後囊下白内障では混濁径が2 mmを超えると視機能が低下し，手術が必要となる．医療従事者や検査で被ばくする場合，含鉛ガラスまたは含鉛アクリルで作られている保護眼鏡はきわめて有用である．しかし，臨床現場における使用率は低く，今後は医療従事者での使用の徹底，眼部被ばく量の大きい検査における患者での使用が推奨される．

電撃白内障
Electric cataract

佐々木 洋　金沢医科大学・主任教授

概念 1722年にSaint Yvesらが最初の電撃白内障の症例を報告して以来，これまでに多くの症例報告があり，電撃白内障の臨床像が明らかになってきた．事故死の約0.8～1％が電撃によるものであり，死に至らない比較的軽度の電撃事故による自覚症状のない軽度の電撃白内障の症例は，まれでない可能性がある．

病態 電撃白内障には落雷によるものと，心臓除細動や電気椅子，その他の感電など人工電流によるものがある．白内障を発症する電圧は220～5万Vで，高電圧であるほど水晶体混濁の発症率は高いとされている．受傷部位が眼部に近いほど白内障の発症リスクは上昇する．感電部位が両眼であれば白内障は両眼に生じ，片側のみの感電であれば受傷側に白内障を生じる．片眼発症例であっても，他眼の受傷眼に近い部位に軽度の混濁がみられることもある．水晶体以外の眼障害はまれであるが，角膜，網膜，視神経に障害がみられたという報告もある．

電撃白内障の原因は不明であるが，受傷部位からの電流が眼内を流れ，水の含有量

が高い組織内にあり，水晶体そのものも水の含有率が高いため，水晶体が特異的に傷害されやすいと考えられている．これまで報告されている発症のメカニズムとして，①水晶体上皮細胞障害および上皮細胞の異常増殖により前囊下混濁を生じる，②水晶体線維の傷害により混濁を生じる，③ぶどう膜炎や房水循環障害により水晶体混濁を生じる，④電撃により水晶体の破囊，毛様体収縮，紫外線と赤外線被ばくにより混濁をきたす，⑤水晶体囊の透過性亢進により水晶体内に水が流入し混濁を生じる，などがある．混濁水晶体は膨化し，成熟白内障を呈することが少なくないため，電撃による直接的，間接的な障害が水晶体囊の透過性を変化させている可能性は十分に考えられる．

診断　白内障発症までの期間は，電撃を受けた直後に発症するものもあるが，数か月～6か月後に発症することも少なくない．受傷早期には自覚症状がないことが多く，患者は自身の水晶体障害に気がつかない．受傷後3週間～2年で視力低下を生じると報告されている．水晶体には受傷1日以内に水晶体周辺側前囊下に微細な水疱を生じる．組織所見では，水疱部の水晶体上皮細胞にはすでに変化を生じており，上皮細胞は伸長し増殖性変化もみられる．この水疱は徐々に消失し淡い苔状の白色前囊下混濁となり，のちにこの部位は放射状に広がる灰白色の混濁となるため，受傷早期の水疱形成は予後の推測に重要な所見である．水疱は水晶体周辺部に輪状に生じるので，受傷早期の散瞳での水晶体観察がきわめて重要である．放射状混濁は徐々に拡大し，最終的には強い前囊下混濁による高度の視機能障害をきたす．房水が水晶体内に流入し，成熟白内障を生じることもある．水晶体の障害が軽度の場合や電撃白内障を生じた眼の他眼では，前囊下に水疱を生じるが混濁に至らず消失することがある．また，混濁を生じても赤道部付近の軽度の前囊下混濁のみにとどまり，自覚症状を生じないこともある．鈍的外傷ではしばしば水晶体赤道付近の前囊下混濁を生じるため，前囊下混濁では外傷を疑うことが多いが，電撃白内障の可能性も念頭において診断することが重要である．

白内障以外の眼障害としては散瞳，結膜充血，角膜混濁，虹彩毛様体炎，網膜出血，脈絡膜破裂，視神経萎縮などを生じることがある．

治療　電撃受傷直後には，水晶体の変化は水疱形成のみで著明な視力障害の自覚がないことも多い．数か月～6か月後に視力障害を自覚してから眼科を受診することも多いため，前囊下混濁を認める患者では電撃受傷の有無に関する問診は重要である．治療は通常の超音波乳化吸引術で行い，白内障以外の眼合併症がない場合，視力予後は良好である．

3 眼内レンズ

眼内レンズ―種類と特徴
Intraocular lens：IOL―type & features

長谷川優実　筑波大学附属病院・病院講師

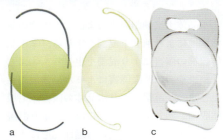

図11　IOLの形状，着色
a：3ピース着色レンズ，b：1ピース着色レンズ，
c：プレート型非着色レンズ．
（画像：日本アルコン，参天製薬より提供）

形状　円形の光学部とループ状の支持部で構成されるオープンループ型(図11a, b)と，光学部と支持部が一体となって全体が長方形のプレート型(図11c)がある．オープンループ型は，以前は光学部と支持部が異なる材質で構成される3ピース構造(図11a)が主であったが，現在は1ピース構造の眼内レンズ(IOL)(図11b)の使用が増えている．1ピースIOLとプレート型は全体に軟らかく，インジェクターでの挿入が容易であるが，嚢外固定や強膜内固定には向かないため，一般的には3ピースIOLを用いる．

材質　光学部の材質は，poly methyl methacrylate(PMMA)，シリコーン，アクリルの3種類が主であるが，そのなかでも現在はインジェクターを用いてIOL挿入時の創口を小さくすることが可能なシリコーン，アクリルなどの foldable IOL が主流である．3ピースの支持部の材質は，PMMA，poly vinylidene fluoride(PVDF)の2種類が主であるが，PVDFはPMMAより柔軟性があり，強膜内固定の際はPVDFの3ピースIOLが好まれる．

着色　従来用いられている非着色の紫外線吸収IOLは，ヒト水晶体に比べて可視光線の全領域で透過度が高く，特に短波長光を多く透過している．着色IOLは，ヒト水晶体に近い分光透過率のため，白内障手術前後の色や明るさの差を生じにくい．また，短波長光は網膜光障害の原因になるが，着色IOLはこの領域の光の透過率を低下させているために，網膜光障害の発生を抑制する効果が期待されている．

非球面構造　角膜は正の球面収差をもつのに対して，若年者の水晶体は負の球面収差を有し，全眼球の球面収差を軽減させている．加齢により水晶体の球面収差が正になっていくと全眼球の球面収差は増大し，視機能が低下する．球面構造のIOLは，正の球面収差をもつため，白内障手術後も全眼球の球面収差は軽減できなかった．非球面IOLは負の球面収差をもち，術後の全眼球の収差が軽減し，薄暮時コントラスト感度が向上する．

乱視矯正(トーリックIOL)　角膜乱視を有し，乱視矯正によってより良好な視力が得られる症例が適応となる．

　従来のIOLに柱面度数を追加した構造で，角膜乱視を矯正する．術前にカリキュ

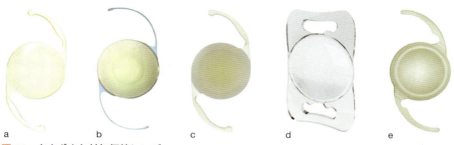

図12 さまざまな付加価値レンズ
a：トーリックIOL，b：屈折型IOL，c：回折型IOL，d：分節型IOL，e：高次非球面IOL．
(画像：日本アルコン，HOYA，参天製薬，エイエムオー・ジャパンより提供)

レータを用いて，使用する症例に適切なトーリックIOLのモデルと，固定する軸，切開位置を算出する．手術終了時に，角膜の強主経線にIOLの弱主経線を合わせるようにする(図12a)．

■ **多焦点，高次非球面** 白内障以外の眼疾患がなく，眼鏡使用を減らしたい症例に用いる．

多焦点IOLは2007年頃より日本でも承認され，2008年から先進医療として使用されていたが，2020年4月からは選定療養として運用されることとなった．現在承認されている多焦点IOLには，遠方・近方の光学領域が同心円状に配置された屈折型(図12b)，光の回折現象を利用した回折型(図12c)，光学部を扇型に分け，遠方・中間部の光学領域を配置した分節型(図12d)がある．また，高次の球面収差を最適化した高次非球面IOL(図12e)は，単焦点ではあるが，従来の単焦点IOLよりもなだらかな焦点深度をもつ．

4 白内障術中合併症

後囊破損

Posterior capsule rupture

鳥居秀成 慶應義塾大学・専任講師

■ **概念** 水晶体の後囊の厚みは後極部で約4μmと薄く，その後囊が破れて生じる白内障手術時の合併症の1つである．

■ **病態** 後囊破損は主として，前囊の亀裂が後囊に回ってしまう場合(図13a)と，後囊に対する直接的な外力で生じる場合(図13b)の2パターンがある．前者は，前房虚脱などにより前囊の亀裂が赤道部を越えて後囊まで達する場合であり，後者は後囊の吸引などの外力により後囊が破損する．

■ **診断** 術中の核の挙動，後囊の皺などを参考に，いち早く手術中に後囊が破損していることに気づくことが重要である．

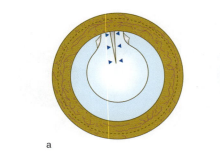

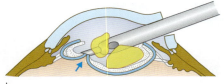

図13 後嚢破損の2パターン
a：前嚢の亀裂が後嚢に回ってしまう場合，b：後嚢に対する直接的な外力で生じる場合．

治療 以下のステップで治療を行う．

❶**前房虚脱を防ぐ** 後嚢破損に気づき次第，器具を眼内に入れている場合には，もう片方の手で粘弾性物質を前房内に入れ，前房を虚脱しないようにしてから器具を取り出す．

❷**麻酔を追加** 点眼麻酔で手術をしている場合などでは，Tenon 嚢下などに麻酔を追加し患者の疼痛に配慮する．

❸**残存水晶体の除去** 残存核などの大きさにより創を拡大し，粘弾性物質を前房に満たして残存核を眼外に流し出すビスコエクストラクション法や，輪匙の使用などで水晶体内容物を娩出．

❹**硝子体処理** A-vit 用のカッターと灌流針を用いて前部硝子体を十分に切除する．その後前房内に硝子体がなくなったら，カッターを off にし吸引モードにして水晶体皮質を吸引する．そのときに硝子体が絡んだ場合には，カッターを on にして硝子体を切除する．

❺**眼内レンズ挿入** 基本的には3ピース眼内レンズを嚢外固定する．Zinn 小帯断裂を認めた場合には，「Zinn 小帯断裂」項を参照（⇒次項）．前嚢や Zinn 小帯が問題ない場合には，眼内レンズ光学部を前嚢下に入れて optic capture する．optic capture できれば屈折誤差は生じにくいとされるが，できない場合には予定の度数から，短〜標準眼軸長眼の場合には 1.0 D 程度，長眼軸長眼の場合には 0.5 D 程度減らした眼内レンズを嚢外固定する．例えば，長眼軸長眼で＋10.50 D の眼内レンズの嚢内固定を予定していた場合，optic capture できず嚢外固定する場合には 0.5 D 減らした＋10.00 D の3ピース眼内レンズを用いる．

❻アセチルコリン（オビソート®）を入れて瞳孔が円形になることを確認し，円形にならず涙滴状となれば硝子体嵌頓があるので，スパーテルなどで瞳孔縁に向かって嵌頓を解除（ワイパリング）し，必要時硝子体切除を追加する．

予後 後嚢破損によってリスクが増加する術後合併症（網膜剥離・眼内炎・嚢胞様黄斑浮腫など）の有無による．飛蚊症はほぼ必発である．

Zinn 小帯断裂
Zinn's zonule dehiscence

鳥居秀成　慶應義塾大学・専任講師

概念・病態 水晶体は Zinn 小帯により周囲の毛様帯に吊られており，Zinn 小帯は水晶体前嚢・赤道部・後嚢に結合して

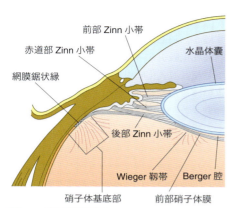

図14 前眼部断面図

図15 CTRインジェクターを用いてCTRを挿入

図の左側に60度程度のZinn小帯断裂を認め（矢印），そのまま挿入するとさらに断裂範囲が広がることが危惧されたため，シンスキーフックでCTR先端をコントロールして挿入している．

いる（図14）．そのZinn小帯が断裂しているものをZinn小帯断裂（ZD）といい，アトピー性皮膚炎，頭部外傷，硝子体術後，落屑症候群，網膜色素変性，強度近視，浅前房（急性緑内障発作眼）などではZDを合併していることがあり，患者への術前の説明と手術時の器具の準備が重要である．

診断　術前に診断できる所見として，水晶体震盪，水晶体偏位，硝子体の前房内脱出，前房深度や散瞳状態の左右差・局所差がある．術中所見としては，連続円形前囊切開時の水晶体動揺，前囊周辺部の放射状の皺，核や皮質吸引時に水晶体赤道部が見える，などがある．

治療　ZDの範囲により手術方法が異なる．また，基本的には前囊に亀裂（tear）がない状態で以下の治療を行う必要がある．またいずれの場合も水晶体内容物を除去し，硝子体が前房内に出てきて創部に嵌頓する場合などでは硝子体処理も行う．

❶ **ZD範囲が120度以内の場合**　Capsular tension ring（CTR，図15）を使用し，通常の白内障手術・眼内レンズ挿入を行う．

❷ **ZD範囲がそれ以上の場合**　カプセルエキスパンダーやアイリスリトラクターなどで囊を吊りながら手術を行い，水晶体内容物の除去と硝子体を処理し，眼内レンズ縫着ないし強膜内固定を行う．水晶体落下の場合は「核落下」項（⇒次項）を，縫着用CTRについては他の成書を参照されたい．

広範囲のZDとtearを合併するような場合には，水晶体囊内摘出術への変更なども考慮し，状況に応じた術式変更が必要となる．

核落下

Lens nucleus dislocation into the vitreous cavity

松島博之　獨協医科大学・准教授

概念　手術中に水晶体が硝子体腔に落下した状態．

病態・診断　手術中に後囊破損や連続円形切開（continuous curvilinear capsulorhexis：CCC）に亀裂が入り後囊まで回っ

図16 硝子体中に落下した水晶体核片

てしまった症例で，水晶体嚢が破れた状態で水晶体核成分が落下する．硝子体中に落下した水晶体蛋白質は強い炎症反応を引き起こし眼圧が上昇するので，早急な対応が必要となる．術前から水晶体が偏位している Zinn 小帯断裂範囲が広い症例では水晶体が嚢ごと外れて落下することがある．

| 治療 | 術中に核落下が生じてしまった場合，小さい核片であれば消炎し自然吸収が期待できるが，術後飛蚊症を訴えることが多い．症状が強い場合は硝子体手術によって残存水晶体成分を除去する．大きい核片が落下すると強い炎症反応が生じるので，早急に水晶体核の除去が必要となる．手術手技は煩雑になるので，硝子体手術の可能な施設での手術が必要である．設備がない場合は，前部硝子体の処理を行い，創口を閉じて設備がある施設に紹介する．落下した水晶体核を除去する場合，3ポートを作製して硝子体手術を行い，硝子体を含めて落下した核の除去を行う **(図16)**．軟らかい水晶体核や残存皮質であれば，硝子体カッターで破砕吸引できる．硬い核片の場合は硝子体カッターでは砕けないので，硝子体を切除後にパーフルオロカーボン（perfluorocarbon：PFC）を使用して核を浮上させ，切開創を拡大し水晶体核を娩出するか，PFC で核を浮上させた状態で超音波乳化吸引することが可能である．PFC 下で超音波乳化吸引を行うと，破砕した小さい核片が虹彩下に隠れる場合があるので注意する．落下核の処置が終わったところで，眼内レンズを挿入する．CCC が完全であれば眼内レンズを嚢外固定して光学部を後房側にキャプチャーする．CCC が破損している場合は，縫着や強膜内固定が必要となる．炎症が強い場合はあわてず，あとで2次挿入を行うようにする．

創口不全
Wound failure

松島博之　獨協医科大学・准教授

| 概念 | 小切開白内障手術による切開創は眼内圧によって縫合しなくても自己閉鎖するが，何らかの理由で自己閉鎖しなくなった状態をいう．

| 病態 | 切開創が大きい，創口の長さが短い，強角膜3面切開で創口を切り上げてしまうと，リークが生じて自己閉鎖しなくなる．低眼圧（緑内障手術後）の場合も同様である．水晶体核硬度が高い症例などで超音波パワーが高く時間が長くなると，創口熱傷（サーマルバーン）が生じて創口に隙間ができる．小児では組織の伸展性が高く自己閉鎖しにくい．

| 診断 | 手術終了時に前房が浅い場合は創口からリークが生じていることが多い．強角膜3面切開で創口を切り上げてしまった場合や創口熱傷があると創口不全が生じる．灌流液を注入して眼圧を上げる

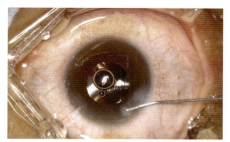

図17 創口不全に対するハイドレーション

が，創口不全があると再び漏れてくる．低眼圧になるとリークは止まるが，灌流液を再度注入して吸水スポンジ M.Q.A.で確認する．主切開創だけでなくサイドポートからのリークも注意する．創口不全は術後眼内炎の原因となるので，手術終了時の確認が重要である．

| 治療　まず創口を M.Q.A.で圧迫し，形状を整える．軽度のリークであれば創口角膜実質にハイドレーションを行う(図17)．創口上部と両側に行うが，ハイドレーションが効くと創口部が水腫のために白濁する．強く行うと Descemet 膜剥離をきたすので注意する．また手術終了直後はリークしていても数分待つと創口閉鎖が得られる場合がある．

ハイドレーションで創口が閉じない場合は縫合を行う．小切開でリークが多くなければ，10-0 ナイロン糸を使用し創口中央に 1 針縫合する．強角膜切開を切り上げた場合は，形状に合わせて縫合する．1 針で閉鎖しない場合は追加縫合を行うか連続縫合で対処する．低眼圧で強く縫うと術後惹起乱視が高度になるので，仮縫合後に眼内圧を上げてから本結紮を行う．乱視が強くなってしまった場合は，後日抜糸すると軽減できる．縫合後リークが少しであれ

ば，創口をソフトコンタクトレンズで覆うことで対処できる．熱傷が原因の場合は閉鎖しにくいので，縫合する長さを広げて健常組織を含めて複数縫合することで対処する．

脈絡膜滲出

Choroidal effusion

石井 清　さいたま赤十字病院・部長

| 概念　脈絡膜の毛細血管より上脈絡膜腔に，急峻な漿液成分の異常な蓄積が起こった病態を意味する．脈絡膜の比較的大きな血管の破綻が生じた場合は，駆逐性出血の状態となる場合もある．

| 病態　原因ははっきりしてはいないが，高齢化による動脈硬化と，白内障手術中の急激な眼圧低下のために，短後毛様動脈からの急峻な漿液成分の滲出により生じると考えられている．発症率の報告はさまざまであるが，最近の無縫合極小切開白内障手術では，眼圧低下の時間が短いため0.05％程度といわれている．危険因子としては，①高齢，②高血圧，動脈硬化，③高眼圧，緑内障，④強度近視，小眼球症，Sturge-Weber 症候群がある．

このような背景をもつ患者を手術する場合には，発症の可能性は念頭におく必要がある．しかし過度な患者説明は，かえって患者の緊張を高めてしまうので，発症がまれであることで，安心感を与える必要もある．手術開始直後から痛みを訴える場合は，Tenon 嚢下麻酔の追加などを行い，誘因を作らないことが大切である．

| 診断　発症の徴候は術中に生じる浅前

房を伴う，急激な硝子体圧の上昇である．後嚢の上昇に伴い，後嚢破損の危険性も伴う．前房が極端に浅くなった場合は手術の継続が困難になることもある．眼底が透見可能であれば，脈絡膜皺襞が観察される．これは「駆逐性出血」（⇒次項参照）や irrigation misdirection syndrome（IMS）との鑑別に必要である．

治療 最近の極小切開白内障手術では，眼圧上昇に伴い自然に創口が閉鎖するため，20～30分様子をみるだけで，前房が深くなり，手術の継続が可能となるケースもある．またヒーロンV®を注入することで前房を形成できれば，継続操作も可能である．しかしヒーロンV®が創口から押し戻されるようなケースでは，いったん手術を中止し，20～30分様子をみても前房の形成が得られない場合は，翌日以降手術を再開としてもよい．

予後 手術が無事終了すれば，比較的視力は得られるので問題は少ない．ただし最初の1眼目で脈絡膜滲出を起こした場合は，片眼も同じようなケースを起こすリスクが高いので，できれば全身麻酔で行うか，全身麻酔のできる施設への転送も考慮に入れてもよい．

駆逐性出血

Expulsive hemorrhage

石井 清　さいたま赤十字病院・部長

概念 脈絡膜の血管破綻により，上脈絡膜腔に急峻な血液成分の異常な蓄積が起こった病態を意味する．

病態 原因は「脈絡膜滲出」（⇒前項参照）同様はっきりしてはいないが，白内障手術中の急激な眼圧低下のために，急峻な血液成分の滲出によって生じ，さらに硝子体腔へ波及した場合は，出血とともに創口から網膜などの眼球内容組織が，眼外へ脱出してしまい，最悪失明に至るおそろしい合併症である．

診断 発症の徴候は術中に生じる急激な痛みとともに，浅前房を伴う，急激な硝子体圧の上昇である．後嚢の上昇に伴い，網膜が後嚢下に観察される．眼底が透見可能であれば，高度の脈絡膜剥離様の網膜の盛り上がりが観察される．

治療 直ちにすべての白内障手術操作を中止し，創口の閉鎖に努める．なるべく太めの糸で切開創を縫合する．しかし最近の極小切開白内障手術では，前述の脈絡膜滲出と同じで，眼圧上昇に伴い自然に創口が閉鎖するため，自然に落ち着く可能性が高い．よって極小切開白内障手術ではこの合併症に遭遇することは少なくなった．しかし眼外への出血が激しい場合は，強膜穿刺を行って，脈絡膜出血を排除する方法もある．

予後 出血が眼内で収まっている場合は，脈絡膜下の出血が液化する10～14日後に，強膜穿刺を考慮に入れた硝子体手術を行い，網膜が復位すればある程度の視力は確保できる．しかし眼外へ眼球内容組織が出てしまっているケースでは，失明に至るケースが多い．前項の脈絡膜滲出と同じく，最初の1眼目で駆逐性出血を起こした場合で，片眼の白内障を施行しなくてはならない場合は，片眼も同じようなケースを起こすリスクが高いので，できれば全身麻酔で行うか，全身麻酔のできる施設への転送も考慮に入れてもよい．

球後出血
Retrobulbar hemorrhage

石井 清　さいたま赤十字病院・部長

概念　球後麻酔に使用する球後針により，眼窩内の血管に障害を及ぼし生じる眼窩内の出血である．

病態　眼窩内の出血により，眼窩圧が上昇し，眼球突出や眼瞼皮下出血が生じる．

診断　前述の病態はもちろん，発症の徴候がみられる場合は，注射器の内筒を吸引した場合に，血液の逆流がみられる．眼球突出と球結膜出血を生じ，閉瞼が困難になる．また触診にても眼窩内圧が高いことが観察される．

治療　出血が少量の場合は，経過観察のみで，特段の処置が必要ない場合もあるが，動脈損傷の場合は，急峻な眼窩内圧上昇に伴う眼球圧迫により，高眼圧による視神経障害，網膜動脈閉塞などの重篤な合併症をきたすこともあるため，まずは眼瞼上から手の平で数分間圧迫を行い，止血と眼窩内圧の下降に努める．それでも眼窩内圧が高い場合は，眼外角切開，結膜切開を行い減圧する．

この合併症を回避するためには，さまざまな方法(曲針か直針，内上方もしくは正面視)が唱えられているが，よく切れる針を用いること，また針の刺入時に違和感がある場合は，内筒を吸引して，出血の有無の確認を行うことが重要である．

予後　最近白内障手術では，点眼および Tenon 嚢下麻酔が行われる場合がほとんどである．球後麻酔を使用するのは，眼球運動抑制を目的とするケースなどに行われるのみとなり，球後出血はほとんど観察されなくなってきた．また球後出血の程度にもよるが，前述の治療が奏効すれば重篤な合併症をきたすことはあまりない．

5　白内障術後合併症

後発白内障
Secondary cataract

黒坂大次郎　岩手医科大学・教授

概念　白内障術後，白濁あるいは透明な組織が水晶体嚢内または後嚢上に出現したもの．瞳孔領にかかると視機能に影響を与え視力が低下する．

病態・症状　白内障手術の際に残存した水晶体上皮細胞が，術後に増殖・遊走・分化して生じる．水晶体嚢を残存させた場合にはほとんどの症例に生じる．術後早期に生じる前嚢切開縁周囲の白濁した混濁が線維性混濁であり，数年して周辺部の水晶体前・後嚢に囲まれた領域がドーナツ状に膨れているのが Soemmerring リングであり，眼内レンズ下後嚢上に生じるキャビア状の透明な混濁が Elschnig 真珠(図 18)である．

線維性混濁は，水晶体上皮細胞の筋線維

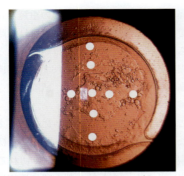

図18 Soemmerring リングとElschnig 真珠

図19 後嚢を十字に裂くような照射

芽細胞様細胞に変化することにより生じ，その収縮力により，前嚢切開窓の減少や眼内レンズ偏位をもたらす．軽度の場合には，明らかな症状はきたさないが，前嚢収縮が著しい場合には視力低下をきたし，また，この混濁が後嚢上にまで進展するとコントラスト感度の低下をもたらす．

Soemmerring リングと Elschnig 真珠は，水晶体上皮細胞の不完全な水晶体線維への分化により生じる．前者は，臨床的に問題を起こすことは少ない．一方，後者は，瞳孔領にまで及ぶと視力低下をきたす．

診断　散瞳して，細隙灯顕微鏡にてよく観察する．線維性混濁は前嚢切開縁に沿った白い混濁した組織で容易に診断可能であるが，Elschnig 真珠は，透明なため軽い混濁だと見落としてしまうことがある．徹照して観察すると発見しやすい．

治療　治療の基本は，散瞳してからNd：YAG レーザーにより切開を行う．線維性混濁により前嚢切開窓が著しく縮小した場合には，通常よりも少しパワーを上げるか，連続発進モードを使用して，前嚢切開縁の混濁部が分断されるように放射状に切開を加えていく．多くの場合，4か所の切開で足りる．混濁部を完全に切開できると水晶体嚢の収縮が解除され前嚢切開窓は自然に広がっていく．Elschnig 真珠は，後嚢を十字に裂くように照射する(図19)．なお，眼圧予防のためアプラクロニジン塩酸塩の点眼薬を処置1時間前と直後に点眼する．

眼内レンズ偏位

Intraocular lens (IOL) dislocation

川野純廣　倉敷中央病院・医長

概念　白内障手術後に眼内レンズ(IOL)の位置がずれることを IOL 偏位という．ごく軽度の視軸中心からの位置ずれは偏心，傾斜で表現されるが，IOL 偏位は状態による定義はあいまいであり注意が必要である(図20，21)．一方で，水晶体偏位の場合は明確な定義があり，瞳孔領から水晶体が見えるものは水晶体亜脱臼，眼底あるいは前房に完全に落ち込んでいるものは水晶体脱臼である．

病態　術後3か月以内に起こるもの

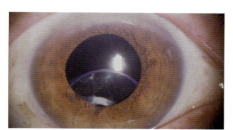

図 20 瞳孔領から IOL 支持部が観察される IOL 偏位（囊内固定）

図 21 眼底に完全に脱臼している IOL 偏位（囊内固定）

が早期，以降に起こるものが晩期と定義され，IOL が水晶体囊内固定か，囊外固定かによって発生時期が異なる．囊内固定された IOL の脱臼は白内障術後に Zinn 小帯が弱体化することによって引き起こされる進行性の病気であり，術後 10 年での累積発生率は 0.1〜1.0％とされる．近年晩期 IOL 脱臼の件数が増えてきていることが報告されており，IOL 挿入眼の人口増加や，白内障の難症例ではあるが，囊内固定で終了できる症例の増加のためと推測されている．晩期 IOL 脱臼は男性では若年に多く，女性では高齢者に多い．

　囊内固定の晩期 IOL 脱臼の因子は Zinn 小帯弱体化と水晶体囊の収縮に関連があり，落屑症候群，糖尿病，網膜色素変性，アトピー性皮膚炎，結合織異常などがある．とりわけ落屑症候群はハイリスク因子である．そのほかに強度近視，ぶどう膜炎，外傷，硝子体手術既往，緑内障発作既往が知られている．

症状　視力低下や羞明を訴える．

診断　散瞳して IOL の位置を確認することが重要である．蝶番のように仰向けになったときにのみ眼底にぶら下がる症例も経験する．また，偏位により眼圧が上昇する症例もしばしば経験する．

治療　手術介入が必要である．IOL の固定位置，水晶体皮質の付着状況，IOL の材質や構造によって手術戦略が異なる．特に poly methyl methacrylate（PMMA）素材の IOL は IOL カッターでの切断は困難であり，IOL についての情報は事前に収集すべきである．

瞳孔捕捉

Pupillary capture

鳥居秀成　慶應義塾大学・専任講師

概念　瞳孔捕捉とは，眼内レンズ光学部が虹彩の前方に位置する状態で，主として眼内レンズ縫着術後や強膜内固定術後に生じる．ただまれに囊内固定でも前囊に被覆されていない光学部が虹彩前に出る場合がある．

病態　発症機序としては下記のいくつかの説がある．また，瞳孔径が大きく硝子体圧が高い若年者に生じやすい．

①眼内レンズの縫着・固定位置が虹彩寄りにあることや，眼内レンズの傾斜などが

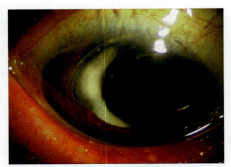

図22 眼内レンズ支持部が前房内に出ている症例

69歳男性．poly methyl methacrylate（PMMA）製の眼内レンズ支持部が前房内に出ており角膜内皮細胞に接触しているため，早急に眼内レンズ抜去・縫着を行った．

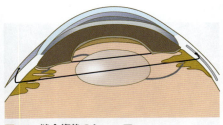

図23 縫合術後のシェーマ

関与する説．
②眼球運動や瞬目などにより後房から前房に房水が流れ，前房圧が後房圧を上回るという逆瞳孔ブロックが関与する説．
③虹彩菲薄化や緊張低下が関与する説．

症状 偏位による屈折異常，羞明感，コントラスト感度低下，炎症が起こった場合には黄斑浮腫・視力低下などを自覚することがある．また，瞳孔ブロックが起こると眼圧が上昇することもある．一方，炎症がないときなど視力に大きな影響はないこともある．

治療 治療方法は，急を要するものと要さないもの，瞳孔捕捉を繰り返す場合の3つに大別される．

❶**急を要するもの** 瞳孔捕捉が両側で起こり，瞳孔ブロックによる急性緑内障発作を生じた場合．基本的には周辺虹彩切除のない症例で生じ，周辺虹彩切除を行いレンズの位置を整復する．また，眼内レンズ支持部が前房内に出ている場合（図22）には，角膜内皮細胞を傷つけるため早めに手術を行う．

❷**急を要さないもの** 上記以外の場合かつ虹彩と眼内レンズが癒着せず合併症がない場合にはまず保存的に治療をする．散瞳薬で極大散瞳を行い，仰臥位で自然整復を試みる．保存的治療が無効な場合には外科的に解除し，周辺虹彩切除を行い，術後は縮瞳薬の予防点眼を行う．

❸**治療抵抗性で瞳孔捕捉を繰り返す場合** 虹彩の後方とレンズ前面の間に縫合糸を通して毛様体扁平部間で縫合する（図23）．

眼内レンズ混濁
Opacification of intraocular lens

松島博之　獨協医科大学・准教授

概念 眼内レンズ（IOL）光学部が挿入後長期経過後に混濁する現象．主にカルシウム沈着とグリスニングがある．

病態・診断 カルシウム沈着は親水性アクリル素材のIOLに生じ，通常挿入後4年以上経過後に光学部表面にリン酸カルシウムが付着・積層し白濁化する現象である．角膜移植や網膜硝子体手術などで炎症が生じるとカルシウム沈着が生じやすい．

まれに硝子体閃輝症にシリコーン IOL を挿入したときにも生じる．視機能に影響しやすく，眼底の透見も困難になる．

グリスニングは IOL 光学部にみられる小輝点（1〜20 μm）で，疎水性アクリル素材で観察されることが多い．IOL 素材内で温度変化によって余剰した水分がポリマー内の空洞内に貯留することで生じる（水相分離現象）．光学部内表層に散乱光が増加する現象を sub-surface nano glistening（SSNG）という．グリスニングよりも微小な水相分離（約 100 nm）に光が反射・散乱し生じる．SSNG は疎水性アクリル素材であるアクリソフ®にみられ，視機能に対する影響は少ないが，混濁は経年的に増加する．カルシウム沈着と SSNG は細隙灯顕微鏡所見からは判別が難しい場合がある．IOL 素材と透過性の相違から判別する．

治療
カルシウム沈着は，視機能への影響が高度であるために摘出交換の適応となることが多い．IOL と水晶体囊の癒着が強いので眼粘弾剤で分離してから，IOL を切断または折って摘出する．可能であれば水晶体囊内に，水晶体囊を損傷した場合は IOL 縫着や強膜内固定が必要となる．グリスニングと SSNG は，視機能に影響しにくいので簡単に手術を選択してはいけない．ただし網膜疾患を有した症例で，グリスニングや SSNG が高度に進行すると摘出交換が奏効する場合がある．IOL 摘出交換は煩雑な手技であり，術前より視機能が低下する可能性もあるので，適応は慎重に判断する．

白内障術後乱視
Postoperative astigmatism

神谷和孝　北里大学医療衛生学部・教授

概念
近年，小切開白内障手術が主流となっており，手術による惹起乱視はきわめて少なく，臨床上無視しうるものも多い．しかしながら，一部ではあるが，術後乱視による不満を訴える症例も存在する．患者満足度を最大化するうえで，良好な術後視機能の獲得が必要であり，最適な眼内レンズ度数を選択するだけでなく，できるだけ術後乱視を軽減すべきである．術前角膜乱視が強い症例では，積極的にトーリック眼内レンズを考慮して，術後乱視をできるだけ減らしておく．

病態
❶**術前の角膜乱視**　白内障手術前に角膜乱視を 1 D 以上認める症例は，1/3 程度とされる．術前角膜乱視が大きい症例では，トーリック眼内レンズによる乱視矯正のよい適応と考えられる．特に瞳孔が大きい症例や斜視症例では，積極的に矯正を考えたい．

❷**切開創の拡大**　通常の小切開無縫合白内障手術による惹起乱視は約 0.5 D 以内と小さく，臨床的な影響は少ない．水晶体囊外摘出術を行った症例や，後囊破損や Zinn 小帯断裂により核娩出のための創口拡大を要した症例では，縫合が必要であり術後乱視を惹起しやすい．特に角膜切開を行った症例では切開創拡大による縫合の影響を受けやすくなる．

治療
■ **治療方針**　通常，眼鏡やコンタクトレン

ズによる矯正が第1選択となる．乱視が強い症例では，眼鏡やトーリックソフトコンタクトレンズによる矯正は困難であり，ハードコンタクトレンズの適応となる．しかしながら，高齢者では装用困難となる症例は少なくない．そのような症例では，外科的治療による乱視矯正が必要となる．

■ 手術治療

❶ エキシマレーザー　白内障術後の残余屈折異常が少ない症例では，エキシマレーザーを用いた LASIK やレーザー屈折矯正角膜切除（photorefractive keratectomy：PRK）が有用である．カスタマイズド照射を行うことで，不正乱視を軽減することも可能である．乱視矯正効果は非常に高く，球面度数の矯正も同時に可能であるが，高価なレーザー装置を有する施設が少ないのが現状である．

❷ フェムトセカンドレーザー　フェムトセカンドレーザーによる白内障手術が注目されているが，周辺角膜切開による乱視矯正手術も施行可能である．用手法に比較して切開精度が高く，乱視矯正効果の予測性に優れているが，乱視矯正効果としては低い．

❸ 輪部減張切開　白内障術後の残余屈折が正視に近く，乱視量が比較的少ない症例では，用手的輪部減張切開術が有用である．乱視矯正効果としては低く，予測性もあまり高くないが，高価な装置やレンズが不要であり，比較的簡便に施行可能である．通常白内障手術と同時に施行されることが多いが，術後の乱視矯正として単独で行うことも可能である．

❹ ピギーバック　白内障術後の残余屈折が大きい症例では，眼内レンズによるピギーバックが有用である．アドオンレンズや本来有水晶体眼内レンズに用いる後房型レンズは自覚屈折度数によって度数決定が可能であり，挿入されている眼内レンズ度数や眼軸長に依存しない．乱視矯正効果としては高く，球面度数ずれにも対応できる利点があるが，レンズ間混濁（interlenticular opacification），レンズ接着・変形，屈折ずれ（特に遠視化）が考えられる．

❺ 軸ずれ補正　術前角膜乱視が大きい症例では，トーリック眼内レンズの適応となるが，本レンズが挿入されており，術後経過において回転を生じた場合，トーリック眼内レンズの軸ずれを補正する必要がある．術後早期に回転することが多く，1度の軸ずれにより約 3% の乱視矯正効果が減少し，30度の軸ずれを生じると乱視矯正効果は消失してしまう．特に長眼軸長眼やアトピーの既往がある症例では注意を要する．

❻ 抜糸　現在は無縫合白内障手術が一般的であり，実際の適応としては少ないが，水晶体囊外摘出術など創口拡大した手術において，タイトな縫合を行い惹起乱視が強く認められる症例では，抜糸を行うことで乱視を軽減することが可能である．

白内障術後眼内炎
Postoperative endophthalmitis

中静裕之　日本大学病院・教授

概念　白内障手術後に主に細菌感染により眼内に強い炎症を生じる状態であり，日本でもいまだ 0.025～0.052% に生じる重篤な白内障術後合併症である．

術後眼内炎は急性と遅発性に大きく分類される．急性術後眼内炎は通常術後 6 週

間以内に発症する．遅発性術後眼内炎は通常術後6週間以後に生じる．

| 病態 |　多くは術中の常在菌の迷入が眼内炎発症の主な原因と考えられる．特に眼内レンズ挿入時は細菌が眼内に迷入しやすい．術野からはポビドンヨード消毒後であっても，約6％に細菌が検出され，白内障手術終了時の前房水からは5％に細菌が検出されている．術後創口不全や創口離開があれば術後感染の機会となりうる．

急性術後眼内炎では腸球菌，黄色ブドウ球菌，表皮ブドウ球菌，*Streptococcus pyogenes* や *Streptococcus pneumoniae* といったレンサ球菌などのグラム陽性菌，緑膿菌に代表されるグラム陰性菌により生じる．白内障術後眼内炎はその75％の症例で術後1週間以内に生じている．

遅発性術後眼内炎は *Cutibacterium*（*Propionibacterium*）*acnes*, coagulase-negative staphylococci（CNS），真菌などにより生じる．

白内障術後眼内炎では前房から虹彩，毛様体，硝子体，網膜へと感染が進行する．

| 症状 |

❶**眼症状**　自覚症状として94％に視力低下，82％に結膜充血，74％に眼痛，35％に眼瞼腫脹があった．眼痛は眼内炎を疑う最も重要な症状であるが，弱毒菌では眼痛のないことも多く，眼痛のないことが眼内炎を否定する理由にはならない．Japan Clinical Retina Study（J-CREST）group の報告では眼痛は約50％とされている．

❷**眼所見**
- 視力低下．
- 結膜・角膜浮腫，結膜・毛様充血．
- 角膜混濁（時に細胞浸潤を伴う），Descemet 膜皺襞．
- 前房内炎症（大きな細胞，強いフレア，温流の停滞，角膜裏面沈着物，フィブリン析出，前房蓄膿）．
- 硝子体炎症（硝子体混濁により網膜血管の不明瞭化，眼底透見度の低下）．眼底の透見が困難な場合にはBモード超音波検査も硝子体混濁の評価，炎症波及範囲の判定に有用．
- 網膜血管炎，血管周囲炎，網膜浮腫，視神経乳頭の充血．
- 網膜電図でb波の減弱は予後不良因子．

前房蓄膿は最初に眼内炎を疑う有力な所見となる．細隙灯顕微鏡ではわからない前房蓄膿でも隅角鏡検査でわかることもある（angle hypopyon）．遅発性術後眼内炎では水晶体嚢に特徴的な白色混濁（white plaque）が観察されることが多い．急性発症と比べ所見は軽く，前房蓄膿は一般的に少ない．

| 合併症・併発症 |

❶**術後眼内炎を生じやすいリスクファクター**

a. 術前　糖尿病（特に血糖コントロール不良例），高齢者，長期ステロイド使用例などの易感染宿主，眼既往症（慢性眼瞼炎，結膜炎，涙道感染，ドライアイ）．

b. 術中　創口不良（角膜切開＞強角膜切開），後嚢破損，硝子体脱出，長時間手術，経験の浅い術者．

c. 術後　患者アドヒアランス不良，創口閉鎖不全，創口への硝子体嵌頓，汚染された点眼薬の使用．

| 診断 |　硝子体液，前房水の採取を行う．硝子体液は前房水よりも細菌検出率は高い．Endophthalmitis Vitrectomy Study（EVS）では培養陽性率は70％であり，その94.2％はグラム陽性菌であった．このうちCNSが70％を占め，黄色ブドウ球菌

が9.9%，レンサ球菌属が9%であった．

　Real-time polymerase chain reaction（RT-PCR），迅速診断としてmatrix-assisted laser desorption ionization-time of flight（MALDI-TOF）質量分析などの有用性も報告されている．

■**鑑別診断**　toxic anterior segment syndrome（TASS）を含む非感染性の炎症，残存水晶体による水晶体起因性眼内炎，既存ぶどう膜炎の増悪，硝子体出血などがある．

❶ TASS の特徴
- 急性の非感染性の炎症反応．
- 典型例では白内障術後12〜48時間に起こる．
- 炎症は硝子体には及ばずに前房内にとどまる．
- 眼痛はほとんどないか，全くない．

治療　米国では手動弁以上の症例に対しては硝子体手術でなく，まずは抗菌薬硝子体内注射を施行する．EVSでは手動弁以上の症例に硝子体手術の有用性は認められていない．抗菌薬点滴静注に関してもEVSでは，その有用性は証明されていない．

　一方，日本では早急な硝子体手術および抗菌薬点滴静注治療が一般的となっている．さらに，硝子体生検および抗菌薬硝子体内注射よりも早期硝子体手術のほうが，視力予後において有意に良好であったという結果もある．

　硝子体手術は小切開硝子体手術が主流となり，眼内炎初期であればあるほど手術自体のリスクは少ない．少なくとも眼底所見が把握できない状態であれば，硝子体手術は必須である．診断に迷い，手遅れになるよりは早期に硝子体手術に踏み切ってしまったほうがよい．

　細菌は指数関数的に増加する．眼内炎を疑った時点で，初期治療として抗菌薬硝子体内注射を行うことが重要である．

■**抗菌薬の硝子体内注射**　硝子体手術までに時間を要する場合はバンコマイシン塩酸塩1.0 mg/0.1 mL，セフタジジム水和物（モダシン）2.0 mg/0.1 mLの抗菌薬硝子体内注射を行う〔抗菌薬濃度についてはバンコマイシン眼内投与後網膜閉塞性血管炎（hemorrhagic occlusive retinal vasculitis：HORV）の発症が報告され，投与量を1/5にした報告がある〕．

　初期治療としてポビドンヨード硝子体内注射1.25%/0.1 mLも簡便であるが，適応外使用であり，確立されたデータはない．

■**硝子体手術**　眼灌流液500 mL中にバンコマイシン塩酸塩10 mg，セフタジジム水和物20 mgを添加する．次の①→③の順に行う．

①前房洗浄：眼内レンズ裏面まで十分に洗浄を行う．眼内レンズ摘出の必要性については意見の分かれるところである．軽症例であれば，眼内レンズを摘出せずに炎症の鎮静化が得られている．

②硝子体手術：後嚢を大きく開窓し，嚢内への抗菌薬移行を促す．後部硝子体剥離が生じていない場合は，無理に作製する必要はない．網膜は脆弱となっており，網膜裂孔を作らないことが重要である．安全に切除できる範囲で硝子体切除を行う．

③抗菌薬硝子体内注射：手術終了時に抗菌薬硝子体内注射を行う．眼内を空気やガスに置換する際には抗菌薬量を1/4以下にする必要がある．

❶硝子体内注射

処方例

塩酸バンコマイシン注 1 mg/0.1 mL，モダシン注 2 mg/0.1 mL　保外　用法・用量

❷全身抗菌薬投与

処方例 下記 1)を基盤とし，原因菌により 2)，3)を追加する．

1) メロペネム点滴静注用(1 g) 1回1g 1日3回 点滴静注 5日間
2) アベロックス錠(400 mg) 1錠 分1 5日間

〈MRSA 眼内炎の場合〉

3) ザイボックス錠(600 mg) 2錠 分2 5日間

❸点眼

処方例 下記を併用する．

クラビット点眼液(1.5%) 1日6回 点眼
ベストロン点眼液(0.5%) 1日6回 点眼
リンデロン点眼・点耳・点鼻液(0.1%) 1日6回 点眼
日点アトロピン点眼液(1%) 1日2回 点眼

❹硝子体灌流液

処方例 硝子体灌流液 500 mL 中に下記をそれぞれ添加する．

塩酸バンコマイシン注 10 mg/mL，モダシン注 20 mg/mL　保外　用法・用量

予後　最終視力は 77% で 0.1 以上が得られている．また，38% で 0.5 以上が得られている．培養陽性例では最終視力は 0.08，培養陰性例では 0.26 であり，培養陽性例で有意に視力予後は不良であり，有意に網膜剝離発症が多い．

眼科臨床エキスパート

圧倒的な質と量の
症例写真で評価・鑑別の
プロセスをわかりやすく解説

所見から考える ぶどう膜炎 第2版

[編集] **園田康平**
九州大学大学院医学研究院眼科学分野 教授

後藤　浩
東京医科大学眼科学 主任教授

原因が多彩で鑑別診断が難しいぶどう膜炎をテーマに、"所見"をベースに評価・鑑別のプロセスと注意すべきポイントを示した好評書、待望の改訂版。初版の内容から写真を大幅に追加・変更しパワーアップ。「multiplex PCRの応用」「免疫チェックポイント阻害薬によるぶどう膜炎」など最新のトピックスもフォローするなど、臨床医が"今"知りたい内容へと生まれ変わった。

ぶどう膜炎の診療アトラス, 待望の改訂!
最前線で活躍するエキスパートの
知識とスキルを集結させた決定版!
疾患概念や検査法 治療法などをアップデートし大幅リニューアル
こだわりの写真も豊富に掲載

● B5　頁328　2022年
定価：17,600円（本体16,000円＋税10%）
[ISBN978-4-260-04935-1]

目次		
第1章　総説	Ⅵ　眼所見からみるぶどう膜炎の診断と鑑別	Ⅳ　細菌感染によるぶどう膜炎
ぶどう膜炎の診療概論		Ⅴ　真菌によるぶどう膜炎
第2章　総論	**第3章　各論**	Ⅵ　仮面症候群
Ⅰ　目で見るぶどう膜の解剖・生理	Ⅰ　内因性ぶどう膜炎	Ⅶ　強膜ぶどう膜炎
Ⅱ　目で見るぶどう膜炎の疫学	Ⅱ　ウイルス感染によるぶどう膜炎	Ⅷ　視神経炎を伴うぶどう膜炎
Ⅲ　ぶどう膜炎の画像検査	Ⅲ　原虫・寄生虫感染による	
Ⅳ　ぶどう膜炎の機能検査	ぶどう膜炎	
Ⅴ　診断に役立つ全身検査		

医学書院

〒113-8719　東京都文京区本郷1-28-23　[WEBサイト]https://www.igaku-shoin.co.jp
[販売・PR部] TEL:03-3817-5650　FAX:03-3815-7804　E-mail:sd@igaku-shoin.co.jp

8 ぶどう膜疾患

ぶどう膜炎の鑑別診断表
Diagnostic and therapeutic chart of uveitis

岩田大樹　北海道大学病院・講師

表1　ぶどう膜炎の鑑別診断表

	好発年齢(性)	発症要因,原因菌	罹患眼	炎症部位	経過	肉芽腫性変化	重要な検査	治療	視力予後
Behçet病	20〜40歳代	HLA-B51, HLA-A26	両	汎	急性再発性	−	口腔内アフタ, 陰部潰瘍, 結節性紅斑, HLA	ステロイド(局), コルヒチン, シクロスポリン, インフリキシマブ	やや不良
サルコイドーシス	20歳代, 60歳代にピーク		両	汎	慢性	+	ACE, sIL-2R 胸部写真	ステロイド(局, 全), アダリムマブ	
Vogt-小柳-原田病		HLA-DR4	両	汎	急性	遷延時+	髄液, 聴覚	ステロイド(全), シクロスポリン, アダリムマブ	良
交感性眼炎		外傷, 手術	両	汎	急性	+		ステロイド(全)	不良
Fuchs虹彩異色虹彩毛様体炎			片	前部	慢性	+		必要なし	良
Posner-Schlossman症候群			片	前部	急性再発性	−		ステロイド(局)	良
HLA-B27関連ぶどう膜炎		HLA-B27	両	前部	急性再発性	−	HLA	ステロイド(局, 全)	良
ヘルペスウイルス虹彩毛様体炎		HSV, VZV	片	前部	急性	+	前房水PCR	ステロイド(局, 全), アシクロビル	
真菌性眼内炎		IVH, 留置カテーテル	両	汎	急性	−	β-Dグルカン, カンジダ抗原	抗真菌薬, 硝子体切除術	不良
TINU症候群	10歳代(女性)		両	前部	慢性〜亜急性	−	尿中β₂-MG	ステロイド(局, 全)	良
HTLV-I関連ぶどう膜炎		HTLV-I	両	汎	慢性〜亜急性	+	HTLV-I抗体	ステロイド(局, 全)	良
炎症性腸疾患に伴うぶどう膜炎			両	前部	急性再発性	−	消化器の精査	ステロイド(局)	良

(つづく)

表1 ぶどう膜炎の鑑別診断表(つづき)

	好発年齢(性)	発症要因,原因菌	罹患眼	炎症部位	経過	肉芽腫性変化	重要な検査	治療	視力予後
眼内リンパ腫	40歳以上	中枢神経系腫瘍	両	汎	慢性		硝子体液のセルブロック組織細胞診, IL-10/IL-6比, 免疫グロブリン遺伝子再構成	放射線, 化学療法, メトトレキサート硝子体内投与	不良
乾癬に伴うぶどう膜炎			両	前部	急性再発性	−	皮膚科的精査	ステロイド(局)	良
急性網膜壊死		HSV, VZV	両/片	汎	急性	+	眼内液PCR	ステロイド(局, 全), アシクロビル	不良
トキソプラズマ症		トキソプラズマ	片	後部	急性	−	眼内液PCR, 抗体率の算出, トキソプラズマ前房水抗体価	ステロイド(全), アセチルスピラマイシン, クリンダマイシン	
トキソカラ症		トキソカラ	片	後部	急性	+	血清トキソカラ抗体価	ステロイド(局, 全)	
猫ひっかき病		Bartonella henselae	両/片	後部	急性	+	抗Bartonella henselae抗体価	抗菌薬, ステロイド(局, 全)	良
ライム病		Borrelia burgdorferi	両/片	汎	急性	+	抗Borrelia burgdorferi抗体	抗菌薬, ステロイド(局, 全)	
結核性ぶどう膜炎		結核菌	両/片	汎	急性	+	IFN-γ遊離試験, ツ反, 胸部写真	ステロイド(局, 全), 抗結核薬	
梅毒性ぶどう膜炎		スピロヘータ	両/片	汎	急性	+	梅毒血清反応	ステロイド(局, 全), ペニシリン	
散弾様網脈絡膜炎		HLA-A29(白人)	両	後部	慢性	−	HLA		
若年性関節リウマチに伴うぶどう膜炎, 若年性慢性虹彩毛様体炎	10歳未満(女児)		両	前部	慢性	−	抗核抗体	ステロイド(局, 全)	不良
水晶体起因性ぶどう膜炎		過熟白内障, 白内障術後	片	前部	急性	+		水晶体摘出	
サイトメガロウイルス網膜炎		易感染性, CMV	両	後部	急性	−	眼内液PCR, CMV抗原	ガンシクロビルなど	AIDSでは不良
MEWDS			片	後部	急性	−	視野検査	必要なし	良
APMPPE			両	後部	急性	−		多くは必要なし, 黄斑部病変あればステロイド(局, 全)	良

	好発年齢(性)	発症要因,原因菌	罹患眼	炎症部位	経過	肉芽腫性変化	重要な検査	治療	視力予後
匐行性脈絡膜炎 serpiginous choroiditis			両	後部	急性再発性	−		ステロイド(局, 全)	
Relentless Placoid Choroidopathy			両	後部	急性再発性	−		ステロイド(局, 全)	不良

略号
APMPPE(acute posterior multifocal placoid pigment epitheliopathy)
β_2-MG(β_2-microglobulin)
CMV(cytomegalovirus)
HIV(human immunodeficiency virus)
HSV(herpes simplex virus)
HTLV-I(human T-lymphotropic virus type I)
IVH(intravenous hyperalimentation)
MEWDS(multiple evanescent white dot syndrome)
PCR(polymerase chain reaction)
TINU症候群(tubulo-interstitial nephritis and uveitis syndrome)
VZV(varicella-zoster virus)
ステロイド(局):ステロイド眼局所投与(点眼,眼周囲注射)
ステロイド(全):ステロイド全身投与

Behçet 病

Behçet disease

後藤 浩 東京医科大学・主任教授

概念 Behçet 病は,口腔粘膜の潰瘍,皮膚症状,外陰部潰瘍,ぶどう膜網膜炎などの急性炎症を反復しながら慢性の経過をたどる,全身性の炎症性疾患である.その原因は外因としてレンサ球菌などの病原微生物の関与,内因として遺伝的素因(HLA-B51 や A26 との相関)や環境要因,さらに免疫異常などの関与が推定されているが,不明な点も多い.

病態 好中球の機能異常や TNF-α をはじめとするサイトカインの異常と,これらに基づく口腔粘膜,眼,皮膚,外陰部を中心とした炎症反応を発作性に,かつ繰り返し生じる.

症状 口腔粘膜の再発性アフタ性潰瘍,結節性紅斑や毛囊炎様皮疹をはじめとする皮膚症状,ぶどう膜網膜炎,外陰部潰瘍の4症状を主症状とし,そのほかにも関節炎や精巣上体炎などの副症状がみられる.特殊型として血管,消化器,神経が侵されることがある.

眼症状としては,①前房蓄膿を伴う急性虹彩毛様体炎,②びまん性の硝子体混濁,網膜脈絡膜炎,網膜血管炎などが発作性に繰り返し出現する.しばしば閉塞性血管炎により網膜静脈分枝閉塞症様の出血をきたす.フルオレセイン蛍光眼底造影で明らかとなる網膜毛細血管レベルの炎症による広範囲な蛍光漏出(羊歯状の過蛍光)は,本症に特徴的な所見である**(図 1)**.

自覚的には炎症発作期に霧視や視力低下,飛蚊症などの症状がみられる.炎症は片眼ずつ繰り返すことが多い.発作の間隔は重症例では1か月に数回,軽症例では年に1回以下などさまざまであり,数年~10年以上にわたって炎症を繰り返す.

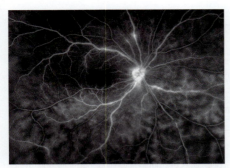

図1　Behçet病のフルオレセイン蛍光眼底造影所見
特徴的な網膜血管からのびまん性の蛍光漏出（羊歯状の過蛍光）がみられる．

診断　診断は厚生労働省ベーチェット病診断基準（2016年小改訂）に基づいて行われるが，眼症状からみた診断については「Behçet病（ベーチェット病）眼病変診療ガイドライン」（2012年）が参考となる．

治療
■ 薬物治療
❶消炎療法　急性期における眼炎症の軽減を目的とした消炎療法や，虹彩後癒着などによる続発症の発生予防のほか，炎症発作の頻度と程度の抑制を目的とした薬物療法が中心となる．

前眼部炎症の治療には，ベタメタゾンリン酸エステルナトリウム（リンデロン®）などのステロイドの点眼を症状に応じて点眼回数を調整し，処方する．副作用としての眼圧上昇には十分留意する．眼底後極部の炎症性変化が強い場合には，トリアムシノロンアセトニド（マキュエイド®）の後部Tenon囊下注射による消炎をはかる（保険適用外）．前房内に炎症細胞がみられる間はトロピカミド（ミドリン®M）などの散瞳薬を点眼し，虹彩後癒着の発生を予防する．

処方例　下記を症状に応じて適宜用いる．
1) リンデロン点眼・点耳・点鼻液（0.1％）
　1日4～6回　点眼
2) ミドリンM点眼液　1日1～3回　点眼
3) リンデロン注2mg（0.4％）（2mg/0.5mL/アンプル）　1回0.2～0.3mL　適宜　球結膜下注射
4) マキュエイド眼注用（40mg/mL）　1回20mg（0.5mL）　後部Tenon囊下注射　[保外]

❷炎症発作の抑制　炎症発作の抑制目的にはコルヒチン（保険適用外，用法・用量）の内服を第1選択とする．症状や経過に応じ0.5～1.5mg/日，通常1mg/日を継続投与する．コルヒチンのみでは炎症発作の十分な抑制が得られないときは，免疫抑制薬であるシクロスポリン（ネオーラル®）を1日5mg/kgを目安に投与する．ネオーラル®投与中はシクロスポリンの血中濃度の測定（トラフ値で50～200ng/mL）と，腎機能障害や神経症状などの副作用の有無を定期的にチェックする必要がある．コルヒチンと併用投与の際にはミオパチーを生じることがあるので注意を要する．ステロイドの全身投与については，減量，中止後に激しい炎症発作を引き起こすことがあるので避けたほうが無難である．しかし，黄斑部の滲出性変化が著しい場合などには1週間程度のごく短期間に限って用いられることがある．

処方例　下記1)を用いる．十分な効果が得られないときは2)を併用する．
1) コルヒチン錠（0.5mg）　2錠　分2
　[保外]用法・用量
2) ネオーラルカプセル（50mg）　5mg/kg　分2

上記の治療にもかかわらず炎症発作を繰り返す場合や，発症初期の段階で重篤な視

機能障害を伴う後眼部の炎症を生じている場合には，抗TNF-αモノクローナル抗体（レミケード®）の点滴静注療法が行われる．通常，5 mg/kgの用量を1〜2時間かけて8週間ごとに点滴静注を繰り返す．多くの症例で炎症発作の抑制が期待できるが，ごく一部の症例では効果が得られず（1次無効），また，治療の途中から効果が減弱していく場合もある（2次無効）．点滴静注開始後まもなく現れるアナフィラキシー様の副作用には十分注意し，出現時には抗ヒスタミン薬やステロイド投与などの対応を行う．何らかの理由でレミケード®による治療が行えない場合には，他の抗TNF-αモノクローナル抗体（ヒュミラ®）の皮下注射を2週間ごとに行う．

❸**合併症の治療**　囊胞様黄斑浮腫にはマキュエイド®で0.5 mLの後部Tenon囊下注射を行う．併発白内障には超音波水晶体乳化吸引術と眼内レンズ挿入術，ステロイド緑内障を含む続発緑内障には適宜，線維柱帯切開術や線維柱帯切除術を行う．

閉塞性血管炎に対する網膜光凝固術は，激しい眼炎症発作を誘発することがあるので，安易に行うべきでない．

| 予後 | 前眼部を中心に眼炎症発作を繰り返す症例は，消炎のたびに視機能は回復し，長期的な予後は良好なことが多い．後眼部の炎症を繰り返し生じると，網膜の変性や視神経萎縮をきたし，最終的に重篤な視機能障害に至る．続発緑内障のほか，網膜あるいは視神経乳頭からの血管新生に起因する網膜硝子体出血も視機能に大きな障害をきたす．

サルコイドーシス
Sarcoidosis

南場研一　北海道大学・診療教授

| 概念 | 全身の臓器に類上皮細胞肉芽腫病巣を作る疾患で，好発部位は肺，縦隔リンパ節，眼，皮膚であるが，そのほか心臓，脳，骨，腎臓，消化管を含む全身に発症しうる．霧視，羞明，飛蚊症，視力低下などの眼症状で発見される場合や皮疹，咳，全身倦怠，発熱，結節性紅斑，関節痛，不整脈など他臓器の症状で発見される場合がある．しかし，無症状で健康診断により両側肺門リンパ節腫脹から発見されることも多い．発症年齢は，男性では20歳代にピーク，女性では20歳代と50〜60歳代にピークを示す．日本では比較的多くみられ，ぶどう膜炎，内眼炎の原因疾患の第1位であるが，欧米，東南アジアでは少ない．

| 病態 | 原因は不明．嫌気性菌の*Cutibacterium acnes*（アクネ菌）の関与が考えられている．慢性に経過し，増悪，寛解を繰り返すことも多い．

| 眼所見 | 豚脂様角膜後面沈着物を伴う前房炎症，瞳孔縁（Koeppe結節），虹彩面（Busacca結節）に虹彩結節を生じることがあり，肉芽腫性ぶどう膜炎，内眼炎を呈する．発症時の眼圧上昇の原因となる隅角結節は比較的特異性の高い所見であり，テント状周辺虹彩前癒着の原因となる．虹彩後癒着の頻度も高い．眼底所見は多彩であり，以下の所見がみられることがあるが，同時にすべてを併せもつことはなく，軽症例から重症例まで幅広くみられる．びまん

性硝子体混濁，雪玉状・数珠状硝子体混濁，多発性ろう様網脈絡膜滲出斑，光凝固斑様の網脈絡膜萎縮病巣，網膜静脈白鞘化，結節状または分節状の網膜静脈周囲炎，視神経乳頭の発赤・腫脹などの眼底所見がみられる．散在性の斑状脈絡膜肉芽腫や漿液性網膜剥離を伴う隆起性の脈絡膜肉芽腫がみられることもある．頻度は低いが網膜新生血管，視神経乳頭肉芽腫，"snow bank"とよばれる眼底周辺部の膜状隆起性病変がみられることもある．

涙腺の肉芽腫による涙腺腫脹，乾燥性角結膜炎や，中枢神経系の肉芽腫による顔面神経麻痺などの脳神経麻痺を生じることもある．また，眼瞼皮膚，結膜に肉芽腫を生じることもある．

合併症・併発症　慢性に経過することが多いため，囊胞様黄斑浮腫，網膜上膜の合併も多い．続発緑内障の合併も多いがその原因は多彩であり，隅角結節，周辺虹彩後癒着，線維柱帯炎，線維柱帯の目詰まり，ステロイドレスポンダーなどが眼圧上昇の原因となる．併発白内障も多い．

診断　全身疾患であり診断のためには全身検索が欠かせない．眼所見からサルコイドーシスを疑う場合には，血液検査，胸部X線，胸部CTを行い，内科医，皮膚科医へ紹介する．また，安易なステロイド全身投与は病変を縮小させ診断が困難となるため，診断が確定するまでは，眼症状として緊急を要する状態でない限り，ステロイドの全身投与は避けるべきである．

2015年に日本サルコイドーシス／肉芽腫性疾患学会および厚生労働省びまん性肺疾患調査研究班により改訂された診断基準（要約）を**表2**に示す．

治療

■**治療方針**　サルコイドーシスの眼所見の重症度には個人差があり，また，個人の経過中においても病勢に波のある疾患である．軽症例では，自然軽快を期待してステロイド点眼薬のみで経過をみることが可能であるが，重症例にはステロイドなどの局所，全身投与が必要となる．

ステロイド内服に対する反応性はよいが，慢性に経過すると長期使用になりやすく副作用の発現が懸念される．全身投与に局所投与（徐放性ステロイド後部Tenon囊下注射など）を組み合わせたり，内服投与量の減量目的に免疫抑制薬などを併用したりと，個々の状況に応じた工夫が必要である．

❶**前眼部の炎症に対する治療**　前房炎症に対してステロイド点眼薬を適宜用いる．前房炎症がなくなっても隅角結節の予防にステロイド点眼薬の継続が望ましい．虹彩後癒着の予防に散瞳点眼薬を併用する．形成早期の虹彩後癒着であれば散瞳点眼薬の頻回投与により癒着の解除が期待できる．

処方例　下記を併用する．

リンデロン点眼・点耳・点鼻液(0.1%)　1日4回　点眼
ミドリンP点眼液　1日3回　点眼

❷**後眼部の炎症に対する治療**　軽症であれば点眼薬のみでよいが，重症例にはステロイド内服または徐放性ステロイドの後部Tenon囊下注射を行う．また，ステロイド内服により生検結果が陰性となってしまうことが懸念されるため，診断前であれば経気管支肺生検などの検査が終了するまで全身投与は控える．

ステロイド内服は有効であるが全身の副作用に注意しながら使用する．糖尿病，骨

表2 サルコイドーシスの診断基準（2015年改訂）

〈診断基準〉
サルコイドーシスの診断にかかわる項目には，A．臨床症状　B．特徴的検査所見　C．臓器別特徴的臨床所見（臓器病変を強く示唆する臨床所見）　D．鑑別診断　E．組織所見があり，これらの組み合わせで組織診断群と臨床診断群が定義されている．

〈診断のカテゴリー〉
- 組織診断群：A，B，Cのいずれかで1項目以上を満たし，Dの鑑別すべき疾患を除外し，Eの所見が得られているもの．
- 臨床診断群：Aのうち1項目以上＋Bの5項目中2項目＋Cの呼吸器，眼，心臓3項目中2項目を満たし，Dの鑑別すべき疾患を除外し，Eの所見が得られていないもの．
- 疑診群：組織診断群，臨床診断群の基準を満たさないが本症の疑いのあるもの．

A．臨床症状
　　呼吸器，眼，皮膚，心臓，神経を主とする全身のいずれかの臓器の臨床症状や所見，あるいは臓器非特異的全身症状

B．特徴的検査所見
　1．両側肺門縦隔リンパ節腫脹（Bilateral hilar-mediastinal lymphadenopathy：BHL）
　2．血清アンジオテンシン変換酵素（ACE）活性高値または血清リゾチーム値高値
　3．血清可溶性インターロイキン-2受容体（sIL-2R）高値
　4．^{67}Gaシンチグラフィまたは^{18}F-FDG/PETにおける著明な集積所見
　5．気管支肺胞洗浄液のリンパ球比率上昇またはCD4/CD8比の上昇
　付記1．両側肺門縦隔リンパ節腫脹とは両側肺門リンパ節腫脹または多発縦隔リンパ節腫脹である．
　付記2．リンパ球比率は非喫煙者20％，喫煙者10％，CD4/CD8は3.5を判断の目安とする．

C．臓器病変を強く示唆する臨床所見
　1．呼吸器病変を強く示唆する臨床所見
　　画像所見にて，①または②を満たす場合
　　①両側肺門縦隔リンパ節腫脹（BHL）
　　②リンパ路である広義間質（気管支血管束周囲，小葉間隔壁，胸膜直下，小葉中心部）に沿った多発粒状影または肥厚像
　2．眼病変を強く示唆する臨床所見
　　眼所見にて，下記6項目中2項目以上を満たす場合
　　①肉芽腫性前部ぶどう膜炎（豚脂様角膜後面沈着物，虹彩結節）
　　②隅角結節またはテント状周辺虹彩前癒着
　　③塊状硝子体混濁（雪玉状，数珠状）
　　④網膜血管周囲炎（主に静脈）および血管周囲結節
　　⑤多発するろう様網脈絡膜滲出斑または光凝固斑様の網脈絡膜萎縮病巣
　　⑥視神経乳頭肉芽腫または脈絡膜肉芽腫
　3．心臓病変を強く示唆する臨床所見
　　各種検査所見にて，①または②を満たす場合（表3参照）
　　①主徴候5項目中2項目が陽性の場合
　　②主徴候5項目中1項目が陽性で，副徴候3項目中2項目以上が陽性の場合

D．鑑別診断
　　以下の疾患を鑑別する．
　　①原因既知あるいは別の病態の全身性疾患：悪性リンパ腫，他のリンパ増殖性疾患，がん，Behçet病，アミロイドーシス，多発血管炎性肉芽腫症（GPA）/Wegener肉芽腫症，IgG4関連疾患，Blau症候群，結核，肉芽腫を伴う感染症（非結核性抗酸菌感染症，真菌症）
　　②異物，がんなどによるサルコイド反応
　　③他の肉芽腫性肺疾患：ベリリウム肺，じん肺，過敏性肺炎
　　④巨細胞性心筋炎
　　⑤原因既知のぶどう膜炎：ヘルペス性ぶどう膜炎，HTLV-1関連ぶどう膜炎，Posner-Schlossman症候群
　　⑥他の皮膚肉芽腫：環状肉芽腫，環状弾性線維融解性巨細胞肉芽腫，リポイド類壊死，Melkersson-Rosenthal症候群，顔面播種性粟粒性狼瘡，酒さ
　　⑦他の肝肉芽腫：原発性胆汁性肝硬変

E．病理学的所見
　　いずれかの臓器の組織生検にて，乾酪壊死を伴わない類上皮細胞肉芽腫が認められる．

（難病情報センターwebサイト．https://www.nanbyou.or.jp/entry/266 より）

表3　心臓病変の主徴候と副徴候

(1) 主徴候
　a) 高度房室ブロック(完全房室ブロックを含む)または致死的心室性不整脈(持続性心室頻拍，心室細動など)
　b) 心室中隔基部の菲薄化または心室壁の形態異常(心室瘤，心室中隔基部以外の菲薄化，心室壁の局所的肥厚)
　c) 左室収縮不全(左室駆出率 50% 未満)または局所的心室壁運動異常
　d) ^{67}Ga シンチグラフィまたは ^{18}F-FDG/PET での心臓への異常集積
　e) ガドリニウム造影 MRI における心筋の遅延造影所見
(2) 副徴候
　a) 心電図で心室性不整脈(非持続性心室頻拍，多源性あるいは頻発する心室期外収縮)，脚ブロック，軸偏位，異常 Q 波のいずれかの所見
　b) 心筋血流シンチグラフィ(SPECT)における局所欠損
　c) 心内膜心筋生検：単核細胞浸潤および中等度以上の心筋間質の線維化
付記．^{18}F-FDG/PET は，非特異的に心筋に集積することがあるので，長時間絶食や食事内容などの撮像条件の遵守が必要である．

(難病情報センター web サイト．https://www.nanbyou.or.jp/entry/266 より)

粗鬆症などの有無につき事前の問診が大切である．プレドニゾロン 0.5〜1.0 mg/kg/日程度から開始し漸減する．再発が多い疾患であり，漸減はゆっくりと1か月に 1/4 程度減じていく．プレドニゾロン 5〜10 mg/日程度の維持量が必要となる場合もある．プレドニゾロン減量目的に，シクロスポリンやメトトレキサートの内服が併用されることがあり，また最近では，アダリムマブ皮下注射の併用も検討可能である．

処方例

プレドニン錠(5 mg)　30 mg/日　2 週間，20 mg/日　1 か月，15 mg/日　1 か月，10 mg/日　1 か月，7.5 mg/日　1 か月，5 mg/日　1 か月，2.5 mg/日　1 か月

徐放性ステロイドの後部 Tenon 嚢下注射も有効である．高齢者や糖尿病など全身疾患のためステロイド内服が好ましくない場合には，徐放性ステロイドの後部 Tenon 嚢下注射を用いる．効果のピークは注射から約1か月後であり，約3か月程度の有効性が期待できる．特に嚢胞様黄斑浮腫，びまん性硝子体混濁に対して有効である．複数回行う場合は2か月以上間隔をあける．全身への副作用は考えなくてよいが，眼圧上昇，白内障，眼瞼下垂が生じることがある．上方からの注射では眼瞼下垂が生じることがあり，耳下側から行うとよい．

処方例

マキュエイド眼注用(40 mg)　20 または 40 mg　後部 Tenon 嚢下注射

❸ 合併症の治療

a. 併発白内障　進行すれば手術を行う．できれば消炎した時期に行いたいが，慢性疾患であるため完全な消炎が得られないことも多く，そのような症例では比較的落ち着いた時期に手術を行うが，必要に応じて術前からステロイド内服を行うこともある．術後炎症は多少強く出ることもあるが，ステロイド内服増量，デキサメタゾン結膜下注射などで十分に対応でき，眼内レンズの挿入も問題となることはない．のちに続発緑内障に対する濾過手術が必要となる可能性がある場合には，角膜切開で手術を行う．

b. 続発緑内障・ステロイド緑内障　眼圧上昇に対して降圧点眼薬（プロスタグランジン製剤，β遮断薬，炭酸脱水酵素阻害薬，アドレナリンα_2受容体作動薬，Rhoキナーゼ阻害薬），炭酸脱水酵素阻害薬内服，D-マンニトール点滴静注などを用いる．点眼，内服で眼圧コントロールがつかない場合には手術を行う必要がある．発症初期には点眼でコントロールされることが多いが，病歴が長くなると，急に，点眼でコントロールができなくなり手術が必要になることがある．

　ぶどう膜炎に伴う続発緑内障では線維柱帯切開術が有効であることが多く，特にステロイド緑内障に有効である．しかし，視野障害が高度な症例，線維柱帯切開術を行っても眼圧下降が十分に得られない症例には，線維柱帯切除術が必要となる．

c. 網膜光凝固術　閉塞性血管炎により無血管野が生じることがあり，その無血管野に対する網膜光凝固術が必要となる．また，網膜細動脈瘤を形成した場合には動脈瘤の直接凝固を行う．

d. 硝子体手術　ぶどう膜炎に伴う黄斑上膜，黄斑円孔あるいは網膜新生血管からの硝子体出血が硝子体手術の適応となる．炎症所見が落ち着いている時期に行うのが望ましいが，最近の小切開手術では術後炎症が比較的少なくてすむようになってきている．ステロイド治療に抵抗性の嚢胞様黄斑浮腫も場合によっては適応となる．

予後　ステロイドの全身投与が不要で，視力予後がよい症例が多い．しかし，最終視力が0.5未満の症例は17%，0.1未満の症例は6%にみられ，その原因は黄斑変性，黄斑上膜，嚢胞様黄斑浮腫，続発緑内障などである．

Vogt-小柳-原田病（原田病）
Vogt-Koyanagi-Harada disease

南場研一　北海道大学・診療教授

概念　発症期にぶどう膜炎，髄膜刺激症状，難聴を示し，のちに白斑，脱毛，白毛などの皮膚症状を呈するようになる全身疾患である．概して視力予後のよい疾患であるが，炎症の遷延により視力予後の悪い症例もみられるため，早期診断および初期治療が大切である．

病態　メラニン蛋白に対するT細胞性自己免疫疾患と考えられている．発症契機は不明であるが，Epstein-Barrウイルスやサイトメガロウイルスなど感染症の関与が示唆されている．

症状　頭髪のピリピリ感，頭痛，耳鳴などの前駆症状がみられ，急激な視力低下を生じることが多い．眼所見として，発症初期では前房炎症は軽度であることが多く，眼底に視神経乳頭の発赤・腫脹，漿液性網膜剝離がみられる．漿液性網膜剝離が軽度もしくはみられずに，視神経乳頭の発赤や脈絡膜皺襞のみがみられる症例もある．炎症が高度な症例では脈絡膜剝離や毛様体前方偏位による浅前房がみられることがある．ほとんどの症例が両眼性である．

　再発には前眼部のみの再発，後眼部炎症（漿液性網膜剝離や脈絡膜皺襞など）を伴う再発があるが，前眼部のみの再発が多い．再発時の前眼部炎症は比較的強く生じることが多く，豚脂様角膜後面沈着物，Koeppe結節，Busacca結節がみられ虹彩後癒着を生じることもある．

　約30%の症例が遷延型となり，脈絡膜

の脱色素による夕焼け状眼底や，網脈絡膜脱色素斑の散在，黄斑部の色素集積，角膜輪部の脱色素（杉浦徴候）がみられるようになる．

発症早期には多くの症例で頭痛，項部硬直などの髄膜刺激症状がみられ，髄液検査にて髄液細胞増多が検出される．難聴を自覚することはあまりないが，聴力検査で明らかになることが多い．皮膚症状として脱毛は発症早期からみられることもあるが，発症から数か月経って白斑，脱毛，白毛が生じてくることが多い．

| 診断 | 2001年に国際Vogt–小柳–原田病委員会から診断基準が提唱されている．すなわち，眼所見と神経学的所見・聴覚所見，そして皮膚症状のすべてがそろうと「完全型原田病」，神経学的所見・聴覚所見または皮膚症状のどちらかがみられないと「不全型原田病」，神経学的所見・聴覚所見および皮膚症状のどちらもみられず眼所見のみであると「原田病疑い」となる．実際には，発症早期には皮膚所見はみられないのでほとんどが不全型原田病であり，のちに皮膚所見が生じてくると完全型原田病となる．発症早期の両眼性漿液性網膜剝離は特徴的であるので，原田病を疑うことは容易であり，頭痛などの前駆症状や耳鳴などの眼外症状があり，光干渉断層計（OCT）にて特徴的な所見がみられればほぼ間違いない．しかし可能であれば髄液検査を行って診断を確定することが望ましい．また，漿液性網膜剝離を伴わない視神経乳頭浮腫型の症例など非典型的な症例では，積極的に蛍光眼底造影検査などの画像検査や髄液検査を行うことが診断の決め手となることがある．

■ 有用な検査

❶髄液検査 髄液細胞増多がみられると髄膜炎の存在の証明となる．

❷蛍光眼底造影検査 フルオレセイン造影検査では，初期に脈絡膜充盈遅延を示唆する斑状低蛍光，中期に顆粒状の多発性点状蛍光漏出および視神経乳頭の過蛍光，後期に漿液性網膜剝離に一致する蛍光貯留がみられる．

インドシアニングリーン造影検査では，静脈相初期の中大血管不鮮明化，静脈相初期から後期に眼底全体に広がる淡い低蛍光斑の散在がみられる．

❸ OCT 漿液性網膜剝離の有無がはっきりしない症例において，OCTで明瞭にその存在が検出されることがある．また，網膜色素上皮が波打つ脈絡膜皺襞が明瞭に描出される．深部強調OCTを用いれば発症初期に著明な脈絡膜肥厚がみられることも原田病の特徴である．

❹ HLA class II検査 原田病では80％の症例でHLA-DR4陽性であり，HLA-class II検査は診断の補助として有用である．ただし日本人では正常人の25％がHLA-DR4陽性であるので，特異性は低い．

■ 鑑別診断 後部強膜炎，特発性ぶどう膜滲出症候群（idiopathic uveal effusion），急性後部多発性斑状色素上皮症（APMPPE），多発性後極部網膜色素上皮症（MPPE），眼内リンパ腫などとの鑑別が必要である．

| 治療 |

■ ステロイド全身治療 発症早期の新鮮例ではステロイド大量投与（パルス療法，大量療法）を行うのが一般的である．治療を行わなくても自然治癒する症例があることも報告されているが，治療をしないで経過をみた場合，再発，遷延を生じ，高度の視

力障害に結びつく症例が多いことも事実である．自然治癒するかどうか区別する指標がないため，可能であればステロイド大量投与を勧める．ただし，ステロイドの副作用として，離脱症候群（投薬の中断による），糖尿病・高血圧の出現・悪化，易感染性，不眠，精神不安定，幻覚などの精神症状，消化性潰瘍，肥満・満月様顔貌，骨粗鬆症，血液凝固亢進などがみられるため，治療開始前に血液・尿検査を行い，投与中も定期的な血液検査を行う．また，減量はゆっくりと行い，再発がなくても6か月以上かけて中止する．再発した場合はいったんステロイドを増量し，より時間をかけて減量する．

処方例 下記1）終了後に，2）を開始する．

> 1）ソル・メドロール注　1,000 mg/日　3日間　静注
> 2）プレドニン錠(5 mg)　40 mg/日　10日間，30 mg/日　10日間，25 mg/日　10日間，20 mg/日　4週間，15 mg/日　4週間，10 mg/日　4週間，5 mg/日　4週間，2.5 mg/日　4週間

■ **シクロスポリン内服**　原田病に対するシクロスポリン（ネオーラル®）内服の有効性についていくつか報告がある．単独での治療は難しいが，ステロイド投与量の減量を目的としてステロイドと併用する．易感染性，腎機能障害，肝機能障害などの副作用の発現に注意が必要である．薬剤吸収に個人差が大きい薬剤であり，副作用の発現を最小限にするため，定期的にトラフ値（最低血中濃度）を測定する必要がある．

処方例

> ネオーラルカプセル　3 mg/kg/日〔体重60 kg の場合：180 mg/日　分2（朝，夕食後）〕

■ **アダリムマブ皮下注射**　原田病を含む非感染性ぶどう膜炎に用いられる．シクロスポリンと同様，単独での治療は難しいが，ステロイド投与量の減量を目的としてステロイドと併用する．

処方例

> ヒュミラ注　初回80 mgを投与後，1週間後から40 mgを2週ごと　皮下注

■ **局所治療**　ステロイド点眼薬，散瞳点眼薬を適宜用いる．特に再発時には前眼部の炎症が強く生じることが多いので，炎症の程度に合わせて増減する．「非感染性ぶどう膜炎に対するTNF阻害薬使用指針および安全対策マニュアル　改訂第2版，2019年版」に従って，投与前の感染症スクリーニング検査，投与中のモニタリングが欠かせない．

処方例 下記を併用する．

> リンデロン点眼・点耳・点鼻液(0.1%)
>   1日3回　点眼
> ミドリンP点眼液　1日1回　夜　点眼

■ **合併症の治療**

❶**併発白内障**　ぶどう膜炎に伴う併発白内障に加えステロイド白内障が高率に出現し，白内障が高度になれば手術を施行する．完全に寛解し再発のない症例では普通の白内障手術とリスクは変わらないが，遷延例では術後炎症が強く生じる可能性があり，比較的落ち着いた時期に手術を行う．多くの場合，術後炎症は比較的少なく，眼内レンズの挿入も問題となることはない．続発緑内障に対する濾過手術が必要となる可能性がある場合には，上方結膜を温存しておき角膜切開で手術を行う．

❷**続発緑内障・ステロイド緑内障**　眼圧上昇に対して降圧点眼薬（プロスタグランジン関連薬，β遮断薬，炭酸脱水酵素阻害薬，

アドレナリンα_2受容体作動薬，Rhoキナーゼ阻害薬），炭酸脱水酵素阻害薬内服，D-マンニトール点滴静注の順に用いる．点眼，内服で眼圧コントロールがつかない状態が長期間に及ぶと視野変化を生じるため，手術を行う必要がある．

線維柱帯切開術はぶどう膜炎に伴う続発緑内障，ステロイド緑内障に有効である．しかし，線維柱帯切開術を行っても眼圧下降が不十分な症例，視野変化が高度な症例では線維柱帯切除術が必要となる．

予後 視力予後の良好な症例が多いが，わずかな歪視や色覚異常などの自覚症状が残ることが多い．また，ステロイドパルス療法を行っても炎症遷延例は約25％にみられ，脈絡膜炎の遷延により徐々に網脈絡膜萎縮が広がり，高度の視力障害に至る症例もある．

交感性眼炎

Sympathetic ophthalmia

南場研一 北海道大学・診療教授

概念 穿孔性眼外傷や内眼手術のあとに原田病と類似の両眼性汎ぶどう膜炎を生じる疾患．

病態 眼外傷，内眼手術を契機に，ぶどう膜組織が全身の免疫系に認識されるようになり，自己のメラニン蛋白に対するT細胞性自己免疫疾患が発症すると考えられている．したがって，発症に至る契機が異なるだけで病態は原田病と全く同じであると考えられる．

近年の内眼手術は手術器具，術式の改良により非常に小さな切開創で手術が行えるようになってきたため，内眼手術後の交感性眼炎は減ってきている．術式としては網膜復位術，硝子体手術などの複数回手術後に多い．

症状 原田病と同様，両眼性肉芽腫性汎ぶどう膜炎に加え，髄膜炎，感音性難聴，皮膚症状がみられる．外傷や手術を受けた眼を起交感眼，僚眼を非交感眼という．

診断・治療 原田病と同じである．

水晶体起因性眼内炎

Lens-induced uveitis：LIU

園田康平 九州大学・教授

概念 水晶体起因性眼内炎は内眼手術や外傷後に，水晶体成分（主に皮質）が原因となって起こる眼内炎である．通常，毛様充血，角膜後面沈着物，前房，硝子体混濁がみられ，しばしば眼圧上昇を伴う．

病態 病理所見は，水晶体を中心とした肉芽腫性炎症である．残存水晶体皮質にはマクロファージと好中球が集まる．炎症が持続すると水晶体皮質の周囲に毛様体炎膜（cyclitic membrane）を形成する．水晶体融解緑内障では，水晶体を貪食したマクロファージが前房内に存在し，線維柱帯を塞ぐ．

症状 内眼手術後や外傷後に，水晶体核や大きな皮質が眼内に残存している場合，術後2～3日で強い炎症を生じる．通常毛様充血，角膜後面沈着物，前房，硝子体混濁がみられ，しばしば眼圧上昇を伴う．手術から時期が経って生じた場合，遷延する慢性の虹彩毛様体炎を呈する．また過熟白内障で，水晶体嚢が自壊し，水晶体

性分が漏出して発症する場合もある(図2).過熟白内障に伴って前房中に閃輝性の混濁がみられ眼圧が上昇する場合があり,これを水晶体融解緑内障(phacolytic glaucoma)とよぶ.

ぶどう膜炎に伴って水晶体がダメージを受け,本症を合併することがある.この場合もともとのぶどう膜炎の炎症に加えて,違う原因の眼炎症を合併することになるので,病態を頭に入れたうえで加療する必要がある.

合併症・併発症 高眼圧症をしばしば伴う.

診断 手術・外傷など水晶体囊の破囊後,数日〜数週以内に虹彩毛様体炎所見が生じた場合,残存水晶体成分の存在が明らかであれば本症と診断できる.手術から時期が経って炎症が生じた場合,白内障術後遅発性眼内炎との鑑別が重要である.Cutibacterium(Propionibacterium) acnes による遅発性眼内炎の場合,水晶体囊の白色プラーク形成がみられることがあるが,臨床所見のみからは判断がつかない場合も多い.この場合,前房水や硝子体による細菌学的検査を行うが,菌が証明できない場合でも感染を完全に否定することはできない.手術から時期が経って発症し,両眼性の場合には,交感性眼炎も鑑別として念頭におく必要がある.

治療 炎症早期に診断し治療を開始することが最も大切である.水晶体成分が多量に残存している場合は,水晶体成分の手術的除去が必須かつ最も有効である.残存量が少量で自然吸収が期待できる場合は,副腎皮質ステロイドの局所・全身投与が有効なこともある.しかし,ステロイドはいたずらに長く投与すべきではない.

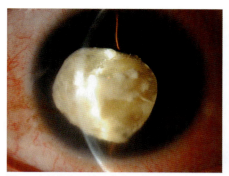

図2 水晶体起因性眼内炎の前眼部写真
白内障が進行し,水晶体囊が破れ,前房内に水晶体皮質が散布している.毛様充血が著明である.

薬物治療としては眼内炎症・眼圧上昇に対し,ステロイド点眼または結膜下注射,降眼圧薬点眼または内服を対症的に投与する.炎症の程度に応じてアトロピンやトロピカミドなどの散瞳薬を併用し,瞳孔管理に留意する.

予後 早期に診断,治療介入すれば概して良好である.

Fuchs 虹彩異色性毛様体炎

Fuchs heterochromic cyclitis

臼井嘉彦　東京医科大学病院・准教授

概念 Fuchs 虹彩異色性毛様体炎は,1906年に Fuchs により報告され,虹彩異色,虹彩毛様体炎,白内障を3主徴とするぶどう膜炎である.ぶどう膜炎患者の約2%であり,ほとんどが片眼発症で性差はなく,20〜40歳代に多いとされる.

病因 その原因として病原微生物,特にウイルスやトキソプラズマの関与が指摘されている.特に風疹ウイルスが本疾患の

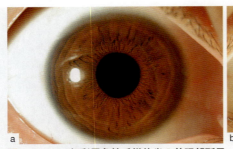 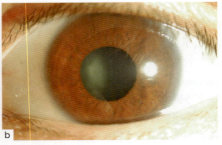

図3 Fuchs 虹彩異色性毛様体炎の前眼部所見
健眼（a）と比較して，患眼（b）では虹彩実質の脱色素があり，左右差がみられる．

病因として注目されている．前房水中から風疹ウイルスゲノムが検出された報告や，風疹ウイルス抗体価の上昇がみられたとの報告がある．さらに Chee らは Fuchs 虹彩異色性毛様体炎の約 20% にサイトメガロウイルス DNA が検出されたと報告している．

症状 炎症所見により霧視や飛蚊症がみられるが，充血や眼痛をきたすことは少ない．特に若年者において，後囊下白内障や成熟白内障により白内障が急激に進行することがあり，炎症ではなく白内障による視力低下を主訴に眼科受診となることも少なくない．

診断 本症は特異的な検査所見はなく，臨床所見から診断される．

若年者でありながら白内障を高率に合併し，後囊下白内障からはじまり，急激な成熟白内障に進行することもまれではない．若年者に原因不明の片眼性白内障をみたら，必ず虹彩萎縮の有無を確認するため両眼の虹彩を注意深く観察する必要がある **(図3)**．白内障手術時などに前房穿刺を行うが，その際に隅角から出血がみられる Amsler サインあるいは Amsler–Verrey サインがみられる．また，眼内手術時に急激に低眼圧にすることで，虹彩から出血する機序も同様で，虹彩や隅角の新生血管の関与が指摘され，診断に特徴的な所見であり，血管の脆弱性を背景とした異常が原因のため生じると考えられている．角膜後面沈着物は，ヘルペス性虹彩毛様体炎やサルコイドーシスなどで角膜下方に出現するのに対して，Fuchs 虹彩異色性毛様体炎では小型白色で角膜全体にみられる **(図4)**．虹彩後癒着を生じることはなく，本症を疑うきっかけともなる．

硝子体混濁を合併することも多く，飛蚊症を訴えるが視力にあまり影響を及ぼさないことも多い．視力低下は硝子体混濁ではなく，白内障の進行に伴い起こるため，白内障手術のみで良好な矯正視力を得られることが多い．網膜に異常を起こすことはほとんどないため，黄斑浮腫などがみられたら，他のぶどう膜炎の可能性が高い．

■ 鑑別診断 Posner–Schlossman 症候群，ヘルペス性虹彩毛様体炎，サルコイドーシス，中間部ぶどう膜炎や眼内リンパ腫などが鑑別疾患として挙げられる．

治療 基本的には無治療で構わないことも多く，通常のぶどう膜炎と異なり散瞳薬も使用する必要はない．前房炎症や硝子体混濁はステロイド点眼やトリアムシノロ

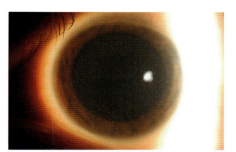

図4 Fuchs虹彩異色性毛様体炎の角膜後面沈着物
微細な角膜後面沈着物がびまん性にみられる.

ンアセトニドのTenon囊下注射を行っても完全に消炎することは難しく, 漫然とステロイドを長期投与することで, ステロイド白内障や緑内障などの合併症を誘発してしまうことがあるので注意が必要である. Fuchs虹彩異色性毛様体炎にみられる併発白内障では炎症活動期に手術を行っても術後に大きな問題を生じることはない. むしろ手術を躊躇している間に成熟白内障に進展してしまい, 手術における技術的難易度が高まってしまうことのほうがリスクは高いかもしれない. 硝子体混濁については, ステロイドの効果が少なく視力低下があれば, 硝子体手術を行うこともある.

Posner–Schlossman症候群
Posner–Schlossman syndrome

臼井嘉彦　東京医科大学病院・准教授

概念　Posner–Schlossman症候群は, 1948年にPosnerとSchlossmanにより報告され, 再発性と発作性の眼圧上昇と虹彩炎を特徴とする. ぶどう膜炎患者の約2〜4%でみられ, ほとんどが片眼発症であり, 青年期〜中年期に多いとされる.

病因　その原因としてサイトメガロウイルスの関与が指摘されている. そのため, サイトメガロウイルス虹彩毛様体炎と同一の疾患ではないかとの議論もある.

症状　再発性に急激な眼圧上昇と虹彩炎が片眼に生じる. そのため, 霧視や光輪視を自覚することが多いが, 眼痛や毛様充血をきたすことが少ない. 眼圧上昇は発作的で, 通常30〜60 mmHgに上昇するが, 角膜浮腫を起こしにくいことが本症の特徴である. 再発性であり, 数か月〜数年にかけて再発することが多い. 寛解期には患側の眼圧は健側よりも低くなるが, 再発を繰り返すことにより視神経乳頭に緑内障性の変化が生じ, 視野障害を呈する.

診断　本症は特異的な検査所見はなく, 臨床所見から診断される. 患眼の隅角線維柱帯の色素は, 健側よりも薄いことが多く, 本疾患の診断に役立つ. また, 前眼部炎症が軽度であり, 虹彩後癒着や周辺虹彩前癒着があまりみられないことも本症の特徴である. また, 小型〜中型の少数の角膜後面沈着物が角膜中央から下方にかけてみられることが多い**(図5)**. この角膜後面沈着物はステロイドにより消失する. 網膜に異常を起こすことはないため, 黄斑浮腫などがみられたら, Posner–Schlossman症候群とは異なるぶどう膜炎の可能性が高い.

■**鑑別診断**　鑑別疾患としては, ヘルペス性虹彩毛様体炎, 急性網膜壊死, サルコイドーシスやFuchs虹彩異色性毛様体炎などが挙げられる.

治療　ステロイドと眼圧下降薬の点眼に良好に反応し, 軽快する. 通常のぶどう

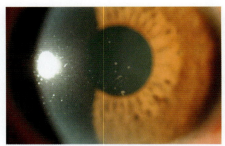

図 5 Posner-Schlossman 症候群の前眼部所見
角膜中央に白色の豚脂様角膜後面沈着物がみられる．

膜炎と異なり散瞳薬を使用する必要はない．再発を繰り返すことで，視野障害を生じるため，緑内障手術が必要になることもある．また，ステロイドと眼圧下降薬の長期間投与を余儀なくされる症例も少なからず存在する．サイトメガロウイルスが検出された症例については，適応外であるがガンシクロビル（デノシン®）点眼が有効という報告もある．

処方例 下記を併用する．

| リンデロン点眼・点耳・点鼻液(0.1%)　1日4回　点眼 |
| トルソプト点眼液(1%)　1日3回　点眼 |

急性網膜壊死

Acute retinal necrosis：ARN

臼井嘉彦　東京医科大学病院・准教授

概念　急性網膜壊死（ARN）は別名"桐沢型ぶどう膜炎"ともよばれ，単純ヘルペスウイルス（herpes simplex virus：HSV），または水痘帯状疱疹ウイルス（varicella-zoster virus：VZV）の眼内感染により生じる．ぶどう膜炎患者の約2％と発症頻度は決して高くないため日常の臨床では多く遭遇する疾患ではないが，きわめて視力予後不良な感染性ぶどう膜炎の1つであり，早期診断と治療が視力予後を左右するため，初診時の適切な判断が強く求められる疾患である．

病因　ARN の原因ウイルスは約80～90％が VZV，約10～20％が HSV である．HSV や VZV は通常小児期に初感染し，神経節に潜伏感染すると考えられているが，このような普遍的なウイルスでありながら，ごく一部の健康成人に ARN を発症する理由は不明である．

症状　多くの場合，片眼性で充血，霧視や眼痛を主訴に眼科医を訪れる．初期には眼底検査が行われず，結膜炎と誤診されることも多い．視力低下はやや遅れて自覚する．

診断　わが国における本症の診断基準（表4）では，臨床所見と経過や眼内液からヘルペスウイルスを検出することで ARN と診断する．ARN を疑う根拠として，特徴的な検眼鏡的所見が重要である．片眼性の豚脂様角膜後面沈着物を伴う急性虹彩毛様体炎を伴う汎ぶどう膜炎として発症し（図6），同時もしくは数日遅れて網膜動脈周囲炎や網膜周辺部に散在性の黄白色顆粒状病変が出現する（図7）．黄白色病巣付近には網膜動脈周囲炎を認め，網膜血管に瘤状の染み出るような棍棒状出血をきたすこともある．また多くの症例で視神経乳頭の発赤や腫脹がみられる．約半数の症例に高眼圧がみられるが，長期化することなく短期間で正常化する．眼底の黄白色顆粒状病変は癒合しながら拡大し，短期間に融合し境界明瞭な広範囲な壊死病巣へと変化する

表4　急性網膜壊死の診断基準

1. **初期眼所見項目**
   - 1a. 前房細胞または豚脂様角膜後面沈着物
   - 1b. 網膜周辺部に1つまたは複数の黄白色病変（初期は顆粒状・斑状，次第に融合して境界明瞭となる）
   - 1c. 網膜動脈炎
   - 1d. 視神経乳頭発赤
   - 1e. 炎症による硝子体混濁
   - 1f. 眼圧上昇
2. **経過項目**
   - 2a. 病巣が急速に円周方向に拡大する
   - 2b. 網膜裂孔あるいは網膜剥離が発生する
   - 2c. 網膜血管閉塞を生じる
   - 2d. 視神経萎縮をきたす
   - 2e. 抗ヘルペスウイルス薬に反応する
3. **眼内液検査**
   - 前房水または硝子体液を用いて，PCR法あるいは抗体率算出で，HSV-1，HSV-2，VZVのいずれかが陽性

【診断】
1) 確定診断群：初期眼所見の1aと1b，および経過項目のうち1項目を認め，眼内液検査でHSVまたはVZVが陽性
2) 臨床診断群：眼内液においてウイルスが陰性あるいは検査未施行であるが，初期眼所見項目のうち1aと1bを含む4項目と経過項目のうち2項目を認め，他疾患を除外

（Takase H, et al: Development and validation of new diagnostic criteria for acute retinal necrosis. Jpn J Ophthalmol 59: 14-20, 2015 より）

図6　急性網膜壊死の前眼部所見
大小不同であるが規則正しく整列した豚脂様角膜後面沈着物がみられる．

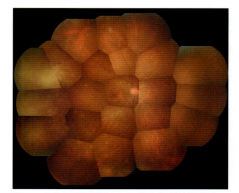

図7　急性網膜壊死による黄白色顆粒状病変
網膜周辺部に顆粒状の黄白色病変がみられる．

（図8）．いったん病変が生じた網膜は萎縮，変性により菲薄化し，多発裂孔が生じやすくなる．最終的には硝子体の収縮による牽引で続発網膜剥離へと進展する．経過とともに増強してきた硝子体混濁は治療開始後しばらくして軽快してくるが，後部硝子体剥離が生じると再度硝子体混濁が強くなる．

上記のような特徴的な臨床像が出そろえば診断は容易であるが，ヘルペスウイルスを同定することは非典型例ARNの診断，

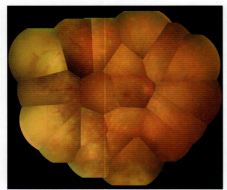

図8　図6と同一症例
周辺部網膜に顆粒状の黄白色病変が癒合・拡大している．

ウイルス別による治療法やある程度の視力予後を推測するのに重要である．前房水や硝子体液から HSV あるいは VZV のゲノム DNA とコピー数を polymerase chain reaction（PCR）や real-time PCR 法により測定し，病因ウイルスを検出する．近年では，網羅的に病原微生物を検索する PCR strip 検査が開発され，少量の眼内液を用いた迅速な検査が可能となっている．

基本的に全身的合併症のない健常人に発症するが，まれに HSV-1 による ARN はヘルペス脳炎の合併と関係があるとの報告や，HSV-2 や VZV に関しても髄膜炎との関連が報告されているので，これらの既往歴に注意する．

■ **鑑別診断**　サイトメガロウイルス網膜炎，進行性網膜外層壊死，眼トキソプラズマ症，ヘルペス性虹彩毛様体炎，Posner-Schlossman 症候群やサルコイドーシスなどが鑑別疾患として挙げられる．

治療　治療の目標は，ウイルスの活動性をすみやかに抑え，壊死網膜の範囲を極力減らすことである．その後は，続発性網膜剝離の発症や増殖硝子体網膜症における管理である．上述した PCR 法によるヘルペスウイルスの同定には民間の検査会社に委託すると結果が出るまでに 1 週間近くかかるため，臨床診断に基づいたすみやかな治療の開始が重要である．

ARN と診断したあとは，まずアシクロビルの点滴静注（10～15 mg/kg を 1 日 3 回）を約 2 週間行う．その際，腎疾患がありクレアチニンクリアランスが低下している患者では投与量に注意する．また，ウイルスによる組織障害に加え，炎症・免疫反応が病態に関与しているので，抗炎症療法として副腎皮質ステロイドをプレドニゾロン換算で 40～80 mg/日を初期量として漸減投与する．アシクロビルを投与しても黄白色病巣の進展を抑えることができない場合も少なくないが，僚眼の発症を予防するためにも早期投薬が重要である．アシクロビルの点滴治療後は，アシクロビルのプロドラッグであるバラシクロビル 3,000 mg/日を検眼鏡的所見や眼内のウイルスコピー数を参考に内服投与していく．

薬物療法を施行しても ARN の約 60％の症例で 2～3 か月以内に網膜剝離を発症する．続発する網膜剝離の有無は視力予後を左右する重要な因子であり，硝子体手術の絶対的適応であるため，網膜剝離を生じてしまった症例，もしくは硝子体混濁が強く，眼底の透見が不良である症例に対しては硝子体手術を行う．一般に硝子体切除術に水晶体切除術，シリコーンタイヤによる輪状締結術，シリコーンオイルタンポナーデを併用した手術が行われている．

■ **薬物療法**
❶ **初期治療（治療開始から 2 週間）**
処方例　下記を併用する．

ゾビラックス注　10〜15 mg/kg を補液 200 mL 以上に溶解　1日3回　点滴静注（2時間以上かけてゆっくり投与）

リンデロン注　初期量：1回 6〜8 mg　1日1回　点滴静注　所見に合わせて適宜漸減・中止

ガスター錠（20 mg）　2錠　分2　朝・夕食後

リンデロン点眼・点耳・点鼻液（0.1%）　1日4回　点眼

ミドリンM点眼液（0.4%）　1日3回　点眼

❷維持療法

処方例

バルトレックス錠（500 mg）　6錠　分3　毎食後

炎症の程度に応じて，

プレドニン錠（5 mg）　10〜40 mg　分2　漸減投与　朝・昼食後

サイトメガロウイルス網膜炎

Cytomegalovirus (CMV) retinitis

八代成子　国立国際医療研究センター病院・医長

概念・病態

ヒトヘルペスウイルス-5，一般名サイトメガロウイルス（cytomegalovirus：CMV）は，2本鎖 DNA をもつヘルペスウイルス科最大のウイルスである．ヒト以外の種には感染しないが，ヒトの体内では広範な組織に親和性があり，網膜への初感染，再感染または再活性化により網膜全層の壊死と浮腫を主体とする CMV 網膜炎を発症する．

抗体保有率は 70〜90% 程度と高値で，ほとんどが乳幼児期に不顕性感染しているが，妊娠初期に母体が初感染または再活性化をきたすと，20〜40% が経胎盤的に胎児に感染し，TORCH 症候群の1つである先天性 CMV 感染症として，CMV 網膜炎を発症する．成人にみられる CMV 網膜炎は，ウイルスの再活性化に伴い生じる日和見感染が大多数を占める．

症状

CMV 網膜炎は，網膜全層の浮腫と壊死を主体とする特徴的な眼底所見を呈する．網膜周辺部に出血をほとんど伴わず，白色顆粒状の滲出斑が扇形に集積する周辺部顆粒型，後極部の血管に沿って網膜出血と浮腫を伴う黄白色滲出斑を生じる後極部血管炎型，大血管を中心に網膜血管が樹氷状血管炎様に白鞘化する樹氷状血管炎型の3病型に分類されるが（図9），実際の臨床においてこれらは混在することが多く，病巣の出現部位と大きさのほうが重要となる．近年，網膜炎のない健常者に CMV による虹彩毛様体炎や角膜内皮炎が生じ，眼圧上昇を伴い遷延化や再発を繰り返すことが問題となっているが，CMV 網膜炎の初期に虹彩毛様体炎や硝子体炎はほとんどみられず，病変の拡大とともにこれらの所見は出現する．

進行は比較的緩徐とされているが，急性網膜壊死との鑑別が困難なほど進行の速いものもある．近年，高齢者や糖尿病合併患者といった軽度の免疫不全患者において，急性網膜壊死に類似した網膜炎が緩徐に進行するタイプの CMV 網膜炎も散見されつつある．

CMV 網膜炎は網膜剝離を合併することが多い．後極部血管炎型の遷延例では，時に滲出性網膜剝離を合併する．光干渉断層計（OCT）では Vogt-小柳-原田病のように隔壁をもたず，フィブリンを伴うこともあ

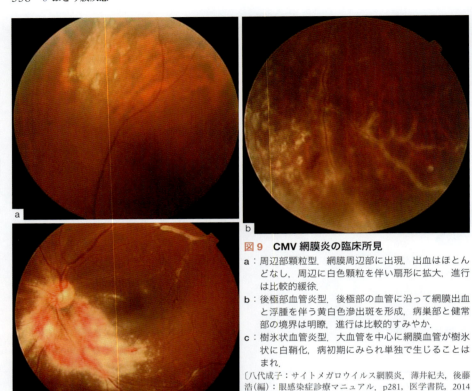

図9　CMV網膜炎の臨床所見
a：周辺部顆粒型．網膜周辺部に出現，出血はほとんどなし，周辺に白色顆粒を伴い扇形に拡大，進行は比較的緩徐．
b：後極部血管炎型．後極部の血管に沿って網膜出血と浮腫を伴う黄白色滲出斑を形成，病巣部と健常部の境界は明瞭，進行は比較的すみやか．
c：樹氷状血管炎型．大血管を中心に網膜血管が樹氷状に白鞘化，病初期にみられ単独で生じることはまれ．
〔八代成子：サイトメガロウイルス網膜炎．薄井紀夫，後藤浩（編）：眼感染症診療マニュアル．p281，医学書院，2014より〕

る．抗CMV療法により病巣が鎮静化すると，滲出性網膜剝離も消失する．陳旧性CMV網膜炎病巣部は網膜全層が壊死に至りレース状に菲薄化し，硝子体の牽引が加わると容易に多発裂孔を生じ剝離をきたす．そのため網膜炎が鎮静化したあとも長期的な経過観察が必要となる．

診断　CMV網膜炎に対する明確な診断基準はないが，特徴的な網膜病変を呈することから，臨床診断は十分に可能である．ごく初期のCMV網膜炎はHIV網膜症との鑑別が困難なことがあるが，OCTではHIV網膜症と異なり初期より網膜全層に浸潤がみられ陥凹しているのが特徴である**（図10）**．CMV網膜炎では血中にCMV抗原やゲノムが検出されにくいため，CMV抗原血症法（アンチゲネミア）や血液中のPCR定量は，補助診断として参考値程度の価値にとどまるが，眼局所からのPCR定量は感度・特異度ともに高く，確定診断に用いられる．しかしreal-time PCRによる前房水のウイルス定量は，前房内炎症細胞の出現していないCMV網膜炎初期には検出されないことがあるので注意が必要である．direct strip PCRは，少量のサンプルで短時間に網羅的にウイルスを検索できる検査法で，急性網膜壊死などとの鑑別には大変有用な検査となる．成

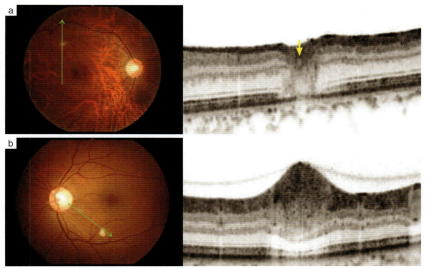

図 10　ごく初期の CMV 網膜炎と HIV 網膜症
a：CMV 網膜炎：眼底写真では HIV 網膜症と同程度のごく小さな病巣がみられるが，OCT では網膜全層の層構造は脱落し網膜は陥凹している（矢印）．
b：HIV 網膜症：OCT では病巣は網膜内層に限局し，網膜外層は保たれ神経線維層は隆起している．

（Yashiro S, et al: Spectral domain optical coherence tomography and fundus autofluorescence findings in cytomegalovirus retinitis in HIV-infected patients. Jpn J Ophthalmol 62: 373-389, 2018 より）

人にみられる CMV 網膜炎は日和見感染により生じるため，患者背景として後天性免疫不全症候群（AIDS）をはじめとした免疫不全をきたす基礎疾患や薬剤投与歴を有する．

治療　AIDS 患者とそれ以外の患者では，治療が少し異なる．AIDS 患者の場合，抗 CMV 全身療法が第 1 選択となり，病巣の発症部位や大きさ，副作用の有無に応じて薬剤の変更や硝子体内注射を選択する．免疫能の回復が期待できない免疫不全患者では全身療法が困難なため硝子体注射が第 1 選択となるケースが多い．なお，レテルモビルは DNA ターミナーゼ複合体を阻害することでウイルスの増殖を抑える化学療法薬で，わが国では 2018 年に承認を受けているが，治療薬としては使用できず，同種造血幹細胞移植実施後の CMV 感染症の発症抑制に対してのみ使用される．

CMV 網膜炎後に裂孔原性網膜剥離を合併した場合は，外科的治療の適応となる．病巣の大きさや剥離の程度に応じて，硝子体切除術，眼内光凝固術，輪状締結術，長期滞留ガスまたはシリコーンオイル注入を組み合わせる．

処方例　ガンシクロビルの点滴静注が第 1 選択となり，病巣の発症部位や大きさ，副作用の有無に応じて 1）〜3），4）または 5）を単独あるいは併用する．

〈内服〉
1) バリキサ錠(450 mg)　導入量：4錠　分2　食後, 維持量：2錠　分1　食後
〈点滴静注〉
2) デノシン点滴静注用(500 mg)　導入量：1回 5 mg/kg　1日2回, 維持量：1回 5 mg/kg　1日1回
3) ホスカビル注(24 mg/mL)　導入量：1回 90 mg/kg　1日2回, 維持量：1回 90 mg/kg　1日1回
〈硝子体注射〉　保外 用法・用量
4) デノシン点滴静注用(500 mg)　導入量：400 μg×2回/週　または 800 μg×1回/週（海外では 2,000 μg×1回/週を用いることがある）, 維持量：400 μg×1回/週
5) ホスカビル注(24 mg/mL)　導入量：2,400 μg×2回/週, 維持量：2,400 μg×1回/週

予後　AIDS 患者の場合，免疫能が回復したあとは抗 CMV 療法中止後も寛解が期待できるが，免疫能の回復が期待できない患者では，抗 CMV 療法を中止できず寛解増悪を繰り返すケースも多い．外科的治療は適切な時期に治療が施行されば，予後は急性網膜壊死ほど悪くない．

AIDS に伴うぶどう膜炎
Uveitis associated with AIDS

八代成子　国立国際医療研究センター病院・医長

概念　後天性免疫不全症候群(acquired immunodeficiency syndrome：AIDS)はヒト免疫不全ウイルス(human immunodeficiency virus：HIV)感染により生じるさまざまな免疫不全疾患を指す．わが国では 23 の疾患が指標疾患として挙げられ，眼科領域ではサイトメガロウイルス(cytomegalovirus：CMV)網膜炎が含まれるが，指標疾患以外にもぶどう膜炎をはじめ多くの眼疾患を生じる**(表5)**．

2019 年時点で世界の HIV 感染者数は 3,800 万人と推定されるなか，わが国における感染者数は約 3 万人程度と少なく，新規報告数は 2013 年をピークに減少している．2030 年の AIDS の流行終結に向け世界的な HIV 対策が講じられているが，2019 年 COVID-19 のパンデミックは AIDS 対策に深刻な影響を与え，HIV 治療の中断による死亡率の急増が懸念される．2000 年以降，わが国では多剤併用療法(antiretroviral therapy：ART)が HIV 治療のスタンダードとなり生命予後が劇的に改善したことから，近年は状態の安定した患者を診察するケースが増加している．しかし COVID-19 のパンデミックは HIV 感染者の全身状態や治療に少なからず影響を与え，関連する眼疾患が増加する可能性もある．

病態　HIV は CD4 陽性 T リンパ球に感染し，細胞性免疫が低下することによりさまざまな疾患を引き起こす．これらの発症や悪化は時に宿主の免疫能と深く関連する**(図 11)**．梅毒性ぶどう膜炎は厳密には AIDS によるぶどう膜炎ではないが，混合感染が非常に多く免疫能が非常に高い状態でも発症する．近年わが国における梅毒感染患者数は激増しており，梅毒感染から HIV 陽性が判明するケースも多い．帯状疱疹も AIDS の指標疾患に含まれないが，健常者の 15 倍と発症頻度が高く，水痘帯状疱疹ウイルスによる急性網膜壊死も免疫能が比較的良好なうちから発症する．起因

表5 HIV感染症に関連する眼疾患

感染性疾患	非感染性疾患
ウイルス サイトメガロウイルス網膜炎 進行性網膜外層壊死/急性網膜壊死 眼部帯状疱疹 角膜単純ヘルペス 伝染性軟属腫 カポジ肉腫	**微小循環障害** HIV網膜症 **免疫再構築** 免疫回復ぶどう膜炎 **悪性腫瘍** 悪性リンパ腫
細菌 結核性ぶどう膜炎 梅毒性ぶどう膜炎	**薬剤性** cidofovir リファブチン
真菌 クリプトコッカス網脈絡膜炎 ニューモシスチス脈絡膜症 カンジダ性眼内炎	**視神経疾患** HIV関連視神経炎 進行性多巣性白質脳症
原虫 トキソプラズマ網脈絡膜炎	

赤字はぶどう膜炎

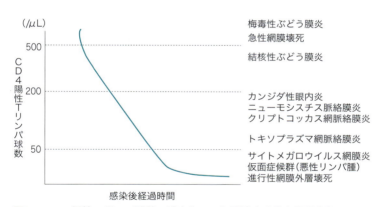

図11 CD4陽性Tリンパ球数の減少とHIVに関連する代表的眼疾患

ウイルスを同じくして宿主が重篤な免疫不全に陥ると、炎症を生じることのできない網膜外層が急速に壊死に至る進行性網膜外層壊死(PORN)を発症する。きわめてまれな疾患であるが、AIDSによるぶどう膜炎として特徴的な疾患の1つである(図12).指標疾患である結核・カンジダ・ニューモシスチス・クリプトコッカス・トキソプラズマおよびCMV感染症も、病期の進行および免疫能の低下によりぶどう膜炎を生じる。HIV感染患者では非Hodgkinリンパ腫の発症頻度が健常者の200倍とされており、現段階では非感染性疾患に分類されるが、一部はEpstein-Barr(EB)ウイルスが関与しているという説があり、感染性疾患の可能性もある。腫瘍性疾患である

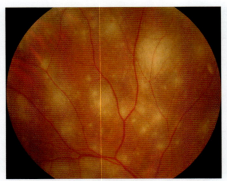

図12 急性進行性網膜外層壊死
強い眼内炎症や出血を伴うことなく白色滲出斑は癒合し，網膜は急速に壊死に至る．

が，ぶどう膜炎に類似した所見を呈する．

AIDS 患者において，ART 開始後 CD4 陽性 T リンパ球数の急激な上昇とともに，既存の日和見感染症の悪化や新たな病変の出現などがみられることがある．これらは免疫再構築症候群（immune reconstitution inflammatory syndrome：IRIS）とよばれている．眼科領域でも ART 開始後，鎮静化した CMV 網膜炎既存眼に硝子体炎が生じることが判明し，免疫回復ぶどう膜炎（immune recovery uveitis：IRU）とよばれるようになった．現在では AIDS 以外の免疫不全患者においても，IRU と同様の機序により生じるぶどう膜炎が報告されている．発症機序はいまだ解明されていないが，ART により CMV 特異的 T 細胞の反応が回復すると，すでに鎮静化した CMV 網膜炎病巣辺縁の細胞内でわずかに複製される残存 CMV 抗原が，免疫反応によりぶどう膜炎を顕在化させるとの説が有力である．

症状・診断 各種感染性ぶどう膜炎（⇒ 539 頁参照）ならびに悪性リンパ腫（⇒ 953 頁参照）については，別項参照とする．IRU には虹彩毛様体炎や硝子体炎などの初期病変のほか，続発する黄斑浮腫や白内障などぶどう膜炎以外も含まれる．ART 導入歴と CD4 陽性 T リンパ球数の上昇が診断に必須である．

リファブチンは AIDS 指標疾患である非結核性抗酸菌症に対する治療薬で，前房蓄膿を伴う虹彩炎をきたす．わが国では未認可の抗 CMV 治療薬である Cidofovir も虹彩炎をきたすことがあり，これらは投薬歴と他疾患の否定により診断される．

ぶどう膜炎とは異なるが，HIV 網膜症は HIV 関連眼疾患のうち最多病変で，HIV に対する抗原抗体反応により網膜微小循環をきたすことにより，網膜に点状出血や綿花様白斑を生じる．検眼鏡的には消退しても網膜内層に恒久的な変化をもたらすことが，光干渉断層計（OCT）により近年判明してきた．

治療 各種疾患の治療は上記の別項に準じる．薬剤性ぶどう膜炎は投薬中止が原則である．IRU に対する治療は重症度や時期により異なり，経過観察により自然寛解するものから，ART の中断やステロイドの全身投与，外科的治療を要する症例までさまざまである．治療の基本は，既存の病巣にわずかに残存すると推測される CMV に対する治療となる．

予後 ART が HIV 治療のスタンダードとなり，日和見感染症に対する予後は著明に改善した一方，AIDS に関連する腫瘍性疾患，特に悪性リンパ腫の合併は，生命予後のみならず併発する CMV 網膜炎の治療も困難にしている．

単純ヘルペス性ぶどう膜炎

Herpetic uveitis

高瀬 博　東京医科歯科大学・病院教授

概念　単純ヘルペスウイルス（herpes simplex virus：HSV）の眼内感染により生じる炎症性疾患である．感染部位により，角膜内皮炎，虹彩毛様体炎などの前部ぶどう膜炎，急性網膜壊死などの後部ぶどう膜炎といった異なる臨床像を呈する．本項では前部ぶどう膜炎について述べる．

病態　眼内に潜伏感染した HSV の再活性化，および HSV 感染細胞に対する免疫反応による炎症である．

症状　片眼性の充血，眼痛，霧視などの自覚症状で急性発症する．角膜浮腫，それに一致する豚脂様角膜後面沈着物（keratic precipitates：KP），前房内の炎症細胞浸潤とフレア，眼圧上昇などを特徴とする．時に虹彩・隅角に結節形成がみられる．のちに虹彩萎縮が生じることがある．樹枝状角膜炎を呈する角膜上皮炎に伴って生じることもある．急性網膜壊死に伴う前眼部炎症の場合があり，散瞳眼底検査による眼底病変の検索が必須である．前房水などの眼内液を用いたポリメラーゼ連鎖反応（polymerase chain reaction：PCR）法により確定診断するが，治療方針が異なるサイトメガロウイルスなどとの鑑別のために，網羅的 PCR 法を用いるほうが望ましい．

治療　抗ウイルス薬とステロイドの併用治療を行う．抗ウイルス薬として，バラシクロビル塩酸塩内服またはアシクロビル（ゾビラックス®）眼軟膏の1日5回眼内点入を開始する．これらは同時に保険請求できない点に注意が必要である．抗炎症治療として，0.1％ベタメタゾンリン酸エステルナトリウム（サンベタゾン®）眼耳鼻科用液を炎症の程度に応じて1日4～8回程度で開始する．また，虹彩後癒着の予防のために，トロピカミド・フェニレフリン塩酸塩（ミドリン®P）点眼液を1日数回使用する．眼圧上昇に対してはプロスタグランジン，β遮断薬，α₂刺激薬，Rho キナーゼ阻害薬の点眼，炭酸脱水酵素阻害薬の点眼または内服を行う．角膜上皮炎に対するプロスタグランジンの点眼は，HSV の再活性化を生じるため禁忌である．

処方例　下記を併用する．

ゾビラックス眼軟膏（3％）　1日5回　眼内点入
サンベタゾン眼耳鼻科用液（0.1％）　1日5回　点眼
ミドリンP点眼液　1日3回　点眼
ミケランLA点眼液（2％）　1日1回　点眼

予後　炎症の鎮静化には数週間を要することもあり，再発を繰り返しつつ遷延化する場合もある．眼圧は炎症の鎮静化とともに正常化するが，隅角線維柱帯の器質的変化が進行している場合には，眼内炎症の寛解後も眼圧上昇が遷延する．その場合は，十分な抗炎症治療ののちに観血的治療を検討する．

水痘帯状疱疹ウイルス性ぶどう膜炎

Varicella-zoster virus uveitis

高瀬 博　東京医科歯科大学・病院教授

概念　水痘帯状疱疹ウイルス（varicella-

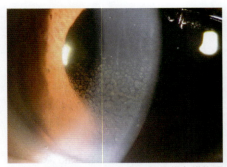

図13 色素の混じった大型の豚脂様角膜後面沈着物

角膜中央部から下方にかけて扇状に分布している.

図14 水痘帯状疱疹ウイルス性ぶどう膜炎の隅角所見

a:患側の下方隅角. 線維柱帯に強い色素沈着がみられる.
b:健側の下方隅角.

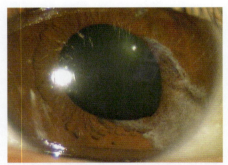

図15 水痘帯状疱疹ウイルス性前部ぶどう膜炎の限局性虹彩萎縮

zoster virus:VZV)の眼内感染により生じる炎症性疾患である. 感染部位により, 角膜内皮炎, 虹彩毛様体炎などの前部ぶどう膜炎, 急性網膜壊死などの後部ぶどう膜炎といった異なる臨床像を呈する. 本項では前部ぶどう膜炎について述べる.

病態 眼内に潜伏感染したVZVの再活性化, およびVZV感染細胞に対する免疫反応による炎症である.

症状 片眼性の充血, 眼痛, 霧視などの自覚症状で急性発症する. 角膜浮腫, 角膜中央から下方に扇状に分布する豚脂様角膜後面沈着物(KP)(図13), 前房内の強い炎症細胞浸潤とフレア, 眼圧上昇発作などを特徴とする. 時に虹彩・隅角に結節形成と虹彩後癒着を生じる. 虹彩炎に伴い強い眼内色素散布が生じるため, 豚脂様KPはしばしば色素を伴い, 隅角にも強い色素沈着がみられる(図14). のちに限局性の虹彩萎縮(図15)や麻痺性散瞳を生じる(図16). 急性網膜壊死に伴う前眼部炎症の場合があり, 散瞳眼底検査による眼底病変の検索が必須である. 三叉神経第1枝領域の眼部帯状疱疹に伴うもの, 皮疹はないが同領域の皮膚に疼痛だけ生じるもの, 皮膚症状を伴わないもの, いずれもありうる. 皮疹を伴わない場合でも, 片眼性の豚脂様KPに眼圧上昇を伴う前部ぶどう膜炎では本症を積極的に疑い, 前房水などの眼内液を用いたポリメラーゼ連鎖反応(polymerase chain reaction:PCR)法により確定診断するが, 治療方針が異なるサイトメガロ

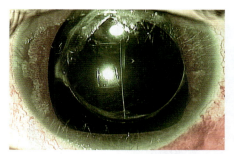

図16　水痘帯状疱疹ウイルス性前部ぶどう膜炎の麻痺性散瞳

ウイルスなどとの鑑別のために，網羅的PCR法を用いることが望ましい．

治療　抗ウイルス薬とステロイドの併用治療を行う．抗ウイルス薬として，バラシクロビル塩酸塩（バルトレックス®）内服またはアシクロビル（ゾビラックス®）眼軟膏の1日5回眼内点入を開始する．これらは同時に保険請求できないことに注意が必要である．抗炎症治療として，0.1%ベタメタゾンリン酸エステルナトリウム（サンベタゾン®）眼耳鼻科用液を炎症の程度に応じて1日4～8回程度で開始する．また，虹彩後癒着の予防のために，トロピカミド・フェニレフリン塩酸塩（ミドリン®P）点眼液を1日数回使用する．眼圧上昇に対してはプロスタグランジン，β遮断薬，α_2刺激薬，Rhoキナーゼ阻害薬の点眼，炭酸脱水酵素阻害薬の点眼または内服を行う．

処方例　下記を併用する．

> バルトレックス錠（500 mg）　6錠　分3
> サンベタゾン眼耳鼻科用液(0.1%)　1日8回　点眼
> ミドリンP点眼液　1日4回　点眼
> コソプト配合点眼液　1日2回　点眼

または，下記を併用する．

> ゾビラックス眼軟膏(3%)　1日5回　眼内点入
> サンベタゾン眼耳鼻科用液(0.1%)　1日5回　点眼
> ミドリンP点眼液　1日1回　就寝前　点眼

予後　炎症の鎮静化には数週間を要することもあり，再発を繰り返しつつ遷延化する場合もある．眼圧は炎症の鎮静化とともに正常化するが，隅角線維柱帯の器質的変化が進行している場合には，眼内炎症の寛解後も眼圧上昇が遷延する場合がある．その場合は，十分な消炎を確認したのちに観血的治療を検討する．

眼トキソプラズマ症

Ocular toxoplasmosis

岡田アナベルあやめ　杏林大学・教授

原因・病態・症状　眼トキソプラズマ症は人畜共通の原虫である*Toxoplasma gondii*による眼内感染症である．*T. gondii*の終宿主はネコ科の動物であり，ヒトを含む各種哺乳類，トリ類が中間宿主となる．原虫嚢胞体(oocyst)はネコの腸管から糞便とともに排出される．ネコとの直接接触や感染したブタ，ヒツジ，トリなど中間宿主の肉の生食による経口摂取で，間接的にヒトに感染する．ヒトには嚢子(cyst)と栄養型原虫(trophozoite)の両者として存在し，主に脳，眼，筋肉に感染病変を起こす．先天感染と後天感染がありうる．

先天感染では，トキソプラズマ症に初回感染した妊娠中の母親から栄養型原虫が経胎盤的に胎児に伝達される．妊娠初期の場

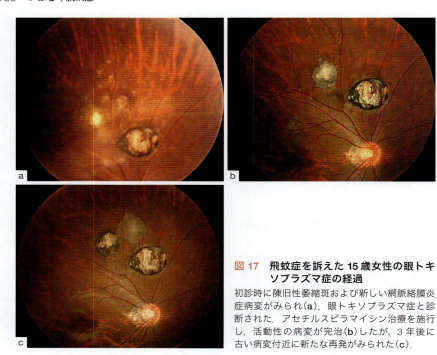

図17 飛蚊症を訴えた15歳女性の眼トキソプラズマ症の経過
初診時に陳旧性萎縮斑および新しい網脈絡膜炎症病変がみられ(a), 眼トキソプラズマ症と診断された. アセチルスピラマイシン治療を施行し, 活動性の病変が完治(b)したが, 3年後に古い病変付近に新たな再発がみられた(c).

合, 経胎盤伝播率は比較的低いが, この時期の感染は流・死産を起こしやすい. 一方, 伝播率が高くなる妊娠中, 後期の場合, 早産以外には網脈絡膜炎, 水頭症, 脳内石灰化, 運動神経障害の原因となる. 子宮内感染を起こした幼児の約70%には, 眼トキソプラズマ症が疑われる脈絡膜瘢痕病巣が黄斑部(両眼が多い)を中心に認められ, そのうち1～2%は重篤な視力障害を合併する.

後天感染では, 免疫異常のない大多数のヒトの場合は無症状であるが, リンパ節腫脹を伴う発熱や感冒様症状がみられることがある. 以前, 後天感染は眼疾患を引き起こすと考えられていなかった. しかし現在は, 特にブラジルなどの地域において後天感染が眼疾患を比較的高率に惹起すること

が確認されており, これは調理中の味見の際に生肉入りの食べ物を頻繁に口にする習慣があることや, 肉そのものを生食する習慣があることと深くかかわっていると考えられている.

眼症状としては初感染, 再発ともに霧視や飛蚊症を訴える. 眼底検査で局所の網脈絡膜炎を認め, その上を覆っている中程度～重度の硝子体炎, あるいは周囲の網膜血管炎も伴う. 豚脂様角膜後面沈着物を伴う前眼部炎症が存在することもある. 初期には眼圧が高いことも多く, 線維柱体炎が示唆される. 眼トキソプラズマ症の非典型例として, 硝子体炎が少なく, 網膜外層の小さな点状病変で発症することもある. 治癒した病変は色素を伴う境界明瞭な萎縮性瘢痕となる(図17). 再発の病巣部位は先

天感染，後天感染を問わず，古い瘢痕病巣の近隣に発症することが多い．

AIDS患者のような免疫不全患者におけるトキソプラズマ症は日和見感染症であり，進行性壊死性網膜炎，トキソプラズマ脳炎を伴う．予後は比較的不良のことが多い．これらの場合は，先天感染と後天感染の区別はできない．

診断

■ **鑑別診断** 単純ヘルペスウイルス，梅毒，非典型的サイトメガロウイルス網膜炎などが鑑別疾患となるが，特にAIDS患者の場合，壊死性網膜炎を発症する他の原因も考慮する．眼トキソプラズマ症の非典型的点状病変は，非感染性多発性脈絡膜炎と鑑別しにくいことがある．

■ **検査** 本症は主に臨床所見で診断するが，抗トキソプラズマIgGやIgMの上昇も参考になる．特にIgM値の上昇は，最近獲得した感染の証拠となる．硝子体検体からトキソプラズマDNAをポリメラーゼ連鎖反応（polymerase chain reaction：PCR）で検出することも可能である．免疫不全患者には，MRIを施行し，リング状の大脳内病変のように見える中枢神経系感染の有無も調べなければならない．

治療
トキソプラズマ症に用いられる抗菌薬はすべて栄養型原虫にのみ有効で，囊子には無効である．わが国では主にアセチルスピラマイシン（0.8～1.2 g/日，分3～4）を単独で少なくとも30日間投与することが多い．活動性炎症が消失するまで薬物療法を継続するため，2～3か月間かかることもある．硝子体炎症が強い場合，ステロイド内服（例えば，プレドニゾロン20～30 mg/日から開始）を併用するが，抗菌薬投与開始後，数日程度待ってから併用するほうが望ましい．米国では通常，ピリメタミン，スルファジアジン（ともに国内未承認）とステロイドの3剤内服療法が4～6週間行われている．ピリメタミンによる骨髄抑制を防ぐため，葉酸の併用投与も行う．単独あるいはスルファジアジンなどの内服と併用でクリンダマイシン，スルファメトキサゾール・トリメトプリム（バクタ®），アジスロマイシンなど，抗トキソプラズマ作用のある抗菌内服薬を使用することもある．クリンダマイシンの硝子体内注射（保険適用外）の効果も報告されている．

炎症はいずれも自然治癒傾向を有するため，周辺網膜に限局した病変による軽度の炎症の場合は，必ずしも治療を必要としない．しかし，周辺病変でも再発の際には網膜内囊子の数が増えるため，理論上は，将来の再発を最小限にとどめるためにも，すべての再発を抗菌薬できちんと治療したほうがよいという考えもある．また，黄斑部に古い病変がある，特に先天性の場合，再発による不可逆的な視力低下の危険性が高いため，長期予防としては低用量抗菌薬投与（保険適用外，週2～3回のスルファメトキサゾール・トリメトプリム，あるいはサルファアレルギーのある方にはアジスロマイシン）も海外で使われている．

予後
後天性トキソプラズマ症の予後は免疫不全患者以外では，おおむね良好である．先天感染の場合は両眼の黄斑部が病変に含まれていることが多く，視力低下をきたす．

予防
感染伝播の予防としては，食肉に存在している囊子を殺すためによく火を通す調理法の実施や，囊胞体を排出するネコの排泄物との接触を防ぐための公衆衛生

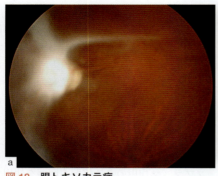
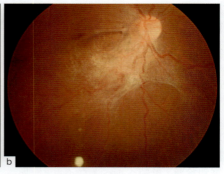

図18　眼トキソカラ症
34歳女性．眼底周辺に陳旧性肉芽腫がみられ(**a**)，後極部に牽引性増殖膜が合併した(**b**)．

の教育がある．妊娠中の感染を検出するため，抗体陰性妊婦に対して定期的に血液スクリーニングを行うことが早期診断に役立つ可能性がある．

眼トキソカラ症
Ocular toxocariasis

岡田アナベルあやめ　杏林大学・教授

原因・病態・症状　イヌやキツネに風土病的に感染しているイヌ回虫(*Toxocara canis*)の成熟卵の偶発的経口摂取や，待機宿主であるニワトリやウシの肝臓を生食することにより，ヒトに2種類の疾患が生じる．内臓幼虫移行症(visceral larval migrans：VLM)は発熱，皮膚の結節，リンパ節腫脹，肝腫大，好酸球増多，IgE上昇などで発症する全身感染症である．一方，眼トキソカラ症は局所感染症であり，以下の3形態で発症する．

①後極部肉芽腫型：黄斑部に大きい白色あるいは灰色の肉芽が生じ，しばしば増殖膜形成を伴う．幼児の場合は弱視や斜視をきたす．

②周辺肉芽腫型：左右差があっても両眼性が多く，後極部に牽引性索状物，牽引乳頭，黄斑偏位または2次的裂孔原性網膜剝離を合併する**(図18)**．

③眼内炎型：ほとんどは片眼性であり，前眼部と後眼部を含むびまん性の炎症が特徴的である．後極部肉芽腫型あるいは周辺肉芽腫型は眼内炎型よりもよくみられる．

同一患者に眼トキソカラ症とVLMの両者が発症することは非常にまれである．平均発症年齢はVLMの場合，生後15～30か月，眼トキソカラ症の場合は7歳半となっている．

伝播経路は，感染しているペット，特に子宮内や母イヌの乳汁から感染した幼犬と接触時に虫卵を経口的に摂取すること，あるいは公園や砂場で虫卵が含まれるペットの排泄物に汚染された土を飲み込む場合が多い．しかし，ヒト感染症はほとんどの場合無症状であり，幼児には20～80%の抗体陽性検出率が報告されている．摂取した虫卵はヒト腸管で幼虫に成熟し，血行性に眼球，脳，肝臓などの末梢組織に散布される．

診断

■ **鑑別診断** 乳児の場合には，網膜芽細胞腫，Coats病，第1次硝子体過形成遺残，未熟児網膜症，有髄神経線維，網膜剥離，白内障を含め，白色瞳孔を呈するさまざまな原因疾患と鑑別しなければならない．主に局所の壊死性網膜血管炎のある場合，眼トキソプラズマ症や真菌性網脈絡膜炎も考慮する．進行した硝子体炎の症例では，細菌あるいは真菌性眼内炎，眼内リンパ腫，眼トキソプラズマ症，中間部ぶどう膜炎などが鑑別診断となる．

■ **検査** 一般的には血液中の抗トキソカラ抗体の上昇，特にIgMの上昇の場合に診断ができる．小児ではポリクローナルIgE上昇をよく認める．前房水検体を採取すれば，抗トキソカラ抗体の眼内での上昇，Goldmann-Witmer比率の上昇，あるいはポリメラーゼ連鎖反応（polymerase chain reaction：PCR）によるトキソカラDNAの検出も診断根拠となる．幼児では網膜芽細胞腫を除外するため，特に硝子体炎で眼底検査が不可能の場合，Bモード超音波またはMRIやCTも役立つことがある．

治療

■ **薬物治療** 眼内炎型，または重度の硝子体炎を伴う後極部あるいは周辺肉芽腫型には，局所注射あるいは全身投与によるステロイドの治療が最も有用である．効果が証明されていないため，アルベンダゾールやジエチルカルバマジンクエン酸塩などの駆虫薬はほとんど使われていない．生きた幼虫が封入されている肉芽腫は，さほど炎症を伴わないので治療する必要性が低いことが多い．まれに眼トキソカラ症がVLMと同時に発症することがあるが，その場合はステロイドと同時にアルベンダゾールの全身投与の必要がある．

■ **外科的治療** 白内障や網膜剥離のような合併症が生じた症例，あるいはステロイド治療に抵抗する眼内炎型の症例には手術を行う．トキソカラ嚢胞に対するレーザー光凝固は，幼虫の死滅により強烈な炎症反応を誘発するため，不適応と考えられる．

予後

牽引性網膜剥離は周辺肉芽腫型の20～40％に発症し，手術を行うと過半数に視力上昇を認めるが，再手術を要する場合も多い．後極部肉芽腫のある幼児の場合，視野欠損あるいは黄斑皺襞を合併し，視力低下や弱視を起こす．

予防

感染経路は主にイヌからであるため，基本的に感染しているペット（特に幼犬）や汚染されている土に接触しないことが重要である（幼児が汚染された土や砂を口に入れる場合が多い）．成体のトキソカラを撲滅するために，幼犬と乳汁分泌のある雌イヌにピペラジンのような駆虫薬治療が有効であると報告されている．ニワトリやウシの肝臓を生食しないことも予防対策となる．

眼ヒストプラズマ症

Ocular histoplasmosis

岡田アナベルあやめ　杏林大学・教授

概念・病態・症状　疾患の概念は，米国オハイオ州やミシシッピ川流域の住民に，定期眼底検査の際，非活動性の色素沈着を伴う境界明瞭な網脈絡膜萎縮斑（英語ではpunched-out lesionsや"histo spots"とよばれている）が中間周辺部や後極部にみられたことがきっかけであった．病変の

数は2〜3個から10個超までであり、大きさは約1/3乳頭程度であった。乳頭周囲の色素性萎縮変化も特徴的であった。これらのほとんどは無症候であったが、中心窩の萎縮斑あるいは中心窩に脈絡膜新生血管を合併することにより、視力低下がみられた。前眼部、硝子体中に炎症所見もなく、ほかに活動性の眼所見あるいは全身所見もなく、原因ははっきりしなかった。しかし、眼所見を有する患者およびその地域の住民に Histoplasma capsulatum に対する皮内反応の陽性率が高値であったことから、この真菌との関連が推測され、米国ではこのような眼底所見は presumed ocular histoplasmosis syndrome（POHS）と診断されることになった。

「presumed」という言葉は、証拠がなく関連があくまでも推定されているという意味合いを強調するためである。しかし、専門家により POHS のような所見を多発性脈絡膜炎と診断することもある。また、例えば北欧のようにヒストプラズマが元来存在しない（住民の皮内反応陽性率が低い）地域でも、全く同様な眼底所見がみられ、「histoplasmosis-like disease」という言い方もある。

いずれにしても発症機序は、何らかの微生物に対するアレルギー反応が起こっているという仮説があり、複数の感染性病原体との関連があると考えられている。興味深いことにわが国では、この疾患概念に合致する患者が少ない。

診断

■ **鑑別診断** 前眼部や硝子体炎症を伴わない多発性脈絡膜炎を引き起こす疾患すべては鑑別診断となる。主に multifocal evanescent white dot syndrome、acute posterior multifocal placoid pigment epitheliopathy、punctate inner choroidopathy、結核、地図状脈絡膜炎あるいは眼内リンパ腫と区別する必要がある。

■ **検査** 診断を確定する検査はない。脈絡膜新生血管を示唆する黄斑部出血や滲出性変化がみられた場合、フルオレセイン蛍光眼底造影検査を施行する。

■ **治療** 脈絡膜新生血管の活動性が確認されたら、VEGF 阻害薬の硝子体内投与などの治療を検討する。

■ **予後** ほとんどの患者は無症候であり、予後は良好であるが、中心窩に脈絡膜新生血管が合併すると視力低下をきたす。

結核性ぶどう膜炎
Tuberculous uveitis

岩橋千春　近畿大学・医学部講師

■ **概念・病態** 結核菌（Mycobacterium tuberculosis）により引き起こされた眼内炎症を結核性ぶどう膜炎とよぶ。結核菌の感染および結核菌に対するアレルギー反応であると考えられている。日本眼炎症学会による主要大学病院における 2016 年度の臨床統計結果では、全ぶどう膜炎の 0.9% を占める疾患である。

■ **症状** 前眼部所見として角膜後面沈着物、虹彩炎、虹彩後癒着がみられる。後眼部所見として閉塞性網膜静脈炎（図19）、網膜出血、脈絡膜結核腫、脈絡膜粟粒結核がみられる。網膜血管炎では長い白鞘を形成し"真綿"のような血管周囲の滲出病巣を生じること、また周囲に出血を伴うことが特徴的である。片眼性、両眼性のいずれ

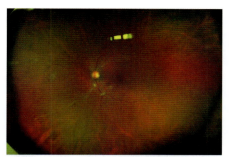

図19　結核性ぶどう膜炎の眼底所見
網膜血管の白鞘化とその周囲に網膜出血がみられる．

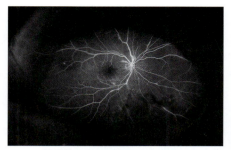

図20　結核性ぶどう膜炎のフルオレセイン蛍光眼底造影所見
周辺部網膜に無血管領域がみられる．

もありうる．

合併症・併発症　閉塞性網膜血管炎により無血管野を生じ，網膜新生血管，さらには硝子体出血をきたすことがある．進行例では増殖硝子体網膜症を発症する．

診断

■**診断法**　定まった診断基準はないが，肺結核などの眼外結核の存在，結核に対する免疫反応が陽性，典型的な結核眼病巣の存在，既知のぶどう膜炎を否定できる眼および全身所見，抗結核療法への治療反応性などから総合的に診断する．なお，眼外結核がみられる症例は約1割程度である．

■**必要な検査**　眼外結核の有無の評価として，結核病巣あるいは結核菌の検出のために，胸部X線，胸部CT，喀痰塗抹鏡検，培養同定を行う．また，結核菌に対する免疫反応の評価として，ツベルクリン反応，インターフェロンγ遊離試験であるクォンティフェロン®TBゴールドあるいはT-スポット®.TBなどの検査を行う．

眼科的検査としてはフルオレセイン蛍光眼底造影検査が重要である．網膜血管炎の白鞘部に一致して染色や漏出がみられる．また，症例によっては網膜出血によるブロック，網膜周辺部の無血管領域(図20)，新生血管からの蛍光漏出がみられる．

■**鑑別診断**　サルコイドーシスやBehçet病が鑑別対象として重要である．サルコイドーシスの網膜血管炎は分節状の静脈周囲炎が主体であるのに対して，結核性ぶどう膜炎ではより長い白鞘を形成する．また，静脈の閉塞機転が強いために周囲に出血を伴うことが多い．Behçet病も網膜に無血管野や出血を生じることがあり，眼底所見は結核性ぶどう膜炎ときわめて類似していることがある．経過やその他の全身所見からの鑑別が必要となる．

治療

■**治療方針**　抗結核薬による全身治療が基本となる．網膜血管炎は結核菌に対するアレルギー反応と考えられているため，眼内の炎症所見が強い場合にはステロイドの併用も行う．閉塞性血管炎に伴う広範囲な網膜無血管領域や新生血管が認められる場合には，すみやかに網膜光凝固術を施行する．

■**薬物治療**　抗結核薬の内服は眼外結核がない場合であっても耐性結核菌の発生を防ぐ目的で多剤併用療法を6～9か月継続す

る，イソニアジド，リファンピシン，エタンブトール塩酸塩，ピラジナミドの 2〜4 剤併用が標準的である．

処方例 下記 1)〜4) の 4 剤併用を 2 か月，その後，1) と 2) の併用を 4 か月以上継続することが標準的である．抗結核薬の投与は呼吸器内科や感染症科などと相談のうえ，処方することが望ましい．

1) イスコチン錠(100 mg)　3 錠　分 3　毎食後
2) リファジンカプセル(150 mg)　3 カプセル　分 1　朝食前空腹時
3) エブトール錠(250 mg)　3 錠　分 1　朝食後
4) ピラマイド原末　1.5 g　分 3　毎食後

■ **外科的治療**　硝子体出血や増殖硝子体網膜症，牽引性網膜剥離が発症した場合には硝子体手術の適応となる．

予後　視力予後はおおむね良好であるが，閉塞性網膜血管炎に伴う広範囲な無血管領域がある症例では視野障害が残る．

梅毒性ぶどう膜炎
Syphilitic uveitis

岩橋千春　近畿大学・医学部講師

概念・病態　梅毒はスピロヘータの一種である *Treponema pallidum*（TP）の全身感染と並行して発生する内眼炎症である．主に性行為により感染する後天梅毒と，母体から胎児に感染する先天梅毒に分けられる．日本眼炎症学会による主要大学病院における 2016 年度の臨床統計結果では，全ぶどう膜炎の 0.5 % を占める疾患である．

症状　特徴的な眼所見に乏しく臨床像

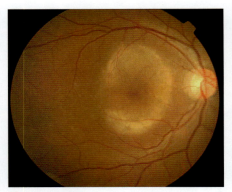

図 21　ASPPC
梅毒性ぶどう膜炎に特徴的な眼底所見である．

は多彩である．先天梅毒では網脈絡膜炎，角膜実質炎がみられる．後天梅毒では虹彩炎が初発症状として多くみられ，通常両眼性である．そのほか，硝子体の炎症細胞浸潤，散在性網脈絡膜炎，網膜血管炎，視神経炎などがみられる．特徴的な眼底所見として acute syphilitic posterior placoid chorioretinitis（ASPPC）がある（図 21）．結膜炎，角膜実質炎，上強膜炎，強膜炎，涙腺炎，瞳孔異常（Argyll Robertson 瞳孔など），眼瞼下垂，眼振などを呈することもある．

合併症・併発症　梅毒性ぶどう膜炎症例では HIV との混合感染，中枢神経梅毒に注意を要する．

診断

■ **必要な検査**　血清学的診断が必須である．梅毒の血清学的検査は，カルジオリピン抗原に対する抗体価を測定するガラス板法（serologic test for syphilis：STS 法）と TP 特異抗原を用いる Treponema pallidum hemagglutination test（TPHA）法の組み合わせで検査する（⇒ 237 頁，「血液検査」項の表 37 を参照）．

■ **鑑別診断** 梅毒による眼所見には特異な病像はなく，臨床所見のみから診断することはほぼ不可能であり，種々のぶどう膜炎が鑑別対象となるが，血清学的診断を行うことで鑑別可能である．

治療
■ **治療方針** 原因病原体の除去を目的とした駆梅療法を行う．
■ **薬物治療** 全身治療は感染症内科と連携して，神経梅毒に準じた治療を行う．初期にはペニシリン大量療法として注射用ベンジルペニシリンカリウム 2,400 万単位/日を投与し，維持期にはベンジルペニシリンベンザチン 120 万単位(3 g)の内服を行う．ペニシリンアレルギーの場合にはドキシサイクリン，ミノサイクリンなどのテトラサイクリン系製剤，エリスロマイシンなどのマクロライド系薬剤を用いる．プレドニゾロン内服併用については統一した見解はないが，炎症が強い場合には併用が望ましい．治療により TP が破壊されて大量のサイトカインが放出されることにより，治療開始 24 時間以内に Jarisch-Herxheimer 現象とよばれる症状が出現することがある．前眼部の炎症が強い症例では，全身への治療に加え，ステロイド点眼による消炎，散瞳薬による瞳孔管理を行う．

予後
早期治療が開始されれば予後は比較的良好であるが，診断の遅れ，黄斑部の網脈絡膜病変が視力不良と関係しているとの報告があり，そのほかの感染症同様，病早期の的確な診断と十分な治療が重要である．

真菌性眼内炎
Fungal endophthalmitis

慶野 博 杏林大学・臨床教授

概念・病態
真菌性眼内炎は各種の真菌が眼内に移行し，その結果眼内炎が生じて視力障害をきたす疾患である．眼以外の感染巣から血行性に転移する内因性と，手術や外傷を契機に発症する外因性に分類される．背景因子として悪性腫瘍，消化管手術後，AIDS(後天性免疫不全症候群)，移植術後やステロイドの長期投与による免疫抑制状態，中心静脈カテーテル・バルーンの長期留置，悪性腫瘍に対する化学療法，広域抗菌薬投与，糖尿病などが挙げられる．カンジダ血症の 20％前後で眼内炎の発症がみられることからカンジダ血症を生じた患者が眼科へ受診した場合，真菌性眼内炎を念頭において診察にあたる必要がある．

症状
多くは両眼性であり，飛蚊症，霧視，軽度の視力低下が生じる．これは他覚的には微塵状硝子体混濁としてとらえられる．さらに進行してくると視力低下の進行，充血や眼痛が生じる．診察時には中心静脈カテーテル・バルーン留置の既往，眼症状に先行して発熱があったかを確認する．起因菌の約 90％が *Candida* 属であり，なかでも *Candida albicans* が最も多い．そのほかに糸状菌の *Aspergillus* 属や *Cryptococcus* 属，*Fusarium* 属によっても発症する．

診断
通常，初期には網脈絡膜の白色円形の病巣として現れ(図 22)，次第に多発性となり硝子体混濁を伴ってくる．急速

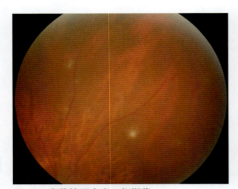

図22 真菌性眼内炎の初期像
網脈絡膜の白色滲出病巣がみられる．

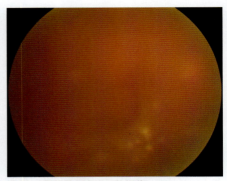

図23 真菌性眼内炎の後期像
羽毛状硝子体混濁がみられる．

に進行する細菌性眼内炎とは異なり，眼底に明瞭な病巣を形成して比較的ゆっくりと進行する．病巣周囲に出血を伴うことがある．両眼性に発症することが多い．後期になってくると硝子体混濁も進行し，羽毛状の硝子体混濁（fungus ball，図23）が生じて眼底の透見度は著明に低下する．また網脈絡膜内あるいは網膜上の滲出性病変も硝子体内へ突出する．さらに炎症が進行すると網膜肉芽腫を起点に増殖膜が形成され，黄斑前膜や牽引性網膜剝離を生じる．同時に前房内でも炎症細胞が増加し，進行するとフィブリンの析出や虹彩後癒着がみられ，さらには虹彩ルベオーシスや続発緑内障へと進行する．

■ **必要な検査**　カテーテルの先端・動脈血・硝子体サンプルを用いた真菌培養，血清や硝子体サンプル中のβ-D-グルカン値の測定，カンジダ抗原やアスペルギルス抗原の測定，また硝子体サンプルで塗抹標本を作製し，PAS染色やGrocott染色，ファンギローラY®染色を行う．また最近では前房水や硝子体サンプルを用いたPCRによる起因菌の同定も試みられている．

■ **鑑別診断**　細菌性眼内炎，トキソプラズマ，サルコイドーシス，仮面症候群，糖尿病網膜症．

治療　まず内科的に治療を開始する．*Candida*属による眼内炎では第1選択薬としてフルコナゾール（ジフルカン®）の静脈内投与が推奨されるが，フルコナゾールに対して耐性を示す一部の*Candida*属（*Candida glabrata*や*Candida krusei*など）ではボリコナゾール（ブイフェンド®）が用いられる．全身治療開始1〜2週間程度で網膜の浸潤巣は徐々に縮小し始めるが，内服に変更後も病巣が完全に瘢痕化するまで治療を継続する．治療開始後4〜6日間で改善を認めない場合，薬剤感受性試験の結果を参考に薬剤の変更を検討する．浸潤病巣が黄斑部へ及ぶ症例や薬剤の副作用で全身治療の継続が困難な症例，抗真菌薬の全身治療を行っても眼所見の改善がみられず，全身状態が不良で硝子体手術な困難な症例に対してはフルコナゾール（ジフルカン®）やアムホテリシンB（ファンギゾン®）の硝子体内投与（保険適用外，効能・効果）が有

効との報告がある．前房内炎症に対してはステロイドの点眼による消炎と散瞳薬による瞳孔管理を行う．また感染巣を除去するため挿入されているカテーテル，バルーンは極力抜去する．

　上記の全身治療を行っても所見の改善がみられない場合，またはすでに眼内増殖性変化が進行している場合は他科の医師と相談のうえ，可能であれば硝子体手術を行う．硝子体手術中の灌流液中のフルコナゾールの濃度を 10～20 μg/mL となるように調製する（保険適用外，効能・効果）．

処方例 Candida 属に対する第 1 選択として 1）を用いる．フルコナゾール耐性の Candida 属，または Aspergillus 属の場合，2）を用いる．浸潤巣が黄斑部へ及ぶ場合，3）を用いる．

> 1) ジフルカン注　1 回 400 mg　静脈内投与
> 　保外 用量
> 2) ブイフェンド静注用　初日：1 回 6 mg/kg
> 　1 日 2 回．2 日目以降：1 回 3～4 mg/kg
> 　1 日 2 回　点滴静脈内投与
> 3) ジフルカン注　1 回 100 μg/0.1 mL，またはファンギゾン注　1 回 5 μg/0.1 mL　硝子体内注射　保外 用法・用量

予後　カンジダによる真菌性眼内炎では早期治療を行えば，視力予後は比較的良好である．白色病巣が黄斑部に生じた場合，視力低下の原因となる．アスペルギルスは予後不良例が多い．

全眼球炎
Panophthalmitis

慶野 博　杏林大学・臨床教授

概念・病態・症状　眼内炎が進行して眼球全体に炎症が波及した状態で，外因性（眼外傷や内眼手術後の発症）と内因性（転移性眼内炎）に分類される．内因性眼内炎の背景因子として高齢，糖尿病，悪性腫瘍，齲歯・抜歯の既往，肺・腎・肝膿瘍の既往，心内膜炎の既往，血液透析の有無，ステロイドの全身投与・化学療法中の免疫抑制状態などが挙げられる．また経中心静脈栄養（IVH）やカテーテル・バルーンの使用歴がある場合には真菌性眼内炎を疑う．

　先行する全身症状として発熱や全身倦怠感がみられる．眼症状として眼瞼の腫脹・発赤や眼痛，眼脂，充血，視力低下，他覚的所見として結膜充血・浮腫，角膜混濁・浮腫，前房蓄膿やフィブリンの析出を伴う強い前房内炎症が観察される**（図 24）**．眼底は透見困難な場合が多いが，内因性眼内炎の場合，起因菌が血行性に眼内に感染し，脈絡膜から網膜，硝子体，眼球全体へと炎症が波及していくため受診時には濃厚な硝子体混濁を認めることが多い．全身検査所見として白血球増加，CRP の上昇などがみられる．

診断

■**必要な検査**　受診時にはすでに眼底の観察が困難な場合が多いため，硝子体混濁の評価のために必ず B モード超音波検査を施行する．眼窩部 CT や MRI を施行し，眼球および眼窩部，副鼻腔の炎症の程度を評価する．転移性眼内炎を疑った場合，内

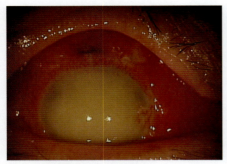

図 24　全眼球炎
結膜充血・浮腫と著明な前房炎症を認める．

科と連携をとりながら感染巣の検索を進める．留置カテーテルの先端・血液・尿培養による起因菌の同定，全身 CT 検査や心・肝エコー検査を行い感染巣の同定を行う．可能であれば眼内液を採取し培養を行う．

■**鑑別診断**　眼窩蜂巣炎，強膜炎，急性前部ぶどう膜炎，糖尿病虹彩炎．

治療　起因菌が不明の場合，抗菌薬の頻回点眼，硝子体内投与（バンコマイシン，セフタジジム．いずれも保険適用外，効能・効果），広域スペクトルを有する第 4 世代セフェム系薬（セフォゾプラン）などの全身投与を行う．菌が同定された場合には，感受性試験の結果に従って薬剤を選択する．

炎症の主座が硝子体にある場合は，早急な硝子体手術と抗菌薬の硝子体灌流（バンコマイシン：20 μg/mL，セフタジジム：40 μg/mL）（保険適用外，効能・効果）を行う．

処方例　以下を併用する．

塩酸バンコマイシン注　1 回 1.0 mg/0.1 mL　硝子体内注射　保外　効能・効果
モダシン注　1 回 2.0 mg/0.1 mL　硝子体内注射　保外　効能・効果

予後　一般的に予後は不良である．特に起因菌がグラム陰性桿菌であった場合，適切に処置を行っても失明に至る可能性がある．

多発消失性白点症候群（MEWDS）

Multiple evanescent white dot syndrome：MEWDS

岩橋千春　近畿大学・医学部講師
大黒伸行　JCHO 大阪病院・主任部長

概念　急性帯状潜在性網膜外層症（acute zonal occult retinopathy：AZOOR）と同一スペクトラムの疾患であり，AZOOR complex の一疾患である．何らかの自己免疫により網膜外層から脈絡膜レベルに生じた炎症による疾患と考えられている．

病態　黄斑部から赤道部にかけて網膜深層から網膜色素上皮層レベルに白点病巣が散在する（図 25）．インドシアニングリーン蛍光造影（ICGA）で白点病巣を認めない部位にも低蛍光斑が観察されることから，網膜色素上皮の障害だけでなく，脈絡膜も障害されていることが示唆される．前眼部，硝子体に軽度の炎症がみられることもある．発症の 1〜2 週間前に感冒様前駆症状を伴うことがあり，何らかのウイルス感染による網膜色素上皮障害の障害が推察されている．

症状　20〜30 歳の女性に好発し，片眼性の突然の視力低下として発症する．視力低下の前に光視症や飛蚊症を自覚することもある．無治療で眼底の白点病巣は 1〜

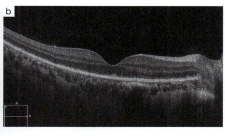

図 25 MEWDS の眼底・OCT 所見
a：眼底写真．b：OCT．淡い斑状病巣が散在性にみられ，ellipsoid zone は不明瞭になっている．

2か月以内に消失するが，黄斑部の顆粒状変化は残る．

診断

■**必要な検査** フルオレセイン蛍光眼底造影検査(FA)では，白点病巣は早期から過蛍光になり，後期に拡大を認めない**(図 26)**．ICGA 後期相では白点病巣部を含め広範囲で低蛍光となる．光干渉断層計（OCT）では ellipsoid zone（IS/OS ライン）の欠損，あるいは不明瞭化がみられる**(図 25b)**．視野検査では視野狭窄，Mariotte 盲点の拡大，中心暗点がみられる．網膜電図で振幅の著明な平坦化がみられ，多局所 ERG では黄斑部付近で振幅の低下が顕著である．

■**鑑別診断** AZOOR complex の各疾患が鑑別対象となる．急性後部多発性斑状色素症は両眼性で，MEWDS より少し病巣が大きいこと，FA で初期に低蛍光であることから鑑別が可能である．

治療

■**治療方針** 基本的に自然治癒するので，軽症例では無治療で経過をみる．
■**薬物治療** 進行性に視力が低下する重症例では，ステロイドの全身投与を行うこと

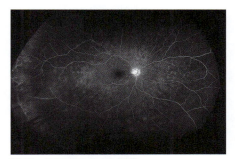

図 26 MEWDS の FA 所見
白点病巣部位に一致して過蛍光を認める．

もある．

■**予後** 視力予後は多くの症例で有効である．

急性後部多発性斑状網膜色素上皮症

Acute posterior multifocal placoid pigment epitheliopathy：APMPPE

髙橋寛二 関西医科大学・教授

■**病因** 脈絡膜毛細血管板の輸入細動脈

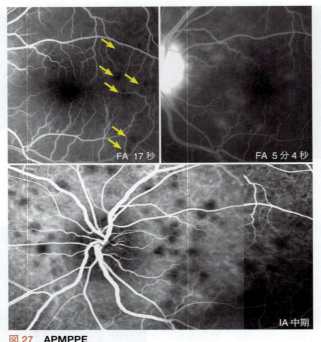

図 27　APMPPE
FA では蛍光の逆転現象，IA では早期から後期まで斑状低蛍光を認める．

に発生した遅延型過敏反応（IV 型アレルギー）による閉塞性血管炎が発症機序として想定されている．原因は明らかにされていないが，ウイルス感染などが疑われている．

眼底所見　両眼の眼底後極部において，網膜深層〜網膜色素上皮レベルに灰白色の円板状の白斑が多発性にみられる**(図 27)**．病巣は境界鮮明，大きさは 1/4〜1/2 乳頭径でほぼ均一であることが多い．数は数個〜多数で，個々の病巣は一定以上に拡大せず，進行，癒合傾向は少ない．この白斑は脈絡膜毛細血管板の閉塞による網膜色素上皮・網膜外層の虚血性変化のための浮腫混濁と考えられている．視神経乳頭の充血・浮腫を伴うことがあるが，漿液性網膜剝離や網膜出血を伴うことはまれである．眼底の滲出斑は，数日のうちに中心部から消退し始め，7〜12 日で軽い脱色素を残して完全に消失する．通常，強い萎縮病巣や網膜下増殖を残すことはない．

症状　自覚症状は軽い視力低下と中心暗点，変視，小視．20〜30 歳代（平均年齢 25 歳）に好発し，性差はない．

診断　フルオレセイン蛍光眼底造影（FA）では，造影早期に白斑部は低蛍光を示し，後期には過蛍光を示す「蛍光の逆転現象」がみられる．インドシアニングリーン蛍光眼底造影（IA）では，白斑部は早期から後期まで終始低蛍光を示す**(図 27)**が，慢性期になるとその大きさは縮小し，境界不鮮明となる．

鑑別診断

❶地図状脈絡膜症 やや高年齢(40歳代)で片眼性．網膜深層の白斑病巣の進行，拡大癒合傾向が著明で地図状を呈し，あとに網脈絡膜萎縮を残す．視力予後不良．

❷Vogt-小柳-原田病 発病初期にAPMPPE類似の眼底の白斑を示すことがある．原田病では滲出性網膜剝離がみられ，FAで眼底後極部に多発性の網膜下蛍光漏出点がみられる．

❸多発消失性白点症候群(MEWDS) 若年女性に多く，白斑の分布が広範囲に眼底赤道部までみられる．FAでは病巣は早期から過蛍光を示す．

治療
炎症性疾患の範疇に入るので抗炎症療法を主体に行う．

■ **薬物治療** 発病初期にステロイドの内服によって罹病期間の短縮をはかる．また，脈絡膜循環障害に対して微小循環改善薬を投与する．

処方例

> プレドニン錠(5 mg)　1日　30 mg　分3
> (朝食後3錠　昼食後2錠　夕食後1錠)
> より開始，2週間〜1か月で漸減中止

地図状脈絡膜炎
Geographic choroiditis

岩橋千春　近畿大学・医学部講師
大黒伸行　JCHO大阪病院・主任部長

概念・病態
脈絡膜毛細血管板の循環障害の結果，2次的に網膜色素上皮障害が生じ，特徴的な地図状の網脈絡膜萎縮病巣を形成する疾患である．自己免疫的な機序のほか，結核やウイルスなどの感染が関与している症例もあると考えられている．

症状
発症は急激で，視神経乳頭近傍に大型の黄白色滲出性病変が出現する．炎症の消退後は強い網脈絡膜萎縮を残す．再発時には新たな黄白色の滲出病巣が沈静化した古い瘢痕病巣の周囲に起こり，再発を繰り返すことで病巣は全体として融合，拡大していく(図28)．

合併症・併発症
約10〜20%の症例で脈絡膜新生血管が生じる．

診断

■ **必要な検査** フルオレセイン蛍光眼底造影検査では，新しい病巣部位は造影早期にはブロックによる低蛍光，造影後期には徐々に過蛍光となり，病巣辺縁部が強く染色されることが特徴である(図29)．インドシアニングリーン造影検査では造影早期から後期まで低蛍光を示す．光干渉断層計(OCT)では，病巣における視細胞層の欠損と網膜外層〜脈絡膜毛細血管板の高信号がみられるが，網膜内層は保たれている．また，結核の関与の有無を評価するために，血液検査(クォンティフェロンTBゴールド®など)やツベルクリン反応も必須である．

■ **鑑別診断** 急性後部多発性斑状色素上皮症(APMPPE)，眼トキソプラズマ症，多発性脈絡膜炎，梅毒性ぶどう膜炎，眼内リンパ腫などが挙げられる．

治療

■ **治療方針** 現在のところ確立された治療方針はない．本症には感染性のものと非感染性のものとが含まれており，感染性の場合には免疫抑制治療のみならず抗微生物薬を併用して治療する必要がある．それ以外では基本的には自己免疫的な機序による疾患であるため，ステロイドや免疫抑制薬に

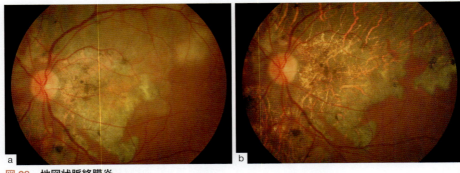

図 28　地図状脈絡膜炎
a：活動期：耳側辺縁部に辺縁不明瞭な白色病巣が認められる．ここが炎症の活動部位である．
b：沈静期（活動期の2年後）：活動があった部位が瘢痕化し萎縮病巣となり地図状病変が拡大している．

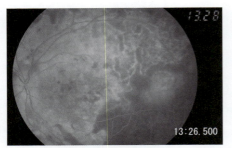

図 29　地図状脈絡膜炎のフルオレセイン蛍光眼底造影所見（後期）
萎縮病巣の辺縁部が強く染色されている．活動性のある部位の辺縁は不明瞭である．

よる全身治療を行う．

■**薬物治療**　眼底に黄白色の活動性のある滲出性病変がみられる場合にはプレドニゾロン 40〜80 mg/日あるいはステロイドパルス療法が有効であるとの報告が多い．免疫抑制薬であるシクロスポリンやアザチオプリン（保険適用外，効能・効果）や抗TNFα抗体などが再発の防止やステロイド減量を目的として使用される．また局所治療としてステロイドの結膜下注射，Tenon囊下投与，硝子体内投与も行われる．

■**合併症への対応**　脈絡膜新生血管に対してはVEGF阻害薬の硝子体内投与が有効である．

予後　治療に抵抗する難治症例が多く，数年にわたり再発を繰り返す．病変が後極部に拡大すると急激に視力が低下する．

多発性後極部網膜色素上皮症

Multifocal posterior pigment epitheliopathy：MPPE

髙橋寛二　関西医科大学・教授

病因・病態　真の原因は不明であるが，脈絡膜血管の透過性亢進に続発して網膜色素上皮のもつ外側網膜血液関門が眼底後極部で広範囲に障害される．その結果，脈絡膜血管からの滲出液が網膜下に大量に漏出し貯留し，広範囲の網膜剥離を生じる．

症状　比較的急速に発生する視力低

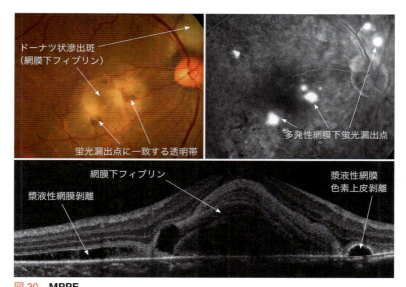

図30 MPPE
広範囲の網膜剥離と網膜下フィブリンによる高反射物質．FA での多発性漏出点が特徴である．

下，中心暗点，上方の視野欠損で，男性に多い．中心性漿液性脈絡網膜症の既往歴を有することや，全身のステロイド投与に続発して発症することがある．

診断 眼底検査では，眼底後極部に多発性にドーナツ状の灰白色滲出斑（網膜下フィブリン）がみられ，その周囲に高度の漿液性網膜剥離が広範囲にみられる．重症例では，坐位で眼底下方への移動性に富む胞状の滲出性網膜剥離を認める．フルオレセイン蛍光眼底造影（FA）では，眼底後極部に多発性の点状の蛍光漏出点と網膜下への旺盛な蛍光漏出をみる．蛍光漏出点はドーナツ状の滲出斑の中央に一致する．インドシアニングリーン蛍光眼底造影では，造影早期の限局性低蛍光（脈絡膜充盈遅延）と後期のびまん性過蛍光（脈絡膜血管透過性亢進），網膜下への色素漏出がみられ，脈絡膜血管の拡張を伴うこともある．光干渉断層計（OCT）では，ドーナツ状滲出斑の部位には網膜下に境界不鮮明な高反射物質の貯留（網膜下フィブリンの反射）がみられ，蛍光漏出点の部位では高頻度に小さい網膜色素上皮剥離がみられる（図30）．脈絡膜は通常肥厚しており，pachychoroid 関連疾患に属すると考えられる．

■ **鑑別診断**

❶ **Vogt-小柳-原田病** 両眼性で眼外症状があり，インドシアニングリーン蛍光眼底造影で著明な脈絡膜充盈遅延と脈絡膜血管の見え方が不鮮明で，斑状低蛍光を生じる．OCTでは脈絡膜の著明な肥厚をみるが，脈絡膜血管の拡張はみられない．ステロイド投与に反応する．

❷ **後部強膜炎** 眼痛が重要．リウマチ因子陽性など全身所見の合併，CT，MRI，エコーなどの画像診断で強膜の限局性肥厚と周囲組織の浮腫を認める．

❸ **uveal effusion** 強い遠視眼に多く，通常眼底周辺部の脈絡膜剥離を伴う．強膜の肥厚が証明される．

治療 蛍光漏出点（中心窩漏出点を除く）に対するレーザー光凝固が第1選択．薬物療法は無効であり，漏出停止に有効な薬物はない．補助療法として微小循環改善薬や網膜機能維持のための複合ビタミン製剤などを対症的に用いる．

■ **外科的治療** 蛍光漏出点へのレーザー光凝固が唯一有効である．光凝固は漏出部の網膜色素上皮の増殖再生を促し，外側網膜血液関門の回復を目的とするため弱凝固でよい（凝固サイズ 200 μm，凝固時間 0.2 秒，出力 80〜120 mW，黄色以上の波長）．中心窩下の蛍光漏出点やびまん性の蛍光漏出に対しては，脈絡膜血管透過性亢進部位に対してベルテポルフィンを用いた減弱光線力学療法（RF-PDT，保険適用外）も有効である．網膜剥離が強く広範囲で，光凝固や RF-PDT を行い難い場合は，経強膜的に網膜下液の排液を行ったうえで光凝固や RF-PDT を行う．

予後 発症早期に診断し，適切に光凝固や RF-PDT を行うと視力予後は比較的良好である．大量の網膜剥離が長期間残存し放置された症例や再発を繰り返す症例では網膜下索や広範囲の網膜色素上皮萎縮を残し，視力予後不良である．

Uveal effusion

山田晴彦　関西医科大学・病院教授

概念 uveal effusion は脈絡膜剥離を伴った非裂孔原性網膜剥離で，1963年

表6 uveal effusion の3型

I型	真性小眼球（nanophthalmos）と強膜肥厚がみられるもの
II型	眼球の大きさは正常だが強膜肥厚がみられるもの
III型	小眼球，強膜肥厚もないもの

Schepens によって報告された疾患である．

病態 強膜の病理学的異常により，房水がぶどう膜経路を介して眼外に流出する機構が障害され，脈絡膜下に眼内液が貯留する．さらに2次性に網膜色素上皮が障害されて，イオンチャネルによる水輸送が障害される結果，滲出性網膜剥離が生じる．強膜の異常によって脈絡膜系の排出血管である渦静脈が強膜貫通部で絞扼され，脈絡膜剥離を増強する原因ともなっている．いわゆる高度遠視の小眼球症（真性小眼球，nanophthalmos）が原因になることが多く，所見によって3つの型に分類される（表6）．ただし，III型は裂孔がみつからない裂孔原性網膜剥離や，他の原因による滲出性網膜剥離である可能性がある．

症状 30〜40歳代に黄斑浮腫を生じて視力低下が進行することで発見される．胞状の網膜剥離を生じた場合には，その位置に一致した視野欠損を自覚する．男性に多く両眼性であるが，左右眼での発症時期や進行は異なることが多い．

診断 早期には眼底周辺部に軽度の脈絡膜剥離やごく扁平な網膜剥離がみられるが，次第に黄斑浮腫が増強し，胞状の非裂孔原性網膜剥離が出現する．網膜剥離は体位によって可動性がある．前眼部，硝子体には炎症所見や色素細胞の浮遊を認めず，他の疾患との鑑別に有用である．

フルオレセイン蛍光眼底造影では，広範

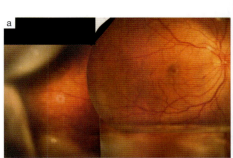

図 31　Ⅰ型 uveal effusion のカラー眼底写真（a）とフルオレセイン蛍光眼底造影写真（b）
いずれも高度な胞状網膜剥離を認める．黄斑浮腫を伴っており，b では leopard spot pattern を認める．

囲にわたる顆粒状の過蛍光や，色素上皮の不規則な増殖による，いわゆる leopard spot pattern（図 31）がみられるが，これらは 2 次性に網膜色素上皮が障害された結果生じると考えられる．インドシアニングリーン蛍光眼底造影では，造影早期から脈絡膜血管からの蛍光漏出が著明で血管透過性の亢進を示唆する．脈絡膜血管は不鮮明で，造影中期以降は眼底全体がびまん性の過蛍光を示し，脈絡膜に造影剤が pooling している所見となる．この時期には脈絡膜皺襞による低蛍光の筋が観察されることもある．脈絡膜血管からの蛍光漏出は網膜剥離が発生する前にはないが，網膜剥離出現後は強膜開窓術を行って治療したのちもみられる．

　CT および MRI で小眼球，強膜肥厚の有無を確認する（図 32）．Ⅰ型では眼軸が短く，高度遠視となる．A モード，B モード超音波で眼軸を検査することも診断に寄与する．

　治療　nanophthalmos がある症例の場合には，uveal effusion が発生する可能性があるので，定期検査が勧められる．周

 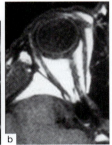

図 32　uveal effusion の MRI 所見
a がⅠ型，b がⅡ型を示す．Ⅰ型はⅡ型に比べて眼球の大きさが明らかに小さい．どちらも強膜（眼球を取り巻く低輝度の部分）が肥厚している．

辺部の脈絡膜剥離が発生しても，黄斑浮腫がなければ症状は生じないか軽く，経過観察のみでよい．黄斑浮腫が生じて視力低下が進行する場合や，胞状の網膜剥離が発生する場合には強膜開窓術を行う．

　Ⅰ型，Ⅱ型に対しては，強膜の通過障害を改善する目的で強膜開窓術を行う（図 33）．治療戦略としては，初回手術では下方 2 象限に 1 か所ずつ作成して，軽快しない場合に同じ部位の脈絡膜を再露出するか，上方の象限に新たに強膜窓を追加す

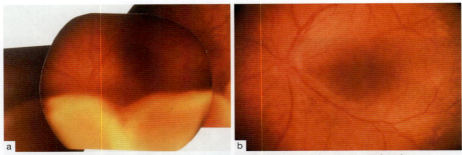

図33 強膜開窓術を行ったＩ型 uveal effusion の術前(a)，術後(b)のカラー眼底写真
下方に広がる胞状網膜剝離は消失して，黄斑浮腫も改善している．

る．術後に網膜下液の吸収が悪い場合には，浸透圧利尿薬の点滴や炭酸脱水酵素阻害薬の内服を行うと吸収が促進されることがある．複数回の強膜開窓術を行っても十分に回復が得られない場合には，網膜下液が著しく粘稠で開窓部分からの排液が効果的でなかったり，硝子体の性状が通常よりも粘稠で強固に網膜に癒着しているために，眼球内からの牽引力のせいで下液が吸収しない場合がある．その際には，硝子体手術を行って人工的後部硝子体剝離を作成し，網膜下液の排液とガスタンポナーデを施行する．ただし，小眼球の硝子体手術では，網膜の鋸状縁が前方に位置するため，強膜貫通創の位置を通常よりも輪部から近い，1～1.5 mm に設定する必要がある．後部硝子体剝離を作成するのはかなり難しく，網膜下液が粘稠で排出も困難なため，手術には熟練を要する．黄斑部の色素上皮障害が高度になると視力予後も不良となるので，黄斑浮腫の遷延が認められれば治療に踏み切るべきである．

Ⅲ型に関しては，しっかりと関連疾患との鑑別を行って，原疾患に応じて治療を選択する必要がある．

三角症候群
Triangular syndrome

山田晴彦 関西医科大学・病院教授

概念 1969 年に les syndromes triangulaires として Amalric が提唱した，急性の後毛様動脈の閉塞により眼底に特徴的な三角形の病変をきたす疾患．

病態 短後毛様動脈は乳頭～黄斑領域から強膜を貫通して眼球に入り，そこから放射状に分岐しながら脈絡膜を灌流する．機能的には終末動脈であるとされるため，その支配領域に灌流不全が起こると，網膜外層は脈絡膜循環で栄養されていることから壊死に陥り，早期には特徴的な三角形の白色混濁病変を示し，最終的には網脈絡膜萎縮をきたす．病因としては，外傷，動脈の血栓や塞栓(動脈硬化を背景として起こることが多い)，炎症(膠原病を含む)，血液疾患(白血病など)，悪性高血圧(妊娠高血圧症候群)，Raynaud 病，などが挙げられるが，認知度が高いものとしては鈍的眼外傷や手術時の操作による外傷が挙げられる．

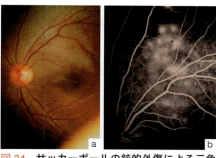

図34 サッカーボールの鈍的外傷による三角症候群
a：受傷直後の眼底所見．眼底後極部に網膜の浮腫混濁をみる．
b：フルオレセイン蛍光眼底造影では，病変部に蛍光漏出がみられる．
〔松永裕史：三角症候群．田野保雄，他（総編集）：今日の眼疾患治療指針 第2版．p220, 医学書院, 2007より〕

症状 病変が黄斑部に及ぶと強い視力障害を自覚する．しかし，通常は赤道部から周辺部に発生することも多く，特に自覚症状なく経過することもある．その場合の予後は良好である．

診断 外傷，特にサッカーボールや野球のボールによる鈍的外傷後で，眼底検査によって後極部側を頂点とする三角形の扇状に広がる病変で，急性期では境界鮮明な網膜深層の浮腫混濁を示す(図34)．日時を経ると浮腫は徐々に吸収されて，病変部には色素沈着を伴う網脈絡膜萎縮となる(図35)．

フルオレセイン蛍光眼底造影では造影早期に脈絡膜の充盈遅延による低蛍光を示すが，時間とともに徐々に色素漏出が始まり，晩期では過蛍光を呈する．古くなった病変部は顆粒状の過蛍光を示す網脈絡膜萎縮の様相となる．インドシアニングリーン蛍光眼底造影では，造影早期には病変部は

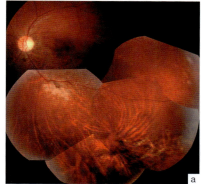
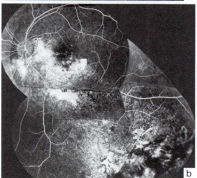

図35 野球ボールの鈍的外傷による三角症候群
a：眼底後極部から下方に広がる網脈絡膜萎縮がみられる．
b：フルオレセイン蛍光眼底造影では，病変部は顆粒状の過蛍光を示す．
〔松永裕史：三角症候群．田野保雄，他（総編集）：今日の眼疾患治療指針 第2版．p221, 医学書院, 2007より〕

低蛍光を示すが，造影晩期には病変部の辺縁のみ造影剤が流入して比較的過蛍光となる．時間が経って網脈絡膜萎縮が完成すると，造影早期から晩期にかけて持続する低蛍光を示す．

三角症候群は，外傷の既往があれば病変部の特徴的な形状から比較的診断が容易だが，時に中心性網膜炎や多発性後極部網膜

色素上皮症（multifocal posterior pigment epitheliopathy：MPPE）の既往があったために，ほふく状に網膜剥離が進展してtear drop状の網脈絡膜萎縮巣として残存する症例もあり，形態的に類似する．しかし，この場合には病歴や病変部の位置と形，黄斑部病変の有無で鑑別が可能である．

治療 偶発的に発見された三角症候群の萎縮病巣に対しては，黄斑部に病変が及んでいるか否かにかかわらず治療の必要はない．急性期の場合，以前は線溶療法・抗凝固療法も行われたが，特に治療効果のエビデンスもなく黄斑部を含む病変で視力予後が悪い可能性がある症例に限り，考慮されてもよいと思われる．

急性前部ぶどう膜炎

Acute anterior uveitis：AAU

藤野雄次郎　JCHO 東京新宿メディカルセンター・診療部長

概念・病態 急性前部ぶどう膜炎は急性に発症する前眼部の炎症を主体とするぶどう膜炎で，視力障害のほかに強い眼痛を伴うことが多い．さまざまな全身疾患に伴って発症することも多く，またHLA-B27陽性であることが多い．この場合，HLA-B27陽性関連ぶどう膜炎とよぶが，他のHLA-B27関連疾患である強直性脊椎炎，Reiter病，乾癬性関節炎，炎症性腸疾患を合併することも多い．本疾患は欧米ではぶどう膜炎全体の50％を占めるが，わが国では2.5〜6％程度で，2016年の日本眼炎症学会ぶどう膜炎全国疫学調査では5.5％であった．また，本疾患でHLA-B27陽性者の割合は，わが国では4〜63％との

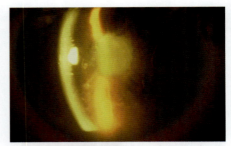

図36　急性前部ぶどう膜炎
結膜充血，虹彩後癒着，瞳孔領と前房内にフィブリンがみられる．

報告がある．HLA-B27関連ぶどう膜炎患者は眼症のみの発症もあるが，19.2〜50％に強直性脊椎炎を合併するとされている．HLA-B27陰性の場合も症状はHLA-B27陽性と同様で，また虹彩炎以外に特徴のないことも多い．感染性眼内炎を鑑別することは重要である．

症状 通常，片眼性で，急性に発症する．眼痛，羞明，視力低下などを自覚する．他覚所見としては強い結膜充血と毛様充血がみられる．前房中には多数の細胞，強い蛋白，フィブリンが観察され，フィブリンが虹彩あるいは水晶体全面に付着し，瞳孔領を覆うこともある．炎症細胞とフィブリンが下方に堆積し，前房蓄膿あるいは隅角蓄膿をきたすことがある**（図36）**．角膜には細かい角膜後面沈着物とDescemet膜皺襞がみられる．虹彩後癒着も高頻度に起こす．軽度硝子体混濁を伴うことがある．眼底には視神経乳頭の発赤，網膜静脈の拡張がみられ，囊胞性黄斑浮腫を呈することがある．眼圧は通常毛様体機能低下のために低下することが多い．合併症として，虹彩後癒着によりiris bombéを起こし，急性閉塞隅角緑内障を起こすことがある．

合併症・併発症 炎症により虹彩後癒着が瞳孔縁全周に及び，急性緑内障発作を起こした場合はレーザー虹彩切開術を行う．炎症により閉塞することが時にあるため，繰り返す場合は，観血的に周辺虹彩切除術を行う．

診断 結膜の充血と眼痛，漿液性の虹彩炎などの臨床症状から診断される．HLA-B27陽性と陰性の虹彩炎はその臨床症状から識別することはできないが，HLA-B27陽性患者は男性に多く，若い年齢で発症することが多い．HLA検査は保険適用の問題もあるため，必須とはならないが，問診で既往歴・全身症状の有無を聞き，強直性脊椎炎，炎症性腸疾患あるいは乾癬の有無を調べる．

■**鑑別診断** 以下の疾患が挙げられる．

❶**細菌性眼内炎** 眼所見に加えて全身所見と既往歴から鑑別する．

❷**Behçet病** 眼底病変の有無，全身症状の有無から鑑別可能であるが，前眼部型のみで，かつ全身症状が少ないBehçet病では診断に時間のかかることがある．Behçet病の前房蓄膿は粘稠度が低くさらさらしているが，急性前部ぶどう膜炎のそれは粘稠度が高く移動性に乏しい．

❸**糖尿病虹彩炎** 血糖コントロールの不良な糖尿病患者では，時に急性前部ぶどう膜炎を発症することがある．眼底検査，血糖検査を行う．

❹**急性網膜壊死** 本症でみられる虹彩炎は通常豚脂様の角膜後面沈着物を伴うが，初期は周辺部網膜を詳細に観察しないと前部ぶどう膜炎と誤診することがある．

治療 前房内の炎症が強いことから，ステロイドによる消炎に努めるとともに，虹彩後癒着を防止する目的で散瞳薬を用いる．

処方例 下記1），2）を併用する．炎症が強く，患者の痛みに対する訴えが強い場合，3）を追加する．

> 1）リンデロン点眼・点耳・点鼻液（0.1%）1あるいは2時間ごとの点眼（炎症の程度をみて，回数を6回/日，4回/日，2回/日と減らしていく）
>
> 2）ミドリンP点眼液およびネオシネジンコーワ点眼液（5%）1日3回 両者を点眼
>
> 3）デカドロン注（3.3 mg/mL）1回0.3 mL結膜下注射，あるいはケナコルト-A（40 mg/mL）50 μLずつを結膜下2か所に注射 保外 用法・用量，あるいは，プレドニン錠（5 mg）30 mg 朝 分1 3日間，さらに20 mg 朝 分1 3日間，10 mg 朝 分1 3日間

予後 虹彩炎は適切な治療により次第に収まり，視力予後は概して良好であるが，炎症の持続期間はおおむね1～2か月間であり，Behçet病の虹彩炎に比べ治癒まで時間がかかることが多い．再発することがあり，その間隔は数か月～数年に及ぶことがある．また，他眼にも発症することがある．再発時にはすみやかに再診するよう指示する．眼炎症発作が重篤あるいは頻発する患者では発作の発現を抑える治療も考慮されてよいと考える．インフリキシマブあるいはアダリムマブの抗TNF抗体治療は発作の頻度，強度を減少させることが報告されている．

中間部ぶどう膜炎
Intermediate uveitis

藤野雄次郎 JCHO 東京新宿メディカルセンター・診療部長

概念・病態 中間部ぶどう膜炎は眼底最周辺部に病巣のあるぶどう膜炎で，かつては peripheral uveitis, chronic cyclitis, pars planitis などの病名でよばれていた．2005年の国際会議「The Standardization of Uveitis Nomenclature(SUN) working group」の workshop では，中間部ぶどう膜炎という用語はぶどう膜炎の解剖学的分類名の1つで，硝子体に炎症の主座があるものを指し，周辺部の白鞘化血管や黄斑浮腫の存在はこの名称に影響を与えないとされた．すなわち，中間部ぶどう膜炎は原因不明の特発性のみならず，サルコイドーシスや炎症性腸疾患などの炎症性疾患や種々の感染症をも含む．また，原因不明で周辺部の白色滲出物(snowbank)や雪玉状の硝子体混濁(snowball)がみられる病態のみ，診断名として pars planitis を使用するとされたが，わが国では特発性中間部ぶどう膜炎の用語が使われることが多い．欧米ではぶどう膜炎全体の15%前後を占めるとされるが，わが国ではその頻度は低く，2016年の「日本眼炎症学会ぶどう膜炎全国疫学調査」では解剖学的部位での中間部ぶどう膜炎は全体の3%，疾患としての中間部ぶどう膜炎(すなわち特発性)は1%であった．

症状 特発性中間部ぶどう膜炎の症状について解説する．若年者に多く，小児のぶどう膜炎ではその比率が高いとされる．両眼性が多く，性差はない．霧視，飛蚊症を自覚するが，進行はゆっくりで自覚症状も急激に進行することは少ない．前房に細胞や角膜後面沈着物を認めることがある．前部硝子体にさまざまな程度の数の細胞がみられる．snowball が下方に多くみられ，時に毛様体扁平部に snowbank がみられる．これはコラーゲン線維と相まって硬い雪玉状堤防状滲出物となり，炎症が終息しても白い線維性索状物として残ることが多い．snowbank に新生血管が伸びていることがある．そのほか，黄斑浮腫や網膜血管炎がみられ，さらには網膜新生血管から硝子体出血あるいは硝子体牽引から網膜剝離を起こすことがある．視力低下の原因は，硝子体混濁あるいは黄斑浮腫である．また，炎症そのものあるいはステロイド治療により白内障が進行することも多い．慢性に経過する疾患である．

診断 上記の臨床所見から診断する．眼底最周辺部の病変なので，強膜圧迫子を用いた眼底検査が必要である．黄斑浮腫や網膜血管炎の有無をみるために光干渉断層計(OCT)検査や蛍光眼底造影検査を行う．全身疾患を伴うものとしてはサルコイドーシス，梅毒，結核，ヒトT細胞白血病ウイルス1型関連ぶどう膜炎などが挙げられる．また，白色滲出物がみられる場合は眼トキソカラ症，眼トキソプラズマ症などの感染性ぶどう膜炎も鑑別する必要がある．これらの血清学的検査を行うとともに，病歴を詳細に聞く必要がある．硝子体混濁が治療に反応しない場合は，眼内リンパ腫の可能性も考慮すべきである．Fuchs 虹彩異色性虹彩毛様体炎は時に強い硝子体混濁を伴うことがあるが，ほとんどが片眼性であること，虹彩異色の存在や特徴的な角膜後面沈着物などから，鑑別は可能と思

治療

■ **薬物治療** 感染症が原因であれば，それに対する治療を行う．特発性の場合は非特異的抗炎症治療が主体となる．虹彩炎にはステロイドの点眼を行う．硝子体混濁が強い場合あるいは黄斑浮腫のある場合は，ステロイドの眼局所注射または内服を行う．

処方例 下記1)を用いる．1)で効果がみられないときは2)，3)を追加する．

---

1) ケナコルト-A あるいはマキュエイド眼注用 20mg Tenon 嚢下注射 [保外] 用法・用量
2) プレドニン錠(5mg) 0.5〜1mg/kg/日 反応をみながら漸減
3) シクロスポリンあるいはメトトレキサートの併用：ネオーラルカプセル(25・50mg) 3〜5mg/kg 分2，あるいはリウマトレックス錠(2mg) 1回1錠 12時間ごとに3回 1週間ごと

■ **外科的治療** 上記の治療が無効で強い硝子体混濁が続く場合は，硝子体手術を行う．

ステロイド治療により，白内障の進行がみられたり，眼圧上昇することがあるので，その点についても患者に話をしておく．白内障手術は適宜行う．

予後

予後についての明確なデータはないが，約50%の症例で視力20/30以上，また90%の症例で視力0.5以上との報告がある．

膠原病に伴うぶどう膜炎
Collagen disease complicated uveitis

岩田大樹 北海道大学病院・講師

概念

膠原病は自己免疫を介した機序が病因と考えられる疾患が多い．関節リウマチ(rheumatoid arthritis：RA)，全身性エリテマトーデス(systemic lupus erythematosus：SLE)，Sjögren 症候群，多発性筋炎/皮膚筋炎，強皮症，混合性結合組織病，抗リン脂質抗体症候群，結節性多発動脈炎，再発性多発軟骨炎，そして多発血管炎性肉芽腫症(旧称：Wegener 肉芽腫症)などに伴って多彩な眼病変を生じる．ぶどう膜炎の合併が比較的多い膠原病として再発性多発軟骨炎，多発血管炎性肉芽腫症，結節性多発動脈炎などが挙げられ，RA や SLE などの膠原病とぶどう膜炎の合併は意外に少ない．

診断

膠原病が疑われたときにはまず炎症マーカー，血清免疫検査の基本的な検査としてリウマチ因子(RF)，抗核抗体，CH50 などの検査を行う．さらに疑われた疾患についての自己抗体検査などから鑑別をつける．膠原病に伴うぶどう膜炎は前部ぶどう膜炎，いわゆる虹彩毛様体炎の合併が多いが，注意すべき疾患として再発性多発軟骨炎や多発血管炎性肉芽腫症が挙げられる．再発性多発軟骨炎では前部強膜炎，後部強膜炎，ぶどう膜炎などの所見を呈し，寛解と増悪を繰り返す．鞍鼻や耳介軟骨炎などを併発し，鼻根部痛や耳介軟骨の圧痛などの本疾患を念頭にした問診も重要となる．血液検査ではCRPの上昇がみられ，時に抗 type II コラーゲン抗体が検出

される．耳介軟骨の生検で軟骨炎を確認することが重要となる．多発血管炎性肉芽腫症では血液中に抗好中球細胞質抗体（ANCA）が検出されることが多く，診断の助けとなる．強膜炎，結膜炎，眼球突出，涙囊炎などの所見も呈するが，重症な強膜ぶどう膜炎の合併例は難治である．関節リウマチにおいても強膜炎が強い場合には，軽度の虹彩毛様体炎がみられることがある．強膜炎を伴わないぶどう膜炎がある場合には，むしろ他の疾患の併発を考えたほうがよい．

治療　前部ぶどう膜炎に対しては副腎皮質ステロイドと散瞳薬の点眼治療が主体となる．原因疾患の治療が何より重要であるが，強いぶどう膜炎や強膜ぶどう膜炎では副腎皮質ステロイドの全身投与が必要となる．ステロイドの減量により炎症再燃を繰り返す場合には，免疫抑制薬であるシクロスポリンの内服併用や生物学的製剤であるTNF阻害薬なども治療選択肢となる．多発血管炎性肉芽腫症では副腎皮質ステロイドの全身投与にシクロホスファミドの併用が行われてきたが，わが国では2013年に抗ヒトCD20モノクローナル抗体であるリツキシマブが適応追加となり，再燃例，治療抵抗例で副腎皮質ステロイドと併用して用いられるようになっている．

処方例　下記を併用する．

〈前部ぶどう膜炎〉
リンデロン点眼・点耳・点鼻液（0.1％）　1日4回　点眼
ミドリンP点眼液　1日1回　点眼
〈強いぶどう膜炎や強膜ぶどう膜炎〉
プレドニン錠（5 mg）　0.5 mg/kg/日　反応みながら調整

関節リウマチに伴うぶどう膜炎

Uveitis associated with rheumatoid arthritis

楠原仙太郎　神戸大学・講師

概念　関節リウマチ（rheumatoid arthritis：RA）では約1/3の患者が眼合併症を生じるとされている．その多くは乾性角結膜炎，角膜潰瘍，上強膜炎/強膜炎であるが，まれに前部ぶどう膜炎や網膜血管炎を合併することがある．

病態　RAに伴う細胞性免疫と液性免疫の両方が関与した免疫反応が眼内に波及したものと考えられるが，詳細は不明である．RA患者で使用されているビスホスホネート製剤との関連も示唆されている．

症状　片眼発症であることが多いが，両眼性に移行することもまれではない．通常，充血，眼痛，霧視を訴える．

診断　RA患者に，非肉芽腫性前部ぶどう膜炎，網膜血管炎（時に黄斑浮腫を伴う）を認めることにより診断する．網膜血管炎は周辺部網膜に好発し，動脈と静脈の両方に炎症所見を伴う（図37）．原疾患の治療により修飾され，非典型的なぶどう膜炎像を呈することも多い．リウマチ性ぶどう膜炎では他のRA関連眼合併症に比べ，①高齢発症のRA患者に多い，②疾患の初期で発症しやすい，③リウマチ因子および抗環状シトルリン化ペプチド（CCP）抗体が陰性であることが多い，④他の関節外症状が少ない，という特徴が報告されている．

治療　前部ぶどう膜炎についてはステロイド点眼に瞳孔管理目的での散瞳薬点眼

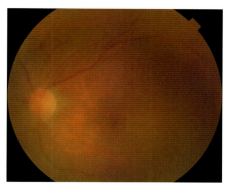

図37 リウマチ性ぶどう膜炎
網膜血管炎に伴う網膜出血を認める．硝子体混濁のため眼底の視認性が悪くなっている．

を適宜追加する．難治性の前部ぶどう膜炎や網膜血管炎を伴う場合にはステロイドの全身投与やTNF-α阻害薬の追加を順に検討していく．白内障の進行や眼圧の上昇に配慮しながらステロイドの眼局所注射を選択する場合もある．

❶前部ぶどう膜炎

> **処方例** 下記を適宜併用する．
>
> リンデロン点眼・点耳・点鼻液(0.1%)　1日4回　点眼
> ミドリンP点眼液　1日3回　点眼

❷網膜血管炎

> **処方例** 下記を併用する．
>
> プレドニン錠(5 mg)　4錠　分2(朝3 昼1)　食後　で開始し炎症所見をみながら5 mgずつ減量
> ネキシウムカプセル(10 mg)　1回1カプセル　1日1回　朝食後 保外
> アクトネル錠(17.5 mg)　1回1錠　1週間1回　起床時 保外
> ダイフェン配合錠　1回1錠　1日1回　朝食後 保外

予後　14例のリウマチ性ぶどう膜炎患者を平均6.2年経過観察した報告では，治療後1年以内にぶどう膜炎の寛解が得られた症例が83%，最終受診時に2段階以上の視力低下が認められた症例が26%であった．生命予後については，リウマチ性ぶどう膜炎を含む眼合併症を伴うRA患者と眼合併症を伴わないRA患者では明らかな差がないとされている．

糖尿病虹彩炎

Diabetic iritis

楠原仙太郎　神戸大学・講師

概念　血糖コントロールが著しく不良な糖尿病患者に生じる急性の虹彩毛様体炎である．好発年齢は40歳代であり，わが国では男性に多い傾向がある．糖尿病網膜症の合併については約3/4の症例で認められないとされている．わが国におけるぶどう膜炎の1.4%を占める疾患である．

病態　高血糖による虹彩血管内皮細胞機能の障害により血液眼関門が破綻し，血管透過性亢進を伴った強い前房内炎症が生じると考えられている．

症状　片眼発症である場合がやや多い．患者の多くは急性発症の充血，眼痛，霧視を訴える．

診断　血糖コントロールが著しく不良の糖尿病患者に発症した，強い炎症を伴った急性の非肉芽腫性前部ぶどう膜炎であり，Behçet病，HLA-B27関連前部ぶどう膜炎，潰瘍性大腸炎，乾癬，脊椎関節炎などの他のぶどう膜炎が否定された場合に診断に至る．半数以上に3+以上の前房内セル，フィブリン析出，虹彩後癒着を伴う．

図 38　糖尿病虹彩炎
Descemet 膜皺襞，フィブリン析出，虹彩後癒着を伴った前眼部炎症を認める．

微細な角膜後面沈着物，Descemet 膜皺襞，前房蓄膿，眼圧上昇を伴うこともまれではない(図 38)．糖尿病虹彩炎発症時の随時血糖は 300 mg/dL 以上，HbA1c は 10％以上であることが多く，眼科受診を契機に糖尿病が発見されることもしばしばある．

治療　原因となる高血糖の是正を直ちに内科医に依頼する．虹彩毛様体炎については，ステロイド点眼に瞳孔管理目的での散瞳薬点眼を適宜追加する．強い前眼部炎症を伴う場合にはステロイドの結膜下注射を積極的に行う．

処方例　前部ぶどう膜炎に対して下記を適宜併用する．

> リンデロン点眼・点耳・点鼻液(0.1％)　1日4回　点眼
> ミドリンP点眼液　1日3回　点眼
> デキサート注(1.65 mg/0.5 mL)　1回 1.65 mg　1日1回　結膜下注射

予後　一般に前眼部炎症は治療によく反応し，ほぼすべての症例で視力の維持または改善が得られる．血糖コントロールが著しく不良な状態が続けば虹彩毛様体炎の再発が認められるが，通常はまれである．

悪性黒色腫
Malignant melanoma

後藤　浩　東京医科大学・主任教授

概念　ぶどう膜組織(虹彩，毛様体，脈絡膜)のメラニン細胞に由来する悪性度の高い腫瘍である．白人に多くみられ，わが国における発生頻度は欧米の約 1/20，人口 10 万人当たり 0.025 人とされるが，最近のデータによれば，症例数はもう少し多い可能性がある．脈絡膜からの発生例がほとんどで，虹彩や毛様体の悪性黒色腫はまれである．原因は不明であるが，内因としてのがん抑制遺伝子の異常のほか，外因としての日光曝露などの関与が推察されている．

病態　脈絡膜悪性黒色腫の発症初期は小さく扁平な病変であるため，母斑などとの鑑別を要する．進行して丈が高くなると Bruch 膜を穿破し急速に増大する．腫瘍の周囲には漿液性網膜剥離を生じることがある．虹彩や毛様体の悪性黒色腫では，隅角への浸潤やメラニン色素の沈着により眼圧上昇をきたすことがある．

症状　脈絡膜悪性黒色腫では，その発生部位や大きさ，合併症の有無により症状はさまざまである．腫瘍が小さく，眼底周辺部にとどまる間は無症状であり，健診などで偶然発見される．光視症や飛蚊症をきたすこともある．腫瘍が大きくなると視野欠損を生じ，黄斑に及ぶと変視や視力低下をきたす．漿液性網膜剥離を併発することによって視野・視力障害が顕性化することがあるほか，硝子体出血による視力低下もみられる．

診断 脈絡膜悪性黒色腫は茶褐色の眼内隆起性病変として発見されることが多いが(図39)，外観は腫瘍内のメラニン色素の多寡によって黒色や黄灰白調などをきたす．発症後しばらくは扁平であるが徐々に増大し，Bruch膜を穿破すると硝子体腔内で急激に大きくなり，ドーム状，茸状の外観を呈する．脈絡膜母斑や他の良性眼内腫瘍との鑑別が判然としない間は，眼底写真や超音波Bモード検査を行いつつ厳重な経過観察を続ける．

蛍光眼底造影では造影初期から中期にかけて腫瘍内血管とともに多発性の点状，斑状過蛍光がみられ，後期にはびまん性の過蛍光となり，色素が腫瘍表面から硝子体腔に漏出する．インドシアニングリーン蛍光眼底造影では，腫瘍内血管がより鮮明に描出される．MRIでは腫瘍はT1強調画像で高信号に，T2強調画像で低信号に描出され，診断の参考となる．核医学検査である^{123}I-IMPをトレーサーとしたSPECT検査では静注24時間後に病変に一致した集積像が得られ，感度，特異度ともに優れた検査法である．FDG-PETも診断に用いられることがある．

虹彩の悪性黒色腫は比較的悪性度が低く，進行も遅いことが多いとされる．毛様体の悪性黒色腫は黒色細胞腫などの良性腫瘍との鑑別が困難なため，まずは超音波生体顕微鏡(UBM)などを用いて増大の有無を定期的にモニターしていく．

治療 かつては多くの症例に眼球摘出術が行われ，今日でも治療選択肢の1つであることに変わりはないが，最近はさまざまな眼球温存療法が実施されている．

腫瘍のサイズが小さく，丈も低い場合には経瞳孔温熱療法(transpupillary thermo-

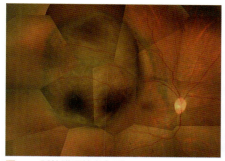

図39 脈絡膜悪性黒色腫
黄斑の耳側に茶褐色の眼内隆起性病変がみられる．

therapy：TTT)や，^{106}Ruや^{125}Iを用いた小線源の強膜縫着療法が行われる(わが国では^{106}Ruのみ)．ただし，小線源療法が実施可能な施設は限られている．腫瘍の大きさが比較的小さく，前方に局在している場合には，強膜の一部と腫瘍のみを切除する局所切除術が行われることがある．一方，最近はサイバーナイフや重粒子線などの放射線外照射による治療が行われる症例が増えつつある．ただし，これらの放射線外照射による治療によって眼球を温存することができたとしても，視神経障害や血管新生緑内障などの合併症により視機能が低下，あるいは喪失することも少なくない．

治療法の違いによる生命予後に大きな差異はみられない．

予後 主に肝臓に血行性転移をきたすが，肺や消化管，中枢神経系などのあらゆる臓器に転移する可能性がある．治療後，数年〜10年以上経過したのちに転移が明らかとなる場合もある．

組織学的に類上皮細胞型の腫瘍細胞が多く占めるほど，生命予後不良とされる．また，摘出された腫瘍組織や針生検で得られた細胞から染色体の異常，すなわち第3

番染色体の欠失(モノソミー3)などが検出された場合は高率に転移をきたし,予後不良となることが知られている.

脈絡膜血管腫
Choroidal hemangioma

後藤 浩 東京医科大学・主任教授

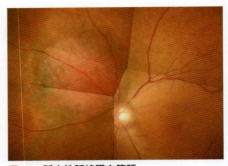

図40 孤立性脈絡膜血管腫
視神経乳頭の上鼻側に生じた赤橙色でわずかな隆起を伴う脈絡膜血管腫.

概念 脈絡膜血管腫の多くは境界明瞭な限局性(孤立性)の病変で,無症状のこともあれば,視力低下や視野障害をきたすこともある.一方,Sturge-Weber症候群に伴う血管腫は病変が眼底の広範囲に及び,重篤な視機能低下に至ることも多い.

病態 脈絡膜内の血管の異常増殖により,眼底に赤色から赤橙色を呈する限局性で,わずかな隆起性を伴った病変を生じる.

症状 孤立性脈絡膜血管腫は眼底後極部にみられることが多い.しばしば腫瘍上や腫瘍の周囲に漿液性網膜剥離を生じ,視野障害の原因となるほか,剥離が黄斑部に及んだ場合には視力低下をきたす.また,腫瘍が黄斑部に生じると,進行に伴い眼軸の短縮による遠視化がみられる.

診断 孤立性脈絡膜血管腫は検眼鏡的所見から診断可能なことが多い**(図40)**.ただし,網膜色素上皮の萎縮の程度により,腫瘍の色調や外観は一様ではなくなる.フルオレセイン蛍光眼底造影やインドシアニングリーンによる眼底造影では,造影初期(動脈相)の時点で腫瘍に一致した脈絡膜レベルの網状過蛍光がみられ,経時的に蛍光が増強していく.診断にCTやMRIは必須ではないが,造影剤により腫瘍に一致したびまん性で均一な造影効果がみられる.

Sturge-Weber症候群に伴うびまん性の脈絡膜血管腫は,顔面の血管腫と同側に存在すること,眼底が広範にわたって赤味を帯びていることなどから診断される.しばしば続発性の網膜剥離や緑内障をきたす.

治療 孤立性脈絡膜血管腫は,無症状の場合は治療を必要としない.漿液性網膜剥離による視機能の低下がみられる場合は光凝固や経瞳孔温熱療法(transpupillary thermotherapy:TTT)の適応となり,最近では光線力学療法(photodynamic therapy:PDT)の有用性を示す報告が多くみられる(保険適用外).

びまん性脈絡膜血管腫にはPDTのほか,低線量の放射線照射が行われる.光凝固はヘモグロビンに吸収される長波長(590 nmなど)のレーザーを使用し,出力は腫瘍表面に凝固斑が出る程度に設定して数回に分けて凝固する.TTTの場合も同様である.ただし,いずれの治療法も照射後に強い瘢痕が生じることがあるため,隣接する網膜組織への障害を最小限にとどめるべく,最近はPDTによる治療が主流と

なっている．β遮断薬であるプロプラノロールの内服が腫瘍を縮小させるとの報告もある（保険適用外）．

びまん性血管腫に対する放射線治療は低線量（20グレイ程度）の照射が行われる．

|予後| 孤立性脈絡膜血管腫に対するレーザー治療の反応は良好なことが多く，漿液性網膜剝離も徐々に吸収していく．しかし，治療に抵抗を示す症例もあり，黄斑部網膜の障害によって著しい視機能低下をきたす可能性もある．

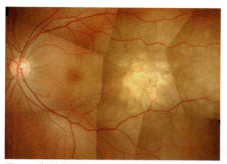

図41　転移性脈絡膜腫瘍（肺癌の転移）
黄斑の耳側に境界が不明瞭な，わずかに隆起を伴う黄白色病巣がみられる．病巣周囲の網膜はわずかに剝離している．

転移性ぶどう膜腫瘍
Metastatic tumor

後藤 浩　東京医科大学・主任教授

|概念| 全身の諸臓器に発生した悪性腫瘍は眼内に転移することがあり，多くはぶどう膜組織，特に脈絡膜へ転移する．虹彩や毛様体への転移はまれである．男性は肺癌，女性は乳癌からの転移が多い．

|病態| 原発巣から血行性に眼内に転移をきたす．脈絡膜への転移では同一眼に複数の転移巣がみられることもある．両眼への転移は約1/4の症例でみられる．

|症状| 脈絡膜に転移した場合，随伴する漿液性網膜剝離による視野欠損のほか，剝離が黄斑に及ぶと視力低下や変視などの症状をきたす．虹彩への転移は前房の混濁や腫瘍からの出血により，霧視や視力低下をきたす．

|診断| 脈絡膜転移では比較的扁平で境界明瞭な，あるいは不明瞭な黄白色の病変として発見される（図41）．進行とともに一定の丈を有する隆起性病変になると，他の脈絡膜腫瘍との鑑別が問題となる．しばしば隆起性病変の周囲，あるいは病巣に隣接する網膜に漿液性剝離を伴う．網膜剝離は高度となり，胞状剝離や全剝離に至ることがある．フルオレセイン蛍光眼底造影では病巣に一致して造影初期から中期にかけて顆粒状の過蛍光を呈し，後期になるにつれて不規則な過蛍光となる．しばしば腫瘍周囲に帯状の低蛍光の縁取りがみられる．

虹彩への転移では虹彩上に白色〜灰白色調の，結節状あるいは不整形の腫瘤を形成する．前房蓄膿のように腫瘍細胞が下方隅角に堆積することもある．血管に富む転移性腫瘍では桃色〜赤色の色調を呈するとともに，前房出血の原因となる．

診断はこれらの眼底所見や細隙灯顕微鏡検査所見に加え，悪性腫瘍の既往や治療歴が決め手となる．一方，例えば肺癌のぶどう膜転移例などでは転移巣が先に発見され，のちに原発巣が明らかになることがある．眼以外の臓器に悪性腫瘍の存在が明らかでない場合は，核医学検査（FDG-PETなど）や血清腫瘍マーカーの測定などによって原発巣の発見に努める（ただし，原

発巣の発見目的の FDG-PET などは保険適用外）．乳癌では原発巣の治療後，長期間経過したのちにぶどう膜に転移をきたすことがあるので，病歴の確認が重要となる．

治療　原発巣の臓器や組織型，悪性度にもよるが，一般に悪性腫瘍のぶどう膜への転移が明らかになった時点で予後は厳しい状況にあることが多く，全身状態がすでに不良な場合もある．すべての症例に治療の適応があるとは限らないため，症例ごとに余命を勘案しつつ，治療による生活の質（QOL）の向上が見込まれ，同意が得られた場合には何らかの治療が行われることになる．

原発巣に対する治療の効果が期待できる場合は，そちらを優先する．症例によっては化学療法などにより，眼内の転移病巣の縮小化や網膜剝離の改善が期待できることもある．

眼内の転移巣に対する治療として放射線照射が行われることがある．放射線療法は原発巣に対する放射線感受性にかかわらず一定の効果が期待でき，漿液性網膜剝離の消退とともに転移巣の縮小化も得られることが多い．眼部に 40〜50 グレイの照射が行われる．血管に富む転移性虹彩腫瘍には，VEGF 阻害薬の眼内注射が奏効することがある（保険適用外）．

予後　一般に眼内への転移が確認されたのちの生命予後は不良なことが多く，眼科的治療の有無にかかわらず，数か月〜1年以内に不幸な転帰をたどるが，最近は化学療法などの進歩により長期生存例もみられる．

脈絡膜骨腫
Choroidal osteoma

後藤 浩　東京医科大学・主任教授

概念　眼底後局部にみられることの多い，比較的まれな良性腫瘍である．経過中に色素沈着や網膜色素上皮の萎縮，脱灰などをきたすため，病期によって検眼鏡所見が変化する．

病態　脈絡膜内の異所性骨形成であり，病変は徐々に拡大していくが，いずれ停止する．若年女性に多いことからホルモン分泌の関与が推定されているが，原因は不明である．

症状　腫瘍に一致して視野欠損などの症状がみられる．病変が黄斑に及ぶと著しい視力低下をきたす．網膜下に新生血管を生じると網膜出血や硝子体出血の原因となる．両眼に生じることもある．

診断　眼底の後極部，特に視神経乳頭の周囲に黄白色や黄橙色の斑状病変がみられる（図 42）．隆起はほとんどないが，経過とともに凹凸を生じることがある．隣接する網膜色素上皮や網膜外層に変性や萎縮をきたすにつれて眼底所見も変化していく．フルオレセイン蛍光眼底造影では早期から腫瘍に一致した斑状，顆粒状の過蛍光がみられ，後期にはびまん性の過蛍光となる．

超音波断層検査では腫瘍に相当する部位の板状高反射像と，その後方の反射の減弱ないし消失がみられる（音響陰影）．CT では腫瘍に一致して骨と同じ高吸収域を示す．

治療　脈絡膜骨腫そのものに対する根

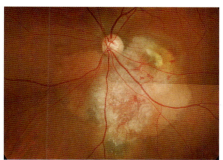

図42　脈絡膜骨腫
視神経乳頭周囲に生じた脈絡膜骨腫．新生血管からの出血がみられる．

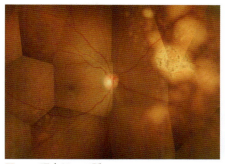

図43　眼内リンパ腫
右眼眼底の上鼻側に顆粒状の色素を伴った大小不同の黄白色斑状病巣がみられる．下耳側にも同様の淡い病巣が観察される．

本的な治療方法はないため，基本的には経過観察のみとなる．脈絡膜新生血管が確認された場合には光凝固治療のほか，最近では光線力学療法（photodynamic therapy：PDT）や抗 VEGF 抗体の硝子体注射が行われている（いずれも保険適用外）．

予後　病変が黄斑部に波及しない限り，視機能に大きな障害はない．しかし，ひとたび黄斑部まで病変が及ぶと著しい視力低下をきたし，回復は望めない．

眼内リンパ腫

Intraocular lymphoma

後藤 浩　東京医科大学・主任教授

概念　全身に先行するリンパ腫がなく，眼内に悪性リンパ腫が初発した場合を原発眼内リンパ腫（primary intraocular lymphoma：PIOL）と称する．その多くは網膜・硝子体に病巣を形成することから，最近は硝子体網膜リンパ腫（vitreo-retinal lymphoma）とも表現される．腫瘍化したリンパ球の眼内への浸潤は，一見，ぶどう膜炎様の眼所見を呈し，診断に苦慮することが多いため，代表的な仮面症候群として知られる．多くの症例が経過中に中枢神経系リンパ腫を併発する．

病態　眼内リンパ腫のほとんどは組織学的にびまん性大細胞性 B 細胞リンパ腫（DLBCL）に相当し，悪性度が高い．眼付属器では低悪性度の MALT リンパ腫が多くを占めるのとは対照的である．

症状　リンパ腫細胞の硝子体中への浸潤による硝子体混濁は霧視の原因となるが，視力は良好に保たれていることがある．硝子体混濁はしばしば帯状，索状を呈し，しばしば後極から周辺に放射状に広がる独特な性状を示す．網膜（下）へ浸潤したリンパ腫細胞は網膜色素上皮や，網膜色素上皮と Bruch 膜の間に病巣を形成し，次第に黄白色の斑状病巣となっていく（**図43**）．病巣は点状・斑状から，癒合拡大して眼底の広範囲に及ぶ病巣を形成することもある．まれに視神経乳頭周囲にリンパ腫が浸潤し，乳頭炎様の所見を呈する．網膜血管炎を思わせる白鞘形成がみられることもある．

診断 検眼鏡的所見や臨床経過とともに，副腎皮質ステロイドなどの治療に反応しないことを確認することも診断の参考となる．確定診断には，硝子体混濁がみられる場合は硝子体手術に準じた硝子体生検を行う．しかし，細胞診のみでは診断を確定できないこともあるため，採取した硝子体を用いた細胞診に加え，PCRによる免疫グロブリン遺伝子再構成の検索とサイトカインの測定が必要となる．眼内液中のサイトカインの測定ではインターロイキン（IL）-10が高値となる一方，炎症性疾患（ぶどう膜網膜炎）で高値となるIL-6はIL-10より低値となる．硝子体サンプルに余裕があればフローサイトメトリーや染色体検査を行い，診断の一助とする．

眼内リンパ腫の診断が確定したあとは画像診断検査（ガドリニウムによる頭部造影MRIや全身のPET検査）などを定期的に行い，特に中枢神経系リンパ腫の早期発見に努める．

治療 眼局所の病変に対する治療としては総量30グレイ程度の放射線照射が有効である．また，メトトレキサート（MTX）の継続的な硝子体注射も有効である（保険適用外）．ただし，いずれの治療法も副作用に加えて再発の可能性があること，中枢神経系リンパ腫の発症を完全に予防しうる治療法ではないことに留意する．

中枢神経系悪性リンパ腫を発症した場合には高用量のMTX療法などのほか，必要に応じて放射線の全脳照射なども行われる．ただし，いずれの治療法も白質脳症をはじめとする副作用をきたす可能性があり，特に高齢者ではそのリスクが高い．最近ではチラブルチニブ塩酸塩など，新たな化学療法の可能性について検討されつつある．

> 処方例
>
> 〈局所療法〉
> 1) メソトレキセート点滴静注液（200 mg）
>   1回 400 μg/0.1 mL　硝子体内注入（週に2回×4週＋週に1回×8週＋月に1回×9か月）
>
> 〈全身療法〉2) のメソトレキセート大量投与ならびに3) のロイコボリンの投与をセットとして行う．
>
> 2) メソトレキセート点滴静注液（200 mg）
>   1回 100 mg/kg以上 200 mg/kg以下（成人で1回5～10 g）　点滴静注
>
> 3) 翌日より3日間，ロイコボリン注　5アンプル/生理食塩液　100 mLを4時間ごと4回点滴静注

なお，本治療法は厳密な輸液，尿量，尿pH管理が必要であり，プロトコールに則って施行する必要がある．

予後 黄斑や視神経に病変が波及せず，放射線照射などの治療による網膜症や視神経症をきたさなければ，視機能としての予後は比較的良好に保たれることも少なくない．一方，網膜病変が広範囲に及んだ場合や，再発を繰り返すことによって黄斑を含む網膜の萎縮を生じた場合には著しく視機能が低下する．視神経萎縮による視力低下をきたすこともある．

中枢神経症状発症後の生命予後は厳しいことが多いが，早期発見とともに早期の化学療法の導入により，以前より改善がみられる．しかし，高齢発症例では依然として予後不良となる例も多い．

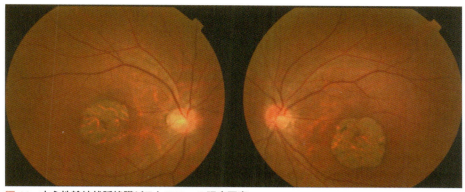

図44 中心性輪紋状脈絡膜ジストロフィの眼底写真
眼底検査では，黄斑部に境界鮮明な網脈絡膜萎縮病変を，両眼対称に認める．
(奥野高司，他：中心性輪紋状脈絡膜ジストロフィの親子例．日眼会誌 112：689, 2008 より)

中心性輪紋状脈絡膜ジストロフィ

Central areolar choroidal dystrophy

堀田喜裕　浜松医科大学・教授

病態・症状　中心性輪紋状脈絡膜ジストロフィは，比較的まれな黄斑ジストロフィで，中心性輪紋状脈絡膜萎縮，中心性輪紋状脈絡膜硬化症ともよばれる．遺伝的異質性が高く，第6番染色体短腕にある *PRPH2* 遺伝子異常や，第17番染色体短腕にある *GUCY2D* 遺伝子異常が原因の一部であることが知られている．常染色体優性遺伝形式，常染色体劣性遺伝形式をとることがあり，孤発例のこともある．黄斑部の網膜色素上皮と脈絡膜毛細血管板は萎縮するが，病変部も含めて脈絡膜中大血管は末期まで比較的保たれる(図44)．20～50歳代に視力低下で発症する．ごく初期の若い患者は，傍中心窩の網膜色素上皮にわずかな変化を認め，眼底自発蛍光(fundus auto-fluorescence：FAF)検査で，病変部にわずかな過蛍光を認める．次第に黄斑部の色素が減少し，中心窩を取り囲むように網膜色素上皮の斑状の変化を認めるようになると，FAFでは病変部に斑状の過蛍光所見がみられる．さらに進行し，脈絡膜毛細血管板の萎縮を伴うようになり，色素の集積も認めると，FAFでは網膜色素上皮が完全に萎縮した低蛍光領域を，斑状の過蛍光領域が囲むような所見となる．さらに進行した末期には，中心窩も障害され，社会的失明につながる．

初期から中期にかけての視力は比較的良好であるが，黄斑部の状態によってかなり差がある．末期になって中心窩も障害されるようになると，視力障害も高度となる．視野は初期～中期においては正常か，中心・傍中心の感度低下を認める．進行すると，中心・傍中心に暗点を認めるようになるが，周辺視野まで障害されることはまれである．色覚検査では，初期～中期では後天青黄色覚異常のパターンを示す．網膜電図では，初期～中期では錐体，杆体ともそ

の振幅は比較的保たれているが，進行すると錐体反応は低下する．光干渉断層計（OCT）では，網膜の菲薄化，病変部の視細胞外節に相当する部位の消失を認めるが，病変部は境界明瞭である．全身疾患の合併はない．

診断

■ **必要な検査** 眼底検査，視野検査，色覚検査，網膜電図，FAF・OCT検査，フルオレセイン蛍光眼底検査（FA）などが行われる．

■ **鑑別診断** 錐体ジストロフィ，Stargardt病，高齢者では加齢黄斑変性と誤診されることがある．錐体ジストロフィでは網膜電図の錐体ERG，Stargardt病ではFA検査によるdark choroidによって鑑別ができるが，進行した症例では鑑別が難しいことがある．加齢黄斑変性との鑑別のポイントとして，本症では斑状FAFパターンを高率に認めるが，reticular pseudodrusenを認めないことが挙げられる．

■ **治療** 現在までに有効な治療法は確立されていないが，ロービジョンエイドが役に立つことがある．

■ **予後** 視力障害が進行すると社会的失明となることもあるが，周辺視野は比較的保たれる．

脈絡膜欠損

Choroidal coloboma

彦谷明子　浜松医科大学・病院准教授

■ **概念** 胎生裂の閉鎖障害により生じる先天性眼疾患である．片眼性，両眼性ともにみられる．ぶどう膜欠損（コロボーマ）の

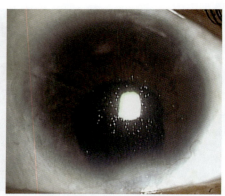

図45　虹彩欠損のスリット写真（散瞳下）

発症部位により視神経乳頭欠損，脈絡膜欠損，毛様体欠損，虹彩欠損（図45）などに分類される．コロボーマの発症頻度は一般出生の0.026％，先天性眼奇形を有する場合0.07％，視力障害のある小児の3.2～11.2％がコロボーマによると報告されている．

■ **病態** 胎生裂は胎生4週で生じ，胎生5週に完成される．遺伝性のものには，胎生裂にかかわる転写因子遺伝子である $PAX2$ 遺伝子（常染色体遺伝）の変異による腎コロボーマ症候群と，常染色体優性遺伝の $YAP1$ (11q)遺伝子，$ABCB6$ (2q)遺伝子，常染色体劣性遺伝の $SALL2$ (14q)遺伝子によるコロボーマが知られている．

■ **症状** 欠損範囲に応じて視野障害が生じるために，視力は光覚なしから正常までさまざまである．欠損が黄斑部や視神経乳頭を含み視力が不良な場合は眼振や斜視を発症し，欠損部が広範囲な場合は白色瞳孔を呈することもある．

■ **合併症・併発症** 病変部内の菲薄な網膜あるいは病変部と健常部の境界部に網膜裂孔が生じ，網膜剥離を起こすことがあ

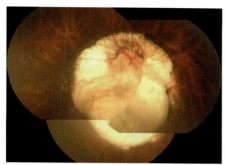

図46 脈絡膜欠損の眼底写真

る．ほかには小角膜，白内障，水晶体亜脱臼，緑内障，瞳孔膜遺残，高度近視が挙げられる．CHARGE症候群に代表されるような全身症候群の部分症のこともある．CHARGE症候群は胚発生初期の神経堤細胞遺伝子の転写活性化に関与している*CHD7*遺伝子の変異による常染色体優性遺伝の多発奇形症候群で，コロボーマ(Coloboma)，先天性心疾患(Heart disease)，後鼻孔閉鎖(Atresia choanae)，発達遅延・中枢神経異常(Retarded growth and retarded development and/or central nervous system anomalies)，生殖器低形成(Genital hypoplasia)，耳奇形・難聴(Ear anomalies and/or deafness)がみられる．ほかに，Rubinstein-Taybi症候群，Aicardi症候群，Meckel症候群，Lenz小眼球症候群などが知られている．

診断 胎生裂の閉鎖障害部位に一致して眼球下方組織の部分欠損が起こる．脈絡膜欠損部は円形または扇状で境界鮮明である．網膜は変性・菲薄化していて強膜が透見されるため，欠損部は白色に見える(**図46**)．眼球外方へ突出するために，眼底所見としては陥凹となる．

治療 脈絡膜欠損自体の治療法はない．器質的な異常により視機能向上には限界があることがあるものの，屈折異常や斜視を合併しており，それによる屈折性弱視や斜視弱視があると判断した場合は弱視治療を行う．患者には網膜剝離や白内障を合併することがあることを伝え，定期的な眼科検査を行う．

瞳孔膜遺残

Persistent pupillary membrane

彦谷明子 浜松医科大学・病院准教授

概念 胎生期の前部水晶体血管膜が消失せずに，網目状の組織が瞳孔領に残ったものである．瞳孔膜遺残はしばしばみられる先天異常であり，程度や形態はさまざまである．軽度なものが多く視力障害をきたすことは少ないが，高度な場合には形態覚遮断弱視の原因となる．

病態 胎生期の水晶体は血管膜で包まれている．胎生9週頃，神経堤細胞に由来する間葉細胞が眼杯前面に沿って水晶体前面を覆うように発達し，虹彩実質の血管から連続する前部水晶体血管膜を形成する．胎生12週頃から虹彩の発達が始まり増大するのに伴い，前部水晶体血管膜は小さくなっていき，瞳孔膜となる．瞳孔膜は胎生9か月頃に退化・消失する．出生後も残存しているものを瞳孔膜遺残といい，虹彩前面の捲縮輪から連なる脚と膜状の部分から成る．家兎の瞳孔膜の消失過程を電子顕微鏡で観察した報告によると，瞳孔膜の血管周囲に線維芽細胞と膠原線維が増加して血管が消失する．その後は線維芽細胞や膠原線維が変性し，それをマクロファー

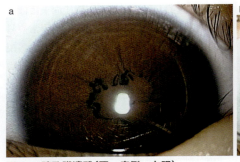 

図 47 瞳孔膜遺残(同一症例，右眼)
a：自然瞳孔，b：散瞳下．

ジが貪食して，瞳孔膜は消失する．房水中の血管内皮増殖因子(VEGF)と塩基性線維芽細胞増殖因子(bFGF)は瞳孔膜の退化に伴い減少したことから，VEGF や bFGF は瞳孔膜遺残の保持などの眼発生に関与していることが示唆されている．

症状 程度や形態に応じて視力はさまざまであるが，一般的には視力良好なことが多い．高度な場合は，明所での縮瞳により瞳孔領が覆われてしまい，昼盲を呈する．

合併症・併発症 高度なものでは，白内障，隅角発育異常緑内障，小眼球・小角膜・無虹彩などの前眼部形成異常，また黄斑低形成，視神経乳頭の低形成，網膜剝離や網膜皺襞などの後眼部異常を合併することがある．

診断 無散瞳下で瞳孔領を覆う範囲や透光性を確認する．散瞳下で脚の伸展性や水晶体との癒着の有無をみる(図 47)．視力検査，屈折検査，眼底検査を行い，弱視や合併症の精査を行う．

治療 視力が良好であれば無治療でよい．しかし，視力障害の原因になっていなくても，白内障手術や網膜剝離の治療を行う際に支障になる場合や，眼底の視認性が不良な場合には治療を行う．瞳孔膜遺残と水晶体前面に癒着がない場合は，アルゴンレーザーや YAG レーザーによる脚切開術を行う．瞳孔膜遺残と水晶体前面に癒着がある場合や診療に非協力的である乳幼児には，観血的な瞳孔膜切除術を行う．手術の合併症として，水晶体前囊の損傷による白内障の発症，前房内の炎症，眼圧上昇，術後感染などがある．乳幼児期には年齢相当の視反応が得られているかを経過観察する．昼盲予防に散瞳薬，瞳孔膜遺残の程度に左右差があり視機能の左右差が疑われる場合には，健眼遮閉訓練を行う．弱視の治療は視覚の感受性期間内に行う．

脈絡膜ひだ
Choroidal folds

髙橋寛二　関西医科大学・教授

病態 脈絡膜ひだは，眼外からの眼球後部の圧迫，脈絡膜の浮腫・牽引および肥厚性病変によって，網膜色素上皮，Bruch

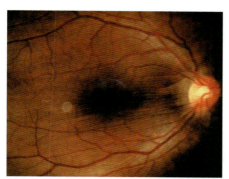

図48　眼窩腫瘍による脈絡膜ひだの眼底所見

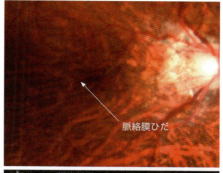
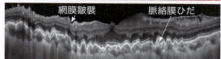

図49　低眼圧持続による脈絡膜ひだ

膜，脈絡膜毛細血管を含む脈絡膜浅層に皺襞が形成される状態である．

病因　原因として，①眼窩内腫瘍，特に球後腫瘍（腫瘍，粘液嚢など），②強度遠視，③脈絡膜腫瘍，④強膜内陥術後，⑤低眼圧，⑥眼球突出，⑦乳頭浮腫，⑧後部強膜炎，⑨脈絡膜新生血管，⑩特発性が挙げられる．

症状　黄斑部を横切るひだ形成の場合は，変視，長期持続した例では網膜色素上皮と感覚網膜の器質的変化から視力低下を生じることがある．

診断

■**眼底所見**　脈絡膜ひだは通常，眼底後極部にみられ，水平あるいは斜め方向に平行に走行している（図48）．検眼鏡的には，ひだの山に当たる部分は明るく黄色に見え，谷に当たる部分は暗く褐色に見える．これは，山の部分では脈絡膜と網膜色素上皮が隆起し，谷の部分では両者が陥凹し，網膜色素上皮が重なって見えるためである．低眼圧で起こる脈絡膜ひだは乳頭を中心に放射状同心円状にみられ（図49），脈絡膜新生血管では，その収縮によって新生血管組織に集中するように放射状にひだがみられる．

■**必要な検査**　眼窩内占拠性病変の場合には，画像診断（CT，Bモード超音波，MRI）を行い，腫瘍の性状，眼球の圧迫部位，程度を確認する．フルオレセイン蛍光眼底造影では，ひだの山の部分は造影早期から過蛍光を示し，谷の部分は低蛍光となる．光干渉断層計（OCT）では網膜色素上皮，網膜外層を中心とした凹凸形成がみられる（図49）．

治療　脈絡膜ひだそのものに対する治療法はない．眼窩内占拠性病変の除去，低眼圧の補正など，種々の原因に対する治療を考慮する．

脈絡膜出血
Choroidal hemorrhage

尾花 明　総合病院聖隷浜松病院・部長

概念　脈絡膜深層血管が破綻して出血したものである．

図 50　特発性脈絡膜出血
耳下側に楕円形の隆起がみられる.

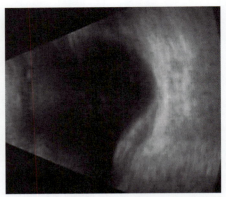

図 51　特発性脈絡膜出血の B モード超音波断層写真
B モード超音波断層検査でドーム状の隆起がみられる.

病態・病因　内眼手術に伴う術中術後の低眼圧や角膜潰瘍穿孔・穿孔性外傷などに伴う低眼圧により血管が破綻するものと, 網膜剝離手術時の排液操作や眼球打撲など脈絡膜血管の直接損傷によるものがある. 眼球打撲では脈絡膜破裂を伴うことが多い. 誘因なく生じる特発性脈絡膜出血もまれにみられる. 特発性は高齢者, 高血圧, 高度の動脈硬化, 糖尿病, 血液透析, 貧血・血小板減少といった血液疾患などの患者に多い. 出血が高度で, 水晶体・ぶどう膜・網膜などの眼球内容が眼外に脱出するものを駆逐性出血(expulsive hemorrhage)といい, 後毛様動脈の破綻によって生じる.

症状　暗赤緑色ドーム状の隆起を呈し, その上にやや混濁した網膜が皺襞を形成して存在する(図 50). 硝子体出血や網膜剝離を伴う場合もある. 超音波断層検査でドーム状隆起がみられる(図 51). 出血が黄斑部に及ぶ場合は視力低下や変視をきたす. 周辺部に限局すれば無症状のことが多い. 毛様体に出血が及べば狭隅角になる.

診断　手術や外傷など原因が明確な場合は診断は容易だが, 特発性の場合は悪性黒色腫や転移性脈絡膜腫瘍などとの鑑別が問題となる. 脈絡膜黒色腫は超音波断層検査で後方エコーの消失がみられる. 出血の場合は経過に伴い次第に減少する.

治療　自然吸収を待つ. 数週間～数か月で消退するが, 器質化して線維組織が残存することがある. 術中の駆逐性出血発生時にはすみやかに創を閉鎖して, 眼圧を上げる措置をとる. 血圧をチェックする. 状況をみて脈絡膜出血部位に強膜切開を施して血液を排泄する. 術中の駆逐性出血予防には血圧管理と鎮静が有効である. 高眼圧例では眼球穿孔創作製前に眼圧を十分下げておく. また, 術中の眼圧変動を極力抑える.

予後　駆逐性出血以外は比較的良好. 外傷で脈絡膜破裂を伴えば, 脈絡膜新生血管が発生することがある.

9 強膜疾患

青色強膜
Blue sclera

後藤 晋　後藤眼科診療所・院長

病因・病態　強膜の先天性・遺伝性疾患で，青色強膜が単独に発症することもあるが，多くは van der Hoeve 症候群の 3 主徴（青色強膜・骨形成不全・難聴）の 1 症候としてみられる．中胚葉系の組織形成不全により，強膜は膠原線維が未熟で菲薄化するため，脈絡膜が透見されて青色の色調となる(図 1)．

一方，出生時からみられる暗青色の強膜色素沈着症を臨床的に「強膜メラノーシス」と称し，その症候名として「青色強膜」と記載されることがあるが，先天性の強膜色素沈着症は母斑（強膜良性腫瘍），後天性のものがメラノーシスであり，病理組織学的に両者の区別が明記されている(図 2)．

症状　van der Hoeve 症候群は臨床的に I ～ IV 型に分類され，I 型ではほぼ全例に青色強膜が特徴的に発現する．成人になっても同様の外観を呈し，角膜の菲薄化や円錐角膜，巨大角膜を合併することがある．

治療　青色強膜が視機能を障害することはなく，その治療方法もない．

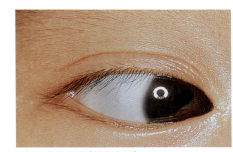

図 1　青色強膜（健常乳児）

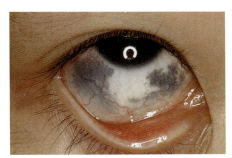

図 2　強膜母斑による見かけ上の青色強膜

上強膜炎
Episcleritis

山岡正卓　日本医科大学多摩永山病院
堀 純子　日本医科大学多摩永山病院・教授

概念　上強膜炎は Tenon 囊血管叢など，浅在性血管叢の炎症である．

病態　多くは特発性，再発性であり両眼に発症する．全身性炎症疾患は関節リウ

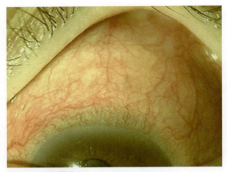

図3　上強膜炎
上強膜炎は表層の血管叢に充血を認めるが、強膜に充血や浮腫を認めない。

マチや再発性多発軟骨炎などの膠原病/リウマチ性疾患，ANCA関連血管炎などの血管炎がある．眼部帯状疱疹を伴う場合もあるが，これは感染ではなく病原体に対する免疫応答による．感染性上強膜炎はまれである．上強膜炎はTenon嚢血管叢など浅在性血管叢の炎症であり，強膜炎より痛みが軽微である．視力はおおむね正常であるが，羞明を訴えることがある．結膜浮腫，高眼圧，前部ぶどう膜炎，角膜炎を伴うことはまれである．

|症状| 浅在性血管叢のみにびまん性の充血を認める(図3)．疼痛はないが，違和感を訴えることはある．炎症が持続すると角膜浸潤を伴う場合がある．

|診断|

■ 鑑別診断　球結膜充血をきたす疾患との鑑別が必要である．結膜炎は感染性も非感染性であっても，球結膜のみでなく眼瞼結膜にも充血を認め，眼脂，濾胞，乳頭増生などの所見を伴う．それに対して，上強膜炎では眼瞼結膜に充血やその他の所見を認めないことが特徴である．

また，結膜フリクテンとも鑑別が必要である．フリクテンは結節性隆起部に限局した充血であり，フルオレセイン染色での結膜上皮びらんを伴う．一方，上強膜炎はびまん性充血が多く，一部が結節状であっても周囲にも充血を認め，結膜びらんを伴わない．

|治療|　低濃度ステロイド点眼を1日4回，1〜2週行うことで多くは改善する．非ステロイド性抗炎症薬(NSAIDs)点眼を代替として使用することもあるが，効果不十分の場合もある．必要に応じて，低濃度ステロイド点眼に切り替え，COX-2阻害薬のNSAIDs〔セレコキシブ(セレコックス®)〕内服を併用する．ステロイド薬の全身投与を要する場合は非常にまれであるが，全身性炎症疾患が随伴する場合は必要となる．

|処方例| 下記1)を用いる．低反応の場合は2)に切り替え，効果不十分の場合は3)を併用する．

1) フルメトロン点眼液(0.1%)　1日4回点眼
2) リンデロン点眼・点耳・点鼻液(0.1%)　1日4回　点眼
3) セレコックス錠(100 mg)　2錠　分2，ムコスタ錠(100 mg)　2錠　分2の内服を併用

強膜炎

Scleritis

山岡正卓　日本医科大学多摩永山病院
堀　純子　日本医科大学多摩永山病院・教授

|病因・病態|　強膜内血管叢など深層血管の炎症から血管のうっ血や拡張を起こ

表1 強膜炎の病因と全身疾患

非感染性強膜炎	感染性強膜炎
関節リウマチ	単純ヘルペス
再発性多発軟骨炎	水痘・帯状疱疹ヘルペス
ANCA関連血管炎	結核
サルコイドーシス	梅毒
甲状腺機能異常	Lyme病
炎症性腸疾患	Hansen病
SAPHO症候群	眼外傷・眼科手術後の
側頭動脈炎	細菌・真菌感染
高安病	
全身性エリテマトーデス	
白血病	
骨髄異形成症候群	
悪性リンパ腫	

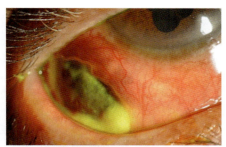

図4 感染性強膜炎
網膜静脈分枝閉塞症の黄斑浮腫に対するトリアムシノロンアセトニド経Tenon嚢下注射後に起きた感染性強膜炎で，強膜の感染病巣は壊死，菲薄化し，ぶどう膜が透見され，強膜充血も顕著である．
（熊本大学・福島美紀子先生のご厚意による）

し，強膜全層に炎症が及んだ状態である．原因別に非感染性と感染性に分けられるが，免疫学的機序による非感染性強膜炎が最も多く，全身性炎症疾患の随伴症としてみられる場合が多い(表1)．

非感染性強膜炎はWatson分類により，部位別に上強膜炎，前部強膜炎，後部強膜炎に分類される．さらに前部強膜炎は炎症の形状別に，びまん性，結節性，壊死性に分類され，壊死性タイプは炎症の原因別に，炎症性，非炎症性に分類される．

びまん性が最も多く，次いで結節性が多い．壊死性と後部強膜炎はまれである．再燃する場合は同じ病型であることが多く，10％程度は重症化して再燃する．原因となる全身疾患が無治療であると，強膜の同一部位に再燃することがある．

1 感染性強膜炎

■**診断**　眼科手術・眼外傷・眼部帯状疱疹・結核・梅毒に伴うものがあり，眼手術歴，外傷歴の聴取は大きなヒントとなる．手術歴のなかでは特にマイトマイシンCを使用した翼状片手術，強膜バックリング術のほか，緑内障や白内障の手術既往は危険因子である．トリアムシノロンアセトニドのTenon嚢下注射も契機となる．

■**所見・必要な検査**　眼脂が多く，膿瘍や壊死性病巣が明確であり(図4)，眼脂培養で原因菌の分離培養・同定・薬剤感受性検査は必須である．

■**鑑別診断**　鑑別として，非感染性の壊死性強膜炎が挙げられるが，非感染性であれば壊死性でも眼脂はほとんどない．前医ですでに抗菌薬を開始され，感染性か非感染性かの鑑別が困難な場合，まずは感染性としての治療を優先し，治療の反応性や培養検査の結果をみながら診断の見直しを行っていく．症例によっては表層強膜の生検を行い，病理診断をすることも必要である．起因菌は細菌と真菌がほとんどである．

■**治療**　眼脂培養で起因菌が同定されれば感受性のある薬剤を内服と点眼する．起因菌が不明であれば，以下の処方例のように複数の抗菌薬を頻回点眼する．ステロイドの点眼・軟膏・注射など眼局所投与は避け，消炎目的では非ステロイド性抗炎症薬

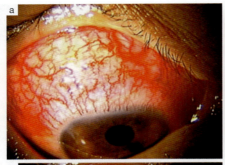
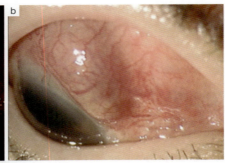

図5　非感染性前部強膜炎
a：再発性多発軟骨炎随伴のびまん性強膜炎で，強膜血管の拡張蛇行，強い充血を認める．
b：関節リウマチ随伴の結節性強膜炎で，輪部周囲強膜に隆起する暗赤色の強膜結節を認める．
c：関節リウマチ随伴の壊死性強膜炎で，強膜血管は拡張蛇行し，壊死部強膜の菲薄化によりぶどう膜が透見できる．

(NSAIDs)を内服する．膿瘍が増大する場合はデブリードマンが必要である．

処方例　以下を用い，結膜下膿瘍が増大する場合は外科的にデブリードマンし，原因菌が同定されたら薬剤感受性のある点眼液と内服薬に変更する．

> クラビット点眼液(1.5%)とベストロン点眼用(0.5%)　1時間ごとに交互に点眼，トブラシン点眼液(0.3%)　1日5回点眼，クラビット錠(500 mg)　1錠　分1を併用

2 非感染性強膜炎

❶**びまん性強膜炎**　女性に多く，好発年齢は40歳代である．強い充血と，睡眠を障害するほどの顔やこめかみへの放散する疼痛を伴う．充血は全周または1象限以上に局在する場合もある**(図5a)**．結膜浮腫，眼瞼腫脹，前部ぶどう膜炎や高眼圧を伴うこともある．

❷**結節性強膜炎**　好発年齢はびまん性と同様である．強膜結節**(図5b)**は単発も多発もみられ，輪部に近い瞼裂部に好発する．10%が壊死性強膜炎に進展するが，早期に治療を行えば小さな瘢痕巣を残すのみで治癒する．

❸**壊死性強膜炎**　強膜炎のうちで最も予後が悪く，発症年齢は他の病型に比し高齢で60歳代である．両眼性は60％程度で，早期に適切な治療がなされないと壊死と菲薄化**(図5c)**が進行して穿孔し，眼球温存が困難となる．原因として，膠原病疾患，血液疾患を伴うことが多く，強い充血，強膜の壊死と融解，菲薄化が進行する．

診断　前部強膜充血は結膜充血と鑑別を要するが，1,000倍希釈アドレナリン

（エピネフリン®）点眼による充血消退がないことで結膜充血や輪部充血と鑑別できる．また，炎症が隣接する前方の角膜に波及すると，角膜周辺部浸潤や潰瘍を呈することもあり，角膜疾患との鑑別を要する．強膜炎症の持続により，前房内炎症を認めることもあり，ぶどう膜炎との鑑別も要する．

全身性炎症疾患を随伴することもあり，膠原病疾患を念頭においた血液検査〔血算，血液像，生化学，蛋白分画，各種免疫グロブリン，抗核抗体，ANCA，甲状腺関連自己抗体，アンジオテンシンⅠ転換酵素（ACE），sIL-2R，梅毒，結核検査〕を行う．

治療 非感染性強膜炎では重症度と全身性随伴疾患により薬剤選択をする．

眼局所療法は，0.1％ベタメタゾンリン酸エステルナトリウム（リンデロン®）点眼を開始し，反応不良ならタクロリムス（タリムス®）点眼を追加する（免疫抑制薬点眼は保険適用外）．これでも不十分な場合は，強膜菲薄部を避けてトリアムシノロンアセトニド（マキュエイド®）0.1～0.2 mLの結膜下注射を行う．また，COX2阻害薬（セレコキシブ）などのNSAIDsの内服は主症状である疼痛に著効し，炎症コントロールにも有効であるため，喘息などの禁忌事項がなければ初期から積極的に併用する．

眼局所治療に反応不良例ではステロイド内服を漸減する．ステロイドの減量により再発を繰り返す例やステロイドの副作用により継続が困難な例では免疫抑制薬の全身投与を併用し，ステロイドを減量していく．免疫抑制療法は，全身性随伴疾患が関節リウマチの場合はメトトレキサート（メソトレキセート®），ANCA関連血管炎の場合はシクロホスファミド（エンドキサン®）やリツキシマブ（リツキサン®）を選択するなど，随伴疾患を念頭に行うことが重要であり，膠原病内科との連携が必須である．壊死性タイプは重症のため，初期より眼局所治療のみでなく全身の免疫抑制療法を行う．

❶**軽症（上強膜炎と軽症のびまん性強膜炎）**

処方例 下記1）を用い，反応不良の場合は2）を追加する．

> 1）リンデロン点眼・点耳・点鼻液（0.1％）1日4～6回　点眼
> 2）タリムス点眼液（0.1％）　1日3～5回　点眼，セレコックス錠（100 mg）　2錠　分2，およびムコスタ錠（100 mg）　2錠　分2を併用

❷**中等度（再発性びまん性強膜炎と結節性強膜炎）**

処方例 下記1）を用いる．効果不十分の場合は2）を追加する．1），2）で反応不良の場合は3）を追加する．

> 1）リンデロン点眼・点耳・点鼻液（0.1％）1日4～6回　点眼，タリムス点眼液（0.1％）1日3～5回　点眼，セレコックス錠（100 mg）　2錠　分2，およびムコスタ錠（100 mg）　2錠　分2を併用
> 2）マキュエイド眼注用（40 mg/mL）　強膜結節部や菲薄部を避けて4 mg（0.1 mL）を数か所に分けて結膜下注射
> 3）プレドニン錠（5 mg）　0.5～0.75 mg/kg/日から開始し2週間ごとに5 mg減量．プレドニン内服期間はボナロン経口ゼリー（35 mg）　1包　1週間に1回，およびガスター錠（10 mg）　1錠　分1を併用

❸**重症（壊死性強膜炎）** 全身性炎症疾患を念頭においた免疫抑制療法が必要となる．

a．**随伴する全身性炎症疾患がある場合** 原因

疾患により免疫抑制療法の薬剤選択は異なる．関節リウマチ随伴であればステロイドとメトトレキサート併用，さらにTNF-α阻害薬やIL-6阻害薬など生物学的製剤まで進む．ANCA関連血管炎随伴であればステロイドとシクロホスファミド併用など，膠原病内科主導での薬剤選択となる．

b．随伴する全身性炎症疾患がない場合

処方例 下記1)を用いる．効果不十分の場合は2)を追加する．1)，2)で反応不良の場合は3)を追加する．

1) リンデロン点眼・点耳・点鼻液(0.1%) 1日4～6回 点眼，タリムス点眼液(0.1%) 1日3～5回 点眼，プレドニン錠(5 mg) 0.5～0.75 mg/kg/日 分2から開始し2週間ごとに5 mg減量，プレドニン内服期間はボナロン経口ゼリー(35 mg) 1包 1週間に1回，ガスター錠(10 mg) 1錠 分1を併用
2) ネオーラルカプセル(25・50 mg) 2～3 mg/kg/日 分2
3) ヒュミラ注 初回80 mg，1週間後に40 mg，初回投与3週以降は40 mgを2週に1回 皮下注射

予後 強膜炎診療において感染性か非感染性かの鑑別は，初期治療と予後に最も影響する．鑑別のためには眼所見に加えて病歴と全身疾患の把握が必須である．壊死性は一般に予後不良であるが，疾患背景に応じて早期から全身の免疫抑制療法をすれば予後を向上させることが可能である．

マイトマイシンC，5-フルオロウラシルによる強膜軟化症

Scleromalacia induced by mitomycin C or 5-fluorouracil

後藤 晋　後藤眼科診療所・院長

背景　マイトマイシンC(MMC)と5-フルオロウラシル(5-FU)は両者とも古くからある代謝拮抗薬・抗悪性腫瘍薬で，その線維芽細胞増殖抑制効果を期待して，翼状片の術後再発や緑内障濾過手術の濾過胞瘢痕化の防止目的で用いられてきた(保険適用外)．MMCは現在もこれらの手術に利用されているが，翼状片術後の点眼薬としての使用は，術後数か月〜数年を経て強膜の石灰化や壊死・軟化をきたすことがあったために，1980年代には廃止された．緑内障手術後の結膜下注射に用いられた5-FUも，眼表面への毒性と濾過胞関連眼内炎の問題から，今日では低濃度(0.02〜0.04％)MMCの術中短時間1回塗布が主流となっている．

原因　MMCの点眼で強膜の壊死や軟化が，なぜ数年を経てから発症するのか詳細はいまだにわかっていない．動物実験では，MMCの1回投与でも線維芽細胞抑制のほかに強膜のゼラチナーゼ活性の亢進があり，これがコラーゲンの産生減少や配列異常に関与することを示唆した報告がある．

症状　MMCを点眼薬として使用したあとに発症した強膜の石灰化では，充血，異物感，眼痛が出現するが，無症状(壊死性強膜炎で炎症症状をほとんど伴わ

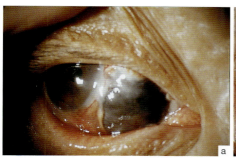 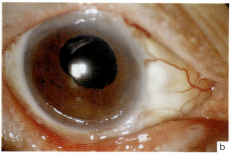

図6 マイトマイシンCによる強膜軟化症
a：マイトマイシンC点眼併用翼状片切除術後20年目に生じた強膜軟化症．
b：保存強膜移植と2回の自家結膜移植術後．

ない穿孔性強膜軟化症)の症例**(図6a)**も多く，その進行は比較的緩徐である．翼状片手術や緑内障濾過手術における現行のMMC術中使用においても，術後に結膜の蒼白化や血管狭小化，無血管帯が出現することがあることから，点眼でも強膜軟化の発生原因となる可能性は否定できない．これは，5-FU使用例においても同様と考えられる．

| 治療 | 今日のような生物学的製剤が存在しなかった当時は，MMCの点眼後に発症した炎症症状のない強膜軟化症がステロイドや免疫抑制薬による薬物療法のみで治癒する傾向はなかったため，外科的治療を選択せざるをえなかった**(図6b)**．手術は保存強膜移植による病巣部の修復補填で，保存角膜では融解してしまうことが多い．壊死部面積が小さいほど手術予後は良好であった．

後部強膜炎
Posterior scleritis

山岡正卓　日本医科大学多摩永山病院
堀 純子　日本医科大学多摩永山病院・教授

| 概念 | 後部強膜の炎症を主体とする疾患であり，強膜炎が本態である場合と，眼窩炎症が本態で後部強膜に炎症が進展した場合がある．

| 病態 | 前部強膜炎と後部強膜炎が同時または時間差をもって発症することもあるが，後部強膜炎のみの場合もある．両眼性は35％程度である．関節リウマチ(rheumatoid arthritis：RA)，ANCA関連血管炎，甲状腺疾患などに随伴することも少なくない．ANCA関連血管炎，甲状腺疾患では後部強膜のみでなく眼窩炎症を呈することもある．

| 症状 | 自覚症状は，疼痛，眼球運動痛，複視，眼球突出，眼瞼下垂，歪視，視力低下がある．眼所見は後部胸膜の肥厚，脈絡膜皺襞，滲出性網膜剥離，網膜下滲出性病変を認める．

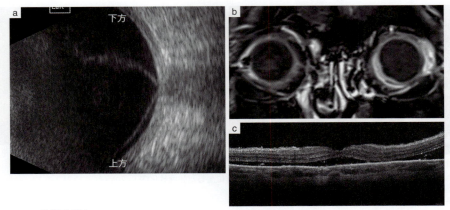

図7　後部強膜炎
ANCA関連血管炎随伴の後部強膜炎で，**a**：超音波断層Bモードで，眼球後部の肥厚および眼球壁後方の浮腫（T-sign），網膜剥離を認める．**b**：造影眼窩MRIで，左眼球壁は対側に比して強い造影効果を示す．**c**：OCTで，滲出性網膜剥離を認める．

診断　後部強膜炎の診断は画像診断が主体となる．超音波断層Bモードで眼球後壁の肥厚**(図7a)**のほか，強膜結節，強膜とTenon嚢の離開，外眼筋炎を認めることがある．造影眼窩MRIでは眼窩内炎症の有無と視神経や外眼筋の炎症を検索する**(図7b)**．光干渉断層計（OCT）で乳頭浮腫，後極に脈絡膜皺襞，滲出性網膜剥離を認める**(図7c)**．フルオレセイン蛍光眼底造影（FA）は，多発性後極部網膜色素上皮症，漿液性中心性脈絡膜症，脈絡膜腫瘍との鑑別に有用である．脈絡膜剥離はuveal effusionを伴うこともある．

背景疾患の検索のために，リウマトイド因子，抗核抗体，MPO-ANCA，PR3-ANCA，甲状腺関連自己抗体，クォンティフェロンを検査する．

■ **鑑別診断**　Vogt-小柳-原田病，多発性後極部網膜色素上皮症，漿液性中心性脈絡網膜症，脈絡膜腫瘍が鑑別に上がり，背景病態として眼窩炎症性偽腫瘍や甲状腺眼症も検索する．

治療　感染性の要因を否定したうえでプレドニゾロン内服0.5〜1 mg/kg/日を開始する．滲出性網膜剥離や網膜下滲出病変が強い重症例ではステロイドパルス療法から開始する．RAやANCA関連血管炎に随伴する場合，リウマチ内科と連携し最適な免疫抑制療法を早期から行う．RAにはメトトレキサート，ANCA関連血管炎にはシクロホスファミドやリツキシマブが選択され，いずれも強膜炎に有効である．また，眼科主体で使用できる免疫抑制薬として，シクロスポリンは2013年から保険適用が拡大され非感染性ぶどう膜炎に使用されている．強膜ぶどう膜炎にも有効であり，2〜3 mg/kg/日で開始し，血中トラフ値が150 ng/mLを超えないように調整する．ステロイドと免疫抑制薬の併用に低反応や再発する場合は，アダリムマブなど生物学的製剤を導入する（保険適用外）．

処方例　重症例は1）から開始，そのほかは

2)，3) から開始する．遷延や再発には 2)，4) 併用，さらに反応不良であれば 5) を用いる．

> 1) ソル・メドロール注　1回 1,000 mg を生理食塩液 500 mL に溶解して 2〜3 時間で緩徐に点滴静注　1日1回　3日間
> 2) プレドニン錠(5 mg)　0.5〜1 mg/kg/日分2 から開始し，2 週間ごとに 5 mg 減量　プレドニン内服期間はボナロン経口ゼリー(35 mg)　1包　1週間に1回およびガスター錠(10 mg)　1錠　分1を併用
> 3) リンデロン点眼・点耳・点鼻液(0.1%)　1日 4〜6 回　点眼
> 4) ネオーラルカプセル(25・50 mg)　2〜3 mg/kg/日　分2
> 5) ヒュミラ注を初回に 80 mg，1 週間後に 40 mg，初回投与 3 週以降は 40 mg を 2 週に 1 回　皮下注射

前部ぶどう腫
Anterior staphyloma

若林美宏　東京医科大学・教授

概念　眼球前方の強膜が何らかの原因で脆弱化することで，強膜が限局的に拡張膨隆し，ぶどう膜が透けて見える状態をいう．

病態　前部ぶどう腫の原因として考えられるのは，先天眼疾患，眼外傷と手術による瘢痕巣，慢性の高度強膜炎などで，これらを基盤にして強膜の菲薄化が生じ，さらに高眼圧による眼内圧の上昇などが加わり発生する．

症状　視機能は原因疾患によって正常から失明に至るまでさまざまであるが，高度な視力障害を伴っている場合が多い．前部ぶどう腫が穿孔した場合は，感染性眼内炎に至る危険性がある．

診断　細隙灯顕微鏡で，菲薄化し膨隆した強膜を通して黒色のぶどう膜が透けて見えることから診断は容易である．

治療　前部ぶどう腫それ自体に対する治療法はなく，経過観察を行う．強膜炎に対しては十分な消炎を行う必要があるが，炎症が高度で遷延した場合は，炎症鎮静後も前部ぶどう腫の併発を念頭に，注意深い経過観察を行う．また，強膜の菲薄化を伴う症例で眼圧が高い場合は，進行防止に眼圧のコントロールを行う必要がある．前部ぶどう腫が穿孔した場合の治療法として，まずは保存強膜を用いた被覆術を選択する．しかし，前部ぶどう腫が高度で視機能が失われている場合は，やむを得ず眼球内容除去や眼球摘出を選択する場合もある．

予後　原因や程度によって，正常から失明に至るまでさまざまである．

後部ぶどう腫
Posterior staphyloma

若林美宏　東京医科大学・教授

概念　眼底後極に観察される眼球ひだの外側方向への異常突出である．

病態　強度近視眼で観察される形態異常であり，視機能障害に進展する．

症状　無症状であることが多いが，網脈絡膜萎縮が進行したり，中心窩分離が併発すると変視や視力低下を自覚する．さらに進行して黄斑円孔や網膜剝離が生じると，中心暗点や視野異常が出現する．

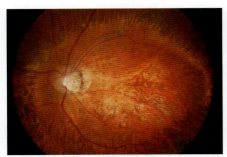

図8　後部ぶどう腫の眼底写真
黄斑に網脈絡膜萎縮がみられる．上耳側の境界部には網膜色素上皮レベルの異常が観察される．

診断　検眼鏡所見で，後部ぶどう腫の突出部の形状と部位により，黄斑と視神経乳頭を含むタイプ，黄斑周囲に限局しているタイプ，視神経乳頭周囲にあるタイプ，鼻側にあり視神経乳頭まで及ぶタイプ，眼底下方にあり視神経乳頭まで及ぶタイプ，これらの混合タイプに分類される．通常，後部ぶどう腫内には網脈絡膜萎縮が観察され，ぶどう腫による陥凹の境界部位は上方と耳側でより急峻であるため，この部位に色素沈着や色素脱失などの網膜色素上皮の異常が観察されることが多い**(図8)**．後部ぶどう腫では中心窩に対して垂直方向の牽引がかかっているため，自然経過で中心窩分離が生じることがあり，さらに進行すると全層黄斑円孔や黄斑円孔網膜剝離が生じる．

治療　後部ぶどう腫自体に対する治療法や予防法はない．中心窩網膜分離に対しては視力が良好であれば経過観察をするが，進行性である場合は硝子体手術を行う．黄斑円孔網膜剝離が生じている場合は失明防止のために直ちに硝子体手術を行う．

予後　黄斑円孔や網膜剝離が生じると視機能予後は不良である．

≪眼科臨床エキスパート≫シリーズ
◎「決定版」眼腫瘍診療テキスト&アトラス、待望の刊行！

知っておきたい 眼腫瘍診療

編集　大島浩一 岡山医療センター眼科医長
　　　後藤　浩 東京医科大学眼科学分野教授

眼瞼・角結膜・眼窩・眼内腫瘍について、良性・悪性腫瘍から腫瘤を形成する非腫瘍性病変まで、疫学・診断検査・治療を完全網羅。眼所見、病理写真、MRI・CT所見など豊富な画像を用いて徹底解説。「初診時の外来診察」や「一般眼科医へのアドバイス」など非専門医も知っておきたい知識が満載。

目次

第1章　総説
眼腫瘍の診療概論

第2章　総論
I　眼瞼腫瘍総論
疫学的事項／初診時の外来診察―どう診てどう考えるか／診断・治療に必要な検査／良性眼瞼腫瘍の治療／悪性眼瞼腫瘍の治療　術記録／術後管理／術後視機能評価

II　角結膜腫瘍総論
疫学的事項／初診時の外来診察―どう診てどう考えるか／診断・治療に必要な検査／角結膜腫瘍の治療

III　眼窩腫瘍総論
疫学的事項／初診時の外来診察―どう診てどう考えるか／診断・治療に必要な検査／良性眼窩腫瘍の治療／悪性眼窩腫瘍の治療

IV　眼内腫瘍総論
疫学的事項／初診時の外来診察―どう診てどう考えるか／診断・治療に必要な検査／眼内腫瘍の治療

第3章　各論
I　眼瞼腫瘍
霰粒腫と瞼板内角質嚢胞（マイボーム腺嚢胞）／母斑／尋常性疣贅、脂漏性角化症（老人性疣贅）／表皮嚢胞／黄色腫／伝染性軟属腫／汗腺由来の嚢胞／基底細胞癌／脂腺癌／日光角化症、扁平上皮癌／Merkel 細胞癌

II　角結膜腫瘍
瞼裂斑／翼状片／乳頭腫／異形成症、上皮内癌、扁平上皮癌／結膜嚢胞／涙腺導管嚢胞／血管腫、血管奇形／リンパ管腫、リンパ管拡張症／リンパ腫、反応性リンパ過形成／母斑／原発性後天性メラノーシス、悪性黒色腫

III　眼窩腫瘍
海綿状血管腫／神経鞘腫／神経線維腫／視神経鞘髄膜腫／涙腺多形腺腫／腺嚢胞腺癌と涙腺癌／悪性リンパ腫／炎症性病変／転移性腫瘍と浸潤性腫瘍

IV　眼内腫瘍
網膜血管腫（毛細血管）／網膜血管腫（毛細血管腫以外）／網膜星状膠細胞過誤腫／脈絡膜血管腫／脈絡膜骨腫／毛様体腫瘍／虹彩嚢胞／母斑／先天性網膜色素上皮肥大／眼内悪性黒色腫／眼内リンパ腫／網膜芽細胞腫／転移性眼内腫瘍

V　小児から若年者に発症しやすい疾患
角結膜デルモイド／毛細血管性血管腫／眼窩リンパ管腫／眼窩横紋筋肉腫／視神経膠腫

● B5　頁480　2015年　定価：**19,800円**（本体18,000円＋税10%）[ISBN978-4-260-02394-8]

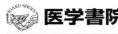

〒113-8719　東京都文京区本郷1-28-23　[WEBサイト]https://www.igaku-shoin.co.jp
[販売・PR部]TEL:03-3817-5650　FAX:03-3815-7804　E-mail:sd@igaku-shoin.co.jp

10 網膜疾患

裂孔原性網膜剝離
Rhegmatogenous retinal detachment

馬場隆之 千葉大学・教授

概念・病態 網膜剝離は,神経網膜と網膜色素上皮が分離することを指す.視細胞と網膜色素上皮の間に網膜下液が貯留し,両者が分かれると,視細胞は働きを失い視機能が低下する.網膜剝離には,網膜に孔が生じて液化硝子体が裂孔を通して網膜下に貯留する裂孔原性網膜剝離,増殖糖尿病網膜症などで網膜が硝子体側に牽引されることによって生じる牽引性網膜剝離,そしてぶどう膜炎などでバリアが破綻し滲出液が網膜下に貯留する滲出性網膜剝離がある.本項では,裂孔原性網膜剝離について述べるが,増殖糖尿病網膜症などでは牽引性網膜剝離と裂孔原性網膜剝離が併発する症例もある.

裂孔原性網膜剝離は,発症頻度に性差はないか男性にやや多く,わが国の年齢構造の変化とともに年齢分布は二峰性から,中高年に多い一峰性へと変化してきている.

症状 裂孔原性網膜剝離では,後部硝子体剝離が先行することが多く,飛蚊症や光視症が初期にみられることがある.飛蚊症の特徴としては,明るい空や白い壁を見ると黒い小さな点が無数に見える,といったものが多い.網膜剝離の部分では光を感じにくくなるため,視野が欠けてくる.この視野欠損は進行性であり,黄斑が剝離すると中心視野も含まれ,視力が大幅に低下する.一方,若年者の後部硝子体剝離を伴わない,萎縮円孔を原因とする裂孔原性網膜剝離は進行が遅く,自覚症状が全くない場合もあり,眼底検査で偶然発見されることもある.

合併症・併発症 陳旧性の網膜剝離では,黄斑前膜の形成や2次性の黄斑円孔が生じることがある.外傷後の毛様体裂孔の症例では,前房内に細胞成分が移動し眼圧上昇をきたすことがある.裂孔原性網膜剝離は時間が経過し,眼内増殖機転が働くと増殖硝子体網膜症とよばれる難治性の網膜剝離へと進展する.

診断 眼底検査により,網膜裂孔を検出し,裂孔原性網膜剝離の診断を行う.多くの症例では診断は容易だが,毛様体裂孔や,鋸状縁近傍の裂孔では,強膜圧迫を用いた双眼倒像検眼鏡下での眼底観察が必須である.小さな裂孔を見逃さないように,細隙灯顕微鏡と前置レンズを用いた眼底検査も行う.また強度近視眼の黄斑円孔網膜剝離による網膜全剝離など,特殊なパターンも存在するので注意が必要である.無散瞳での診察,小瞳孔症例などで網膜剝離の有無を確認するために広角眼底撮影装置は有用である.黄斑剝離の有無は光干渉断層計(OCT)を用いると確実に診断することが可能である.

■**鑑別診断** 前述の牽引性網膜剝離,滲出性網膜剝離との鑑別が必要になることがあ

る．蛍光眼底造影検査や，採血や画像撮影など全身検査を行い鑑別する．周辺部の網膜分離症は治療不要であるが，内層孔・外層孔の両者が存在すると網膜剥離が進行する．

治療
■**治療適応** 基本的にすべての裂孔原性網膜剥離は緊急手術治療の適応である．検診などにて偶然見つかった限局性の網膜剥離で，剥離網膜との境界線に色素沈着(デマルケーションライン)がみられるような症例では経過観察のみとしてよい．

■**治療方法** 後部硝子体剥離による牽引性裂孔からの網膜剥離では硝子体手術を行うことが多い．網膜を牽引している硝子体を切除し，空気または膨張性ガスを用いてタンポナーデを行う．広角観察システムを用いて，小切開硝子体手術(25，27G)が行われる．術前に白内障がみられれば水晶体再建術および眼内レンズ挿入を同時に行う．後部硝子体未剥離の網膜格子状変性巣内萎縮円孔からの網膜剥離では強膜バックリング手術を行う．

予後
通常の網膜剥離であれば，初回網膜復位率は90％以上，再手術後の最終復位はほぼ全例で得られる．機能的には，黄斑剥離の有無で予後は異なり，術前黄斑剥離を生じていた症例では術後視力は発症前までは回復せず，歪視などが残存することがある．黄斑剥離が術前に生じていなければ，術後視力は良好である．

網膜格子状変性
Lattice retinal degeneration

馬場隆之　千葉大学・教授

概念・病態
網膜格子状変性は眼底周辺部にみられる円周方向の網膜変性病変であり，同部位の網膜血管が白線化しており，格子状に見えることから網膜格子状変性とよばれている．

報告により差はあるが，強膜圧迫を行い詳細な眼底検査を行えば8～20％程度で観察されるともいわれ，日常的に遭遇する病態である．後天的要素により発症するというよりは，若年者でもみられるので，先天的に生じている眼底変化と考えたほうが自然である．網膜格子状変性は，男女差なく存在し，赤道部に約7割，赤道部から鋸状縁までに3割弱がみられる．方向としては上下垂直経線を中心に存在し，鼻側より耳側寄りに多い．近視眼，特に−6Dから−9D程度の近視で多くみられるとの報告がある．

網膜格子状変性は裂孔原性網膜剥離の発症と深くかかわっている．網膜剥離の原因裂孔の50％以上が網膜格子状変性と関連している．網膜格子状変性は境界明瞭であり，変性内部では網膜内層が陥凹し，細かな凹凸があり，色素沈着を伴うことがある．網膜格子状変性の辺縁部分では，肥厚した硝子体が強く癒着しており，変性内部には硝子体線維構造はなく硝子体液化腔が存在している．後部硝子体剥離が生じた際には，硝子体が強く付着している変性層の辺縁部分に，網膜裂孔を生じやすい．また，網膜格子状変性の内部の網膜は薄く

なっており，萎縮円孔が10〜20%でみられる．若年者の後部硝子体剥離を伴わない裂孔原性網膜剥離は，この萎縮円孔を通じて網膜格子状変性の上に広がる液化硝子体が網膜下に侵入し発症すると考えられる．

症状
網膜格子状変性そのものは無症状であり，飛蚊症や光視症などで眼底検査を受けた際に発見されることが多い．網膜格子状変性に関連した網膜裂孔ができた際には，飛蚊症の急激な増加が自覚されることが多い．また，裂孔原性網膜剥離を発症すれば，進行性の視野異常や視力低下を自覚することになる．若年者の網膜格子状変性内萎縮円孔からの裂孔原性網膜剥離では，進行が緩徐であることが多く，たまたま眼底検査を行った際に網膜剥離が発見されることもまれではない．

診断
特徴的眼底所見から，網膜格子状変性の診断は比較的容易である．しかし，鋸状縁近傍の網膜格子状変性は眼底の立体感が乏しく，硝子体癒着の状態も観察しにくいため，特徴的な網膜色素沈着などを伴わないときには見逃しがちである．強膜圧迫を行い，網膜の陥凹を見つけ，圧迫子を前後方向に動かすこと（触診）により変性の境界を明瞭に把握することができる．この強膜圧迫と双眼倒像鏡による眼底観察は，丈の低い網膜剥離や，小さな網膜裂孔の検出などにも非常に有効である．強膜バックリング手術の際の裂孔同定のトレーニングにもなる．

■ **鑑別診断** 敷石状変性と称される網脈絡膜萎縮，white-with/without-pressure（WWP），網膜エロージョン，網膜嚢胞様変性，蝸牛様変性，顆粒状組織などがある．網脈絡膜萎縮は網膜菲薄があるが硝子体癒着はみられない．WWPでは網膜厚は正常であるが，時に硝子体が面状に癒着していることがある．網膜エロージョンは，網膜のくぼみであり，内部に小さな硝子体浮遊物がみられることがある．網膜格子状変性の前駆病変とも考えられているが，網膜血管は正常である．網膜嚢胞様変性は鋸状縁に接しており，硝子体の牽引はみられない．蝸牛様変性は網膜格子状変性の亜型であり，白色の細かい網目状の紋様が円周状にみられる．顆粒状組織は，硝子体癒着があり網膜裂孔の原因となるが，網膜からは隆起しており，サイズも小さい．

治療
■ **治療適応** 飛蚊症や光視症といった症状を伴い，弁状裂孔を辺縁に生じた網膜格子状変性のみが予防的レーザー治療の適応になる．基本的に無症状の網膜格子状変性は治療の適応にならない．その理由としては，網膜格子状変性が人口の8〜20%でみられるのに対し，裂孔原性網膜剥離の発症頻度は約0.01%であることから，実際には何も治療しなくても網膜剥離に至らない症例がほとんどであるという事実がある．さらに，網膜格子状変性の長期経過観察では，網膜剥離の発症は0〜1.4%程度とかなり低い．−6 D以上の近視眼，180度以上にわたる格子状変性眼では予防治療の有効性は認められなかったとする報告もある．これらのことから，網膜格子状変性の治療適応はかなり限定されると考えるべきである．また，網膜剥離の僚眼の網膜格子状変性は自然経過では10%程度が網膜剥離に進行するとされ，予防治療の適応と考えられるが，治療を行っても2〜9%で網膜剥離が生じたとの報告がある．治療による予防的効果は50%程度と判断され，現在では予防治療の対象としない場合が多い．

■ **治療方法** 網膜光凝固は，凝固サイズ 200〜500 μm，照射時間 200〜500 秒，凝固出力 150〜200 mW で行う．マルチカラーレーザーでは，黄色か緑色を用いる．網膜格子状変性の全周を 2〜3 列で囲み，淡く均一な凝固斑が得られれば十分であり，過凝固にならないように注意する．出力を上げないと凝固斑が得られない，あるいは反応が全くないときには，網膜下液が存在している．無理に凝固しても網膜剝離の進行を抑止する効果はなく，多発裂孔を形成して手術の妨げとなる．レーザーは中止して観血的治療を検討する．

予後 前述したように，網膜格子状変性に対して予防的レーザー治療を行っても，網膜裂孔の形成から網膜剝離を発症する症例が一定の割合で存在する．飛蚊症の増加や視野異常などを自覚した際には，すぐに眼科受診し眼底を精査する必要があることをよく説明する．また予防的レーザーを行った瘢痕部分と健常網膜との境界に裂孔を形成し，レーザー治療がなければシンプルなバックリングで治療できたはずの症例に，広範囲の治療が必要となることもある．

敷石状網膜変性，囊胞様網膜変性

Paving stone degeneration,
Cystoid retinal degeneration

馬場隆之　千葉大学・教授

概念・病態 敷石状網膜変性は境界明瞭な網脈絡膜萎縮病変のことを指す．病理学的には，視細胞および外境界膜の欠損があり，網膜色素上皮は萎縮内には存在せず，萎縮の辺縁では逆に増殖しており，Bruch 膜は正常〜軽度障害がみられ，脈絡膜毛細血管板は欠損しているか，血管密度は低下している．脈絡膜の中大血管は正常である．鋸状縁近傍にみられることが多く，大半は 1 乳頭径大かそれ以下であるが，まれに数乳頭径大のものもみられる．男性に多く，全体の 10〜30％でみられ，両眼性である．全年齢にみられるが，加齢とともにサイズが大きくなる．また眼軸長の長いものほど大きくなる．下耳側に多く，次に鼻下側に多くみられるが，上鼻側には少ないとされる．囊胞様黄斑変性は，鋸状縁から連続した後極側の網膜に帯状に存在し，1〜3 列の小さな囊胞の集合としてみられる．鼻側よりも耳側で明瞭であり，40 歳以上では女性のほうが男性よりもこの変化が強いとされる．後天性網膜分離症はこの囊胞様網膜変性が後極側へ拡大したものと解釈され，網膜分離は視細胞と双極細胞の間，あるいは外網状層に生じる．

症状 敷石状網膜変性，囊胞様網膜変性ともに無症状である．囊胞様網膜変性に後天性網膜分離症が生じ，後極側へ大きく拡大した際には視野狭窄を生じるがまれである．

合併症・併発症 囊胞様網膜変性は後天性網膜分離症を合併することがある．中高年でみられ，多くは両眼対称性であり，耳下側にみられることが多い．時に萎縮性の網膜内層孔，外層孔を生じる．外層孔の周囲に限局性の網膜剝離がみられることがあるが，進行性の網膜剝離は内層孔および外層孔の併発例，あるいは全層の裂孔が分離外に存在しなければ発症しない．敷石状

網膜変性の部分では，剖検眼による検討にて，この部分の癒着が強く，固定後も網膜剥離が生じにくいことから，生体でも網膜剥離の原因となることは少ないと考えられている．

診断 網膜最周辺の病変であり，強膜圧迫下での双眼倒像眼底鏡検査にて診断する．敷石状網膜変性では網膜は菲薄化しているが，変性の部分での硝子体の変化はみられない点が網膜格子状変性と異なる．囊胞様網膜変性は鋸状縁から連続する網膜囊胞の集簇と網膜肥厚であり，強膜圧迫にて明瞭に観察される．網膜分離症は網膜血管を含む半透明の網膜内層肥厚がみられること，耳下側に多いこと，左右対称性がみられることなどから診断する．網膜分離症では視野検査にて，網膜分離に対応する領域の絶対暗点を呈する．

治療 網膜分離症から進行性の網膜剥離を生じた場合を除き，敷石状網膜変性，囊胞様網膜変性は治療の対象ではない．

網膜裂孔，網膜円孔

Retinal tear and hole

馬場隆之　千葉大学・教授

概念・病態 神経網膜に全層の裂隙が生じるものを網膜裂孔とよび，硝子体牽引によって生じる馬蹄形裂孔と網膜格子状変性内に生じる萎縮円孔がある．網膜裂孔（retinal break）は，わかりやすく英語では前者を（horse-shoe）tear とよび，後者の（atrophic）hole と区別される．いずれも裂孔原性網膜剥離の原因裂孔となるため，重要な病変である．馬蹄形裂孔は，後部硝子体剥離に伴い網膜硝子体癒着の存在する部分に牽引がかかり，裂孔が生じる．網膜硝子体癒着の強い部分は，網膜格子状変性縁，顆粒状組織，子午線皺襞後端，網膜新生血管などである．萎縮円孔は，網膜格子状変性内部に生じ，小さなものから1乳頭径以上の大きなものまで，症例によっては1つの変性巣内に複数生じることがある．馬蹄形裂孔と萎縮円孔が代表的な網膜裂孔であるが，そのほかにも鈍的外傷後の赤道部不整形裂孔，鋸状縁近傍の硝子体基底部後縁裂孔，前縁（毛様体扁平部）裂孔，アトピー性皮膚炎患者にみられる毛様体皺襞部裂孔，硝子体基底部後縁裂孔の1つである特発性巨大裂孔，萎縮円孔の類縁である若年性鋸状縁離断，強度近視眼で多い後極部の傍血管裂孔，黄斑円孔などがある．

症状 馬蹄形裂孔は，後部硝子体剥離が生じた際に飛蚊症・光視症が自覚され，網膜裂孔が生じた際には，細かい飛蚊症（黒い点が多数）が急激に増加することが多い．特に明るい空や白い壁などを見たときに強く自覚する．裂孔が形成された際に架橋する網膜血管が破綻し，硝子体出血を生じれば，霧視や視力低下を自覚する．裂孔原性網膜剥離まで進展すれば視野欠損を生じ，黄斑剥離があれば中心視力低下をきたす．萎縮円孔はそれだけでは自覚症状はないが，網膜剥離が生じれば視野異常や視力低下を引き起こす．ただし萎縮円孔からの網膜剥離は無自覚のことも多く，黄斑に剥離が迫って初めて気づくこともある．

合併症・併発症 前述したように，網膜裂孔の最大の併発症は裂孔原性網膜剥離である．緊急手術が必要となる．黄斑前膜を生じることがあり，黄斑パッカーともよ

ばれる．

|診断| 網膜裂孔の診断は，前置レンズを用いた細隙灯顕微鏡による眼底検査，また双眼倒像眼底鏡を用いた周辺強膜圧迫下での眼底検査である．比較的後極寄りの小裂孔では細隙灯顕微鏡による眼底検査が有用で，鋸状縁近傍の裂孔では双眼倒像鏡が有用である．小瞳孔の症例では，広角の走査レーザー検眼鏡が有効である．硝子体出血で眼底視認性が妨げられる際にはBモード超音波検査を行い，網膜剥離の有無を確認する．

■鑑別診断 眼底最周辺部の網膜出血，色素沈着は，強膜圧迫を行い側面から観察すれば鑑別は容易である．

|治療|

■治療適応 網膜裂孔に対する治療の目的は，裂孔原性網膜剥離を進行させないことにある．治療適応として最もエビデンスレベルが高いとされるものが，最近生じた後部硝子体剥離に伴う馬蹄形裂孔である．裂孔周囲の網膜が軽度混濁しており，網膜出血が裂孔縁にみられることもある．最近生じた飛蚊症が手掛かりになるので，問診が大切である．網膜フラップが外れて，硝子体中に網膜蓋となっている場合は，牽引は解除されており治療適応は低くなる．偶然見つかった馬蹄形裂孔では，網膜フラップが萎縮して細くなっており，裂孔周囲に色素沈着を伴っていることも多い．治療適応は低い．網膜格子状変性内の萎縮円孔は，裂孔原性網膜剥離に進行する可能性は低く，仮に進行した場合の強膜バックリング手術の困難さなどから基本的には治療を行わず経過観察のみとする．馬蹄形裂孔，萎縮円孔ともに診断した時点で，周囲にすでに網膜剥離が生じている場合には，網膜光凝固の治療対象とはならず，観血的手術の支障となるため禁忌である．

■治療方法 網膜光凝固を行う．広角レンズを用いて，網膜面におけるスポットサイズ200～500 μm，出力150 mW，照射時間0.2～0.3秒で裂孔周囲を2～3列凝固する．淡く白色のスポットが出る程度で，過凝固は避ける．マルチカラーレーザーであれば，黄色または緑色，硝子体出血で反応が出にくいときは赤色を使用する．格子状変性巣縁の裂孔では，格子状変性全体を囲むようにする．散瞳のよくない症例では，裂孔の周辺側の凝固が不十分になりがちであるが，圧迫子付きのミラーか，強膜圧迫下での双眼レーザー，冷凍凝固なども考慮する．

|予後| 網膜裂孔を完全に光凝固で囲むことができても，1.4～7.8％の症例では網膜剥離が進行するため，網膜裂孔の治療時には網膜剥離が進行し，観血的治療が必要となる可能性について説明しておく．大型の裂孔や増殖性変化が生じている症例では，黄斑前膜の形成により視力が低下することがある．また，特に鼻側の後極寄りの大型裂孔では光凝固後に周辺視野狭窄を自覚することがある．

増殖性硝子体網膜症

Proliferative vitreoretinopathy：PVR

前野貴俊　東邦大学医療センター佐倉病院・教授

|概念| 増殖性硝子体網膜症（PVR）は，裂孔原性網膜剥離に続発する細胞性ならびに炎症性の増殖膜形成であり，増殖膜の牽引によって網膜は牽引性もしくは裂孔併発

性網膜剥離を生じて剥離網膜表面に固定皺襞が観察される．1991年にMachemerによって発表された分類が，その病態と手術の難易度に即したものとして用いられることが多い**(表1)**．主に病変の主体が眼底の後極側に多いgrade C type 1やtype 2と比較して，硝子体手術既往症例で硝子体基底部近傍において網膜が円周状に絞扼されるgrade C type 4や，虹彩裏面や毛様体突起部の方向へ周辺部網膜が吊り上がるtype 5は特に重症例となる．

| 病態 | 網膜色素上皮細胞の遊走および増殖によって生じる線維増殖膜が網膜前面や後面に形成されて，網膜を牽引する病態である．この網膜色素上皮細胞の増殖の足場として，術前および術後炎症によるフィブリン析出が誘因となることも多い．さらに網膜剥離によって血液眼関門が破綻して漏出した炎症性サイトカインが，網膜色素上皮細胞やグリア細胞の増殖を進行させて増殖膜を生じて網膜固定皺襞を形成する．網膜剥離手術に用いられる網膜冷凍凝固や光凝固，強膜バックリング術を併用した硝子体手術既往眼において，PVRを繰り返せば，網膜の伸展性は極度に低下して網膜の短縮化を生じて難治となることがある．

症状 著明な視力低下を生じる．前部PVR(grade C type 4やtype 5)を生じた場合は，毛様体からの房水産生機能の低下によって極度の低眼圧となり眼痛を生じることもある．

治療

❶ **type 1，type 2のPVR** 網膜固定皺襞の間に存在する増殖膜を硝子体鑷子で把持して網膜から剥離する．シャンデリア照明下で硝子体鑷子による双手法も有用で，二方向から増殖膜を把持して剥離できるので容易で安全な術式である．

❷ **type 3のPVR** 網膜下の線維性索状物は，処理しなくても網膜復位を得ることも多い**(図1)**．しかし，まれに網膜下増殖膜の処理が必要となる症例があり，その見極めにパーフルオロカーボンが有用である．パーフルオロカーボンを硝子体内へ注入し，漏斗状に剥離した網膜が伸展するかを確認する．網膜の伸展が得られない網膜下増殖は網膜切開を作成し網膜下増殖膜を除去する．

❸ **type 4，type 5のPVR** 硝子体基底部に線維性増殖を生じて円周方向の輪状網膜硝子体牽引となるtype 4では，増殖膜を分割する．最も重症なtype 5では，硝子体基底部と虹彩後面との間でシート状に凝縮

表1 PVR grade Cの収縮タイプによる分類（Retina Society Classification, 1991）

grade	臨床所見
A	硝子体混濁 下方網膜上の色素集塊
B	網膜表層皺襞 網膜血管の蛇行 網膜裂孔縁の翻転 硝子体の可動性低下
C	網膜全層皺襞 網膜下増殖

type	部位	病態
1. 局所性	後極 (CP)	硝子体基底部より後極の固定皺襞
2. びまん性	後極 (CP)	硝子体基底部より後極の固定皺襞の集簇
3. 網膜下	後極/前部 (CP/CA)	網膜下の増殖組織：視神経乳頭周囲の輪状など
4. 円周性	前部 (CA)	硝子体基底部後縁に沿う眼球中心への輪状牽引
5. 前方偏位	前部 (CA)	増殖組織による硝子体基底部の前方偏位

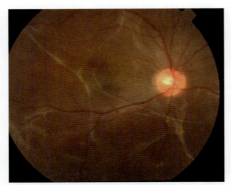

図1 網膜下増殖を残して網膜復位

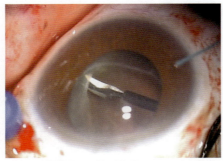

図2 前部増殖膜の硝子体剪刀による処理

した硝子体を硝子体剪刀で切開する必要がある**(図2)**．術後に再発する輪状牽引による再剝離の危険性が高く，これを解除する目的で輪状締結を置いたほうがよい．

❹**タンポナーデ** The Silicone Study Group の報告にあるように，重症の PVR においては C_3F_8 ガスあるいはシリコーンオイルを用いる．

黄斑円孔網膜剝離
Retinal detachment due to macular hole

柿木雅志　滋賀医科大学・講師

概念　黄斑円孔網膜剝離は，正視眼に発症することは少なく，多くは眼軸長が 26 mm 以上の強度近視眼に発症する．黄斑円孔網膜剝離は，黄斑円孔を原因裂孔として後極部から網膜剝離を生じ，剝離は周辺へ広がっていく．強度近視による網脈絡膜萎縮によって，視力障害や視野欠損をきたしている症例が多く，発症初期には視覚異常に気づかずに，受診時には網膜剝離が広範囲に及んでいることもたびたび経験する．

病態　黄斑円孔網膜剝離は後部ぶどう腫を伴うことが多く，発症早期には，網膜剝離が後部ぶどう腫内に限局するケースもみられる．強度近視では，硝子体の液化が進行しており，後部硝子体皮質が網膜に接着していることが多く，硝子体皮質が収縮する際に生じる接線方向の牽引力が後部ぶどう腫内で網膜を剝離させる力となり，網膜分離を生じる．もともと，強度近視により網膜が菲薄化している状態であるところに網膜分離が進行すると，中心窩に裂隙が生じて黄斑円孔が形成される．液化硝子体が黄斑円孔から網膜下に侵入して網膜剝離に至る．

症状　視力低下を認める．眼球の伸展によって網脈絡膜萎縮が進行している症例では，もともと視力が不良であることが多い．網膜剝離が後極部に限局する状態では，自覚症状を認めずに網膜剝離が広範囲に及んでから気づくこともある．

合併症・併発症
網膜剥離が広範囲に及ぶと，毛様体機能低下により罹患眼の眼圧が低下する．網膜剥離が長期に及ぶ場合，増殖性硝子体網膜症を認めることがある．

診断
■ **必要な検査**　視力検査，眼圧検査，眼底検査，眼底写真撮影，光干渉断層計（OCT）を行う．眼底検査とOCTで黄斑円孔を確認する．

■ **鑑別診断**　鑑別診断としては，裂孔原性網膜剥離，滲出性網膜剥離などが挙げられるが，黄斑円孔網膜剥離では，OCTで黄斑円孔とその直下から連続する網膜剥離を認めているため，黄斑円孔を確認できれば鑑別は難しくない．

治療
■ **治療方針**　硝子体手術が第1選択となる．再手術時には，硝子体手術のほかに強膜短縮術や黄斑バックルを検討する．黄斑バックルは，後極部を隆起させるため，接線方向の牽引力を弱めたり，近視を軽減したりする効果がある．しかし，入手が困難になってきていることと，伸展した眼球ではさまざまな組織が菲薄・脆弱化しているために合併症の危険性が高くなることから，優先順位は低い．

■ **外科的治療**
❶**硝子体手術**　硝子体手術＋内境界膜翻転法＋ガスまたはシリコーンオイルタンポナーデを行う．内境界膜剥離を行う際は，ブリリアントブルーGまたはインドシアニングリーンを用いて内境界膜を染色する．後極部の網膜剥離によって網膜が不安定な状態であることと，網膜が菲薄化していることによって，内境界膜剥離の難易度が高くなっていることに注意する．網膜の状況を確認しながら，黄斑円孔周囲の内境界膜を2〜3乳頭径の範囲で剥離する．内境界膜は可能な限り黄斑円孔縁をつけたままにしておき，黄斑円孔に被覆または詰め込むようにする．すでに内境界膜剥離や翻転が行われている場合は，内境界膜をほかの部位から採取し，黄斑円孔に被覆または詰め込む．六フッ化硫黄（SF_6），八フッ化プロパン（C_3F_8），またはシリコーンオイルに置換して手術を終了する．

❷**強膜短縮術**　網膜復位術に準じて手術を行う．耳側の強膜を十分に露出させ，耳上側と耳下側で，直筋付着部の位置と付着部から8mm後極側に，マットレス縫合で前置糸を通糸しておく．耳上側，耳下側それぞれ3糸ずつ，計6糸通糸しておく．次にカニューラを設置し硝子体切除を行う．耳上側，耳下側の強膜を内陥させておき，前置糸を縫合し強膜を縫縮する．SF_6やC_3F_8またはシリコーンオイルに置換して手術を終了する．

■ **予後**　黄斑円孔網膜剥離は，強度近視による重篤な合併症の1つである．内境界膜翻転法併用の硝子体手術によって，初回黄斑円孔閉鎖率，網膜復位率はともに改善している．しかし，特発性黄斑円孔の円孔閉鎖率や裂孔原性網膜剥離の網膜復位率と比べれば依然として低い．もともと網脈絡膜萎縮により視力が低いことが多く，黄斑円孔が閉鎖しても視力予後は不良である．

未熟児網膜症
Retinopathy of prematurity：ROP

福嶋葉子　大阪大学・特任講師

概念　早産児の未熟な網膜にみられる疾患で，多くは自然軽快するが，進行すれば網膜剥離に至り失明しうる疾患である．未熟性が発症に強く関連し，その発症率や治療率は新生児をとりまく医療水準によって大きく異なる．わが国の新生児臨床研究ネットワークデータベースによれば，在胎32週未満および出生体重1,500 g以下の新生児における治療率は2007年の16％をピークに徐々に減少し，2017年には9％となった．周産期医療の進歩によって治療率は減少する一方で，超低出生体重児・超早産児の生存率は向上し重症例は増加した．近年の重症例の増加を反映し，全国盲学校の視覚障害原因としてROPの割合は1990〜2010年までの20年間で11％から18％へ緩やかに増加してきたが，2015年に横ばいとなった．特に，3〜5歳児においては2005年からの10年間で32％から13％と大きく減少しており，ROP診療の質的向上があると推察される．

病態　ヒト網膜血管は，妊娠12〜14週に視神経乳頭付近から発生し，鋸状縁に向かい網膜表層を伸長する．妊娠36〜40週頃に網膜の最周辺部まで血管が到達するため，正期産児では出生時に網膜血管はすでに完成している．一方，早産児の周辺網膜には無血管領域が存在する．胎内から胎外への急激な環境変化に曝されることで，正常血管の伸長端から連続して異常新生血管が硝子体側に形成される．異常新生血管は線維組織を伴う増殖膜となり，水晶体後面に向かって伸展していく．増殖膜の線維が収縮すれば牽引性網膜剥離へと進行し失明に至る．

診断

■**検査対象および検査時期・方法**　スクリーニング対象は在胎34週未満，または出生体重1,800 g以下の児とすることが多い．高濃度酸素投与や人工換気を要した症例に対しては，この基準にかかわらず眼底検査を行う．在胎26週未満の症例では修正29〜30週から，在胎26週以上の症例では生後3週で検査を開始する．最重症例では修正30週で治療適応に到達しうるので，初回検査で治療が必要な場合も念頭におく．診察時に圧迫して周辺網膜を観察する際には，眼球心臓反射や無呼吸発作に注意する．画像記録には広画角デジタル眼底撮影装置 RetCam® が有用であるが，代替として画角は狭いが倒像鏡レンズを用いたスマートフォン撮影法も報告されている．

■**病期分類**　国際分類に沿って，活動期の網膜症を病変の位置(Zone)，病期(Stage)，Plus diseaseによって重症度を決定する．Zoneは，視神経乳頭を起点として血管が伸びた距離を示し，Zone Ⅰ〜Ⅲで記す(図3)．Zone Ⅰは血管発育が未熟で広範な無血管領域の存在を示す．Stageは，新生血管が網膜から硝子体へ逸脱し，網膜剥離に至るまでの過程を示す(図4)．Stage 3までは可逆的で増殖組織は自然退縮することもある．Plus diseaseはZone Ⅰに位置する血管の蛇行と拡張であり，重症化の指標となる(図4)．定性的な評価となるため，正常ではないがPlus diseaseほどの顕著な拡張と蛇行でない血管異常は，Pre-plus diseaseとして判定する．

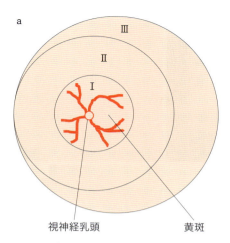
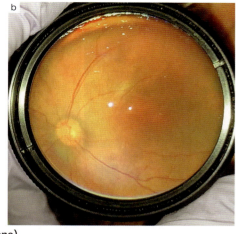

図3 国際分類における網膜血管の伸展範囲(Zone)
a：Zone Ⅰは，視神経乳頭を中心として，乳頭-黄斑距離の2倍を半径とする円内，Zone Ⅱは乳頭から鼻側鋸状縁までを半径とする円内，Zone Ⅲは Zone Ⅱより周辺の領域と定義される．
b：スマートフォンによる眼底画像．28 D レンズで眼底を観察したときに，視神経乳頭を画面の端にくるようにして見える範囲が Zone Ⅰの半径の目安となる．

通常 Stage 1 から順に病期が進むが，網膜血管の発育がきわめて未熟で，段階的な経過をとらず急速に網膜剝離へと進行する非典型例 Aggressive ROP（A-ROP）が存在する．初期の A-ROP は，網膜血管が非常に細く，血管の異常吻合や走行異常，網膜出血がみられることもある．これらの所見は数日で一変し，血管拡張や蛇行は顕著となり，平坦な異常血管網が観察される(図4)．

なお，国際分類は 2021 年に第 3 版に改訂され，病態理解の進歩や治療の変遷に鑑みて，異常血管の退縮や治療後の再燃にも言及されている．

■ **診察間隔** Zone Ⅰと診断された症例では，週1回以上の診察を行う．Zone Ⅱでも Zone Ⅰに近く，Stage 3 であれば週1回以上の診察が望ましい．それ以外は1〜2週間に1回程度の診察を行う．血管伸長が最周辺部もしくはそれに近い正常範囲に達した時点で診察を終了する．

治療

■ **治療適応** 米国で行われた Early Treatment for ROP study（ETROP study）に準じ，Type 1 ROP と A-ROP が適応となる．Type 1 ROP とは，① Zone Ⅰ，any Stage ROP with plus disease，② Zone Ⅰ，Stage 3 ROP without plus disease，③ Zone Ⅱ，Stage 2 or 3 with plus disease のいずれかを指す．Type 1 ROP と判断した場合は 72 時間以内，A-ROP と判断した場合は直ちに治療する．

■ **治療方法** 異常血管新生の抑制を目的として網膜光凝固や抗血管内皮増殖因子（VEGF）薬治療が行われる．網膜剝離に対しては，強膜バックリング術あるいは硝子体手術が選択される．

❶**光凝固** 活動期 ROP に対する光凝固は

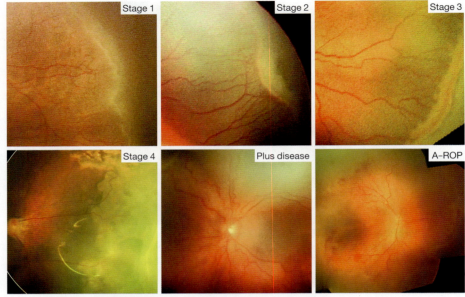

図4 国際分類における病期分類(Stage, Plus disease, A-ROP)
Stage 1 　境界線(Demarcation line)
Stage 2 　隆起(Ridge)
Stage 3 　網膜外線維血管増殖(Extraretinal fibrovascular proliferation)
Stage 4 　網膜部分剥離(Partial retinal detachment)
　　　　　4A 網膜剥離が中心窩に及んでいない
　　　　　4B 網膜剥離が中心窩に及ぶ
Stage 5 　網膜全剥離(Total retinal detachment)
A-ROP Aggressive ROP
視神経乳頭より伸展する血管の先端部分に境界がみられ(Stage 1),進行すると赤みを帯びた隆起となり(Stage 2),さらに硝子体側に増殖膜が形成される(Stage 3).活動性が高い症例では,光凝固による鎮静化が得られず網膜剥離に進展しうる(Stage 4).Stage 以外に病勢を反映する所見として,後極における動静脈の拡張と蛇行の有無に注意する(Plus disease).A-ROP は,典型的な ROP と異なり,境界線が明瞭でないにもかかわらず増殖組織が観察される.血管発育はきわめて不良で,周辺血管はシャントを形成し,有血管領域に出血がみられることが多い.

照射時間 0.2〜0.3 秒,凝固出力 200 mW 程度から開始して瘢痕がつくよう調整する.凝固斑の間隔は 0.5 スポット程度で,境界線より周辺の無血管領域を凝固する.A-ROP など活動性の高い症例では,有血管領域に数列の凝固を追加する.治療後1週ほどで血管拡張・蛇行の軽快と増殖膜の退縮が始まるが,再び悪化する徴候があれば追加凝固か抗 VEGF 薬投与を行う.

❷**抗 VEGF 薬**　ベバシズマブが適応外で用いられてきたが,2019 年にラニビズマブ(ルセンティス®)が適応承認された.承認の背景となった国際共同治験(RAINBOW study)では,光凝固と同等以上の治療効果が示された.抗 VEGF 薬を硝子体内投与すると,増殖膜はすみやかに退縮し,plus disease は消失する.これに続いて網膜内への血管伸長が再開される

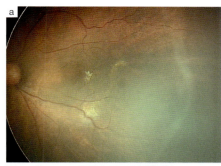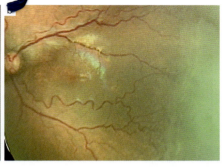

図5 抗VEGF薬投与後の眼底写真
a：非再燃例．治療後14週．増殖膜は線維化し，網膜血管は周辺に伸長している．
b：再燃例．治療後8週．新たな伸長端で増殖膜が形成され，plus diseaseを呈している．

が，時に新たな伸長端で異常血管新生がみられる（図5）．光凝固と比べると再燃率は高く，再燃時期は遅い．約30％の症例で治療後4〜16週（平均8週）の期間に再燃が報告されている．再燃に対する追加治療は，光凝固もしくは抗VEGF薬のいずれかを症例に応じて選択する．

現時点では，初回治療で光凝固と抗VEGF薬の選択に関する明確な指針はない．保護者へ各治療法の利点と問題点を説明し，相談したうえで治療法を決定する．ただし，広範囲の増殖膜や眼局所の感染既往がある症例には投与を控える．抗VEGF薬治療を選択した場合，治療後早期には，硝子体注射に伴う感染，網膜出血，水晶体損傷などの合併症の有無に注意する．治療後に網膜血管の伸長が遅延し，周辺まで血管が到達しないことがある．国際分類では，この状態をpersistent avascular retina（PAR）という呼称で表している．PARがみられる場合，周辺網膜の虚血に伴う再燃の危険が長く継続しうることを理解しておかなければならない．特に血管が最周辺にまで到達していない症例は，こまめに診察することが肝要である．NICUの退院時期を修正40週前後と想定すると，退院前に血管が周辺に到達している症例は多くない．そこで，通院脱落が懸念される症例には再燃がなくても光凝固の併用を考慮する．

なお，硝子体注射の手技や注射後の経過観察は，日本眼科学会・未熟児網膜症眼科管理対策委員会による「未熟児網膜症に対する抗VEGF療法の手引き」に則って実施する．

処方例 ROPではルセンティス®硝子体内注射用キットは適用とならない．

> ルセンティス硝子体内注射液　1回1眼
> 0.2 mg（0.02 mL）　硝子体注射

角膜輪部1〜1.5 mmから眼球後方に向かって垂直に刺入する．

鎮静・鎮痛薬を使用した場合，挿管して呼吸管理を要することがある．

❸手術治療　強膜バックリング術は増殖膜が限局する症例に適応され，増殖膜が赤道面に広範に広がる場合や後極に近い場合には適さない．硝子体手術はstage 4およびstage 5 ROPが対象になるが，stage 4Aが最もよい適応となる．増殖膜の性状により水晶体を温存できる場合は術後の良好な視

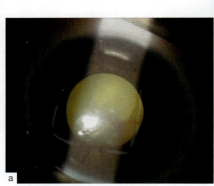
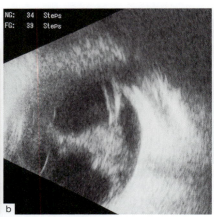

図6 Norrie 病
白色瞳孔を呈し(**a**)．Bモード超音波検査(**b**)では網膜全剥離の所見である．

機能が期待できる．ただし Stage 4A にとどまる期間は短いため，Stage 3 であっても増殖膜による牽引の進行が予想される症例では，手術加療が必要な場合に備えて，硝子体手術が可能な施設との連携をはかっておく．

予後 視機能発達や合併症に対する長期的な経過観察を行う．黄斑形態に異常を認めなければ良好な視機能の獲得が期待できるが，黄斑偏位や網膜ひだを呈する症例では弱視となる．光凝固では，近視，その他の屈折異常，斜視，白内障，緑内障，網膜剥離など多彩な晩期合併症が報告されている．一方，抗 VEGF 薬は，光凝固と比べて組織障害がなく，近視化が少ないことが大きな利点となる．しかし，網膜血管だけでなく，動物モデルでは神経組織への影響も示唆されており，精神発達を含めた全身への長期的な影響の懸念はいまだ残されている．長期の安全性および効果について知見の蓄積が待たれる．

Norrie 病
Norrie disease

松下五佳　産業医科大学・講師

概念 男児に先天性の網膜剥離を起こすX染色体劣性遺伝の疾患であり，*NDP*遺伝子変異が原因である．両眼性の疾患である．

病態 網膜血管の形成異常に伴う線維血管増殖をきたし，網膜剥離を生じる．水晶体後面の線維血管増殖組織による白色瞳孔を呈する(**図6**)．増殖組織によって水晶体が後方から圧迫されることにより続発性緑内障を起こし，また前房消失に伴い角膜混濁を生じる．

症状 生後早期に眼振や白色瞳孔により発見されることが多い．

合併症・併発症 約3割の症例では難聴や精神発達遅滞といった全身合併症を有する．

診断

■ **診断法** Bモード超音波検査で両眼性の網膜剥離を確認する(図6).遺伝子検査を考慮する.

■ **必要な検査** 細隙灯顕微鏡検査,Bモード超音波検査,頭部CT(網膜芽細胞腫の鑑別のため).

■ **鑑別診断** 家族性滲出性硝子体網膜症,胎生血管系遺残,網膜芽細胞腫.

治療

網膜剥離に対して硝子体手術を行う場合があるが,網膜復位はきわめて困難である.続発性緑内障や角膜混濁を防ぐ目的で水晶体切除が行われる場合がある.失明に至った症例で角膜混濁が生じた場合は整容目的に義眼装用を検討する.次子の挙児希望があるケースでは遺伝カウンセリングの受診を考慮する.

予後

手術による網膜復位は困難であり,視力予後は不良である.

家族性滲出性硝子体網膜症

Familial exudative vitreoretinopathy:FEVR

近藤寛之 産業医科大学・教授

概念

1969年にCriswickとSchepensが報告した網膜硝子体疾患である.未熟児網膜症に眼底像が類似していることが特徴である.遺伝性疾患であり4種類の主要な原因遺伝子(*FZD4*,*LRP5*,*TSPAN12*,*NDP*)に加え,*KIF11*遺伝子異常による小頭症を合併する症例も本疾患とみなされている.遺伝形式は常染色体優性遺伝(*FZD4*,*LRP5*,*TSPAN12*)が多く,常染色体劣性遺伝(*LRP5*,*TSPAN12*)やX染色体劣性遺伝(*NDP*)の症例もある.遺伝性

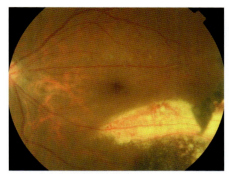

図7 後極部網膜の眼底所見
黄斑偏位,血管の直線化,滲出斑がみられる.

の明らかでないことも多く,症例の半数は孤発例である.

病態

疾患の本態は遺伝子異常による網膜血管の形成不全であり,周辺部網膜の無血管や走行異常を認める.続発性病変として網膜滲出斑や新生血管,硝子体出血,網膜剥離などを認め,後極部網膜にも視神経乳頭の低形成や黄斑牽引,血管の多分岐を認める(図7).無血管領域には網膜裂孔を形成し,網膜剥離となる.眼底所見の特徴は年齢によって異なる.乳児では増殖性変化や牽引性網膜剥離のために白色瞳孔や鎌状網膜ひだを呈する.小児期には新生血管からの滲出や硝子体出血をきたす.

症状

鎌状網膜ひだによる視力発達障害や弱視がみられる.中等度の近視を呈することが多く,乱視もみられる.不同視や屈折性の弱視,斜視で発見されることがある.多くの症例は軽度の周辺部網膜の異常を呈するだけで無症状である.

診断

無症候であっても,家族の眼底検査をして罹患の有無を確認することが重要である.

■ **診断法** 眼底所見の特徴は網膜血管の多分岐や直線化,動静脈の交叉過多などで

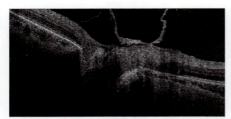

図 8　視神経乳頭周囲の OCT 所見
乳頭前グリア増殖がみられる．

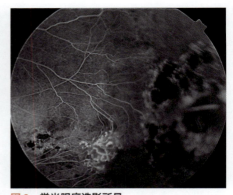

図 9　蛍光眼底造影所見
周辺部網膜の無血管と走行異常，新生血管がみられる．

ある．

　光干渉断層計（OCT）では網膜前膜や黄斑低形成（網膜内層の遺残），視神経乳頭周囲にグリア組織の増生を認めることがある**(図 8)**．

■**必要な検査**　網膜血管の走行異常は検眼鏡的には不明瞭なこともあるが，蛍光眼底造影検査では描出されるため重要である**(図 9)**．新生血管の有無の判定にも必要である．

■**鑑別診断**　網膜血管の形成不全を呈する疾患として未熟児網膜症や Bloch-Sulzberger 症候群がある．鎌状網膜ひだをきたす疾患には未熟児網膜症や Bloch-Sulzberger 症候群，第 1 次硝子体過形成遺残がある．若年者の裂孔原性網膜剥離は Stickler 症候群や先天性網膜分離症との鑑別が必要である．

|治療|　小児では屈折異常に対する矯正や弱視訓練が必要な症例がある．網膜新生血管や網膜裂孔があれば無血管領域や裂孔周囲にレーザー光凝固を行う．網膜剥離には硝子体手術や強膜バックリング術を行う．

|予後|　バックリングやレーザーで病変が収まったとしても，牽引性変化のために成長してから網膜剥離を起こす危険性がある．遺伝性疾患といっても症例によって重症度が大きく異なり網膜剥離を併発しない限り視力がよい．いったん網膜剥離が重症化すると難治性となりやすい．早期に診断し，レーザー光凝固などの予防的治療を講じたほうがよい．

後天網膜分離症

Acquired retinoschisis

本田 茂　　大阪公立大学・教授

|概念|　神経網膜内に乖離が起こる状態を網膜分離症とよぶが，後天網膜分離症は網膜周辺部の外網状層や内顆粒層に生じる．加齢性と続発性があり，前者では欧米にて 40 歳以降の 7〜31％で発見されるとの報告を認めるが，わが国での報告は少ない．耳下側網膜にみられることが多く，82％は両眼性との報告がある**(図 10)**．

|病態|　加齢性後天網膜分離症の成因はいまだ不明な点が多いが，臨床所見および病理組織学的検討から加齢による網膜周辺部類囊胞変性が関与していると考えられて

おり，網膜血管からの漏出や硝子体牽引の関与を示唆する報告もある．続発性網膜分離症の成因としては陳旧性網膜剥離や増殖硝子体網膜症，糖尿病網膜症，滲出性網膜疾患などによる硝子体牽引や滲出液の貯留などが考えられている．

症状　後天網膜分離症の大部分は，進行が非常に緩徐なため，患者の自覚がない場合が多い．まれに網膜剥離を合併した場合は飛蚊症や視野欠損を自覚することがある．

診断　眼底検査では眼底周辺部に表面の平滑な円形のドーム状網膜隆起をみることが多く，網膜分離部の頂点付近の表層に

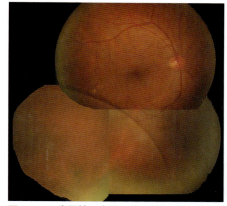

図10　69歳男性，右眼，後天網膜分離症の眼底所見

耳下側の周辺部網膜分離症を認める．

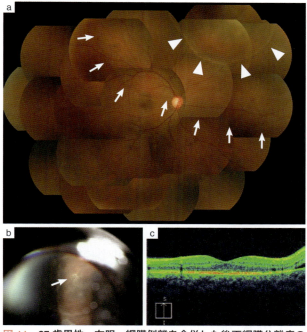

図11　27歳男性，右眼，網膜剥離を合併した後天網膜分離症の眼底所見

a：鼻上側から2象限にわたり，黄斑直上に迫る網膜剥離を認める(矢印)．鼻上側周辺部には円形の胞状剥離(矢頭)を認める．
b：胞状剥離表層に微小円孔を認める(矢印)．
c：光干渉断層計では黄斑の構造異常を認めない．

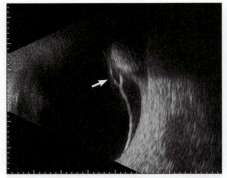

図12 強膜バックリング術後のBモード超音波断層検査所見
網膜下液の残存およびバックルの隆起上に網膜分離症様所見(矢印)を認める.

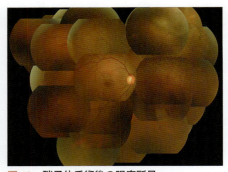

図13 硝子体手術後の眼底所見
網膜剥離は全復位,網膜分離症もバックル上でほぼ平坦化している.

円孔(網膜内層孔)や,深層に網膜外層孔を認めることがある**(図11)**.また,分離腔の内表面に数個〜多数の小さな光輝性黄白色点が観察されることも多い.Bモード超音波断層検査**(図12)**にて網膜分離部は特徴的な網膜の胞状構造を呈することが報告されている.眼底周辺部の光干渉断層計検査が可能であれば,特徴的な網膜分離所見に加え,網膜内層孔や外層孔をとらえられることもある.

治療 まずは経過観察を行う.通常は経過観察による重症化はみられないが,網膜剥離を合併した場合は強膜バックルなどによる網膜外層孔の閉鎖が有効とされる.広範な網膜剥離を伴った症例に対しては硝子体手術の有効性が報告されている**(図13)**.

予後 海外では218眼の網膜分離症を平均9年間経過観察し,6.4%に限局性の網膜剥離を認めたとし,特に進行性の網膜剥離の発生率は0.05%であったとの報告がある.

近視性牽引黄斑症
(近視性中心窩分離症)

Myopic traction maculopathy
(Myopic foveoschisis)

平形明人 杏林大学・教授

概念 網膜光干渉断層計(OCT)により,強度近視眼では中心窩領域や後極網膜に網膜裂孔がなくても網膜剥離や網膜分離が観察されることが示された.近視性中心窩分離(myopic foveoschisis)ともいわれるが,後部ぶどう腫を有する眼に,後部硝子体皮質などの牽引によって発生し,中心窩分離以外にも偽円孔,中心窩剥離など多彩な病態を呈するので,近視性牽引黄斑症(myopic traction maculopathy)と呼ばれることが多い.強度近視眼の黄斑円孔網膜剥離の前駆病変として重要である.

病態 強度近視眼における眼軸長の延長の過程で,後部ぶどう腫が形成され,硝子体液化の進行とともに後部硝子体皮質が網膜に広範囲に接着し,その網膜への接線

方向の牽引が後部ぶどう腫内では網膜を前後方向に挙上する方向に作用するため，網膜が分離したり剝離したりすると考えられている．その際，網膜表層を走行する網膜血管も後部ぶどう腫に対抗して，網膜を挙上する要因に関与している．OCT で観察すると，中心窩外の分離，中心窩を含む分離，黄斑全域の分離，中心窩剝離，黄斑上膜，黄斑分層円孔，黄斑を牽引する硝子体索，全層黄斑円孔を合併した広範な網膜分離など，さまざまな所見を呈する．黄斑分離だけで視力障害がないものから，黄斑分離から中心窩剝離，黄斑円孔網膜剝離へと時間経過とともに進行していく症例もある．黄斑円孔網膜剝離の前駆病変と考えられている．まれではあるが，後部硝子体剝離が生じて自然軽快する症例もある．

症状 全く無症状で，OCT でたまたま検出されることも少なくない．進行すると，視力低下，変視症，中心暗点，霧視を自覚する．強度近視眼では，網脈絡膜萎縮や脈絡膜新生血管による視力障害の既往や合併もあるため，病態の進行に気づかないこともある．

診断 検眼鏡的所見のみでは，網脈絡膜萎縮などで網膜分離や黄斑剝離の診断は難しい．細隙灯顕微下で後極観察レンズで黄斑の漿液性剝離様所見や中心窩の形態異常が観察される(図 14)．しかし，最も有用なのは OCT 検査である．OCT で網膜分離の程度，黄斑剝離の合併の有無，中心窩の形態変化などを観察する．網膜分層の丈が高いと，網膜剝離との鑑別が難しいこともあるが，網膜色素上皮層に接して網膜外層の一部が観察されれば網膜分離である．

鑑別診断には，近視性脈絡膜新生血管に

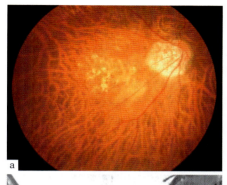

図 14 近視性牽引黄斑症の一例
50 歳代女性．強度近視眼底で後極に浅い漿液性剝離があり(a)．OCT で黄斑分離と中心窩剝離が検出された(b)．

よる滲出性網膜剝離や網膜浮腫がある．これらと本病態の合併例もある．黄斑円孔網膜剝離は，本病態の進行形であり，治療法の選択に重要な所見なので，黄斑円孔の有無を OCT で細かく検査する．強度近視眼の後極網膜の傍血管裂孔による網膜剝離も鑑別である．強度近視眼の網脈絡膜萎縮や緑内障の合併例も多く，視力低下の主因が本病態によるものかの評価も治療を検討する際に重要である．

治療 自覚症状も視力低下もないものは，数年間変化しないこともあり，すぐに手術を適応しない．黄斑分離の丈が高いもの，硝子体網膜牽引が明瞭なもの，黄斑上膜を合併しているものは，数年の経過観察で，OCT 所見が悪化し視力低下が進行す

ることが多い．進行例に手術治療を検討する．中心窩剝離を合併したり，層状黄斑円孔が進行しているものは，黄斑円孔網膜剝離へ進行する可能性が高い．

　手術は，硝子体手術が一般的である．黄斑バックリングや強膜短縮術を行う施設もある．硝子体手術は，トリアムシノロンアセトニドで硝子体を可視化して，後部硝子体皮質を黄斑領域から可及的広範囲に剝離する．黄斑分離の初期の病態では，硝子体皮質膜がきれいに剝離されることで分離が改善する症例がある．しかし，硝子体皮質の内境界膜（ILM）への接着は強力であり，十分に硝子体牽引を除去するためにはILM剝離を併用する．黄斑円孔に切迫している症例ではガスタンポナーデを行う．中心窩剝離例や黄斑円孔切迫例で，硝子体手術後に全層の黄斑円孔が発生する術後合併症があり，その予防にfovea-sparing ILM peeling（中心窩周囲のILMを残して後極のILMを剝離）が有用ともいわれている．また，黄斑円孔網膜剝離に非常に切迫している症例では，inverted ILM flap technique（剝離ILMを黄斑部に翻展する方法）が行われる．

予後　硝子体手術後，網膜分離や剝離の復位が得られることが多いが，完全復位までには数か月以上を要する．視力予後は術前の黄斑状態によって異なる．また，中心窩剝離例などでは，術後に黄斑円孔が発生して視力不良になることもある．また，後部硝子体剝離のみでILMを剝離しない症例で，数年後に再発する可能性がある．強度近視眼のILM剝離の長期予後は不明であり，さらに網脈絡膜萎縮や緑内障などの強度近視眼の併発症を合併していることも多く，長期の経過観察が必要である．

先天性網膜分離症（若年性網膜分離症）

Congenital retinoschisis (Juvenile retinoschisis)

鈴木幸彦　弘前大学大学院・准教授

概念　黄斑部の車軸状の囊胞様所見を呈する中心窩部分の網膜分離と周辺網膜分離を特徴とする．男性5,000〜25,000人に1人の割合で発症する比較的まれな疾患で，X染色体劣性遺伝で，X連鎖性若年網膜分離症（X-linked juvenile retinoschisis）ともいわれている．視細胞と双極細胞で細胞接着や細胞の分化や機能に重要な役割を担っているレチノスキシンという蛋白質をコードしているXp22.2上のRS1遺伝子が原因遺伝子とされる．

病態　黄斑の所見として，軽度の囊胞様黄斑浮腫のようにみえるだけの例から，中心窩に囊胞があり，その周りに車軸状または放射状の囊胞様変化がみられる例や，黄斑付近の神経網膜が高度に分離している例がある（図15, 16）．周辺部に金箔様反射もみられる．約半数の症例では，周辺部に網膜分離があり，両眼対称性に下耳側に好発し，網膜血管が白線化することもある．周辺部網膜分離の中に，比較的大きな網膜内層孔を伴う場合がある（図17）．網膜硝子体の接着が強く，通常は後部硝子体剝離を伴いにくい．年数が経ってくると黄斑部は網膜萎縮に変化する．

症状　学童期に中等度の視力不良を指摘され診断に至ることが多い．網膜分離が軽度だと0.8〜1.0の視力がある症例から，網膜分離が高度の場合や黄斑萎縮に至っている場合は0.1程度まで低下している症例

10 網膜疾患　635

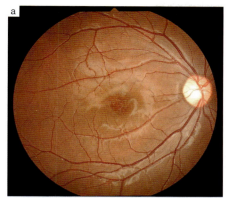

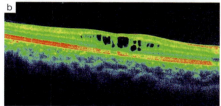

図 15　17歳男性，視力 0.9
a：中心窩付近に不均一な色調がみられる（両眼に同様の所見）．
b：OCT の水平断では，通常の嚢胞様黄斑浮腫に類似する．

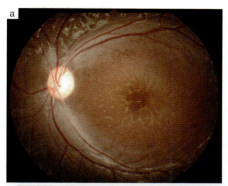

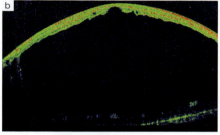

図 16　15歳男性，視力 0.09
a：黄斑部に広範に嚢胞様変化がみられる（両眼に同様の所見）．
b：OCT の垂直断では網膜分離が高度で，網膜内の柱状の組織が消失し，広い空洞がみられる．

もある．胞状の網膜分離では，内層孔を伴った形で，裂孔原性網膜剥離と誤診されることがあり注意を要する．また，小児の硝子体出血や網膜下出血の症例では本症を疑う必要がある．

合併症　網膜分離の進行により，網膜血管が破綻し，硝子体出血や分離した網膜内層下の出血を生じることがある．また，内層孔が全層孔に進展するか，内層孔とは異なる部位に外層孔ができた場合に，裂孔原性網膜剥離と同じ病態となり，手術治療が必要となる．

診断
❶**検眼鏡所見**　男児に両眼性の嚢胞様黄斑浮腫を生じている場合，本症を疑う．周辺部の金箔様の網膜反射や網膜分離，内層孔を伴う場合も多い．黄斑部の車軸状ひだを伴う場合もある．

❷**光干渉断層計（OCT）所見**　嚢胞様黄斑浮腫に類似し，中心窩に大きめの嚢胞状の低反射腔を伴う．中心窩付近の限局性の網膜分離が主体のもの（図 15b）から，黄斑部に広範な網膜分離がみられるものもある（図 16b，17b）．典型的な症例では，内顆粒層を中心に，柱状構造で境界された低反射腔が多数みられる．低反射腔は神経節細胞層や外網状層にみられることもあり，網膜深層・中層・外層のいずれにも存在しうる．青年期以降では，下耳側の網膜分離があるが，黄斑部には分離がなくなって，むしろ

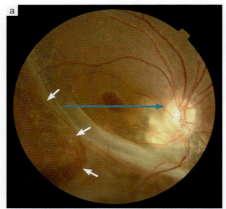
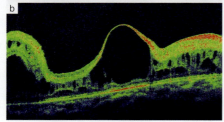

図 17 3 歳男児，視力 0.4
a：黄斑に囊胞様の所見がみられるほか，耳側下方に内層孔がみられる（白矢印）．
b：OCT の水平断では，黄斑部の分離以外に，耳側にも高度な網膜分離がみられる．

本症が軽症の場合は，囊胞様黄斑浮腫に類似する．OCT を詳しく観察すると，本症では網膜外層のわずかな分離部分が黄斑から離れた場所にもみられる．蛍光眼底造影検査では，囊胞様黄斑浮腫では蛍光漏出や蛍光貯留がみられるが，本症では蛍光漏出はみられず，正常所見を示すか，症例によって window defect がみられるのみである．

周辺部の網膜分離は下耳側に好発するので，内層孔を伴う場合には，下耳側に原因裂孔とする裂孔原性網膜剝離に類似する．OCT で後極部から周辺部網膜分離へと移行する部分の網膜分離を確認すること，前置レンズを使った詳細な眼底観察で裂孔状の部分が全層孔ではないと確認することで本症と診断できる．また，裂孔原性網膜剝離は通常，片眼性であるが，本症は両眼性である．

治療　通常は経過観察となる．黄斑部の分離に対して，硝子体手術で後部硝子体剝離を作成することで改善が得られたという報告もあるが，視力改善は必ずしも得られず，一方で，自然に網膜分離が改善する症例もあるため，一般的に硝子体手術を勧められるほどの十分な根拠はない．

周辺部の網膜分離に全層孔を伴って裂孔原性網膜剝離と同様の病態になった場合には硝子体手術治療を行う．小児の場合は硝子体剝離を作成しにくく，周辺部の硝子体処理が難しいため，強膜バックリング手術が選択される場合もある．

予後　進行は緩徐で，視力 0.1 以上を保つこともあるが，黄斑萎縮に至ると 0.1 未満に低下する．新生児期から発症している重症例では失明するといわれている．

萎縮・菲薄化している場合もある．その場合は網膜分離と診断しにくいが，周辺部網膜分離に移行する部位での網膜分離を確認することで確診できる．

❸**網膜電図（ERG）**　b 波の振幅が a 波の振幅よりも小さい，いわゆる陰性 b 波（negative pattern）と，律動様小波（op 波）がある波形を示す．幼少期にまだ網膜分離が黄斑部にわずかにみられる段階から，晩期の状態に至るまで，同様の現象がとらえられる．広範な網膜中層の機能不全によると考えられる．

■ **鑑別診断**　囊胞様黄斑浮腫と裂孔原性網膜剝離との鑑別診断が重要となる．

糖尿病網膜症
Diabetic retinopathy：DR

重城達哉　聖マリアンナ医科大学
高木　均　川崎・多摩アイクリニック・院長

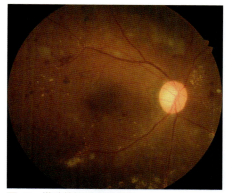

図18　増殖前糖尿病網膜症
多数の網膜出血と硬性白斑，軟性白斑を認める．

概念　糖尿病網膜症とは，糖尿病による網膜細小血管障害に起因し，特徴的な眼底所見を呈する．その糖尿病の有病率は国際糖尿病連合によると2017年で成人の8.8％，2045年までに9.9％に増加すると予測されており，網膜症の罹患者数も増加することが想定できる．日本における前向き観察研究では網膜症発症率は年3.83％と報告されており，また軽症非増殖糖尿病網膜症から重症非増殖糖尿病網膜症，増殖糖尿病網膜症へ進行する頻度は年2.11％といわれており，的確な治療介入が重要な疾患と考えられる．

病態　糖尿病網膜症は段階によってさまざまな臨床所見を呈する．毛細血管瘤，網膜出血，硬性白斑，網膜浮腫，軟性白斑，新生血管，線維血管増殖といった所見は段階的に発症していくものであり，初期から新生血管や増殖膜が発症することはない．これらは網膜細小血管の障害によりまずは血管透過性亢進から始まり，血管閉塞，血管新生と段階を踏む，つまり病勢の変化・悪化がその病態の本質であり網膜症を理解するうえで重要な点である．またこれらの病態は臨床病期の単純網膜症（血管透過性亢進）・増殖前糖尿病網膜症（血管閉塞）・増殖糖尿病網膜症（血管新生）と相関していると考えることができる．

症状　黄斑浮腫型を合併しない限り，初期では無症状のことがほとんどである．病態が進展し，硝子体出血を生じる際には牽引性網膜剥離を合併し，失明に至る危険性があり，治療が必要である．そのため各病期の的確な診断を行うことが肝要である．

❶**単純網膜症**　毛細血管瘤は臨床的に初めにとらえられる糖尿病網膜症の初期の変化である．血管瘤は直径25～100μmで検眼的には網膜の赤い小さな点としてみられ，網膜小出血との鑑別が困難なことがあるが，造影検査にて過蛍光を呈することで判別がつく．また血液網膜関門の破綻により血管透過性が亢進し，血漿液が漏出する．漏出した血漿リポ蛋白の不完全な吸収により細胞外に蓄積したものが硬性白斑である．

❷**増殖前糖尿病網膜症**（図18）　網膜内皮細胞の障害により，毛細血管の閉塞や網膜虚血が進行すると網膜内細小血管異常（intra-retinal microvascular abnormalities：IRMA），網膜内出血，数珠状静脈拡張（venous beading）などの静脈変化が増加していく．また虚血によりATP産生が不足し，網膜神経節細胞からの軸索輸送が障害

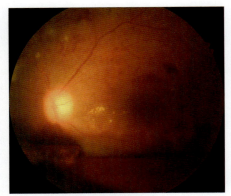

図19 増殖糖尿病網膜症
硝子体出血と網膜前出血がみられる.

されると軟性白斑を呈する.

❸**増殖糖尿病網膜症**（図19） 広範囲に網膜毛細血管が閉塞すると低酸素状態が続きVEGFの発現が増強される．VEGFは内皮細胞の増殖や遊走を促進し管腔形成し，新生血管が作られる．この新生血管は内境界膜を突き破り，内境界膜表面や後部硝子体膜後面に沿って発育・進展していく．そのため後部硝子体剥離などで牽引がかかると硝子体出血を生じ，また線維血管性増殖膜が形成されると牽引性網膜剥離を合併する．

診断

■**診断法** 病期分類にはDavis分類，新福田分類，ETDRS分類などが提唱されているが，現在統一されたものはない．国際糖尿病網膜症重症度分類（表2）はETDRSにより得られてきたEBMをもとに作成された国際新分類である．眼底の象限あたりの毛細血管瘤，IRMA，数珠状静脈拡張がみられる象限数を用いることで評価する．国際的に統一してこれを使用する傾向がある．

表2 国際糖尿病網膜症重症度分類

網膜症重症度	網膜所見
明らかな網膜症なし	異常所見なし
軽症非増殖糖尿病網膜症	毛細血管瘤のみ
中等症非増殖糖尿病網膜症	毛細血管瘤以上の病変がみられるが重症非増殖糖尿病網膜症よりも軽症
重症非増殖糖尿病網膜症	以下の所見のいずれかを認め，かつ増殖網膜症の所見を認めないもの 1) 4象限で20個以上の網膜出血を認める 2) 2象限ではっきりとした数珠状静脈拡張を認める 3) 明確なIRMAを認める
増殖糖尿病網膜症	新生血管または硝子体出血，網膜前出血を認めるもの

（日本糖尿病眼学会ホームページより改変）

■**必要な検査** まず散瞳を行う前に細隙灯顕微鏡にて角膜障害，虹彩炎，虹彩ルベオーシスの有無の評価は重要である．散瞳後は倒像鏡にて網膜全体を検査する．そこで網膜症がない場合や単純網膜症であれば定期診察となるが，黄斑浮腫や網膜症変化がみられた場合は以降の検査を行う．

❶**光干渉断層計（OCT）** 非侵襲的に眼底の詳細な断層画像を撮影でき，黄斑浮腫や黄斑牽引の存在を同定することができる．OCT mapでは浮腫の範囲などを経時変化で比較評価することも可能であり，また抗体療法の治療判定にも重要な機器である．

❷**蛍光眼底造影検査（FA）（図20）** 無血管領域の評価に有用であり，汎網膜光凝固術の適応か否かの判断基準となる．また黄斑浮腫がある場合は毛細血管瘤からの局所的漏出か，それともびまん性漏出か評価することができ，治療法を選択するうえで重要となる．

❸**OCTアンギオグラフィ（図20）** 造影剤を

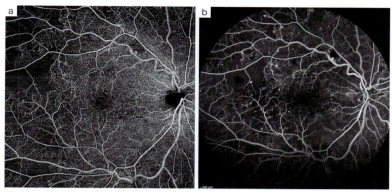

図20　FA と OCT アンギオグラフィ（同一症例）
同じ部位に無灌流領域と毛細血管瘤の描出ができている．

用いず，容易に無灌流領域を描出することが可能な検査である．漏出は検出できないが，毛細血管瘤や新生血管の撮影も可能であり，今後糖尿病網膜症の病期判断に重要な検査になると考えられる．

❹**網膜電図**　網膜内層に起源する律動様小波は早期より潜時が延長し，振幅が低下する．またb波がa波よりも減弱するnegative ERG を示す場合には視力予後が不良であると報告されている．

治療

■ **内科的治療**　熊本スタディ，DCCT/EDIC より，早期より血糖コントロールを行うことが網膜症発症予防に有用であると示されている．さらに高血圧や脂質異常症も悪化因子であり，その治療も有用である．

■ **薬物治療**　糖尿病網膜症は VEGF の活動性が強くかかわっており，抗 VEGF 薬を用いた抗体療法は近年の研究においても網膜光凝固術と比較し有意に悪化を抑制するとされている．わが国において抗体療法は黄斑浮腫症に保険適用があったが，糖尿病網膜症の合併症である血管新生緑内障に対してもアフリベルセプトの適応が広がった．またアンジオポエチン2は血管構造を不安定化させることが知られており，抗アンジオポエチン抗体も有効性が示されつつある．

■ **外科的治療**

❶**網膜光凝固**　主に増殖前，増殖期に行われる治療である．細小血管障害により網膜に対する酸素供給が少ないことから，網膜における酸素需要の多い網膜色素上皮および視細胞をレーザー焼灼することで網膜外層における酸素代謝を減らし，増殖糖尿病網膜症への進行を予防するとされている．

❷**硝子体手術**　遷延する硝子体出血や増殖膜の牽引による網膜剥離などが主なターゲットであったが，機器の進歩により早期の増殖糖尿病網膜症や黄斑浮腫に対しても広く行われるようになった．手術の目的としては硝子体混濁の除去，増殖膜の牽引解除，硝子体内の酸素分圧を上げることで眼内環境を改善し黄斑浮腫や虚血状態を改善させることにある．

糖尿病黄斑浮腫
Diabetic macular edema

村田敏規　信州大学・教授

概念　持続する高血糖による網膜血管の透過性亢進が，網膜黄斑部の浮腫の原因となり，視力が低下する．

病態　炎症性サイトカインや種々の要因が関与している．血管内皮増殖因子（vascular endothelial growth factor：VEGF）の過剰発現による blood-retinal barrier の破綻，および網膜血管の透過性亢進が主たる原因となる．時間経過とともに，毛細血管瘤などの毛細血管の器質的な障害も生じ，血液の漏出を増加させる．

症状　ぼやけて見えないと訴える視力低下が多い．片眼で始まっても時間経過とともに両眼に発症する．

診断

■ **必要な検査**

❶ **検眼鏡所見**　90 D レンズや双眼倒像鏡で立体視して黄斑の肥厚を確認する．硬性白斑は血漿中の脂質が漏出して，網膜神経組織に沈着したものなので，血管透過性亢進の検眼鏡的指標となる．硬性白斑の沈着が中心窩に及ぶと錐体細胞を破壊し，永続的な視力低下の原因となるので，その前に治療介入が必要である．

❷ **光干渉断層計（optical coherence tomography：OCT）**　断層像では cystoid macular edema（CME）や漿液性網膜剝離が観察される．黄斑の厚みマップは眼底写真に重ねて網膜肥厚を描出するので，治療しなければ視力が低下する clinically significant macular edema（CSME）の検出と治療に有効である．

❸ **蛍光眼底造影**　黄斑浮腫は網膜血管からの漏出が原因なので，蛍光眼底造影による漏出の検出は重要である．アレルギー反応のリスクがあり，近年施行する施設が減少傾向にある．

❹ **OCT アンギオグラフィ（図 21）**　造影剤を使わずに網膜血管を描出できる有用な検査であり，血液の漏出は検出できないが，毛細血管レベルでの血管閉塞が描出可能である．VEGF は毛細血管閉塞部位で産生されるので，血管閉塞の確認に有用な検査である．

治療

■ **治療方針**　早期に治療開始すれば，視力の改善は良好である．しかし，黄斑浮腫が長期間遷延すると視力改善が難しくなる．網膜神経細胞に器質的な障害を生じて，永続的な視力低下に至る前に治療が必要である．

■ **内科的治療**　まず，血糖コントロールの改善が必要である．血糖コントロールだけでは視力は原則として改善しないが，高血糖が網膜血管の障害の原因であり，患者にはこれ以上の視力低下を防ぐには血糖コントロールが必要であると説明する．

■ **薬物治療**　抗 VEGF 薬が第 1 選択となる．大規模臨床スタディの結果に基づき，各薬剤の添付文書に示される投与方法が下記のように規定されている．実臨床では，高額の薬剤費や通院の負担から，各患者に適した投与方法を考慮する．

❶ **抗 VEGF 薬**

処方例　下記のいずれかを用いる．両薬剤とも症状により投与間隔を適宜調節して継続可能な条件を探すことを前提に，以下のように添付文書に記載されている．

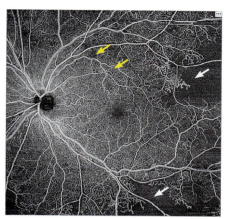

図 21 増殖糖尿病網膜症の OCT アンギオグラフィ

無灌流領域(白矢印)が明瞭に描出される．中心窩周囲の毛細血管がきれいに保たれている症例．無灌流領域が第 3 象限にあるので，汎網膜凝固を施行する．併せて，黄斑部の毛細血管閉塞領域(黄矢印)に focal/grid laser を施行すれば，黄斑浮腫が治療できる可能性がある．

1) ルセンティス硝子体内注射液(10 mg/mL)　1 回 0.5 mg(0.05 mL)　硝子体内投与
   投与間隔は 1 か月以上あける．1 か月に 1 回視力などを測定し，その結果および患者の状態を考慮し，本剤投与の要否を判断すること．投与開始後，視力が安定するまでは 1 か月ごとに投与することが望ましい
2) アイリーア硝子体内注射液(40 mg/mL)　1 回 2 mg(0.05 mL)　硝子体内投与
   初回投与から 1 か月ごとに 1 回，連続 5 回投与．その後は通常 2 か月ごとに 1 回，硝子体内投与

❷ステロイド局所投与

処方例　下記のいずれかを用いる．

〈硝子体注射〉
1) マキュエイド眼注用(40 mg)　1 回 4 mg（懸濁液として 0.1 mL）　硝子体注射

浮腫が再発すれば再注射を行う．白内障手術後の IOL 眼では 1 年成績では抗 VEGF 薬に匹敵する効果を示す．VEGF を抑制しないので，汎網膜光凝固が必要な症例では併施が必要

〈Tenon 嚢下注射〉
2) マキュエイド眼注用(40 mg)　20 mg（懸濁液として 0.5 mL）　Tenon 嚢下注射
   赤道部より眼球の角膜側に注射すると，眼圧上昇のリスクが高いので注意

■ **レーザー治療**　従来，糖尿病黄斑浮腫の標準治療は黄斑部に対する focal/grid laser である．focal laser は毛細血管の直接凝固を意味する(限局性のレーザーの意味ではないので注意)．一例として，輪状の硬性白斑の中心にある毛細血管瘤の凝固は多くの症例で浮腫吸収効果が高く，硬性白斑も吸収するので，中心窩に迫って沈着しそうな症例では必ず focal laser を施行すべきである．grid laser は黄斑部の毛細血管閉塞領域(無灌流領域)をバラマキ状に凝固して，VEGF 産生を低下させる．凝固斑の拡大を防ぐ意味もあり，focal laser も grid laser も，50 μm，0.03 秒，150〜200 mW(凝固可能な最小のパワーで施行)で施行する．

■ **薬物/レーザー治療の併用療法**　アーケード内の毛細血管閉塞領域(無灌流領域)にレーザーを照射すると，虚血細胞を間引けるので VEGF レベルを下げることができる．抗 VEGF 薬を用いて浮腫を吸収させると，視力改善が得られるとともに，低いパワーでの凝固が可能となる．中心窩に漏出点が形成されていない症例は，無灌流領域への focal/grid laser 併用で，抗 VEGF 薬から離脱できる可能性がある．

■ **手術治療**　硝子体手術を行うと，レーザーによる網膜での VEGF 産生低下，硝

子体や内境界膜剝離による牽引の除去などの効果で，黄斑浮腫は高率に吸収される．手術をして浮腫が吸収されても，視力が改善しない症例があるということで，手術試行数は減少傾向にある．しかし，抗VEGF薬の硝子体注射で浮腫が吸収され視力の改善が確認できている症例では，硝子体手術も選択肢の1つとなりうる．

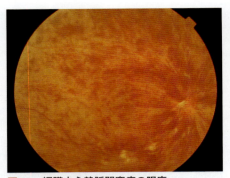

図22　網膜中心静脈閉塞症の眼底
視神経乳頭を中心にして放射状に4象限すべてに広がる網膜出血を認める．

網膜中心静脈閉塞症

Central retinal vein occlusion：CRVO

西信良嗣　滋賀医科大学・准教授

概念　網膜中心静脈閉塞症（CRVO）は篩状板付近での網膜中心静脈の循環障害によって生じる．網膜中心静脈は通常1本であるが，2本存在する場合があり，その1本が閉塞した場合には半側網膜中心静脈閉塞（hemi CRVO）とよぶ．有病率は1,000人あたり0.80人と報告されている．65歳以上に多く，緑内障，高血圧，糖尿病，動脈硬化，加齢が危険因子である．

病態　CRVOの血栓形成の機序は明らかではないが，急性期には静脈圧が上昇し，結果として血液の灌流が滞り，虚血，低酸素状態になり，VEGFが産生される．血液網膜関門の機能が低下して血管透過性が亢進し，その結果，出血および黄斑浮腫が発生する．出血や浮腫が黄斑部に及ぶと急激な視力低下，変視をきたす．網膜静脈分枝閉塞症（branch retinal vein occlusion：BRVO）に比べてCRVOではVEGFの産生量が多く，黄斑浮腫も著明なことが多い．病型は，網膜毛細血管の閉塞が高度な虚血型と広範な網膜無灌流領域を伴わない非虚血型に分類される．75〜80％は非虚血型である．CVOS（Central Vein Occlusion Study）では，フルオレセイン蛍光眼底造影検査で10乳頭面積以上の無灌流領域をきたすCRVOを虚血型と定義している．

症状　非虚血型CRVOでは，無症状から黄斑浮腫による視力障害をきたす症例まで症状はさまざまである．虚血型CRVOでは，小数視力0.1以下になるような急激な視力低下をきたす症例が多い．硝子体出血による視力低下や血管新生緑内障による視野障害をきたすことがある．

合併症　重篤な合併症は血管新生である．虚血型CRVOでは，49％の症例で6か月以内に虹彩血管新生が生じ，29％に血管新生緑内障が発症する．

診断

■**診断法**　急性期では，検眼鏡的に網膜主幹静脈は拡張，蛇行を認める．視神経乳頭を中心にして放射状に4象限すべてに広がる網膜神経線維層の刷毛状出血が特徴的である（**図22**）ので，診断自体は難しくないが治療適応，予後予測のために眼底検査

図 23　虚血型 CRVO の OCT
網膜内層は高反射を示し，網膜外層が不鮮明である．丈の高い，中心窩下の漿液性網膜剝離を認める．

以外の検査も重要である．

■ **必要な検査**

❶ **光干渉断層計（OCT）**　治療方針の決定，経過観察に有用である．網膜の膨化と中心窩の囊胞様腔，中心窩下の網膜下出血を認める．網膜の虚血が強い場合には網膜内層は高輝度を示し，その結果，網膜外層の輝度が減弱する（図 23）．

❷ **フルオレセイン蛍光眼底造影検査（FA）**　網膜無灌流領域を検出するために必須の検査である．網膜静脈への循環遅延，静脈拡張，血管の透過性亢進を示す．10 乳頭面積以上の広汎な無灌流領域を伴う場合，虚血型の可能性が高い．

❸ **相対的瞳孔求心路障害（relative afferent pupillary defect：RAPD）**　非虚血型では陰性であることが多く，虚血型では陽性となる．

❹ **動的量的視野（Goldmann 視野検査）**　虚血型では大きな中心暗点をきたす．

❺ **網膜電図（electroretinogram：ERG）**　虚血型では b 波の減弱がみられる．

❻ **OCT アンギオグラフィ（OCTA）**　非侵襲の検査であるので，来院ごとの検査が可能であり，非虚血型から虚血型へ移行する経過を追うことも可能である．

PARD と ERG の併用により非虚血型と虚血型は 97％識別可能と報告されており，ほかの検査などと併せて総合的に判断するのが重要である．

■ **鑑別診断**　糖尿病網膜症，高血圧網膜症，腎性網膜症，網膜血管炎による眼底出血などがある．血液検査，眼底検査，フルオレセイン蛍光眼底造影検査が鑑別に有用である．両眼に発症した場合には，白血病などの血液疾患も鑑別に入れる必要がある．若年者で CRVO を発症した場合には，抗リン脂質抗体症候群などの血栓性疾患，全身の炎症性疾患の合併がないか検査する．

治療　治療対象は黄斑浮腫と血管新生である．

■ **薬物治療**

❶ **抗 VEGF 薬硝子体内注射**　米国では 2010 年，2011 年に CRVO に伴う黄斑浮腫に対するラニビズマブ硝子体内注射の有効性（CRUISE study）が報告され，わが国でも 2013 年 8 月に適応承認を取得している．アフリベルセプトに関しては，2012〜2014 年にかけて COPERNICUS study，GALILEO study が行われ CRVO に伴う黄斑浮腫に対して有効性が報告され，わが国でも 2013 年 11 月に適応承認を取得した．現在，最も視力改善効果が期待できる治療であり，黄斑浮腫に対しては第 1 選択となっている．抗 VEGF 薬硝子体内注射は速効性がある一方，再発をきたす症例では長期にわたって繰り返し注射が必要となる．

❷ **トリアムシノロンアセトニド硝子体内注射**　大規模臨床試験で有効性が証明されたが，眼圧上昇や白内障の進行を生じる可能性がある．視力改善効果は抗 VEGF 薬硝子体内注射に及ばない．

■ レーザー治療
❶黄斑浮腫に対するレーザー治療　CVOSにおいて，黄斑浮腫に対する格子状光凝固は，蛍光眼底造影検査における蛍光漏出は有意に改善するが視力改善は得られないことが証明されている．そのため，現在では積極的には行われない．
❷新生血管合併症に対するレーザー治療　9か月間のラニビズマブ硝子体内注射が虚血型CRVOにおいて新生血管合併症の発生を抑制できるかを検討した研究，Rubeosis Anti-VEgf(RAVE) trialが報告された．その結果，新生血管合併症は50％で発症し，Hayrehの自然経過と比べても，ラニビズマブの投与により発症時期を遅らせるのみで抑制はされないことが示された．抗VEGF薬治療だけでは新生血管合併症の発生を抑制できないため，虚血型CRVOにおいては汎網膜光凝固を行うべきである．

■ 外科的治療
❶硝子体手術　黄斑浮腫に対して硝子体手術による人工的後部硝子体剝離や内境界膜剝離が行われてきたが，抗VEGF薬が承認されてからは第1選択として行われることは少ない．薬物治療に抵抗性のある遷延例や黄斑前膜合併例に対してのみ考慮されることが多い．

予後　非虚血型と虚血型では予後が大きく異なる．非虚血型では黄斑浮腫が自然に軽快する症例も存在する．しかし，3年で約34％が虚血型に移行すると報告されている．若年，初診時視力良好，中心窩下の正常なエリプソイドゾーン(ellipsoid zone：EZ)が，良好な視力予後に関与する因子として報告されている．一方，高齢，初診時視力不良，内頸動脈疾患の合併が視力予後不良因子として報告されている．

網膜静脈分枝閉塞症

Branch retinal vein occlusion：BRVO

髙津央子　国立長寿医療研究センター
瓶井資弘　愛知医科大学・教授

概念　網膜静脈閉塞症(retinal vein occlusion：RVO)は，網膜循環障害のなかで糖尿病網膜症に次いで2番目に多く，40歳以上の有病率は1～2％と頻度が高い疾患である．RVOは，閉塞部位の違いによって，網膜静脈分枝閉塞症(BRVO)と，網膜中心静脈閉塞症(central retinal vein occlusion：CRVO)に分けられる．
　BRVOは，血管アーケードの動静脈交叉部で閉塞することが多い．黄斑浮腫や硝子体出血による視機能低下が問題となる．発症頻度に性差はなく，高血圧・動脈硬化が基礎疾患として挙げられる．

病態　網膜内の静脈内に血栓が形成され，閉塞部位より上流の静脈あるいは毛細血管の内圧が上昇することに加え，血流停滞による虚血に伴って内側血液網膜関門の機能低下を生じ，血管透過性が亢進する．それにより，血漿および血球成分が血管外に漏出し，閉塞部位を起点とした扇状に広がる刷毛状の網膜出血と網膜浮腫を生じる．閉塞の部位は，動静脈交叉部がほとんどで，第1～2交叉部で起こることが多いが，視神経乳頭縁で閉塞が生じる場合やアーケード外，鼻側に生じる場合もある．分類としては，血管アーケードを構築する主幹静脈での閉塞であるmajor BRVO，視神経乳頭から黄斑部に走行する小分枝の閉塞で，アーケード内に限局したmacular BRVOの2つのタイプが存在する．また，

無灌流領域が5乳頭径以上の虚血型とそれ未満の非虚血型に分類されることもある.

症状 病変部に相当した網膜感度低下を呈する.網膜浮腫が黄斑部に及ぶと(黄斑浮腫),歪視や比較暗点を伴った視力低下をきたす.後極部に病変が及ばないBRVOでは,視力低下などの自覚症状が全くないか軽度なため眼科受診せず,網膜新生血管からの硝子体出血を生じて初めて受診する陳旧例も時々経験する.

合併症 BRVOの合併症は,黄斑浮腫と網膜新生血管である.自然経過では約30%で網膜新生血管が生じ,そのうち60%で硝子体出血を生じ,急激な視力低下をきたす.レーザー光凝固をすれば,網膜新生血管の発生率は12%に,硝子体出血の発生率は約30%に抑えられる.さらに,牽引性や裂孔併発型の網膜剥離に進展すると難治である.まれではあるが,血管新生緑内障を生じると失明につながる.

診断

■**診断法** 急性期には,倒像鏡眼底検査にて,比較的容易に診断がつく.閉塞領域の網膜静脈の拡張・蛇行とともに,静脈の閉塞部位から末梢にかけて扇状に広がる刷毛状の網膜出血や網膜浮腫を認める.虚血が強い場合には綿花様白斑がみられる.しかし,慢性期になると,閉塞領域の網膜静脈の拡張・蛇行が軽減し,網膜出血もほぼ吸収するので,一見しての診断は難しくなる.注意深く観察すると,毛細血管瘤や硬性白斑,拡張蛇行したremodeling vesselを認める.病変は一般に上方か下方のいずれか半側に存在しており,耳側縫線(temporal raphe)を越えないことがBRVO診断のポイントである.虚血型の一部では網膜新生血管が出現するが,眼底検査では見逃してしまうことがあるので,疑わしい症例には下記のフルオレセイン蛍光眼底造影検査が必要となる.比較的まれではあるが,網膜新生血管が発育し,線維血管増殖膜となり,牽引性や裂孔併発型の網膜剥離を生じる.

■**必要な検査**

❶**フルオレセイン蛍光眼底造影検査(fluorescein angiography:FA)** 網膜循環動態の評価に有用な検査である.動静脈交叉部での閉塞部位を評価する.閉塞静脈の流入遅延,静脈および毛細血管からの蛍光色素の漏出,無灌流領域を評価する.発症後1年以上経過すると網膜に新生血管が生じていないかを評価する.

❷**光干渉断層計(optical coherence tomography:OCT)** 黄斑浮腫の検出に有用である.黄斑浮腫は,囊胞様黄斑浮腫(cystoids macular edema:CME),漿液性網膜剥離(serous retinal detachment:SRD)がみられる.また,急性期には網膜下出血も検出される.

❸**光干渉断層血管撮影(optical coherence tomography angiography:OCTA)** 近年導入が進んでいる.FAとは違い造影剤を使用することなく,非侵襲的に繰り返し網膜循環動態を評価することができ有用である.さらに,層別解析やデジタル信号処理ができるので,病態解明に役立っている.

■**鑑別診断** 糖尿病網膜症,高血圧網膜症,腎性網膜症などが挙げられる.また,陳旧性BRVOでは,傍中心窩に続発した毛細血管瘤が原因となって限局性の黄斑浮腫を生じることが多く,黄斑部毛細血管拡張症(macular telangiectasia:MacTel)との鑑別が重要である.

> **治療** 治療の対象となる病態は、黄斑浮腫、網膜新生血管とそこから進行した硝子体出血、牽引性や裂孔併発型の網膜剥離である。また、虹彩・隅角新生血管が見つかれば、直ちに治療が必要である。

■ 黄斑浮腫に対する薬物治療

❶抗VEGF（vascular endothelial growth factor）療法　黄斑浮腫に対する治療の第1選択である。大規模臨床試験にて黄斑浮腫の改善と平均3段階前後の視力改善が得られることが証明されている。しかし一方で、黄斑浮腫の再燃をきたし、抗VEGF薬を繰り返し投与する必要性がある症例もみられる。投与開始時期に関しては、HORIZON試験にて抗VEGF療法の開始が遅れた場合でも、長期的（治療開始から2年後）には早期治療を開始したものと同等の視力改善効果が得られ、早期治療が必ずしも重要ではないことが示された。また導入期の注射回数を1+PRN（pro re nata）群と3+PRN群で比較した検討では、両群間で12か月後の平均視力の変化量に差は認められず、1+PRN群では年間の注射回数が少ない傾向があった。上記の結果から、1+PRN投与が少ない投与回数で良好な視力が得られることが示され、実臨床における現実的な投与方法であると思われる。

　抗VEGF療法の副作用として、心筋梗塞や脳卒中などの虚血性全身疾患のリスクが報告されており、3か月以内に心筋梗塞や脳卒中の既往がある患者では適応を慎重に考慮する必要がある。

> **処方例** 下記のいずれかを用いる。いずれの薬剤も再投与する場合は1か月以上の間隔をあける。
>
> 1）ルセンティス硝子体内注射液　1回0.5 mg（0.05 mL）　硝子体内注射
> 2）アイリーア硝子体内注射液　1回2.0 mg（0.05 mL）　硝子体内注射

❷ステロイド　副腎皮質ステロイドは大規模臨床試験（トリアムシノロンアセトニド硝子体内注入：SCORE試験、デキサメタゾン徐放剤：GENEVA試験）で、有効性が証明されたが、抗VEGF療法に比べ視力改善幅が小さく、白内障の進行や眼圧上昇のリスクといった副作用の点で、黄斑浮腫に対する治療の第1選択にはならない。わが国では、合併症リスクの低いトリアムシノロンアセトニド（マキュエイド®）のTenon囊下注射が多用されているが、浮腫軽減効果が抗VEGF療法に劣るため、自然寛解が期待できそうな症例、心筋梗塞や脳卒中などの虚血性全身疾患の既往により抗VEGF療法を行えない症例に対して行う。また、1年以上遷延する黄斑浮腫に対して、抗VEGF薬の投与間隔を延ばすことを目的に、抗VEGF薬投与後2〜3か月後に併用する場合もある。

> **処方例**
> マキュエイド眼注用（40 mg/mL）　1回20 mg（0.5 mL）　Tenon囊下注射

■ 光凝固

❶黄斑浮腫に対する光凝固　過去30年間は、網膜格子状レーザー光凝固が唯一有効性の証明された治療法であったが、抗VEGF療法に比べ視力予後が劣ることがVIBRANT試験で証明されており、急性期における光凝固の適応はない。また、抗VEGF療法との併用療法の有効性も、わが国で行われた多施設前向き試験であるZIPANGU試験や、海外のBRIGHTER試験・RELATE試験において、抗VEGF単独療法と比較し優位性や、上乗せ効果が認

められなかった．筆者らは，抗VEGF療法を1年以上行っても遷延する黄斑浮腫に対して，毛細血管の拡張や毛細血管瘤を認める場合のみ，黄斑近傍の漏出血管に対する直接網膜光凝固(小照射径50μm・短時間10ミリ秒・低出力照射100〜150 mW)を行っている．

❷新生血管に対する光凝固　FAにて網膜新生血管が確認された場合，硝子体出血予防として汎網膜光凝固を行う．わが国では虚血型BRVOに対して，早期から予防的光凝固が行われてきたが，国際的には多施設共同研究のBVOS(branch retinal vein occlusion study)の結果に基づき，新生血管が検出されてから光凝固を行う方針が採られている．

■ 手術治療
❶黄斑浮腫に対する硝子体手術　抗VEGF療法などの薬物療法に抵抗を示す遷延例に対して行う場合がある．黄斑部での硝子体の癒着が明らかな場合や網膜前膜のある症例には，効果が期待できる．

❷硝子体出血に対する硝子体手術　視神経乳頭が確認できない中等度以上の硝子体出血に対して手術を行う．線維血管増殖膜が生じている場合は，牽引性もしくは，裂孔併発型の網膜剝離が生じている場合のみ，出血および増殖組織の除去，網膜光凝固を追加する目的で行う．

■ 高血圧に対する治療　高血圧はBRVOにおいて主な原因であり，また浮腫遷延の原因でもあるため，降圧療法が重要となる．BRVOは脳・心血管疾患と同様に扱い，高血圧治療ガイドラインに従って130/80 mmHg未満(家庭血圧125/75 mmHg未満)を目標として治療を行うべきである．

網膜動脈閉塞症
Retinal artery occlusion

伊藤逸毅　藤田医科大学・教授

概念　網膜動脈閉塞症は，網膜の動脈が閉塞することにより閉塞領域の網膜内層が虚血壊死し，重篤な視機能障害を起こす疾患である．閉塞部位により，網膜中心動脈閉塞症(central retinal artery occlusion：CRAO)，網膜動脈分枝閉塞症(branch retinal artery occlusion：BRAO)に分類される．またその発症機序から，動脈炎性と，非動脈炎性とにも分類されるが，前者はわが国ではかなり少ない．CRAOでは，通常，治療によっても閉塞した網膜動脈の血流再開は困難であり，またごく短時間で不可逆的な変化に至るため，一般的に視力予後はきわめて不良である．

病態　網膜は内層が網膜中心動脈に栄養され，外層は脈絡膜血管から栄養される．よって，網膜動脈閉塞が起こると，網膜外層には影響がないものの，網膜動脈に栄養されている網膜内層の虚血，壊死が起こる．閉塞から虚血・壊死まではきわめて早く，動物実験では閉塞後97分後から網膜障害が進行し4時間で不可逆的な重篤な網膜障害となった，と報告されている．リスクファクターには，高血圧，糖尿病，脂質異常症，心疾患(冠動脈疾患，弁膜症)，頸動脈狭窄，喫煙，肥満，一過性脳虚血発作，血液疾患，膠原病が挙げられている．発症率は10万人当たり1.9人，年齢とともに指数関数的に増加，男性の発症率は女性の1.47倍と報告されている．

症状　CRAOの発症は数秒といわれ

るほどきわめて急激で，症状は初診時視力の74〜93％が指数弁以下というような重度の無痛性の視力低下である．視力低下に気づいた時間帯は起床時だった人が約35％という報告があり，午前の早い時間の外来に来院することも多い．

合併症・併発症
CRAOの患者では脳血管障害および心血管イベントを併発するリスクが有意に高く，心房細動の検出率も高いと報告されており，全身的なチェックが必要である．

診断

■ **診断法** 網膜動脈閉塞症では網膜動脈が栄養する網膜内層の虚血により網膜内層の白濁・浮腫をきたす．この際，中心窩領域は網膜内層がないため白濁せず，検眼鏡的に黄斑部は中心窩領域以外が白くなるcherry red spotの所見を呈する．網膜内層の白濁・浮腫は光干渉断層計（OCT）でも非常にわかりやすい所見である．通常，この特徴的な網膜内層の白濁・浮腫は，無散瞳眼底写真撮影あるいは超広角眼底撮影，OCTを用いることで高齢者の小さい瞳孔径の無散瞳状態でも多くの場合検出可能であり，早期診断に有用である．

網膜内層の白濁・浮腫は血流が閉塞後に再開していても残るため，網膜の循環状態を調べるにはフルオレセイン蛍光眼底造影（FA）を行うが，そのショックなどの副作用のリスクのため，全身状態が良好でなかったり高齢である場合，行われないことも多い．眼底検査においては，網膜内層の白濁・浮腫のほかに，網膜血管に著しい狭細化，血流の分節状血流（"box-carring"，"cattle trucking"，"boxcar segmentation"），あるいは血流の途絶や塞栓子がみられることがある．OCTアンギオグラフィは循環血液量が減っていても血流を検出してしまうためわかりにくいが，短時間で撮影できることから，設備があるならOCT撮影時に併せて撮影しておくと参考にできる．そのほか，相対的瞳孔求心路障害（relative afferent pupillary defect：RAPD）も陽性になるため参考になる．

■ **必要な検査** CRAO診療においては，眼科的検査に加えて治療方針を立てるために全身状態の評価も行う．問診による既往歴・常用薬の聴取，バイタルチェック，採血検査では血算，生化学検査などを行う．採血検査項目については，わが国ではかなり少ないが，巨細胞性動脈炎（旧名：側頭動脈炎）の鑑別に赤沈，CRPも併せて調べる．問診の際に，巨細胞性動脈炎に合併することの多いリウマチ性多発筋痛症の既往についても確認する．

急性期の検査，治療が終了したら，CRAOの原因である塞栓源の検索として，頸動脈エコーによる内頸動脈狭窄のチェック，心電図による心房細動などの不整脈のチェック，心エコーによる心臓弁膜症のチェックなども行う．CRAOでは，発症から短い期間で脳血管障害・心血管障害を発症する可能性があるので，結果により関連する診療科に準緊急的に紹介する．若年者の場合は血液疾患，膠原病，自己免疫疾患などの精査も必要であり，専門外来に精査を依頼する．

■ **鑑別診断** 通常，黄斑部のcherry red spotの所見をみることでCRAOの診断は容易である．しかし，強度近視眼や不完全閉塞，発症から間もない時期，逆に発症から時間のたったケースでは網膜の白濁がわかりにくいときもある．そのような際もOCTで両眼を撮影し，患眼と健眼を比較

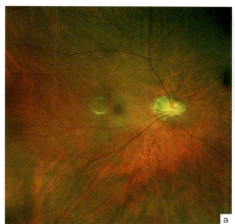
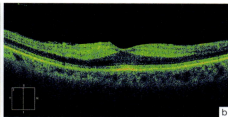

図24 網膜中心動脈閉塞症
76歳女性．初診時，右眼矯正視力は手動弁．
a：Optos眼底写真．中心窩周囲の網膜が白濁している．強度近視眼ではcherry red spotはあまりはっきりしないので注意が必要である．
b：OCT画像．中心窩の垂直スキャン．中心窩周囲網膜の内層は肥厚し高輝度となっている．しかし網膜外層の層構造は保たれている．

することで検眼鏡よりも検出が容易になる（図24）．

治療

■**治療方針** CRAO，BRAOはきわめて難治であり，明確なエビデンスのもとに確立された有効な治療法はない．したがって，各現場で眼や全身の状態，治療のリスクとベネフィットの可能性，健康保険の適用範囲などをみて患者・患者家族と治療方針を考える．現状では，発症24時間以内であれば下記の治療が行われることが多い．

①眼球マッサージ：眼圧を下げて網動脈の灌流圧を上げ，かつ，塞栓の移動に期待する．

②前房穿刺：眼圧を下げて網膜動脈の灌流圧を上げる．

③高圧酸素療法：利用可能な施設のみ．

④星状神経節ブロック：麻酔科に依頼して行う．

⑤薬物治療：下記参照．

■**薬物治療** 普段使い慣れない薬剤が多いことから，投与前に添付文書を見て，常用薬と併用禁止になっていないかなどを確認してから投与する．血栓溶解治療では，海外で使われるヒト組織プラスミノーゲンアクチベーター（t-PA）はわが国では保険適用外であるため，一般にウロキナーゼが使われるが，脳出血などの出血傾向に注意が必要である．巨細胞性動脈炎と判明した場合には，僚眼発症のリスクを避けるため早期にステロイド投与を行う．

処方例 症状に応じて下記1)～4)を適宜用いる．

1)〈硝酸薬（血管拡張作用）〉
亜硝酸アミル（0.25 mL/管） 1回1管破砕して内容を被覆に吸収させ鼻孔に当てて吸入 保外 効能・効果，あるいは

ニトロペン舌下錠(0.3 mg)　1回　頓用1錠　舌下投与　保外 効能・効果
2) ダイアモックス注射用(500 mg)　1回 500 mg　1日1回　静注　1日　保外 効能・効果
3) ウロナーゼ静注用(6万単位)　初期1日量6万〜24万単位　以後は漸減し，約7日間投与
4) 〈プロスタグランジン E_1 製剤(血管拡張作用，抗血小板作用)〉
リプル注(10 μg/2 mL)　1回　5〜10 μg　1日1回　静注　あるいは　オパルモン錠(5 μg)　6錠　分3　食後

予後　CRAOの最終視力は70〜80%で指数弁以下と，視力予後は一般にきわめて不良である．一方で，一過性CRAOやBRAO，毛様網膜動脈閉塞症の視力予後は比較的よく，一過性CRAOの82%で視力の改善があり，BRAOでは最終視力0.5以上が89%，毛様網膜動脈閉塞症では最終視力0.5以上が90〜100%，という報告もある．

二次的に虹彩新生血管，網膜新生血管，血管新生緑内障の発症のチェックのため，急性期ののちも当面は定期フォローが必要である．

長期的には，網膜内層萎縮，網膜血管狭細化，視神経萎縮が生じる．これらの所見は検眼鏡的には検出困難であるが，OCTでは網膜内層萎縮は容易に検出可能である．

眼虚血症候群

Ocular ischemic syndrome：OIS

伊藤逸毅　藤田医科大学・教授

概念・病態　眼虚血症候群(OIS)は，眼球への血流の低下によって生じる眼病変のことである．狭窄部位は，主に頸動脈(総頸動脈あるいは内頸動脈)であるが眼動脈のこともある．狭窄の原因は大部分が動脈硬化であるが，巨細胞性動脈炎(旧名：側頭動脈炎)などの炎症性疾患が原因のこともある．内頸動脈狭窄が高度であっても外頸動脈系あるいは対側の内頸動脈系などからの側副血行路ができる症例ではOISが発症しないこともある．発生率は約7.5人/100万人，男女比は2：1，発症年齢はおおむね50〜80歳代で平均年齢は65歳，左右差はなく，約20%が両眼性である．背景因子として高血圧，糖尿病，などが重要である．また主たる原因が頸動脈にあり，脳卒中，さらには心筋梗塞のリスクが高い，ということから全身的な評価，および，他科との連携も重要である．

症状　視力低下，一過性黒内障，眼痛，眼窩痛などがみられる．初診時視力は比較的良好なことも多い一方，指数弁以下にまで低下していることも多い．視力低下は緩徐のことも多いが，急激であることもある．

診断
■ 診断法
❶前眼部　虹彩ルベオーシスがおおよそ2/3にみられるが，毛様体の房水産生機能の低下のため，その半数でしか眼圧は上昇しない．虹彩ルベオーシスのあるケースで

は前房内フレアやセルの増加もみられ,白内障も進行する.

❷後眼部 網膜動脈の狭細化,網膜静脈の拡張あるいは狭細化,眼底出血,毛細血管瘤,軟性白斑,網膜動脈拍動などがみられる.新生血管は視神経乳頭上,網膜面上の両方でみられることがあるが,視神経乳頭上の頻度のほうが高い.新生血管からの硝子体出血や cherry red spot がみられることもある.

■ **必要な検査** フルオレセイン蛍光造影(FA)では,蛍光色素の脈絡膜流入遅延,腕-動脈循環時間の遅延,網膜内循環時間延長,造影後期の網膜血管壁の staining がみられる.網膜電図(ERG)では,網膜内層および外層の虚血により,a 波,b 波,OP 波それぞれの振幅が低下する.MR アンギオグラフィ,造影 MRI,CT 血管造影,頸動脈エコーでは頸動脈狭窄がみられる.カラードップラ超音波検査では眼動脈血流の減少,あるいは眼動脈への逆流がみられることがある.

心筋梗塞の発症率が高いため,頸動脈だけでなく,心臓の検査も行うことが勧められる.

■ **鑑別診断** 鑑別疾患としては,糖尿病網膜症(diabetic retinopathy:DR)や網膜中心静脈閉塞症(central retinal vein occlusion:CRVO)が挙げられる.眼底所見が軽症な一方で虹彩あるいは隅角に新生血管がある場合は,DR や CRVO より OIS が疑われる.OIS では,DR と比べると増殖性変化は少なく,CRVO と比べると静脈の蛇行,視神経乳頭の腫脹はあまりみられない.DR で左右差が著しく大きい場合にも片眼性 OIS が疑われる.

治療 脳神経外科的に頸動脈内膜剥離

術,頸動脈ステント留置術,バイパス術(浅側頭動脈-中大脳動脈吻合術)などが行われるが,視機能的な予後はかなり不良である.眼科的には,血管新生緑内障に対する点眼・内服の降圧治療に加えて汎網膜光凝固,抗 VEGF 薬硝子体注射,線維柱帯切除術,毛様体光凝固が行われる.

予後 心筋梗塞だけでなく脳梗塞発症率も年に 4% といわれるほど高く,1989年の古い報告ではあるが 5 年死亡率が40%,という報告もみられる.視機能的予後もかなり不良であり,1 年後視力が58%で指数弁以下,特にルベオーシスが発症している症例では,1 年後視力は97%で指数弁以下であったとの報告がある.

網膜細動脈瘤

Retinal arteriolar macroaneurysm

上田浩平 東京大学
小畑 亮 東京大学・准教授

概念 網膜細動脈瘤は,動脈が局所的にこぶ状に拡張したもので,通常第 3 分枝以内の網膜動脈に好発する.

病態 高齢者,女性に多く,片眼かつ単発性のものが多い.高血圧,動脈硬化が危険因子となる.動脈瘤の血管透過性亢進,脆弱な血管壁の破裂により,網膜のどの層にも出血や滲出を起こしうる.出血は網膜下,網膜内,内境界膜下,網膜前,硝子体出血のいずれも起こす可能性があり,滲出は網膜浮腫,漿液性網膜剥離として認められ,時に硬性白斑を伴う.

症状 出血や滲出を生じていなければ

自覚症状はない．出血や滲出が黄斑に及んだり，または末梢側の動脈閉塞を合併したりすると視力低下や歪視を生じる．

診断

■ **診断法**　眼底検査では，網膜細動脈瘤は動脈に沿った囊状あるいは紡錘状の塊として認められ，赤色または灰白色である．動脈瘤の周囲には出血を認め，時に網膜前，網膜下の両方に出血を認める．フルオレセイン蛍光眼底造影（FA）やインドシアニングリーン蛍光眼底造影（ICGA）が診断に有用で，動脈瘤は網膜動脈とつながる円形の蛍光貯留として描出される．出血が多く動脈瘤を確認しにくい場合，組織深達性の高いICGAのほうが動脈瘤を検出しやすい．動脈瘤の拍動を認めることがある．光干渉断層計（OCT）では，出血の存在する層，漿液性網膜剝離や網膜浮腫の三次元的な広がりを定量的に確認できる．滲出の経時的な変化の評価に有用である．

■ **鑑別診断**　同様に網膜下出血をきたす疾患として，滲出型加齢黄斑変性との鑑別が重要である．滲出型加齢黄斑変性では脈絡膜新生血管（choroidal neovascularization：CNV）が存在するため，OCTでCNVの存在を疑うような網膜色素上皮の隆起所見がなければ，滲出型加齢黄斑変性である可能性は低い．出血しうる層も異なり，滲出型加齢黄斑変性では網膜前出血をきたすことは通常なく，一方，網膜細動脈瘤では出血性色素上皮剝離をきたすことは通常ない．

治療

■ **治療方針**　確立された治療ガイドラインは存在しない．1次予防として，危険因子である高血圧，動脈硬化の管理を行う．出血や滲出を伴わない場合，または病変が黄斑に及ばず自覚症状がない場合には経過観察を行うが，自然経過で退縮することも多い．黄斑に滲出性変化，出血が及ぶ場合，あるいは今後拡大し黄斑に及ぶ可能性が高い場合には治療を検討する．中心窩下に多量の網膜下出血をきたした場合，硝子体内ガス注入による血腫移動術をすみやかに検討する．

■ **薬物療法**　主治医の判断により，カルバゾクロムスルホン酸ナトリウム（アドナ®）などの内服が行われることがある．

■ **レーザー光凝固**　効果は議論の余地はあるが，動脈瘤の器質化，滲出性変化の改善を目的に，動脈瘤へ直接，または周囲にレーザー光凝固を行う．直接凝固を行う場合には，じわっと全体をあぶる程度の凝固にするのがよいとされている．過凝固で動脈閉塞をきたす可能性があり注意する．

■ **硝子体内ガス注入による血腫移動術**　網膜細動脈瘤破裂により中心窩下に多量の網膜下出血（黄斑下血腫）をきたすと，血液成分による細胞毒性などのため，短期間で網膜外層が強く障害される．

　早期に網膜下出血を中心窩外に移動させるため，硝子体内に膨張性ガス〔六フッ化硫黄（SF_6）〕または八フッ化プロパン（C_3F_8）を注入する．ガス注入後は数日間，腹臥位とする．発症後時間が経ちすでに出血が器質化していると適応にならない．発症2週間以内が目安だが個々の状況で判断する．網膜前出血，網膜内出血に対する移動効果は原則期待できない．合併症には硝子体出血，眼内炎，網膜剝離などがある．ガス注入により眼圧が著明に上昇し，網膜中心動脈閉塞をきたす可能性もあるため，自施設では，先に前房穿刺を行って十分に眼圧を下げてからガスを0.25〜0.3 mL注入

し，注射後，手動弁と眼圧を確認している．

　ガスと同時に組織プラスミノーゲンアクチベータ(t-PA)も硝子体内に注入することも行われているが，t-PAを併用することの有効性と安全性に関しては議論があり，保険適用外である．

■**硝子体手術**　ILM(内境界膜)下出血では，ILM剥離を伴う硝子体手術によって出血を除去する．網膜前出血に対して，Nd：YAGレーザーで後部硝子体膜を切開し，出血を硝子体中に拡散させることも行われる．

■**硝子体注射**　抗VEGF薬が有効であったとの報告もあるが，現状ではエビデンスに乏しい．

予後　自然寛解することもあり，病変が黄斑に及ばなければ視力予後良好だが，黄斑に滲出性変化，出血をきたすと視力予後は不良となる．

Coats 病
Coats' disease

加瀬 諭　北海道大学・講師

概念　原因不明の滲出性網膜症である．通常は片眼の網膜に血管拡張や異常血管瘤が形成される．この血管異常においては血管透過性が亢進しており，血漿や蛋白成分，脂質の血管外への漏出が起こる．これにより血管異常の周囲に硬性白斑が沈着する．この沈着が拡大し，滲出性網膜剥離を呈するようになる．さらに進行すると網膜全剥離となり，増殖性硝子体網膜症(PVR)，血管新生緑内障，そして結果的に社会的失明に至る．これらの病態には，血管異常に加えマクロファージの浸潤が網膜下を中心にみられ，脂質を貪食したり，血管内皮増殖因子(VEGF)を発現し，病態形成に関与している．若年者，特に男児の片眼性に発生するが，非優位眼にも血管異常を伴うことがある．

症状　学童～成人の片眼性の視力低下がみられる．検診などにより偶然に診断されることもある．網膜全剥離になれば，白色瞳孔がみられる．

検査　視力，眼圧測定に加え，末期の症例では細隙灯顕微鏡で虹彩ルベオーシスの有無を確認する．初期では水晶体や前部硝子体は清明である．眼底検査にて，網膜血管拡張，血管瘤，硬性白斑，滲出性網膜剥離が検出される(図25)．光干渉断層計(OCT)で網膜剥離の有無と網膜下にマクロファージの浸潤に伴う高輝度な点状の沈着物を確認する．フルオレセイン蛍光眼底造影検査で異常血管からの蛍光漏出と無血管野の有無を確認する(図26)．網膜全剥離になると網膜芽細胞腫との鑑別が困難な症例が混在する．このような症例では超音波BモードやCT，造影MRIを行い，眼内腫瘍の可能性を否定する．

治療　網膜血管異常に対しては網膜光凝固が有効である．光凝固を行っても滲出の拡大，局所的な網膜剥離がみられる場合には，ステロイド後部Tenon嚢下注射や抗VEGF薬治療が必要となる．滲出性網膜剥離が拡大し，黄斑部に剥離が及ぶ場合には輪状締結併用網膜復位術を行い，経強膜的な排液や異常血管部に対する冷凍凝固を併用する．網膜剥離が高度であったり，PVRへ進行した場合には，眼内レーザーを併用した硝子体手術が必要になる．血管

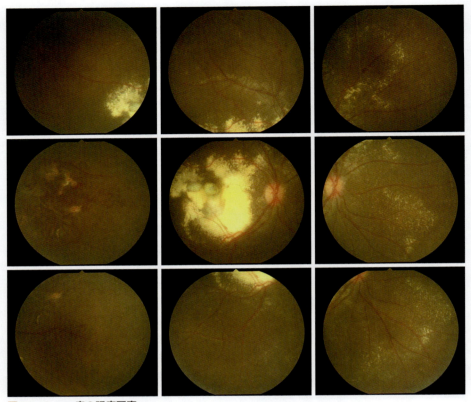

図25　Coats病の眼底写真

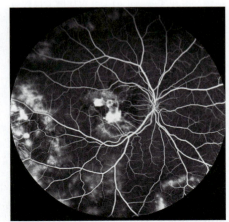

図26　Coats病のフルオレセイン蛍光眼底造影検査

新生緑内障による制御不能な眼痛がある場合には，眼球摘出術の適応である．

Eales病

Eales disease

加瀬 諭　北海道大学・講師

概念　原因不明の閉塞性静脈炎で，網膜新生血管が形成され，硝子体出血を伴う．大部分は両眼性であるが，片眼性の症例も混在する．これらの病状は再発する特

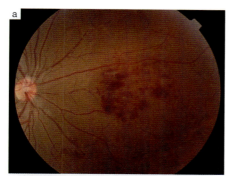

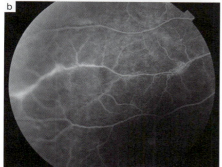

図27 Eales病
a：眼底写真．b：蛍光眼底造影．

徴を有する．

症状 両眼もしくは片眼の視力低下をきたす．20歳代などの若年者に好発する．

検査 視力，眼圧測定に加え，散瞳薬を用いた眼底検査により網膜新生血管，硝子体出血や網膜出血がみられる**(図27a)**．フルオレセイン蛍光眼底造影検査が必須であり，網膜静脈の拡張，蛍光漏出，静脈炎と周囲に網膜無血管野の形成，網膜新生血管からの蛍光漏出がある**(図27b)**．再発性の硝子体出血により，網膜前膜が形成されるため，光干渉断層計にて黄斑の評価が必要である．他の血管炎を形成する疾患であるBehçet病や感染症(結核や梅毒)の可能性を否定するため，詳細な現病歴と既往歴の聴取，採血検査も必要となる．

治療 網膜無血管野に対して網膜光凝固を施行する．閉塞性静脈炎に対して副腎皮質ステロイドの後部Tenon嚢下注射を行う．初診の10年以内に硝子体出血の再発がみられる可能性があり，長期の経過観察が必要である．

黄斑部毛細血管拡張症

Idiopathic macular telangiectasia：MacTel

古泉英貴 琉球大学・教授

概念・病態 黄斑部毛細血管拡張症(MacTel)は特発性に黄斑部網膜の毛細血管拡張所見を呈する疾患群の総称である．病型分類としては2006年にYannuzziらが作成した，Type 1(血管瘤型)，Type 2(傍中心窩型)，Type 3(閉塞型)が主に用いられている．

Type 1は片眼性がほとんどであり，男性が90％を占める．平均発症年齢は40歳前後である．同様に毛細血管拡張および毛細血管瘤がみられるCoats病やLeber粟粒血管腫症と同じスペクトラム上にあるものと考えられている．

一方，Type 2はType 1とは異なり頻度に性差はみられない．ほぼ全例が両眼性であり，平均発症年齢は約55歳である．最近では病態の起源はMüller細胞の異常であり，毛細血管拡張はむしろ2次的な変化ではないかと考えられている．また，Type 2は網膜下新生血管の有無により非増殖期と増殖期に分類される．

Type 3は毛細血管拡張よりも血管閉塞を主体とした病態であり，頻度も非常にま

れであることから，分類自体から除外することが提案されている．本項でも以下，Type 1 と Type 2 について解説する．

症状・診断

❶ **Type 1**　Type 1（図 28）における血管異常は主に中心窩耳側にみられ，典型的には病変周囲に硬性白斑の析出を伴う黄斑浮腫を生じ，視力低下をきたす．フルオレセイン蛍光眼底造影（FA）では拡張した傍中心窩毛細血管および毛細血管瘤がより明らかとなり，造影後期には囊胞様黄斑浮腫など著明な蛍光漏出所見を示す．光干渉断層計（OCT）でも FA 所見に合致した網膜厚の増加および囊胞様変化がみられる．鑑別診断としては 2 次的な毛細血管拡張をきたしうる疾患，すなわち網膜静脈分枝閉塞症，糖尿病網膜症，放射線網膜症などがある．

❷ **Type 2**　Type 2（図 29）では Type 1 と異なり検眼鏡的に所見の乏しいことも多く，病初期の診断はやや難しい．FA では毛細血管拡張および同部位からの淡い蛍光漏出が認められる．病期の進行とともに黄斑部網膜の透明性低下，クリスタリン様物質，色素沈着など，Type 2 に特徴的な所見がみられるようになる．拡張した毛細血管網は網膜外層方向へと侵入し，最終的には網膜下で新生血管を形成する．OCT では特異的な所見を示すため診断的意義が高い．非増殖期での OCT 所見の特徴として，①網膜厚の増加は明らかでなく，むしろ減少することが多い，② ellipsoid zone の消失，③ FA での蛍光漏出や貯留と一致しない網膜内外層の萎縮や囊胞様変化などが挙げられる．増殖期では上記の所見に加え，網膜下新生血管に一致した高輝度反射を認める．Type 2 の非増殖期では Type 1 と同

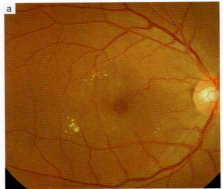

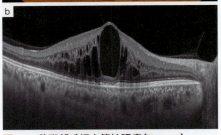

図 28　黄斑部毛細血管拡張症（Type 1）
カラー写真（a）で黄斑部に多数の毛細血管瘤と硬性白斑を認める．OCT（b）では著明な囊胞様変化がみられる．

様に糖尿病網膜症，網膜静脈分枝閉塞症，放射線網膜症などの網膜血管病変との鑑別が必要であるが，OCT 所見が非常に有用であり，Type 2 では網膜厚の増加のない萎縮性変化が特徴的である．一方，タモキシフェン網膜症など薬剤障害は Type 2 と非常によく似た OCT 所見を呈するため，投薬歴の確認も重要である．また，中心窩に囊胞様変化を示す症例は特発性黄斑円孔との鑑別が必要であり，実際に Type 2 でも全層黄斑円孔の所見を示すこともあるため注意が必要である．増殖期では加齢黄斑変性との鑑別が必要であるが，加齢黄斑変性でよくみられるドルーゼンや網膜色素上皮剝離を通常は伴わない．

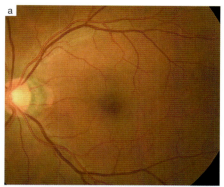

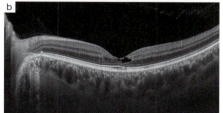

図29 黄斑部毛細血管拡張症（Type 2）
カラー写真（a）では中心窩に嚢胞様変化がみられ，その周囲の網膜透明性がやや低下している．中心窩耳側には毛細血管拡張と毛細血管瘤がみられるが，軽度である．OCT（b）では網膜内層に嚢胞腔が存在するが，網膜肥厚はみられない．

治療

❶ **Type 1** Type 1 では光凝固による血管瘤の直接凝固が基本であり，滲出性変化の軽減と視力改善が期待できる．しかし血管瘤の部位によっては中心窩無血管領域にきわめて近接しているため，すべての病変部位の凝固は困難なこともある．症例によっては無治療でも良好な視力経過をたどり，なかには黄斑浮腫の自然消失例もみられるため，進行性の視力低下がみられる場合を除いては無理をしないことも大切である．ステロイドや抗血管内皮成長因子（VEGF）薬の局所注射に関しては，いまだコンセンサスが得られていない．

❷ **Type 2** Type 2 では Type 1 と異なり光凝固は無効であり，非増殖期においては現状では治療の決定打は存在しないと考えてよい．増殖期では網膜下新生血管からの滲出性変化軽減に抗 VEGF 薬の硝子体内注射が有効と考えられるが，今後の十分な検証が必要である．

予後

❶ **Type 1** Type 1 では治療が奏効した場合，あるいは無治療でも良好な視力経過をたどることも多いが，治療に抵抗して段階的に視力が低下することもある．

❷ **Type 2** Type 2 では病初期は軽度の変視症のみであるが，網膜外層萎縮などに伴い中心視力は比較的保持されていても傍中心窩に進行性の感度低下が生じるため，読書能力の著明な減少が起こりうる．増殖期では滲出性変化や出血に伴い急激な視力低下も起こりうるため，注意が必要である．

硝子体出血
Vitreous hemorrhage

長岡泰司 日本大学医学部附属板橋病院・診療教授

病因
非外傷性硝子体出血の原因としては，最も頻度の多い増殖糖尿病網膜症のほかに，網膜剥離を伴わない網膜裂孔，後部硝子体剥離，裂孔原性網膜剥離，ぶどう膜炎，網膜静脈分枝閉塞症・網膜中心静脈閉塞症に伴う新生血管，網膜細動脈瘤，加齢黄斑変性，腎性網膜症，高血圧網膜症，血液疾患（白血病など）に伴う網膜症などが挙げられる．ほかにも，網膜新生血管を生じるすべての網膜硝子体疾患が硝子体出血の原因となる可能性がある．さらに小児で

は，虐待も含めた外傷による硝子体出血を考慮する必要がある．

診断 硝子体出血は眼底検査で診断されるが，鑑別疾患が重要である．まず，眼底が透見できるのであれば，後部硝子体剝離の有無を観察することが重要である．濃厚な硝子体出血で眼底透見不能であれば，上記のなかでも緊急性の高い裂孔原性網膜剝離かどうかを診断しなければならない．超音波断層検査を用いて網膜剝離の有無を確認する．また，初診時に網膜剝離を疑わせる所見がない場合でも，経過観察中に網膜剝離が進行する可能性があるため，こまめな診察が必要である．

さらに，反対眼の眼底出血はきわめて重要である．硝子体出血の最も頻度の高い原因疾患である増殖糖尿病網膜症では，少なくとも何らかの糖尿病網膜症様所見が認められるはずである．また，全身検査（血糖，血圧，腎機能など）も必須である．増殖糖尿病網膜症を疑わせる所見を確認する場合には，増殖性変化の程度や牽引性網膜剝離の有無など超音波による後極部病変の丹念な検索が必要である．

治療 出血の程度が軽度であれば自然吸収を待つべきであるが，眼底透見不能な状態では裂孔原性網膜剝離や牽引性網膜剝離を見逃してしまう可能性もあるため，いたずらに経過観察を続けるべきではない．特に小切開硝子体手術が普及した現在では，早めに硝子体手術を施行し，原因疾患の特定と詳細な眼底検査，そして原因の除去を行うべきである．

予後 硝子体出血の予後は原因疾患によりさまざまである．黄斑機能が保たれているのであれば予後は比較的良好であるが，黄斑部網膜剝離をきたす増殖糖尿病網膜症や増殖性硝子体網膜症に進行した網膜剝離であれば予後不良となる．

Terson 症候群
Terson syndrome

長岡泰司 日本大学医学部附属板橋病院・診療教授

概念 くも膜下出血に続発する硝子体出血が Terson 症候群と定義される．発症頻度はくも膜下出血症例の 3〜20% とされ，発症時期はくも膜下出血の 2〜3 日後，多くは 2 週間以内に起こるとされている．発症初期は網膜前出血（内境界膜下出血）をきたし，その後硝子体出血へと進行する．硝子体出血は自然吸収することもあるが，出血が蔓延する場合や両眼性の症例では硝子体手術の適応となることが多い．

原因 Terson 症候群による硝子体出血の機序についてはさまざまな説があるが，頭蓋内圧亢進により出血は視神経乳頭近傍に起こることからも，視神経周囲のくも膜下腔に流入した出血がその源であると推測される．最近では，網膜中心動静脈の視神経内走行部の周囲に間隙があり，そこから眼内に血液が流入して内境界膜下血腫を形成し，その後に内境界膜の破綻により硝子体出血が生じる可能性が示唆されている．

診断 くも膜下出血の既往歴のある硝子体出血をみれば診断は容易である．

治療 硝子体出血が自然吸収しない場合は硝子体手術の適応となる．特に両眼性の硝子体出血の場合には視力不良のため，早期の手術が望ましい．内境界膜下出血に

伴う増殖性変化によって黄斑に障害が及んでいなければ，単純硝子体切除のみで視力改善する症例が多い．

閃輝性硝子体融解
Synchysis scintillans

澤田 修　滋賀医科大学・講師

■ 概念　眼の硝子体腔内にコレステロールの結晶が浮遊している状態で，眼底検査で硝子体腔に金色の粒のシャワーのようにみえる．その結晶は眼球の動きに伴い，硝子体腔内を自由に動き，眼球が静止すると重力により下方にとどまる．1894年にBensonが初めて，正確に星状硝子体症と鑑別し，報告した．

■ 病態　閃輝性硝子体融解はまれな状態で，硝子体が変性する過程で生じるとされ，その結果，コレステロールの結晶が形成される．浮遊する結晶は，通常は硝子体腔に認められるが，無水晶体眼や水晶体亜脱臼により前房中に硝子体が脱出すると前房にも浮遊する結晶を認めることもある．コレステロールの結晶であるので，前房中の結晶は太陽灯の熱で，融解，消失することもある．

■ 診断　倒像鏡または細隙灯顕微鏡による眼底検査で診断は可能で，硝子体腔に金色の粒を観察できる．星状硝子体症と異なり，硝子体中に拡散しておらず，眼球が動くと自由に硝子体腔内を動くが，眼球が静止すると，重力方向に，硝子体腔の下のほうにとどまる．無症状であるので，眼底検査で偶然見つかることが多い．

■ 鑑別診断　星状硝子体症と鑑別を要す

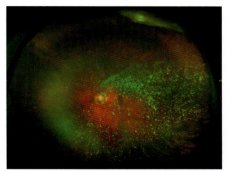

図30　星状硝子体症（広角眼底撮影写真）

る．硝子体中に浮遊する結晶は似ているが，星状硝子体症では硝子体内に分散しており，眼球が静止しても下方に移動はしない．

星状硝子体症
Asteroid hyalosis

澤田 修　滋賀医科大学・講師

■ 概念　星状硝子体症は200人に1人の割合でみられ，カルシウム脂質複合体が硝子体の膠原線維に沿って硝子体全体に分布している状態である．硝子体中の粒子は，晴れた夜の星に似ていると表現され，眼球の動きに伴い動き，眼球が静止しても閃輝性硝子体融解のように下方にたまることはなく，硝子体腔全体に分散したままである**（図30）**．1894年にBensonが初めて，正確に閃輝性硝子体融解と鑑別し，報告した．

■ 病態　星状硝子体症の粒子が形成される正確な機構は不明である．電子線分光型電子顕微鏡による解析では，星状硝子体症の粒子は，カルシウム，リン，酸素で構成

されることが明らかにされている．

診断 倒像鏡または細隙灯顕微鏡による眼底検査で，硝子体中に浮遊するキラキラ光る星のようにみえる粒子を観察できる．眼球の動きに伴い動き，眼球が静止しても，硝子体腔全体に分散したままである．星状硝子体症では，視力低下はめったに生じない．外科的に除去されることはきわめてまれである．

■**鑑別診断** 閃輝性硝子体融解と鑑別を要する．硝子体中に浮遊する結晶は似ている．閃輝性硝子体融解でも眼球運動に伴い動くが，眼球が静止すると下方にとどまる．

硝子体アミロイドーシス
Vitreous amyloidosis

澤田 修 滋賀医科大学・講師

概念 アミロイドーシスは，線維構造をもつ蛋白質であるアミロイドが，眼および眼付属器を含む全身のさまざまな組織に沈着することを特徴とする多様な疾患群である．アミロイドは，病理学的にコンゴレッド染色で橙赤色に染まり，偏光顕微鏡下で緑色の複屈折を示す．

病態 アミロイドは，折りたたみ異常を起こした前駆蛋白質が，特有のβシート構造に富むアミロイド線維を形成し，全身のさまざまな組織に沈着することにより，機能障害を起こす．

診断 注意深い問診，家族歴，全身検査，細隙灯顕微鏡検査，眼底検査を行う．硝子体アミロイドーシスは，初めはうっすらとした房を伴う顆粒として観察され，凝集してガラスウールのような硝子体混濁となる．ほとんどが両眼性で，硝子体アミロイドーシスは全身性アミロイドーシスに伴うことが多い．確定診断は硝子体生検により行われる．

■**鑑別診断** サルコイドーシスなどの炎症疾患，閃輝性硝子体融解，星状硝子体症，陳旧性硝子体出血などが鑑別診断に挙げられるが，最終的には硝子体生検により，確定診断される．

治療 硝子体混濁によりしばしば視力低下を生じ，特に遺伝性トランスサイレチンアミロイドーシスで生じる．アミロイド硝子体混濁に対し，硝子体手術を行う．再発はまれではあるが，残存硝子体が再発の原因とされ，再発防止のために強膜圧迫も行い，できるだけ硝子体を切除したほうがよいという報告もある．

Wagner 症候群
Wagner syndrome

近藤寛之 産業医科大学・教授

概念 硝子体の液化を特徴とする網膜変性疾患であり1938年にWagnerが報告した．常染色体優性遺伝を呈する．コンドロイチン硫酸プロテオグリカンであるバーシカン(*CSPG2*, 別名 *VCAN*)遺伝子の発現異常が原因と考えられている．バーシカンは第7または第8エクソン配列の有無によって4種類のサブタイプ(V0〜V3)がある．Wagner症候群では第8エクソンを含むサブタイプ(V0 と V1)が減少する．全身症状はない．Stickler症候群と混同されやすく，遺伝子が同定される前は

Stickler症候群の眼症状限局型と同じとみなされたこともある．1994年にBrownらが報告した常染色体優性のerosive vitreoretinopathyはWagner症候群に関連した疾患である．

病態 硝子体の液化による「空虚」所見が特徴である．網膜所見は多彩であり，網脈絡膜変性だけでなく周辺部の無血管性の輪状の硝子体変性や牽引性網膜剥離，Coats病様の滲出斑，あるいは網膜格子状変性や裂孔原性網膜剥離を呈する．視神経乳頭の血管走行逆位（inverted papilla）も特徴的な所見である．

症状 軽度の近視や若年性の白内障を呈し，外斜視（偽斜視），視力低下，夜盲，視野狭窄がみられる．

診断

■ **必要な検査** 網膜電図で杆体，錐体系とも振幅の減弱がみられる．蛍光眼底造影では網膜色素上皮萎縮や脈絡膜毛細血管の脱落がみられる．

■ **診断法** 確定診断のために遺伝子検査が行われる．これまで報告されているのはバーシカン遺伝子の第8エクソンのスプライス異常である．PCRで第7イントロン-第8エクソン境界部または第8エクソン-第8イントロン境界部を増幅して塩基配列のヘテロ接合変化（スプライス異常）を診断する．バーシカンは末梢血白血球にも発現するので，血液からRNAを抽出し，real-time PCRによって第8エクソンの発現低下を診断する方法もある．

■ **鑑別診断** ベール状の硝子体変性は家族性滲出性硝子体網膜症やStickler症候群に類似する．網膜変性が進行すると網膜色素変性やコロイデレミアとの鑑別が難しい．

治療 網膜剥離に対して網膜復位術・硝子体手術が行われる．緑内障も手術の対象である．

予後 網膜変性や緑内障の進行により，視力低下や視野狭窄が進行する．

Stickler症候群
Stickler syndrome

近藤寛之　産業医科大学・教授

概念 1965年にSticklerにより報告された遺伝性，進行性の関節眼症である．小児にみられる裂孔原性網膜剥離の主要な原因疾患であり，難聴や関節の変性を併発するのが特徴である．コラーゲンの構成要素であるプロコラーゲン遺伝子の変異により起こる．多くは*COL2A1*遺伝子の変異であり，常染色体優性遺伝を呈する．*COL11A1*（常染色体優性遺伝）や*COL9A1*および*COL9A2*（常染色体劣性遺伝）が原因の症例も報告されている．

病態 強度近視，硝子体変性，裂孔原性網膜剥離を生じる．特徴的な所見としては水晶体後面の硝子体変性がみられる（*COL2A1*遺伝子の変異を疑う所見である）．網膜所見として傍血管網膜変性（**図31**）や硝子体ベール状変性がみられる．若年性の白内障や緑内障を呈する症例もある．

症状 白内障や強度近視による視力低下，緑内障や網膜剥離による視野障害を呈する．

合併症・併発症 眼所見に加え，感音性難聴，顔面低形成，口蓋裂，関節変性や骨格の異常などの全身所見がある．

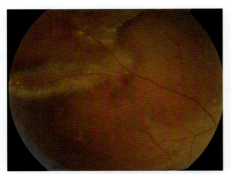
図 31 Stickler 症候群の傍血管網膜変性

|診断|

■**必要な検査** 眼底所見以外にも屈折検査による強度近視の確認，細隙灯顕微鏡による硝子体の観察が必要である．
■**診断法** 網膜剝離の家族内発症，全身所見の有無を参考に診断する．
■**鑑別診断** Wagner 症候群，家族性滲出性硝子体網膜症などとの鑑別を要する．

|治療| 網膜剝離に対しては硝子体手術や網膜復位術を行う．網膜剝離を高頻度に生じるために，欧米では予防的な網膜凝固術として冷凍凝固や光凝固が推奨されている．

|予後| 網膜剝離は小児に好発する．平均年齢は 10 歳代前半であるが，年齢分布は幅広く長期的に経過観察をする必要がある．両眼性に網膜剝離を起こす危険性が高いので定期的に検査をする．第 2 子以降は幼少期から検査をしておくべきである．

Goldmann-Favre 症候群
Goldmann-Favre syndrome

近藤寛之　産業医科大学・教授

|概念| 硝子体ベールと黄斑分離を特徴とする網膜変性である．NR2E3（PNR）遺伝子変異によって起こり，常染色体劣性遺伝を呈する．硝子体の変性所見のために，いわゆる硝子体ジストロフィと考えられてきたが，原因遺伝子が同定され，青錐体増幅症候群と同義の疾患と考えられている．青錐体の機能異常が明らかでない症例を指す．

|病態| 眼底所見では黄斑部の網膜分離所見や血管アーケード付近を主とする網膜変性がみられる．広範囲の網膜色素変性を伴う症例もある．

|症状| 幼少期より夜盲や視力低下がある．

|診断|

■**必要な検査** 網膜電図（ERG），光干渉断層計（OCT）．
■**診断法** フリッカー ERG や暗順応フラッシュ ERG では潜時が遅延する．OCT では黄斑部に囊胞状の網膜分離所見を認める**（図 32）**．硝子体はベール状の混濁がまれに認められる**（図 33）**．
■**鑑別診断** 黄斑分離は先天性網膜分離症や網膜色素変性との鑑別を要する．網膜変性を伴う硝子体ジストロフィに Stickler 症候群や Wagner 症候群がある．

|治療| 治療法はない．
|予後| 網膜変性は徐々に進行する．

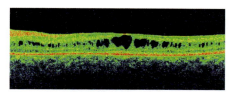

図32　黄斑部の囊胞状網膜分離
〔近藤寛之：硝子体異常を伴う網膜変性疾患．東範行（編）：小児眼科学．p301，三輪書店，2015より〕

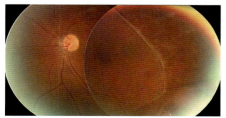

図33　網膜変性とベール状硝子体変性
〔近藤寛之：硝子体異常を伴う網膜変性疾患．東範行（編）：小児眼科学．p301，三輪書店，2015より〕

特発性黄斑円孔
Idiopathic macular hole

北岡 隆　長崎大学大学院・教授

概念　特発性黄斑円孔は，黄斑部に生じる全層の円孔で，外傷・網膜剝離などに続発するものを除く．硝子体皮質の牽引により黄斑中心に裂隙が生じ，接線方向に裂隙が拡大し円孔様の形態を呈するが，裂孔原性網膜剝離における円孔のような網膜の欠損ではなく，裂隙の拡大である．後部硝子体剝離が生じ牽引が解除されると数％〜10％程度の頻度で自然閉鎖することがあるが，手術治療が基本となる．中高年の女性に発症することが多いが，男女比は2：1で男性の発症もまれではない．一般人口10万人あたり年間3.14人程度の発症との報告がある．僚眼に発症する割合は10〜30％程度と報告されている．

病態　加齢により硝子体が収縮し網膜表面に接線方向の牽引を生じ，眼球壁に沿った接線方向のベクトルは中心窩を前方に挙上する．そのためMüller cell coneとよばれるグリア細胞の蓋が外れ，脆弱となった中心窩に亀裂が生じると，接線方向の牽引が黄斑円孔を開裂させ，円孔が拡大していく**（図34a）**．この過程を理解すると後述するWatzke-Allen signが理解しやすい**（図34b）**．

　黄斑円孔の進展過程はGassの旧分類が理解しやすい**（図35）**．牽引がかかり，中心窩に限局した中心窩剝離が生じ（ステージ1），円孔が開裂し（ステージ2），円孔が完成（ステージ3），後部硝子体剝離が生じる（ステージ4）．

症状　変視症と視力低下が主な症状である．視力低下は初期にはごく軽度（矯正視力が0.7〜0.8程度）で，黄斑円孔の進展と円孔の存続期間に応じて低下していくが，矯正視力0.1程度でとどまることが多い．変視症は，見ようと思う中央がつままれたように変形する．円孔が拡大していっても中心暗点を自覚することはほとんどない．

合併症・併発症　強度近視でない限り特発性黄斑円孔から網膜剝離を合併することはない．

診断　診断には細隙灯顕微鏡検査でのWatzke-Allen sign**（図34b）**と光干渉断層計（OCT）が有用である．Watzke-Allen signとは，細隙灯顕微鏡で90Dレンズなどを使用して黄斑部にスリット光を投影したときにスリット光の中央がくびれて細く見えると訴えるものである．非常に鋭敏な

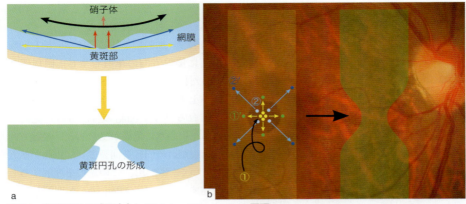

図34 黄斑円孔の成因(a)とWatzke-Allen signの原理

a：網膜表面に接する硝子体が加齢変化で収縮し接線方向に張力(◀━▶)を生じると，前方に網膜を牽引する力(↑)となる．牽引により黄斑に亀裂が入ると，接線方向の力(← →)は円孔を拡大する力(← →)と円孔縁を立ち上げる力(↑↑)となる．

b：黄斑円孔は遠心方向に拡大しており，本来黄色丸(①)の部分にあった視細胞は黄緑丸(①´)の部分に移動し，水色丸(②)の部分にあった視細胞は青色丸(②´)の部分に移動している．細隙灯のスリット光(黄色の矩形)を黄斑円孔の部分に当てると①´の部分に当たった光を受けた視細胞は本来①にあった視細胞であるため(同様に②´で光を受けた視細胞は②にあった視細胞であるため)，黄色矩形のスリット光は黄緑色図形のような形に感じられてしまう．

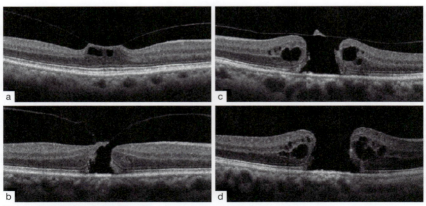

図35 黄斑円孔のステージ分類

a：ステージ1．後部硝子体の牽引により中心窩に囊胞を形成している．中心窩下に限局性の剥離を生じる場合もある．
b：ステージ2．全層円孔が形成される．多くの場合硝子体牽引も残存し，円孔径も小さい．
c：ステージ3．全層黄斑円孔で，硝子体牽引はほとんどの場合なく，円孔径も大きい．
d：ステージ4．全層円孔で後部硝子体剥離が生じている．

検査で，ごく小さい円孔であっても開裂していると陽性になる．OCT では通常の細隙灯顕微鏡検査で分層円孔と全層円孔の区別がつきにくい場合も有用である．また，硝子体との関係やステージ分類に有用であるうえに黄斑円孔の大きさや fluid cuff の大きさから，円孔が難治性であるかの判断に有用である（図36）．緑内障を合併した症例などでは静的視野検査（や微小視野検査）を行い，術後の緑内障性視野欠損が進行しないかチェックしておく．

治療 特発性黄斑円孔では，患者が手術を望めばほぼすべて硝子体手術の適応といってよい．円孔が開裂してから長期間経過したと思われる場合も閉鎖すれば視力回復が期待できる．しかし一般には，開裂期間が長いと回復に時間がかかることが多く，回復程度は限定的なことが多い．OCT で円孔の最小径が 400 μm を超えない場合は，人工的に後部硝子体剝離作成を行い手術する．内境界膜（internal limiting membrane：ILM）剝離は必ずしも併施する必要はないが，ILM 剝離を行うほうが一般には閉鎖率は向上する．400〜500 μm を超える場合は，通常の（ILM を併施する場合も含め）硝子体手術での閉鎖率はよくないので，ILM を円孔にカバーする方法など（水晶体嚢を使用する方法，自家網膜移植など）を行うほうがよいという報告が多い（図36）．

50 歳以上では透明水晶体であっても水晶体温存硝子体手術を行うと術後急速に核白内障が進行するので，白内障同時手術が望ましい．50 歳より若い場合，術後白内障が進行する可能性は低いが，術中に水晶体を傷害すると白内障が進行する．そのほか術後視野欠損，眼内炎，網膜剝離などの

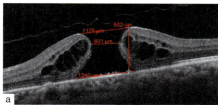
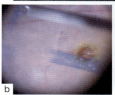
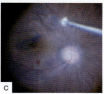

図36 黄斑円孔径計測と内境界膜翻転法
OCT で円孔径を測定している（**a**）．この症例では最小円孔径が 601 μm あり，比較的大きい．大きい黄斑円孔では内境界膜（ILM）を翻転し覆うと閉鎖率が向上する．黄斑中央付近の ILM を残し，その周囲の ILM を切除している（**b**）．その後 ILM で黄斑円孔の上をカバーし，粘弾性物質を載せ液空気置換を行っている（**c**）．

危険性は常に存在する．

予後 円孔発症からあまり時間の経過していない特発性黄斑円孔では，予後良好で 1.0 以上の視力が期待できる．一方，古い円孔では術後矯正視力不良のことがあるが，術後数年経って視力が改善することがある．

外傷性黄斑円孔

Traumatic macular hole

北岡 隆 長崎大学大学院・教授

概念 外傷により続発性に黄斑円孔を発症することがある．特発性黄斑円孔とは異なり，学童期の若年者にも発症する．自然治癒する報告も散見されるが，治癒しない場合は特発性黄斑円孔の手術に準じて治

療する．術後視力は外傷による黄斑の萎縮の程度に関係する．

病態　鈍的外傷やYAGレーザーの誤照射によるものがある．鈍的外傷が眼球正面から加わるとその部位には同側衝撃損傷が生じ，その対側の黄斑部には対側衝撃損傷が生じる**(図37)**．その衝撃により中心窩に亀裂が生じ，硝子体に加わった衝撃で硝子体が動揺し黄斑円孔が生じる．YAGレーザーでは黄斑部の組織損傷や硝子体への影響が考えられる．

症状　視力低下と変視症が主な症状であるが，外傷により網膜振盪症を黄斑に生じると暗点を自覚することもあり，外傷による合併症に応じてさまざまである．

合併症・併発症　症状の項でも触れたが，鈍的外傷に伴い網膜振盪症を生じることがある．また外傷性の網膜裂孔や網膜剥離を伴うことがある．また鈍的外傷による網脈絡膜萎縮を合併することがあり，その萎縮部位によっては視力予後不良のことがある．

診断　鈍的眼球打撲の既往を確認する．視力検査など一般的眼科検査を行う．特発性黄斑円孔と同様にWatzke-Allen signは有用である**(⇒663頁参照)**．また，光干渉断層計(OCT)検査は特に有用**(図38)**で，鈍的外傷後に全層の黄斑円孔が確認できれば確定診断できる．

治療　外傷性黄斑円孔は自然閉鎖の報告が散見され，OCTで円孔部分に架橋構造が認められる**(図39)**などの自然閉鎖傾向があれば，受傷後1〜3か月は経過観察を行い，認められない場合に手術を行う．

手術は通常の特発性黄斑円孔手術に準じる．外傷性黄斑円孔は難治のこともあり，円孔径が大きい場合は内境界膜剥離・内境

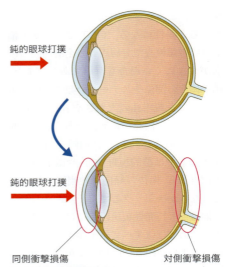

図37　鈍的外傷の病態
鈍的外傷を正面から受けると角膜側には同側衝撃損傷が生じ，後極部には対側衝撃損傷が生じる．これにより黄斑部の硝子体・網膜が傷害され，外傷性黄斑円孔を生じる．

界膜翻転を併用する．若年者のことも多く鈍的外傷に伴う白内障が認められない場合，水晶体は温存する．眼球打撲による網膜裂孔を伴う場合はしっかりと凝固しておく．

予後　予後は黄斑部が眼球打撲により傷害されているかどうかによるが，黄斑部が保たれている場合，術後視力は良好なことが多い．レーザーによる外傷の場合，視細胞・色素上皮細胞が傷害されている場合は予後不良である．

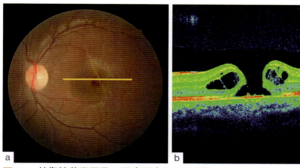

図38　外傷性黄斑円孔の眼底写真とOCT像
外傷により黄斑円孔を認め，円孔部を横切るように色素上皮に線状の傷害を認める(a)．OCTでは網膜内に嚢胞形成を伴う外傷性黄斑円孔を認める(b)．

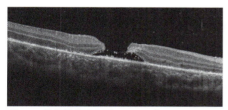

図39　外傷性黄斑円孔のOCT像
OCTで外傷による黄斑円孔を認めるが，円孔部に架橋構造が形成されている．

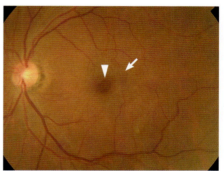

図40　黄斑偽円孔のカラー眼底写真
黄斑上膜(矢印)と黄斑偽円孔(矢頭)を認める．

黄斑偽円孔

Macular pseudohole

森實祐基　岡山大学・教授

概念　検眼鏡的に黄斑円孔に似た形態を示す黄斑疾患の1つ．黄斑周囲に存在する黄斑上膜によって黄斑部の網膜が牽引され，中心窩陥凹の形態が急峻になった状態．

病態　黄斑周囲に存在する黄斑上膜が黄斑部の網膜を牽引することによって生じる(図40)．

症状　視力低下，歪視．しかし，自覚症状を認めない場合も多い．

合併症・併発症　黄斑上膜がみられる．続発性に黄斑上膜を生じた場合には，原因疾患として網膜裂孔や眼炎症の併発に注意が必要である．

診断

■ **必要な検査**　視力，アムスラーチャート，M-CHARTS，眼底検査，光干渉断層計(OCT)．OCTにおいて，黄斑上膜，急峻な中心窩陥凹，中心窩周囲の網膜厚の増加を認める(図41)．網膜外層の構造は正

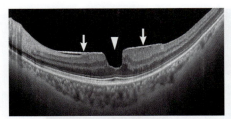

図41　黄斑偽円孔の光干渉断層計Bスキャン画像
黄斑上膜(矢印)による牽引によって，中心窩陥凹の形態が急峻になっている(矢頭)．また，中心窩周囲の網膜厚の増加を認める．網膜外層構造は保たれている．

常に保たれる場合が多い．
■**鑑別診断**　全層黄斑円孔，分層黄斑円孔．

| 治療 |
■**治療方針**　視力低下や歪視がみられない限り経過を観察する．これらの自覚症状が増悪する場合は硝子体手術を考慮する．
■**手術治療**　網膜に対する牽引を解除することを目的として，黄斑上膜に対する手術と同様に，硝子体切除，黄斑上膜および内境界膜の剝離除去を行う．周辺部網膜における裂孔の有無をよく確認する．網膜裂孔があれば裂孔周囲に網膜光凝固を行う．

| 予後 |　手術によって視力低下や歪視の増悪を止めることが可能である．しかし，視機能の改善の程度には個人差がある．

分層黄斑円孔

Lamellar macular hole：LHM

森實祐基　岡山大学・教授

■**概念**　検眼鏡的に黄斑円孔に似た形態を示す黄斑疾患の1つ．黄斑上膜によって網膜が牽引され分層を生じた"牽引型"分層黄斑円孔と，何らかの原因によって中心窩陥凹が不整に拡大した"変性型"分層黄斑円孔に分類される．

■**病態**　牽引型分層黄斑円孔では黄斑上膜による網膜牽引によって黄斑部の網膜が層間で分離する．変性型分層黄斑円孔の病態については不明な点が多いが，慢性炎症や網膜の構造的な脆弱性が背景にあると考えられる．牽引型分層黄斑円孔とは異なり，変性型分層黄斑円孔の病態における網膜牽引の関与は少ないと考えられている．

■**症状**　視力低下，歪視．

■**合併症・併発症**　牽引型分層黄斑円孔では黄斑上膜がみられる．そのため網膜裂孔の併発に注意が必要である．変性型分層黄斑円孔は眼炎症や高度近視に伴うことが多い．

| 診断 |
■**必要な検査**　視力，アムスラーチャート，M-CHARTS，眼底検査，光干渉断層計(OCT)．牽引型分層黄斑円孔ではOCTにおいて網膜の層間分離がみられる．網膜外層の構造は正常に保たれることが多い(図42)．変性型分層黄斑円孔では，典型的にはω型の中心窩陥凹の拡大と網膜の菲薄化を認める．進行例では網膜外層構造が不連続になる(図43)．変性型分層黄斑円孔の網膜上に黄色の増殖組織を認めることが多く，OCTでは低輝度な膜状組織として観察される．

■**鑑別診断**　全層黄斑円孔，黄斑偽円孔，網膜分離症．

| 治療 |
■**治療方針**　視力低下や歪視がみられない限り経過を観察する．これらの自覚症状が増悪する場合は硝子体手術を考慮する．

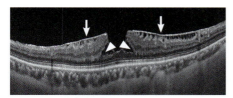

図42 牽引型分層黄斑円孔
光干渉断層計Bスキャン画像．黄斑上膜(矢印)の牽引によって，黄斑部網膜の分層(矢頭)がみられる．

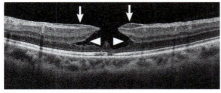

図43 変性型分層黄斑円孔
光干渉断層計Bスキャン画像．網膜上の増殖組織(矢印)，ω型の中心窩陥凹の拡大(矢頭)，中心網膜の菲薄化を認める．網膜外層構造が不連続である．

■**手術治療** 牽引型分層黄斑円孔では黄斑上膜に対する手術と同様に，黄斑上膜と内境界膜の剝離を行う．変性型分層黄斑円孔に対する術式は確立されていない．網膜上の増殖組織と内境界膜を剝離除去しても視機能が改善しないことが多い．近年，網膜上の増殖組織を分層に埋没する術式の有効性が報告されている．

予後 手術によって視力低下や歪視の増悪，さらなる網膜の菲薄化や黄斑円孔への進行を止めることが可能である．しかし，視機能の改善の程度には個人差がある．

黄斑上膜
Epiretinal membrane

井上 真　杏林アイセンター・教授

概念 黄斑上膜には特発性と続発性がある．特発性黄斑上膜は経年的な変化である後部硝子体剝離に伴って生じる．続発性は炎症，周辺部網膜裂孔や裂孔原性網膜剝離，外傷，網膜血管腫や網膜静脈閉塞症，糖尿病網膜症などに合併する．

病態 網膜上に残存した硝子体皮質を足場とした網膜グリア細胞の増殖による線維性組織が形成される．

症状 視力低下や変視症(歪視)，大視症がある．黄斑偽円孔，囊胞様黄斑浮腫，黄斑全層円孔を伴う．

診断 アムスラーチャートやM-CHARTSで変視症を評価する．光干渉断層計(OCT)による検査で，黄斑上膜の存在と網膜表面の皺襞，網膜厚の増加によって診断する(図44)．

重症度には，一般的にGassの分類が用いられている．
- Grade 0：透明なキラキラした膜様の黄斑上膜がみられる．セロハン黄斑症ともよばれ，視力の障害は少ない．
- Grade 1：網膜表面(内層)に皺襞を形成する．網膜血管の蛇行がみられる．変視症や視力低下が出現する．
- Grade 2：黄斑上膜は厚くなり不透明な膜となる．皺襞は著明となり網膜内層に浮腫を生じて黄斑上膜は灰白色に見える．視力低下は著しくなる．

治療
■**手術治療** 手術適応は自覚症状によって

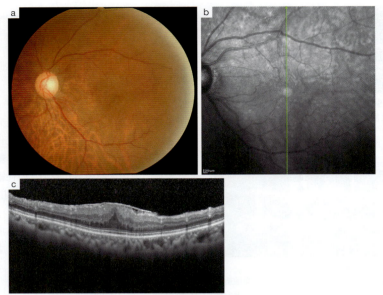

図 44　黄斑上膜の眼底写真と黄斑部の縦切り OCT
眼底写真(**a**)では黄斑部に黄斑上膜の収縮による皺襞がみられる．レーザー共焦点眼底鏡画像(**b**)では黄斑部の皺襞がより明瞭に観察される．OCT(**c**)では黄斑部の網膜上に黄斑上膜があり，黄斑上膜に接して網膜皺襞がみられる．

決める．視力が良好であっても歪視が強いものは手術適応とする．硝子体牽引が強い症例，網膜裂孔や網膜剝離に続発する黄斑上膜は膜が厚く症状が強いことが多いため，早めの手術適応とする．緑内障を合併している症例では一般的に視力予後が不良で，術後に視野欠損が進行することもあり手術適応を慎重に決める．術後視力が改善しても変視症は残存するため，症状が明確である場合は視力低下があまり進行していないときに手術適応としたほうがよい．

硝子体カッターで硝子体ゲルを切除して，黄斑上膜を硝子体鉗子で把持して剝離する．多くの症例で後部硝子体剝離が生じている．後部硝子体剝離が生じていない場合には後部硝子体剝離を作成して，黄斑前膜も一緒に剝離されなければ残存した黄斑上膜もできるだけ剝離する．黄斑上膜が剝離される際に内境界膜にも亀裂が入って同時に部分的に剝離されることもある．内境界膜を剝離する場合には中心窩から均等になるように内境界膜の剝離範囲を合わせる．

予後　術後の視力は術前視力におおむね相関する．経過が長い場合には回復しづらい．術後視力が改善されても，変視症は減少するが完全には回復しない．変視症の改善には数か月以上の期間が必要である．術後の OCT でも網膜内層の肥厚は残存していることが多く，大視症も残存する．あまり視力低下が進行しないうちに手術を行うことが，よりよい術後視機能を得るために重要である．自覚症状があまりないときには経過観察を行う．後部硝子体剝離がな

い若年者に起こった黄斑上膜では，経過観察中に後部硝子体剥離が生じて自然軽快する場合もある．

硝子体黄斑牽引症候群
Vitreomacular traction syndrome

井上 真　杏林アイセンター・教授

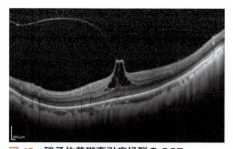

図45　硝子体黄斑牽引症候群のOCT
黄斑部網膜が硝子体牽引によって前方に挙上され，黄斑部網膜に嚢胞様の変化がある．

概念　加齢によって硝子体が液化し，後部硝子体皮質が網膜から分離することで後部硝子体剥離が起こる．中心窩では後部硝子体皮質の癒着が強く，中心窩の周囲でのみ後部硝子体剥離が生じて中心窩が前後方向に牽引されることで黄斑部網膜が障害される．ぶどう膜炎，網膜静脈閉塞症，糖尿病網膜症などに続発する硝子体黄斑牽引症候群がある．

病態　硝子体牽引で中心窩は挙上され，黄斑部網膜には嚢胞様変化（図45），中心窩剥離，牽引性網膜剥離，黄斑分層円孔，黄斑上膜，黄斑円孔を合併する．

診断　視力障害や変視症などの症状が出現する．アムスラーチャートやM-CHARTSで変視症を評価する．検眼鏡所見では後部硝子体皮質はキラキラした厚い膜様組織として黄斑部網膜を挙上している所見が観察される．これは硝子体牽引によってグリア細胞の増殖が起こり，後部硝子体皮質が肥厚することによる．黄斑前膜も同様に網膜表面の反射が亢進して観察される．光干渉断層計（OCT）による検査で，黄斑部網膜と硝子体の癒着と，その周囲に後部硝子体剥離を認め，硝子体牽引によって黄斑部網膜が挙上されている所見が特徴的である．

治療

■ **手術治療**　視力低下や変視症があれば硝子体手術を行う．OCTで黄斑部網膜が挙上され菲薄化している場合，さらに進行して黄斑円孔になりそうな場合は早めの手術を考慮する．硝子体牽引のみで黄斑部網膜に形状変化がない場合は経過観察を行う．

　硝子体切除によって後部硝子体皮質の黄斑網膜への牽引を解除する．牽引された黄斑部網膜周囲には黄斑上膜も多く合併しているため，黄斑上膜の剥離も併せて行う．中心窩は嚢胞様変化のため菲薄化しており，黄斑円孔を形成しないように周囲の膜剥離には注意を要する．黄斑上膜と内境界膜は一塊として剥離されることが多く，内境界膜を染色して黄斑部への牽引をできるだけ減少させる．

嚢胞様黄斑浮腫
Cystoid macular edema：CME

笠井暁仁　福島県立医科大学
石龍鉄樹　福島県立医科大学・教授

概念　嚢胞様黄斑浮腫は黄斑部に細胞

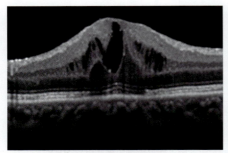

図 46　囊胞様黄斑浮腫の OCT 所見
中心窩に大きな囊胞様腔と，その周囲に小型の囊胞様腔がみられる．

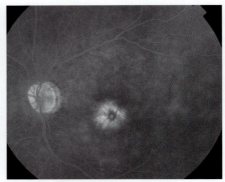

図 47　囊胞様黄斑浮腫のフルオレセイン蛍光眼底造影所見（後期像）
花弁状，蜂巣状の蛍光貯留がみられる．

外液が貯留し，囊胞様腔を形成した状態をいう．

病態　病理的には，外網状層および内顆粒層に生じる囊胞様変化および浮腫である．特に中心窩周囲の外網状層である Henle 線維層の組織液が貯留しやすい．また，囊胞の隔壁は Müller 細胞や軸索線維により形成されている．

　囊胞様黄斑浮腫は，眼内手術後やさまざまな眼疾患に伴って生じる．原因となる眼内手術には白内障手術，緑内障手術，硝子体手術，網膜復位術，網膜光凝固術，YAG レーザー，冷凍凝固などが挙げられる．そのうち，特に白内障術後に生じる囊胞様黄斑浮腫は Irvine-Gass 症候群とよばれる．また，原因疾患には糖尿病網膜症，網膜中心静脈閉塞症，網膜静脈分枝閉塞症，黄斑部毛細血管拡張症 type 1，加齢黄斑変性，放射線網膜症，種々のぶどう膜炎，網膜色素変性，眼内腫瘍，後部硝子膜の牽引，アドレナリンといった薬物などが挙げられる．

診断　前置レンズを用いた細隙灯顕微鏡検査で中心窩に囊胞様腔を確認できることが多い．OCT で囊胞様腔は低輝度として描出され，中心窩に大きな囊胞様腔と，その周囲に小型の囊胞様腔がみられる（図46）．フルオレセイン蛍光眼底造影では，後期に中心窩を中心とした花弁状，その周囲には蜂巣状の蛍光貯留がみられることが多い（図 47）．

治療　原因疾患がある場合はその治療である．原因薬物があればその中止となる．後部硝子膜の牽引が影響する場合は硝子体手術が有効である．

後部硝子体剥離

Posterior vitreous detachment：PVD

石龍鉄樹　福島県立医科大学・教授

概念・病態　後部硝子体剥離（PVD）とは，後部硝子体皮質が網膜から剥離することである．加齢や炎症など硝子体の液化変性に伴い発生することが多い．硝子体手術の適応となる多くの疾患が PVD を共通の病態として発症することから，PVD を

正確に診断することは診断，治療の両面で重要である．硝子体は，コラーゲンからなる硝子体線維と線維の間を充填するヒアルロン酸で構成されている．後部硝子体線維は網膜のMüller細胞の基底膜である内境界膜に連続している．しかし硝子体皮質は網膜全体に均一に接着しているのではなく，生理的接着部位でより強く網膜と接着している．生理的接着部位は，視神経乳頭，中心窩，網膜血管，硝子体基底部である．加齢および眼軸長の伸長などにより，硝子体中のヒアルロン酸が減少すると後極部を中心に硝子体の液化が始まる．この状態では自覚症状がないことがほとんどである．硝子体の液化が進むと視神経乳頭部で硝子体皮質剝離が生じる．このとき，乳頭部硝子体線維に一致したリング状組織（Weissリング）が形成され，飛蚊症を自覚し，外来を受診することが多い．

PVDの過程で，中心窩に硝子体癒着が残存，持続すると黄斑円孔が生じる．血管アーケード内に面状の硝子体癒着が存在し，この部分を残してPVDが進行すると残存した皮質は黄斑上膜となる．この遺残皮質を足がかりに細胞増殖が起こると黄斑上膜が収縮し，患者は変視などの症状を自覚する．PVDが周辺部に拡大し，格子状変性などの病的な網膜接着部位があると，その辺縁で網膜裂孔を形成する．したがってこれらの疾患は，硝子体変性と網膜への病的接着という2つの共通の病態から発症すると言える．また，これらの病態には，硝子体液化に伴う有形硝子体の可動性増加が，眼球運動による癒着部位での牽引力，剪断力の増加として関わっていると考えられている．

■症状　硝子体液下腔の形成，PVDよるWeissリング形成など，光に対する硝子体の部分的な屈折変化，散乱が生じると患者は飛蚊症を自覚する．加齢性PVDは正視眼では40歳過ぎから認められはじめ，70歳代の70％程度の例でみられるとされている．近視眼ではさらに発生頻度が高い．PVD進行により硝子体の可動性が増すと眼球運動に伴い光視症を自覚することがある．明所から暗所に移動した際に自覚することが多い．黄斑円孔，黄斑上膜が併発すると視力低下や変視症，中心視野付近の比較暗点を自覚する．網膜裂孔を形成した場合，出血を伴うと急激な飛蚊感の増強を訴える．

■診断

❶**倒像鏡による診断**　倒像鏡で，Weissリングの存在を確認することができる．WeissリングはPVD完成直後には乳頭周囲にみられることが多いが，硝子体液化の進行に伴い下方や周辺癒着部位の方向に移動していることがある．このような場合は倒像鏡で広く観察すると発見が容易である．

❷**細隙灯顕微鏡による診断**　非接触型両凸レンズと細隙灯顕微鏡を用いると，より詳細なPVDの観察ができる．Weissリングの陰影が薄く倒像鏡で検出できない例でも検出が可能である．スリット光の照明強度を最大にして照明光は細くセットする．最初に乳頭近傍のWeissリングの有無を検索する．リングを検出できた場合は，そこから周辺部に硝子体皮質をある程度たどることができる．リングは，環状構造を保ったものから，環状構造が一部欠けた形態をしている例もあるので注意が必要である．眼球を小さく動かすように指示し動的に観察するとより明瞭に観察できる．スリット照明により硝子体線維が，波打つように見え

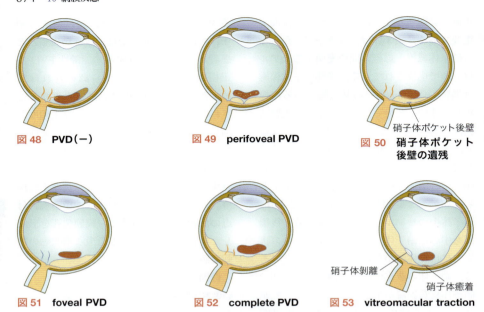

図 48　PVD（−）

図 49　perifoveal PVD

図 50　硝子体ポケット後壁の遺残

図 51　foveal PVD

図 52　complete PVD

図 53　vitreomacular traction

るので，その層の最も後面を捜すことで，硝子体皮質を確認することができる．このとき，細隙灯顕微鏡の倍率を下げたほうが，硝子体の動きを把握しやすい．完全 PVD では，周辺まで硝子体剥離しており，動的観察で硝子体線維の動きは大きい．部分 PVD では，癒着がある方向で硝子体線維の動きは制限されているので，その方向で後部硝子体皮質をたどっていくと，癒着部位を見つけやすい．Weiss リングが確認できない例で PVD を見つけることは難しいが，生理的接着部である黄斑，網膜血管を目安に動的観察を行い，後部硝子体皮質を確認する．通常，PVD は上方から生じることが多いので，上方血管アーケード付近から検索を始めるとよい．

細隙灯顕微鏡の観察では PVD 眼の有形硝子体内部に，いわゆるタバコダストと呼ばれる褐色の細胞や出血がみられることがある．裂孔形成のサインなので，これを見つけた場合，丹念に周辺まで観察することが必要である．また，裂孔原性網膜剥離では，PVD が広汎な例で急速に網膜剥離が進行するので注意が必要である．糖尿病網膜症では，完全 PVD であれば増殖網膜症には進行しない．一方，部分 PVD の状態では，硝子体癒着が残存した部位で増殖膜形成の可能性があるので注意が必要である．

❸ **OCT による診断**　詳細な網膜硝子体界面の観察には OCT は欠かせない検査となっている．特に，Weiss リングが形成される前段階での観察には必須である．黄斑部硝子体を OCT で観察すると，黄斑前には硝子体ポケットという空隙が認められる**(図 48)**（岸ポケット）．この空隙は，小児期より存在することが知られている．硝子体の変性とともに中心窩周囲の硝子体剥離が形成される（perifoveal PVD）**(図 49)**．さら

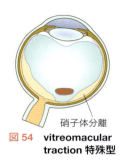

図54 **vitreomacular traction** 特殊型 硝子体分離

に，硝子体の変性が進行すると中心窩の硝子体が剝離する．中心窩硝子体の癒着が強い場合は，硝子体ポケットの後壁を残して，PVDが生じ黄斑上膜となる**(図50)**．中心窩での癒着が弱い場合は硝子体ポケット後壁も一緒に網膜から剝離する**(図51)**．硝子体ポケット後壁の中心窩での癒着が強いと中心窩を牽引し黄斑円孔を形成する．通常は黄斑部PVDが完成した後，視神経乳頭におけるPVDが発生し，完全後部硝子体剝離となる**(図52)**．特殊なタイプとしては中心窩に広く硝子体が癒着し，中心窩を面状に牽引するとvitreomacular tractionとなる**(図53)**．ぶどう膜炎，糖尿病網膜症などでは硝子体剝離が全く存在せず，硝子体液化が進行し，硝子体分離となり，黄斑部が牽引されることがある**(図54)**．PVDが存在すると思って，中心窩硝子体のみを切除すると遺残皮質の収縮が起きるので，硝子体手術を計画する際には注意が必要である．

治療 加齢性PVDに伴う飛蚊症は積極的な治療の必要性はない．血管性病変やぶどう膜炎などに続発したPVDでは，大きな混濁が生じることがある．このような例で，職業上の問題が生じる場合には手術が考慮されることもある．網膜裂孔，網膜剝離があれば網膜光凝固，バックリング手術，硝子体切除術などの外科的治療の適応となる．

飛蚊症
Floaters

菅野幸紀　福島県立医科大学・学内講師
石龍鉄樹　福島県立医科大学・教授

概念・病態 飛蚊症は，眼球運動に伴い移動する陰影を自覚する症状を指す．硝子体腔内の混濁が網膜に投影されることで生じる．白い壁や天井，青空，雪原など明るく均質な背景を見たときに蚊のようなもの，すす，リング状の影が眼球運動とともに動いて見える．主に加齢変化で生じる「生理的飛蚊症」と疾患に伴い発症する「病的飛蚊症」がある．

生理的飛蚊症は，加齢に伴う後部硝子体剝離(posterior vitreous detachment：PVD)に伴い出現することが多い．主として乳頭前グリア環(Weissリング)の混濁を自覚するが，PVDが認められない場合でも，硝子体の液化に伴う局所的な屈折の変化から，陰影が生じることがある．

病的な飛蚊症としては，裂孔原性網膜剝離に伴う網膜色素上皮の硝子体腔への異動，ぶどう膜炎による硝子体混濁，打撲による硝子体出血などが原因となる．また例外として星状硝子体症では，検眼鏡的には硝子体腔に多数の白色粒状の物質が浮遊するが，多くの場合飛蚊症として自覚されない．加齢による後部硝子体剝離，硝子体の液化による混濁は治療の対象とはならない．これに対し病的な飛蚊症は，治療対象

となるので，十分な問診の聴取と散瞳検査による詳細な眼底検査が必要となる．

症状　白い壁などの明るい背景を見たときに，眼球運動に伴い移動する蚊やハエのようなもの，すす，リング状の陰影を自覚する．陰影が移動することが特徴で，網膜や神経障害による暗点などとの鑑別に有用である．硝子体出血の場合は，雲のような大きな陰影を自覚することがあるが，眼球運動に伴う移動があることから，広い意味では飛蚊症の範疇と考えられる．PVDによる飛蚊症はPVD発生直後に強く自覚され，発症時期が明確であることが多い．硝子体液化の進行により，混濁の位置は周辺に移動し，陰影は薄くなる．光視症を併発する場合は，硝子体変性による網膜牽引が存在する可能性があり，網膜裂孔を併発していることもある．散瞳薬を用いた眼底周辺までの詳細な眼底検査が必要である．網膜裂孔が存在する場合は，網膜色素上皮の拡散や出血により飛蚊症も増加していくことがある．

診断・分類　生理的飛蚊症と病的飛蚊症を鑑別することが診療のうえで大切である．まず，病的飛蚊症を除外するため十分に散瞳し，倒像鏡で眼底周辺部まで観察し，網膜裂孔，網膜剝離，出血，硝子体混濁の有無を確認する．倒像鏡でPVDに伴うWiissリングのみがみられる場合，リングの位置と飛蚊を自覚する位置が対応していれば診断は容易である．倒像鏡検査で異常がみられない場合は，細隙灯顕微鏡と非接触型両凸レンズを用いて硝子体検査を行い，PVDの有無や微細な硝子体混濁を観察する．細隙灯の観察では，スリット光の幅を狭く，照明強度を上げて観察する．視神経乳頭面からピントを前方に移動し，Weissリングの有無を確認する．部分的硝子体剝離の観察には，網膜面，または網膜面のわずか前方にピントを移動させ，網膜の反帰光を利用して硝子体を観察すると，わずかな混濁もとらえることが可能である．また，眼球をわずかに上下させ，硝子体の波打ちを観察することで，PVDの有無，硝子体癒着の部位などを程度推測することができる．色素性細胞(タバコダスト)，赤血球などがみられる場合は，網膜裂孔や網膜剝離の存在が疑われるので，周辺まで詳細に検査すべきである．ぶどう膜炎の早期では，炎症性細胞やフレアを観察することができる．ぶどう膜炎では混濁が眼底下方にあることが多いので，下方眼底を中心に観察するとよい．光干渉断層計(OCT)でも網膜や視神経乳頭と硝子体の接着の有無や硝子体混濁を観察可能である．長いスキャン幅での撮影は，PVDの形態把握に有用である．

治療　生理的飛蚊症は治療の必要はない．飛蚊症の自覚が強く治療を希望する例でも，症状は経時的に軽快することを十分に説明することが大切である．網膜裂孔，剝離が見つかれば網膜光凝固，手術治療を検討する．Stickler症候群など，硝子体変性を伴う変性疾患が疑われる場合は定期的な経過観察が必要である．ぶどう膜炎や代謝異常による病的飛蚊症に関しては原因疾患の検索，治療を行う．

加齢黄斑変性
Age-related macular degeneration：AMD

髙橋寛二　関西医科大学・教授

概念　黄斑部の加齢性変化によって黄斑部網膜に萎縮性または滲出性変化をきたす疾患である．発症には，遺伝的素因のうえに加齢，喫煙などの生活習慣，不健康なライフスタイル，抗酸化物質の低摂取などの環境・行動因子(後天因子)が関与する多因子疾患と考えられている．わが国の有病率は，2008年に始まった長浜スタディでは前駆病変 22.8%(ドルーゼン 39.4%)，2012年の久山町研究による進行期 AMDの有病率は 1.6%(滲出型 1.5%，萎縮型 0.1%)であり，前駆病変，進行期 AMD ともに増加の一途をたどっている．

病態　まず黄斑部の網膜色素上皮細胞(retinal pigment epithelium：RPE)が障害を受け，網膜色素上皮異常やドルーゼン形成をきたすことに始まる(前駆病変)．炎症や酸化ストレスなどの機転によって，RPEの変性萎縮に始まる視細胞-RPE-脈絡膜毛細血管複合体に萎縮〔地図状萎縮(geographic atrophy：GA)〕をきたすものが萎縮型 AMD，網膜外層・網膜下・網膜色素上皮下に新生血管〔多くは脈絡膜新生血管(choroidal neovascularization：CNV)，一部網膜新生血管〕を生じ，感覚網膜に出血・滲出を生じるものが滲出型 AMD である．萎縮型 AMD では GA の拡大によって視力低下が進行し，滲出型 AMD は進行すると黄斑部に大きい萎縮性または線維性瘢痕をきたし，より重篤な視力低下に陥りやすい．近年，脈絡膜血管の拡張と脈絡膜血管透過性亢進を伴う pachychoroid(厚い脈絡膜)の概念が一般化し，日本人を含むアジア人では滲出型 AMD の病態として pachychoroid に基づく症例が多いとされている(pachychoroid neovasculopathy：PNV, polypoidal choroidal vasculopathy：PCV)．

症状　50 歳以上の男女(男性：女性＝3：1)の片眼または両眼(40%)にみられる．変視，中心暗点に始まり，進行すると 0.1 未満の視力低下に陥る．大量出血例では突然の高度の視力低下をきたすことがある．

併発症　新生血管からの大量出血によって黄斑下血腫や出血性網膜剝離をきたすと，硝子体出血に進展し，まれに眼球血症の状態から続発緑内障を引き起こす．

診断　わが国の「加齢黄斑変性の分類と診断基準」(2008 年)および「加齢黄斑変性の治療指針」(2012 年)では，AMDの前駆病変には網膜色素上皮異常(色素ムラ，色素沈着，低色素，1 乳頭径未満の漿液性色素上皮剝離)と軟性ドルーゼン(直径 63 μm のもの 1 個以上)があり，進行期病変は萎縮型 AMD と滲出型 AMD に分類されている(図 55, 56)．「萎縮型 AMD の診断基準」(2015 年)では，直径 250 μm 以上の境界鮮明な円形あるいは房状の地図状萎縮(GA)が必須所見であり，画像診断所見，除外規定が示されている．滲出型 AMD は典型 AMD と特殊病型であるポリープ状脈絡膜血管症(PCV)，網膜血管腫状増殖(retinal angiomatous proliferation：RAP)に分類される．典型 AMD の新生血管は，網膜色素上皮下に新生血管を生じる occult CNV(Gass 分類 1 型 CNV)と，網膜下に新生血管を生じる classic

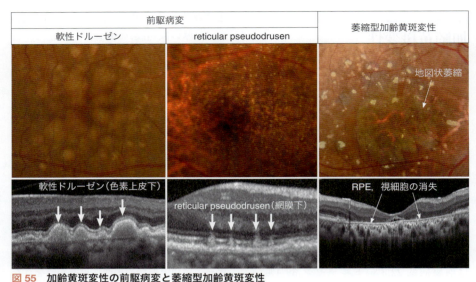

図 55　加齢黄斑変性の前駆病変と萎縮型加齢黄斑変性
reticular pseudodrusen は前駆病変として近年重要視されるようになった．

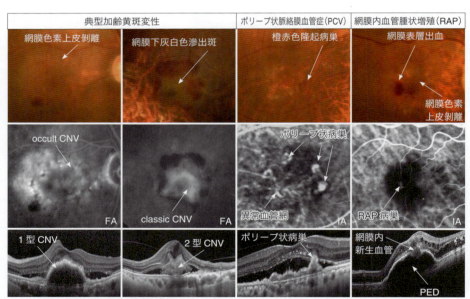

図 56　滲出型加齢黄斑変性の病型別所見
FA：フルオレセイン蛍光眼底造影，IA：インドシアニングリーン蛍光眼底造影，PED：網膜色素上皮剥離，下段は OCT 所見．

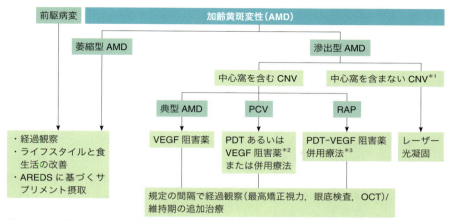

図57　加齢黄斑変性の治療指針

*1：特に中心窩外 CNV のことを指す．傍中心窩 CNV に対しては，治療者自身の判断で中心窩を含む CNV に準じて治療を適宜選択する．
*2：視力 0.5 以下の症例では，PDT を含む治療法（PDT 単独または PDT-VEGF 阻害薬併用療法）が推奨される．視力 0.6 以上の症例では VEGF 阻害薬単独療法を考慮する．
*3：治療回数の少ない PDT-VEGF 阻害薬療法が主として推奨される．視力良好眼では VEGF 阻害薬単独療法も考慮してよい．

（厚生労働省研究班・加齢黄斑変性治療指針作成ワーキンググループ：加齢黄斑変性の治療指針．日眼会誌 116：1150-1155，2012 より）

CNV（同 2 型 CNV）に分類される（図 56）．1 型 CNV は小さく扁平で，光干渉断層計（OCT）で double layer sign を示すものと，RPE がドーム状に隆起した線維血管性色素上皮剝離に分けられ，後者は特に難治性である．2 型 CNV の OCT 像では，多くが網膜下新生血管を含む網膜下高反射物質（subretinal hyperreflective material：SHRM）を認める．PCV では，眼底には特徴的な橙赤色隆起病巣がみられ，インドシアニングリーン蛍光眼底造影（IA）によって RPE 下に異常血管網とその先端に血管塊である特徴的なポリープ状病巣が検出される（PCV の診断基準，2005 年）．OCT では前者は double layer sign，後者は内部反射を伴う急峻な RPE の隆起としてみられる．RAP は多数の軟性ドルーゼンや網状偽ドルーゼン（reticular pseudodrusen）を前駆病変としてもつ眼に生じやすく，IA，OCT アンギオグラフィによって網膜血管と連絡する網膜内新生血管が証明される．進展すると網膜色素上皮剝離を伴い，さらには CNV（脈絡膜-網膜血管吻合）も関与して急速に大きい瘢痕病巣に進展する．RAP 中期の OCT では，色素上皮剝離とその中央部での RPE 断裂様所見（bump sign 塊状反射），強い嚢胞様黄斑浮腫がみられる．

治療　2012 年に発表された「加齢黄斑変性の治療指針」では，前述の AMD の各病期・病型に対する推奨治療が示されている（図 57）．

■ **前駆病変に対する治療**　進行期病変への進行予防のために予防的治療を行う．進行

の危険度によって段階的に治療を行う．網膜色素上皮異常，小さい軟性ドルーゼンが少数みられる場合は，ライフスタイルと食生活の改善(禁煙，運動，遮光，緑黄色野菜などの積極的摂取)を勧める．大きい軟性ドルーゼン，集合性軟性ドルーゼンがみられる場合や片眼に進行期病変がすでにみられる場合は，上記の生活改善に加えてAREDS(2001)，AREDS2(2013)Studyの結果に基づく組成(ビタミン C 500 mg，ビタミン E 400 IU，ルテイン 10 mg，ゼアキサンチン 2 mg，亜鉛 25 mg，銅 2 mg)に近い抗酸化サプリメントの定期的摂取を考慮する．

処方例

オキュバイトプリザービジョン 2 またはサンテルタックス 20＋ビタミン＆ミネラル（健康補助食品として 1 日 3 粒）

■**萎縮型 AMD に対する治療** さまざまな作用機序をもつ治療薬が臨床試験段階にあるが，中心窩を含む GA が確立された症例に対する治療はまだない．中心窩外 GA に対しては，中心窩への GA 進展と CNV 発生予防のため，ライフスタイルと食生活の改善，前述のサプリメントの摂取を勧める．

■**滲出型 AMD に対する治療** 前述の治療指針では，中心窩を含まない CNV に対してはレーザー光凝固，病変が中心窩を含む(中心窩下，傍中心窩)CNV に対しては病型別に推奨治療が示されている．

❶**中心窩外 CNV に対する治療** 蛍光眼底造影で中心窩外に証明された CNV に対して，黄色以上の波長のレーザー(出血部は赤色)でスポットサイズ 200～300 μm，出力 150～250 mW，凝固時間 0.2～0.5 秒で，CNV 周囲に 100 μm の safety margin を含んで CNV 全体に中等度以上の光凝固を行う．ただし治療後には凝固部位に応じた暗点を生じる．

❷**中心窩下 CNV を有する典型 AMD に対する治療** VEGF 阻害薬を用いる．AMD に対して認可されている VEGF 阻害薬には，ラニビズマブ(ルセンティス®)，アフリベルセプト(アイリーア®)，ブロルシズマブ(ベオビュ®)，ファリシマブ(バビースモ®)の 4 種の硝子体内注射薬がある．前 3 薬剤とも導入期には 1 か月ごと 3 回，バビースモ®では 1 か月ごと 4 回の投与を行い，維持期には，定期的に視力検査，眼底所見と OCT による滲出性変化のチェックを行ったうえで，ルセンティス®では必要時投与(PRN 投与)，アイリーア®では 2 か月ごと固定投与，ベオビュ®では 3 か月ごと固定投与，バビースモ®では 4 か月ごとに 1 回の投与が承認時の基本的投与方法として推奨されている．しかし近年では CNV の活動性や滲出液 fluid の状態によって患者ごとに個別に投与間隔の延長，短縮を行う proactive 投与法である treat and extend(TAE)法が多くの施設で導入されている．VEGF 阻害薬は一般的に 2 型 CNV に対して有効性が高く**(図 58)**，一方 1 型 CNV のなかには，PNV や PCV も含めて一定(10～20％)の早期反応性不良例や耐性またはタキフィラキシー発現例が含まれる．

処方例 下記のいずれかを用いる．硝子体内注射の標準的方法については「黄斑疾患に対する硝子体内注射ガイドライン」(2016 年)を参考にする．

1)ルセンティス硝子体内注射液(10 mg/mL)
　1 回 0.5 mg　硝子体内投与．導入期 3 回(1 か月間隔)，維持期は 1 か月ごとに経

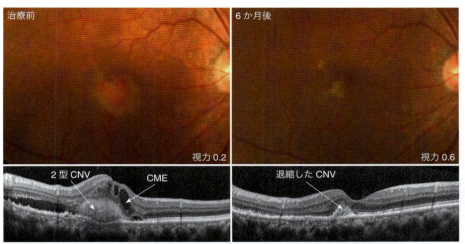

図 58 典型 AMD（2 型 CNV）に対する VEGF 阻害薬投与例（アイリーア® 3 回投与）
CME：cystoid macular edema（囊胞様黄斑浮腫）

過観察を行い，視力低下または/かつ OCT で滲出がみられる場合に適宜追加投与（PRN 投与，必要時投与）を行う
2）アイリーア硝子体内注射液（40 mg/mL） 1 回 2.0 mg 硝子体内投与．導入期 3 回（1 か月間隔），維持期は 2 か月ごと固定投与が基本
3）ベオビュ硝子体内注射用キット（120 mg/mL） 1 回 6 mg 硝子体内投与．導入期 3 回（4 週ごと），維持期は 12 週ごと固定投与

ただしベオビュ®においては，副反応として投与後の眼内炎症，網膜血管炎，網膜血管閉塞の発生が一定の確率で（treatment naïve 例，薬剤スイッチ例とも頻度 9〜10％，発症時期は初回投与後 23.2 ± 9.3 日）でみられることから，投与後一定時期における眼内炎症の有無および眼底周辺部までの血管炎および血管閉塞のチェックが不可欠である．投与後炎症がみられた際には，同薬剤の投与を中止し，炎症の重症度に応じて副腎皮質ステロイド投与（点眼，あるいは Tenon 囊下投与）をすみやかに行う必要がある．維持期の治療においては，標準的な TAE 法では滲出再燃がない場合，投与間隔を 2 週ずつ延長するか，滲出が再燃した場合は 2 週短縮し，その間隔で proactive 投与を行う．投与間隔の最長は 3 か月が TAE の標準であるが，このように 2 週幅ではなく 4 週幅での調節，最長 16 週間隔投与の効果もアイリーア®では証明されつつある．また，導入期投与に引き続いていったん休薬し反応良好例を確認するとともに，個々の症例において投与すべき間隔を測ったのち TAE 法を開始する TAE 変法も広まりつつある．さらに，2 年以上の長期投与例においては，治療効果が良好な場合，一定の基準（例えば 2 年間の TAE 後に 12 週間隔投与を 3 回行っても dry な状態が維持可能，など）をもって，投薬中止を行うことも考えられている．

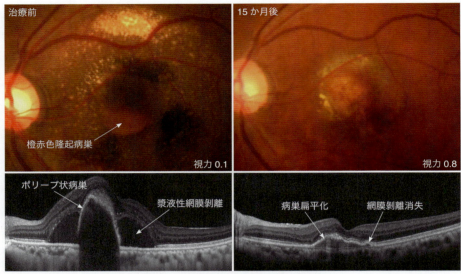

図59 PCVに対するVEGF阻害薬投与例（アイリーア®4回投与）

❸ **PCVに対する治療** 治療指針では視力0.5以下の症例では光線力学療法（PDT）を含む治療法，すなわちPDT単独またはPDT＋VEGF阻害薬併用療法が推奨されている．しかしPDT単独療法は視力改善に乏しいこと，アイリーア®，ベオビュ®の投与では薬剤単独治療でもポリープ状病巣の消失率が比較的高いことが判明しているため，近年は視力に関係なくVEGF阻害薬の単独療法が行われる機会が増えている（特に視力良好例）．PCVではポリープ状病巣の退縮が治療後の再発に関係する．ルセンティス®ではポリープ状病巣の完全退縮率が20〜30％であったが，アイリーア®では40〜50％と高率，ベオビュ®においてもかなり高率であることが判明しつつある**(図59)**．PDT単独療法は最近の脳梗塞既往例や注射拒否例に，一方PDT＋VEGF阻害薬併用療法はVEGF阻害薬に対するノンレスポンダーや耐性獲得例など反応不良例に使用されることが多くなっている．VEGF阻害薬の処方例は典型AMDに準じる．

処方例 PDTとVEGF阻害薬との併用は，PDT前（1週間以内）あるいはPDTと同日（遮光下）に投与を行う方法がある．

照射部位は造影所見に基づき病変最大径を決定．レーザーは病変最大径＋1,000 μmのサイズで照射．治療後2日間は直射日光から遮光を要する．

> ビスダイン静注用（15 mg） 6 mg/体表面積（m²） 10分間で静脈内投与，その5分後（静注射開始から15分後）にレーザー照射（689 nm, 600 mW/cm², 83秒間）

❹ **RAPに対する治療** RAPは難治性の高い病型であるため，治療指針では治療回数が少なくすむPDT-VEGF阻害薬併用療法が推奨され，視力良好眼ではVEGF阻害薬単独療法も考慮してよいとされている．近年，RAPの疾患概念の普及によって，視

力良好な早期症例が発見されることが多くなり、また RAP では脈絡膜が薄いことから、VEGF 阻害薬単独療法が行われることが多くなっている。RAP に対する VEGF 阻害薬の処方例は典型 AMD に準じるが、長期治療では黄斑萎縮を生じやすいので注意を要する.

❺ **黄斑下血腫を伴う症例に対する治療** 中心窩にかかる網膜下出血が少量で比較的視力良好であれば、安静、血管強化薬、止血薬の内服投与により保存的に出血吸収を待つか、滲出を伴っていれば VEGF 阻害薬を投与する。硝子体出血をきたした例には硝子体切除術、中心窩下出血が比較的厚く（500 μm 以上）、視力低下が著しい例には硝子体内ガス注入〔六フッ化硫黄（SF_6）または八フッ化プロパン（C_3F_8）0.3～0.5 mL 注入と術後腹臥位保持〕による血腫移動術、硝子体切除術による血腫除去術（t-PA 網膜下注入やパーフルオロカーボン液による血腫圧出）が行われることがある.

> **処方例** 保存的治療では下記を併用する.

| アドナ錠（30 mg） 3 錠 分3 |
| トランサミンカプセル（250 mg） 3 カプセル 分3 |

❻ **ロービジョンケア** AMD で低視力に陥った両眼罹患例に対しては拡大鏡、拡大読書器などによるロービジョンケアの有効性が示されている（⇒ 23 章参照）.

予後 萎縮型 AMD は緩慢な進行を示すが、GA が中心窩に達すると視力は 0.1 以下に低下する。また加齢の進行により一定の確率で CNV を生じて滲出型 AMD に移行し、より重篤な視力低下に陥る。滲出型 AMD は、VEGF 阻害薬を用いた CNV の制御によって視力予後は改善してきているが、放置すると黄斑部に線維性または萎縮性瘢痕をきたして大きい暗点を残し、約 9 割が視力 0.1 以下に低下する。抗 VEGF 薬による治療により、比較的良好な視力が改善維持されることも多い。また、CNV から大量出血をきたした症例では広範囲の視野欠損を伴い、完全失明を含む、より重篤な視機能障害をきたす場合がある.

Pachychoroid

山本有貴 兵庫医科大学
五味 文 兵庫医科大学・主任教授

概念 Pachy- とはギリシャ語に由来する「厚い」を意味する接頭語であり、pachychoroid とは肥厚した脈絡膜を意味する言葉である。光干渉断層計（OCT）の高深達化に伴い、生体の脈絡膜が観察可能となり、加齢黄斑変性や中心性漿液性脈絡網膜症（central serous chorioretinopathy：CSC）の病態研究に脈絡膜観察が重要となっている。Freund らは pachychoroid spectrum disease という新しい疾患概念を報告し、現在、CSC, pachychoroid pigment epitheliopathy（PPE）、pachychoroid neovasculopathy（PNV）、ポリープ状脈絡膜血管症（polypoidal choroidal vasculopathy：PCV）、孤立性脈絡膜陥凹（focal choroidal excavation：FCE）、peripapillary pachychoroid syndrome（PPS）が含まれる（PCV は含める場合と除外する場合がある）.

病態 pachychoroid spectrum disease は、当初は中心窩脈絡膜厚が厚いこと、Haller 層血管の拡張を認め、インドシア

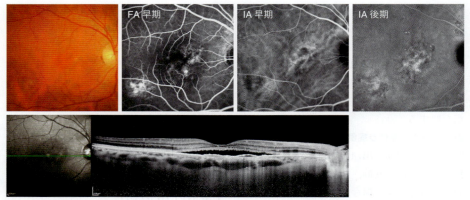

図 60 PNV 症例
OCT にて拡張した脈絡膜血管が認められ，IA 後期で脈絡膜血管透過性亢進を認める．色素上皮の不整，隆起を認め CNV が疑われる．

ニングリーン蛍光眼底造影(IA)で脈絡膜血管透過性亢進，網膜色素上皮の異常があり，眼底にドルーゼンが少ないものと定義されていた．しかし最近では，脈絡膜厚は年齢や等価球面度数によって変化するため，厚さそのものが問題なのではなく，血管が拡張していること，あるいは血管透過性が亢進していることが重要なのではないかと考えられている．またドルーゼンについても近年，pachychoroid の定義に当てはまる眼において，脈絡膜肥厚の位置に一致して存在する大型の辺縁不整なドルーゼンが認められることが報告され，pachydrusen とよばれている．

pachychoroid spectrum disease をごく簡単に分類するならば，PPE は上述のような pachychoroid の特徴を有し網膜色素上皮(RPE)異常を認めるもの，さらに網膜下液を伴うものが CSC，脈絡膜新生血管(choroidal neovascularization：CNV)を伴うものが PNV，ポリープ病巣を伴うものが PCV といえる．

CSC(⇒ 750 頁)，PCV(⇒ 677 頁)は他項を参照いただくこととし，ここでは PNV の診断治療について解説する．

診断 PNV は pachychoroid の特徴を有する眼の RPE 下に CNV が発生した状態である(図 60)．診断には加齢黄斑変性同様，OCT，フルオレセイン蛍光眼底造影検査(FA)，IA が必要であるが，これらの造影検査では CNV がはっきりしない場合も多い．CNV の検出には蛍光眼底造影検査よりも OCT アンギオグラフィが鋭敏であることが報告されている(図 61)．

治療 PNV に対してもほかの加齢黄斑変性と同様，抗 VEGF 薬が有効であることが報告されているが，時に抗 VEGF 薬抵抗性の症例にも遭遇する．PNV はその病態の特徴から，脈絡膜に直接作用する光線力学療法(photodynamic therapy：PDT)が病態の改善につながると考えられる．筆者らは PDT に伴う炎症を抑制し，また CNV への直接効果を期待して抗 VEGF 薬と PDT の併用療法を施行する場合が多い．個々の病態に合わせた治療が求められる．

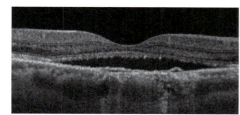

アンギオグラフィ (superficial)	(deep)	(outer retina)	(choriocapillaris)
ILM+2.6 μm〜IPL/INL+15.6 μm	IPL/INL+15.6 μm〜IPL/INL+70.2 μm	IPL/INL+70.2 μm〜BM+0.0 μm	BM+0.0 μm〜BM+10.4 μm

OCT B-scan　　density map　　fundus

図61　OCT アンギオグラフィ所見
網膜外層，脈絡毛細血管板層に CNV が描出されている．

ドルーゼン

Drusen

森 隆三郎　日本大学病院・診療教授

概念　ドルーゼンは，中高年の眼底に認める黄白色の隆起病巣で，大きさによって，硬性ドルーゼンと軟性ドルーゼンに分類されるが，わが国の加齢黄斑変性 (age-related macular degeneration：AMD) の診断基準では，AMD の前駆病変となるのは軟性ドルーゼンで，硬性ドルーゼンは正常の加齢変化に基づく所見で臨床的な意味はあまりないとされている．また，reticular pseudodrusen (網状偽ドルーゼン) や cuticular drusen (basal laminar drusen) などの特殊なタイプや，わが国ではまれな家族性ドルーゼンもある．

病態　ドルーゼンは，網膜色素上皮の基底膜と Bruch 膜の内膠原線維の間に沈着する多形性物質である．ドルーゼンは加齢に伴う網膜色素上皮の変化によって出現するが，特に軟性ドルーゼンは，脈絡膜新生血管 (choroidal neovascularization：CNV) の発症のリスクが高い．ドルーゼンにはさまざまな分類があるが，軟性ドルーゼンと硬性ドルーゼンは大きさで分類される．

症状　黄斑部にドルーゼンを認めても網膜外層に障害が生じなければ，自覚症状はない．ドルーゼンが長期に存在すると網膜色素上皮の機能障害が生じ，その結果，網膜外層の障害を引き起こすこともある．網膜外層の障害が中心窩に及ぶと視力低下や歪視を自覚する．

診断

■**診断法** 硬性ドルーゼンは，大きさは小型(63 μm 以下)である(視神経乳頭縁の網膜静脈径は 125 μm であるので 63 μm はその 1/2 を超える大きさとなる)．軟性ドルーゼンは，大きさは中型(63～125 μm)，大型(125 μm 以上)に分類され，眼底所見は，黄白色の円形，楕円形隆起病巣で，癒合拡大し網膜色素上皮剝離(retinal pigment epithelial detachment：PED)の形態を呈した drusenoid PED として認めることもある．眼底自発蛍光(fundus autofluorescence：FAF)は，過蛍光，低蛍光のさまざまなパターンを示し，フルオレセイン蛍光造影(FA)はドルーゼンに一致した staining による過蛍光，インドシアニングリーン蛍光造影(IA)は過蛍光，低蛍光のさまざまなパターンを示す．光干渉断層計(OCT)は，網膜色素上皮と Bruch 膜の間に高反射を示し，網膜色素上皮を押し上げるような隆起所見を示す．網膜色素上皮の隆起所見には，小さい凸型を示すもの，円形ドーム状を示すもの，それらが癒合し扁平なドーム状を示すもの，ドーム状隆起の丈が高くて大きい drusenoid PED など，さまざまな形態がある．内部の高反射は，網膜色素上皮の隆起が小さいものでは均一となるが，大きいものでは必ずしも均一にならず，部分的に反射が減弱している場合もある．隆起した網膜色素上皮の部分的な高反射は，色素沈着である．

Reticular pseudodrusen は黄色の小点状病巣で，FAF と FA では低蛍光を示す．OCT では ellipsoid zone と網膜色素上皮の間の上方に凸の三角形の高反射として認められ，さらに突出して外境界膜上に達するものもある．網膜下にドルーゼン様の多形性の debris が沈着したものと考えられている．cuticular drusen(basal laminar drusen)は，病理組織学的には Bruch 膜の肥厚した内側が結節様に突出したもので，FAF では過蛍光のリングに囲まれた低蛍光を示し，FA では天の川(milky way)様の多数の過蛍光がみられる．OCT では，さまざまな丈の高さの癒合した隆起性病変で，のこぎりの歯状(saw-tooth pattern)に網膜色素上皮が隆起している．

ドルーゼンは，ellipsoid zone, interdigitation zone の網膜外層の形態は保たれていることが多いが，網膜色素上皮の機能障害や CNV の出現による滲出性変化で，網膜外層に変化を生じ，それが視機能障害を呈する．

■**鑑別診断** PED との鑑別は，OCT で隆起した網膜色素上皮の内部が低反射であれば PED，高反射を伴えば軟性ドルーゼンである．acquired vitelliform lesions(AVLs)にみられる黄斑部の白色病変との鑑別は，AVLs では FAF で強い過蛍光を示す．

治療

■**治療方針** ドルーゼンを消失させる治療法はない．CNV の発症のリスクを軽減することと CNV の発症を早期に発見し，CNV に対する治療を早期に開始する．

■**内科的治療** CNV の発症のリスクを軽減する目的で，Age-Related Eye Disease Study(AREDS)に基づく抗酸化物質(ビタミン C，ビタミン E，β カロテン)と亜鉛の併用薬が推奨されている．しかし，β カロテンは喫煙者には肺癌のリスクもあるので除かれ，さらにルテインの効果も指摘されていることから，上記ビタミンとルテイン併用のサプリメントが推奨される．

処方例 下記のいずれかを用いる．

1) オプティエイド ML MACULAR　3錠　分3
2) オキュバイトプリザービジョン2　4錠　分3～4
3) サンテルタックス20V　3錠　分3

予後　滲出型AMDに移行しやすい軟性ドルーゼンは，中心窩から1,500 μm以内に存在する大型(599 μm以上)で，癒合性(癒合が10対以上)，色素沈着を伴う場合，あるいは対側眼に中心窩外CNVを伴い大型のドルーゼンと限局性色素沈着の両方を伴う場合とする報告がある．reticular pseudodrusen と cuticular drusen も CNV を合併しやすい．また，drusenoid PED は長期の経過でドーム状に隆起した網膜色素上皮が虚脱し，その範囲が地図状萎縮となり，その部位が中心窩であれば，視力低下をきたす．

特発性脈絡膜新生血管
Idiopathic choroidal neovascularization：ICNV

森 隆三郎　日本大学病院・診療教授

概念　特発性脈絡膜新生血管(ICNV)は明らかな原因が特定できない脈絡膜新生血管(choroidal neovascularization：CNV)で，中等度近視眼の若年で男性より女性に好発する．

病態　ICNVのCNVは，主に黄斑部に発生し，網膜色素上皮(retinal pigment epithelium：RPE)上の網膜下に発育，増殖し，出血や滲出を起こす．CNVの発生と発育には，血管内皮増殖因子(vascular endothelial growth factor：VEGF)が関与する．VEGFは，慢性の虚血，炎症，腫瘍，外傷，レーザー網膜光凝固後などさまざまな病的な環境で産生されるが，ICNVはVEGF産生の要因が特定できない．ICNVはRPE上CNV(type 2 CNV)で1/4視神経乳頭径以下の小型のものが多い．

症状　type 2 CNVは，RPE下CNV(type 1 CNV)と異なりCNVからの滲出や出血が網膜外層に直接作用するためCNVが中心窩に及んでいなくても出血やフィブリンが中心窩近傍に生じれば，歪視，視力低下，中心暗点の自覚症状が早めに出現し，急速に進行する．CNVの活動性が低下し退縮しても，網膜外層の障害を伴う瘢痕病巣となると不可逆性の視力低下となる．しかし，退縮したCNVが中心窩外に存在した場合やCNVが残存してもCNVを囲い込んだRPEの機能が保たれ，網膜外層の障害が修復された場合には良好な視力が保たれることもある**(図65参照)**．

診断　網膜下に境界不鮮明な灰白色病巣を認め，出血をわずかでも認めればtype 2 CNVを疑う**(図62a)**．OCTでは，CNVはRPE上の高反射病巣として認めるが，フィブリンを伴う活動性のあるCNVでは，辺縁が不整でCNVとフィブリンは一体化した高反射病巣であるsubretinal hyperreflective material(SHRM)となる**(図62b)**．FAでは，type 2 CNVは，脈絡膜造影がみられる早期に境界鮮明な網目状の血管網として造影され，時間とともに強く造影され，後期には旺盛な蛍光色素の漏出を示すclassic CNVの所見を呈することが多い**(図62c, d)**．IAは，早期に血管網を認めることもあるが，FAのようにCNVからの蛍光色素の漏出はなく鮮明で

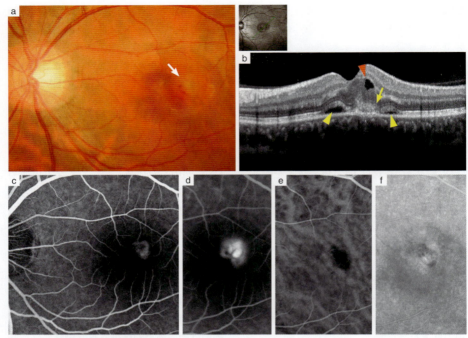

図62　特発性脈絡膜新生血管(ICNV)
a：カラー眼底．黄斑部に出血とフィブリンを伴う CNV を認める(矢印)．
b：OCT．フィブリンを伴う CNV は RPE 上の高反射病巣(SHRM)として認め(矢印)，漿液性網膜剥離(黄矢頭)と網膜内浮腫(赤矢頭)も認める．
c：FA 早期
d：FA 後期．CNV は，早期には境界鮮明な網目状の血管網として造影され，後期には旺盛な蛍光色素の漏出を示す classic CNV の所見を呈する．
e：IA 早期
f：IA 後期．蛍光色素の漏出はなく CNV は鮮明ではない．

はない(図 62e, f)．OCT アンギオグラフィ(OCTA)の自動層別解析では，網膜外層のセグメンテーションの範囲で CNV は描出される(図 63c)．血管構造のみを描出するので，FA のように漏出の所見はとらえることができないが，CNV の真の血管構造と大きさを確認できる．cross-sectional OCTA では，SHRM 内に CNV の血流を示唆する赤色部位を認める(図 63e)．抗 VEGF 注射により CNV の活動性が低下すると，出血は吸収し，縮小した CNV は，RPE に囲い込まれる(図 64a)．OCT でフィブリンと漿液性網膜剥離が消失しているのが確認でき(図 64b)，OCTA では CNV の縮小が確認でき，cross-sectional OCTA でも CNV の血流を示唆する赤色部位は検出できなくなっている(図 64c)．時間の経過で沈静化した CNV も OCTA で検出され，CNV の血流があることを確認できる．

　図 65 は 14 年前に ICNV と診断され(図 65a, b)，トリアムシノロンアセトニド

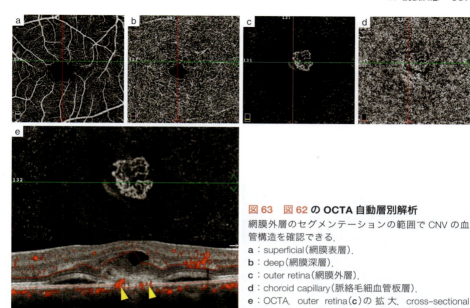

図 63　図 62 の OCTA 自動層別解析
網膜外層のセグメンテーションの範囲で CNV の血管構造を確認できる.
a：superficial（網膜表層）.
b：deep（網膜深層）.
c：outer retina（網膜外層）.
d：choroid capillary（脈絡毛細血管板層）.
e：OCTA, outer retina（c）の拡大. cross-sectional OCTA で CNV の血流を示唆する赤色部位（矢頭）を認める.

（triamcinolone acetonide：TA），ケナコルト-A®後部 Tenon 囊下注射を施行し CNV は退縮し，14 年間再発はなかったが，灰白色隆起病巣となった**（図 65c）**．OCT で CNV 上のエリプソイドゾーンは保たれていて，矯正視力は 1.2 と良好に保たれている．その OCTA では CNV が鮮明に描出されていて，cross-sectional OCTA で CNV の血流を示唆する赤色部位を認める**（図 65d）**．

■ **鑑別診断**　病的近視眼底を含め，網膜色素線条症，点状脈絡膜内層症，その他の CNV のほとんどは type 2 CNV であるので，まず，発症原因を特定する．CNV とそれに伴うフィブリン，出血，漿液性網膜剝離以外の所見の有無を確認し，ほかの CNV を生じる疾患を否定する．強度近視に伴う症例は，近視の眼底所見でも判定できるが，ほかの炎症に伴う疾患も合併することもあるので，Bruch 膜の断裂所見である lacquer crack を認めれば強度近視に伴う CNV となる．視神経乳頭から放射状に伸びる色素線条を認めれば網膜色素線条症，白色点状病巣を認めれば点状脈絡膜内層症や多巣性脈絡膜炎の診断となる．発症原因を特定できない CNV は，50 歳以上では，滲出型加齢黄斑変性（age-related macular degeneration：AMD）となるが，AMD に伴う CNV は type 1 CNV が多い．

■ **治療**　わが国では，ICNV に対して保険適用となる治療方法はないが，各施設の倫理委員会などの承諾が得られ，患者の同意が得られれば，治療の第 1 選択は抗 VEGF 注射である．しかし，CNV が存在しても出血や滲出性所見がなく活動性がなければ経過観察となる．また，ICNV は自

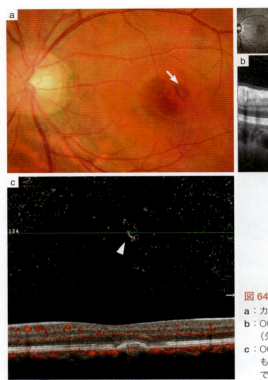
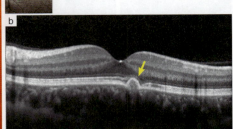

図64 図62の抗VEGF薬注射1か月後
a：カラー眼底．出血とフィブリンは認めない（矢印）．
b：OCT．SHRMは消失し，CNVは縮小している（矢印）．
c：OCTA outer retina（網膜外層）．CNVは残存するも縮小している（矢頭）．cross-sectional OCTAでCNVの血流を示唆する赤色部位は認めない．

然退縮傾向が強いこともあり，CNVが小型であれば自然退縮を期待して経過観察も選択肢の1つとなる．TAのTenon嚢下注射や内服を含めステロイドの有効性もあるが，CNVの活動性を抑制する即効性には乏しいために，網膜外層の修復に時間を要する可能性がある．治療の目的はCNVの活動性を早期に抑制することであるので，硝子体内に投与される抗VEGF薬はRPEより上には到達しやすく，CNVの退縮と活動性の低下が早期に得られるので，眼底所見で出血やフィブリン，OCTで漿液性網膜剝離など活動性の所見が確認されたら，早急に抗VEGF薬注射を行う．

予後 CNVの部位の中心窩との位置で視力の予後は異なる．CNVの活動性を早期に抑えるために，早期発見，早期治療が重要である．しかし，CNVの再発がなくても，黄斑部の網膜外層，網膜色素上皮の萎縮が進行し，視力低下が進行する症例もある．

網膜色素線条

Angioid streaks：AS

森 隆三郎　日本大学病院・診療教授

概念 網膜色素線条（AS）は全身の弾性線維の変性に起因する結合組織疾患で，

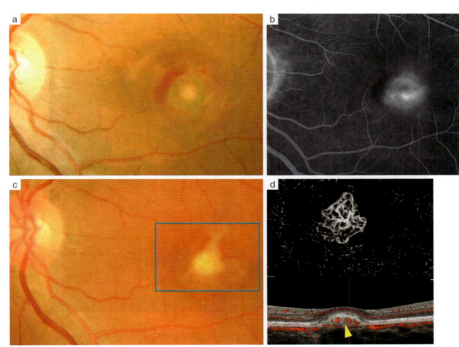

図65 ICNV発症(a, b)と14年後(c, d)

a, b：カラー眼底(a)，FA後期(b)．発症時(14年前)は，出血を伴う活動性の高いCNVで，トリアムシノロンアセトニド後部Tenon囊下注射を行った．
c：カラー眼底．14年間再発はなく，灰白色隆起病巣を認めるが，出血や滲出性所見は認めない．
d：OCTA outer retina(網膜外層)．中心窩下にCNVが鮮明に描出され(cの青枠の範囲)，cross-sectional OCTAでCNVの血流を示唆する赤色部位(矢頭)を認めるも矯正視力は1.2．

Bruch膜の脆弱化により断裂が生じ，視神経乳頭から周辺に向かう色素線条(angioid streak)がみられる．皮膚に弾性線維性仮性黄色腫(pseudoxanthoma elasticum：PXE)を伴い両者を合併した場合は，Grönblad-Strandberg症候群とよばれる．

病態 ASは，視神経乳頭から眼底の周辺に放射状に伸びる不規則な線条が特徴的である．線条は，病理学的には石灰化し肥厚したBruch膜の断裂である．Bruch膜と網膜色素上皮の障害部を通じて網膜下に脈絡膜新生血管(choroidal neovascularization：CNV)が生じる．ASにおける

PXEの合併率は高いが，それ以外にもEhlers-Danlos症候群，変形性骨炎(Paget病)，鎌状赤血球症などの全身の異常を合併する．PXEは常染色体劣性の遺伝性疾患で，その原因遺伝子は*ABCC6*である．

症状 CNVが発症していなければ自覚症状はない．CNVが発症すれば，視力低下，歪視を自覚する．CNVの線維化や網膜色素上皮の萎縮の拡大により，視力低下や中心暗点を伴う視野障害は進行する．

診断 眼底の線条は褐色で視神経乳頭周囲から放射状に広がり，視神経乳頭付近では太く，周辺に向かうにつれ細くなる

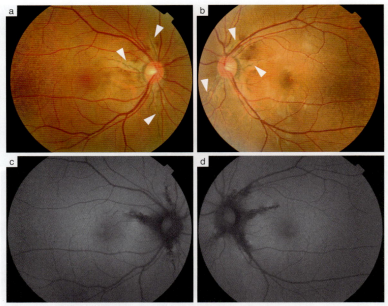

図66　CNVを伴わないAS

a, b：カラー眼底．両眼に視神経乳頭から放射状に伸びる不規則な線条を認め(矢頭)，後極から耳側中間周辺部に粗造な顆粒状色素沈着と黄白色の斑点を認める(梨子地眼底)．

c, d：眼底自発蛍光．線条は低蛍光を示し，ヒトデ型に伸びる乳頭周囲脈絡膜萎縮も低蛍光を示す．

(図66a, b)．視神経乳頭周囲に火炎状，ヒトデ型に伸びる乳頭周囲脈絡膜萎縮もみられる．後極から中間周辺部に粗造な顆粒状色素沈着と黄白色の斑点を認め，梨の皮の外観に似ていて梨子地眼底といわれる．合併するCNVは，活動期は灰白色を呈し，網膜下出血(図67a, 68a)，漿液性網膜剥離を伴うが，退縮期には線維性瘢痕となる．自発蛍光では線条の部位と乳頭周囲脈絡膜萎縮は，低蛍光を示す(図66c, d)．OCTではBruch膜の断裂や網膜色素上皮の波うち様の所見(図67b)や網膜色素上皮の萎縮部位に一致して網膜外層の菲薄化も認める．CNVは，網膜色素上皮上の高反射病巣として認めることが多いが(図67b, 68c)，網膜色素上皮下に認めることもある．OCTアンギオグラフィ(OCTA)では，網膜外層のセグメンテーションの範囲にCNVが検出される(図68b)．FAでは早期から後期にかけて，線条に一致しwindow defectやstainingによる過蛍光を示すことが多い．梨子地眼底を示す部位は，顆粒状過蛍光を示す．網膜下に生じたCNVは，早期に網目状の過蛍光，後期に旺盛な色素漏出を示し，classic CNVとして検出される(図67c)．IAでは線条は早期には不明瞭であるが，後期には過蛍光を示すものと低蛍光を示すものがあり，FAよりも明瞭に観察でき，ASの確定診断に有用である(図67d, 68e)．

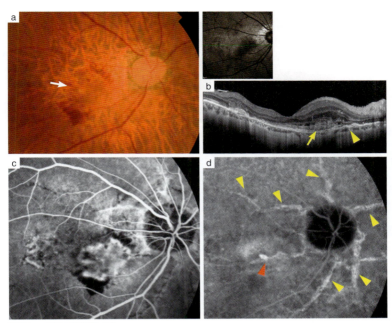

図67 CNV を伴う AS
a：カラー眼底．黄斑部に出血を伴う CNV を認める(矢印)．
b：OCT 水平断．フィブリンと CNV を示唆する高反射部位(矢印)と網膜色素上皮の波うち様の所見を認める(矢頭)．
c：FA 早期．網膜下に生じた CNV は，classic CNV として検出される(矢印)．
d：IA 後期．視神経乳頭から放射状に分布する線条は過蛍光を呈する(黄矢頭)．CNV の中央を線条が横切る(赤矢頭)

■**鑑別診断** 高齢者であれば，黄斑部に CNV を伴う滲出型加齢黄斑変性を念頭におく．病的近視眼底でも同様に CNV を伴い，視神経乳頭周囲の萎縮の conus と脈絡膜中大血管の透見が強くなる紋理眼底および網脈絡膜萎縮所見は，AS と類似するが，視神経乳頭周囲から放射状に広がる線条の有無で鑑別する．

■**PXE の皮膚病変** 頸部，腋窩，鼠径部，肘窩，膝窩，臍周囲に好発する集簇性または線条に分布する黄白色丘疹で，癒合する場合もあり，口唇粘膜に黄白色斑が認められることもある．正確な診断のためには必ず皮膚生検組織検査を併用する．循環器病変(中血管の中膜弾性線維の変性・石灰沈着を生じる虚血性障害に伴う冠動脈疾患，脳梗塞，高血圧など)や消化管病変(消化管出血)も合併するので，PXE と診断された場合は，問診と精査のために他科受診を勧める．

治療 線条に対する治療はない．CNV を合併した場合は，血管内皮増殖因子(vascular endothelial growth factor：VEGF)阻害薬硝子体内注射を行う(保険適用外，図69)．CNV が中心窩外であっても再発が多いためレーザー光凝固は行わない．

予後 CNV を合併した症例は CNV

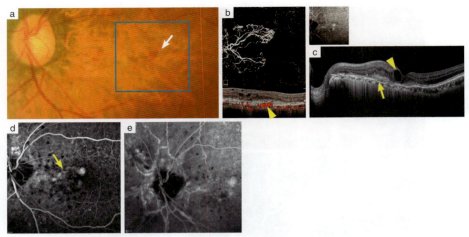

図 68　CNV を伴う AS
a：カラー眼底．黄斑部に出血を認める（矢印）．
b：OCTA outer retina（網膜外層）．CNV が鮮明に検出されている（a の青枠の範囲）．cross-sectional OCTA で CNV の血流を示唆する赤色部位（矢頭）を認める．
c：OCT 水平断．囊胞様黄斑浮腫（矢頭）とフィブリンと CNV を示唆する高反射部位を認める（矢印）．
d：FA 早期．CNV が検出される（矢印）．
e：IA 後期．視神経乳頭から放射状に分布する線条は過蛍光を呈する．

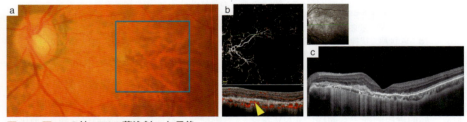

図 69　図 68 の抗 VEGF 薬注射 1 か月後
a：カラー眼底．黄斑部の出血は認めない．
b：OCTA outer retina（網膜外層）．CNV は残存するも縮小している（a の青枠の範囲）．cross-sectional OCTA で CNV の血流を示唆する赤色部位（矢頭）を認める．
c：OCT 水平断．囊胞様黄斑浮腫とフィブリンは消失している．

の中心窩との位置で視力の予後は異なる．CNV の活動性を早期に抑えるために，早期発見，早期治療が重要である．しかし，CNV の再発がなくても，黄斑部の網膜外層，網膜色素上皮の萎縮が進行し，視力低下が進行する症例もある．

点状脈絡膜内層症

punctate inner choroidopathy：PIC

森　隆三郎　日本大学病院・診療教授

病態　炎症の主な部位は眼底である．

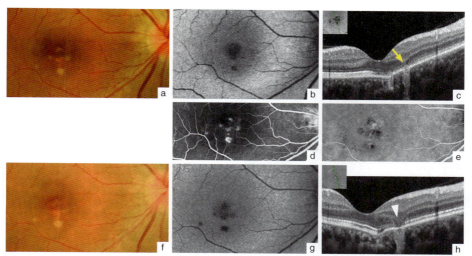

図70　CNVを伴わないPIC〔初診時（a～e）と2年後（f～h）〕
a：カラー眼底．黄斑部に複数の黄白色病巣を認める．
b：眼底自発蛍光．黄白色病巣は低蛍光として認める．
c：OCT．黄白色病巣に一致して網膜色素上皮上に高反射所見を呈する（矢印）．
d：FA後期．黄白色病巣に一致して過蛍光を認める．
e：IA後期．病巣周囲を含んで脈絡毛細血管板の循環障害に伴う低蛍光を認める．
f：カラー眼底．黄白色病巣はやや拡大して認める．
g：眼底自発蛍光．低蛍光の範囲は拡大し鮮明となる．
h：OCT．網膜色素上皮剝離欠損部へ網膜が引き込まれるような所見を示す（矢頭）．

罹患眼は片眼，両眼いずれもありうる．発症は緩徐である．しかし，脈絡膜新生血管が合併する場合は急激となる．病期は一過性で，再発寛解を繰り返す．

❶**疫学的特徴**　性別は女性に多く，40歳以下の若年成人に多く，中等度近視眼に多い．人種，地域による特徴は特にない．HLAの情報なし．

■**病因**　非感染性．

■**症状**　自覚症状としては中心視力の低下あるいは光視症など．活動期には両眼性のことが多いが，左右差がみられることがある．

■**診断**

■**診断基準**　明確なものはない．

■**眼所見**　眼底の後極部を中心に網膜色素上皮層あるいは脈絡膜内層レベルに複数の黄色斑がみられ（図70a），OCTで網膜色素上に高反射所見を示す（図70c）．特に治療を行うことなく，寛解期には病巣は色素沈着を伴った境界鮮明な円形の萎縮巣へと変化していく．前房や硝子体には炎症性細胞が全くないか，ごくわずかである．

■**全身所見**　特になし．

■**重要な眼および全身検査所見**　フルオレセイン蛍光眼底造影検査あるいはOCTアンギオグラフィ（OCTA），OCTで脈絡膜新生血管の有無と活動性を評価する（図71）．眼底自発蛍光では，病巣の急性期に網膜色素上皮の隆起および網膜色素上皮下

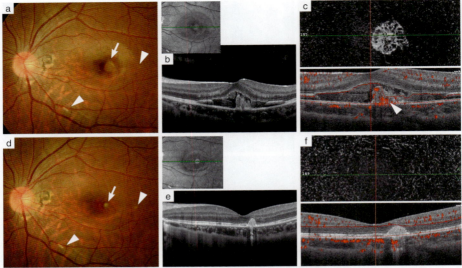

図71 CNV を伴う PIC（初診時（a〜c）と抗 VEGF 薬注射 1 か月後（d〜f）)
a：カラー眼底．黄斑部に出血を伴う CNV（矢印）と複数の黄白色病巣を認める（矢頭）．
b：OCT 水平断．CNV を示唆する高反射部位と漿液性網膜剥離を認める．
c：OCTA outer retina（網膜外層）．CNV が鮮明に検出されている．cross-sectional OCTA で CNV の血流を示唆する赤色部位（矢頭）を認める．
d：カラー眼底．CNV は縮小し黄白色病巣として認め（矢印）と複数の黄白色病巣を認める（矢頭）．
e：OCT 水平断．漿液性網膜剥離は吸収し，高反射部位を認める．
f：OCTA outer retina（網膜外層）．CNV は検出されず，cross-sectional OCTA で高反射部位内の血流は認めない．

に浸潤を思わせる変化がみられ，後に網膜色素上皮の萎縮に伴う低蛍光がみられる（図70b, g）．

■**特徴的な眼合併症** 病巣部における脈絡膜新生血管や網膜下瘢痕など．

■**鑑別すべき疾患** 網膜下線維症ぶどう膜炎症候群（subretinal fibrosis and uveitis syndrome），汎ぶどう膜炎を伴う多発性脈絡膜炎，強度近視にみられる Fuchs 斑，眼トキソプラズマ症，眼結核（脈絡膜結核），その他の感染性脈絡膜炎などが鑑別の対象となる．

|治療| 脈絡膜新生血管を合併していない場合は，特に治療を必要としないことが多い．しかし，中心窩付近に活動性の病巣が生じている場合は治療を検討すべきで，トリアムシノロンアセトニドの眼周囲注射（後部 Tenon 嚢下注射）あるいはステロイドの内服を行う．脈絡膜新生血管を併発した場合は抗 VEGF 薬の硝子体内注射を検討する（保険適用外）．

クリスタリン網膜症

Bietti's crystalline retinal dystrophy：BCD

池田華子　京都大学・特定准教授

|概念| クリスタリン網膜症（BCD）は，網膜に黄白色の結晶様の沈着物が生じるこ

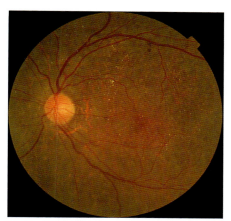

図72　眼底写真
黄白色結晶様沈着物を認める.

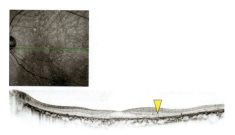

図73　IR・OCT像
結晶様沈着物はIR画像上, 高輝度に描出される. OCTでは, 網膜内や脈絡膜に多数の高輝度反射を認める. 網膜色素上皮層・エリプソイドゾーンの消失, 外顆粒層の管腔形成(矢頭)を認める.

とを特徴とする, 両眼性, 進行性の網脈絡膜変性である. 結晶様沈着物は角膜周辺部にもみられることがある. 常染色体潜性(劣性)遺伝形式をとり, チトクロームP450の1つである*CYP4V2*が原因遺伝子であることが報告された. 患者は, 日本を含むアジアに多く存在する.

病態　*CYP4V2*は, 網膜では網膜色素上皮細胞に強く発現し, 脂質代謝にかかわると推測されている. CYP4V2蛋白質の異常により, 網膜色素上皮細胞内のオートファジー障害が起こることで, 網膜色素上皮細胞が変性し, 引き続き視細胞の変性が進行する.

症状　20～30歳代に診断されることが多い. 症状は, 夜盲, 視野狭窄, 視野異常, 色覚異常, 羞明, 進行してくると視力障害が生じるが, 症状やその進行には個人差が大きい. 特徴的な眼底所見から, 検診などで見つかることもある.

診断

■ **診断法**　眼底検査にて, 後極部を中心に特徴的な黄白色結晶様沈着物を認める(図72). IR画像では同沈着物は高輝度に描出される(図73). 光干渉断層計(OCT)では, 結晶様沈着物に一致した高輝度反射がみられる. 高輝度反射は網膜のすべての層にみられるものの, 網膜外層に多く, 特に網膜色素上皮-脈絡膜レベルに多い. 網膜色素上皮層の脱落が外顆粒層の菲薄化に先行する. 外顆粒層には管腔形成(tubulation)がみられることがある(図73). 経過とともに, 網脈絡膜萎縮が進行し, 沈着物の数は減る(図74). 眼底自発蛍光撮影では, 網膜色素上皮の障害部位が低蛍光を呈する. 初期から, 変性が後極部を含むことが特徴である. 低蛍光部位は, 網脈絡膜変性の進行とともに, 周辺部に拡大していく.

網膜電図検査では, 初期ではほぼ正常であり, 網膜色素上皮の変性の範囲の割には, 網膜色素変性と比較すると網膜電図の変化が軽微であることが多い. 末期では杆体錐体反応ともに消失型となり, 杆体錐体ジストロフィに準じた経過となることが多い.

問診での家族歴や, 近親婚の有無を確認

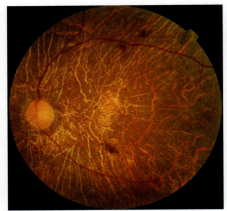

図74　進行期眼底写真
結晶様沈着物は減少し，広範に網脈絡膜萎縮が広がる．図72の10年後．

網膜色素上皮剝離，網膜色素上皮裂孔

Retinal pigment epithelial detachment：PED,
Retinal pigment epithelial tear

森　隆三郎　日本大学病院・診療教授

することが重要である．遺伝子検査のできる施設においては，*CYP4V2*遺伝子のシーケンスを行い，*CYP4V2*遺伝子の変異を確認することで確定診断できる．

■**鑑別診断**　網脈絡膜萎縮が進行した例では，結晶様沈着物が認められなくなるため，ほかの変性疾患との鑑別が難しくなる．

治療　ほかの網脈絡膜変性疾患と同様，進行を抑制する治療法は未確立である．網膜色素変性に準じて，対症療法を行う．また，残存する視機能を最大限活用できるよう，ロービジョンケアを行う．海外では正常な*CYP4V2*遺伝子を用いた遺伝子治療の治験が行われている．治療の侵襲性，効果の持続性，高額な治療費など，解決すべき課題も多いものの，治療への第一歩であると期待する．

予後　視野狭窄，視力低下が進行する．50～60歳代で中心視力が低下する例が多い．

概念　網膜色素上皮剝離（PED）は，網膜色素上皮の基底膜とBruch膜の内膠原線維層が，滲出液や血液の貯留によって分離した状態である．網膜色素上皮裂孔は，網膜色素上皮が裂けた状態でPEDの辺縁に発症する．

病態　PEDは，中心性漿液性脈絡網膜症（central serous chorioretinopathy：CSC）の脈絡膜血管透過性亢進時やBruch膜レベルでの網膜側から脈絡膜側への水分の流れの障害により滲出液が網膜色素上皮下腔に貯留したとき，あるいは滲出型加齢黄斑変性（age-related macular degeneration：AMD）の網膜色素上皮下脈絡新生血管（choroidal neovascularization：CNV）やポリープ状脈絡膜血管症（polypoidal choroidal vasculopathy：PCV）の異常血管網，ポリープ状病巣からの滲出液や血液が網膜色素上皮下腔に貯留したときに認められる．網膜色素上皮裂孔は，PEDの内腔の圧が高まることにより，または隆起した網膜色素上皮の部分的な収縮により網膜色素上皮の辺縁に裂孔が形成される．CNVを伴う場合は，裂孔の部位の対側の辺縁にCNVが存在することがある．自然経過で発症する場合もあるが，CNVに対するレーザー光凝固やVEGF阻害薬の硝子体内投与により，CNVが収縮し，網膜色素上皮をCNVの存在する方向に牽引し，網

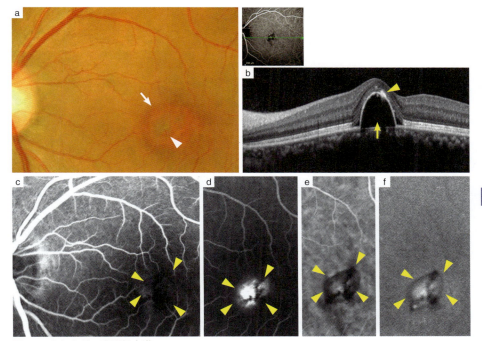

図75　大きさが1乳頭径未満のPED

a：カラー眼底．黄斑部に出血を伴わない1乳頭径未満の大きさのPEDを認める(矢印)．PED表面に色素沈着を認め(矢頭)，時間が長期に経過したPEDと示唆される．
b：OCT水平断．PEDは網膜色素上皮がドーム状に隆起し，内部は下液により低反射となる(矢印)．色素沈着は網膜色素上皮上に高反射として認める(矢頭)．
c，d：フルオレセイン蛍光造影(FA)早期(c)．FA後期(d)．PED内は大きさは変わらないが時間の経過とともに蛍光色素の貯留により過蛍光が増強する(矢頭)．色素沈着の部位は低蛍光として認める．
e，f：インドシアニングリーン蛍光造影(IA)早期(e)．IA後期(f)．PED内はFA同様に蛍光色素の貯留により過蛍光として認める(矢頭)．

膜色素上皮裂孔が形成される．

症状　黄斑部にPEDを認めても網膜外層に障害が生じなければ，視力低下の自覚はないが，丈の高いPEDは歪視を自覚することがある．PEDのみでも長期に存在すると網膜色素上皮の機能障害が生じ，その結果，網膜外層の障害を引き起こし，それが中心窩に及ぶと視力低下や歪視を生じる．また，網膜色素上皮裂孔に伴う網膜色素上皮欠損部位が中心窩にあれば，視力低下を生じる．

診断

❶ PED　滲出液が貯留したPEDは，CSCで認められることがあるが，わが国のAMDの診断基準では，50歳以上で，黄斑部に認める1乳頭径未満の大きさのPEDはAMDの前駆病変となり(図75)，またCNVを伴わなくても1乳頭径以上であれば滲出型AMDの主要所見となる(図76)．血液が貯留した出血性PEDは，大きさにかかわらず滲出型AMDの主要所見となる．また，軟性ドルーゼンが癒合拡

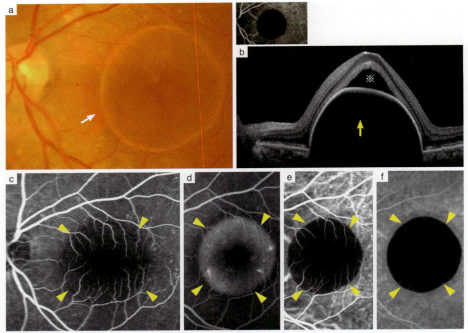

図76 大きさが1乳頭径以上のPED
a：カラー眼底．黄斑部に出血を伴わない1乳頭径以上の大きさのPEDを認める（矢印）．
b：OCT水平断．PEDは網膜色素上皮がドーム状に隆起し，内部は下液により低反射となる（矢印）．中心窩下に漿液性網膜剝離を伴う（※）．
c, d：フルオレセイン蛍光造影(FA)早期(c)．FA後期(d)．PED内は大きさは変わらないが時間の経過とともに蛍光色素の貯留により過蛍光が増強する（矢頭）．
e, f：インドシアニングリーン蛍光造影(IA)早期(e)．IA後期(f)．PED内は滲出液に伴う蛍光遮断による低蛍光として認める（矢頭）．脈絡膜新生血管を示唆する過蛍光は認めない．

大しPEDの形態を呈したdrusenoid PEDや，CNVが網膜色素上皮下に存在し網膜色素上皮を隆起させるfibrovascular PEDもある．

　眼底検査では，PEDは，網膜色素上皮がドーム状に隆起し，境界鮮明な円形あるいは楕円形で，大きさは小型のものから大型のものまでさまざまである**(図 75a, 76a, 77a)**．光干渉断層計(OCT)では，網膜色素上皮の高反射のラインはドーム状隆起を示し，網膜色素上皮とBruch膜のラインの内腔は低反射を示すが，内部に反射を認める場合はdrusenoid PED，隆起した網膜色素上皮のラインが不整で内部に反射を認めれば，CNVの存在も示唆されfibrovascular PEDの可能性がある．PEDの辺縁に網膜色素上皮の不整な隆起**(図 77c)**やnotchを認めれば，その部位にCNVやPCVのポリープ状病巣が存在する可能性がある．PEDが長期に存在すると帯状の色素沈着をきたし，その部位はドーム状に隆起した網膜色素上皮上に高反射として認

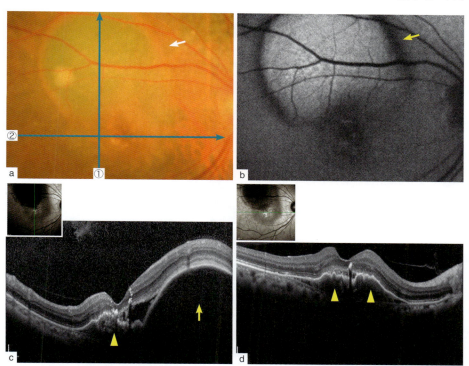

図77　脈絡膜新生血管を伴うPED

a：カラー眼底．黄斑部上方にPEDを認める(矢印)．
b：眼底自発蛍光．PEDは，過蛍光として認める(矢印)．
c, d：OCT．PEDは網膜色素上皮がドーム状に隆起し，内部は下液により低反射となる(矢印)．中心窩下に脈絡膜新生血管を示唆する内部反射を伴う網膜色素上皮の隆起を認める(矢頭)(aの青色矢印①，②)．

める(図75b，76b)．フルオレセイン蛍光造影(FA)では，造影初期から過蛍光となり大きさは変わらず網膜色素上皮下腔に蛍光色素が貯留し過蛍光となる(図75c, d, 76c, d)．インドシアニングリーン蛍光造影(IA)では，FA同様に蛍光色素の貯留により過蛍光となる場合や脂質成分の多い滲出液に伴う蛍光遮断から低蛍光になる場合がある(図75e, f, 76e, f)．

❷網膜色素上皮裂孔(図78)　網膜色素上皮裂孔は，裂孔の部位にもよるが，PEDが大きいと裂孔は大きくなり，網膜色素上皮欠損部位も大きくなる．

眼底検査では，網膜色素上皮裂孔部位の網膜色素上皮の端はロール状に収縮し隆起する(図78a)．網膜色素上皮欠損部位は，脈絡毛細血管板が鮮明にみられる．その部位に認める漿液性網膜剥離は，CNVからの継続的な滲出による場合と，PEDに貯留していた滲出液が感覚網膜下に存在する場合がある．眼底自発蛍光は，網膜色素上皮欠損部位を鮮明に示す．網膜色素上皮欠損部位は低蛍光として認め，ロールした網膜色素上皮は過蛍光として認める(図

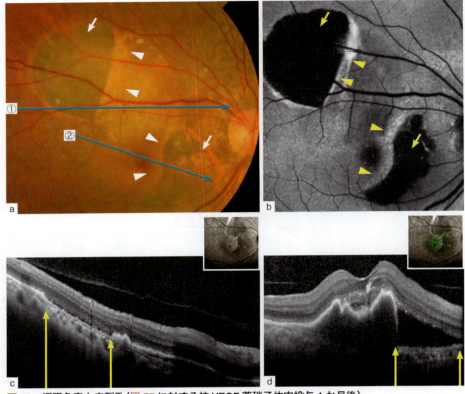

図 78　網膜色素上皮裂孔（図 77 に対する抗 VEGF 薬硝子体内投与 1 か月後）
a：カラー眼底．黄斑部上方と鼻側に網膜色素上皮裂孔を認める（矢印）．ロールした網膜色素上皮は，灰白色の隆起所見として認める（矢頭）．
b：眼底自発蛍光．網膜色素上皮欠損部位は，低蛍光として認める（矢印）．ロールした網膜色素上皮は，過蛍光として認める（矢頭）．
c, d：OCT．矢印で囲まれた範囲に網膜色素上皮は認めず，Bruch 膜と脈絡毛細血管板をより明瞭に認める（a の青色矢印①，②）．

78b）．OCT では，網膜色素上皮のラインが断裂して認められ，ロールした網膜色素上皮は，内層側に隆起した高反射所見として認める．網膜色素上皮欠損部位は，Bruch 膜と脈絡毛細血管板の高反射がより明瞭にみられる**（図 78c, d）**．FA では，早期に，網膜色素上皮欠損部位の範囲は脈絡膜血管が鮮明に造影され，後期には強い過蛍光となる．IA では，早期に網膜色素上皮裂孔部位は脈絡膜血管が明瞭にみられ，またロールした網膜色素上皮は低蛍光となる．

治療　PED のみの場合は経過観察が基本となるが，滲出型 AMD で，CNV を伴う PED は，滲出型 AMD の治療方針に準じ，治療後に網膜色素上皮裂孔が生じるリスクを患者に説明する．網膜色素上皮裂孔に対する治療方法はない．CNV を伴わ

ない PED に対しては有効な治療方法はない．未承認であるが，CSC に伴う PED は，低エネルギー光線力学療法（photodynamic therapy：PDT）により消失させることができる症例もある．

AMD の前駆病変と診断した場合は，わが国の AMD の治療指針から，Age-Related Eye Disease Study（AREDS）に基づく抗酸化物質（ビタミン C，ビタミン E，βカロテン）と亜鉛の併用薬があるが，βカロテンは喫煙者には肺癌のリスクもあるので除かれ，さらにルテインの効果も指摘されていることから，上記ビタミンとルテイン併用のサプリメントが推奨される．

処方例 下記のいずれかを用いる．

1) オプティエイド ML MACULAR　3 錠　分 3
2) オキュバイトプリザービジョン 2　4 錠　分 3〜4
3) サンテルタックス 20V　3 錠　分 3

予後　CSC に伴う PED は漿液性網膜剝離を併発する可能性が，AMD に伴う PED は CNV が発症する可能性があり，その発症の有無で，視力予後は異なる．長期に存在する CNV を伴わない PED ではドーム状に隆起した網膜色素上皮が虚脱することがあり，虚脱した範囲は，地図状萎縮となり，暗点や視力低下をきたす．

高度近視に伴う網膜障害

Retinal disorders due to high myopia

佐柳香織　さやなぎ眼科・院長

概念　高度近視は日本人を含むアジア人に多く，極端な眼軸延長によって，後部ぶどう腫を形成するとともに強膜が菲薄化し，網膜や視神経が過剰に伸展することでさまざまな合併症を生じる．国際的に統一された基準はないが，一般に −6 D 以上の近視と定義されることが多い．

病態　高度近視の病態は眼軸延長による眼球形状の変化である．眼軸長 1 mm の延長はおよそ 3 D の近視化に相当する．眼軸延長のメカニズムについては解明されていないが，遺伝的要因と環境要因の両方が関与すると考えられている．環境要因として近見作業や屋外活動が少ないことなどが報告されている．

症状　高度近視では，網膜，特に黄斑部障害による中心視力低下，歪視をきたす．また視神経障害を生じ，視野障害を呈することもある．

合併症・併発症

❶ **近視性黄斑症**　近年，META-analysis of Pathologic Myopia（META-PM）Study Group から近視性黄斑症新分類が発表され，近視性黄斑症をカテゴリー 0〜4 の 5 段階に分類し，さらにプラス病変を加えて重症度分類をしている．病的近視はこのカテゴリー 2 以上の萎縮性変化のことを指す．

❷ **近視性脈絡膜新生血管（CNV）**　近視性 CNV は病的近視眼に生じる脈絡膜新生血管（CNV）を指す．強度近視の約 5〜10％ に発症し，約 1/3 が両眼性である．自然経過ではほとんどの症例が黄斑部萎縮を生じ，視力 0.1 以下になる．

❸ **近視性牽引黄斑症**　病的近視眼で牽引に伴って生じる後極部病変（網膜前膜，硝子体黄斑牽引，内層分層黄斑円孔，牽引性黄斑部網膜剝離，全層黄斑円孔，黄斑萎縮）のことを指す．高度近視の約 1 割にみら

れる．

❹ **dome-shaped macula** 黄斑下の強膜厚が局所的に変化してしているのが特徴で，しばしば漿液性の非進行性網膜剥離を伴う．

| 診断 |

❶ **近視性黄斑症** 検眼鏡的所見に基づき分類を行う．META-PM study groupによる診断ガイドラインでは「病変なし」（カテゴリー0），「豹紋状眼底（tessellated fundus）」（カテゴリー1），「びまん性萎縮病変（diffuse chorioretinal atrophy）：D」（カテゴリー2），「限局性萎縮病変（patchy chorioretinal atrophy）：P」（カテゴリー3），「黄斑萎縮（macular atrophy）」（カテゴリー4）に分類された．さらにプラス病変としてBruch膜の断裂であるlacquer cracks（Lc），近視性脈絡膜新生血管（choroidal neovascularization：CNV），およびFuchs斑（Fs）がある．また，眼底写真と光干渉断層計（OCT）所見を用いて黄斑萎縮（atrophy：A），牽引性黄斑症（traction：T），新生血管（neovascularization：N）に分類するATN classification systemもある．

❷ **近視性CNV** 検眼鏡的に出血を伴う灰白色病変を黄斑近傍に認め，OCTで網膜下に高反射病変を認める．フルオレセイン造影検査では初期から網目状過蛍光を示し，時間の経過とともに蛍光漏出をきたすclassic CNVのパターンを示す．OCTアンギオグラフィでは網膜外層あるいは脈絡膜毛細血管板層にCNVシグナルを認める．同様に黄斑部に出血を生じる単純出血はフルオレセイン造影検査でCNVを示す過蛍光が認められないこと，OCTアンギオグラフィでCNVシグナルがみられない

ことから鑑別できる．

❸ **近視性黄斑牽引症** 近視性黄斑牽引症の初期では自覚症状が乏しく，検眼鏡的所見では診断がつきにくいため，OCTが必須である．いくつか分類があるが，島田らは病変の位置や大きさによって，明らかな網膜分離がない状態（S0）から，分離が黄斑部全体に広がっている状態（S4）までの5つのカテゴリーに分類している．

❹ **dome-shaped macula** OCTを用いて診断する．最も多いタイプは，楕円形で水平方向に配向した黄斑で約60%を占める．そのほか，丸みを帯びたタイプ（20%）と楕円形で垂直方向に向いたタイプ（20%）がある．

| 治療 |

❶ **近視性黄斑症** 残念ながら，現時点では治療法はない．近視性CNVを生じた場合，次で述べる抗血管内皮増殖因子療法を行う．

❷ **近視性CNV** 治療は抗血管内皮増殖因子（VEGF）療法が中心である．点眼麻酔，眼瞼ならびに結膜囊の消毒ののち，抗VEGF薬を角膜輪部から3.5〜4 mmの位置より硝子体内に注射する．初回1回の投与後は再燃したときに投与を行う（*pro re nata*）ことがほとんどである．自覚の悪化，視力低下，新たな出血やOCTでの滲出性変化，CNVの境界がぼやけた際に再燃を疑う．判断に迷う場合はフルオレセイン造影検査で蛍光漏出の有無を確認する．

❸ **近視性牽引黄斑症** 手術適応は近視性牽引黄斑症が視力低下や歪視の原因となっている，あるいは，牽引性黄斑部網膜剥離や全層黄斑円孔などの黄斑円孔網膜剥離へ進行する可能性が高い状態となったものである．硝子体手術によって，前方牽引を生じ

ている硝子体切除と後部硝子体皮質除去をし，内境界膜剥離で網膜伸展性を増加させる．網膜分離症に対しては術中や術後の黄斑円孔発生率が低下する内境界膜を温存する fovea-sparing ILM peeling 法が主流となっている．網膜分離でのガスタンポナーデ併用の是非は意見が分かれる．

❹ **dome-shaped macula** dome-shaped macula 自体にも漿液性網膜剥離にも有効な治療法はない．

予後

❶ **近視性黄斑症** 近視性黄斑症のうち10～40％が進行する．初期段階は豹紋状眼底で，進行するとびまん性萎縮，限局性萎縮となり，限局性萎縮が癒合拡大する．CNV はどの段階でも生じ，その約90％が黄斑部萎縮を生じる．

❷ **近視性 CNV** 抗 VEGF 療法の短期成績は良好である．しかし，数年後には黄斑部萎縮によって視力は低下に転じ，約5，6年で治療前視力と同程度になる．

❸ **近視性牽引黄斑症** 自然経過では牽引性黄斑部網膜剥離や全層黄斑円孔を生じ，視力が低下する．硝子体手術後はゆっくりと分離が消退する．分離症消失まで1年以上かかる症例もある．

❹ **dome-shaped macula** 通常，膨らみの高さは増加する傾向にあるが，視力は長期的に安定している．漿液性網膜剥離は自然消退することもあるが，長期に残存すると網膜色素上皮萎縮を生じて視力が低下する．近視性 CNV や黄斑円孔，黄斑前膜などを合併することがある．

高度遠視

High hyperopia

佐柳香織　さやなぎ眼科・院長

| **概念**　高度遠視の定義は確立されていないが，おおよそ＋6D 以上の遠視を指す．＋10D 以上の最高度遠視は，きわめてまれである．

| **病態**　眼軸が短く，水晶体と眼球の体積比が大きいために，網膜の後方で物が映ってしまうことが原因で生じる．

| **症状**　高度遠視では，視神経乳頭の境界が不鮮明となる偽視神経炎の所見や，血管蛇行などの網膜血管異常を呈する．浅前房となるため，閉塞隅角緑内障を起こしやすい．また，黄斑低形成や後極部の網膜ひだ形成を伴うことがある．さらに小眼球を伴う場合には，ぶどう膜や視神経欠損，小瞳孔などのさまざまな眼部先天異常を合併する場合や，閉塞隅角緑内障，uveal effusion syndrome を生じることがある．さらに中枢神経系や顔面など，全身疾患や遺伝子異常を合併することもある．

| **診断**　診断には眼軸長検査に加え，屈折検査，角膜曲率半径の測定が必要である．小眼球症の場合は眼軸：21 mm 未満（成人），19 mm 未満（乳児），角膜径：10 mm 以下（成人），9 mm 以下（乳児）を目安に，左右差を重視して診断するが，診断基準は未確立である．幼少期に眼鏡装用で矯正可能な場合は見逃されることがあり，成人後に閉塞隅角緑内障やぶどう膜滲出症候群などの合併症発症を契機に診断されることがある．

| **治療**　小児の高度遠視は，弱視あるい

は調節性内斜視などの原因になるため、早期に調節麻痺下で完全矯正した眼鏡を装用する必要がある。屈折矯正手術や白内障手術、眼内コンタクトレンズによる矯正も行われている。閉塞隅角緑内障は点眼治療が無効な場合は白内障手術や硝子体手術を施行する。また、小眼球で uveal effusion syndrome を合併した場合には強膜開窓術が有効である。

予後 小児の高度遠視での眼鏡装用は、最終視力は良好であっても正常両眼視の獲得は必ずしも良好ではない場合がある。保有視機能の保持のためには生涯にわたる合併症の管理が必要である。

網膜色素変性

Retinitis pigmentosa

角田和繁 国立病院機構東京医療センター・部長

概念・病態 視細胞および網膜色素上皮細胞の機能低下や構造異常により、網膜の広範囲に萎縮が進行する遺伝性網膜疾患（網膜ジストロフィ）である。網膜の杆体機能が先行して障害されるが、進行の過程で錐体機能も障害される。このため杆体・錐体ジストロフィともよばれる。

国内における罹患者は4,000～8,000人に1人と推定され、成人における社会的失明原因の上位を占めている。主な症状は夜盲、求心性視野狭窄、視力低下、色覚異常、羞明などであり、進行すると求心性視野狭窄および視力低下のため就学、就労、日常生活に多大な困難をきたす。

定型的な網膜色素変性では、黄斑部を除いた網膜周辺部にびまん性の網膜色素上皮変性や骨小体様変化がみられるため診断は容易である。しかし、網脈絡膜変性が局所のみにみられる症例や、検眼鏡的異常所見に乏しい症例もときおりみられ、その場合は非遺伝性の後天性網膜疾患との鑑別が重要となる。確定診断にあたっては、家系調査を含む問診、視野検査、全視野網膜電図(ERG)、光干渉断層計(OCT)、眼底自発蛍光などの検査を用いて総合的に判断する。

遺伝形式は常染色体優性、常染色体劣性、X染色体劣性と多彩であり、それぞれ多くの原因遺伝子が知られている。実際には血縁者に誰も罹患者がおらず、遺伝形式を特定できない孤発例が多くみられる。

症状 典型例では学童期頃に夜盲を自覚し、徐々に周辺部の視野異常が進行する。通常の生活では夜盲を訴えない患者も多いが、夜間のキャンプ、映画館、お化け屋敷など、特定の条件下で症状が明らかになることがある。視野異常は、中間周辺部の感度低下、輪状暗点、求心性視野狭窄と進行していくが、初期の視野異常は自覚されないことも多い。このため、求心性視野狭窄がかなり進行してから、人によくぶつかる、落とした物が見つからない、段差につまずく、などをきっかけとして受診することも多い。中年期まで視野異常に気づかず、40歳以降に健康診断で眼底異常を指摘されて初めて眼科を受診する患者も多い。また進行期には、夜盲に加えて日中の羞明や光視症を訴えることが多くなる。

一般に進行期においても黄斑部の構造・機能は比較的温存されるため、発症後の長期間にわたり中心視野が残存し、読書可能な視力を維持できる症例も多い。ただし、学童期から黄斑変性が進行して早期に視力

が低下する症例もみられるなど，進行には個人差が大きい．また，視力が比較的良好であっても視野狭窄が進行しているために，学習や仕事には困難をきたすことが多く，ロービジョンケアにおけるさまざまな工夫をする必要がある．完全失明に至る例は決して多くはないものの，早期発症例を含む重症例，あるいは一部の高齢者においては，中心の残存視野が狭小化あるいは消失し，介助なしでの食事，歩行などが困難となる場合がある．

　進行には個人差が大きいため予後の推定は非常に困難であるが，晩期発症例は若年発症例に比べて予後は良好と考えられる．また，近年ではそれぞれの原因遺伝子における進行過程の特徴を示す「遺伝型-表現型関連」の報告も多くみられるが，一般的に常染色体優性遺伝の網膜色素変性では，X染色体劣性遺伝や常染色体劣性遺伝と比べて症状が軽度で進行が緩徐な症例の出現率が高いと考えられている．

| 合併症・併発症 |　白内障は通常よりも早期に出現し，特に若年者で後嚢下白内障がみられることが多い．また，進行期には軽度の硝子体フレアが観察されることがある．さらに，特に若年期から中年期にかけて，黄斑部の嚢胞様浮腫が10％程度に出現するが，数年以内の経過で自然消失する例がほとんどである．

　網膜色素変性はさまざまな全身疾患に伴って生じることがあり，特に先天難聴を合併するUsher症候群は比較的多くみられるため，難聴の有無については必ず問診をする必要がある．

診断および鑑別

■ **診断のポイント**　診断のポイントとして，①問診(夜盲，羞明，視野狭窄などの症状，経過，血族結婚の有無を含めた家族歴の聴取)，②眼科的検査(視力，視野検査などの自覚的検査，および眼底検査，OCT，眼底自発蛍光，全視野ERGなどの他覚的検査)，③遺伝学的検査の3つが挙げられる．このうち，通常の診療で実施可能なのは①および②である．

　まず遺伝性網膜疾患の一般的な特徴として，両眼性，かつ，進行がきわめて緩徐であることが挙げられる．このため，著明な左右差があったり，比較的進行が早い症例では，急性帯状潜在性網膜外層症(AZOOR)，ぶどう膜炎，自己免疫性網膜症(腫瘍関連網膜症を含む)などの後天性疾患を疑う必要がある．家族歴については，少なくとも祖父母の代まで同様の疾患の有無を聴取する必要がある．眼底検査を含む詳細な家系調査によって遺伝形式を推定できることがあり，子どもへの遺伝について重要な参考情報となる．

■ **眼科的検査**

❶ **視野検査**　特に初期の症例ではGoldmann視野計による全視野計測により中間周辺部の輪状暗点を検出する．進行期に黄斑部機能を評価するためには，自動視野計による中心視野の経時的観察が有効である．

❷ **眼底検査**　特に定型網膜色素変性においては，黄斑部を除いた網膜周辺部にびまん性の網膜色素上皮変性や骨小体様変化がみられるため診断は容易である**(図79)**．しかし，網脈絡膜変性が局所のみにみられる症例や，特に若年期では周辺網膜に軽度の色調不整がみられる程度の，検眼鏡的異常所見に乏しい非定型症例も多くみられるため注意が必要である．

❸ **OCT**　後極部の視細胞層の異常〔外顆

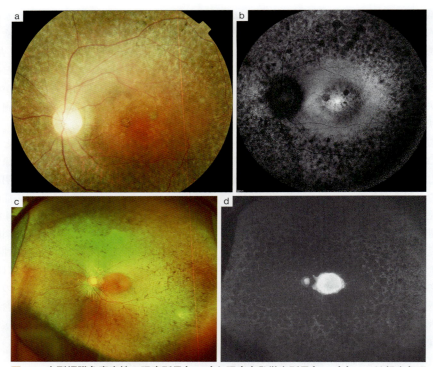

図79　定型網膜色素変性の眼底所見（a，c）と眼底自発蛍光所見（b，d）（c，d は超広角眼底カメラによる撮影）
眼底自発蛍光では，網膜色素上皮の萎縮部位が斑状の低蛍光～蛍光消失となり，中心窩には異常な過蛍光がみられている．

粒層の菲薄化，ellipsoid zone（EZ）および interdigitation zone（IZ）の分断，消失〕および網膜色素上皮層の菲薄化を検出することができる．視細胞層の判定には高解像度のライン・スキャンを用いて，必ずグレースケール表示で確認する**（図80）**．特に若年期においては黄斑部周囲の広い範囲で視細胞層が正常の場合があるが，広角（12.0 mm 以上）のライン・スキャンを用いると後極周辺部における視細胞層の異常も検出しやすい．

❹**眼底自発蛍光**　網膜色素変性の初期病変の検出および進行の把握のためにきわめて

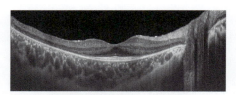

図80　定型網膜色素変性の OCT 所見
黄斑部周囲では，視細胞層の ellipsoid zone および interdigitation zone が消失し，外顆粒層が菲薄化している．一方，黄斑部においては視細胞層および外顆粒層が温存されている．

有用な検査法である．一般的に，初期にはびまん性の蛍光不整が観察されるが，進行すると周辺部の網膜変性領域は粗な過蛍

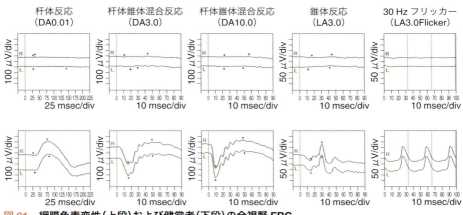

図81 網膜色素変性(上段)および健常者(下段)の全視野ERG
網膜色素変性では,杆体系,錐体系の反応がともに消失している.図は国際臨床視覚電気生理学会(ISCEV)の推奨するプロトコールに準じた測定であるが,すべての条件での計測ができない場合は,杆体錐体混合反応のDA10.0(最大応答,あるいはフラッシュ刺激ともよばれる)を確認するだけでも大まかな診断には有用である(DA:暗順応,LA:明順応).

光〜低蛍光を呈し,さらに萎縮が進むにつれて蛍光消失領域が出現する(図79).また,後極部や黄斑周囲には病変部と健常部の境界を示す輪状過蛍光がみられることが多い.特に検眼鏡的異常がほとんどわからない発症初期においても異常を示す過蛍光所見がみられるため,眼底自発蛍光は初期の診断に有効であることが多い.また近年一般化しつつある広角画像で撮影すると,網膜周辺部における病変の広がりをわかりやすくとらえることができる.

❺**全視野ERG** 視野が比較的良好な発症初期から杆体反応の低下〜消失がみられる(図81).錐体反応は初期には比較的軽度の低下であるものの,進行期には消失する.杆体反応,錐体反応を分離して計測することができなくても,杆体錐体混合反応(フラッシュERG;図81のDA10.0)においてa波,b波が低下していれば,視細胞機能の低下を確認することができる.なお,通常のERG計測では角膜コンタクト電極を用いるため,これまで小学校低学年以下の患者での計測は困難であった.しかし近年,皮膚電極を用いた非接触のERG測定機器が一般化しつつあるため,角膜電極を装着できない幼児期の患者においてもERG検査が容易に行えるようになった.

■**遺伝学的検査** 遺伝学的検査は網膜色素変性の原因を特定するために重要な検査法であり,原因遺伝子の特定によって将来的な治療の適応判定,家族の発症予測,長期予後の予測などに役立てることができる.網膜色素変性の遺伝形式は常染色体優性,常染色体劣性,X染色体劣性と多彩であり,原因遺伝子も *EYS*, *USH2A*, *RP1*, *RHO*, *RPGR*, *CNGA1*, *PRPH2*, *RP2*, *PDE6B*, *SAG*, *ABCA4* など,80種類以上が同定されている.現在では網羅的なDNA検査によって,約50％以上の症例において原因遺伝子を特定することができる.日本人においては,特に *EYS* 遺伝子の関連する常染色体劣性網膜色素変性が最

も頻度が高いことが知られている．また，多くの遺伝子においてそれぞれの臨床的な特徴が報告されており，例えばPRPH2遺伝子，RPGR遺伝子，EYS遺伝子などについては，同じ遺伝子によって網膜色素変性のほかに錐体・杆体ジストロフィ，黄斑ジストロフィなどの異なる表現型がみられることがわかっている．このため，最近では遺伝型分類が重視される傾向にあり，「RPGR関連網膜症」のように原因遺伝子をもとにした疾患分類が用いられることもある．

なお，眼科領域における遺伝学的検査は保険適用が認められておらず，各施設の独自の方法で行われているのが現状である．遺伝学的検査を診断に用いる際には，十分な信頼性が確保された検査法を用いて解析したうえで，遺伝学専門家による結果の判定，遺伝カウンセリングを伴う結果説明を遵守することが望ましいとされている．

治療　現在，網膜色素変性に対して有効と認められた一般的な治療法はない．眼科クリニックではヘレニエン製剤，循環改善薬などの内服薬が処方されることがあるが，これらに症状の改善や疾患の進行を抑制するエビデンスは存在しない．市販薬としては，黄斑部の機能保護を目的とした複合サプリメント（ルテイン，ゼアキサンチン，DHA，ビタミンA，ビタミンEなど）が推奨されているが，治療効果は実証されていないため，使用にあたっては患者本人の希望によって判断することになる．

網膜色素変性では通常より早期に白内障が進行することが多く，手術により自覚症状の改善が期待できる．ただし，網膜変性が進行してすでに黄斑部に障害が及んでいる症例では，白内障手術によってどの程度視力が改善するかの予後判断が困難なことが多い．一般に中心部の残存視野が極端に狭小化した症例では，手術によって自覚症状が改善することは少ないため，患者とよく相談して適切な手術時期を逃さないことが重要である．なお，網膜色素変性患者ではZinn小帯の脆弱性や，術後に強い前囊収縮がみられることがあるため注意が必要である．

また，一部の患者では経過中に囊胞様黄斑浮腫が出現することがあり，ステロイドのTenon囊下注射や炭酸脱水酵素阻害薬の点眼・内服によって浮腫を軽減する治療が行われることがある．これらの治療によって浮腫が早期に軽減する可能性はあるものの，必ずしも視機能が改善するとは限らない．また，多くの症例では数年以内の経過中に浮腫は自然消失するため，治療にあたっては患者と十分な相談を行う必要がある．

■**新規治療法の研究**　網膜色素変性に対しては一般的な治療法がないと記載したが，これまでにさまざまな新規治療法の研究が国内外で活発に進められている．発症初期の症状改善や進行予防効果が期待されるものとしては，内服治療薬（分岐鎖アミノ酸，代替レチノイド，リードスルー薬など）および遺伝子治療（原因遺伝子に対する遺伝子補充治療，遺伝子編集治療，アンチセンスオリゴヌクレオチド治療，神経保護遺伝子の補充治療など）の臨床治験が国内外において行われている．また進行期の視機能獲得を目的とした治療としては，人工網膜（光に反応して脳に電気信号を送るチップを眼内に埋め込む），網膜再生医療（iPS細胞を用いた網膜視細胞移植），オプトジェネティクス（障害された視細胞の代わりに

光感受性蛋白を網膜内に導入する）などの開発研究や臨床治験が国内外で進められている．

特に，2013年には人工網膜機器であるArgus® IIが，2017年には*RPE65*関連網膜症に対する遺伝子補充治療薬であるLuxturna®（アデノ随伴ウイルスをベクターとして人工的に作製した欠損遺伝子を網膜下に注入し，蛋白を発現させる）が米国食品医薬品局（FDA）に承認され，すでに患者の治療に応用されている．それ以外にも多種多様な新規治療法の開発・治験が日本を含めた世界各国で行われており，安全性と有効性が認められた治療法については，国内で実際に患者に用いられる日も近いと思われる．

■**患者への対応**　多くの患者は，網膜色素変性の診断を受けた段階で極度の不安を感じることになる．特に若年の子どもが診断された場合には，将来について悲観する親も多い．このため，不十分な病状の説明や，厳しすぎる予後の説明によって患者との信頼関係が損なわれることも多い．まず，網膜色素変性の進行は非常に緩徐であるため，すぐに生活状況が悪化するわけではないことを伝える．そのうえで，一般的な進行過程では中心視力が温存されるため，各種補助具の使用や周囲のサポートによって就学・就労も可能である場合が多いことを説明する．また，Webサイトなどで重症例を見て悲観する患者も多いが，近年では治療研究も積極的に行われているため，近い将来に治療が導入される可能性があるなど，患者が前向きになれるような説明も重要である．

併せて，視力低下，羞明などのために遮光眼鏡を作製する，拡大鏡，タブレット端末，スマートフォンの視覚障害者用アプリを使用する，パソコンの文字拡張機能を使って作業をするなど，ロービジョン外来においてさまざまな助言やサポートが受けられることを紹介する．日常生活の注意点としては，特に夜盲，視野障害によって，転倒事故，交通事故などを起こさないように，患者本人に視野を含めた見え方について詳しく指導する必要がある．また，網膜色素変性の患者は比較的初期から視覚障害等級に該当する場合が多いため，本人にとって役立つと思われる場合には障害者手帳の申請についての説明も必要となる．

なお，最近ではパソコン作業におけるブルーライトの危険性を憂慮する患者が多くみられるが，パソコンモニターから発生される波長・光量に網膜を傷害するほどの毒性はないため，見やすさや疲労度を考慮した適正な画面の調整や遮光眼鏡を検討すればよいことを説明する．

さらに，将来子どもに発症するリスクについて心配する患者も多い．これについては家系聴取によって，ある程度判断できる場合もあるが，発端者の両親の眼底検査を含めた家系調査，もしくは遺伝学的検査を行わないと正確な判断はできないことが多い．このため家族への遺伝について強い関心のある患者に対しては，専門施設に紹介したうえで遺伝カウンセリングを受けさせることが望ましい．

色素性傍静脈網脈絡膜萎縮
Pigmented paravenous retinochoroidal atrophy

中村奈津子 東京大学
角田和繁 国立病院機構東京医療センター・部長

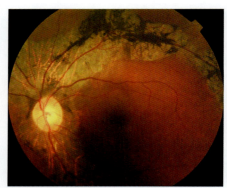

図82 色素性傍静脈網脈絡膜萎縮の眼底所見
網膜静脈の走行に沿って色素を伴う網脈絡膜萎縮がみられるが，その周囲の網膜は正常である．

概念 網膜静脈に沿った，両側対称的な骨小体様色素沈着を伴う網脈絡膜萎縮を特徴とする疾患である．主として検眼鏡的所見のみに基づいた疾患分類であり，遺伝性疾患および炎症性疾患など多くの病態や発症要因を含む便宜上の分類としての意味合いが大きい．

病態 ほとんどが孤発性で，主な病変部位は網膜色素上皮で，2次的に脈絡膜萎縮をきたすとされるが詳しい病態は不明である．炎症性，感染性，遺伝性を含むさまざまな原因によって形態学的に類似した疾患の混在と考えられている．結核，梅毒，Behçet病，Vogt-小柳-原田病，麻疹，風疹に伴うことが報告されており，炎症性疾患に伴う後天的な反応の可能性がある．一方で crumbs homolog 1（CRB1）遺伝子変異，および hexokinase 1（HK1）遺伝子変異の症例や，黄斑コロボーマとの合併例の報告などもある．また色素性傍静脈網脈絡膜萎縮と診断されているなかには，非定型網膜色素変性も含まれている可能性がある．

症状 通常夜盲などの自覚はなく無症状であるため，健診などを機に偶発的に発見されることが多い．

合併症・併発症 原因によってはぶどう膜炎を伴うことがある．

診断 非定型網膜色素変性症や炎症性疾患に伴う症例が混在する可能性があり，家族歴や既往歴などの詳細な問診が必要となる．炎症性疾患などが疑われる場合は必要に応じて梅毒や結核を含む血清学的検査，ツベルクリン反応，胸部X線などの全身検査を行う．視力は良好であることが多い．

視野は網脈絡膜萎縮に一致したMariotte盲点の拡大，弓状暗点，輪状暗点，放射状の暗点などを呈するため多彩である．眼底は，左右対称性に網膜静脈に沿った骨小体様色素沈着を伴う網脈絡膜萎縮が存在する(図82)．ほとんどの場合，傍乳頭周囲網脈絡膜萎縮がみられるが，視神経乳頭は正常である．眼底自発蛍光では網脈絡膜萎縮に一致した低蛍光または蛍光消失と，病変部周囲の過蛍光を呈する．重症度に応じてフルオレセイン蛍光眼底造影検査ではwindow defectや脈絡膜毛細血管の萎縮を認め，インドシアニングリーン蛍光眼底造影では低蛍光を示す．全視野網膜電図は網脈絡膜萎縮の範囲に応じて正常または軽度の振幅低下がみられる．

■**鑑別診断** 前述の各種炎症性疾患のほか，網膜色素変性症，網膜色素線条，地図

状網脈絡膜炎などがある．

治療　有効な治療法はない．ぶどう膜炎を伴う場合は，症状に応じてステロイド点眼薬などにより炎症の鎮静化をはかる．

予後　通常非進行性で，進行するとしても緩徐である．自覚症状に乏しい症例の場合は，半年〜1年程度の間隔で視野検査，眼底検査を行い，進行の有無を確認する必要がある．

白点状眼底
Fundus albipunctatus

倉田健太郎　浜松医科大学・助教

概念　常染色体劣性遺伝形式をとる遺伝性網膜疾患の1つで，夜盲や暗順応遅延，眼底の多数の小白点を特徴とする．眼底に異常を認める先天停止性夜盲に分類されることが多い．錐体機能は障害されないことが多いが，加齢とともに錐体機能障害を合併してくることがある．*RDH5* 遺伝子の異常による疾患で，わが国では p.L310delinsEV の変異が多いと報告されている．*RPE65* 遺伝子や *RLBP1* 遺伝子の異常による白点状眼底の報告もあるが，まれである．

病態　*RDH5* は，11-シス-レチノールデヒドロゲナーゼをコードする遺伝子である．11-シス-レチノールデヒドロゲナーゼは網膜色素上皮における視サイクルにおいて，11-シス-レチノールを11-シス-レチナールに変換する酵素である．*RDH5* 遺伝子の異常によって視物質の再生に異常をきたし，暗順応遅延が起こり夜盲を呈するとされている．

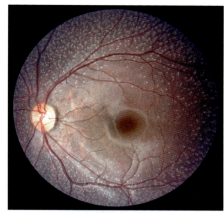

図83　白点状眼底の眼底写真

症状　夜盲を主症状とし，通常，視力や色覚，視野障害を伴わない非進行性の疾患である．

合併症・併発症　黄斑萎縮や錐体ジストロフィを合併した例では，加齢とともに視力が低下する．これらの合併症の有無と遺伝的背景の関連性はないとされている．

診断

■**診断法**　夜盲があり，眼底に白点を認めれば本症を疑う．白点は後極部網膜と中間周辺部に多くみられ，黄斑部や最周辺部にはほとんど認めない(図83)．白点に一致して，眼底自発蛍光ではさまざまな程度の過蛍光を呈する．OCT検査では，白点は網膜色素上皮から ellipsoid zone の網膜深層にみられる．白点は幼年期には斑状だが，年齢が上がるにつれて輪郭がはっきりとした点状となる．さらに加齢とともに一部の白点は目立たなくなったり，消失したりする．網膜電図が診断に有用で，通常の20分間の暗順応で記録した杆体応答や最大応答は振幅が非常に小さいが，2時間程度に暗順応を延長させることによって正常

近くにまで回復する．錐体ジストロフィを合併した症例では錐体応答の振幅も低下する．

■**鑑別診断** 白点状網膜症（⇒次項参照）との鑑別が重要である．白点状網膜症では進行性の網膜変性をきたし，2時間程度の暗順応では一般的に網膜電図の振幅は回復しない．また，RHO遺伝子異常などの網膜色素変性症でも白点を伴うことがあるが，網膜電図で鑑別が可能である．ビタミンA欠乏症でも眼底に白点が生じ，夜盲を呈する．肝障害や消化管術後でビタミンAの吸収が障害されて生じるため，既往歴の確認や血中ビタミンAの測定で鑑別が可能である．

治療 現在のところ，確立された治療法はない．本疾患のマウスに9-シス-レチナールを投与したところ，視機能の改善がみられた．さらに，本疾患のヒトに対して9-シス-β-カロチンを経口投与したところ，周辺視野や杆体応答の改善が得られたという報告がある．

予後 基本的に夜盲のみが問題であり，暗所での行動に気をつけるよう指導する．錐体ジストロフィを伴う症例では，羞明と進行性の視力障害をきたす．羞明を訴える患者には遮光眼鏡で対応する．

白点状網膜症
Retinitis punctata albescens

倉田健太郎　浜松医科大学・助教

概念 網膜色素変性症に類似した進行性の遺伝性網膜変性疾患で，眼底に無数の小白点を認めるのが特徴である．早期に発症し，杆体錐体ジストロフィの形式をとる．日常診療で遭遇する機会の少ないまれな疾患で，有病率は1/800,000とされる．比較的視力予後がよいとされる白点状眼底との鑑別が重要である．

病態 多くは常染色体劣性遺伝を示す．RLBP1遺伝子異常が最も多く報告されているが，LRAT，RHO，PRPH2，RDH5遺伝子に変異がある症例も報告されている．RLBP1遺伝子のR234W変異によるものはスウェーデン北部に多く，創始者効果によるものとされ，Bothnia dystrophyとよばれる．RLBP1遺伝子はCRALBP（cellular retinaldehyde-binding protein）をコードしている．CRALBPは網膜色素上皮に多く発現し，11-シス-レチナールを網膜色素上皮細胞から視細胞に輸送することで，杆体と錐体における視サイクルに重要な役割をはたしている．RLBP1遺伝子に異常があると，視物質の再生が正常に行われなくなり，暗順応が著しく延長して夜盲を生じる．網膜が進行性に変性する機序はまだ不明であるが，視物質の再生不良によって網膜が障害されるのではないかと考えられている．

症状 幼少期から20歳代までの間に夜盲の症状で発症することが多い．症状はゆっくり進行し，やがて視野狭窄が生じ，黄斑部の萎縮に伴い視力低下も出現してくる．

診断

■**診断法** 眼底では，小さな白点が網膜に数多くみられるが，この白点は中間周辺部に最も多い．進行例では黄斑部の萎縮がみられる（図84）．白点に一致して眼底自発蛍光は過蛍光を示すが，低蛍光を示したという報告もある．OCT検査では，白点は

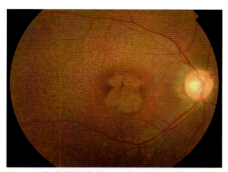

図84　白点状網膜症の眼底写真

網膜色素上皮のレベルにみられる．網膜は全体的に菲薄化しているが，特に外顆粒層の障害が顕著である．網膜電図は，網膜色素変性に類似して振幅の減弱がみられる．杆体反応・錐体反応ともに減弱するが，特に杆体反応の減弱が顕著である．

■**鑑別診断**　本症と同様な小白点が散在している白点状眼底(⇒713頁参照)との鑑別が重要である．白点状眼底の小白点は黄斑部にほとんどみられないのに対し，本症では黄斑部にも小白点がみられることが多い．白点状眼底では網膜の色調は正常で，網膜血管の狭細化はみられないのに対し，本症の進行例では網膜色調は粗造で，網膜血管の狭細化がみられる．近年わが国で報告された RPE65 遺伝子による flecked retinal dystrophy でも似たような小白点を呈する．

これらを眼底所見のみで鑑別することは一般的に困難なため，網膜電図が診断に重要である．白点状眼底では，2時間程度に暗順応を延長することで網膜電図の振幅が正常近くまで回復する．本症では，一般的に暗順応時間を2時間程度に長くしても振幅は回復しないが，24時間の暗順応でわずかに回復することがある．RPE65 遺伝子による flecked retinal dystrophy では24時間の暗順応で振幅がわずかに回復した．上記でも診断が困難な場合には遺伝子検査を考慮する．

■**治療**　現時点で有効な治療法はない．視覚障害が進行した症例には視覚補助具やリハビリテーションの指導を行う．

■**患者への対応**　羞明を伴う症例には遮光眼鏡で対応を行う．視力低下や視野障害の程度に応じて，視覚補助具を提示するなどのロービジョンケアが必要である．早期発症のため，就学や就職に関するアドバイスを，時期に余裕をもって行う．

■**予後**　病期が進行すると高度の視野狭窄と視力低下をきたす．

脳回状脈絡網膜萎縮

Gyrate chorioretinal atrophy

中村奈津子　東京大学
角田和繁　国立病院機構東京医療センター・部長

■**概念**　高オルニチン血症を特徴とする常染色体劣性の遺伝性疾患であり，日本人には非常にまれである．

■**病態**　ミトコンドリアマトリックスに存在するビタミン B_6 依存性酵素である，オルニチン代謝酵素の欠損または低下によってオルニチンが血漿，尿，脳脊髄液などに蓄積する．特に網膜色素上皮に対する毒性が原因で進行性の網脈絡膜萎縮を発症する．原因遺伝子は染色体10q26に存在する ornithine aminotransferase (OAT) である．多くの変異が報告されているが，その変異の多様性により発症年齢や重症度などの表現型が異なると考えられている．フィ

ンランド人での報告が多い.

症状 10歳頃までに夜盲を初発症状として発症することが多い. 眼底には中間周辺部を中心に脳表面の脳回に類似した特徴的な網脈絡膜萎縮巣が出現するが, 初期では後極は温存されているため視力は良好である. しかしその後, 徐々に網脈絡膜萎縮巣が癒合・拡大して後極へ向かうと視野狭窄が進行し, 20歳頃までには黄斑部にも変化が出現して視力低下をきたす.

合併症・併発症 一般的には学童期から近視を伴い強度近視となることが多い. また, 若年時から後嚢下白内障や嚢胞様黄斑浮腫が生じる. 脈絡膜新生血管が出現することもある. 全身症状としては中枢神経系の症状(易攻撃性, 精神発達遅滞, てんかんなど)や筋力低下などの報告がある.

診断 血中アミノ酸分析が必須で, オルニチン値が正常の10～20倍に上昇する. 屈折検査では近視の傾向が強い. 細隙灯顕微鏡では白内障(後嚢下白内障)を認めることが多い. 検眼鏡的検査では, 初期には中間周辺部に境界明瞭な円形の網脈絡膜萎縮を認め, 進行すると萎縮は徐々に癒合・拡大して後極へ向かう(図85). なお, 早期に治療が開始された患者のなかには本疾患に特有の脳回状萎縮がみられず, 眼底所見だけでは初期の網膜色素変性と区別がつかない場合があることも報告されている. 光干渉断層計(OCT)は嚢胞様黄斑浮腫のほか, 脈絡膜新生血管などの検出に有用である. 眼底自発蛍光では, 網膜色素上皮萎縮部に相当して低蛍光または蛍光消失領域がみられる. 全視野網膜電図では, 杆体系・錐体系応答においてa波, b波がともに低下するが, 進行例では消失する.

■鑑別診断 鑑別診断を要する疾患は, 網

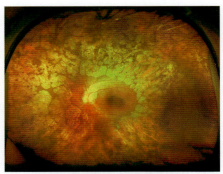

図85 脳回状脈絡網膜萎縮(29歳男性)の超広角眼底写真

6歳時より低アルギニン食治療が開始されたが, 周辺網膜の脳回状萎縮が拡大し求心性視野狭窄が進行した.
(東京慈恵会医科大学・林孝彰先生のご厚意による)

膜色素変性症, 先天停止性夜盲, X連鎖性網膜分離症, コロイデレミアなどがあるが, 血液検査, 尿検査, 遺伝学的検査によって鑑別できる.

治療 眼科だけでなく, 小児科, 神経科, 遺伝科, 栄養士などの複数の専門家で連携して早期に診断し治療を開始する.

高オルニチン血症の改善のため, オルニチンの前駆体であるアルギニンの制限食を行う. 一部の患者ではピリドキシン依存性OAT酵素の活性を高めるビタミンB_6投与が進行予防に有効なことがある. 病的バリアントの種類によってはこれらの治療で高オルニチン血症が改善しても網脈絡膜萎縮が進行することがある. また患者の親族(特に兄弟)のスクリーニングも, 早期発見・治療のため重要となる. 近視や白内障に対して適切な管理を行う. 白内障は30～40歳頃には手術を要することがある. 嚢胞様黄斑浮腫に対しては上記の全身管理のほかに, 炭酸脱水酵素阻害薬や非ステロイド性抗炎症薬(NSAIDs)の内服, 点眼,

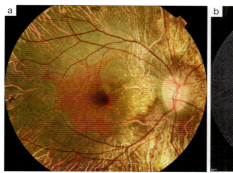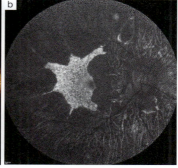

図 86　コロイデレミア（男性発症者）
46 歳男性．星形に温存された黄斑部を除いて，強い網脈絡膜萎縮が広範囲にみられる（a）．網膜血管の走行は良好である．眼底自発蛍光（b）では萎縮部の自発蛍光が消失し，黒く描出されている．

抗 VEGF 薬の硝子体内投与，トリアムシノロンアセトニドの Tenon 囊下および硝子体内投与などの有効性が報告されている．しかし，もともと白内障を合併することが多いため，ステロイドの頻回投与は慎重に検討する必要がある．

予後　黄斑部が温存されている時期には視力は良好であるが，40〜60 歳頃に網脈絡膜萎縮が黄斑まで進行すると重度の視力低下に至る．中心窩下脈絡膜血管新生などの合併症によって，視力はさらに低下する．

コロイデレミア
Choroideremia

角田和繁　国立病院機構東京医療センター・部長

概念・病態　脈絡膜および網膜に強い萎縮が生じるジストロフィである．遺伝形式は X 染色体劣性遺伝で，男性のみに発症する．原因遺伝子として Rab escort protein 1（REP1）をコードする *CHM* が知られる．

症状　網脈絡膜の変性が周辺部から後極部に向かって進行する．このため網膜色素変性症と同様に夜盲，さらに周辺視野異常を訴える．ただし発症初期には症状を自覚しないことも多く，変性が進行した成人期（時に中年期以降）になって夜盲や視野狭窄に気づく例も多い．黄斑部の形態は長期間温存されるため，求心性視野狭窄が進行していても視力が良好な症例が多い．中高年以降に求心性視野狭窄がさらに進行すると，視力は失われる．

診断　眼底検査において，網膜全体に特徴的な網脈絡膜変性がみられるため，診断は難しくない**（図 86a）**．網脈絡膜変性は周辺部から生じて，多くの症例では黄斑部は星形に温存される．特に周辺部では網膜色素上皮および脈絡膜の萎縮が強く脈絡膜の大血管が透見される．さらに萎縮が進行すると choroidal sclerosis とよばれる白色に近い眼底像を呈する．一方，網膜血管の走行は進行期においても比較的良好であ

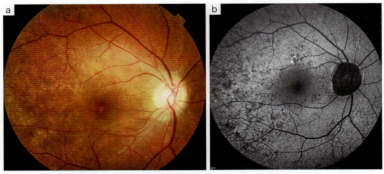

図87　コロイデレミア（女性保因者）
12歳女性．自覚症状はなく視力，視野も正常であるが，眼底に広く網膜色素上皮の色調異常がみられる（a）．眼底自発蛍光（b）では斑状の低蛍光所見として観察される．

り，周辺網膜血管の狭細化が特徴的な定型的網膜色素変性とは明らかに異なる．眼底自発蛍光では，機能が温存された黄斑部のみがほぼ正常に描出され，網脈絡膜が萎縮した周辺部では自発蛍光が完全に消失している（図86b）．光干渉断層計（OCT）では，障害部位における視細胞層，網膜色素上皮層，脈絡膜層の菲薄化が著明である．変性した視細胞層が病変部の境界で輪状に変形する"outer retinal tubulation"も特徴的な所見である．全視野網膜電図（ERG）は進行期には杆体系，錐体系応答ともに消失する．

なお，重症例の眼底は広範囲の網脈絡膜萎縮を呈しており，ほかの遺伝性網膜疾患（網膜色素変性，錐体杆体ジストロフィ，クリスタリン網膜症，Stargardt病など）の末期の所見と区別することが難しい．

X染色体劣性遺伝の特徴として，本疾患では保因者女性の眼底に特徴的な所見がみられるため，家族の眼底検査が確定診断に重要となる．通常，女性保因者の視力・視野は正常で無症状であることが多いが，時に軽度の自覚症状がみられることもある．眼底検査では斑状脱色素や顆粒状色素沈着など網膜色素上皮の色調に特徴的なムラがみられ，特に眼底自発蛍光で明瞭に観察される（図87）．OCTでは視細胞層や網膜色素上皮層にわずかな不鮮明化がみられる．特に，男性患者の母親は必ず*CHM*遺伝子の保因者であるため，患者の母親の眼底を診察することで本疾患を疑うことができる．さらに，女性保因者の息子は本症を発症する可能性があるため，早期に眼底検査をすることで無症状の男性発症者を見つけることができる．

治療　原因遺伝子に対する遺伝子補充治療の治験が海外において行われている．この治療が実用化されれば，若年期に治療を行うことで網脈絡膜萎縮の進行による視野狭窄を抑制する効果が期待される．ただし現状ではまだ実用化されていないため，網膜色素変性症と同様のロービジョンケアを患者の症状，生活環境に応じて提供することが重要である．

予後　視野狭窄を強く自覚しても，中年期までは視力が比較的良好に保たれる症例が多い．ただし，中年期〜高齢期にかけ

て黄斑部の萎縮が進行すると、きわめて重篤な視力障害に陥る．

黄斑ジストロフィ
Macular dystrophy

近藤峰生　三重大学・教授

|　概念　| 黄斑ジストロフィとは，網膜のなかで特に黄斑部の機能が進行性に障害される網膜疾患の総称である．黄斑ジストロフィのなかには，Stargardt病，卵黄状黄斑ジストロフィ，オカルト黄斑ジストロフィ（occult macular dystrophy），中心性輪紋状脈絡膜ジストロフィ，家族性ドルーゼンなどのように特別な名称がつけられている疾患がある一方で，特別な名称のない，いわゆる「非特異的な黄斑ジストロフィ」（特別な病名はないが，黄斑部に進行性の変性がみられ，黄斑部以外は正常に保たれる）も多く存在する．本項では，黄斑ジストロフィのなかでも特に重要な，Stargardt病，卵黄状黄斑ジストロフィ，オカルト黄斑ジストロフィについて述べる．

|　病態　|
❶ **Stargardt病**　常染色体劣性（潜性）遺伝を示し，最も重要な原因遺伝子は*ABCA4*である．この遺伝子の異常により視物質の輸送機能が障害され，網膜色素上皮細胞に異常物質（A2E，リポフスチンの主物質）が蓄積して網膜色素上皮細胞が変性し，それに続いて視細胞も変性する．
❷ **卵黄状黄斑ジストロフィ（Best病）**　常染色体優性（顕性）遺伝を示し，原因遺伝子は*VMD2*である．*VMD2*の産物ベストロフィンは，網膜色素上皮細胞の細胞膜におけるCl^-イオン輸送に関与している．これが異常になると，黄斑部に黄色の異常物質が蓄積する．また最近，常染色体劣性（潜性）遺伝を示す常染色体劣性（潜性）ベストロフィノパシーという新たな疾患があることも判明した．
❸ **オカルト黄斑ジストロフィ**　眼底や蛍光眼底造影検査で異常がないにもかかわらず，両眼の視力が徐々に低下する黄斑ジストロフィである．発見者の名前にちなんでMiyake病ともよばれている．遺伝形式は常染色体優性（顕性）遺伝が最も多く，典型例では*RP1L1*遺伝子に異常がみられる．しかし，常染色体劣性（潜性）遺伝や孤発例も報告されている．

|　症状　| 上記の3疾患ともに，主症状は視力低下である．軽度の色覚異常や羞明を訴えることもある．Stargardt病は学童期の発症が多い．卵黄状黄斑ジストロフィとオカルト黄斑ジストロフィの発症年齢はさまざまである．症状はStargardt病が最も重症である．

|　診断　|
■**診断法**
❶ **Stargardt病**　本症の眼底の特徴は，黄斑部の萎縮性病変とそれを囲む黄色の斑状病変（flecks）である（**図88a**）．発症初期では眼底が正常に近い例もある．蛍光眼底造影検査では，網膜全体の背景蛍光が暗く造影される（dark choroid）（**図88b**）．これは網膜色素上皮内に異常蓄積したリポフスチンが背景蛍光をブロックするためである．眼底自発蛍光も診断に有用で，全体的にはリポフスチン沈着のために過蛍光となるが，萎縮した黄斑部や黄色斑の部位は低蛍光となる．光干渉断層計（OCT）では黄斑が萎縮して薄くなる．診断が困難な症例

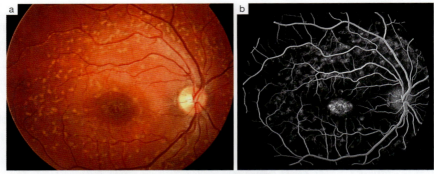

図88 Stargardt病の眼底(a)とフルオレセイン蛍光眼底造影(b)

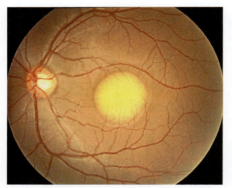

図89 卵黄状黄斑ジストロフィの眼底

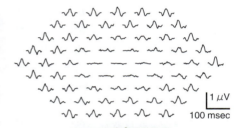

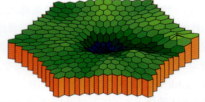

図90 オカルト黄斑ジストロフィの多局所ERG
上は61個の局所ERGで,下は3Dプロットである.黄斑中心部のERGが低下していることがわかる.

では遺伝子検査も有用である.

❷卵黄状黄斑ジストロフィ 診断には眼底所見が重要である.本症の眼底所見は病期の進行に伴ってさまざまに変化する.眼底にほとんど異常を認めない前卵黄期,眼底に卵黄状の黄色沈着がみられる卵黄期(図89),沈着物が下方に貯留する偽前房蓄膿期,卵黄が崩れてまだら状になるいり卵期,そして黄斑部に萎縮性変化がみられる萎縮期,の5期を経るとされる.

眼球電図(electro-oculogram:EOG)も診断に有用であり,本症では平坦なEOGとなる.遺伝子検査も非常に有用である.

❸オカルト黄斑ジストロフィ 眼底や蛍光眼底造影,眼底自発蛍光は正常である.全視野網膜電図(ERG)ではすべての反応が正常であるが,黄斑部局所ERGあるいは多局所ERGにおいて黄斑部の反応だけが減少する(図90).OCTも診断に有用である.典型的な症例では,エリプソイドゾーン(ellipsoid zone:EZ)が黄斑中心部で不鮮明になる(図91).遺伝子検査も有用で

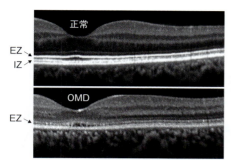

図 91　オカルト黄斑ジストロフィの OCT 所見
ellipsoid zone (EZ) が黄斑部で不鮮明になり，3 番目のラインの interdigitation zone (IZ) は消失している．

あるが，すべての症例で *RP1L1* 遺伝子の異常が検出されるわけではない．

■ **鑑別診断**　Stargardt 病は発症初期では眼底が正常に近いことが多く，心因性視力障害との鑑別が重要である．

卵黄状黄斑ジストロフィと鑑別が必要な疾患として，遺伝性ではなく EOG も正常な成人型卵黄状黄斑ジストロフィがある．一般的に成人型卵黄状黄斑ジストロフィは卵黄状病変が小さめで，片眼性が多い．また，常染色体劣性(潜性)ベストロフィノパシーは網膜に黄色物質が散在し，OCT で網膜分離がみられることが多い．

オカルト黄斑ジストロフィは眼底が正常であり，視神経疾患や頭蓋内疾患との鑑別が重要である．

治療　現時点では有効な治療法はない．ビタミン製剤や血行改善薬が処方されることがあるが，どれも科学的根拠に乏しい．

予後　卵黄状黄斑ジストロフィやオカルト黄斑ジストロフィの視力予後はそれほど悪くない．Stargardt 病で視力低下が進行した症例では，視覚補助具や社会的支援が必要になることがある．

錐体ジストロフィ

Cone dystrophy

近藤峰生　三重大学・教授

概念　錐体ジストロフィは，網膜の錐体機能が進行性に障害される網膜疾患である．多くの患者では，病状が進行すると錐体機能だけでなく杆体機能も低下していく．このような場合は錐体・杆体ジストロフィとよばれる．

病態　錐体ジストロフィの原因は遺伝子異常である．遺伝形式は，常染色体優性(顕性)，常染色体劣性(潜性)，X 染色体性などの形式もありうる．原因遺伝子は，*GUCA1A*，*GUCA1B*，*GUCY2D*，*RDS*，*CRX* など多数報告されている．

原因となる遺伝子の多くは，視細胞(特に錐体視細胞)の機能，構造，分化などに関連しており，このような遺伝子の異常によって錐体視細胞の機能が進行性に障害されていくことが本症の病態と考えられている．錐体は色覚や中心視機能に重要であるため，早期から色覚異常や視力低下が出現する．

症状　20〜30 歳以降に進行性の視力低下，昼盲(羞明)，色覚異常などを主訴に受診することが多い．発症年齢はさまざまで，幼少期や高齢での発症もありうる．

診断

■ **診断法**　本症の典型的な眼底所見は，黄斑部にリング状に萎縮病巣を形成する標的黄斑 (bull's eye) で，この所見はフルオレセイン蛍光眼底造影検査や眼底自発蛍光 (FAF) でより明らかである(**図 92**)．OCT では，網膜外層，特にエリプソイドゾーン

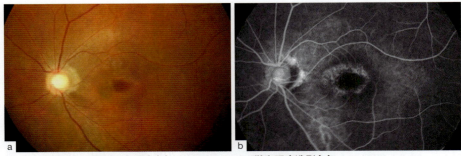

図 92 錐体ジストロフィの眼底（a）とフルオレセイン蛍光眼底造影（b）
bull's eye 所見がみられる．

(ellipsoid zone：EZ)が不明瞭化する．しかし，実際の臨床ではこうした眼底画像検査だけで錐体ジストロフィと診断することは難しい．眼底や OCT が正常に近い錐体ジストロフィも存在するからである．

錐体ジストロフィの確定診断には，錐体応答と杆体応答を分離した ERG を記録することが重要である**（図 93）**．錐体ジストロフィの患者では，錐体応答が強く減弱し，杆体応答が比較的保たれていることにより診断できる．色覚検査もさまざまなパターンの異常を示す．

■ **鑑別診断** 黄斑ジストロフィや杆体1色覚との鑑別が重要である．黄斑ジストロフィでは障害が黄斑付近に限局しており，全視野 ERG はすべての反応がよく保たれることで錐体ジストロフィと鑑別できる．杆体1色覚も錐体機能が障害されるが，生後から強い錐体機能不全と眼振がある．一般的に青年期以降に発症する錐体ジストロフィとは鑑別が容易である．

■ **治療** 現時点では有効な治療法はない．錐体ジストロフィで羞明の症状が強い症例では，遮光眼鏡の装用が症状の軽減に有効である．進行した症例では視覚補助具が必要である．

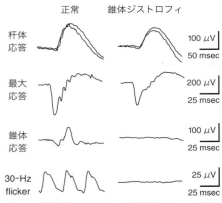

図 93 錐体ジストロフィの全視野 ERG の結果
錐体応答とフリッカ応答が低下している．

■ **予後** 進行は緩徐で，予後は患者によりさまざまである．杆体機能が残存している患者では予後は比較的良好である．

先天停在性夜盲

Congenital stationary night blindness：CSNB

近藤峰生 三重大学・教授

■ **概念** 先天停在性夜盲（CSNB）とは，生来の夜盲があり，なおかつ非進行性（停

止性）の網膜疾患の総称である．これは眼底が正常のもの（狭義 CSNB）と，眼底が異常であるものとに分類される．眼底が正常な CSNB には，網膜電図（ERG）が消失する Riggs 型と ERG が陰性型を示す Schubert–Bornschein 型がある．Schubert–Bornschein 型はさらに完全型と不全型に分類される．眼底が異常である CSNB には小口病と白点状眼底がある(⇒ 713 頁，「白点状眼底」項を参照)．ここでは，完全型 CSNB，不全型 CSNB，小口病の 3 つについて解説する．

病態 原因はすべて遺伝子異常である．完全型 CSNB の遺伝形式は常染色体劣性（潜性）か X 染色体性が多い．原因遺伝子として *GRM6*，*TRPM1*，*GPR179*，*LRIT3*，*NYX* の 5 つが知られている．完全型 CSNB の患者では，杆体視細胞は光を受けとることはできるが，その情報が ON 型双極細胞に伝達されないために強い夜盲となる．

不全型 CSNB の遺伝形式は X 染色体性か常染色体劣性（潜性）であり，原因遺伝子として *CACNA1F* と *CABP4* が報告されている．不全型 CSNB の患者では，杆体視細胞から双極細胞への伝達が障害されるが，完全な遮断ではないので夜盲の程度は軽い．

小口病の遺伝形式は常染色体劣性（潜性）であり，原因遺伝子は *GRK1* か *SAG* である．これらの遺伝子はともに視細胞の興奮停止に関与している．小口病の患者では，光によって視細胞が興奮したあとで回復するまでに長時間を要するために強い夜盲となる．

症状 完全型 CSNB の症状は，夜盲，低視力（0.2〜0.7 程度），強度近視である．

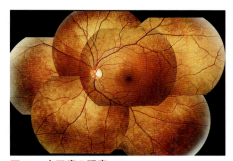

図 94　小口病の眼底
金箔が剥げかかったような特徴的な眼底がみられる．

不全型 CSNB は夜盲の訴えは少なく，低視力（0.2〜0.7 程度）が主な症状である．小口病の主症状は夜盲である．

診断
■ **診断法** 完全型 CSNB は上記の症状に加えて ERG が診断に重要である．暗順応後に ERG を記録すると，a 波の振幅は正常で，b 波の振幅が a 波より小さいという特徴的な陰性型波形が得られ，これにより診断できる．眼底検査では近視性変化がみられる．

不全型 CSNB も上記の低視力の症状に加え，ERG が重要である．不全型 CSNB の ERG も完全型のように陰性型波形となるが，完全型と違って律動様小波が残存し，錐体応答やフリッカー応答も減弱する．

小口病は，上記の夜盲症状と金箔の剥げかかったような特有の眼底所見により診断は容易である(図 94)．この眼底所見は 2〜3 時間の暗順応後に正常化する（水尾・中村現象）．視力，色覚，視野は正常である．ERG では杆体系反応が消失し，錐体系反応は正常となる．

上記 3 疾患とも，診断が困難な症例に

は，遺伝子検査が有用である．

■**鑑別診断**　完全型 CSNB や小口病は，夜盲を呈する疾患群（網膜色素変性，癌関連網膜症，ビタミン A 欠乏夜盲）との鑑別が重要である．CSNB は幼少期から夜盲の症状があることが鑑別のポイントである．不全型 CSNB は低視力が主な症状であり，弱視や心因性視力障害との鑑別が必要である．

■**治療**　本症に対する治療法はない．完全型 CSNB や小口病では夜盲が強いので，暗所での行動に気をつけるよう指導する．不全型 CSNB は軽度の低視力のみであるので，社会生活にほとんど支障をきたさない．

■**予後**　予後は良好である．小口病では，中年期以降に網膜色素変性のような網膜変性を伴う患者がいることも知られている．

乳頭小窩（ピット）黄斑症候群

Optic disc pit maculopathy

平形明人　杏林大学・教授

■**概念・病態**　乳頭小窩（ピット）は乳頭内にみられる円形あるいは楕円形の陥凹を示す先天異常である．大きい乳頭や脈絡膜コロボーマに合併しやすいことから，胎生期の眼杯裂閉鎖不全が関与していると考えられている．ピットは灰白色あるいは淡黄色で，乳頭内のどの位置にも存在しうるが，耳側縁にみられることが多い．約 85％が片眼性で，性差がみられず，遺伝性も明らかでない．

25〜75％の症例で漿液性黄斑剥離を合併し，視力が低下する．網膜光干渉断層計（OCT）で観察すると，漿液性剥離の大多数は乳頭ピットに隣接する網膜分離所見から始まり，進行すると中心窩付近に網膜外層裂孔が生じて黄斑剥離が発生する（図 95）．乳頭が大きく，ピットにつながる視神経線維欠損を伴っていることが多い．好発年齢は 20〜40 歳代である．黄斑剥離が長期に及ぶと黄斑が嚢胞状変性，層状円孔，色素上皮萎縮などを合併して，視力予後は不良になる．このように乳頭ピットに黄斑異常を合併して視力低下する病態を乳頭小窩黄斑症候群という．

乳頭ピット部位の病理組織所見は，篩状板が欠損し，その部位に脆弱な網膜組織が陥凹し，その深部にくも膜下腔が隣接している．また，陥入した脆弱な網膜組織に硝子体線維が接着している．swept source OCT でも，ピット深部での篩状板の欠損とくも膜下腔の隣接が観察される．黄斑剥離の機序は完全には解明されていないが，ピット部位での眼圧と髄圧の圧勾配による硝子体液と髄液の液流が脆弱な網膜組織周囲に存在し，加齢や眼打撲などによる後部硝子体牽引が契機となって，液流が網膜内あるいは網膜下腔に流入し，網膜分離や網膜剥離を発生することが考えられる．

■**症状**　通常，乳頭ピットのみで漿液性網膜剥離を合併しないと視力は低下しない．黄斑分離や黄斑剥離や嚢胞様変化を合併して，変視症，中心暗点，視力低下などを自覚して来院する．黄斑剥離が長期に存在すると，視力が 0.1 以下に低下するといわれている．

■**診断**　眼底検査で乳頭内の灰白色の陥凹と乳頭に隣接する漿液性剥離などの黄斑

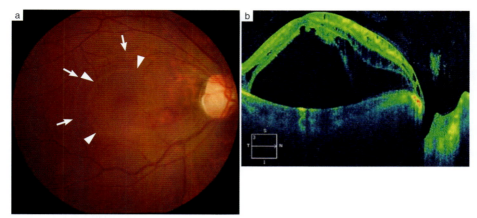

図 95　乳頭小窩黄斑症候群
38 歳男性．耳下側の乳頭ピットと合併する黄斑剥離の眼底写真を示す(**a**)(矢頭が剥離範囲，矢印が網膜分離範囲)．OCT で乳頭に隣接する数層の網膜分離と黄斑剥離が判定され，硝子体線維が乳頭ピット部位に向かって走行している(**b**)．

異常を観察する．剥離の高さは低く，網膜分離様変化から網膜剥離を合併した症例では，不整形あるいは星型の黄斑外層円孔を伴い，網膜隆起は分離と剥離の 2 段(double line)を呈している**(図 95)**．剥離網膜下にプレチピテートがみられることもある．ピットにつながる視神経線維欠損を伴っていることが多い．後部硝子体剥離(PVD)を伴わないことが多いが，PVD が生じて黄斑剥離が自然軽快することもあり，PVD の有無も観察する．

OCT で乳頭ピットと黄斑を横断する画面を観察すると，乳頭ピットに接して網膜分離(多層の分離もあるが，外網状層・顆粒層が著明)と網膜剥離が検出される．網膜分離あるいは網膜剥離のみの症例もある．

■ **鑑別診断**　先天性網膜分離，中心性漿液性脈絡網膜症，強度近視牽引性黄斑症，硝子体黄斑牽引症候群，緑内障眼に伴う網膜分離などが鑑別となる．鑑別に乳頭ピットの確認と OCT の剥離形態，フルオレセイン蛍光眼底造影などが有用である．乳頭ピットに神経線維欠損を合併していることもあり，視野検査も参考になる．

治療　網膜剥離の自然復位例もあり，特に小児例に多くみられ，視力や OCT 所見が悪化する場合に治療を検討する．高齢で発症した黄斑剥離も PVD の発生で自然軽快することもあり，PVD の有無を観察する．

従来，乳頭縁への網膜光凝固が施行されてきたが，その効果が不安定であり．近年は，乳頭縁にかかる後部硝子体皮質の牽引解除が治療に有用であることが報告され，意図的 PVD 作製を目的とする硝子体手術が行われる．トリアムシノロンアセトニドで後部硝子体膜を可視化して，カッターの吸引やフックなどを利用して丁寧に乳頭周囲から黄斑領域の PVD を作製する．網膜分離部位での手術操作で分離した網膜を障害しないように気をつける．乳頭ピットに

後部硝子体あるいは Cloquet 管の索状組織が強く癒着していることがあり、乳頭ピットを傷つけないように癒着を解除する。網膜分離に内境界膜剝離を合併している症例では PVD 作製とともに内境界膜も剝離される。大多数例で PVD 作製で復位が得られるが、完全復位までには数か月〜1年を要すので、術後の経過観察が重要である。難治例には、乳頭ピット内への剝離内境界膜翻転、網膜内層切除、眼内ガスタンポナーデ、乳頭縁への網膜光凝固の併用などが行われる。

予後 術後の網膜は非常にゆっくり復位して、完全復位には数か月〜1年以上かかる。まず、網膜分離が改善し、分離内の液体が網膜下液に移動し、一時的に黄斑剝離が拡大することもある。しかし、剝離部位の視細胞外節は配列していき、剝離が残存しても視機能が改善することが多い。OCT と視力経過で悪化がなければ再手術などを焦らずに経過観察することが大切である。非復位例に乳頭縁の網膜光凝固やピット部位への自己組織プラグ挿入、剝離内境界膜翻転、血清塗布などを検討する。

朝顔症候群
Morning glory syndrome

平形明人　杏林大学・教授

概念・病態 Kindler によって報告された視神経乳頭の先天異常である。灰白色を呈した乳頭領域の拡大と漏斗状陥凹、陥凹底の乳頭前白色組織、乳頭周囲の網脈絡膜色素異常、網膜血管の異常を特徴とする。乳頭の形態は白色組織に覆われていて不明である。網膜血管は白色組織の下から始まり、狭細で、放射状、直線状に走行している。黄斑がみられるものと、陥凹方向に牽引されてみられないものとがある。

多くの症例で、乳頭下方に舌状の網脈絡膜萎縮病変があり、眼杯裂閉鎖不全に関係があるといわれている。症例によっては、後部強膜の形成不全の関与も考えられている。陥凹底の白色組織はグリアの増殖とも第1次硝子体過形成遺残ともいわれている。遺伝性はない。

しばしば乳頭近傍から始まる網膜剝離を合併することがある(図96)。網膜下液の由来として脆弱乳頭部へ侵入する髄液、異常血管からの漏出、乳頭縁または乳頭陥凹内の牽引性網膜剝離と網膜裂孔の併発などが考えられている。初期には滲出性か牽引性剝離で自然軽快することもあるが、全剝離に進行して失明に至ることも少なくない。進行例では乳頭前組織付近に裂孔を併発することも多い。

近年の広角眼底写真で、朝顔症候群の網膜最周辺部に広範囲な無血管領域を伴っている症例が少なくないことが報告された。無血管領域の後極よりに線維血管膜増殖組織を伴うこともあり、眼底周辺部の観察も大切である。

症状 多くは片眼性で、出生時から視力不良であることも多く、小児では片眼の視力不良や眼位異常で来院することが多い。網膜剝離を合併すると、視力低下の進行や視野異常に気づく。視力は手動弁から1.0くらいまで幅広く、陥凹の大きさや黄斑の位置(陥凹との位置関係)や網膜剝離合併の程度による。

診断 特徴的な眼底所見で診断するが、超音波断層検査や光干渉断層計

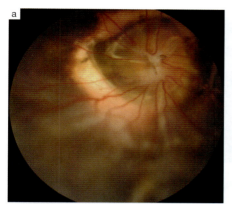

図 96　朝顔症候群
5 歳男児．朝顔症候群に伴う網膜剝離の眼底写真（a）と OCT 所見（b）．乳頭陷凹部に硝子体線維が密に走行しているが，網膜裂孔は検出されない．

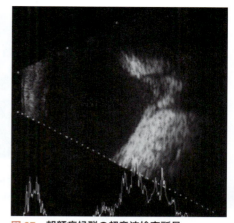

図 97　朝顔症候群の超音波検査所見
2 歳男児．乳頭周囲陷凹と陷凹内の網膜剝離と乳頭前組織，視神経付着部の拡大などが観察される．

（OCT），CT，MRI 検査にて乳頭領域の陷凹が判定できる（図 96，97）．

■**鑑別診断**　視神経コロボーマ，乳頭周囲ぶどう腫，乳頭部第 1 次硝子体過形成遺残と鑑別する．

治療　黄斑領域の残存程度によるが，6 歳以下で黄斑が確認できる場合には弱視治療が試みられる．

網膜剝離が生じても乳頭周囲に限局している場合は，網膜下液が髄液由来の可能性が高く，様子をみることが多い．進行した網膜剝離では，乳頭前方の白色組織とそれにつながる後部硝子体膜の牽引の進行や乳頭周囲陷凹内に小さな裂孔を合併していることが多く，硝子体手術を行う．硝子体ゲルの切除後，丁寧に後部硝子体皮質を剝離し，乳頭前組織による網膜牽引を解除，液空気置換と眼内排液を行い，裂孔を合併している症例では乳頭陷凹周囲に光凝固を行う．眼内排液は陷凹部では難しく，周辺の剝離網膜に意図的裂孔を作製して行うことが多い．眼内タンポナーデには長期滞留ガスを用いるが，再発例，難治例では，ブチルシアノアクリレートを裂孔部に塗布する方法が試みられている．しかし，手術に抵抗し難治であることが多い．小児例や難治例が多く，眼内シリコーンオイルタンポナーデを施行することもあるが，乳頭部位の先天異常であり，髄液と網膜下液の交流も疑われていて，頭蓋内へのシリコーンオイル迷入の危険性もあり，慎重な経過観察を要す．まれに周辺部の無血管領域の後極よりに線維血管増殖性変化を合併している症例があり，輪状締結や網膜光凝固あるいは冷凍凝固の併用が必要となることがある．

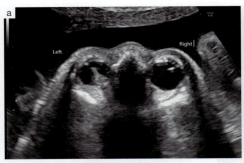 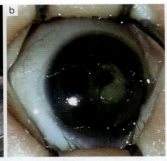

図98　胎児期に診断された症例
a：妊娠34週の胎児超音波画像．左眼の硝子体内に視神経から伸びる索状物がみられる．
b：出生後の前眼部画像．スマートフォンで撮影．出血を伴う水晶体後面の混濁と後方の索状物がみえる．
（Fukushima, et al: Fetal Ultrasound Image in Persistent Fetal Vasculature. Ophthalmology 126: 988, 2019 より）

硝子体血管系遺残
（第1次硝子体過形成遺残）

Persistent fetal vasculature：PFV

福嶋葉子　大阪大学・特任講師

概念　硝子体血管系遺残（PFV）は，第1次硝子体を構成する硝子体血管の退縮不全に起因する先天疾患である．胎児血管系に栄養される組織の発達異常と，遺残組織の牽引によってさまざまな眼所見を呈する．多くは片眼性に発症し，両眼性は10％以下とされる．遺伝子疾患，周産期感染，代謝疾患など全身疾患と合併することがある．ほかにも，両眼に小角膜，後部円錐水晶体，PFV，コロボーマを合併するMPPC症候群（microcornea, posterior megalolenticonus, PFV, chorioretinal coloboma）が報告されている．孤発例が多いが，遺伝性のものもある．発症機序として，マウスでは細胞死や細胞増殖を制御する遺伝子異常と硝子体血管の退縮不全との関連が報告されているが，ヒトでは不明である．

病態　硝子体血管は視神経乳頭から水晶体後面に向かう本幹と硝子体腔に広がる分枝からなり，網膜表面と水晶体を覆う血管網を構築する．正常発生では，胎生5～6週に形成されたのち，胎生13～15週より退縮が始まり胎生後期に消退する．硝子体血管の退縮を契機に水晶体後嚢形成や網膜血管新生が始まるが，その退縮が障害されると周囲組織の形成異常をきたす．

症状　典型例では小眼球を伴う白色瞳孔で発見されるが，斜視や弱視を契機として診断される場合もある．また，胎児超音波で眼内に遺残組織が確認され，出生前に診断がつくこともある**（図98a）**．

診断　細隙灯顕微鏡および眼底検査では，水晶体後面の混濁，網膜血管の走行異常，網膜異形成，視神経乳頭から水晶体後面に向かって伸びる索状物がみられる**（図98b）**．索状物は牽引の原因となり，毛様体突起の延長を介して低眼圧をきたすこともある．また，乳頭付近の索状組織に網膜

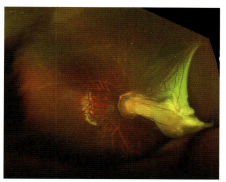

図 99　索状物と網膜ひだ
超広角走査レーザ検眼鏡画像．右眼の視神経乳頭から網膜血管を巻き込む索状物が水晶体方向に向けて伸びており，前方は網膜に付着している．索状物に連続して上方には網膜ひだがみられる．すでに水晶体は切除されている．視力は手動弁．

が巻き込まれていることもある**(図 99)**．硝子体血管退縮の程度により重症度は異なり，病変部位から前部型，後部型，混合型に分類される．

■ **鑑別診断**　白色瞳孔を示す症例は網膜芽細胞腫との鑑別が重要である．通常，網膜芽細胞腫では小眼球はみられない．超音波Bモード検査で小眼球や索状物を確認するとともに，CTで網膜芽細胞腫にみられる眼内石灰化の有無を検出することが有用である．また，両眼の網膜全剥離や水晶体後面線維増殖がある場合にはNorrie病や家族性滲出性硝子体網膜症との鑑別を要し，家族歴や遺伝子異常の検索が参考になる．

■ **治療**　透光体の混濁は白内障と同様に対応し，水晶体除去ののちに屈折・弱視治療を行う．水晶体後面の索状物は視軸にかからず偏心していれば必ずしも手術を要さない．網膜剥離や網膜の牽引に対しては，ERGやVEPの反応が良好であれば外科的介入を行う根拠となる．網膜異形成は有効な治療方法はない．顕著な小眼球に対しては，整容面に配慮して早期から義眼装用を行う．

■ **予後**　特に後部型，両眼性，小眼球の症例では視力予後は不良なことが多い．経過中に裂孔原性網膜剥離や緑内障をきたす例が報告されており，長期にわたって定期的な経過観察を要する．

有髄神経線維
Myelinated nerve fiber

澤田 修　滋賀医科大学・講師

■ **概念**　有髄神経線維は，篩状板より前の網膜神経線維に，正常では認められない髄鞘を有する．網膜の前面に，羽のような境界線を呈し，灰白色ではっきりしたパッチのような所見である．0.57〜1％の割合で認められ，有髄神経線維をもつ者のうち，両眼性は7％である．ほとんどの症例で無症状であるが，軸性近視，弱視，眼振を合併することもある．典型例では生下時よりあり変化しないが，子ども時代や成人になってから生じ，進行する例もある．視神経への手術または侵襲により，有髄神経線維が消失した報告もある．

■ **病態**　中枢神経系の軸索髄鞘形成は，希突起膠細胞の前駆細胞より行われる複雑で順序立った過程で，神経ホルモンシグナルの影響により，希突起膠細胞に移行し，希突起膠細胞が髄鞘をつくる．網膜神経節細胞の髄鞘形成は外側膝状核から前方に眼球に向かって進行する．視路の髄鞘形成は妊娠8か月より開始され，出生時には眼球の後ろに到達し，生後7か月に完成する．篩状板で髄鞘形成が止まるのは諸説あ

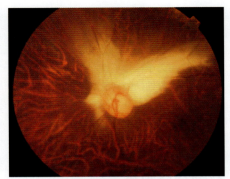

図100 有髄神経線維の眼底写真

り，篩状板の構造のため，希突起膠細胞を変える血漿蛋白が脈絡膜循環から出ているため，希突起膠細胞の成熟を阻害する因子が星状細胞から出ているため，などである．正確な原因は不明で，有髄神経線維は，髄鞘形成が篩状板を越えて延長されたときに起こり，眼底検査で観察されるようになる（図100）．

■ 診断　ほとんどの症例は，症状はなく，健常で，眼底検査により偶然に発見される．ごくまれに視力低下をきたす症例がある．典型例は，1乳頭径以上の大きさで，視神経乳頭近くに羽のような縁で白い縞模様のパッチのような外観である．赤外線またはレッドフリーの眼底撮影では，髄鞘に脂質が多いため，白色に映る．自発蛍光眼底撮影では，髄鞘が蛍光物質を遮断するため，暗く映る．光干渉断層計（OCT）では，有髄神経部は厚い高輝度の視神経線維層の像を示す．

■ 鑑別診断　有髄神経線維は通常良性なものではあるが，ほかの重篤な疾患と間違う可能性もある．腫瘍性浸潤も疑うときは全血球検査が役に立つ．OCTで網膜内層の高輝度像が網膜血管閉塞や綿花様白斑を疑い，網膜血管閉塞疾患を除外したいときは，眼底検査，蛍光眼底検査を追加で行う．小児で広範囲の有髄神経線維で，網膜芽細胞腫と区別しにくいときは，麻酔下で眼底検査を行い，超音波断層検査も行う．

網膜血管腫
（網膜血管増殖性腫瘍）

Retinal hemangioma
(Retinal vasoproliferative tumors)

兒玉達夫　島根大学医学部附属病院・先端がん治療センター・准教授

■ 概念　先天性の網膜血管腫では，von Hippel-Lindau（VHL）病に合併する網膜毛細血管腫（retinal capillary hemangioma），蔓状血管腫，海綿状血管腫が疾患概念として確立されている．VHL病は網膜毛細血管腫が6割近くにみられ，中枢神経系の血管腫に腎細胞癌や神経内分泌腫瘍などを伴う．VHL病の網膜毛細血管腫は眼底周辺部に結節性隆起病変を呈し，血管腫への流入・流出血管は著明な拡張や蛇行を伴う．蔓状血管腫は網膜動静脈が毛細血管を介さずに吻合し拡張・蛇行を呈する血管奇形で，同側性の頭蓋内および眼窩内の動静脈奇形を伴うものをWyburn-Mason症候群という．海綿状血管腫は血液で満たされた小嚢がブドウの房状病変を呈する過誤腫である．

1980年代以降，網膜血管腫のなかにはVHL病のような遺伝性や全身合併症を証明できない，孤発性で後天性と思われる血管増殖腫瘍性症例が蓄積されてきた．病理組織学的にも多様性に富み，何らかの原疾患に続発する病変も含まれる．Shieldsら

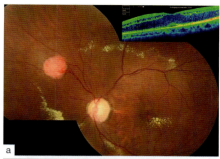

図101　網膜血管増殖性腫瘍（後天性網膜血管腫）

上鼻側の毛細血管腫から硬性白斑を伴う滲出性病変が黄斑部に及ぶ（a）．光干渉断層計（OCT）画像で血管腫は網膜内に後部音響陰影を呈するドーム状の隆起病変を形成している（b）．

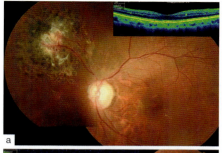

図102　網膜光凝固治療後

黄色レーザーで腫瘍自体と周囲網膜・流入血管に光凝固術（波長 561 nm，凝固径 200〜250 μm，時間 0.3 秒，出力 200 mW）を施行した．

は，これらの網膜血管増生や拡張を伴う限局性隆起病変を，網膜血管増殖性腫瘍と総称した．

病態　網膜血管増殖性腫瘍は 80％が特発性であり，20％がぶどう膜炎，トキソプラズマ，網膜剝離，Coats病，網膜色素変性症といった網脈絡膜病変が先行し反応性に生じた続発性腫瘍といわれているが，病因は不詳である．

病理組織所見は，グリア細胞が毛細血管網に混在し，血管の拡張，硝子化，閉塞をきたす．滲出物，マクロファージ，異物巨細胞もみられる．これらの所見はグリア化を伴う反応性の血管増生を示唆しており，真の血管腫ではなく"偽腫瘍"との見方もある．

症状　小病変は自覚症状に乏しく，眼科受診で偶然見つかることが多い．中年以降に病変が増大し，滲出性網膜剝離が広がると飛蚊症，視力低下，変視や視野障害を主訴に受診する．

診断　赤色〜白桃色調の単発性（90％以上）あるいは多発性の塊状，半球状腫瘤で，網膜耳側周辺部に好発する．VHL病の網膜毛細血管腫と異なり，後天性の網膜血管増殖性腫瘍への流入・流出血管は拡張や蛇行が乏しい．蛍光眼底造影検査では，腫瘤内の豊富な血管網や拡張血管を描出し，活動性の高い場合は血管透過性が亢進する（図101）．網膜内・網膜下滲出物のほかに，網膜前膜，滲出性網膜剝離，硝子体出血を併発することがある．

治療　小病変で周辺部に局在し，滲出性病変による視力低下をきたさない限り，経過観察を行う．自然消退することもある．滲出性病変の増強や網膜剝離を生じる場合，治療適応となる．病変が比較的小さく腫瘍丈が低い場合は，黄色レーザー（560〜580 nm：酸化ヘモグロビンの吸収がよい）を用いた網膜光凝固術を施行する

（図 102）．光線力学療法も選択肢の1つである（保険適用外）．病変が網膜周辺部に局在する場合，網膜光凝固術施行後も滲出性病変が進行する場合は，経強膜的に冷凍凝固術（冷凍・融解を3セット）を施行する．光凝固も冷凍凝固も，病変の瘢痕治癒化には複数回の凝固治療を要することがある．凝固治療後の経過中に網膜前膜が外れる場合もあるが，網膜前膜や牽引性網膜剥離による視力低下，硝子体出血が吸収されない場合は硝子体手術を考慮する．小病変では抗VEGF抗体の硝子体注射が奏効する場合もあるが，病変が大きい場合はこれらの凝固治療を併用して瘢痕治癒が試みられている．

母斑症
Phacomatosis

盛 秀嗣 関西医科大学附属病院・講師

概念 母斑症は，胎生期における神経堤細胞の発生異常により母斑細胞の過誤腫を生じる先天疾患である．皮膚および中枢神経系を中心とした全身の諸臓器に良性の組織増殖病変を伴い，神経皮膚症候群ともよばれる．母斑症における眼合併症は，神経堤細胞由来である間葉細胞の異常増殖が原因とされている．

本項では，母斑症に眼症候を合併する神経線維腫症（⇒ 916，949 頁も参照），結節性硬化症（⇒ 915 頁も参照），Sturge-Weber症候群（⇒ 918 頁も参照），von Hippel-Lindau病（⇒ 917 頁も参照），太田母斑，Wyburn-Mason症候群について概説する．以下，各疾患の概念および合併する眼合併症の病態と治療について述べる．

1 神経線維腫症（neurofibromatosis：NF）

病態 神経系腫瘍が多発する難治性遺伝性疾患で，臨床像により多群に分類される．そのうち診断基準が明確であるのは神経線維腫症1型・2型（NF-1・NF-2）である．本項では，発生頻度が高いNF-1・NF-2について述べる．

❶ 神経線維腫症1型（NF-1，von Recklinghausen病）

a. 概念 神経線維腫症のなかで最も頻度が高く，約3,000人に1人発生する常染色体優性遺伝性疾患である．原因遺伝子は17番染色体長腕（17q11.2）に存在する腫瘍抑制遺伝子であるneurofibrominである．カフェオレ斑・神経線維腫を主徴とし，皮膚・神経系・眼・骨などさまざまな部位に病変が出現する全身性母斑症で，von Recklinghausen病ともよばれる．

b. 診断 表3に，診断基準を示す．

表中の7項目中2項目以上満たせば，確定診断可能である．年齢とともに症状出現頻度が増すために，8歳までにほぼ全例が診断基準を満たす．

c. 眼合併症 主にLisch虹彩結節，視神経膠腫が挙げられる．まれに続発小児緑内障，網膜に星状神経膠細胞腫などの過誤腫，内頸動脈閉塞による眼虚血症候群を合併する．

❷ 神経線維腫症2型（NF-2）

a. 概念 NF-1と比較すると発生頻度は低く，約33,000人に1人の割合で発生し，常染色体優性遺伝性疾患とされているが，約半数は新規突然変異である．原因遺伝子は22番染色体長腕（22q11.2）に存在する

表3　NF-1の臨床的診断基準

1	6個以上のカフェオレ斑
2	2個以上の神経線維腫(皮膚，神経など)またはびまん性神経線維腫
3	腋窩あるいは鼠径部の雀卵斑様色素斑
4	視神経膠腫
5	2個以上の虹彩結節(Lisch nodule)
6	特徴的な骨病変の存在(脊柱・胸郭の変形，四肢骨の変形，頭蓋骨・顔面骨の欠損)
7	家系内に同症
	〈その他の参考所見〉 大型の褐色斑，有毛性褐青色斑，若年性黄色肉芽腫，貧血母斑，脳脊髄腫瘍，unidentified bright object(UBO)，消化管間質腫瘍(GIST)，褐色細胞腫，悪性末梢性神経鞘腫瘍，限局性学習症(学習障害)・注意欠如多動症・自閉スペクトラム

1〜7のうち2項目以上を満たす．

表4　NF-2の臨床的診断基準

1	両側性の前庭神経鞘腫
2	第一度親近者にNF-2罹患者がおり，次のいずれかが認められる． 片側性前庭神経鞘腫 または以下のうち2つ(2種の腫瘍もしくは白内障) 　髄膜腫・神経鞘腫・神経膠腫・神経線維腫・後嚢下白内障
3	片側性前庭神経鞘腫 または以下のうち2つ(2種の腫瘍もしくは白内障) 　髄膜腫・神経鞘腫・神経膠腫・神経線維腫・後嚢下白内障
4	多発性髄膜腫と次のいずれかが認められる． 片側性前庭神経鞘腫 または以下のうち2つ(2種の腫瘍もしくは白内障) 　髄膜腫・神経鞘腫・神経膠腫・神経線維腫・後嚢下白内障

1〜4のいずれかを満たす．

腫瘍抑制遺伝子である *merlin* である．NF-1と異なりカフェオレ斑の数は少なく，約40%の症例にしか認められない．主に中枢神経系に同時多発性に腫瘍を生じる予後不良な疾患である．

b. 診断　表4に，診断基準を示す．

c. 眼合併症　網膜色素上皮過誤腫(図103)や網膜上膜などが散見される．一方で，NF-1患者に認められるLisch虹彩結節などはまれである．

2 結節性硬化症(tuberous sclerosis：TSC)

概念　*TSC1,2*遺伝子変異により全身の諸臓器に過誤腫を生じる常染色体優性遺伝性疾患である．遺伝病であるが，2/3は孤発例である．有病率は6,000人に1人とされる．顔面の血管腫，脳内腫瘍に起因するてんかん発作，精神発達遅滞を3主徴とする．

診断　遺伝子検査で*TSC1*もしくは

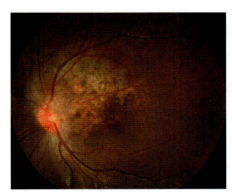

図103　視神経乳頭〜黄斑部に認める網膜色素上皮過誤腫

*TSC2*遺伝子の機能喪失変異があれば，確定診断できる．しかし，表5に示す臨床所見のみでも診断が可能である．

眼合併症　約50%の患者に，網膜および視神経乳頭周囲に網膜グリア(星状神経膠細胞)に由来する結節様過誤腫を認める．白色で石灰化が顕著な桑の実様隆起を

表5 TSCの診断基準

	大症状
1	3個以上の低色素斑（直径が5mm以上）
2	顔面の3個以上の血管線維腫または前額部・頭部の結合織よりなる局面
3	2個以上の爪囲線維腫
4	シャグリンパッチ
5	多発性の網膜過誤腫
6	大脳皮質の異型性（大脳皮質結節・放射状大脳皮質神経細胞移動線を含める）
7	脳室上衣下結節
8	脳室上衣下巨細胞性星状細胞腫
9	心臓横紋筋腫
10	リンパ脈管筋腫症
11	血管筋脂肪腫

	小症状
1	散在性小白斑
2	3個以上の歯エナメル質の多発性小腔
3	2個以上の口腔内の線維腫
4	網膜無色素斑
5	多発性腎嚢腫
6	腎以外の過誤腫

Definitive TSC：大症状2つ，または大症状1つ＋小症状2つ以上．
Possible TSC：大症状1つ，または小症状2つ以上．

呈するものと，半透明で表面平滑な小結節がある．大部分は，無症状であることが多い．まれに過誤腫からの滲出性変化による漿液性網膜剝離や腫瘍増大による硝子体出血，さらに増殖硝子体網膜症を引き起こす．網膜過誤腫以外にも，まれに網膜血管周辺部の脱色素斑，眼瞼血管線維腫，虹彩脱色素を伴う場合がある．

眼合併症に対する治療　過誤腫からの滲出性変化を認めた場合，網膜光凝固術を施行する．

3 Sturge-Weber 症候群（三叉神経・脳血管腫症）

概念　顔面の単純性血管腫（ポートワイン母斑）と脳軟膜血管腫を特徴とする．有病率は65,000人に1人とされる．*GNAQ*遺伝子の変異により，原始静脈叢が残存し，その部位に毛細血管と細静脈の拡張を生じたためと考えられている．

症状　出生時より三叉神経第1枝（まれに第2，3枝）領域に認められる顔面の片側（まれに両側）性単純性血管腫と脳軟膜血管腫，および眼の血管腫は古典的3主徴といわれる．脳軟膜血管腫は顔面血管腫と同側に認め，神経症状（ほとんどがてんかん発作，まれに精神遅滞・病変と対側の半身麻痺）を認める．

眼合併症　顔面血管腫と同側に生じる脈絡膜血管腫と緑内障が挙げられる．

脈絡膜血管腫はサーモンピンク色の境界不明瞭な腫瘤（図104）として観察され，通常無症状である．まれに漿液性網膜剝離による視力低下や変視症，黄斑部の前方移動による遠視化を認める．

緑内障は30～70％の頻度で認め，発症は1歳までが60％と最も多い．隅角形成異常・Schlemm管萎縮・上強膜静脈圧上昇・PAS形成などにより生じると考えられ，難治であることが多い．

眼合併症に対する治療　脈絡膜血管腫の治療の主目標は脈絡膜血管腫の消失ではなく，腫瘍を縮小し腫瘍血管からの漏出を軽減することである．脈絡膜血管腫に対する治療方法として，以前は網膜光凝固術を行う施設が多かったが，漿液性網膜剝離の再発率が約40％と高く，視力予後が不良である．加齢黄斑変性に対する光線力学的

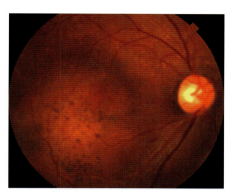

図 104　黄斑部〜黄斑部耳側に認める脈絡膜血管腫

療法（PDT）が普及した現在，保険適用となっていないが，PDT や経瞳孔温熱療法を治療の第 1 選択としている施設が多い．

　緑内障に対する治療は，乳幼児に対しては線維柱帯切開術や隅角切開術を選択する．年長者では，上強膜静脈圧が上昇しているため薬物治療が第 1 選択となる．薬物治療や流出路再建術が奏効しない場合，線維柱帯切除術やチューブシャント手術を考慮する．

4　von Hippel-Lindau（VHL）病

概念　常染色体優性遺伝性疾患で，平均発症年齢は 18 歳である．複数の臓器に血管腫もしくは囊胞性病変を多発する．

診断　表 6 に，診断基準を示す．

眼合併症　約 3 割に，視神経乳頭上および眼底周辺部に網膜毛細血管腫を合併する．VHL 遺伝子の不活化により血管新生が促進され，生じると推測されている．橙赤色腫瘤として観察され，流入・流出血管の拡張・蛇行（図 105）を認める．しばしば網膜浮腫や硬性白斑などの滲出性変化や，まれに硝子体出血を認めることがある．

表 6　VHL の診断基準

VHL 病の家族歴がはっきりしない場合 1〜3 のいずれかを満たす	
1	中枢神経系血管芽腫あるいは網膜血管腫を複数個（2 個以上）発症
2	中枢神経系血管芽腫または網膜血管腫が 1 個と以下に示す病変が 1 個以上ある a　腎臓癌 b　褐色細胞腫 c　膵臓の病気（膵囊胞・膵臓の神経内分泌腫瘍） d　精巣上体囊腫 e　内耳リンパ囊腫
3	上記の 1 病変と遺伝子検査で VHL 遺伝子異常の確認
VHL 病の家族歴が明らかな場合（第一度近親者が VHL 病）	
上記 1〜3 の病変を 1 つでも認める	

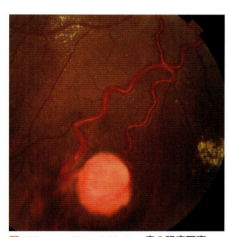

図 105　von Hippel-Lindau 病の眼底写真

眼合併症に対する治療　大きな腫瘍もしくは滲出性変化があれば治療の対象となる．1 乳頭径程度の小さい腫瘍に対しては，腫瘍や流入血管の直接光凝固術が行われる．大きな血管腫や眼底周辺部に血管腫が存在する場合は，経強膜冷凍凝固術が行われる．視機能障害をきたした血管腫に対しては，少数例の光線力学療法の報告がみ

硝子体手術は，網膜剝離や硝子体出血など重症例の場合にのみに行われる．

5 太田母斑

概念 三叉神経第1・2枝領域に生じる片側性（まれに両側性）青色斑である．過誤腫ではないので，古典的な定義では母斑症には含まれない．黄色人種に多く，わが国の0.1～0.2%にみられ，女性に多い．発症時期は二峰性の分布を示し，出生時から1歳までに発症する早発型と，思春期に生じる遅発型があり，前者が多い．

眼合併症 強膜メラノーシスが高率に合併するが，眼瞼結膜，隅角，虹彩，ぶどう膜，視神経乳頭などにも着色がみられ，まれに緑内障や母斑の悪性化によるぶどう膜悪性黒色腫を合併する．

6 Wyburn-Mason 症候群

概念 胎生期における血管系分化異常により，片側の脳・網膜の動静脈異常吻合，顔面の血管奇形を認める．脳内の動静脈奇形の程度によって，脳症状（頭痛，けいれん，くも膜下出血など）の重症度が異なる．

眼合併症 88%に網膜病変を認める．毛細血管床を介入せずに，拡張した動脈と静脈が直接吻合する．まれに漿液性網膜剝離，硝子体出血，網膜静脈閉塞症を生じる．

眼合併症に対する治療 基本的には無症状である．しかし，硝子体出血や網膜静脈閉塞症を生じれば，硝子体手術を要する場合もある．まれに視神経萎縮や眼球突出などもみられる．

網膜芽細胞腫
Retinoblastoma

鈴木茂伸　国立がん研究センター中央病院・科長

概念 乳幼児の網膜に生じる悪性腫瘍であり，5歳までに95%が診断される．性差はなく，15,000～23,000出生に1人の頻度で，現在の日本では年間70～80人が発症している．片側性と両側性(3:2)があり，診断時期は片側性が平均21か月，両側性が平均8か月である．眼球内限局期であれば5年生存率95%以上が期待できるが，眼球外浸潤や転移を生じると予後不良である．

病態 13番染色体長腕(13q14.2)にある *RB1* 遺伝子の変異が原因である．*RB1* 遺伝子は細胞分裂の制御に重要な役割を担う RB1 蛋白を産生する．1細胞内には2遺伝子座があり，一方の変異だけでは細胞機能は維持されるが，両方の変異を生じると細胞分裂を制御できなくなり，悪性化すると考えられている（2段階発がん説）．体細胞における変異の有無により，体細胞変異と生殖細胞系列変異に分けて考える必要がある．

❶**体細胞変異(somatic mutation)** 網膜の1細胞において *RB1* 遺伝子変異が両方の遺伝子座に生じた場合であり，体のほかの細胞には遺伝子変異がない．そのため片眼性，単発腫瘍であり，生殖細胞には変異がないため子どもへの遺伝は生じない．

❷**生殖細胞系列変異(germline mutation)** 生殖細胞の段階で1遺伝子座に変異が備わった状態，言い換えると体のすべての細胞に1段階目の変異がある状態であり，

複数の細胞で2段階目の変異を生じることが多く，網膜においては両側性，多発腫瘍を生じ，生殖細胞に引き継がれることで1/2の確率で子どもに遺伝し，体細胞においては *RB1* 遺伝子が関与すると考えられる骨肉腫などの2次がんが問題になる．*RB1* 遺伝子関連 cancer predisposition syndrome と考えると理解しやすい．

症状
網膜に生じた初期の病巣は無症状であり，発見は困難である．黄斑部に生じた場合には視力不良で斜視になり，発見されることがある．

多くの場合は眼内で大きな腫瘍になり，白色瞳孔を呈して発見される．滲出性網膜剝離が高度の場合には，網膜剝離の精査中に網膜下の充実性腫瘍が発見されることもある．疼痛はなく，年長児であれば視力低下の自覚，年少児であれば低視力の眼をこするしぐさが初発症状となることも多い．

さらに進行すると，腫瘍による水晶体圧排，もしくは血管新生緑内障による眼圧上昇で，角膜混濁，結膜充血，眼瞼腫脹，疼痛などの症状を呈するようになる．乳児では症状の表出が難しく，頭痛，哺乳低下などの症状がきっかけとなることもある．時に腫瘍の急速な増大により相対的虚血となり腫瘍が高度の壊死を生じ，蜂窩織炎様の強い炎症所見を伴うことがある．

腫瘍が眼球外に浸潤すると眼球突出を，頭蓋内に浸潤すると頭痛や水頭症に伴う症状を，遠隔転移では腫脹や疼痛を呈するようになる．

診断

■ **診断法**　眼球摘出をした場合には病理診断が可能であるが，眼球温存治療を行う場合は臨床診断に基づいて治療を開始する．この根拠として，①眼内病変は透明組織を

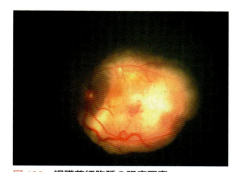

図106　網膜芽細胞腫の眼底写真
血管に富む白色隆起病変で，内部に石灰化を伴う．

通して直接観察可能であり臨床診断の確度が高いこと，②眼内腫瘍の生検を行うことにより腫瘍細胞の眼球外撒布を生じ，転移を生じる危険性が避けられないこと，が挙げられる．

■ **必要な検査**　診断の第一歩は眼底検査を行うことであり，小児の眼底に血管に富む白色隆起病変があり，石灰化を伴う場合には確定診断が容易である（図106）．網膜剝離，硝子体播種，前房浸潤，緑内障の有無は治療方針を決めるための重要な情報である．

診断の補助として，また出血や混濁・網膜剝離が高度で眼底の観察が困難な場合には画像検査を行う．超音波断層検査で実質性腫瘍があること，腫瘍内に石灰化を伴うことを確認する．ただし，5歳以上の小児の腫瘍は石灰化の乏しいことが多いことに留意する．

可能であればMRI検査を追加する．腫瘍はT1強調画像で脳実質と同程度の信号，T2強調画像で軽度低信号を示し，造影効果を示す．視神経浸潤，脈絡膜浸潤，眼球外浸潤の評価もある程度可能である．両側性の約3%に松果体芽腫など三側性網

膜芽細胞腫を生じるため，スクリーニング検査として頭部 MRI を行うことが推奨される．

CT は石灰化の描出に優れ，軽度の鎮静により短時間で撮影が可能であるため有用であるが，被曝を伴うため必須ではなく，MRI が可能であれば行う意義は低い．

蛍光眼底造影検査は腫瘍血管の描出，蛍光漏出の検出など活動性評価に優れるが，通常全身麻酔が必要であり，初期診断のために追加して行う意義は低い．

血液検査は，全身麻酔を伴う治療が可能であるのか，全身状態の把握のために行う．転移を伴う場合に血清乳酸脱水素酵素（lactate dehydrogenase：LHD），neuron specific enolase（NSE）が上昇するが，眼内病変に対する診断意義は乏しい．

転移検索のための検査としては，骨髄検査，髄液検査，全身 CT，核医学検査などがあるが，いずれも侵襲もしくは被曝を伴う検査であり，一方で眼内限局期で陽性となることは皆無であるため，全例に行うことは慎むべきであり，眼球外病変のある場合に限り，眼球摘出と前後して行うことが勧められる．

■ **鑑別診断**　2〜3 乳頭径程度の白色隆起病変の鑑別として，星細胞過誤腫が挙げられる．腫瘍血管の有無，光干渉断層計（OCT）検査が可能であれば腫瘍の部位が網膜実質か神経線維層か，増大の有無などを確認する．

白色瞳孔の鑑別としては胎生血管遺残（第 1 次硝子体過形成遺残），未熟児網膜症，Coats 病など網膜剥離を伴う疾患群が挙げられる．超音波検査による実質性腫瘍の有無を確認する．

治療

■ **治療方針**　眼内初期病変で視機能を期待できる場合には，眼球温存治療を積極的に行う．眼内進行期は視機能が期待できないことも多いが，家族の希望があれば温存治療を検討する．この場合，初期治療として全身化学療法を行い，その後局所治療による地固めを行う治療方針が一般的である．緑内障や蜂窩織炎様炎症を伴う場合，眼球外浸潤の疑われる場合には眼球摘出を行い，病理検査結果に基づき後療法を検討する．

■ **眼球温存治療**

❶ **レーザー治療**　腫瘍径 3 mm 程度までの腫瘍は，赤外線レーザーの直接照射による光凝固を行い，90％程度の局所制御が可能である．黄斑部に腫瘍のある場合は，不可逆の視機能障害を回避するため後述の化学療法を先行することが推奨される．周辺部腫瘍も強膜内陥を行うことで治療可能である．

❷ **冷凍凝固**　赤道部より周辺の 3 mm 程度の腫瘍が治療対象になる．凍結・融解を 3 回繰り返す triple freeze-thaw 法が一般的であり，レーザーと同様に 90％程度の局所制御が得られる．

❸ **小線源治療**　日本および欧州では ^{106}Ru，北米では ^{125}I 線源が用いられる．^{106}Ru は β 線源であり，腫瘍厚 5 mm 以下，横径 15 mm 以下で，視神経乳頭から離れている限局腫瘍が治療対象になる．腫瘍に対応する強膜面に 1〜2 日間線源を縫着する治療であり，特殊治療室が必要で施設が限定される．80〜90％の局所制御が可能である．

❹ **全身化学療法**　眼球温存目的の化学療法は，3 剤併用療法が眼内進行期腫瘍に対して第 1 選択として行われる．治療目的は

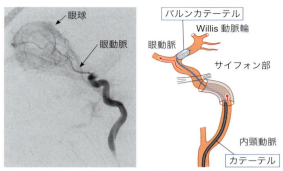

図107　選択的眼動脈注入の造影所見
バルンカテーテルで内頸動脈を一時閉塞し，眼動脈へ薬剤を投与する．

瘍の縮小・活動性低下であり，単独治療で治癒するのは10％以下に過ぎない．腫瘍縮小後，上記局所治療を追加し地固めを行う．

処方例 下記を併用する．3〜4週ごとに2〜6回繰り返す．

> オンコビン注　1回量 1.5 mg/m²（36か月以下は 0.05 mg/kg）　各サイクルの1日目
> パラプラチン注　1回量 560 mg/m²（36か月以下は 18.6 mg/kg）　各サイクルの1日目
> ベプシド注　1回量 150 mg/m²（36か月以下は 5 mg/kg）　各サイクルの1，2日目
> いずれも点滴静注

❺**選択的眼動脈注入**　カテーテルを用いて眼動脈へ薬剤を投与する治療法であり**(図107)**，眼球局所へ高濃度の薬剤を投与し，一方で全身への薬剤量を減らすことで骨髄抑制などの副作用を軽減することが目的である．メルファラン（アルケラン®）注射液を使用する(保険適用外，効能・効果・用法・用量)．世界各国で行われている．

❻**硝子体注入**　血管内投与した薬剤の硝子体移行は限定的であり，硝子体播種のある眼球に対し硝子体注入を併用する．メルファラン（アルケラン®）注射液を使用する(保険適用外，効果・効能・用法・用量)．

❼**結膜下注射**　抗がん薬の局所投与法としてカルボプラチン（パラプラチン®）のTenon嚢注射が北米を中心に行われてきた．線維化による眼球運動障害を生じること，眼動脈注入が可能となったことなどにより，現在ではほとんど行われていない．

❽**放射線外照射**　1990年代までは眼球温存治療の主軸であったが，眼窩骨の変形，2次がんの増加が明らかとなり，現在では他治療で制御できない場合に限り行われる．40〜46グレイのX線を分割照射する．2016年から陽子線治療が保険収載されたため，一部症例で治療が試みられている．X線治療に比べ照射野を限定できることから上記有害事象を減らすことが期待されるが，乳幼児で鎮静下治療を要する場合，治療施設が限定される．定位放射線治療ががんの診療に広く使われているが，本疾患に対しては治療対象が乳幼児で正確な照射が困難なこと，周囲の低線量域が増加することで2次がんを増やす危険性があること

などから，推奨されない．

■**眼球摘出** 視機能が期待できない場合，緑内障や蜂窩織炎様炎症を伴う場合，前房浸潤や虹彩浸潤を伴う場合，眼球外浸潤を疑う場合には眼球摘出を行うことが推奨される．明らかな眼球外浸潤，視神経浸潤，遠隔転移を伴う場合には眼球摘出は必要であるが，腫瘍制御目的に全身化学療法を先行する場合もあり，小児腫瘍医と相談する．

手術は，視神経を長く切除するように心がける．摘出眼球の病理検査を行い，術後化学療法の必要性について検討する．視神経断端陽性，強膜外浸潤は後療法の絶対適応であり，全身化学療法と放射線治療を行う．著明な脈絡膜浸潤，篩状板を越える視神経浸潤などは転移の相対的リスクと考えられていて，全身化学療法による後療法を行うことが推奨される．

予後 わが国を含む先進国では，5年生存率が95%以上期待できる．2次がんは10歳代以降に発症することが多く，遺伝性症例において20年で15.7%に生じる．組織型や部位に依存するが生命予後は70〜80%と原病より低く，2次がんの頻度を増やさない原病の治療が望ましい．眼球温存に関しては，眼内初期病変(TNM分類T1)で90%以上，眼内進行期病変(T2)で約50%，合併症併発眼(T3)では10%程度である．視機能は黄斑部腫瘍の有無に大きく依存する．

眼内炎
Endophthalmitis

中静裕之 日本大学病院・教授

概念 眼内炎の原因には感染性，非感染性があり，感染性眼内炎には細菌性，真菌性，ウイルス性，寄生虫性がある．本項では感染性眼内炎のなかでも他臓器感染から血行性転移により生じる内因性細菌性眼内炎(転移性眼内炎)について述べる．その特徴は地域差があるため，日本でのデータを中心とした．なお，術後眼内炎については「白内障術後眼内炎」(⇒ 534 頁)を参照．

内因性細菌性眼内炎の発症頻度は眼内炎全体の2〜6%とされ，まれな疾患と認識されていたが，国内では約30%を占め，まれな疾患とはいえない．真菌性眼内炎と比較し，感染の進行は早く予後不良である．眼内炎が眼窩周囲組織，強膜を含めば全眼球炎と定義される．

通常，急性に発症し，治療には抗菌薬全身投与に加え，早期硝子体手術が有用とされている．

病態 内因性細菌性眼内炎では細菌が血行性に運ばれ，血流の豊富な脈絡膜，毛様体に最初に感染が生じる．その後，眼血液関門を通過し，後眼部組織へと感染が拡大する．

糖尿病，高血圧，消化器疾患，悪性腫瘍，高齢者，体内カテーテル留置(中心静脈栄養，尿道カテーテルなど)，歯科処置後，腎機能障害，肝機能障害，免疫抑制薬などがリスクファクターとなる．原因としては心内膜，肺，肝臓，軟部組織，中枢神

経系，腹膜炎，腎，尿路への細菌感染，留置カテーテル，内視鏡後などの細菌感染がある．細菌は血行性に感染し，左総頸動脈が大動脈から直接分岐するため左眼に多いとされている．両眼性も12〜29％にある．

原因菌としては黄色ブドウ球菌などのブドウ球菌属が最も多く，このうちの約7割がメチシリン耐性黄色ブドウ球菌（MRSA）である．次いでレンサ球菌属が多い．またクレブシエラ肺炎桿菌（*Klebsiella pneumoniae*），大腸菌，緑膿菌，髄膜炎菌などのグラム陰性菌も重要であり，特に東アジアではクレブシエラ肺炎桿菌による肝膿瘍が多く，その視力予後は不良である．

症状 初期症状としては視力低下，飛蚊症，眼脂，眼痛，毛様充血，結膜充血，眼瞼腫脹などがある．眼痛は10〜23％であり，外因性眼内炎よりも頻度は低い．70％以上で38℃以上の発熱，CRPの上昇，半数以上に白血球増多が認められている．全身症状出現前に眼症状を訴えることもあるが，全身状態不良のために症状に気づかれにくいこともある．

眼症状出現から眼科医を受診するまでの日数は平均8日である．さらに，ぶどう膜炎との鑑別が難しく診断自体が遅れることもある．

診断 内科を含めた他科との連携が重要となる．すでに全身症状があり，原発巣が明白な場合もあるが，原発巣が不明であれば全身検索が必要となる．血液培養検査は必須である．約75％で細菌が検出されるとされているが，すでに抗菌薬全身投与が行われている場合は偽陰性になることもある．必要により尿培養も行う．胸部X線撮影による肺炎検索，心エコー検査による心内膜炎の検索，腹部CT検査による肝膿瘍の検索などを行う．同時に前房水，硝子体液の培養検査などの細菌検査を行う．

■ **必要な検査**

❶**視力検査** 初発症状として約67％に視力低下がある．また，視力は平均で0.1以下に低下している．

❷**細隙灯顕微鏡** 結膜・角膜浮腫，結膜・毛様充血，角膜混濁（時に細胞浸潤を伴う），Descemet膜皺襞，前房内炎症（大きな細胞，強いフレア，温流の停滞，角膜裏面沈着物，フィブリン析出，前房蓄膿），硝子体炎症を観察する．

❸**眼底検査・眼底写真** 症状出現時に硝子体混濁，網膜血管炎，網膜出血，白斑などの眼内炎所見を確認をする．散瞳不良例や眼底透見度の低下がある場合は広角眼底カメラでの撮影は有用である．

❹**Bモード超音波検査** Bモード超音波検査は眼底の透見が困難な場合，硝子体混濁の評価，炎症波及範囲の判定に有用である．

❺**網膜電図（ERG）** 網膜電図でb波の減弱は予後不良因子であり，視力予後の予測に役立つ．

治療 原因疾患の治療において抗菌薬全身投与が必須となる．その期間は菌血症の原因疾患により異なるが，心内膜症であれば6週間の投与が勧められている．

抗菌薬全身投与のみでは不十分であり，抗菌薬硝子体内注射を早急に行う．症状発現24時間以内の抗菌薬硝子体内注射は予後を改善するとされている．バンコマイシン1 mg，セフタジジム（モダシン®など）2 mgの硝子体内注射が一般に行われている．

近年，多剤耐性菌やバンコマイシン1 mg投与後の出血性閉塞性網膜血管炎が問題となり，代替治療として1.25％ポビ

ンヨード/0.1 mL 硝子体内注射（適用外使用）を用いた内因性眼内炎の治療例もあるが確立されたデータはない．

内因性眼内炎においても早期硝子体手術により，視力予後改善の可能性がある．特に視力 0.05 以下，強毒菌，びまん性後眼部眼内炎，全眼球炎では手術療法が望ましい．しかし，全身状態が不良なことが多く手術までに時間を要したり，手術が不可能であったりすることも少なくない．

❶硝子体内注射

処方例

塩酸バンコマイシン注　1回 1 mg/0.1 mL ＋ モダシン注　1回 2 mg/0.1 mL　硝子体内注射　 保外 用法・用量

❷全身抗菌薬投与（他科と連携）

処方例　下記 1) を基盤とし，原因菌により 2)，3) を追加する．

1) メロペネム点滴静注用 (1 g)　1回 1 g　1日 3回　点滴静注　5日間
2) アベロックス錠 (400 mg)　1錠　分 1　5日間
3) ザイボックス錠 (600 mg)　2錠　分 2　5日間（MRSA 眼内炎の場合）

❸点眼

処方例　下記を併用する．

クラビット点眼液 (1.5%)　1日 6回　点眼
ベストロン点眼液 (0.5%)　1日 6回　点眼
リンデロン点眼・点耳・点鼻液 (0.1%)　1日 6回　点眼
アトロピン点眼液 (1%)　1日 2回　点眼

❹硝子体灌流液

処方例　硝子体灌流液 500 mL 中に下記をそれぞれ添加する．

塩酸バンコマイシン注　10 mg/1.0 mL およびモダシン注　20 mg/1.0 mL　 保外 用法・用量

予後　最終視力 0.1 以上が 64〜79% で得られている．視力の中間値は 0.5 であった．初診時視力と最終視力の間に相関があり，早期に診断し治療を開始することが重要である．一方で，視力は原因菌によって大きく左右され，特にクレブシエラ肺炎桿菌，レンサ球菌，MRSA では視力予後は不良である．

進行性網膜外層壊死

Progressive outer retinal necrosis：PORN

上野真治　弘前大学・教授

概念　進行性網膜外層壊死（PORN）は 1990 年 Foster らによって初めて報告された疾患で，免疫不全状態の患者に，主に水痘帯状疱疹ウイルス（VZV）によって引き起こされる壊死性ヘルペス性網膜症である．急性網膜壊死と同じ範疇の疾患であるが，炎症所見の激しい急性網膜壊死とは異なり，免疫不全の状態のために免疫反応が軽微で，前眼部や硝子体の炎症反応が弱いとされる．眼底所見も血管炎の所見は少なく，網膜の壊死部に相当する多発性の白色病変が特徴である．多くは両眼性で網膜の壊死が急速に進行し，治療に抵抗性できわめて予後不良である．

主に末梢血液中の CD4 陽性 T リンパ球数が 50/μL 以下に減少した後天性免疫不全症候群（AIDS）患者の患者に生じるとされているが，臓器移植後，リンパ腫，膠原病の治療による免疫抑制状態の患者にも生じうる．PORN は非常にまれな疾患であり，かつ近年 AIDS の治療法の進歩により AIDS 患者が減少し，PORN の患者も世界

的に減少していると考えられている．

病態　VZVの感染によるものが多く，単純ヘルペスウイルスも病因になるとされている．VZVの感染による場合，帯状疱疹が先行することが多い．初期には網膜外層に限局した壊死を呈するが，病状の進行とともに網膜全層に波及し，壊死部位も数日で拡大する．最終的には壊死した網膜に多数の裂孔が生じ，両眼の網膜剝離をきたし失明することが多い．

症状　多くの症例が経過中に両眼性となる．網膜の障害部位に応じて視野狭窄，視力障害を生じる．治療が奏効しない限り網膜の壊死が進行し失明する．

診断　診断は，以下のような臨床所見とウイルス学的所見をもとになされる．

❶ 急速に進行する網膜壊死所見がある（両眼性のことが多い）．眼底所見は周辺部から後極部に及ぶ境界不鮮明な網膜黄白色病変が特徴とされる．この黄白色病変は，癒合して拡大していき，網膜壊死が進行する(図108)．網膜出血は時にみられるが血管炎は軽度とされている．

❷ 全身状態が免疫不全の状態である．

❸ 帯状疱疹の既往などにより臨床診断される．

❹ 前房や硝子体中の炎症がほとんどない．

❺ 前房や硝子体液のウイルス学的なPCR検査にてVZVが陽性である．

❻ 血液検査にてAIDS患者の場合，CD4は通常50/μL以下を示すことが多い．VZVの血清抗体価は，潜伏感染していることが多いため診断上意味はない．

■ **鑑別診断**

❶ **急性網膜壊死**　免疫抑制状態の患者にも起こりうるが，健常者に生じることが多い．80〜90％が片眼性である．強い前

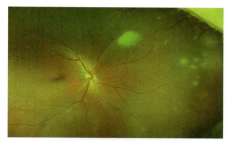

図108　進行性網膜外層壊死の眼底所見
60歳代女性，悪性リンパ腫の治療中の患者．帯状疱疹が出現しその後右眼の飛蚊症が出現したため受診．眼底写真では上鼻側の赤道部に比較的大きな白色病変を認め，最周辺部に多発する境界不鮮明な白色病変を認める．出血はわずかにあるが血管炎の所見はない．この後，病変は急激に拡大した．前房水のPCR検査にてVZVが検出されPORNと診断された．

部ぶどう膜炎，硝子体内炎症，網膜血管炎を伴うことから鑑別される．PORNと同じ壊死性ヘルペス性網膜症である．両者の違いは，PORN患者では強い免疫抑制状態に伴い眼炎症が抑制されていることである．

❷ **サイトメガロウイルス網膜炎**　免疫不全患者に起こる，出血，血管炎を伴う網膜炎であり，PORNに比較して進行は緩徐である．

❸ **眼トキソプラズマ症**

❹ **眼内悪性リンパ腫**

治療　進行性で予後の悪い疾患のため，すみやかで積極的な抗ウイルス療法が必要とされる．また，AIDSによって免疫抑制状態が引き起こされる場合は，抗HIV治療により免疫能の回復も必要である．まれな疾患のため治療法は確立していないが，アシクロビルの単独投与は無効であり，ガンシクロビルとホスカビル®による全身療法に加え，ガンシクロビルまたはホスカビルの硝子体内投与によって予後を

改善するとされている．ただし，それでも網膜剥離を起こす頻度は高く，その場合はシリコーンオイルタンポナーデを伴う硝子体手術が必要であるが予後は悪い．

❶**全身投与**

処方例 下記を併用する．

> デノシン注 初期投与：1回5 mg/kg 1日2回 2週間，維持投与：1回5 mg/kg 1日1回 点滴静注
> ホスカビル注 初期投与：1回60 mg/kg 1日3回 2〜3週間，維持投与：1回90 mg/kg 1日1回 点滴静注

❷**硝子体内注射**

処方例 下記のいずれかを全身投与に併用する．

> 1) デノシン注 1回2,000 μg/0.1 mL 週2回 2週間 その後週1回，活動性がなくなっていけば2週に1回 [保外]効能・効果・用法・用量
> 2) ホスカビル注 1回2,400 μg/0.1 mL 活動期は週2回，以降週1回 [保外]効能・効果・用法・用量

予後 網膜剥離や視神経萎縮により失明することが多い．免疫能も低下しており生命予後も不良である．

樹氷状網膜血管炎
Frosted branch angiitis

町田 祥　長崎大学

概念 樹氷状網膜血管炎は，1976年に網膜静脈にびまん性白鞘形成を認める特徴的な小児のぶどう膜炎として初めて報告された．成人発症例も含めて現在までに100例程度が報告され，原発性と続発性に分類される．原発性の臨床像は，上気道炎などの先行感染後に小児に発症する特発性炎症であり，続発性は感染症，自己免疫疾患，悪性腫瘍による網膜血管炎または血管浸潤で，臨床経過は多岐にわたる．樹氷状網膜血管炎という概念は，網膜血管炎が樹氷状を呈する症候群の総称であり，単一の病態を指すものではない．

病因 原発性のものは原因不明である．続発性のものは感染症(サイトメガロウイルス，ヘルペスウイルス，水痘帯状疱疹ウイルス，トキソプラズマ，梅毒，結核，ヒト免疫不全ウイルス，*Fusarium dimerum*)によるもの，自己免疫疾患(全身性エリテマトーデス，Crohn病，Behçet病，サルコイドーシス，多発性硬化症，家族性地中海熱，抗リン脂質抗体症候群，腫瘍随伴症候群)に関連する炎症性のもの，悪性腫瘍(Hodgkinリンパ腫，リンパ性白血病，成人T細胞性白血病)の血管内浸潤によるものが報告されている．

症状 本症に特徴的な所見として後極〜周辺部網膜にびまん性の静脈周囲白鞘形成がみられる**(図109)**．通常，急性に視力低下，霧視を発症するが，その程度や臨床経過は病因により異なる．黄斑浮腫，視神経乳頭炎，網膜出血，前部ぶどう膜炎を併発することがある．

診断 特徴的な眼底所見から診断する．蛍光眼底造影では一般的に病変部への充填遅延を認めるものの，充填欠損とはならない．続発性の鑑別のため，血液検査などの全身検査が必須である．

治療 重症例ではステロイド(メチルプレドニゾロン)全身投与を0.5〜1.0 mg/kg/日から開始し漸減する．自然消退する例も存在する．続発性の場合は原疾患の治

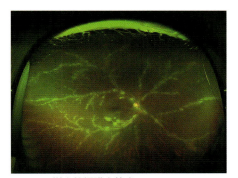

図 109　樹氷状網膜血管炎
35歳女性，成人T細胞性白血病の治療目的に紹介．両眼強膜炎と軽度の前房炎症細胞を認め，視力は両眼0.6．前眼部炎症に対しステロイド点眼を継続した．化学療法および同種造血幹細胞移植が施行されたのち，血管炎は消退した．

図 110　散弾状脈絡網膜症患者の左眼底写真

療を優先する．

| 予後 |　一般的に予後は良好である．

散弾状脈絡網膜症
Birdshot chorioretinopathy

齋藤 航　回明堂眼科・歯科・院長

| 概念 |　両眼底に特徴的な散弾銃痕に似た滲出斑を呈する，まれな慢性脈絡網膜炎である．中高年の白人に好発し，平均年齢は約50歳である．性比は女性にやや多い．

| 病態 |　HLA-A 29が高率に陽性となることから，本症の病態に強く関与すると考えられる．しかし，日本人はこのlocusをもたないので，日本人患者の報告は少ない．

| 症状 |　両眼の霧視や飛蚊症を生じる．前房炎症や硝子体中の炎症は軽度である．眼底には，両眼の後極部～赤道部にかけ

1/2～1/4乳頭径の乳白色滲出斑が左右対称性に多発し**(図110)**，滲出斑は，次第に色素沈着を伴わない瘢痕病巣となる．滲出斑は，フルオレセイン蛍光眼底造影では初期低～過蛍光，後期で過蛍光を，インドシアニングリーン蛍光眼底造影では初期から低蛍光を示す．光干渉断層計（OCT）では，滲出斑部に一致して ellipsoid zone は欠損し，OCTアンギオグラフィでは，脈絡膜Haller層レベルの血流低下を示す．合併症として，視神経乳頭腫脹や嚢胞様黄斑浮腫，網膜下新生血管を生じることがある．

| 診断 |
■ **診断法**　上述した特徴的な眼底と蛍光眼底造影所見の特徴を満たし，かつ他疾患が否定できたときに初めて診断できる．

■ **鑑別診断**　鑑別として最も重要なサルコイドーシスは，胸部X線などを含め精査する．ほかに急性後部多発性斑状色素上皮症，多巣性脈絡膜炎などの白点症候群や梅毒，結核などの感染性網脈絡膜炎が鑑別に挙がる．

| 治療 |　一般的にステロイド全身投与〔プレドニゾロン（プレドニン®など）0.5～1

mg/kg/日〕を行う．再発時には免疫抑制薬の併用を考慮する．また，トシリズマブなどの生物学的製剤の有効性が報告されている．

処方例

> プレドニン錠(5 mg)　8 錠　分 2（朝食後 6 錠　昼食後 2 錠）

予後　多くの症例で再発し，慢性の経過をたどる．活動性が強い症例では，黄斑浮腫の遷延などにより視力予後が不良になることがある．

網膜色素上皮炎
Retinal pigment epitheliitis

永井由巳　関西医科大学・准教授

概念・病態　比較的まれな疾患で，網膜色素上皮の急性炎症と考えられている．原因は不明で，若年者の片眼に急性に霧視や変視症を生じて発症することが多い．眼底の黄斑部網膜深層に多数の小さく淡い滲出斑が散在し，滲出斑の中央は灰白色で周囲に黄白色の輪状斑を伴う，白点症候群の 1 つと考えられている．基本的に経過は良好で，特に加療を行わずとも病巣は瘢痕を残さずに数週間で消失することが多い．時に軽い瘢痕を残すこともある．

症状　片眼性の急性に生じる霧視と変視症．

診断　特徴的な眼底所見と，フルオレセイン蛍光眼底造影(FA)では滲出斑の中心部は低蛍光を周囲の黄白色輪は明るい過蛍光を示す．インドシアニングリーン蛍光眼底造影(IA)では滲出斑は低蛍光を示す**（図 111）**．

鑑別診断　まず鑑別すべき疾患は，白点症候群(white dot syndrome)であり，そのなかでも急性後極部多発性斑状色素上皮症(acute posterior multifocal placoid pigment epitheliopathy：APMPPE)や急性散在性網膜色素上皮症(multiple evanescent white dot syndrome：MEWDS)，散弾状脈絡網膜症(birdshot chorioretinopathy)などが挙げられる．

治療　積極的な加療は行わない．

予後　発症から数週間で自然軽快を示し，視力予後も良好なことが多い．

先天性網膜色素上皮肥大
Congenital hypertrophy of retinal pigment epithelium：CHRPE

玉井一司　名古屋市立大学医学部附属東部医療センター・部長

概念　網膜色素上皮肥大(CHRPE)は先天性，無症候性の網膜の過誤腫の 1 つであり，扁平な 1～3 乳頭径大の暗灰色～黒色の色素斑を呈する．

病態　基本的に良性な色素性眼底病変である．

孤立性(solitary)，多発性(multiple or grouped)および非典型的(atypical)に分類される．

組織学的には網膜色素上皮細胞の肥大(hypertrophy)であり，内部にメラニン顆粒が充満している．グリア細胞に置き換わった部位では無色素の lacuna を呈する．網膜外層が障害されるが網膜内層や脈絡膜は障害されていない．年齢とともにわずかに拡大することがある．赤道部付近までの比較的周辺部にみられることが多いが，ま

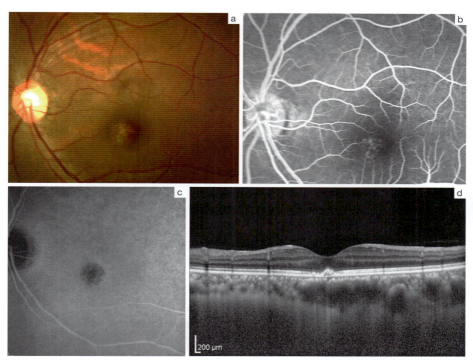

図 111　網膜色素上皮炎
32歳女性．左眼矯正視力 0.4．
a：眼底写真．境界不鮮明な灰白色滲出斑．
b：FA．病巣中央は低蛍光で，周囲に過蛍光．
c：IA．病巣は終始低蛍光を示す．
d：OCT．内部の充実性反射を伴う網膜色素上皮の不整隆起を示す．錐体外節先端（interdigitation line）と視細胞内節外節接合部（ellipsoid zone）とは不鮮明．

れに黄斑部（1％）や視神経乳頭付近（1％）に観察されることがある．

片眼性，孤立性のものが最も典型的だが，多発性にみられる場合がある．家族性大腸腺腫症と関連する非典型的なものでは，網膜色素上皮の肥大と過形成を示し，浸潤性変化をきたすことがある．

症状　自覚症状はないことがほとんどであり，眼底検査などで偶然に発見されることが多いが，黄斑部に生じると視力が不良な場合がある．

合併症・併発症　海外では家族性大腸腺腫症に随伴することが報告されているが，わが国では比較的まれである．

診断　眼底に境界鮮明な円形〜楕円形で平坦な暗灰色〜黒色の色素斑をみたら本症を疑う**（図 112）**．大きさはさまざまで100μm から数乳頭径まである．

病変部辺縁に脱色素性の halo，内部にも数個〜多数の脱色素の lacuna を伴うことがある．lacuna は経時的に徐々に拡大する傾向がある．

片眼性，孤立性のものが多いが，多発性にみられ bear track 様所見を呈することも

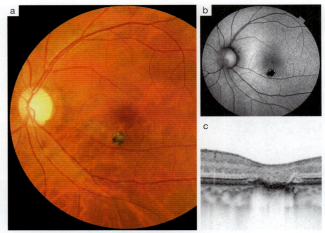

図112 孤立性の網膜色素上皮肥大
一部脱色素を伴う黒色色素斑．自発蛍光では色素斑は均一な低蛍光を示し，脱色素部の一部は過蛍光を呈する(a, b)．OCTでは，網膜外層障害と網膜色素上皮の反射亢進，脈絡膜のoptical shadowingがみられる(c)．

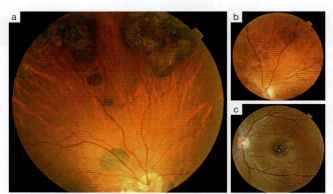

図113 多発性の網膜色素上皮肥大と黄斑部の網膜色素上皮肥大
bear track様を呈する(a, b)．比較的色素性変化が軽微なものもある(b)．まれに黄斑部に生じることがある(c)．

ある(図113)．家族性大腸腺腫症と関連するものでは，形態としてやや小さく(50〜100μm)，紡錘形や白色の尾を伴うことが特徴として指摘されており，両眼性にみられることが多い．

■ **必要な検査** 光干渉断層計(OCT)では，網膜外層障害と網膜色素上皮の反射亢進がみられる．脈絡膜のoptical shadowingを呈することがある(図112c)．

眼底自発蛍光では，色素斑は均一な低蛍光，脱色素部は過蛍光を呈する(図112b)．

フルオレセイン蛍光眼底造影検査では，脱色素部を除いてブロックによる低蛍光を示し，蛍光漏出はみられない．

■ 鑑別診断

❶ **脈絡膜悪性黒色腫** 網膜下に灰白色〜黒褐色のドーム状隆起性病変を呈する．腫瘍周囲に網膜剝離を伴うことが多い．フルオレセイン蛍光眼底造影検査では，早期低蛍光，後期に不正な蛍光漏出を呈する．Bモード超音波検査で腫瘍内部の低反射（acoustic hollowness）や脈絡膜陥凹（choroidal excavation）がみられる．

❷ **脈絡膜母斑** ほとんどが腫瘍厚1mm以下の境界明瞭な黒色調の扁平腫瘤としてみられる．蛍光眼底造影検査では一般に後期まで低蛍光で，網膜色素上皮障害の程度により window defect を呈する場合がある．OCTでは脈絡膜内に高反射がみられるが，網膜構造は保たれている．

| 治療

■ **治療方針** ほとんどの場合，経過観察のみでよい．海外では悪性化の報告もあるので，経過観察で増大しないことを確認すると安全である．

両眼性や多発例では家族性大腸腺腫症の随伴病変である場合も考慮し，家族歴聴取や消化器内科などにコンサルトを行う．

先天網膜ひだ

Congenital retinal fold

仁科幸子　国立成育医療研究センター・診療部長

| **概念・病態** 発生期や周産期，乳児期に硝子体内に線維増殖組織が形成され，その強い収縮力と乳児の網膜の過伸展性を基

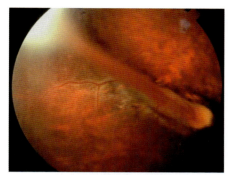

図114　**家族性滲出性硝子体網膜症に伴う網膜ひだ**

盤として形成された特殊な牽引性網膜剝離である．このような病変の多くは鎌状に剝離して見えることから鎌状網膜剝離ともよばれる．原因疾患として未熟児網膜症，家族性滲出性硝子体網膜症，胎生血管系遺残，色素失調症，朝顔症候群，先天トキソプラズマ症などの炎症性疾患など，発生異常や乳児期に進行するさまざまな疾患が挙げられる．

| **症状** 両眼性では乳児期に視反応不良，眼振・異常眼球運動，片眼性では乳幼児期に斜視や片眼の視力不良をきたし発見される．網膜ひだの範囲や左右差によって視力予後は異なるが，黄斑部を含むひだが形成されている場合には0.1未満の重篤な視力障害をきたす．

網膜を牽引する線維組織の多くは眼底周辺部に存在しており，乳頭から周辺部に向かうひだがみられる（図114）．網膜血管はひだ内に折りたたまれて牽引されており，ほかの網膜血管は疎となっている．乳頭上に線維組織が存在する場合には，乳頭に向かう放射状の多数のひだがみられ，網膜血管は放射状に直線的な走行を呈する．線維組織の発生機転，形成時期と部位によって

網膜ひだの範囲や形状は異なり，原因疾患によって小眼球，白内障など種々の眼異常を合併する．

診断 原因疾患の診断のために，両眼ともに眼底周辺部まで十分に観察しひだの形状，位置と範囲，網膜血管と線維増殖組織の分布，合併所見の有無を検査する．また蛍光眼底造影検査を行って網膜血管の走行異常，新生血管や活動性病変の有無について詳細に観察して治療適応を診る必要があり，乳幼児では全身麻酔下検査を要する．そのほか，超音波検査，画像検査，電気生理学的検査を行って合併所見を検索し，視機能の予後を評価する．

原因疾患の鑑別として，家族性滲出性硝子体網膜症，胎生血管系遺残，未熟児網膜症，色素失調症，朝顔症候群，胎内感染・乳幼児期の炎症性疾患，染色体異常などを念頭に妊娠や周産期の状況，既往歴，家族歴を聴取し，必要に応じて全身検索，遺伝カウンセリングと遺伝子検査を進める．

治療 出生後に生じた後天性の網膜ひだに対しては早期硝子体手術による牽引の解除が有効なことがあるが，先天性は手術による復位は困難である．特に初期の発生異常に起因する網膜ひだは，網膜の異形成を起こしており治療不能である．片眼の網膜ひだの場合には，蛍光眼底造影によって特に僚眼の網膜血管病変を十分に観察し，活動性の増殖病変があれば，レーザー光凝固を行う．

網膜ひだの約30％は，出生後に新生血管の増殖，増殖膜の牽引，網膜ひだ根部の裂孔形成による網膜剥離が進行し，光凝固や網膜硝子体手術が必要となる．手術の有無にかかわらず，乳幼児期から継続して定期的検査を行い，網膜剥離や白内障，緑内障，硝子体出血などの合併症に注意する必要がある．

中心性漿液性脈絡網膜症

Central serous chorioretinopathy：CSC

丸子一朗　東京女子医科大学・准教授
飯田知弘　東京女子医科大学・教授

概念 中心性漿液性脈絡網膜症（CSC）は，典型的には30〜40歳代の中年男性に多く，黄斑部を中心として同心円状の境界明瞭な漿液性網膜剥離（serous retinal detachment：SRD）が生じる疾患である．変視や歪視を主訴とし，視力はある程度維持されていることが多い．発症の原因としてさまざまなストレスやA型パーソナリティ，そのほかにステロイドの既往などが挙げられている．

❶**典型CSC** 片眼性に中心窩を含むSRDを生じ，変視や小視，中心暗点，視力低下を引き起こす．自然軽快することも多く，約半数の症例では2〜3か月で，後遺症もなく改善する．

❷**慢性CSC** 高齢者にやや多くみられ，両眼性のこともある．再発を繰り返し長い経過をとる．網膜色素上皮（retinal pigment epithelium：RPE）の変性・萎縮所見がみられることが多い．単純に6か月以上SRDが遷延したものを慢性CSCと呼称することもあるが，発症時期が不明でも病態や所見で分類可能である．最近ではこのタイプが増加傾向にある．

❸**胞状網膜剥離（bullous retinal detachment）** 胞状の網膜剥離を伴う重症型である．わが国で多発性後極部網膜色素上皮症とよばれ

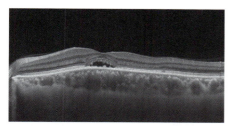

図 115　OCT
中心窩下脈絡膜厚は 435μm と肥厚している．

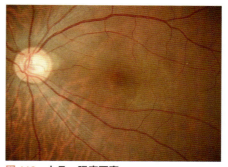

図 116　カラー眼底写真
中心窩に漿液性網膜剥離を認める．

ていたものに相当する．特徴として両眼性の SRD が胞状にみられ，CSC の劇症型と考えられている．高度なフィブリン析出が観察されることも特徴である．SRD が遷延化すると，高度な視力障害をきたすこととなる．

病態　RPE の血液網膜関門の破綻が起こり，ここを通して脈絡膜から網膜下腔に液成分が漏出して漿液性網膜剥離が生じる．これはフルオレセイン蛍光眼底造影で，色素上皮からの蛍光漏出と網膜下の色素貯留として示される．インドシアニングリーン蛍光眼底造影による研究から，原発病巣は脈絡膜にあり，2次的に色素上皮障害が生じると考えられるようになってきた．しかし，なぜ脈絡膜に病変が起こるのかについては，いまだに不明である．最近の光干渉断層計（OCT）による研究で本症では正常眼と比較して脈絡膜が肥厚していることが示されており，これは形態学的にも脈絡膜異常が証明されたといえる（**図 115**）．

症状　主な症状は視力低下，中心暗点，変視症，小視症である．典型例では視力低下は一般に軽度で，弱い凸レンズにより良好な矯正視力が得られることが多い．中心暗点と変視症が患者にとっては不快な症状で，車の運転や就労に支障をきたすことがある．網膜下液の吸収により中心暗点，変視症は比較的早期に改善するが，小視症やコントラスト感度の低下は残ることがある．慢性型では再発を繰り返し，視力不良例が多い．典型例では片眼性が多く，慢性型と胞状網膜剥離では両眼性が多い．本症ではステロイドを使用していることがあり，特に慢性型と胞状網膜剥離で多く，問診は必須である．

診断　黄斑部に漿液性網膜剥離がみられ，色素上皮剥離，剥離網膜後面の白色点状沈着物（プレシピテート）が好発する（**図 116**）．蛍光漏出部に一致して網膜下フィブリン沈着（白色斑紋）がみられることがある．慢性型では色素上皮障害が広範で，色素上皮の萎縮索を伴った下方に伸びる網膜剥離がみられることもある．胞状網膜剥離では，網膜剥離が高度で眼底下方にまで及んでいることが多く，大型の色素上皮剥離，多発性の白色斑紋を伴うことが多い．

❶**フルオレセイン蛍光眼底造影**　本症の診断と治療方針の決定に必須である．色素上皮レベルの点状蛍光漏出が基本所見である．造影初期には点状の過蛍光として現れ，時間とともに拡大し，網膜下に貯留する．漏

出の形には噴出型と円形増大型がある．漏出点は，典型例では1個のことが多く，胞状網膜剥離では複数個みられることが多い．慢性型では色素上皮障害による顆粒状過蛍光と後期のびまん性の弱い蛍光漏出がみられ，個々の漏出点を同定しにくいことが多い．色素上皮剥離は円形の過蛍光としてみられる．

❷インドシアニングリーン蛍光眼底造影　脈絡膜血管の透過性亢進による造影中期の過蛍光（異常脈絡膜組織染）が特徴的である．これはどの病型でもみられるが，典型例に比べて慢性型や胞状網膜剥離のほうが広範で程度も強く，両眼にみられる．

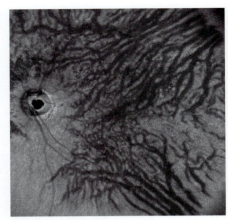

図 117　en face OCT

❸ OCT　網膜剥離と色素上皮剥離が明瞭に描出される．網膜の層構造自体は比較的保たれている．特に，薄い網膜剥離の検出に威力を発揮する．剥離期間が長期化してくると，剥離裏面に顆粒状変化が観察され感覚網膜が肥厚してくるようになる．この顆粒状変化は貪食されなくなった視細胞外節の伸長（elongation）と考えられている．さらに剥離が遷延化すると感覚網膜は菲薄化していく．CSC の脈絡膜は正常と比較して肥厚している．中心窩下脈絡膜厚は正常では 250～300 μm 程度であるのに対し，本症典型例では 350～450 μm 程度で，症例によっては 500 μm に達することもある．また3次元（volume）スキャンを行い，色素上皮で平坦化し，眼底を正面から見ることで脈絡膜中大血管を描出すると脈絡膜血管拡張が確認できる (図 117)．

■鑑別診断　脈絡膜新生血管による網膜剥離，特に若年者に生じる特発性脈絡膜新生血管，50歳以上の症例では加齢黄斑変性，特にポリープ状脈絡膜血管症との鑑別が重要である．インドシアニングリーン蛍光眼底造影が鑑別診断に有用である．そのほかに黄斑部に網膜剥離を生じる疾患として，原田病，ピット黄斑症候群，網膜血管病（網膜静脈閉塞症や糖尿病黄斑症など），脈絡膜腫瘍，高血圧や妊娠高血圧症候群などがある．最近では pachychoroid 関連疾患とよばれる疾患群が注目され，これまでの疾患単位とは異なり脈絡膜血管異常を主体とした分類が提唱されており，CSC もそのなかの1つの病態とする考えもある．また胞状網膜剥離例は，裂孔原性網膜剥離との鑑別が必要になることもある．

治療法

■治療方針　有効性が確認されている薬物治療はない．現在，一般的に受け入れられている治療はフルオレセイン蛍光眼底造影における蛍光漏出点に対するレーザー光凝固である．光凝固が奏効すると網膜剥離は数週以内で消退する．ただし，自覚症状の改善にはそれ以上時間がかかることが多い．

典型例の場合は自然寛解傾向があり，3～4か月で網膜剥離は完全に吸収される

ことが多い．視力予後も良好であるため，まずは経過観察が基本である．初発例の急性期には 4～6 か月間は網膜下液の自然吸収を待つ．

しかし，本症は良好な矯正視力が得られても，中心暗点や変視症のため患者の苦痛はしばしば高度である．働き盛りの男性に好発することから，車の運転や特定の職業（ドライバー，医師など）に携わることに支障をきたす場合もある．このため，自覚症状が強く，患者が早期改善を希望する場合には典型例の急性期でも光凝固の適応となる．光凝固により病期を短縮して，患者の負担を軽減できる効果は大きい．

発症から 4～6 か月以上経過しても剥離が持続している例，再発例，重症例，他眼も本症のために視力障害を残している例など（これらの多くに上述の慢性型や胞状網膜剥離があてはまる）では，光凝固により網膜下液の早期吸収をはかる必要がある．これは黄斑障害により視力予後が不良になるためである．したがって，慢性型や胞状網膜剥離では明瞭な蛍光漏出が確認できれば，そこに直接凝固を行う．しかし，慢性型は光凝固後の再発が多く，またびまん性の漏出のため光凝固を行えないことも多く，予後は不良である．また，このような慢性例に対して，OCT で脈絡膜を観察すると発症眼のみでなく，対側眼でも肥厚している症例もあり，そのような場合には両眼発症に注意が必要である．

ステロイド使用の有無を確認して，可能であれば中止を検討してもらうが，全身疾患に対して投与されていることが多いので，個々の症例ごとに他科と連携して対処していく必要がある．

■ **外科的治療** レーザー光凝固の適応となるのは，蛍光漏出部が存在し，それが少なくとも中心窩無血管域の外にある症例である．凝固の程度は，網膜深層に淡い灰白色の凝固斑が得られるような弱凝固とする．乳頭黄斑間の漏出でも弱凝固であれば問題はない．色素上皮剝離内に漏出がある場合も，漏出点だけ凝固すればよい(具体的な凝固方法については，⇒ 315 頁を参照)．

光凝固の合併症として，中心窩の誤照射，術後の脈絡膜新生血管の発生(長波長レーザー，短時間，小スポットの凝固で起こりやすい)などに注意をする．

漏出点が中心窩無血管域に存在する場合や慢性型など，光凝固ができない症例もある．近年，このような慢性例や中心窩に蛍光漏出がある症例に対するベルテポルフィン光線力学的療法の有効性も報告されているが，この治療は現在のところ加齢黄斑変性に対してのみ認可されており，保険適用外治療となるため専門施設での治療が勧められ，安易に選択してはならない．

高血圧性眼底変化

Fundus changes in hypertension

齋藤理幸　北海道大学・診療講師
石田 晋　北海道大学・教授

概念　高血圧性眼底変化とは，急性の高血圧による機能的な血管れん縮と慢性の高血圧による器質的な細動脈硬化性変化の両者，およびそれに付随する眼底変化の総称である．

網膜動脈は，内膜(血管内皮細胞)・中膜(平滑筋細胞)・外膜(結合組織)の 3 層からなる(図 118)．血管れん縮性変化では，

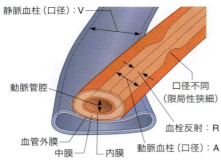

図 118 網膜動静脈交叉部のシェーマ

動脈の「機能的」狭細化・口径不同がみられるが，これは中膜平滑筋の機能的(可逆的)収縮によるもので，血管れん縮変化の本質的な病態である．口径不同とは，びまん性ではなく限局性に細動脈狭細化がみられる場合を指し，最近の高度な血圧上昇を示している．急激に発症した重症高血圧では，網膜動脈の強い収縮によって循環不全が生じており，多発性の血栓・梗塞を基盤として網膜実質への虚血性・滲出性変化が生じる．このような眼底所見は血管れん縮性網膜症とよばれ，網膜出血・硬性白斑・軟性白斑・網膜浮腫・乳頭浮腫など多彩な所見がみられる．

動脈硬化性変化では，動脈の「器質的」狭細化・血柱反射亢進，動静脈交叉部における交叉現象がみられる．「器質的」狭細化とは，中膜平滑筋細胞の変性壊死と中外膜の線維性肥厚による血管内腔の器質的(不可逆的)狭窄であり，慢性に経過した高血圧における血管抵抗増大の主因として重要な病態である．

病態 高血圧の1割は，腎性・内分泌性高血圧など原因が特定される二次性高血圧であるが，9割はそれらの除外により本態性高血圧と診断され，原因不明(環境因子・遺伝因子が複雑に絡み合って原因を特定できないもの)である．概して，若年者の二次性高血圧でみられる眼底変化は，急速で重篤なことが多いため血管れん縮性変化が明らかである．これに対し，中高年者の本態性高血圧では緩徐に進行するため，動脈硬化性変化が強く出る傾向がある．

高血圧が動脈硬化に先行することは周知の臨床所見であり，高血圧という機械的刺激が血管障害をきたして動脈硬化を進展させる分子メカニズムが解明されている．そして，動脈硬化の合併は血管抵抗のさらなる上昇をきたし，高血圧を促進する．すなわち動脈硬化とは，高血圧による不可逆的な血管リモデリングととらえることができ，さらに動脈硬化が高血圧を助長するという悪循環をまねいている．また，動脈狭細化という眼底変化が高血圧の原因なのか結果なのかについては，いまだによくわかっていない．高血圧に反応して網膜動脈の自己調節機構により狭細化が生じることは以前より指摘されてはいるものの，最近の疫学調査により網膜動脈狭細化は高血圧の発症に先行することが明らかとなり，高血圧が全身の細動脈レベルの血管抵抗の増大を原因とするという理論を裏付けている．

症状 重症の高血圧網膜症では，乳頭浮腫や漿液性網膜剝離などを併発し視力が低下することがある．

合併症・併発症 網膜動脈の細動脈硬化が進行すると，網膜動静脈交叉部の網膜静脈に血栓を生じ網膜静脈分枝閉塞症を発症することがある．

診断 網膜血管の所見は，眼科的に視機能障害と密接に関連するだけでなく，全

表7　狭細の判定基準

程度	A/V比*
正　常（−）	3/4〜2/3
軽　度（＋）	2/3〜1/2
中等度（＋＋）	1/2〜1/3
高　度（＋＋＋）	1/3以下

＊動脈口径（A）/静脈口径（V）

表8　反射亢進の判定基準

程度	R/A比[*1]
正　常（−）	40〜50%
軽　度（＋）	50〜60%
中等度（＋＋）	60%以上
高　度（＋＋＋）	同上[*2]

[*1] 反射線の幅（R）/動脈血柱（A）
[*2] 銅・銀線状などの反射色調の変化

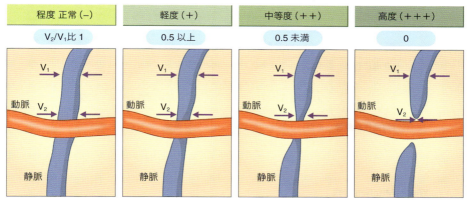

図119　交叉現象の判定基準

身の循環系に影響する疾患の有無や程度，さらにその予後を知るうえでも重要である．特に高血圧・動脈硬化は，生命予後を左右する虚血性心疾患や脳血管障害の病態そのものであるため，その眼底所見は眼科医のみならず内科医にとっても重要な臨床所見である．網膜動脈（分類上は細動脈）は，全身の動脈のうち直接観察できる血管であり，その異常所見から全身の同口径の血管（例えば卒中動脈といわれている中大脳動脈内包穿通枝など）の病態を予測できることは，内科医による全身管理のためにも重要な情報となる．

長期経過した高血圧では硬化性変化が進行し，口径不同（限局性機能的狭細化）を伴わないびまん性狭細化がみられる．生理的な動・静脈径の比は約2：3であり，狭細化の重症度は判定基準に従って診断する（表7）．血柱反射とは，生理的に血管壁が透明であるために血柱表面の反射が見えることであるが，動脈硬化が始まるとその反射が太くなり中膜平滑筋層が器質的変化により光学的性質を変えた結果と考えられている．網膜動脈の血柱径に対する生理的な反射幅の比は約40％であり，反射亢進の重症度は判定基準に従って診断する（表8）．中膜の線維性肥厚が進行して反射の幅が血管径まで拡大すると銅線動脈とよばれ，さらに脂質の沈着などの修飾を受けると白みがかった光沢を増し，銀線動脈とよばれる．交叉現象とは，動静脈交叉部での静脈の異常所見である．中外膜の線維性肥

表9 Scheie 分類

	高血圧性変化	動脈硬化性変化
1期	軽度の動脈狭細化	軽度の血柱反射亢進と交叉現象
2期	中等度の動脈狭細化，口径不同	中等度の血柱反射亢進と交叉現象
3期	高度の動脈狭細化，網膜出血，軟性・硬性白斑	高度の血柱反射亢進（銅線動脈）と交叉現象
4期	3期の所見に加えて，乳頭浮腫	高度の血柱反射亢進（銀線動脈）と交叉現象

〔石田 晋：高血圧と眼底．坪田一男，他（編）：TEXT 眼科学改訂3版．p188，南山堂，2012より〕

表10 Keith-Wagener 分類慶大変法

高血圧眼底	Ⅰ群	軽度の動脈狭細化と交叉現象
	Ⅱa群	中等度の動脈狭細化と交叉現象
	Ⅱb群	Ⅱa群の所見に加えて，動脈硬化性網膜症，網膜静脈閉塞症
高血圧網膜症	Ⅲ群	高度の動脈狭細化と交叉現象，血管痙縮性網膜症
	Ⅳ群	Ⅲ群の所見に加えて，乳頭浮腫

表11 Wong-Mitchell 分類

網膜症の程度	眼底所見	全身との関連[*1]
軽症　網膜症	動脈狭細化，交叉現象，血柱反射亢進（銅線動脈）	顕在性・潜在性の脳卒中，冠疾患，死亡との弱い関連
中等症　網膜症	網膜出血，毛細血管瘤，軟性・硬性白斑	顕在性・潜在性の脳卒中，心血管障害による死亡，認知能低下との強い関連
悪性　網膜症	中等症の所見に加えて，乳頭浮腫[*2]	死亡との強い関連

[*1] オッズ比が1より大きく2未満を弱い関連，2以上を強い関連とする．
[*2] 前部虚血性視神経症（片眼性の乳頭浮腫・視力低下・水平半盲を伴う）を除外する．

厚により硬化した動脈が，低圧の静脈を圧迫することが基本的な原因といわれているが，動脈壁の器質的変化による不透明化も関与する．交叉現象の重症度についても，判定基準に従って診断する(図119).

上述のように，高血圧にみられる眼底所見は血管れん縮性変化と硬化性変化の組み合わせで行う．Scheie 分類(表9)・Keith-Wagener 分類慶大変法(表10)は，数十年にわたって使用されている分類である．近年，一連の臨床研究のデータに基づいて，全身合併症・生命予後との関連を記載した新分類としてWong-Mitchell 分類(表11)も提唱されている．

治療　眼科医主導ではなく，内科医による全身管理が基本である．

高安病(脈なし病，大動脈炎症候群)

Takayasu disease (Pulseless disease)

長岡泰司　日本大学医学部附属板橋病院・診療教授

概念　高安病は大動脈およびその主要分枝や肺動脈に閉塞性，あるいは拡張性病変をきたす原因不明の非特異的大型血管炎で，多彩な臨床所見を呈する全身疾患である．欧米では珍しく，アジア，特に日本に多い疾患であり，1908年に高安右人が初めて報告した．わが国ではおよそ5,000名の患者が存在するとされ，男女比は1：9で，女性に多い．女性における初発年齢は20歳前後にピークがあるとされる．

病態　高安病の病態は未解明であるが，細胞性免疫の関与が血管障害に関与することが報告されている．ウイルス感染がトリガーとなり，それに引き続いて自己免疫性機序にて血管炎が発症すると考えられている．障害される血管の部位によって，①動脈弓および主要分枝，②気管支・腹腔動脈，③全大動脈，④肺動脈などに細分類される．

炎症性壁肥厚の結果として狭窄，閉塞または拡張病変をきたすため，狭窄・閉塞をきたした動脈の支配臓器に特有の虚血障害，あるいは逆に拡張病変による動脈瘤がその臨床病態の中心をなす．眼科的には，一過性黒内障や網膜動脈閉塞症，虚血性眼症候群，血管新生緑内障などで発症することが多い．

病理学的には，初期には血管外膜への単球浸潤や栄養血管の傍血管壁狭細化などが認められ，肉芽腫性全血管炎が典型的な所見である．病態が遷延化すると血管壁の線維化を主体とした変化が起こり，大動脈は弾性線維が消失し，特徴的な鉛管様(lead pipe-like)形態を呈する．

症状

❶**眼症状**　1/4の症例で一過性黒内障の既往があるとされ，本疾患を疑う重要な眼症状である．

❷**全身状態**　橈骨動脈の脈拍消失などの上肢症状に加えて，めまいや頭痛などの頭部症状，下肢症状(間欠跛行)，針症状(息切れ，動悸)などが認められる．

診断　視力は良好であることが多い，網膜虚血が強ければ血管新生緑内障を引き起こす可能性があり，眼圧測定はもちろん前眼部細隙灯顕微鏡検査や隅角鏡も重要である．

眼底所見については，宇山らが提唱した分類があり，第1期：網膜血管拡張期，第2期：網膜小血管瘤期，第3期：網膜血管吻合期，第4期：合併症期の4期に分類される．

フルオレセイン蛍光眼底造影検査も重要であり，初期の変化としては網膜毛細血管瘤が認められる．その後，網膜血管の拡大や動静脈吻合などが認められる．進行例では広範な無灌流領域や網膜新生血管を認める**(図120)**．

■ **全身所見**

❶**理学的所見**　上肢・下肢の脈拍・血圧異常，頸部・背部・腹部の血管雑音，心雑音(大動脈弁閉鎖不全)．

❷**採血**　貧血，赤沈亢進，CRP亢進，白血球増加，γグロブリン増加，IgG/IgA増加，補体増加，凝固亢進，血小板活性亢進，HLA-B52/B39陽性．

❸**画像診断**　本症の診断には，造影CT，

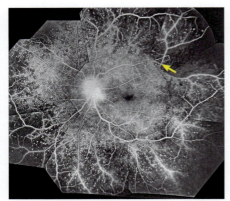

図 120　高安病患者のフルオレセイン蛍光眼底造影所見
矢印は動静脈交叉部での吻合の末梢に広い血管床閉塞部を形成．
(田中隆行, 他：高安病での網膜血管床閉塞と動静脈吻合の形成過程. 臨眼 39：425-431, 1985 より)

MRA，頸動脈エコーなどの大血管の画像診断が有効である．造影 CT では血管の狭窄・拡張に加えて動脈壁の肥厚を認め，血管炎の診断に有用である．

治療

■ **眼科的治療**　血管新生緑内障が発症する場合には汎網膜光凝固が適応となる．

■ **内科的治療**　副腎皮質ステロイド全身投与が標準治療であるが，免疫抑制薬が併用されることもある．血栓症の予防として抗血小板薬，抗凝固薬が使用される．

■ **外科的治療**　血管狭窄が進行する場合には，外科的な血行再建術が施行されたり，大動脈弁閉鎖不全には大動脈弁置換術などが行われる．

予後

近年は早期発見されることも多くなっているが，腎動脈狭窄や大動脈狭窄症による高血圧，大動脈弁閉鎖不全によるうっ血性心不全，心筋梗塞になると予後不良となることもある．

腎性網膜症
Renal retinopathy

河野剛也　大阪公立大学・准教授

概念
悪性高血圧と慢性糸球体腎炎にみられる高血圧性網膜症を広義の腎性網膜症，慢性糸球体腎炎に伴うものを狭義の腎性網膜症とする．血圧上昇に伴う変化であり，腎機能低下による血中尿素窒素の蓄積，電解質異常，代謝障害が影響する．網膜血管虚血，網膜浮腫，乳頭浮腫，脈絡膜循環障害による網膜色素上皮細胞の機能障害により漿液性網膜剥離を生じる．

症状
自覚症状なく，内科からの眼底検査依頼で判明することが多い．一方，内科未受診例で，視力低下などで眼科受診後に判明することもある．

診断
眼底検査で網膜血管の狭小化，口径不同や拡張，後極部の網膜出血，硬性白斑，軟性白斑，乳頭浮腫，胞状，漿液性の網膜剥離がみられる (図 121)．

光干渉断層計 (OCT) は，硬性白斑や軟性白斑の部位，網膜浮腫による網膜の腫脹や膨化の程度，漿液性網膜剥離の部位などを立体的に観察でき，また脈絡膜血管の状態の評価も可能である (図 122)．OCT アンギオグラフィでは，網膜表層血管，深層血管の閉塞や血管異常を層別に観察できる．OCT は非侵襲的検査なので，経過中繰り返し施行でき，軟性白斑部の網膜内層の菲薄化などの経時的評価が可能である．

蛍光造影は，網膜血管閉塞の範囲や，網膜血管異常の部位，網膜血管の透過性亢進などの描出が可能で，診断的意義は高いが，急性期には高血圧や腎機能の不良があ

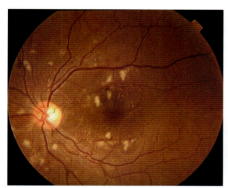

図 121　腎性網膜症の眼底所見
多数の軟性白斑と硬性白斑の沈着がみられる.

り，内科とも相談のうえで施行するか否かを決定する．内科的加療後の，詳細な病態把握には有用である．

治療　内科的に原因となる高血圧，腎疾患の精査と治療を行う．緊急に加療を要する緊急高血圧症の場合があるので，本症を疑った場合，血圧測定，採血を行い内科にコンサルトする必要がある．

予後　原疾患の内科的治療により眼底所見は改善する．視力予後は，発症時の黄斑病変の程度に左右される．また，血液透析が導入されると網脈絡膜の循環動態が改善する．糖尿病を合併している場合は，糖尿病網膜症がその後の経過に影響するので，糖尿病網膜症治療(経過観察，レーザー光凝固，抗 VEGF 治療，手術的治療など)の継続が必要である．

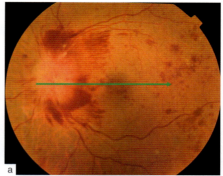

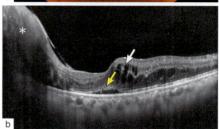

図 122　腎性網膜症の眼底所見(a)と OCT 所見(b)

乳頭浮腫と網膜出血がみられる．OCT では網膜浮腫(白矢印)，漿液性網膜剝離(黄矢印)，乳頭腫脹(＊)がみられる．

妊娠高血圧症候群 (子癇前症/子癇)

Pregnancy induced hypertension (Preeclampsia/Eclampsia)

河野剛也　大阪公立大学・准教授

概念　妊娠高血圧症候群は，高血圧，蛋白尿，浮腫を 3 主徴とする妊娠合併症である．妊娠 20 週以降に初めて高血圧が発症し，分娩後 12 週までに正常化するものと定義される．

病態　妊娠中は，循環血液量の増加，全身血管抵抗の低下，ホルモン，代謝の変

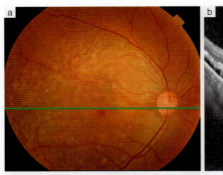 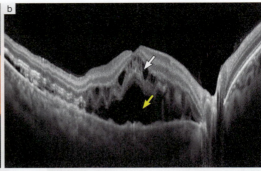

図 123 妊娠高血圧症候群の眼底所見（a）と OCT 所見（b）
a：漿液性網膜剝離．網膜深層の黄白色混濁病巣がみられる．
b：囊胞様網膜浮腫（白矢印），漿液性網膜剝離（黄矢印）．

化が生じる．これらの因子による昇圧・降圧のバランスが崩れることにより，妊娠高血圧腎症が発症する．急激な血圧上昇により，高血圧性網膜症，脈絡膜症を生じる．さらに妊娠時特有の代謝の変化や，血液凝固能亢進が網脈絡膜病変の発症に関与する．また，分娩後の循環動態や代謝状態の変化により漿液性網膜剝離や脈絡膜剝離が悪化する場合もある．

　症状　全身状態の悪化時に発症し，霧視，視力低下，視野異常を生じる．

　診断　健常女性では，初産時に多い．若年・高年妊娠，肥満，多胎妊娠，胎児の溶血性疾患，糖尿病，慢性高血圧症，腎疾患などが危険因子である．

　眼底検査で，網膜細動脈の狭細化，出血，硬性白斑，綿花様白斑，乳頭浮腫，脈絡膜循環障害による網膜深層の黄白色混濁や漿液性網膜剝離がみられる**（図 123a）**．光干渉断層計（OCT）では，眼底検査で得られる病変の部位，範囲などを 3 次元的に評価できる**（図 123b）**．蛍光造影は，眼底病変の病態把握に有用であるが，広角眼底カメラや OCT 機器の進歩により，非侵襲的に眼底病変の病状把握が可能となり，造影剤の胎児に及ぼす影響，高血圧，腎機能障害など母体の全身状態を考慮すると，分娩前の本症の診断上の利点は少ない．一方，分娩後，残存する網脈絡膜病変の詳細な検討に有用である．

　治療　眼科的には積極的な治療法はない．産科，内科を中心に，母体，胎児への影響を加味しながら，薬物治療など全身管理を行い，適切な時期に妊娠を終結する．治療方針の決定の際に，視機能面および乳頭浮腫などの眼底所見から示唆される母体の重症度の情報を提供する．

　予後　眼病変は多くは一時的で，妊娠終了とともに軽快し，概して視力予後は良好である．網膜動脈閉塞や網脈絡膜萎縮を合併すると視力障害が残存する．

貧血性網膜症

Anemic retinopathy

澤田 修　滋賀医科大学・講師

概念　貧血性網膜症とは，貧血により網膜に網膜出血，綿花様白斑，網膜浮腫，硬性白斑が生じ，重症化すれば網膜動脈の希薄および蒼白，網膜静脈の拡張および蛇行，視神経腫脹，視神経の蒼白が生じる疾患である．貧血性網膜症は，貧血患者の28％に生じ，血小板減少症を併発している場合は38％に生じる．貧血の重症度が進むと，特にヘモグロビン値が 6 mg/dL 未満で，貧血性網膜症のリスクは増加する．

病態　貧血性網膜症の臨床所見には，さまざまな病因が関連している．貧血は網膜の低酸素を引き起こし，それにより神経線維層の梗塞が生じ，臨床所見としては綿花様白斑が認められる．網膜の低酸素はまた，血管拡張，細小血管壁への障害を引き起こし，結果として網膜浮腫，網膜出血を生じる．血小板減少症も貧血に合併していることも多く，血液凝固能低下，出血を生じる．また，関連しているほかの因子としては，静脈うっ血，血管けいれん，血液粘度の上昇（骨髄増殖性疾患にみられる），低血圧などがある．低血圧は視神経症を生じる要因となる．

症状　視力低下の症状はめったにないが，黄斑部に出血，浮腫，硬性白斑が生じると視力低下を生じることがある．また，視神経腫脹，視神経症により視力低下を生じうる．

診断　血液検査で貧血と診断されている患者で，眼底検査を行い，網膜に網膜出血，綿花様白斑，網膜浮腫，硬性白斑，または網膜動脈の希薄および蒼白，網膜静脈の拡張および蛇行，視神経腫脹，視神経の蒼白を認める場合，貧血性網膜症と診断する．眼底検査で貧血性網膜症を疑う所見を認める場合，血液検査を行い，貧血の有無を確認する．

鉄欠乏性貧血では，ほかに網膜中心静脈閉塞症，網膜動脈閉塞症，視神経腫脹，前眼部虚血性視神経症を生じることがある．ビタミン B_{12} 欠乏性貧血では視神経症を生じることがある．鎌状赤血球貧血では網膜血管閉塞に伴う増殖性変化がみられ，硝子体出血，網膜剥離を生じうる．赤血球の鎌状化により脈絡膜梗塞を生じうる．腫瘍性増殖性疾患では Roth 斑，網膜への腫瘍の浸潤，漿液性網膜剥離を伴う脈絡膜浸潤，毛細血管瘤，血管の白鞘化が生じうる．

鑑別診断　糖尿病網膜症，高血圧網膜症，腎性網膜症，炎症性疾患など，同様の眼底所見を呈する疾患と鑑別が必要となる．

治療　貧血の原疾患の治療が必要である．ほとんどの症例で，原疾患の治療のみで貧血性網膜症は徐々に治っていく．

血液粘性亢進網膜症

Hyperviscosity-related retinopathy

澤田 修　滋賀医科大学・講師

概念　Hyperviscosity syndrome を呈する疾患において，血液粘性の亢進により，網膜静脈の拡張・蛇行・迂曲，出血，滲出斑，網膜毛細血管瘤などの網膜静脈の

灌流障害による眼底異常所見をきたす疾患である．hyperviscosity syndrome をきたす疾患は，まれであるが重篤であり，Waldenström macroglobulinemia（WM），多発性骨髄腫が大部分を占める．hyperviscosity syndrome を最も高頻度に認めるのは，IgM を過剰に生産する WM である．

病態 血液粘度の上昇は，①血液蛋白の異常による血漿粘度の増加，②血液細胞数の増加，③毛細血管通過時の赤血球変形能の低下により起こりうる．WM や多発性骨髄腫による血液粘度の上昇は，腫瘍細胞が産生するモノクローナルな免疫グロブリンまたはその一部である M 蛋白による．WM が特に hyperviscosity syndrome をきたしやすく，WM での異常免疫グロブリンは IgM である．IgM は 5 量体で，その分子量は約 1 万ダルトンと大きい．大きいサイズのために IgM の 70〜90％ は，血管内にとどまり，IgM は血管内で水と結合し，集合体を形成する．また，IgM の陽イオンの性質は，通常では赤血球が陰イオンを帯びて反発している作用を減少させる．これらすべてにより，血液粘度が上昇し，赤血球の連銭形成を生じる．多発性骨髄腫では，IgG あるいは IgA の重合体が原因となっている．

症状 hyperviscosity syndrome の症状には，①疲労感，倦怠感，体重減少，食欲不振などの一般的な症状，②頭痛，悪心，めまい，運動失調，知覚異常，難聴，まれに昏睡などの神経学的症状，③鼻血，歯肉出血，胃腸出血，月経過多，うっ血性心不全，網膜出血，うっ血乳頭，網膜静脈の拡張と視覚障害，腎障害などの血管障害がある．

眼底所見は，hyperviscosity syndrome の初期では，周辺に網膜出血が認められ，重症になると網膜静脈の蛇行，ソーセージ様拡張，後極に近い網膜出血，黄斑浮腫，視神経乳頭の腫脹が認められる．

診断 眼底検査により，初期では，周辺に網膜出血を認め，重症になると網膜静脈の蛇行，ソーセージ様拡張，後極に近い網膜出血，黄斑浮腫，視神経乳頭の腫脹を認める．

■ **鑑別診断** 網膜中心静脈閉塞症，静脈うっ滞性網膜症，重症非増殖糖尿病網膜症，貧血性網膜症と鑑別を要する．

治療 急性期では，血漿交換を行い，血液粘度を低下させ，続いて WM や多発性骨髄腫などの原疾患の治療を行う．hyperviscosity syndrome の改善に伴い，眼底所見も改善する．

膠原病に伴う網膜症

Collagen disease associated retinopathy

西信良嗣　滋賀医科大学・准教授

概念 膠原病は，原因不明の再燃と寛解を繰り返す多臓器，自己免疫疾患である．膠原病および膠原病類縁疾患の代表例として，全身性エリテマトーデス（SLE），全身性強皮症（SSc），皮膚筋炎・多発性筋炎（PM・DM），混合性結合組織病（MCTD），Sjögren 症候群（SjS），成人 Still 病（AOSD），Behçet 病，抗リン脂質抗体症候群（APS），再発性多発軟骨炎（RP）などがある．国の指定難病である疾患も多い．

病態 抗核抗体を代表とする自己抗体が高率に出現する．免疫系の異常により，

自己の細胞に対して反応し，それによって全身の各種臓器に障害を引き起こす自己免疫疾患である．代表的疾患としてSLEがある．

診断　膠原病の代表疾患であるSLEに合併する眼症状として，眼瞼皮膚炎，角膜炎，強膜炎，2次性Sjögren症候群，網膜・脈絡膜の血管異常，視神経異常が報告されている．眼瞼皮膚炎は顔面のディスコイド疹からの感染により，眼瞼の発赤を認める．2次性Sjögren症候群は乾性角結膜炎，糸状角膜炎をきたす．強膜炎は壊死性強膜炎の場合，重症化することがある．最も代表的な眼症状は網膜症である．SLE患者の3〜29%にみられるとの報告がある．典型的な網膜症では，綿花様白斑，網膜出血(図124)を認め，閉塞性血管炎をきたす．網膜血管炎では，網膜動脈の周囲に炎症細胞の浸潤を認める．視神経の血管に炎症がある場合，視神経乳頭の腫脹や虚血性視神経症を起こす．網膜中心動脈閉塞症，網膜動脈分枝閉塞症，網膜中心静脈閉塞症，網膜静脈分枝閉塞症を起こすこともある．閉塞性血管炎により広範な網膜虚血をきたし，新生血管が生じ，硝子体出血をきたすこともある．腎病変により2次的な高血圧を生じると高血圧網膜症をきたし，網膜出血，硬性白斑，視神経乳頭浮腫を認める．中枢神経病変により，動眼神経，外転神経が障害を受け，眼球運動障害が起こることもある．

治療　症状が関節炎のみの場合，NSAIDsが使用される．原疾患の治療の基本は副腎皮質ステロイドの経口投与である．重症例ではステロイドパルス療法が選択される．ステロイド抵抗性の症例やステロイドに対する重篤副作用が出現する症例

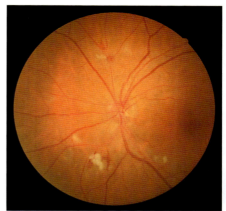

図124　SLEによる網膜症
綿花様白斑，網膜出血を認める．

においては，シクロホスファミド(エンドキサン®)やアザチオプリン(イムラン®など)などの免疫抑制薬が投与されている．タクロリムス(プログラフ®など)はループス腎炎(ステロイドの投与が効果不十分，または副作用により困難な場合)に対して適応がある．2015年に承認されたヒドロキシクロロキン硫酸塩(プラケニル®)は，網膜障害に対して十分に対応できる眼科医と連携のもとに使用するべきとされており，注意が必要である．生物学的製剤では，Bリンパ球刺激因子(BLyS)がB細胞表面受容体に結合することを阻害する抗BLyS抗体ベリムマブ(ベンリスタ®)が2017年に承認されている．

治療にあたっては，免疫アレルギー内科と連絡を密にとる．閉塞性血管炎による網膜無灌流領域に対して網膜光凝固を行う．新生血管から硝子体出血や牽引性網膜剝離をきたした場合には硝子体手術の適応となる．

低眼圧黄斑症
Hypotony maculopathy

鈴木幸彦　弘前大学大学院・准教授

概念　極端な低眼圧が続くと，眼球がたわんで，網膜および脈絡膜に皺襞を生じる．黄斑部に網膜皺襞を生じると視膜や視力低下をきたす．数か月経過すると，不可逆性の視力低下を生じうる．眼球打撲のような鈍的眼外傷に伴って毛様体解離を生じて本症を発症する場合や，緑内障手術後の過剰濾過による術後合併症として発症する場合，侵襲の大きい硝子体手術後などに毛様体機能が低下して発症する場合がある．

病態　鈍的眼外傷によるものは，打撲による隅角および毛様体解離によって房水が脈絡膜上腔に流出し吸収が促進され，低眼圧となることで発症する．原因となる隅角および毛様体解離部分は限局性であっても，房水が全周性にまわり，全周の毛様体剥離として観察されることも少なくない．

緑内障術後の低眼圧が持続する際に生じる場合は，強膜弁の縫合糸の張りが弱く房水が結膜下へ過剰に漏出して生じるが，極端な低眼圧の場合は脈絡膜剥離も同時にみられることがある．

症状　外傷性低眼圧黄斑症では，鈍的眼外傷に伴う前房出血などを併発している場合は，それによる視力障害がある程度改善したあとに，視膜や視力低下を自覚する場合が多い．緑内障術後低眼圧では，浅前房・Descemet 膜皺襞・脈絡膜剥離などを伴う場合もあり，それらの影響とともに視膜・視力低下を自覚する．

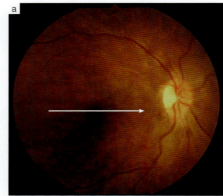

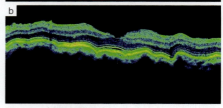

図 125　低眼圧黄斑症
41歳女性．視力 0.6，眼圧 8 mmHg．
a：網膜に皺襞がみられ，網膜血管の拡張・蛇行もみられる．
b：OCT では，網膜に全層性の皺襞(波打ち)がみられる．

診断
■必要な検査
❶**眼圧検査・眼底検査**　低眼圧が持続し，視神経乳頭の境界不明瞭や，網膜血管の拡張および蛇行・網膜の皺襞形成がみられる（**図 125a**）．低眼圧(≦ 5 mmHg)で発症しやすいが，10 mmHg 前後でも生じる場合もある．低眼圧による Descemet 膜皺襞，打撲の影響による散瞳不良，硝子体混濁などによって黄斑部の皺襞に気づかれにくいこともある．

❷**光干渉断層計(OCT)所見**　黄斑部の網膜全層および脈絡膜の波打ちがみられる（**図 125b**）．前眼部 OCT では，浅前房や狭隅角がみられることが多いが，毛様体解離・

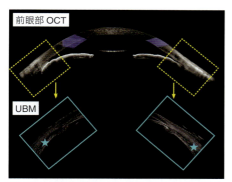

図 126 低眼圧黄斑症の前眼部 OCT（上段）と UBM（下段）の所見

41 歳女性，外傷による毛様体解離に伴う低眼圧黄斑症の症例．
前眼部 OCT では，浅前房がみられるが，毛様体解離は確認できない．
UBM では，毛様体解離（★）が確認できる．

剝離がみられることもある（図 126）．

❸**超音波生体顕微鏡（UBM）所見** 毛様体解離部分による房水吸収の増加によって浅前房化しており，毛様体扁平部に相当する部分では強膜と毛様体組織の間に空洞や組織の膨化（脈絡膜上腔）がみられる（図 126）．全体的な浅前房化によって，隅角・毛様体解離の責任病巣が確認できない場合もある．

治療

❶**保存的治療** 外傷による毛様体解離が原因の場合は，アトロピン点眼薬を使用する．緑内障術後の過剰濾過の場合は，圧迫眼帯を試みる．術後炎症による毛様体機能低下の場合は，ステロイド点眼などによる消炎を試みる．

❷**レーザー光凝固術** 解離した毛様体と強膜の癒着を促進するため，緑や黄色の波長を用いてレーザー照射する．解離部分の毛様体と強膜に照射径 100〜200 μm，照射時間 0.2〜0.5 秒，出力 200 mW 以上で，毛様体が少し収縮し，少量のフィブリンが析出する程度の凝固を行うとされているが，効果は確実ではないと考えられる．

❸**手術治療** 外傷による毛様体解離の場合は，毛様体縫合術，強膜輪状締結術，眼内レンズ縫着術，毛様体扁平部に対する冷凍凝固術を併用した硝子体手術がある．

毛様体縫合術は，角膜輪部から 3.5 mm の強膜に半層切開と強膜弁を作製し，解離した毛様体扁平部を強膜側から通糸し縫合し，その上に強膜弁を縫合するが，通糸時に針先を直視できない操作となるため，確実性に劣る．

毛様体扁平部に対する冷凍凝固術併用硝子体手術は，通常の硝子体手術操作に加え，冷凍凝固のプローブで強膜を内陥させ，手術顕微鏡で観察しながら毛様体扁平部のみにアイスボールを作っていく冷凍凝固のあと，SF_6 ガス・タンポナーデを行う．術後早期から仰臥位をとり，解離した毛様体と強膜の癒着を促進するもので，直視下での操作という利点がある．

緑内障手術後の過剰濾過に対しては，圧迫眼帯による非観血的治療で改善しなければ，強膜弁への縫合追加などで対応することになる．

予後 軽症例では保存的治療で改善する例が多い．極端な低眼圧のまま 2〜3 か月以上経過すると，視力回復が得られにくい場合があるので，手術治療を勧めるべきである．また，毛様体解離部からの房水の流出が止まる際には一過性の高眼圧を示す場合があるので注意を要する．

光による網膜障害
Light induced damage on the retina,
Photic damage on the retina

尾花 明 総合病院聖隷浜松病院・部長

概念 生体で光による障害を受けやすいのは眼と皮膚である．急性障害と慢性障害に分類されるが，ここでは主に急性障害を扱う．慢性障害は光による酸化ストレスが網膜に長期間作用することで加齢黄斑変性などの要因になる．

病態 作用機序は3つに分かれる．

❶物理的障害 高エネルギーが短時間(パルス発振が多い)作用することで網膜が蒸散(phoroablation)によって破壊される．実験室や工場でのNd：YAGレーザー誤照射が多い．皮膚科のシミ取りなどのレーザー治療時の事故例**(図127)**もある．黄斑出血や黄斑円孔が発生する．

❷熱傷害 組織温度が42.5℃を超えるとDNA損傷が起こり，44℃以上になると細胞死が起こる．網膜色素上皮細胞のメラニンに光が吸収されて熱が発生するので，メラニン吸収率の高い可視光線で生じる．高出力レーザーポインターによる犯罪やレーザー治療時の医療事故がある．

❸光化学障害(光毒性網膜症) 溶存酸素から光励起で活性酸素が発生し，色素上皮細胞や視細胞が障害される．光子当たりのエネルギー量の大きな短波長光(青色可視光)で生じやすい．なお，紫外線は角膜，水晶体で吸収され網膜にはほとんど到達しない．レーザーポインターや発光ダイオードによるいたずら，太陽観察による日光網膜症(solar retinopathy)，日食網膜症(eclipse retinopathy)**(図128)**がある．

一方，網膜には光障害に対する防御システムとして，縮瞳による光量調節，黄斑色素による青色光吸収などの光を減弱する機構と，抗酸化ビタミンや酵素，カロテノイド色素などの抗酸化機構，血流による冷却機構などがある．これらの防御能を超える光照射を受けた場合に障害を生じる．

症状 羞明，変視症，中心・傍中心暗点，視力低下をきたす．前記の❶物理的障害，❷熱障害は受傷直後に自覚症状が起こるが，❸光化学障害は半日〜翌日以降に症状が出現する．急性期には黄斑部に小さな斑状ないし楕円形の網膜外層混濁と光干渉断層計(OCT)で視細胞層の障害がみられ，時に囊胞様黄斑浮腫をきたす．高度なら網膜出血，黄白色斑をみる．軽度の場合は回復するが，高度障害では色素むらや網脈絡膜萎縮が残る．

診断 受傷の経緯，レーザーの種類，出力，作用時間などをよく聞く．

治療 ステロイドの全身・局所投与の有効性は証明されていない．

予防対策 予防がきわめて重要であり，以下の対策を講じる．

❶レーザーを使用する作業・実験 特に可視領域ではない赤外波長のパルスレーザーで注意を要する．必ず防御眼鏡を装着し，光路に反射物を置かない．作業室の立ち入り制限を行う．

❷太陽観察 太陽を直視してはいけない．観察用眼鏡の使用と，望遠鏡には専用フィルタを装着する．

❸レーザー治療 アルゴン青緑レーザー(488,514 nm)の長期使用術者にコントラスト感度低下が報告されており(エイミングビームによる障害)，青色レーザーの使

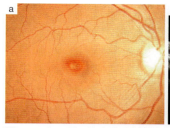
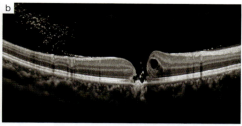

図 127　レーザー治療時の事故例
シミ取り Nd：YAG レーザー治療練習時に施術者が受傷したもの．黄斑に出血と黄斑円孔がみられる．OCT では円孔底の色素上皮細胞障害がみられる．

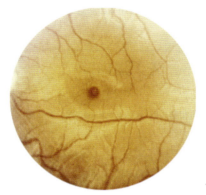

図 128　日食網膜症
（Gabel VP より提供）

用は避ける．マルチカラーレーザーではその心配はない．

　皮膚科領域などでパルスレーザーを使用する際は，術者・介助者は保護眼鏡を装着する．眼周囲治療時には患者眼球に保護カバーを装着する．
❹**内眼手術**　手術顕微鏡には短波長光カットフィルタ（Zeiss：405 nm 以下，トプコン：460 nm 以下）が装着されているが，不用意な長時間照射を避ける．硝子体手術時の眼内照明は，黄斑部近くでの長時間使用を避ける．
❺**慢性障害**　網膜色素変性，加齢黄斑変性，糖尿病網膜症などの眼底疾患患者において過度の光曝露による病態悪化が指摘されている．外出時の帽子，遮光眼鏡着用が勧められる．白内障手術での着色眼内レンズ挿入や，ルテインなど黄斑色素を増加させるサプリメントによる予防効果が研究されているが，有効性に関する科学的証拠は十分とはいえない．

　予後　視力は数週〜数か月間で回復する場合が多いが，視力低下，変視症，中心暗点を残すこともある．

網膜振盪

Retinal concussion, Commotio retinae

尾花 明　総合病院聖隷浜松病院・部長

　概念　眼球打撲後にみられる網膜混濁で，可逆性のものが網膜振盪，不可逆的に萎縮に至るのが網膜打撲壊死である．
　病態　鈍的外力による視細胞外節と網膜色素上皮細胞の崩壊・浮腫によって網膜外層が白色に混濁し，Berlin 混濁ともよばれる．損傷の高度なものが網膜打撲壊死である．
　症状　病巣部の視野沈下と，黄斑部に生じれば視力低下をみる．いずれも一過性

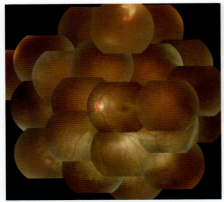

図 129　網膜振盪の眼底パノラマ写真

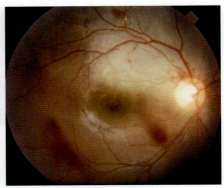

図 130　網膜打撲壊死の眼底写真

で軽快する．網膜打撲壊死では病巣部の視野障害が恒久化し，後日，壊死巣に発生した網膜裂孔から網膜剥離が発生することがある．

診断　受傷直後から網膜深層の白色混濁を生じ，眼底検査ではテカテカした白色調にみえる(図 129)．黄斑部を含めば cherry-red spot 様所見を呈する．2～3 日後に増強し 1～2 週で軽快する．光干渉断層計(OCT)では網膜外層構造の乱れや軽度の網膜浮腫がみられる．フルオレセイン蛍光造影の異常はない．網膜打撲壊死は混濁が強く網膜出血などを伴う(図 130)．この場合はフルオレセイン蛍光造影で色素上皮レベルの色素漏出や過蛍光を生じる．

眼球打撲に伴うほかの障害，例えば脈絡膜破裂による黄斑部の網膜下出血，鋸状縁断裂や網膜裂孔の発生，隅角損傷，瞳孔括約筋麻痺，水晶体脱臼などの併発に注意する．

治療・予後　経過観察のみで自然治癒する．網膜打撲壊死の場合は裂孔形成が生じないかどうかの経過観察を行う．

Leber 先天黒内障

Leber congenital amaurosis

角田和繁　国立病院機構東京医療センター・部長

概念　Leber 先天黒内障は，通常生後 1 年以内に重篤な視力障害をきたす，まれな網膜ジストロフィである．1869 年にドイツの Theodor Leber によって最初に報告された．遺伝性の網膜機能障害という点では早期発症型の網膜色素変性や錐体杆体ジストロフィと類似するが，特に生後早期から視力が低下していることを特徴とする．

病態　代表的な原因遺伝子として，RPE65，RDH12，CRB1，GUCY2D，RPGRIP1，CEP290，CRX，LRAT など 20 種類ほどが挙げられ，大部分が常染色体劣性遺伝である．visual cycle(レチノイドサイクル)，視細胞の発生・構造維持，光シグナル伝達，絨毛細胞における物質輸送など，原因遺伝子によって網膜の障害部位は多岐にわたる．

症状・合併症　生後から固視不良，感覚欠如型眼振がみられる．重篤な視力障害

がある場合，指で瞼を押さえつける行動（oculo-digital sign）が特徴的とされる．出生後早期から網膜変性が進行するため，視力不良，夜盲，視野異常，羞明などが早期からみられる．強度の遠視を伴う症例が多く，白内障，円錐角膜の合併がみられることがある．また，全身的な異常を伴わないものから，難聴，腎障害，てんかんなど，全身疾患を伴う症例もみられる．

診断 生後に固視不良，眼振，oculo-digital signなどがみられた場合は本疾患の可能性を疑う．原因遺伝子の種類が多いため眼底所見(図131)は多彩である．網膜反射が悪い程度で明らかな変性がみられないものから，黄斑部に強い萎縮病変がみられるもの，進行に伴い周辺部に色素沈着を伴う網膜変性がみられるものなどがある．発症の初期には明瞭な変性病変がみられないことも多い．全視野網膜電図（ERG）は早期から杆体応答，錐体応答ともに消失，あるいはきわめて減弱している．光干渉断層計（OCT）では変性領域における視細胞層の萎縮がみられる．特に乳幼児期には眼振のため眼底検査や網膜機能検査が困難な場合が多く，全身麻酔下にて屈折，眼底検査，OCT，全視野ERGを含めた精密な眼科的検査が必要となることがある．

治療 Leber先天黒内障に対してこれまで有効な治療はないとされていたが，2017年に*RPE65*関連網膜症に対する遺伝子補充治療薬が米国食品医薬品局（FDA）に承認され，2021年には国内においても臨床試験が開始された．RPE65は網膜色素上皮におけるvisual cycleに関連する蛋白であり，本治療は人工的に作製した*RPE65*遺伝子をアデノ随伴ウイルスをベクターとして網膜下に注入し，網膜色素上皮細胞において蛋白を発現させるというものである．そのほかの原因遺伝子に対しても，遺伝子補充治療，遺伝子編集治療，核酸医薬であるアンチセンスオリゴヌクレオチド治療などの開発・臨床試験が積極的に行われているため，早期に眼科検査および遺伝学的検査による正確な診断，原因検索を行うことが望ましい．ただし，現状ではすべての患者が治療の対象となるわけではないため，ほかの先天疾患と同様に眼鏡装用を含めたロービジョンケア，就学支援などを綿密に行う必要がある．

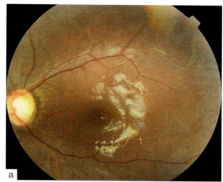

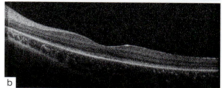

図 131　Leber 先天黒内障（*RPE65* 関連網膜症）の眼底写真（a）と OCT（b）

11歳女児．生後より眼振，追視不良がみられ，ERGは消失していた．本症例ではOCTにて視細胞層は萎縮しているものの，網膜色素上皮層は比較的温存されている．このため視機能が不良であるにもかかわらず，後極部の眼底色調は正常に近い．
（三重大学・近藤峰生先生のご厚意による）

癌関連網膜症（メラノーマ関連網膜症，BDUMP）

Cancer-associated retinopathy：CAR,
(Melanoma-associated retinopathy：MAR,
Bilateral diffuse uveal melanocytic proliferation：BDUMP)

日景史人　札幌医科大学・准教授
大黒 浩　札幌医科大学・教授

概念　一部の癌患者において，中枢神経系に特異な蛋白質が腫瘍組織に異所性に発現し，これが共通抗原となり，自己免疫を獲得し種々の中枢神経症状を呈するものを悪性腫瘍随伴症候群とよぶ．このなかで，網膜視覚系の障害を呈するものを広義の癌関連網膜症（CAR）とよんでいる．さらにCARには臨床像の異なる2種類の網膜症が知られている．1つは下記に示すように主に杆体視細胞障害に基づく病態による狭義のCARであり，もう1つは悪性黒色腫に随伴し，網膜双極細胞障害を主体とするメラノーマ関連網膜症（MAR）である．

原因となる癌としてはCARでは肺小細胞癌が最も多く，消化器系，婦人科系の癌がこれに次ぐ．性差はない．一方，MARの原因は悪性黒色腫のみで，以前は欧米のみで報告されてきたが，最近の報告でわが国でもその存在が知られている．また，BDUMPは癌患者においてメラノサイトの局所増殖による母斑様隆起性病変を伴うぶどう膜の広範な肥厚，滲出性網膜剥離や急速な白内障の進行などを伴う疾患であるが，非常にまれである．

病態　悪性腫瘍に異所性に発現した神経系抗原が，何らかの要因を契機に免疫系に認識され，特異抗体が産生されることが挙げられる．その結果，自己免疫機序により網膜が傷害されるものである．これまでに，網膜に特異的に存在するCa^{2+}結合蛋白質であるリカバリン，熱ショック蛋白質の1つであるheat-shock-cognate-protein 70（hsc70），蛋白質分解酵素の1つであるエノラーゼなどが自己抗体として報告されている．一方MARでは，TRPM1（transient receptor potential melastatin 1）という抗原の可能性が報告されているが，いまだ十分に解明されていない点も多い．BDUMPのメラノサイト多発性増殖機序は自己抗体以外の要因も考えられているが，まだ詳細不明である．

症状　臨床的に，狭義のCARは遺伝性進行性網膜脈絡膜ジストロフィである網膜色素ジストロフィに似た症状・所見を呈する．すなわち，杆体視細胞傷害に基づく急性もしくは亜急性に進行する両眼性の視感度の低下（原因不明進行性の視力障害，光過敏症，夜盲），視野狭窄（輪状暗点，中心暗点）がある．ほかに，ぶどう膜炎症状の合併もある．MARの症状は主に両眼性の夜盲，光過敏症，霧視である．視野異常に典型例はなく，視力も比較的保たれることが多い．BDUMPは急速に進行する滲出性網膜剥離と白内障により視力障害となる．

診断　CAR罹患当初は眼底所見に乏しいが，徐々に網膜動脈の狭細化や光干渉断層計（OCT）上で網膜外層の異常がみられる．診断に最も有用なものとして網膜電図の平坦化がある．これらは癌の診断に先行して発見されることがあり，癌の全身精査が重要となる．よって50歳以上の比較的高齢者で，遺伝歴がないにもかかわらず，網膜色素変性にみられるような眼底像

および視野狭窄をみた場合や，軽度のぶどう膜炎にもかかわらず著しい視野狭窄および視感度の低下をみた場合は，本症を疑って全身検索を行うべきである．一方 MAR は CAR に類似の徴候を示すが，網膜電図で先天停止性夜盲にみられる negative b 波を示す点が最重要の鑑別点である．確定診断には CAR では血清中の抗リカバリン抗体，MAR では網膜双極細胞に対する抗体の同定が必要であるが，抗体価は病勢により変動するので，少なくとも 3 回以上測定する必要がある．

治療 CAR，MAR，BDUMP に決定的な治療法は確立していない．筆者らは抗リカバリン抗体および抗 hsc70 抗体を用いて確立した CAR モデルラットを用いて検討を行い，カルシウム拮抗薬が CAR に対して有効である可能性を見いだした．ステロイド全身投与での改善例も報告されているが，本症では一般的にステロイド全身投与は癌免疫を抑えるため禁忌である．血漿交換が有効であったとの症例報告もあるが，いずれも確立したものではない．

予後 原発癌によるが，CAR を伴う患者は伴わない患者に比べて生命予後がよいといわれている．

急性帯状潜在性網膜外層症

Acute zonal occult outer retinopathy：AZOOR

齋藤 航　回明堂眼科・歯科・院長

概念 1992 年に Gass が初めて報告した，若年女性の近視眼に好発し，病初期に正常な眼底所見(図 132a)を示す網膜外層症である．経過中，病変部に帯状の網膜変性を生じることがある．

病態 正確な病態は不明であるが，脈絡膜障害説と抗網膜抗体説がある．後者では，抗体陽性例と陰性例を比較しても視力の結果に有意差はなかったという報告がある．

症状 急激な視野異常が生じ(図 132b)，しばしば暗点内に光視症を伴う．耳側視野異常の頻度が最も高い．

診断 20〜50 歳代の若年者に，上記の自覚症状に加え，検眼鏡およびフルオレセイン蛍光眼底造影上，網膜に異常がみられないときに本疾患を疑う．確定診断には，病変部における多局所網膜電図 (ERG) での応答の減弱(図 132c)や光干渉断層計 (OCT) で網膜外層障害 (ellipsoid zone の異常，図 132d) を証明することが必要となる．全視野 ERG は病変部の範囲が狭い場合，正常な応答を示すことがあるので注意が必要である．眼底自発蛍光も急性期に病変部が過自発蛍光となる．AZOOR の鑑別には梅毒性網脈絡膜炎，自己免疫性網膜症，三宅病などが挙げられる．

治療
■**治療方針**　日本人では自然に視機能が回復する例が多いことから，Mariotte 盲点拡大型など視野異常が中心を回避した視力良好例では，無治療で経過を観察する．一方，広範な視野欠損または著明な視力低下を示す重症例に対しては，なるべく早期にステロイドパルス療法を考慮する．投与後は視力，視野の回復の推移をみながら慎重にプレドニゾロン(プレドニン®など)内服を減量し，最低 3 か月は続ける．プレドニゾロン 1 日 30 mg からの内服漸減療法も，全身や眼所見の状態によっては行うこ

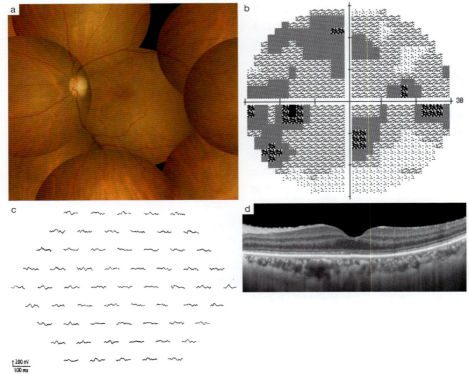

図 132　AZOOR 患者の眼所見
網膜に異常所見はないが(a)，視野検査では中心暗点がある(b)．多局所 ERG では，視野異常部位に一致して応答の低下がある(c)．黄斑部水平断の OCT では，ellipsoid zone がびまん性に欠損している(d)．

とがある．

処方例 重症例では 1)を 1〜2 クール施行後，2)を行う．

1) ソル・メドロール注　1 日 1,000 mg＋ソリタ-T3 注　500 mL　1 時間で点滴静注　3 日間
2) プレドニン錠(5 mg)　6〜8 錠　分 2 から開始し，視機能の改善に合わせて漸減

放射線網膜症
Radiation retinopathy

溝田 淳　帝京大学・主任教授

病態　放射線は，分子の結合を破壊することにより直接細胞を傷害するのと同時にフリーラジカルを発生させて，間接的に細胞を傷害する．細胞分裂頻度が高く，将来行う細胞分裂の回数が多く，形態的・機能的に未分化で細胞分裂が盛んな細胞ほど放射線により傷害を受けやすいとされてい

る（Bergonie-Tribondeau の法則）．

　放射線網膜症の主な原因は，網膜血管の変化によるものであり，もともと分裂能がないとされている視細胞などの網膜細胞は放射線による直接的な影響は受けにくく，主に循環障害や黄斑浮腫などによる間接的な傷害を受けている．血管の変化としては血管の透過性の亢進と，毛細血管の閉塞である．

　被曝の原因に関してはどのようなものでも可能性はあるが，現在の一般の診療においては，眼窩を含む頭頸部の腫瘍や眼内腫瘍に対する放射線治療に際し，その照射野の中に眼球が含まれていた場合がほとんどである．通常は被曝後6か月～3年の間に生じる．照射線量が高ければ早く発症し，網膜症の発症する閾値としては30～36グレイとされている．ただし確率の問題で，それ以下の線量でも発症することはある．照射の分割の回数も関係あり，1回の照射線量が多いほうが発症しやすい．また，糖尿病，高血圧などもともと血管に病変のある例や，悪性腫瘍で化学療法を受けている例などでは，より放射線網膜症が発症しやすいとされている．

　診断　被曝の既往と，眼底所見で診断する．眼底所見は糖尿病網膜症や高血圧網膜症と類似している．基本的には血管内皮細胞の傷害による血管の透過性の亢進による変化と，閉塞性の変化から生じており，所見としては網膜血管の毛細血管瘤，血管拡張，網膜出血，硬性白斑，軟性白斑などがみられる（**図133**）．視力に関しては網膜症の発症する部位によって異なる．糖尿病網膜症同様に黄斑浮腫などを生じると，視力は著しく低下する．進行例では，血管の閉塞による増殖性網膜症や，血管新生緑内障を発症する．

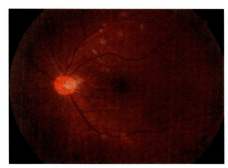

図133　放射線網膜症の症例
視神経乳頭の周囲に軟性白斑が多発している．

　治療　確立した治療法はなく，可能な限りは網膜を照射野に入れないなどの予防が第1である．発症した場合は，基本的には糖尿病網膜症と同様の治療を行う．黄斑浮腫を改善するため光凝固や，増殖性変化に対する汎網膜光凝固など有効な症例はある．また，トリアムシノロンアセトニド（マキュエイド®）の硝子体注射は，一過性には黄斑浮腫を減らし視力改善に有効とされている．また，抗VEGF薬の硝子体注射も，浮腫の軽減や血管新生の防止に有効とされている．

Purtscher 網膜症

Purtscher retinopathy

前野貴俊　東邦大学医療センター佐倉病院・教授

　概念　1910年にOtmar Purtscherによって頭部外傷患者で両眼の視神経周囲に網膜虚血と網膜出血を生じた網膜症として報告された．その後，Purtscher 網膜症は，間接的な外傷，非眼損傷に起因して，綿花

状白斑，網膜出血，視神経乳頭浮腫を呈する脈絡網膜症と定義されている．また，同様の所見を外傷の既往のない慢性腎不全や急性膵炎患者に認めることもあり，Purtscher様網膜症とされている．

症候性Purtscher網膜症の年間発生率は，100万人あたり0.24例と推定されているが，無症候性の症例も加えると発生率は上昇する可能性がある．

病態　網膜細動脈の毛細血管前閉塞と網膜神経線維層の微小血管梗塞を引き起こしている．塞栓症の原因としては，外傷により生じる遊離脂肪酸によって誘発される血管炎，循環血液量減少，凝固亢進，および補体活性化に関連する脂肪塞栓，白血球凝集による白血球塞栓，胸部圧迫で静脈血の逆流による網膜毛細血管内皮障害などがある．全身疾患の種類によって塞栓の種類も，フィブリン塞栓，血小板塞栓，脂肪塞栓，空気塞栓などさまざまなものが考えられる．

症状　無痛性の視力低下が主な症状で，中心暗点や傍中心暗点を生じることもある．症状発現は外傷と同期して現れることも，24～48時間程度遅れて現れることもある．一般に症例の60％は両側性に生じるが，網膜病変の程度と疾患の片側または両側の症状との間に関連性は認めないとされている．視野障害を生じることもあり，中心，傍中心，または弓状の暗点などさまざまで，周辺視野は通常維持される．

診断　90％以上で眼底後極部に散在する綿花状白斑，60％以上で網膜出血を認め，微小血管梗塞を起こした網膜と隣接する正常網膜血管との間にPurtscher fleckenとよばれる境界明瞭な網膜白色化領域を生じる．病変の分布は通常，乳頭周囲の網膜と黄斑領域に限定される．視神経乳頭浮腫や黄斑浮腫を認めることもある．蛍光眼底造影検査において，脈絡膜蛍光の遮断，網膜細動脈の閉塞，毛細血管の非灌流，視神経乳頭浮腫の領域における網膜血管からの遅発性漏出を認める．光干渉断層計(OCT)で内顆粒層における高輝度を呈するparacentral acute middle maculopathy (PAMM)を認めることも特徴的である．多局所網膜電図検査では，病変部位のa波，b波ともに減弱し，網膜の内層および外層ともに障害を受けていることを示唆する．

診断に重要な全身因子として，頭頸胸部打撲，長骨骨折，急性膵炎，腎不全，胸骨圧迫，膠原病などを挙げることができる．

■鑑別診断　高血圧網膜症，網膜動脈分枝閉塞，網膜中心動脈閉塞，虚血型網膜中心静脈閉塞症，網膜振盪症，Valsalva網膜症，内因性眼内炎，HIV網膜症などがある．

治療　数か月以内に軽快することが多いため経過観察が最も一般的であるが，メチルプレドニゾロン(ソル・メドロール®など)によるステロイドパルス療法，線溶療法などの報告もある．

予後　約半数の症例で視力は自然回復し，原因疾患や塞栓の種類による差は認めない．経過観察中に網膜病変の正常化が約40％にみられたとの報告もあるが，視神経萎縮は約60％，OCTでの網膜菲薄化が約10％程度で生じるとされている．視神経乳頭の腫脹，蛍光眼底造影検査でみられる黄斑部虚血，脈絡膜の低灌流，網膜毛細血管の非灌流などは予後不良の可能性があるとされる．

眼科臨床エキスパート

黄斑疾患診療を網羅した信頼の定番書，最新情報をアップデートした待望の改訂版！

黄斑疾患診療 A to Z 第2版

[編集] 岸　章治
群馬大学 名誉教授／前橋中央眼科 院長

吉村長久
京都大学 名誉教授

眼科診療のエキスパートを目指すための好評シリーズの1冊。病態理解、診断、治療のいずれにおいても大きな進歩が認められる黄斑疾患について、最新型OCTなどの画像をふんだんに用いて、現時点での最新の知見・診療スタイルを網羅。疾患各論の随所に豊富な症例を盛り込み、実臨床に直結した情報を提示した。Pachychoroid関連疾患や加齢黄斑変性の最新の薬物治療など新項目も加わった待望の改訂版。

エキスパートの最新の知見をまとめた
黄斑疾患診療の決定版、待望の改訂！
- 進歩の著しい黄斑疾患の概念、診断、治療に関する知識をアップデート
- 多数の症例写真を提示し、検査所見の読み方や治療のプロセスを実践的にまとめた
- 新たな疾患概念であるpachychoroid関連疾患や加齢黄斑変性の治療に関する新項目も収載

医学書院

- B5　頁496　2022年
定価：18,700円（本体17,000円＋税10%）
[ISBN978-4-260-04942-9]

目次

第1章　総説
　黄斑疾患の診療概論
第2章　総論
　Ⅰ　黄斑の解剖学
　Ⅱ　網膜硝子体界面の解剖学
　Ⅲ　診断手技
第3章　各論
　Ⅰ　網膜硝子体界面病変
　Ⅱ　中心性漿液性脈絡網膜症
　Ⅲ　加齢黄斑変性
　Ⅳ　Pachychoroid 関連疾患
　Ⅴ　Malattia Leventinese
　　　（常染色体優性放射状ドルーゼン）
　Ⅵ　AZOOR complex
　Ⅶ　黄斑部毛細血管拡張症
　Ⅷ　近視とその類縁疾患
　Ⅸ　特発性脈絡膜新生血管
　Ⅹ　網膜色素線条
　Ⅺ　炎症性黄斑疾患
　Ⅻ　網膜変性症

医学書院
〒113-8719　東京都文京区本郷1-28-23　[WEBサイト]https://www.igaku-shoin.co.jp
[販売・PR部]TEL:03-3817-5650　FAX:03-3815-7804　E-mail:sd@igaku-shoin.co.jp

11 緑内障

原発開放隅角緑内障
Primary open angle glaucoma：POAG

福地健郎　新潟大学・教授

概念　従来，原発開放隅角緑内障（POAG）は隅角検査で正常隅角にもかかわらず，眼圧は22 mmHg以上と正常範囲を超える高眼圧を示し，視神経乳頭の緑内障性変化とそれに相当する視野欠損〔緑内障性視神経症（glaucomatous optic neuropathy：GON）〕を伴う病態とされてきた．かつては眼圧の正常範囲上限（一般に21 mmHg）を境界として，これを超えるPOAGとそれ以下にとどまる正常眼圧緑内障（normal tension glaucoma：NTG）を区別し，その同異について盛んに議論された．POAGとNTGは特定の眼圧値で分割できる病態ではなく，現在，「緑内障診療ガイドライン 第5版」では，POAGとNTGを合わせて「POAG・広義」という病型分類が用いられている．欧米ではすでにPOAGの定義に眼圧の条件は外されており，欧州緑内障学会による2020年のガイドラインでは，高眼圧のPOAG，正常眼圧のPOAGに任意に細分化されると記載されている．40歳以上の日本人における有病率は，多治見スタディではPOAG・広義3.9%，POAG 0.3%，久米島スタディではPOAG・広義4.0%，POAG 0.7%であった．

病因・病態　POAGにおける眼圧上昇は隅角，線維柱帯における機能的房水流出障害によって起こると考えられている．病理学的には線維柱帯ビームや内皮網への細胞外マトリックスの沈着，線維柱帯間隙の狭小化などの所見が認められる．しかし，POAGは病理学的に診断される疾患ではなく，いわゆる臨床的症候群の1つである．POAGではしばしば家族歴がみられ，遺伝は発症にかかわる重要な因子である．すでに多くのPOAG・広義の関連遺伝子が明らかにされているが，それらは大きく，眼圧上昇にかかわる遺伝子と神経保護にかかわる遺伝子に分類される．POAGには主として眼圧上昇にかかわる遺伝子群が関与している可能性がある．

症状　初期にPOAGに特有な自覚症状はない．視野欠損の症状は認識されにくく，一般に自覚症状によって初期症例を発見することは困難である．POAG・広義は健診・人間ドックで発見される症例が最も多く，次いで眼鏡・コンタクトレンズ処方などで眼科を受診した際に発見される．進行に伴って生じてくる自覚症状として「部分的にかすむ」「物を認識できない場所がある」などがあり，さらに進行した視野障害の症例では，「全体にかすむ」「まぶしい（羞明）」などの症状を訴える．

診断　①正常開放隅角，②眼底検査で視神経乳頭および網膜の変化（形態変化），③視野検査で眼底所見に一致した視野障害（機能変化）でPOAG・広義と診断される．

さらに，④眼圧検査で22 mmHg以上の高眼圧，⑤全身的，眼科的にほかに眼圧上昇を生じる原因がみられない，によりサブタイプとしてのPOAGと診断される．

■**必要な検査** 臨床的に最も特徴的なのは視神経乳頭所見で，陥凹拡大とともに，ノッチング，リム（辺縁部）の菲薄化，網膜神経線維層欠損（nerve fiber layer defect：NFLD），乳頭出血，乳頭周囲脈絡網膜萎縮，ラミナドットサインなどが認められる．乳頭所見で視神経障害が検出された領域に対応して，視野検査で欠損が検出される．乳頭所見の正確な判定には立体観察が有用である．

❶ **OCT** 光干渉断層計（OCT）を用いた乳頭部解析，黄斑部解析は緑内障によって生じる網膜内層の菲薄化を量的に評価することが可能で，診断に重要である．乳頭部解析によって乳頭周囲網膜神経線維層の，黄斑部解析によって黄斑部の網膜神経節細胞に関連した層構造の厚みを測定する．眼底所見による質的判定とOCTによる量的判定の組み合わせによってより精度の高い緑内障診断が可能である．

❷ **視野検査** 視野検査は静的量的視野検査が主体である．通常の診断と経過観察には中心24～30度の測定を用いる．OCTによって視野病期の早期にすでに多くの症例で黄斑部付近の視野障害を伴っていることが明らかになり，より早期，症例によっては24度あるいは30度内視野に視野感度異常が検出されないいわゆる前視野緑内障（preperimetric glaucoma：PPG）の病期から，10度内の視野測定を行う必要がある．現在でも周辺視野の評価のためにGoldmann視野検査は有用であるが，最後期例を除くと経過観察のための定期的なルーチン検査として行われる機会は少なくなっている．

■**鑑別診断** POAGと診断するには，さまざまな続発緑内障との鑑別が必要である．前眼部検査，隅角検査によって角膜・虹彩などの変化，前房混濁の有無，隅角の異常所見の有無を確認する．60歳以上の高齢者の開放隅角緑内障としてはPOAGよりも落屑緑内障の頻度が高い．ぶどう膜炎に伴う続発緑内障例で，前房混濁が見落とされ，POAGと誤診される例がみられる．プラトー虹彩症候群の典型例では，中心部の前房は深くPOAGと誤診される例がある．周辺部の前房深度に注意し，隅角検査，前眼部OCTなどで鑑別する．ステロイド緑内障は眼所見からの鑑別は困難で，ステロイド使用歴を確認する．

治療法

■**治療方針** 緑内障治療の目的は患者の生涯の生活の質（QOL）の維持であり，その目標は①目標眼圧の維持，②形態の維持，③機能の維持である．現時点でPOAG・広義の原因治療は不可能であり，眼圧下降治療によるGON進行の緩徐化が唯一エビデンスのある治療である．眼圧下降治療の方法としては，薬物，レーザー，手術から選択される．

POAGの治療に際して目標眼圧を設定することが推奨されている．POAGの目標眼圧の1つの例として，初期19 mmHg以下，中期16 mmHg以下，後期14 mmHg以下などがある．緑内障には発症や進行にかかわるさまざまな危険因子が知られており，症例ごとに危険因子の有無を勘案して，軽症例ではより高く，重症例では低く設定することが勧められている．進行を最小限にするためには 目標眼圧を

low teen から subteen に設定するべきと考えられているが，POAG でこのレベルまで眼圧を低下させるには，外科的治療を要することが多い．

■**薬物治療** POAG・広義にはいずれの眼圧下降薬も用いることが可能で禁忌や不適な薬剤はない．POAG 患者の場合，生涯にわたって薬物治療を継続することが前提で，患者の負担を考慮すると，「単剤から治療を開始し，可能な限り 2 剤までの併用にとどめる」ことを 1 つの基本とすることが推奨される．薬剤選択には，①目標眼圧，②副作用，③点眼回数，④使用感，などの要素を勘案し，個々の患者に適した薬剤を選択する．現時点では眼圧下降効果から，第 1 選択薬としてプロスタノイド受容体関連薬，第 2 選択薬として β 遮断薬，第 3 選択薬として炭酸脱水酵素阻害薬（CAI），$α_2$ 作動薬，もしくは ROCK 阻害薬が選択されることが多い．多剤併用の場合，配合点眼薬を使用することで，患者の負担を増やすことなく複数の薬剤の使用が可能であり，効果，効率のいずれの点でも有用である．2022 年 3 月現在，わが国ではプロスタノイド FP 受容体作動薬・β 遮断薬，β 遮断薬・CAI，β 遮断薬・$α_2$ 刺激薬，CAI・$α_2$ 作動薬の 4 種の配合点眼薬が市販されている．POAG の場合，高眼圧であり，十分な眼圧下降のために治療開始早期から多剤併用，配合点眼薬による治療を考慮する．点眼薬による副作用はさまざまであるが，薬剤性角膜（上皮）障害，結膜アレルギー，眼瞼の接触性皮膚炎は頻度が高い．

■**外科的治療** 選択肢としてレーザー治療と手術治療がある．POAG に対するレーザー治療として，現在は一般に選択的レーザー線維柱帯形成術（selective laser trabeculoplasty：SLT）が用いられている．通常，薬物治療で眼圧下降効果が不十分な症例で SLT が選択されることが多いが，初期治療として SLT を行い，薬物治療開始前（ベースライン）眼圧値を下降させる方法が注目されている．

薬物，レーザーによっても目標眼圧に調整できない症例が手術適応となる．POAG に対する手術治療の術式としては，トラベクロトミーをはじめとする房水流出路系手術とトラベクレクトミー，チューブシャント手術を代表とする濾過手術がある．

❶**トラベクレクトミー** 目標眼圧を low teen から subteen の症例はトラベクレクトミーの適応である．トラベクレクトミーは眼圧下降の代償として，QOL の低下，術後感染などの長期合併症のリスクを考慮する必要があり，適応は慎重に決めなければいけない．

❷**トラベクロトミー** トラベクロトミーは眼内法が主体となり，いくつかの関連した房水流出路系手術とともに低侵襲性緑内障手術（minimally invasive glaucoma surgery：MIGS）に分類されている．房水流出路系手術のみによる術後眼圧値はおおむね middle teen であるが，薬物治療との併用に向いている．また，白内障手術に MIGS を併用することで，術後により低い眼圧値への調整や点眼薬の減少が可能などの利点が生じる可能性がある．

❸**チューブシャント手術** トラベクレクトミーの既往がある高眼圧の POAG 例ではチューブシャント手術は有力な選択肢である．

予後 多治見スタディの結果から，POAG 単独できわめて重篤な視機能障害

に至る例はまれと考えられる．症例によっては緩やかな進行は許容しつつ経過観察という治療計画を立てる必要がある．

一方で，POAGはもともとが高眼圧であり，十分な眼圧下降には一般に多剤併用が必要で，手術治療を必要とする症例が多い．高眼圧で経過した場合に視野障害の進行は一般に速い．日本国内では超高齢化の現在，高齢者の緑内障による視覚障害認定患者数は増加しており，またロービジョン外来を受診した緑内障患者のうちPOAG症例の割合が最も多い．生涯のQOL維持という視点でPOAGの治療と管理を進める必要がある．

正常眼圧緑内障

Normal tension glaucoma：NTG

福地健郎　新潟大学・教授

概念　1950年代に，原発開放隅角緑内障(primary open angle glaucoma：POAG)と同様に，正常開放隅角で，緑内障に特有な形態および機能所見を伴うにもかかわらず，眼圧が正常範囲内にとどまる病態を低眼圧緑内障，さらにその後，正常眼圧緑内障(NTG)とよばれるようになった．POAGの項(⇒775頁)で述べた通り，POAGとNTGは病態として連続していることから日本国内ではPOAG・広義との診断名が用いられる．高眼圧のPOAGと正常眼圧のNTGは，しばしば臨床的傾向が異なる．サブタイプとしてPOAGとNTGを分けて治療，管理することが推奨される．40歳以上の日本人における有病率は多治見スタディで3.6％，久米島スタディで3.3％と，最も頻度の高い緑内障の病型である．

病因・病態　NTGで眼圧が正常範囲内であるにもかかわらず，緑内障性視神経症(glaucomatous optic neuropathy：GON)を生じるメカニズムとして，視神経の眼圧に対する構造的，機能的脆弱性がその背景にあることが考えられている．緑内障には発症と進行にかかわるさまざまな危険因子が知られており，それらの多くはNTGの疾患背景もしくは病態を修飾する因子としてかかわっている可能性がある．POAG・広義の関連遺伝子のうち，神経保護にかかわる遺伝子群は主にNTGにかかわっている可能性がある．NTGの前房隅角における病理組織学所見として，ほぼ正常な構造が保たれている症例とPOAGに類似した変化を認める症例が混在していることが報告されている．つまり，眼圧調整機構に異常があってもなくてもよいということになる．異常のある症例では，年齢とともに眼圧上昇や眼圧変動を生じる可能性がある．落屑症候群やステロイド，眼内炎症などによって2次的に眼圧上昇が付加された場合，進行が著しく加速する症例があり注意が必要である．

症状　NTGによる自覚症状はPOAGと同様で，NTGに特有な自覚症状はない(⇒775頁，「原発開放隅角緑内障」項を参照)．

診断　POAG・広義のうち，経過中の眼圧が正常範囲内にとどまる症例をサブタイプとしてNTGと診断する．NTGの場合，眼圧測定で発見できないことから，発見と診断のきっかけとして眼底写真，眼底検査が必須である．眼底所見と視野所見はPOAGと同様である．NTGは高眼圧とい

うファクターがないことから，GON の診断がより重要である．POAG と同様に GON の診断に OCT が有用で，網膜内層厚の菲薄化所見の有無を正確に判定することが求められる．

OCT による緑内障診断の問題点として，OCT の測定結果には高頻度にアーチファクトを含むことを念頭におく必要がある．セグメンテーション，強度近視眼，網膜前膜などはその代表である．

■ **鑑別診断**　NTG では緑内障以外の疾患との鑑別や合併をより慎重に診断することが必要である．巨大乳頭，視神経萎縮，部分視神経低形成(segmental optic hypoplasia：SOH)は，しばしば緑内障に類似した乳頭陥凹拡大所見を示すが，眼底所見の違い，視野障害パターンなどから鑑別する．

SOH のうち上方の欠損を伴う頻度が最も高く，上方部分視神経低形成(superior SOH：SSOH)とよばれる．典型的には上方から鼻側に楔形の広い網膜神経線維層欠損(nerve fiber layer defect：NFLD)を呈し，眼底所見と視野所見から鑑別可能である．SOH は NTG を合併する頻度が高いことが知られており，緑内障に準じた経過観察が必要である．

先天視神経乳頭ピット，網膜動脈もしくは静脈分枝閉塞症の既往眼では，緑内障に類似した弓状暗点を示すことがある．

網膜変性疾患は黄斑部 OCT による網膜外層を観察することによって鑑別が可能である．

視野検査で緑内障とは異なった障害パターンや急速な悪化を示した症例では，眼窩内，頭蓋内の画像検査を行う．

POAG と NTG で鑑別診断の対象が異なることは，両者をサブタイプとして分けて考えることが推奨される理由の1つである．

治療法

■ **治療方針**　NTG に対しても現時点でエビデンスに基づいた治療法は眼圧下降治療のみで，その方法としては薬物治療，レーザー治療，手術治療を組み合わせて行われる．NTG はそれぞれの症例に何らかの疾患背景(正常範囲の眼圧値でも視神経が障害される要因)があることが推測され，循環改善治療，神経保護治療などが眼圧下降治療とは異なる治療の候補として期待されている．現時点でそれらの治療が有効であるというエビデンスはない．一般に NTG は POAG に比べて進行が緩やかであるので，診断後に治療開始は急がず，治療開始前のベースラインの状態をより正確に把握することが推奨される．

NTG における目標眼圧は治療前値に対して眼圧下降率 20%，30% などが用いられている．NTG の進行には眼圧下降と変動のいずれもがかかわるとの報告が多い．NTG では眼圧値そのものは評価の対象にすることは難しく，POAG 以上に目標眼圧の修正のために視野障害の進行評価が重要である．

■ **薬物治療**　薬物治療の基本的な方法と注意点は POAG と共通である．緑内障に対する点眼治療薬の眼圧下降効果は，治療前眼圧値に大きく依存する．いずれの薬剤も高眼圧域に対して正常眼圧域では眼圧下降幅も下降率も低下する．例えば平均眼圧値以下の眼圧に対して β 遮断薬などの房水産生抑制薬の効果は限定的で，主経路に作用する薬剤も同様である．プロスタノイド受容体関連薬はより低い眼圧域の NTG 症例に対しても全般的に明らかな眼圧下降効果

を示す．NTG における第 1 選択薬は POAG 以上にプロスタノイド受容体関連薬が推奨される．NTG に対するプロスタノイド FP 受容体作動薬単独による眼圧下降効果は平均として下降率 15％前後で，NTG 初期症例の目標眼圧である 20％に届かない．プロスタノイド FP 受容体作動薬と β 遮断薬の配合点眼薬では平均 25％程度で，治療強化のためのよい方法である．

■ **外科的治療**　POAG と同様に NTG の外科的治療の方法としてレーザー治療と手術治療がある．

❶ **レーザー治療**　大部分の既報における選択的レーザー線維柱帯形成術（selective laser trabeculoplasty：SLT）の対象は POAG などの高眼圧緑内障であり，NTG に対する SLT の効果は明らかではない．NTG でもより高眼圧症例の臨床的傾向は POAG に近く，POAG と同様に初期治療としての SLT の効果について注目される．

❷ **手術治療**　NTG へ主経路を介した房水流出路手術の効果は限定的で，一般に単独手術として用いられることはない．低侵襲性緑内障手術（minimally invasive glaucoma surgery：MIGS）併用白内障手術の効果についても同様で，今のところエビデンスレベルの高い報告はみられない．進行した NTG で手術治療を要する場合では，術後目標眼圧値として 10 mmHg 以下が設定される．NTG に対する手術治療の主体は依然としてトラベクレクトミーである．NTG ではトラベクレクトミーの効果が減弱しても急激に眼圧が上昇することはなく，POAG や続発緑内障に比べるとトラベクレクトミーを繰り返す症例は少ない．同じ理由で NTG に対してチューブシャント手術が行われることはまれで，適応は限定的である．

予後　NTG は POAG などの高眼圧緑内障と比較して一般的に進行は緩徐である．NTG 単独で両眼性の重篤な視機能障害に至る症例はまれで，緑内障の病型別有病率から考えると重症化しにくい病型と考えることができる．しかし，強度近視を伴う例などでは発症年齢が早く，超高齢化の現在では，NTG であっても重篤な視機能障害まで到達してしまう可能性があり，より早期の発見と治療，管理について考えていく必要がある．

高眼圧症
Ocular hypertension

大鳥安正　国立病院機構大阪医療センター・科長

概念　眼圧が正常範囲よりも高いにもかかわらず，視神経の緑内障性特徴的形態変化および視野異常のない病型を高眼圧症とよぶ．原発開放隅角緑内障の前段階とする考え方がある一方，視神経の眼圧に対する抵抗性が強い状態とする考え方がある．高眼圧症から緑内障へ進行しやすい症例の背景として，緑内障の家族歴，血管因子，加齢，人種，屈折異常，薄い角膜厚などが知られている．また，少なくとも一部の症例では，角膜厚が正常より厚いことから眼圧が高く評価されているという見解もある．

病態・症状　眼圧が高い原因は不明であるが，乳頭所見，視野所見に異常がない点から，緑内障の前駆期である患者群と緑内障に進展しない群があると考えられる．前駆期である可能性，すなわち進行しや

い因子としては，常に25 mmHgを超える高眼圧であること，角膜厚が薄いこと，大きい陥凹乳頭径比，家族歴があること，高度近視，高齢者，僚眼が緑内障であることなどが挙げられる．

診断　緑内障性視神経乳頭異常所見および視野異常がない点で原発開放隅角緑内障と鑑別する．続発緑内障の原因となる所見がないことはいうまでもない．正常眼でも厚い角膜により眼圧値が高く測定される症例もありうる．角膜厚が測定可能であれば，厚い角膜により眼圧が高く測定されている可能性を見いだすことができる．ただし，角膜厚から真の眼圧値の換算式はなく，あくまで参考としておくべきである．

治療　基本的には無治療でよいが，病態進行の有無を判断するには長期的な経過観察を要する．ただし，上述のような危険因子がある場合は，耐用可能な点眼薬で薬物治療を開始してもよい．特に，海外の高眼圧症スタディの結果，薄い角膜厚の症例は緑内障への進行の可能性が高いことが示唆されている．例えば，角膜厚が0.555 mmより薄く，眼圧が25 mmHgより高い群では5年間で緑内障に移行する危険率が36％に上るとされる．したがって，危険因子の把握が重要となる．

眼圧が統計学的に定められた正常上限を超えていながら，視神経，視野に異常のない例が原発開放隅角緑内障に移行する割合は1年に1～2％にすぎない．海外の高眼圧症スタディでは，眼圧が24～32 mmHgの高眼圧症例を無作為に無治療群もしくは点眼治療群に分けて，5年間にわたって観察した結果，視野障害あるいは視神経障害の発症が点眼治療群で有意に少なかったことが示されている．しかしながら，眼圧が24 mmHg未満の例にも有効であるかなどは不明であり，眼圧が正常値上限をわずかに超えるだけで治療開始とする十分な証拠はない．

点眼の第1選択にはプロスタグランジン関連薬やβ遮断薬を用いることが多い．原発開放隅角緑内障に準じて治療方針を立てる(⇒775頁，「原発開放隅角緑内障」項を参照)．

予後　海外の高眼圧症スタディによれば，無治療群において5年で9.5％が原発開放隅角緑内障に移行し，点眼治療群では4.0％の移行率であった．したがって，1割程度は緑内障予備軍としてみなされるため，危険因子を十分考慮して観察あるいは治療を行うことが重要である．経過観察間隔は3～数か月ごととし，眼圧の推移を観察する．視神経，視野検査が正常であることが確認され，かつ，原発開放隅角緑内障へ移行する危険因子のない例では1～2年おきの眼圧，視神経，視野の検査を行うのがよい．

絶対緑内障
Absolute glaucoma

大鳥安正　国立病院機構大阪医療センター・科長

概念　治療に抵抗性の難治緑内障で，最終的に十分眼圧をコントロールできないまま，失明に至った状態であり，疾患というよりは治療不良に至った状態をいう．積極的な治療対象とはならず，しばしば伴う疼痛に対する対処が必要である．

症状　原疾患にもよるが，慢性高眼圧状態を呈していることから，水疱性角膜症

に伴う角膜上皮障害による異物感，疼痛を自覚することが多い．また，高眼圧や遷延性の炎症による慢性疼痛も起こりうる．

　治療　疼痛がない場合は積極的な治療は行わず，合併症としての角膜障害や炎症に対処する治療が主となる．眼圧下降治療はすでに効果が不良となっているので，副作用や経済的な面でかえって患者に不利益となり，勧められない．疼痛が強い場合には，毛様体光凝固術などによる眼圧下降治療，眼球摘出術も選択肢として考えられる．

急性原発閉塞隅角緑内障

Acute primary angle closure glaucoma：APACG

栗本康夫　神戸アイセンター病院・院長

　概念　緑内障は眼圧上昇の原因により開放隅角緑内障と閉塞隅角緑内障の 2 型に大別されるが，原発閉塞隅角緑内障（primary angle closure glaucoma：PACG）は房水の流出路がある前房隅角がほかの要因なく原発性に閉塞して眼圧が上昇する緑内障病型である．前駆病変として，隅角閉塞による眼圧上昇を認めるがいまだ緑内障性視神経症（glaucomatous optic neuropathy：GON）を発症していない原発閉塞隅角症（primary angle closure：PAC）と隅角が狭く機能的な隅角閉塞が疑われるが眼圧上昇も周辺虹彩前癒着（peripheral anterior synechia：PAS）による器質的隅角閉塞も認めない原発閉塞隅角症疑い（primary angle closure suspect：PACS）がある．近年，PACG，PAC，および PACS の 3 つの病期をまとめて原発閉塞隅角病（primary angle closure disease：PACD）という用語が用いられている．急性原発閉塞隅角緑内障（APACG）は急性緑内障発作ともよばれ，原発性の隅角閉塞により眼圧が急激かつ高度に上昇した状態を指す古典的な用語であるが，初診時に GON があるかどうかを直ちに判定することがしばしば困難なので，GON の有無の診断は保留して，現在は APAC（acute primary angle closure）とよばれることが多い．発症時点ですでに GON があるかどうかにかかわらず，すみやかに適切な治療を行わないと重篤かつ不可逆的な視機能障害をきたす眼科救急疾患である．

　病態　PACD 眼は前房隅角が狭いという解剖学的な背景を有しており，遠視および短眼軸が危険因子である．高齢者で頻度が高くなるが，これは加齢に伴い水晶体が厚くなること，わが国を含む多くの国において疫学的に高齢者ほど眼軸が短いことが主な理由と考えられる．性別では女性，人種ではモンゴロイドで頻度が高い．

　APAC で急激かつ高度な眼圧上昇をきたすメカニズムは主として相対的瞳孔ブロックであると考えられている．瞳孔ブロックとは瞳孔縁で水晶体が虹彩を前方に押す力で後房から前房に向かう房水の流れがブロックされ，前房と後房の圧較差により虹彩が前方に膨隆して隅角を閉塞するものであり，APAC では，通常，全周 360 度にわたって隅角が閉塞する．瞳孔ブロックは水晶体が虹彩を前方に押す力が原因なので，水晶体の表面が前方に位置するほど瞳孔ブロック力は強い．したがって，中心前房深度が浅いほど APAC のリスクは高くなる．また，瞳孔をブロックする力は中等度散瞳時に最も強くなるので，暗所，あ

るいは抗コリン作用のある薬剤による散瞳時に発症のリスクが高くなる．

瞳孔ブロックのほかにプラトー虹彩形状がAPACの発症に関与している場合もあり，プラトー虹彩形状では散瞳の程度が強いほど隅角が閉塞しやすくなる．

■ 症状　典型的には，急性に発症する霧視，虹視，眼痛などの眼症状を生じ，多くの場合は片眼性であるが，5〜10%くらいは両眼性とされる．ほかに頭痛，悪心，嘔吐，発汗などの全身症状を随伴し，脳出血などを疑って救急搬送されることもある．ただし，高度な眼圧上昇にもかかわらずこうした自覚症状を欠いている症例もあるので注意が必要である．

■ 合併症・併発症　APAC発症時には高眼圧のために角膜浮腫が生じるが，APAC寛解後も角膜内皮が消耗して不可逆的な角膜浮腫が残り，水疱性角膜症のために重度の視機能障害をきたすことがある．APACの治療として選択されることが多いレーザー周辺虹彩切開術が角膜内皮減少を助長し水疱性角膜症に至る症例もあると考えられる．また，著しい高眼圧による虚血や炎症のために虹彩が萎縮し不可逆的散瞳を残すこともあり，この場合にも羞明や焦点深度の浅化による視機能障害をきたす．眼底病変として，高眼圧のために網膜中心静脈閉塞症などの網膜の循環障害を引き起こすことがある．

■ 診断　典型的なAPACでは上述の自覚症状に加えて，診察所見として角膜浮腫，結膜充血，毛様充血，著しい浅前房を認める．瞳孔は中等度散大し対光反射が消失している場合が多いが，プラトー虹彩によるAPACの場合には，対光反射を認める場合もある．眼圧は多くの症例で40 mmHgを超え，80 mmHgに達することもある．隅角はほぼ全周にわたって閉塞しており，細隙灯顕微鏡検査のみで隅角閉塞を視認できる症例もあるが，角膜浮腫のために詳細な隅角鏡検査は困難である．隅角閉塞の判定には前眼部光干渉断層計（OCT）や超音波生体顕微鏡（UBM）による画像診断が大変に有用である．眼底は角膜浮腫のために透見が難しい場合もあるが，うっ血による乳頭の充血や浮腫をしばしば認める．

■ 鑑別診断　時にAPACに準じる眼圧上昇をきたす病態として，血管新生緑内障，ぶどう膜炎に伴う続発緑内障，落屑緑内障などが挙げられる．浅前房および狭隅角の有無が鑑別の重要なポイントになるが，血管新生緑内障やぶどう膜炎ではPASによる隅角閉塞を認めることがあり，瞳孔の全周虹彩後癒着によるiris bombé（虹彩膨隆）によって隅角が閉塞する場合もある．落屑緑内障では前房が浅い症例も多く，閉塞隅角を合併している場合もまれではない．また，水晶体亜脱臼や小眼球症による続発閉塞隅角でAPAC症状をきたす場合もあるが，これらは原発閉塞隅角でも潜在的に存在する場合が多く，厳密な鑑別は困難である．

■ 治療

■ 治療方針　初期治療としてすみやかに眼圧を下降させると同時に，隅角閉塞の原因を可及的に取り除く．

■ 薬物治療　診断がつき次第，高浸透圧薬の点滴静注，炭酸脱水酵素阻害薬の静脈内ないし経口投与，緑内障点眼薬投与などの薬物治療を開始する．緑内障点眼薬のうち，特にピロカルピン塩酸塩（サンピロ®）は，線維柱帯の房水流出抵抗を下げる作用

よりも瞳孔括約筋に作用して縮瞳させることにより機能的隅角閉塞を解除する目的で頻用される．ただし，ピロカルピン塩酸塩点眼は瞳孔ブロックメカニズムとプラトー虹彩メカニズムに対して有効であるものの，悪性緑内障と診断される場合には毛様体突起を前方回旋させて病態を悪化させるので禁忌である．

処方例 下記を併用する．

〈高浸透圧薬の点滴静注〉
20％マンニットール注（300 mL/バイアル）体重 1 kg あたり 10 mL 程度　30〜45 分間　点滴静注　腎機能障害を有する患者や生理機能が低下している高齢者には慎重投与

〈炭酸脱水酵素阻害薬の静注〉
ダイアモックス注（500 mg/バイアル）　1 回 500 mg（体重が軽い患者には体重 1 kg あたり 10 mg 程度になるように減量）　静注　肝機能障害，あるいは腎機能障害を有する患者や生理機能が低下している高齢者には慎重投与

〈点眼治療〉
サンピロ点眼液（2％）　10 分ごとに 3〜4 回点眼　その後，瞳孔ブロックが解除されるまで，1 時間に 2〜3 回　点眼　ただし，悪性緑内障が疑われる症例では禁忌．その他，プロスタグランジン製剤やβ遮断薬などの緑内障点眼薬も，禁忌とする疾患がなければ併せて投与

■**外科的治療**　APAC 症例の多くは瞳孔ブロックメカニズムが主体なので，外科的治療により瞳孔ブロックの永続的な解除を行う必要がある．外科的治療は薬物治療で眼圧を下降させてから行うほうが外科的治療に伴う合併症リスクを減らせるが，薬物治療などで眼圧が下降しない場合や強力な薬物治療が全身的なリスクを伴う場合には，高眼圧の状態のままであっても瞳孔ブロック解除のための外科的治療を施す．

❶**レーザー周辺虹彩切開術**　瞳孔ブロックの解除には，レーザー周辺虹彩切開術が有効である．プラトー虹彩形状や水晶体前進などの隅角閉塞メカニズムに無効であることを銘記しておく必要がある．また，角膜浮腫が消退しない状態で施行すると角膜内皮障害をきたすリスクが上がるので，角膜の透明性が確保できない場合は❷か❸の観血的外科手術を選択する．

❷**観血的周辺虹彩切除術**　高眼圧による角膜浮腫を伴っている場合にはレーザー周辺虹彩切開術を避けて観血的に周辺虹彩切除を行う．

❸**水晶体摘出（水晶体再建術）**　瞳孔ブロック以外の隅角閉塞メカニズムにも有効で治療効果も強力である．近年，PACD 治療の第 1 選択としてレーザー周辺虹彩切開術に取って代わりつつある．ただし，APAC 眼での本手術は難易度が高く手術合併症のリスクが高いので，合併症に対応できる術者と設備で手術に臨む必要がある．

予後　すみやかに適切な治療を行って眼圧を下降させ隅角閉塞を完全に解除することができれば，GON を残さずに治癒する症例も少なくない．ただし，APAC を離脱しても慢性的な高眼圧が残存する場合もあり，残余緑内障とよばれている．そうした症例には隅角閉塞のメカニズムが完全に解消されておらず，残余隅角閉塞が原因である症例が含まれており，この場合は慢性原発閉塞隅角緑内障として治療を行う（⇒次項，「慢性原発閉塞隅角緑内障」項を参照）．一方で，隅角閉塞が長期間続くと線維柱帯が変性して房水流出抵抗が高くな

り，隅角を開放しても「開放隅角メカニズム」による高眼圧が残ることが推定されている．このような症例は続発開放隅角緑内障ともいえる状態であり，開放隅角緑内障の治療に準じた治療が必要となる．

慢性原発閉塞隅角緑内障
Chronic primary angle closure glaucoma：CPACG

栗本康夫　神戸アイセンター病院・院長

原発閉塞隅角緑内障全般の概念，病態，および用語は「急性原発閉塞隅角緑内障」項(⇒782頁)も参照されたい．

概念　慢性原発閉塞隅角緑内障(CPACG)は急激な眼圧上昇を伴わず，部分的あるいは間欠的な隅角閉塞による慢性的な眼圧上昇のために緑内障性視神経症(glaucomatous optic neuropathy：GON)を生じた状態である．眼圧上昇や周辺虹彩前癒着(peripheral anterior synechia：PAS)を認めてもGONの発症には至っていない病態は慢性原発閉塞隅角症(chronic primary angle closure：CPAC)とよばれる．経過中に急性原発閉塞隅角症(acute primary angle closure：APAC)を発症したり，APACが寛解したあとにCPAC(G)に移行する場合もある．

病態　隅角の閉塞は，機能的隅角閉塞と器質的隅角閉塞の2つに分けられる．機能的隅角閉塞は瞳孔反応や姿勢の変化など生理的条件の変動により解除されうる可逆的隅角閉塞である．器質的隅角閉塞はPASによって虹彩と線維柱帯が癒着しているもので，解除には治療的介入が必要となる．一般に機能的隅角閉塞が先行し，この状態が継続することでPASが生じて器質的隅角閉塞に至ると考えられている．したがって，機能的隅角閉塞が原発閉塞隅角病(primary angle closure disease：PACD)の原因といえる．機能的隅角閉塞をきたすメカニズムとして，瞳孔ブロック，プラトー虹彩形状，水晶体因子，水晶体後方因子の4つが挙げられるが，多くの症例ではこれらのメカニズムのいくつかが混在している．

症状　CPAC(G)はAPACと異なり自覚症状に乏しく，GONがかなり進行し，時には末期に至って，初めて視野欠損や視力低下などの自覚症状を訴える場合がほとんどである．検診やほかの眼疾患により眼科を受診した際にたまたま見つけられることも多い．眼圧が一時的に上昇すると軽度の霧視，眼の重さや痛み，頭痛などの症状を自覚する場合があり，これは亜急性原発閉塞隅角症を発症している状態と考えられる．

診断　CPAC(G)診断の要は閉塞隅角の検出にある．CPACGは必ず高眼圧を伴う疾患であるが眼圧の変動が大きい症例が多く，診察時にたまたま眼圧が正常値である場合もまれではない．したがって，診断を眼圧に頼ることはできない．原発閉塞隅角緑内障(primary angle closure glaucoma：PACG)は開放隅角緑内障とは治療のストラテジーが異なる疾患なので，隅角閉塞を絶対に見逃さないことが肝要である．

■**必要な検査**　細隙灯顕微鏡での診察時に周辺前房の深さを確認し，隅角が狭いと思われれば(van Herick法でおおよそGradeⅡ以下)隅角鏡検査を行って隅角閉塞の有無を判定する．隅角鏡検査はある程度の熟

練を要するが，隅角閉塞の検出には前眼部OCTや超音波生体顕微鏡（UBM）による画像診断が大変に有用である．隅角検査にて原発閉塞隅角症疑い（primary angle closure suspect：PACS）もしくは原発閉塞隅角症（primary angle closure：PAC）と判定されれば，眼底および視野の検査を行いGONの有無を調べる．GONを伴っていればCPACGと診断される．隅角鏡検査でPACSと判定され眼圧が正常な症例も，機能的隅角閉塞による眼圧上昇が潜んでいる可能性を念頭において検査を進める．

■**鑑別診断**　ぶどう膜炎などによる毛様体浮腫や脈絡膜剥離のために浅前房および狭隅角をきたすことがある．前眼部の炎症所見に乏しい原田病による閉塞隅角に対してレーザー周辺虹彩切開が施行されて原疾患を悪化させた症例も散見するので注意が必要である．そのほか，ぶどう膜炎や血管新生緑内障でPASを生じる場合も原発性の閉塞隅角との鑑別が必要である．

治療

■**治療方針**　緑内障診療では，治療できる原因があれば原因治療が大原則である．CPACGは病型の成り立ちからいって原発開放隅角緑内障（広義）と異なり完全に高眼圧由来の疾患であり，高眼圧の原因は隅角閉塞と明確に特定できる．したがって，治療の第一義は隅角閉塞の解除である．病初期に隅角閉塞を解除できればCPACGは治癒に持ち込むことができる．PACGは失明リスクが高い病型である一方で，原発開放隅角緑内障と異なり治療的介入により治癒させうる緑内障病型であることを心して治療に当たるべきである．

PACDの原因である隅角閉塞のメカニズムは前眼部の解剖学的問題に由来するので，その治療のためには，外科的介入によって隅角をめぐる解剖学的問題を解消する必要がある．したがってCPAC(G)治療の第1選択は外科的治療であり，薬物治療は補助的な治療手段となる．

■**外科的治療**

❶**レーザー周辺虹彩切開術**　長らくPACDの第1選択治療とされてきた．瞳孔ブロックの解除に有効であるが，プラトー虹彩形状や水晶体前進などの隅角閉塞メカニズムには無効である．

❷**水晶体摘出（水晶体再建術）**　瞳孔ブロック以外の隅角閉塞メカニズムにも有効で治療効果も強力である．近年，PACD治療の第1選択としてレーザー周辺虹彩切開術に取って代わりつつある．ただし，前房が著しく浅い眼ではZinn小帯が脆弱である場合があるので，合併症に対応可能な態勢で手術に臨む必要がある．

❸**隅角癒着解離術**　広範なPASによる器質的隅角閉塞を伴う症例に対しては，機能的隅角閉塞の解除に加えて本手術も行って隅角閉塞を解消する．

❹**その他の緑内障手術**　隅角閉塞を解除しても2次的な線維柱帯の劣化による開放隅角メカニズムが残存する症例やGONがすでに高度に進行している症例ではトラベクレクトミーなどの緑内障手術を検討する．

■**薬物治療**　CPAC(G)治療の第1選択は外科的治療であるが，診断がつけば並行して薬物治療も行う．点眼薬の選択は開放隅角緑内障にほぼ準じるが，プラトー虹彩メカニズムに対しては低濃度ピロカルピン塩酸塩の点眼を優先的に選択する．

予後　PACGの失明リスクは原発開放隅角緑内障の3～5倍とされている．し

かし，PACS あるいは PAC の段階で隅角閉塞を解除できれば，完全な治癒を得られる可能性が高い．ただし，隅角閉塞が遷延すると線維柱帯の機能が劣化して開放隅角メカニズムによる高眼圧が残ることがある．この場合は，開放隅角緑内障に準じたフォローアップが必要である．また，すでに GON を発症した症例では隅角閉塞を解除して眼圧が正常に復しても GON が進行する場合もあるので，やはり治療ないし経過観察が必要である．

プラトー虹彩緑内障
Plateau iris glaucoma

酒井 寛　浦添さかい眼科・理事

病態　原発閉塞隅角緑内障（primary angle closure glaucoma：PACG）の一病型であるプラトー虹彩緑内障は，虹彩根部が前方に屈曲し散瞳時に隅角を直接閉塞する虹彩の形態異常であるプラトー虹彩形状（plateau iris configuration）による眼圧上昇と緑内障性視神経症と定義されている．後房圧の上昇により虹彩が前房側に弯曲する瞳孔ブロック（pupillary block）とは異なるまれな隅角閉塞機序として知られていたが，瞳孔ブロックとプラトー虹彩機序（plateau iris mechanism）の両方が隅角閉塞に寄与している症例が多いことが超音波生体顕微鏡（UBM）により理解されている．隅角閉塞機序である瞳孔ブロック，プラトー虹彩，水晶体因子，水晶体後方因子はさまざまな割合で重層的に関与していると考えられる．

典型的には，中心前房はそれほど浅くなく，毛様体突起が前方に位置することにより虹彩根部が前方に偏位し，瞳孔ブロックによる虹彩の前方凸の弯曲がなく平坦な虹彩が，散瞳による虹彩厚の増加に伴い隅角を閉塞する病態である．レーザー虹彩切開術（laser iridotomy：LI または laser peripheral iridotomy：LPI）後にも隅角閉塞をきたす．

PACG は隅角形態が小さいアジア人，女性，高齢，遠視が危険因子となるが，プラトー虹彩も遠視の女性に多い．水晶体は加齢により厚みを増し浅前房化が進行するため高齢であるほど瞳孔ブロック機序も合併する．若年者の PACG ではプラトー虹彩機序の可能性が高い．通常両眼性である．

症状　急性原発閉塞隅角症（急性発作）をきたした場合には，霧視，虹視，充血，中等度散瞳，対光反射の減弱，眼痛，頭痛，吐き気，嘔吐などさまざまな症状を呈し，数日で不可逆的な視機能障害きたすことがある．慢性に進行した場合には，初期～中期では多くの症例において自覚症状を欠く．進行すると失明を含めた不可逆性の重篤な視力，視野障害をきたす．隅角閉塞により眼圧が著しく上昇していても，慢性の場合には急性発作のような症状を欠くため発見は難しく，進行した視力障害をきたすことも多い．

診断

■**必要な検査**　細隙灯顕微鏡検査のみでの診断は困難であるが，中心前房深度が浅くなく周辺前房深度が浅い場合に疑う．細隙灯顕微鏡検査において周辺前房深度が周辺角膜厚の 1/4 以下＝ van Herick 分類の 2 度以下を基準とするが，3 度であっても否定はできない．診断には，隅角の断面が描

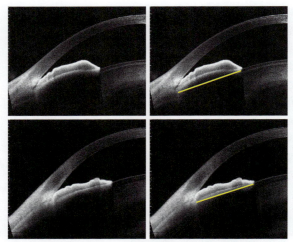

図1 瞳孔ブロックとプラトー虹彩の前眼部 OCT 所見
上:瞳孔ブロック,下:プラトー虹彩.虹彩下方に補助線(右上,右下)を引くと瞳孔ブロック虹彩の前方凸の関与の程度が診断できる.プラトー虹彩では虹彩裏面が平坦である(右下).

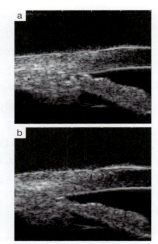

図2 プラトー虹彩に対するレーザー隅角形成術の効果(UBM)
a:プラトー虹彩形状による機能的隅角閉塞.b:アルゴンレーザー照射により虹彩が収縮し隅角が開放している.

出可能であり毛様体の観察も可能である UBM が有用とされる.圧迫隅角鏡検査,前眼部光干渉断層計(前眼部 OCT)も診断に用いられる.画像診断における定量的な定義は存在しないが,暗所散瞳下での隅角の閉塞,虹彩が平坦であり,毛様体突起が虹彩のすぐ後方に位置し毛様溝が観察されないことなどにより診断される.圧迫隅角鏡検査では,虹彩の後方に位置する毛様体突起により虹彩表面にふたこぶサイン(double hump sign)がみられる.前眼部 OCT では,虹彩裏面が平坦であり暗所散瞳下で隅角が閉塞することにより診断される**(図1)**.厳密には LI(LPI)による瞳孔ブロック解除後に診断される.

■鑑別診断 複数の診断方法を組み合わせて続発閉塞隅角緑内障を鑑別し,その他の隅角閉塞機序の関与も診断する.隅角は暗室散瞳下で閉塞するため眼圧も変動し,初期で正常眼圧であることも多い.視神経乳頭は遠視眼では視神経乳頭周囲網脈絡膜萎縮(parapapillary chorioretinal atrophy:PPA)がないことも多い.視野検査では原発開放隅角緑内障(primary open angle glaucoma:POAG)よりもびまん性の視野感度低下を示す.

治療 プラトー虹彩機序は LI(LPI)を行っても解除されない瞳孔ブロックの要素が少ない隅角閉塞であるが,診断は困難であり瞳孔ブロックとの合併例も多い.厳密には LI(LPI)後に診断されるため LI(LPI)の適応疾患である.

散瞳により隅角が閉塞するため縮瞳薬であるピロカルピン塩酸塩の点眼により隅角

図3　プラトー虹彩に対する水晶体再建術の効果（前眼部 OCT）
a：術前．隅角は鼻側（左），耳側（右）ともに閉塞している．b：水晶体再建術後．隅角は鼻側（左）は PAS により閉塞している．耳側（右）はプラトー虹彩形状は残存しているが，虹彩全体が後方に移動し隅角は開放している．

が開放する．周辺虹彩を熱凝固により収縮させて隅角を開放するレーザー隅角形成術（laser gonioplasty：LGP）またはアルゴンレーザー周辺虹彩形成術（argon laser peripheral iridoplasty：ALPI）も適応となる（図2）．水晶体因子を除去することにより隅角閉塞が軽減するため水晶体再建術が適応となる（図3）．必要に応じて LI（LPI），LGP（ALPI），水晶体再建術，ピロカルピン塩酸塩点眼を組み合わせて複数施行（使用）する．いずれの治療でも周辺虹彩前癒着（peripheral anterior synechia：PAS）の形成範囲が広い場合には効果は限定的であり隅角癒着解離術（goniosynechialysis：GSL）も適応になる．

残余高眼圧に対しては薬物治療を行い，眼圧下降不十分であれば流出路再建術や濾過手術も行う．PACG 全体として，PAS の範囲が広い場合などには手術後の悪性緑内障発症の可能性があり硝子体切除術を行う例も存在する．

急性発作（急性原発閉塞隅角症）時には，高浸透圧薬点滴，炭酸脱水酵素阻害薬内服，ピロカルピン塩酸塩点眼，ステロイド点眼などを急性期治療として行う．プラトー虹彩による急性発作には発作解除を目的とする LGP（ALPI）もよい適応である．

■ **LGP または ALPI**　点眼麻酔後 Abraham

レンズを装着しアルゴンレーザーを周辺虹彩に照射する．スポットサイズ 500 μm，照射時間 0.2 秒，パワー 80〜200 mW，1象限あたり 15 発を目安に照射する．合併症として，全周に強めの照射を行うと虹彩の収縮により散瞳することがあるので，照射範囲や強さは効果をみながら調節する．

原発閉塞隅角症

Primary angle closure

亀田隆範　京都大学大学院・講師

概念　原発閉塞隅角症とは，原発性の閉塞隅角があり，それにより眼圧上昇をきたしている，あるいは器質的な閉塞隅角がある状態で，緑内障性視神経症を生じていない状態である．治療を行わず慢性的に眼圧上昇を繰り返していると原発閉塞隅角緑内障へ進展することがある．また，急性原発閉塞隅角緑内障，急性原発閉塞隅角症を発症することがある．

従来は原発閉塞隅角緑内障，原発閉塞隅角症，原発閉塞隅角症疑い，急性原発閉塞隅角緑内障，急性原発閉塞隅角症を含めた，原発閉塞隅角緑内障とその前駆病変について primary angle closure とよぶことが

あった．しかし，これはここで定義する病期分類としての原発閉塞隅角症と紛らわしいため，原発閉塞隅角緑内障とその前駆病変を含めた疾患群の名称としては原発閉塞隅角病とよび区別するようになった．

病態　原発閉塞隅角症の発症機序として，①相対的瞳孔ブロック，②プラトー虹彩，③水晶体因子，④水晶体後方因子の4つの因子が提唱されているが，このうちの複数の因子によって引き起こされていることも多い．

症状　眼圧上昇がない場合，症状は特にない．閉塞隅角により急速に眼圧が上昇すると霧視や虹視症，眼痛，頭痛などの症状が出ることがある．うつむき姿勢や夜間に症状が誘発されることがある．

散瞳により隅角が狭くなり眼圧上昇を誘発することがあるので，眼底検査のため散瞳が必要な場合にはスクリーニングを行う．また，抗コリン作用を有する薬剤で眼圧が上昇することがあるので，原発閉塞隅角症の患者には眼圧上昇のリスクがあることを伝えておくことが望ましい．

診断　隅角閉塞のスクリーニングとして簡便なものは細隙灯顕微鏡を用いて周辺部前房深度を評価する van Herick 法である．周辺部角膜厚に対する周辺部前房深度の比が角膜厚と同等以上であれば4度，1/2〜1/4を3度，1/4を2度，1/4未満を1度，前房深度が0の場合を0度と分類する．一般的に2度以下の場合は閉塞隅角の可能性があり，隅角鏡検査などの精密検査が勧められる．

隅角鏡検査は器質的閉塞隅角の有無を確認するために必須である．超音波生体顕微鏡(UBM)や前眼部光干渉断層計(前眼部OCT)は原発閉塞隅角症の発症機序を把握するのに非常に有用であるが，これらの画像検査では閉塞隅角が器質的であるか機能的であるかを判別することは困難である．散瞳負荷試験，暗室うつむき負荷試験などの負荷試験で眼圧上昇を確認できることがある．

視神経乳頭は緑内障性変化を伴わず，緑内障性視野障害も伴わない．

治療　原発閉塞隅角症は閉塞隅角が生じており，放置すれば緑内障性視神経症を発症する可能性があるので，治療が勧められる．治療の基本は外科的治療であり，薬物治療は補助的に行われる．相対的瞳孔ブロックに対してはレーザー虹彩切開術が適応となるが，角膜内皮障害のリスクが問題となる．水晶体再建術はレーザー虹彩切開術よりも隅角開大効果が強く，相対的瞳孔ブロック以外の機序に対しても効果があり，治療の第1選択となる．

原発閉塞隅角症疑い

Primary angle closure suspect：PACS

亀田隆範　京都大学大学院・講師

概念　原発閉塞隅角症疑いとは，原発性の閉塞隅角があるが，それによる眼圧上昇や器質的な閉塞隅角がない状態で，緑内障性視神経症を生じていない状態である．原発閉塞隅角症疑いの一部の症例が原発閉塞隅角症へ進行すると考えられている．

病態　原発閉塞隅角症疑いの発症機序は原発閉塞隅角症と同様であり，①相対的瞳孔ブロック，②プラトー虹彩，③水晶体因子，④水晶体後方因子の4つの因子が提唱されているが，このうちの複数の因子

によって(マルチメカニズム)引き起こされていることも多い．

症状　眼圧上昇がないので，症状は特にない．

診断　隅角閉塞のスクリーニングとして簡便なものは van Herick 法である．周辺部角膜厚に対する周辺部前房深度の比が 1/4 以下(2 度以下)であれば閉塞隅角の可能性があり，隅角鏡検査などの精密検査が勧められる．

隅角鏡検査は必須である．原発閉塞隅角症疑いにおいて閉塞隅角がある状態というのは，第 1 眼位における静的隅角鏡検査において線維柱帯の色素帯を 180 度以上確認できない状態である．動的隅角鏡検査によって線維柱帯の色素帯は全周確認可能であり，周辺部虹彩前癒着は伴わない．通常の隅角鏡または眼位を傾けて行う動的隅角鏡検査によっても器質的の閉塞隅角か非器質的閉塞隅角かを鑑別できない場合は圧迫隅角鏡検査を行う．超音波生体顕微鏡(UBM)や前眼部光干渉断層計(前眼部OCT)は前眼部組織の微細構造を客観的に観察でき，原発閉塞隅角症疑いの発症機序を把握するのに非常に有用であるが，閉塞隅角が器質的であるか機能的であるかを判別することは困難である．

眼圧は正常範囲であり，散瞳負荷試験，暗室うつむき負荷試験などの負荷試験は陰性である．

視神経乳頭は緑内障性変化を伴わず，緑内障性視野障害も伴わない．

治療

■**治療方針**　原発閉塞隅角症疑い患者は眼圧上昇を伴っておらず，負荷試験でも眼圧が上昇しないので治療を必要としない．また原発閉塞隅角症へ進行する割合は高くはなく，原発閉塞隅角症疑いの診断基準に該当するからといって一律にレーザー虹彩切開術を行うことは推奨されない．慎重に経過観察を行い，原発閉塞隅角症へ進行したら治療を検討する．ただし頻度は低いものの一部の症例では急性原発閉塞隅角症(acute primary angle closure：APAC)を発症することがあるので，リスクが高い症例については予防的治療が勧められる．中心前房深度が 1.7 mm 未満であると APAC 発症リスクが高いとする報告もある．特にAPAC 発症眼の僚眼においては APAC 発症リスクが高いとされており，隅角鏡検査や画像検査を含めて評価を行い，必要に応じて予防的治療を行うことが勧められる．

■**手術治療**　レーザー虹彩切開術は相対的瞳孔ブロックのみに対して効果がある．水晶体再建術は相対的瞳孔ブロック以外の機序に対しても隅角開大効果があり，レーザー治療と比べて隅角開大効果も強い．白内障がある場合は治療の第 1 選択となる．

混合型緑内障

Combined mechanism glaucoma,
Mixed mechanism glaucoma

溝上志朗　愛媛大学・准教授

病態　混合型緑内障とは，眼圧上昇機序に閉塞隅角メカニズムと開放隅角メカニズムの両者が関与する病型である．原発隅角緑内障として経過観察していた症例が，加齢に伴い白内障の進行による水晶体厚の増加により瞳孔ブロックが増大し，閉塞隅角緑内障を合併する症例，あるいは，原発閉塞隅角緑内障がレーザー虹彩切開術や白

内障手術により瞳孔ブロックが解除されたあとも高眼圧が持続する症例が混合型緑内障と診断される．後者の閉塞隅角眼においては，機能的隅角閉塞が長期間に及ぶと2次的に線維柱帯の機能低下をきたし眼圧上昇が生じるとされている．

診断 広義の原発開放隅角緑内障として加療中の症例で，眼圧レベルの上昇をきたしたケースにおいて，隅角検査にて原発閉塞隅角症 (primary angle closure：PAC) もしくは原発閉塞隅角症疑い (primary angle closure suspect：PACS) の所見がある場合に本疾患を疑う．この際に前眼部 OCT 所見も隅角開大度の客観評価に有用であるが，色素沈着の程度や，虹彩の機能的癒着と器質的癒着とを鑑別するためには隅角鏡検査が必須である．

また，原発閉塞隅角緑内障眼においては，瞳孔ブロック解除後に高眼圧が持続する症例で，隅角に器質的虹彩前癒着がないか，あったとしても 1/4 周以下である場合に本疾患を疑う．

治療 瞳孔ブロックの増大による眼圧上昇に対しては，PAC，原発閉塞隅角緑内障 (primary angle closure glaucoma：PACG) の治療法に準じて，レーザー虹彩切開術，もしくは，白内障手術による隅角閉塞メカニズムの解除を試みる (⇒ 789 頁，「原発閉塞隅角症」項を参照)．

瞳孔ブロックの関与がない眼圧上昇に対しては，原発開放隅角緑内障の治療法に準じて，薬物治療，レーザー治療，および線維柱帯切開術，線維柱帯切除術などの手術治療を考慮する (⇒ 775 頁，「原発開放隅角緑内障」項を参照)．

ステロイド緑内障
Steroid induced glaucoma

溝上志朗 愛媛大学・准教授

病態 ステロイドの局所，全身投与によって生じる高眼圧．眼圧上昇は通常可逆性であり，ステロイドの投与中止により数日〜数週間で正常化するが，長期使用例では投与を中止しても眼圧が下降しないことがある．

病因 ステロイド緑内障の原因としては，線維柱帯組織への細胞外マトリックス沈着の増加，細胞骨格の再編などが原因と考えられているが不明な点が多い．眼圧上昇は全身投与よりも局所投与で生じやすく，アトピー性皮膚炎での眼周囲への軟膏塗布や，眼表面のアレルギー性疾患に対する点眼できたしやすい．最近では，トリアムシノロンアセトニドの硝子体内注射や Tenon 嚢下注射での発症が比較的よく経験される．また，眼部以外への軟膏塗布，点鼻薬，および吸入薬など，ほかのいかなる投与方法でもステロイドが全身に移行し，眼圧上昇をきたすおそれがあるため注意を要する．

診断 高眼圧を認め，ステロイドの使用歴があれば本症を疑う．隅角は正常開放隅角である．眼圧上昇をきたしても自覚症状に乏しく，緑内障性視神経症が高度に進行し，視機能が障害されてから診断されるケースも多い．臨床上，ぶどう膜炎続発緑内障に伴う眼圧上昇と本症による眼圧上昇の鑑別が問題になることが多いが，炎症所見，隅角所見，および，ステロイド休薬後の眼圧経過などより総合的に判断する．

治療 原則的にはステロイドの中止，減量が基本方針であるが，全身疾患の治療上困難なケースも多い．眼圧下降治療については，原発開放隅角緑内障に準じて行う(⇒775頁,「原発開放隅角緑内障」項を参照)．手術治療としては，線維柱帯切開術がほかの病型よりも効果的であるとされている．また最近では，本症に選択的レーザー線維柱帯形成術が有効とする報告が増えている．

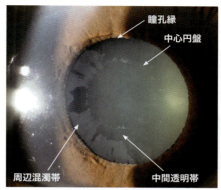

図4　細隙灯顕微鏡所見

落屑緑内障
Exfoliation glaucoma

谷戸正樹　島根大学・教授

病態　弾性線維成分を含む白色の不溶性物質(偽落屑物質)の眼内沈着(偽落屑症候群)に続発する緑内障．偽落屑物質の産生部位として，線維柱帯細胞，水晶体上皮，角膜内皮，毛様体上皮，血管，筋肉などが推測されている．偽落屑物質の付着は通常50歳以上にみられ，日本人における偽落屑症候群の有病率は3.4%(久山町スタディ)．70歳代と比較すると80歳代で有病率が倍増する．偽落屑症候群の多くは，lysyl oxidase-like protein 1(*LOXL1*)遺伝子のリスク多型に関連して発症し，加齢，寒冷刺激，高緯度・高地居住，紫外線曝露などが疾患を修飾する．線維柱帯への偽落屑物質付着，線維柱帯細胞の減少・機能低下，傍Schlemm管結合織・Schlemm管の変性などにより房水流出抵抗が増大し，眼圧が上昇する．また，Zinn小帯脆弱による水晶体前方移動や白内障による水晶体厚増加により隅角閉塞をきたす．血管変化による眼底血流障害や篩状板結合織の変性による組織脆弱性も緑内障発症・進行に関与する可能性がある．

診断　偽落屑症候群は，細隙灯顕微鏡で瞳孔縁・水晶体前面に付着する偽落屑物質を観察することで診断する(図4)．加えて，眼圧の上昇があれば落屑緑内障と診断する．無散瞳では診断率が低下する．半数以上が片眼のみに付着が発見されるが，そのうち約半数が15年以内に両眼性に移行する．偽落屑症候群では，しばしば下方隅角を中心に高度の色素沈着を伴い，Schwalbe線よりも前方にみられる色素沈着はSampaolesi線とよばれる(図5)．そのほか偽落屑症候群は，白内障，水晶体脱臼，角膜内皮減少に関係し，網膜静脈閉塞症を合併することもある．

治療　原発開放隅角緑内障と比較して，眼圧上昇が高度，眼圧の日内変動・季節変動(冬に高い)が大きい，ベースライン眼圧が年々上昇する，などの特徴を有する．原発開放隅角緑内障に準じて薬物やレーザー・観血手術による眼圧下降治療を行う(⇒775頁,「原発開放隅角緑内障」項を

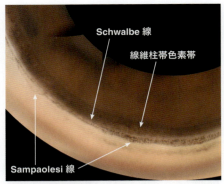

図5　下方隅角所見

参照). 血液房水関門破綻による慢性炎症を伴っているため，レーザーや観血手術の術後炎症は高度で遷延化しやすい．

予後　偽落屑症候群の約30%が生涯のうちに落屑緑内障を発症する．落屑緑内障は，原発開放隅角緑内障と比較して，視野欠損進行の危険性が2倍，進行速度が2倍程度である．治療開始時に進行した状態で発見されることが多く，眼圧非依存因子の関与も推測されるため，眼圧コントロールを行っても有効な視力が残らない場合もある．quality of vision維持のために非進行眼の治療をより重視したほうがよいことも多い．

水晶体起因性緑内障
Lens-induced glaucoma

川瀬和秀　安間眼科/名古屋大学
冨田　遼　名古屋大学

　水晶体起因性緑内障は続発緑内障に分類される．水晶体に関連して眼圧上昇をきたす病態であり，閉塞隅角と開放隅角の両方で起こる．原発閉塞隅角緑内障も水晶体厚が関連することが多く，類似点があるため鑑別困難な場合があるが，「緑内障診療ガイドライン　第4版」においても原発閉塞隅角緑内障は「原発性」であり，続発緑内障である水晶体起因性緑内障とは治療において異なる点がある．

1　水晶体起因性閉塞隅角緑内障

病因・病態　水晶体の位置異常や形状異常が原因となり閉塞隅角緑内障をきたすもので，瞳孔ブロックの機序も関与している．

❶水晶体の位置異常　水晶体の亜脱臼ならびに脱臼や，脱出硝子体による瞳孔ブロックで発生する．

❷水晶体の形状異常　膨隆白内障（intumescent cataract）または球状水晶体（spherophakia）による瞳孔ブロックまたは直接的な隅角閉塞で発生する．

診断　急性原発閉塞隅角緑内障と同様の症状を呈するが，以下の所見を参考にして診断する．

❶水晶体偏位　周辺部前房深度の不均等や左右眼での差異，虹彩振盪，水晶体振盪，落屑物質，散瞳下での水晶体の偏位，傾斜，水晶体嚢の不均等な曲率などにより診断する．原因は，落屑症候群，外傷性のほか，遺伝性疾患としてMarfan症候群は上耳側へ，ホモシスチン尿症やWeill-Marchesani症候群では下方への水晶体の偏位がみられることが多い．

❷水晶体の形状異常　膨隆白内障の診断は比較的容易である．球状水晶体では水晶体の前面曲率が急峻であり，散瞳すると水晶体が小さく球状であることで診断する．Marfan症候群，ホモシスチン尿症や

Weill-Marchesani 症候群では球状水晶体の合併を認め，特に Weill-Marchesani 症候群では必須である．また，全身疾患に付随せず孤発性にみられることもある．

❸**隅角の状態**　隅角鏡検査により隅角の左右眼や部位による開大度の違い，閉塞隅角状態を確認する．可能であれば，前眼部 OCT や超音波生体顕微鏡を使用して水晶体と隅角の状態を把握する．

| **治療法**　まず，調節麻痺薬を点眼し水晶体を後方移動させて瞳孔ブロックの解除をはかり，β遮断薬・炭酸脱水酵素阻害薬（毛様体浮腫を惹起する可能性もあり注意が必要）などの点眼や炭酸脱水酵素阻害薬，高浸透圧薬の内服・点滴などで眼圧下降を試みる．急性原発閉塞隅角緑内障の場合と異なり，縮瞳薬は毛様筋を収縮させ水晶体の前方移動を助長し，瞳孔ブロックを増強するので禁忌である．瞳孔ブロックを伴い，続発性閉塞隅角緑内障が急性に生じた場合には，レーザー虹彩切開術や周辺虹彩切除を行い眼圧下降させることも可能である．

眼圧が落ち着いた時点で，水晶体偏位では水晶体嚢内または嚢外摘出術を行い，膨隆白内障では通常の白内障手術に準じて水晶体を摘出し眼内レンズを挿入する．球状水晶体では嚢内摘出術を行う．

2　水晶体起因性開放隅角緑内障

病因・病態

❶**水晶体融解性緑内障(phacolytic glaucoma, lens protein glaucoma)**　過熟白内障からの遊出した水晶体蛋白が原因．一般に水晶体皮質を貪食したマクロファージによる線維柱帯の閉塞で起こるが，時に遊出した水晶体高分子可溶性蛋白自体でも閉塞を起こす．水晶体過敏性ぶどう膜炎とは異なり，水晶体嚢は無傷である．

❷**残留水晶体物質による緑内障(lens particle glaucoma)**　白内障術後や外傷後，YAG レーザー後嚢切開後などに水晶体物質が遊出し線維柱帯を閉塞するために発生する．

❸**水晶体過敏性ぶどう膜炎に続発する緑内障 (glaucoma secondary to lens-induced uveitis)**　水晶体過敏性ぶどう膜炎に対して，以前は phacoanaphylactic endophthalmitis や phacotoxic uveitis という用語が用いられたが，現在は水晶体蛋白に対するⅢ型アレルギーが基本病態であることがわかっている．外傷・手術などによる水晶体損傷後，過熟白内障，または硝子体中に脱臼した水晶体から漏出した水晶体蛋白に対する，遷延性の肉芽腫性前部ぶどう膜炎である．時に続発性緑内障を併発する．手術あるいは外傷の 1〜14 日後に発症することが多い．

症状・診断

❶**水晶体融解性緑内障**　急激な眼痛，発赤，かすみ目で発症する．角膜浮腫を伴う高度の眼圧上昇を認めるが，前房が深く，過熟白内障，Morgagnian 白内障を認めることが特徴である．

❷**残留水晶体物質による緑内障**　嚢外摘出術あるいは外傷後，数日〜数週間，または YAG レーザー後嚢切開後，数時間で起こる眼圧上昇．前房内に水晶体物質と思われるかなり大きな白色粒子が浮遊していることが特徴であり，一過性であることも多い．

❸**水晶体過敏性ぶどう膜炎に続発する緑内障**　水晶体起因性緑内障の最もまれな病型である．肉芽腫性前部ぶどう膜炎の病像を呈し，毛様充血，豚脂様角膜後面沈着物，前

房微塵，蛋白を認める．前部硝子体炎を認める場合もある．続発する緑内障は開放隅角のこともあるが，周辺虹彩前癒着による続発性慢性閉塞隅角緑内障を呈することが多い．

| 治療法 | いずれの場合もステロイド(リンデロン®点眼液など)および調節麻痺薬(1%アトロピン硫酸塩水和物点眼液など)での消炎ならびに眼圧下降薬投与を行う．

水晶体融解性緑内障では，水晶体の除去が必要である．方法は通常の白内障手術に準ずるが，皮質を残留させないように十分に除去し，眼内レンズの挿入を行う．残留水晶体物質による緑内障や水晶体過敏性ぶどう膜炎に続発する緑内障では，消炎，眼圧下降薬が奏効しない場合は前房洗浄を行う．水晶体皮質が残存している場合は完全に除去する．消炎・眼圧下降薬の使用および水晶体物質の除去により眼圧下降が得られない場合は濾過手術が必要となる．

外傷性緑内障
Traumatic glaucoma

川瀬和秀 安間眼科/名古屋大学
冨田 遼 名古屋大学

| 概念 | 外傷性緑内障は眼外傷により引き起こされる続発緑内障であり，以下の点に注意が必要である．
- 外傷後急性期には房水産生が低下していることが多く，房水流出路に障害をきたしていても必ずしも眼圧が上昇するとは限らない．
- 急性期の眼圧上昇機序には複数の因子が関与しうる．
- 受傷後数年，時に10年以上を経て発症する場合がある．

1 穿孔性眼外傷に伴う緑内障

| 病態・症状 | 穿孔性眼外傷は鋭利なものによる「穿孔」と強い外力による「破裂」に大別される．いずれの場合も，受傷直後は低眼圧となっていることが多い(後部の破裂は低眼圧でないこともあるので注意を要する)．受傷後の高眼圧や緑内障の程度は外傷により損傷された組織の性状や程度により大きく異なる．具体的には以下のさまざまな原因により眼圧が上昇する．米国における調査では穿孔性眼外傷の2.7％が外傷性緑内障を発症したと報告されている．

- 周辺部虹彩前癒着(角膜穿孔による前房消失)による眼圧上昇．
- 炎症〔外傷性虹彩炎(⇒1022頁)，続発閉塞隅角緑内障，水晶体起因性緑内障(⇒794頁)を参照〕による眼圧上昇．
- 出血〔前房出血，ghost cell緑内障，溶血性緑内障を参照〕による眼圧上昇．
- 瞳孔ブロック〔水晶体起因性緑内障(⇒794頁)，Zinn小帯断裂(⇒524頁)を参照〕による眼圧上昇．
- 毛様体ブロック〔悪性緑内障(⇒803頁)を参照〕による眼圧上昇．
- 眼内異物(鉄錆症，銅錆症を参照)に伴う眼圧上昇．
- 鋸状縁断裂や網膜裂孔の存在(Schwartz症候群を参照)による眼圧上昇．
- その他(epithelial downgrowth症候群，fibrous ingrowth症候群を参照)．

| 診断 | 穿孔性眼外傷ではまず創の閉鎖が優先され，全身状態や穿孔の状態が原因となり検査が不十分となることが多い．創

の閉鎖後には，眼内異物の残留の有無を再度確認する必要があるが，鉄分を含む異物が疑われる場合にはMRIは使用禁忌である．CTを撮る場合には，スライス幅をなるべく薄く（1〜2 mm）しないと小さい眼内異物はとらえることができない可能性がある．その点Bモード超音波検査は多少の技術と経験が必要となるが，外来で比較的簡単に施行可能である．眼圧上昇の原因が多岐にわたるため，細隙灯顕微鏡や眼底鏡による診察に加え，画像的検査も必要となる．前眼部OCTや超音波生体顕微鏡（UBM）により，前房深度や隅角，瞳孔，毛様体，水晶体の状態を確認できる．

治療 眼圧上昇の原因はさまざまであり，まずはそれを改善させることが必要である．一般的な治療として，緑内障治療薬の点眼，内服および高浸透圧利尿薬点滴などの保存的治療で経過観察を行う．眼圧コントロール不良例に対しては病態に応じてレーザー治療，流出路再建手術，濾過手術，緑内障インプラント手術（Baerveldt® glaucoma implant, Ahmed® glaucoma valve）などを選択する．重複手術や外傷により，結膜が癒着，瘢痕化していることがあり，濾過手術は困難なケースが多い．難治例には毛様体光凝固術の選択も考慮する．

2 非穿孔性眼外傷（鈍的眼外傷）に伴う緑内障

病態・症状 鈍的眼外傷で頻度の高いものとして前房出血がある．鈍的眼外傷では，前房圧が急激に上昇し虹彩自体が損傷したり，虹彩根部が後方へ圧排され隅角後退（解離）が生ずる．これにより大量の出血が前房内に充満して眼圧が上昇する．その他，水晶体の亜脱臼や毛様体・脈絡膜浮腫による毛様体ブロック，毛様体線維柱帯の瘢痕化などによる眼圧上昇機序が考えられる．急激な眼圧上昇により，霧視の自覚症状のほか，悪心，嘔吐を伴うことが多い．

❶**受傷後早期の眼圧上昇** 受傷直後は，外傷による毛様体の房水産生機能の低下により，眼圧が軽度低下していることがあるが，通常，隅角解離により破綻した毛様体血管からの多量の血液成分が線維柱帯を閉塞させ房水の流出抵抗が急激に上昇する．出血の程度は，眼圧上昇の発生率や再出血のリスクと相関する．出血量が少ないと1週間以内に自然吸収することが多いが，血栓の溶解により2〜7日目に再出血を生じることがあり，初めの出血より多量となることがある．暗赤色または黒色の出血はblack ball hyphema，8 ball hyphema（ビリヤードの黒い8番ボールのように見えることに由来）とよばれ，房水循環および酸素濃度の低下を示唆しており，眼圧上昇の発生率が高く，瞳孔ブロックと2次的な隅角閉塞を引き起こす可能性が高いとされる．

❷**角膜染血症** 高度な前房出血に高眼圧が持続する場合は，角膜後面が血液で染色され，前房出血が消退したあとに視力障害を残すことがあるため，早期に前房洗浄を行う必要がある．

❸**溶血性緑内障** 硝子体出血や前房出血により生じる．ヘモグロビンを含有したマクロファージと赤血球の分解産物による房水流出経路の閉塞を特徴とし，通常，大きな眼内出血の数日後から数週間後に発症する．前房中に赤みを帯びた細胞がみられ，線維柱帯に赤褐色の着色がみられることがある．

❹ ghost cell 緑内障　前房や硝子体腔に褐色の細胞がみられる．ghost cell（変性ヘモグロビンが Heinz 小体として沈着した変性赤血球）は正常赤血球に比較して可動性が悪く，線維柱帯の通過が困難で眼圧上昇を生じる．ghost cell が生じるには硝子体中に赤血球が数週間閉じ込められることと，硝子体前房間に交通があることが必要で，前房出血のみで ghost cell 緑内障になることはまれである．

❺隅角後退による緑内障　前房出血の患者の多くで隅角後退が観察されるが，緑内障を生じるのは隅角後退のある患者の 7〜9%とされる．一般に外傷の数年後に発症するが，270 度以上の隅角後退が生じている場合にはそれよりも早く発症することが多い．

| 診断 |　前房出血の診断は細隙灯顕微鏡検査で容易である．出血部位の確定には隅角鏡を用いた隅角検査が有用だが，非穿孔性眼外傷に伴う前房出血の場合，多かれ少なかれ隅角後退（解離）が存在していることがほとんどである．受傷後 1 週間以内の再出血のリスクの高い時期に不用意に隅角鏡を用いた隅角検査を行うことは，出血で覆われた隅角の評価が十分できないだけでなく，隅角を開大させ，再出血を誘発させる．治療方針が左右されないこの時期の隅角検査は極力避けるべきである．再出血の危険性がなくなった時期，あるいは隅角後退に伴う低眼圧症の治療方針決定時にとどめるか，前眼部 OCT などでの画像検査にて隅角の状態を確認することもできる．

| 治療法 |　前房出血に対しては，仰臥位ヘッドアップでの安静（30 度程度）として，全周の線維柱帯が出血で覆われるのを予防し，出血の沈降を促して再出血のモニタリングを行いやすくする（可能であれば入院安静）．さらに消炎のためにベタメタゾンリン酸エステルナトリウムやアトロピン硫酸塩水和物点眼を用いる．眼圧の上昇に対しては点眼，内服，点滴による眼圧降下薬を用いる．ピロカルピン塩酸塩は炎症を助長するだけでなく，隅角を開大し，出血の増加，再出血を引き起こす．また外傷眼では悪性緑内障を誘発する危険性もあり絶対的禁忌である．

鎌状赤血球症の患者に対する炭酸脱水酵素阻害薬および浸透圧利尿薬の使用は，赤血球の鎌状化を促進するため避けたほうがよい．小児では高眼圧による悪心・嘔吐により食物・水分摂取困難となり低栄養・脱水症など全身的に重篤な状態となることがある．

高度な前房出血による高眼圧が持続する場合は角膜染血症となる危険があるため早期に前房洗浄を行う．手術の第 1 選択は一般的に前房洗浄であるが，black ball hyphema では凝血状態となっており，通常の前房洗浄では除去できず角膜輪部切開による除去が必要になることがある．血液の除去が得られ，十分な保存的治療を施行しても高眼圧が続く場合は線維柱帯切除術などの適応となる．溶血性緑内障や ghost cell 緑内障の場合には，保存的治療で効果不良の場合に前房洗浄を検討する．

アミロイド緑内障

Secondary glaucoma associated with amyloidosis

井上俊洋　熊本大学・教授

概念　限局性アミロイドーシスに伴う緑内障例も散見されるが，アミロイド緑内障は多くの症例が家族性アミロイドポリニューロパチー（familial amyloidotic polyneuropathy：FAP）に伴うものと考えられる．FAPは全身にアミロイド物質が沈着する常染色体優性の遺伝性疾患である．眼圧上昇機序はアミロイド物質の房水流出路への沈着のほか，血管周囲のアミロイド沈着による上強膜静脈圧の上昇が考えられている．血管新生緑内障を発症した例も報告されている．

診断　眼症状は緑内障のほかに，結膜血管異常，涙液分泌低下，外眼筋麻痺，瞳孔異常，硝子体混濁，網膜血管炎など多彩である．瞳孔縁と水晶体前嚢に落屑物質様のアミロイド沈着を認め，瞳孔形態がノコギリの歯のようなフリンジ状となるのが特徴的である(図6)．

治療　FAPの治療としては肝移植が選択されるが，移植後もぶどう膜からアミロイドの原因物質が産生され，眼所見が進行しうる．タファミジスメグルミンやパチシランナトリウムなどの全身治療薬も眼所見への効果は2022年7月現在確認されていない．汎網膜光凝固によって，眼所見の進行がある程度抑制されることが示唆されている．

高眼圧に対しては，原発開放隅角緑内障の治療に準じて薬物治療および手術治療を行う（⇒775頁，「原発開放隅角緑内障」項を

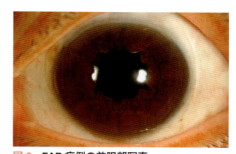

図6　FAP症例の前眼部写真
瞳孔縁に落屑物質様のアミロイド物質の沈着と，特徴的なフリンジ状瞳孔を認める．

参照）．われわれの研究では，基準眼圧を6〜21mmHgとした場合の線維柱帯切除術の成功率は3年で53％であり，57％の症例で緑内障再手術を要した．以上から，原発開放隅角緑内障と比較してその成績は悪い．

角膜移植後の緑内障

Glaucoma after keratoplasty

溝上志朗　愛媛大学・准教授

病態　角膜移植術後に生じる眼圧上昇．術後の約10〜30％の症例に発症すると報告されている．手術に伴う直接的な眼圧上昇機序としては，術後炎症，出血，前房内粘弾性物質の残留による線維柱帯からの房水流出低下，およびドナー角膜とレシピエントの直径の不均衡による狭隅角化，虹彩前癒着の形成など，複数の要因からなる．さらに，術後の拒絶反応予防を目的としたステロイド点眼薬によるステロイド緑内障も要因になる．最近では，全層角膜移植以外にも，表層移植，角膜内皮移植などのパーツ移植も行われるが，術式ごとの発

症率の差異についてはまだ不明な点が多い．

診断 角膜移植後に高眼圧を認めれば本症を疑う．しかし，角膜移植後は，角膜形状や角膜剛性が変化するため，正確な眼圧測定が困難になることが多い．Goldmann 眼圧計以外に，トノペン，iCare®など，ほかの測定機器の結果や触診などを参考に総合的に評価する．また，移植片や周辺部角膜の混濁により隅角鏡観察での虹彩前癒着の評価が困難となるケースも多いが，そのような症例に対しては前眼部 OCT が有用なことがある．

治療 術直後の一時的な眼圧上昇に対しては，点眼，内服治療で対応する．なお，炭酸脱水酵素阻害薬の点眼については，角膜内皮細胞数の減少により角膜浮腫の発現が増加する可能性があることから，慎重に投与する．眼圧上昇にステロイドの関与が疑われる症例については，状況が許せばステロイドの減量，中止を試みる．

保存的治療では十分な効果が得られないときには，病態に応じて，隅角癒着解離術，線維柱帯切開術，および線維柱帯切除術などの観血的治療を検討する．線維柱帯切除術の成績は，原発開放隅角緑内障よりも不良であり，術後に移植片不全に陥り，再移植を必要とするケースが多い．最近では，本症に対し，ロングチューブシャント術も試みられるようになってきたが，長期成績，安全性についてはまだ明らかにされていない．

ぶどう膜炎による続発緑内障
Uveitic glaucoma

丸山勝彦　八潮まるやま眼科・院長

概念 ぶどう膜炎に伴い眼圧が上昇し発症する緑内障である．原疾患の影響で緑内障性視神経症の検出が困難な例も多いが，恒常的，あるいは間欠的眼圧上昇があれば緑内障に準じて治療を行う．

病態 原発緑内障と同様に，開放隅角機序と閉塞隅角機序に分かれる．眼圧上昇には治療で用いるステロイドの関与も大きいが，原疾患による眼圧上昇と病態を明確に区別できない例も少なくない．いずれの場合も多くは著しい眼圧上昇をきたし，眼圧の変動も大きいことから進行が速い．

症状 眼圧上昇の程度と原疾患の状態による．

診断 高眼圧による角膜浮腫や眼痛で観察が困難なこともあるが，原疾患によっては特徴的な所見がみられる．

❶**サルコイドーシス** 豚脂様角膜後面沈着物，虹彩や隅角の結節，周辺虹彩前癒着を認め，通常は両眼性である．

❷**ヘルペス性虹彩毛様体炎** 片眼性であり，単純ヘルペスウイルスによるものは水痘帯状疱疹ウイルスによるものより炎症所見や虹彩萎縮，隅角色素沈着の程度が軽い．

❸**サイトメガロウイルス** さらに軽度であるが，輪状に配列した小さな角膜後面沈着物である coin lesion の所見や角膜内皮細胞密度の減少が特徴的である．近年では網羅的 PCR 検査が診断に用いられる．

治療 消炎治療と眼圧下降治療を行

い，原疾患に特異的な治療法がある場合は適宜併用する．眼圧下降治療のストラテジーは原発緑内障と同様である．

処方例 下記を適宜組み合わせて用いる．
1) リンデロン点眼・点耳・点鼻液(0.1%) 1日6回 点眼
2) ザラカム配合点眼液 1日1回 点眼
3) アイラミド配合懸濁性点眼液 1日2回 点眼
4) グラナテック点眼液(0.4%) 1日2回 点眼
5) ミドリンP点眼液 1日1回 点眼

予後 原疾患の重症度と緑内障性視神経症の程度による．

血管新生緑内障

Neovascular glaucoma：NVG

大鳥安正　国立病院機構大阪医療センター・科長

概念 血管新生緑内障（NVG）は網膜虚血を起こしうる糖尿病網膜症，網膜中心静脈閉塞症，眼虚血症候群などの虚血性眼疾患に伴って2次的に眼圧が上昇する続発緑内障をいう．眼圧コントロールが困難なために失明に至ることのある難治緑内障である．

病態・症状 網膜虚血が進行すると，線維血管膜が隅角に増殖し，線維柱帯の閉塞，周辺虹彩前癒着（peripheral anterior synechiae：PAS）を形成し，房水流出抵抗が増大することによって眼圧が上昇してくる．虹彩あるいは隅角に新生血管があっても眼圧が上昇していない時期を前緑内障期とよぶ．やがて，虹彩および隅角に線維血管膜ができ，房水流出抵抗が増大して眼圧が上昇してくるが，明らかなPASがないときを開放隅角緑内障期とよぶ．さらに，線維血管膜の収縮によってPASが生じる時期を閉塞隅角緑内障期とよび，全周にPASが形成されてくると瞳孔偏位やぶどう膜外反を生じる．眼圧が上昇することで，網膜虚血がさらに誘発され，新生血管が増加するとさらに眼圧が上昇するという悪循環に陥ることで病態が急速に進行していく．通常，ゆっくりと眼圧が上昇すると自覚症状はない場合もあるが，急速に眼圧が上昇すると視力低下，霧視，眼痛，頭痛，嘔吐などをきたす．

診断 前緑内障期では，未散瞳下で，虹彩あるいは隅角の新生血管を見つけることが重要である．高眼圧となった場合には，新生血管に加えて，隅角鏡検査によるPASの有無により，開放隅角緑内障期，閉塞隅角緑内障期と診断できる．徐々に眼圧が上昇する場合には，角膜混濁をきたさないが，急速に眼圧が上昇してくる場合には角膜浮腫を生じることもある．高眼圧が持続している場合には，緑内障性視神経障害をきたし，緑内障性視野障害もきたす．

治療 原発開放隅角緑内障の治療に準じて薬物治療を行うが，網膜虚血が関与しているため，できる限り周辺までの汎網膜光凝固術（panretinal photocoagulation：PRP）を行うことが必須となる．実際，糖尿病網膜症の虹彩新生血管に対するPRPの照射数での虹彩新生血管の消失率は，1眼あたり1,200～1,600発施行した群では70.4％に対し，1眼あたり400～650発施行した群では37.5％にとどまると報告されている．眼圧上昇による角膜混濁，白内障の併発，硝子体出血，散瞳不良などの状態では，経瞳孔的に十分なPRPができな

い．このような場合には，周辺部の網膜冷凍凝固術を行うと有効との報告もある．しかしながら，直視下で行えないために過凝固になる可能性があり，硝子体と網膜の癒着が強くなる．のちに硝子体手術を行う場合周辺硝子体の切除が非常に困難となることから，最初から硝子体手術で最周辺部まで直視下で硝子体を切除し，眼内光凝固術を徹底的に行うことを好む術者も多い．

抗血管内皮増殖因子（vascular endothelial growth factor：VEGF）抗体であるベバシズマブ（アバスチン®点滴静注用 100 mg/4 mL，1 回 0.04〜0.05 mL，保険適用外，使用には施設の倫理委員会での承認が必要）やアフリベルセプト（アイリーア®硝子体内注射液 40 mg/mL，1 回 0.05 mL）を硝子体内注射することで新生血管が急速に消退することが報告されている．抗 VEGF 抗体硝子体内注射により，前緑内障期では，虹彩ルベオーシスは消失し，眼圧上昇もなく虹彩新生血管の再発は少ない．開放隅角緑内障期では，1 回の硝子体内注射により約 7 割で 1 週間以内に眼圧が正常化するが，新生血管の再発に伴い再度硝子体内注射を行っても最終的には，約 4 割に緑内障手術が必要となる．さらに，閉塞隅角緑内障期では，新生血管は減少しても，眼圧は下降せず，約 9 割に緑内障手術が必要となる．

開放隅角緑内障期であれば，抗 VEGF 抗体硝子体内注射により新生血管が消退している間に PRP を完成させると，眼底の虚血が改善され，約 6 割で緑内障手術を行う必要がなくなる．一方，閉塞隅角緑内障期であれば，抗 VEGF 抗体硝子体内注射による眼圧下降は期待できず，可及的すみやかに硝子体手術および緑内障手術が必要となる．

予後　NVG に対する線維柱帯切除術の長期成績は，代謝拮抗薬を併用しても長期に眼圧をコントロールできる割合は 5 年で 28％程度と低かった．抗 VEGF 抗体硝子体内注射を術前に使用するようになって術後眼圧がコントロールできる割合は 5 年の経過で 85.1％との報告がある．抗 VEGF 抗体硝子体内注射を使用したほうが線維柱帯切除術の成績が良好となり，術直後の前房出血が少ないと報告されている．しかしながら，術後 1 年での成績で抗 VEGF 抗体の硝子体内注射を使用する場合（65.2％）と使用しない場合（65.3％）で有意差がないとの報告もある．また，硝子体出血を何度も繰り返すような増殖糖尿病網膜症では濾過胞が一時的に機能していても，やがて眼圧コントロールが不良となる場合が多い．NVG に対する線維柱帯切除術での不成功の危険因子として，線維柱帯切除術後の追加の硝子体手術であるとする報告もあることから，NVG に対する線維柱帯切除術の成績は，術前の網膜虚血状態や増殖性変化に依存するものと考えられる．

複数回の線維柱帯切除術を施行しても眼圧下降が得られないような場合には房水をシリコンチューブによりプレートを介して Tenon 囊下へ導くチューブシャント手術が選択される．NVG に対する治療成功率も 22〜97％とかなりばらつきは大きいが，有効な症例があることは間違いない．硝子体手術で硝子体を毛様体扁平部まで郭清することから，毛様体扁平部に留置するロングチューブがわが国では多数行われており，前房内に留置するチューブに比べて角膜内皮障害が少なくなることが期待される．

悪性緑内障
Malignant glaucoma

狩野 廉　福島アイクリニック・副院長

概念　悪性緑内障は，主として内眼手術をきっかけに，極端な浅前房または完全な前房消失を伴う緑内障であり，縮瞳薬，虹彩切開術など通常の閉塞隅角緑内障に対する治療に反応しないため「悪性」と称された．実際には毛様体と水晶体の間あるいはZinn小帯〜前部硝子膜の房水流出抵抗増加によって起こるため，「毛様体ブロック緑内障」という呼称がより本態を表している．

病態　内眼手術やレーザー治療が誘因となり，毛様体の浮腫や前方回旋が生じ，毛様体と水晶体の間の房水流出抵抗が増大すると，房水が後方の硝子体腔に流れ，水晶体が前方に圧排され，隅角閉塞が生じて眼圧上昇をきたす．短眼軸眼やプラトー虹彩では後房のスペースが狭く，毛様体突起部の位置異常や形態異常を伴うため，濾過手術や水晶体再建術後に毛様体ブロックをきたしやすい．

診断　毛様体ブロックでは後房と硝子体腔の間に圧較差が生じているため，瞳孔ブロックとは異なり水晶体ごと虹彩面が角膜方向へ押され，瞳孔領まで浅前房となっていることが多い．超音波生体顕微鏡（UBM）検査が有用で，毛様体の前方回旋と硝子体による著明な圧排像を認めれば，診断は容易である．前眼部光干渉断層計では水晶体前面の著明な前方移動と虹彩面の前弯形状から毛様体ブロックの予測が可能であるが，後房スペースや毛様体位置・形状はUBMでないと確認できない．眼圧上昇や浅前房の程度が軽い慢性毛様体ブロック緑内障は，人工水晶体（IOL）眼なのに前房がやや浅く，IOLと虹彩の接触がある，などの所見が参考となる **(図7)**．

治療

■ **薬物治療**　まず高浸透圧薬を点滴して硝子体液を減らすとともに，調節麻痺薬点眼により毛様筋を弛緩させてブロックの解除を試みる．また，房水産生抑制薬点眼および内服を用いる．

処方例　下記を併用する．

| 日点アトロピン点眼液(1%)　1日1回　点眼 |
| チモプトール点眼液(0.5%)　1日2回　点眼 |
| ダイアモックス錠(250 mg)　2錠　分2　食後 |
| ウラリット配合錠　4錠　分2　食後 |

■ **レーザー治療**　IOL眼ではNd:YAGレーザーで後嚢切開後，後嚢後方にフォーカスをずらし，硝子体中に火花を散らすように3〜4ミリジュールのエネルギーで10〜20発照射して，前部硝子体膜付近の硝子体を破砕する．治療が奏効したときは直後ないし遅くとも翌日には前房深度の改善と眼圧下降が得られる．

■ **手術治療**　毛様体ブロックの本態である水晶体周辺部-Zinn小帯-前部硝子膜に孔を開け，硝子体腔〜前房の交通を再開することが根治術となる．硝子体切除のみで前部硝子膜やZinn小帯を処理しないと再発を生じる可能性がある．硝子体カッターで前房または硝子体腔側から水晶体嚢ごと周辺虹彩切除を行い，切除孔付近の前部硝子体切除を十分にしておくと確実に再発を防止できる．

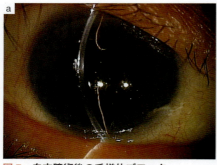
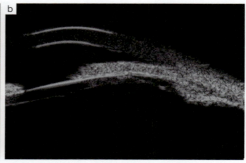

図7 白内障術後の毛様体ブロック
a：白内障手術2週後，眼圧24 mmHg．IOLは囊内固定だが浅前房で虹彩と接触している．
b：IOLが前方に圧排され，毛様体突起部も扁平化している．

小眼球症に伴う続発閉塞隅角緑内障

Secondary angle closure glaucoma caused by microphthalmos

東出朋巳 金沢大学・准教授

<u>概念</u> 小眼球症（microphthalmos）は，顕著な短眼軸（年齢別平均値から2標準偏差以上短縮）を呈するまれな発達異常である．このなかで，眼や全身のほかの異常を伴わないものが真性小眼球症（nanophthalmos）である．眼球容積は小さいが，水晶体が正常の大きさであるために浅前房となり，隅角が閉塞しやすい．高度遠視，小角膜，脈絡膜や強膜の肥厚などの小眼球に伴う解剖学的異常のため，手術は難しく合併症リスクの高い疾患である．

<u>病態</u> 小眼球症に伴う閉塞隅角緑内障の眼圧上昇機序には，瞳孔ブロックと水晶体より後方に存在する組織の前方移動の2つがある．後者は小眼球症に特有の病態であり，毛様体や脈絡膜の滲出・剥離を合併すると，周辺虹彩や水晶体が前方へ移動し隅角閉塞に至る．

<u>症状</u> 隅角閉塞による高眼圧の程度や経過により異なる．急性緑内障発作では著明な眼痛，頭痛，嘔気などを呈する．高度遠視や網膜の異常は弱視や視力低下の原因となる．

<u>診断</u> 両眼性の高度遠視，小角膜，浅前房などによって小眼球症を疑う．眼軸長測定により短眼軸を確認する．先天白内障の合併もありうる．明確な診断基準はないが，眼軸長は＜21または20.5 mm，角膜径は＜11 mm，高度遠視は＞＋7Dを基準とした報告がある．隅角鏡検査に加えて，前眼部OCTと超音波生体顕微鏡（UBM）は周辺虹彩前癒着や毛様体剥離の観察に役立つ**（図8a）**．眼底異常として，uveal effusion，滲出性網膜剥離，黄斑低形成などがある．常染色体優性や劣性の家族発症例があり，*MFRP*などの原因遺伝子が同定されている．

<u>治療</u> 原発閉塞隅角緑内障に準じる．薬物治療によって眼圧下降をはかるが，瞳孔ブロックに対してはレーザー虹彩切開術

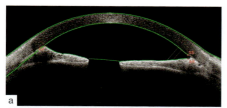

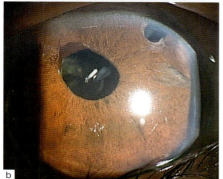

図8 小眼球症に伴う続発閉塞隅角緑内障
a：前眼部 OCT 所見．角膜横径は 10.3 mm と小さく，丈の高い周辺虹彩前癒着がみられた．
b：多重手術後のためチューブシャント手術（毛様溝挿入）を施行し眼圧コントロールが得られた．

が適応となる．水晶体摘出術は，瞳孔ブロックを解消し隅角を開大させるが，硝子体圧を下げるための前部硝子体切除の併用，通常よりもハイパワーの IOL 挿入など特別な対応が必要である．術中の脈絡膜滲出や駆出性出血などの合併症対策として術前の高張浸透圧薬点滴や全身麻酔を考慮する．uveal effusion に対して強膜開窓術などを行う．高眼圧が遷延する場合，濾過手術を考慮するが，合併症リスクが高い（図8b）．毛様体光凝固術も選択肢である．

虹彩角膜内皮（ICE）症候群
Iridocorneal endothelial syndrome

石田恭子　東邦大学医療センター大橋病院・臨床教授

概念　角膜内皮細胞の異常，虹彩萎縮性変化，周辺虹彩前癒着の進行により角膜浮腫と難治性緑内障を引き起こす予後不良の疾患．遺伝性はなく，通常片眼性で，若年から中年期に発症し女性に多い傾向がある．

病態　原因は不明であるが，角膜内皮細胞に異常が生じ，膜様組織が角膜内面から隅角や虹彩に増殖，収縮することで，周辺虹彩前癒着，隅角閉塞，瞳孔偏位などが起こる．緑内障は約 50〜80％に発症する．

症状　瞳孔異常の自覚，角膜浮腫に伴う霧視やハロー，緑内障進行による視覚障害を認める．

診断　片眼性で角膜や虹彩に病変を認め，眼圧が上昇している場合，本症を疑う．角膜内皮細胞検査で，細胞数の減少と形状の異常を確認し，隅角検査で周辺虹彩前癒着をみて診断する．臨床的特徴から本態性進行性虹彩萎縮（essential progressive iris atrophy），Chandler 症候群，Cogan-Reese 症候群に分類される**（表1）**．

■ 病型

❶**本態性進行性虹彩萎縮（図9）**　進行性の虹彩萎縮および牽引による虹彩孔形成，瞳孔偏位，ぶどう膜外反などの虹彩の変化が強く，周辺虹彩はしばしば Schwalbe 線を越えて前方に付着し隅角を閉塞する．

❷ **Chandler 症候群**　角膜内皮機能障害が強く，軽度の眼圧上昇でも角膜浮腫が生じることが特徴であるが，瞳孔偏位や虹彩の

表1 ICE 症候群の特徴

	本態性進行性虹彩萎縮	Chandler 症候群	Cogan-Reese 症候群
基本所見	虹彩萎縮, 欠損, 瞳孔偏位, ぶどう膜外反	虹彩萎縮, 角膜浮腫	有茎性虹彩結節
角膜 内皮異常	＋	＋＋	＋
角膜 浮腫	晩期に出現	早期から	＋
虹彩 萎縮	著明	わずか	進行してから
虹彩 外反	＋	まれ	＋
虹彩 結節	晩期に出現	晩期に出現	早期から
虹彩 前癒着	＋	＋	＋
緑内障	＋	＋	＋

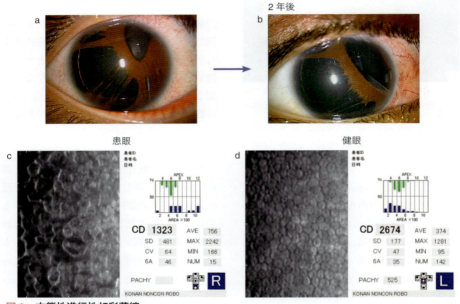

図9 本態性進行性虹彩萎縮
a：前眼部写真. 瞳孔偏位, 虹彩孔形成を認める. b：2年後の前眼部写真. 瞳孔偏位, 虹彩孔拡大はさらに進行. c：患眼のスペキュラマイクロスコープによる角膜内皮細胞. 内皮細胞減少, 正常とは逆で, 白い境界で囲まれ黒い細胞が撮影される. d：健眼のスペキュラマイクロスコープによる角膜内皮細胞. 正常.

萎縮は軽度である. 角膜内皮細胞検査で, 大小不同, 異型性が広範囲に存在する.

❸ **Cogan-Reese 症候群** ICE 症候群のなかではまれで, 虹彩母斑症候群ともよばれ, 虹彩の色素病変（有茎性虹彩結節や平坦な虹彩色素斑）を特徴とする.

■ **鑑別診断** 本態性進行性虹彩萎縮の鑑別として, Axenfeld-Rieger 症候群があるが, 先天性・両眼性である. 虹彩分離症は, 高齢者に多く, 隅角所見で鑑別できる.

Chandler症候群の鑑別として，後部多形性角膜ジストロフィが挙げられるが，両眼性・家族性・性差がない．Cogan-Reese症候群では，虹彩母斑，腫瘍との鑑別が必要なことがある．

| 治療 | 緑内障と角膜浮腫に対して治療を行う．緑内障では，最初は薬物治療を行うが，進行性隅角閉塞に伴い次第にコントロール不良となり，濾過手術が必要となる．しかしながら，膜様物質によって流出路が覆われてしまい数年で濾過胞が機能しなくなることがあり，近年では，線維柱帯切除術のほかにチューブシャント手術も行われている．角膜病変には高張食塩液の点眼，ソフトコンタクトレンズ，水疱性角膜症が高度になれば，角膜移植も適応となる．

| 予後 | 難治性緑内障，進行性の角膜内皮細胞機能低下により長期予後は不良である．

小児発達緑内障

Childhood glaucoma

廣岡一行　広島大学・診療教授

| 概念 | 小児期に認められる緑内障には，房水流出路の発達異常が原因で眼圧が上昇するものと，ほかの眼疾患に続発する続発緑内障がある．第3版までの「緑内障診療ガイドライン」においては発達緑内障という用語を用いてきたが，World Glaucoma Association（WGA）の「小児緑内障のコンセンサス会議」（2013年7月，カナダ・バンクーバー）での提言を踏まえて，「緑内障診療ガイドライン 第4版」では発達緑内障から小児緑内障（childhood glaucoma）に用語が改められ，定義と分類が変更され（表2），新たに診断基準が記載された（表3）．

❶ 原発先天緑内障　眼圧上昇の原因が線維柱帯の発達異常で，若年開放隅角緑内障は線維柱帯の発達異常が軽いために発症が遅れ，原発開放隅角緑内障に似た臨床症状を呈する病型である．

❷ 続発小児緑内障　先天眼形成異常に関連した緑内障と先天全身疾患に関連した緑内障に分類した．また外傷，ステロイド，ぶどう膜炎，腫瘍，未熟児網膜症など後天要因によるものを後天要因による続発緑内障と分類し，後天要因のなかでも頻度が高い白内障術後に発症する緑内障を，白内障術後の緑内障に分類した．

| 病態 | 原発先天緑内障は隅角の形成異常によって房水流出抵抗が増大し，眼圧が上昇する．傍Schlemm管結合組織様の構造を示す組織がSchlemm管下に厚く存在している．この組織は，細胞突起の短い線維柱帯細胞，コラーゲンとエラスチン線維からなる線維成分および基底板様の形態を示す大量の無定形物質で構成されており，層板状の構造はみられない．この組織が厚く存在しており，線維柱帯の細胞間隙を占めていることが眼圧上昇と関係していると考えられている．原発先天緑内障にかかわる遺伝子として*CYP1B1*との関連が報告されており，その異常は隅角の形態的，機能的障害につながるものと推測される．

| 症状 | 羞明，流涙，眼瞼けいれんが古典的3徴候といわれている．眼瞼けいれんは強い羞明の徴候であるが，家族が訴えることは少なく，流涙と同時に羞明があるのが特徴で，光を避ける動作がある．

表2 小児緑内障の分類

■原発小児緑内障

原発先天緑内障
隅角発生異常を認め，小児緑内障の診断基準を満たし，通常眼球拡大を伴う．
(発症年齢による細分類)
　出生前または新生児期（0〜1か月）
　乳児期（1〜24か月）
　遅発性（2歳以上）

若年開放隅角緑内障
眼球拡大を伴わず，4歳以降に発症する小児緑内障．
先天性の眼形成異常や全身疾患を伴わず，正常隅角で，小児緑内障の診断基準を満たす．

■続小児緑内障

先天眼形成異常に関連した緑内障
全身所見との関連が明らかでない眼形成異常が出生時から存在し，小児緑内障の診断基準を満たす．
(先天眼形成異常の代表例)
Axenfeld-Rieger異常，Peters異常，ぶどう膜外反，虹彩形成不全，無虹彩症，硝子体血管系遺残，太田母斑，後部多形性角膜ジストロフィ，小眼球症，小角膜症，水晶体偏位　など

先天全身疾患に関連した緑内障
出生時から眼所見に関連する先天全身疾患があり，小児緑内障の診断基準を満たす．
(先天全身疾患の代表例)
　Down症などの染色体異常，結合組織異常（Marfan症候群，Weill-Marchesani症候群，Stickler症候群），代謝異常（ホモシスチン尿症，Lowe症候群，ムコ多糖症），母斑症（神経線維腫症，Sturge-Weber症候群，Klippel-Trenaunay-Weber症候群），Rubinstein-Taybi症候群，先天性風疹症候群　など

後天要因による続発緑内障
出生時にはなく，生後に発生した後天要因によって発症した緑内障で，小児緑内障の診断基準を満たす．ただし，白内障術後の緑内障は除く．
(後天要因の代表例)
ぶどう膜炎，外傷（前房出血，隅角離解，水晶体偏位），副腎皮質ステロイド，腫瘍（良性/悪性，眼内/眼窩），未熟児網膜症　など

白内障術後の緑内障
白内障術後に発症した緑内障で診断基準を満たす．
・特発性の先天白内障
・緑内障を伴わない眼形成異常または全身疾患に関連した先天白内障
・緑内障を伴わない併発白内障

(日本緑内障学会緑内障診療ガイドライン作成委員会：緑内障診療ガイドライン 第4版．日眼会誌 122：5-53, 2018より作成)

表3 World Glaucoma Association（WGA）における小児緑内障診断基準

緑内障の診断基準（2項目以上）
・眼圧が21 mmHgより高い（全身麻酔下であればあらゆる眼圧測定方法で）
・陥凹乳頭径比(cup-to-disc ratio：C/D比)増大の進行，C/D比の左右非対称の増大，リムの菲薄化
・角膜所見：Haab線または新生児では角膜径11 mm以上，1歳未満では12 mm以上，すべての年齢で13 mm以上
・眼軸長の正常発達を超えた伸長による近視の進行，近視化
・緑内障性視神経乳頭と再現性のある視野欠損を有し，視野欠損の原因となる他の異常がない

緑内障疑いの診断基準（1項目以上）
・2回以上の眼圧測定で眼圧が21 mmHgより大きい
・C/D比増大などの緑内障を疑わせる視神経乳頭所見がある
・緑内障による視野障害が疑われる
・角膜径の拡大，眼軸長の伸長がある

(日本緑内障学会緑内障診療ガイドライン作成委員会：緑内障診療ガイドライン 第4版．日眼会誌 122：5-53, 2018より作成)

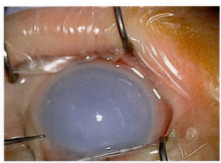

図10 角膜径の増大と角膜混濁を認める原発先天緑内障例

　他覚所見として，角膜浮腫・混濁（図10）をきたし，さらに高眼圧が持続すると角膜が伸展され角膜径拡大，角膜厚の菲薄化がみられ，中央部にDescemet膜破裂を生じる．線状に生じるDescemet膜破裂をHaab線という．同心円状に拡大する視神

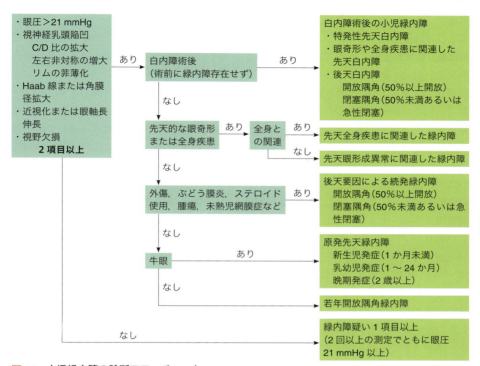

図11 小児緑内障の診断フローチャート
(Thau A, et al: New classification system for pediatric glaucoma: implications for clinical care and a research registry. Curr Opin Ophthalmol 29: 385-394, 2018 より)

経乳頭の陥凹拡大や，前房深度の増加などを認める．

診断 表3の診断基準5項目中2項目以上を満たせば，緑内障と診断される．図11に小児緑内障の分類をもとにして作成した小児緑内障の診断フローチャートを示す．

■**必要な検査** 患児の年齢や協力具合に応じて，覚醒下あるいは催眠・全身麻酔下のいずれで検査を行うかの判断をする．3歳くらいからであれば多くの児において，細隙灯顕微鏡検査，眼圧測定（iCare®），眼底検査などの検査が覚醒下で施行可能である．一般的に5歳頃になるとGoldmann動的視野検査ができるようになり，10歳頃で静的視野検査ができるようになる．

催眠下での検査が難しい場合は全身麻酔下で検査を行う．催眠・全身麻酔下で施行すべき検査としては，以下のものがある．

❶**眼圧測定** 角膜径拡大，角膜厚の菲薄化などによる角膜剛性の変化，角膜浮腫による影響などが生じており，眼圧測定の誤差の原因となる．また麻酔の影響で実際の眼圧より低く測定されることを考慮するべきである．片眼のみの緑内障が疑われる場合は，眼圧値の左右差も重要である．iCare® 手持眼圧計，トノペン，Schiötz圧入眼圧計，Perkins手持圧平眼圧計などがあり，

可能であれば複数の眼圧計を用いて眼圧測定を行うのがよい．

❷**細隙灯顕微鏡検査** 角膜の透明度，部分的欠損，Haab線の有無および存在部位，前房深度，虹彩所見などを観察する．通常，乳児では前房は浅いが，深い場合は注意を要する．また角膜，虹彩実質や血管，水晶体などの異常の有無により，小児緑内障とほかの先天異常に伴う続発小児緑内障の鑑別となる．

❸**角膜径測定** 小児では成長とともに角膜径は増大する．キャリパーを用いて横径および縦径を測定する．新生児の角膜径は10 mm程度であり，成長に伴い1歳頃には11 mm程度に達する．新生児では11 mm以上，1歳未満では12 mm以上，すべての年齢で13 mm以上で緑内障疑いとなる．診断およびその後の変化量を知るため，ベースライン値を測定することが重要である．

❹**隅角検査** 虹彩付着部位の異常はanterior iris insertion(虹彩が平坦に隅角に向かい，線維柱帯あるいは強膜岬の高さに付着する)，posterior iris insertion(平坦な虹彩が強膜岬の後方で付着する)，およびconcave(wraparound) iris insertion(虹彩は強膜岬の後方で付着するが，周辺部虹彩実質が隅角を覆うように前方へ伸びる)に分類される．

❺**眼底検査** 乳幼児では，成人や年長の児と比較して，より軽度の眼圧上昇であっても早期に視神経乳頭陥凹が拡大する．逆に治療により眼圧下降が得られると乳頭の陥凹面積は縮小する．乳頭陥凹は典型的には同心円状に拡大し，陥凹乳頭径比(cup-to-disc ratio：C/D比)が0.3より大きい正常新生児は少なく，これより大きい場合は緑内障を疑う．

年齢が高ければ，光干渉断層計を用いて網膜神経線維層厚の解析も可能であれば実施したほうがよい．

❻**その他の検査** 角膜混濁のため，前房・隅角が観察できない場合はもちろんであるが，前房・隅角が観察できる場合でも超音波生体顕微鏡(UBM)による隅角，虹彩，水晶体の観察は病態把握のためにも重要である．

眼軸長は出生時に19～20 mm，1歳時に20～21 mm，3歳時に22 mm程度で，測定値がこれらの値をはるかに超えるときは診断の補助となる．

■ **鑑別診断**

❶**他の原因による流涙・羞明** 新生児の流涙症の大部分は鼻涙管閉塞症によるものである．鼻涙管閉塞症では羞明はないが，眼脂が認められる場合が多い．ほかに結膜炎や異物迷入，角膜疾患などで流涙が認められる．

❷**先天性巨大角膜** 角膜径が14～16 mmに達することがあるが，小児緑内障にみられる眼圧上昇，視神経乳頭陥凹拡大，Haab線などを認めない．

❸**ほかの原因による角膜混濁** 鉗子分娩によるDescemet膜破裂も角膜混濁や浮腫の原因となる．また風疹や梅毒によるぶどう膜炎や虹彩毛様体炎でも角膜浮腫や混濁が生じることがある．

❹**ほかの原因による視神経異常** 視神経乳頭の先天異常には，コロボーマ，乳頭小窩，傾斜乳頭や低形成などがあり，緑内障との鑑別を要する．

治療 原発先天緑内障は隅角の発育異常が原因であり，ほとんどすべての症例においてまず手術が施行される．

■**外科的治療** 線維柱帯切開術や隅角切開術などの隅角手術がまず選択される．原発小児緑内障の線維柱帯切開術の手術成績は良好であり，手術回数1～3回での成功率は約90％である．効果の持続も良好であり，20年後の眼圧調整成功率は80.9％と報告されている．ほかの先天異常を伴う続発小児緑内障では手術成績は悪くなる．成人に対する手術に比べ気をつける点として，ab externo線維柱帯切開術では，角膜径が増大している症例で強膜が薄く穿孔しやすい．またSchlemm管が萎縮をきたしている場合や後方に位置している場合に，見つけにくいことがある．ab interno線維柱帯切開術や隅角切開術では，角膜混濁のある症例では施行できない．また角膜混濁がなくても，虹彩の付着部位が角膜寄りにある，色素沈着が乏しい，など線維柱帯の場所が認識しにくい場合が多い．

複数回の隅角手術で眼圧下降が得られない場合は，線維柱帯切除術やチューブシャント手術が選択される．小児の線維柱帯切除術では，レーザー切糸やニードリングなどの術後処置が困難であり，また長期にわたっての濾過胞感染のリスクもある．一方，小児のチューブシャント手術では，高眼圧による強膜の菲薄化，眼をこする行為，眼球の成長による影響が懸念される．またチューブの位置異常，角膜内皮障害，水晶体との接触，チューブの閉塞，チューブ・プレートの露出，眼内炎，眼球運動障害などの合併症のリスクがある．

■**薬物治療** 薬物治療は成人の原発開放隅角緑内障に準じて，薬物を組み合わせて使用する(⇒775頁，「原発開放隅角緑内障」項を参照)が，薬物治療では十分な眼圧下降が得られない，成人ではまれであるが小児では重篤な副作用が生じる可能性があることなどから，薬物治療は外科的治療を施行するまでの間や，手術による眼圧下降が十分に得られなかった場合の補助療法と考えるべきである．

若年開放隅角緑内障は隅角異常の程度が軽いため，自分で点眼管理ができる年齢であれば薬物治療を試みてもよい．薬物治療を試みる場合は，原発開放隅角緑内障の薬物治療に準じる．ただし，薬物治療のほうが手術治療に比べて緑内障の進行する割合が高いことが報告されている．

小児に対して薬物治療を行う際に注意すべき点として，いずれの薬物も乳幼児・小児に対する安全性および効果についてのデータは確立していないということが挙げられる．乳幼児では薬物治療の実効や効果確認が困難であること，緑内障薬物治療に対する全身的な薬物動態は小児と成人では異なっており成人ではまれな副作用が乳幼児・小児では生じうること，薬物の使用は本人でなく保護者に依存していることなどに留意する必要がある．薬物治療に当たっては，その眼圧下降効果と眼局所および全身的副作用**(表4)**に注意しなければならない．交感神経α_2受容体作動薬は，特に2歳未満では精神神経症状の出現をきたす可能性があるため禁忌である．またβ遮断薬は意識障害を伴うほどの喘息発作を生じる場合があるので，小児気管支喘息を有する児には禁忌である．

薬物治療を開始する際には，保護者への十分な説明と理解が必要であり，副作用を早期に発見するためには，保護者の注意深い観察が大切であることを伝えておく必要がある．

予後 小児期は視機能発達において重

表4 小児における緑内障点眼薬の副作用

	眼局所副作用	全身的副作用
プロスタノイド FP 受容体作動薬	表層角膜障害，瘙痒，眼瞼色素沈着，眼刺激，睫毛変化，充血，虹彩色素沈着，濾胞性結膜炎	呼吸困難，喘息の増悪，睡眠障害，発汗
β遮断薬	眼刺激，灼熱感，瘙痒，角膜障害，ドライアイ，アレルギー反応	嘔気，気管支けいれん，頭痛，胸痛，めまい，下痢，せき込み，低血圧，低血糖，徐脈
炭酸脱水酵素阻害薬	灼熱感，眼刺激，眼瞼炎，アレルギー反応，瘙痒，霧視，結膜炎，角膜浮腫，前部ぶどう膜炎，流涙	代謝性アシドーシス，嘔気，無力症，特発性血小板減少症
$α_2$作動薬	アレルギー反応，充血，眼刺激，灼熱感，霧視，瘙痒	眠気，呼吸抑制，無呼吸，昏睡など中枢神経系毒性，無力症

(Coppens G, et al: The safety and efficacy of glaucoma medication in the pediatric population. J Pediatr Ophthalmol Strabismus 46: 12-18, 2009/Chang L, et al: A review of the medical treatment of pediatric glaucomas at Moorfields Eye Hospital. J Glaucoma 22: 601-607, 2013 をもとに作成)

要な時期であり，適切な治療が行われなければ，視機能に重大な障害を残す．眼圧の上昇が，視神経乳頭陥凹だけでなく，角膜形状の変化や眼軸長伸長などの不可逆的な構造の変化をきたすため，不同視，不正乱視，近視などを生じ，小児緑内障患者の視力低下，弱視の原因となる．そのため原疾患である緑内障の管理だけでなく，弱視治療も重要である．できるだけ早期に屈折検査および屈折矯正を行う必要がある．

12 視神経・視路疾患

視神経乳頭コロボーマ
Optic disc coloboma

植木智志　新潟大学医歯学総合病院・病院講師

概念　視神経乳頭コロボーマは視神経乳頭の先天異常である．

病態　眼杯裂の閉鎖不全（正常では胎生6～7週に閉鎖）によって生じる．片側もしくは両側に同程度にみられる．

症状　コロボーマが乳頭縁を越えて下方の網脈絡膜に拡大している症例もあり**(図1)**，コロボーマの程度により視力・視野障害がみられる．

合併症・併発症　全身の異常を合併することがある．CHARGE症候群は8番染色体に存在する*CHD7*遺伝子のヘテロ変異により発症する多発奇形症候群であり，視神経乳頭コロボーマは80%にみられると報告されている．CHARGEはcoloboma（コロボーマ）に加えて，heart anomalies（心奇形），atresia of choanae（後鼻孔閉鎖），retardation of growth and mental development（身体知能発育不良），genital anomalies（性器低形成），ear anomalies（耳奇形）の頭文字をとり命名されている．実際に多くみられる症状は外耳奇形，三半規管奇形，哺乳障害，無嗅覚症，成長障害や精神発達遅滞である．先天性心疾患は78%にみられると報告されている．耳奇形に加えて難聴もみられる．第Ⅶ脳神経（顔面神経）や第Ⅷ脳神経（内耳神経）の障害がみられることもある**(図2)**．

診断
■ **診断法・必要な検査**　検眼鏡的に視神経

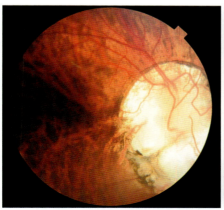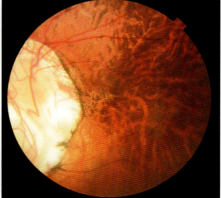

図1　視神経乳頭コロボーマの眼底写真
コロボーマが乳頭縁を越えて下方の網脈絡膜に拡大している．

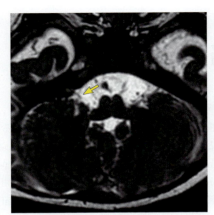

図2 視神経乳頭コロボーマおよび難聴を有するCHARGE症候群の軸位断MRI(true FISPシーケンス)

右第Ⅶ脳神経と並走するはずの右第Ⅷ脳神経(内耳神経)が描出されていない(矢印).

乳頭を占める境界明瞭な白色の陥凹を観察することで診断できる.小児科に全身の異常の合併について精査を依頼する.

■**鑑別診断** 視神経の先天異常である視神経低形成などが挙げられる.

治療 有効な治療方法はない.

予後 視神経乳頭のコロボーマのみの症例では漿液性網膜剝離を,網脈絡膜のコロボーマも合併している症例では裂孔原性網膜剝離を合併することがある.

視神経低形成
Optic nerve hypoplasia

植木智志 新潟大学医歯学総合病院・病院講師

概念 視神経低形成は視神経の先天異常である.

病態 原因は不明である.病理組織学的には網膜神経節細胞数が減少している.片側もしくは両側にみられる.

症状 視力は光覚なしから正常視力まで,視野所見は限局した欠損から全体的な狭窄まで症例によりさまざまである.視力不良の症例では斜視や眼振を合併する.

合併症・併発症 透明中隔欠損および脳梁の菲薄化や欠損を伴う場合は中隔視神経低形成(septo-optic dysplasia)とよばれるなど,視神経低形成はさまざまな中枢神経異常を合併しうる.septo-optic dysplasiaは視神経低形成,透明中隔欠損および/もしくは脳梁の菲薄化,下垂体機能低下症の3徴のうち少なくとも2つが存在すれば診断される.下垂体機能低下症はホルモン補充療法を要する症例も存在する.また,皮質形成異常などの大脳半球の異常やてんかんがみられる症例も存在する.片側の症例でも中枢神経異常を疑う必要がある.

診断

■**診断法・必要な検査** 検眼鏡的には小乳頭がみられ,double-ring signとよばれる視神経乳頭を取り囲む橙色の輪がしばしばみられ,乳頭縁と合わせて2重の輪に見える**(図3a)**.病理組織学的に輪の外周は強膜と篩状板の境界となっており,輪の内周は篩状板上に網膜・色素上皮・脈絡膜が過伸展している.また,網膜血管の異常(網膜静脈の蛇行など)を伴いやすい.乳頭黄斑間距離/乳頭径比(DM/DD比)は眼底写真から簡便に乳頭径の大小を判定する方法であり,DM/DD比3以上を小乳頭と考える.中枢神経異常の合併の精査のために頭部MRIを撮像し,下垂体の形態異常がみられたら,もしくは低身長・低体重などがみられたら**(図3b)**,小児科に下垂体機能低下症の精査を依頼する.

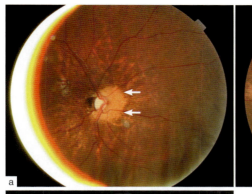
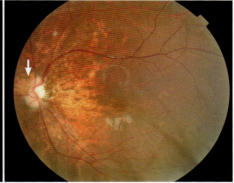
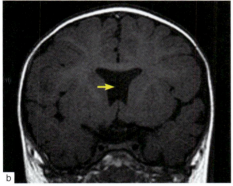

図3 視神経低形成
a：視神経乳頭は小乳頭であり，double-ring sign がみられる(矢印)．
b：septo-optic dysplasia の MR 画像(冠状断 T1 強調画像)．透明中隔の欠損がみられる(矢印)．

〔植木智志(著)，仁科幸子(編)：専門医のための眼科診療クオリファイ9子どもの眼と疾患，p184，図1，中山書店，2012 より〕

■ **鑑別診断**　視神経乳頭の先天異常である視神経乳頭コロボーマなどが挙げられる．

治療　有効な治療方法はない．

予後　視機能障害の程度は症例によりさまざまであるが進行はみられない．

視神経乳頭ドルーゼン

Optic disc drusen

岩佐真弓　井上眼科病院

概念・病因　乳頭ドルーゼンは視神経乳頭内の石灰化した粒であり，視神経乳頭表面に粒が見える表在型(図4)と表面になり埋没型が存在する．

先天性の疾患だが幼児期には目立たず，健診や他疾患を契機に眼底検査をして発見されることが多い．有病率は 0.41〜2.0% といわれている．通常無症状で経過するが，経過中に視野異常や視力低下をきたすことがあり，慢性進行性の視神経疾患ととらえることができる．

症状　視野異常は 70% 以上にみられるとされているが，緩徐に進行するため自覚症状がないことが多い．まれに，突然視力低下や視野欠損を自覚することもある．発症に性差はなく，両眼性が多いとされている．視野異常は，視神経線維欠損，Mariotte 盲点拡大，周辺視野狭窄など多

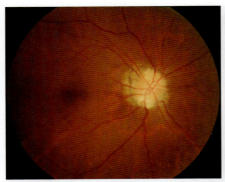

図4 乳頭ドルーゼン

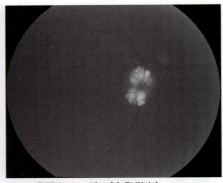

図5 乳頭ドルーゼン（自発蛍光）

様であり，なかには水平半盲をきたしたとの報告もある．

合併症・併発症 網膜色素変性症や網膜色素線条を合併することがある．また，乳頭ドルーゼンは小乳頭の合併が多いとの報告がある．突然の視野欠損や視力低下を自覚する場合では，視神経乳頭内での虚血が原因と考えられている．

診断 視神経乳頭は陥凹を欠き，隆起している．表在型では乳頭表面に白色のドルーゼンを認める．埋没型では，乳頭浮腫との鑑別が困難な場合がある．無赤色光を用いて眼底写真を撮影するとドルーゼンがキラキラと観察される．ドルーゼンからの自発蛍光(図5)が観察され，また蛍光眼底造影では乳頭からの色素漏出を認めない点が，うっ血乳頭や視神経乳頭浮腫との鑑別点となる．

うっ血乳頭との鑑別のためにCTを施行する際に視神経乳頭部をスライスすると，石灰化が観察される．Bモード超音波でも石灰化を検出することができる．

治療 ドルーゼンそのものを治療する方法はない．合併症に対する管理・治療が主体である．

乳頭部の側副血管形成

Collateral vessels at the optic disk

市邉義章 神奈川歯科大学附属横浜クリニック・診療科教授

概念 側副路(collateral route, collateral pathway, collateral flow)とは何らかの原因で血流障害が生じた場合，その血流を維持するために新たに形成される血管の迂回路のことをいう．

視神経乳頭部の静脈還流障害の場合，本来の静脈ではなく retinochoroidal shunt vessels として乳頭近傍部脈絡静脈に還流する短絡血管(optociliary shunt vessel)である．

病因 代表疾患として網膜中心静脈閉塞症，視神経鞘髄膜腫，そのほか慢性乳頭浮腫，視神経乳頭ドルーゼン，慢性期緑内障，糖尿病網膜症などでもみられる．図6は視神経鞘髄膜腫にみられた optociliary shunt vessel である．本症は中年の女性に多く，視神経の画像所見で電車軌道状(tram-track sign, 図7)，また眼底上，約20％に optociliary shunt vessel がみられる．

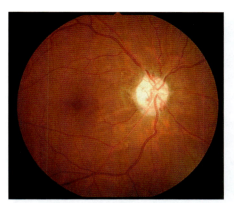

図6 視神経鞘髄膜腫に伴う optociliary shunt vessel

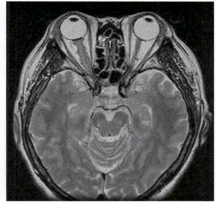

図7 tram-track sign（右）

症状 原因疾患による症状．

診断 眼底検査(図6)，また蛍光眼底造影検査で診断．基本，側副路であるため糖尿病網膜症でみられる乳頭新生血管と違い，蛍光色素の漏出はない．また CT，MRI などで球後の視神経疾患や圧迫病変の検索，また OCT による視神経の3次元的画像検索も原因疾患検索として有用である．

治療 まず，原因疾患を早期に検索，診断し，原因疾患の治療をする．

牽引乳頭

Dragged disc

岩佐真弓　井上眼科病院

概念 発達期に眼底周辺部に増殖組織を生じ，牽引されることにより網膜血管がその方向に引かれて直線化する．それにより，視神経乳頭も牽引されているように見える状態をいう(図8)．

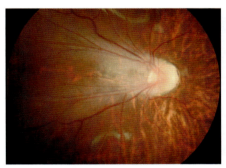

図8 牽引乳頭

病因 瘢痕期未熟児網膜症，後部型第1次硝子体過形成遺残，家族性滲出性硝子体網膜症，色素失調症（Bloch-Sulzberger症候群），Norrie 病，トキソカラ症，von Hippel-Lindau 病により生じる．発達期の網膜は伸展性に富み，牽引方向に偏位する．

症状 原因疾患によるが，視力低下，白色瞳孔，眼振，斜視などを主訴に来院することが多い．黄斑偏位を合併すると視力低下や陽性γ角による偽性外斜視を認める．

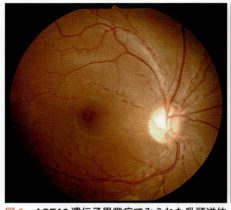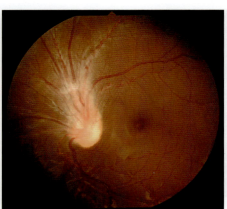

図9 ACTA2遺伝子異常症でみられた乳頭逆位

診断 周辺部の増殖組織に牽引され，網膜血管は直線的に病巣に向かう走行を示す．主として耳側に牽引されることが多いが，鼻側・上下側にも牽引されうる．

❶未熟児網膜症 眼底周辺部まで血管が達する時期は鼻側よりも耳側のほうが遅いため，耳側に無血管領域が生じやすい．耳側に限局して網膜剝離を生じると網膜は耳側へ牽引され，牽引乳頭を生じる．

❷後部型第1次硝子体過形成遺残 硝子体の先天異常で，ほとんどは片眼性である．血管を含む線維性遺残組織が硝子体腔内に形成されている．網膜芽細胞腫との鑑別が重要である．黄斑部牽引，網膜ひだ，網脈絡膜変性の程度，角膜混濁や白内障の程度により視機能はさまざまである．

❸家族性滲出性硝子体網膜症 未熟児網膜症類似の眼底所見を示す疾患として報告され，若年性の裂孔原性網膜剝離の原因疾患として重要である．一般的には自覚症状に乏しく，眼科受診時に偶然発見されるが，重症例では滲出性の病変を生じ，牽引乳頭や網膜剝離を生じる．乳児期に重症化する例では白色瞳孔で発見されることもある．

治療 牽引乳頭そのものに対する治療はないが，原疾患に応じて光凝固術や硝子体手術の適応となることがある．成人で牽引乳頭がたまたま発見された場合には網膜周辺部の観察を念入りに行う．

乳頭逆位

Situs inversus of the optic disc

市邉義章 神奈川歯科大学附属横浜クリニック・診療科教授

概念 視神経乳頭からの網膜中心動脈，中心静脈は通常まっすぐ耳側に向かうが，その走行がいったん鼻側に向かい，その後耳側へ向かう先天性の形成，走行異常．

病因 傾斜乳頭，乳頭コロボーマ，近視性視神経異形成など先天性の視神経の形態異常，網膜の先天性疾患，また遺伝性疾患の一眼所見としてみられることがある．図9はACTA2遺伝子異常症（平滑筋のα-

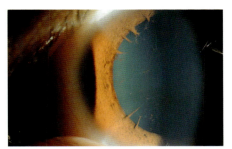

図10　**ACTA2** 遺伝子異常でみられた虹彩の異常

actin をコードしている *ACTA2* の変異によりさまざまな臓器の平滑筋障害をきたす症候群）でみられた乳頭逆位（左右眼），虹彩の異常（縮瞳障害による瞳孔散大，虹彩の萎縮，変色，放射状糸状突起など）もみられる(図10)．

症状　通常は無症状で，眼底検査の際に発見される．傾斜乳頭では，視野異常（上方視野異常が多い）が検出されることがある．

診断　その特徴的な走行異常で診断できるが，未熟児網膜症，von Hippel-Lindau 病など網膜鼻側周辺の異常（変性や血管腫）などにより乳頭が牽引される（牽引乳頭）ことによっても同様の所見を示すが，この場合は乳頭逆位とはよばない．

治療　乳頭逆位そのものに対しては治療は要さない．

傾斜乳頭症候群および傾斜乳頭

Tilted disc syndrome and tilted disc

畑 匡侑　モントリオール大学/京都大学

概念・病態　傾斜乳頭症候群は，視神経乳頭の垂直経線が傾斜して，乳頭上縁が下縁より前方硝子体側に位置する視神経乳頭の先天異常の1つである．胎生期の眼杯裂閉鎖不全による乳頭異常によると考えられ，両眼性が多い．特徴として，①視神経乳頭逆位，②先天下方コーヌス，③下方後部ぶどう腫に伴う鼻下側の豹紋状眼底，④その対応する部分（上方あるいは上耳側）の視野感度低下，⑤近視性斜乱視などが挙げられる(図11)．一方，後天的にみられる傾斜乳頭は眼球形状の変化（主に下方後部ぶどう腫の形成）に伴い発生すると考えられている．

症状　下方後部ぶどう腫部の眼底は豹紋状となり，対応する部位の視野感度低下を認める．また，下方後部ぶどう腫の境界は変性が生じやすく，黄斑部に及ぶ場合には視力低下をきたすことがある．

合併症・併発症　下方後部ぶどう腫では漿液性網膜剥離や脈絡膜新生血管（choroidal neovascularization：CNV），ポリープ状脈絡膜血管症（polypoidal choroidal vasculopathy：PCV）を生じることがある．新生血管を伴わない漿液性網膜剥離は網膜脈絡膜関門の破綻によると考えられている．

診断　傾斜乳頭および傾斜乳頭症候群は，眼科外来患者の数％と高頻度でみられるとされる．検眼鏡的に上記の特徴を確認

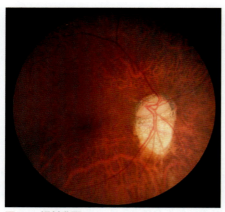

図11　傾斜乳頭
視神経乳頭逆位，先天下方コーヌス，下方後部ぶどう腫に伴う鼻下側の豹紋状眼底を認める．

できれば診断は比較的容易である．補助検査として，OCT検査も有効である．典型例では，OCTの垂直方向スキャンで，篩状板の後方傾斜，乳頭上縁におけるBruch膜と脈絡膜の突出，そして網膜神経線維はこの突出部位に脱出がみられる．視野異常は，軽度の場合はGoldmann視野では示されないことがあり，Humphrey視野などの静的量的視野検査が有効である．漿液性網膜剝離を認める場合は，蛍光眼底造影検査やOCTアンギオグラフィーなどで，蛍光漏出点の確認，新生血管合併の有無の確認を行う．下方後部ぶどう腫の境界が中心窩付近を通る場合は，白内障手術の際の眼軸測定でばらつきが生じやすく，眼内レンズの度数選択には注意が必要である．

乳頭所見や視野異常を伴うことから，うっ血乳頭や緑内障との鑑別が重要となる．

治療　根本的な治療法はなく，屈折異常の矯正のみで経過観察を行う．色素上皮萎縮や漿液性網膜剝離があっても，視力良好であれば経過観察でよい．緑内障との鑑別のためには長期経過観察が必要なことが多い．

うっ血乳頭
Papilledema, Choked disc

畑 匡侑　モントリオール大学/京都大学

概念・病態　うっ血乳頭とは，頭蓋内圧亢進に起因した乳頭浮腫である．視神経周囲くも膜下腔の髄液圧が上昇することで軸索流が停滞し，強い両眼性乳頭腫脹と，それに伴う2次的な変化（毛細血管拡張や微小梗塞，乳頭出血）が生じる．

症状　初期は，通常，視力は良好で，姿勢変動時の数秒で収まる視力低下（一過性霧視）やMariotte盲点拡大を認めるのみである．一方，黄斑浮腫や脈絡膜皺襞を伴ったり，慢性化による視神経萎縮が生じると，不可逆的な視力・視野障害を残す．また，頭蓋内圧亢進に伴う外転神経麻痺による両眼性複視を生じたり，小児では内斜視で見つかることもある．

診断　検眼鏡検査による両乳頭腫脹（初期には乳頭周囲の神経線維混濁のみ）の検出に加え，脳脊髄圧の上昇を認めればうっ血乳頭と診断できる(図12)．視神経炎に比べ高度な乳頭腫脹のことが多いが，軽度の乳頭腫脹の検出にはOCT検査も有効である．超音波で視神経周囲くも膜下腔の拡張を認めることもある．腰椎穿刺による脳脊髄圧測定の前に，頭部画像検査にて頭蓋内占拠性病変や水頭症の検出が必要である．CT・MRIが正常のうっ血乳頭では，脳静脈洞血栓症や特発性頭蓋内圧亢進

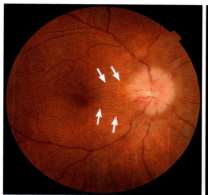 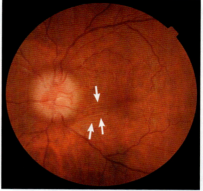

図 12　うっ血乳頭
両眼に高度な乳頭腫脹を認め，神経線維の白濁，網膜血管の蛇行，網膜や脈絡膜ひだの形成を認める（Paton's line，矢印）．

症を疑い，CT・MR ベノグラフィ（venography）や脳血管撮影を行う．

■**鑑別診断**　両眼性乳頭腫脹をきたす疾患（主に偽乳頭浮腫，視神経炎など）がある．

■**治療**　原疾患治療が基本である（占拠性病変摘出術や脳静脈洞血栓症に対するワルファリンカリウム投与）．また，内圧下降療法として，脳室腹腔シャント術や特発性頭蓋内圧亢進症には腰椎穿刺，アセタゾラミド投与などを行う．

■**予後**　早期に頭蓋内圧下降が得られれば視機能障害を残さず回復するが，視神経萎縮に伴う視力低下が起こると不可逆となる．眼科医としては，乳頭腫脹患者のなかからうっ血乳頭を早期に発見すること，また経過中は乳頭腫脹のモニタリングおよび視機能障害の検出が必要であり，脳神経外科との連携が重要である．

偽乳頭浮腫
Pseudopapilledema

畑 匡侑　モントリオール大学/京都大学

■**概念・病態**　偽乳頭浮腫は視神経乳頭の形態異常による乳頭隆起である．真の乳頭浮腫（うっ血乳頭）とは異なり，神経線維の混濁腫脹はない．原因として，乳頭ドルーゼン，網膜有髄神経線維，高度遠視・近視，傾斜乳頭症候群などがある．

■**症状**　無症状もしくは網膜神経線維の菲薄化を伴う視野障害を呈することがある．

■**合併症・併発症**　Down 症候群や Alagille 症候群，Kenny 症候群，Leber 遺伝性視神経症に合併することがある．

■**診断**　検眼鏡検査では，一般的に小乳頭で，生理的乳頭陥凹が消失しており，乳頭鼻側の境界が不鮮明に見える（**図 13**）．また，乳頭上の大血管系の異常（網膜血管

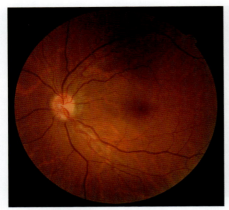

図13　偽乳頭浮腫
小乳頭で，生理的乳頭陥凹の消失，および乳頭鼻側の境界の不鮮明化を認める．また，乳頭上の網膜血管の多分岐や乳頭中央への集簇も認める．

の3分岐，ループ形成，乳頭中央への集簇)を認めることが多い．乳頭ドルーゼン(表在型，埋没型)を伴うことがあるが，埋没型であっても自発蛍光検査，超音波検査やCT検査で乳頭内の石灰化を描出できることがある．

■**鑑別診断**　小児では視神経炎，成人では初期のうっ血乳頭との鑑別が問題になる．真性うっ血乳頭と異なり，神経線維の混濁肥厚は認めない．また，真性うっ血乳頭では経過に伴い乳頭所見に変化を認めることから鑑別が可能である．

治療・予後　一般的に，治療の必要はなく予後良好である．ただし，乳頭ドルーゼンが原因である場合には，視野障害の進行を認めたり，虚血性視神経症や網膜動静脈閉塞症を合併することにより視力低下をきたすことがあるため注意が必要である．

視神経炎
Optic neuritis

毛塚剛司　毛塚眼科医院・院長／
　　　　　東京医科大学・兼任教授

概念　視神経炎は，何らかの原因で視神経が炎症を起こして視機能が低下する疾患である．一般的に若年～壮年期にかけて多くみられる．視神経炎の原因は，一般的に自己免疫機序による特発性が主である．

病態　感染症による直接浸潤で視神経に炎症が起こることもあるが，自己免疫機序が疑われる特発性では，ミクログリアなどの炎症関連細胞が視神経内に浸潤して炎症を引き起こすと考えられている．

症状　突然の片眼の視力低下および視野欠損で発症することが多い．50%程度の症例に眼痛が認められる．視神経炎は，時に「視神経脊髄炎」の初発として起きることもあるため，脊髄炎の所見である手足のしびれの有無なども確認する．風呂に入ったあとや運動後に視力の低下や霧視を自覚するUthoff徴候にも注意する．

合併症・併発症　視神経炎は多発性硬化症を併発することが多く，視神経炎が軽快しても再発時に脳内の脱髄病変が認められることがある．

診断　眼底に異常をきたさない「球後視神経炎」も存在し，眼底が正常に見えても視神経炎の可能性はあるので，詳細な検査が必要である．

■**診断法・必要な検査**　眼底所見として，視神経乳頭炎は視神経乳頭の発赤腫脹をきたす(図14a)．一方，視力検査や視野検査はもとより，中心フリッカ値の低下，眼窩MRIにおける視神経に一致した造影効果

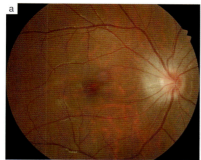
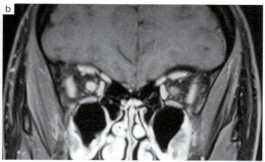

図14 視神経炎の症例
a：視神経炎の眼底像（右眼）．視神経乳頭の発赤腫脹がみられる．b：眼窩MRI T1造影冠状断．右視神経に沿って造影効果がみられる．

を確認する必要がある**(図 14b)**．単純MRIは，炎症のない視神経萎縮でも高信号になるため，陳旧性視神経萎縮と急性期の再発性視神経炎との鑑別が難しい．視野検査では，中心暗点や盲点中心暗点をきたすことが多い．相対的瞳孔求心路障害（relative afferent pupillary defect：RAPD）の検出は重要な所見となりうる．血清中抗アクアポリン4抗体の測定は，ステロイド抵抗性となりやすい視神経炎かどうか判別するのに有用である（⇒824頁，「抗アクアポリン4抗体陽性視神経炎」項を参照）．

■**鑑別診断**　まず特発性と感染性，圧迫性によるものかを鑑別する必要がある．感染性視神経炎の原因は真菌，ウイルス，梅毒など多岐にわたり，ステロイド療法を行う場合には，きちんと除外する．若年〜壮年期の男性における両眼性の視神経障害をみたらLeber遺伝性視神経症を疑い，家族歴も考慮して，遺伝子検査を行う必要がある．エタンブトール塩酸塩などの薬物による視神経症は，造影MRIで視神経に造影効果をきたさないが，念のため薬物内服の有無を問診しておく．虚血性視神経症は，高齢，生活習慣病の有無，視神経乳頭の部分的な蒼白浮腫の有無なども鑑別に重要である．

治療

■**治療方針**　矯正視力の比較的よい特発性視神経炎では，無治療で経過をみてもよい．ただし，急激な視力低下をきたした場合などでは，早急にステロイド点滴療法を行う．ステロイドの単独内服療法は，視神経炎再発の可能性を高めるため行わない．ステロイド点滴療法のなかでも，ステロイドパルス療法〔メチルプレドニゾロンコハク酸エステルナトリウム1,000 mg，点滴静注，3日間（保険適用外，効能・効果）〕は特に効果的であり，第1選択となりうるが，時に4〜5日空けて2回目のステロイドパルス療法を行う必要がある．ステロイドパルス療法後はプレドニゾロン0.5〜1.0 mg/kg/日からの内服療法を開始して，徐々に漸減していく．

最近，免疫グロブリン大量静注療法〔スルホ化ヒト免疫グロブリンG，400 mg（製剤量として8 mL）/kg体重を5日間点滴静注〕がステロイド抵抗性の視神経炎に対して保険収載されたため，難治例では治療の選択肢とする．

■**合併症への対応** 難治例において，ステロイドの長期間にわたる全身療法は，胃潰瘍，骨粗鬆症，満月様顔貌，高血糖などをきたし，眼科領域でも緑内障や白内障を引き起こす．

■**患者への対応** 9割以上の視神経炎において，経過観察もしくはステロイドの全身投与により視力は改善するが，ステロイド投与のみでは視力改善が得られない場合も1割ほど存在することを患者に伝えておく必要がある．

予後 視神経炎の9割以上が視力回復を期待できるが，将来における多発性硬化症の発症の可能性について注意喚起をしておくべきである．

抗アクアポリン4抗体陽性視神経炎

Anti-aquaporin 4 antibody-seropositive optic neuritis

毛塚剛司　毛塚眼科医院・院長／
　　　　　東京医科大学・兼任教授

概念 抗アクアポリン4(抗AQP4)抗体陽性視神経炎は，特発性視神経炎のうち12％程度でみられる難治性疾患である．通常の視神経炎をきたす年齢よりやや高年齢であることが多い．男女比は1：9で女性が多いのが特徴である．抗AQP4抗体陽性視神経炎は，通常，急激な視力低下をきたし，ステロイド治療に抵抗性のことが多い．最近では視神経脊髄炎(neuromyelitis optica：NMO，Devic病)の眼症単一型であるNMO spectrum disorder(NMOSD)として扱われている．

病態 抗AQP4抗体が補体と結合して，視神経内のグリア細胞であるアストロサイトを攻撃することにより発症する．視神経および視交叉におけるアストロサイトはAQP4を多く表出しており，標的となりやすい．抗AQP4抗体陽性脊髄炎も同様の機序により発症すると考えられている．

症状 急激な視力低下をきたし，ステロイド治療に抵抗性のことが多い．僚眼にも発症し，両眼性になりやすい．眼痛を約半数の症例に認める．視神経乳頭腫脹は34％と通常の視神経炎(46％)より少ない．視野障害は通常の中心暗点や盲点中心暗点にとどまらず，水平半盲や両耳側半盲，同名半盲をきたすこともある．これは，病変が視神経から視交叉，視索にまで及んでいることが多いためと推測されている．

合併症・併発症 NMOSDの症状として抗AQP4抗体陽性視神経炎を発症することがあるため，脊髄炎の症状である手足のしびれや温痛覚異常についても問診しておく必要がある．時にしゃっくりを伴うこともある．まれではあるが，脳幹病変の一環として眼球運動障害をきたすこともある．

診断 抗AQP4抗体陽性視神経炎の診断で必須なのは，血清抗AQP4抗体の検出である．血清抗AQP4抗体測定におけるELISA法は，cell-based assay(CBA)法と比較して，感度，特異度ともにやや落ちるが，保険収載されているので検査しやすいといえる．造影MRIによる画像診断は活動性の高い特発性視神経炎と同様，視神経に一致した高信号である造影効果がみられる．限界フリッカ値(critical flicker frequency：CFF)の低下もみられる．

■**鑑別診断**　「視神経炎」の項(⇒822頁)

に詳細が記載されている．抗 AQP4 抗体陽性視神経炎は通常の視神経炎の発症年齢より高めのことが多いため，虚血性視神経症との鑑別が重要である．虚血性視神経症は，生活習慣病の有無，視神経乳頭の部分的な蒼白腫脹などが鑑別ポイントとなる．

治療　ステロイドパルス療法前に血清抗 AQP4 抗体の測定をオーダーしておく．初回治療はまずステロイドパルス療法を行う．ステロイドパルス療法は，中 3〜4 日空けて視力の改善がみられなければもう 1 クール行う．視力低下が持続し，抗 AQP4 抗体が陽性であれば，血漿交換療法や免疫グロブリン大量静注療法を考慮する．

血漿交換療法には単純血漿療法と二重膜濾過血漿交換療法とあり，ヒト血漿を用いない免疫吸着療法も選択肢に挙げられる．血漿交換療法は脳神経内科医，腎臓内科医と連携して行うかを決定する必要がある．また最近，免疫グロブリン大量静注療法がステロイド抵抗性の視神経炎に対して保険収載された．

処方例　下記 1)を行う．視力回復がみられないときは 1)をもう一度，または抗 AQP4 抗体陽性であれば 2)か 3)を考慮する．

> 1)メチルプレドニゾロン注　1 日 1,000 mg 点滴静注　3 日間　保外 効能・効果(「多発性硬化症の急性増悪」には保険適用)
> 2)血漿交換療法
> 3)ベニロン注　1 日 400 mg/kg　点滴静注　5 日間

後療法としては，漸減して低用量のプレドニゾロン(プレドニン®)およびアザチオプリン(イムラン®)の投与に移行する．

処方例　後療法として下記を併用し，漸減する．

> プレドニン錠　5〜10 mg　分 1
> イムラン錠　50〜100 mg　分 1　保外 効能・効果

再発寛解を繰り返す症例においては，NMOSD ととらえて新規生物学的製剤(エクリズマブ，サトラリズマブ，イネビリズマブ)の使用も検討する．ただし，高額な治療となるために指定難病医療費助成の申請などが必要となる．

予後　抗 AQP4 抗体陽性視神経炎は，急性期にステロイドパルス療法および血漿交換療法，免疫グロブリン大量静注療法など適切な治療を行わないと視機能障害が永続的に続く可能性が高い．視神経炎では 12％程度に抗 AQP4 抗体陽性視神経炎が存在し，ステロイド全身投与が無効であり，高額となる血漿交換療法，免疫グロブリン大量静注療法などを行わなければ失明する可能性があることを患者に伝える必要がある．

乳頭血管炎

Optic disc vasculitis, Papillophlebitis

中村 誠　神戸大学・教授

概念　若年〜壮年者に生じる，視機能障害を伴わない片眼性視神経乳頭浮腫と網膜静脈拡張蛇行を示す症候群．

病態　不明．

症状　軽度霧視．

合併症・併発症　なし．

診断

■**診断法・必要な検査**　片眼の視神経乳頭浮腫(図 15)，正常矯正視力，Mariotte 盲点拡大(図 16)．蛍光眼底造影で視神経乳

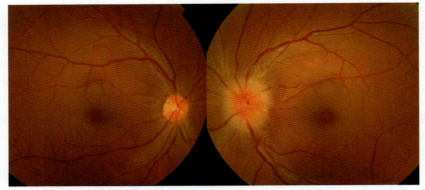

図15 左眼乳頭血管炎の眼底写真

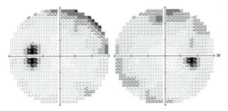

図16 図15の症例の視野

頭からの蛍光色素漏出．眼窩部MRIで正常視神経所見．

■ **鑑別診断**

❶ **うっ血乳頭** 原則両眼性であり視機能が正常でMariotte盲点が拡大する点は類似するが，頭蓋内圧亢進となる原因疾患がある．

❷ **視神経炎** 視機能が低下し，MRIで眼窩部視神経の拡張・造影所見．

❸ **虚血性視神経症** 視機能が低下し，原則蒼白浮腫．小乳頭が基盤にある．

❹ **糖尿病乳頭症** 両眼性の乳頭浮腫を呈し，視機能は正常ないし随伴する黄斑浮腫により軽度低下．糖尿病の既往がある．

❺ **視神経周囲炎** 片眼ないし両眼の視神経乳頭浮腫を呈し，視機能は当初低下しない．眼窩部MRIで視神経の高信号がみられる．

治療
■ **治療方針** 経過観察．
■ **患者への対応** 通常，視機能低下は生じないことを説明する．

予後 良好．

視神経周囲炎
Optic perineuritis

中村 誠　神戸大学・教授

概念 古典的概念と新しい概念とが並立する．古典的には梅毒やサルコイドーシスなどに起因する髄膜炎による両眼性視神経乳頭浮腫であり，新しい概念としては視神経鞘に限局した炎症のため乳頭浮腫が生じ，眼窩部MRIでリング状の高信号を呈するが，視機能はMariotte盲点の拡大以外低下しないもの．

病態 どちらの概念にせよ，視神経鞘に炎症が生じ，視神経の軸索流に停滞を招き，視神経乳頭浮腫が生じる．

症状 眼科的には霧視．梅毒性髄膜炎

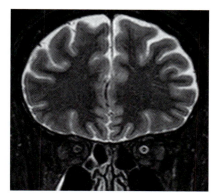

図17　視神経周囲炎の眼窩部 MRI
左眼視神経周囲の高信号を認める．

であれば，梅毒に付随する 1～3 期の全身症状が現れる．頭痛や眼窩痛を伴うこともある．

診断

■**診断法**　片眼ないし両眼の視神経乳頭浮腫，正常矯正視力，Mariotte 盲点拡大．蛍光眼底造影で視神経乳頭からの蛍光色素漏出．

■**必要な検査**
❶**眼窩部 MRI**　新しい概念による視神経周囲炎では，MRI によるリング状眼窩部視神経高信号が診断の決め手となる**(図 17)**．
❷**髄液検査**　(古典的概念であれば，髄膜炎の存在により，髄液の細胞増多がみられる)正常視神経所見．
❸**血液検査**　血清梅毒反応，赤沈，ツベルクリン反応(T-SPOT)，アンジオテンシン変換酵素(サルコイドーシスの除外)．

■**鑑別診断**　うっ血乳頭，視神経炎，虚血性視神経症，糖尿病乳頭症，乳頭血管炎．

治療

■**治療方針**　経過観察．原疾患の治療．

■**患者への対応**　原疾患の治療が奏効すれば，通常，視機能低下は生じないことを説明する．

■**予後**　良好．

視神経網膜炎
Neuroretinitis

中村 誠　神戸大学・教授

■**概念**　特発性ないし何らかの病原体感染に起因する視神経乳頭浮腫と網膜の炎症を呈する症候群の総称．

■**病態**　若年～壮年者の視神経乳頭から黄斑に及ぶ浮腫により視力低下をきたす病態．原因不明の Leber 特発性星芒状視神経網膜炎，*Bartonella henselae* 菌感染に起因するネコひっかき病，梅毒感染によるものなどがある．

■**症状**　片眼ないし両眼の視力低下，視野欠損．先行するウイルス感染による感冒様症状や，ネコひっかき病のときには発熱，所属リンパ節腫脹がみられる．梅毒では全身の 1～3 期梅毒症状が現れる．

診断

■**診断法**　片眼ないし両眼の視神経乳頭と黄斑部浮腫性病変の存在**(図 18)**．Leber 特発性星芒状視神経網膜炎では star figure とよばれる特徴的な黄斑部の星芒状白斑を示す．蛍光眼底造影による乳頭部からの漏出．ネコひっかき病では受傷後 10 日ほどしてからの創部の発赤腫脹の既往．所属リンパ節腫脹．

■**必要な検査**　赤沈，CRP，梅毒反応，*B. henselae* IgM・IgG．

■**鑑別診断**　視神経炎，虚血性視神経症，うっ血乳頭，原田病などの内眼炎など．

図18 梅毒性視神経網膜炎の眼底写真
視神経乳頭腫脹と黄斑浮腫，網膜深部白点状病巣を認める．

治療
■**治療方針** Leber特発性星芒状視神経網膜炎では自然寛解するので経過観察．遷延化する場合は，副腎皮質ホルモン内服．ネコひっかき病も数週間は経過観察．遷延化する場合は，抗菌薬投与．梅毒の場合は，駆梅療法と副腎皮質ホルモン投与．
■**薬物療法** ネコひっかき病ではマクロライド系・テトラサイクリン系抗菌薬．梅毒ではペニシリンの全身投与．副腎皮質ホルモンは30〜60 mg/日のプレドニゾロン漸減．

予後
自然寛解傾向であるが，黄斑部病変の後遺症による恒久的視機能障害を呈することもあり，程度はさまざまである．

遺伝性視神経症
Hereditary optic neuropathy

中村 誠　神戸大学・教授

概念
原因遺伝子変異により視神経萎縮をきたす疾患の総称．核遺伝子に責任があり，メンデル遺伝形式をとる常染色体優性視神経萎縮（autosomal dominant optic atrophy：ADOA）と劣性視神経萎縮，ならびにミトコンドリア遺伝子に責任があり，母系遺伝形式をとるLeber遺伝性視神経症（Leber hereditary optic neuropathy：LHON）がある．常染色体劣性遺伝形式をとる視神経萎縮は，単独のものよりもWolfram症候群が有名である．

病態
細胞内小器官を標的にした遺伝子異常が原因で，網膜神経節細胞死が誘導され，両眼性の視神経萎縮を生じる．ADOAとLHONではミトコンドリア機能障害が，Wolfram症候群では小胞体機能障害が引き起こされると考えられている．

1 常染色体優性視神経萎縮（ADOA）

症状
学童期に両眼視力発達障害として発見される．性差はない．自覚症状に乏しい．後天性第3色覚異常を呈する．

診断
■**診断法** 学童期に発見される両眼性の原因不明の視力発達障害を示す患児をみたら，本症を疑う．視神経乳頭はさまざまな程度で蒼白化している．
■**必要な検査**
❶**Farnsworth-Munsell 100 hueテスト**　第3色覚異常軸を示す．
❷**短波長刺激自動視野**　通常の白色刺激の自動視野よりも感度低下が強い．
❸**光干渉断層計**　網膜神経線維の（耳側・下側象限優位な）菲薄化．
❹**OPA1遺伝子検査**　第3番染色体に位置するoptic atrophy 1（OPA1）遺伝子にさまざまなタイプの遺伝子変異が同定されている．OPA1蛋白はdynamin関連GTPaseに属し，ミトコンドリアの融合と分離を介

して網膜神経節細胞のシナプス形成に関与している．*OPA1*遺伝子変異を同定することが確定診断となるが，外注検査はまだ行われていないため，基幹施設に委託しなければならない．
- **鑑別診断** ほかの遺伝性視神経症，中毒性視神経症，オカルト黄斑ジストロフィ，錐体ジストロフィ，機能性弱視，心因性視覚障害など．

治療

- **治療方針** 現時点で有効な治療はないので，ロービジョンケアや患者カウンセリングが主体となる．
- **患者への対応** 適切なロービジョンケアを指導し，極端な視機能低下には陥らないことなどを説明する．

2 Wolfram 症候群

- **症状** 幼児期に発症する1型糖尿病，両眼進行性視神経萎縮，尿崩症，感音性難聴．

診断

- **診断法** 上記臨床症状ならびに下記遺伝子検査．
- **必要な検査** 第4番染色体に位置する*WFS1*または*WFS2*が原因遺伝子と同定された．いずれも小胞体内に局在し，細胞内Ca^{2+}恒常性を維持する役割を担っている．これらの遺伝子変異を同定することが確定診断になるが，やはり外注検査はないので基幹施設へ依頼する．
- **鑑別診断** ミトコンドリア脳筋症，先天代謝疾患，その他の遺伝性視神経症．

治療

- **治療方針** 現時点で有効な治療はないので，患者カウンセリングが主体となる．
- **患者への対応** 全身合併症が多いので，小児科や耳鼻科との連携で患児・家族のサポートにあたる．

3 Leber 遺伝性視神経症（LHON）

- **症状** 若年男性に好発する亜急性の無痛性両眼視力低下と中心暗点．

診断

- **診断法** 母系遺伝形式をとる両眼視神経萎縮．多くは片眼に症状が出現後，数か月間隔を空けて反対眼も症状が現れる．視力は0.1以下に落ち，深い中心暗点を呈するが，周辺視野は残存することがほとんどである．
- **必要な検査**
  ❶**眼底検査** 急性期に視神経乳頭の発赤・腫脹，乳頭近傍毛細血管拡張・蛇行，乳頭出血などを呈する**(図 19a)**．
  ❷**フルオレセイン蛍光眼底造影** 視神経炎と異なり，発赤した視神経乳頭から蛍光色素漏出を認めない**(図 19b)**．
  ❸**対光反射** ほかの視神経疾患に比べ対光反射が保たれるか，障害されても軽微である．
  ❹**視野検査** 慢性期にモザイク状に視野感度が上昇する例がある**(図 20)**．
  ❺**ミトコンドリア遺伝子検査** 3460，11778，14484点変異が日本のLHON家系の90%以上に検出される．外注検査可能である．これ以外の遺伝子変異を呈することもあるので，上記陰性例の場合は，基幹施設へ依頼する．
- **鑑別診断** ほかの遺伝性視神経症，中毒性視神経症，オカルト黄斑ジストロフィ，錐体ジストロフィ，機能性弱視，心因性視覚障害など．

治療

- **治療方針** 現時点では，限定的であるが

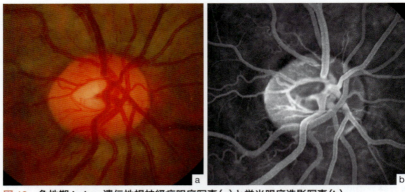

図19 急性期 Leber 遺伝性視神経症眼底写真(a)と蛍光眼底造影写真(b)
視神経乳頭は発赤し，乳頭周囲の毛細血管の拡張・蛇行を認める．蛍光眼底造影からの色素漏出を認めない．

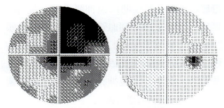

図20 Leber 遺伝性視神経症視野回復例
左：発症時．右：2年後．

臨床試験で有用性が示された治療方法として，コエンザイム Q_{10} の誘導体であるイデベノンの内服，ならびにアデノ随伴ウイルスベクターを用いた硝子体注射による遺伝子治療がある．また，短期的には経皮膚電気刺激も若干の効果を示した臨床試験が報告されている．喫煙は発症のリスクファクターであるので禁煙指導する．

■**薬物療法**

処方例

Idebenone 錠　900 mg　分3　食中　保外
　国内未承認

日本では未承認薬のため患者の個人輸入となる．

■**患者への対応**　適切なロービジョンケアと禁煙を指導する．男性患者の子孫には遺伝しないこと，自然回復例も存在すること，指定難病に認定されていることなどの情報を提供する．

虚血性視神経症

Ischemic optic neuropathy：ION

前久保知行　眼科三宅病院・医長

概念　虚血性視神経症(ION)は虚血が生じた部位により前部虚血性視神経症(anterior ischemic optic neuropathy：AION)と後部虚血性視神経症(posterior ischemic optic neuropathy：PION)に分けられる．AION は視神経乳頭部における短後毛様動脈の血流障害が急性に生じ，視神経乳頭腫脹を認める．PION は視神経鞘軟膜毛細血管叢の分枝に血流障害が生じ，発症早期には視神経乳頭腫脹は認めず，のちに視神経萎縮となる．その診断は特異

所見に乏しいため，ほかの視神経疾患を除外したうえで行われる．

病態 AION は巨細胞性血管炎に伴う血管炎による短後毛様動脈の閉塞が生じる動脈炎性 AION（arteritic AION：A-AION）と非動脈炎性 AION（non-arteritic AION：NAION）に分けられる．血流障害によって視神経乳頭部障害が生じ視野障害，視力障害が起こる．急性期では軸索流の阻害や間質浮腫が生じることで乳頭が腫脹し，さらに篩状板部で軸索が圧迫を受けるコンパートメント症候群が 2 次的に起こる．その後，網膜神経節細胞のアポトーシスが誘導され，約 2 か月で視神経乳頭は蒼白となる．乳頭腫脹とともに線状出血や火炎状出血を伴うことや乳頭周囲に網膜皺，網膜内浮腫，中心窩網膜下液を生じる場合もある．血流障害は短後毛様動脈の分枝における分水嶺の位置に関連することが知られており，乳頭血流が区域性に障害を受け，下方水平半盲に代表される区画性視野障害が生じることが多い**(図 21)**．

診断

❶ **NAION** 危険因子として小乳頭，糖尿病，高血圧，夜間低血圧，虚血性心疾患，脳血管障害，睡眠時無呼吸症候群，片頭痛，アミオダロン塩酸塩内服，ED 治療などが挙げられる．相対的瞳孔求心路障害（relative afferent pupillary defect：RAPD）が陽性となる．視野障害のパターンは多様でありそのパターンや視神経乳頭所見から診断することが難しい．フルオレセイン蛍光眼底検査（FA）では乳頭充盈時間の遅延，区域性の早期低蛍光，後期過蛍光を認める．

❷ **A-AION** 平均年齢は 76.2 ± 7.0 歳で女性に多いとされ，発症年齢は NAION よ

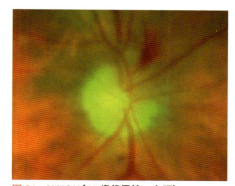

図 21 NAION（50 歳代男性，右眼）
視神経乳頭上方の腫脹と出血を認める．同部位に一致し下方水平半盲を認めた．

りもさらに高い．巨細胞性動脈炎やリウマチ性多発筋痛症の症状に注意する．頭痛，側頭部特に浅側頭動脈部の圧痛や jaw claudication（顎跛行），筋痛が重要な所見となる．全身性炎症の評価のため赤沈や CRP をチェックする．赤沈での厳密な基準はないが，1 時間値が男性では年齢の 1/2，女性では年齢に 10 を加えた値の 1/2 以上の場合には陽性と判断することが推奨されている．当てはまる所見が 1 つでもある場合には A-AION を積極的に疑う必要があり，確定診断には主に浅側頭動脈より動脈生検を行う．病理学的には内膜の肥厚に伴う内腔狭小，内弾性板の破壊，多核巨細胞の浸潤を認めることで診断される．

治療

❶ **NAION** 急性期の機能改善または再発や僚眼の発症予防に明らかに有効な治療法は確立されていない．

❷ **A-AION**

処方例 下記 1)～3) を用いる．

〈パルス療法〉
1) ソル・メドロール注　1,000 mg　1 日 1 回　緩徐に点滴静注　3 日間

〈後治療〉
2) プレドニン錠(5 mg)　1 mg/kg/日　分2
より開始し，全身症状や CRP，血沈値を確認しながら緩やかに減量を進める
〈再発予防〉
3) バイアスピリン錠(100 mg)　1錠　分1
朝食後

減量は赤沈の値をモニターしながら行うのが望ましい．巨細胞性動脈炎やリウマチ性多発筋痛症によるほかの全身症状に治療強度が関連するため，ステロイド投与量は膠原病内科，免疫内科と連携しながら調整する必要がある．経過のなかで免疫抑制薬の併用も検討しなければならない症例も多い．

予後　痛みや全身倦怠感などの炎症症状はステロイド投与で早期より改善が得られるが，罹患眼の視機能予後はきわめて不良であり，治療後も 13％程度は障害の進行が生じる．これはステロイド投与を行っても血管炎による血管閉塞性障害が進行するためと考えられている．しかし，導入が早期の症例ほど視機能改善が得られるとの報告もあり，ステロイド治療は可及的すみやかに導入し急性期治療を行い，そして亜急性から慢性期には僚眼への発症予防のため維持投与を継続していく必要がある．

鼻性視神経症

Optic neuropathy of nasal origin

中馬秀樹　宮崎大学・准教授

概念　鼻性視神経症は，副鼻腔疾患に合併した視神経疾患の総称であり，後部副鼻腔炎の炎症波及によるもの，副鼻腔嚢胞や副鼻腔腫瘍による機械的圧迫によるものが含まれる．

病態　視神経と後部副鼻腔はきわめて薄い骨を介して接しており，病変が波及しやすい．副鼻腔炎から波及した視神経症では，真菌によるものが重要である．アスペルギルスとムコールが多い．副鼻腔真菌症は，臨床的に，副鼻腔に限局した病変を示す非浸潤型と，眼窩壁や頭蓋底の骨を破壊して発育する悪性腫瘍に類似した症状を呈する浸潤型とに分けられる．浸潤型は生命予後が不良で，死亡率が 94％であったとの報告もある．主な罹患洞は上顎洞とされる．蝶形骨洞は 10％程度とまれであるが，浸潤型の頻度が高く，解剖学的に視神経と近接しており，視神経症をきたしやすい．

副鼻腔手術後に 10〜20 年経過して形成された副鼻腔嚢胞が原因の圧迫性視神経症も多いので，視神経症を経験したら副鼻腔手術の既往を聴取することが大切である．

症状　片眼性，急性発症の霧視，視力低下を主訴とする．基本的に無痛性であるが，真菌による浸潤性では強い痛みを合併する．眼窩先端部に病変が及んでいれば，眼球運動制限を合併する．

診断　片眼発症の視神経疾患であるから，相対的瞳孔求心路障害(relative afferent pupillary defect：RAPD)が病眼で陽性となる．視神経乳頭は正常か萎縮を呈している．視野欠損の形はさまざまである．

確定診断には画像診断が必要である．眼窩部の CT，MRI で病変を確認する**(図22)**．

アスペルギルスの臨床的表現型は，①アレルギー性アスペルギルス症，② aspergilloma，③浸潤性アスペルギルス症に分けられる．このうち浸潤性アスペルギルス症

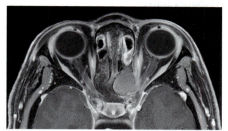

図22 鼻性視神経症のMRI
副鼻腔病変が左視神経を圧迫している．

は生命予後の観点からも重要な疾患である．多くは眼窩先端部症候群となり，眼球運動障害を合併する．しかし，視神経症のみを呈した場合，球後視神経炎や，アレルギー性アスペルギルス症との鑑別が重要となる．なぜなら，これらはステロイド療法が中心である一方，浸潤性アスペルギルス症はステロイドが禁忌で抗真菌薬の全身投与と，治療法が全く異なるからである．特に注意すべきことは，浸潤性アスペルギルス症はしばしばステロイド依存性の経過をとり，ステロイドに一時的によく反応するため，原因不明の球後視神経炎として治療され，経過中に浸潤が拡大し，生命に影響を及ぼすほど重症化してしまう点である．

検査上は，真菌性浸潤性視神経症では，血清中のβ-D-グルカンが上がりやすいとされる．視野検査での接合部暗点は，本症を疑う根拠となりうる．画像診断は，CT，MRIによる骨破壊像を特徴とするが，初期では画像所見に異常を認めない例も多いため，初回の画像検査で異常所見が出なくても繰り返し画像検査を行うことが大切である．確定診断は病理組織検査あるいは，真菌培養検査による菌体の証明によりなされる．培養検査では陽性率が低いとされる．

治療 原因となった副鼻腔疾患に対して，根治的治療を行う．副鼻腔嚢胞に対しては，緊急で耳鼻科医に副鼻腔開放術を依頼する．

真菌性浸潤性視神経症の治療に確立されたものはなく，局所の感染病巣の除去を可及的すみやかに行い，宿主の栄養状態，基礎疾患などを考慮したうえで抗真菌薬の全身投与を行う．全身管理のできる内科で行うのが望ましい．

処方例 下記のいずれかを用いる．

1) ファンガード注　1回250 mg　1日1回点滴静注
2) アムビゾーム注　1回125 mg　1日1回点滴静注
3) ブイフェンド注　1回180 mg　1日2回点滴静注

中毒性視神経症

Toxic optic neuropathy

中馬秀樹　宮崎大学・准教授

概念 化学物質の曝露による前部視路の障害である．原因としてよく知られているものは，タバコ，アルコール，シンナー，薬剤としてはエタンブトール塩酸塩が有名である．

診断 タバコ，アルコール，シンナーなどの摂取の有無がまず重要である．患者はこれらにより視力低下をきたしているとは夢にも思っていないので，眼科医から問いかけないと診断は無理である．

患者の自覚症状としては，視覚障害は両眼性でほぼ同時発症である．眼球運動痛は

ない．眼球運動痛を自覚する場合，ほかの疾患を考慮すべきである．

初期には色覚障害をきたす．患者のなかには，ある特定の色，例えば赤色が以前より暗くなり，いきいきと見られないという表現をする人もいる．

その後，見ようとする部位での霧視，続いて進行する視力低下を自覚することが多い．視力低下の進行はかなり急速である．

■**臨床所見**　両眼性の中心視力の低下を認める．視力低下の程度はさまざまである．視力は，あるレベルまで低下するが，光覚やそれ以下に低下することはまれである．

両眼性が原則であり，片眼が完全に正常であれば中毒性視神経症は除外すべきと考える．

視野は特徴的に中心盲暗点，あるいは中心暗点を呈する．これは特にタバコ・アルコール視神経症では，網膜神経節細胞のなかのATPの消費の激しいP細胞が優位に障害されるためではないかと推定されている．

対光反射は保たれていることが多い．これは対光反射に関与しているγ細胞が保存されているためではないかと推定されている．両眼性であるので，相対的瞳孔求心路障害(relative afferent pupillary defect：RAPD)は基本的には陰性である．

視神経乳頭は初期には正常か，やや発赤しており，のちに視神経萎縮，特に乳頭耳側の蒼白化と乳頭黄斑線維の線維束欠損の存在が重要である．

電気生理学的な異常もみられる．視覚誘発電位(visual evoked potential：VEP)では振幅の減少がみられ，P100の潜時の遅延はない．

■**鑑別診断**　両眼性の矯正できない視力低下を主訴とし，検眼鏡的にはっきりとした異常のみられない疾患は，中毒性視神経症のほかに多数存在する．ある種の黄斑症もその1つである．蛍光眼底造影検査や，局所網膜電図(ERG)にてはじめて鑑別される例もある．その際，全視野ERGは異常を認めない．Leber遺伝性視神経症も，明らかな家族歴のない場合には鑑別困難となる．常染色体優性視神経萎縮は，進行が緩徐で視神経萎縮は早期に起こっている．

Leber遺伝性視神経症は発症が両眼ほぼ同時の例もあり，そのため早期は中毒性視神経症と誤診しやすい．また，Leber遺伝性視神経症の発症に喫煙が関与しているとする報告も多く，発症機序もATP不足という共通性をもっている．場合によって，ミトコンドリア点突然変異の検索も必要となる．

視交叉部の圧迫性あるいは浸潤性視神経症も混同する可能性がある．特に圧迫性視神経症は治療できる疾患であるので，見逃すわけにはいかない．頭部画像診断も重要である．

脱髄性，炎症性，感染性の視神経炎が両眼同時発症すれば，中毒性視神経症と混同される．視野も同様であるが，疼痛があることが重要な鑑別点になる．脳脊髄検査や頭部MRIが有用である．

■**治療**　中毒性視神経症の治療は，原則として中毒物質の中止であることは言うまでもない．ただし，その一方で特効薬もない．したがって視神経に機能を改善させる適切な環境を与えることが大切である．そのために，シンナー中毒やエタンブトール視神経症でも，相加的な悪影響を及ぼす喫煙は中止させるべきであるし，ベースに高血圧や糖尿病などの血流に影響を及ぼす疾

患があり，網膜血管に変化が現れている場合には，内科医と連絡をとり合い，その治療も考慮すべきである．また，これらの病態が網膜神経節細胞のP細胞のATP欠乏によるものであることがわかってきたので，栄養を十分にとる（心配で食事ものどを通らない患者も多い）ことも大切である．

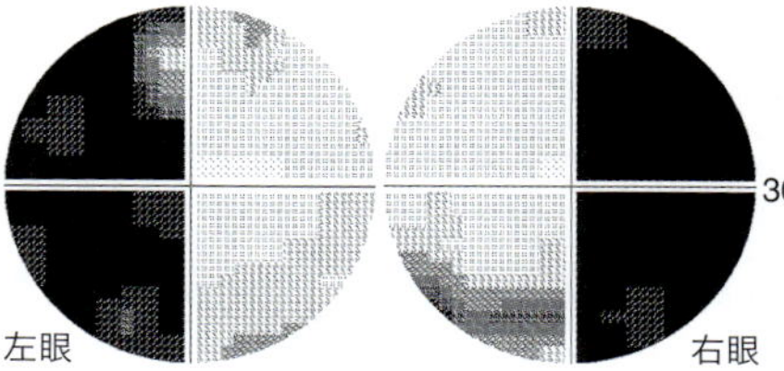

図23　下垂体腺腫による両耳側半盲（Humphrey視野30-2）

視交叉症候群
Optic chiasmal syndrome

三木淳司　川崎医科大学・教授

概念　視交叉近傍の脳病変による視機能障害．

病態　腫瘍による圧迫性病変が多いため，緩徐な発症様式をとることが多い．視交叉の下方には蝶形骨のトルコ鞍内の下垂体があり，増大した下垂体腫瘍（下垂体腺腫）によって視交叉が影響を受けることが多い．髄膜腫も視交叉症候群の原因として多く，緩徐に発育するため，発見時には視神経萎縮がすでに明らかであることが多い．視交叉の下方の両側に内頸動脈が走行し，Willis動脈輪に視交叉が囲まれているため，脳動脈瘤による視交叉障害も起こりうる．虚血性の視交叉障害はまれである．頭蓋骨骨折を伴うような頭部外傷に伴って視交叉の交叉線維が障害されることもある．小児の視交叉症候群では頭蓋咽頭腫や神経膠腫を疑う．視交叉部障害においては，視交叉だけでなく，近接する頭蓋内視神経や視索の障害を合併することもある．

症状　視交叉において，交叉線維が完全に障害されると両耳側半盲が生じる（図23）．両眼の異常であっても，視力・視野に左右差があることが少なくない．しかし，下垂体腺腫内に出血を生じる下垂体卒中においては，急激な視力低下を伴い，球後視神経炎を疑われることもある．機能性下垂体腺腫は先端巨大症や無月経などの内分泌異常により早期に発見されることが多いが，非機能性下垂体腺腫では腫瘍による圧迫神経症状である視力・視野障害で発見されることが多い．完全な両耳側半盲の場合，視標の後方の物体が感知できないために奥行き認知能力が低下し近見作業が困難になったり，融像が困難になったりするために，眼球運動障害がなくても斜視や複視が出現することがある．

合併症・併発症　内分泌異常を伴うことが特徴である．機能性下垂体腺腫ではホルモンの過剰分泌による症状がみられ，ほかの圧迫性病変では下垂体機能低下症がみられる．頭部外傷では下垂体機能低下症に加えて，脳神経障害などのほかの神経症状もみられる．

診断
■必要な検査
❶瞳孔検査　左右眼の視野障害に左右差があれば，より視野障害の強い眼に相対的瞳孔求心路障害（relative afferent pupillary defect：RAPD）が認められることもある．
❷視野検査　診断や経過観察に重要であ

る．垂直子午線を越えない耳側の視野障害を認める．鞍上部疾患による視交叉圧迫では，上耳側→下耳側→下鼻側→上鼻側の順序で視野が障害されていくため，上耳側視野障害だけの不完全な両耳側半盲で発見されることも多い．視交叉部障害では交叉線維が障害される両耳側半盲が典型とされるが，一眼の中心暗点と他眼の上耳側視野障害〔接合部暗点（junction scotoma）〕または同名半盲を認めることもあり，それぞれ，視交叉の前部の障害と後部の障害による．

❸ **眼底検査・OCT検査** 頭蓋咽頭腫などが第3脳室を圧迫するとうっ血乳頭を生じることがあるが，下垂体腺腫ではうっ血乳頭をきたすことは少ない．初期には視神経乳頭は正常であるが，慢性期には逆行性の単性視神経萎縮をきたし，OCTで視野異常に一致する網膜内層の局所的な菲薄化がみられる．両耳側半盲では視神経乳頭の水平象限が蒼白化する帯状萎縮（蝶ネクタイ状萎縮）が典型的であるが，検眼鏡所見では判定は難しいこともあり，OCTによる視神経乳頭周囲の網膜内層のセクター別解析結果で検出できることもある．OCTの黄斑部網膜内層解析を行うとさらに半盲性変化は明瞭であり，両眼ともに中心窩垂直経線を境に鼻側領域の選択的な菲薄化を示す．視野検査が困難な症例でOCTが診断に有用なこともある．

❹ **眼球運動検査** 視交叉部疾患における眼球運動障害としては，視交叉部から海綿静脈洞部へ側方進展した病変による脳神経障害がまれにみられる．シーソー眼振や左右眼に非対称な眼振がみられることもある．

❺ **MRI検査** 視交叉部疾患が疑われる場合にはトルコ鞍付近のMRI検査は必須である．片眼の視力低下であっても眼窩部病変ではなく，視交叉部病変が原因であることもあるので，所見に応じて，MRIの撮像対象範囲を広くとることも大事である．視交叉部の神経膠腫は視交叉炎と画像上，類似するが，臨床経過から区別される．

■ **鑑別診断** 眼窩内病変による視神経疾患を鑑別する必要がある．

治療 下垂体腺腫では手術による摘出が基本であるが，プロラクチン産生下垂体腺腫に対してはブロモクリプチンメシル酸塩やカベルゴリンの内服を行う．視交叉部の神経膠腫で，眼科所見または画像所見上，進行がある場合には化学療法を考慮する．

予後 下垂体腺腫に対する手術は，網膜内層厚が保たれていて，視野障害が軽い早期に行うほど，視野の回復が良好である．脱髄性の視交叉炎は視神経炎よりはまれであり，治療は視神経炎の治療に準じるが，視神経炎よりも回復が遅いことが知られている．頭部外傷後の両耳側半盲の回復は不良である．

視索ないし外側膝状体の障害

Lesions in optic tract or lateral geniculate nucleus

三木淳司　川崎医科大学・教授

概念 網膜神経節細胞の軸索である視索とその神経線維の終止部位である外側膝状体の障害による視機能障害．

病態 同名半盲を起こす疾患のなか

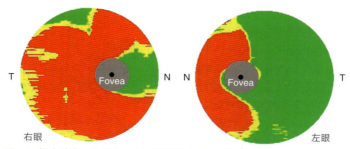

図24 視索障害による左同名半盲患者の黄斑部網膜内層厚
右眼は耳側(T)，左眼は鼻側(N)の黄斑部の網膜内層が菲薄化している（赤い領域）．

で，視索障害はまれであり，外側膝状体に限局した脳病変はきわめてまれである．視索障害の原因には血管障害は少なく，視交叉症候群と同様に頭蓋咽頭腫や下垂体腺腫などの脳腫瘍や動脈瘤が多い．視交叉が相対的に前方に位置している場合にはトルコ鞍部腫瘍が視索障害を起こす．ほかの原因としては脱髄や外傷が挙げられる．小児では成人と比べて同名性視野障害の原因のなかでの視索障害の比率が高いが，視索障害には圧迫性病変が多いことや脳血管障害が少ないことがこの原因として想定されている．外側膝状体障害の原因としては，脳梗塞，外傷，占拠性病変などの報告がある．

症状 片側性で視神経障害の合併がなければ視力は保たれる．障害部位と対側の同名半盲を認める．視索障害では不完全半盲であれば，左右不一致性(incongruous)の視野障害が特徴である．外側膝状体への血管は前脈絡叢動脈と後脈絡叢動脈から供給され，前者は外側膝状体の内側と外側，後者は中央部を支配する．これらのいずれかの動脈の障害により，外側膝状体における網膜部位再現を反映した特徴的な楔状の視野障害（水平経線をまたぐ楔状視野欠損またはその視野が残存する同名性の上下の視野障害）をきたす．

合併症・併発症 視索の圧迫性病変では，視索の内側に隣接する大脳脚の障害に伴う病変と対側の片麻痺や視床下部・下垂体の障害による内分泌障害を合併することもある．外側膝状体障害では視床障害による運動・感覚障害を合併することがある．

診断
■ **必要な検査**
❶**瞳孔検査** 障害側と反対眼に小さな相対的瞳孔求心路障害(relative afferent pupillary defect：RAPD)を認めることがある．対光反射の反射弓に障害が及ばなければ視索後部障害や外側膝状体障害では対光反射に異常はない．このため，視力が保たれている同名半盲にRAPDを認めた場合には視索障害を疑う必要がある．

❷**視野検査** 視索障害では左右不一致性の同名性視野障害が特徴とされる．外側膝状体障害では，前脈絡叢動脈または後脈絡叢動脈の血流障害による楔状の視野障害〔扇形盲(sectoranopia)〕が特徴とされている．

❸**眼底検査** 視索障害の慢性期には特徴的な視神経萎縮をきたす．視索障害と対側眼には視交叉の交叉線維障害と同様の水平方

向の帯状萎縮，視索障害と同側眼には視神経乳頭の耳側～上下象限の萎縮を認める．

❹ **OCT 検査** 視索病変による視神経萎縮は OCT の黄斑部網膜内層厚解析において，脳病変と同側眼で耳側領域・対側眼で鼻側領域の選択的な菲薄化として鋭敏に検出できる**(図 24)**．ただし，逆行性変性が網膜に及ぶ以前の早期には検出できない．

■ **鑑別診断** より頻度の高い視放線や後頭葉視覚野の障害による同名半盲との鑑別が必要である．

治療 視索障害は圧迫性病変が多いので，圧迫を解除するような外科的治療を考慮する．

側頭葉・頭頂葉・後頭葉障害
Temporal lobe/parietal lobe/occipital lobe lesions

三木淳司　川崎医科大学・教授

概念 側頭葉・頭頂葉・後頭葉内の視路および高次視覚中枢に及ぶ脳病変による視機能障害．外側膝状体からの神経線維は視放線となり，側頭葉または頭頂葉を通過して後頭葉の１次視覚中枢のそれぞれ下部と上部に至る．したがって，視放線や１次視覚中枢を含む側頭葉・頭頂葉・後頭葉病変では同名性視野障害をきたす．

また，サルではそれぞれの領野に視野が再現されている多数の視覚領野が側頭葉・頭頂葉・後頭葉に存在することが知られており，視覚属性（色・形・運動など）に特化した領域がサルと同様にヒトでもあり，１次視覚中枢からの神経線維の投射を受けることが推測されている．このような高次視

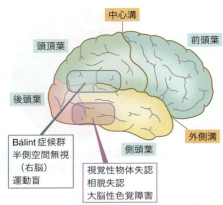

図 25　高次視機能障害とおおよその障害部位

覚中枢の障害により，視覚属性が特異的に障害される各種の視覚失認が残存視野内に起こる**(図 25)**．

病態 原因としては脳血管障害が多い．後頭葉の血流は主に後大脳動脈から供給されるが，一部，中大脳動脈からの血流も受けている．視放線の後部と視覚皮質は独立に障害されるとは限らず，両者が同時に障害されていることが多い．高次視覚中枢の障害は視覚皮質自体の障害またはそれらの領域を接続する白質の障害による．

症状 片側性の脳障害では視力は保たれる．両側の脳障害による両側性同名半盲では皮質盲となるが，視野が一部残存して完全な盲にはならないことが多い．血管障害による同名性視野欠損は突然に発症する．

大脳性色覚障害は両側の後頭葉～側頭葉の下部の障害で生じる色彩の識別障害であり，相貌失認（顔を判別できない）や上方の視野欠損を伴うことが多い．右頭頂葉障害では左半側空間無視を伴うことがある．運動視のみが障害された運動盲の報告もあるが，きわめてまれである．視覚欠損部内に

視覚陽性現象（幻覚）がみられることもある．

|合併症・併発症|　側頭葉障害では性格変化，頭頂葉障害では失語などのほかの神経症状を認める．頭頂葉障害のある場合には意思疎通が難しく，診察や検査が困難なこともある．後頭葉は視覚情報処理に特化した部位であるため，後頭葉障害ではほかの神経症状を認めないことも多い．中大脳動脈の障害ではほかの神経学的な異常を伴うことが多い．

|診断|
■ 必要な検査
❶瞳孔検査　対光反射経路には病変が及ばないことから，対光反射も正常範囲内である．
❷視野検査　診断や管理にきわめて重要である．完全半盲は視交叉以降のどの部位の障害でも起こりうるが，不完全半盲では視野欠損の形状が責任病巣の推定に役に立つ．網膜内での位置が近い神経線維が後頭葉ではお互いに近接した部位に終止するため，後頭葉の1次視覚野に近い病変ほど，左右眼の視野欠損の一致性の高い（congruous）視野欠損となる．視野欠損側の数度の中心視野が保存される現象を黄斑回避（macular sparing）とよび，後頭葉障害に特徴的とされる．また，同名性の中心暗点も後頭葉障害に多くみられる．まれであるが，後頭葉1次視覚野の最前部の障害や保存による対側眼の耳側半月視野の欠損や残存の報告もある．側頭葉の障害では上方視野障害，頭頂葉の障害では下方視野障害を生じる．
❸眼底検査・OCT検査　従来，外側膝状体以降の視路病変では眼底に異常をきたさないとされており，検眼鏡では明らかな眼底異常は認めない．しかしOCTを用いると，視野欠損部に一致する局所的な網膜内層の進行性の菲薄化が検出されることがしばしばあり，外側膝状体を越える網膜神経節細胞の経シナプス変性の関与が推定されている．また，視索の障害を合併している場合には視索障害でみられるものと同様の視神経萎縮を認める．ただし，逆行性に網膜に影響が及ぶ以前の発症初期には眼底には異常はない．
❹眼球運動検査　頭頂葉障害では脳の障害側方向へ視標が動くときの視運動性眼振や追従眼球運動の異常を認めることがある．
❺MRI検査　診断には造影剤を用いたMRI検査が望ましい．外傷や変性疾患ではMRI検査においても異常所見をとらえられないことがある．MRIで異常がないが，視覚障害から脳病変が強く疑われる場合にはSPECTやPETによる脳血流・代謝画像が有用なこともある．

|治療|　発症直後の超急性期の脳梗塞であれば血栓溶解療法や血栓回収療法を考慮する．脳血管障害の場合には血圧のコントロール，塞栓源の発見や禁煙など危険因子の管理も重要である．ロービジョンケアとして，読書障害に対する訓練も提唱されている．

片頭痛，閃輝暗点
Migraine, Scintillating scotoma

原　直人　　国際医療福祉大学視機能療法学科・教授

|概念|　眼科診療においても，頭痛や眼痛は多い疾患であり，片頭痛の日本有病率は8.4％，男女比は約1：3.6と女性が多

表1　2次性(器質性)頭痛としての鑑別疾患

脳血管障害
- くも膜下出血
- 脳出血，脳梗塞，動脈解離
- 静脈洞血栓症

頭部外傷
- 慢性硬膜下血腫

脳腫瘍

感染
- 髄膜炎
- 副鼻腔炎

その他の疾患によるもの
- 巨細胞性動脈炎
- 高血圧性脳症
- 急性緑内障発作
- 低髄液圧症候群

〔日本頭痛学会・国際頭痛分類委員会(訳)：国際頭痛分類 第3版．医学書院，2018年を参考に作成〕

い疾患でもある．20～50歳代の勤労世代に多くみられることから，患者の日常生活だけでなく社会生活にも影響が及ぶ．世界保健機関(WHO)によると，プライマリ・ケアでみる神経疾患としてはトップ(73.5%)である．片頭痛をはじめとする1次性(機能性)頭痛と，生命を脅かす2次性(器質性)頭痛**(表1)**の除外を常に考慮して診察することが大切である．片頭痛は緊急性が低いため，直ちに受診しなくてもよいが，日常生活を送るうえで頭痛が障害となっている場合には，頭痛専門外来を受診させることが重要である．

病態　硬膜血管周囲に分布する三叉神経終末を何らかの頭痛トリガーが刺激して三叉神経が活性化される．この結果サブスタンスPやカルシトニン遺伝子関連ペプチド(calcitonin gene-related peptide：CGRP)などの血管作動性神経ペプチドが放出され神経原性炎症が引き起こされ，血漿の血管外漏出，血管拡張が起こる．神経原性炎症は侵害刺激として作用し，これが順行性，逆行性に三叉神経領域に拡大する．これが脳幹，三叉神経核を経て大脳皮質へと伝播され疼痛として感受されるとした三叉神経血管説が有力視されている．

症状・診断　片頭痛の診断は，問診によってなされるが，ほかの疾患による2次性頭痛でないことを判断する**(表1)**．「国際頭痛分類 第3版」によれば典型的な片頭痛は，片側性かつ拍動性の中等度～重度の頭痛発作が繰り返し起こり，片側に出現するか，両側に出現しても左右差のある拍動性の疼痛であること，数日ないし数週間の間隔をおいて出現し(発作性)，長くても2～3日にわたって持続する．発作時に悪心，嘔吐，光・音過敏などを伴い，日常動作で頭痛が増強すること，ストレスからの解放，炎天下，飲酒，運動などにより誘発される．頭痛は，30歳までには現れ，両親，同胞，子どもなど血縁者に同様の頭痛を訴える場合が多い．閃輝暗点(scintillating scotoma)のような前兆のあるもの(20～30%)とないもの(70～80%)がある．「これまでに経験のないような激しい頭痛」である場合，あるいはいつもの頭痛が次第に悪化して鎮静化しない場合には，ほかの疾患に伴って起こる2次性頭痛を疑って頭痛専門医に紹介受診させる．

治療

■**治療方針**　下記に示す生活習慣改善を心がける．薬物治療としては，軽症には，NSAIDsを用いて，中等度以上にはトリプタン系薬剤が主流となっている．

❶**片頭痛急性期治療**　トリプタン系薬剤(拡張した脳血管を収縮させ，敏感になった三叉神経を鎮静させる)1～2錠，頓用．発作時の疼痛以外に悪心やその他の不愉快な症状がある場合は，制吐薬を併用する．

❷**予防薬** カルシウム拮抗薬ロメリジン塩酸塩(ミグシス®)やβ遮断薬プロプラノロール塩酸塩(インデラル®),抗てんかん薬バルプロ酸ナトリウム(デパケン®)など.

❸**行動療法** ストレスが主な誘因である場合や鎮痛薬の過剰使用の場合には,片頭痛を管理するための行動療法(バイオフィードバック,ストレス管理,精神療法)を勧める.

❹**生活習慣改善** 規則正しい生活,寝過ぎや寝不足を避ける,低血糖を避ける,マグネシウムやビタミン類(野菜,海藻,豆類)をとる.光過敏があれば遮光眼鏡の装用を促し,ディスプレイの輝度を下げて視聴させる.人混みを回避する.赤ワイン,アルコール,チョコレート,チーズなど頭痛発作を誘発する食物を避ける.

■**患者への対応** 片頭痛は慢性的な疾患である.その症状が間欠的,突発的であることから,「どのようなときに」「どのような条件で」生じることが多いのか,患者自身がトリガーやパターンを知り,頭痛が起こるのを予防することも重要な治療法となる.また頭痛の頻度が月のうちの半分以上になる「慢性連日性頭痛」,特に薬剤過剰使用による「薬剤乱用頭痛」を念頭におく.

|**予後**| 片頭痛の症状は,一般に30〜40歳がピークであり,50歳前後から加齢とともに改善する.特に閉経以後に症状改善が期待できる.

三叉神経痛
Trigeminal neuralgia

原 直人 国際医療福祉大学視機能療法学科・教授

|**概念**| 神経痛は包括的な用語であり,末梢神経に起因して痛みが出現している病態はすべて神経痛とよばれる.「国際頭痛分類 第3版」では,典型的三叉神経痛は,画像診断により三叉神経に対して血管による圧迫が明らかな場合としている.小脳橋角部腫瘍,動静脈奇形および多発性硬化症など画像診断で明らかにできる構造的な異常が明確な場合が2次性(症候性)となる.

|**病態**| 中枢性ミエリン(oligodendroglia)から末梢性ミエリン(Schwann細胞)への移行部である三叉神経根入口部(root entry zone:REZ)における,血管が神経を圧迫・屈曲・伸展させること(神経血管圧迫)による脱髄が原因である**(図26)**.

|**症状**| 典型的三叉神経痛は,三叉神経第2枝,第3枝と1つ以上の支配領域に繰り返し生じる一側性発作性顔面痛である.数分間,各1〜2秒持続する激痛,電気ショックのような/ズキンとするような/突き刺すような,鋭い痛みと形容される.会話,歯磨き,洗顔,食事といった日常動作などのトリガー因子やトリガーポイントがある.

|**合併症・併発症**| 痛みがきわめて強い場合には,疼痛のために表情筋の収縮を引き起こす(疼痛性チック).

|**診断**| 診断は「国際頭痛分類 第3版」に基づいて臨床的に診断される**(表2)**.MRIは,①三叉神経痛の原因を特定するために,また②2次性三叉神経痛を鑑別

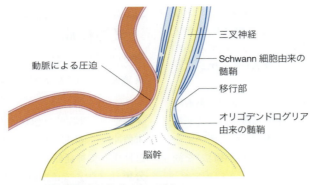

図26 三叉神経痛の発症メカニズム
三叉神経が脳幹を出た部分は，中枢性オリゴデンドログリア由来の髄鞘から末梢性 Schwann 細胞由来の髄鞘に移行していて，血管により圧迫が加わると脱髄が起き，触覚線維と痛覚線維の間に短絡が生じる．
〔内野 誠：三叉神経痛・側頭動脈炎．Mebio 25(4)：32, 2008 より〕

表2 「国際頭痛分類 第3版」による三叉神経痛の診断基準

A.	三叉神経枝の1つ以上の支配領域に生じ，三叉神経領域を越えて広がらない一側性の発作性顔面痛を繰り返し，BとCを満たす．
B.	痛みは以下のすべての特徴をもつ． ①数分の1秒〜2分間持続する ②激痛 ③電気ショックのような，ズキンとするような，突き刺すような，または，鋭いと表現される痛みの性質．
C.	障害されている神経支配領域への非侵害刺激により誘発される．
D.	ほかに最適な国際頭痛分類 第3版の診断がない．

〔日本頭痛学会・国際頭痛分類委員会（訳）：国際頭痛分類 第3版．p168, 医学書院, 2018 より作成〕

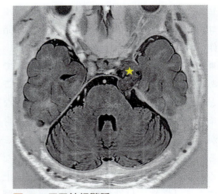

図27 三叉神経鞘腫
58歳男性．左三叉神経痛と複視症状を訴えた．左小脳橋角部から海綿静脈洞外側に沿って腫瘤（星印）を認める（三叉神経鞘腫）．中頭蓋窩内側にも突出している．

するために行われる（図27）．

治療

■**治療方針** 三叉神経痛の治療に関しては，カルバマゼピン（テグレトール®）が著効する．薬剤の効果が不十分となったり，薬剤による副作用が出現したりする場合には，手術療法，定位放射線療法，三叉神経ブロック療法など専門医による治療が必要となる．

■**薬物治療** カルバマゼピン（テグレトール®）が第1選択薬である．初期に大量に用いると眠気やふらつきなどを生じやすいので，少量から開始する．長期的に効果が減弱すること，また薬剤過敏性症候群や血

球減少などの重篤な副作用もあることに注意する．

> **処方例**
>
> 1）テグレトール錠（100 mg）　2錠　分2
>   朝・夕より開始　痛みが治るまで早期に漸増（600〜800 mg/日まで）

　1）で効果不十分の場合，2）への変更を考慮する．眠気・ふらつきが強く現れないよう投与は少量から始める．

> 2）リリカ錠（75 mg）　2錠　分2より開始
>   その後 300 mg/日まで漸増

■**その他の治療**　微小血管減圧術は，三叉神経を圧迫している血管を神経から剥離して，再び神経を圧迫しない場所に固定する方法である．また侵襲性が少なく長期間の有効性が報告されている定位放射線療法，高周波凝固装置を用いて三叉神経の末梢を凝固する三叉神経ブロック療法については専門医を紹介する．

予後　カルバマゼピンの継続投与で，三叉神経痛の75％で疼痛が軽減する．しかし長期投与により効果が軽減する場合が多いので，そのほかの治療を考慮することも必要である．

一過性黒内障

Amaurosis fugax

原 直人　国際医療福祉大学視機能療法学科・教授

概念　一過性脳虚血発作（transient ischemic attack）は，一定の血管領域の虚血による局所神経症候が起こり，短時間のうちに完全に消失する病態の総称である．その視覚系の症状としての一過性黒内障は，頸部頸動脈分岐部のアテローム硬化性病変

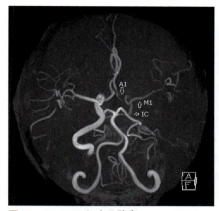

図28　3D-CTA による狭窄
左頸動脈の極度の閉塞により前大脳動脈（A1），中大脳動脈（M1）の描出が拙劣となっている．

による内腔の狭窄・閉塞による脳血流量の低下や塞栓形成による一過性，一側性の視力障害をきたすものである．

病態　頸部頸動脈狭窄部に形成された微小血栓が遊離することによって塞栓子となって眼動脈，網膜動脈を閉塞させる．

症状　一側性の視力障害であり「一瞬，片眼の前が暗くなった／白くなった」あるいは「かすむ」「中心部に紫色，水色といったものが見える」などの症状が5分程度続く．暗くなった部分は「カーテンが開いていくように下側から視界が開けた」と訴える．また特徴的な症状として耳鳴りと表現する頸部血管性雑音（bruit）を聴取することも診断の手がかりとなる．

合併症・併発症　頸動脈狭窄症は全身アテローム硬化症としての表れなので，他臓器血管にも同様な病変がある可能性が高い．特に冠動脈のアテローム硬化の存在が多いとされる．

診断　特徴ある症状から頸動脈病変を疑い，非侵襲的な検査として頸部超音波エ

コー，MRA，three-dimensional CT angiography(3D-CTA)などにより狭窄を検出・確認する**(図 28)**．

治療 高血圧，動脈硬化などの危険因子の管理と抗血栓療法が基本となる．頻繁に症状が出現する場合は，外科的治療を考慮する．

■ **薬物治療**

❶ **抗血小板療法**

> 処方例
> バイアスピリン錠(100 mg)またはプラビックス錠(75 mg)　1 錠　分 1　朝食後

■ **外科的治療**

❶ **頸動脈内膜剥離術(carotid endarterectomy：CEA)**　頸部を切開しアテロームを摘出する．

❷ **ステント留置術**　カテーテルを挿入してステントを留置する．

13 瞳孔疾患

生理的瞳孔反応
Physiological pupillary reaction

奥 英弘 大阪医科薬科大学・専門教授

瞳孔運動の機序 瞳孔反応は瞳孔括約筋と瞳孔散大筋の収縮により，それぞれ縮瞳と散瞳が惹起される．前者は副交感神経により興奮性に，交感神経により抑制性に，後者は副交感神経により抑制性に，交感神経により興奮性に支配される二重神経支配を受けている．瞳孔の縮瞳中枢は動眼神経核群のうち，最前上部にあるEdinger-Westphal(EW)核で，そこから出た副交感神経線維は毛様(体)神経節でニューロンを換え，多数の短毛様神経に分かれて瞳孔括約筋に至る．またEW核は核上性に興奮性あるいは抑制性支配を受けている．生理的瞳孔反応には，対光反射のほかに，近見反応による縮瞳，眼輪筋反射による縮瞳，瞳孔動揺(hippus)などがある．

❶対光反射(light reflex) 対光反射の経路を**図1**に示す．対光反射の光受容器は，視覚と同様に，錐体・杆体の両者が関与している．これらの受容器からの情報は網膜神経節細胞に集約され，視神経・視索を通り，外側膝状体の少し手前で視索から分かれて中脳へ向かう．その過程で，視路の経路と同様に視交叉で半交叉する．その後，中脳の視蓋前域でニューロンを換え，一部

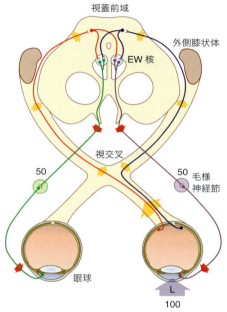

図1 対光反射の経路
黄矢印は対光反射入力，赤矢印は出力を表す．左眼への刺激(100%)は両側の出力系に50%ずつ分配される．

は中脳水道周囲をまわって同側のEW核に至るが，ほかは後交連付近で交叉して反対側のEW核に至る．ヒトの場合，交叉線維，非交叉線維の比率は53:47であるが，**図1**に示すように，左眼を光刺激したときの求心性入力は出力系に伝えられ，最終的に直接対光反射と間接対光反射の大きさはほぼ等しくなる．

　光刺激が加わると，ある程度の潜時をおいて縮瞳が始まるが，その潜時は十分に明るい刺激光を用いた場合，約200ミリ秒

である．比較的弱い光刺激では，持続的に光を当てているにもかかわらず瞳孔は散瞳し始めることがある．この現象はエスケープ(escape)現象とよばれる．網膜・視神経疾患で視入力障害がある場合，明るい光刺激を加えているにもかかわらず，エスケープ現象による散瞳が観察されることがあり，視入力障害を疑う所見の1つである．

　網膜の一部分を刺激して対光反射を記録すると，対光反射感度と視覚感度の間には密接な関連性が認められ，黄斑部光刺激が最も有効で，周辺部に行くほど反応は減弱する．しかし暗順応時には杆体優位の反応が得られ，周辺部網膜刺激の閾値のほうが低くなることがある．

　これらの古典的な対光反射の概念に加え，メラノプシン含有網膜神経節細胞を介した対光反射が存在する．この特殊な網膜神経節細胞は，単独で光刺激に対し応答し，そのため内因性光感受性網膜神経節細胞(intrinsically photosensitive retinal ganglion cell：ipRGC)ともよばれるが，さらに杆体や錐体からも入力を受けている．ipRGC刺激による対光反射は，480 nmの短波長に感受性のピークをもち，潜時が長く，反応も持続的で定常的であるとされる．また概日リズムの形成に関与している．臨床的には，網膜視細胞の広範な疾患では，失明状態に陥っていても，ipRGCによる対光反射が残存する可能性がある．またLeber遺伝性視神経症やエタンブトール視神経症など，ミトコンドリア機能異常により網膜神経節細胞のATP産生障害を原因とする視神経疾患では，ipRGCは障害を免れやすく，対光反射が温存されることがある．

　さらに大脳後頭葉の視覚野に投射する網膜神経節細胞も，瞳孔反応に影響を与え，網膜局所を光刺激して得られる対光反射により，同名半盲などの検出が可能とされる．

❷**近見反応(near reflex)**　近くを見ようとするとき，輻湊，調節，縮瞳という，いわゆる近見反応の3徴候が現れる．これらは核上性支配による両眼性の連合運動として生じ，意識的に分離することは不可能である．近見反応の遠心路は対光反射と共通であるが，近見反応のEW核への核上性線維は，対光反射の求心線維が通る中脳視蓋前域や後交連より腹側を走行しているため，視蓋前域の障害では対光反射と近見反応の解離が生じうる(light-near dissociation)．また毛様神経節における対光反射と調節反応にかかわる神経細胞の比は3：97とされており，対光反射が障害されても近見反応による縮瞳は保たれやすい．

❸**瞳孔動揺(hippus)**　瞳孔径は通常の明室で観察すると，一定の動きで動揺している．これは交感神経・副交感神経の活動性の動揺により生じていると考えられている．この現象が強い場合，瞳孔動揺とよばれるが，病的意義はよくわかっていない．

❹**その他**　縮瞳を惹起する反応としては，閉瞼から開瞼したとき(閉瞼反応)，あるいは指などで眼瞼を開けた状態で閉瞼を命じたとき(眼輪筋反射)などが知られている．また三叉神経領域に疼痛刺激が加えられると，一時的に散瞳してから縮瞳する(三叉神経反射)．

　一方散瞳を起こす反射として，頸部をつねるなどの痛み刺激で，両側の散瞳がみられ(毛様体脊髄反射)，意識障害時の脳幹機能をみる検査として用いられる．また恐怖や驚きなどの精神的刺激などにより生じる精神感覚性散瞳が知られている．

相対的瞳孔求心路障害
（Marcus Gunn 瞳孔）

Relative afferent pupillary defect：RAPD，
Marcus Gunn pupil

奥 英弘 大阪医科薬科大学・専門教授

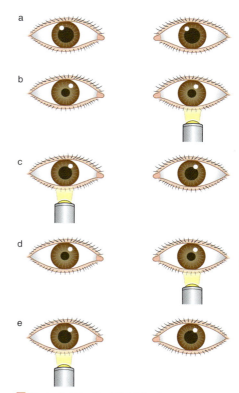

図2 swinging flashlight test

概念・病態 網膜や視神経が障害されると，障害側では直接対光反射の縮瞳速度は遅鈍になり，反応量は減弱することから，対光反射により網膜，視神経などの機能を他覚的に判定することができる．相対的瞳孔求心路障害とは，一側の網膜および視神経で瞳孔の求心性線維の障害が存在していることを示す重要な所見で，その検出は臨床的に非常に重要である．相対的瞳孔求心路障害の存在は，眼底（特に視神経乳頭や黄斑）に異常がない場合，球後視神経に何らかの障害が存在することを意味している．

診断 ヒトでは直接対光反射と間接対光反射の大きさがほぼ同じである．したがって一側の視神経が障害されていても，両眼開放下では瞳孔不同は生じない．しかし左右眼を交互に刺激した場合，患側刺激時と健側刺激時の反応は当然異なってくる．

比較的強い照明下で左右の眼を交互に覆うと，患眼を覆った場合，開放下の健眼は比較的縮瞳しているのに，健眼を覆った場合，開放下の患眼は散瞳を呈する．左右の眼を交互に覆う検査時に検出される一側の散瞳は，同側の瞳孔求心性線維の障害を意味し，この瞳孔異常を Marcus Gunn 瞳孔ともいう．

暗室で左右眼を交互にペンライトで刺激し，瞳孔径の変化を観察する swinging flashlight test では，健眼から患眼にペンライトを移したときに散瞳がみられ，逆に患眼から健眼にペンライトを戻すと縮瞳がみられる．図2 に swinging flashlight test を示した．右眼視神経が障害されていると仮定すると，両眼開放下（図 2a）では，前述した通り瞳孔不同は生じない．健側の左眼にペンライトを当てると，左眼は直接対光反射で縮瞳し，右眼にも同程度の間接対光反射が生じる（図 2b）．右眼にペンライトを移すと，右眼の視入力に応じた直接対光反射が生じるが，その程度は左眼刺激時の間接対光反射より弱いので，散瞳する

(図2c)．左眼にも右眼の視入力に応じた間接対光反射が生じている．ここで，ペンライトを再び健眼の左眼に移すと，左眼は右眼より視入力が強いので，再び縮瞳が生じる(図2d)．この状態から右眼にペンライトを移すと再び散瞳する(図2e)．この場合，刺激時に散瞳がみられた右眼に相対的瞳孔求心路障害(RAPD)が陽性であると判定する．

■ **臨床的意義** RAPDが陽性の場合，黄斑疾患あるいは，広範囲におよぶ網膜剥離などの網膜疾患の存在が疑われる．ただし黄斑円孔ではRAPDは陽性とならない．このような網膜疾患がみられないとき，RAPDの存在は視神経の異常を示唆する．視神経乳頭にも異常がみられないときには，球後視神経に何らかの障害があることを示唆している．急性帯状潜在性網膜外層症(acute zonal occult outer retinopathy：AZOOR)など，検眼鏡的所見に乏しい網膜疾患でもRAPDは陽性となるので，この点は注意する必要がある．RAPDの検出は外傷性視神経症，球後視神経炎などの診断や，眼底透見不良時の網膜・視神経機能の判定に非常に有用である．また健眼の前にneutral density filter(ND filter)を置き，swinging flashlight testを行い，RAPDが消失するND filterの度数で定量化することも可能で，治療効果の判定にも用いることができる．

■ **治療・予後** 治療は原因疾患に対して行う．予後は疾患ごとに異なる．

橋性縮瞳

Pontine miosis

奥 英弘 大阪医科薬科大学・専門教授

■ **概念** 橋の背側(橋被蓋)の障害，特に同部位の出血で非常に強い縮瞳がみられることがある．瞳孔径は1mm程度にまで縮瞳して，一見すると対光反射も消失しているようにみえる．しかし拡大してよく観察すると，強い縮瞳であるにもかかわらず，対光反射，近見反応による縮瞳は温存されているのが特徴である．

■ **病態** 橋被蓋の病変では，同部を走行する交感神経下行線維が障害され，縮瞳に至ると考えられている．さらにEdinger-Westphal(EW)核への抑制線維の障害も想定され，その結果EW核が異常に興奮し強い縮瞳をきたすと考えられている．

■ **診断** 両眼性にみられる強い縮瞳と，対光反射が温存されている点に注意する．意識障害があると近見反応の観察は困難であるが，近見反応による縮瞳も認められる．Argyll Robertson瞳孔との鑑別が重要である．また有機リン中毒，麻薬，クロルプロマジン塩酸塩などの向精神薬の服用でも両眼性の縮瞳をきたし，鑑別を要することがある．

■ **治療・予後** 原因疾患に対して治療を行う．橋出血の生命予後は比較的良好であることが知られており，外科的治療は一般に行われない．

Argyll Robertson 瞳孔
Argyll Robertson pupil

奥 英弘　大阪医科薬科大学・専門教授

概念　縮瞳と対光反射の欠如，および近見反応による縮瞳は保たれる light-near dissociation（対光-近見反応解離）がみられるのが基本的な疾患概念で，しばしば瞳孔の形態異常を伴う．通常両眼性で視路障害は伴わない．

病態　神経梅毒，特に脊髄癆に合併することが多いとされてきたが，近年，糖尿病，脳血管障害，脱髄などに伴うことが多くなっている．病巣としては中脳背側，特に視蓋前域が考えられ，対光反射の経路は障害されるが，やや腹側を通る近見反応は保たれる(⇒ 845 頁，「生理的瞳孔反応」項を参照)．中枢から Edinger-Westphal(EW) 核に対する抑制も障害され，EW 核の興奮から瞳孔は縮瞳傾向を呈すると考えられている．縮瞳を伴わない場合，pseudo Argyll Robertson 瞳孔とよび，神経学的異常を示す疾患概念の 1 つとして用いられる．

さらに進行麻痺などで Argyll Robertson 瞳孔の責任病巣よりも腹側に病変が拡がると，対光反射と同時に近見反応による縮瞳も消失し，けいれん性縮瞳を呈することがある．

診断　診断では縮瞳と，対光-近見反応解離の有無を検査することが重要で，梅毒の血清反応が必要である．鑑別診断としては，pseudo Argyll Robertson 瞳孔を示す視蓋瞳孔や，瞳孔緊張症が挙げられる．視蓋瞳孔は中脳視蓋前域，後交連および中脳水道周囲の腫瘍（松果体腫瘍など），多発性硬化症などで生じ，対光-近見反応解離を認めるが，瞳孔は中等度散瞳しており，Parinaud 症候群を呈していることも多い．瞳孔緊張症も対光-近見反応解離を認めるが，病巣は通常毛様神経節から末梢にあり，一般に片眼性である．輻湊時に縮瞳した状態が輻湊弛緩後もしばらく続き，その後ゆっくりと元の大きさに戻る．一方，Argyll Robertson 瞳孔ではこのような緊張性はみられない．また瞳孔緊張症では除神経性過敏がみられ，生理的には薬理作用をきたさない低濃度の副交感神経作動薬（具体的には 0.1%ピロカルピン塩酸塩など）で縮瞳がみられるが，Argyll Robertson 瞳孔ではこのような薬理学的な反応はみられない．

治療　中枢神経梅毒，糖尿病，多発性硬化症など，原因疾患に対して治療を行う．

緊張性瞳孔
Tonic pupil

敷島敬悟　東京慈恵会医科大学・教授

概念　瞳孔反応が緩徐で，緊張性(tonic)の反応を示す疾患である．

病態　毛様体神経節の障害による副交感神経の障害で，除神経性過敏（神経障害後に神経伝達物質に対するシナプス後膜での感度が上昇する現象）を示す．毛様神経節障害の原因はヘルペスウイルスなどの感染，炎症，虚血などが推定されている．

症状　若年女性に多く(70%)，片眼の散瞳(80%)をきたす．調節麻痺も伴っ

表1 対光-近見反応解離をきたす疾患

	瞳孔所見	合併所見
瞳孔緊張症	散瞳，tonic な反応	
Argyll Robertson 瞳孔	両側性高度縮瞳	
視蓋瞳孔	両側性中等度散瞳	中脳背側症候群
アトロピン散瞳後の回復期	近見反応が先に回復	
重篤な視力低下時	直接対光反射減弱・消失	
動眼神経麻痺後の異常再生	散瞳，内転時縮瞳	動眼神経麻痺の既往

ている．羞明感，調節麻痺による霧視・眼精疲労・近業作業障害を訴えるが，他人から指摘される場合や自分で鏡を見て気づくこともある．

対光反射は減弱ないし消失するが，近見反応は保たれている〔対光-近見反応解離(light-near dissociation)〕．しかし，近見反応は縮瞳時もその後の散瞳時も非常に緩徐(tonic)である．近見反応で縮瞳誘発後に遠方視をさせ，縮瞳から散瞳へ回復するときに最も tonic な瞳孔反応を観察しやすい．

瞳孔括約筋の分節麻痺がほとんどで，瞳孔は不整円を呈し，細隙灯顕微鏡で観察すると麻痺部の虹彩上のひだは消失し，虫様運動（分節状に残存した健常部位の瞳孔括約筋の収縮のため虫が這うように虹彩が波打つ運動）がみられる．

合併症・併発症

❶ **Adie 症候群** 緊張性瞳孔に腱反射異常を伴ったものである．

❷ **Ross 症候群** さらに起立性低血圧や発汗異常などの自律神経症状を伴ったものである．多発性神経炎に合併するものもあり，この場合は両側性である．

❸ **その他** Fisher 症候群で緊張性瞳孔を合併することがある．その他，脳炎，帯状疱疹，神経梅毒，脊髄小脳変性症，糖尿病，膠原病などの合併も報告されている．

診断 散瞳がみられるも眼球運動が正常で，対光-近見反応解離や虫様運動を認めたら診断は困難ではない．対光-近見反応解離がみられる疾患が鑑別となる（**表1**）．陳旧性の緊張性瞳孔は縮瞳していることがあるが，瞳孔の不整，虹彩ひだの消失，虫様運動，対光-近見反応解離によって診断可能である．

低濃度(0.125%)ピロカルピン塩酸塩の点眼試験が有用である．除神経性過敏のため，通常では反応しない低濃度でも反応し縮瞳する．ただし，過敏性の獲得は末梢で生じやすいが中枢でも出現することがあり，この点眼試験はあくまでも補助診断である．

治療 経過観察のみでもよいが，羞明や調節障害の自覚症状が強い場合には低濃度(0.125%または0.25%)ピロカルピン塩酸塩を使用する．調節障害に対しては近用眼鏡の装用，羞明に対してはサングラス，虹彩付きコンタクトなども有用である．

予後 良性で，ほとんどは自然回復し，自覚症状も軽減してくる．前述のように数か月や1年後には経過とともに縮瞳傾向となり，健側よりもむしろ縮瞳していることもある．全身疾患に合併する場合の予後は好ましくない．

Horner 症候群
Horner syndrome

敷島敬悟　東京慈恵会医科大学・教授

概念　眼交感神経系の障害で，眼所見や全身所見に多彩な症状を示す症候群である．中枢性，節前性，節後性のそれぞれの障害部位における主な原因疾患を**表2**に挙げる．

症状　縮瞳(中等度)，暗所で著明な瞳孔不同を呈し，対光反射は正常である．上眼瞼の軽度下垂，下眼瞼の上昇(upside-down ptosis)，瞼裂狭小，見かけ上の眼球陥凹，調節幅の拡大，虹彩異色症(先天性で)，涙液分泌低下，眼圧低下，結膜充血，発汗異常がみられる．

合併症・併発症

❶ **Raeder 症候群**　三叉神経痛と節後性 Horner 症候群を呈す．三叉神経節近傍での障害で，内頸動脈の動脈瘤，中頭蓋窩腫瘍，鼻咽頭腫瘍の精査が必要である．

❷ **交代性 Horner 徴候**　毛様脊髄中枢付近が責任病巣といわれており，中枢性もしくは節前性 Horner 症候群の形をとる．交代する機序は不明である．Horner 症候群の障害側がほぼ正確な周期で1〜3日ごとに交代する．交代は，夜間睡眠中に起こる．Shy-Drager 症候群，頸髄外傷，多発性硬化症，頸髄内嚢胞，頸髄空洞症，放射線による脊髄障害などの合併が報告されている．

診断　Horner 症候群自体の診断は臨床所見から容易であるが，点眼試験による障害レベルの決定が重要である．**表3**のごとく 5% コカイン，5% チラミン，

表2　Horner 症候群の部位別の主な原因

中枢性
脳幹の梗塞(Wallenberg 症候群)・出血・腫瘍
脊髄小脳変性症(Shy-Drager 症候群)
延髄空洞症
変形性頸椎症
節前性
肺尖部腫瘍(Pancoast 腫瘍)
縦隔腫瘍
頸部手術
星状神経節ブロック
分娩時腕神経叢下部損傷(Klumpke 麻痺)
節後性
頸動脈周囲の腫瘍
頸部の手術や外傷
頸動脈の解離性動脈瘤
海綿静脈洞の病変
鼻咽頭腫瘍
群発頭痛

1.25% アドレナリンの組み合わせが従来から行われてきた．しかし，コカインは麻薬扱いで正常者でも反応がみられること，チラミンは医薬品ではないこと，アドレナリン点眼薬は製造中止になったことより現在はこれらによる点眼試験は困難となっている．アドレナリンの代わりに1% フェニレフリン塩酸塩(ネオシネジン®の5倍希釈)を使用してもよい．なお，点眼試験に際しては狭隅角眼に注意する．

最近は1% アプラクロニジン塩酸塩(アイオピジン®UD)点眼薬が診断に使用されている(保険適用外，効能・効果・用法・用量)．瞳孔散大筋は α_1 受容体のため，正常ではアプラクロニジン塩酸塩(α_2 作用が主体で α_1 作用はわずか)点眼には無反応か軽度縮瞳(シナプス前の α_2 受容体作用のため)を示す．しかし，Horner 症候群では除神経性過敏のため α_1 受容体の過敏性が増し，アプラクロニジン塩酸塩の点眼30〜60分後に散瞳をきたし，点眼前後で瞳孔不同が左右逆転する．

表3 Horner症候群における点眼試験による障害部位判定法

	判定所見	判定時間(分)	正常側	中枢性	節前性	節後性
5%コカイン	散瞳	90～120	++	+	−	−
5%チラミン	散瞳	45	+	+	+	−
1.25%アドレナリン	散瞳	60	−	−	+	++
(1%ネオシネジン®)	眼瞼下垂の改善	5	−	−	+	++

(大野新治:薬物点眼によるHorner症候群障害部位判定法.臨眼29:1225-1233,1975より改変)

発汗異常のパターンも大切である．患側の発汗低下は，中枢性では全身の半側に，節前性では顔面半側に，節後性では前額内側と鼻尖部に起こり，発汗低下部位のほてりや紅潮をきたす．節後性では発汗異常を伴わないこともある．

各障害部位に相当する画像検査が要求されるが，肺癌，縦隔腫瘍の診断のため胸部画像検査が優先される．頸動脈の解離性動脈瘤は緊急性疾患である．

生理的瞳孔不同が鑑別として挙げられる．

治療 原疾患の治療が優先される．全身的に他の所見がなければ良性で，経過観察でよい．過敏性の獲得が存在する末梢性の眼瞼下垂では，ナファゾリン硝酸塩(プリビナ®)点眼が奏効することがある(保険適用外,効能・効果・用法・用量)．約2mmの眼瞼下垂には，眼瞼挙筋腱膜整復術が有効である．

反復発作性片側性散瞳

Episodic (periodic) unilateral mydriasis

敷島敬悟　東京慈恵会医科大学・教授

病態 交感神経の刺激や副交感神経の障害が想定されるが，副交感神経系の麻痺よりも交感神経系の刺激による末梢性の一過性の瞳孔散大筋のけいれんと考えられている．眼筋麻痺性片頭痛の一部，毛様体神経節の虚血が原因ともいわれている．瞳孔散大筋の分節状のけいれんによるおたまじゃくし状瞳孔(tadpole-shaped pupil)も本質的には同じである．おたまじゃくし状瞳孔は瞳孔の一部が散瞳し，不整円・水滴状に変形したものである．

症状 健康な若年女性に多い．一過性の片側性の散瞳のため羞明，霧視をきたす．まれに両側性がある．1回の発作は，数分～数時間が多いが1週間続くこともある．1日数回から年に数回の頻度で繰り返し，数年間再発することもある．頭痛や球後痛を合併し，頭痛側と同側に眼症状がみられ，対側へは移行しない．眼球運動障害はなく，MRI所見も正常である．調節障害を伴うこともあるが，この場合は副交感神経障害が推定されている．

診断 一過性の散瞳が特徴的で，初診時に散瞳が観察されるも翌日には正常瞳孔のときには本症を疑う．反復発作性片側性散瞳では緊張性瞳孔と異なり，除神経性過敏，対光-近見反応解離，tonicな瞳孔反応はみられない．緊張性瞳孔，緑内障治療薬や血管収縮薬の点眼，周期性動眼神経麻痺，ヒステリーなどを除外して診断していく．

治療 特に必要はなく対症的でよい．必要であれば頭痛の治療を行う．

予後 通常は，頭痛は伴うものの，他の神経症状や全身合併症もなく，自然回復をみる予後良好な疾患である．まれにHorner症候群に進展するものもある．

脳疾患に伴う瞳孔異常
Pupillary anomalies associated with brain lesions

敷島敬悟　東京慈恵会医科大学・教授

❶中脳病変
a. 中脳瞳孔偏位（ectopic pupil/corectopia）・楕円瞳孔（oval pupil） 中脳梗塞，代謝性脳症，脳出血，動脈瘤の破裂によるくも膜下出血など重篤な障害時にみられる所見で，Edinger-Westphal核もしくは核上性抑制線維の障害が推察されている．昏睡時などで全身症状の悪化時に一過性にみられる重篤な徴候である．治療は原疾患を優先させる．

b. Argyll Robertson瞳孔（⇒849頁参照） 中脳背側の障害でみられ，対光反射系への核上性抑制路の障害である．対光反射消失，対光-近見反応解離，暗所でも極度な両側性縮瞳をきたしている．

c. 視蓋瞳孔（⇒854頁参照）

d. 動眼神経線維束障害 中脳内を走行する動眼神経髄内線維束は支配する筋肉ごとに分かれて走行しているといわれている．瞳孔括約筋と下直筋に至る線維は内側を近接して走行しており同時に障害されやすい．

e. 海馬鈎ヘルニアに伴う散瞳 動眼神経が圧排され，散瞳，対光反射の消失をきたす．瞳孔の変化は，外眼筋麻痺や眼瞼下垂より も先行し，進行すると両側性になる．瞳孔所見は意識障害よりも前にみられるが，一過性のこともある．この瞳孔所見はHutchinson瞳孔といわれ，古くから予後不良のサインとして知られており，脳死の判定（両側の瞳孔が4mm以上で散瞳固定，対光反射消失）に関連してくる．

❷**橋病変：橋性縮瞳（pontine miosis, pontine pupil）** 両側の高度な縮瞳（1mm程度）で，pin point pupilを呈する．橋出血などの広範囲な重篤な病変でみられ，予後不良のサインである．強い光で対光反射は観察される．意識がある場合には近見反応がみられる．Edinger-Westphal核への核上性抑制線維や中枢性交感神経の障害が推察されている．

❸**延髄病変：中枢性Horner症候群**
Wallenberg症候群（延髄外側症候群）が代表である．病側のHorner症候群，顔面温痛覚障害，小脳失調，前庭神経核障害による眼振，口蓋・咽頭・喉頭麻痺，対側の体幹温痛覚障害がみられる．ocular lateropulsion（閉瞼で病側への両側眼球偏位，水平衝動性眼球運動で病側方向へのオーバーシュート，垂直衝動性眼球運動で病側へいったん偏位したあとのもどり）もWallenberg症候群の特徴的な所見である．

❹**Fisher症候群** Fisher症候群は両側の眼球運動障害であるが，頻度は多くないが視神経炎や瞳孔異常を合併することがある．Fisher症候群は重篤な脳幹脳炎を呈することがある（Bickerstaff型脳幹脳炎）．瞳孔異常は散瞳，対光反射消失，調節障害を呈し，低濃度ピロカルピン塩酸塩に対する過敏性獲得など，緊張性瞳孔の所見をとることが多い．自然治癒傾向があり，予後良好である．抗GQ1b抗体の除去目的で，血

漿交換療法や免疫吸着療法が試みられている。

❺**糖尿病ニューロパチー**　糖尿病性の動眼神経麻痺は，海綿静脈洞内での栄養血管の動脈硬化性閉塞によって生じるといわれている。有痛性のこともある．糖尿病性の動眼神経麻痺では，一般には散瞳は伴わず外眼筋麻痺のみを呈するが，すべてが正常瞳孔とは限らないので注意が必要である．糖尿病の治療が優先である．糖尿病ニューロパチーは一般に予後良好で，数か月で回復してくる．

視蓋瞳孔
Tectal pupil

敷島敬悟　東京慈恵会医科大学・教授

|病態|　中脳背側の病変で，視蓋前域や後交連を通る対光反射の経路の障害で生じる．原因として松果体腫瘍(図3)が有名であるが実際は少ない．

|症状|　対光反射は消失し，瞳孔の大きさは初期では変化がないが，徐々に中等度に両側性に散瞳してくる．近見反応の線維は対光反射の経路よりも腹側を通るため障害されにくく，対光-近見反応解離(light-near dissociation)を生じる．

|合併症・併発症|　中脳背側症候群(Parinaud症候群)の主たる所見は視蓋瞳孔と垂直性(特に上方への衝動性)眼球運動障害である．ほかに，輻湊麻痺，輻湊後退眼振，正面や上方視時の両側性上眼瞼後退(Collier徴候)，斜偏位を伴うこともある．中脳水道の閉塞をきたした場合はうっ血乳頭を合併する(中脳水道症候群)．

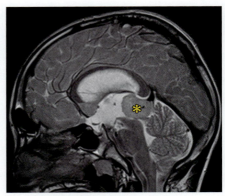

図3　松果体腫瘍(*)のMRI

|診断|　上記の瞳孔所見，合併症状で診断ができる．緊張性瞳孔，Argyll Robertson瞳孔などの対光-近見反応解離をきたす疾患が鑑別となる(⇒849頁参照)．Argyll Robertson瞳孔は両眼性に暗所でも極度な縮瞳をきたしている．縮瞳を伴わないものはpseudo Argyll Robertson瞳孔といわれ，視蓋瞳孔とは同様になる．

|治療|　原疾患の治療を行う．

薬物中毒に伴う瞳孔異常
Pupillary abnormalities associated with drug poisoning

中澤祐則　鹿児島大学

　中毒診療において，症状・所見・検査結果などを組み合わせることによって原因物質を大まかにグループ化して推定する「トキシドローム」という考え方がある．このトキシドロームにおいて瞳孔所見は非常に重要である．瞳孔は交感神経系と副交感神経系で拮抗的に支配されており，そのバラ

ンスが薬物(毒物)によって崩れると瞳孔異常が生じる．

縮瞳をきたすもの

❶**有機リン系化合物** 農薬(殺虫剤)や神経ガス兵器(サリン，VXガス)などで使用される．不可逆性コリンエステラーゼ阻害作用により副交感神経末梢・自律神経節・運動神経末梢にアセチルコリンが蓄積して症状が出現する．ほかにも中枢神経系の作用が関与している．重症の場合，ピンポイント瞳孔といわれる極小瞳孔になる．自覚症状として毛様体けいれんによる眼痛や近視化による見づらさが出現することもある．

❷**モルヒネ塩酸塩水和物** 「がん疼痛の薬物療法に関するガイドライン」において推奨され広く使用されている麻薬性鎮痛薬で，少量の使用でも縮瞳を引き起こす．副交感神経のコリン作動性作用ではなく，動眼神経核のκオピオイド受容体刺激により縮瞳が生じる．

❸**その他** 抗アセチルコリンエステラーゼ薬やニコチンなども縮瞳をきたす．

散瞳をきたすもの

❶**アトロピン** ナス科植物に含まれるトロパンアルカロイドの一種である．小児の屈折検査に使用されたり，内視鏡の消化管検査前投薬や酔い止めに使用されたりとその用途は幅広い．副交感神経抑制により散瞳する．

❷**ボツリヌス毒素** 自然界に広く存在するボツリヌス菌によって産生される．ボツリヌス菌は熱に強い芽胞を形成する嫌気性菌である．ボツリヌス菌やその毒素は食物(ソーセージ・からし蓮根・ハチミツなど)と一緒に体内に侵入することが多い．自律神経節・副交感神経終末・運動神経終末に作用し，アセチルコリン放出を阻害することによって症状が出現する．

❸**その他** 一部の向精神薬やコカイン，d-クロルフェニラミンマレイン酸塩なども散瞳をきたす．

瞳孔不同

Anisocoria

中澤祐則 鹿児島大学

　瞳孔は虹彩のやや鼻下側に位置し，ほぼ正円・左右同大で，変化も左右同時に起こる．瞳孔不同とは，瞳孔の大きさ「瞳孔径」に左右差がある状態のことである．瞳孔径は瞳孔括約筋と瞳孔散大筋の2種類の平滑筋の緊張のバランスで決定される．一般に瞳孔径2 mm以下を縮瞳，瞳孔径5 mm以上を散瞳と表現する．瞳孔径は年齢によって大きく変化し，新生児では2〜2.5 mm程度と小さく，成長とともに徐々に大きくなり，10歳代で最大となる．その後は加齢とともに小さくなっていくが，80歳を超えるとその変化は落ち着く．

　瞳孔は自律神経支配のため被検者の意思を反映しない．そのため他覚的にその評価が可能だが，瞳孔の状態は測定時刻(日内変動)・感情の変化・測定条件などによって変動し，個人差も大きいことは基礎知識として知っておくべきである．

　瞳孔径計測に特殊な機器や技術は不要で，三田式万能計測器などの定規式瞳孔計で簡単に計測できる．原則として縦径ではなく横径で評価する．近見反応による縮瞳を防ぐために，被検者に遠方視してもらうことが望ましい．被検者の視線を遮らないように，少し低い位置から観察するとよい．

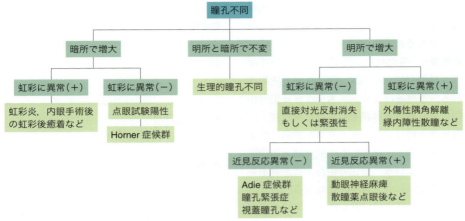

図4　瞳孔不同鑑別のための簡略図

　瞳孔不同をみたときは，まずどちらの眼が患眼であるかを把握しなければならない．そのためには明所暗所の両方での瞳孔観察が必須となる．明所で瞳孔不同が著明な場合，瞳孔の大きいほうの眼が患眼で，縮瞳不全を意味する．逆に暗所で瞳孔不同が著明な場合，瞳孔の小さいほうの眼が患眼で，散瞳不全を意味する．明所でも暗所でも瞳孔不同の程度が変化しない場合は病的ではない瞳孔不同（生理的瞳孔不同）を考える．

瞳孔不同をきたす主な疾患（図4）

❶瞳孔の大きいほうの眼が患眼の場合（明所で瞳孔不同が著明）

a. 瞳孔緊張症　瞳孔脱円や散瞳を呈する疾患で，若年女性に多く90％が片眼性である．両眼性の場合でも，瞳孔不同を呈することが多い．対光反射を欠くが，近見反応による縮瞳はゆっくりと生じる（対光-近見反応解離）．原因は不明だが，毛様体神経節または短後毛様体神経が責任病巣と考えられている．除神経過敏性を獲得しているため，0.1％程度の低濃度ピロカルピン塩酸塩点眼（1％を8倍希釈するとよい）で著明に縮瞳し，本疾患の代表的な特徴とされる．年数の経過とともに縮瞳する傾向にあり，陳旧性の場合は縮瞳が目立つため診断は難しくなる．

b. 動眼神経麻痺　片眼散瞳による瞳孔不同でまず疑うべき病態である．生命にかかわる内頸動脈-後交通動脈分岐部動脈瘤や脳幹部出血，梗塞の存在を示唆するからである．したがって，すみやかにMRI/MRAで頭蓋内病変の有無を確認しなければならない．通常は眼瞼下垂や眼球運動障害を伴うが，瞳孔のみが障害されている場合もあるので注意が必要である．

c. 良性間欠性散瞳　一時的（通常数時間，長いときは1週間程度）な片眼散瞳による瞳孔不同で，片頭痛のある若年女性に多くみられる．自律神経障害に関連していると考えられているが，詳しい病態は不明である．

d. 前眼部虚血　斜視手術や網膜剥離手術などで3つ以上の直筋が切離された場合に起こりうるとされ，瞳孔括約筋の部分麻痺

による瞳孔不整や散瞳をきたす．他の症状として虹彩炎や角膜浮腫，眼圧低下などがある．一過性に瞳孔の変形を起こすものから眼球癆に至るものまで，その程度はさまざまである．前眼部虚血は術後数年〜10年以上たっても起こりうるので注意が必要である．

❷瞳孔の小さいほうの眼が患眼の場合（暗所で瞳孔不同が著明）

a. Horner 症候群　眼，顔面への交感神経遠心路の障害で片眼性が多い．軽度眼瞼下垂や顔面の発汗異常を合併することがある．長い交感神経遠心路のどの部位の障害でも起こりうるため原因検索が重要となる．原因疾患は頭頸部疾患，脊髄疾患，縦隔内腫瘍，肺尖部疾患などさまざまである．頸部痛のある場合は，若年性脳梗塞の原因となる内頸動脈解離を考えなければならない．診断には低濃度フェニレフリン塩酸塩，チラミン，コカイン塩酸塩，アプラクロニジン塩酸塩などの点眼試験が有用である．

❸その他

a. 生理的瞳孔不同　正常者の 20％ にみられ，自覚症状はなく，瞳孔径の左右差は通常 0.5 mm 以下である．瞳孔不同以外の所見，例えば眼瞼下垂や眼球運動障害などは認めない．明所・暗所で瞳孔不同の程度に変化のないことが病的な瞳孔不同と大きく異なる点である．

b. 瞳孔の形態異常（表4）　瞳孔形態異常が片眼に起こった場合に瞳孔不同が生じることも忘れてはならない．形態異常は先天性のものより後天性のものが多く，外傷による虹彩根部離断，虹彩炎後の水晶体前面・虹彩後面癒着，内眼手術後の虹彩変形がほとんどを占める．瞳孔散瞳固定の場合，外傷後の虹彩根部離断や急性緑内障発作後の麻痺性散瞳が多い．一方，瞳孔縮瞳固定の多くは虹彩炎後の水晶体前面・虹彩後面癒着である．この場合散瞳薬を点眼し瞳孔の形を変えると，癒着の部位・程度などを評価しやすくなる．

表4　瞳孔の形態異常

先天性
無虹彩，虹彩欠損，小瞳孔，先天性瞳孔散大，瞳孔偏位，多瞳孔，遺残瞳孔膜，虹彩異色症
後天性
虹彩萎縮，虹彩後癒着，外傷性散瞳，緑内障散瞳，前眼部虚血，瞳孔脱円，虹彩振盪，腫瘍

神経を通して眼を深く理解できる、神経眼科学のスタンダードテキスト

神経眼科学を学ぶ人のために 《第3版》

三村 治 兵庫医科大学・名誉教授

眼科医、視能訓練士に必要な「神経眼科学」の知識を網羅した実践的テキスト。簡潔な文章とふんだんな図版で構成されたビジュアル性の高い紙面により、難解に捉えられがちな「神経眼科学」を分かりやすく解説。眼科医、視能訓練士のほか、神経内科や神経耳科、脳神経外科などの医療者の強い味方となる1冊。日本のトップランナーによる神経眼科学の集大成。

■目次
1 神経眼科の解剖と生理
2 神経眼科診察法
3 視神経・視路疾患
4 眼球運動障害
5 眼振・異常眼球運動
6 眼瞼の異常
7 瞳孔異常をきたす疾患
8 眼窩に異常をきたす疾患
9 全身疾患と神経眼科

●B5 頁384 2021年
定価：10,450円（本体9,500円＋税10%）
[ISBN978-4-260-04636-7]

医学書院

〒113-8719 東京都文京区本郷1-28-23　[WEBサイト]https://www.igaku-shoin.co.jp
[販売・PR部]TEL:03-3817-5650　FAX:03-3815-7804　E-mail:sd@igaku-shoin.co.jp

14 眼球運動障害, 眼振

水平注視麻痺, 内側縦束症候群 (核間麻痺), One-and-a-half 症候群

Horizontal gaze palsy, Medial longitudinal fasciculus (MLF) syndrome (Internuclear ophthalmoplegia), One-and-a-half syndrome

加島陽二　日本大学医学部附属板橋病院

概念・病態　水平注視を支える脳幹の主な神経要素は6つある. ①外転神経核, ②外転神経, ③介在ニューロン, ④内側縦束, ⑤動眼神経, および⑥傍正中橋網様体 (paramedian pontine reticular formation：PPRF) である.

その中枢は①と⑥であり, 最終共通路は橋下部被蓋背側に存在する外転神経核であり, 水平注視にかかわる2種類のニューロンが存在する. それらは同側の外直筋に至る外転神経 (運動ニューロン) および介在ニューロンである. 外転神経は同側の外直筋を収縮させて眼球を外転させる. 介在ニューロンは外転神経核を出るとすぐに対側の内側縦束に入り, 上行して中脳にある動眼神経内直筋核に至り, 動眼神経を介して対側の内直筋を収縮させ対側眼を内転させることで両眼が同側に向く側方注視運動が起こる. 輻湊は上位中枢から直接, 両側の動眼神経核が刺激されて出現する. そのため内側縦束を通る介在ニューロンからの刺激がなくても輻湊運動は可能である. 傍

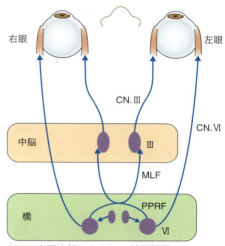

図1　水平注視にかかわる神経機構
CN.Ⅲ：動眼神経, CN.Ⅵ：外転神経, Ⅲ：動眼神経核,
Ⅵ：外転神経核, MLF：内側縦束, PPRF：傍正中橋網様体
青線：神経伝達経路, 紫楕円：神経核

正中橋網様体は外転神経核の腹側正中寄りに存在し, 同側の外転神経核にニューロンを送り, 両眼の同側への衝動性運動を起動させる (図1).

病因　高齢者では血管障害, 特に脳梗塞が最も頻度が高く, 若年者では脳血管障害のほかに多発性硬化症が疑われる. そのほかには脳幹腫瘍として海綿状血管腫, 橋部膠腫があり, ビタミンB_1欠乏症のWernicke症候群でも内側縦束症候群をきたすことがある.

症状・診断　眼球運動の視診が重要.
❶水平注視麻痺 (側方注視麻痺) (図2)　外転

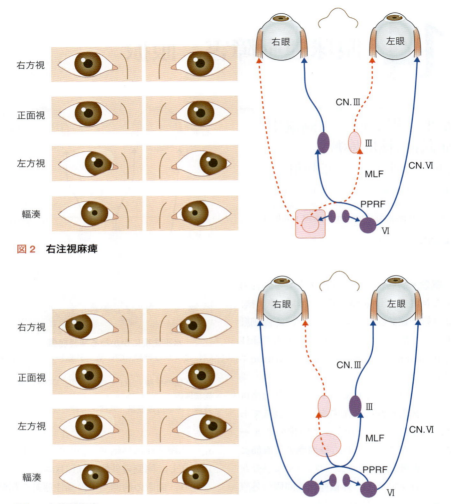

図2 右注視麻痺

図3 右核間麻痺

神経核の病変で出現する．両眼とも正中線を越えて患側へは眼球を動かせないが，輻湊は可能で垂直方向の眼球運動は維持される．病初期には正面視を指示しても健側へ眼球が偏位する共同偏視がみられる．

❷**内側縦束症候群（核間麻痺）（図3）**　内側縦束の病変では介在ニューロンが障害されるため患側眼の内転のみが制限されるが，輻湊は維持される．患側の内転障害，健側眼の外転時解離性眼振および輻湊可能という3徴候がみられれば本症と診断できる．患側が上斜視となる skew deviation を合併することが多く，上下複視を自覚する．経過とともに内転制限・解離性眼振は軽減・消失するが，内転方向への衝動運動速度の低下は回復しないため内転眼の衝動運動速度

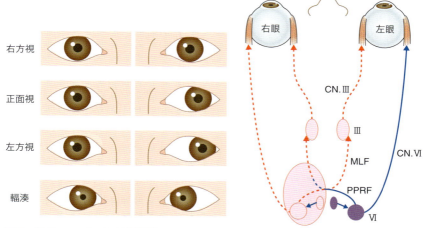

図4 右 One-and-a-half 症候群

の低下があれば本症の既往を疑ってよい．

❸ **One-and-a-half 症候群**（図4）　一側の外転神経核，傍正中橋網様体および内側縦束を含む病変では，両眼ともに患側には注視ができないことに加えて，患側眼の内転が制限される．つまり，患側眼は水平に動かず，健側眼の外転運動と外転時の解離性眼振が観察され，輻湊は可能という症候がみられることで診断する．正面眼位は必ず健側眼の外斜視となり，麻痺性橋外斜視（paralytic pontine exotropia）という．

| 合併症・併発症 | 患側の顔面神経麻痺を合併することがあり，橋下部被蓋背側に病巣局在がある根拠になる．

| 診断 |

■ **必要な検査**　神経放射線学的検査（CT，MRI）を実施する．脳出血や橋部腫瘍は検出が比較的容易だが，橋被蓋部の小さな梗塞巣は MRI でも検出しにくい．

■ **鑑別診断**

❶**動眼神経麻痺**　眼瞼下垂，上下転制限および瞳孔不同がないことが鑑別点．

❷**重症筋無力症**　偽内側縦束症候群ともいわれる．日内変動がなく，テンシロンテストが陰性である点で鑑別可能．

❸ **Fisher 症候群**　両眼に対称的な垂直方向も含めた眼球運動障害および体幹失調がないことで鑑別可能．

| 治療 |

■ **治療方針**

❶**脳梗塞**　超急性期（発症後4.5時間以内）では t-PA（組織プラスミノーゲンアクチベーター）静注療法が推奨される．改善効果がない場合にはカテーテルによる血栓回収療法を検討する．発症後24時間以内ならば脳保護療法としてエダラボンの点滴静注の適応があり，48時間以内なら抗血小板療法としてアスピリン内服の適応がある．いずれも救急科，脳神経外科あるいは脳神経内科などの脳卒中ユニットで加療され，眼科での治療対象となることは少なく，急性期以後に複視の評価で眼科を受診するため循環改善薬などの保存的治療を継続する．

❷**脳幹脳炎および多発性硬化症** 急性期にステロイドパルス治療の適応．

> 処方例 急性期以後の治療として下記を併用する．
>
> メチコバール錠（500 μg） 3 錠 分3
>   保外 効能・効果
> ユベラNカプセル（200 mg） 3 カプセル
>   分3 保外 効能・効果，高血圧・脂質異常症合併の場合は適用あり

後者は時に便秘，下痢，胃部不快感などの消化器症状，抗血小板薬投与例では相乗効果による易出血性の増強に注意．

■**手術治療** 少なくとも発症後6か月以上は経過観察を行い，正面視での複視，あるいは代償頭位の改善を目的に斜視手術をすることがある．

予後 最も多い脳梗塞では，多くの例では発症後数か月で眼球運動は改善をみることが多い．

上方注視麻痺，下方注視麻痺

Upgaze and downgaze palsies

柏井 聡　愛知淑徳大学健康医療科学部・教授

概念 両眼性の上下方向の共同眼球運動障害を注視麻痺といい，速い運動と遅い運動障害がある．速い眼球運動は，前頭眼野（随意性）および頭頂眼野（視覚反射性）の運動指令が上丘を介して，中脳で上下方向のサッカードの系を駆動する．緩徐な眼球運動は，前頭眼野（追視の開始）と後頭頂皮質（視覚性注意）からの中心窩の追視指令は橋を介して，一方，周辺網膜の運動信号は皮質下の前庭眼反射（vestibulo-ocular reflex：VOR）および視索・副視索核群から橋を介して小脳に入り，最終的に視線の動きが前庭神経核から眼運動ニューロンに出力される．

病態 内側縦束吻側間質核（rostral interstitial nucleus of medial longitudinal fasciculus：riMLF）は上下方向と回旋性のサッカードを生成する．Cajal間質核（interstitial nucleus of Cajal：iC）は上下運動の注視眼位を維持する．iCは後交連（posterior commissure：PC）を回る下転筋群ニューロン抑制投射と，同側性に直接上転筋群や下転筋群ニューロンへの興奮性投射がある．片側iC病変はocular tilt reaction（眼球頭部傾斜反応：対側頭部チルト，同側上斜性斜偏位，同側内方回旋，対側外方回旋），両側iC病変では上方注視眼振をきたす．PCの障害は上方注視麻痺（中脳背側症候群）だけでなく，PC核（nucleus of PC：nPC）はM群ニューロンを介して上方注視時の上眼瞼挙筋を抑制するため特徴的な両眼瞼後退症（Collier徴候）が生じる．甲状腺眼症とは異なり，下方視では眼瞼は正常に下がり，上方視とともに第1眼位で眼瞼後退が出現し上転とともにさらに著明となり，Graefe徴候とは逆になる．

診断 上方注視麻痺はPC障害による．若年者の松果体腫瘍や水頭症によるPCの圧迫や中脳背側部の血管性病変による．上方へのサッカード，追視が障害され，VORは時に保存される．上方サッカードは輻湊後退眼振を誘発する．交連線維は膝状体外視覚系線維が走り対光−近見反応の解離をきたし，nPCの障害で核上性眼瞼後退（Collier徴候）が生じる（⇒864頁，「落陽現象」項を参照）．

下方サッカードの選択的障害は両側

riMLF病変による．追視やVORの同時障害は，病巣の周囲のMLFやiCへの波及を意味する．riMLFの脱落症状は対側性に，iCでは同側性に回旋性眼振が生じる．通常は両方が同時に障害されることが多いが，iC片側病変ではriMLFが保存されるため，riMLF片側病変に比べ回旋性眼振の持続期間が短く，2日以内に認められなくなる．進行性核上性麻痺の病初期の下方サッカードの緩徐化はriMLFのバーストニューロンの選択的障害による．

上下方向のサッカードは保存されているが，追視やVORが障害されている場合，両側MLF障害による．上下注視誘発眼振を認める．

両上転筋麻痺
Double elevator palsy

柏井 聡　愛知淑徳大学健康医療科学部・教授

概念　単眼性上転障害を，当初，眼球を上転する上直筋(superior rectus muscle：SR)と下斜筋(inferior oblique muscle：IO)の先天麻痺と考え両上転筋麻痺(double elevator palsy)とよんだが，現在は，病態から単眼上転不全(monocular elevation deficiency)が適切である．

病態　Bell現象陽性の核上性単眼上転不全，陰性なら原発性下直筋(inferior rectus muscle：IR)拘束と原発性SR麻痺に分かれる．

症状　外転位，内転位の同程度の上転制限が病徴的，(仮性)眼瞼下垂を伴うことがあるが，先天性では瞳孔や輻湊運動は保存される．

診断　Bell現象を欠き，引っぱり試験陽性(下眼瞼溝著明化)例はIR線維症(先天脳神経異常神経支配疾患群やTUBB3変異/先天外眼筋線維症)と瞼裂狭小化，眼球後退で区別する．Brown症候群は内転時のみの上転制限．引っぱり試験陰性は，第1眼位で正位ならSR麻痺は考えにくく核上性が示唆される．先天上斜筋麻痺で習慣的に麻痺眼で固視する例では，対側IRの拘縮による対側下斜眼の単眼性上転障害をきたすことがあるがParks-Bielschowskyテストで鑑別する．

中脳病変による後天性は単眼上転麻痺(monocular elevation paresis)といい，第1眼位は正位で上方視で初めて共同性が解離する．Bell現象は原則として保たれる．IOは同側，SRは対側支配，内側縦束吻側間質核は両側性に上転筋群へ投射するので，核上性なら運動ニューロン直前の障害が考えられる．末梢動眼神経は脳幹から外眼筋に応じて線維束が分かれ，外側を走行するIOとSRへの線維が選択的に障害されると単眼上転麻痺となり，病側Bell現象は欠如する．

治療　両上転筋麻痺の引っぱり試験陽性例はIR後転，陰性例は水平直筋の部分ないし全腱幅移動術，上転がある程度残存する引っぱり試験陰性例は，対側SRの後転術などの神経支配変調術を考える．神経原性の単眼上転麻痺は，通常の上下直筋手術(後転±短縮)や内外直筋の上方移動術(Knapp法)を適用する．上下ズレが矯正されると眼瞼も復位するが，残余下垂には，眼位の矯正を十分行ってから，手術的介入を考える．拘束性上転障害は下直筋後転を原則とする．

斜偏位

Skew deviation

柏井 聡　愛知淑徳大学健康医療科学部・教授

概念　当初，漠然と眼運動ニューロンの核上性障害による上下斜視を斜偏位と定義していた．現在，前庭系入力異常による上下斜視と考えられている．

病態　耳石投射路は，垂直半規管投射路とともに重力感知路を作る．片側重力感知路障害は，視覚的垂直性が傾くため，立ち直るために眼球を上下に開散（斜偏位）させ，頭部を下斜眼へ傾け，さらに，頭部傾斜方向へ眼球を回旋させる眼球頭部傾斜反応（ocular tilt reaction：OTR）が起こる．

診断　眼位は共同性，非共同性，時に単筋麻痺様で診断的でない．自覚的垂直性の異常は病徴的．他の神経学的異常の共存は斜偏位を支持するが診断に必須ではない．MRIで確定する．

片側性の急性迷路ないし耳石神経障害はめまいを起こし病側へのOTR（同側下斜）が生じる．耳石は同側外側前庭神経核へ投射するためWallenberg症候群の部分症状として病側へのOTR（同側下斜）が起こる．前庭神経核を出ると交差して内側縦束を上り核間眼筋麻痺では病側が上斜する．中脳の片側Cajal間質核の脱落病変では，内側縦束吻側間質核が同時に障害されると対側へのOTR（同側上斜）が生じる．刺激病変では一過性の同側へのOTRとなる．

両側性の重力感知路障害は，小脳病変では外転眼が上斜する交代性斜偏位や下向き眼振を伴う斜偏位となる．

斜筋麻痺様の場合，Parks-Bielschowsky 3段階テストでは不十分で，両眼Maddox杆装用テストや大型弱視鏡，眼底写真で回旋眼位を調べる．斜偏位は，上斜筋（superior oblique：SO）麻痺型では上転眼が内方回旋，下斜筋麻痺型では下転眼が外方回旋し，回旋位から斜筋麻痺と鑑別する．

立位-臥位テストは，当初，1年以上経過した慢性斜偏位では立位から臥位にすると上斜視が50％以上軽減すると報告された．その後の追試で，複視自覚1か月以内の急性期から2か月の亜急性期では，斜偏位もSO麻痺も頭部を保持した臥位では上下ズレに変化は認められず，慢性期の変化は適応現象と考えられた．一方，SO麻痺は臥位にすると頭部チルトによる上下ズレの左右差はなくなり，さらに，倒立させると逆転する．

治療　原疾患の治療に基づくが，上下ズレは，通常は，吸収され消失する．持続例には，プリズム，ボツリヌス毒素注射を考慮する．原疾患の治療の適応がなく，上下ズレが固定した恒久例には上下斜視手術を適用してもよい．

落陽現象

Setting sun sign

柏井 聡　愛知淑徳大学健康医療科学部・教授

概念　乳児の水頭症の初発症状として重要で，頭囲の拡大，大泉門膨隆，頭蓋骨縫合離開，や嘔吐（易刺激性）に先駆け出現する．

病態　乳幼児の急性水頭症や新生児の脳室内出血などの急性期に，年長児では中脳背側症候群の部分症状として，核上性に

後交連の眼瞼挙筋運動神経核への抑制線維障害による両眼瞼後退症（Collier 徴候）に両眼上方サッカード障害に加え，両眼の下方共同偏視をきたすと落陽現象という．

診断 乳幼児に両眼が下方へ共同偏視し瞳孔下縁が下眼瞼縁下に埋没し，上眼瞼後退により強膜が露出した特徴的な視線から診断する．正常乳幼児（生後 7 か月前）に，体位変換時や消灯時，時に自発的に一過性の眼瞼後退を伴う両眼下方偏位を認める（良性落陽現象）ことがある．ほかに異常はなく，恒常性なく 2〜3 か月後に自然消退する．持続性に認められる場合や斜視，異常眼球運動を伴う場合，また，体位変換性に 4 週以上の乳児，消灯性に 8 週未満，20 週以上の乳幼児に認める場合は，まず水頭症を考える．なお，うっ血乳頭は後発症状，早期診断には役立たない．

治療 原疾患の治療による．

輻湊不全
Convergence insufficiency

木村亜紀子　兵庫医科大学・准教授

概念 近見時に輻湊が十分働かない状態をいう．

病態 輻湊には，緊張性輻湊〔解剖学的安静位（外斜の状態にある）から無限遠へ平行して向かう眼位に寄せてくる輻湊のこと〕，調節性輻湊（調節意図の発動に伴って生じる輻湊），融像性輻湊（両眼の網膜からの像を一致させようとして生じる輻湊），近接性輻湊（感覚的な接近感に対して心因性に生じる輻湊）があり，輻湊不全は融像性輻湊が不完全なために生じる．近業作業に従事する人に生じやすく，VDT（visual display terminal）症候群として認められることも多い（⇒ 1057 頁，「VDT 症候群」項を参照）．

症状 強い眼精疲労があり，時に近見時に外斜視を呈するため，交差性複視を訴えることがある．複視ではなく一種の感覚異常として自覚されることもある．

診断 通常は 10 cm 以内にある輻湊近点が延長している．完全屈折矯正下で反復して輻湊近点を測定すると，徐々に近点が延長する．眼球運動障害はなく，調節力の検査で年齢相応の調節力があるにもかかわらず，輻湊運動はできない．

治療 輻湊訓練により運動性に輻湊（融像性輻湊）ができるようになることが多いことから，輻湊訓練を毎日，短時間でも行うとよい．しかし，訓練で軽快しない場合には，近用眼鏡を基底内方のプリズム眼鏡にする．プリズムは両眼に 2〜4 プリズム基底内方（4〜8 プリズム矯正）を，近見（老視）用に屈折矯正した眼鏡で装用テストし，最も適したプリズム度数を決定する．近業作業時に常に近用プリズム眼鏡を装用するとよい．

予後 訓練またはプリズム（基底内方）眼鏡にて比較的良好である．

調節不全を伴う輻湊不全
Convergence insufficiency associated with accommodative insufficiency

木村亜紀子　兵庫医科大学・准教授

概念 調節障害を基礎として，調節性輻湊（調節意図の発動に伴って生じる輻湊）

と融像性輻湊（両眼の網膜からの像を一致させようとして生じる輻湊）が不十分なため、十分な輻湊運動ができない状態をいう．

病態　輻湊と調節の関係は比例関係にあるのではなく，ある程度の幅をもって成り立っている．例えば，近視の患者が眼鏡を掛けても近見時にすぐピントが合う．これは輻湊を一定に保ったまま調節を増強しピントを合わせている．このようにある程度の幅をもって成り立っているはずの輻湊と調節の関係が，調節性輻湊，融像性輻湊が働く近業作業などを不適切な環境（調節を無視した環境）で長時間行うことにより，徐々に持続的な調節機能，輻湊機能の低下をきたす状態を指す．

症状　近業作業時に強い眼精疲労を訴える．調節・輻湊能力が低下するため，近業作業を長時間持続すると近見眼位は外斜視となり，交差性複視や感覚異常，眼精疲労を訴える．代表的なものがVDT（visual display terminal）作業によるテクノストレス眼症（⇒ 1057頁，「VDT症候群」項を参照）である．

診断　1日のVDT作業時間（近業作業時間），近見時の近用眼鏡使用の有無，近見時の距離に対して装用している近用眼鏡が適切か，などを確認する．近業作業時の距離にあった眼鏡を使用しているかは，調節麻痺薬（ミドリン®P点眼液を用いる場合は，5分間隔で2回点眼後30分がミドリン®P点眼液における調節麻痺作用が最も強い）を用いた屈折検査を行い確認する．また調節機能および輻湊機能の反復測定では，徐々に調節機能の低下や輻湊近点の延長がみられる．大型弱視鏡や基底外方プリズムでの融像域測定で，最初の融像性輻湊は十分可能である．

治療　調節不全を伴っている場合，輻湊訓練は眼精疲労をより悪化させる危険性がある．そのため，輻湊訓練はしないほうがよい．一連続のVDT作業時間は上限を1時間とし，その後10〜15分の休憩時間をとるように環境改善をはかることを第1とする．また眼鏡は近業作業距離と矯正屈折値が適切な眼鏡を装用しておく必要があるため，調節麻痺薬を用いた屈折検査を行ったうえで，実際のVDT作業距離に合わせた近用専用眼鏡を処方する．中近累進焦点眼鏡はよいが，遠近両用あるいは遠近累進焦点眼鏡は近用部分が小さいため，好ましくない．またVDT作業中は瞬目減少によるドライアイを合併しやすいため，作業前後で人工涙液やヒアルロン酸，ヒアルロン酸含有点眼液などを点眼するよう心がける．

予後　VDT作業環境の改善や適した眼鏡の装用，人工涙液の点眼などが有効である．重症ではVDT作業の軽減を目的に職場の配置転換の考慮が必要なケースもある．

輻湊麻痺

Convergence palsy

木村亜紀子　兵庫医科大学・准教授

概念　輻湊のどの要素の障害かは不詳であるが，急性発症に輻湊が不能になり，近見でのみ外斜視となるため複視を訴える．

病態　輻湊メカニズムの障害は，主として中脳水道近傍の腫瘍（特に松果体腫

| **症状** 内転は可能であり眼球運動制限は認めないが、輻湊はできない。そのため、近見時に外斜視となり交差性複視を訴える。複視は近見時のみで遠視時にはない。対光反射は正常なため light-near dissociation〔対光-近見反応解離：対光反射は正常だが、近見反応（縮瞳、調節、輻湊）はみられない〕が認められる。

| **診断** 眼球運動で内転が可能で、輻湊運動が全くできない。大型弱視鏡や基底外方プリズムで融像域を測定すると、輻湊方向への融像域がほとんど測定できない。

| **治療** 原疾患の治療が奏効すれば、改善が期待できる。その間、近見用に基底内方のプリズム眼鏡を処方する。

| **予後** 原疾患にかかわらず、プリズム眼鏡の長期装用が必要なこともある。

輻湊けいれん
Convergence spasm

橋本雅人 中村記念病院・部長

| **概念** 発作性に両眼が内転し持続する状態をいう。調節けいれんと縮瞳を伴うため近見反応けいれん（spasms of the near reflex）ともよばれる。

| **病態** 多くの症例において原因となるような器質的疾患は認められず、転換性障害（ヒステリー）などの心因性が主である。中脳背側レベルにある輻湊中枢の被刺激性の亢進や、輻湊の神経機構を刺激する器質的病変によって生じる（pseudo six nerve palsy）こともあるがきわめてまれである。

| **症状** 発作性に両眼同時に高度の内斜視が持続する。自覚症状としては遠方時の同側性複視、近見化に伴う視力低下である。眼科以外の症状として、悪心、嘔吐、頭痛や眼痛を訴えることが多い。

| **診断** 両眼の極端な内転位と縮瞳が特徴的な所見である。鑑別診断として、両側性外転神経麻痺、急性内斜視、開散麻痺が挙げられる。両眼むき運動では外転制限を示すが、単眼ひき運動では運動制限が消失し縮瞳も消失する。輻湊角が大きく変動することと、屈折検査において一過性の調節けいれんを検出することでこれらの疾患との鑑別は比較的容易である。

| **治療** 器質的疾患が原因で起こる場合は、原因疾患の治療が優先されるが、心因性（非器質的）の場合は、心理的な患者の不安を除去することに努める。また、片眼帯がけいれんの除去に有効なことがある。輻湊けいれんが持続する場合は、調節麻痺薬の点眼を行うが、ほとんどの症例で自然軽快する。

開散麻痺
Divergence palsy

橋本雅人 中村記念病院・部長

| **概念** ヒトの眼球運動には共同性、非共同性があり、開散は非共同性の動きで開散の神経機構が障害されると内斜視となり複視を訴える。

| **病態** 開散にかかわる中枢神経機構が明らかでないため発症機序は不明である。これまでに器質的病変としては、中脳水道周囲灰白質や外転神経核近傍の障害で生じ

るとの報告があるが，一方で Arnold-Chiari 奇形のような延髄病変で生じることも報告されている．いずれにしても器質的病変によるものはまれであり，実際には原因不明のものや器質的病変と因果関係が不明なものが多い．

| 症状　近見よりも遠見時で強い水平性複視を自覚し，距離が離れると複視が増大する．ほかの眼球運動，調節障害，瞳孔異常は随伴しない．通常は急性に発症することが多い．

| 診断　眼球運動の外転は正常であるが開散運動が不良である．水平注視方向で眼位ずれの大きさが変わらず，どの方向でも同じ斜視角の内斜視を呈する．鑑別診断としては，輻湊けいれんや両側の外転神経麻痺が挙げられるが，近年，若年者の近距離でのスマートフォンやゲーム機の過剰使用による急性内斜視が増加しており，開散麻痺と同様の眼球運動異常を示すため鑑別が最も困難である．

| 治療　自然軽快する場合もあるため，しばらくは経過観察を行う．回復がない場合は遠方眼位に合わせた基底外方のプリズム眼鏡を処方する．斜視角が大きい場合は両外直筋の短縮手術を行う．

動眼神経麻痺

Oculomotor nerve palsy

橋本雅人　中村記念病院・部長

| 概念　動眼神経は，内直筋，上直筋，下直筋，下斜筋，上眼瞼挙筋および内眼筋（瞳孔括約筋）を支配しており，完全型や不全型の麻痺症状を呈する．

| 病態・症状　動眼神経は，解剖学的に中脳背側の中心灰白質近傍に位置する左右の動眼神経核から末梢に向かって走行する．動眼神経核は複合核であり，眼瞼挙筋を支配する亜核は正中に位置し両側性支配である．また，上直筋亜核は核内で交差しているため対側支配である．したがって，一側の動眼神経麻痺に加え中等度の両側眼瞼下垂と対側の上直筋麻痺がみられる場合は，同側の核性動眼神経麻痺である可能性がきわめて高い．動眼神経は，核から腹側に線維束として走行するがこの部位ではほかのさまざまな神経路と交差するため，眼球運動以外の神経症状を示すことが多い．大脳脚内側に病変がある場合，動眼神経麻痺に対側の片麻痺が伴い，Weber 症候群とよばれ，赤核病変では対側の錐体外路症状が合併し Benedikt 症候群とよばれる．また上小脳脚病変では対側の運動失調が合併し Claude 症候群とよばれる．中脳内での原因としては，脳出血や脳梗塞などの血管障害が大部分である．

　中脳を出た動眼神経は，くも膜下腔内で左右に走行する後大脳動脈と上小脳動脈の間を通って腹側に走行し海綿静脈洞に入る．この部位で最も重要なのは脳動脈瘤〔内頸動脈-後交通動脈分岐部脳動脈瘤（IC-PC aneurysm）〕による動眼神経麻痺である．動眼神経と後交通動脈はくも膜下腔内で並走しているため動脈瘤による障害を受けやすい．特に瞳孔の線維は最も動眼神経の内側に位置し，後交通動脈に最も近いために障害を受けやすい．したがって，瞳孔散大を有する動眼神経麻痺を診た場合は，必ず緊急で IC-PC aneurysm があるかどうかの検査をしなければならない．脳動脈瘤が破裂した場合，生命予後にかかわる

重大な問題となるため，眼科医の診断能力がきわめて重要になってくる．また，テント上腫瘍や硬膜下血腫などの頭蓋内病変による脳ヘルニアでは，初期症状として瞳孔障害型の動眼神経麻痺症状が出現し，次いで意識レベルの低下が起こる．これも緊急に脳外科的処置が必要となる．

海綿静脈洞内では，動眼神経は最も上部の外壁に位置しその下方に滑車神経，三叉神経，外転神経などの眼にかかわりのある脳神経が位置している．したがって，この部位での動眼神経麻痺は単独麻痺よりもむしろ複合麻痺を呈することが多く，海綿静脈洞症候群とよばれている．原因としては，非特異的肉芽腫性炎症（Tolosa-Hunt症候群），内頸動脈海綿静脈洞瘻（carotid-cavernous sinus fistula：CCF），真菌感染（アスペルギローマなど），海綿静脈洞内髄膜腫，上咽頭癌の頭蓋底浸潤，肥厚性硬膜炎などが挙げられる．特にTolosa-Hunt症候群では有痛性の眼球運動障害を呈する．

動眼神経は海綿静脈洞から上眼窩裂を通って眼窩内に入るが，ここで上枝（上直筋および上眼瞼挙筋の支配枝）と下枝（下直筋，下斜筋，内直筋，内眼筋の支配枝）に分かれる．したがって，動眼神経部分麻痺である動眼神経下枝麻痺や上枝麻痺が生じやすく，多くは眼窩内後方に責任病巣がある．

診断

■ **診断法** 外転障害を除く眼球運動障害の組み合わせと，眼瞼下垂および瞳孔散大の所見から動眼神経麻痺を診断する．動眼神経麻痺に滑車神経麻痺が合併しているかを診るには，細隙灯検査にて患者に内下転を指示し，眼球の内方回旋の有無をみて判断することができる．瞳孔障害のない動眼

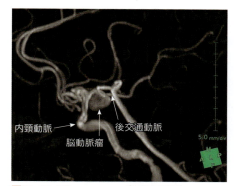

図5 IC-PC aneurysmを示すMRA
内頸動脈-後交通動脈間に巨大な脳動脈瘤を認める．

神経麻痺の大部分は虚血性が多く，高齢者に圧倒的に多くみられる．発症は突然であり（特に起床時に複視を自覚する），高血圧，糖尿病，心臓疾患，透析などの全身既往歴を有する患者にみられるため詳細な問診が重要である．

■ **必要な検査** 頭部画像検査が必須である．この場合，CTよりもMRI検査が望ましい．MRI検査にはさまざまなシーケンスがあるが，動眼神経麻痺の原因となるIC-PC aneurysmを画像診断する場合，高速グラジエントフィールドエコー法の1つであるSPGR法（spoiled gradient recalled acquisition in the steady state）が最も有用である．SPGR法は薄いスライス（2～3 mm）の解像度が高く，動脈が高信号で描出される特徴を有するため，動眼神経が動脈瘤によって圧迫されている画像が明瞭に描出される．またSPGR法で撮影した画像をもとに作られるMRアンギオグラフィー（MRA）は造影剤を用いない非侵襲的な脳動脈血管描出法であるため，この方法がIC-PC aneurysmの発見に最も簡便で診断的価値の高い手法である（**図5**）．その

ほか，造影剤を用いた3D-CTアンギオグラフィーのような3次元画像（ボリュームレンダリング）も有用な画像診断法である．

■ **鑑別診断**　瞳孔障害のない場合，神経原性（動眼神経麻痺）かあるいは筋原性か，または重症筋無力症（myasthenia gravis：MG）のような神経筋接合部の障害による眼筋麻痺なのかの鑑別が必要である．眼窩筋炎や甲状腺眼症のような筋原性疾患の鑑別には，CTまたはMRIによる眼窩部画像検査で外眼筋の異常（肥厚）を見つければよいが，MGの場合は画像検査で異常が認められないため，テンシロンテストやアイスパックテストを行い，眼瞼下垂や複視の一時的な改善があるかをみる必要がある．また，複視や眼瞼下垂といった症状に日内変動があるかどうかの問診も重要であり，抗アセチルコリン受容体抗体の測定も必要である．ただし抗体が陰性でもMGの場合（seronegative MG）があるので注意を要する．

■ **治療**　原因疾患の治療が最優先である．虚血性の場合は，1～3か月程度で自然軽快する場合が多く，改善効果を促進する目的でビタミンB群および循環改善薬の内服を行う．Tolosa-Hunt症候群のような炎症性の場合はステロイドの投与（プレドニゾロン60～80 mg/日をまず3日間投与）を行う．眼窩部痛は劇的に改善することが多いが，眼球運動障害の回復には数週間を要することが多い．また，ステロイドの減量を早めると再燃する場合も少なくないので，注意しながら適宜ステロイドの漸減を行っていく．外傷性の場合は，回復が比較的困難な場合が多く，半年経過しても改善がない場合には斜視手術または挙筋前転術などを行う．

滑車神経麻痺

Trochlear nerve palsy

木村亜紀子　兵庫医科大学・准教授

■ **概念**　滑車神経麻痺は先天上斜筋麻痺，代償不全性上斜筋麻痺，後天滑車神経麻痺の3つに分類して考えると理解しやすい．先天性では健側への頭部傾斜，代償不全性では高度な上下斜視と顔面の非対称，後天性では回旋複視の自覚が特徴である．

■ **病態**　先天性，代償不全性では，先天的な滑車神経麻痺もしくは上斜筋自体の形態異常が原因である．滑車神経は中脳背側から出てすぐ交差し，長い距離を走行する．そのため，強い外力（交通外傷や頭部打撲）が加わると中脳背側部がテント縁に押し付けられることにより両側性の滑車神経麻痺をきたす．末梢性ではほかの眼運動神経麻痺と同様，微小血管障害が原因であることが多いが，動脈瘤が原因となることはまずない．

■ **症状**　先天性では頭部傾斜が特徴である．例えば，右先天上斜筋麻痺では左へ顔を傾けており，右へ傾けると右眼が上転する（右眼が内方回旋できないため）．頭部傾斜により眼位は保たれていることから，両眼視機能は比較的良好である．頭部傾斜によっても眼位を保つことができなくなると複視を自覚するようになり，代償不全性へと増悪する．代償不全性では幼少時から頭部傾斜（健側への）があり，多くは20～30歳代で上下複視を自覚して発症する．回旋偏位は6歳以前ではsensory adaptationにより回旋複視を自覚することはまれとさ

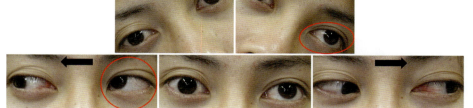

図6 左代償不全性上斜筋麻痺
上段：左への頭部傾斜で左眼が上転する．これは内方回旋を司る上斜筋が麻痺しているため上直筋へ強いインパルスが働き左眼が上転する．右への頭部傾斜では，左眼は外方回旋しており上斜筋を使っていないため眼位は良好である．
下段：右方視で左眼に続発性の下斜筋過動症を認める．

れ，代償不全性では回旋複視の自覚より高度な上下斜視，上下複視で発症することが多い．一方，後天滑車神経麻痺では上下複視に加え回旋複視を自覚していることが多い．外傷性では両眼性が多く，10度以上の外方回旋偏位を認める．

診断
■ **診断法**　先天性，代償不全性ではBielschowsky頭部傾斜試験(Bielschowsky head tilt test：BHTT)が有効である(図6)．例えば，左上斜筋麻痺の場合，左(患側)への頭部傾斜で左眼が上転する．後天性では左への頭部傾斜で複視の増悪が自覚される．眼球運動は肉眼的にわかりにくいこともあるが，側方視での患眼の続発性下斜筋過動症と上斜筋遅動を確認する(図6)．

注意が必要なことは，両側性の滑車神経麻痺(上斜筋麻痺)の存在である．特徴は，BHTTが陰性もしくは両側で陽性で，正面視での上下偏位はわずかである．小児では頭部傾斜が著明ではなく，両眼に下斜筋過動症をみる．後天性では外方回旋偏位が10度以上となる．代償不全性と後天性の鑑別が困難な場合，頭部MRI T1強調画像・冠状断で左右の上斜筋の太さを比較し，患側の上斜筋の萎縮が認められれば代償不全性と診断できる．

■ **鑑別診断**　偽滑車神経麻痺を呈する重症筋無力症との鑑別が必要である．基本的に眼運動神経麻痺では日内変動を認めないが，筋無力症では易疲労性が認められる．上下斜視を呈する甲状腺眼症も鑑別が必要である．外傷の既往がない場合は，必ず，抗AChR抗体に加え，甲状腺関連自己抗体(TSAb，TRAbなど)の採血も一緒にオーダーしておく．

治療　保存的治療としては上下偏位を矯正するプリズム眼鏡がある．プリズム眼鏡での矯正はおおよそ10プリズムと考え，それを超える上下偏位，先天性で頭部傾斜が著明な場合や複視の自覚のある代償不全性，回旋複視がメインの後天性は手術適応である(回旋偏位はプリズムで矯正できない)．先天性，代償不全性では下斜筋減弱術(下斜筋切除，後転，前方移動)に加え，上下偏位が高度な場合は患眼の上直筋後転か健眼の下直筋後転を併用する．一方，後天性では回旋複視を消失させるた

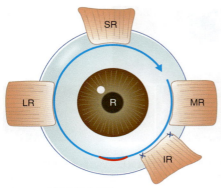

図7　下直筋鼻側移動術
下直筋を鼻側移動するときは Tillaux のらせんに沿って移動させる．図は右下直筋を後転させながら鼻側に1筋腹移動させている．下直筋付着部から真横に移動させるのではなく，内直筋付着部から後転する位置を決めて移動させる．外方回旋偏位の矯正は1筋腹で約6～7度である．
IR：下直筋，LR：外直筋，MR：内直筋，SR：上直筋．

め，健眼の下直筋後転と鼻側移動術を第1選択とし，上下偏位と回旋偏位を同時に矯正する(図7)．上下偏位の矯正は微妙なため，筆者は1回目の術翌日に検査をして，わずかな上下偏位に対しては微調整するようにしている．

|予後|　手術成績は良好である．しかし，先天性では仮面両側上斜筋麻痺(masked bilateral superior oblique palsy：MBSOP)という病態があり，片眼性と診断し片眼の下斜筋減弱術を施行すると，のちに反対眼の上斜視の出現をみる．その場合には，反対眼にも同様に下斜筋減弱術の追加が必要である．小児では術前にこの MBSOP を検出するのは困難で，術後に判明することが多いことから，術前に MBSOP の危険性を説明しておくとよい．後天性の場合も，もともと手術は2期的に計画し，初回手術のあとに微調整が必要なことがあることを伝えておく．筆者の微調整の確率はおおよそ3割である．

上斜筋ミオキミア
Superior oblique myokymia

橋本雅人　中村記念病院・部長

|概念|　上斜筋ミオキミアとは，上斜筋の律動的なれん縮により起こる発作性の単眼性異常眼球運動である．「上斜筋ミオキミア」という名前は，1970年に提唱され，当時は「benign intermittent uniocular microtremor」ともよんでいたが，上斜筋ミオキミアという名前だけがあとに残り現在も使用されている．

|病態|　多くの症例において原因となるような背景的疾患は認められていない．滑車神経麻痺，頭部外傷，脳幹梗塞などに引き続いて発生したとする報告のほか，中脳背側部における神経血管圧迫が原因との報告もある．

|症状|　健康な成人に発症することが多く，症状は片眼の間欠性動揺視である．患者は単眼性の動揺視，いわゆる"揺れ"を自覚するため，患者に動揺視の状態を詳細に聞くことが診断の有力な手がかりとなる．"揺れ"に伴う眼痛や頭痛などの症状はなく，持続時間は数秒間のことが多く発作的に出現する．

|診断|　細隙灯で観察すると発作性に眼球の内方回旋微動が頻発するのが観察できる．単眼性の動揺視を示す疾患としては，多発性硬化症で起こるとされている単眼性振り子様眼振があるが，上斜筋ミオキミアは間欠的に起こることと，微動の速度が速

く鑑別が可能である．また乳幼児にみられる点頭けいれん時に単眼性眼振が起こり，頭部振戦，頭位異常と合わせて spasmus nutans というが，上斜筋ミオキミアとは明らかに臨床像が異なる．

治療 確立された有効な治療法はないが，カルバマゼピン，バクロフェンなどの内服が症状の軽減に役立つ場合もある．外科的治療法としては上斜筋切腱術と下斜筋後転術の併用，上斜筋前部の鼻側水平移動術があるが，近年，中脳背側での上小脳動脈による滑車神経への血管圧迫を除去する脳外科的治療も行われてきている．

外転神経麻痺
Abducens nerve palsy

前久保知行　眼科三宅病院・医長

概念 外直筋を支配している外転神経に麻痺が生じると外直筋の張力が低下する．外ひき(外転)障害に伴い，麻痺性(非共同性)内斜視が生じる．内斜視のため同側性複視を自覚し，麻痺眼側への側方視で増悪する．

外転神経核は橋下部背側の第4脳室底に存在し，周囲を顔面神経線維がループ状に取り巻いている．外転神経線維は腹側下方に走る同側外直筋を直接支配する線維と内側縦束を経由して対側の動眼神経の内直筋腹側に至る線維がある．外直筋への神経線維は脳幹を出て斜台に沿って上方に向かい海綿静脈洞に入り，内頸動脈のすぐ外側を通過し，上眼窩裂から外直筋へ至る．その経路のなかで障害が生じると外転神経麻痺を発症する．原因として循環障害性が最も多く，腫瘍性，内頸動脈海綿静脈洞瘻，動脈瘤性，外傷性，炎症性，先天性などがある．小児では特に腫瘍性(脳幹神経膠腫)の頻度が高いことに注意する必要がある．

診断 斜視検査では内斜視を認め麻痺眼側で悪化する．複視軽減のための頭位異常として麻痺眼側への face turn が生じる．眼球運動は外転障害のみを認めるが外転障害を認める外転神経麻痺以外の疾患との鑑別も重要となる．内直筋炎，眼窩内側壁骨折，先天性(Duane 症候群)，輻湊けいれん，甲状腺眼症，重症筋無力症が挙げられる．両者は問診や眼球運動痛，眼瞼・瞳孔所見，forced duction test などの所見から鑑別を行う．

外転神経麻痺の病巣診断では視神経乳頭所見，複合神経麻痺パターンや脳幹症状がないかを確認し，そのうえで外転神経走行経路における頭部画像診断(CT や MRI)で検索する．炎症性が疑われる場合には採血，髄液検査を組み合わせて評価する．原因病変により脳神経内科，脳神経外科と連携し診断を行う．

治療 原因疾患の治療が優先される．

複視を正面で自覚し，生活に支障がある場合は複視を消失させることが必要となる．症例により内斜視はあるが face turn などで代償し生活できる場合もある．循環障害性では6か月で約90%に自然軽快傾向を認めるため，それまでの期間の対症療法となる．

■非観血的治療 正面での複視を消失させるため，膜プリズムやレンズ組み込みプリズムを処方する．プリズム装用ができず症状が強い場合には遮閉膜をレンズの部分もしくは全体に貼ることも選択肢となる．一時的な眼位改善目的でボツリヌス毒素投与

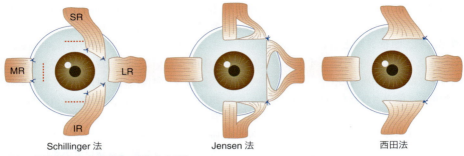

図8 代表的な筋移動術（いずれも左眼）
SR：上直筋，IR：下直筋，MR：内直筋，LR：外直筋

も近年は選択肢として挙げられる．麻痺筋である外直筋の拮抗筋である内直筋に投与を行う．

■**観血的治療** 半年間の観察後も外転神経麻痺の改善が認められず，対症療法でも複視の症状が強い場合には外眼筋手術を考慮する．手術法には水平筋の前後転術，上下直筋の筋移動術がある．最大外転時に眼球が正面を越える軽度〜中等度の麻痺の場合には麻痺筋の前転術，麻痺眼内直筋の後転術を施行する．眼球が正中を越えない重度の神経麻痺の場合，前後転術では十分な矯正効果が得られないことが多く，上下直筋の筋移動術が推奨される**(図8)**．上下直筋を外直筋付近に移動することで上下直筋の張力を外ひき方向へ変換する方法となる．Schillinger法，Hummelsheim法，Jensen法，西田法などさまざまな術式が開発されているが術式によっては多数筋の切腱や筋を裂く必要があり前眼部虚血が問題となる．切腱，筋を裂く必要のない上下直筋移動術である西田法はよい術式となる．

Fisher症候群
Fisher syndrome

大出尚郎　幕張おおで眼科・院長

概念　急性の外眼筋麻痺・運動失調・腱反射消失を3徴とする自己免疫性ニューロパチー．Guillain-Barré（ギラン・バレー）症候群の亜型．

病態　Fisher症候群患者血清の80〜90％においてガングリオシド（GQ1b）の抗体（抗GQ1b抗体）が検出．先行感染によって血清中に抗GQ1b抗体が誘導され発症すると考えられている．先行感染の8割はインフルエンザ桿菌による上気道炎，2割はカンピロバクター胃腸炎が挙げられる．

眼運動神経（動眼神経，外転神経，滑車神経）の傍絞輪部と終末部にはGQ1bがほかの脳神経よりも豊富に発現していることが知られており，抗GQ1b抗体が外眼筋麻痺に関与していると考えられる．また後根神経節の大型細胞（グループIaニューロンと考えられる）にもGQ1bが豊富に発現

しているから，Iaニューロンの障害によって感覚入力障害性に運動失調と腱反射消失が引き起こされると考えられている．

男女比は2：1と男性に多い．平均発症年齢は40歳だが，あらゆる年代で認める．

まれに，以下の薬剤に起因して薬剤起因性Guillain-Barré症候群・Fisher症候群が引き起こされることが知られている．

ワクチン（インフルエンザ，肺炎球菌，ポリオなど），インターフェロン製剤，ペニシラミン，ニューキノロン系抗菌薬（ノルフロキサシン），抗真菌症治療薬（ボリコナゾール），抗ウイルス化学療法薬（HIV治療薬），免疫抑制薬（タクロリムス水和物），抗悪性腫瘍薬，抗TNF-αモノクローナル抗体製剤，A型ボツリヌス毒素製剤，脂質異常症治療薬（シンバスタチン）など．

症状 多くは上気道感染ののち1週間程度で，複視またはふらつき（運動失調）で発症する．腱反射の消失は本症候群に比較的特徴的とされる．3徴以外に瞳孔異常，眼瞼下垂，顔面神経麻痺，球麻痺などを認めることもある．発症後1〜2週間進行を認めたのちに自然寛解傾向を示す．運動失調は1か月程度で寛解，外眼筋麻痺は3か月程度で寛解しおおむね6か月でほとんどが後遺症なく寛解するとされ，予後は比較的良好である．再発は少なく，多くは単相性の経過をたどる．

診断 髄液中蛋白細胞解離を認める．血清抗GQ1b抗体が陽性（陽性率80％以上）．脳画像検査は正常である．

■**鑑別診断** 鑑別疾患としては，急性発症の外眼筋麻痺や運動失調をきたす脳幹部疾患，多発脳神経障害をきたす疾患〔Wernicke脳症，脳幹部血管障害，Tolosa-Hunt症候群，眼窩および海綿静脈洞症候群，脳動脈瘤，糖尿病性神経症，多発性硬化症，視神経脊髄炎，急性散在性脳脊髄炎（acute disseminated encephalomyelitis：ADEM），神経Behçet病，重症筋無力症，脳幹部腫瘍，リンパ腫，サルコイドーシスなど〕．

治療 ほとんどの症例では，自然寛解し予後も良好である．まれに四肢の筋力低下を呈し，Guillain-Barré症候群に進展するケースや意識障害を合併しBickerstaff型脳幹脳炎に進展するケースがあり，この場合は免疫グロブリン大量静注療法や血漿交換療法が推奨される．

眼窩先端部症候群，上眼窩裂症候群，海綿静脈洞症候群

Orbital apex syndrome, Superior orbital fissure syndrome, Cavernous sinus syndrome

大出尚郎 幕張おおで眼科・院長

概念 眼窩内と頭蓋内は，眼窩先端部から視束管，上眼窩裂，下眼窩裂を介して交通している．

視神経と眼動脈は視束管を通って頭蓋内へ，動眼神経（Ⅲ），滑車神経（Ⅳ），三叉神経第1枝（V1：眼神経），外転神経（Ⅵ），眼交感神経，上眼静脈は上眼窩裂を通り海綿静脈洞へ，三叉神経第2枝（V2：上顎神経）と下眼静脈は下眼窩裂を通り翼口蓋窩へ交通している．

眼窩先端部近傍の障害によって①全眼球

運動障害と②三叉神経第1枝領域の知覚麻痺ないしは刺激症状(眼窩深部痛や頭痛)を認めるものを上眼窩裂症候群ないしは海綿静脈洞症候群といい，これに③視神経障害が加わったものを眼窩先端部症候群という．

病態　眼窩先端部近傍ないしは海綿静脈洞における炎症(Tolosa-Hunt症候群，眼窩炎性偽腫瘍，Wegener肉芽腫，IgG4症候群，ANCA関連血管炎，サルコイドーシス，結核，肥厚性硬膜炎，頭蓋底髄膜炎，副鼻腔炎，副鼻腔真菌症など)，腫瘍(副鼻腔腫瘍，眼窩腫瘍，頭蓋底腫瘍，悪性リンパ腫，転移性腫瘍など)，血管性(内頸動脈瘤，内頸動脈海綿静脈洞瘻)，外傷などが原因となる．

症状　全眼球運動障害による複視を認める．動眼神経麻痺に伴い瞳孔不同，眼瞼下垂も認める．三叉神経第1枝領域の知覚障害は，知覚麻痺の場合もあるが刺激症状として眼痛，頭痛を訴えることもある．視神経に障害が及べば視力低下や視野障害を認める．海綿静脈洞への静脈還流障害により，充血や眼球突出を認める．

診断　原因となる病態は予後のよいものから生命にかかわるような予後の悪いものまでさまざまであり，診断は迅速かつ慎重に行われなくてはならない．まずは詳細な病歴を確認すること．眼痛の有無や症状の進行の程度は，診断の重要な手がかりとなる．突然発症で激しい眼痛，頭痛を伴う場合は動脈瘤や下垂体卒中などの生命予後にかかわる重大な疾患が隠れている場合がある．蓄膿症手術の既往歴があると，副鼻腔炎が原因となることがある．重症の糖尿病やステロイドの長期投与，免疫抑制薬投与などは副鼻腔真菌症の危険因子となる．

■必要な検査

❶**神経障害の診断**　三叉神経障害の診断は，角膜知覚や前頭部の知覚の左右差を確認する．視神経障害の判断は視力検査，視野検査，中心フリッカ値，相対的瞳孔求心路障害(relative afferent pupillary defect：RAPD)の有無などにより行う．動眼神経の障害により瞳孔が散瞳している場合は，僚眼の間接対光反射を利用してRAPDの有無を判断する．

❷**病巣部位の診断**　病巣部位の診断を行ううえでCT，MRIなどの画像診断はきわめて重要である．CTでは，眼窩，海綿静脈洞，頭蓋底と後部篩骨洞，蝶形骨洞との骨壁の破壊の有無を確認する．MRIでは眼窩および副鼻腔の部位を冠状断と水平断で，視交叉部を中心に眼窩から視索までが入るように記録するとよい．眼窩内は脂肪抑制ないしはSTIRの条件で記録する．炎症性疾患や腫瘍性疾患の鑑別にガドリニウム造影はきわめて有用である．MRA(MR angiography)は動脈瘤などの血管病変の鑑別に有用である．

❸**原因診断**　次に原因診断を行うには血液検査(末梢血，血沈，CRP，抗核抗体，C-ANCA，P-ANCA，ACE，β-D-グルカンなど)を行い，感染症や自己免疫疾患の鑑別を行う．病変が海綿静脈洞や頭蓋底に認められる場合は髄液検査も行う．

❹**確定診断**　確定診断には生検による病理診断が必要となる場合がある．

治療　診断に応じた治療が必要となる．眼窩炎性偽腫瘍やTolosa-Hunt症候群ではステロイド療法が有効であるが，感染のリスクが否定できなければ安易にステロイドを用いるべきではないと考える．真菌感染や悪性リンパ腫などでは，一時的に

はステロイドで鎮静化するが減量過程において必ず再燃し，結果的に病状をより悪化させ予後を悪くすることもまれではない．

できれば生検をして病理診断を行ってからステロイドの使用を考慮する．

脳幹部障害による眼球運動障害

Abnormal ocular movements with brainstem lesion

鈴木康夫　手稲渓仁会病院眼窩・神経眼科センター・センター長

概念　中脳，橋，延髄で構成される脳幹部は，大脳皮質で作成された眼球運動指令や末梢前庭信号などの入力を統合し，眼球運動信号へ変換して，眼球運動末梢（動眼神経核，滑車神経核，外転神経核から外眼筋に至る最終共通経路）へ出力する．

眼球運動の種類と方向ごとに関与する神経核，連絡路（回路）が異なることが明らかにされており，脳幹部障害による眼球運動異常は，その種類と向きによる局在診断が可能である．

前庭動眼反射を生じる末梢前庭信号は，前庭1次ニューロンにより同側前庭核に達し，最短経路は単シナプス性に前庭2次ニューロンとして，また，多シナプス性に脳幹部，小脳などで処理されたあとに対側眼球運動末梢へ投射する．大脳で抽出された対側視野の位置情報から作成されたサッカード指令は同側上丘を経たあと，交差性に脳幹部に投射する．以降，脳幹部神経核の水平と回旋の眼球運動信号は正中線をはさんで，左右対称（外転と外旋が同側性）に分布するが，垂直信号は上下ともに両側に分散分布する．水平サッカード発現信号は橋で，垂直サッカード発現信号は中脳で，またこれらの発現信号を眼位信号に変換する神経積分器は，水平は橋と延髄に，垂直は中脳と延髄にある．大脳で作成されたパシュート指令は小脳でパシュート信号に変換され，脳幹部に投射する．小脳からは，前庭動眼反射，サッカード系の制御信号も投射してくる．

大脳で両眼視差情報から作成された輻湊指令は動眼神経核背外側中脳毛様体で輻湊（非共同性眼球運動）信号に変換され，両側動眼神経核内直筋副核へ投射する．また，大脳からの不要なサッカードの抑制信号は上丘吻側部を経て橋網様体（ラフェ間質核）に達し，固視の維持を担う．

脳幹部の中脳と橋を結ぶ内側縦束（MLF）には，①前庭2次ニューロン，②核間ニューロン（水平共同性眼球運動信号を外転神経核から対側動眼神経核内直筋副核へ伝達），③ PVP ニューロン（眼位信号・前庭信号・サッカード抑制信号を橋から中脳へ伝達）が走行する．また，眼位の帰還信号など眼球運動制御に関与する領域（cell groups of paramedian tract）も MLF 近傍正中部から延髄まで続いている．

病態・症状　眼球運動末梢障害では，障害筋作用方向の運動制限が全種類の眼球運動で生じる．

眼球運動末梢以外の障害では，障害部位に対応し，眼球運動の種類と方向が限定された眼球運動異常が生じる．

❶**中脳障害**　核性動眼神経麻痺（部分麻痺もある），核性滑車神経麻痺，垂直サッカード障害，神経積分器障害性垂直眼振，中脳背側症候群．

❷**橋障害**　核性外転神経麻痺，核間神経麻

痺，水平サッカード障害，神経積分器障害性水平眼振．

❸**延髄障害** 神経積分器障害性眼振，前庭眼振，Wallenberg 症候群．

診断 眼球運動は，種類と方向を念頭に評価する．この領域は，ほかの脳神経核，小脳，大脳との連絡路も存在し，眼球運動以外の神経症状にも留意し，局在診断を進める．適切な画像診断も有用である．

治療 原疾患が明らかな場合はその治療を進める．治療不可能な場合は，プリズム眼鏡や外眼筋手術にての自覚症状軽減を検討する．

重症筋無力症

Myasthenia gravis：MG

木村亜紀子　兵庫医科大学・准教授

概念 神経筋接合部での後シナプス膜に存在するアセチルコリン受容体（acetylcholine receptor：AChR）に対する抗体が存在し，この抗体が補体介在性に AChR を破壊する自己免疫疾患である．抗 AChR 抗体が陰性の場合は抗 MuSK 抗体（muscle-specific receptor tyrosine kinase）が関与している場合がある．眼症状のみで経過する眼筋型筋無力症と全身型の重症筋無力症に分類され，眼筋型では全身型への移行を常に警戒しておく必要がある．全身型への移行前には抗 AChR 抗体の数値の上昇がみられることが知られており，経時的に抗体検査を行うことが大切である．

病態 神経筋接合部での伝達障害による筋力の低下や疲労現象がみられる．症状は，起床時に最もよく，時間経過により悪化する日内変動，日によって症状が変動する日差変動，運動を繰り返すと悪化し休息で回復する易疲労性がみられる．眼科的には上眼瞼挙筋の筋力低下による眼瞼下垂，外眼筋の筋力低下による眼球運動障害や複視がみられる．

症状 眼瞼下垂または複視で発症する．眼瞼下垂は片眼で発症し，のちに両眼性となることが多い．複視は偽滑車神経麻痺（上下斜視），偽 MLF（medial longitudinal fasciculus）症候群（内転障害）として発症し，診断が容易でない場合もあるが，軽い眼瞼下垂を伴っていることが診断のヒントとなることが多い．眼瞼にも注意を払うことが必要である．筋無力症ではおおよそ 15％に甲状腺眼症の合併が指摘されており，眼瞼下垂で受診した場合も反対眼の上眼瞼後退症や拘縮性の斜視を呈していることがあり，両者の合併例には症状がいずれによるものかの鑑別を要する．鑑別には MRI で外眼筋の形態をみることが有用で，外眼筋の肥大などは筋無力症では決してみられない．

診断 初発症状の約 7 割は眼瞼下垂であり，約 5 割は複視で発症する．臨床診断としてテンシロン試験〔抗コリンエステラーゼ（ChE）薬であるエドロホニウム塩化物（アンチレクス®）10 mg を 2.5 mg ずつ静注し，眼瞼下垂または複視が消失するかをみる〕，上方注視負荷試験（1 分間上方を注視させ，眼瞼下垂や複視が増悪するかをみる）などがある．テンシロン試験ではしばしば偽陽性，偽陰性が問題となるため，劇的に改善したもののみを陽性と判断する **(図9)**．一方，テンシロン試験に代わる副作用のない試験として，最近ではアイスパック試験〔アイスパック（保冷剤）を上眼

図9　テンシロン試験陽性
上段：両眼の眼瞼下垂を認める．
下段：アンチレクス® 5 mg 静注 30 秒後，両眼瞼下垂は 2 mm 以上改善した．

瞼皮膚に 2 分間，直接当てて 2 mm 以上眼瞼下垂が改善した場合が陽性〕が用いられ，感度は 80〜92％，特異度 25〜100％とされる．

抗 AChR 抗体は全身型では 85％が陽性とされるが，眼筋型では陽性率は 50％以下であり，sero-negative が多数を占めることも知っておく必要がある．抗 MuSK 抗体は抗 AChR 抗体陰性例に測定し，全身型の 5〜10％で陽性とされる．眼筋型での陽性率は知られていない．2022 年，日本神経学会より診療ガイドラインの診断基準が示された**(表1)**．

治療　筋無力症と診断がついたら，まず胸腺腫を CT で精査し，胸腺腫の合併があれば拡大胸腺摘除を優先する．全身型は神経内科で治療を行ってもらうが，眼筋型は眼科で治療を行う．まず，抗コリンエステラーゼ（ChE）阻害薬の内服を行う．ピリドスチグミン臭化物（メスチノン®）錠（60 mg）は 2 錠，分 2（朝，昼，4 時間以上あけて内服）から開始し，4 錠/日まで増量できる．副作用に下痢や腹痛（ムスカリン様作

表1　重症筋無力症の診断基準 2022

A　症状
1）眼瞼下垂
2）眼球運動障害
3）顔面筋力低下
4）構音障害
5）嚥下障害
6）咀嚼障害
7）頸部筋力低下
8）四肢筋力低下
9）呼吸障害
〈補足〉上記症状は易疲労性や日内変動を呈する

B　病原性自己抗体
1）抗アセチルコリン受容体（AChR）抗体陽性
2）抗特異的受容体型チロシンキナーゼ（MuSK）抗体陽性

C　神経筋接合部障害
1）眼瞼の易疲労性試験陽性
2）アイスパック試験陽性
3）エドロホニウム（テンシロン）試験陽性
4）反復刺激試験陽性
5）単線維筋電図でジッターの増大

D　支持的診断所見
血漿浄化療法によって改善を示した病歴がある．

E　判定
Definite：以下のいずれかの場合，重症筋無力症と診断する．
1）A の 1 つ以上，B のいずれかが認められる
2）A の 1 つ以上，C のいずれかが認められ，他の疾患が鑑別できる．
Probable：A の 1 つ以上，D を認め，血漿浄化療法が有効な他の疾患を除外できる．

（注）C の各手技については本文を参照
〔「重症筋無力症/ランバート・イートン筋無力症候群診療ガイドライン作成委員会編集：重症筋無力症診療ガイドライン 2022（日本神経学会監修）．p.21，2022，南江堂」より許諾を得て転載〕

用）があり，内服ができない場合はステロイドに変更しなければならない．メスチノン®は対症療法であり，根治療法ではない．半年以上かけてオフに持ち込めれば，最も軽症で良好な経過をたどったケースといえる．メスチノン®単独では効果が十分でない場合は，ステロイドの併用が必要となる．ステロイドの用い方にはステロイド

パルス療法，ステロイド大量隔日1回投与法，ステロイド少量内服漸増法があり，それぞれ効果が確認されている．ステロイド内服中は骨密度の測定や骨粗鬆症の予防薬であるアレンドロン酸ナトリウム水和物〔ボナロン®錠（35 mg），1錠，分1，週1回（朝起床後内服）〕の併用が必要である（ステロイドによる骨粗鬆症に関しては，「ステロイド性骨粗鬆症の管理と治療ガイドライン：2014年改訂版」を参照）．ステロイド治療にても効果が不十分，もしくはステロイド離脱困難例，ステロイドの副作用が強い症例では，免疫抑制薬であるタクロリムス（プログラフ®）内服併用が有効である．プログラフ®内服を併用する場合には，2 mg，分1，夕食後から開始し，タクロリムス血中濃度，耐糖能，腎機能の測定を行い，タクロリムス血中濃度が5 ng/mL以下で腎機能も正常の場合は，プログラフ®3 mg/日とし，1〜3か月ごとにステロイドはプレドニゾロン換算で5 mgのペースで漸減・終了する．

予後　眼筋型において，ステロイド非使用群は使用群より明らかに全身型へ移行しやすいことが知られている．日本人では治療群の眼筋型筋無力症の全身型への移行率は10%以下とされ，眼筋型できちんと治療しておくことがきわめて重要である．

進行性筋ジストロフィ

Progressive muscular dystrophy：PMD

伊佐敷 靖　通町眼科医院・院長

概念　進行性筋ジストロフィは骨格筋が徐々に変性萎縮する遺伝性筋疾患（ミオパシー）の総称で筋ジストロフィ（指定難病113）と同義である．わが国での患者数は約25,000人と推定されている．50種類以上の責任遺伝子が報告され，さまざまな疾患単位や病型があり骨格筋以外にも神経系や代謝系などに多彩な合併症をみる．本項では眼科的徴候を示す代表的な進行性筋ジストロフィについて述べる．

病態・症状

❶**ジストロフィン異常症**　ジストロフィンをコードするDMD遺伝子の欠失によるX染色体連鎖性遺伝病で，わが国での患者数は約5,000人と推定されている．Duchenne型，Becker型，女性型に大別され，四肢近位筋，呼吸筋，心筋（肥大型心筋症）が主に障害される．最も病状が重いDuchenne型では幼児期に発病し坐位や起立の遅れ，歩行障害などで気付かれる．徐々に歩行困難や関節の拘縮が進行し，30〜40歳頃に心不全や呼吸不全で不幸な転帰をとる．眼科的には黄斑部の色素異常がみられる．網膜電図で杆体機能異常を示唆するb波減弱があり，その程度は遺伝子欠失の状態を反映する．ジストロフィンは網膜の神経伝達に関与すると考えられている．

❷**筋緊張性ジストロフィ**　成人以降に発病する常染色体優性遺伝病でMTPK遺伝子の3塩基（CTG）繰り返し配列が延長する．四肢遠位筋や顔面筋などにミオトニー現象を伴う筋萎縮が起こる．顔面筋の萎縮による細長い顔貌や前頭部脱毛がみられる．糖尿病，肝機能異常，呼吸不全，不整脈などの全身異常を伴う．眼瞼下垂や外眼筋麻痺のほか，白内障，低眼圧，網脈絡膜変性などの多彩な眼科的徴候がみられる**（図10）**．筋疾患の徴候がない早発白内障の症例を家

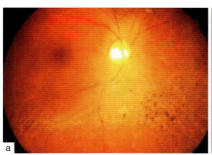
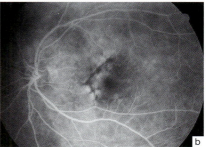

図 10　筋緊張性ジストロフィの眼底所見
a：区画型網膜色素変性，b：黄斑部の色素上皮網状ジストロフィ（蛍光眼底造影）．

系内にみることがある．眼瞼下垂や白内障に対して手術を施行することがあり，眼科医が遭遇する機会が多いと思われる．

❸**顔面肩甲上腕型筋ジストロフィ**　幼児期に発病することが多い常染色体優性遺伝病で，第 4 染色体長腕末端のアミノ酸非翻訳領域にある長い反復配列（D4Z4，約 3,300 塩基対）の繰り返し数が減少する．顔面筋，胸鎖乳突筋および上腕筋の萎縮が強い．進行すると呼吸筋も障害される．眼科的には，眼輪筋の萎縮による閉瞼不全や外眼筋麻痺に加えて Coats 病様の網膜血管病変をみることがある．滲出性変化が強い症例では網膜光凝固術を施行する．

❹**福山型先天性筋ジストロフィ**　フロッピーインファントとして発症する常染色体劣性遺伝病で 1960 年に福山らが初めて記載した．重度の筋ジストロフィで関節の拘縮や知能障害を伴う．眼科的にも異常眼球運動，先天白内障，網膜形成不全，視神経異常といった重度の障害を伴う．責任遺伝子（fukutin）は第 9 染色体長腕にあり，わが国の症例の大半では約 3,000 塩基対の挿入変異が確認される．

▎**診断・治療**　血清 CK（creatine kinase）上昇は筋ジストロフィ全般の重要なパラメーターである．臨床所見および家族歴の検討に加えて候補遺伝子を検索する．眼科的徴候が診断のヒントになる場合もある．

それぞれの特性に精通した専門医による管理が求められる．対症療法に加えて遺伝子レベルでの治療が応用段階に入っている．例えば，Duchenne 型筋ジストロフィや福山型先天性筋ジストロフィでは，核酸医薬を用いて変異遺伝子をできるだけ生理的な状態のタンパク発現に導くことで病勢の悪化を抑え機能回復を期待する．

慢性進行性外眼筋麻痺

Chronic progressive external ophthalmoplegia：CPEO

伊佐敷 靖　通町眼科医院・院長

▎**概念**　慢性進行性外眼筋麻痺（以下，本症）はミトコンドリア機能異常を背景とする全身疾患であるミトコンドリア病（指定難病 21）の 1 つである．

▎**病態・症状**　ミトコンドリア遺伝子（mtDNA）あるいは核遺伝子（アデニン転

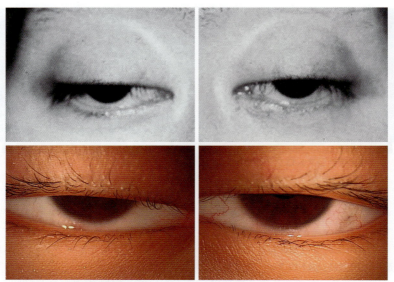

図11 慢性進行性外眼筋麻痺症例
上段：30歳，男性，下段：20歳，女性．2例ともに眼瞼下垂および兎眼による結膜充血があり，全方向性の眼球運動障害が両眼にある．

移酵素)の変異がみられる．前者の場合には家族歴不明例が多く，欠失型と点変異型とで病像に若干の違いがある．後者では常染色体優性遺伝を示す．

　思春期前後に発病することが多く，眼球運動障害や眼瞼下垂がきわめて緩慢に進行する．全身的な臨床徴候に乏しくしばしば眼科を初診する．「瞼が上がりにくく，目を動かしにくい」といった訴えで受診する．全方向性の眼球運動障害があるが，複視を自覚することは少ない．本症を疑った場合には Hess チャートなどによる眼球運動の評価が必要である．眼瞼下垂と同時に閉瞼不全があり，兎眼性角膜炎を伴う**(図11)**．mtDNA 変異例(欠失型)では外眼筋麻痺のほかに心伝導障害および網脈絡膜変性(salt and pepper retinopathy)を伴う場合があり，Kearns-Sayre 症候群と呼称される．一方，本症では蛍光眼底造影検査で網膜色素上皮レベルの顆粒状過蛍光が観察されることがある．

　診断　血中の CK(creatine kinase)や乳酸値の上昇，髄液中の蛋白，乳酸およびピルビン酸の上昇がみられる．また，頭部画像検査で脳萎縮がみられることがある．骨格筋生検では電子伝達系(呼吸鎖)酵素群の活性異常，Gomori trichrome 染色による "ragged red fiber"(ボロボロになった赤く染まる筋線維)，電子顕微鏡によるミトコンドリアの形態異常などが観察される．ただし，これらの所見は本症を含むミトコンドリア病に必ずしも特異的ではない．

　本症では遺伝子変異検索の意義が大きい．mtDNA 欠失の場合は骨格筋生検試料を用いた Southern ブロット法での検出が確実であるが，long PCR 法を利用するこ

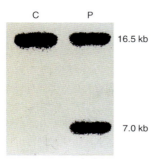

図 12　mtDNA 欠失例の Southern ブロット
C：正常対照．P：症例．P では正常分子量(16.5 kb)のバンドに加えて低分子量(7.0 kb)のバンドがみられる(kb＝1,000 塩基対)．

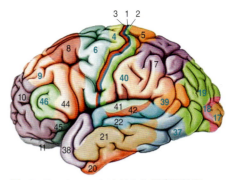

図 13　Brodmann によるヒト脳表面地図
青太数字は眼球運動に関与する皮質野．
地図の「17」は Brodmann17 野で本文では「B17」と略．ほかも同様．

とで末梢血試料でも検出できる症例がある(**図 12**)．

類似の臨床徴候を示す遺伝性筋疾患がある．例えば，筋緊張性ジストロフィ(⇒ 880 頁)では眼瞼下垂，外眼筋麻痺，あるいは網膜変性がみられる．また，重症筋無力症や Fisher 症候群と類似した所見を示す場合がある．鑑別のためには注意深い問診はもとより専門家による評価が重要である．

| **治療**　背景にあるミトコンドリア機能異常を補完する目的で，補酵素(coenzyme Q_{10})やビタミン群の投与が試みられる．5-アミノレブリン酸(5-ALA)と鉄剤との併用療法や植物ホルモン誘導体(MA-5)の投与による ATP 産生増加を期待する治療法もある．

ほかの遺伝病と同様に安全なベクターを用いて正常遺伝子を導入する試みがなされている．また，正常 mtDNA と混在する欠失 mtDNA の働きをオリゴ RNA で抑制して，ミトコンドリア機能改善を期待する方法がある．

大脳障害による眼球運動障害

Abnormal ocular movements with cerebral cortex lesion

鈴木康夫　手稲渓仁会病院眼窩・神経眼科センター・センター長

| **概念**　大脳は，網膜で感知され 1 次視覚野(**図 13**，B17)に達した視覚情報から作成した種々の眼球運動指令を眼球運動の種類ごとに対応した脳幹部，小脳の眼球運動関連領域に送り，随意性眼球運動を発現させる．

「背側皮質視覚路(V2：B18，V3：B19，MT/MST：B19，37，39 接合部)」は，1 次視覚野の対側視野内視覚情報から眼球運動指令に必要な位置や動き(速度)の情報を抽出し，「頭頂連合野の下頭頂小葉(B39，40)」に送る．頭頂連合野はこれらの情報を体性感覚などと統合し対側空間座標を構成し，空間知覚，運動知覚に関与する．前頭皮質にある「前頭眼野(B6，4 合流部)」

は，「補足眼野：B6，背外側前頭前野：B9，46」とともに，背側皮質視覚路，頭頂連合野からの情報を受け，対側向きサッカード指令，同側向きパシュート指令，さらには非共同性眼球運動（輻湊）指令を作る．

前頭眼野のサッカード指令は，同側性に直接上丘尾側部に投射する経路と大脳基底核群を経由し上丘吻側部へ投射する経路があり，直接投射は対側向きサッカード信号作成，間接投射は不要サッカード抑制を行う．

前頭眼野のパシュート指令は，背外側橋核，橋被蓋網様核などを経て小脳に至り，パシュート信号の生成・制御を行う．

病態・症状　眼球運動の発現に関与する大脳皮質の障害は，種々の随意性眼球運動異常を生じる．

大きな大脳半球障害では，急性期に両眼球は障害側へ共同偏視する．しかし，前庭動眼反射は障害されず，同反射で視線を健側に向けることができる．慢性期には，健側向きサッカードの速度低下，潜時延長，精度低下が生じる．障害側向きパシュートと障害側向き刺激の視運動性眼振に利得低下が生じる．

両側性前頭葉障害では，後天眼球運動失行（acquired ocular motor apraxia）が生じ，すべての随意性眼球運動が生じなくなるが，反応性眼球運動（OKN，VOR）は保たれる．

前頭眼野片側障害では，サッカードの潜時延長，抑制不全，健側へのサッカードの推尺過小，障害側へのパシュート障害が生じる．

頭頂連合野の片側障害では，非障害側の空間無視，障害側への視線偏位が生じる．

両側障害では，視覚誘発性眼球運動障害を主とする Bálint 症候群（精神性注視麻痺：視線が一対象に固定し自発的視線移動が困難，視覚性運動失調：固視した対象を手でつかめない，同時失認：注視対象周辺の狭い視野以外の視覚刺激を無視）を生じる．後天眼球運動失行とは異なり，視覚以外の刺激に対する随意性眼球運動は生じうる．

片側1次視覚野障害では，同名半盲視野内視標へのサッカード，パシュートが生じない．同側空間無視を伴っていなければ，残存視野での視標走査を用いた回復も生じうる．

診断　種類と方向を念頭に，視診で眼球運動異常を評価する．容体が許せば，前庭刺激を加え，反射性眼球運動も評価する．視野所見，ほかの神経症状，適切な画像診断を総合して診断する．

治療　原疾患が明らかな場合はその治療を進める．治療不可能な場合は，視覚関連症状に対する適切なリハビリテーションを検討する．

小脳障害による眼球運動障害

Abnormal ocular movements with cerebellar lesion

鈴木康夫　手稲渓仁会病院眼窩・神経眼科センター・センター長

概念　小脳は「運動の制御，適応（学習）」を担っているが，「運動の発現」そのものには関与していない．眼球運動も例外ではなく，実験的に小脳をすべて取り除いたサルでも眼球運動を行うことはできる．しかし，その精度，特性は著明に低下して

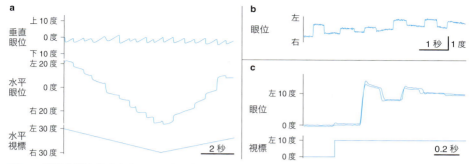

図14 脊髄小脳変性症患者に認めた異常眼球運動（サーチコイル法によって記録）
a：水平速度10度/秒の視標追跡時に生じた階段状追跡波形と同時に記録した下打眼振．
b：正面視時に認めた矩形波律動（square-wave jerks：SWJs）．
c：正面から左向き10度の水平サッカードに認めた推尺過大（2回の重ね合わせ）．

しまう．

同じ方向への眼球運動であっても，運動特性，核上性発現機構の異なる複数の眼球運動がある．しかし，どんな種類の眼球運動であっても，対象物の視覚情報を黄斑部で安定して取り込むという目的は共通している．周辺網膜で認識した対象物を迅速に黄斑部でとらえるためには衝動性眼球運動（サッカード）が，黄斑部でとらえた動かぬ対象物の視覚情報を取り込むためには眼位保持機能（固視）が働く．さらに頭部の動き（回転）が加わった際には前庭動眼反射（vestibulo-ocular reflex：VOR）が，対象物が空間を移動する際には追跡眼球運動（パシュート）が生じる．前庭小脳（片葉，傍片葉，虫部）とその近傍領域（背側虫部，室頂核）は，視覚情報が黄斑部で良好に取り込まれるように各々の眼球運動のタイミングや大きさ，速さなどのパラメータを最適化している．

よって，小脳障害は，眼球運動の特性を悪化させ，眼球運動失調をきたし，黄斑部での安定した視覚情報の取り込み障害をもたらす．特に，視標の動き（速さ，向き）が随時変動するパシュートは，小脳を介する強力な制御機構が主体であり，選択的障害が生じやすい．

病態・症状 固視の障害は，動揺視，視力障害を伴う眼振〔下打眼振（図14a），周期性方向交代性眼振，視線眼振など〕や衝動性眼球運動混入〔矩形波律動（SWJs，図14b）など〕を生じる．眼球運動の特性（サッカード推尺異常，神経積分器利得異常，パシュート利得異常，VOR利得異常）とタイミングの障害もいろいろな波形の眼振〔サッカード推尺異常（図14c），パシュート異常（階段状追跡運動，図14a）〕を生じる．

診断

■**診断法** 眼球運動を記録し，定性的，定量的に解析する．ほかの運動失調症状，画像診断，遺伝子診断も勘案する．

■**必要な検査** 眼球運動記録（EOG）．種々の記録法があるが，ほとんどは両眼の共同性障害なので片眼記録でもよい．しかし，水平のみではなく，水平・垂直の2

次元，さらには回旋も含めた 3 次元記録が望ましい．

■ **検討すべきパラメータ**　視覚誘導サッカード（潜時と振幅），パシュート（異なる視標速度に対する利得），VOR（異なる頭部角速度に対する利得），固視（眼振緩徐相波形解析，振幅，周波数，矩形波潜時）．

■ **鑑別診断**　まず，全身的な運動失調症状，画像診断，家族歴，遺伝子検索などから先天疾患を鑑別する．Chiari 奇形（Arnold-Chiari malformation）は下打眼振による動揺視を呈することが多いが，出現年齢，眼振強度には幅がある．脊髄小脳変性症（spinocerebellar ataxia：SCA）の孤発例は多系統萎縮症の部分症であり，ほかの神経症状を伴っていることが多い．わが国に多い遺伝性 SCA では，6 型，31 型は小脳症状のみに限られているが，3 型は小脳症状以外に外眼筋麻痺や Parkinson 症候群なども生じる．次に，後天性障害（炎症，腫瘍，血管障害など）を鑑別する．前庭核で両側前半規管信号を常に抑制している前庭小脳の障害は下向き垂直眼振を生じる．

| **治療**

■ **治療方針**　原疾患が明らかな場合はその治療を進める．しかし，治療不可能な場合は，動揺視を軽減し，視覚情報の取り込みを改善する治療を試みる．眼位依存性を認める場合はプリズム眼鏡にて正面視時動揺視の軽減を試みる（ベースを悪化する向きとして，両眼に同じプリズム度数を付加する）．垂直眼振，周期性方向交代性眼振，衝動性眼球運動混入に対し，抗てんかん薬（$GABA_A$ 受容体作動薬，$GABA_B$ 受容体作動薬，NMDA 受容体拮抗薬，Na チャネル阻害薬）が有効なこともある．

■ **薬物治療**

処方例　下記のいずれかを用いる．
1) ギャバロン錠(5 mg)　3～6 錠　分 1～3
2) リボトリール錠(0.5 mg)　3～6 錠　分 1～3
3) ガバペン錠(200 mg)　3～6 錠　分 1～3
4) テグレトール錠(100 mg)　3～6 錠　分 1～3

15 弱視・斜視・小児眼科

1 斜視・弱視

乳児内斜視
Infantile esotropia

野村耕治　兵庫県立こども病院・部長

概念　生後6か月までに大角度の恒常性内斜視を発症する本態性乳児内斜視（essential infantile esotropia）は，**表1**に挙げる臨床所見を有する独立した疾患単位である．両眼視機能の獲得状況からみて最も難治性の斜視といえ，治療が遅くなったり視覚的管理が適切でなかったりした場合は，整容的治癒である小さな眼位ずれを維持するために必要な融像能の獲得すら困難であり，また，網膜対応異常や偏心固視弱視をきたす危険性も増大する．

一方，乳児期に発症する内斜視全般でみると，眼位ずれが間欠性であったり調節性ならびに近見性の輻湊が関与していたりする場合がある．このような例は比較的，両眼視機能の予後は良好であり，遠視の矯正や膜プリズム眼鏡の装用，弱視管理など保存的に経過観察したうえで手術適応を判断してよい．

診断　本態性乳児内斜視の早期診断に関しては，**表1**に示す所見のうち，①〜④がポイントとなる．特に斜視角が45⊿を超える例において，写真判定も含め生後6

表1　本態性乳児内斜視の臨床特徴

① 生後6か月以前に発症
② 斜視角が大きい（＞45⊿）
③ 恒常性で斜視角の変動が少ない
④ 中枢神経系の異常がない
⑤ 交差固視
⑥ 調節因子の関与がない：アトロピン硫酸塩水和物点眼や遠視矯正眼鏡の装用に反応しない
⑦ 上下眼位ずれの合併：交代性上斜位や斜筋異常
⑧ 潜伏または顕性潜伏眼振の合併
⑨ 視運動性眼振が鼻側方向で優位：smooth pursuit asymmetry

か月以前の発症が確認されれば本態性の可能性が高い．

一方，斜視角が中等度までの症例については眼位の正常化が遅延している可能性がある．恒常性斜視の確認を目的に複数回の眼位検査を行う．また，調節麻痺条件（アトロピン硫酸塩水和物1％点眼液，1日2回，7日間）での遠視度数をもとに処方した完全矯正眼鏡の装用にて，眼位改善の有無を確認する．

治療　乳児内斜視は通常，斜視角が大きいため，原則，手術矯正が必要となる．ただし，発症後の経過が長い例，斜視角が中等度の例については，膜プリズムの装用による両中心窩同時刺激を行う余地がある．また，偏心固視弱視やプリズムアダプテーションテストなどで網膜対応異常が疑われる例については，弱視治療や視能訓練

を先行する.

■ 手術治療

❶ 手術時期　乳児内斜視では初回手術を生後8か月以前に行うことを超早期手術，2歳までに行うことを早期手術としている．超早期手術は本来，本態性乳児内斜視が対象であり，その主旨は良好な立体視の獲得を目的に両眼視機能の萌芽時期に眼位矯正を企図するものである．過去に中心立体視の獲得があったとする報告があるが，良好な立体視獲得は症例の一部に限られることから，潜在する両眼視機能の良否に左右される結果といわざるをえない．超早期手術については自験例も含めた前向き研究によると，術直後より正位または斜位で経過する例が多く，少なくとも融像能ならびに周辺立体視の獲得には有利と考える．

　早期手術に関しては早発型の内斜視全般が対象であるが，米国での多施設研究の結果が良好かつ安定した眼位および両眼視機能の獲得に有効であることを示している．いずれにしても8か月，2歳といった期限は手術を判断する1つの目安に過ぎない．診断が確定し次第，手術（およびプリズム眼鏡）によりすみやかに両眼視可能な眼位に矯正することが望ましい．

❷ 手術法　斜視角に応じて両眼または片眼の内直筋後転術を行う．術野の狭い2歳未満で手術を行う場合，bimedial en-block recession が適している．特に大角度の斜視矯正が必要な例，また，交差固視が顕著な例においては内側の結膜が未発達なため，通常の内直筋後転術では結膜の減張切開を要する．同術式では結膜切開は輪部を含めコの字状に行い，内直筋と Tenon 嚢を一塊に後転する．結膜も筋付着部を被覆する程度の後方で強膜に縫着する．強膜露出（bare sclera）となるが，術後，数日で結膜が再生されて問題は生じない．定量は角膜輪部を起点とし，45⊿超の場合，生後6か月以前の手術で輪部から10 mm，生後12か月以前は10.5 mm，24か月以前は11 mm が基準になる．

❸ 術後管理　視覚発達期にある乳幼児の場合，複視や混乱視などの感覚異常に対して代償性の適応が機能しやすい．乳児内斜視においては，交差固視または交代固視の状態にある眼位矯正前より，術後，小角度の斜視や斜位となった場合に抑制や偏心固視および微小斜視弱視，網膜対応異常などの危険性が高くなる．固視動揺がみられる場合は優位眼遮閉の併用を，また，8⊿以上の残余斜視に対しては膜プリズムの装用を行う．また，上下斜視，斜筋異常が顕性化した場合には，適宜，手術を検討する必要がある．

調節性内斜視

Accommodative esotropia

村木早苗　むらき眼科・院長

　概念　調節によって引き起こされる内斜視のこと．遠視の完全矯正眼鏡により斜視角が減少する場合，眼鏡装用後の残余斜視角で，屈折性調節性内斜視と部分調節性内斜視に分けられる．また，遠視と関係なく，近見時に内斜視角が増大するものを非屈折性調節性内斜視という．

　病態　屈折性調節性内斜視は遠視により調節性輻湊が引き起こされた結果起こる．遠視度数は中等度以上のものが多い．非屈折性調節性内斜視は高 AC/A 比によ

り，近見時に内斜視角が増大する．非屈折性調節性内斜視の遠見時の眼位は，正位のものから内斜視のものまである．部分調節性内斜視は，基本的には屈折性調節性内斜視と非調節性内斜視の混合型である．

症状　調節性内斜視は，2～3歳頃に眼位の異常に気づかれることが多い．しかし，1歳未満で発症する早期発症の調節性内斜視もあり，乳児内斜視との鑑別を要する．発症が幼少であるため，複視の訴えはめったにない．また，片眼弱視を合併することがある．屈折性調節性内斜視の両眼視機能はおおむね良好である．部分調節性内斜視の両眼視機能はさまざまで，乳児内斜視から移行したものでは両眼視機能は不良であり，屈折性調節性内斜視から移行したものでは両眼視機能はおおむね良好である．

診断　調節麻痺下の屈折検査を行い，遠視の完全矯正眼鏡を装用し，10⊿以上の内斜視角の減少がみられ，かつ残余斜視角が＋10⊿未満であれば屈折性調節性内斜視，残余斜視角が＋10⊿以上なら部分調節性内斜視と診断する．眼鏡装用から内斜視角の減少までの期間は症例によりさまざまであるが，ほとんどが眼鏡装用から3か月以内で眼位が落ち着く．なかには，3か月以上かかるものもあり，眼鏡装用の状況を確認しながら，眼鏡が低矯正になっていないかの再確認も必要である．発症が1歳未満の場合でも，遠視が＋2Dを超える場合は，まず眼鏡を装用させて斜視角の変化を観察し，乳児内斜視との鑑別を行う．

遠見時と近見時に内斜視角の違い（遠見斜視角＜近見斜視角）があり，近見時に＋3Dのレンズを負荷することにより遠見斜視角と差がなくなる場合は，高AC/A比による非屈折性調節性内斜視と診断する．

治療　屈折性調節性内斜視は遠視の完全矯正眼鏡で正位となり，手術は適応とならない．部分調節性内斜視は遠視の完全矯正眼鏡にても斜視が目立つ場合に手術治療を選択する．ただし，眼鏡装用下の残余斜視角に対してのみ手術を行う．眼位を矯正することで両眼視機能の向上が期待できる場合も手術適応になるが，残余斜視角が小さい場合はプリズム眼鏡の適応になる．

非屈折性調節性内斜視は，近見時に＋3Dを負荷した二重焦点レンズを装用させる．

屈折性調節性内斜視に片眼弱視を合併した場合，健眼遮閉により斜視角の増悪がみられることがあるので眼位の経過をみながら慎重に行う．

予後　屈折性調節性内斜視のうち，成長とともに遠視が減少し，最終的に眼鏡を装用しなくても正位となるものは全体の約15％である．残りは屈折性調節性内斜視の状態が続く，部分調節性内斜視に移行する，あるいは外斜視に移行するなどで，予後は決して良好とはいえない．

急性内斜視

Acute esotropia

村木早苗　むらき眼科・院長

概念　生後6か月以降に急に発症した内斜視のこと．

病態　眼帯などの片眼遮閉による融像の遮断，外傷，発熱，心的ストレス，近視の低矯正などが原因となる．頭蓋内疾患の場合もあり注意が必要である．近年，ス

マートフォンや携帯ゲーム機などのデジタルデバイスの過剰使用も原因として考えられており問題になっている．

症状 両眼視機能が良好な場合には突然の複視を訴える．通常，眼球運動障害はない．視機能が未発達の小児期に起こった場合はそのまま放置すると両眼視機能や視力の発達が阻害される．

診断 幼少期の場合は，調節性要素の除外，先天性でないことの確認を行う．原因不明の場合は中枢神経系の異常の有無を頭蓋内精査により鑑別する．眼球運動障害がみられる場合は特に注意が必要である．

治療 明らかな器質的疾患がない場合は，自然治癒することもあるので数か月は経過観察を行う．経過観察期間に複視に耐えられない場合は，プリズム眼鏡で複視を軽減する．斜視角が変動する可能性があるので，取り外しや変更が可能な膜プリズムが望ましい．デジタルデバイスの過剰使用が原因と考えられる場合は使用時間を減らすようにする．経過観察しても斜視角の減少がみられない場合は，斜視手術を行う．視覚の発達期は視力の左右差などに注意し，場合によっては早期の眼位矯正を行う必要がある．近年，ボツリヌス毒素療法が急性内斜視の初期治療の選択肢の1つになっている．

予後 両眼視機能が良好であるため，手術成績はよいことが多い．自然治癒するものもみられる．

続発性内斜視
Consecutive esotropia

村木早苗　むらき眼科・院長

概念 明らかな原因があり，それに続発して起こる内斜視をいう．

病態 手術のあとに生じるのを術後内斜視という．主に外斜視手術の過矯正で生じる．また，片眼の視力障害があることで，融像できないために起こる内斜視を感覚性内斜視という．

症状 術後内斜視は，両眼視機能が確立したあとに起こるので複視を訴える．感覚性内斜視は，多くの場合，両眼視機能がないので複視は訴えない．

診断 内斜視の原因を究明することで診断できる．

治療 術後内斜視の場合，外斜視術後に戻りがみられることが多いので術直後は経過観察する．数か月経過しても治癒せず複視を訴える場合は，外斜視手術を施した眼に戻し手術を行う．感覚性内斜視の場合，整容的問題があれば斜視手術を行う．

予後 外斜視術後の内斜視は，戻し手術を行うことでその予後はおおむね良好である．感覚性内斜視は，手術を行っても両眼視機能は期待できないことが多い．

周期内斜視
Cyclic esotropia

林 孝雄　帝京大学・教授

概念 内斜視のときと，正位あるいは

軽度内斜視のときとが周期的にみられるものを周期内斜視といい，周期が48時間のものを隔日内斜視という．

病態 3〜4歳頃からみられ始めることが多い．MRIで前頭葉に異常な白質信号を示したとの報告もあるが，原因は不明である．

症状 症状は，ときどき内斜視がみられることから始まる．発症初期から一定周期で内斜視がみられることは少なく，寝不足だったり疲れたりすると数日間内斜視のままのこともある．それが隔日性になっても，朝起きてリビングルームへ向かう間に内斜視になったり，夕方に内斜視がみられなくなったりする．また，良好なときが2日間続いたり，内斜視のときが3日間続いたりすることもときどきあり，隔日性がみられなくなってしまうこともある．

正位あるいは軽度内斜視のときは両眼視が良好なことが多いが，内斜視のときには両眼視は不良である．

診断 家族に内斜視のときとそうでないときの記録をとってもらい，どのような周期で現れるのかを把握する．そして，内斜視のときと内斜視でないときの両方で来院してもらい，視力，屈折，斜視角，両眼視機能などの検査を行い診断する．

■**鑑別診断** 乳児内斜視に交代性上斜位を合併しているときは，内斜視角が動揺することがあるので間違わないようにする．また，調節性内斜視でも初期にはときどき内斜視がみられるのみで，特に近見で内斜視がみられることが多いので，調節麻痺薬点眼による屈折検査やAC/A比の測定などを行い鑑別する．

治療 内斜視のときの斜視角に対して内直筋後転を行う．手術当日が，眼位良好の日であっても予定通りの手術を行ってよい．内斜視角に対する独自の量定で後転量を決定してよいが，+45度を超えるような大角度の内斜視があっても，最大後転量（6 mmずつ）で術後は正位になる．

予後 術後は良好な眼位を保つことができる．正位のときと外斜視のときとが周期的に現れることはない．

眼振阻止症候群
Nystagmus blockage syndrome

林 孝雄　帝京大学・教授

概念 片眼または両眼を内転し，眼振を減弱させている先天眼振である．

病態 原因は不明で，中枢神経系に異常はみられない．

症状 生後しばらくして内斜視がみられる．内転眼で固視（交差固視）するため顔を固視眼のほうに回す．内転眼を外転させると外転方向への律動眼振（jerky nystagmus）がみられる．

診断 眼振電図（ENG）で外転時の律動眼振を証明する．律動眼振波形は急速相と緩徐相とから成るが，乳児眼振の緩徐相が速度増加型であるのに対し，眼振阻止症候群の緩徐相は速度減衰型である．

■**鑑別診断** 乳児眼振の輻湊による眼振減弱との鑑別が必要である．これは，乳児眼振の約80％にみられるので，ENGの緩徐相波形が速度増加型か減衰型かをみて両者を鑑別する．また，顕性潜伏眼振でも内斜視がみられるが，その状態で固視眼方向への律動眼振がみられていることと，固視眼を遮閉し，もう一方の眼で固視することに

より，律動眼振の方向が逆転することで鑑別ができる．

治療 内直筋後転が基本的に行われる．後転に Faden 法を併施する方法や，片眼の短縮-後転も行われるが，一般的な乳児内斜視に対する同術式と比較し，予想した矯正量と異なり，過矯正や低矯正のことがあるので注意を要する．

予後 術後，頭位異常が残存したり，眼位性眼振の状態となり，Anderson 法や Kestenbaum 法の適応になることもある．

間欠性外斜視
Intermittent exotropia

矢ヶ﨑悌司　眼科やがさき医院・院長

概念 間欠性外斜視とは，片眼が固視目標を注視しているときに他眼が外側へ偏位している外斜視の状態と，両眼とも固視目標を注視して顕性の外方偏位が現れない外斜位の状態が合併している斜視である．

病態 発症時期は幼児期から 8 歳くらいまでであり，3～4 歳頃の発症が最も多い．初期には融像性輻湊によって遠見も近見も斜位の状態を維持しやすいが，疲労時，体調が悪いときや起床直後には外斜視になりやすい．また，戸外では強い光によって融像しにくくなり，片眼つむりが誘発されやすい．比較的低年齢で発症するため抑制が生じ，小児では外斜視のときにも複視を自覚しない．

斜位時の眼位は良好なため，両眼視はほぼ正常に発達する．しかし，乳幼児期に発症すると偏心固視による異常網膜対応を基盤とする単眼固視症候群（mono-fixation syndrome）となり，軽度の弱視も約 5％の症例に認められる．

症状 間欠性外斜視は，遠見と近見の眼位の差が 10⊿ 以下の基礎型，近見眼位のほうが 10⊿ より大きい輻湊不全型，遠見眼位のほうが 10⊿ より大きい開散過多型の 3 タイプに分類される．開散過多型は，調節性輻湊と融像性輻湊が近見時の斜位化に強く関与するため，片眼遮閉による融像の除去，プリズム順応試験，＋3 D のレンズの装用などによって真の開散過多型と見かけ上の開散過多型とを明確に区別する．

分類 融像性輻湊によって近見時では比較的斜位の状態を維持し，遠見時にのみ外斜視となるものが最も多い．現在では，Newcastle Control Score などを用いて眼位のコントロールを数値化し，遠見コントロール値で 3 以下を良好(good)，4～6 を適度(moderate)，7～9 を不良な(poor)コントロールと分類して 4 以上を手術適応としている．また，長期観察中にコントロール値が悪化した場合も手術適応とすることが多い．

治療 治療方法には，プリズムレンズ装用や過矯正眼鏡装用などの光学的治療，抑制除去訓練，融像訓練，輻湊訓練，遮閉治療などの視能訓練や手術療法がある．光学的治療は斜視角が小さい場合のみの適応であり，視能矯正も斜視角は 25⊿ 未満であること，微小斜視や単眼固視症候群などの合併がないこと，近見立体視があること，など適応条件がある．最も有効な治療は手術療法である．

手術方法は，遠見斜視角を基準に外直筋後転術，内直筋短縮術の組み合わせで行う．基礎型と開散過多型には両外直筋後転

術が適応となる．輻湊不全型も片眼前後転術や両外直筋後転術が適応であるが，手術効果はほぼ同じである．

予後　術後には"戻り"が少なからず発生する．成人の戻りは少ないが，小児の戻りは 10〜25⊿であるため，術直後の眼位を 10⊿以内の内斜視になるように意図的に過矯正にすることが多い．

plication 法），または単筋手術を行う．目的は整容面の改善であるが，もともと，両眼視困難のため正位にもち込めない場合や術後の戻りが多い．そのため術前に患者への説明を十分に行う必要がある．また必ずしも治療をする必要はなく，患者の希望が強い場合にのみ手術を行う．整容的に問題にならなければ経過観察でよい．

感覚性外斜視
Sensory exotropia

龍井苑子　北里大学・診療講師

概念　片眼，または両眼の高度な視力障害が原因で両眼視できなくなったために，一方が中心固視をすることができず外斜視化した状態．続発外斜視の 1 つ．

病態　先天性または後天性の器質的疾患いずれにおいても発症しうる．患眼の視力が約 0.2 以下まで低下すると両眼視が困難となり感覚性斜視が発症する可能性がある．

症状　視力不良眼において恒常性の外斜視を認める．斜視角の程度はさまざまであり，視力不良が重篤であるほど大角度となりやすい．視力不良であるため，一般的に複視を自覚することはまれである．

診断　偏位眼または両眼に高度な視力障害，および原因となる器質的疾患（角膜疾患，網膜疾患，視神経疾患など）を認める．斜視検査にてプリズム中和法にて斜視角の測定を行う．両眼視機能検査では両眼視不良を認める．

治療　健眼を温存し，偏位眼に対し外直筋後転術および内直筋短縮術（または

A–V 型外斜視
A–V type exotropia

龍井苑子　北里大学・診療講師

概念　上向きと下向きの眼位で水平斜視角に著しい差を認める外斜視．上向き眼位で斜視角が大きくなる外斜視を V 型外斜視，下向き眼位で斜視角が大きくなる外斜視を A 型外斜視という．

病態　外眼筋の過動や不全（水平筋説，斜筋説，上下直筋説），解剖学的要因（外眼筋の付着部異常や muscle pulleys の異常）など諸説あり，単一の病因ではなくさまざまな要因が合わさって生じたものと考えられる．A-V 型斜視は一般に水平斜視あるいは上下斜視の随伴として生じることが多い．発症頻度の高い外斜視は V 型であり，A 型はまれである．

症状　上向き，下向き眼位での斜視角に差を認める．正面眼位がよくとも眼精疲労や複視などの眼症状を訴えることがある．代償頭位として V 型では顎上げ，A 型では顎下げを行い，水平偏位の少ない頭位をとる．

診断　9 方向眼位における斜視角検査を行い，上向き，下向き眼位での斜視角の

差を確認する．もともと，両眼の視線は上方視で開散し下方視で輻湊する傾向があり，生理的にもある程度V型を生じることから，V型は上向き眼位と下向き眼位の差が15⊿以上，A型は10⊿以上と定義されることが多い（さまざまな議論があり統一されていない）．V型では下斜筋過動を合併しやすい．A型では上斜筋過動を合併することがある．そのため，斜筋過動の有無についても検査を行う．

治療　第1眼位が良好で日常視に影響がなければ治療は必ずしも必要としない．眼症状や頭位異常などが強い場合，整容的に訴えがある場合は手術を行う．手術は斜筋手術，または水平筋の上下移動術などを行う．V型で下斜筋過動を合併している場合は両外直筋後転術とともに下斜筋弱化術を行う．明らかな下斜筋過動がなければ，両外直筋後転術に半筋腹分の外直筋上方移動術を行う．A型で軽度から中等度の斜視角であれば両外直筋後転術に半筋腹分の外直筋下方移動術を行う．上斜筋過動を合併していても上斜筋弱化術は矯正量のコントロールが難しいため，できるだけ避けたほうがよい．

交代性上斜位

Dissociated vertical deviation：DVD

林　孝雄　帝京大学・教授

概念　交代性上斜位とは，非固視眼が上転する間欠性上斜視であり，片眼のみが上転するというHeringの法則に当てはまらない眼球運動が特徴である．

病態　病態に関するさまざまな推測が報告されている．鳥や魚への光刺激の反射と似ていることから，原始的な単眼視により両眼への視覚刺激に差が生じたときに，刺激の弱いほうの眼が上転するのではないかともいわれている．それゆえ，両眼視機能が不良な症例が多いことが裏付けともされているが，すべての症例で両眼視機能が不良なわけではないので，いまだに決め手となる発生機序はない．

症状　交代性上斜位は，主に1歳半〜3歳の間に顕性化する．日常では，疲労時あるいは眠くて意識レベルが低下したときなどに，どちらかの眼がゆっくりと上転していくことで，他人から気づかれることが多い．左右の上転に程度の差があることが多く，一眼は著明に上転するが，他眼はほとんど上転しない場合もある．

また，斜頸などの頭位異常もみられるが，これは両眼視がないためで，両眼開放下で単眼視が誘発されたときに，固視眼を最も見やすい位置にするために生じるといわれている．ただし，先天上斜筋麻痺のような健眼側への斜頸ではなく，斜頸の方向には一定の法則はない．

合併症・併発症　乳児内斜視に合併することが多く，その場合，水平斜視角が動揺しやすい．間欠性外斜視に合併していることもある．また，下斜筋過動や上斜筋過動，（顕性）潜伏眼振や弱視などを伴うことも多い．

診断　一眼を遮閉すると遮閉眼が上転し，その遮閉を他眼（固視眼）に移すと今まで上転していた眼が下降してきて，新たに遮閉した眼が上転する**(図1)**ことで診断する．また，遮閉眼が上転しているときに固視眼にNDフィルタを当てると，遮閉眼が下降し，固視眼よりもさらに下降する現

図1 交代性上斜位
a：右眼遮閉，b：左眼遮閉．

象（Bielschowsky 現象）もみられる．

■**鑑別診断** 下斜筋過動との鑑別が必要である．内上転位のみで著明に上転すれば下斜筋過動であり，上転位や外上転位でも上転していれば交代性上斜位である．

■**治療** 日常生活で上下斜視が目立つ場合には手術を考える．術式は，上転眼の上直筋後転や下斜筋前方移動など種々の方法が試みられているが，いまだに決め手となるものはない．

■**予後** 片眼の術後に他眼の上転が目立つことがあり，その眼を手術すると，最初に手術をした眼が再度上転するという，シーソーのような現象がみられることがある．

眼性斜頸（眼性異常頭位）
Ocular torticollis

佐藤美保 浜松医科大学・病院教授

■**概念** 眼性斜頸・異常頭位とは，両眼視あるいは単眼視する際に特定の頭の位置を好む状態である．顔の回し，顎上げ・顎下げ，首の傾げに大別され，それらの組み合わせもみられる．

■**病態** 異常頭位の原因の主なものは，屈折異常，眼振，斜視，視野異常である．乱視を含む強い屈折異常は単眼でも頭位異常の原因となる．眼振では眼振が最も改善する頭位をとるため，顔の回し，顎上げ・顎下げ，首の傾げのすべてが起こりうる．斜視では複視を解消して両眼視がしやすくなる頭位を好む．また，同名半盲があると視野欠損の方向に顔を回して有効な視野を正面にもってこようとする．

■**症状** 異常頭位を長く続けると，体幹や首の筋に緊張がかかるとともに成長期では顔面の非対称を引き起こすことがある．眼振では正常な頭位をとらせると視力が低下する．斜視では異常頭位を矯正すると斜視が著明になり複視を訴える．眼瞼下垂では顎上げ頭位がみられる．A 型や V 型斜視では眼位が最もよくなるように顎を上下させている．

■**診断** 診断のためには，第 1 に異常頭位をとっていることに気づくことがまず必要である．

異常頭位がみられたら，①屈折検査，②眼位・眼球運動検査，必要に応じて，③視野検査を行い，異常頭位の原因を明らかにする．

異常頭位をとっている間は，眼位異常が目立たないために，斜視を見逃すことがある．まず両眼性の異常頭位なのか，単眼性

(屈折性)なのか，あるいは非眼性斜頸なのかを区別する．両眼性の異常頭位の確認のためには，パッチテストが有効である．どちらかの眼を遮閉したときに異常頭位が消失すれば，異常頭位は複視を代償するためのものと考え，そうでなければ片眼性あるいはその他の原因と考える．

顎上げ・顎下げをしているときは，A型，V型斜視を疑う．A型内斜視とV型外斜視では下方視で眼位が改善するために顎上げ頭位をとる．V型内斜視とA型外斜視はその逆となる．眼瞼下垂では顎上げとなるが，前額を使って眼瞼を上げていることがあるため，見逃されることがある．

外転神経麻痺では麻痺眼の側に顔を回し，麻痺眼が内転した状態になる．

滑車神経麻痺や先天性上斜筋麻痺では，健側に顔を回し，顎を引き，健側に首を傾けるという特徴的な異常頭位をとる．両側性滑車神経麻痺では顎引き頭位を好む．

内転時の上転過剰(いわゆる下斜筋過動)あるいは上転不全(Brown症候群)があると，反対側への顔の回しがみられる．

眼球運動障害と異常頭位があわないときには，視野検査を行い，視野欠損がないことを確認する．

治療　原因によって治療方法は異なる．屈折異常によるものでは眼鏡処方を行う．斜視は角度が小さい場合には，プリズム治療を行うが，通常は斜視手術が必要である．眼振に対しては，Anderson法，Kestenbaum法などで眼振が最も少なくなる眼位が正面にくるように手術を行う．

麻痺性斜視では，一般的な斜視治療を行う．発症初期にはA型ボツリヌス毒素注射によって筋の拘縮を予防する．軽度の外転神経麻痺や滑車神経麻痺ではプリズム眼鏡で対応できるが，高度になると観血的治療が必要となる．

眼瞼下垂による顎上げに対しては，眼瞼手術を行う．

予後　異常頭位のない状態で，第1眼位から下方視での複視の消失を目標とする．麻痺性斜視の場合には，眼球運動障害が残存しても第1眼位からやや下方で単一視ができるように術式を選択する．

先天性上斜筋麻痺

Congenital superior oblique palsy

佐藤美保　浜松医科大学・病院教授

概念　先天性上斜筋麻痺は小児の上下斜視の原因として，最も頻度の高いものである．多くの先天性上斜筋麻痺患者は，上下斜視よりも小児期からの首の傾げに保護者が気づいて来院する．多くの場合，異常頭位をとった状態で単一両眼視をしているので，弱視や両眼視機能不良の頻度は低い．しかし，自然に治癒することはないため，診断が確定したら手術を行う必要がある．

病態　上斜筋は，眼窩深部で始まり，眼窩内前方の滑車で走行を変え，上直筋の耳側で強膜に付着する．上斜筋腱が扇のように広く眼球に付着しているため，後部の作用は眼球を内転時に下転させ，外転させ，前方の腱は内方に回旋させる．したがって上斜筋麻痺では，麻痺眼は上転し，内方へ偏位し，外方回旋する．患者は斜視を代償するために首を健側に傾けている．

近年，精密なMRIが一般的になり，多くの先天性上斜筋麻痺患者が上斜筋腱の低

形成を伴っていること，上斜筋腱が付着部異常を伴うことがわかってきた．さらに先天性上斜筋麻痺患者の 70% 以上で滑車神経が欠損していることもわかってきた．

症状　反対への頭部傾斜で悪化する麻痺側の眼の上斜視であるが，通常は首を健側に傾けているため，主訴は首の傾げとなる．まれに，乳幼児期には発見されず，成人してから複視を主訴に来院することがある．その場合，複視は主に上下複視であって回旋性の複視はまれである．

合併症・併発症　通常，遺伝性や合併症はなく単独でみられる．

診断　臨床的には，古典的な Parks 3 step test で診断されることが多い．Parks 3 step test とは，①麻痺眼が上斜視，②麻痺眼が内転時に過剰に上転する，③麻痺側に首を傾けると上斜視が増加する，の 3 つである．しかし，近年の調査では画像診断で上斜筋麻痺と診断されても Parks 3 step test に合致しないものが 30% あることがわかってきた．また上斜筋が正常に作用しているもののなかには，眼窩プーリーの異常や交代性上斜位などが考えられている．

治療　治療の目標は，良好な視力，良好な両眼視，異常頭位の改善である．多くの先天性上斜筋麻痺は異常頭位をとることで両眼視を保っているため，弱視や両眼視機能異常は少ない．しかし，麻痺眼固視を好むものでは，下斜視となるために斜視が目立たないことから単眼視をしていても発見が遅れ，弱視や両眼視機能不良を伴うことがある．また上斜筋の形態の異常が強く，適切な治療がなされない場合には，両眼視機能が低下することがある．

■ **手術治療**　手術方法にはさまざまなものがある．斜視角が小さい場合には，拮抗筋である下斜筋減弱術が安全で有効である．下斜筋手術の方法としては，下斜筋部分切除術，下斜筋後転術，下斜筋前方移動術などがある．第 1 眼位で 15△ を超える上斜視がある場合には，単独の手術では治癒が困難で，ほかの筋の手術を追加する．選択肢としては，上斜筋縫い上げ術，上直筋後転術，健眼下直筋後転術などがあり，段階的あるいは同時に用いられる．

予後　先にも述べたように，一般的に視力や両眼視機能の予後は良好である．異常頭位の改善は，上斜筋の解剖学的異常が強く複数回の手術を必要とすることがある．

Brown 症候群

Brown syndrome

佐藤美保　浜松医科大学・病院教授

概念　Brown 症候群は，上斜筋腱鞘症候群ともよばれ，上斜筋腱が滑車内をスムーズに滑ることができない機械的な問題によって起こる内上転障害である．

病態　原因は先天性，炎症性，外傷性，医原性などが挙げられる．前頭部の打撲により滑車部に衝撃を受けたり，上斜筋麻痺患者に上斜筋縫い上げ術を過剰に行ったときにみられる．また，甲状腺眼症を含む自己免疫疾患によって上斜筋腱鞘に炎症が起こることもある．

症状　Brown 症候群では内上転が不良なため，患者は顎上げ頭位および健側への顔の回しを好む．第 1 眼位では正位あるいは下斜視で内上転が困難である．上方視の際に外斜視となる V 型も特徴的で，

下斜筋麻痺との鑑別に有用である(下斜筋麻痺ではA型となるため).上転時に滑車部付近にクリック感を感じる者もいる.

合併症・併発症　自己免疫疾患が原因のものでは,全身症状ならびに基礎疾患がみられる.外傷性のものではBrown症候群とともに上斜筋麻痺を認めることがある.

診断　特徴的な眼球運動異常(内転時の上転制限,V型外斜視)および眼球の内方回旋からなされる.機械的な斜視であるため最終的には引っ張り試験を行い,内上転に抵抗があることを確認する.

画像診断では,滑車部の水平および冠状断で上斜筋および滑車の異常を認めることが多い.

治療　先天性Brown症候群は自然軽快傾向があるため,手術は急がず経過観察とする.症状が持続する場合には,上斜筋腱減弱術を行う.手術の合併症としては,術後の上斜筋麻痺があるので,注意が必要である.先天性上斜筋麻痺に対する上斜筋縫い上げ術後の医原性Brown症候群では,自然軽快があるが,十分に改善しない場合には上斜筋縫い上げ術の糸を緩める.炎症性Brown症候群では基礎疾患の検討と治療を行う.また滑車部に副腎皮質ステロイドの注射を行うことがある.

予後　滑車部の炎症によるものでは,炎症が鎮静化すれば症状が改善することが多い.形態的な異常を伴うものでは,根治は困難で,治療の目標は整容的治癒と第1眼位の複視の消失,異常頭位の改善である.

微小斜視
Microtropia

野村耕治　兵庫県立こども病院・部長

概念　微小斜視は遮閉試験などで検出されない微小な眼位ずれ,通常,斜視角5度未満の片眼性斜視であるが,同時に中心窩抑制,調和性の網膜異常対応,過剰融像反応をはじめ,偏心固視,微小斜視弱視など特徴的な感覚および眼球運動の異常を有する.病態より①原発性恒常性微小斜視(primary constant microtropia),②原発性代償不全性微小斜視(primary decompensating microtropia),③続発性微小斜視(consecutive microtropia)の3型に分類される.それぞれ,①中心窩抑制や網膜異常対応など両眼視機能の一次的な異常をもとに発症し長く微小角の偏位を維持する病態,②内よせの過剰などにより斜視角が増大する病態,③本態性乳児内斜視や部分調節性内斜視など顕性斜視の手術後および不同視弱視の治療途中に診断されsubnormal binocular visionとして評価される病態である.診断に際しては,顕性斜視を伴わない弱視として不同視弱視との鑑別が重要である.

診断　斜視角が非常に小さいため,通常,角膜反射では眼位ずれが確認されない.また,原発性恒常性微小斜視の場合,遮閉試験でも固視交代の動きがみられず眼位ずれが検出されない.これは小さな固視ずれの角度と網膜異常対応角が一致しているためであって(調和性異常対応),両者が一致しない例や続発性微小斜視の場合には遮閉試験により固視交代が観察される.い

ずれにしても，診断に際しては両眼視の状態での中心窩抑制の検出が重要である．これには 4⊿ base out test が有用である．正常の両眼中心固視の場合，片眼の前に 4⊿ のプリズムを基底外方に置くと固視反射により両眼はプリズムの鋭角方向に共同運動する．その結果，複視を自覚し融像運動が誘発される．4⊿ 分の視線ずれが中心窩抑制の範囲に収まる微小斜視では，固視反射または融像に伴う眼球運動がみられない．visuscope や固視視標付きの直像鏡による偏心固視点の観察も有用である．また，Bagolini 線条レンズ試験では網膜異常対応のパターンとなる．

原発性恒常性微小斜視の場合，偏心固視のため弱視は避けられないが，当初より深い弱視ではなく，通常，治療により 0.7 程度の視力を獲得する．一方，続発性微小斜視において斜視眼が単眼視の条件で中心固視可能な場合は視力良好である．ただし，この場合にも pola test など両眼開放の視力検査により片眼視力を分離して測定すると，微小斜視眼の視力は不良であることが多い．これは，両眼視の条件下で中心窩抑制が存在することを示している．

原発性，続発性いずれの場合も立体視は不可か周辺立体視にとどまる．なお，微小斜視では立体視の測定に際して random dot pattern を利用した Lang stereo test や TNO stereo test の使用が望ましい．これらは両眼単一視，融像が必要条件となる検査であり，残像効果によりすばやい交代視でも立体視陽性となる可能性がある Titmus stereo test に比べて，より厳密な立体視の評価が可能である．

鑑別診断で重要な不同視弱視は，通常，中心固視で網膜対応も正常である．

| 治療 | 微小斜視の治療目標は，斜視眼における弱視の改善および固視の安定である．眼鏡による遠視性不同視などの屈折異常の矯正とともに，健眼の完全遮閉やアトロピン硫酸塩水和物点眼による不完全遮閉などの遮閉療法を行う（⇒ 907 頁，「微小斜視弱視」項を参照）．原発性恒常性微小斜視において正常両眼視を目的にプリズムによる中和を試みても eat up の反応がみられるのみで，両中心窩融像は得られない．逆に融像反応が過剰となって斜視角を増大させる危険性がある．

治療の到達点は網膜異常対応や偏心固視を内包する subnormal binocular vision の範疇である場合が多い．しかし，これは両眼視の有用性を積極的に評価してよい状態である．

癒着症候群（adherence 症候群）

Adherence/adhesion syndrome

矢ヶ﨑悌司　眼科やがさき医院・院長

| 概念 | 適切な瘢痕形成は，手術の際の治癒機序として必要な反応である．しかし，異常な瘢痕形成は，外眼筋やその周囲組織との癒着（adherence）を引き起こすことがあり，牽引性眼球運動障害の原因となる．この癒着性眼球運動障害による拘束性斜視（restrictive strabismus）を癒着症候群と総称する．

| 病態 | 癒着症候群で最も多いのが脂肪癒着症候群（fat adherence syndrome）である．筋円錐外の眼窩脂肪（extraconal orbital fat）が手術や外傷時に強膜上の空間に露

出し，外眼筋自体，後部Tenon嚢，外眼筋下やTenon嚢下の強膜などと接触することによって線維性瘢痕による癒着が生じる．癒着によって眼球運動が障害されるが，癒着は外眼筋や強膜のどの部位でも生じるため，癒着した位置によって水平運動，垂直運動，回旋運動の単独障害，または混合した眼球運動障害をきたす．

症状 以前に行った手術の癒着によって眼筋の伸展が制限されるため，眼球運動障害の方向は癒着部位と反対方向となる．両眼視も障害されるため，抑制が生じる年齢以降の発症時期では複視を訴える．

診断 診断には，牽引試験（forced duction test）が役立ち，強陽性を示す．斜視手術や網膜剥離などの後部Tenon嚢に及ぶ眼手術，外傷の既往も参考になる．

■**鑑別診断** 鑑別診断は，甲状腺筋症などの筋原性障害，眼窩底骨折などの機械性障害，眼球運動神経の麻痺性障害などがあるが，手術既往の有無が鑑別に最も役立つ．

治療 治療の大原則は，初回手術時に乱暴な手術操作を避け，眼窩脂肪が露出しないように細心の注意を払うことである．しかし，いったん癒着が生じると眼窩脂肪と強膜の間に膜様バリアー（fascial barrier）を作ることができず，再手術で癒着組織を除去しても再癒着を防止することは難しい．再手術方法は，術中の牽引試験を行いながら癒着組織を最小限に除去する．大きく癒着組織を除去するとむしろかえって術後再癒着の範囲が広がり，術前より悪化させることも少なくない．

次に再癒着の防止である．トリアムシノロンアセトニドなどの副腎皮質ステロイドの局所または全身投与，ヒアルロン酸の術創への局所投与，マイトマイシンC（保険適用外，効能・効果）やフルオロウラシル（保険適用外，効能・効果）などの抗癌剤の局所塗布などが試みられているが，最善の方法ではない．現時点では，強膜と外眼筋の間や外眼筋を包むようにする羊膜移植術が最も効果のある術式と考えられている．

予後 予後は決して芳しくなく，複数回の手術が必要となることも少なくない．正面視で複視がなく，両眼単一視野の拡大が得られるように心がける．

固定内斜視
（強度近視性斜視）
Strabismus fixus convergens,
Highly myopic strabismus

横山 連　大阪市立総合医療センター・主任部長

概念 強度近視に伴う後天性かつ進行性の斜視で，大多数は内下斜視となる．外転および上転方向に機械的運動制限があるため，これらの方向で牽引試験は陽性である．最も進行した症例では，眼球が内下転位に固定され全く動かない．これを固定内斜視とよぶ．大部分の症例で眼軸長は30 mm以上ある．両眼性の場合と片眼性の場合がある．性差が著しい（女性90％）．ただし，その眼球運動障害および斜視の重症度は症例によって大幅に異なり，すべての症例が固定内斜視の形をとるわけではない．正中を越えて外転可能な軽症例も含めて，強度近視と眼球脱臼によって生じる斜視は，強度近視性斜視と総称することが望ましい．

病態 強度近視眼で，眼軸長が延長して眼球が筋円錐内に収まらないほど大きく

なった場合に，眼球の後半部が上直筋と外直筋の間を抜けて筋円錐外に脱臼することにより生じる．この結果，眼球後端部が外上方に偏位するので，眼球は内下転位をとる．眼軸長が延長して細長くなった眼球の後半部が上直筋と外直筋に挟まれているため，上転と外転方向に運動制限をきたす．

診断 強度近視性斜視の診断には，眼窩 MRI 冠状断像が最も適している(図2)．軽症例では外直筋が眼球の真横からやや下方に偏位する程度であるが，脱臼が進行するにつれて眼球が外直筋を下方に，上直筋を鼻側に押しやる．軽症例では眼位によって眼球脱臼の程度が異なることがあるので，正面視だけではなく右下向きと左下向きの MRI 像を撮る必要がある．眼球が内下転位をとるときに眼球脱臼が強くなりやすい．

治療 筋円錐外に脱臼した眼球後半部を筋円錐内に整復するために，上直筋と外直筋の筋腹を結合する(図3)．筋腹に通糸する位置は，各直筋の付着部から 15 mm 後方で，筋をしっかり固定するために，筋縁から異なる距離で 2 回通糸する．縫合糸は，不要な組織反応を避けるため，5-0 ポリエステル糸を用いる．眼球が筋円錐内に整復されてもまだ外転方向に機械的運動制限が残る場合は，内直筋が拘縮している可能性があるため，内直筋後転を考慮する．鼻側結膜が拘縮している場合は結膜後転も同時に行う．ただし，上外直筋結合の効果は，術後数週間ないし数か月間で徐々に増大するので，上外直筋結合と内直筋後転を同時に行うことは勧められない．また，この手術を行う前に内直筋が大量に後転されていると，過矯正で外斜視になる可能性がある．眼球運動制限が軽度であるか

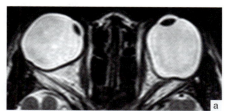
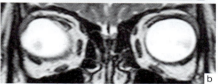

図2　強度近視性斜視の MRI
a：水平断．b：冠状断．水平断像では右眼の内転が左眼よりも強い．右眼は固定内斜視，左眼は軽度の外転障害を有する強度近視であり，正中を越えて外転可能である．冠状断像では，両眼とも外直筋と上直筋の間から眼球が筋円錐外に脱臼している．

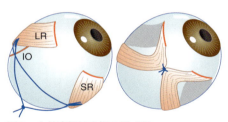

図3　上外直筋結合術の模式図
SR：上直筋．LR：外直筋．IO：下斜筋の付着部．左図のように，上直筋と外直筋の付着部から 15 mm 後方の位置に 2 回ずつ通糸し，右図のように，両直筋が隙間なく接触するように糸を結紮する．

斜視角が小さい場合でも，眼窩 MRI 像で本症の診断が確定したときは，上外直筋結合を第 1 選択とすべきである．両眼に眼球の脱臼があるときは，両眼同時手術を行うことが望ましい．両側性の強度近視性斜視に片眼の上外直筋結合を行うと，手術眼が上斜視をきたし，術前にはなかった上下複視を生じるからである．

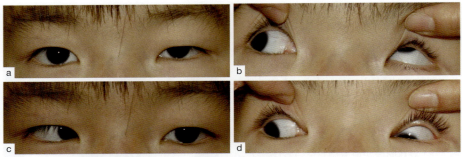

図4 Duane症候群における内転時のupshootとdownshoot
この写真の症例は，左眼のDuane症候群Ⅰ型で，左向き(c)では，左眼はほとんど外転できない．外直筋の線維化が進行しているため，正面視でも左眼の瞼裂狭小を認める(a)．左眼内転時は，最初にわずかに上向きならupshoot(b)，下向きならdownshoot(d)を生じる．

Duane症候群
（眼球後退症候群）

Duane syndrome, Duane retraction syndrome

横山 連　大阪市立総合医療センター・主任部長

概念　先天性の眼球運動障害で，高度の外転制限および内転時の眼球後退とそれに起因する瞼裂狭小を特徴とする．典型例では内転が正常で外転ができない（Ⅰ型）．ほかに非典型例として外転が正常で内転ができないもの（Ⅱ型）や，内転・外転が両方できないもの（Ⅲ型）もあるが，Ⅰ型に比べるとまれである．片眼性が82％と多いが，両眼性もある．片眼性のものは有意に左眼に多く（59％），男児（42％）よりも女児（58％）にやや多い．内転時に眼球の上転（upshoot）または下転（downshoot）が起こることがある．

病態　患側脳幹部の外転神経核および外転神経が低形成あるいは欠如している．外直筋の一部は動眼神経の内転枝によって支配されるため，内転時に内直筋と外直筋が同時収縮して眼球後退をもたらす．瞼裂狭小は眼球後退によって受動的に生じる．組織学的には，外直筋のうち，神経支配を受けていない部分は線維化している．内転時の上下ずれは出生直後にはみられず，外直筋が進行性に拘縮することによって2次的に生じると考えられる．内転時に外直筋が上方にずれるとupshootが生じ，下方にずれるとdownshootとなる**(図4)**．

症状　大多数の症例で両眼視機能は正常で，視力障害もない．外転障害が進行すると患側に顔を回す頭位異常がみられる．この頭位異常は本症の眼球運動障害を代償して両眼視を可能にするために必要な動作であるので，頭位異常を無理に矯正しないよう，保護者や教師に十分理解してもらう必要がある．教室では，患児が顔を回す方向に座らせることが望ましい．

合併症・併発症　30〜50％の患者に，先天性の脳幹障害に起因する異常を認める（ワニの涙，感音性難聴など）．

診断　水平眼球運動障害に加えて眼球後退があることを確認する．内転時に瞼裂狭小がはっきり確認できないときは，眼球

を真横から観察しながら内転させると眼球後退がわかりやすい．

治療　多くの症例は治療を必要とせず，また本症の眼球運動障害自体に対しては有効な治療法はない．ただし，頭位異常で代償できない斜視があるとき，または頭位異常が非常に大きくて頸部痛などの症状があったり，整容的に問題があったりする場合は手術を行う．内斜視に対しては原則として患側眼の内直筋後転術を行う．内転時の上下ずれに対しては，外直筋の後転（または骨膜固定）と内直筋後転の併用が有効である．外直筋後転によって内斜視が増悪する場合は，上下直筋の耳側への筋移動を併用する．

先天性外眼筋線維症

Congenital fibrosis of the extraocular muscles：CFEOM

矢ヶ﨑悌司　眼科やがさき医院・院長

概念　先天性外眼筋線維症（CFEOM）は，先天性で両側性非進行性の外眼筋麻痺による斜視と眼瞼下垂を主症状とする疾患で，かつては general fibrosis 症候群とよばれていた．

病態　CFEOM は，外眼筋の支配神経である動眼神経核や滑車神経核の発達異常によって外眼筋が線維化して発症する．動眼神経，滑車神経の支配筋の一部あるいはすべてが病変となり，多様な運動障害をきたす．発症頻度は23万人に1人とまれである．

症状　CFEOM は3つのタイプに分類される．

CFEOM 1 では，外眼筋麻痺と眼瞼下垂が両側性に認められる．垂直運動では水平中央線以上に上転できず，下転位に固定していることが多く，下顎が挙上する頭位異常も認める．水平運動は正常から中等度の制限を示すことが多く，正位や内斜視，外斜視とさまざまである．牽引試験（forced duction test：FDT）は陽性であり，瞳孔径，対光反射は正常である．

CFEOM 2 でも両眼性の外眼筋麻痺と眼瞼下垂を認める．しかし，垂直，水平運動ともに強く制限され，その制限は CFEOM 1 より強い．眼球の下転位への固定も重篤であり，外斜視が合併していることが多い．FDT も強陽性である．瞳孔径は小さく，対光反射も遅延する点が CFEOM 1 との鑑別点である．CFEOM 1 と CFEOM 2 の眼球運動制限は強いため，上方視・側方視での異常輻湊運動の合併や，まれに Marcus Gunn 現象を伴う場合もある．また，屈折異常も強く屈折異常性弱視を合併しやすいため，弱視治療も並行して行う．

CFEOM 3 では，両眼性の外眼筋麻痺があるが，垂直運動の制限は軽度で水平中央線より上転可能なものも多い．眼球の下転位への固定も軽度である．眼瞼下垂は，両眼性または片眼性であり，眼瞼下垂を合併しないものもある．水平眼球運動では制限を認めず，FDT も上方向のみに陽性となることが多い．瞳孔径，対光反射は正常である．

診断　眼窩画像診断で外眼筋の萎縮を確認する．また，CFEOM には遺伝性があり，遺伝子検査が有用である．CFEOM 1・3 は常染色体優性遺伝，CFEOM 2 は常染色体劣性遺伝の型を示す．CFEOM 1

では常染色体 12q12 の KIF21A 遺伝子の変異，CFEOM 2 では常染色体 11q13 の ARIX 遺伝子の変異，CFEOM 3 では常染色体 16q24 の TUBB3 遺伝子の変異が認められる．KIF21A 遺伝子の変異は CFEOM 3 の患者でも報告されている．最新の研究では，CFEOM 3 に伴うβ3 チューブリンの遺伝子変異により，正常な神経の形成に必要なβ3 チューブリンとキネシンとの結合異常を生じ，正常な神経の伸長が阻害されることが解明されている．

■ **鑑別疾患** 鑑別疾患としては，Brown 症候群，Duane 症候群，Mobius 症候群，進行性外眼筋麻痺，動眼神経麻痺，滑車神経麻痺などがある．まれではあるが，進行性の脊椎側弯に動眼神経と滑車神経麻痺を伴う水平注視麻痺も考慮する．

■ **治療** 根治的治療はなく，眼球の下転位への固定に対して下直筋の後転が行われる．通常の後転量では低矯正であり，調節糸法を併用した 12 mm までの後転術が有効な方法として期待される．しかし，下直筋の 5 mm を超える後転では下眼瞼後退が合併しやすいため，下直筋周囲および下斜筋と下直筋間のプーリーを確実に切離しておく．眼瞼下垂に対しては，眼瞼挙筋前転（短縮）術，眼瞼吊り上げ術が適応となる．また，Bell 現象が陰性であるため，眼瞼下垂の矯正量を多くすると術後の角膜障害が生じることに留意する．

■ **予後** 眼球の下転位固定では，見かけ上の眼瞼下垂を伴いやすい．斜視の矯正後に眼瞼下垂も軽度となり，80％の症例で眼瞼下垂の矯正は不必要であったとの報告もあるため，眼瞼下垂の手術適応については慎重に行う．

形態覚遮断弱視

Form vision deprivation amblyopia

松本 直 東邦大学医療センター大森病院・准教授

■ **概念** 視力発達の感受性が高い時期に，中心窩における視性刺激が遮断されることにより生じる片眼または両眼性の弱視．

■ **病態** 先天白内障，角膜混濁，眼瞼下垂，眼瞼腫瘍，硝子体混濁などによる視性刺激の高度な遮断により，視覚発達が障害される．1 歳半までの視覚感受性の高い時期では 1 週間程度の遮閉でも生じることがある．そのため，眼帯装用などによる医原性弱視にも注意が必要である．一般的に片眼性のほうが両眼性より重篤となる．

■ **症状** 片眼または両眼性の視力発達障害．完成した形態覚遮断弱視では斜視を認めやすく，両眼視機能も異常となることが多い．

■ **診断** 視性刺激遮断の原因となる疾患を肉眼的，検眼鏡的に検索する．また，眼帯装用などの視性刺激遮断となった既往歴の確認も必要である．白内障や角膜混濁の診断にはペンライトによる眼底徹照の確認（red reflex test）や検影法などの早期の徹照検査が有効である．

■ **治療** 形態覚遮断の原因を改善したのち，眼鏡などによる屈折矯正，健眼遮閉を行う．片眼性のほうが重篤であり，先天白内障の場合，片眼性であれば生後 6 週，両眼性であれば生後 10 週までに治療を行う必要がある．Peters 異常などの角膜混濁は成長とともに改善することも多く，小児の角膜移植は拒絶反応や緑内障などの合併

症も多いため，積極的な外科治療には慎重な検討が必要となる．眼瞼腫瘍や眼瞼下垂では屈折異常を合併することも多く，屈折矯正が重要となる．また眼瞼により瞳孔領が遮断されているのに顎上げなどの代償頭位をとらない場合は手術を検討する．健眼遮閉治療時間は弱視の程度によるが，覚醒時間の半分までの時間で行う．健眼遮閉中は弱視眼だけでなく，健眼の視力変化にも注意が必要である．

■予後　斜視や屈折異常などほかの原因による弱視よりも難治性であり，弱視が完成した場合は治療が困難なことが多い．原因を早期発見し，治療を行うことが重要である．

斜視弱視
Strabismic amblyopia

戸塚 悟　北里大学
石川 均　北里大学医療衛生学部・教授

■概念　斜視が原因で生じる片眼性の弱視である．
■病態　視覚の感受性期間内の斜視による複視や混乱視を避けるために斜視眼からの視覚情報が抑制され，その習慣化にて弱視が惹起される．
■症状　斜視眼に弱視を認める．また，偏心固視を伴うことがあり両眼視機能が不良である．乳児内斜視に多く，調節性内斜視や間欠性外斜視にも軽度の弱視が合併することがある．一方，斜視があっても交代視が可能な場合は弱視が生じにくい．
■診断　斜視の発症時期を問診にて確認する．不明であれば乳幼児期の写真で確認する．遮閉試験で顕性斜視を検出し，交代視の有無や固視頻度の評価を行う．乳幼児のため自覚応答困難であれば，Hirschberg法やKrimsky法にて他覚的に斜視角を定量する．また多くの場合，内斜視であり交差固視のため見かけ上の外転制限を認めることが多い．乳幼児の場合は人形の眼現象により外転を確認できる．視力検査が不可能な年齢であれば，PL法・Teller acuity card・Grating card・嫌悪反射・カイナー反射により視力の左右差を推定することが可能である．サイプレジン®点眼やアトロピン点眼による調節麻痺下による屈折検査と同時に器質疾患の除外のために前眼部・眼底検査を行う．明らかに検眼鏡的に異常がない症例においても器質的異常を有する疾患がある（後述「鑑別疾患」を参照）．

一方で，弱視の原因が斜視であることが斜視弱視である．そのため，斜視弱視に不同視が合併する場合は不同視弱視ではなく斜視弱視となる．しかし，形態覚遮断弱視に斜視が合併する場合は斜視弱視には分類されない．

■鑑別疾患　鑑別疾患として後部円錐水晶体・黄斑低形成・先天網膜分離症・先天停在性夜盲・などがある．前眼部・後眼部光干渉断層計（OCT）・網膜電図（ERG）が診断の一助となる．

■治療　調節麻痺下による屈折検査を行い，完全屈折矯正眼鏡を装用させる．固視や視力に改善を認めれば経過観察し，視力が停滞するようであれば健眼遮閉を開始する．眼帯シールによる健眼遮閉治療が一般的であるが，アドヒアランスが不良であれば布パッチやBangerter filters・健眼アトロピン点眼に代替することも検討する．遮閉時間は短時間から始め，徐々に時間を増

やしていくことが重要で，最低 1 日 2 時間以上の遮閉時間が必要である．また，視力向上後に訓練を急に中断することにより弱視の再発が起こりやすいため，訓練時間の漸減が必要である．

予後 斜視弱視の視覚の感受性は不同視弱視や屈折異常弱視に比べ低年齢である．そのため早期発見・早期治療が重要である．また，重症度が高いことが多く治療に対する反応が緩やかである．しかしながら，視覚の感受性期終了後に発見された弱視においても，治療に反応する症例も存在し，忍耐強く治療に臨むことが必要である．

不同視弱視

Anisometropic amblyopia

村木早苗　むらき眼科・院長

病態 両眼の屈折状態に左右差があり，屈折異常が強いほうの眼に生じる弱視．屈折異常が弱いほうの眼で明視できれば，もう一方の眼の網膜像が鮮明でなくてもそれ以上明視しようとしないために起こる．一般に 2 D 以上の不同視差で弱視になる可能性がある．3 歳児健診や就学前健診がきっかけで発見されることが多い．遠視性不同視では，より遠視度数が強いほうの眼は中心窩に鮮明な網膜像が得られずに弱視になりやすい．近視性不同視では，近見では近視度数が強いほうの眼に鮮明な網膜像が得られるので弱視になりにくい．

診断

■**検査** 調節麻痺下にて屈折検査を行う．器質的疾患や斜視を除外することも大切で

ある．2 D 以上の屈折差があり，屈折異常の大きいほうの眼が弱視になっている場合は，不同視弱視と診断する．

治療 まず，完全矯正眼鏡を装用させる．眼鏡を常時装用することで，ある程度弱視眼の視力は向上する．不同視差が少ない場合(2 D 程度)は眼鏡装用のみで治療が可能である．しかし，不同視差が大きい場合(3 D 以上)は眼鏡装用のみでは弱視眼の視力の伸びに限界があることが多い．その場合は，健眼遮閉を開始することで弱視眼の視力は向上する．ほかにアトロピン点眼薬を用いて健眼の像を不鮮明化して弱視眼を使うようにするアトロピンペナリゼーションがあり，中等度弱視において健眼遮閉法と同等の治療効果が報告されている．

予後 比較的治療によく反応し，視力は向上することが多い．しかし，発見が遅れたり，不同視差が大きかったり，治療のコンプライアンスが悪い場合は，良好な視力の発達が得られないこともある．

屈折異常弱視

Ametropic amblyopia

村木早苗　むらき眼科・院長

病態 両眼に遠視・乱視などの強い屈折異常がある場合に起こる両眼性の弱視．近視にみられることはまれであるが，強度近視の場合に起こりうる．しかし強度近視は器質的変化による弱視，いわゆる病的近視の場合がある．3 歳児健診や就学前健診をきっかけとして発見されることが多い．

診断

■**検査** 調節麻痺下にて屈折検査を行う．

遠視度数3D以上，乱視度数1.5D以上で弱視が起こりやすい．器質的疾患や斜視がないことを確認することも重要である．

治療　完全矯正眼鏡を装用させる．多くは完全矯正眼鏡の装用のみで良好な視力が得られる．遠視度数3D未満，乱視度数1.5D未満であれば，眼鏡装用なしでも視力の伸びがみられることが多い．また，遠視度数が強い場合は，左右眼の屈折差が小さくても視力の発達に左右差が出てくることがあり，その場合は健眼遮閉を必要とする．

予後　適切な眼鏡を装用することで良好な視力の発達が期待できる．ただし，治療開始時期が遅い場合や屈折異常が強い場合は正常視力に達しないことがある．

微小斜視弱視
Microtropic amblyopia

野村耕治　兵庫県立こども病院・部長

概念　原発性微小斜視（primary microtropia）において斜視眼は，強固な偏心固視に起因する弱視を呈する．深い弱視ではなく，通常，治療により0.7程度の視力は獲得する．一方，乳児内斜視の手術後や不同視弱視の治療中にみられる続発性微小斜視（consecutive microtropia）でも偏心固視に伴う弱視を呈する場合がある．また，優位眼を遮閉して斜視眼単眼の視力反応が良好であっても，日常両眼視の条件下では中心窩抑制が存在する例がある．いずれの場合も弱視治療，管理が必要である．

診断　斜視角が微小であること．特に原発性微小斜視の場合は角膜反射や遮閉試験では眼位ずれが検出されない．加えて，弱視眼における偏心固視や抑制暗点の存在，網膜対応異常，融像の異常など微小斜視に特徴的な所見とともに，治療に抵抗する片眼の視力不良がみられる（⇒898頁，「微小斜視」項を参照）．

視力は原発性微小斜視の場合，斜視眼の偏心固視点における視力程度に依存するため中心視力には及ばない．一方，続発性微小斜視の場合，斜視眼が単眼視の状況で中心固視可能な場合は視力良好である．ただし，この場合にもpola testなど両眼開放の視力検査により片眼視力を分離して測定すると，斜視眼の視力は不良であることが多い．これは，日常両眼視の条件下で中心窩抑制が存在することを示している．

治療　遠視性不同視などの屈折矯正を行ったうえで，健眼の完全遮閉，アトロピン点眼による不完全遮閉などの遮閉療法を行う．完全遮閉の場合，終日ではなく1日のトータルで2時間程度から開始し治療の反応をみながら最大6時間の遮閉とする．斜視眼の固視増強と両眼視機能の改善，両者のバランスが重要である．原発性微小斜視の場合，偏心固視の解消はなく視力回復にも限界があるが，融像幅の拡大や立体視の出現などsubnormal binocular visionの範疇において両眼視機能の改善が期待できる．続発性微小斜視の場合，治療により中心固視を獲得する可能性があり，この場合は中心視力を回復する．ただし，両眼視の条件下で中心窩抑制が作用している間は遮閉療法の継続が望ましい．

眼振
Nystagmus

野村耕治 兵庫県立こども病院・部長

概念

眼振は両眼または片眼にみられる不随意の眼球往復運動である．固視や追視など視反応の異常とともに視覚発達障害の重要なサインでもあり，実際，乳幼児の眼振症例において視覚系の器質障害を伴う感覚欠陥型（視力不良性眼振）が占める割合は高い．軽度の視覚障害であっても眼振が出現する場合があり，器質異常の検索，評価は慎重に行う必要がある．また，Leber先天黒内障，先天停在性夜盲，白子症などでは眼底に顕著な異常を認めないものもあり，この場合は網膜電図（ERG），視覚誘発電位（VEP）などの電気生理学的検査が診断上，欠かせない．オプソクローヌスをはじめ中枢神経系の異常がトリガーとなる眼振も生後早期よりみられる．単眼性または両眼非共同性の眼振で，時に垂直方向の眼球運動を伴う．

感覚欠如型や明らかな中枢神経異常が除外された場合，以下の各種先天眼振を念頭において鑑別診断を行う．

診断

■ 鑑別診断

❶**先天（特発性）眼振（congenital idiopathic nystagmus）** 両眼共同性で水平方向の眼振が生後早期よりみられる（乳児眼振ともいわれるゆえん）．眼振の波形タイプとして，速度一定の往復運動がみられる振子様眼振（pendular nystagmus）と，運動方向により急速相と緩徐相を有する衝動性眼振（jerky nystagmus）とに大別されるが，両波形の混合型や注視方向により振子様眼振，衝動性眼振の両方を呈する例もある．

眼振波形のタイプによらず頭位異常がみられる．特に衝動性眼振では，注視方向により眼振の振幅，周波数ともに減弱もしくは消失する静止位（null zone）を有し，これを正面に向けるような頭位（face turn）をとる例が多い（眼位性眼振）．一方，眼振の静止位より注視方向が離れるほど眼振は増大する．また，静止位を境に急速相は逆転する（Alexanderの法則）．暗所において，あるいは輻湊や閉瞼により眼振が抑制され，固視努力によっても眼振に変化（通常は増大）がみられる．

衝動性眼振の眼振波形を眼球電図（EOG）で記録すると，速度漸増型（緩徐相で注視方向から視線がずれるほどに速度が増大するタイプ）が多い．このほか，視運動性眼振（optokinetic nystagmus：OKN）が欠如，または，誘発刺激に対し急速相が逆転する現象（reversed OKN）も特徴的な所見である．

❷**点頭けいれん（spasmus nutans）** 乳児期を中心に発症し，頭部のうなずき（head nodding），異常頭位とともに振子様眼振を特徴とする．左右眼で眼振の方向，振幅が異なる非同調性の眼振であるが，時に先天眼振と紛らわしい場合や合併例もある．先天眼振が生涯持続するのに対し，spasmus nutansでは眼振も含め症状は通常，数年の経過で自然消退するとされる．

❸**眼振阻止症候群（nystagmus blockage syndrome）** 乳幼児期に内斜視を急性発症するとともに衝動性眼振が出現する．眼振は輻湊により抑制された状態で，固視眼の外転により顕性化する．本態性乳児内斜視と同様，輻湊眼位のまま交差固視するために

face turn がみられる．ただし，斜視角に変動があり，乳児内斜視に先天眼振を合併した例との鑑別点となる．

❹ **周期性交代性眼振(periodic alternating nystagmus：PAN)** 眼振急速相の方向が中間移行相をはさんで周期的に変化する．これに伴い，静止位が正面を越えて左右に移動，face turn の方向にも経時的変化がみられる．眼振自体は生後早期よりみられるが(先天眼振)，症状の周期的変化は幼児期から就学時前後にかけて出現する例が多い．また，静止位の左右への変化，周期の長さが均等でない場合もある．診察時に症状の周期的変化をとらえられない例でも，問診や写真などが PAN の可能性を示唆する場合がある．EOG の長時間記録は眼振の方向変化を検出する有効な手段である．先天眼振では一般に動揺視はみられないが，PAN ではしばしば自覚していることも特徴である．

先天眼振に対して手術を行う際には本眼振の可能性も念頭におき，治療時期や術式を慎重に検討する必要がある．なお，後天発症例もあり中脳障害性疾患に合併する場合が多いとされる．

❺ **潜伏眼振・顕性潜伏眼振(latent nystagmus, manifest latent nystagmus)** 両眼開放の状態では眼振がみられず，片眼を遮閉すると眼振が誘発される．このため通常の片眼完全遮閉下で測定される単眼視力は，両眼開放視力に比して著しく不良となる．眼振のタイプとしては開放眼方向に急速相，遮閉眼方向に緩徐相を有する両眼共同性の衝動性眼振で，遮閉眼を交代させると眼振急速相の方向も逆転する．

生後早期からの視覚障害や斜視，交代性上斜位などの眼位異常を合併する例が多い．成因については諸説あるが，眼振自体は片眼遮閉に伴う開放眼の視線の遮閉眼方向へのずれ(緩徐相)と固視点への戻り(急速相)で説明される．また，片眼弱視や斜視など両眼視機能不良例において，しばしば両眼開放でも眼振がみられる(顕性潜伏眼振)．この場合，固視優位眼の方向に急速相を有する．EOG における緩徐相の波形は，先天特発性眼振と異なり速度減少型または等速度型を示すものが多い．

治療 先天特発性眼振は 1 歳前後をピークにその後は減弱し，波形自体も幼児期に安定する傾向にあるが，完全に消失することはない．良好な視力を獲得するものがある一方，視力不良例や face turn が顕著な例については非観血的治療および手術による視覚管理が必要である．

■ **屈折異常の矯正** 屈折矯正による明視化は固視の安定に寄与する．さらに，ソフトコンタクトレンズでは眼瞼接触知覚反射による眼振抑制効果が得られる場合があり，積極的に装用を試みる．

また，face turn のため眼鏡ではレンズ光学面が有効に使えず矯正不良となることがあり，この場合にもコンタクトレンズが適応となる．

■ **プリズム治療**

❶ **vergence プリズム法** 輻湊により眼振が抑制されることを利用した方法である．両眼にそれぞれ 5△ 程度のプリズムを基底外方に付加した眼鏡を装用させる．眼振の抑制効果が高い例では，同時に face turn などの異常頭位にも改善がみられる傾向がある．

❷ **version プリズム法** face turn の矯正が目的であり，両眼に静止位と反対方向にプリズム基底をもつ眼鏡を装用させる．静止位

が20度以下の比較的軽度なface turnの矯正が可能である．

このほか，輻湊による眼振の抑制とface turnの矯正を兼ねたものとして上記プリズムを組み合わせたcompositeプリズム法がある．

■**薬物治療**　鎮静薬であるアモバルビタール（保険適用外，効能・効果）の静注により眼振が改善するとの報告がある．同薬剤の脳幹網様体への作用に眼振の抑制効果があるとされ，加えて視床への作用である心理的緊張の抑制が眼振の自覚的・他覚的改善に有効であると考えられている．

また，中脳障害性疾患などに続発する後天性の周期性交代性眼振についてはバクロフェン（保険適用外，効能・効果）の有効性が確認されており，原因治療後に眼振が残存した場合に投与が検討される．

■**手術治療**　眼振の手術には，頭位異常の矯正を目的とした術式と眼振の振幅軽減を目的とした術式があるが，いずれの術式も結果的に頭位異常と固視の両方の改善が期待できる．

❶**頭位異常（face turn）の矯正を主目的に手術を行う場合**　face turnの矯正手術を計画する場合，単に静止位の移動のみを目的とするのではなく，同時に眼振の軽減に対しても有効な術式の選択が望ましい．つまり，まずは静止位の方向へのともむき筋の作用減弱術であるAnderson法を行う．後転量は，EOGによる安静位の角度評価ならびに術前に複数回，視力検査や診察時の視診により5度単位でおおよその静止位角度を確認し，斜視手術における量定を参考にface turnの角度分を矯正する．静止位が右側にある場合，右眼外直筋および左眼内直筋の等量後転術となる．Anderson法によりface turnの改善がみられない例については，静止位と反対方向へのともむき筋の作用強化術である後藤法の追加を考慮する．静止位が右側にある場合，右眼内直筋および左眼外直筋の等量短縮術となる．ただし，Anderson法施行直後にface turnが残存する例についても，視力あるいは見え方に改善があった場合は，プリズム治療の併用など保存的に経過観察を行ってもよい．静止位の拡大，固視の安定化に伴いface turnが経時的に軽減する例がある．また，逆にface turnに戻りがみられる例もあり，追加手術の定量の観点からも術後一定期間の経過観察が必要である．

一方，face turnが高度で静止位の角度が20度を超える場合，視力が比較的良好な例を対象に，ともむき筋の減弱および強化を同時に行うKestenbaum法またはParks法を第1選択としてもよい．後者はstraight flush法とも称し，外眼筋の手術において後転術が短縮術より，また，内直筋手術が外直筋手術より効果が大きくなることを考慮し，内直筋後転量を最小に1 mmずつ手術量を増加する方法である．静止位が右側にある場合，左眼の内直筋後転5 mm，右眼の外直筋後転6 mm，右眼の内直筋前転7 mm，左眼の外直筋前転8 mmとなる．この基本定量のほか，face turnの角度がさらに大きな例ではplus one法として6-7-8-9 mm法を選択してもよい．

短縮術を伴うことからKestenbaum法，Parks法ともにPANが十分に除外される学童期以降の施行が望ましい．そのPANについては水平4直筋大量後転術が有効である．なお，眼振急速相の方向に周期的変化が起こる前にAnderson法を施行済みの場合は，水平4直筋について後転術を

追加する．

❷眼振の軽減を主目的に手術を行う場合　明確な静止位を有さない視力不良例については，眼振の軽減を目的に水平4直筋大量後転術を検討する．両眼の内直筋，外直筋の等量または両直筋の後転効果の差を考慮して内直筋の定量を1～2 mm減じ，それぞれ8～12 mmの後転術を行う．矯正視力0.1～0.5程度の中等度視力不良例において，術直後より正面付近での顕著な眼振軽減と視力改善をみる場合がある．一方，0.1未満の高度視力障害例については性急に治療効果を期待するのではなく，視覚発達期における積極的治療と位置づけるべきである．家人に対して治療の主旨を十分に説明したうえで，眼振波形の安定する1歳以降，できるだけ早い時期に手術を考慮する．

❸眼振阻止症候群の手術　眼振阻止症候群に対しては内直筋のFaden手術が有効とされ，眼振の軽減と眼位矯正が同時に得られる．両内直筋を眼球赤道部後方(小児例で筋付着部から11～12 mmが目安)で強膜に縫着する．また，斜視角が大きい場合は内直筋の後転2～4 mmを併施する．

❹潜伏眼振の手術　潜伏眼振については弱視治療や両眼視機能異常に対する視能訓練が中心となるが，顕性潜伏眼振の場合は斜視手術による眼位矯正が眼振の軽減および潜伏化に有効である．なお，手術の定量に際しては，眼振を抑制するための代償性輻湊が働いている可能性を考慮する必要がある．

2　小児眼科

先天眼瞼欠損
Congenital eyelid coloboma

遠藤高生　大阪母子医療センター・医長

概念　発生学的に眼瞼が出現し始めるのは胎生6週で，上下眼瞼は胎生7か月まで癒合している．この間の形成不全により先天性の眼瞼の異常が発生する．

病態　発症頻度は10,000人に1人．眼瞼縁の先天的欠損で，通常，上眼瞼の内側にみられることが多いが，複数の欠損が片側または両側にみられることがある．単独で発生することもあるが，全身に奇形を合併することもあり，Goldenhar症候群や第1・第2鰓弓異常であるTreacher Collins症候群(下顎顔面形成不全症)などの顔面裂(facial cleft)とともに起こることが多い**(図5)**．

発生機序は胎生期の顔面裂の閉鎖不全であるが，羊膜と胎児が接着し，癒着部に生じた索状物である羊膜索(amniotic band)による圧迫が原因とも考えられている．

通常，遺伝性はないが，Treacher Collins症候群での下眼瞼欠損は遺伝性がある．

症状　欠損の程度が強ければ兎眼による角膜障害が起こる．

合併症・併発症　眼球自体は正常のことも多いが，角膜混濁，虹彩欠損，脈絡膜欠損，小眼球などがみられることがある．

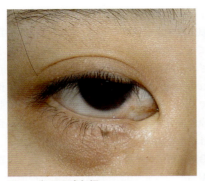

図5 先天眼瞼欠損
顔面裂に伴う右下眼瞼内側の先天眼瞼欠損.

しばしば dermoid, dermolipoma を合併する. 無眼瞼では, 発達遅滞, 合指症, 小頭症などを合併する.

診断
- **診断法** 視診による.
- **必要な検査** 視力, 斜視, 眼底検査などを行う必要がある. また, 索状物が潜在して斜視の原因になっていることもあるため, 全身麻酔下での牽引試験が必要である.
- **鑑別診断** 欠損が部分的であれば眼瞼欠損であり, 眼瞼縁が全く形成されていなければ, 無眼球や潜伏眼球 (cryptophthalmos) と診断される. 潜伏眼球は癒合した眼瞼皮膚に眼球が覆われたもので, 単独で出現したり, Fraser 症候群の症状の1つとして出現する.

後天性の眼瞼欠損は, 外傷が原因である.

治療
- **治療方針** 軽度であれば治療を要さないが, 整容的に問題となったり兎眼による角膜障害が強い場合には外科的治療を要する.
- **薬物治療** 欠損部がある程度大きければ, 眼球の乾燥をきたすため, 点眼や眼軟膏を使用する.
- **外科的治療** 欠損部が小さければ, 簡単な端々縫合で修復されるが, 大きい場合には皮膚弁を用いた形成外科的手術が必要である. また, 索状物が斜視の原因であれば切除する.

予後 軽度の眼瞼欠損であれば視力的予後は良好である.

眼角解離症
Telecanthus

遠藤高生　大阪母子医療センター・医長

概念・病態 両内眼角が異常に広く離れている状態をいい, Waardenburg 症候群に特徴的である **(図6)**. 瞳孔間距離は正常である点が, 瞳孔間距離が大きい両眼隔離症 (hypertelorism) とは異なる. 眼角解離症は両眼隔離症と合併していることが多い. 出生時の内眼角間距離は 20 ± 2 mm, 2歳では 26 ± 1.5 mm とされる. また, 瞳孔間距離は出生時は 39 ± 3 mm, 2歳では 48 ± 2 mm とされる.

症状 眼角解離症そのものが視機能に影響することは少なく, 問題は整容性のみのことが多い.

合併症・併発症 単独で生じることもあるが, 眼瞼下垂や内眼角贅皮 (epicanthus), 眼瞼縮小 (blepharophimosis) に合併することも多い.

診断
- **診断法** 両内眼角間距離を測定する. Waardenburg 症候群の場合, 内眼角間距離, 瞳孔間距離, 外眼角間距離から算出さ

図6　Waardenburg症候群に伴う眼角解離症
両内眼角の解離と右眼の虹彩異色を認める．

れるW（Waardenburg）indexが1.95以上で陽性とする．

■**必要な検査**　眼瞼下垂を伴っている場合は視力検査が必要であり，内反症や眼瞼贅皮を合併している場合には細隙灯顕微鏡にて角膜障害の有無を検査する必要がある．

■**鑑別診断**　両眼隔離症は両眼の眼球の間の距離（瞳孔間距離）が異常に広く離れている状態であり，Apert症候群，Crouzon症候群などの頭蓋骨の形成異常を伴うことが多い．

治療

■**治療方針**　患者や家族が整容性の改善を希望した場合には外科的治療を検討する．ただし，全身疾患の一症状として出ている場合が多いため，手術適応は慎重に検討すべきである．

■**外科的治療**　内眼角靱帯を縫縮し，内眼角の軟部組織を形成外科的に短縮する．また，眼瞼下垂や内反症を合併した場合には，同時または時期をずらして合併症に対する手術を行う．

■**内科的治療**　眼瞼下垂を伴っているときは遮閉療法などで弱視の予防が必要である．また，角膜障害のある場合には点眼や眼軟膏で角膜保護を行う．

予後　強度の眼瞼下垂や眼瞼縮小を合併しているときには，早期に手術を行わないと形態覚遮断弱視を発生する場合がある．

先天涙点欠損

Congenital absent lacrimal punctum

遠藤高生　大阪母子医療センター・医長

概念・病態　涙点は胎生6か月で開口し，出生時期に下鼻道へ開通する．先天涙点欠損は先天性に上下の涙点が1つまたは複数欠損している状態をいう．涙点欠損は涙小管全長あるいは部分的欠損を伴うことが多い．涙点閉鎖より頻度は低い．

症状　涙点欠損が同一眼の上下の一方だけのときは無症状のことが多い．上下涙点が欠損すると流涙が消えないが，感染を伴わないため眼脂はみられない．

合併症・併発症　Treacher Collins症候群やNager症候群のように下顎骨，上顎骨の形成不全を伴う疾患に合併しやすい．

診断

■**診断法**　細隙灯顕微鏡にて涙点の有無を確認する．

■**鑑別診断**　涙点閉鎖：出生時には約半数に涙点の膜状閉鎖がみられるが，その後自然に開口する．後天性に結膜疾患により涙点が閉鎖されることがある．

■**必要な検査**　通常の探索のほかに，上下涙点のうち，どちらかから涙道造影を行う．

治療

■**治療方針**　根治治療としては手術加療が必須となる．

■**薬物治療**　抗菌薬などの点眼は基本的には不要である．

■**外科的治療**　涙乳頭（涙点部の隆起）のある症例では涙小管は開通していることが多

く，涙点形成術のみで治療できる場合がある．一方，涙小管も欠損している場合には結膜涙囊鼻腔吻合術（Jones tube 永久留置）を行うことが一般的である．Jones tube は日本では未承認であり合併症も多いので，最近では涙囊の断端を剥離して結膜に吻合する涙囊移動術も新しく報告されている．

  予後 Jones tube の留置を行った場合，チューブ脱落や埋没，閉塞などの合併症に長期間，気を配る必要がある．流涙のみが唯一の症状であり，放置しても感染は起こらないため，手術を行うかどうかは慎重に検討するべきである．

輪部デルモイド

Limbal dermoid

家室 怜　大阪大学
相馬剛至　大阪大学・講師

  概念 角膜輪部に生じる先天性の良性腫瘍である．

  病態・症状 デルモイドは胎生期の第1鰓弓と第2鰓弓の形成異常により，皮膚組織が角結膜に迷入して異常分化したものである．輪部，結膜，角膜に発生し，輪部デルモイドの頻度が最も高い．輪部デルモイドに結膜デルモイドを合併する例もみられる．角膜デルモイドはまれである．組織学的には分離腫（choristoma）に分類される．外胚葉由来である皮膚，脂腺，毛髪などの組織と，中胚葉由来の線維性組織，血管組織，脂肪組織などからなる．

　輪部デルモイドに副耳と耳瘻孔を合併したものを Goldenhar 症候群とよぶ．1952年に Goldenhar が報告し，のちに眼瞼欠損，下顎骨形成不全，脊椎異常，先天性心疾患の合併例も相次いで報告された．このため輪部デルモイドと診断した際には，これらの合併奇形についても注意する必要がある．通常，輪部デルモイドに遺伝性はないが，Goldenhar 症候群では家族発症の報告がある．

　輪部デルモイドの診療における重要点は，半数以上の症例で角膜乱視による不同視弱視を合併することである．弱視は視力予後に強い影響を及ぼすため，常に弱視を念頭において診療を行わなければならない．

  診断 生下時より角膜輪部に境界明瞭な半球状の白色充実性腫瘍を認める（図7）．角膜輪部の耳下側に好発し，時に毛髪を伴う．特徴的な所見から診断は容易である．

　病変の大きさは 5 mm 以下のことが多い．まれに 10 mm を超えることもある．結膜デルモイドを合併することがあるため，結膜における隆起性病変の有無も確認する．

　デルモイドを認めた場合は Goldenhar 症候群の可能性を考え，両側の耳，眼瞼，下顎に合併奇形がないか肉眼的に観察する．疑わしければ，耳鼻咽喉科・形成外科・口腔外科・整形外科・内科など他科と連携して全身検査を行う必要がある．

　角膜乱視による不同視弱視を合併しやすいため，検査可能な年齢になったら屈折検査と視力検査で弱視合併の有無を必ず確認する．

  治療
■**治療方針**　輪部デルモイドの治療は大きく2つに分かれる．1つは弱視治療による視力予後の改善，もう1つは手術加療による整容面の改善である．手術加療を行っ

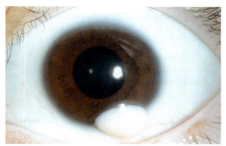
図7　輪部デルモイド

ても乱視の軽減効果はほとんどないため，弱視と診断したら手術に先行して眼鏡装用と健眼遮閉による弱視治療を開始する．

ある程度の視力向上が得られてから，5〜6歳頃に手術を行うと視力予後が良いとされている．術後管理に対する本人の協力の得やすさや，学校でのいじめを避けるという社会的側面からもこの時期に加療されることが多い．

例外として，デルモイドが角膜中央部に及んでいる場合は，視機能の発達が著しく妨げられるため早期に手術を行うが，概して視力予後は不良である．また，腫瘍が小さく外見上目立たなければ，局所麻酔が可能な年齢になってから行うこともある．

■ 手術治療　術式は腫瘍切除に表層角膜移植術を併用するのが一般的である．これは腫瘍切除だけでは角膜の脆弱化が避けられないうえ，偽翼状片，腫瘍再発といった合併症のリスクを伴うからである．ただし，デルモイドが小さく輪部の最周辺に限局する場合には，単純切除を選択することもある．

術後管理は通常の角膜移植後の管理に加え，小児特有の配慮が必要になる．ことにステロイド点眼によるステロイド緑内障合併リスクが高いため，早期に低力価ステロイド点眼へ切り替える必要がある．また，抜糸時の協力が得られないために鎮静を要することがある．術後も角膜乱視は残存するため弱視治療は継続しなければならない．

結節性硬化症
Tuberous sclerosis

遠藤高生　大阪母子医療センター・医長

概念　6,000人に1人発症する，常染色体優性遺伝の神経皮膚症候群の1つである．全身の過誤腫を特徴とする遺伝性の全身性疾患で脳，皮膚，腎臓，眼，心臓などほぼ全身に過誤腫や白斑が発生する．

病態・症状　古典的には知的障害，てんかん，顔面の血管線維腫を3主徴とするが，最近ではてんかんや知的障害を伴わない症例も多く認識されている．

原因遺伝子として TSC1(遺伝子座：9q34)，TSC2(遺伝子座：16p13.3)が同定されている．通常それぞれの遺伝子産物である hamartin と tuberin は複合体を作ることによって mTOR(mammalian target of rapamycin, 多機能性シグナル伝達蛋白質の1種)を抑制し細胞増殖に関与しているが，遺伝子異常により mTOR 活性が亢進することによりさまざまな症状が発生する．

眼症状は約半数にみられ，眼底には平坦または隆起した灰白色の結節状腫瘍(網膜過誤腫，組織は astrocytic hamartoma)がみられる．腫瘍の大きさは通常は変化しない．中間周辺部には脱色素の打ち抜き像(punched-out lesion)，視神経乳頭の腫脹

や萎縮がみられる．

診断
■**診断法** *TSC1*，*TSC2* のいずれかの遺伝子に機能喪失変異があった場合，あるいは多発性の網膜の過誤腫などの大症状を2つ以上か，大症状1つと網膜無色素斑などの小症状2つ以上があれば確定診断となる．

■**鑑別診断** 網膜芽細胞腫との鑑別が最も重要である．小児期には石灰化がないこと，栄養血管に乏しいこと，隆起が平坦なこと，全身症状を伴うことから鑑別される．

■**必要な検査** 網膜過誤腫に対しては眼底検査を行い，必要であれば蛍光眼底造影検査も検討する．

治療
■**治療方針** 基本的には根治的な治療法はなく対症療法が中心となるが，最近ではmTOR阻害薬の登場・適応拡大があり，その効果が期待されている．

■**一般的な治療** てんかんに対しては抗てんかん薬，皮膚の腫瘍に対してはレーザーや外科手術などそれぞれの症状に応じた治療が行われている．眼症状に対しては基本的には治療不要であるが，まれに腫瘍の増大が網膜剝離や硝子体出血の原因となることがある．

予後
脳症状の進行に伴って，低年齢で死亡することもある．

von Recklinghausen病
von Recklinghausen disease

遠藤高生　大阪母子医療センター・医長

概念・病態
3,000人に1人発症する，常染色体優性遺伝の神経皮膚症候群の1つ．神経線維腫症（neurofibromatosis）type 1（NF1）として現在は分類される．眼窩，眼球，皮膚，神経系，内臓，骨などに多発性に神経線維腫（neurofibroma）を発生する．*NF1* 遺伝子の異常で遺伝子座は17q11.2である．なお，神経線維腫症はその臨床症状から1〜8型に分類されており，type 2（NF2）の両側聴神経線維腫型，type 3（NF3）の神経線維腫と皮膚病変の混合型，type 4（NF4）の変化型などがある．

症状
全身的には出生時よりみられるカフェオレ斑が特徴である．組織学的にはメラノサイトの過形成であり，健常者にもみられる．

眼球には虹彩のメラノサイト過誤腫である黄色のLisch結節が90％にみられ，年齢とともに増加し，20歳頃には100％にみられる．眼底の病変はまれであるが，結節性病変がみられることもある．皮膚所見としては，表皮基底層の色素細胞の遺残であるカフェオレ斑が有名で，1.5 cm以上のものが多発すればvon Recklinghausen病の診断根拠の1つになる．隆起した神経線維腫症は生後数年してみられる．眼窩には2〜5歳頃にかけて視神経グリオーマ，視神経髄膜腫，神経線維腫などの腫瘍が発生し，眼球突出，視神経管の拡大，顔面の変形がみられる．また，眼瞼に叢状神経線維腫が発生すると，特徴的なS字形

の変形が上眼瞼に生じる．

診断

■ **診断法** 日本皮膚科学会の診断基準（2018年）では，*NF1* 遺伝子の病因となる変異の同定（遺伝学的診断基準），あるいは以下の臨床的診断基準 7 項目中 2 項目以上で確定診断となる：① 6 個以上のカフェオレ斑，② 2 個以上の神経線維腫またはびまん性神経線維腫，③腋窩あるいは鼠径部の雀卵斑様色素斑，④視神経膠腫，⑤ 2 個以上の虹彩小結節，⑥特徴的な骨病変の存在，⑦家系内に同症．

■ **必要な検査** CT，MRI で骨の拡大，欠損，眼球突出度の測定など．視覚誘発電位（VEP）で視神経障害を検出する．

■ **鑑別診断** 中枢神経系にみられる神経線維腫は NF2 と分類され，聴神経（鞘）腫が含まれる．カフェオレ斑は 5 個以内と少ない．

治療

■ **治療方針** 重症例では症状が多臓器にわたるため，皮膚科・小児科・神経内科・脳外科などとともに複数診療科の医師とチームを組んで治療に当たる必要がある．

■ **薬物治療** 従来有効な薬物治療はなかったが，セルメチニブ（分裂促進因子活性化プロテインキナーゼ）が第Ⅰ・Ⅱ相試験において叢状神経線維腫を有する NF1 小児患者の腫瘍縮小効果を示し，わが国においても実用化が期待されている．

■ **外科的治療** 放射線への感受性は低いので外科的治療が中心となる．視神経膠腫での視神経切除は視力を残せないため，手術の適応が難しい．叢状のものは部分的切除に終わることも多く，進行例では眼窩内容除去術が必要になることもある．

予後

悪性腫瘍を合併する割合が，健常者と比較して約 2.7 倍高いとされ，平均寿命は 10～15 年短いとの報告がある．

von Hippel–Lindau 病
von Hippel–Lindau disease

遠藤高生　大阪母子医療センター・医長

概念・病態

36,000 人に 1 人発症する，常染色体優性遺伝の神経皮膚症候群の 1 つ．複数の臓器に良性および悪性腫瘍を生じる．*VHL* 遺伝子の異常で遺伝子座は 3p25.3 である．

症状

全身症状としては，小脳，延髄，脊髄の血管芽腫，腎細胞癌や褐色細胞腫である．眼底の網膜血管腫は小血管の血管腫と周囲の滲出斑としてみられ，約半数は両側性である．血管瘤には動静脈の流出入があり，血管は拡張蛇行している．進行すると硝子体出血，網膜剝離，血管新生緑内障をきたして失明することがある．

診断

■ **診断法** 家族歴がある場合は網膜血管腫，中枢神経系血管芽腫，内耳リンパ嚢腫，腎細胞癌，褐色細胞腫，膵臓病変，精巣上体嚢胞腺腫のうちいずれかがあることで，家族歴がはっきりしない場合は中枢神経系血管芽腫や網膜血管腫などの病変の有無，遺伝子検査などから診断を行う．

■ **鑑別診断** von Hippel 病は網膜の血管腫が単独で出現したものを指す．また，Coats 病の初期病変にも似るが，Coats 病に比べて進行ははるかに遅い．

■ **必要な検査** 眼底検査，蛍光眼底造影検査を行う．

治療

■ **治療方針**　発症を予防する根本的な治療法はなく，それぞれの臓器に対する外科的治療や症状に応じた対症療法が行われる．

■ **薬物治療**　腎細胞癌に対しては外科的治療が難しい場合には分子標的薬が用いられる．そのほか，抗VEGF抗体であるベバシズマブが脳脊髄の血管芽腫に用いられることがある．

■ **外科的治療**　網膜病変は網膜光凝固療法，冷凍凝固療法の適応である．初期に行えば成功するが，時期が遅くなると多くは不成功に終わり，網膜剥離や緑内障に対する手術が必要となる．

■ **予後**　早期治療を行えば眼病変の予後は良好である．家族発生があるため，家族全員の眼底検査を行う必要がある．全身的には，小脳血管芽腫や腎細胞癌などの合併により死亡する場合がある．

Sturge-Weber 症候群
Sturge-Weber syndrome

仁科幸子　国立成育医療研究センター・診療部長

■ **概念・病態**　顔面血管腫と同側の髄膜血管腫，緑内障を特徴とする疾患で，ほとんどが孤発例である．

■ **症状**　出生時より特徴的な顔面血管腫が存在し，ポートワイン母斑，火炎状母斑といわれる．三叉神経第1・2枝領域にみられ，通常は片側性である．同側の髄膜血管腫により大脳皮質の萎縮や石灰化をきたし，3歳までに高頻度にてんかん発作を生じ，難治例が多い．精神発達遅延を伴い，片麻痺や同名半盲をきたすこともある．同側の緑内障によって角膜径増大，角膜混濁を示し，羞明，流涙，視力・視野異常をきたす．

眼所見として緑内障(図8a)が最も重要であり，眼瞼に血管腫が及んでいる場合には高頻度(30〜70％)に発症する．先天性に発症するもの(早期発症型)と幼児期以降に発症するもの(晩期発症型)があり，生直後〜4歳までの早期発症型が約60％を占める．病因として早期発症型では隅角の発育異常，晩期発症型では上強膜静脈圧の上昇，脈絡膜血管腫の関与が考えられている．また血管腫が結膜，虹彩，脈絡膜などにみられ，特に脈絡膜血管腫が高頻度にみられる(図8b)．脈絡膜血管腫は眼底にびまん性に赤色を呈し，時に滲出性網膜剥離を生じる．また眼底所見として網膜血管の蛇行がみられることもある．そのほか特徴的な前眼部所見として，結膜や上強膜の血管の拡張，蛇行がみられる．

■ **診断**　皮膚所見とてんかん発作，頭部CTによる脳皮質内の石灰化の検出によって診断する．石灰化のない段階でも，造影MRIやSPECTによって脳病変は検出可能である．眼合併症の診断には精密な眼圧検査と前眼部，隅角および眼底検査が重要であり，小児では全身麻酔下検査が必須である．脈絡膜血管腫の診断には蛍光眼底造影が有用であり，早期に大型の脈絡膜血管パターンがみられ，後期に腫瘍部分全体が過蛍光を示す．

■ **治療**　早発型の緑内障には手術治療が必要となり，線維柱帯切開術が選択される．幼児期以降に発症した緑内障では，まず薬物治療を行う．手術に際しては脈絡膜剥離・出血などの合併症に注意を要する．脈絡膜血管腫が増大して滲出性網膜剥離を

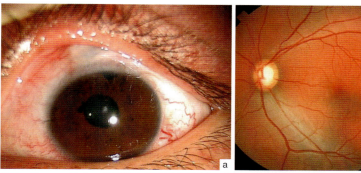

図8　Sturge-Weber症候群に伴う緑内障(a)，脈絡膜血管腫(b)

生じる場合には冷凍凝固の適応となる．顔面の血管腫は皮膚科でレーザー治療の適応となるが，成長とともに肥大するため早期に開始するほうが奏効しやすい．てんかん発作の薬物コントロールをはじめ，神経症状，発達遅延の早期診断・治療は重要であり，各科と連携して長期的に管理を行う．

予後　眼所見として高頻度にみられる緑内障は，進行すると重篤な視覚障害をきたす．発達緑内障に比べて難治性であるが，早期に良好な眼圧コントロールが得られれば視力が保持できる．脈絡膜血管腫が増大して滲出性網膜剥離をきたすと，しばしば冷凍凝固を行っても十分奏効せず，重篤な視力障害をきたす．

先天無虹彩症

Aniridia

根岸貴志　順天堂大学・准教授

概念　先天的な素因によって虹彩が欠損した状態(図9)．5万〜10万人に1人の頻度で起こる．男性にやや多く，60〜

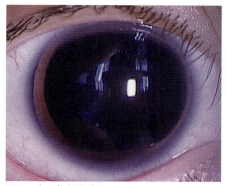

図9　先天無虹彩症

90％は両眼性．全体の2/3は常染色体優性遺伝で，1/3は孤発性．マスターコントロール遺伝子である*PAX6*遺伝子の変異が関係していることがあり，無虹彩のほかにも種々の眼合併症が起こる．また*PAX6*遺伝子は癌抑制遺伝子である*WT1*遺伝子と隣接して11p13染色体上に存在しており，隣接遺伝子症候群としてWilms腫瘍を呈することがある〔WAGR症候群（Wilms tumor, aniridia, genitourinary anomalies, and mental retardation syndrome）〕．視力予後はおおむね不良で，0.1程度となることが多い．

病理学的には虹彩根部を残して平滑筋が欠損しており，隅角の発達不全がみられる．角膜上皮幹細胞の機能異常がみられ，上皮とBowman膜に異常をきたし，血管豊富なパンヌスがみられる．

症状 羞明，眼振，固視不良がみられ，生後早期に発見されることが比較的多い．

合併症・併発症 ほかの眼合併症として，白内障，水晶体偏位，緑内障，角膜混濁，黄斑低形成，視神経低形成などを呈する．特に黄斑低形成を合併した場合には視力予後不良である．

乳児期に緑内障を呈することはまれで，成長に伴い青年期に進行性に発症する．隅角の形成異常により開放した状態で起こる場合もあれば，閉塞隅角によって緑内障を呈する場合もある．

診断 細隙灯顕微鏡により診断は容易である．腎腫瘍の合併がないかどうか腹部超音波検査を行い，年齢によって数か月ごとに経過観察が必要である．

治療 「無虹彩症の診療ガイドライン」が日本眼科学会より報告された（日眼会誌125：38-76，2021）．

屈折異常がある場合には眼鏡で補正し，可能な限り視覚発達を促す．特に羞明が強い場合には遮光眼鏡を処方する．虹彩付きコンタクトレンズが羞明の改善に役立つことがある．

白内障は20歳までに50～85％で発症する．混濁と羞明の強度により手術を計画する．Zinn小帯が脆弱であることから，眼内レンズは慎重な適応となる．

緑内障に対しては，点眼による眼圧コントロールが困難であることが多い．隅角形成異常があることから，線維柱帯切開術や隅角切開術は適応とならず，年齢を考慮しながら線維柱帯切除術を選択する．

角膜混濁に対する全層角膜移植は視力改善に結びつかないことが多く，拒絶反応の率が高いため注意を要する．

患者の多くは普通学級に進学できるが，拡大教科書などの支援は必要となる．弱視学級への一部通級や，盲学校・視覚特別支援学校の育児相談・教育相談などを通じたサポートを勧める．

先天風疹症候群

Congenital rubella syndrome

田中三知子　岩手医科大学・講師

概念 先天風疹症候群は，妊娠初期の母体が風疹ウイルスに初感染し，胎盤を介して胎児に感染することによって起こる胎児の器官形成異常である．風疹ウイルスは飛沫感染し，妊娠初期の感染ほど先天風疹症候群を発症する割合が高く，妊娠20週以降の感染では先天風疹症候群はほとんどみられない．わが国での最近の流行は2012～2013年で，17,000人が風疹に罹患したのち，45例の先天風疹症候群が報告されている．

病態 器官形成期において，風疹ウイルスが正常な細胞増殖を阻害すると考えられている．

症状・合併症 先天性心疾患・難聴・眼症状が3徴である．報告によって差はあるが，感音性難聴あるいは先天性心疾患の発症率が40～80％と最も高く，先天白内障は10～30％にみられる．白内障の形態は，ほとんどが核の混濁であるが，晩期

には吸収されて膜様白内障を呈することがある．白内障のほかには，色素性網膜症（ごま塩状の眼底）がみられることがあるが，網膜機能は正常である．そのほか，小眼球，角膜混濁，緑内障，脈絡膜コロボーマ，虹彩毛様体炎などを合併することがある．

診断 上記3徴のうちの2つ以上がみられ，胎児の血清や臍帯血の特異的IgM抗体が陽性，または咽頭拭い液・血清のPCR陽性が確認されれば診断できる．

治療 風疹に特異的な治療法はなく，対症療法を行う．風疹の予防法として，妊娠前の抗体価の確認および生ワクチンの接種が勧められる．

予後 ほかの合併症の程度にもよるが，先天風疹症候群による白内障手術の視力予後はおおむね不良である．

白皮症
Albinism

根岸貴志 順天堂大学・准教授

概念 眼皮膚白皮症（oculocutaneous albinism：OCA）は，出生時より皮膚，毛髪，眼のメラニン合成が低下ないしは消失することにより，全身皮膚が白色調であり，青〜灰色調の虹彩，白〜茶褐色，あるいは銀色の頭髪を呈する（図10）．眼の症状を伴うことが多い．皮膚症状に乏しいものは眼白皮症（ocular albinism：OA）という．

分類

❶眼皮膚白皮症（OCA） 古くはチロシナー

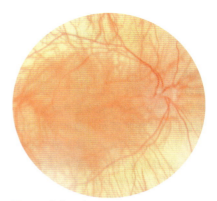

図10　白皮眼底

表2　眼皮膚白皮症（OCA）を呈する疾患の病因遺伝子による分類

A　非症候型眼皮膚白皮症 　OCA 1：チロシナーゼ遺伝子（*TYR*）関連型 　OCA 2：P遺伝子関連型 　OCA 3：*TYRP1* 遺伝子関連型 　OCA 4：SLC45A2（*MATP*）遺伝子関連型 　OCA 5：遺伝子不明（4q24 染色体上） 　OCA 6：*SLC24A5* 遺伝子関連型 　OCA 7：*C10orf11* 遺伝子関連型 B　症候型眼皮膚白皮症 　Hermansky–Pudlak 症候群（HPS）：*HPS 1〜9* 遺伝子の変異 　Chédiak–Higashi 症候群（CHS）：*LYST* 遺伝子の変異 　Griscelli 症候群（GS）：GS 1〜3 各遺伝子の変異 C　未分類

（眼皮膚白皮症診療ガイドライン作成委員会：眼皮膚白皮症診療ガイドライン．日皮会誌 124：1897-1911, 2014 より改変）

ゼ陰性型と陽性型で分類していたが，現在ではさまざまな遺伝子と蛋白質がかかわっていることがわかっており，**表2**のように分類される．常染色体劣性遺伝．日本人ではOCA1が34%と最も多く，OCA4（27%），HPS1（10%），OCA2（8%）の順である．

❷眼白皮症（OA） Nettleship–Falls型（OA1

Xp22.3-22.2）と，Forsius-Eriksson 型（遺伝子座不明）の 2 つの型がある．伴性劣性遺伝．

症状

❶視力　OCA 1 では 0.1 以下，OCA 2 や OCA 4 では 0.1〜0.3 程度とされる．

❷眼振　振子様眼振が一般的で，OCA 1 では 9 割以上，OCA 2 では 8 割に認める．生後 6〜8 週から出現し，振幅は成長とともに減少する．振幅の少なくなる静止位での固視のため頭位異常を示す．

❸斜視　53〜95％と高頻度に認められる．原因は大脳皮質・脳梁・視交叉での神経線維の交叉異常と考えられ，良好な立体視は得られにくい．

❹羞明　虹彩色素が少ないため，羞明を訴える．

合併症・併発症

眼皮膚白皮症での皮膚扁平上皮癌または基底細胞癌の報告数は少ないが，皮膚角化症は生じやすい．日光曝露の防御が生活指導上必要である．悪性黒色腫の発症はまれとされるが，無色素性で診断が困難であるため皮膚科への定期的な検診が必要である．

Hermansky-Pudlak 症候群では，出血傾向がみられるため，血小板機能を抑制する NSAIDs の使用は注意を要する．間質性肺炎や肉芽腫性大腸炎は 40 歳以降で発症する可能性が高い．

Chédiak-Higashi 症候群では，白血球機能異常による易感染性を示す．骨髄移植などの適切な治療がなされなければ，小児のうちに呼吸器感染症にて死亡する．

Griscelli 症候群では筋力低下，運動神経発達障害，精神発達障害などの神経症状を合併する．

診断

白髪を伴う典型的な症例では，眼皮膚白皮症の診断は容易である．眼白皮症については，眼底検査や光干渉断層計（OCT）で白皮眼底および黄斑低形成を確認する．HPS を疑う場合では，血液凝固系の精査が必要である．遺伝子検査は一部の研究機関で施行されている．

治療

現在のところ，有効な治療法は存在しない．屈折異常に対する弱視治療を行う．斜視については両眼視機能の改善よりも整容的な目的で行われる．眼振による頭位異常がみられる場合には，手術により頭位異常を改善させる．羞明については遮光眼鏡を処方する．就学にあたって読み書き困難が問題となる場合には，ロービジョンケアを行う．

黄斑低形成
Macular hypoplasia

根岸貴志　順天堂大学・准教授

概念

黄斑低形成は，先天的に黄斑部が形態的・機能的に欠損している状態である**(図 11)**．

症状

黄斑部の中心窩陥凹および無血管領域が欠如する．眼振を呈し，視力は一般的に 0.2 程度である．通常両眼性．

合併症・併発症

先天無虹彩や眼白皮症に合併することが多いが，単独でも発生する．

診断

3 歳児健診での視力不良で発見され，弱視と考えられて治療されるものの，弱視訓練に反応が乏しい場合に，本疾患を疑って発見されることが多い．眼底検査単独では，時に患児の協力が得られず見逃される．光干渉断層計（OCT）により形

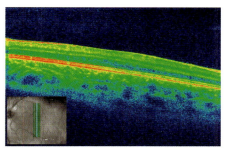

図11 黄斑低形成

態の異常を確認できる．近年ではOCTのスキャン時間が短縮されており，3歳でも撮影が可能である．

治療 有効な治療法はない．反応に乏しくとも，屈折矯正を行い，可能な限り視覚発達を促す．

小児虐待
Child abuse and neglect

中山百合 砧ゆり眼科医院・院長

深刻な児童虐待事件が後を絶たず，全国の児童相談所における児童虐待に関する相談対応件数も増加を続けている．虐待発見時点の健康被害だけでなく，心身の長期予後が重篤であるため，医療機関を受診した場合には早期発見と医療者の迅速で的確な対応が求められている．

定義 「親や保護者や世話をする人により引き起こされた，子どもの健康に有害なあらゆる状態」とされる．

虐待の分類 厚生労働省では身体的虐待・性的虐待・ネグレクト・心理的虐待の4つに分類し具体例とともにWebサイトに呈示している．身体的虐待には，乳幼児における虐待性頭部外傷（abusive head trauma：AHT）（詳細は⇒1016頁，「揺さぶられっ子症候群」項を参照）が含まれている．そのほか，子どもを手や物で殴打して外傷性視神経障害や網膜剝離，白内障などを生じさせたり，蹴るなどの行為で眼窩底骨折など引き起こすなどがある．熱湯や薬品などを顔面や眼部にかけて前眼部の損傷を引き起こした事例もある．親や保護者による受傷機転の説明と医学的所見が一致せず不自然な場合には虐待を念頭において注意深い問診と観察が必要である．また親による「しつけ」としての体罰は2019年改正児童虐待防止法で禁止が明記され，2022年に親の懲戒権が民法から削除される見通しとなった．

性的虐待は子どもへの性的行為，性的行為を見せる，ポルノグラフィの被写体にするなどが挙げられており，本人の心を傷つけ根源的な人格形成を脅かす深刻な虐待である．ネグレクトは，不衛生なままほったらかしにする，予防接種を全く受けさせない，小さな子どもだけで留守番させるなどがある．子育てに必要な親として当たり前の役割を無視して拒否する行為を指す．近年，増加傾向にあるのが心理的虐待で，褒めない，優しくしない，「あなたを産みたくなかった」などと子どもに告げる行為も含まれる．

医療ネグレクトとしては網膜剝離や緑内障に対する手術加療を保護者が拒否する事例や，弱視治療用眼鏡の常用を指導されても「眼鏡を掛けるなんてかわいそう」「見た目が格好悪い」などの偏った理由で子どもに装用させない事例が挙げられる．安全性が高く十分に確立され広く受け入れられた治療法であり，治療を受けないデメリッ

トが大きいことや小児期の限られたときにしか治療できない疾患であることを主治医が十分に説明したにもかかわらず保護者が頑強に受け付けない場合には後述する通告の対象となる．内縁の夫が子どもの病院で処方された点眼瓶の中に有機溶剤を意図的に混入させ，重篤な角結膜瘢痕性病変を発症させた国内事例がある．また「子どもに点眼は難しいのでできない」と述べる保護者の発言は，子どもの疾患を無治療のまま放置し家庭における最低限の看護を放棄していると解釈される．子どもへの適切な点眼方法を丁寧に説明し励ましつつ見守ることが必要である．

虐待への対応　虐待が疑われる場合には児童相談所への通報（通告）（全国共通ダイヤル 189）を行う．児童虐待防止法に，医療者には虐待発見の義務があり医師法が規定した守秘義務より優越することが明記されている．通告者の匿名性は保護され，虐待の内容にもよるがいきなり親子分離させることは滅多になく，児童相談所を中心に周囲の見守りおよびサポートが開始される．通告は親を糾弾するものではなく，助けを必要とする家庭に公的支援の手を差し伸べることにつながっている．

16 眼窩疾患

線維性骨異形成症
Fibrous dysplasia：FD

古田 実　相馬中央病院・部長

概念　線維性骨異形成症（FD）は，*GNAS1* 遺伝子の突然変異によって未熟な化生骨形成を伴った線維性結合組織が，骨組織と置換し増生する良性病変である．全身に生じる可能性があるが，頭蓋顔面骨と四肢長管骨に好発する．眼窩を構成する骨に生じた場合には，視機能と整容に障害をきたすことがある．①単骨性，②多骨性，および，③ McCune-Albright 症候群の 3 つの亜型がある．単骨性および多骨性 FD では性や人種による発症頻度の違いはなく，最重症型の McCune-Albright 症候群は女性に多い．

病態　FD は，*GNAS1* 遺伝子の体細胞性のミスセンス変異により，骨芽細胞の分化異常と骨異形成が生じる．単骨性 FD は全 FD の 70〜80％を占め，そのうち 10〜25％が頭蓋顔面骨病変をきたす．多骨性 FD は全 FD の 15〜20％を占め，50％が頭蓋顔面骨病変をきたす．全 FD の 5％以下の頻度で生じる McCune-Albright 症候群は，多骨性 FD，カフェオレ斑，さまざまな内分泌機能亢進症状の 3 徴を呈する．

合併症・併発症　頭蓋顔面骨 FD の典型的症状は，無痛性の頭蓋顔面骨肥厚による神経孔の狭窄と顔面非対称による機能的・整容的影響である．眼窩を構成する骨に好発し，視神経管狭窄は 50〜90％にみられる．さまざまな程度に視神経障害をきたし，緩徐に悪化する．そのほか複視，斜視，眼球突出，眼精疲労，三叉神経障害，眼瞼下垂，頭痛などが生じる．頸静脈孔や耳管狭窄なども問題となる．McCune-Albright 症候群は過剰産生される種々のホルモンにより，多彩な全身合併症を呈する．

診断

■**診断法**　CT は本疾患の診断には特に有用で，旧来からの単純 X 線写真による以下の典型所見を CT で確認する（図1）．①著明な骨肥厚と内部に透亮像と硬化像の混在を認める（pagetoid form），②すりガラス像と表現される（sclerotic form），③単胞性あるいは多胞性の類円形透亮像と周囲の厚い硬化像を認める（cystic form）．

■**必要な検査**　CT と，骨シンチグラフィもしくは FDG-PET 検査を行う．MRI は隣接組織障害の評価や悪性転化の診断，および他疾患の除外診断に必要である．必要に応じて各種内分泌学的検査や遺伝学的検査を行う．診断確定のための生検は必須である．

■**鑑別診断**　臨床所見からは血管奇形，各種の過誤腫や分離腫．画像診断からは骨腫，髄膜腫，骨肉腫，Langerhans 細胞組織球症，ANCA 関連血管炎，転移性骨腫瘍など．

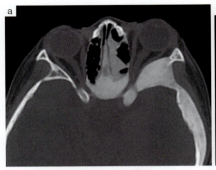
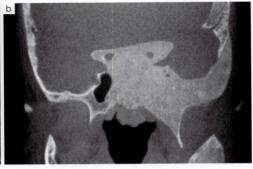

図1　単骨性線維性骨異形成症
12歳の女児．CTの水平断（a）と前額断（b）．左視神経管狭窄と2mmの眼球突出．左視力は（1.2）であるが，視神経乳頭浮腫がある．右の視神経管にも狭窄をきたす可能性がある．

治療

■**治療方針**　眼科的には視機能を維持することが最大の目標である．思春期を過ぎても進行することがあり，整容改善目的の治療適応は慎重に時期を検討する．放射線治療の有効性は明らかではなく，骨壊死や悪性転化の原因となる可能性があるので推奨されない．

■**薬物治療**　エビデンスのある薬物はない．骨粗鬆症治療薬であるビスホスホネート製剤のパミドロネートが，病的骨折や病変の拡大を抑制したとの観察研究がある．

■**外科的治療・手術治療**　進行性の視神経障害や高度眼球突出に対する視神経管開放術と眼窩減圧術は積極的に行う．部分切除も可能であるが，病変再増大の可能性は高い．

■**合併症への対応**　視神経障害に対する一時的機能維持を目的としたステロイドパルス療法を行うことがある．

予後　FDの病変は，静止期（非進行），非侵襲期（緩徐な進行），侵襲期（急速に成長し，疼痛，感覚障害，病的骨折，まれに悪性転化）に分けられる．自然治癒は期待できない．1%以下の頻度であるが，経過観察中に疼痛や病変の急激な増大がみられたときは，悪性転化（骨肉腫，線維肉腫，軟骨肉腫など）を疑う．

頸動脈海綿静脈洞瘻

Carotid cavernous fistula：CCF

加島陽二　日本大学医学部附属板橋病院

概念　頸動脈海綿静脈洞瘻（CCF）は内頸動脈本幹あるいは内・外頸動脈の硬膜枝から海綿静脈洞へ血流の短絡が生じ，多くは，頭痛，眼痛および特徴的な結膜血管の怒張・蛇行を伴い，海綿静脈洞内を走行する脳神経（Ⅲ，Ⅳ，V$_1$，Ⅵ）の障害をきたす疾患である．短絡経路が内頸動脈自体からの場合を「直接型」，内頸・外頸動脈の硬膜枝からの場合を「硬膜枝型」といい，発症頻度は後者が多い．主な硬膜枝としては，内頸動脈系には髄膜下垂体幹，外頸動脈系には上行咽頭動脈や内上顎動脈からの分枝がある．

| 病態 | CCFでは海綿静脈洞内圧の上昇による圧迫性あるいは虚血性障害によって洞内を走行する眼球運動神経麻痺，三叉神経障害，もしくはそれらの複合神経麻痺が出現する．

血行動態的には海綿静脈洞からの主な流出路によって2つのタイプに分類され，1つは前方型で上眼静脈へ逆流するタイプ，もう1つは後方型として上下の錐体静脈洞もしくは翼突筋静脈叢に流出するタイプであり，前方型が多くみられる．さらに前方型では眼窩組織のうっ血により外眼筋腫脹，眼瞼腫脹，上強膜・結膜血管の怒張・蛇行，眼圧上昇，および切迫型中心網膜静脈閉塞症が出現する．後方型では結膜血管の変化はみられず，頭痛を伴う複視が主症状であり，本疾患の可能性を想定しないと見逃されることがある．

| 症状 | 古典的3主徴である「拍動性眼球突出」「結膜血管の怒張」および「血管雑音（bruit）」は，短絡量が多い場合に出現する．血管雑音は心拍に同期した耳鳴として自覚されるが，眼症状とは無関係と思われているため問診して初めて判明する場合が多い．血管雑音は眼部やこめかみを膜型聴診器で聴取する．短絡量が比較的少ない硬膜枝型では，眼症状としては，結膜充血，複視および眼球突出が多い．本症での結膜充血は，角膜輪部まで結膜血管の先細りのない怒張がみられることが特徴である．また頭痛を伴った眼球突出と眼瞼皮下の静脈拡張による暗赤色の眼瞼腫脹がみられ，いずれも短絡量が変化するため症状に消長がみられることが特徴である．頭痛は必発であり，多くは眉毛の内半側から前頭部にかけての比較的強い頭痛を訴え，その程度が日によって変動することが特徴であ

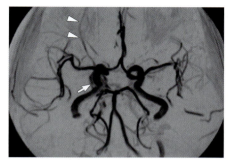

図2　MRA（軸位像）
矢印（⇨）は右海綿静脈洞への血流増加像，矢頭（▷）は右上眼静脈の拡張所見．
〔加島陽二：眼窩先端症候群．眼科（臨増）62：1213，図5，2020より転載〕

る．複視は動眼神経麻痺，外転神経麻痺，あるいは複合神経麻痺によるもので不全麻痺を呈する場合が多い．後方型では，結膜充血はみられず，頭痛と突発する動眼神経麻痺として発症することが多く，内頸動脈後交通動脈瘤との鑑別が重要である．

| 合併症・併発症 | 眼科的には続発性緑内障，網膜中心静脈閉塞症がみられる．

| 診断 |

■ **診断法**　結膜血管の特徴ある怒張に加え眼球突出，外眼筋麻痺を検出し，拍動性耳鳴を確認できれば診断可能である．

■ **必要な検査**
① 血管雑音の聴取
② applanation tonometer：圧脈波の患側での増大
③ 画像診断（眼窩CT・MRI）：上眼静脈の拡張像
④ MRA：海綿静脈洞の描出像**（図2）**

確定診断には両側の選択的頸動脈血管造影が必要である．

■ **鑑別疾患**　充血を伴う眼球突出として甲状腺眼症，頭痛を伴う，突発する動眼神経麻痺として内頸動脈後交通動脈瘤および虚

血性単神経症がある．充血を伴う眼圧上昇では，ぶどう膜炎による続発緑内障あるいは閉塞隅角緑内障，網膜出血がみられることから網膜中心静脈閉塞症が挙げられる．

治療

■**治療方針**　頭痛，眼症状がみられれば早期に血管内治療として塞栓術を検討する．ただし硬膜枝型では自然治癒例があり，症状が軽微ならば経過観察する．また手指での間欠的な患側総頸動脈圧迫が有効な場合がある．

■**薬物治療**　眼圧上昇がみられれば点眼治療を開始する．プロスタグランジン製剤など結膜充血を伴う治療薬は避ける．

> **処方例**
> チモプトール点眼液(0.5％)　1日2回，あるいはコソプト配合点眼液　1日2回点眼

■**合併症への対応**　血管内治療後に血管新生緑内障，外転神経麻痺が出現することがある．数か月で軽快する例が多いため，緑内障にはまず保存的治療を行い，外転神経麻痺については経過観察する．

■**予後**　発症後の経過が長い例では瘻孔閉鎖ができても眼症状の回復が不良な例がある．

眼窩静脈瘤
Orbital varix

髙村 浩　公立置賜総合病院・診療部長

概念
血管病変を腫瘍と奇形に分類する国際血管腫・血管奇形学会(ISSVA)分類によれば，眼窩静脈瘤は「静脈奇形」とされる．

病態
眼窩静脈瘤は間欠的眼球突出の原因の90％を占める．静脈自体の先天性形成不全あるいは静脈壁の脆弱性に起因する先天性のものと，眼窩内または頭蓋内の動静脈奇形と関連したものとの2種類のタイプがある．

症状
多くは片側性の間欠的眼球突出が特徴である．うつむき姿勢，過度の呼気や咳，Valsalva法，腹圧がかかったときや首を伸ばしたとき，頸静脈を圧迫したときなどに眼球突出が誘発される．眼窩上部に存在するものは眼球運動障害，眼窩前方に存在するものは瞼裂狭小をきたすこともある．そのほか，瞳孔散大，網膜血管拡張，高眼圧，眼痛，眼窩深部痛，球後不快感などもみられる．

静脈瘤が破裂して球後出血をきたすと急激な疼痛や眼球突出が出現する．球後出血による圧迫が長期化すると視神経萎縮となり，重篤な視力低下をきたす(14～30％)．

合併症・併発症
頰部口腔粘膜，腹部，下肢および前額部などに静脈瘤を合併することがある．また，頭蓋内の動静脈奇形を合併することもある．

診断
眼窩部のCT，MRI，Bモード超音波断層検査などの画像診断を行う．CTで静脈瘤は低吸収域となる．MRIではT1強調画像で低信号，T2強調画像で高信号を示し，著明な造影効果がみられる．特に体位の変換(仰臥位から腹臥位へ)やValsalva法のあとに撮影すると腫瘤の増大と眼球突出がみられる**(図3, 4)**．

腹臥位で撮像する際に撮影時間が長くなることで眼症状の増悪や静脈瘤が破裂する危険を回避するためには，MRIより検査時間が短い造影CTを選択したほうがよい．さらに静脈瘤のなかの血栓により形成

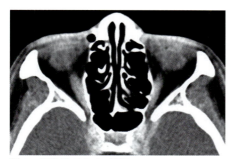

図3　仰臥位でのCT所見
両眼窩内に特に異常所見はみられない.

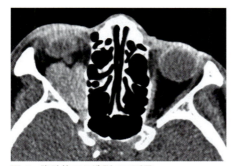

図4　腹臥位での造影CT所見
右眼窩内の球後から深部にかけて, 拡張した静脈瘤がみられる. 右眼球は突出している.

された静脈石(phlebolith)が, CTや単純X線で球状の石灰化像として描出されることもあり, 診断的価値が高いとされる.

■**治療**　手術は困難であるので, 視力が良好で眼球運動障害などがない場合は経過を観察することが多い. その際, 患者には, 静脈瘤が拡大するような姿勢などを避けるように指導する.

　静脈瘤破裂により, 大量の球後出血をきたして炎症が長期化すると失明の危険が高くなる. 眼球突出の程度や頻度が増悪してきた場合や, 著明な視力障害や眼球運動障害がみられる場合は手術的に静脈瘤の摘出, 電気凝固, 硬化療法, コイル塞栓術な

どを行う. ガンマナイフ治療の報告もある. これらの治療は眼窩内手術を専門とする施設や脳神経外科などに紹介するのがよい.

■**予後**　予後は一般的には良好とされ, 眼窩内の出血を繰り返しても自然吸収するとされる.

眼窩蜂巣炎

Orbital cellulitis

上田幸典　総合病院聖隷浜松病院眼形成眼窩外科・部長

■**概念**　眼窩内の軟部組織に生じた感染性の炎症が眼窩蜂巣炎である.

■**病態**　眼窩内組織に感染をきたす原因には, 副鼻腔炎や涙嚢炎の波及, 眼窩内異物などの外傷, 歯科治療などがあり, 最も多いのは副鼻腔炎からの波及である.

■**症状**　眼瞼腫脹・発赤, 結膜充血・浮腫, 眼瞼・眼窩部の疼痛, 眼球突出などの症状を認める. 眼窩内組織の腫脹や眼窩内膿瘍などによる眼窩内圧の上昇をきたすと, 眼球運動障害や眼瞼下垂, 視力低下などの機能障害も生じる. また, 著明な眼球突出による視神経の牽引は視神経症を起こし, 特に重篤な視力低下をきたす.

■**合併症・併発症**　前述の通り副鼻腔炎を合併していることがある. 頭蓋内合併症(髄膜炎, 脳膿瘍, 海綿静脈洞血栓症など)にも注意が必要である.

■**診断**　診断にはCTが必須である. 眼窩内組織に炎症が波及している場合, 境界不明瞭な陰影を認める. 眼窩壁の骨膜下に膿瘍を形成している場合はドーム状の陰影を形成する. 眼窩深部の膿瘍は, 前頭洞お

および篩骨洞，上顎洞に発生した副鼻腔炎に隣接して形成されることが多い．加えて，外傷の既往があれば眼窩内異物の有無などについて確認する．

糖尿病，免疫抑制状態，高齢などの背景をもつ患者は真菌感染も考慮する．真菌性の蜂巣炎は眼窩先端部に好発する．比較的，亜急性に進行するが，海綿静脈洞に波及すると重篤化するため注意を要する．

■**鑑別診断** 鑑別すべき疾患として特発性眼窩炎症が挙げられる．特発性眼窩炎症は原因が特定されない非特異的な眼窩内炎症の総称であり，外眼筋や涙腺などの眼付属器の腫大があれば，特発性眼窩炎症の可能性が高いが，初期には眼窩蜂巣炎との鑑別が難しい場合がある．安易なステロイド投与は蜂巣炎であった場合，感染症の悪化をきたすため，鑑別が困難な場合はまず眼窩蜂巣炎を疑って抗菌薬投与を行い，効果を判断する．

治療

■**薬物治療** 眼窩および眼瞼は静脈系の血流が豊富なため，感染が拡大しやすい．できるだけ早期に抗菌治療を開始する．眼脂や膿の培養結果が出る前に広域スペクトラム抗菌薬の投与を始める．薬剤感受性が判明すれば，薬剤の変更を検討する．

処方例

> ロセフィン注　1回1g　1日2回　点滴静注

■**外科的治療** 眼窩内に明らかな膿瘍をきたしている場合や，抗菌治療に反応しない場合，眼窩内に異物を認める場合などでは外科的治療を選択する．涙嚢炎などが原因で皮膚に近い部分に膿瘍を形成している場合は穿刺もしくは切開排膿を行う．眼窩深部の膿瘍の場合，皮膚切開のあと，眼窩縁まで展開し，眼窩縁の骨膜もしくは眼窩隔膜を切開して膿瘍に到達し，膿を吸引するなどして除去する．排膿後に生理食塩液で十分に洗浄する．眼窩内に異物を認める場合はこれを除去する．持続的に膿瘍が形成される場合，開放創にして，術後も創部の洗浄を繰り返して行う．

■**その他の治療** 副鼻腔炎を合併している場合，耳鼻咽喉科と連携して治療を行う．

特発性眼窩炎症（眼窩炎性偽腫瘍）

Idiopathic orbital inflammation
(Orbital inflammatory pseudotumor)

上田幸典　総合病院聖隷浜松病院眼形成眼窩外科・部長

概念　眼窩内の軟部組織に発生した原因が特定されない非感染性の炎症が特発性眼窩炎症である．時に眼窩腫瘍と類似の症状をきたすため，これまでは眼窩炎性偽腫瘍ともよばれてきたが，画像診断技術の進歩により現在では，特発性眼窩炎症とよぶことが適切とされる．

症状　急性もしくは亜急性に眼瞼腫脹，結膜充血，眼痛・眼球運動時痛などの炎症症状が出現する．さらに眼窩内組織の腫脹により，眼球突出，眼球偏位，眼球運動障害，眼瞼下垂などをきたす．時に両側性に発症する．

眼窩内組織の腫脹が強い場合，圧迫性もしくは牽引性に視神経症をきたし，視力低下や視野障害などが生じる（図5）．

診断　画像検査，血液検査，病理検査などで以下に挙げる特異的な疾患を認めなかった場合，特発性眼窩炎症と診断する．

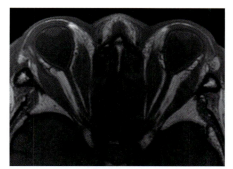

図 5　特発性眼窩炎症①
MRI T1 強調画像．両側の外眼筋など眼窩内組織の著明な腫脹のため眼球突出をきたし，眼球はテント状に変形している．重篤な視神経障害をきたしていた．

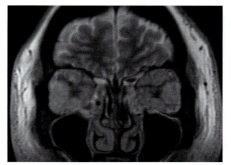

図 6　特発性眼窩炎症②
図 5 と同一症例．外眼筋の著明な腫脹を認める．MRI STIR 画像．

　視診のみでは眼窩蜂巣炎を含めほかの眼窩疾患との鑑別は難しく，CT や MRI などの画像検査が必須である．

　CT で眼窩内病変の有無や病変の主座を確認する．まず，治療方針が異なる感染性の炎症である眼窩蜂巣炎との鑑別が重要である．特発性眼窩炎症の場合，涙腺や外眼筋，眼球周囲組織を中心に炎症・腫脹を認めることが多い(図 5)．一方，眼窩蜂巣炎の場合は，通常，外眼筋や涙腺などの腫脹は伴わない．また，一般的に眼窩蜂巣炎は片側性であり，両側性の場合は非感染性炎症や悪性リンパ腫を疑う．

　MRI では，脂肪抑制 T2 強調画像や STIR 画像が組織の浮腫や炎症を検出するのに有用である(図 6)．悪性リンパ腫や転移性腫瘍なども特発性眼窩炎症と類似の症状を呈することがある．造影 MRI にて腫瘍性病変の有無を検討する．

　次いで，眼窩内の軟部組織の非感染性の炎症をきたす疾患について鑑別するため血液検査を行う．鑑別すべき疾患において代表的なものに，甲状腺眼症，サルコイドーシス，ANCA 関連血管炎，IgG4 関連眼疾患などがある．

　なお，病変の生検が可能であれば病理組織学的に診断を行うことが望ましい．

　治療　ステロイドの全身投与を行う．視神経症をきたしている場合や腫脹が著明な場合などは，入院管理のうえでステロイドパルス療法が望ましい．症状が重篤でない場合は内服で治療する．内服の場合は，再燃させないよう漸減していく．

　眼窩蜂巣炎と鑑別が困難な場合は，まず抗菌治療を先行させる．抗菌治療に反応しない場合，ステロイド投与を検討する．

　悪性リンパ腫の場合，ステロイドに効果を示すことがあるが腫瘍が消失することはない．ステロイド投与に反応しにくい場合は再度，生検を検討する．

　処方例 重症例には 1)を，中等症例には 2)を用いる．

1) ソル・メドロール注　1 回 500〜1,000 mg　1 日 1 回　点滴静注　3 日間投与・4 日間休薬．これを 1 クールとし，症状に応じて 1〜3 クール投与

2）プレドニン錠（5mg） 1日6錠 分3（朝3錠，昼2錠，夜1錠） 食後 経過を診ながら漸減

予後 一般に，ステロイドの投与で症状は改善する．ただし，急速に視力低下をきたしている場合は，可能な限り早期に治療を開始しなければ重篤な視力障害を残すこととなる．感染性の眼窩蜂巣炎が否定的であれば，ためらわずステロイドパルス療法を開始する．

特発性眼窩筋炎
Idiopathic orbital myositis

久保田敏信　国立病院機構名古屋医療センター・医長

概念 特発性眼窩筋炎とは，眼周囲の炎症，外眼筋の肥厚，眼球運動制限を3徴とする疾患である．外眼筋の炎症が本疾患の病態であるが，その病因は不明である．外眼筋の肥厚を示すその他の疾患との鑑別が必要である．

症状・徴候 特発性眼窩筋炎の典型症状は，突然の発症，眼周囲の痛みや眼球運動痛を伴う眼周囲の炎症（図7a）と罹患筋の肥厚である．ほとんどの患者は単筋が罹患するが，一部の患者は複数筋が罹患する．MRI脂肪抑制T2強調画像（図7c）によって，罹患筋やその周囲に高信号所見が認められる．ステロイド治療が奏効し，自覚症状の改善だけでなく，CT検査所見（図7b）で認められた罹患筋の肥厚やMRI脂肪抑制T2強調画像検査所見で認められた高信号所見も改善する．しかし，一部の患者ではステロイド治療によっても罹患期間が数か月～数年継続したり，眼球運動制限や斜視などの後遺症が残ることがある．

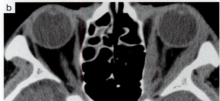
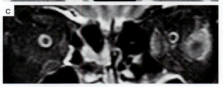

図7　特発性眼窩筋炎
外眼部所見（a）では，左眼瞼の炎症を伴う腫脹が認められる．CT検査所見（b）では，左眼の内直筋と外直筋にびまん性の肥厚が認められる．MRI脂肪抑制T2強調画像検査所見（c）では，左眼の内直筋と外直筋に高信号が認められる．

診断
■**鑑別診断** 甲状腺眼症，リンパ増殖性疾患，転移性腫瘍などと鑑別が必要である．

治療 特発性眼窩筋炎は，ステロイドパルス療法や高用量ステロイドの漸減治療が奏効する．発症早期から加療すれば，眼球運動制限などの後遺症が少なくなる可能性がある．

処方例 重症例には1)を，非重症例には2)を用いる．

1）ソル・メドロール注　1日1,000mg　3日間　点滴静注　保外 効能・効果
2）プレドニン錠（5mg）　初期投与として0.6mg/kg　分1あるいは分2，以後2週間ごとに5mgずつ漸減．治療後のMRI

脂肪抑制 T2 強調画像で高信号所見が残存している場合は，10 mg あるいは 5 mg を維持投与

注：プレドニゾロンは朝に用量が多いことが望ましいが，夜中に疼痛が強い際は均等投与(分 3)でも可

IgG4 関連眼疾患

IgG4-related ophthalmic disease

高比良雅之 金沢大学・病院臨床教授

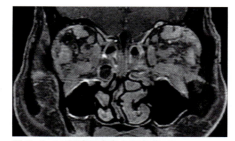

図 8 IgG4 関連眼疾患の眼窩部 MRI
67 歳男性．涙腺腫脹，三叉神経周囲腫瘤，外眼筋腫脹，視神経周囲病変がみられる．血清 IgG4 は 2,090 mg/dL と高値で，視神経症による視力低下を併発していた．

概念 IgG4 関連疾患とは，血清 IgG4 が上昇し，全身の諸臓器にリンパ形質細胞浸潤を伴う結節，腫瘤，臓器腫脹などの病変がみられる病態である．その概念はわが国での 2001 年の IgG4 関連自己免疫性膵炎の発見に始まった．眼領域の病変としては 2004 年に IgG4 関連 Mikulicz 病が初めて報告され，以降 IgG4 関連の諸臓器病変の報告が相次いだ．

病態 血清 IgG4（正常は 135 mg/dL 未満）が上昇し，眼領域では，涙腺腫脹，三叉神経（眼窩上・眼窩下神経）周囲腫瘤，外眼筋腫脹が 3 大病変であり，そのほか眼窩脂肪の腫脹，視神経や血管周囲の腫瘤などがみられる(図 8)．IgG4 関連 Mikulicz 病では対称性の涙腺・唾液腺腫脹がみられる．併発する眼窩以外の病変として代表的なものには，唾液腺腫脹，リンパ節腫脹，腎病変，肺病変，自己免疫性膵炎，大血管周囲病変などがある．IgG4 関連眼疾患に男女差はなく，その平均年齢はおよそ 60 歳であり，20 歳未満の症例はまれである．

症状 涙腺腫脹による眼瞼腫脹が典型的な症状であり，しばしば対称性で唾液腺腫脹を伴う（Mikulicz 病）．眼窩病変の部位によっては，外眼筋運動障害に伴う複視や，視神経症による視野障害や視力低下がみられる．

診断 画像で上記の眼窩内病変がみられ(図 8)，血清 IgG4 が上昇し，さらに眼病変の病理検査で IgG4 染色陽性リンパ形質細胞浸潤が確認されれば，診断は確定する．眼窩病変では特に MALT リンパ腫との鑑別が重要である．MALT リンパ腫では通常 IgG4 染色は陰性であるが，IgG4 染色陽性となる例も存在する．リンパ腫との鑑別には，涙腺などの手術検体を用いて，IgH 遺伝子再構成の有無やフローサイトメトリーを調べることが有用である．

治療 眼窩病変の治療に際して最も重要な点は，低悪性度リンパ腫（特に MALT リンパ腫）との鑑別である．また，しばしば全身の諸臓器に病変を併発するので，治療に際してそれらを担当する診療科との連携が重要である．特に血清 IgG4 値が 500 mg/dL を超えるような高値の症例では，全身病変の併発や眼病変による視機能の悪

化に留意すべきである．IgG4関連疾患の標準治療はステロイド内服漸減療法であり，眼疾患においても同様のプロトコルを採用できる．

処方例 下記1)を用いる．

> 1) プレドニン錠(5 mg)　30 mg(0.6 mg/kg)
>   分1　朝　2週間ごとに10％ずつ漸減，維持量10 mg/日とし最低3か月継続

視神経周囲に腫瘍があり，視神経症による視力低下，視野欠損が著しい場合には2)のステロイドパルス療法を行う．

〈注射薬の例〉
> 2) ソル・コーテフ注　1回500 mg　1日1回　点滴静注．3日間投与．これを1クールとし1〜3クール投与

病変が涙腺に限られる場合や，ステロイド全身投与が望ましくない場合など，眼局所の治療として涙腺摘出やステロイド局所投与も選択肢となる．全身諸臓器の病変で，ステロイドに抵抗するような症例に対しては免疫抑制薬も考慮される．近年海外では抗CD20モノクローナル抗体であるリツキシマブ(リツキサン®)が奏効したとする報告がみられるが，わが国では保険適用外である．

予後　IgG4関連眼疾患のステロイド治療に対する反応は概して良好であるが，減量中の再燃が問題となる．重篤な視神経症を併発する症例では失明する可能性もあるので，早期に診断し治療を開始することが重要である．

囊胞性病変
Cystic lesions

久保田敏信　国立病院機構名古屋医療センター・医長

概念　眼周囲や眼付属器には，さまざまな囊胞性病変が発生する(図9)．

❶囊腫(cyst)　結膜，眼瞼，眼窩に幅広くみられる．

❷瞼板内角質囊腫(intratarsal keratinous cyst)　瞼板内ケラチン産生囊腫である．霰粒腫にきわめて類似することに注意．霰粒腫と比較して，内容物が液状で，完全摘出をしないと再発しやすい．

❸類表皮囊胞(epidermoid cyst)　角化扁平上皮による膿性の囊胞で，眼周囲にもよくみられる．

❹涙管囊腫(lacrimal duct cyst)　涙管が拡張し，囊腫状となった状態である．

❺類皮囊胞(dermoid cyst)　無痛性，非炎症性の腫瘤性病変で，乳幼児の眼窩耳側上部にみられる．

❻副鼻腔粘液囊胞(mucocele)　副鼻腔(特に前頭洞)の囊腫が拡張すると圧排により眼窩骨を溶解する．その後に眼窩内に波及することによって，眼部のさまざまな症状を起こすことがある．

❼筋肉内囊腫(intramuscular cyst, myxoma)　外眼筋内から囊腫や粘液腫が発生する．まれな疾患である．

治療

❶囊腫　穿刺による排出は再発率が高いため，摘出術が望ましい．

❷瞼板内角質囊腫　囊胞を含め完全摘出をする．

❸類表皮囊胞　皮切より，囊胞を含めた摘

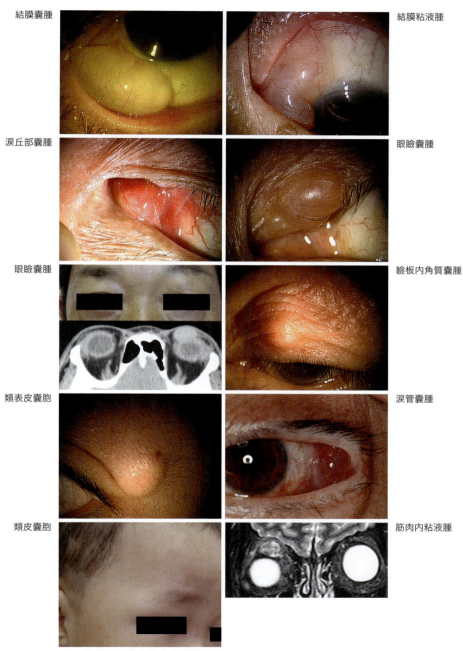

図9 眼周囲や眼付属器の嚢胞性病変

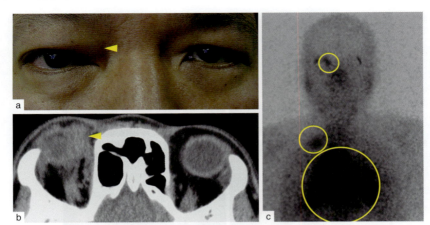

図10　43歳男性の右眼窩サルコイドーシス
外眼部所見(a)では，右上眼瞼の腫脹がみられる(矢頭)．CT検査所見(b)は，右眼窩にびまん性の陰影所見を示す(矢頭)．^{67}Gaシンチグラフィ検査所見(c)では，右眼部，鎖骨下リンパ節，肺門部に集積像がみられる(黄色線囲み)．

出術を施行する．

❹**涙管囊腫**　外眼角部の皮膚の小切開で，囊胞は摘出しやすい．

❺**類皮囊胞**　増殖は緩徐あるいは停止性であることが多いため，まず経過観察を施行し，幼児期に摘出術を検討する．

❻**副鼻腔粘液囊胞**　耳鼻咽喉科医にコンサルトのうえ，副鼻腔側より摘出術を施行する．

❼**筋肉内囊腫**　眼窩腫瘍摘出術を施行する．

眼窩サルコイドーシス
Orbital sarcoidosis

久保田敏信　国立病院機構名古屋医療センター・医長

|概念|　サルコイドーシスとは，肺，リンパ節，皮膚，眼，心臓，筋肉に肉芽腫を形成する全身性疾患である．原因は不明である．眼部では，ぶどう膜炎が発症したり，眼窩に腫瘤性病変が発症することがある．

|症状・徴候|　眼窩サルコイドーシスの症状・徴候は，眼周囲に炎症所見がなく，亜急性から慢性に発症する眼球突出や眼瞼腫脹である**(図10)**．

|診断|

■**鑑別診断**　眼窩画像検査所見では，びまん性病変や限局性の腫瘤性病変を示す．症状・徴候と画像検査所見から他の眼窩腫瘍性病変，例えばリンパ増殖性疾患と鑑別できる特徴的な所見はみられない．さらに，サルコイドーシスを示唆する全身の症状・徴候に乏しい．したがって，確定診断のために生検を施行し，眼窩サルコイドーシスの確定診断ののちに，全身の諸検査を施行していく．組織学的検査所見では，乾酪壊死のない類上皮肉芽腫がみられる．サルコイドーシスの血清・生化学検査所見と診断基準は日本サルコイドーシス/肉芽腫性疾患学会(http://www.jssog.com)から示され

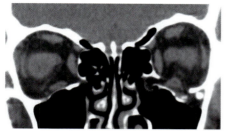

図 11 開放型骨折（左眼窩下壁）
明らかな骨の偏位とともに，眼窩内組織が副鼻腔へ脱出している．

図 12 閉鎖型骨折（左眼窩下壁）
骨の偏位は乏しいものの，眼窩内組織が骨折線に絞扼されている．

ている．

治療 サルコイドーシスに対する治療の指針が学会より提案されている．眼窩サルコイドーシスは，自然治癒がみられる症例から慢性・進行性をたどる症例まである．約10％の症例で眼窩サルコイドーシスは全身性のサルコイドーシスに発展するが，その予測因子はわかっていない．

眼窩骨折

Orbital blowout fracture

今川幸宏 大阪回生病院眼形成手術センター・部長

概念・病態 外傷などで眼部に過度な鈍的外力が加わり眼窩内圧が上昇する，あるいは眼窩縁に加わった捻れ力が眼窩壁に伝わることにより，介達外力が眼窩壁へかかり，眼窩壁が副鼻腔側へ吹き抜けるようにして骨折する．骨折に伴い眼窩内組織が副鼻腔へ脱出することで，種々の臨床症状を呈する．

眼窩壁は下壁，内壁，上壁，外壁の4面から形成されるが，構造上の理由（骨が薄く副鼻腔に隣接している）から下壁と内壁が骨折しやすい．2通りの骨折様式（骨折の状態）があり，明らかな骨の偏位とともに眼窩内組織が副鼻腔へ脱出しているタイプを開放型骨折(図 11)，骨の偏位は乏しいものの，眼窩内組織が骨折線に絞扼されているタイプを閉鎖型骨折(図 12)と表現する．閉鎖型骨折は一度偏位した骨がその弾性によって元の位置へ戻るために起こり，骨の弾性に富む小児に好発する．

症状 臨床症状としては，複視，眼球運動時痛，眼球陥凹，嘔気・嘔吐，頬部を中心とした感覚障害などを呈する．複視は主に眼球運動障害によるものであり，眼窩内組織が副鼻腔へ脱出することによって外眼筋が牽引されるために生じる．閉鎖型骨折では，開放型骨折と比較してより重度の眼球運動障害をきたすことが多い．外眼筋自体が骨折線に絞扼される，閉鎖型骨折の一型である missing rectus(図 13)では，眼球運動障害はより顕著となる．眼球陥凹は骨折に伴う眼窩内容積の拡大が原因であり，広範囲の開放型骨折できたしやすく，逆に閉鎖型骨折ではきたさない．嘔気・嘔吐は外眼筋の牽引による迷走神経反射が原因であり，閉鎖型骨折（特に missing rectus)で認めることが多い．開放型，閉鎖型

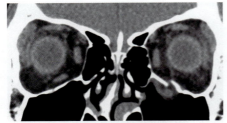

図 13　Missing rectus（左眼窩下壁）
閉鎖型骨折の一型であり，外眼筋自体が骨折線に絞扼されている．

骨折ともに，骨折による眼窩下神経への影響から，頰部，鼻翼，口唇，歯肉のしびれを訴えることがある．

診断
■ **診断法**　骨折の有無は CT で診断するが，骨折の状態を評価できる画像を準備することが重要である．最小スライス厚の水平断および，再構成した冠状断，矢状断それぞれの骨条件と軟部条件の画像をオーダーする．骨条件の画像だけでは眼窩内組織の状態を把握できないため，必ず軟部条件の画像と併せて評価するよう心がける．特に閉鎖型骨折では，軟部条件で眼窩内組織の絞扼の有無を確認することが重要であり，骨条件だけで評価していると骨折を見逃してしまうことがある．

■ **必要な検査**　30 度枠までの Hess chart と両眼単一視野検査を行い，眼球運動障害と複視の状態を確認する．Hertel 眼球突出度計を用いて，眼球陥凹の有無を確認する．

治療
■ **治療方針**　開放型骨折では，眼球運動障害と眼球陥凹の程度，年齢，手術希望の有無から手術の要否を判断する．閉鎖型骨折も眼球運動障害の程度から手術の要否を判断するが，重度の眼球運動障害を呈する小児例が多く，手術治療を要することが多い．受傷から手術までの時間は予後に大きく影響する要素であり，手術治療を要する場合には適切なタイミングで手術を計画することが重要である．手術時期は開放型骨折では受傷から 2 週間，閉鎖型骨折では受傷から 2〜3 日程度までが望ましいと考えられている．

■ **手術治療**　経皮あるいは経結膜アプローチから，骨折部まで到達する．脱出した眼窩内組織を眼窩内へ整復し，骨折した眼窩壁を再建する．眼窩壁の再建材料にはさまざまな素材があるが，現在国内では吸収性人工骨が最も多く使用されている．

予後
眼窩骨折の有無を正確に評価し，適切なタイミングで手術治療を行えば，通常予後は良好である．

眼窩血腫
Orbital hematoma

上田幸典　総合病院聖隷浜松病院眼形成眼窩外科・部長

概念
外傷や手術操作などの外的要因，咳嗽やスキューバダイビング，激しい運動などによる静脈圧上昇，腫瘍および脈管奇形からの出血などを原因として眼窩内に血液が貯留した状態が眼窩血腫である（図 14）．

症状
突然発症する眼痛，眼球突出が特徴的である．嘔気・嘔吐を伴うこともある．著明な血腫を生じた場合，視神経の圧迫や眼球突出による視神経の牽引によって重篤な視神経症（視力低下，視野異常）をきたしうる．

診断
まず，問診では外傷や眼窩手術

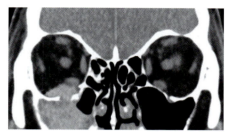

図14 眼窩骨折に伴う眼窩血腫
抗凝固薬内服中であった．

の既往，発症前の咳嗽や激しい運動の有無，出血傾向をきたす血液疾患や抗凝固薬・抗血小板薬の内服の有無などを確認する．

　何らかの眼窩内病変を疑う場合，診断には画像検査が必須である．まずCTを行って病変の有無や局在を確認する．次に，MRIにて腫瘍性病変や脈管奇形などを鑑別する．

　血腫は，眼窩内に明瞭に貯留しているもの，びまん性に存在するもの，眼窩骨膜下に凸レンズ状に生じるものなどがある．

■ **鑑別診断**　眼窩蜂巣炎による眼窩膿瘍も眼窩内や眼窩骨膜下に同様の貯留性の病変をきたすことが考えられる．眼窩膿瘍は感染性の病変であり，発赤・発熱などの炎症症状や，血液検査での炎症反応，病変近傍の副鼻腔炎の有無などを確認し鑑別する．

▎**治療**　貯留した血腫自体は経過とともに吸収され自然治癒するため，視力障害や視野障害などをきたしていない場合は保存的に経過をみる．

　視神経症をきたしている場合は，放置すると重篤な後遺障害を残す可能性があり，可能な限り早期に外科的に血腫除去を行う．

▎**予後**　自然治癒する疾患であり，視力障害や視野障害をきたしてない場合は，予後は一般的によい．視神経症をきたしている場合も不可逆性の変化が生じる前に手術を行うことで後遺障害を残さず治療可能である．

眼窩腫瘍とその頻度
Frequency of the orbital tumors

嘉鳥信忠　大浜第一病院/
総合病院聖隷浜松病院・顧問

▎**概念**　一口に眼窩腫瘍といってもさまざまな種類が存在している(⇒次項以降の各項目を参照)．

　すべてを網羅することは到底できないが，**表1**のごとく，ある程度発生頻度および発生母地を踏まえることで大まかな予測が可能である．また，術前診断において最も重要な検査は画像検査である．とりわけMRIから得られる情報が最も臨床診断に近いともいえるが，最終診断は病理組織検査で決定するため，画像検査のみで安易に良悪を判断し，無計画に経過観察をするような診療は慎むべきである．

▎**症状**　眼窩に腫瘍が存在すれば，当然眼窩容積が増加しその結果として，眼球突出や眼球運動制限，さらには眼痛(眼窩部痛)を伴うこともある．ただし，幼少期より存在するなど，長期間存在し緩徐に増大している良性疾患，とりわけ血管腫やリンパ管腫，多形腺腫などは，眼窩骨の変形や容積拡大をきたしていることもある．そのような腫瘍では，上記のような所見は認められないこともある．

　また，浸潤性の悪性腫瘍は周囲組織を浸潤しながら成長してくるため，触診でも眼

表1 わが国における眼窩腫瘍の統計(総数 1,114例)

悪性リンパ腫	248	(22%)
特発性眼窩炎症	124	(11%)
反応性リンパ過形成	113	(10%)
海綿状血管腫	92	(8%)
涙腺多形腺腫	86	(8%)
皮様嚢腫	85	(8%)
神経鞘腫	39	(4%)
髄膜腫	34	(3%)
リンパ管腫	29	(3%)
貯留嚢胞	23	(2%)
腺様嚢胞癌	22	(2%)
毛細血管腫	22	(2%)
腺癌	18	(2%)
孤発性線維性腫瘍	12	(1%)
静脈瘤	10	(1%)
神経線維腫症	9	(1%)
木村病	9	(1%)
アミロイドーシス	8	(1%)
骨腫	8	(1%)
その他	123	(11%)

Ohtsuka K, et al:Jpn J Ophthalmol, 2005.(1981-2002 札幌医科大学)、馬詰和比古、他:眼科、2009(1990-2008 東京医科大学)、尾山徳秀、他:JOHNS, 2009(1988-2008 新潟大学)、末岡健太郎、他:臨眼 2014(2004-2013 聖隷浜松病院)、の4施設の既報を合算して記載.

窩全体または一部が硬い(compression test 陽性)ことが多く、眼球運動が著しく制限されることが特徴である.

診断

■**必要な検査** 画像検査(CTやMRI)のほかに、視機能検査(視力、視野検査、Hess赤緑試験など)を行い総合的に診断する.他疾患での経過中に突然視力低下、視野欠損をきたすことで発見される場合も多い.原疾患と一致しない所見が突如出現した場合は、念のために画像検査(MRI)を施行することを勧める.その際、ダイナミックな造影効果をみること自体が重要な画像所見であるため、喘息や腎機能障害などが既往にない限りは造影まで行うほうがよい.

治療

❶**良性腫瘍** 無症候な良性腫瘍では経過観察となることもあるが、手術による全摘出が基本である.ただし、涙腺多形腺腫は被膜の内部のみの核出術では再発しやすいことや、再発例だけでなく未手術例でも、数十年の長期経過ののち悪性転化することが報告されているため、治療方針はよく検討する必要がある.

❷**リンパ腫** 眼窩悪性腫瘍のなかで最も頻度の高いリンパ腫は、必ずしも摘出そのものが治療法とはならない.できるだけ早く生検・確定診断を行って、化学療法・放射線療法による全身および局所療法を開始できるように努めなければならない.

近年IgG4関連眼疾患が確立され、特発性眼窩炎症やリンパ増殖性疾患に分類されていた腫瘍の一部に含まれている可能性があることに留意したい.

❸**転移性腫瘍** 転移性腫瘍の原発臓器は肺(17.0%)、乳腺(14.3%)、肝臓(13.5%)、副腎(10.0%)、胃(8.0%)で、性別では男性は肺、肝臓、腎臓および前立腺が多く、女性では乳腺、子宮や卵巣が多い.

❹**上皮性悪性腫瘍** 腺様嚢胞癌に代表される上皮性悪性腫瘍は、早期に完全摘出できれば根治も可能であるが、進行が速いうえに頭蓋内へ向かって浸潤する傾向が強く、最終的に数か月の経過で死亡に至るケースが散見される.そのため早期発見・早期治療がきわめて重要である.手術以外の治療法には、炭素イオン線(重粒子線)照射治療がある.しばしば著効し寛解となるケースもあるが、進行例ではこの限りではない.また、上皮性浸潤癌手術療法においては、腫瘍本体を見ることなく摘出するくらいの大きめに切除することが何よりも重要であ

り，術前の画像診断において，それが不可能であると判断されれば，眼窩内容除去を積極的に行うべきである．

❺ 孤発性線維性腫瘍 孤発性線維性腫瘍（solitary fibrous tumor：SFT/hemangiopericytoma）は，特徴的な腫瘍である．MRIにおいてはっきりとした栄養血管を認めることが多く，血流はきわめて豊富である．したがって安易に摘出を施行すると大出血をきたすおそれがあるため，術前に血管造影検査を行い，必要に応じ術前日に塞栓術を行う場合がある．出血のコントロールさえできれば，周囲との癒着は軽度で，比較的容易に摘出できる．組織型もおとなしい印象があることから良性腫瘍と誤認識されがちであるが，明らかな悪性腫瘍である．術後比較的早期の予後は良好であるが，再発や転移などの末，死亡例も報告されており，長期予後は悪いと再認識されたい．

❻ 横紋筋肉腫 0〜9歳に好発する横紋筋肉腫は，急速に進行する片側性の眼球突出が特徴である．緊急手術で生検を行い，早期に適切な化学療法と放射線療法を行うことにより長期に生存することも可能である．外科的治療としては腫瘍摘出および眼窩内容除去がある．

なお，眼窩悪性腫瘍はすべての年齢層に存在することを付言しておく．

分離腫
Choristoma

大湊 絢　新潟大学医歯学総合病院・助教

概念　分離腫とは先天性の組織奇形

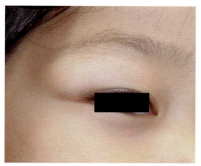

図15　類皮嚢胞

で，正常組織成分が異所性に出現したものを指す．眼窩部で生じる分離腫の代表としては眼窩骨縁に好発する類皮嚢胞（dermoid cyst）と結膜から眼窩部へ病変が連続するデルモリポーマが挙げられる．

病態　類皮嚢胞は表皮や結膜上皮に裏打ちされた被膜を有する．被膜には皮膚付属器である脂腺や汗腺がみられる．デルモリポーマは結膜に真皮様の線維組織と脂肪組織を生じ，これが眼窩側へ連続していることがある．

症状　類皮嚢胞のほとんどは眼窩骨縁に生じるため，生下時から眼窩周囲の境界明瞭な皮下腫瘤として自覚される．眉毛下〜外側に好発する（図15）．まれだが眼窩内に生じると眼球突出をきたす．デルモリポーマも生下時から耳側〜耳上側の球結膜腫瘤として自覚されることが多い．典型例では無茎性で結膜下になだらかな隆起を形成する（図16）．

合併症・併発症　デルモリポーマはGoldenhar症候群の一症状である可能性があり，顔面非対称，耳の異常（小耳，副耳），顎の低形成，脊椎の異常の有無に注意する．また，結膜病変に伴い乱視が惹起

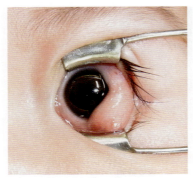

図 16 デルモリポーマ

されるため，視機能の経過観察が望ましい．

診断 いずれも臨床所見と経過から診断は可能である．「生下時からある眉毛下の境界明瞭な皮下腫瘤」であれば類皮嚢胞の可能性が高い．必要に応じて CT や MRI を検討する．画像検査では境界明瞭な嚢胞状腫瘤として描出される．「生下時からある耳側球結膜の腫瘤」であればデルモリポーマと考えてよい．画像検査は必要に応じて検討する．

治療 類皮嚢胞は手術での全摘出が基本となる．良性疾患で増大することもほとんどないことから，手術時期については両親とよく相談して決める必要がある．小学校高学年以降であれば局所麻酔下で摘出できることが多い．デルモリポーマも良性疾患であり増大することはまずない．腫瘤に対する治療は不要であるが，乱視に対してはフォローや治療が必要である．眼窩側に病変が進展していることが多く，手術での全切除は困難である．また，結膜病変は切除後に炎症や瘢痕が強く生じるため，整容目的の結膜切除は慎重に適応を判断する．

予後 類皮嚢胞は被膜ごと全摘出できれば再発のリスクは少ない．デルモリポーマでは適切な視機能・屈折矯正フォローができていれば視力予後は良好である．

母斑症
Phakomatosis

大湊 絢 新潟大学医歯学総合病院・助教

概念 母斑症とは皮膚に母斑を形成することに加え，母斑性病変，過誤腫および腫瘍が全身の諸器官に生じ，中枢神経症状などを含み1つの病像を呈するようになった病態である．神経皮膚症候群(neurocutaneous syndrome)とほぼ同義である．神経皮膚症候群はわが国では母斑症(phakomatosis)の診断名で慣用的にまとめられることも多いが，phakomatosis という病名は近年では国際的に使用されない傾向にある．

母斑(nevus)は遺伝的または胎生的要因に基づいた，色調あるいは形の異常を主体とする「限局性の皮膚奇形」であり，一般的な「ほくろ」「生まれつきのあざ」を含む概念である．一方，過誤腫(hamartoma)は，本来その部位にあって然るべき正常組織の非腫瘍性過剰増殖である．過誤腫は臓器の発達過程の異常と考えられ，腫瘍とは区別して解釈する．ちなみに腫瘍(tumor/neoplasm)は組織の異常増殖であり，自律的に増殖を続ける細胞の集塊と定義されている．単クローンの細胞集団として増殖を続けることで肉眼的にも認識できる結節を形成する．

病態 母斑症に含まれる疾患は多数あるが，主なものとしては以下が挙げられる．

❶ **結節性硬化症**（⇒ 915 頁）　常染色体優性遺伝疾患で，9q34 の *TSC1*，または 16p13.3 の *TSC2* の異常で発生する．精神運動発達遅滞とてんかん症状，皮膚の白斑を生じる．脳室壁の上衣下巨細胞性星細胞腫，顔面血管線維腫，腎の血管筋脂肪腫，心臓の横紋筋腫などの腫瘍が発生する．眼病変としては多発性網膜過誤腫と網膜無色素斑があり，いずれも臨床診断基準の一症状に含まれている．

❷ **神経線維腫症 1 型（von Recklinghausen病）**（⇒ 916 頁）　常染色体優性遺伝形式であるが，半数以上は突然変異による孤発例である．17q11.2 に位置する *NF1* の異常とされ，出生約 3,000 人に 1 人の割合で生じる．皮膚に多発する褐色のカフェオレ斑が特徴であり，全身の皮膚に神経線維腫を生じる．眼科領域でみられる症候は眼瞼皮膚の神経線維腫，視神経膠腫，虹彩結節（Lisch 結節）がある．虹彩結節は過誤腫である．眼窩周囲に蔓状神経線維腫が生じると眼窩内への進展がみられることがある．

❸ **神経線維腫症 2 型**　常染色体優性遺伝疾患で約 4 万人に 1 人の割合で発生する．半数は孤発例である．22q12 に位置する *NF2* が原因遺伝子である．両側聴神経の神経鞘腫や多発中枢神経腫瘍が主体で皮下の神経鞘腫，少数のカフェオレ斑，神経線維腫を生じる．眼病変としては若年性白内障がある．生命予後は神経線維腫症 1 型より不良とされる．

❹ **Sturge-Weber 症候群**（⇒ 918 頁）　顔面の毛細血管奇形，眼病変，脳神経症状を 3 主徴とする．有病率は 5 万人に 1 人程度．一般的に遺伝性はないとされるが，*GNAQ* の体細胞変異を有するとの報告もある．三叉神経第 1, 2 枝（V_1, V_2）領域の顔面皮膚に毛細血管奇形（単純性血管腫，ポートワイン母斑）を生じる．後頭葉に軟髄膜血管腫を有し，てんかん発作や片麻痺，大脳半球萎縮などがみられる．眼病変は，顔面病変の存在する側で脈絡膜の血管奇形や緑内障が生じる．

■ **症状**　いずれの疾患も特徴的な皮膚病変を有するため，皮膚病変が初発症状となることが多い．他科で診断がついてから眼病変の有無についてコンサルテーションを受けることも多い．

■ **診断**　母斑症は特徴的な皮膚病変と神経病変に加え，眼病変を含めた多臓器病変を有する．疑われる場合は各所見を注意深く拾い上げ，各疾患の診断基準に照らし合わせて診断をつけていく．

■ **治療**　いずれの疾患も慎重な視機能のフォローアップが重要である．そのうえで病変増大による視機能への影響が懸念されれば病変の手術的切除，眼圧上昇があれば緑内障治療，屈折異常があれば屈折矯正など，眼科のなかでも多分野にまたがった治療が必要となる．小児科や形成外科，皮膚科との連携も欠かすことはできない．

■ **予後**　母斑症はさまざまな疾患の総称であり，生命予後・視力予後とも疾患により異なる．

血管腫

Hemangioma

大湊　絢　新潟大学医歯学総合病院・助教

■ **概念**　眼窩領域に生じるいわゆる「血管腫」は，乳児に生じる「毛細血管性/苺状血管腫」と成人に生じる「海綿状血管

表2 従来の血管腫分類と ISSVA 分類の対比

従来の分類	ISSVA 分類
	脈管性腫瘍　Vascular tumor
苺状血管腫　Strawberry hemangioma	乳児血管腫　Infantile hemangioma
	脈管奇形　Vascular malformation
海綿状血管腫　Cavernous hemangioma 静脈性血管腫　Venous hemangioma 筋肉内血管腫　Intramuscular hemangioma 滑膜血管腫　Synovial hemangioma	静脈奇形　Venous malformation (VM)
動静脈血管腫　Arteriovenous hemangioma	動静脈奇形　Arteriovenous malformation (AVM)
単純性血管腫　Hemangioma simplex 毛細血管拡張症　Telangiectasia ポートワイン斑　Port-wine stain	毛細血管奇形　Capillary malformation (CM)
リンパ管腫　Lymphangioma 　　　　　　Cystic hygroma	リンパ管奇形　Lymphatic malformation (LM)

腫」が代表的である．The International Society for Study of Vascular Anomalies による分類(ISSVA 分類)において前者は「脈管性腫瘍(vascular tumor)」のうちの「乳児血管腫(infantile hemangioma)」と呼称され，後者は「脈管奇形(vascular malformation)」のうちの「静脈奇形(venous malformation)」となる**(表 2)**．本項では「乳児血管腫」と「海綿状血管腫」の名称を使用する．

病態　乳児血管腫は増殖期に病変が増大し，退行期で縮小，最終的に血管成分は消退する．増殖期では内皮細胞が肥大した毛細血管様構造が小葉状に増殖する．この異常内皮細胞は GLUT-1 陽性を示す．退行期では内皮細胞が平坦化し，間質の線維化を伴って血管構造は消退して脂肪組織に置き換わる．海綿状血管腫は拡張し，うっ血した血管網が腫瘤を形成する．

症状　乳児血管腫は生下時，あるいは生後 1〜2 週間で眼瞼の腫れとして自覚されることが多い．生後 6 か月頃までは増殖期として病変は増大し，増大が止まったあとは数年のうちに縮小・消退する経過をたどることが多い．真皮内や真皮〜皮下に病変が存在する場合は鮮紅色の境界明瞭な皮膚病変となる．皮下以深に病変が存在すると青褐色の皮下腫瘤として認められる．眼窩内病変が増大すると眼球突出や眼球偏位を伴う．啼泣時には眼瞼腫脹が強くなることがある．

海綿状血管腫の初発症状は眼球突出や眼球偏位，視力低下が多い．自覚症状が現れるのはある程度病変が増大して眼球や視神経を圧排するようになってからである．無症状のまま incidentaloma として発見されるケースもしばしば遭遇する．

診断　乳児血管腫は上記の経過と症状からある程度は診断の推測が可能である．診断には造影 CT や造影 MRI が有用である．眼瞼皮下から眼窩に及ぶ造影効果の高い腫瘤病変として描出されることが多い．臨床経過と画像検査で診断は可能であり，組織生検での確定診断は他の疾患と鑑別が困難なケースに限られる．鑑別の対象となる疾患は横紋筋肉腫や白血病，悪性リンパ

腫，神経線維腫などが挙げられる．増大スピードが早く悪性腫瘍が疑われる場合は生検をためらってはならない．

海綿状血管腫も診断には造影画像検査が有用である．CT および MRI で卵円形あるいは球形の境界明瞭な腫瘤として描出される．血管奇形であり造影効果は高い．特に dynamic MRI では腫瘍内部で染み出すような特徴的な造影効果がみられる(図17)．筋円錐内に生じることが多い．卵円〜球形の筋円錐内腫瘍の鑑別診断としては神経鞘腫やリンパ管腫がある．前述の dynamic MRI は鑑別に有用である．また，神経鞘腫やリンパ管腫は MRI で内部構造が不均一に描出されることが多く，診断の一助になる．

治療 乳児血管腫の増大傾向は症例によりばらつきがあるが，生後 6 か月〜2 歳頃までに治まり，その後は自然に縮小・消失することが多いため，視機能をフォローしながらの経過観察が第 1 選択となる．増大期に眼瞼の腫れが強く，遮閉が懸念される場合はプロプラノロール塩酸塩(ヘマンジオル®)の内服加療を行う．副作用として徐脈，低血圧，低血糖などがあるため，内服時は小児科と連携して行うのが望ましい．

海綿状血管腫は症状がなければ基本は経過観察でよい．眼球突出や眼球偏位，視力低下などの自覚症状が生じている場合は患者と相談のうえで手術適応を決める．病変の存在部位，大きさによって手術アプローチが異なる．眼科単独での手術では眼窩骨切り術併用経皮アプローチ，経結膜アプローチが挙げられる．眼窩先端部の腫瘍では鼻内視鏡を用いた経篩骨洞・蝶形骨洞アプローチや経頭蓋アプローチが選択される

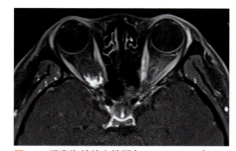

図 17 眼窩海綿状血管腫(dynamic MRI)

ことがある．この場合は耳鼻咽喉科や脳外科と連携が必要である．

予後 適切に病変が摘出されれば再発のリスクは低く，視力予後も良好である．長期にわたり圧迫性視神経症を生じていた症例では術後も視力の回復が限定的となる．

脂肪腫，脂肪肉腫

Lipoma, Liposarcoma

大島浩一 　岡山医療センター・非常勤医師

1 脂肪腫

概念 脂肪腫は，成熟した脂肪細胞からなる良性腫瘍である．眼窩内で，正常な脂肪組織から明瞭に区別できる腫瘍性病変で成熟した脂肪細胞により構成されている病変を，眼窩脂肪腫とよぶ．眼窩は脂肪に富むが，脂肪腫が眼窩内に原発することはまれである．眼窩脂肪ヘルニアや正常な眼窩脂肪が，しばしば誤って眼窩脂肪腫と病理診断される．亜型として spindle cell lipoma, angiolipoma, pleomorphic lipoma, myolipoma がある．

診断 CT または MRI による画像診

断で，正常な眼窩脂肪と区別することは困難である．ただし腫瘍が血管に富む場合には，造影されることもある．

治療 治療法は，手術による摘出である．

2 脂肪肉腫

概念 脂肪肉腫は，脂肪組織の悪性腫瘍である．成人の四肢，後腹膜などに好発するが，眼窩ではまれである．臨床病理学および遺伝学的特徴により，高分化型，脱分化型，粘液型，多形型の4型に分類される．眼窩での報告例は，ほとんどが高分化型と粘液型である．高分化型は遠隔転移を生じず，悪性腫瘍と良性腫瘍の中間に位置づけられている．

症状 眼球突出や眼球偏位を生じる．

診断 CTまたはMRIを撮影しても，脂肪肉腫に特徴的といえる画像所見はない．高分化型では，CTで低吸収域として認められる．MRIのT1強調画像およびT2強調画像で，中～高信号を呈する．粘液型では，MRIのT1強調画像で低信号を，T2強調画像で高信号を呈し，しばしばガドリニウムで造影される．

近年，軟部組織腫瘍の病理診断において，遺伝子検査の重要性が増している．そして腫瘍に特徴的な遺伝子の代わりに，免疫染色マーカーが使用されることがある．脱分化型脂肪肉腫では，MDM2，CDK4が免疫染色マーカーとなりうる．

治療 可能であれば，手術による全摘出が望ましい．症例に応じて，眼窩内容除去術を選択することもある．放射線治療との併用も考慮する．化学療法に対する感受性は低いことが多い．補助療法として，脱分化型脂肪肉腫ではエリブリンメシル酸塩，粘液型脂肪肉腫ではトラベクテジンなどの効果が期待されている．

線維腫，線維肉腫
Fibroma, Fibrosarcoma

大島浩一　岡山医療センター・非常勤医師

1 線維腫

概念 線維芽細胞に由来する病変で，線維芽細胞と膠原線維からなる．良性腫瘍または反応性病変と考えられている．線維腫が眼窩内に原発することはまれである．眼窩における発生部位としては，Tenon囊などが想定されている．

症状 眼窩前部に発生し，眼瞼皮下に境界明瞭で硬い腫瘤として触れる．眼窩から結膜下に浸潤し，黄白色腫瘤として認められることがある．眼球突出や眼球偏位を生じることもある．

診断 画像所見として，特徴的なものはない．病理学的には，solitary fibrous tumor, fibrous histiocytoma，およびそれ以外の紡錘形細胞からなる腫瘍が鑑別対象となる．

治療 病変の大きさと局在部位を勘案し，可能であれば全切除することが望ましい．部分切除後に再増大する症例では，再手術を考慮する．放射線感受性は低いと考えられる．

2 線維肉腫

概念 線維芽細胞由来の腫瘍である．病理診断における免疫組織化学的診断の発展に伴い，malignant fibrous histiocytoma, solitary fibrous tumor，およびそれ以

外の紡錘形細胞からなる腫瘍が診断可能となった．これに伴い，線維肉腫と病理診断される機会は減少し，現在では上記腫瘍の除外診断として位置づけられている．

病態 眼窩内に原発することもあるが，鼻腔・副鼻腔に発生したものが眼窩内に浸潤することもある．網膜芽細胞腫患者に放射線治療を行ったあとに，2次がんとして発生することもある．

診断 眼窩腫瘍としてはまれであり，臨床診断は難しい．

治療 手術(眼窩内容除去術を含む)により全切除することが望ましい．全切除できない症例や再発例では，姑息的治療として放射線照射や抗癌薬治療を考慮することもある．

横紋筋肉腫
Rhabdomyosarcoma

松尾俊彦　岡山大学・教授

概念・病態 間葉系細胞に由来し横紋筋分化を示す悪性腫瘍で，小児の眼窩腫瘍では最も頻度が高い．境界明瞭な腫瘍で眼窩上部に多い．平均発症年齢は約7歳で男児にやや多い．小児で急速に拡大する眼窩腫瘍をみたら，まず考えるべき疾患である．病理組織上，胎児型，胞巣型，多形型(分化型)に分類される．

最も頻度が高いのは胎児型で，紡錘形の細胞の束がさまざまな方向に走行する．最も悪性度が高く予後が悪いのは胞巣型で，眼窩下部に多く，大きな核とエオジンに染まる豊富な細胞質をもつ不整形の大きな細胞が線維索の周りに並ぶ．頻度は低いが分化度が高く予後がよいのは多形型で，多核で豊富な細胞質をもつ円形から長円形の細胞に横紋が識別できる．

症状 急速に増悪する眼球突出・眼瞼腫脹・発赤がみられる．

診断 頭部・眼窩CTを緊急に行う．眼窩に腫瘍があるか，腫瘍内部は均質か，眼窩骨壁の破壊がないか，頭蓋内，副鼻腔に腫瘍はないかも併せてみる．MRIでは腫瘍内部の性状，眼球や外眼筋との位置関係を把握する．小児に多いもう1つの眼窩腫瘍である毛細血管性血管腫との鑑別は，MRIで血管(血流)が豊富な観点から容易である．

■ **鑑別診断** 急速に増悪する小児の腫瘤性疾患として，①炎症では，副鼻腔炎(副鼻腔嚢胞や膿胞)の眼窩への進展，副鼻腔炎や全身から波及した眼窩蜂巣炎，皮様嚢腫の破裂による炎症，②眼窩腫瘍では，血管腫の腫瘍内出血，リンパ管腫の腫瘍内出血，③転移性腫瘍では，神経芽細胞腫，Ewing肉腫，白血病細胞の眼窩浸潤(緑色腫)，④眼窩出血，を考える．

治療

■ **病理診断と治療方針** 腫瘍の一部を切除生検し，病理組織診断を行う．HE染色やマッソン・トリクローム染色による横紋の検出，未分化型の細胞の鑑別として免疫組織化学染色を行う．

■ **具体的な治療法** 全摘出は不可能で目指すべきでない．小児科で病期分類(staging)のため胸腹部CT，PET，骨髄生検を行い，肺など全身転移の有無を調べる．全身化学療法〔VAC療法(ビンクリスチン硫酸塩，アクチノマイシンD，シクロホスファミド水和物併用療法)〕が治療の基本である．場合によっては，眼窩に対する放

射線照射を併用する．

予後 頭蓋内や副鼻腔への浸潤，肺など全身や頸部リンパ節への転移がみられる場合，生命予後は悪い．早期に発見し，早期に化学療法を開始すると，治療に反応して生命予後はよい．

平滑筋肉腫
Leiomyosarcoma

松尾俊彦　岡山大学・教授

概念・病態 眼窩原発の腫瘍としてはまれである．高齢者に多く，平均発症年齢は60歳代である．両側の網膜芽細胞腫に対して放射線照射を行い，数十年後に2次がんとして発症した報告もある．病理組織上，平滑筋腫や平滑筋肉腫では紡錘形の細胞が束になって配列し，特に肉腫では核は多型で，多核巨細胞も混ざる．

症状 急速に拡大する眼球突出がみられる．

診断 頭部・眼窩CTを緊急に行う．眼窩に腫瘍があるか，腫瘍内部は均質か，眼窩骨壁の破壊がないか，頭蓋内や副鼻腔に腫瘍はないかもみる．MRIでは腫瘍内部の性状，眼球や外眼筋との位置関係を把握する．

治療
■**治療方針** 皮膜に覆われていないので，手術で全摘出するのは無理である．腫瘍の一部を切除生検し，病理診断に出す．免疫組織化学染色〔desmin陽性，HHF-35(actin)陽性，α-smooth muscle actin陽性〕が不可欠である．全身に転移がないかどうかと病期分類(staging)のため腫瘍内科に紹介して検索する．

■**具体的な治療法** 眼窩に対する放射線照射(40～60グレイ)を行う．化学療法を併用する，あるいは，放射線照射に続いて行う．

予後 血行性転移が多く，生命予後は悪い．

骨腫
Osteoma

松尾俊彦　岡山大学・教授

概念・病態 眼窩原発の骨・軟骨由来の腫瘍のなかでは最も頻度が高く，中年に多い．病理組織上，象牙質性骨腫，成熟骨腫，線維性骨腫に分類される．眼窩の篩骨や前頭骨に好発する．象牙質性では線維血管性実質をもたない密な層板骨からなり，線維性では太い線維束が薄い骨小柱を分断する未分化の状態を呈する．骨腫は，大腸腺癌を頻発する大腸ポリポーシスをきたす常染色体優性遺伝のGardner症候群の一徴候としてもみられる．

症状 ゆっくり進行する眼球突出，眼球偏位がみられる．骨腫の部位によっては，まれにBrown症候群のような斜視を呈する．

診断 頭部単純X線写真や頭部(眼窩)CTで，眼窩骨から隆起した境界鮮明な骨様病変として，容易に診断できる．

治療 手術による切除が基本である．腫瘍の部分と正常骨との区分は難しいので，切除範囲は適宜決める．骨腫の診断はCTで確実にできるので，骨腫による圧迫症状や外見上の問題がなければ，経過観察

のみでもよい.

予後 良性腫瘍なので, 部分切除でも予後はよい.

神経線維腫, 神経線維腫症
Neurofibroma, Neurofibromatosis

松尾俊彦　岡山大学・教授

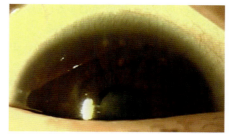

図18 神経線維腫症1型の虹彩小結節の集簇 (Lisch nodule)

概念・病態 眼窩の末梢神経原発の腫瘍である. 眼窩には末梢神経として眼球運動神経〔動眼(Ⅲ)・滑車(Ⅳ)・外転(Ⅵ)神経〕, 交感・副交感神経, 三叉神経(Ⅴ)があり, 三叉神経原発の神経系腫瘍が最も多い. 末梢神経原発の神経系腫瘍は, 病理組織上, 単独の神経線維腫(neurofibroma), 単独の神経鞘腫(neurilemoma/schwannoma, ⇒950頁参照), 神経線維腫症(von Recklinghausen neurofibromatosis)による腫瘍の3型に分かれる.

神経線維腫は病理組織上, 叢状, 眼窩脂肪組織や外眼筋に浸潤するびまん性, 腫瘤を作る孤立性の3型に分かれる. Schwann細胞, 軸索, 線維芽細胞様の細胞を取り囲む厚い神経周膜を単位とする複数から成り立つのが叢状で, von Recklinghausen 病でみられる. びまん性と孤立性では, 均質な紡錘形の細胞が波状に走行する. 病変が古くなると粘液様変性を起こし, 細胞成分がまばらになる.

症状 神経線維腫症では, 眼瞼・結膜・眼窩に多発性の腫瘍がみられる. 腫瘍は涙腺や外眼筋を巻き込む. 虹彩小結節 (Lisch nodule)も複数みられる (図18). 緑内障を生じ, 小児では牛眼の原因にもなりうる.

診断
■ 診断基準
❶ **神経線維腫症1型(von Recklinghausen病)** 診断基準として, ①複数の皮膚の色素沈着斑(カフェオレ斑)および②複数の皮膚神経線維腫の2項目の主症候があれば診断は確実である. そのほかの症候として③腋窩・鼠径部の象皮病様の皮膚肥厚, ④視神経膠腫(optic glioma), ⑤虹彩小結節2つ以上, ⑥特徴的骨病変(蝶形骨異形成など), ⑦上記基準の神経線維腫症が1親等の人にある, が挙げられる.

常染色体優性遺伝で neurofibromin などの遺伝子異常によって起こる.

❷ **神経線維腫症2型(両側聴神経線維腫症, Schwann 細胞腫症, 両側聴神経鞘腫, 前庭神経鞘腫)** 診断基準として, ①画像(CTまたはMRI)で両側の聴神経腫瘍があれば診断は確実である. そのほか, ②片側の聴神経腫瘍でも神経線維腫症2型が1親等の人にある場合も診断確定となる.

常染色体優性遺伝で merlin の遺伝子異常によって起こる. 脊髄神経鞘腫, 三叉神経鞘腫, 髄膜腫, 若年性白内障を併発することもある. 症状は, 難聴, 耳鳴, ふらつき, めまい, 頭痛, 顔面の知覚鈍麻, 四肢の知覚鈍麻や脱力などがある. 皮膚の色素

沈着斑(カフェオレ斑)も数は少ないがみられる.

■**診断** 画像診断(CT, MRI)を行う.中枢神経(視神経)原発の神経系腫瘍である視神経髄膜腫,視神経膠腫との鑑別は,腫瘍が視神経から発生する像がみられるかどうかで判断する.

■**治療** 手術による切除と病理診断を行う.全身の神経線維腫症ですでに診断がついている場合,視神経や眼球運動神経圧迫による視力低下や複視などの症状がなければ,経過観察でよい.神経線維腫症の眼窩病変を完全摘出することは不可能で再発も多い.孤立性神経線維腫の場合,他の良性腫瘍との鑑別は,術前には不可能である.S-100蛋白などの免疫組織化学染色が必要である.

■**予後** 生命予後はよい.

神経鞘腫
Neurilemoma (Schwannoma, Neurinoma)

敷島敬悟 東京慈恵会医科大学・教授

■**概念・病態** 末梢神経のSchwann細胞から発生する良性腫瘍で,眼窩腫瘍ではまれで(1〜3%),性差はなく,若年から中年で多くみられる.感覚神経である三叉神経から発生することが多く,まれではあるが動眼神経などの眼球運動神経由来の神経鞘腫も報告されている.

■**症状** 眼球突出,眼球偏位,眼球運動障害,視力障害をきたすが,腫瘍の局在,大きさによって症状はさまざまである.別の疾患における頭部画像検査で偶然発見される無症状のものや,小さい腫瘍にもかか

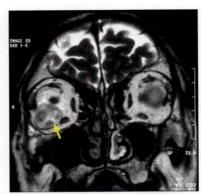

図19 神経鞘腫のMRI T1強調画像

わらず眼窩先端部に生じた場合には視力障害で発見されるものもある.症状は緩徐に進行する.

■**合併症・併発症** 若年者や多発性は神経線維腫症2型でみられる.非常にまれではあるが悪性腫瘍もあり,その半数は神経線維腫症でみられる.

■**診断** MRIでは腫瘍は辺縁明瞭な卵円形や紡錘形の形状を呈する.以下に述べる病理所見の特徴から,腫瘍内部が2種類の像を示し,不均一になる**(図19)**.粘液腫の病巣はT1強調画像で低信号,T2強調画像で高信号,造影MRIでは染まってこない.上眼窩裂を通り頭蓋内(海綿静脈洞内)と連続している場合もある.神経鞘腫の病理所見は,紡錘形細胞が柵状に配列(palisading)した充実性のAntoni Aパターンの部位と,粘液腫様や微小嚢胞のAntoni Bパターンの部位がさまざまな程度で混在している**(図20)**.

■**治療** 視機能が良好な場合は定期的な経過観察も選択肢となるが,視機能障害が悪化した場合は摘出術を行う.眼球運動神経由来の場合,被膜に沿う発生源の神経を

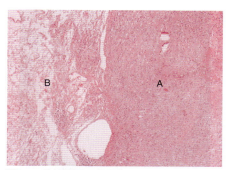

図20　神経鞘腫の病理像
Antoni A パターン(A)と Antoni B パターン(B)がみられる．
(敷島敬悟：眼窩腫瘍の病理診断．眼科 38：813，1996より)

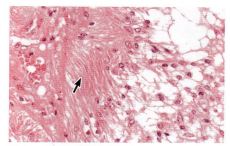

図21　視神経膠腫の病理像
Rosenthal 線維(矢印)がみられる．
〔敷島敬悟：視神経の腫瘍．丸尾敏夫，他(監修)：眼科学 第2版．p548，文光堂，2011 より〕

顕微鏡下で剝離し，被膜ごと全摘出するのが理想であるが，強固な癒着のため困難なことも多い．被膜を残した腫瘍内部の核出術も選択肢となるが，再発する可能性がある．

予後　再発性は進行が早く，摘出が困難になる．

視神経膠腫

Optic nerve glioma

敷島敬悟　東京慈恵会医科大学・教授

概念・病態　視神経膠腫はまれで(眼窩腫瘍の1％)，原発性の孤発例と神経線維腫症に合併するものがある．病理学的には良性の毛様細胞性星状膠細胞腫で，好酸性の星状膠細胞の突起が腫大して束状に見える Rosenthal 線維が認められる**(図21)**．

症状　原発性は10歳以下がほとんどである．片側性で徐々に出現する眼球突出と視機能障害を示し，視神経萎縮をきたす．視機能は著しく低下するが，小児では視力低下を訴えず，眼位異常，眼球運動障害，眼振で家族が気づく．

合併症・併発症　視神経膠腫のうち，神経線維腫症1型の合併は20～40％と報告されている．この場合は両側性のこともあるが，進行は非常に緩徐か停止性で，視機能障害も比較的軽微である．

診断　年齢，視神経所見から疑う．相対的瞳孔求心路障害が陽性である．MRIでは視神経は造影され，紡錘状に太く長くなり，屈曲(kinking sign)も観察される**(図22)**．

治療　原発性では経過観察，生検，放射線療法，化学療法が選択肢であるが，現在は化学療法(ビンクリスチンとカルボプラチンの併用)が主体である．近年は分子標的薬の有効性が期待されている．神経線維腫症での合併例では進行はほとんどみられず，視機能が良好のため経過観察でよい場合も多い．

予後　頭蓋内への進展や視交叉部に病変がみられるものは下垂体や視床下部に影響し，全身症状が出現する．化学療法の進

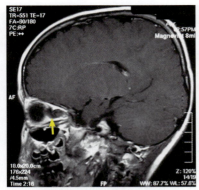

図22 視神経膠腫のMRI T1強調画像

kinking sign（矢印）がみられる．

（敷島敬悟：眼窩疾患 眼窩腫瘍．眼科 42：1388，2000 より）

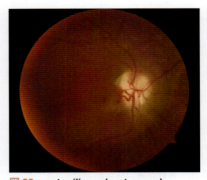

図23 optociliary shunt vessel

〔敷島敬悟（編）：神経眼科診断クローズアップ．p3，メジカルビュー社，2014 より〕

歩によって生命予後は良好であるが，視機能予後は決して良好ではない．

視神経鞘髄膜腫
Optic nerve sheath meningioma

敷島敬悟　東京慈恵会医科大学・教授

概念・病態　視神経鞘髄膜腫は視神経鞘のくも膜表層細胞から発生する良性腫瘍で，中年女性に多い．視神経鞘髄膜腫は髄膜腫のなかではまれであり（約2％），ほとんどは片側性である．

症状　緩徐に進行する視機能障害をきたし，進行は年余にもわたることがある．相対的瞳孔求心路障害が陽性であるが，視力低下の程度や視野異常はさまざまである．一過性の視力障害もみられる．占拠性病変が進行すると眼球突出や眼球運動障害をきたす．

合併症・併発症　神経線維腫症2型に合併することがあり，この場合は小児でもみられ，両側性も存在する．

診断　中年女性，緩徐に進行する片側性の視機能障害，相対的瞳孔求心路障害が陽性，ステロイドパルス療法が無効であることから疑い，画像所見から診断される．

　視神経乳頭所見は腫脹も萎縮もみられ，さまざまである．optociliary shunt vessel **（図23）** は視神経乳頭上にみられる拡張した血管で，特徴的な所見ではあるが，特異的なものではない．

　画像所見は特徴的である．視神経は腫大しているが，結節状に隆起する型や紡錘型は比較的少なく，全体的にびまん性に管状に腫大するタイプが多い．腫瘍は強い造影効果を示し，軸状断や矢状断の造影CTやMRIでは内部の視神経自体は染まらず，周囲の腫瘍部のみが造影され，特徴的ないわゆる tram-track sign を呈す **（図24）**．

治療　通常の放射線療法は無効で，近年は定位分割放射線療法の有効性が報告されている．腫瘍摘出術は視機能が消失するので，視機能の低下が著しく，頭蓋内への進展や眼球突出による著明な醜態があると

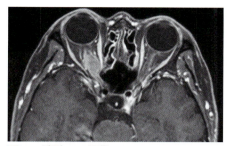

図 24　造影 MRI 画像
〔敷島敬悟：視神経鞘髄膜腫．大島浩一，他（編）：《眼科臨床エキスパート》知っておきたい眼腫瘍診療．p299，医学書院，2015 より〕

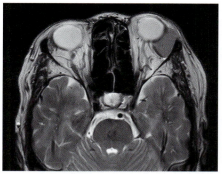

図 25　左涙腺部 MALT リンパ腫の MRI 画像
左涙腺が著明に腫大し，眼球は突出しているが，眼球の変形は生じていない．

きに適応がある．

予後　無治療でも数年間良好な視力を維持する症例もあるが，1/4 で光覚なしに至ったとの報告もある．

悪性リンパ腫

Malignant lymphoma

鈴木茂伸　国立がん研究センター中央病院・科長

概念　悪性リンパ腫はリンパ球が腫瘍化したものであり，造血器腫瘍の1つである．由来細胞により B 細胞型，NK/T 細胞型に分けられ，眼窩病変はほとんどが B 細胞型である．眼窩悪性腫瘍のなかでは悪性リンパ腫が最も頻度が高い．

病態　全身の悪性リンパ腫と組織型は大きく異なり，眼窩悪性リンパ腫の 80～90％ が低悪性度の MALT リンパ腫であり，次いで濾胞性リンパ腫，びまん性大細胞型 B 細胞リンパ腫（diffuse large B-cell lymphoma：DLBCL），マントル細胞リンパ腫などが数％ずつ生じる．胃の MALT リンパ腫の発病にピロリ菌（Helicobacter pylori）が大きく関与しているが，眼窩病変に関して原因は解明されていない．

症状　涙腺部に生じると，眼瞼腫脹，眼球突出，眼球偏位などを生じる．腫瘤により眼球の動きが制限される場合や外眼筋部に病変を生じると複視を自覚する．視神経周囲に生じると，圧迫性の視神経障害で視力低下を生じることがある．

診断　眼窩内病変を疑った場合には MRI もしくは CT を行う．MALT リンパ腫の場合には病変が眼窩内の隙間を広がるように進展するため，眼球の変形を生じることは少なく（図 25），眼球壁，外眼筋，視神経，眼窩壁などに沿って病変が広がる．悪性度の高い病変は眼球の圧排，変形を伴うことが多く，生検前にある程度組織型の予測ができる．

　画像上悪性リンパ腫を疑った場合，腫瘍の生検は必須である．境界明瞭な場合は全摘出を目指す場合があるが，通常は健常組織の障害を最小限にしつつ直視下に，ある程度の検体量採取を行う．最低でも 5 mm 角以上の検体が望ましい．

採取した検体は，通常の病理診断，免疫染色に加え，フローサイトメトリー，遺伝子再構成検査，染色体検査などを追加する．検体の扱いは事前に病理医，血液腫瘍内科医と相談しておくことが重要である．

組織学的に悪性リンパ腫の診断が確定したのち，全身検査を行う．血液検査(LDH，可溶性 IL-2 受容体，血液像)，PET-CT 検査，骨髄検査，消化管内視鏡検査を行う．結果的に眼部病変のみであれば，両側であってもステージ 1 と診断する．

■ **鑑別診断** IgG4 関連疾患，特発性眼窩炎症などが鑑別に挙がる．画像検査で鑑別することは難しく，血清 IgG4 値，生検標本の病理診断で鑑別する．

■ **治療** MALT リンパ腫でステージ 1 の場合，放射線治療が標準的治療であり，24〜30 グレイの分割照射を行うことで病変はすみやかに消退する．症状が軽微の場合，病変を残したまま経過観察を行い，増大した時点で積極的治療を行うという待機療法(watchful waiting)を選択することもある．ステージ 3 以上の場合はリツキシマブを主体とした治療を行うことが多い．

DLBCL の場合は，眼窩以外の病変に準じて R-CHOP 療法(リツキシマブ，シクロホスファミド水和物，ドキソルビシン塩酸塩，ビンクリスチン硫酸塩，プレドニゾロン併用療法)と局所放射線治療を併用する．濾胞性リンパ腫はリツキシマブを主体とした治療を行う．薬物治療は血液腫瘍内科に依頼し，全身病変の評価とともに併診する．

■ **合併症への対応** 放射線治療を行った場合，涙液減少および眼表面幹細胞障害などによる眼表面障害を生じる．ヒアルロン酸ナトリウム点眼，重篤な場合は眼軟膏など角膜保護治療を行う．水晶体被曝により治療後数年で白内障を生じることが多く，後嚢下白内障が特徴的である．視力低下が進めば通常の白内障手術を行う．30 グレイ程度の放射線治療であれば放射線網膜症を生じることはまれであるが，糖尿病などの基礎疾患がある場合は慎重に眼底検査を継続し，必要時に網膜光凝固を行う．

■ **予後** MALT リンパ腫は放射線治療によりすみやかに消退するが，1〜2% で照射野内再発を生じることがあり長期経過観察が望ましい．ほとんどはステージ 1 のため生命予後は良好であり，視機能も維持可能である．再発時は，DLBCL へ形質転換することがあり，生検で組織型を確認することが望ましい．

DLBCL の場合，他部位の病変を伴うことも多く，生命予後は薬物治療の奏効に依存する．

Histiocytosis X, Langerhans 細胞組織球症

Histiocytosis X, Langerhans cell histiocytosis

大島浩一　岡山医療センター・非常勤医師

■ **概念** 好酸球性肉芽腫症，Hand-Schüller-Christian 病，Letterer-Siwe 病の 3 疾患は，いずれも Langerhans 細胞(組織球)の浸潤・増殖を共通の組織学的特徴とする．そこで Lichtenstein は，これらを histiocytosis X という名称で総括することを提唱した(1953 年)．しかしその後の研究により，これら 3 疾患に移行はありうるものの，基本的には病態・臨床経過が大

きく異なるものであるという考え方が主流になっている．

好酸球性肉芽腫症とHand-Schüller-Christian病は，Langerhans細胞が浸潤する炎症性疾患であり，自然消退がありうる．Letterer-Siwe病は，乳幼児にみられるLangerhans細胞の腫瘍性増殖であり，予後不良で数年以内に死亡することが多い．

3疾患ともまれな疾患であり，発症頻度・原因は不明である．正しい診断には，病理診断が必須である．

1 好酸球性肉芽腫症

症状　20歳以下，特に10歳以下の小児に発症する．通常は孤発性で，骨病変の形で発症する．大腿骨や上腕骨などの長管骨に好発するが，鎖骨，骨盤，脊椎などにも生じる．眼窩骨に発症した場合には，眼瞼・眼窩の軟部組織に炎症が波及し，眼窩蜂巣炎に似た炎症症状を呈する．その部の痛みを訴えることもある．予後は良好で自然治癒を期待できるため，正しく診断することが重要である．

診断　画像では，骨破壊を伴う腫瘤形成として認められる．骨肉腫やEwing肉腫，あるいは骨髄炎との鑑別が必要であり，試験切除して病理診断を行うべきである．病理所見では，組織球とともに好酸球が多数浸潤している．

治療　好酸球性肉芽腫症と病理診断できたら，画像診断などを行い経過観察する．炎症症状や疼痛が軽快しない症例や，骨折の危険性が高い症例では，手術により掻爬し自然治癒を促す．副腎皮質ステロイドや低用量の放射線照射を用いることもある．

2 Hand-Schüller-Christian病

症状　ほとんどの症例が小児期に発症する．骨で肉芽腫が形成されるために，骨欠損が生じる．骨欠損は90％以上が頭蓋骨(眼窩骨を含む)に生じるが，大腿骨，骨盤などに生じることもある．脳下垂体周辺に肉芽腫が浸潤すると，尿崩症をきたす．皮膚病変は黄色腫として認められる．肺に病変が及ぶと，呼吸器症状をきたす．

治療　慢性進行性疾患である．肉芽腫性炎症を制御するために，副腎皮質ステロイドが有効と考えられる．免疫抑制薬や低用量の放射線照射を用いることもある．

3 Letterer-Siwe病

症状　ほとんどの症例が1歳未満で発症する．全身のすべての臓器が侵される可能性があり，傷害された臓器に応じて症状が異なる．肝脾腫による腹部膨満，全身のリンパ節腫脹，息切れ，皮膚湿疹，歯の脱落，発熱，全身衰弱など種々の症状が出現する．

治療　有効な治療法はない．栄養不良，感染などにより，ほとんどの症例が乳幼児期までに死亡する．

涙腺腫瘍

Lacrimal gland tumor

渡辺彰英　京都府立医科大学・学内講師

概念・病態　涙腺より発生する腫瘍は，大きく上皮系腫瘍とリンパ系腫瘍に分かれる．上皮系良性腫瘍では多形腺腫(pleomorphic adenoma)が多く，悪性腫瘍

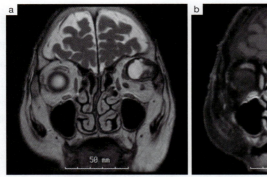 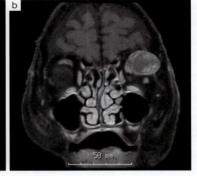

図 26　多形腺腫
左涙腺部多形腺腫の MRI T2 強調画像（a），造影 T1 強調画像（b）．充実性部分と囊胞性部分の混在した多形腺腫．

では腺様囊胞癌（adenoid cystic carcinoma），多形腺癌（pleomorphic adenocarcinoma），腺癌（adenocarcinoma），粘液表皮様癌（mucoepidermoid carcinoma）などがある．リンパ系腫瘍では悪性リンパ腫（malignant lymphoma）が多く，反応性リンパ過形成（reactive lymphoid hyperplasia）を含む特発性眼窩炎症（idiopathic orbital inflammation），IgG4 関連眼疾患（IgG4 related ophthalmic disease），涙腺炎などとの鑑別を要する．涙腺腫瘍全体の頻度としては，圧倒的に悪性リンパ腫の頻度が高い．

多形腺腫（図 26）は涙腺原発良性腫瘍で最も頻度の高い腫瘍であり，わが国では比較的若年（30〜40 歳代）の女性に多い．多形腺腫は混合腺腫ともよばれるように，組織学的には多形という名の通り，上皮成分と間質様組織成分が混在した多彩な像を呈する．多形腺腫の悪性転化したものが多形腺癌である．発症年齢は多形腺腫よりも高齢であり，多形腺腫の自然経過中や生検，摘出術後の残存腫瘍から発生する．多形腺腫の摘出術後 5〜20 年経過してから多形腺癌に悪性転化する場合もあり，多形腺腫の摘出術後は長期に注意が必要である．腺様囊胞癌（図 27）は，多形腺腫と同様，比較的若年の女性に多い．悪性度が高く，眼窩内および周囲組織への浸潤，周囲の骨破壊，肺や骨などへの遠隔転移をきたしやすく予後不良である．

悪性リンパ腫は 60 歳代以降の高齢者に多く，両側の涙腺に発生することもあれば片側性のこともある．組織型としては，MALT（mucosa-associated lymphoid tissue）リンパ腫，びまん性大細胞型 B 細胞リンパ腫（diffuse large B-cell lymphoma），濾胞性リンパ腫（follicular lymphoma）の順に頻度が高い．悪性リンパ腫の鑑別として，反応性リンパ過形成，涙腺炎，IgG4 関連眼疾患による涙腺部腫瘤があるが，診断確定のためには生検を要する．

■ **症状**　多形腺腫などの良性腫瘍は発育が緩徐であるため急性の経過をとることはないが，徐々に進行する眼球突出，眼球偏位，眼球運動制限，眼瞼下垂などが起こる．腺様囊胞癌や腺癌などの悪性腫瘍では，腫瘍の増大に伴う眼球突出，眼球偏

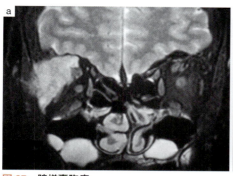
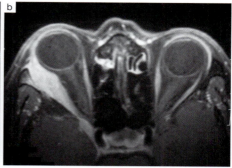

図 27 腺様嚢胞癌
a:側頭筋への浸潤を認める．
b:海綿静脈洞への浸潤を認める．

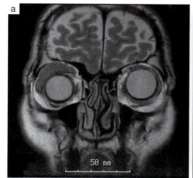
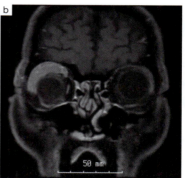

図 28 悪性リンパ腫
右涙腺部 MALT リンパ腫の MRI T2 強調画像(**a**)，造影 T1 強調画像(**b**)．眼球に沿って発育する molding を認める．

位，外眼筋や神経浸潤による眼球運動制限や眼瞼下垂，視神経圧迫による視力低下，視野狭窄などが比較的急速に進行する．悪性リンパ腫は眼球に沿って発育する molding(鋳型)が特徴的であり **(図 28)**，増大しても直接眼球を圧迫しないため，良性腫瘍と同様の症状を示すことが多い．腫瘍の大きさによっては，涙腺部に触診可能な腫瘤を認める場合もある．両側性の涙腺部腫瘤をみた場合，涙腺炎，IgG4 関連眼疾患，悪性リンパ腫，反応性リンパ過形成などを

疑うことが必要である．涙腺炎や特発性眼窩炎症の場合は涙腺部の疼痛も訴えることがある．

診断 涙腺部腫脹，眼球突出などの症状で涙腺腫瘍を疑えば視力，視野，眼球運動などの眼科的検査を行い，単純 CT および単純・造影 MRI による画像診断と，全身検索の必要性があれば PET-CT や造影 CT，^{67}Ga シンチグラフィなどを行うが，確定診断は生検もしくは全摘出後の病理組織診断による．

治療

■ **薬物治療** 炎症性疾患である涙腺炎，特発性眼窩炎症，IgG4 関連眼疾患に対しては，副腎皮質ステロイドの全身投与を行う．

悪性リンパ腫は病型および病期により治療が異なるが，眼窩に多い CD20 陽性のリンパ腫にはリツキシマブの単独投与や CHOP 療法，両者を組み合わせた R-CHOP 療法が選択される．

処方例 下記の薬剤を症状に応じて適宜用いる．

1) プレドニン錠(5 mg)　6 錠　分 2(4-2-0) または 8 錠　分 2(5-3-0) から開始し，治療効果をみながら 1〜2 週間ごとに 1〜2 錠ずつ漸減
2) リツキサン点滴静注　1 回 375 mg/m^3 点滴静注　1 週間間隔で 4 クール

■ **放射線治療** 悪性リンパ腫や放射線感受性のある一部の上皮系悪性腫瘍に対しては放射線治療が選択されうる．なかでも MALT リンパ腫は放射線感受性が高い．眼窩外浸潤のため眼窩内容除去を含めた手術が不可能な腺様嚢胞癌に対しては重粒子線治療や陽子線治療が行われている．

■ **外科的治療** 涙腺腫瘍摘出術には部分切除(生検)と全摘出があるが，その選択には，あらかじめ画像診断で良性・悪性の鑑別，腫瘍性疾患と炎症性疾患の鑑別をある程度つけておく必要がある．良性腫瘍は全摘出が望ましく，腫瘍の部位や大きさに応じて，骨切りを併用した経眼窩縁アプローチを行うかを決めるが，涙腺窩に存在する多形腺腫は骨切りを併用しなければ腫瘍の全摘出は困難であることが多い．一方，眼瞼部涙腺に由来する多形腺腫は浅い場所にあるため，皮膚切開からのアプローチで容易に摘出可能である．また，悪性リンパ腫や腺様嚢胞癌などの悪性腫瘍を疑う場合，境界不明瞭な腫瘍，涙腺炎や IgG4 関連眼疾患，反応性リンパ過形成など，涙腺部の両側性腫瘤や炎症性腫瘤を疑う場合には生検を施行する．

生検は，眉毛下外側または重瞼線の皮膚切開から眼窩縁に到達し，眼窩隔膜を切開し涙腺部腫瘍を同定する．腫瘍を少なくとも約 5 mm^3 以上切除し，止血ののち，サージセル®など抗凝固作用のあるシートや綿を腫瘍切除部分に詰め，眼窩隔膜，皮膚を縫合する．悪性リンパ腫を疑う場合は，病理組織検査に加えて，生検体でのフローサイトメトリーや免疫グロブリン遺伝子再構成などの検査を行う．

生検の結果，腺様嚢胞癌や腺癌であった場合，腫瘍が眼窩内にとどまっていれば眼窩内容除去を考えるが，整容的な問題，患者の年齢や本人・家族の希望を考慮して，重粒子線治療や陽子線治療などの保存的治療を選択する場合もある．

眼瞼部涙腺多形腺腫など皮下に腫瘍を触れるような場合は，局所麻酔下で全摘出が可能である．局所麻酔下に重瞼線を延長した皮膚切開から腫瘍を摘出する．眼窩部涙腺多形腺腫など，腫瘍の部位が眼窩涙腺部で皮下に腫瘍が触れない場合は眼窩縁の骨が腫瘍摘出の際に邪魔になることが多く，骨切りを併用する．眼窩上切痕から頬骨弓上縁までの骨切りを行い，腫瘍を摘出したのち，骨を戻し，骨膜縫合で固定する．多形腺腫は残存すると再発しやすく，悪性転化する可能性もあり，被膜を破らないようにしながら全摘出が望ましい．

予後　多形腺腫は良性腫瘍であるが，前述のように摘出後に悪性転化して再発す

ることもあり，長期にフォローが必要である．腺様嚢胞癌は骨や肺に遠隔転移をきたしやすく，生命予後は悪い．

悪性リンパ腫は，化学療法や放射線療法に反応がよく，頻度の高い MALT リンパ腫は低悪性度であるため，総じて生命予後はよいが，びまん性大細胞 B 細胞リンパ腫など高悪性度のリンパ腫で，全身へ浸潤し進行が速い場合は生命予後不良なこともある．

副鼻腔悪性腫瘍

Malignant tumor of paranasal sinuses

渡辺彰英　京都府立医科大学・学内講師

概念・病態　副鼻腔原発の悪性腫瘍は，扁平上皮癌が最も多く（約 80％），そのほか肉腫，悪性黒色腫，悪性リンパ腫などがある．上顎洞に生じることが最も多く，次に篩骨洞，まれに蝶形骨洞や前頭洞にみられる．

症状　副鼻腔に存在しているうちは片側性鼻閉，鼻漏，歯痛などの症状を呈する．腫瘍が副鼻腔から眼窩内へ浸潤すると，眼球突出，眼球運動制限，眼瞼腫脹，眼瞼下垂，視力低下，視野狭窄，結膜浮腫，結膜充血などが起こりうる．

診断　CT で副鼻腔腫瘍があり骨破壊を伴う眼窩内への浸潤を認めれば，副鼻腔悪性腫瘍が疑われる．MRI では辺縁不整な副鼻腔腫瘍が認められ，T2 強調画像で中等度の信号強度を呈する．良性の副鼻腔粘液嚢胞も骨破壊を伴い眼窩内へ浸潤するが，境界明瞭であり，MRI の T2 強調画像で均一な高信号を呈するので鑑別は容易である．確定診断は生検後の病理組織学診断による．

悪性腫瘍の確定診断がついたら，PET-CT や造影 CT などによる全身検索を行うが，副鼻腔原発の扁平上皮癌では頸部リンパ節転移をきたしやすい．

治療　耳鼻咽喉科医と連携して，腫瘍の眼窩内への浸潤の程度によって鼻腔内または眼窩内，あるいは両部位の腫瘍生検を施行する．病理組織診断が確定したら，耳鼻咽喉科医と相談して治療方針を決定する．可能であれば全摘出が望ましいが，広範囲の眼窩内浸潤をきたしている場合に上顎眼窩全摘出は整容的な問題から受け入れがたく，放射線治療，化学療法および手術のうち 2 者または 3 者併用療法が選択される．

転移性眼窩腫瘍

Metastatic orbital tumor

渡辺彰英　京都府立医科大学・学内講師

概念・病態　眼窩内へ遠隔転移してくる腫瘍は，小児では神経芽細胞腫，Ewing 肉腫，髄芽細胞腫，Wilms 腫瘍，白血病が多く，成人では乳癌（図 29），肺癌，胃癌，前立腺癌，精巣癌が多い．

転移ではないが続発性（浸潤性）腫瘍では，副鼻腔から生じる粘液嚢胞が多く，過去に副鼻腔炎に対する手術歴のある症例に多い．粘液嚢胞は良性腫瘍であるが，眼窩内に浸潤し視神経を圧迫すると鼻性視神経症を生じ視力低下をきたすことがあり，注意が必要である．そのほか副鼻腔から生じる扁平上皮癌，腺癌，鼻腔から生じる扁平

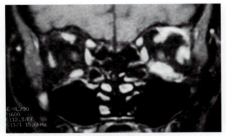

図29 乳癌の左眼窩内転移MRI所見
眼窩上外側および下直筋に乳癌転移を認める．

上皮癌，嗅神経芽細胞腫，まれではあるが涙嚢原発の移行上皮癌，孤立性線維性腫瘍，結膜の扁平上皮癌，悪性黒色腫，眼瞼の脂腺癌，扁平上皮癌，基底細胞癌，眼内の網膜芽細胞腫，悪性黒色腫，頭蓋内の髄膜腫，神経芽細胞腫などが続発性腫瘍として挙げられる．

症状　腫瘍の圧迫による眼球突出，眼球偏位，眼球運動制限，眼瞼腫脹，眼瞼下垂などが起こる．悪性腫瘍では，腫瘍の増大に伴う眼球突出，外眼筋や神経浸潤による眼球運動制限，視神経圧迫による視力低下，視野狭窄などが比較的急速に進行する．腫瘍の部位や大きさによっては，眼瞼から触診可能な腫瘤を触れる場合もある．

診断　眼球突出などの症状で転移性眼窩腫瘍を疑えば視力，視野，眼球運動などの眼科的検査を行い，単純・造影のCTおよびMRIの画像診断と生検を施行する．病理組織診断で眼窩原発の腫瘍が否定され，原発巣が不明の場合は，既往歴の把握，採血による腫瘍マーカーの測定，PET-CTや造影CT，^{67}Gaシンチグラフィなどを行う．

治療　悪性を疑う場合は早急に生検を施行し，病理診断を行う．全身からの転移性腫瘍の場合は，原発巣の腫瘍を扱う他科の医師と連携して治療を行うが，すでに生命予後が不良なこともある．眼窩内の転移巣が全摘出の適応となることはほとんどないため，化学療法や放射線療法など，原発癌に有効な治療または局所制御目的の治療を行う．

続発性（浸潤性）腫瘍の場合は，副鼻腔からの粘液嚢胞であれば腫瘍の全摘出が可能であるが，悪性腫瘍の浸潤であれば原発部を含めた眼窩内容除去，または扁平上皮癌などの放射線感受性の高い腫瘍であれば放射線療法が選択される．

予後　小児の神経芽細胞腫やEwing肉腫などで化学療法によく反応した場合は生命予後がよいが，全身からの転移性腫瘍の場合は一般的に予後不良である．

眼球陥凹，義眼床陥凹
Enophthalmos, Eye socket depression

酒井成貴　慶應義塾大学形成外科
酒井成身　新宿美容外科・歯科

1 眼球陥凹

病態・治療　眼球陥凹は外傷性，眼球疾患，神経性で起こる．外傷性は吹き抜け骨折（blowout fracture）などで眼球が後退した状態である．眼窩底骨折などで眼球運動が制限され複視が出現する場合は手術となる．眼球疾患として小眼球症に伴う眼球陥凹がある．時に網膜剥離術後に眼球が小さくなることによっても出現する．そのほかに神経性として交感神経麻痺性眼球陥凹が挙げられ，瞳孔縮瞳，眼瞼狭小，眼球陥凹がHorner症候群の3徴候として有名である．

図30 右義眼床陥凹例

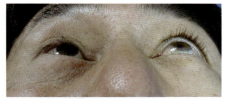

図32 真皮脂肪移植より1年後
右義眼床陥凹が解消された状態である.

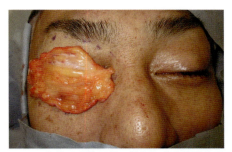

図31 右義眼床陥凹部へ植える真皮脂肪を置いたところ

2 義眼床陥凹

病態 義眼床陥凹の多くは幼少期の網膜芽細胞腫など悪性腫瘍切除後に放射線治療が施行され,劣成長となるため眼窩部の陥凹が強くなる.骨を含めた義眼床全体が陥凹し結膜嚢も萎縮している.そのため義眼によりボリュームを得ようとしても,拘縮が強く大きな義眼は入らないことがほとんどである.

治療 これらの改善には,①陥凹の修正,②結膜嚢の拡大,上眼瞼下垂や下眼瞼下垂の修正などが必要となる.②の結膜嚢の拡大には粘膜移植や植皮が用いられる.①の底上げ修正目的で,眼窩縁や義眼台には硬性再建として腸骨・肋骨・肋軟骨が用いられ,人工材料としてはシリコンブロック,ハイドロキシアパタイト,アクリルボールなども用いられる.眼瞼・義眼床周囲には義眼の出し入れしやすい軟らかい真皮脂肪が好んで用いられている.脂肪のみの移植では吸収されやすいため,その上の表皮を脱上皮し,真皮を付けたまま採取する.このように真皮脂肪にすることによって術後の移植組織の吸収が少なくなり,義眼床陥凹の修正に有用である(図30〜32).脱上皮時に採取される表皮は必要に応じて義眼に裏返しに巻きつけ,剥離拡大した結膜嚢に義眼ごと移植すると結膜嚢も拡大修正でき,適切な大きさの義眼を装着できる.さらにボリュームが必要な場合にはマイクロサージャリーによる血管吻合を用いた複合組織の移植が行われる.

義眼

Eye prostheses, Artificial eye, False eye

酒井成貴　慶應義塾大学形成外科
酒井成身　新宿美容外科・歯科

概念 義眼は眼球があるかのようにみせるための眼球表面や眼窩内前面に装着させる扁平な楕円形の装具である.装着の理由として眼窩の保護や萎縮の予防と整容面の改善である.先天異常の無眼球・小眼球症や眼球癆・悪性腫瘍などで眼球内容除去術,眼球摘出術後に使用される.義眼は球

図33 よく用いられる標準的な義眼

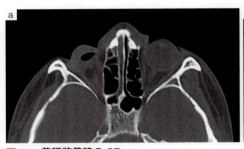
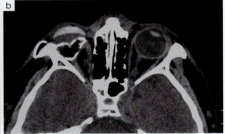

図34 義眼装着時のCT
a：義眼を装着しているが後方に陥凹している．
b：義眼床の後方に材料を移植する底上げ術を施行し厚型の義眼を装着している．

状と思われがちであるが，球状では瞳孔が後ろへ回転し，またその重みで下眼瞼が下垂するため，扁平で軽いものが望ましい．萎縮した眼球が残存する場合や眼球後退には超薄型のコンタクト義眼を使用し，白濁した角膜を隠し眼球陥凹を補正する．

義眼の選択　扁平な義眼は眼球内容除去後や眼球摘出後に用いられる**(図33)**．分厚い義眼は重く，下眼瞼が下垂気味となるので，「眼球陥凹，義眼床陥凹」項(⇒960頁)で挙げた義眼床の底上げ術を行い修正する**(図34)**．術後は仮義眼や有窓義眼を挿入し拘縮を予防，状態が安定したら本人に合わせたオーダーの義眼を合成樹脂で作製する．健眼と結膜嚢の形に合わせ，義眼の大きさ・厚さ・形を調整，さらに虹彩の色や大きさ，球結膜の色や血管の走行を健眼に類似させて着色をする．変色や大きさの変化で一般には2～5年ごとに作り替える場合が多い．

費用は医師が眼窩保護や眼窩成長に必要と認めた場合は診断書を作成し，患者が申請すると療養費払いで返還される．しかし，単なる美容的な観点での作り替えは適用とならない．

健側の眼球の動きとともに動くような可動性義眼が報告され，眼窩部に埋め込まれた義眼台と義眼を連結する方法や，義眼台に埋め込まれた磁石により動きを伝えるマグネット義眼などが用いられていた．しか

し，連結式では義眼台の露出や感染，マグネット義眼も術後の長期経過では外眼筋が萎縮してきて可動性が減弱する場合も多く，現在ではあまり用いられていない．

義眼の管理　義眼の装着時に，眼脂が義眼に付着してくることも多く，特に結膜嚢を拡大するため広範に植皮がなされていると，その分泌物や垢がたまってしまう．したがって，毎日義眼取り出して洗浄を行い，結膜嚢には点眼液や眼軟膏を用いる．

症例を通して学ぶ、眼底イメージングの新潮流—待望の
OCTAアトラス、ついに登場！

OCTアンギオグラフィ コアアトラス

ケースで学ぶ読影のポイント

編集　　　吉村長久　北野病院病院長
編集協力　加登本伸　北野病院眼科

OCTアンギオグラフィ(OCTA)は、非侵襲的に眼底の血管像が得られることから注目されている。本書では、OCTAの原理・正常眼底について概説し、疾患各論では症例を通して読影ポイントを示した。各症例では、カラー眼底、蛍光眼底造影、OCTなど他の検査との対比により、OCTAで何が分かるかを詳説。また、特有のアーチファクトについても随所で解説し、注意を喚起した。OCTAについて知りたい眼科医の必携書。

●B5　頁168　2017年　定価：9,900円
（本体9,000円＋税10%）　[ISBN978-4-260-03005-2]

■目次

第1章　OCTアンギオグラフィの原理
OCTの基本／OCTAの基本／OCTA読影のうえで注意すべきアーチファクト

第2章　正常眼底
OCTAによる正常眼底像／FA/ICGAとOCTAの描出の違い／正常視神経乳頭

第3章　黄斑疾患
滲出型AMD(type1 CNV)／滲出型AMD(type2 CNV)／PCV／pachychoroid neovasculopathy／RAP(type 3 neovascularization)／萎縮型AMD／近視性CNVと単純出血／網膜色素線条／黄斑部毛細血管拡張症

第4章　緑内障
視神経乳頭／原発開放隅角緑内障／続発緑内障／強度近視を伴う緑内障／preperimetric glaucoma

第5章　糖尿病網膜症
網膜内細小血管異常／無灌流領域／毛細血管瘤／糖尿病黄斑浮腫／抗VEGF薬投与前後の糖尿病黄斑浮腫／抗VEGF薬投与後1年の治療経過／虚血性黄斑症／虚血性黄斑症の程度別評価／増殖糖尿病網膜症／硬性白斑

第6章　網膜動静脈閉塞性疾患
網膜静脈閉塞症(RVO)に認める無灌流領域(NPA)／RVOに伴うNPAと視機能との関連／RVOに伴う乳頭新生血管(NVD)／陳旧期BRVOに認める毛細血管瘤(MA)／RVOに認める異常血管網／CRVOに認める乳頭部側副血行路／BRAOに認める網膜虚血(軽度)／BRAOに認める網膜虚血(重度)／大動脈炎症候群(高安病、脈なし病)

第7章　神経眼科疾患・その他
前部虚血性視神経症(AION)／視神経網膜炎／圧迫性視神経症／視神経鞘髄膜腫／乳頭腫瘍

医学書院

〒113-8719　東京都文京区本郷1-28-23　[WEBサイト]https://www.igaku-shoin.co.jp
[販売・PR部]TEL:03-3817-5650　FAX:03-3815-7804　E-mail:sd@igaku-shoin.co.jp

17 全身性眼疾患

アトピー性皮膚炎
Atopic dermatitis：AD

松田 彰　順天堂大学・准教授

概念　2018年のアトピー性皮膚炎（AD）診療ガイドラインにおいて，ADは増悪と軽快を繰り返す搔痒のある湿疹を主病変とする疾患で，患者の多くはアトピー素因をもつ疾患と定義されている．湿疹は左右対称な分布を示し，乳児期には頭と顔に多く，幼小児期には頸部と四肢関節部に，思春期以降は上半身に皮疹が強い傾向がある．

病態　皮膚のバリア機能の脆弱性とアトピー素因に伴う炎症反応が病態の根本にある．皮膚のバリア機能の低下には，①角層細胞間の脂質成分の低下に伴う保湿力の低下，ならびに角質細胞中のフィラグリン発現の低下，②表皮細胞間の細胞間接着構造（タイトジャンクション）の機能低下が原因として考えられている．皮膚バリア機能の低下により表皮内に侵入したアレルゲンは，表皮角化細胞からIL-33，IL-25，TSLPといったサイトカインの産生を誘導し，2型の免疫反応を引き起こす．またアレルゲンは表皮内のランゲルハンス細胞によって認識され，アレルゲン特異的なIgEの産生を引き起こす．同種のアレルゲンへ繰り返し曝露することで，マスト細胞などのエフェクター細胞からのサイトカインや炎症性メディエーターの産生に伴う慢性炎症が生じる．また，病変部位の皮膚から痒みを引き起こす物質（IL-31やヒスタミンなど）が放出され，搔破行動が誘発され，さらなる表皮の障害による悪循環が形成される．

症状・合併症　ADは眼瞼皮膚にも波及することがあり，眼症状としてアトピー性眼瞼炎の形をとる．最近の米国からの報告で，ADは角結膜炎，白内障，網膜剝離，緑内障，円錐角膜の発症のリスク因子であることが報告されている．

治療　顔面のADのコントロールでは眼圧上昇に注意しながら，保湿剤，ウィーククラスのステロイド軟膏，タクロリムス軟膏を皮膚科専門医と連携して使用していく．2018年からは，局所療法で皮疹のコントロールが不十分な重症ADの治療にデュピルマブ（デュピクセント®：IL-4/IL-13受容体に対する抗体）の皮下注射が用いられている．一方でAD治療に用いられるデュピルマブの副作用としての結膜炎が時に生じることが報告されており，ADの治療において眼科専門医と皮膚科専門医の連携がますます重要になっている．

処方例　（アトピー性眼瞼炎）軽症例では1)を，中等症では2)を用いる．

1) プロペト眼軟膏による皮膚の保湿
2) プレドニン眼軟膏　1日2回程度塗布

予後　ADの眼合併症は青壮年期に発症することが多く，患者の生活の質に影響

する病態である．皮膚科専門医と連携して，重症 AD の治療の一端を担い視機能の保全に努めることが重要と考える．

ホモシスチン尿症
Homocystinuria

久保江理　金沢医科大学・特任教授

概念　ホモシスチン尿症は先天性アミノ酸代謝異常症の一種である．先天的な cystathionine beta-synthase（CBS）活性の欠損により，メチオニンとホモシステインが血中に蓄積し，ホモシスチン（ホモシステインの重合体）の尿中排泄が増加するアミノ酸代謝異常である．常染色体劣性遺伝の形式をとり，生下時は正常であるが，無治療で放置すると年齢とともに症状が出現する．わが国での患者発見頻度は約 1/80 万とされる．

診断　新生児マススクリーニングで，「メチオニン高値（1.0〜1.2 mg/dL）」によってスクリーニングされる．さらに，「血中メチオニン高値（1.2 mg/dL 以上）」および「血中総ホモシステイン（60 μmol/L 以上）」を満たせば，CBS 欠損症と確定してよい．しかし，同様にメチオニン高値を呈する methionine adenosyltransferase gene 欠損症や新生児肝炎を鑑別する必要がある．臨床症状は，無治療で経過した場合，精神神経症状（知的障害，てんかんなど）や，Marfan 症候群患者に類似した症状，細長い手足・指，血栓形成，大動脈中膜障害や精神発達遅滞などが特徴的である．無治療の場合の眼症状としては，水晶体亜脱臼とそれに起因する近視・白内障・緑内障が重要である．水晶体偏位は，下鼻側が多く，通常 10 歳までに生じる．

治療　治療は血中ホモシステイン値の低下を主眼とする．食事療法としてメチオニン摂取制限を実施し，空腹時の血中メチオニン濃度を 1 mg/dL 以下に保つようにする．乳児・新生児の場合，母乳・一般粉乳，離乳食に加えてメチオニン除去粉乳（L-シスチン添加）を併用する．年長児においてはベタインが併用されることが多く，ベタイン内服によりホモシステインの再メチル化を促進しメチオニンに代謝することで，結果としてホモシステインを低下させることができる．

眼科合併症の治療は，「Marfan 症候群」（⇒次項参照）と同様である．

Marfan 症候群
Marfan syndrome

久保江理　金沢医科大学・特任教授

概念　Marfan 症候群は，全身の結合組織の機能異常により，大動脈（大動脈瘤や大動脈解離）や骨格（高身長・細く長い指・漏斗胸・側弯など），眼（水晶体偏位），肺（ブラの発達や自然気胸）などの多臓器に障害が発生する遺伝性疾患である．その表現型は Marfan 症候群の単発的な症候から，新生児期に認められる多臓器にわたる重症・進行性の病変までさまざまである．患者の約 90％以上でフィブリリン 1（FBN1）遺伝子に変異がある．細胞外基質の異常から，結合組織が脆弱となり組織の弾力性が減少するため，大動脈や眼部，骨の形成などに多発性奇形異常をもたらす．

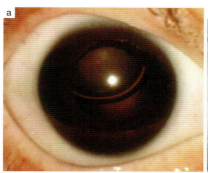
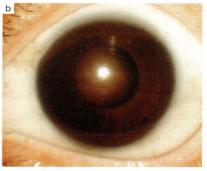

図1　Marfan症候群の前眼部写真
a：右眼，b：左眼．Zinn小帯の形成不全により，右眼は水晶体の亜脱臼による上耳側方向への偏位を認め，左眼は水晶体振盪を認めた．

さらに，TGF-β受容体遺伝子（*TGFβR1*，*TGFβR2*）の変異によるものとして分類されていたLoeys-Dietz症候群でも，Marfan症候群に酷似した症状を呈しているため，Marfan症候群の発症機序の根底にも，TGF-βのシグナル異常による結合組織異常があると考えられるようになってきた．

常染色体優性遺伝病であり，約75％は両親のいずれかが罹患し，約25％は突然変異で起こる．約5,000人に1人の頻度で発症するといわれている．

症状　本症の最も一般的な眼症状は，水晶体偏位であり，約60％の患者にみられる．Zinn小帯は水晶体と接着したままで障害されないことが多いが，伸展する．亜脱臼方向は上耳側が多い**(図1)**．また，長眼軸による軸性近視，角膜の変形（フラット化），虹彩形成不全もマイナーなMarfan症候群の診断基準とされている．それ以外には，白内障や瞳孔ブロックによる閉塞隅角緑内障や，隅角の異常による開放隅角緑内障がみられる症例もある．また，本症では網膜剝離や弱視の発症リスクも高いため，定期的な眼科診察が必要である．

診断　以下の臨床症状，①過伸展を伴う長い指，側弯，胸部変形〔胸骨の陥凹（漏斗胸）や突出（鳩胸）〕などを含む身体所見，②水晶体亜脱臼・水晶体偏位などを含む特徴的な眼科所見，③大動脈基部病変〔20歳以上では大動脈基部径（Valsalva洞径）の拡大がZスコア≧2.0，20歳未満ではZスコア≧3.0〕のうち，いずれか1つを認め，原因遺伝子（*FBN1*，*TGFβR1*，*TGFβR2*，*SMAD3*，*TGFβ2*，*TGFβ3*遺伝子など）に変異を認めればMarfan症候群と診断が確定する．

Marfan症候群では，大動脈瘤破裂や大動脈解離によりショックや突然死をきたすことがある．突然死をきたさなくても，大動脈弁閉鎖不全により心不全や呼吸不全を発症することがあるため注意深い経過観察が必要である．

治療　Marfan症候群の本質的な治療法はなく，その臨床的マネジメントには臨床遺伝学，循環器科，眼科，整形外科，胸部外科の専門科によるチームアプローチが

必要である．眼合併症に対する治療は，疾患の程度により異なっている．水晶体偏位が軽度の場合，眼鏡やコンタクトレンズによる近視の屈折矯正が可能で，視力が良好なケースが多い．しかし，水晶体偏位や白内障が進行し，眼鏡やコンタクトレンズによる屈折矯正が困難となる場合や，偏位による眼圧変動が大きい症例では，水晶体再建術と眼内レンズ縫着術や強膜内固定術などによる視力矯正と緑内障発症予防が必要である．特に小児で，高度の水晶体偏位を合併する場合には，弱視に至らないように，視覚発達の感受性期間内に手術加療が必要である．

水晶体偏位例では，散瞳による眼圧上昇や頭位による眼圧変化も生じるため眼圧だけではなく視神経乳頭変化，視野変化に注意して診療・治療を行う必要がある．隅角形成異常による高眼圧を生じる場合，点眼加療または線維柱帯切開術や濾過手術が必要になる．

網膜剝離合併例では，程度に応じてバックリング手術や硝子体切除手術が選択される．

Weill-Marchesani 症候群

Weill-Marchesani syndrome：WMS

久保江理　金沢医科大学・特任教授

概要　Weill-Marchesani 症候群（WMS）は，先天性の中胚葉発育異常であり，中胚葉組織の過形成を示す症候群である．WMS は，Marfan 症候群と同様のフィブリリン-1（*FBN1*）の常染色体優性変異，または A disintegrin and metalloproteinase domain with thrombospondin type-1 motifs 10（*ADAMTS10*），*ADAMTS1*，または Latent transforming growth factor（TGF）beta-binding protein 2（*LTBP2*）の常染色体劣性変異で発症すると報告されており，頻度は 10 万人に 1 人程度とまれである．これらすべての遺伝子は，分泌型の細胞外マトリックス蛋白質をコードしており，成長や皮膚，水晶体，心臓の発達に重要な働きをしていると報告され，これらの変異により全身性の遺伝性結合織異常を伴う．

診断

■**全身所見**　低身長，短指症，筋肉性体質，関節運動障害(拘縮)，皮下脂肪発育良好などの所見がみられ，Marfan 症候群とは逆の症候を特徴とする．時に心臓異常や不整脈を生じる．

■**眼所見**　前眼部中胚葉発育異常による毛様体過形成，隅角形成異常とそれに続発する表層外胚葉異常も続発し，小球状水晶体，水晶体偏位，Zinn 小帯の形成不全，を伴う．水晶体偏位は，下方が多い．小球状水晶体や水晶体偏位による強度屈折性近視を伴う．難治性の眼合併症として，緑内障を高率に発症する．その病態として，水晶体の前方偏位により，瞳孔ブロックが生じることによる眼圧上昇や，水晶体の下方偏位では，直接的に毛様体を刺激し房水産生量を増加させるとともに下方の虹彩の前方への偏位により隅角を機械的に閉塞させることなどの説が挙げられている．また，硝子体の前方移動を伴うと，網膜–硝子体間や眼球後方に房水が貯留することによって，硝子体圧が上昇し眼圧が上昇するという説もある．また，先天性の隅角形成異常による狭隅角が原因であるともいわれて

いる．

治療　水晶体偏位や屈折異常，緑内障の治療に関しては Marfan 症候群の治療と同様に行う．WMS は，難治性緑内障や強度近視となることが多いため，特に薬物療法に抵抗する緑内障を合併した WMS に対しては，早期に水晶体再建術と眼内レンズ挿入術(縫着や強膜内固定術も含む)を施行し，quality of vision の回復，維持に努めることが必要である．

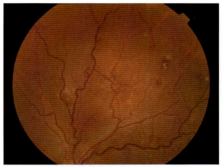

図2　感染性心内膜炎の眼底
Roth 斑を認める．

感染性心内膜炎
Infective endocarditis

西信良嗣　滋賀医科大学・准教授

概念　心臓の弁膜，心内膜，大血管内膜に細菌が付着して発症する疾患である．

病態　細菌を含む疣腫を形成し，菌血症，血管塞栓，弁膜の破壊など多彩な所見を呈する全身性敗血症性疾患である．人工弁置換患者，先天性心疾患など何らかの基礎心疾患を有する例が多い．眼科的には，脈絡膜新生血管，脈絡膜炎，網膜動脈閉塞症，網膜下膿瘍，内因性眼内炎の報告がある．

診断　修正 Duke 診断基準が用いられており，血液培養による病原微生物の同定，心エコーによる心内膜障害所見が重要である．修正 Duke 診断基準における眼所見は，小基準の血管現象である眼球結膜出血，免疫学的現象の Roth 斑がある(図2)．網膜出血，軟性白斑，硝子体混濁がみられることもある．内科などから不明熱で紹介され，眼球結膜出血，Roth 斑を認めた場合には，感染性心内膜炎を念頭にお

く．Roth 斑は白血病などでもみられ，鑑別が必要である．

治療　内科的治療は抗菌薬の全身的な長期投与が行われる．眼科的には週1〜2回程度の眼底検査を行い，経過観察する．内因性眼内炎をきたした場合には，抗菌薬硝子体内投与，硝子体手術を行う．

伝染性軟属腫
Molluscum contagiosum

小幡博人　埼玉医科大学総合医療センター・教授

概念　伝染性軟属腫ウイルスによって生じる半球状の丘疹で，主に小児の体幹や四肢に生じるが眼瞼に生じることもある．大きさは1〜5 mm 程度で，半透明で水を含んだように見えるので"水イボ"という俗称でよばれている．多発することがある．

病態　DNA ウイルスであるポックスウイルス科に属する伝染性軟属腫ウイルスによって生じる疣贅である．

図3 眼瞼縁に生じた伝染性軟属腫(8歳女児)
眼瞼縁に半球状の腫瘤があり、白色の内容物が観察される.

■症状 大きさは直径1～5 mm、表面は平滑、半透明～白色の小丘疹である。白色の粥状物が表皮から透見される(図3)。大きくなるとウイルス性丘疹の特徴である中心臍窩がみられる。自覚症状はないか、軽度の瘙痒感を伴う。多発することがある。発症年齢は、乳幼児など小児に多いが、成人にも発症することはある。

■診断 典型例は白色調の内容物が透見され、診断は容易であるが、確定診断は切除した検体の病理検査である。病理組織学的に、感染細胞の細胞質内に多くのウイルス粒子を含む好酸性の封入体(軟属腫小体、molluscum小体)が観察される。

■治療 皮膚科では一般的にトラコーマ鑷子による摘除が行われているが、眼科医であればメスによる単純切除を行う。自然治癒することもあるが、半年～数年と時間がかかるとされている。

■予後 良好であるが、伝染性軟属腫は文字通り"うつる"疾患であり、本人の他の部位への感染や他者への感染を防ぐ必要がある。掻き壊さないように注意する。この疾患のために登校を控える必要はなく、プールに入ることも禁止されていない。しかし、プールなどの肌の触れ合う場では、タオル、ビート板、浮き輪を共用しないように配慮が必要である。

強直性脊椎炎
Ankylosing spondylitis：AS

眞下 永　JCHO 大阪病院・部長

■概念 強直性脊椎炎(AS)は脊椎・仙腸関節を好発部位とする炎症疾患で、靱帯付着部さらには靱帯に炎症が及び、骨化が起こった結果、強直に至る。約90%の患者がHLA-B27陽性であり、家族内発生もある(10数%)。発病年齢は10～35歳に多く、45歳以上で発病することはまれである。男女比は3～5：1程度で男性に多い。AS患者の約半数に、急性前部ぶどう膜炎(acute anterior uveitis：AAU)がみられる。

■病態 近年、炎症性サイトカインである腫瘍壊死因子(tumor necrosis factor：TNF)-αがAS罹患仙腸関節部より遺伝子、蛋白レベルで検出され、ASの病態形成にTNF-αが関与していることが明らかにされた。

■症状 脊椎炎症状としての3か月以上続く腰部のこわばりや痛みで、朝に強く、安静によっても軽快せず、むしろ運動したほうが軽くなるという特徴がある。

合併する眼症状はAAUである。前房に線維素がみられ、炎症が強いときには前房蓄膿が認められる。Behçet病とは違い、粘稠度が強く可動性がないのが特徴である。この線維素性のぶどう膜炎は虹彩後癒着を形成しやすく、膨隆虹彩(iris bombé)による続発緑内障を形成する可能性があ

る．後眼部の炎症は少ないが，乳頭発赤や黄斑浮腫などを呈する場合がある．通常，同一眼に再発を繰り返すが，経過中に他眼に発作を起こすこともある．

診断 X線，MRI検査などで仙腸関節炎像，脊椎椎体間の靱帯骨化像がみられる．炎症が強い時期には，血液検査でCRP，赤沈の亢進がみられる．リウマトイド因子陰性でHLA-B27陽性であれば疑いが強くなる．眼の診断についてはAAUに準じる（⇒586頁，「急性前部ぶどう膜炎」項を参照）．

治療 国際脊椎関節炎評価学会/ヨーロッパリウマチ学会（Assessment of Spondyloarthritis International Society：ASAS/EULAR）の推奨が2016年にアップデートされ，これに従った治療が基本である．NSAIDsが第1選択薬で，関節リウマチでは使用されるメトトレキサートを含む疾患修飾性抗リウマチ薬（disease modified anti rheumatic drugs：DMARDs）は投与しない．効果不良例について生物学的製剤（TNF-α阻害薬，IL-17阻害薬）を使用する．眼局所の治療についてはAAUに準じる（⇒586頁参照）．

■**患者への対応** 若年で慢性の腰痛を伴うAAU患者を診る際には，HLAの検査を積極的に行い，眼局所眼の治療を開始するとともに早期に整形外科や膠原病内科への紹介を考慮すべきである．他科で導入された全身治療が眼所見の改善や再発の抑制につながる可能性がある．また再発性の疾患であることを患者へ十分周知し，眼炎症発作時に早期に再診するよう促すことも重要である．

予後 脊椎炎が進行すれば，骨化が起こり，脊椎・関節の動きが悪くなり，一部の重症例では骨性の癒着，すなわち強直に至る．前方を注視できない，上方を見上げられない，後ろを振り向けない，周囲を見回せない，長時間同じ姿勢の維持が困難になるなどの体幹機能障害を生じ，日常生活の不自由だけでなく，骨折などのリスクも高くなる．眼症状については，発作時に十分な消炎・瞳孔管理がなされれば虹彩後癒着を残さず寛解し，一般に視力予後は良好であるが，炎症の再発に留意する必要がある．

全身性エリテマトーデス

Systemic lupus erythematosus：SLE

喜田照代　大阪医科薬科大学・教授

概念 全身性エリテマトーデス（SLE）は，20～30歳代の女性に好発する全身の多臓器に慢性炎症を引き起こす自己免疫疾患．指定難病の1つである．

病態 SLEの本態は全身の毛細血管および小血管のフィブリノイド壊死を伴う血管炎である．

症状 全身症状は多彩で，蝶形紅斑，円板状発疹**（図4）**，日光過敏，口内潰瘍，胸膜炎または心膜炎，腎障害，関節炎，血液異常，神経異常，免疫学的異常，抗核抗体陽性などを生じる．眼病変としては，乾性角結膜炎，強膜炎，網膜症，ブドウ膜炎，視神経炎などが挙げられる**（図5）**．網膜症は20～30％のSLE患者にみられ，通常両眼性で，軟性白斑や網膜出血，Roth斑，網膜血管炎を特徴とする（SLE網膜症，**図5**）．また，網膜中心静脈閉塞症や網膜中心動脈閉塞症といった血管閉塞性網

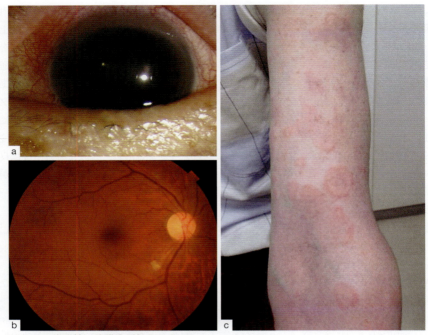

図4　56歳男性，強膜炎が初発のSLE
前眼部所見として強膜炎（a）がみられる．眼底には軟性白斑がみられ（b），皮膚病変も認める（c）．膠原病内科にコンサルトした．

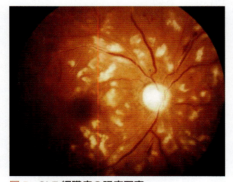

図5　SLE網膜症の眼底写真
多数の軟性白斑および網膜出血がみられる．また，血管炎を推測する血管の口径不同や数珠様変化，血管閉塞性変化がみられる．

膜症が生じることもある．

合併症・併発症　循環障害により新生血管が生じ（図6），硝子体出血やそれに続発する増殖性変化による牽引性網膜剝離や増殖性硝子体網膜症に進展することがある．また，脈絡膜循環障害により漿液性網膜剝離や網膜色素上皮剝離が生じることもある．さらに，治療の副作用，ステロイドによる眼合併症やヒドロキシクロロキンによるクロロキン網膜症に注意する．

診断　確定診断には膠原病内科医や皮膚科医との連携が不可欠である．診断には米国リウマチ学会の分類基準（1982年作成，1997年改訂）がよく用いられる．分類基準のうち11項目中4項目以上を満たす

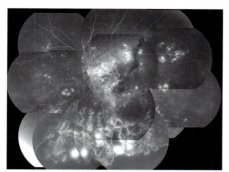

図6 SLE網膜症のフルオレセイン蛍光眼底写真
眼底下方にSLEの血管閉塞による新生血管がみられ、胞状網膜剝離を伴う。

とき，SLEと診断される．具体的には，①顔面紅斑，②円板状皮疹，③光線過敏症，④口腔内潰瘍，⑤関節炎，⑥漿膜炎（胸膜炎または心膜炎），⑦腎病変，⑧神経学的病変，⑨血液学的異常（溶血性貧血，白血球減少，リンパ球減少，血小板減少），⑩免疫学的異常（抗2本鎖DNA抗体価高値，抗Sm抗体陽性，抗カルジオリピン抗体，ループス抗凝固因子，血清梅毒反応偽陽性），⑪抗核抗体陽性，の11項目である．このなかに眼症状は含まれておらず，SLEの診断に眼科医が直接関与するケースは多くはない．しかし，SLEの活動性を評価するSLE疾患活動性指数（SLE disease activity index：SLEDAI）には網膜病変が含まれており，眼科医のはたす役割は大きい．

■ **必要な検査** 特に抗核抗体はSLE活動期にはほとんどの症例で陽性となる．フルオレセイン蛍光眼底検査（FA）はSLEによる網膜血管炎や血管閉塞の評価に有用である．

■ **鑑別診断** 貧血網膜症や高血圧網膜症，網膜静脈閉塞症，血液疾患による網膜出血やRoth斑，眼虚血症候群などと鑑別する．SLEの診断基準に合致するかどうかがポイントである．

■ **治療** わが国では2015年7月より，新しい治療法としてヒドロキシクロロキン硫酸塩（プラケニル®）の内服がSLEおよび皮膚エリテマトーデス（cutaneous lupus erythematosus：CLE）に対し保険適用となった．ステロイドの全身投与が行われ，免疫抑制薬や抗凝固療法が用いられることもある．

■ **薬物治療**

❶膠原病内科より

処方例 下記1)のあとに2)を開始する．

1) ソル・メドロール注　1回1,000 mg＋生理食塩液100 mL　3日間　点滴静注
2) プレドニン錠（5 mg）　60〜30 mg/日を経口漸減内服，あるいは，プラケニル錠（200 mg）　1錠　分1　毎朝食後　など

❷眼科より

処方例 乾性角結膜炎に対しては1)を，強膜炎に対しては2)を行う．

1) ヒアレイン点眼液（0.1％）　1日4〜6回点眼
2) リンデロン点眼・点耳・点鼻液（0.1％）　1日2〜6回　点眼

■ **予後** 全身性エリテマトーデス（SLE）は全身の血管炎であり，多彩な症状を引き起こし重症度もさまざまである．また，SLEは若い女性に好発するため，妊娠や分娩時におけるストレスによる病勢増悪の回避も重要であり，上記診療科だけでなく産婦人科との連携も必要となる．一般に，全身所見の改善に伴い，眼所見も軽快するが，図6のような重症SLE症例では，網膜に広範囲な無血管領域や新生血管が出現するので，その場合は汎網膜光凝固を行

い，増殖網膜症や血管新生緑内障への進行を予防しなければならない．SLEやステロイド治療による易感染性にも注意が必要である．

結節性多発動脈炎
Polyarteritis nodosa：PAN

井上裕治　帝京大学・准教授

概念　中型の筋性動脈に限局した壊死性血管炎である．全身多臓器に血管炎を起こし，多彩な臓器症状を呈する．最小動静脈・毛細血管の血管炎を伴わず，抗好中球細胞質抗体と関連がない．40～60歳に発症することが多いが，小児期にもみられる．3：1で男性に多い．

病態　免疫複合体が血管壁に沈着し，動脈の血管全層炎と血管周囲の炎症性細胞浸潤を生じ，フィブリノイド壊死を起こす．全身諸臓器の中型血管に炎症が生じる．原因や発症しやすい素因は不明である．

眼病変は10～20％にみられる．高血圧性網膜症，網膜や眼表面の血管炎を生じることがある．

症状　炎症による全身と臓器障害の症状の両者からなる．前者は，発熱，体重減少，高血圧を認め，悪性高血圧の所見を，後者は，筋肉関節症状，皮膚症状，腎障害，末梢神経炎，脳梗塞，脳出血，消化管出血，穿孔，梗塞などを呈する．

眼病変は，高血圧性網膜症や網膜血管炎を生じ，網膜血管閉塞や出血，乳頭浮腫，乳頭炎，虚血性視神経症，視神経萎縮，眼表面の血管炎により結膜充血浮腫，乾性角結膜炎，（壊死性）強膜炎，角膜周辺部潰瘍が時にみられる．視力低下や失明することはまれである．

診断　厚生労働省の診断基準では，主要症候として①発熱と体重減少，②高血圧，③急速に進行する腎不全，腎梗塞，④脳出血，脳梗塞，⑤心筋梗塞，虚血性心疾患，心膜炎，心不全，⑥胸膜炎，⑦消化管出血，腸閉塞，⑧多発性単神経炎，⑨皮下結節，皮膚潰瘍，壊疽，紫斑，⑩多関節痛（炎），筋痛（炎），筋力低下．組織学的所見は，中・小動脈のフィブリノイド壊死性血管炎の存在．血管造影所見は，腹部大動脈分枝（特に腎内小動脈）の多発小動脈瘤と狭窄・閉塞が挙げられる．

主要症候2項目以上と組織所見が認められるものを確定診断群，また，主要症候2項目以上と血管造影所見，あるいは主要症候のうち1を含む6項目以上認めるものを準確定診断群としている．

■**鑑別診断**　全身疾患としては，顕微鏡的多発血管炎，多発血管炎性肉芽腫症，好酸球性多発血管炎性肉芽腫症，川崎病動脈炎，全身性エリテマトーデス，関節リウマチ，IgA血管炎が鑑別に挙がる．また，網膜血管炎には，サルコイドーシスやBehçet病など，強膜炎には，膠原病，感染症，悪性腫瘍などである．

治療　重篤な症例では，ステロイドパルス療法を施行，その後経口に移行し，漸減する．再燃防止に少量を継続投与する．免疫抑制薬が併用される．また，治療への反応が悪ければ，シクロホスファミド間欠大量静注療法を行う．重症例では，血漿交換療法も行われる．

眼局所には，全身への治療に加えて，ステロイド点眼などの対症療法を行う．

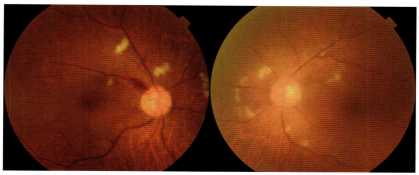

図7 多発性筋炎患者の眼底写真
68歳男性，膠原病内科より眼科へコンサルトあり．矯正視力は右1.5，左1.2．両眼眼底には軟性白斑，右眼は網膜出血がみられた．内科入院治療により消退した．

予後 無治療では生命に危険が及び，5年生存率13%である．できる限り早期に診断し，適切な寛解導入療法を行う．近年ではステロイドと免疫抑制薬併用により5年生存率は約80%である．大半の症例は多少の臓器障害を残す．
　視力低下や失明することはまれである．

多発性筋炎

Polymyositis：PM

喜田照代　大阪医科薬科大学・教授

概念 多発性筋炎(PM)は自己免疫性の炎症性筋疾患である．しばしば関節症状が初発で，慢性経過で体幹や四肢の筋力低下・筋肉痛を起こす．これらの症状に加えて，皮膚症状の有無で多発性筋炎と皮膚筋炎(dermatomyositis：DM)を分類している．ヘリオトロープ疹やGottronサイン，ショールサインなどの特徴的な皮疹がある場合，皮膚筋炎とよばれる．間質性肺炎や心筋炎なども併発する．

病態 特発性の炎症性筋疾患であり，間質性肺炎を高頻度に合併する．病理学的にはCD8陽性の細胞傷害性T細胞が非壊死筋線維へ浸潤する所見および筋線維膜上のMHC-I染色性亢進が特徴的と報告されている．他の疾患が除外され，かつ病理学的に典型的な所見を認めた場合に診断される．

症状 中高齢者に多く，慢性進行性に近位筋優位の筋力低下を呈する．Raynaud現象や指ないし手背の腫脹，肺高血圧症などがみられる．眼科的には，皮膚筋炎に特徴的な両眼瞼周囲の浮腫性紅斑(ヘリオトロープ疹)や，結膜浮腫，乾性角結膜炎，上強膜炎，ぶどう膜炎，眼振などを生じる．また，網脈絡膜循環障害，閉塞性血管炎により綿花様白斑や網膜出血**(図7)**，網膜血管閉塞，網膜浮腫，黄斑症，視神経萎縮などを呈することがある．さらに，治療の副作用，ステロイドによる眼合併症に注意する．

診断 BohanとPeterらによる診断基準，厚生労働省研究班による診断基準があるが，欧州神経筋センター(ENMC)の診

断基準がよく利用されている．確定診断には膠原病内科医や皮膚科医との連携が不可欠である．筋力低下や筋逸脱酵素の上昇〔クレアチンキナーゼ(CK)，アルドラーゼ(ALD)，ミオグロビン，乳酸脱水素酵素(LDH)など〕や筋電図異常，近位骨格筋の筋力低下が認められる．多発性筋炎と診断される症例は昔に比べ減少している．CD8陽性細胞の筋内鞘への浸潤は必ずしも特異的な現象ではなく，抗PD-1抗体による副作用としての筋炎や重症筋無力症に伴う筋炎などの疾患でも認められ，多発性筋炎を独立した疾患分類としてとらえるより，病態機序を共有する疾患群としてとらえるほうがよいのではとの意見もある．

治療　ステロイドをはじめとする免疫抑制療法が有効である．重症度に合わせて投与量を考慮する．重症例にはメチルプレドニゾロンのステロイドパルス療法やシクロホスファミド間欠静注療法を考慮する．ステロイドの減量が困難な症例には，メトトレキサート，タクロリムス，アザチオプリンあるいはシクロホスファミドを追加併用する．

■ **薬物治療**

処方例　乾性角結膜炎に対しては下記1)を，上強膜炎およびぶどう膜炎に対しては2)を用いる．

1)ヒアレイン点眼液(0.1%)　1日4～6回点眼
2)リンデロン点眼・点耳・点鼻液(0.1%)　1日2～6回　点眼

予後　肺動脈性高血圧症や悪性腫瘍の合併もあり，生命予後は不良であるが，ステロイドや免疫抑制薬などの使用により，改善傾向にある．ステロイドなど治療による易感染性にも注意が必要である．

反応性関節炎（Reiter症候群）

Reactive arthritis (Reiter syndrome)

楠原仙太郎　神戸大学・講師

概念　Reiter症候群は1916年にHans Reiterが報告した関節炎，非淋菌性尿道炎，結膜炎を3主徴とする症候群であるが，現在では反応性関節炎とよばれている．反応性関節炎は脊椎関節炎の1つであり，患者の大部分がHLA-B27陽性である．関節炎が微生物感染後の1～6週後に発症することから，感染症を契機とした異常免疫反応による脊椎関節炎と考えられている．Reiter症候群（反応性関節炎）は20歳代の男性に好発し，HIV感染者での頻度が高いという特徴がある．

病態　消化器や泌尿生殖器感染症の際に原因となる病原性細菌（クラミジア菌，サルモネラ菌，赤痢菌，エルシニア菌，カンピロバクターなど）の細胞壁構成成分や核酸がT細胞を活性化し，活性化されたT細胞が免疫学的交差反応を介して全身の臓器における遷延性の炎症を引き起こすと推測されている．

症状　微生物感染の数週間後に末梢関節炎，仙腸関節炎，腱付着部炎が生じる．末梢関節炎は膝・足関節などの下肢の関節に生じることが多く腫脹と疼痛を伴う．末梢関節炎は通常非対称性であり，数か所までの関節でしか起こらないという特徴がある．仙腸関節炎は通常片側性であり，安静時における腰部および殿部の痛みとして自覚される．腱付着部炎は患者の約70%に発現し，足底腱膜起始部やアキレス腱付着

部に好発する．尿道炎では排尿困難・排尿時痛および粘性膿性分泌物を伴うことが多い．結膜炎では充血に加え羞明，眼痛，霧視などの症状を訴えることがある．無痛性口腔内潰瘍，脂漏性角化症，心血管障害，末梢神経障害を合併することもある．

眼病変については結膜炎に加えて，角膜炎，ぶどう膜炎，強膜炎，黄斑部虚血などが報告されている．

診断 先行する微生物感染に続く特徴的な関節炎，尿道炎，結膜炎を呈することと，ほかの疾患を除外することで臨床的に診断される．培養検査での原因菌同定，持続する滑膜炎，CRP上昇，HLA-B27陽性は診断の助けとなる．

治療 原因となる感染症に対する抗菌薬治療を行うが，原因菌によってはパートナーに対する治療も必要となる．関節炎の治療では非ステロイド性抗炎症薬(NSAIDs)の全身投与が第1選択であり，炎症の強い場合にステロイドの関節内注射を適宜追加する．症状が遷延化した際にはサラゾスルファピリジンやメトトレキサートなどの抗リウマチ薬が使用される．TNF-α阻害薬を含む生物学的製剤が有効であったとの報告もある．眼病変については，軽度の結膜炎であれば自然寛解を期待して経過観察のみとすることも多い．ぶどう膜炎や強膜炎を伴っている場合には，炎症の程度に応じてステロイドの点眼および眼局所注射を行う．虹彩癒着予防のための散瞳薬による瞳孔管理も重要である．ぶどう膜炎の遷延や頻回の再発が認められた場合にはステロイドや免疫抑制薬による全身治療が必要となる．

処方例 下記を適宜併用する．
リンデロン点眼・点耳・点鼻液(0.1%) 1日4回　点眼
ミドリンP点眼液　1日3回　点眼

予後 通常3～5か月以内に炎症は自然に消失するが，6か月以上炎症が持続する場合には慢性期に移行したと考える．炎症の再発は25～50%でみられ，HLA-B27陽性患者ではそのリスクが高い．生命予後は良好であるが，慢性再発性炎症をうまくコントロールできなければ，関節破壊，尿道狭窄，大動脈基部壊死，囊胞様黄斑浮腫を伴って患者の生活の質が大きく低下する．眼病変についてはハーバード大学・マサチューセッツ眼科耳鼻科病院(MEEI)が25症例の後ろ向き研究結果を報告している．平均4年間の経過観察で最終平均視力0.8が得られており，適切な治療を行えば視機能予後は良好であると考えられる．

関節リウマチ

Rheumatoid arthritis：RA

楠原仙太郎　神戸大学・講師

概念 関節リウマチ(RA)は免疫異常を伴う全身性の慢性炎症性疾患である．関節リウマチの有病率は約1%であり，30～50歳代の女性に好発する．

病態 遺伝的素因(HLA-DR4など)に環境要因(喫煙など)が加わることにより，免疫寛容が破綻した結果生じた自己免疫機序を介した慢性炎症であると考えられている．自己抗原のシトルリン化と抗シトルリン化蛋白抗体(抗CCP抗体)の出現が最初に生じるイベントであり，続いてB細胞による自己抗体産生とT細胞の分化と活性化を伴った滑膜の慢性炎症・増殖が

生じる．全身における慢性炎症関連合併症については関節のパンヌスで大量に産生されたIL-6やTNF-αなどの炎症性サイトカインや各組織における抗CCP抗体を介した免疫反応などが原因であると推測されている．

症状 全身症状として，発熱，体重減少，全身倦怠感，貧血，リンパ節腫脹などをきたすことがある．

関節症状では「朝のこわばり」を自覚することが多い．関節炎では関節の腫脹と疼痛を伴い，多発性，対称性，移動性が特徴である．関節炎は手足末梢の小関節に好発するが，高齢発症では大関節主体で急激に発症する場合も多い．関節炎が遷延し骨・軟骨破壊が進むと関節可動域の低下・拘縮を経てスワンネック変形・外反母趾・頸椎亜脱臼などの関節変形に至り，生活の質が著しく低下する．

関節外症状には，間質性肺炎，血管炎，末梢神経障害，リウマトイド結節，アミロイドーシス，Felty症候群などがある．眼症状としては，ドライアイ，上強膜炎，強膜炎，周辺部角膜潰瘍の頻度が高いが，ぶどう膜炎を合併することもある．

診断 2010年に米国リウマチ学会と欧州リウマチ学会が共同で作成した分類基準があり，これを参考に診断する．「他疾患では説明できない1か所以上の腫脹関節がある」を満たした症例につき，罹患関節数，リウマチ因子／抗CCP抗体，関節炎の持続期間，免疫反応物質の4項目からなるスコアを算出し6点以上で関節リウマチと分類する．

治療 寛解または低疾患活動性の達成を目標として，メトトレキサートを中心とする従来型合成抗リウマチ薬で治療を開始する．治療目標が達成されない場合には生物学的製剤あるいは分子標的型合成抗リウマチ薬による治療に移行する．それでも治療目標が達成されなければ生物学的製剤あるいは分子標的型合成抗リウマチ薬を変更する．

眼症状については，人工涙液点眼とムチン／水分分泌促進点眼薬によって治療を開始し角膜上皮障害が強い場合に一時的にヒアルロン酸点眼や眼軟膏を追加する．涙液分泌が不良の場合には涙点プラグ挿入を併用する．上強膜炎は自然に軽快することもあるが，遷延する場合にはステロイド点眼で治療する．強膜炎ではステロイド点眼に抵抗する場合が多く，非ステロイド性抗炎症薬（NSAIDs）内服やステロイドの眼局所注射および全身投与が必要となることが多い．周辺部角膜潰瘍では関節リウマチの全身活動性を抑えることが重要となる．角膜を保護するために合併するドライアイの治療を行うが，ステロイド点眼は角膜穿孔のリスクを上昇させることから好ましくない．

処方例 ドライアイでは1）から開始し，適宜2）または3）を追加する．上強膜炎・強膜炎では4）を用いる．

> 1）ソフトサンティア点眼液　1日6〜8回点眼
> 2）ジクアス点眼液（3％）　1日6回　点眼
> 3）ムコスタ点眼液UD（2％）　1日4回　点眼
> 4）リンデロン点眼・点耳・点鼻液（0.1％）　1日4回　点眼

予後 大規模コホート研究では関節リウマチ患者の一般人口に対する標準化死亡率比は1.46〜1.90であり，関節リウマチ患者では死亡リスクは高い．主要な死因

は，悪性腫瘍，感染症，心血管疾患，間質性肺炎であると報告されている．

若年性特発性関節炎
（若年性関節リウマチ）

Juvenile idiopathic arthritis：JIA
(Juvenile rheumatoid arthritis：JRA)

楠原仙太郎　神戸大学・講師

概念　若年性特発性関節炎（JIA）は16歳未満発症の6週間以上持続する慢性関節炎で，ほかの病因によるものを除外したものの総称である．臨床像から7病型に分類されるが，全身型と関節型に大別すると理解しやすい．有病率は小児人口10万人当たり約10人である．JIAは2000年代の中頃までは若年性関節リウマチ（JRA）とよばれていたが，小児発症の慢性関節炎の大部分が成人発症の関節リウマチと異なる遺伝的・臨床的特徴をもつことが明らかとなり，現在ではJIAという名称で統一されている．

病態　「特発性」という単語が示す通り病態は不明であるが，IL-6を中心とした炎症性サイトカインの過剰産生が病態を形成していると考えられている．全身型JIAの発症早期は自己炎症性疾患に近い病態であるが，全身型JIAの慢性期または関節型JIAは自己免疫疾患の性格が強くなる．

症状　全身型JIAでは関節に加え皮膚・粘膜・血管系を含む全身性の慢性炎症が生じる．発症時に炎症が強く，弛張熱，サーモンピンク色の皮疹（リウマトイド疹），リンパ節腫脹，肝脾腫，漿膜炎（心膜炎，胸膜炎）などを伴う．マクロファージ活性化症候群に移行すると致死的となる．

関節型JIAでは朝のこわばり，関節痛，関節腫脹，関節可動域制限を特徴とする関節症状に発熱などの全身症状が加わる．炎症が長期に及ぶと関節変形や成長障害を伴って日常動作が困難になることがある．小関節炎JIAの5〜15％にぶどう膜炎が合併し，半数で視力低下，結膜充血，霧視，羞明などの自覚症状を訴える．ぶどう膜炎は非常に微細な前房炎症細胞とフレアを伴った慢性虹彩毛様体炎であり，経過中に帯状角膜変性，白内障，緑内障，黄斑浮腫，黄斑前膜を伴うことが多い．

診断　2001年のEdmonton改訂後の国際リウマチ学会分類基準を参考に診断するが，特徴的な所見に乏しいことから他疾患の除外が重要となる．

治療　全身型JIAではステロイドの全身投与が中心となる．ステロイド減量中に炎症の再燃を繰り返す場合には抗IL-6受容体抗体であるトシリズマブが追加される．関節型JIAでは抗リウマチ薬が治療の中心であり，メトトレキサートが第1選択薬とされる．抗リウマチ薬で寛解が得られない場合にはTNF-α阻害薬，抗IL-6受容体抗体，T細胞選択的共刺激調節薬などの生物学的製剤が併用される．ぶどう膜炎に対してはステロイド点眼と散瞳薬点眼で治療を開始するが，経過中に非ステロイド性抗炎症薬（NSAIDs）やメトトレキサートの全身投与が必要となることも多い．帯状角膜変性による角膜混濁に対してはエチレンジアミン四酢酸（EDTA）または塩酸による処理やエキシマレーザーによる治療が選択される．

予後　適切な治療が行われれば約

30％で無治療寛解が期待できる．全身型JIAでマクロファージ活性化症候群に移行する場合を除き，生命予後は良好である．一方，ぶどう膜炎は治療抵抗性であり，帯状角膜変性，白内障，緑内障によって長期的には視機能が障害される傾向にある．

強皮症
Scleroderma

江川麻理子　徳島大学・講師

概念　全身性強皮症（systemic sclerosis：SSc）は皮膚や内臓（主に心臓，肺，腎臓，消化器）が硬くなる病気である．進行性で典型的な症状を示すびまん性皮膚硬化型SScと，皮膚硬化の範囲が手指に限局し，ほとんど進行しない比較的軽症の限局皮膚硬化型SScに分けられる．男女比は1：10～12で30～50歳の女性に好発する．

病態　病因は不明だが，免疫異常，線維化（皮膚や臓器の硬化），血管障害（末梢循環障害）の3つの異常が病態に関与する．

症状　初発症状として最多のレイノー症状（98％），皮膚硬化（100％），毛細血管拡張や色素沈着などの皮膚症状，逆流性食道炎，肺線維症，強皮症腎クリーゼ（腎性高血圧）などがみられる．

眼症状では，眼瞼の結合組織の線維化による眼瞼硬化（29～65％）や瞼裂狭小（3～40％），兎眼が起こる．眼瞼皮膚の毛細血管拡張（17～21％），結膜嚢短縮，結膜の毛細血管拡張や静脈瘤，毛細血管消失などがみられる．高頻度にドライアイがみられ（54～84％），涙腺の線維化により涙液分泌が減少し，マイボーム腺機能不全を伴うことも多い．糸状角膜炎や周辺部角膜潰瘍がまれに報告されている．

眼底所見としては，網膜出血，網膜浮腫，綿花様白斑，視神経乳頭浮腫が知られているが，腎性高血圧による所見かSSc自体の網膜症かの区別は難しい．網膜色素上皮萎縮（26.3％）や網膜静脈閉塞症，脈絡膜循環障害，脈絡膜の菲薄化がみられる．まれだが前部ぶどう膜炎，汎ぶどう膜炎，強膜炎，外眼筋麻痺が報告されている．

消化器病変が進行し長期に消化吸収障害が続くと重度のビタミンA欠乏症となり夜盲や角膜軟化症を発症することがある．

診断　Raynaud現象や手指を越える両側性の進行する皮膚硬化があればSScを疑う．びまん性皮膚硬化型SScでは抗トポイソメラーゼⅠ（Scl-70）抗体，抗RNAポリメラーゼⅢ抗体，限局皮膚硬化型SScでは抗セントロメア抗体などが陽性となる．

治療　現在根本的な治療法は確立されておらず，各臨床症状の重症度に合わせた治療を行う．

予後　びまん性皮膚硬化型SScでは，発症から数年以内に皮膚病変の進行と臓器病変が出現する．10年全生存率は約65％であり，臓器病変が重篤になれば予後は不良である．ドライアイや眼瞼疾患が多く重篤な視力障害をきたすことはまれだが，網脈絡膜疾患の合併にも注意する．

抗リン脂質抗体症候群

Antiphospholipid syndrome：APS

高辻樹理 富山県立中央病院

概念 抗リン脂質抗体症候群（APS）は，抗カルジオリピン抗体やループスアンチコアグラントなどの抗リン脂質抗体が関連する自己免疫性疾患である．ほかの自己免疫疾患を合併しない場合を原発性APS，合併する場合を続発性APSと分類され，APSは約半数が全身性エリテマトーデス（SLE）に合併する．診断は，2006年に改訂されたSydney基準（改訂Sapporo基準）に基づき，臨床基準である血栓症または妊娠合併症のいずれかを認め，抗リン脂質抗体が基準値以上で再現性をもって検出されることで分類される．

病態 抗リン脂質抗体は，血管内皮細胞や単球の細胞膜上のリン脂質結合蛋白に結合し，組織因子の発現を誘導し向凝固作用を示す．また，凝固経路のみならず補体経路の活性化にもかかわっていることが明らかになってきているが，抗体産生や血栓形成の機序については不明な点も多い．

症状 APSでは，静脈および動脈血栓症を起こし，再発を繰り返すことが多いのが特徴的である．血管閉塞は，種々の臓器，さまざまな太さの血管に生じるが，微小な血管に富む網膜や視神経では，より障害が強くなる．眼症状としては，網膜静脈閉塞症，網膜動脈閉塞症，細小血管の閉塞による網膜症（SLE網膜症），虚血性視神経症，一過性黒内障などがみられる．

診断 上記の診断基準に則り診断する．現時点で診断基準に記載されている抗体は，抗カルジオリピン抗体，抗β2GPI抗体，ループスアンチコアグラントの3種類だが，そのほかにホスファチジルセリン依存性抗プロトロンビン抗体もAPSと関連が強い自己抗体であることがわかっている．

比較的若い患者に血管閉塞性病変を生じ，高血圧や糖尿病などの背景疾患を伴わない場合，APSやSLEを念頭において精査加療する必要がある．鑑別疾患として，潰瘍性大腸炎などに伴う血管炎，感染性心内膜炎，高ホモシステイン血症，経口エストロゲン製剤の使用，片頭痛などがある．

治療 急性期の網膜動脈閉塞症，網膜静脈閉塞症に対しては，非APS患者と同様に治療をする．動脈血栓症には低用量アスピリン，クロピドグレル，シロスタゾールなどの抗血小板薬の投与を行う．静脈血栓症には低用量アスピリンの再発予防効果が認められており，ワルファリンカリウムによる抗凝固療法が併用されることもある．妊婦においては，ワルファリンカリウムは催奇形性があり禁忌であるため，低分子ヘパリンの投与が行われる．活動性のあるSLE患者では副腎皮質ステロイドとの併用療法が行われる．内科医と連携して治療に当たることが望ましい．

予後 APSの血栓症は再発率が高く，再発予防が重要となる．内科医と連携し慎重な経過観察が必要である．

再発性多発軟骨炎
Relapsing polychondritis

小岩千尋 順天堂大学医学部附属練馬病院
海老原伸行 順天堂大学医学部附属浦安病院・教授

概念 全身の軟骨組織と酸性ムコ多糖類を含む組織に系統的炎症を生じるまれな疾患である．1923年にJaksch-Wartenhorstが初めて報告し，1976年にMcAdamが提唱した診断基準を，1979年にDamianiらが改訂した．発症年齢は広範囲に及ぶが，ピークは40～50歳代で，性差はないとの報告が多い．日本での患者数はおおよそ400～500人と推定されている．

病態 原因は不明であるが，II型コラーゲンに対する自己抗体が関与していると考えられている．また，軟骨特異的蛋白質であるmatrilin-1の自己抗原が再発性多発軟骨炎の気管軟骨炎に関与している可能性も示唆されている．

症状 初発症状は耳介軟骨炎が最多であるが，ほかに気道軟骨，鼻軟骨，関節軟骨などの炎症がみられる．頻度は低いものの弁軟骨炎による心弁膜症や，末梢および中枢神経症状，腎臓病変を呈することがある．眼症状は約半数の患者にみられ，強膜炎，ぶどう膜炎，結膜炎などの症状が代表的である．そのほか，眼瞼下垂，角膜浸潤，角膜菲薄化，視神経炎，網膜出血なども起こしうる．本疾患に伴う強膜炎は，ほかの自己免疫疾患に伴う強膜炎と比べ，両側性，壊死性，易再発性であり，視力低下をきたしやすいといわれている．

合併症・併発症 しばしばほかの自己免疫疾患を合併し，その全身症状は多岐にわたる．膠原病や全身性血管炎，さらには骨髄異形成症候群などを合併することがある．

診断 両側耳介軟骨炎，非びらん性血清反応陰性多発関節炎，鼻軟骨炎，眼の炎症症状，気道軟骨炎，蝸牛・前庭機能障害の6項目中3項目以上を満たす，あるいは1項目以上が陽性で確定的な組織所見が得られる場合に診断される．本疾患に特異的な検査は存在しないので，診断基準を基本として臨床所見，血液検査，画像所見，および軟骨病変の生検などの総合的な判断によって診断がなされる．繰り返す，または局所治療への反応が乏しい強膜炎やぶどう膜炎の鑑別として，本疾患は必ず念頭におかなくてはならない．そのほか，耳介や鼻の変形，関節炎，呼吸器症状，難聴などの全身症状にも目を配り，すみやかに他科との連携をとりながら早期診断，治療に結び付けることが重要である．

治療 強膜炎に対しては，0.1％ベタメタゾンリン酸エステルナトリウム（リンデロン®）点眼液（4～6回/日）を使用する．点眼液のみで改善しないときは，壊死性でないことを確認し，トリアムシノロンアセトニドを強膜炎部位の結膜下に少量注入することもある．0.1％タクロリムス（タリムス®）点眼も症例によっては効果的だが，保険適用はない．ステロイドの局所療法で改善しない，また易再発性の場合は内科医と相談し，内服治療をする．内服治療としては，プレドニゾロン20～40 mg/日を処方し，漸減していく．ステロイド単剤で効果が不十分の場合は，免疫抑制薬（シクロスポリン，メトトレキサート，シクロホスファミド）を併用する．

予後 1986年の報告では，5年生存

率が74%，10年生存率が55%と決して予後がよいとはいえなかったが，1998年の報告では8年生存率が94%と改善を認めている．

潰瘍性大腸炎
Ulcerative colitis

田中理恵　東京大学医学部附属病院・特任講師

概念　大腸，特に直腸の粘膜，粘膜下層を侵してびらんや潰瘍を形成する原因不明のびまん性非特異性炎症である．Crohn病とともに炎症性腸疾患とよばれ，指定難病の1つである．

病態　遺伝的因子と環境因子の両者が発症に関与し，腸管局所で過剰な免疫応答が引き起こされていると考えられている．

症状　血便，粘血便，下痢，血性下痢，腹痛，発熱，食欲不振，体重減少，貧血などがみられる．腸管外症状として関節症状，眼炎症，皮膚症状などを伴うことがある．近年普及してきた生物学的製剤による治療は腸管外症状にも効果があり，生物学的製剤投与下では腸管外症状の出現は少ない．

眼炎症は1.6~5.4%の症例でみられると報告されている．ぶどう膜炎，結膜炎，角膜炎，強膜炎，上強膜炎などがみられるが，ぶどう膜炎の頻度が高い．ぶどう膜炎は非肉芽腫性前部ぶどう膜炎が多いが，汎ぶどう膜炎や網膜血管炎の報告もある．両眼性，再発性が多い．眼炎症は潰瘍性大腸炎の活動期だけではなく寛解期にも起こりうる．

合併症・併発症　眼合併症としては，続発緑内障，続発白内障，虹彩後癒着，嚢胞様黄斑浮腫，黄斑前膜などが挙げられる．

診断　特異的な眼炎症はない．潰瘍性大腸炎は臨床症状(持続性または反復性の粘血・血便)，内視鏡・注腸X線検査，組織生検結果から診断基準に基づいて診断される．感染性腸炎，Crohn病，腸管Behçet病，虚血性大腸炎，薬剤性大腸炎などを鑑別する．

治療　原病に対し5-ASA製剤，副腎皮質ステロイド，免疫抑制薬(シクロスポリン，タクロリムス)，生物学的製剤(インフリキシマブ，アダリムマブ)などが使用される．内科治療で改善がない，または増悪がみられる場合には手術治療が検討される．眼炎症に関しては，ステロイド点眼を中心としたステロイド眼局所投与が行われる．

予後　眼炎症に関してはほとんどは上記の適切な治療で改善する．

多発血管炎性肉芽腫症
Granulomatosis with polyangiitis：GPA

栗本拓治　神戸大学

概念　多発血管炎性肉芽腫症(GPA)は，抗好中球細胞質抗体(anti-neutrophil cytoplasmic antibody：ANCA)関連血管炎(ANCA associated vasculitis：AAV)の1つであり，上気道および肺の壊死性肉芽腫性炎，腎における巣状分節性壊死性糸球体腎炎，全身の中・小型動脈の壊死性血管炎の3つの臨床病理学的な特徴を有する．2012年にWegener肉芽腫症からGPAに

分類が変更された．

病態 ANCAと炎症性サイトカインが同時に好中球へ作用し，活性化され細胞死に陥る．その際に放出される活性酸素，プロテアーゼ，好中球細胞外トラップ（neutrophil extracellular traps：NETs）により，周囲の組織障害が生じる．また，NETsを介した直接的な血管内皮損傷やプロテイナーゼ3に対する抗原提示細胞が活性化され，さらに自己反応性T細胞や単球が動員され肉芽腫性炎症へ移行する．

症状 発熱，体重減少の全身症状，上気道症状として，膿性鼻漏，鼻出血，鞍鼻，中耳炎，咽喉頭潰瘍，嗄声，肺症状として，血痰，呼吸困難，肺浸潤，腎症状として，血尿，乏尿，急速進行性腎炎，そして，ほかの血管炎を疑う症状として紫斑，多発関節痛，多発神経炎を呈する．眼症状は高頻度で多彩であり，強膜炎が最多（40％），次いで，眼窩病変（20％程度）が多く出現する．眼窩や副鼻腔からの肉芽腫性炎症により，眼窩先端症候群や鼻性視神経症をきたすことがある．

診断 厚生労働省の診断基準に沿って診断を行うが，適用前には感染性疾患，悪性腫瘍，ほかの膠原病を除外する必要がある．また，ほかのAAVである顕微鏡的多発血管炎と好酸球性多発血管炎性肉芽腫症との鑑別には，Wattsの分類が用いられる．

■**鑑別診断** 強膜炎の鑑別疾患として，リウマチ性関節炎や再発性骨軟骨炎に続発する強膜炎が挙げられる．また，眼窩病変に関しては，サルコイドーシスや好酸球性多発血管炎などの全身多臓器疾患，甲状腺眼症，特発眼窩炎症などの眼窩疾患が挙げられる．副鼻腔病変に関しては，時に副鼻腔粘液嚢胞，膿嚢胞なども挙げられる．

治療 GPAの治療は，寛解導入療法と維持療法に分かれる．寛解導入療法には，副腎皮質ステロイド（GC）とシクロホスファミド（CY）の併用療法が標準治療である．維持療法に関しては，アザチオプリンとGCの併用が標準的治療として行われる．

予後 GC+CY療法により，多くの寛解導入が可能となったが，維持療法中の再燃も多く，主たる死因は，重症感染症であるため，寛解導入後の合併症に対する対策が予後に重要である．

甲状腺眼症
Thyroid eye disease

安積 淳　神戸海星病院 アイセンター・副院長

概念 甲状腺眼症は眼瞼眼窩の炎症，脂肪組織増生，組織伸展性低下を特徴とする疾患で，甲状腺刺激ホルモン（TSH）受容体を標的とする自己免疫が背景にある．炎症性眼窩疾患として最も頻度が高い．週単位あるいは月単位で亜急性に増悪し，その後半年～数年の経過で自然寛解するが，眼瞼を主とした眼部に変形や機能障害を残す．

病態 眼周囲の線維芽細胞に対する自己免疫疾患で，甲状腺刺激抗体（TSAb）と相関が高い．また，眼症の発病にはインスリン様成長因子1受容体が強く関与すると考えられている．疾患活動性の高い亜急性増悪期には，眼球周囲組織にリンパ球主体の炎症がみられ，やがて脂肪組織や膠原線維組織の増生，グルコサミノグリカンの

沈着を特徴とする沈静期に移行する．不思議なことに，こうした一連の病態は，眼球周囲組織全体に同時に発現するとは限らず，片側性に，1つの筋肉にだけ発現することも多い．

症状　眼瞼腫脹，眼瞼後退，眼瞼遅滞（lid lag），眼球突出，眼球運動制限がみられる．症状には軽重があり，最重症例では角膜障害や視神経障害から視覚を喪失する．発病時期は10歳代後半〜70歳代以上と幅広く，女性の頻度が高い．このため，軽症例でも眼部の変形が社会生活を営むうえで精神的苦痛となることが多い．

合併症・併発症　甲状腺機能亢進症を高頻度に合併する．甲状腺治療は甲状腺眼症治療に優先するので，甲状腺ホルモン異常の確認は不可欠である．脛骨前粘液水腫はまれな合併症で，皮膚科で治療される．

診断　眼瞼腫脹と眼瞼後退は疾患特異的で，診断に重要である．眼瞼腫脹は眉毛を盛り上げて睫毛に及び，このため眼瞼溝が消失する．同時に上眼瞼挙筋の伸展制限から眼瞼が後退して重瞼幅が狭くなり，眼瞼縁のカーブが台形的になる．眼瞼後退は眼瞼内反症を誘発しやすい．これら所見は画像として記録することが望ましい．眼球突出は，これら眼瞼異常があれば，Hertel眼球突出計17 mm以上で有意としてよい．診断の確定には，加えてTSH受容体に対する自己抗体の証明が必須で，TSH受容体抗体（TRAb）もしくはTSAbの陽性を確認する．MRIは，治療法を考えるうえで，眼瞼眼窩組織の評価にきわめて重要である．眼窩部拡大画像で3 mm程度のスライス幅であれば詳細な評価が可能になる．T1強調画像で組織の腫大が，STIR（short-T1 inversion recovery）画像で組織の炎症が評価できる．眼瞼眼窩組織の全体像を把握するのに水平断と冠状断に加え，視神経に沿った矢状断も撮像する．

治療

■ **治療方針**　症状は必ず沈静するので，許容範囲内であれば治療介入しない選択肢がある．視機能への影響が看過できない場合や患者の治療意思が明確な場合には治療介入する．治療方針は，疾患活動性のある時期には副腎皮質ステロイドを大量に用いて強力な消炎を行い，疾患活動性が低下した後遺症的症状には観血的治療で臨む，が基本である．急性期の視神経炎が薬物療法に反応しにくい場合は，例外的に眼窩（内側壁）減圧術を行う．

■ **薬物治療**

❶副腎皮質ステロイド大量投与

処方例　下記1）〜4）は中等症以上に用い，併用する．5）は軽症例に単独で使用する．

〈全身投与〉
1）ソル・メドロール静注用（1,000 mg）　1日1回1,000 mg　1週間に3日　3週間点滴静注
2）プレドニン錠（5 mg）　6錠　分2（朝4錠，昼2錠）　ソル・メドロール休薬中隔日　3週間のソル・メドロール点滴終了後，6錠から漸減を開始し24週で終了
3）ネキシウムカプセル（20 mg）　1カプセル　分1
4）ボナロン錠（35 mg）　1錠　分1　朝起床時　週1回

〈局所投与〉
5）ケナコルト-A筋注用関節腔内用注（40 mg/1 mL）　1回40 mg　6か月に1回上眼瞼挙筋注射

予後　診断の遅れが予後を悪化させうる．特に高齢者では眼球突出が目立たず，

重篤な視機能障害が前面に出る場合があり，注意を要する．

副甲状腺疾患
Parathyroid disease

小川葉子　慶應義塾大学・講師(非常勤)

　副甲状腺は，副甲状腺ホルモン(PTH)を産生し，骨と血液中のカルシウム濃度を制御している．PTHには，①骨のカルシウムを血液中に放出する働きと，②消化管からのカルシウムの吸収を高める働きがある．副甲状腺疾患には，副甲状腺機能亢進症と低下症とがある．

1 副甲状腺機能亢進症（hyperparathyroidism）

　概念　原発性機能亢進症には腺腫(85〜95%)，過形成(5〜10%)，癌(1%)がある．続発性機能亢進症は慢性腎不全による過剰PTH放出による．
　症状　眼所見は初発としてはまれである．結膜炎，band keratopathy，結膜結石および強膜，脈絡膜にも結石が生じる．腎不全に伴う続発性では両側の網膜細動脈周囲の石灰化，球結膜の石灰化，band keratopathy，角膜輪部石灰化が生じる．
　診断　通常の細隙灯顕微鏡検査で眼表面の結石を検出する．眼瞼の翻転による診察は必須である．網脈絡膜病変は多くは無症候性で眼底検査やCT検査で見つかる．
　治療　症状があれば結膜結石除去，band keratopathyに対するレーザー治療，手術治療を行う．
　予後　網膜下結石は脈絡膜血管新生の誘因となりうる．

2 副甲状腺機能低下症（hypoparathyroidism）

　概念　副甲状腺機能亢進症に比して頻度が低い．原発性は，常染色体優性遺伝，孤発性家族性，先天性に分類される．先天的な甲状腺欠損症と心血管系欠損症に併発して生じ，DiGeorge/22 q11.2 染色体欠損症候群がある．続発性は，甲状腺手術や頸部の手術のあとに生じる．自己免疫性副甲状腺機能低下症は自己免疫性副腎機能低下症に伴い常染色体劣性遺伝である．
　病態　副甲状腺機能低下により副甲状腺ホルモンと血中カルシウム濃度が低下して生じる病態である．
　症状　白内障が全体の50〜60%に認められる．両眼性で細い皮質白内障として前皮質，後皮質の部位に多色結晶状に認められる．眼輪筋の拘縮，睫毛の減少，角結膜炎，視神経炎，頭蓋内圧亢進による乳頭浮腫などが生じる．
　診断　テタニーを確認する．神経伝達機能低下の症状であるChvostek signは顔面神経領域を触れると眼輪筋，口，鼻の周囲の筋肉の拘縮が生じる．精神不安定やうつ，幻覚，心配症などの精神障害を伴う．甲状腺，頸部の手術既往の有無を確認する．血中カルシウム濃度を測定する．
　治療　進行例には白内障手術を行う．カルシウム，ビタミンD製剤投与による血中カルシウム濃度のコントロールを行う．
　予後　低カルシウム血症の改善から約1〜5か月で乳頭浮腫の改善が認められる．

Gardner 症候群
Gardner syndrome

北野滋彦　前 東京女子医科大学病院・教授

概念・病態　家族性大腸腺腫症は，常染色優性遺伝の遺伝疾患である．原因遺伝子は APC 遺伝子であることが判明している．大腸には，数百〜数万個のポリープが発生する．ポリープが発生しはじめるのは 10 歳前後であり，以降は時間の経過とともに数と大きさが増大する．このポリープから大腸癌が発生する．15 歳前後から発生がみられ，40 歳では 50％，60 歳ではほぼ 100％の患者に大腸癌を発生する．約 6 割に胃にポリープや腺腫が発生するが，これらが悪化することはない．十二指腸には高率で腺腫が発生し，癌化することもある．顎骨に骨腫が発生する．

　Gardner 症候群は，結腸に特徴的なポリープを主とする家族性大腸腺腫症に頭蓋骨や長管骨の骨腫や軟部組織の腫瘍，類表皮嚢胞が合併したものをいう．原因遺伝子は，家族性大腸腺腫症と同じく APC 遺伝子である．眼病変として，幼少期から網膜色素上皮の暗褐色の色素斑が 80％の頻度でみられ，先天性網膜色素上皮肥大(congenital hypertrophy of retinal pigment epithelium：CHRPE)とよばれる．CHRPE は，網膜上の不連続で平坦な色素性病変で年齢とは関係なく臨床症状もきたさない．光干渉断層計(OCT)では，病変部網膜の菲薄化，網膜色素上皮の不規則な肥厚があり，IS/OS line が不明瞭となり，後方の脈絡膜に測定光ブロックがみられる．罹患家系において，多発性，両眼性の CHRPE を認めることは，家族性大腸腺腫症である可能性が高く注意が必要である．

白血病
Leukemia

橋田徳康　大阪大学・講師

概念・病態　白血病は造血系細胞の無限増殖をきたす疾患であり従来，細胞形態を基本として用いられてきた急性白血病の病型分類(FAB 分類)においては，急性骨髄性白血病(AML)・慢性骨髄性白血病(CML)・急性リンパ球性白血病(ALL)・慢性リンパ球性白血病(CLL)の 4 つに分類されている．近年では，染色体異常・遺伝子変異などの病因的な因子も取り入れた WHO 分類が使われるようになってきている．造血幹細胞のクローン性増殖により生じる悪性疾患であり，正常な血球系細胞が産生されないために，血球系細胞の異常に起因する貧血症状・出血傾向・発熱・感染症などの初発症状が出現する．病期がさらに進行して白血病細胞が全身の他臓器に浸潤していくと，白血病の種類により異なるが，嘔気・嘔吐・頭痛・関節痛・リンパ節腫脹などがみられることが多い．

症状　白血病の経過中に眼症状が出現することはよく知られている．眼所見は多彩であり，白血病の病期や活動性，さらに白血病細胞の病型に応じて全身状態が変化するため，どのような病態によって眼病変が生じているのか判断に苦慮することも多い．白血病細胞の眼内浸潤においてはさまざまな報告があり，直接浸潤による眼合併症の頻度は 1.7〜16.1％と高いことが報告

されている．眼内浸潤の好発部位としては，網膜脈絡膜・結膜・虹彩・視神経と多岐にわたるが，前房内への浸潤も比較的多く，前房蓄膿はよくみられ比較的気づかれる臨床所見である．しかしながら，白血病の各病型別における浸潤病巣に関しての報告は，臨床統計の登録人数が少ないため数が少なく，あまり明らかではない．眼科医が最初に遭遇する眼所見としてほかに眼底変化があり，その場合，静脈拡張・蛇行・網膜出血・綿花様白斑・Roth 斑・網膜滲出物がみられる．逆に眼底に Roth 斑がみられる場合には白血病を疑い，全身検査を行う必要がある．Roth 斑がみられる鑑別疾患として貧血や感染性心内膜炎などが挙げられる．Roth 斑中央にみられる白色塊は白血病細胞あるいはフィブリン塊とされている．

白血病網膜症は，全白血病患者の約 70％ にみられる．急性・慢性白血病の両方にみられるが，白血病網膜症を呈する患者において，約 90％ と，ほとんどの症例に中央に白点を伴った Roth 斑がみられるのが特徴である．白血病細胞の網膜血管周囲への浸潤により，血管閉塞に伴って生じる網膜静脈の拡張と蛇行・口径不同によるソーセージ様変化，綿花様白斑，血管の白鞘化がみられる．網膜・脈絡膜への直接浸潤に伴う隆起性病変・網膜静脈閉塞症・新生血管・時に硝子体出血を伴うことがある．白血病視神経症は頻度が低いが，視神経は網膜・脈絡膜に次いで 3 番目に多い浸潤部位である．小児の急性リンパ球性白血病に合併しやすく，中枢神経系白血病の部分症状として発症してくることがあり注意を要する．網膜中心静脈閉塞症との鑑別が必要であり，発症頻度も低く，全身的には寛解期にあることも多いので，なかなか診断がつかないことも多い．前房内への白血病細胞の浸潤は，時々経験される所見であり，Behçet 病・急性前部ぶどう膜炎・眼内炎などの感染症などに伴う hypopyon uveitis として鑑別しなければならない病態の 1 つである．

白血病はその病態と治療における免疫状態の進行に伴って段階的にさまざまな臨床症状を呈する．まずは，発病初期にみられる貧血に伴って生じる Roth 斑を中心とした白血病網膜症があり，前房内の腫瘍細胞の浸潤に伴う前房蓄膿を見逃さないようにしたい．次いで，病期の進行に伴い白血病細胞の網膜・脈絡膜浸潤に伴って生じる隆起性病変や白血病視神経症を考えなければならない．全身に血液粘稠度症候群が進行すると，網膜静脈拡張・蛇行などや網膜血管閉塞症を生じ，血小板減少に伴って生じる網膜出血・硝子体出血にも留意する必要がある．治療が開始されて白血病の病状が治まってきても，免疫系細胞の減少に伴って生じる日和見感染症に注意する必要がある．大量の化学療法や骨髄移植前に行う免疫抑制薬療法は，患者の免疫状態を強く抑制するために，サイトメガロウイルス網膜炎などの日和見感染がみられることがある．真菌性眼内炎にも留意する必要があり，治療経過中，β-グルカンなどの検査も欠かせない．原疾患の治療が奏効し血液データ上は寛解が得られている状態でも，眼に限局した再発がみられることもあり，安心できないのが現状である．造血幹細胞移植後も移植片対宿主病（graft-versus-host disease：GVHD）の出現に注意し，その際には後眼部だけでなく前眼部所見の変化にも注意する必要がある．

診断 多くの患者は病初期には無症状のことが多く，体調不良で内科を受診した際や健康診断で偶然，血球異常を指摘され診断に至ることも多い．Roth 斑や網脈絡膜浸潤といった眼所見は，白血病細胞の眼内浸潤に特徴的なものも多い．前房蓄膿がみられる患者においては感染性ぶどう膜炎の鑑別後，前房穿刺により細胞採取を行い白血病細胞を病理学的に診断する方法も有用である．さまざまな眼所見を早期に検出し，血液学的検査をすみやかに施行して血液内科医へ紹介するうえで，われわれ眼科医のはたす役割は大きいと考える．白血病の臨床病期や病型により，さまざまな臨床所見を呈するので，定期的な診察を行い再発病変の出現にも注意する必要がある．全身疾患であるので，常日頃から血液内科学的精査は必要で，担当内科医との連携が重要である．

治療 全身的な内科治療が主であり，抗癌薬の眼への移行を期待して強力な化学療法を行う．治療経過としては，全身状態の改善に伴って眼所見もよくなってくることが多い．化学療法のレジメンは成書を参照いただくこととするが，骨髄照射や強い免疫抑制をかけたのち，造血幹細胞移植も行う場合も多い．視神経や眼窩浸潤に対しては，放射線照射が行われることが多く，放射線治療＋化学療法や放射線治療＋造血幹細胞移植，時にはステロイドパルス療法などを行った臨床報告が多い．

白血病に伴う全身所見と眼所見の出現や活動性の程度は必ずしも一致するわけでなく，治療後，全身的には寛解しているようにみえても，眼だけ再発してくる場合もあり，治療経過中は注意深く眼所見を観察する必要がある．

多発性骨髄腫
Multiple myeloma

畑 匡侑　モントリオール大学/京都大学

概念 形質細胞の単クローン性（腫瘍性）増殖と，単クローン性免疫グロブリン（M 蛋白）の血清・尿中増加により特徴づけられる全身性疾患．多くが 50 歳以上に発症し，男性に多く，全悪性腫瘍の約 1％，全造血器腫瘍の約 10％を占める．

症状 多発性骨髄腫は，症候性と無症候性（いわゆる，くすぶり型）に分けられるが，症候性では myeloma-defining events（MDE）とよばれる臓器障害（高カルシウム血症，腎機能低下，貧血や出血，骨病変）がみられる．このなかでは，3 大症状として知られる，骨痛，蛋白尿，貧血の頻度が高い．ほかに免疫機能低下，過粘稠度症候群，アミロイドーシスによる症状など，多岐にわたる．

多発性骨髄腫の眼症状は非常に多彩であり，その病態は大きく以下の 3 つに分けられる．①骨髄腫細胞が直接浸潤もしくは髄外腫瘤を形成し，正常組織を浸潤占拠・破壊することで生じる症状，②骨髄腫細胞が M 蛋白を多量に産生し，血液粘稠度が亢進することにより引き起こされる症状，③免疫グロブリンが眼組織に沈着することによる症状である．これらの病態により，眼窩，付属器，前眼部，後眼部，神経とさまざまな眼組織に影響を及ぼしうる．

眼窩病変は，頭蓋内病変からの直接浸潤もしくは，髄外腫瘤の形成により引き起こされ，眼球突出や眼球運動制限による複視，眼瞼腫脹，眼圧上昇，視神経障害など

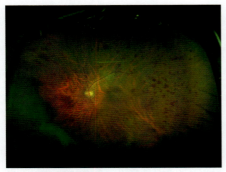

図8　多発性骨髄腫
過粘稠度症候群による網膜静脈拡張，火炎状出血などの網膜血管異常を認める．

が起こる．眼瞼部には，斑状出血や皮膚黄色腫がみられることがある．

前眼部では，結膜や角膜，強膜に免疫グロブリンなどの沈着物がみられることがある．また，毛様体，毛様体扁平上皮部には囊胞形成を認めることがあり，比較的頻度が高い．

後眼部では，網膜血管異常の頻度が高い．具体的には，網膜静脈拡張，火炎状出血，網膜細血管瘤などであり**(図8)**，網膜中心動脈・静脈分枝閉塞症，滲出性網膜剝離などの報告もある．また，脈絡毛細血管板には免疫グロブリンの沈着がみられることも報告されている．神経障害も比較的頻度が高く，眼運動神経麻痺による複視，視神経障害による視力低下も生じ，多発性骨髄腫の初発症状となる場合もあるので，注意が必要である．

診断　骨髄検査で形質細胞の腫瘍性増殖を確認する．あるいは，髄外の腫瘍性病変が形質細胞腫であることを確認する．尿検査・血液検査・各種画像検査（CT・骨X線・MRI・PET）も，診断・治療方針の決定に必要である．眼症状を引き起こす腫瘍性病変がある場合には，生検が必要となることもある．

治療　原疾患に対しては，症状がある場合，造血幹細胞移植，化学療法・分子標的薬・ステロイドを含む薬物療法などが行われる．骨髄腫細胞は放射線感受性が比較的高く，眼窩などの局所病変に対しては放射線照射を用いる．難治性・再発性には，モノクローナル抗体やヒストン脱アセチル化酵素阻害薬などの薬剤が使われる．

予後　生命予後は不良であるが，近年の治療薬の発達により改善してきている．年齢や染色体異常などが予後に関与する．

真性多血症

Polycythemia vera：PV

桐生純一　川崎医科大学・教授

概念　真性多血症（PV）は，造血幹細胞レベルの異常によって生じる骨髄増殖性腫瘍の1つである．*JAK2*遺伝子変異による血球の無秩序な増殖がみられ，とりわけ赤血球の増加が顕著である．血栓症の合併が多く，主要死因となっているため，その予防が最も重要である．

病態　PVは造血幹細胞の*JAK2*遺伝子の変異に起因する造血亢進が本態である．JAK2はチロシンキナーゼファミリーに属する酵素であり，エリスロポエチン，トロンボポエチン，およびG-CSFのシグナル伝達にかかわる（JAK-STATシグナル伝達系）．実際ほとんどのPV患者において*JAK2* V617F変異もしくは*JAK2* exon12変異がみられ，JAK2の持続的活性化によってエリスロポエチンと無関係な造血機

能の異常亢進が生じている．

症状　全身症状として赤ら顔，頭痛，ふらつき，筋力低下，疲労，寝汗などがみられる．これらは，循環赤血球増加による血液粘稠度亢進に伴う血液うっ滞によるものとされる．また好塩基球増加による高ヒスタミン血症により全身の瘙痒感や消化性潰瘍による腹部不快感もみられる．時に四肢末端に発赤とともに灼熱感を感じることがあり(肢端紅痛症)，出血傾向(後天性von Willebrand病)とともに血小板増加を伴う症例でみられる．さらに代謝亢進による発熱や体重減少，高尿酸血症による痛風などがみられる．脾腫は30%程度にみられ，早期膨満感の原因となる．

　眼症状としては血栓症に伴う一過性黒内障が10%強にみられる．ほかに視神経乳頭腫脹，網膜中心動脈閉塞症，網膜静脈閉塞症，虚血性視神経症などの報告が散見されるが，わが国のものは少ない．さらにJAK阻害薬内服中には日和見感染としてサイトメガロウイルス網膜炎のリスクがあることに注意する．

診断　2016年に改訂されたWHO分類に基づいて行う．

- 大基準：①赤血球増加，②骨髄病理所見，③*JAK2* V617F変異あるいは*JAK2* exon12変異が存在する．小基準：血清エリスロポエチン低値，となっている．大基準①＋②＋③を同時に満たす，または大基準①＋②および小基準を満たすことが求められる．
- 赤血球増加の定義はWHO 2016年分類では男性でHb>16.5 g/dL，女性でHb>16.0 g/dLと低くなった．また男性でヘマトクリット>49%，女性でヘマトクリット>48%，あるいは循環赤血球量の増加も赤血球増加とする．
- 骨髄病理所見がWHO 2016年分類では必須となった．病理所見では，汎骨髄症，とりわけ赤芽球系細胞の著明な増殖，そして巨大化し凝集した巨核球の増殖を認める．PVと他の骨髄増殖性腫瘍との鑑別に欠かせない．

治療　①瀉血(Htを45%以下に維持する)，②低用量アスピリン(国内未承認)，③細胞減少療法から血栓症のリスクを勘案して治療法を選択する．高齢でない(60歳未満)かつ血栓症の既往歴のない症例は低リスク群として①＋②，いずれかがあれば高リスク群として①＋②＋③で治療する．③はヒドロキシカルバミドが第1選択で，抵抗・不耐症例ではJAK阻害薬(ルキソリチニブ)を用いる．

　網膜虚血があれば光凝固術を行う．

予後　PVの生命予後は比較的良好とされ，治療を受けている症例の50%生存期間は高リスク群でも10年以上が期待される．

血小板減少性紫斑病

Thrombocytopenic purpura

小川葉子　慶應義塾大学・講師(非常勤)

1　特発性血小板減少性紫斑病(idiopathic thrombocytopenic purpura：ITP)

概念　特発性血小板減少性紫斑病(ITP)は血小板膜蛋白に対する自己抗体の発現により，免疫学的機序を介して主に脾臓における血小板の破壊が亢進し，血小板減少をきたす自己免疫性疾患である．種々

表1　特発性血小板減少性紫斑病の診断基準

1. 自覚症状・理学的所見
   出血症状がある．出血症状は紫斑（点状出血および斑状出血）が主で，歯肉出血，鼻出血，下血，血尿，月経過多などもみられる．関節出血は通常認めない．出血症状は自覚していないが血小板減少を指摘され，受診することもある．
2. 検査所見
   (1) 末梢血液
   　①血小板減少（<10万/μL）．
   　②赤血球，白血球は数，形態ともに正常．ときに失血性または鉄欠乏性貧血を伴い，また軽度の白血球増減を来すことがある．
   (2) 骨髄
   　①骨髄巨核球数は正常ないし増加．
   　②赤芽球および顆粒球の両系統は数，形態ともに正常．
   (3) 免疫学的検査
   　血小板結合性免疫グロブリンG（PAIgG）増量，ときに増量を認めないことがあり，他方，特発性血小板減少性紫斑病以外の血小板減少症においても増加を示しうる．
3. 血小板減少を来たしうる各種疾患を否定できる．
4. 1及び2の特徴を備え，さらに3の条件を満たせば特発性血小板減少性紫斑病の診断を下す．
5. 参考事項（難病情報センターWebサイト参照）

（難病情報センターWebサイト．https://www.nanbyou.or.jp/entry/303　より）

の出血症状を呈し，通常は赤血球，白血球系に異常を認めず，骨髄での巨核球産生の低下もみられない．血小板減少をもたらす明らかな原因や基礎疾患がなく，薬剤の関与がないとされる．欧米では免疫性血小板減少症（immune thrombocytopenia：ITP）とよばれることもある．

急性型と慢性型があり，急性型は小児に多く，ウイルス感染が先行，急激に発症する．慢性型は推定発症から6か月以上，年余にわたって経過し，20〜40歳の女性に多い．臨床症状は出血症状で，主として点状出血か紫斑の皮下出血を認める．

病態　抗血小板抗体の標的自己抗原は血小板の細胞膜糖蛋白Ⅱb-Ⅲa（フィブリノゲンに対するカルシウム依存性の膜受容体）である．抗血小板抗体が結合してオプソニン化された血小板が，脾臓などの網内系でFcレセプターを介してマクロファージに捕捉され，貪食されるとともに破壊が亢進し血小板の減少をきたす．

症状　眼瞼皮下出血（血小板5万/μL以下で打撲による皮下出血，血小板2万/μL以下で自然に皮下出血が生じるとされる）．切迫型網膜中心静脈閉塞症，網膜出血，漿液性網膜剝離，網膜色素上皮症．

診断　特定疾患治療研究事業に基づく診断基準を**表1**に示す．

治療　全身的に急性型の多くは自然寛解する．10％ほどが慢性型に移行する．治療はステロイド（1 mg/kg/日）が第1選択薬．ステロイド不適応例には脾摘を検討する．難治例は10〜20％にみられ出血症状に対する厳重な管理が必要である．脾摘も無効の場合は，アザチオプリンやシクロホスファミドなどの免疫抑制薬が試みられる．γグロブリン大量静注（0.4 g/kg/日，5日間）は，一過性のことが多いが有効率は高い．Helicobacter pylori陽性例では，標準的な除菌療法を行うことにより，半数近くの症例で血小板数の増加がみられる．切迫型網膜中心静脈閉塞症に対しウロキナーゼ点滴による線溶療法が行われる．

2 血栓性血小板減少性紫斑病（thrombotic thrombocytopenic purpura：TTP）

概念　微小血管を障害し，血小板減少をきたし，多臓器に微小血栓を形成する．

現在は ADAMTS13 活性が 10％未満に著減している症例のみ血栓性血小板減少性紫斑病（TTP）と診断する．

病態　正常人では，血管内皮や巨核球から分泌される高分子の von Willebrand factor（vWF）を分解する血漿メタロプロテアーゼの ADAMTS13（a disintegrin-like and metalloproteinase with thrombospondin type 1 motifs 13）が存在するが，本疾患では，この分解酵素が欠損している．後天性では ADAMTS13 に対する自己抗体が原因であることが多い．先天性の TTP では ADAMTS13 遺伝子座のいくつかで突然変異が知られている．血漿中の，分解酵素に抵抗性の高分子の vWF が血栓を形成する．

症状　腎症を併発し網膜症も発症しやすく，10％に認められるとされる．血栓性網膜血管閉塞による網膜虚血，新生血管を生じる場合がある．漿液性網膜剝離も報告されている．

診断　ほかに原因を認めない血小板減少を認めた場合，ADAMTS13 活性を測定し 10％未満に著減している症例を TTP と診断する．抗 ADAMTS13 自己抗体が陽性であれば後天性 TTP と診断する．陰性であれば先天性 TTP と診断する．

TTP については難病情報センターの Web サイト（https://www.nanbyou.or.jp/entry/246）も参照のこと．

治療　重度の後天性 ADAMTS13 欠損症がなければ新鮮凍結血漿の輸注，血漿交換（再発予防のために 2〜3 週に一度）を行う．血小板輸血は禁忌．ステロイドパルス療法も有効である．近い将来，遺伝子発現蛋白による酵素補充療法の可能性が期待される．

血漿交換の効果は，①ADAMTS13 の補充，②同インヒビターの除去，③超巨大分子量 vWF マルチマー（UL-vWFM）の除去，④止血に必要な正常 vWF の補充のためであり，難治・反復例に対してはビンクリスチン硫酸塩，シクロホスファミドなどの免疫抑制薬の使用，脾摘なども考慮される．

なお，網膜虚血に対しては光凝固術を施行する．

川崎病
Kawasaki disease

南場研一　北海道大学・診療教授

概念　4 歳以下の小児に生じる急性全身性血管炎であり，眼を含む多くの臓器に症状を呈する．

病態　日本を含む東アジアに多くみられ，1967 年に川崎富作先生が初めて報告した．患者数は増加傾向にある．

原因は不明であるが，細菌やウイルス感染または環境物質の刺激が発症契機になるとされる．マクロファージ，T 細胞，B 細胞，血小板など免疫系の過剰な活性化に伴うサイトカイン，ケモカインの上昇がみられ，それらによって誘発される血管内皮細胞の活性化，全身の中小動脈の血管炎が病態と考えられている．

急性熱発を伴い約 2 週間で自然回復するが，冠動脈瘤などの恒久的な障害を残すことがある．

症状　発熱，口唇の紅潮，いちご舌，口腔咽頭粘膜のびまん性発赤，全身の発疹，手足の硬性浮腫，手掌足底または指趾

先端の紅斑，頸部リンパ節腫脹がみられる．

眼症状としては，結膜炎，前部ぶどう膜炎がみられる．球結膜充血は最も多くみられる所見であり90％以上の症例でみられる．発症急性期からみられ，2～4週後に自然回復する．濾胞形成，浮腫などがみられることはない．20％に表層性角膜炎がみられる．

|診断| 日本川崎病学会，日本川崎病研究センター，厚生労働科学研究難治性血管炎に関する調査研究班の「川崎病診断の手引き 改訂第6版」に基づいて診断される．

■ **主要症状**
①発熱
②両側眼球結膜の充血
③口唇，口腔所見：口唇の紅潮，いちご舌，口腔咽頭粘膜のびまん性発赤
④発疹（BCG接種痕の発赤を含む）
⑤四肢末端の変化：
　（急性期）手足の硬性浮腫，手掌足底または指趾先端の紅斑
　（回復期）指先からの膜様落屑
⑥急性期における非化膿性頸部リンパ節腫脹

以上の6つの主要症状のうち，5症状以上を呈する場合は川崎病と診断する．4主要症状しか認められなくても，他疾患が否定され冠動脈病変を呈する場合は川崎病と診断する．

■ **鑑別診断** アデノウイルス結膜炎，ヘルペスウイルス結膜炎，クラミジア結膜炎などの感染性結膜炎，眼サルコイドーシス，小児特発性関節炎に伴うぶどう膜炎，間質性腎炎ぶどう膜炎症候群などの小児ぶどう膜炎．

|治療|
❶**眼局所治療** 結膜充血，虹彩毛様体炎に対しては，その程度に合わせて0.02％または0.1％フルオロメトロン点眼液を点眼し，表層性角膜炎を併発する場合は0.1％ヒアルロン酸ナトリウム点眼液を併用する．

❷**全身治療** 発熱があれば冠動脈瘤の発生を抑制するために免疫グロブリン療法，ステロイド内服，インフリキシマブ点滴などが行われる．

|処方例| 以下を併用する．

> フルメトロン点眼液(0.1%)　1日3回　点眼
> ヒアレイン点眼液(0.1%)　1日4回　点眼

|予後| 眼症状は点眼治療もしくは無治療で軽快し，視機能予後に影響を与えることはない．

巨細胞動脈炎（側頭動脈炎）
Giant cell arteritis (temporal arteritis)

川島秀俊　自治医科大学・教授

|概念| 1890年，Hutchinsonは側頭動脈に亜急性肉芽腫炎症と狭窄性変化を生じた患者を報告した．その後，側頭動脈に限らず大動脈とその分枝，外頸動脈など大型/中型動脈の弾性線維に原因不明の炎症をきたす「巨細胞動脈炎」という疾患概念が確立した．

国内患者は700人前後と少ない（厚生労働省研究班）．性差では女性がやや多い（2～3：1）．半数に眼症状をきたす．

|病態| 多核巨細胞/異物巨細胞を伴う著明な単核球（Th17/Th1 CD4T細胞，マクロファージ）主体の肉芽腫性血管炎で，IL-6が病態形成に関与しているとされる．

ただし巨細胞を伴わなくても診断は可とする．病変は分節状に分布する(skip-lesion)．弾性線維に対する炎症が動脈壁の肥厚や血管内腔の狭小化・閉塞を引き起こし，弾性線維が変性して巨細胞浸潤を誘導する．中膜平滑筋の変性が先行し，弾性線維の変化は2次的との説もある．

症状 発熱，食欲不振，倦怠感，これまでに経験のないような頭痛，側頭動脈近傍の結節・怒張・圧痛，顎関節運動痛などを生じる．臨床検査でESR/CRPが亢進する．約30〜50%で眼球への血流低下を生じ，眼症状は片眼→両眼で急激に進展する．眼球外では後部虚血性視神経症，外眼筋麻痺，複視，眼振，眼瞼下垂，Horner症候群，皮質盲などが起こる．短後毛様体動脈に波及し前部虚血性視神経症(AION)をきたすと水平半盲など視野障害をきたす．眼内に病変が及べば網膜中心動脈閉塞症(CRAO)，視神経乳頭は境界不鮮明で蒼白となる．

合併症・併発症 AIONが最も多く，CRAO，綿花様白斑を伴う網膜虚血，外眼筋麻痺などをきたす．30〜40%にリウマチ性多発筋痛症を伴う．

診断 高齢者の新たな頭痛，高度ESR/CRP上昇，側頭動脈近傍の圧痛などを伴うAIONやCRAOなどの動脈閉塞症状があれば，動脈生検を待たず確定できる．AIONにおける蛍光眼底撮影では，視神経乳頭近傍choroidal flushが低蛍光，後期に過蛍光となる．超音波検査による動脈壁肥厚，造影MRIによる壁肥厚，PET-CTなどで病勢が評価できる．米国リウマチ学会診断基準を**表2**に記す．

5項目中3項目にて感度93%，特異度91%，顎跛行は感度34%だが陽性尤度比は4.2と最も高く，側頭動脈数珠状変化，突出，拡張などが続く．

治療 ステロイド全身投与，重篤症例にはパルス療法を行う．他眼発症を防ぐため，組織診断を待たずに治療を開始する．ステロイド抵抗例や減量困難例にはメトトレキサートなど免疫抑制薬を，循環改善にはアスピリンを併用する．近年，抗IL-6受容体抗体(トシリズマブ)の有効性が確認され，2017年トシリズマブ皮下注製剤が保険収載された．

予後 眼症状において失明のリスクが高く(10〜20%)，全身病態で中枢神経疾患や心疾患を合併するなどして致命的な経過もありうる．

表2 巨細胞性動脈炎の診断基準(米国リウマチ学会1990)

①発症年齢≧50歳
②新たに出現した，またはこれまでに経験のない限局性頭痛
③側頭動脈に沿った圧痛，脈拍減弱
④ESR≧50 mm/時
⑤動脈生検による肉芽腫性炎症(単核球細胞浸潤/肉芽腫性炎症，巨細胞の有無は問わない)

5項目中3項目で巨細胞性動脈炎と分類する．
(Hunder GG, et al: The American College of Rheumatology 1990 criteria for the classification of giant cell arteritis. Rheum 33: 1122-1128, 1990 より)

弾性線維性偽黄色腫

Pseudoxanthoma elasticum：PXE

木許賢一　大分大学・准教授

概念 弾性線維性仮性黄色腫(PXE)は弾性線維の変性，断裂，石灰化を特徴とする常染色体劣性遺伝性疾患である．厚生労働省が定める指定難病(166番)の1つであ

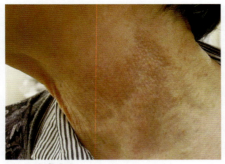

図9 皮膚病変
頸部に黄白色調丘疹がみられる．

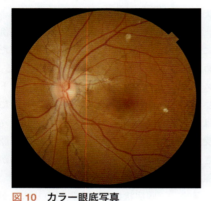

図10 カラー眼底写真
視神経乳頭から放射状に伸びる灰褐色の色素線条がみられる典型的な眼底写真．

表3 診断基準2017年改訂版（厚生労働省研究班）

A．診断項目
①皮膚病変がある
②皮膚病理検査で弾性線維石灰化を伴う変性がある
③網膜血管線条（色素線条）がある
④ABCC6遺伝子変異がある

B．診断
Ⅰ．Definite：（①または②）かつ③
Ⅱ．Possible：（①または②）のみ，または③のみ
注意：
　1) Ⅱ「Possible」に④遺伝子変異を証明できた場合はDefiniteとする．
　2) 以下の疾患を完全に除外できること．
　　類似皮膚症状を呈するもの：
　　　PXE-like papillary dermal elastolysis
　　　Wilson病に対するD-penicillamine内服
　　網膜色素線条を呈するもの：
　　　骨パジェット（Paget）病
　　　鎌状赤血球症
　　　エーラス・ダンロス（Ehlers-Danlos）症候群
　　　鉛中毒
　　　外傷
　　脈絡膜新生血管を生じるもの：
　　　加齢黄斑変性
　　　変性近視
　　消化管粘膜病変を呈するもの：
　　　胃・十二指腸潰瘍

る．疫学は10〜30万人に1人とされる．PXEに網膜色素線条を伴うとGrönblad-Strandberg症候群とよばれる．

病態　PXEでは進行性に皮膚，粘膜，網膜，血管，消化管などの弾性線維が豊富な組織が障害される．2000年に原因遺伝子がATP binding cassette C6（*ABCC6*）遺伝子であることが明らかになった．この遺伝子はmultidrug resistant protein 6（MRP6）という膜輸送蛋白をコードしているが輸送する基質はまだわからず，この分子異常が弾性線維の変性・石灰化をきたす機序は不明である．

症状　皮膚病変は頸部や腋窩，肘窩，鼠径部，臍周囲に黄白色調丘疹や局面がみられ（図9），皮膚の弾性が失われ太い皺，弛緩した皮膚となる．10〜20歳代で発症し，徐々に範囲を拡大するが自覚症状はない．また口腔粘膜には白色網状斑がみられる．眼病変はBruch膜の変性・断裂により視神経乳頭から放射状に伸びる灰褐色の色素線条という特徴的な眼底所見（図10）を呈し，進行すると乳頭周囲網脈絡膜萎縮となる．梨子地眼底（peau d'orange fundus）とよばれる後極から中間周辺部にか

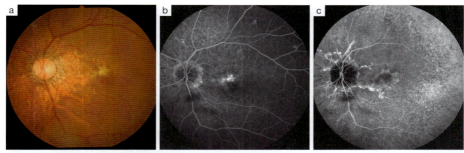

図11　眼底写真と蛍光眼底造影写真
a：カラー写真，**b**：FA後期，**c**：IA後期．
線条はIA後期に明瞭な過蛍光となり観察されやすい．

けて広い範囲に黄白色点状所見がみられることが多い．脈絡膜新生血管（choroidal neovascularization：CNV）や網膜下出血を生じ，発症部位によっては重篤な視力・視野障害を残すことがある．

また，血管壁の弾力線維の変性・石灰化による内腔の狭小化により，間欠性跛行，狭心症，心筋梗塞，脳梗塞などの虚血性脳心血管障害や消化管出血を合併することもあり，時に致死的となる．

■診断　表3に診断基準を示す．網膜色素線条は診断に非常に重要な位置を占め，わが国の疫学調査でも9割の患者にみられる．皮膚病理組織での石灰沈着の証明は鑑別診断の除外にも有用である．

眼病変は上述の眼底所見に加えて蛍光眼底造影検査（FA/IA）と光干渉断層計（OCT）が有用である．眼底所見だけでは，本疾患を念頭において診なければ見落としやすい．フルオレセイン蛍光眼底造影（FA）では早期には色素線条に一致してwindow defectによる過蛍光を示し，後期には組織染による過蛍光を呈する．

CNVはclassic CNVを呈することが多く，活動性の判定に有用である．インドシアニングリーン蛍光眼底造影（IA）では色素線条は早期には不明瞭だが，後期では明瞭な過蛍光を示すことが多く，FAよりもIAのほうが色素線条は観察されやすい（図11）．OCTでは色素線条部位では，網膜色素上皮の不整隆起やBruch膜の断裂がみられ，CNVの検出にも優れる（図12）．CNVの活動性が高い時期には漿液性網膜剝離，網膜浮腫，網膜下出血を伴う高反射塊として描出される．視力予後を左右するCNVはtype 2 CNVが多いが，type 1 CNVや，時にポリープ状脈絡膜血管症（PCV）や網膜内血管腫状増殖（RAP）もみられることもあり注意深い観察が必要である．そのほかの有用な検査としては，眼底自発蛍光検査で視神経乳頭ドルーゼン（図13）がみられることもある．非侵襲的な検査としてOCTアンギオグラフィはCNV検出に有効である（図14）．実際の眼科臨床現場では，網膜色素線条を疑った場合はその場で頸部の皮膚病変を視診し皮膚科に紹介することになる．

■治療　全身的には皮膚病変に対しては美容的切除が行われることがあるが，特に有効な治療法はない．心血管障害は動脈硬

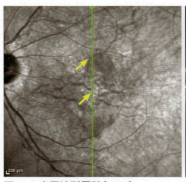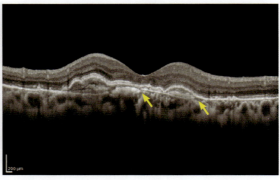

図12 光干渉断層計(OCT)
網膜色素上皮の不整隆起やBruch膜の断裂(矢印)がみられる.

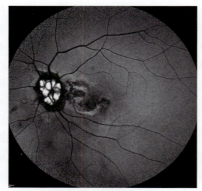

図13 眼底自発蛍光検査
視神経乳頭ドルーゼンがみられることがある.

化が多発・広範囲に起こるなどの問題に対して動脈硬化症に準じた薬物療法,ステント留置,血管置換術などの対症療法が行われる.消化管出血に対しても内視鏡による止血術などの対症療法を行う.

　眼科的にはCNVに対して加齢黄斑変性や病的近視と同様に抗VEGF薬の硝子体注射が有効であるが(保険適用外),長期にみると再燃を繰り返し網脈絡膜萎縮に至る例や,別の部位からのCNV発症が起こる例もあり,最終的な視力予後は良好とはいえない.また,眼球打撲で容易に眼底出血

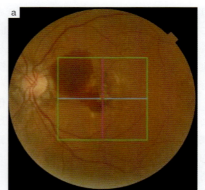
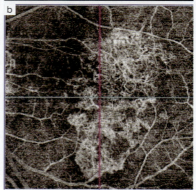

図14 OCTアンギオグラフィ(OCTA)
a:カラー写真(緑枠:スキャン範囲),b:OCTA画像.
OCTAで広範囲のCNVを容易に描出できる.

をきたすため眼外傷には気をつけたい．

予後　中心窩にCNVや網脈絡膜萎縮が生じると視力予後は不良である．網膜色素線条のみの場合でも眼底出血やCNVを発症する危険性が高率であるため定期的な眼科受診を勧めたい．

先天性代謝性疾患と眼疾患
Congenital metabolic diseases and eye diseases

林 英之　福岡大学・教授

　先天性代謝性疾患には眼疾患を合併するものも多い（表4，次頁）．それを知ることは眼疾患の早期発見，予防や治療に役立つだけでなく，眼病変から疾患を診断し，あるいは治療に活用できることがある．代表的な疾患を以下に挙げる．

■ **Wilson病，肝レンズ核変性（hepato-lenticular degeneration）**　常染色体劣性遺伝で銅代謝異常をきたし，若年から神経症状（振戦，構音障害など）と肝機能障害を示す．Kayser-Fleischer輪（図15）は角膜輪部周囲のDescemet膜に生じる黄白色の混濁でWilson病患者の60％にみられ，ほかの疾患でみることはないため，スクリーニングや早期発見に役立つ．

■ **ガラクトース血症（galactosemia）**　ガラクトース代謝の酵素欠損，活性低下のために血中にガラクトースが蓄積される．障害酵素により3型に分類される．代表的なⅠ型では肝障害，中枢神経障害に加えて白内障を生じる．Ⅱ型では白内障が唯一の症状とされている．新生児マススクリーニングで早期に発見し，乳糖・ガラクトース除去ミルクによる進行予防療法が行われて

図15　Kayser-Fleischer輪

いる．特にⅡ型では長期間にわたって白内障の発症進行を観察する必要がある．

■ **ムコ多糖症（mucopolysaccharidosis：MPS）**　MPSはリソソーム内のムコ多糖分解酵素の欠損による疾患で欠損酵素や程度によっていくつかに分類されている．一般的な症状としては粗な（グロテスク）顔貌，関節拘縮，肝脾腫，心障害，知的障害がある．渦巻状角膜混濁は，常染色体劣性遺伝のⅠ型Hurler症候群にはみられるが，X染色体劣性遺伝のⅡ型Hunter症候群にはみられないので，両者の鑑別の補助的所見になり，遺伝相談に有用である．また酵素補充療法による進行予防のため眼所見の確認が有用になる場合がある．

■ **Tay-Sachs病（GM_2ガングリオシドーシス（GM_2-gangliosidosis））**　ガングリオシドは脳内に存在する複合スフィンゴ脂質である．GM_1とGM_2に大別されライソゾーム病に関与しているとされる．ヘキソサミニダーゼAの欠損が原因で，常染色体劣性遺伝する．乳児型，若年型，成人型に分類され，乳児型は生後6か月までに発達の遅れがみられ，筋緊張低下，音に対する過敏症を示し，眼底に桜実紅斑（cherry-red spot）がみられる．桜実紅斑はGM_2が網膜神経線維層に蓄積して網膜が

表4 先天性代謝性疾患と眼疾患の一覧

先天性代謝性疾患	眼疾患	遺伝形式
1. アミノ酸代謝異常		
Lignac-Fanconi 症候群（シスチン沈着症）	角膜・結膜・虹彩の結晶沈着	AR
亜硫酸オキシダーゼ欠損症	水晶体偏位	AR
アルカプトン尿症	強膜色素沈着	AR
眼皮膚白子症	眼底虹彩低色素，黄斑低形成，眼振	AR
高オルニチン血症	脳回転状網脈絡膜萎縮	AR
高グリシン血症	眼振	AR
高スレオニン血症	Leber 先天黒内障	AR
チロシン血症II型（Richner-Hanhart 症候群）	角膜潰瘍	AR
晩発型シトルリン血症	乳頭浮腫	AR
フェニルケトン尿症	虹彩低色素	AR
ホモシスチン尿症	水晶体偏位，白内障	AR
メープルシロップ尿症	視神経萎縮	AR
2. スフィンゴリピドーシス		
Fabry 病	渦巻状角膜混濁，白内障，結膜血管の怒張，網膜血管の異常	XR
Gaucher 病	眼球運動障害，褐色瞼裂斑，眼底白斑	AR
GM_1 ガングリオシドーシス	cherry-red spot，視神経萎縮	AR
Krabbe 病	視神経萎縮	AR
Niemann-Pick 病	cherry-red spot，角膜混濁，水晶体混濁	AR
Tay-Sachs 病（GM_2 ガングリオシドーシス）	cherry-red spot，視神経萎縮	AR
Sandhoff 病	cherry-red spot，視神経萎縮	AR
異染性ロイコジストロフィ	cherry-red spot，視神経萎縮	AR
3. ムコ多糖症		
Hurler 症候群（IH型）	角膜混濁	AR
Scheie 症候群（IS型）	角膜混濁，網膜色素変性症	AR
Hunter 症候群（II型）	網膜色素変性症	XR
Morquio 症候群（IV型）	角膜混濁	AR
Maroteaux-Lamy 症候群（VI型）	角膜混濁，視神経萎縮	AR
4. その他		
Spielmeyer-Vogt 病（Batten-Mayou 症候群）	網膜色素変性症，視神経萎縮	AR
無βリポ蛋白血症	網膜色素変性症（Bassen-Kornzweig 症候群），眼筋麻痺，眼瞼下垂，眼振	AR
Farber 病	黄斑変性，視神経萎縮，角膜混濁	AR
ガラクトース血症	白内障	AR
Wilson 病（肝レンズ核変性症）	角膜沈着（Kayser-Fleischer 輪），白内障	AR
Alström-Hallgren 症候群	眼振，白内障，非定型網膜色素変性症	AR
Dubin-Johnson 症候群	強結膜黄疸	AR
Hartnup 病	ペラグラ様皮膚炎，眼振，斜視	AR
Lowe 症候群（眼脳腎症候群）	先天白内障，後部円錐水晶体，緑内障，眼振，縮瞳，眼球陥凹	XR
Menkes kinky-hair 病	視神経萎縮，睫毛・眉毛の消失	XR
von Gierke 病（糖原蓄積病I型）	睫毛内反，黄斑部黄白色斑，角膜混濁	AR

AR：常染色体劣性遺伝，XR：X染色体劣性遺伝
〔小田仁：先天性代謝性疾患と眼疾患．田野保雄，他（編）：今日の眼疾患治療指針，p524，医学書院，2000 より一部改変〕

白濁し，神経線維層を欠く中心窩が相対的に赤く見えるため生じる．乳児型では3歳までに死亡する例が多い．眼底検査が診断に有用である．

転換性障害（ヒステリー）
Conversion disorder (hysteria)

岩佐真紀　滋賀医科大学・助教

概念　かつてはヒステリーとよばれていたが，現在は転換性障害とよばれている．米国精神医学会の「精神疾患の診断・統計マニュアル（DSM）」ではヒステリーという語は削除され，DSM-5（2013年）では身体症状症および関連症群のカテゴリー内の変換症/転換性障害（機能性神経症状症）と再分類された．転換性障害は，心理的要因に伴う情動と記憶，あるいは意識したくない願望や欲望が身体症状に転換される疾患である．

病態　心理的葛藤，喪失体験，ストレス，トラウマといった心理的要因が無意識の感情葛藤となり眼に転換され視覚障害をきたす．身体的原因を探すことができない．

症状　随意運動機能障害や視覚，聴覚，嗅覚，味覚，触覚などの感覚障害が起こる．感覚消失する場合と特別な感覚症状を伴う場合がある．視覚障害としては視力障害や視野狭窄，色覚異常や変視症など，多くは両眼にきたす．

診断　画像検査，脳波，電気生理学的検査などで視覚障害をきたす器質的疾患を除外する．視野検査でのらせん状視野・管状視野，色覚検査での非典型的な異常は診断の根拠となり，トリック法による視力検査で視力改善するなど矛盾する検査結果は診断に有用である．確定診断は精神疾患専門家へ依頼する．

治療　丁寧な問診で原因を検索し，原因除去を行うことが根本治療であるが，眼科のみでの対応は困難である．専門科に依頼しカウンセリングや薬物療法の協力を得る．

全身熱傷，顔面熱傷
Burn, facial burn

門田 遊　久留米大学・教授

病態　熱傷は，高熱の気体・液体・固体，爆発，化学物質，放射線などに曝露し，皮膚・粘膜が損傷した状態をいう．広範囲で深い熱傷，気道熱傷は生命にかかわる．顔面，会陰部，肛門周囲，手指の熱傷は，瘢痕拘縮をきたすと日常生活に支障をきたす．

重症度　皮膚熱傷は，Ⅰ度（表皮：発赤・紅斑），Ⅱ度（真皮：水疱・びらん），Ⅲ度（全層：白色あるいは褐色レザー様）に分類される．Ⅱ度熱傷は水疱底の真皮が赤い浅達性（真皮の浅い層まで）と，水疱底の真皮が白い深達性（真皮の深い層）に分かれる．熱傷面積は深度ごとに算出する．

眼球は木下分類を用い，
- grade 1：結膜充血
- grade 2：部分的に角膜上皮欠損
- grade 3a：全角膜上皮欠損・palisades of Vogt（POV）一部残存
- grade 3b：全角膜上皮欠損・POV完全消失

- grade 4：半周以上の輪部結膜壊死・全角膜上皮欠損・POV完全消失

に分類される．

治療　受傷直後は小範囲では水道水，広範囲ではシャワーなどで冷却を行う．Ⅱ度 30％以上，Ⅲ度 10％以上，気道熱傷，顔面，会陰部，肛門周囲，手指の熱傷は救命救急センターで集中治療を行う．眼瞼および眼球の熱傷は生理食塩液にて眼瞼および眼表面の洗浄を行う．異物があれば取り除き，汚染され壊死に陥った組織は除去する．皮膚の水疱は孔をあけて内容液を排出する．眼球の grade 3a〜4 は持続洗眼を行う．

処方例　洗浄後，Ⅰ度では 1) を開始する．深達性Ⅱ度とⅢ度では植皮適応のため形成外科に紹介する．眼瞼は瘢痕拘縮すると外反し兎眼となるため注意する．眼球の grade 1〜2 は 2) と 3) を開始する．grade 3a〜4 は 4) と 5) を追加する．上皮再生が遅い場合は治療用コンタクトレンズ装用，炎症が強い場合は 6) を開始し漸減する．grade 3b〜4 は創傷治癒が遅延した時点で羊膜移植，角膜移植を考慮する．

1) リンデロン VG 軟膏(0.12％)　1 日 1〜2 回　点入
2) クラビット点眼液(1.5％)　1 日 4〜8 回　点眼
3) リンデロン点眼・点耳・点鼻液(0.1％)　1 日 4 回　点眼
4) タリビッド眼軟膏(0.3％)　1 日 1〜4 回　適量　点入
5) プレドニン眼軟膏　1 日 1 回　適量　点入　眠前
6) プレドニン錠(5 mg)　4〜6 錠　分 2〜3　食後

Ehlers-Danlos 症候群
Ehlers-Danlos syndrome：EDS

吉田茂生　久留米大学・主任教授

概念　Ehlers-Danlos 症候群（EDS）は，皮膚，関節，血管など全身的な結合組織の脆弱性に基づく遺伝性疾患である．その原因と症状から，6 つの主病型（古典型，関節型，血管型，後側弯型，多発関節弛緩型，皮膚脆弱型）に分類されている．近年，「D4ST1 欠損に基づく EDS（DDEDS）」を含め，新たな病型が発見されている．遺伝形式は病型により異なる．後側弯型は常染色体劣性遺伝である．

病態　コラーゲン分子またはコラーゲン成熟過程に関与する酵素の遺伝子変異に基づく．

症状　皮膚の過伸展や関節の過可動が特徴的である．眼症状として，内眼角贅皮，眼瞼下垂，円錐角膜，小眼球，隅角異常，青色強膜，眼球破裂，水晶体脱臼，網膜色素線条，黄斑変性，硝子体出血，後部ぶどう腫，斜視，網膜剥離などをみることがある．眼症状を合併する病型としては後側弯型が典型的である．

診断

■**必要な検査**　上記で述べた臨床所見や遺伝形式から EDS の診断を行う．EDS の全身症状が認められた場合，すみやかに眼科的精査加療を行う．可能なら遺伝子異常，皮膚病理像，コラーゲン線維の電子顕微鏡像などを検索する．

■**鑑別診断**　各病型間および他の類似疾患との鑑別が必要である．後側弯型は身長が高く，Marfan 症候群や Loeys-Dietz 症候

群を鑑別する．

治療 網膜剥離に対して網膜復位術や硝子体手術を行う．

予後 眼側彎型では，眼球の脆弱性により眼球破裂を生じる可能性がある．

Bloch-Sulzberger 症候群
Bloch-Sulzberger syndrome

近藤寛之　産業医科大学・教授

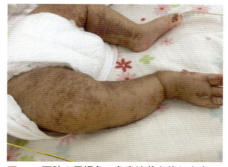

図16　下肢の黒褐色の色素沈着を伴う皮疹

概念 色素失調症（incontinentia pigmenti）ともいう．特徴的な水疱様皮疹や色素沈着などの皮膚病変に加え，てんかんや歯欠損などを呈する全身性疾患である．網膜病変が1/3の症例にみられ，生後1歳までに出現する．

病態 NF-κBエッセンシャルモジュレータ（*NEMO*，別名 *IKBKG*）遺伝子の異常により外胚葉由来組織の免疫不全を起こす．小児科や皮膚科で診断される機会が多い．遺伝形式はX染色体優性遺伝である．男児は致死となるため，女児のみ発症する．組織レベルでは異常遺伝子を発現する細胞（異常細胞）と正常細胞のモザイクとなっている．異常細胞は成長とともに細胞死を起こして淘汰される傾向がある．

症状 全身病変は多彩であるが，色素沈着を示す皮膚病変や中枢神経異常，爪，歯，毛髪に異常をきたす．生下時より体幹部や四肢に紅斑と水疱様の皮疹を認める．遅れて生後2週間以内に皮膚病変がみられる症例もある．その後皮膚病変は肥厚性疣贅や丘疹を残して消退する．黒褐色の色素沈着が残りやすい（図16）．歯の欠損では栄養障害に陥る可能性がある．

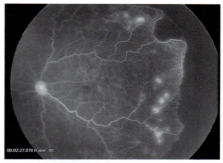

図17　蛍光眼底造影所見
無血管と血管異常，新生血管を認める．

網膜血管の閉塞性変化が後極部，周辺部を問わず出現する．網膜血管の拡張や蛇行，網膜出血，毛細血管瘤を認める．無灌流領域や新生血管などの網膜血管の異常は検眼鏡的には不明なこともあるが，蛍光眼底造影検査で描出される（図17）．進行例では無灌流領域に新生血管を認め，硝子体出血や牽引性網膜剥離を併発する．末期例では白色瞳孔となる．

診断

■**診断法・検査** 生下時の水疱様の丘疹・紅斑やその後に観察される黒褐色の色素沈着を伴う皮膚所見は特徴的であり，診断の決め手となる．皮膚生検も診断上有用であ

る．*IKBKG* 遺伝子異常の症例のうち 8 割はエクソン 4〜10 を含む広範囲の遺伝子欠失であり，PCR で診断可能である．

■**鑑別診断**　未熟児網膜症，家族性滲出性硝子体網膜症，第 1 次硝子体過形成遺残．

治療　網膜無灌流領域にレーザー凝固を行う．網膜剝離は牽引性変化を伴うため硝子体手術を行う．

予後　乳児期には網膜剝離を発症する危険性があるが，成長とともに網膜症などの病変は鎮静化する傾向がある．

18 眼外傷

昆虫刺傷
Insect bite

恩田秀寿　昭和大学・主任教授

概念　蚊，ミツバチ，スズメバチ，アシナガバチ，アリ，サソリなど針をもった昆虫が眼部を刺入し，いわゆる毒を組織に注入もしくは散布することによって生じる眼瞼，眼球の急性炎症である．アナフィラキシーショック症状を呈するため救命救急の必要性が生じる．毒の成分は昆虫によってさまざまであるため，本項では蜂による刺傷について述べる．

病態　蜂毒には，痛みを惹起させるアミン類（ヒスタミン，セロトニン，アセチルコリン），溶血作用や神経毒を惹起させるペプチド類（アパミン，メリチン），アナフィラキシーショック症状を惹起させる酵素類（ホスホリパーゼA1，アンチゲン5）が主成分として存在する．これらによって局所症状のみならず，Ⅰ型アレルギー反応を起こし致死的な経過をたどる．蜂毒に対するIgEを介したアナフィラキシー反応，もしくはIgEを介さない多量の蜂毒注入によるアナフィラキシー様反応のメカニズムが考えられている．

合併症・併発症　アナフィラキシーショック．

診断　蜂が多く出現すると想定される場所（野山，軒先，公園）で飛翔体がみられた直後に眼周囲の強い痛みを感じ，その後に眼局所症状，さらに全身症状が併発していることで診断する．

治療

■**症状と治療**　以下には蜂毒によるものを示す．

❶**一般的に眼の周囲皮膚を刺された場合**

a.**症状**　皮膚の疼痛，眼瞼腫脹，硬結，発赤が主な症状である．毒針が眼瞼を貫き瞼板の中で引きちぎれ，角結膜傷害を生じることがある．

b.**内科的治療**　ステロイドの塗布，冷却を行う．

処方例
サンテゾーン眼軟膏（0.05%）　1日4回
刺入部に塗布

c.**外科的治療**　毒針の除去を行う．

❷**眼球自体を刺された場合**

a.**症状**　スズメバチの毒針は7mmもあるため眼瞼を刺された場合でも眼球にまで到達することが可能である．結膜浮腫，角膜上皮浮腫，角膜実質混濁，角膜内皮障害，白内障，前房蓄膿を伴う眼内炎，強膜壊死などの報告がある．

b.**内科的治療**　ステロイドの塗布，点眼，結膜下注射に加え全身投与を行う．

処方例　下記の薬剤を症状に応じて適宜用いる．

1）サンテゾーン眼軟膏（0.05%）　1日4回
　刺入部に塗布
2）ミドリンP点眼液　1日3回　点眼
3）リンデロン点眼・点耳・点眼液（0.1%）

1日6回　点眼
4) クラビット点眼液(1.5%)　1日3回　点眼
5) リンデロン注(4 mg/1 mL)　1回 0.25 mL　1日1〜2回　結膜下注射
6) プレドニン錠(5 mg)　6錠　分2　朝・昼

c. 外科的治療　毒針の除去と眼内の洗浄を至急行う．角膜に刺入部位があれば前房洗浄を行う．強膜に刺入部位があれば硝子体内に注入された可能性もあるため，硝子体切除術を追加実施する．

❸全身症状が生じている場合

a. 症状　皮膚症状や苦悶，消化器症状や血管浮腫，呼吸器症状，心血管系症状など，多くは30分以内に症状を呈し，重症であるほど出現までの時間は短い．また，刺傷数時間後に再度遅発型の全身反応が出現することがある．

b. 治療　アナフィラキシーショック時の対応をする．直ちにバイタルサインを確認し，応援の要請を行い，患者を寝かして下肢を挙上させる．

(1) 内科的治療の対処例

- アドレナリンの筋肉注射：大腿部中央の前外側に0.1%アドレナリン，0.01 mg/kg（最大量：成人 0.5 mg，小児 0.3 mg）で行う．アナフィラキシー補助治療剤であるアドレナリン自己注射薬エピペン®注射液があれば直ちに注射する〔詳細な使用方法は「エピペンサイト」(https://www.epipen.jp/)を参照〕．
- 酸素投与：マスクで6〜8 L/分．
- 急速輸液：血管内脱水を補正するために，最初の5分間で生理食塩液 5〜10 mL/kg を急速輸液する．その後乳酸リンゲル液に変更し，尿量と血圧 90 mmHg 以上を保つようにする．改善しない場合には昇圧薬のドパミン製剤（3〜20 μg/kg/分）を点滴静注する．
- ステロイド投与：急性期の症状に対し抑制作用はないが，遅発型反応を防止する目的で，重症例ではヒドロコルチゾンリン酸エステルナトリウム 100〜200 mg またはメチルプレドニゾロンコハク酸エステルナトリウム 40 mg を6〜8時間間隔で点滴静注する．

予後　治療が遅れれば，角膜内皮障害による水疱性角膜症や網膜視神経障害による失明をきたす．全身症状に対する対応が遅れれば重篤な全身合併症を生じる．

熱傷
Thermal burn

榛村重人　藤田医科大学・教授

概念　高温のガスや液体，溶融した金属の飛入により生じる外傷である．

病態　産業事故による水蒸気やガス爆発，あるいは火傷が原因であることが多い（図1a）．わが国では打ち上げ花火による受傷も少なくない．角膜に加え，眼瞼も受傷することが多いため，病態は重篤であり予後は一般的に不良である．受傷直後の損傷に加え，炎症に伴う2次的な組織壊死によって角膜穿孔や強膜融解を生じることがある．

症状　充血，疼痛，視力不良などをきたす．

診断　角膜熱傷は，炎による火傷と接触による熱傷に分けることができる．炎による火傷は，瞬目反射が働く場合が多いの

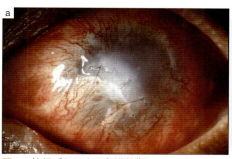 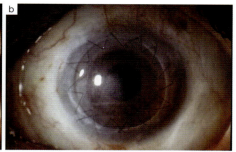

図1　焼却ゴミによる角膜熱傷
a：受傷後数日で切迫穿孔となったため，一期的に結膜被覆術を実施した．
b：上皮化と消炎が得られたあと，半年後に深層層状角膜移植（DALK），自己輪部移植と羊膜移植を実施．

で，眼瞼皮膚の熱傷に限局している場合が多い．点眼麻酔下で角膜びらんの有無を評価して，一般的に角膜びらんに準じて治療を行う．顔面を含む広範囲の熱傷であれば，まずは救急救命処置を優先する．

角膜熱傷への対応は，受傷の程度によって異なる．金属や花火など接触による火傷は，まず原因物質を同定する．異物が眼内に残っている場合は洗眼して除去する．次に角膜，および結膜の上皮欠損の範囲を評価する．虚血の範囲はのちに壊死となる可能性があるため，なるべく詳細に記載をしておく．

角膜熱傷は事故や労災によることが多いため，書類記載のために可能であれば画像を残すことが望ましい．

治療　初期治療の目標は眼表面の消炎と，角膜上皮，あるいは結膜上皮による上皮化である．局所の治療として，ステロイドの点眼（ベタメタゾンリン酸エステルナトリウム点眼1日5回）および感染予防のために抗菌薬点眼を使用する．炎症が広範囲に及ぶ場合は，ステロイドの全身投与を検討する．角膜上皮欠損がすみやかに上皮化せず，遷延性上皮欠損に発展した場合には穿孔を防ぐために外科的治療を検討する．羊膜移植は保険適用があり，また消炎効果が認められるため第1選択となる．必要あれば，羊膜移植を繰り返す．眼瞼結膜にも熱傷が及ぶ場合は瞼球癒着を防ぐために球結膜と瞼結膜の両方に羊膜を移植する．

不可逆的な視力障害が残った場合は，炎症がひいたあとに外科的治療を検討する．角膜に限局した熱傷は，瘢痕化による混濁と不正乱視を残すことがある．角膜上皮幹細胞が温存されていれば，深層層状角膜移植（DALK），あるいは全層角膜移植（PKP）によって対応する．角膜上皮幹細胞疲弊症となった場合は，角膜輪部移植を併用する．角膜熱傷は片眼性である場合が多く，健眼の輪部（上下約2 mm）を移植することで，眼表面を再建することが可能である．角膜混濁を合併する場合はDALKかPKPで対応する**（図1b）**．一方，眼瞼の瘢痕，欠損がある場合は形成外科と相談をしてなるべく解剖学的な修復を試みる．

予後　角膜熱傷の予後は，眼瞼の状態によって大きく異なる．角膜に限局したびらんであれば，ステロイド点眼による消炎

のみで治癒する．より重症な場合は，眼瞼の瘢痕や角膜上皮幹細胞疲弊症をきたし，予後不良である．

結膜異物
Conjunctival foreign body

平野耕治　トヨタ記念病院・部長

概念　結膜異物は頻度の高い眼外傷であるが，通常は症状が軽く，異物感による流涙により排出されてしまうことが多い．また，眼科を受診しても，細隙灯顕微鏡下で簡単に除去できてしまう場合が多い．ただし，セメントや，結膜下に入った異物など除去が容易ではない場合もある．

病態　結膜異物で眼科受診に至る場合，異物としては鉄，石，砂，木片，小鳥の餌，植物の種などが多い．部位としては，下眼瞼の円蓋部，上眼瞼の裏や円蓋部に異物が見つかることが多い．

症状　異物感や眼の痛みの訴えが多いが，角膜異物に比べて症状は軽い．小さな昆虫が眼に入った場合など，結膜浮腫（chemosis）をきたし，これが訴えとなって救急外来受診に至ることもある．

合併症・併発症　上眼瞼結膜に付着した異物の場合，瞬目によって角膜や眼球結膜に上皮障害を起こすことがある．

診断　症状と経過から結膜異物が疑われたら，細隙灯顕微鏡を用いて確認する．上眼瞼の結膜側および円蓋部の観察のためには，眼瞼を反転して観察する．異物感を訴え，蛍光色素染色で角結膜に線状に並んだ点状上皮欠損をみた場合は，上眼瞼結膜に付着ないし刺さっている異物による擦過傷を疑って，異物の存在が推察される場所を丹念に観察する．

治療
■ **治療方針**　異物を除去し，感染の併発など，異物による合併症予防に努める．
■ **薬物治療**　異物除去後，感染の予防のため，広域をカバーする抗菌菌点眼を処方する．また，chemosis を生じている場合はステロイド点眼を指示する．

処方例　感染予防には1)を用いる．chemosis を生じている場合は2)を用いる．

> 1) クラビット点眼液(1.5%)　1日4回　点眼　3日間
> 2) フルメトロン点眼液(0.1%)　1日3回　点眼，chemosis が治ったら中止

■ **外科的治療**　0.4%オキシブプロカイン塩酸塩点眼による表面麻酔を施したあと，細隙灯顕微鏡で観察しながら異物を除去する．セメントのように強く付着してしまっているものについては，何度かに分けて除去することもある．結膜下に入り込んでしまったものは，1％ないし2％リドカイン塩酸塩の点眼または結膜下注射による麻酔で結膜切開を行って異物を除去する．

予後　結膜異物の場合，異物が完全に除去できれば予後は良好である．

なお，結膜あるいは結膜下異物の範疇には入らないかもしれないが，プチ整形手術で上眼瞼の瞼板に埋没された縫合糸が眼瞼結膜から外に出てきて角結膜に擦過創をきたすことがある．眼瞼を反転すると瞼結膜下に隠れてしまって発見できない場合，その除去を形成外科医に依頼することも考慮する．

角膜異物

Corneal foreign body

平野耕治　トヨタ記念病院・部長

概念　角膜異物は最も頻繁に遭遇する眼外傷である．異物の種類としては鉄片が圧倒的に多く，そのほかには，ガラス片，プラスチック片，植物（木片，栗のイガなど），虫毛，砂，セメントなどが挙げられる．

病態　鉄片の場合は熱せられた状態で飛入してくることが多いため，深層異物となったり，角膜穿孔に至ることがある（図2）．また，異物を除去したあとにも，生体反応や感染の併発が問題となる．

症状　症状としては，異物感，疼痛，羞明，視力低下，流涙などが挙げられる．

合併症・併発症　異物飛入によって角膜上皮のバリア機能が障害され，異物に付着する細菌や真菌が起炎菌となって感染性角膜潰瘍をきたすことがある．鉄片の場合は異物自体による感染は少ないが，異物の取り残しによる上皮欠損の遷延や角膜実質の融解で感染を併発してくることがある．虫毛や蜂の針の場合は，角膜浸潤，浮腫，血管侵入をきたすことがある．

診断

■**診断法**　細隙灯顕微鏡検査によって異物を確認する．経過がはっきりしているため，診断は容易である．

■**必要な検査**　異物除去に先立って，矯正視力検査と眼圧測定を行う．労働災害の場合が多いため，後遺障害との関連が問われる可能性があり，矯正視力検査は必須である．細隙灯顕微鏡検査では，直接照明法と

図2　6時の角膜周辺部の深層鉄片異物
a：直接照明法（拡散照明）で金属の光沢が観察される．
b：近傍照明法により異物の大きさと飛入創を知る．

ともに近傍照明法で観察すると異物の全体像が確認しやすい（図2）．異物感や疼痛で開瞼が困難な場合，検査の際に0.4％オキシブプロカイン塩酸塩点眼による表面麻酔を施すこともある．

治療

■**治療方針**　原則として異物をすべて除去する．鉄片異物は，特に時間の経ったものでは，1回の処置で十分とりきれない場合が多いため，何度かに分けて除去する必要がある．また，異物除去後も感染の併発や異物による反応性の炎症に対応しなくてはならないこともある．

■**薬物治療**　異物除去後は感染予防のため抗菌薬点眼を行う．非感染性の炎症に対してはステロイドの点眼を行う．

■**外科的治療**　細隙灯顕微鏡検査で角膜異物の深さを確認しておく．

表層の異物であれば，0.4％オキシブプロカイン塩酸塩点眼による表面麻酔のあと，洗顔処置を行ってから細隙灯顕微鏡下に異物を除去する．異物針によってはじき出すように除去できるが，鉄片異物で1日以上経過したものは異物除去後に鉄錆の残存（rust ring）をみるため，できるだけこれをとり除く．わずかな鉄錆でも角膜実質の融解をきたしてくるため，1回でとりきれなければ日にちをおいて何回かに分けて

除去を試みる．

深層の異物やすでに角膜穿孔が確認されている場合は，外来処置室ないし手術室で手術用顕微鏡下に異物を除去する．その際には角膜縫合の準備をしておく．確認された穿孔も小さいものであればソフトコンタクトレンズ装用で対応する．必要な場合は，10-0 ナイロン糸を用いて縫合する．

予後　鉄片異物の場合は異物除去後の鉄錆残存の程度が予後に影響してくるため，細隙灯顕微鏡検査で角膜実質の融解像とともに鉄錆色の沈着がみられたらその都度除去する必要がある．蜂など昆虫の針による受傷の場合は異物除去後に浸潤が残ってしまう．0.1%ベタメタゾンリン酸エステルナトリウム点眼などで消炎して，それでも瘢痕混濁による視力障害を残すようなら角膜移植も必要となる．

眼窩内異物
Intraorbital foreign bodies

今川幸宏　　大阪回生病院眼形成手術センター・部長

概念・病態　眼窩内異物は眼部に刺入した木片の一部が眼窩内で折れる，飛んできた金属の破片が眼部に突き刺さるなど，眼部の外傷に伴って生じる．異物には木片，金属片，ガラス片，石など，さまざまなものがあるが，受傷後の経過は異物の組成と局在によって異なるため，個々の症例に応じた対応が必要になる．

症状　視力低下，眼球運動障害，眼瞼下垂など，さまざまな視機能の低下をきたしうるが，無症状のことも多い．受傷時に無症状であっても，異物が残存している場

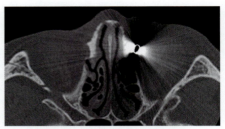

図3　金属片による眼窩内異物（左眼窩）
金属片やガラス片はCTで描出されやすく，見落とすことは少ない．

合には，長期経過後に感染による炎症性病変（膿瘍形成，肉芽形成，蜂巣炎など）を生じることがあるため注意を要する．感染を起こすリスクは異物の組成によって異なり，木片などの有機物では高く，金属片などの無機物では低いと考えられている．

診断

■診断法　異物は経皮的あるいは経結膜的に眼窩まで到達するが，刺入部は目立たないことが多い．受傷時は無症状のことも多いため，受傷機転から異物の存在を疑えるかが診断のポイントになる．眼窩内異物が疑われる場合には，CTを撮影して異物の有無を確認する．金属片やガラス片はCTで描出されやすく(図3)，見落とすことは少ないが，木片は受傷時には低輝度に映ることが多いため，空気や脂肪と判別しづらい場合がある(図4)．CTで木片異物の有無を判断できない場合には，MRIを撮影して総合的に評価する（金属異物ではMRI撮影は禁忌）．

■必要な検査　視機能の評価と，合併損傷（眼内病変，眼窩骨折など）の有無を確認する．

治療　異物が有機物の場合には，感染を予防するために原則として摘出手術を行

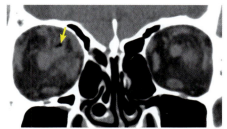

図4　木片による眼窩内異物（右眼窩）
木片（矢印）は受傷時には低輝度に映ることが多いため，空気や脂肪と判別しづらい場合がある．

う．異物が無機物で視機能への影響がない場合には，必ずしも摘出する必要はない．無機物の摘出の要否は症例に応じて判断するが，サイズが小さく，局在が眼窩深部にある場合には経過観察することが多い．

|予後|　症例によって異なるが，受傷時の症状が乏しい場合には，有機物であっても早期に摘出すれば予後は良好なことが多い．

電気性眼炎
Electric ophthalmia

平野耕治　トヨタ記念病院・部長

|概念|　電気性眼炎は紫外線に曝露されることによって角膜上皮が障害を受けることで起こる急性の角膜障害であり，紫外線角膜炎ともよばれる．アーク溶接や殺菌灯による職業性の紫外線障害と，スキーやスノーボードなどで雪面の反射光を受けたり海水浴や登山の際に強い日差しにさらされて起こるレジャーによる紫外線障害があり，特に雪面からの紫外線による眼障害は「雪目（雪眼炎）」とよばれている．

|病態|　紫外線でも中波長から短波長，特に 290 nm の波長を下回るものは角膜での吸収率が高く，紫外線の強い環境下でゴーグルやサングラスの着用など適切な予防処置がとられていないと角膜上皮に障害を起こす．紫外線に曝露された直後には症状がないが，次第に角膜上皮が脱落し，10 時間前後たった頃から強い眼痛などの自覚症状が現れてくる．

|症状|　紫外線曝露後 6〜12 時間で両眼性の強い疼痛，異物感，流涙，羞明などの症状が現れてくる．肉眼所見としては，眼瞼浮腫，結膜浮腫，結膜充血，毛様充血がみられる．

|合併症・併発症|　時に眼周囲の皮膚に熱傷をみることがある．

|診断|

■**診断法**　通常は昼間に仕事やレジャーで紫外線に曝露されており，救急で患者が受診するのは夜間が多い．症状や肉眼所見で電気性眼炎が疑われたら，昼間の紫外線曝露の可能性を聴取する．紫外線曝露の経過と，細隙灯顕微鏡で角膜上皮障害の所見が確認されればほぼ診断がつく．

■**必要な検査**　病歴聴取の際には紫外線曝露の有無とともに適切な遮光処置が行われていたかどうかを聞いておく．

　角膜上皮障害の評価には細隙灯顕微鏡検査の際に蛍光色素染色を施し，びまん性の点状上皮欠損や角膜びらんなどの所見の確認とともにその範囲や密度をみて重症度を判定する．細隙灯顕微鏡検査に先立って，点眼麻酔薬（0.4％オキシブプロカイン塩酸塩）による表面麻酔を施しておく．

■**鑑別診断**　鑑別すべき疾患としては，化学性眼外傷や角結膜の異物が挙げられる．

治療

■ **治療方針** 症状は通常 24～72 時間で自然に改善するので,特に角膜上皮障害についての治療は必要ないが,疼痛への対応とともに患者の不安を和らげるため病状を説明しておく必要がある.

■ **薬物治療** 疼痛の軽減のために,非ステロイド性抗炎症薬(NSAIDs)の内服薬を処方する.点眼薬で治癒を促進するものはなく,含有する防腐剤などでむしろ上皮の再生を遅延させる可能性もあるが,ヒアルロン酸ナトリウム点眼液やオフロキサシン眼軟膏を処方することもある.この場合は,過剰に使用をしないよう注意しておく必要がある.

なお,患者からは 0.4％オキシブプロカイン塩酸塩(ベノキシール®)の処方を要求されることがあるが,これは検査のために使用する表面麻酔薬であり,細胞毒性のため上皮障害を遷延化してしまうので,渡すことはできない旨を説明しておく.

処方例 疼痛に対して,下記 1),2)のいずれかを用いる.

---
1) ロキソニン錠(60 mg)　1 錠　分 1　頓用
2) アセトアミノフェン錠(200 mg)　1 錠　分 1　頓用

■ **予後** 安静にして自然の経過で改善することが多いが,3 日経過しても症状が残るようなら,ほかの疾患の可能性もあるため,眼科を受診するよう説明しておく.また,就労やレジャーの際に適切な紫外線予防処置がなされていない場合は同様の眼炎を繰り返す可能性があるため,本人や職場に注意を喚起しておく必要がある.

外傷性視神経症
Traumatic optic neuropathy：TON

恩田秀寿　昭和大学・主任教授

概念　外傷性視神経症(TON)とは,眉毛外側の鈍的打撲直後から比較的短時間に受傷側の視力が低下する疾患である.原因は視神経管内での視神経傷害である.TON は全年齢層に生じうる疾患ではあるが 10 歳代が最も多く,その主な原因は自転車とバイク事故である.転落や暴行によって眉毛間を強打した場合,正中の顔面骨骨折に伴い視力低下を生じることがある.

病態　視神経管壁骨折による直接的な視神経の圧迫や断裂,視神経管内視神経の揺さぶりによる浮腫・軸索流の変化により生じると考えられているが,いまだにはっきりと解明されてはいない.以前は視神経管骨折と呼称していたが,必ずしも骨折によって生じるわけではないので外傷性視神経症と総称している.

合併症・併発症　眼窩骨折(⇒ 937頁),頸部損傷(⇒ 1026 頁)を考慮すること.

診断　①外傷直後からの受傷側の視力・視野障害,②眉毛外側の外傷痕(図5),③対光反射で受傷側の相対的瞳孔求心路障害(RAPD)陽性,があれば TON と診断してよい.ただし,正中の顔面骨骨折に伴う外傷性視神経症がまれに存在する.視神経管の描出には眼窩 CT 骨条件で水平断および冠状断で行うとよいが,骨折を認めるのはごくわずかな症例である.

図5　眉毛外側の外傷痕
眉毛外側に傷（痂皮脱落後）と紫斑を認める（20歳代の転倒事故後）．

治療

■**治療方針**　積極的な治療または保存的な治療に分かれる．積極的な治療にはステロイドの全身投与や外科的治療があり，いずれも受傷早期に開始もしくは実施するとよい．これらの治療効果の検証が不十分であるため無治療を選択する場合もある．

■**内科的治療**　ステロイドパルス療法，ステロイド大量～少量療法を行う．

処方例　下記1）を用いる（ステロイドパルス療法）．適応に感染性疾患，糖尿病，肝機能障害，不整脈をルールアウトし，合併症の可能性を治療前に告知する．

1) ソル・メドロール注　1回 1,000 mg　1日1回　点滴静注　3日間連続

1) のあとは2) に減量し1週間経過観察を行う．

2) プレドニン錠（5 mg）　6錠　分2（朝食後4錠，昼食後2錠）

ステロイドに反応している場合には2回目以降のパルス療法を1～2クール行う．ステロイドパルス療法が困難な場合には2) を持続投与するが，外科的治療も検討する．

■**外科的治療**　ステロイドパルス療法に効果がみられない場合に，視神経管開放術を早期に行う．眼科，耳鼻咽喉科，脳外科で開放術の実施可能な施設にコンサルトする．

■**予後**　受傷時～初診時の視力が光覚なしの場合には予後が不良である．

レーザーによる網膜障害

Retinal injury caused by laser

日下俊次　近畿大学・主任教授

■**概念**　種々のレーザーによる網膜への誤照射によって網膜への障害が生じた状態を指す．多くの障害は黄斑部に生じる．光学系の実験で使用される Nd：YAG レーザーなどを保護眼鏡を装用せずに見てしまったこと（図6），若年者に多いレーザーポインターによる誤照射，軍事用レーザーによる障害，医原性では網膜凝固中の黄斑部への誤照射，Nd：YAG vitreolysis 中の誤照射などによる．

■**病態**　連続波による熱凝固では網膜外層を中心とした障害が生じる．エネルギー量が大きい場合には網膜全層，脈絡膜への障害も生じる．Q スイッチ Nd：YAG レーザーでは optical breakdown により網膜裂孔，網膜出血，硝子体出血を生じることがある．

■**症状**　障害された網膜に相当する部位の視機能障害が出る．黄斑部の障害では視力低下，中心暗点を自覚し，黄斑外網膜の障害や網膜出血，硝子体出血がある場合には病変部の霧視，視野欠損を生じる．

■**合併症・併発症**　硝子体出血や障害部網膜に網膜裂孔を生じることがあり，黄斑部への誤照射では黄斑円孔となることがある．

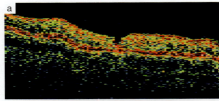
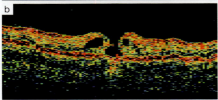
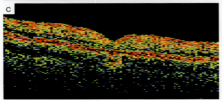

図6 光学実験中に使用した Nd：YAG レーザー（連続波）により黄斑円孔を生じた症例

受傷直後（a）は黄斑部表層の障害を認めるのみであったが，受傷3週後には全層黄斑円孔となった（b）．硝子体手術後に円孔は閉鎖した（c）．

診断 レーザー誤照射の病歴聴取〔レーザーの種類，照射時間，部位（固視したかどうか）〕に加え，検眼鏡的に網膜の熱凝固による白濁，網膜出血，硝子体出血を観察する．小さな網膜裂孔，黄斑円孔などの微細な病変観察には光干渉断層計（OCT）が有用である．

■**必要な検査** 検眼鏡による眼底検査，眼底写真撮影，OCT，網膜循環障害疾患との鑑別には蛍光眼底撮影も有用である．

■**鑑別診断** 網膜出血や硝子体出血をきたす疾患（糖尿病網膜症，網膜静脈分枝閉塞症，後部硝子体剥離に伴う硝子体出血など），網膜裂孔や黄斑円孔をきたす疾患（特発性含む）などが鑑別疾患として挙げられ

るが詳細な病歴聴取により，多くは鑑別可能である．

治療 障害を受けた網膜機能を回復させることは困難である．経過観察のうえ，黄斑円孔や網膜裂孔，硝子体出血の重症度に応じて硝子体手術を含めた治療を検討する．

■**薬物治療** ステロイドの内服による治療が試みられているが，有効性は確立していない．

予後 黄斑部への誤照射では障害の程度に応じた中心暗点，視力障害が残る．黄斑外の障害では視野欠損が残るが，黄斑から離れた部位の限局性の障害では自覚症状がない場合もある．

日光網膜症
Solar retinopathy

片岡恵子 杏林大学・講師

概念 日光網膜症は太陽を直接もしくは間接的に観察した際に生じる網膜の光障害である．日食に関連したものは，日食網膜症ともいう．

病態 網膜色素上皮および視細胞に吸収された光はフリーラジカルを生じ，それにより細胞が障害される．また，網膜の温度が上昇することによる熱障害も部分的に関与しているとされる．

患者背景 小児や精神疾患がある患者では太陽を観察してしまうおそれが高い．また，若年者や白内障手術後の眼では水晶体の透過性が良好であるため，白内障を有する眼より日光網膜症を生じやすい．散瞳作用のある薬剤の使用はリスクファクター

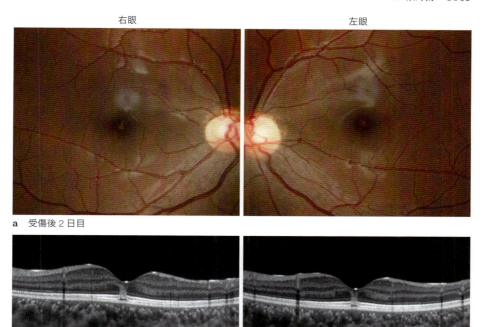

a　受傷後2日目

b　受傷後2日目

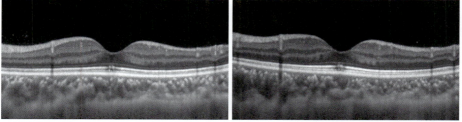

c　受傷後3週目

図7　日光網膜症
a：眼底検査およびカラー眼底写真にて黄白色斑状病変がみられる．
b：初期のOCTでは，全層に及ぶ高輝度の病変と，外境界膜およびEZ，IZの断裂が中心窩にみられる．
c：発症から数日〜数週間経過すると，OCTの高輝度病変は消失し，ごくわずかなEZおよびIZの断裂として観察される場合や分層黄斑円孔を生じる例もある．

となる．

症状　太陽を見た直後〜数時間後より視力低下，中心暗点，色覚異常，変視などを自覚する．多くは両眼性であるが，望遠鏡を覗いた例や眼位のずれがある例では片眼性となりうる．視力低下の程度は重症度によりさまざまである．発症直後の眼底では，中心窩に黄白色の斑状病変がみられ，数週間で消退する．

診断(図7)　眼底検査およびカラー眼

底写真にて黄白色斑状病変がみられる(図7a). 初期のOCTでは, 全層に及ぶ高輝度の病変と, 外境界膜および ellipsoid zone (EZ), interdigitation zone (IZ) の断裂が中心窩にみられる(図7b). 発症から数日〜数週間経過した症例では, OCTの高輝度病変は消失し, ごくわずかなEZおよびIZの断裂として観察される場合(図7c)や分層黄斑円孔を生じる例もある.

治療　確立された治療法はない. 消炎を目的としてステロイドが使用される場合があるが, エビデンスは乏しい.

予後　多くは, 数週間〜数か月で視力は回復する. 障害の程度により, 不可逆性の視力低下となる場合もある.

揺さぶられっ子症候群

Shaken baby syndrome：SBS

野村耕治　兵庫県立こども病院・部長

概念　揺さぶられっ子症候群(SBS)は親や同居人からの虐待により, 頭蓋内出血や硬膜下血腫, 頭蓋骨骨折などの頭部外傷およびほかの偶発的外傷に加え, 網膜出血, 硝子体出血などの眼所見を合併する症候群である. 網膜出血の機序としては, 眼球の加速減速を伴う激しい往復運動により, 有形硝子体が繰り返し網膜に応力を加える結果, 硝子体との接着が強固な視神経乳頭や後極血管の近傍に集中して出血をきたすものと考えられる.

診断　幼児虐待における網膜出血の発現率については94％と高い特異性が報告されている. 頭部外傷を合併する例が多いが, 単独にみられる場合もある. 軽度の網膜出血は数日で消失するため, 頭部外傷の有無にかかわらず虐待が疑われる場合には, 受診から3日以内に眼底検査を行うことが推奨される. 一方, 硝子体出血は頭蓋骨骨折, 脳損傷などの重症頭部外傷に合併する頻度が高い.

出血は網膜の表層から深層まで多層性, 多発性にみられる. 出血の形態から斑状, 刷毛状, 火焰状などと形容され, 大小さまざまな出血が散在, 癒合してみられる. 通常, 視神経乳頭の近傍から中心網膜血管に沿う形で放射状にみられ, 範囲は眼底後極に限局する例から眼底の広範にみられる例まで多様である. 特に網膜の広範囲, 放射状の出血はSBSに特徴的な所見であり, 虐待と関連しない外傷では, 通常, みられることはない. また, 網膜剝離をきたす場合もあり, 網膜出血のみに比べて視機能予後はより不良である.

■鑑別診断　鑑別疾患としてはTerson症候群がある. 頭蓋内出血に合併する形で網膜および硝子体に出血がみられる点において, SBSとの鑑別で筆頭に挙げられる. 網膜出血の機序としてはくも膜下出血など頭蓋内圧の急激な上昇により, 眼静脈系の還流抵抗が増す結果, 網膜内の毛細血管がうっ滞, 破綻して出血をきたすとされている. SBSと同様に視神経乳頭の周囲から網膜周辺に至る広範囲の出血および硝子体出血をきたす. 特異的とまではいえないが, Terson症候群では出血の機序とも関連して視神経乳頭の腫脹, 浮腫を合併する率が高いとされる. 虐待や非偶発的外傷の有無, 頭蓋内圧の上昇の既往などから鑑別可能と考える.

新生児網膜出血は, 未熟児網膜症をはじめ新生児に対する眼底検査を契機に発見さ

れる．通常，網膜の点状，斑状の出血で範囲は限局していることが多い．鉗子分娩に代表される出生時の圧迫が原因とされ，無症候で自然吸収する例が多いと考えられる．生後1か月を過ぎて出血が残ることはまれである．

治療 網膜出血，硝子体出血ともに自然吸収の傾向が高く，硝子体手術による出血の吸引など外科的介入が必要となる例は非常にまれといえる．完全に消退するまでの期間は出血の程度に依存し数日から長い場合には数か月を要する．

視機能への影響は出血のみの例では限定的であるが，網膜障害が高度で網膜萎縮となる例，出血性網膜分離が原因で網膜皺襞などを後遺する例では不可逆的な器質的障害をきたす．

大半の例で網膜中心窩を含む黄斑領域の出血による形態覚遮断に注意して経過観察することになる．両眼性で黄斑領の出血が消退するまで数か月を要する例でも予後良好な例が多い．片眼性や左右眼で形態覚遮断に顕著な差がある場合には，経過中または事後の視力検査などで片眼の視力不良が判明した以降に，優位眼の時間遮閉などの弱視管理を行う．また，網膜表層の出血は体位によって移動する場合がある．可能であれば一定時間，坐位の姿勢をとらせることも有用である．

穿孔性眼外傷
（裂傷および眼球破裂）

Penetrating ocular injury and ruptured globe

岡本史樹　筑波大学・病院教授

概念 開放性眼外傷は鈍的外力によって眼球内圧が上昇し裂創が発生する眼球破裂と，鋭的外力によって穿破する穿孔性眼外傷に大別される．

病態 わが国における開放性眼外傷の受傷機転は多いものから順に，就労（45.5％），転倒（32.1％），交通事故（3.7％），スポーツ（3.5％）である（Okamoto Y, et al：Jpn J Ophthalmol 63：109-118, 2019）．一般的に先進国では人口の高齢化で転倒による受傷が多く，開発途上国では青年男性の就労による受傷が多い傾向がある．

症状 視力低下をはじめ眼痛，流涙，視野障害，複視などさまざまな症状を呈する．

診断 初診時に前眼部所見のみで眼球破裂しているかどうかを判断することは難しい．創が眼球の前方にある場合は創よりぶどう膜が脱出していることが多いため，虹彩のひきつれや，結膜下出血の色（暗赤色，ぶどう膜の色）が破裂創を推定する根拠となる．白内障術後であれば，手術時の創が開放している場合が多い．創が眼球の後方にある場合の眼球破裂の診断は前眼部所見のみからは困難である．ポイントは結膜下出血，低眼圧，CT所見である．破裂しているので，眼圧はほぼ0 mmHgのことが多い．また，スリットで破裂創が見えなくても，破裂創のある方向に結膜下出血

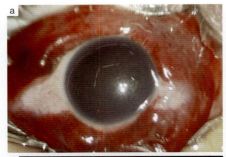
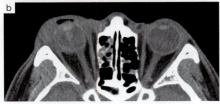

図8　眼球破裂の前眼部所見とCT所見
広範な結膜下出血を伴っており，CTでは僚眼と比較して眼球が小さく，変形している．

がある場合がほとんどである．そしてCTで眼球が変形していたり，僚眼と比較して小さくなっていたり，重度の駆逐性出血をきたしていたりするので，そのような場合は眼球破裂を疑う**(図8)**．

治療　眼球破裂は眼科疾患のなかでも緊急処置を必要とする疾患である．そのため診断が確定次第，すみやかに緊急手術を行うことが推奨される．手術ではほとんどが全身麻酔を選択する．術式選択について，縫合と硝子体手術を同時に行う一期的手術と，裂創の縫合のみを行って1〜2週間後に硝子体手術を行う二期的手術がある．裂創を探して縫合し，眼球を閉鎖腔にすることが第1の目標である．4直筋を露出し，制御糸をかける．その後裂創を探し出し，6-0〜8-0のナイロンやバイクリルで創を縫合する．術野に裂創のすべてをきれいに出すことは困難であるため，縫合できるところから順に縫合していく．制御糸を引っ張りすぎると眼球虚脱や脈絡膜出血をきたすことがあるため，助手の注意が必要である．縫合時に直筋が邪魔なときは必要に応じて直筋を一時切腱し，裂創に網脈絡膜がはさまれないように縫合する．裂創を縫合後，硝子体手術を行う．

予後　視力予後は一般的に不良である．最終視力は半数以上が視力0.1未満である．初診時視力は最終視力に関連しているが，初診時視力が光覚弁(−)であっても29％で最終視力が光覚弁(＋)以上に改善している．このため，初診時視力が光覚弁(−)であっても，初回手術ではできる限り眼球摘出や内容除去は行わずに眼球を温存するための方策を練るべきである．

外傷性網膜剝離
Traumatic retinal detachment

岡本史樹　筑波大学・病院教授

概念　外傷性網膜剝離は，眼球破裂や穿孔性眼外傷などを含む開放性眼外傷によるものと，非開放性眼外傷によるものがあるが，その発症機序や病態は異なる．

病態　開放性眼外傷では，破裂部位の直接的な網膜の損傷により網膜剝離に至る場合と，裂傷部に嵌頓した硝子体ゲルによる牽引により網膜裂孔を生じ，剝離に至る場合がある．

非開放性眼外傷では一過性の鈍的圧力により硝子体基底部に比較的大きな裂孔を生じたり，網膜壊死部に不定型な網膜裂孔を生じて網膜剝離になる場合がある．まれに大量の網膜下出血により出血性網膜剝離に

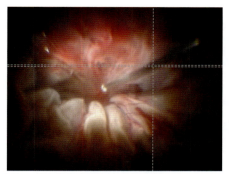

図9 開放性眼外傷による網膜剥離
60歳男性．ゴム栓による眼球破裂で一次縫合され，受傷10日後に再手術を行ったときの術中網膜所見．網膜は全剥離である．

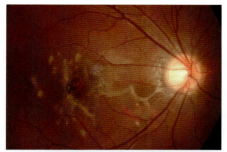

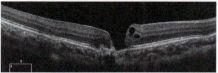

図10 脈絡膜破裂
16歳女性，兄に右眼を蹴られて受傷．眼底後極部に複数の網膜病変とOCTにて中心窩近傍脈絡膜の一部断裂を認める．黄斑円孔を合併している．

なる場合もある．

症状 一般的な網膜剥離と同様に視力低下，視野欠損，霧視などが挙げられる．

診断 倒像鏡による眼底診察や広角眼底写真，OCT，硝子体出血を合併する場合は超音波Bモードなどによる複数の検査で包括的に診断する．

治療 開放性眼外傷による外傷性網膜剥離では，一期的に硝子体手術で治療する方法と，一次縫合したあとに眼内出血のコントロールがついてから行う二期的硝子体手術を行う方法に分かれる．ただし，一次縫合後から手術までの日数が長いと網膜全剥離や増殖硝子体網膜症に至る場合もある**(図9)**．

非開放性眼外傷では比較的年齢層も若く，後部硝子体剥離を伴っていない網膜剥離も多いため，硝子体出血や高度の巨大裂孔網膜剥離，増殖硝子体網膜症を除き，強膜バックリング手術を選択する場合も多い．

脈絡膜破裂

Choroidal rupture

岡本史樹 筑波大学・病院教授

概念 鈍的外力により生じた非開放性眼外傷のうち，脈絡膜に亀裂を生じた状態．

病態 脈絡膜は伸展性に比較的乏しいため，外力により後極部，円周状に脈絡膜破裂を生じることが多い**(図10)**．1列から数列の裂隙を生じるが，受傷後数日から数週にわたり出血のために観察困難な場合もある．

診断 外傷の既往，眼底後極部での網膜出血や円周状の白色病変，OCTでの脈絡膜断裂などで診断する．

治療 保存的に経過観察するが，病変部が黄斑に近い場合，脈絡膜新生血管の発

表1　鈍的眼球打撲による代表的疾患

1. 前眼部
    ①外傷性前房出血
    ②外傷性虹彩炎
    ③隅角後退・毛様体解離
    ④虹彩離断
    ⑤外傷性散瞳
    ⑥外傷性結膜下出血(⇒372頁参照)
2. 中間透光体
    ①外傷性白内障(⇒518頁参照)
    ②外傷性水晶体・眼内レンズ脱臼(⇒505頁，「水晶体位置異常(後天性)」項参照)
    ③外傷性硝子体出血(⇒657頁参照)
3. 眼底
    ①網膜振盪・打撲壊死(⇒767頁参照)
    ②Purtscher外傷性網膜症(⇒773頁参照)
    ③外傷性網膜剝離・網膜裂孔(⇒1018頁参照)
    ④外傷性黄斑円孔(⇒665頁参照)
    ⑤脈絡膜破裂・断裂(⇒1019頁参照)
    ⑥外傷性低眼圧黄斑症(⇒764頁参照)

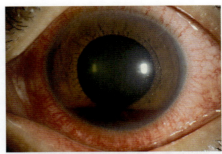

図11　外傷性前房出血(ニボー)

図12　外傷性前房出血の重症例

生に留意する必要がある．蛍光眼底造影やOCTにより脈絡膜新生血管が中心窩より200μm以上離れていればレーザー光凝固を考慮する．また黄斑円孔を伴う場合は手術を行う．

鈍的眼球打撲

Blunt eye injury

恩田秀寿　昭和大学・主任教授

概念　眼球外傷は，外傷後に眼球壁(強角膜)が形状を保持しているか否かによって分類される．強角膜裂傷や眼球破裂では眼球壁は形状が破綻しているが，前房出血や網膜裂孔では眼球壁の形状は保持され，内部構造が破綻する．Birmingham Eye Trauma Terminology System(BETTS)では前者を"open globe"，後者を"closed globe"と呼称しており，「鈍的眼球打撲」はclosed globeに該当する．眼球打撲によって眼球壁がゆがむと，脆弱な内部構造にひずみが生じ，構造が破綻する．

鈍的眼球打撲に代表される疾患を表1に示す．

1　外傷性前房出血

概念　鈍的眼球打撲後に，前房内に赤血球を主体とする血液が漏出浮遊もしくは充満した状態である．赤血球が細隙灯顕微鏡でわずかに確認できる状態であったり，下方にニボーを形成するもの(図11)であったり，前房内が血液で充満しているもの(図12)であったりと，その様相はさまざまである．

病態　鈍的眼球打撲によって生じる出血源は，①隅角もしくは虹彩根部の損傷，

②虹彩自体の損傷がほとんどである．虹彩根部は断裂しやすく隅角後退，毛様体解離を合併する．

症状　急激な視力低下，眼圧上昇に伴う悪心・嘔吐，眼痛，結膜出血・充血．

合併症・併発症　外傷性虹彩炎，隅角後退，外傷性白内障，角膜血染，外傷性散瞳．

診断　わずかな出血には細隙灯のスリット幅を狭くして細胞の浮遊を確認する．重症例では前房内に出血が充満し眼圧が上昇している場合が多く，眼圧検査は必須である．出血が引いてきたら隅角検査を行い，隅角後退の位置を確認する．

治療

■**治療方針**　止血，出血吸収，消炎を治療方針とする．急性期には眼圧上昇が必発であり，降眼圧治療に重点をおく．安静を指示し，必要に応じて入院治療を行う．再出血・虹彩炎を予防するために散瞳薬による持続散瞳およびステロイドによる消炎を実施する．前房出血が前房の半分以上を占める場合には，眼圧降下および角膜血染予防目的で早期に前房洗浄を行う．抗血小板薬，抗凝固薬を使用している場合には，投与中止を検討する．

■**内科的治療**

処方例　止血・散瞳・消炎目的には1)～4)を併用する．軽症例では1)は使用せずに2)～4)を併用する．

> 1) 日点アトロピン点眼液(1%)　1日1回　点眼　就寝前
> 2) ミドリンP点眼液(0.5%)　1日3回　点眼
> 3) リンデロン点眼・点耳・点鼻液(0.1%)　1日3回　点眼
> 4) アドナ錠(30 mg)　3錠　分3　食後

急性期の眼圧降下目的には5)を用いる．

> 5) マンニットール注(20%)　1回300 mL　1日1回　点滴静注

5)に加えて，終日の眼圧降下目的で6)を用いる．眼圧値により投与量を変える．

> 6) ダイアモックス錠(250 mg)　1～3錠　分1～3　食後

眼圧下降点眼薬として7)を局所投与する．プロスタノイド受容体関連薬を第1選択薬とし，喘息の既往に注意してβブロッカー配合薬などを使用する．

> 7) キサラタン点眼液(0.005%)　1日1回　点眼

■**外科的治療**　手術適応は，①角膜血染がある，②眼圧60 mmHgが2日以上，50 mmHgが4日以上続く，③前房すべてが4日以上出血で満たされている，④前房の半分以上が出血で満たされ，6日以上眼圧25 mmHg以上が続く，⑤前房の半分以上が出血で満たされ8日以上続く，の5つの場合とされている．

手技としては，20 G槍状刃で角膜サイドポートを1～2か所作製する．出血塊の凝固状態にもよるが，低侵襲な手技から出血の除去を行う．その手技には27 Gトップ針による前房洗浄，シムコ吸引灌流針による灌流吸引，バイマニュアルI/A，27 G硝子体カッターと灌流ポートを使用した出血除去がある．注意点として，散瞳しているため水晶体に器具が触れないようにする．

予後　適切な治療を行えば視力予後はよい．ただし出血除去後に再出血を生じることがある．前房内に出血が充満している状態が続く認知症，知的障害，小児患者においては角膜血染に至る場合がある．高率に外傷性白内障と外傷性散瞳が生じるた

め，僚眼に対して早期に視力低下や霧視，羞明を自覚しやすい．

2 外傷性虹彩炎

概念 鈍的眼球打撲後に前房内に白血球を主体とする血液や蛋白質が漏出浮遊した状態である．

病態 外力により角膜と水晶体に虹彩が挟まれた際に生じる虹彩損傷が原因で，虹彩の微細血管の破綻はあっても軽度で，赤血球の漏出に至らないものである．

症状 霧視，視力低下，入光時の眼痛，充血．

合併症・併発症 外傷性白内障（Vossius輪を認める），外傷性散瞳，前房出血．

診断 前房内炎症細胞を細隙灯のスリット幅を狭くして確認する．前房内蛋白濃度が上昇している場合には温流が低下する．レーザーフレアセルメータで炎症を確認する．重症例では前房内にフィブリン塊を生じ，瞳孔ブロックによる眼圧上昇をきたすことがある．

治療
■治療方針 多くはステロイドの点眼薬で消退する．フィブリン塊が生じている場合には散瞳薬を積極的に使用する．
■内科的治療
処方例 下記を併用する．

リンデロン点眼・点耳・点鼻液（0.1%） 1日3回 点眼
ミドリンP点眼液（0.5%） 1日3回 点眼

予後 視力予後は良好である．炎症が強い場合には虹彩後癒着を生じる．

3 隅角後退・毛様体解離

概念 鈍的外力によって毛様体輪状筋（Müller筋）と縦走筋（Brücke筋）との間で断裂が起こり，毛様体が虹彩とともに後退した状態である．

病態 隅角は鈍的外力に弱く，鈍的眼球打撲によって虹彩根部が後方に移動すると隅角が開大と同時に虹彩根部が断裂する．重症例では虹彩根部とともに毛様体が後方に移動し毛様体が強膜から解離する．これを毛様体解離という．毛様体解離が持続することで前房水が強膜と脈絡膜の間隙に流入し，脈絡膜剥離，果てには低眼圧黄斑症を生じる．

症状 本疾患そのものによる症状はないが合併症による症状を自覚する．

合併症・併発症 前房出血，虹彩炎，低眼圧黄斑症，外傷性白内障，外傷性散瞳．

診断 隅角後退・毛様体解離では同時に前房出血を生じることが多いが，出血の消退とともに隅角の所見がとれれば診断は容易である．前房出血がある状態での診断には前眼部光干渉断層計（OCT）検査や超音波生体顕微鏡（UBM）検査が有用である．正常の開放隅角所見では強膜岬の後方にわずかに毛様体帯をみることができるが，隅角後退が生じると虹彩根部にスロープが形成され，広く毛様体帯を観察できる**(図13)**．さらに細隙灯顕微鏡検査では虹彩の前後方向のふらつきを観察できる．

治療
■治療方針 急性期の前房出血の治療とその後の低眼圧に対する治療が中心となる．低眼圧に対する治療は基本的には外科的治療である．隅角後退の治療の必要性はない．毛様体解離によって低眼圧が持続する場合には低眼圧黄斑症を予防するために手術が必要となる．
■内科的治療 急性期の前房出血に対して

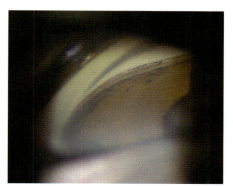

図 13　隅角後退
隅角鏡で隅角後退が観察される．

図 14　虹彩離断
隅角鏡で虹彩の離断と毛様体ひだを確認できる．

行う（「1 外傷性前房出血」項を参照）．
■ **外科的治療**　手術の方法には輪状締結術，毛様体縫着術がある．
| 予後 |　高率に外傷性白内障と外傷性散瞳が生じるため，僚眼に比して早期に視力低下や霧視，羞明を自覚しやすい．

4　虹彩離断

| 概念 |　鈍的外力によって虹彩根部が断裂した状態のことを指す．
| 病態 |　鈍的外力が虹彩根部に作用し，毛様体および強膜岬から虹彩が剥離した状態である．多くは前房出血を伴う．離断の範囲が広がると瞳孔が偏位する．全周が離断することもある．
| 症状 |　瞳孔偏位が著明な場合には視力低下，羞明を訴える．
| 合併症・併発症 |　外傷性白内障，前房出血．
| 診断 |　細隙灯顕微鏡検査の徹照法にて，虹彩根部からの三日月状の光の反射を認めれば診断となる．また隅角検査で虹彩根部越しに毛様体ひだが確認できれば診断となる（図 14）．
| 治療 |
■ **治療方針**　離断の範囲に応じて手術を計画する．羞明などの症状がなければ無治療でよい．
■ **内科的治療**　急性期の前房出血に対して行う（「1 外傷性前房出血」項を参照）．
■ **外科的治療**　断裂部の大きさにもよるが，虹彩が萎縮し二重瞳孔を形成することが予想されれば断裂部を閉鎖する．小さな断裂であれば経過観察でよい．有水晶体眼の手術では，縫合針の水晶体穿刺により水晶体嚢を損傷する可能性がある．
| 予後 |　視力予後は良好である．

5　外傷性散瞳

| 概念 |　鈍的外傷後に生じた不可逆的な散瞳状態である．
| 病態 |　外力によって角膜と水晶体に挟まれた際の瞳孔括約筋の挫滅や伸張など，直接的損傷が原因となる．
| 症状 |　羞明，患側の散瞳による瞳孔不同．

■**合併症・併発症** 外傷性白内障.
■**診断** 対光反射検査で患側の直接・間接反射の欠如もしくは低下を確認する.電子瞳孔計で瞳孔径の左右差を確認する.
■**治療**
■**治療方針** 基本的に無症状であれば無治療でよい.
■**内科的治療** 散瞳薬の効果は乏しい.
■**外科的治療** 羞明が強い場合には瞳孔形成術にて縮瞳させる.有水晶体眼には併発白内障が生じる可能性がある.さらに術後に眼底検査が困難になるため,網膜剥離や糖尿病網膜症などの定期眼底検査が必要な患者には推奨しない.
■**予後** 視力予後は良好である.

眼内異物
Intraocular foreign body

岡本史樹 筑波大学・病院教授

■**概念** 開放性眼外傷は眼球破裂と穿孔性眼外傷に大別される.穿孔性眼外傷はさらに鋭的物体の刺入による裂傷,刺入物が眼内に残留する眼内異物,刺入物が眼球内に留まらず対側の眼外へ穿孔する二重穿孔の3つに分類される.
■**病態** わが国における開放性眼外傷の受傷機転は多いものから順に,就労,転倒,交通事故,スポーツである.眼内異物の受傷機転は圧倒的に就労が多く,86％が男性である.
■**症状** 視力低下をはじめ眼痛,流涙,視野障害などさまざまな症状を呈する.
■**診断** 穿孔性眼外傷では,問診と前眼部写真,CTで診断は可能である.図15の前眼部写真はすべて眼内異物の患者の画像である.前房中に異物があればすぐに診断がつくが,異物がなくても角膜に自己閉鎖性の創が存在したり,輪部より離れたところに異物や刺入創が存在したり,角膜混濁(裂創)とともに外傷性白内障を認めれば,眼内異物を疑う.

穿孔性眼外傷の受傷位置は外眼筋付着部よりも前方が多く,細隙灯検査で確認できることが多い.まれに眼瞼から異物が刺入する場合もある.よって前眼部所見で裂創がみられずに眼球打撲のようにみえても硝子体出血や結膜下出血を認めた場合には穿孔性眼外傷を疑って眼瞼を含めた外眼部の入念な診察が必要である.

眼内異物の種類は鉄片,ガラス片,石片が多い.穿孔性眼外傷の多くは高度の硝子体出血や前房出血を伴うことから眼内の観察が困難である.そのため画像検査を必要とする場合が多く,鉄片異物の可能性が否定できないときはMRIは禁忌であり,CT検査を行う.鉄片異物はCTにて容易に診断可能であるが,交通外傷による眼内異物でよくみられるガラス片はCTではっきりと同定できない場合が多く,注意が必要である.
■**治療** 眼内異物は眼科疾患のなかで数少ない緊急処置を必要とする疾患である.そのため救急外来を受診し診察を行って診断が確定次第,すみやかに緊急手術を行うことが推奨される.眼内異物が疑われた場合,全身麻酔を選択することが多いが,前房内異物で眼球後方は正常であるという確証があれば,局所麻酔を選択してもよい.

穿孔の手術戦略は,穿孔創の縫合→異物除去→眼内再建が大きな流れである.穿孔創が角膜の場合,縫合には10-0ナイロン

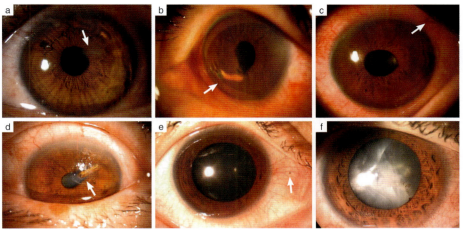

図15　眼内異物による穿孔性眼外傷患者の前眼部写真
a：角膜より硝子体腔内に飛入した鉄片異物．わずかな角膜混濁（裂創）を認め，創は自己閉鎖しており，前房は保たれている．b：前房内の鉄片．c：輪部より2 mm 上方に金属ワイヤーを認める．d：前房内の釘．e：輪部より3 mm 離れた位置にわずかな異物の刺入創を認める．異物はここより硝子体腔に飛入した長さ12 mm の金属ワイヤーであった．f：角膜より水晶体を貫通し，硝子体腔内に飛入した鉄片異物．外傷性白内障を認める．

を用いる．閉鎖することが目標であるが，糸を締めすぎると容易に角膜乱視や不正乱視を生み出し，視機能に著明な悪影響を及ぼす．そのためバイトを長めにとり，角膜辺縁が隆起しない程度の強さで縫合する．不規則に切れた創口縁は通糸するごとに崩れて挫滅し，なかなかタイトに縫合できない．そのためにもバイトを長くとったほうがよい．縫合するときはすべての糸の締め付けを同程度にしないと，相対的に締め付けの緩いところができてそこから房水が漏出するので注意が必要である．

　異物除去に関しては異物の大きさや眼内の位置により柔軟な考えで除去に臨むべきである．まず異物の短径と長径を考える．ほとんどの場合，穿孔創が異物の短径，つまり一番短いところになる．しかし長径はどれだけあるかはわからないのでCTのスライス枚数に着目する．CTのスライス厚を見て，それが何枚あるかによって異物の長径を推定する．大きさが推測できたら，異物を出す場所を考え，そのために水晶体や眼内レンズ，網膜などをどれだけ犠牲にするかを考える．また二重穿孔を常に念頭において計画を立てることも忘れてはならない．

予後　眼内異物は眼球破裂と比較して視力予後が良好である．視力予後を決定する術前因子としては術前視力，裂創の長さ，創の位置が前方か後方かなどがある．またその他の因子として年齢，網膜剝離や硝子体出血の有無などさまざまな因子が報告されているが，それぞれが互いに密接に関係し同時に合併していることが多く，総合的に判断する．

頸部損傷
Cervical injury

石川 均　北里大学医療衛生学部・教授

病態　転落，転倒，激しいスポーツや交通外傷などで頸椎に損傷が及ぶと運動・感覚麻痺や，排泄障害，血圧，体温調整障害などが生じる．これらは通常の眼科診療では遭遇しない．しかし，たとえ軽度の障害であっても，頸部の過伸展ないし過屈曲による頸部交感神経の損傷，軟部支持組織の挫滅，血流障害などが原因となり眼症状が生じることがある．眼症状は頸部交感神経損傷に伴う Horner 症候群，また一般的には外傷性頸部症候群（むち打ち損傷）とよばれる主に自律神経に関連する症状が出現する．外傷による Horner 症候群は第 2 ニューロンの障害で生じる．

症状
❶ **軽度眼瞼下垂**　Müller 筋の麻痺による瞼裂狭小がみられることがある．
❷ **視野異常**　眼瞼下垂による視野狭窄が生じることがある．
❸ **調節障害**　受傷後数日〜3 か月に近見障害が生じ，近業が困難となる．回復してくることもあるが，恒久的な障害として残ることがある．
❹ **輻湊不全**　調節障害に合併し，輻湊が不全となり近方視時に複視が生じることがある．
❺ **調節けいれん・輻湊けいれん**　逆に過緊張となり，見かけ上の眼球運動障害（外転制限）が生じ，ピント合わせの異常や複視が生じることがある．
❻ **めまい・頭痛**　椎骨脳底動脈の循環不全が原因で生じることがある．
❼ **不定愁訴（眼精疲労）**　長期に訴えが続く場合がある．
❽ **他覚的所見**　縮瞳・瞳孔散大遅延（dilation lag）を認めることがある．

診断
■**検査**　一般的な眼科検査に加え，瞳孔計による瞳孔反応の確認，アコモドメータがあれば調節障害の有無を確認する．また，頸部 X 線や CT，MRI で頭頸部の状態を把握しておくことが重要である．

治療　眼科領域での治療はビタミン製剤などの対症療法が主体で，近見障害に対しては症状が固定した段階で近用眼鏡やプリズム加入眼鏡の処方を行う．輻湊訓練，融像力増強訓練を行うが効果は乏しい．必要に応じて斜視手術やボツリヌス毒素の外眼筋への注射を試みる．

眼瞼裂傷
Laceration of eyelid

恩田秀寿　昭和大学・主任教授

概念　眼瞼が鈍的外力もしくは剪断力によって全層または部分裂傷を生じた状態である．

病態　眼瞼の層構造は前葉と後葉に大別できる．前葉は皮膚と眼輪筋から，後葉は瞼板と結膜で構成される．さらに上眼瞼には上眼瞼挙筋と Müller 筋が，下眼瞼には下眼瞼牽引腱膜が後葉に存在する．裂傷の部位がどのような範囲に及んでいるかによって縫合の仕方が異なってくる．また鈍的外力が広範囲に生じた場合には眼瞼が欠損する場合もある．

症状 前葉の裂傷では皮下出血による紫斑が生じる．後葉の裂傷では眼瞼下垂や開閉瞼不全が生じる．副次的に角膜障害による眼痛を訴える．

合併症・併発症 瞼板断裂(図16)を生じている場合には眼球破裂，強角膜裂傷を想定する．眼瞼に横断的に深い裂傷があれば外傷性眼瞼下垂の可能性がある．

診断 多くは救急外来を受診する．明らかな眼瞼の皮膚の裂傷があれば，問診で何がどのように当たったのかを必ず聴取する．状況によっては眼内病変が想定されるため，眼瞼腫脹が強くても細隙灯顕微鏡検査で前房，中間透光体，眼底所見をとる．瞼板断裂があれば眼球破裂，強角膜裂傷の可能性を想定し眼窩CT検査を行う．時に眼内や眼窩に金属異物が残っている場合があるため，MRIは行わないほうがよい．

治療

■**治療方針** 緊急に層別再建を行う．創部が汚染されている場合には，創洗浄と必要があればデブリードマンを行う．眼瞼は血管からの血液漏出が多い組織であるため止血を確実に行い，術後血腫を作らないようにする．

■**保存的治療** 皮膚のみの範囲の狭い直線的な裂傷であれば，ステリストリップ™を使用して創閉鎖をするのみでよい．その上から抗菌薬の眼軟膏を塗布する．

■**外科的治療** 前葉裂傷であれば多くの症例が6-0ナイロン糸を用いた皮膚縫合のみでよい．後葉裂傷の瞼板完全断裂例では，瞼板の結膜側と瞼縁の整容に最も注意を払う．これは平滑湿潤な瞼結膜でなければ眼表面の状態悪化につながり，角膜障害を常態化してしまうためである．グレイラインを確実に合わせ，6-0ナイロン糸でき

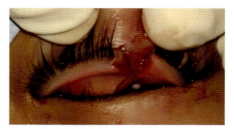

図16　上眼瞼の瞼板断裂

つく瞼板を縫合する．「への字」瞼縁作成を回避するために反対側瞼板もきつく縫合する．

予後 眼球破裂，強角膜裂傷があれば視力予後が不良となる．

涙小管断裂

Laceration of canaliculus

恩田秀寿　昭和大学・主任教授

概説 内眼角の裂傷により，涙小管を同時に損傷する．動物に噛まれたり，引っ掻かれたり，殴られた際に指の先が刺さったり，先の鋭いものが当たったりすることで受傷する．直後より流涙を強く訴える．

病態 涙小管断裂は涙点から総涙点までの約10 mmの涙小管が外力によって剪断もしくは挫滅したことによって生じる．涙小管はHorner筋の中を走行し，涙液の涙囊への導入の役割を担っている．眼瞼の開閉時にHorner筋が収縮弛緩すると，涙小管内に陰圧が生じることによって涙液が涙囊側に移動する．本疾患は，涙小管のみならずHorner筋の損傷によって生じる涙小管の涙液通過障害，ポンプ機能の破綻が原因である．

症状 内眼角の皮膚の裂傷または挫傷があり，流涙症が生じる．下涙小管断裂のほうが上涙小管断裂に比較して流涙症が顕著に生じる．

診断 上涙小管，下涙小管または上下涙小管同時損傷が考えられるため，上下の涙点から1段もしくは2段針を用いて生理食塩液を通水する．漏水があれば確定診断となる．また挿入したブジーが断裂部位に目視確認できれば確定診断となる．鑑別診断には眼瞼裂傷，結膜・強角膜裂傷，涙囊・鼻涙管損傷がある．

治療

■ **治療方針** 断裂部は筋の収縮により涙囊側に引き込まれてしまうため，近位断端を探すことが難しい．したがって受傷後早期に手術を行うことが望ましい．

■ **内科的治療** 手術までの期間は眼軟膏を点入し，ウェットな状態を保つ．

<処方例>
タリビッド眼軟膏(0.3%)　1日4回　点入

■ **外科的治療** 創部の状態にもよるが，なるべく早い時期，できれば3日以内が望ましい．この理由は，長時間経過することによって創部の瘢痕化が進行し，涙小管断端の断定が困難となるからである．一方，受傷直後には創部の浮腫や出血が強いこと

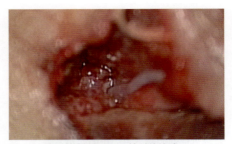

図17 涙小管断裂による外科的治療
白いリング状の涙小管近位断端に涙管チューブが挿入されている．

があり，適切な麻酔方法と止血技術を要する．緊急手術が難しい場合には，止血を行ったうえで(できれば皮膚縫合を行う)，内眼角に眼軟膏をたっぷり点入しウェットな状態をキープして手術を待機する．

手術の概略は，まず滑車下神経麻酔を実施し，創部を展開後，白色リング状の涙小管断端**(図17)**を探す．確認できたら通水テストを行う．断端と判断すれば，涙点から挿入した涙管チューブをそのまま断端に挿入する．断端同士は10-0ナイロンやポリプロピレンで2か所以上縫合する．皮膚縫合で終了する．

予後 術後はチューブを抜去するまで通水テスト行わない．チューブは1～3か月を目安に抜去する．

19 中毒性眼疾患

アトロピン，シクロペントラート
Atropine, Cyclopentolate

白石 敦　愛媛大学・教授

概念・病態　アトロピン硫酸塩水和物（アトロピン），シクロペントラート塩酸塩（サイプレジン®）ともに虹彩括約筋および毛様体筋へのコリン作動性刺激をブロックすることによる，散瞳および調節麻痺作用があるため，小児の屈折検査に用いられることが多い．その薬理作用はアトロピンが10倍強く，作用が7～10日間持続するため，虹彩炎時などに安静を期待して使用されることもある．両点眼薬とも中毒作用は副交感神経のブロックにより引き起こされる．全身に対する影響は，点眼時に涙道，鼻腔，消化管粘膜より吸収されて中毒が引き起こされることがある．小児では吸収が早く，感受性が高いために中毒が発生しやすい．

症状・診断　眼に対する症状では，散瞳して調節機能が麻痺するため，小児では羞明や視力低下を訴える．急性閉塞隅角緑内障発作を起こす可能性のある患者には禁忌である．

全身症状としては気道での粘液分泌を阻害するため，口腔が乾燥し，嚥下や会話が困難となる．心血管系では，迷走神経作用をブロックするため，頻脈となる．消化器では，蠕動運動が阻害され，腹部膨満が生じる．皮膚では，汗腺分泌が低下するため，乾燥し熱感が生じて体温が上昇する．尿路系では，尿管，膀胱が拡張して尿閉が起こる．

シクロペントラート塩酸塩では，小児でけいれんが現れることがある．

治療　副作用発現の予防が重要であるため，仰臥位で点眼し，点眼後は閉瞼させ，涙嚢部(涙点～涙小管部)を2～3分間圧迫して点眼液が涙嚢内に流れ込まないようにする．

β遮断薬
β-blocker

白石 敦　愛媛大学・教授

概念・病態　β遮断薬は毛様体突起に局在するβ受容体を遮断することにより房水産生を抑制すると考えられている．$β_1$，$β_2$受容体サブタイプに対する選択性のない非選択的β遮断薬と，$β_1$受容体への選択性を高めて呼吸器系の全身副作用を軽減した選択的$β_1$遮断薬がある．合併症としては，局所性の薬剤毒性と，β遮断薬の全身に対する副作用がある

症状・診断　眼局所の副作用としては，角膜上皮障害が挙げられる．特に角膜知覚低下と涙液分泌低下があるため，角膜上皮障害を引き起こすことがある．角膜上

皮障害治療のために点眼を追加したり，緑内障治療のために長期間，また多剤併用で投与されていたりすると，薬剤性角膜上皮障害が重症化することがある．また，接触性皮膚炎の報告もあるので，眼瞼皮膚にも注意をする必要がある．

　鼻腔や消化器粘膜から吸収されると全身的な副作用をきたすこともあり，心不全，高度の徐脈（洞性徐脈），房室ブロックの患者などには禁忌である．また，β_2受容体遮断作用による気管支収縮作用があるため，気管支喘息に対しても禁忌となる．

治療　眼局所や接触性皮膚炎に対する対処法としては使用の中止が原則であり，緑内障治療の継続が必要な場合にはほかの薬効を有する点眼への変更が望ましい．全身的副作用では，徐脈に対してはアトロピン硫酸塩水和物の静注，血圧低下時には輸液とカテコールアミンの投与，また気管支喘息発作には気管支拡張薬，ステロイド，場合によってはアドレナリン投与が必要であるが，専門医に至急コンサルトするべきである．

フェノチアジン系抗精神病薬
Phenothiazine antipsychotics

白石 敦　愛媛大学・教授

概念・病態　フェノチアジン系抗精神病薬はドパミン作動性神経伝達を抑制し，統合失調症や神経症における不安・緊張・抑うつ治療に用いられる薬剤である．全身的な副作用としては，錐体外路障害として急性ジストニア，Parkinson様症状など，悪性症候群として筋固縮，嚥下困難，発汗，頻脈，血圧変動など，自律神経症状として口渇，麻痺性イレウス，尿閉など，そのほかにも多くの代謝内分泌症状がある．眼部副作用としては，クロルプロマジン塩酸塩（コントミン®）やクロルプロマジンフェノールフタリン酸塩（ウインタミン®）による水晶体，角膜への色素沈着と網膜症がある．塩酸チオリダジンによる網膜・脈絡膜障害の報告もあるが，わが国では2005年に販売中止となっているので，ここではクロルプロマジンによる眼副作用について述べる．

症状・診断　水晶体，角膜に色素沈着をきたすが一般的に視力低下は伴わない．水晶体混濁は前囊下の星状混濁が特徴である．初期には水晶体前囊の微細な点状混濁であり，混濁が増強してくると顆粒状色素沈着から数本の突起が出て星状を呈し始める．進行すると，星状混濁は白色～黄褐色の色調となり，さらに進行すると水晶体中央部の真珠様混濁塊となる．角膜混濁は水晶体混濁が典型的な星状混濁を呈し始めた頃にみられ，角膜内皮，Descemet膜レベルに白色～黄褐色の沈着がみられる．水晶体病変は総投与量500g以下ではみられず，1,000～2,000gで発症が増加し，2,500g以上では90％に認められるとの報告もある．

　網膜病変では，薬剤がメラニン細胞に結合することから網膜色素上皮や脈絡膜メラニン細胞に結合する．検眼鏡的には，初期には後極部の色素むらを呈し，進行すると網膜色素上皮萎縮，網膜血管狭小化，視神経乳頭蒼白化をきたし，赤道部まで進展する．網膜電図でa波，b波の振幅低下，律動様小波の減弱がみられる．通常量使用例

では認めず，大量投与（800 mg/日以上）を1〜2年内服で発症するといわれている．

治療　水晶体，角膜病変では，視力低下の自覚症状がなければ内服継続し，症状があるような場合には，投与量減量や中止を依頼する．網膜病変を認めれば投与中止を依頼する．中止により網膜病変による視力は回復することも期待できるが，色素変化は進行するとされている．

アマンタジン
Amantadine

白石 敦　愛媛大学・教授

概念・病態　アマンタジン塩酸塩（シンメトレル®）は，抗ウイルス薬として米国で1959年に開発され，A型インフルエンザに対して用いられていたが，黒質ニューロンの末端からのドパミン放出促進・再取り込み抑制作用があることから，現在では主にParkinson病や脳梗塞後遺症に伴う意欲・自発性低下の改善薬として用いられている．眼副作用として角膜内皮障害がある．

症状・診断　図1のようなDescemet膜皺襞を伴う角膜実質浮腫を通常両眼に認める．guttataを伴わないことがFuchs角膜内皮ジストロフィとの鑑別となる．Parkinson病患者に角膜実質浮腫をみた場合には本薬剤の内服を疑うことが重要である．内服期間，1日投与量と角膜内皮障害の発症頻度は相関し，200 mg/日以上，2〜3年の内服で発症することがある．

治療　休薬により角膜実質浮腫は2〜3か月で改善することが多いが，角膜内皮

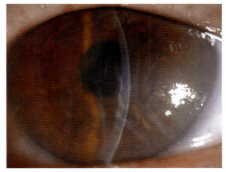

図1　アマンタジン塩酸塩内服による角膜内皮障害
Descemet膜皺襞を伴う角膜実質浮腫を認め，guttataは伴わない．

細胞減少は残存する．不可逆性の角膜内皮障害になった場合には角膜内皮移植が必要となる．

クロロキン，ヒドロキシクロロキン
Chloroquine, Hydroxychloroquine

篠田 啓　埼玉医科大学・教授

概念　クロロキン網膜症は，全身性エリテマトーデス（SLE），皮膚エリテマトーデス（CLE），関節リウマチに対する薬剤であるクロロキン（CQ）の長期投与により両眼黄斑が障害される網膜症として1959年に初めて報告された．CQはわが国では1955年に承認され独自に腎炎に適応を拡大した．その結果網膜症が多発し，1962年には100例を超える報告がなされ1974年に製造中止となった．その後国内では海外渡航者が日本で発病することもあるマラリアの治療薬としてか，個人輸入での使用などきわめてまれであった．

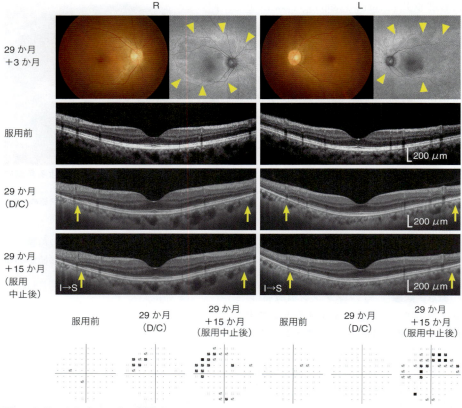

図2 ヒドロキシクロロキン網膜症
52歳女性，ヒドロキシクロロキン硫酸塩 300 mg/日服用．29か月目に眼底所見は正常（1段目1，3列目）だが，眼底自発蛍光で黄斑周囲の過蛍光（1段目2，4列目），SD-OCT で網膜外層の菲薄化（3段目），中心視野検査で同部に一致した網膜感度低下（5段目）を認めた．服用中止後も進行がみられる（4，5段目）．
(Ozawa H, et al: Ocular findings in Japanese patients with hydroxychloroquine retinopathy developing within 3 years of treatment. Jpn J Ophthalmol 65: 472-481, 2021 より)

しかしヒドロキシクロロキン（HCQ）に対して産官学の国内臨床試験が行われ，2015年に SLE および CLE に対して HCQ（プラケニル®）の薬事承認が得られ，多くの患者に使用されている．頻度は CQ と比して低いものの HCQ 内服においても同様の網膜症が生じ得，2021年にわが国でも網膜症が報告された**(図2)**．

病態 発症機序の詳細は不明であるが，薬剤はメラニンと結合して網膜色素上皮細胞や脈絡膜メラニン含有細胞に取り込まれ，ライソゾームのpHを高め，オートファゴゾームがライソゾームに移行するのを抑制し，オートファジーの阻害により網膜色素上皮細胞にリポフスチン（自発蛍光物質）が蓄積し光受容体が変性すると考えられている．

発症の危険性を高める要因として，5年

が有用である．また，多局所網膜電図，全視野網膜電図異常も有名である．錐体ジストロフィや黄斑ジストロフィ，萎縮型加齢黄斑変性症などとの鑑別が重要である．

治療 治療は投与を中止することであるが，体内からの排出は遅いため投薬を中止しても進行・悪化することがあるので十分な注意が必要である．早期検出には，投与前と投与開始後の定期的な眼科検査が重要で，検査間隔は，上述の網膜症リスク因子がなければ年1回，リスク因子があればより短い間隔が望ましい．

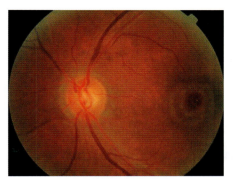

図3 クロロキン網膜症の眼底写真
57歳男性．ヒドロキシクロロキン硫酸塩400 mg/日5年間およびクロロキン250 mg/日．4年間を併用した．自覚症状はない．典型的なbull's eye（標的黄斑症）とよばれる輪状萎縮を認める．
（横川直人：II．免疫抑制薬・抗リウマチ薬，10．ヒドロキシクロロキン．日内会誌 100：2960-2965，2011より）

以上の投与期間，薬剤投与量，高齢，そして，腎機能，肝機能障害，網膜疾患，黄斑症など併発症の存在が指摘されている．投与量の目安は1日投与量として，CQは＞3.0 mg/kg，HCQは＞6.5 mg/kg，累積投与量として，CQは＞460 g，HCQは＞1,000 gと，大きく異なる．そして発症率は検査法や診断基準によってさまざまで，海外の大規模研究では5年以上の長期投与で1.6～7.5％という報告がある．

症状 視力低下，夜盲，色覚異常．

診断 初期には中心窩反射消失，黄斑部の微細な顆粒状所見や脱色素斑を呈し，進行すると動脈の狭細化，視神経萎縮を生じ，特にbull's eye（標的黄斑症）とよばれる輪状萎縮が特徴的である（図3）．機能的には中心視野の感度低下や，進行すると色覚異常や視力低下を生じる．早期発見には，Humphrey 10-2など中心視野検査，スペクトラルドメイン光干渉断層計（SD-OCT），眼底自発蛍光，蛍光眼底造影検査

ビガバトリン

Vigabatrin

篠田 啓　埼玉医科大学・教授

概念・病態 ビガバトリン（サブリル®）は，中枢神経においてγ-アミノ酪酸（GABA）を増加させることで抗てんかん作用を発揮する．日本では2016年に国内承認された小児てんかんの薬で，1990年代に開発が行われるも1999年に不可逆的な視野障害が報告され，一時中止されていた．視覚障害の多くは無自覚で，その頻度は29～50％であった．小児では視野検査が困難であり網膜電図（ERG）により副作用評価が行われている．使用は登録医療機関のみに限られ，使用前および使用中の眼科でのモニターが必要である（https://www.nichigan.or.jp/news/detail.html?ItemId=138）．

症状 国内臨床試験では臨床検査値異常を含む副作用が82.6％に認められており，主なものは激越・傾眠，アラニンアミノトランスフェラーゼ減少，不眠症，食欲

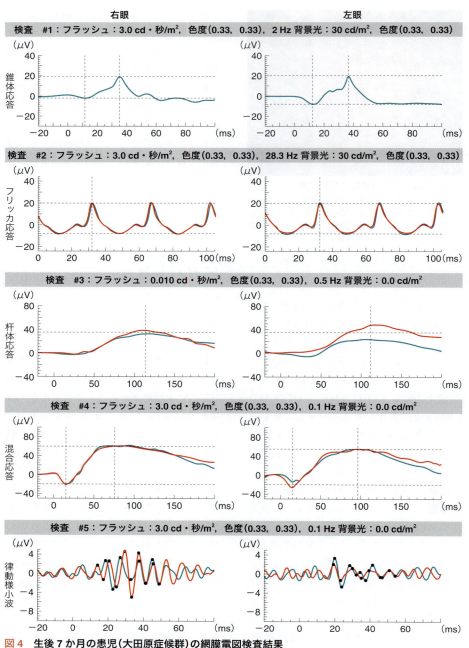

図4 生後7か月の患児(大田原症候群)の網膜電図検査結果
皮膚電極を用いた記録は睡眠下で施行できるため負担が少なく,投与後反復検査も可能である.
青:1回目,赤:2回目.ms:msec(ミリ秒).

右眼 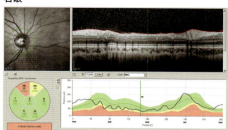 左眼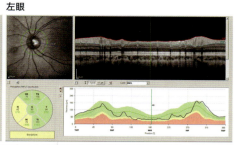

図5　6歳女児（結節性硬化症）の光干渉断層計（OCT）による乳頭周囲網膜神経線維層厚（cpRNFLT）評価
4歳時からビガバトリンを使用しており，網膜電図（ERG）は正常範囲であるがOCTによる形態評価を行ったところ一部に菲薄化がみられた．

減退である．重篤な副作用として視野狭窄，視力障害，視神経萎縮，視神経炎などがある．視野障害は鼻側から始まる両側のもので不可逆性である．

診断　小児では評価が難しく，「ウエスト症候群の診断・治療ガイドライン」においても，検査施行が難しく検査間隔があいてしまうのはやむを得ないとの記載がある．このような場合にERGが推奨されているが，従来の角膜コンタクトレンズを用いた方法ではしばしば困難である．全身麻酔下にて検査を施行する施設もあるが，経過観察中に頻回の検査が必要で患児の負担も少なくない．皮膚電極を用いたERG記録が有用である（図4）．また，視神経乳頭蒼白，網膜襞，周辺網膜血管の狭小化，黄斑反射の軽度減弱なども報告されている．近年は光干渉断層計（OCT）による乳頭周囲網膜神経線維層厚（cpRNFLT）評価（図5）で，主に鼻側の神経線維層厚の計測の有用性が多く報告されている．

治療　治療は投与を中止することであるが，不可逆性であり早期発見がきわめて重要であり眼科医の役割は大きい．

インターフェロン

Interferon：IFN

篠田 啓　埼玉医科大学・教授

概念　インターフェロン網膜症（interferon retinopathy）はウイルス性慢性肝炎やいくつかの腫瘍，白血病に対して免疫増強，腫瘍抑制効果を期待して行われるインターフェロン療法の副作用の1つで，1990年にわが国で最初の1例が報告された（図6）．近年，ほかの肝炎治療薬の開発によりその頻度は低下した．

病態　発症機序は諸説あるが，はっきりとはわかっていない．インターフェロン（IFN）による血管れん縮，白血球浸潤と補体活性，血管内皮障害，貧血による網膜虚血，血小板減少による出血拡大，免疫複合体による毛細血管閉塞などが考えられている．

発生促進因子として，初期投与量，高齢，糖尿病，高血圧，治療抵抗例，再発例がある．他方，ウイルスの型（B型，C型），IFNの種類（α，β），抗ウイルス薬

であるリバビリン(レベトール®)併用の有無は発生率に影響しないとされる.

症状　投与開始後2週間〜3か月以内,特に4〜8週後に主に眼底後極部の小出血や綿花様白斑(図7)を生じるが,多くは無症候で,自然消滅する.糖尿病,高血圧,貧血などがあると高頻度で重症化しやすく,時にRoth斑もみられる.重症例では網膜静脈・動脈閉塞症,前部虚血性視神経症などの循環障害や黄斑浮腫による視力低下もみられる.動眼神経麻痺,外転神経麻痺,乳頭浮腫の報告もある.

診断　上述の眼底所見は特徴的で,蛍光眼底検査では白斑に一致した毛細血管閉塞がみられる.糖尿病網膜症,高血圧性網膜症,貧血網膜症,網膜中心静脈閉塞症などとの鑑別が必要である.また,糖尿病網膜症がある場合は,出血斑の増加,無灌流野の拡大などの急速な進行が起こりうるので注意が必要である.

治療　多くは予後が良好なので,無症状なら基本的にはIFN療法の終了を待つ.糖尿病網膜症や高血圧性網膜症が悪化して広範な無灌流野を生じた場合は網膜光凝固を行う.また頻度は少ないが視力低下をきたすような重症例では内科医と連絡をとり投与減量や中止を考える.

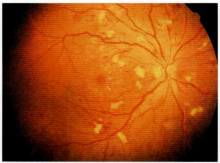

図6　わが国からの最初の報告例の眼底写真
39歳男性.IFNβ投与中に両眼霧視を発症した.乳頭周囲に表層性の網膜出血と多数の綿花様白斑を認めたが中止後消失した.
(池辺徹,他:インターフェロン投与中に視力障害をきたした1例.日本眼科紀要41:2291-2296,1990より)

フィンゴリモド,シポニモド
Fingolimod, Siponimod

篠田 啓　埼玉医科大学・教授

概念・病態　多発性硬化症(multiple

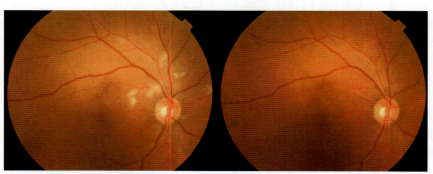

図7　継続投与例の眼底変化
62歳男性.IFNαおよびリバビリン投与8週後(左)および21週後(右)の眼底写真.投与は継続したが眼底所見は軽快していた.

sclerosis：MS）治療薬であるフィンゴリモド塩酸塩（イムセラ®，ジレニア®），シポニモドフマル酸塩（メーゼント®）の副作用として，黄斑浮腫が報告されている．これらは S1P₁ 受容体に結合することでリンパ球のリンパ節から末梢への移出を抑制する免疫抑制薬であり，この投与初期に黄斑浮腫を生じることが知られている．

海外臨床の報告では，①黄斑浮腫の発現率はフィンゴリモド 0.5 mg/日で 0.2%，1.25 mg/日で 1.4% で，多くは投与開始 3〜4 か月までに認められた．②ぶどう膜炎の既往がない患者（0.6%）に対し，既往がある患者（約 20%）で高かった．③シクロスポリンおよび経口ステロイド併用下において本剤（ただし 2.5 mg および 5 mg と高用量）を用いた腎移植の臨床試験における黄斑浮腫発現率は，非糖尿病患者本剤使用群で 4%，対照群で 2% であったのに対し，糖尿病患者ではそれぞれ 30%，15% と，本剤使用群のほうが高く，糖尿病患者で高率であった．④ MS 患者を対象とした臨床試験において黄斑浮腫発現率は，ぶどう膜炎未既往例では 0.6% であったのに対し，既往例では約 20% と高率であった．

以上より，糖尿病の患者またはぶどう膜炎の既往歴のある患者では，黄斑浮腫の発現リスクが高いことが予測され，黄斑浮腫のある患者では悪化する可能性がある．よって本剤使用にあたっては眼科病歴に注意し，投与前および投与中も定期的に，矯正視力，眼底検査，光干渉断層計（OCT）検査による中心窩網膜厚測定など眼科学的検査を行いつつ慎重に投与することが推奨される．

また，まれではあるが黄斑浮腫以外に急性前部ぶどう膜炎，acute macular neuroretinopathy も報告されている．

|症状| 海外臨床試験で認められた黄斑浮腫発現例の多くは無症候性であった．そこで，薬剤誘発性黄斑浮腫の早期発見のためにも，投与開始 3〜4 か月後に眼底検査を含む眼科学的検査が，また患者が視覚障害を訴えた場合にも眼科学的検査が必須と添付文書に記載されている．

|診断| 眼底検査，スペクトラルドメイン OCT が有用である．

|治療| 投与中止で多くは改善するが，改善しない症例の存在，中止後の MS の再燃，2 週間以上中止した場合の再導入時のリスクなども知っておく必要がある．

治療は休薬であるが，非ステロイド性抗炎症薬（NSAIDs），ステロイド Tenon 囊下ないし硝子体注射，抗血管内皮増殖因子薬硝子体注射による奏効例も報告されている．

ジギタリス

Digitalis

中馬秀樹 宮崎大学・准教授

|概念・病因| うっ血性心不全や上室性不整脈の治療薬として，古くから用いられている強心薬である．作用機序である Na^+-K^+ ATPase の抑制によって，網膜視細胞における細胞外 K^+ の取り込みへの影響が考えられている．錐体細胞に存在する Na^+-K^+ ATPase は，杆体細胞のそれに比べ，ジギタリス感受性が高いため，錐体機能不全症候群の臨床像を呈するといわれている．発現は濃度依存によることが大きい．

症状 網膜との親和性が高く，眼症状は95％にあるとされる．黄色や緑に見えるといった色視症，赤緑色覚異常，青黄色覚異常などの色覚異常，霧視，羞明，中心暗点などの錐体機能不全の症状がみられる．一般に網膜に形態異常は認めないが，黄斑浮腫を認めたという報告もある．

診断
①内服歴，全身倦怠感，悪心・嘔吐の消化器症状，頭痛などの神経症状の問診も診断に重要である．
②血中濃度の測定(ジゴキシン2 ng/mL以上で頻度や重症度が増す)．
③血中濃度の上昇や感受性を変化させる要因に気をつける．腎・肝障害，低カリウム血症を含む電解質異常，甲状腺機能低下症，加齢など．炭酸脱水酵素阻害薬の経口投与をしていないか．
④錐体網膜電図(ERG)の反応低下．

治療 処方している内科医にすみやかに連絡し，ジギタリスを中止してもらう．

予後 投与中止後，数日〜数週で症状は消失する場合がほとんどであるが，色覚異常が改善しなかったという報告もある．

エタンブトール
Ethambutol

中馬秀樹 宮崎大学・准教授

概念・病因 エタンブトールは，サルやラットを用いた実験によると視交叉に軸索性神経症を起こしやすいとされている．エタンブトール毒性の生化学的機序はわかっていない．エタンブトールはキレート物質に代謝され，それがいくぶん視神経症に関与しているかもしれない．ほかのキレート物質，ジスルフィラム，ペニシラミンも中毒性視神経症をきたす．また，亜鉛の減少もいくつかの中毒性視神経症でみられる．

ヒトにおけるエタンブトール毒性は量依存性で，1日あたり25 mg/kg以上で視力低下が起こりやすいとされている．視力低下までの発症期間は，投与2か月以内では起こりにくく，平均7か月である．

腎結核の患者がより重症になりやすい．おそらくエタンブトールが腎排泄のためであろう．

症状 色覚異常が最も早期の視神経症の徴候である．青黄異常が最も一般的である．多くの例で視力低下は両眼，対称性で，潜伏性に発症する．中心暗点が原則である．しかし，両耳側暗点や周辺視野狭窄も起こる．眼底は初期は正常であるが，投与が中止されなければ視力は悪化し視神経萎縮に至る．

エタンブトール投与中止により，視力，色覚，視野はゆっくりと改善する．しかし，視神経萎縮が高度な場合は，視機能の改善が得られない例もある．

診断 モニタリングで最も感度が高いのは，視覚誘発電位(VEP)であるとの意見もある．

治療 薬剤中止に勝る治療法はない．亜鉛の内服が回復を早める可能性がある．また，発症の早期発見のために，投与前の視機能の評価と投与中の視力，色覚，視野の観察が大切である．

有機リン（農薬，サリン）
Organophosphate poisoning

中馬秀樹　宮崎大学・准教授

概念・病因　有機リン物質はコリンエステラーゼ作用をもち，アセチルコリンの蓄積によりムスカリン様作用，ニコチン様作用，中枢神経作用を起こす．

症状

❶急性症状

a. **ムスカリン様作用**　縮瞳，徐脈，分泌液（涙，汗，鼻汁，唾液，気道）の増加，消化管の蠕動運動による下痢，嘔吐．

b. **ニコチン様作用**　徐脈，高血糖，尿糖，線維束性収縮．

c. **中枢神経作用**　不安，興奮，不眠，意識障害，昏睡，呼吸停止．

d. **眼症状**　視力低下，眼痛，視野狭窄，結膜充血．

❷慢性症状

a. **眼症状**　視力低下，視野狭窄，中心暗点，近視化，直乱視化をきたす．眼球運動は上方注視麻痺が出てくる．

b. **全身症状**　錐体路徴候，下肢固有感覚機能低下，めまい，下痢，便秘，勃起障害などの自律神経症状．

診断　有機リン物質への明らかな曝露に加え，上記症状，血中コリンエステラーゼ活性の低下がみられる．

治療

❶急性中毒

処方例　呼吸補助を中心とした全身管理，胃洗浄腸洗浄を行い，下記を併用する．

> アトロピン硫酸塩注(0.5 mg)　1回 2〜5 mg　15〜30分ごと　静注
>
> パム静注(500 mg)　1回 1,000 mg　30分かけて静注(コリンエステラーゼ活性回復のため)

❷中枢神経症状　けいれんなどの中枢神経症状に対してジアゼパムの静注でコントロールする．

❸慢性中毒

処方例　有機リン物質からの回避が大切である．下記を10％ブドウ糖100 mLに混合して毎日点滴する．

> アトロピン硫酸塩注(0.5 mg)　1回 0.5 mg
> パム静注(500 mg)　1回 500〜1,000 mg　点滴静注

メチル水銀
Methyl mercury

中馬秀樹　宮崎大学・准教授

概念・病因　メチル水銀中毒は，病理学的には後頭葉鳥距溝および外側膝状体の神経細胞脱落と海綿状変性，星状グリア細胞の増生が認められる．

症状　典型的には，後頭葉の神経細胞の障害に伴う両眼の対称性の求心性視野狭窄をきたす．初期には片眼の耳側半月の欠損のみで，その後両眼の求心性視野狭窄に進展する例もある．

水俣病に特徴的な視野異常として，中心部まびき脱落暗点，イソプタの不規則な細かい凹凸や周辺部イソプタの動揺などがみられ，これは鳥距溝の神経細胞の脱落がまびき状に散在性に起こるためと考えられている．

5年程度でほぼ視野狭窄は固定する．通

常中心視野および中心視力はほかの眼疾患がない限り末期まで正常に保たれ，視力低下は重症例のみにみられる．網膜，視神経乳頭，中心フリッカ値は通常正常である．

核上性の眼球運動障害としては，滑動性追従運動異常が約44％，衝動性運動異常が約16％にみられる．それぞれ階段状波形運動距離測定異常などの異常であるが，前者のほうが異常率は高い．

瞳孔は近見反応異常が，対光反射異常に比べ高率にみられる．調節障害もみられ，調節力，緊張速度，弛緩速度すべて低下する．立体視異常も多くの症例で認められる．

| 診断 |　有機水銀に汚染された食物の摂取歴と神経症状，毛髪中水銀濃度，血中濃度，尿中濃度などが汚染の指標となる．

| 治療 |　有機水銀の排泄促進を目的にキレート薬（ジメルカプロール，チオプロニン，ペニシラミン）などを投与するが，治療による明らかな効果は期待できず，視野も改善はみられないとされている．

シンナー

Thinner

中馬秀樹　宮崎大学・准教授

| 概念 |　シンナーは，油性塗料の粘度を下げるために作られた有機溶剤混合物である．トルエンを主成分としている．

シンナー中毒には有機溶剤作業者に起こるものと，シンナー遊びなどの有機溶剤依存症の両方が含まれ，後者が増加傾向にある．

| 症状 |

❶**全身症状**　急性中毒症状には意識障害，失調，構音障害，けいれん，複視，精神障害，死亡などがあるが，中断により改善する．

慢性中毒症状としては，企図振戦，小脳失調，記銘力障害が有名であるが，そのほかにも知能低下，言語障害，不眠，食欲不振，体重減少，性欲減退，幻覚，腱反射亢進，末梢神経障害，精神障害などの報告がある．

❷**眼症状**

a. **眼球運動障害**　衝動性運動障害（undershoot, ocular flutter），滑動性追従運動障害（staircase pattern），眼振（downbeat nystagmus，注視方向性眼振，振子様眼振），矩形波眼球運動（square wave jerks），opsoclonus などが知られている．

b. **瞳孔異常**　暗所での散瞳が特徴的であるが，吸入が長期にわたると目立たなくなる傾向にある．

c. **視神経障害**　特にトルエン吸引例では気相成分はメチルアルコールである．したがって発症早期には，視神経乳頭は軽度発赤し，辺縁不鮮明で視神経周囲の神経網膜の浮腫状混濁をきたす．後期には，視神経萎縮と神経線維束欠損を引き起こし，視力低下をきたす．視野検査にて中心暗点や周辺狭窄をきたす．また限界フリッカ値（CFF）の低下，視覚誘発電位（VEP）の潜時の延長などが起こる．網膜電図（ERG）では subnormal の報告例が多い．

| 診断 |　最も重要なことは有機溶剤吸引歴を聞き出すこと．吸入直後であれば，トルエンの代謝産物である尿中馬尿酸の上昇をみるが，半減期が約6時間と短いため慢性中毒にはあまり有効ではない．生活環

境の丹念な問診が，診断の重要な手がかりとなる．

治療 シンナーとの接触の中断により視力が改善したという報告が少なくないが，視神経萎縮にまで至ったような重症例では回復は難しい．また，シンナーは身体依存を呈することはないが，精神依存がかなり強く，入院が必要である．

シンナーに対する特異的な解毒薬はない．ビタミンBの投与などが行われるが，劇的な効果は期待できない．視神経障害に対してもステロイドは無効であるという報告と有効であったという報告がある．

タバコ・アルコール弱視

Tobacco-alcohol amblyopia

中馬秀樹　宮崎大学・准教授

概念・病因 喫煙により，髄鞘を維持するのに必要な蛋白や脂質の合成障害から脱髄をきたし，アストロサイト（astrocyte）や間質の増加が起こり，さらに進行すると軸索変性から神経線維の脱落が生じると考えられている．ただし喫煙のみで視神経障害をきたしたという報告はなく，多量の飲酒歴が合併していたり，ビタミンB_{12}欠乏が合併して視神経症をきたす場合が多く，タバコ・アルコール弱視とよばれる．

症状 無痛性両眼性の視力低下，中心暗点，中心盲暗点をきたし色覚異常を合併する．視神経乳頭は特に耳側が蒼白で神経線維束欠損がみられる．

環境因子も重要であり，アルコールや食事の摂取状態などにも留意する．

上述のように喫煙のみが視神経症の原因とする症例報告はほとんどなく，ラットを用いた実験では網膜電図（ERG）には異常を認めないが，視覚誘発脳波（VECP）にて頂点潜時の延長を認めている．

また，組織学的には視神経にグリアおよび間質の増加，髄鞘の菲薄化，無髄神経線維の増加，神経線維の小径化を認めている．

生化学的には血中シアン濃度の上昇，一酸化炭素ヘモグロビンの増加を認め，ビタミンB_{12}は血清レベルでは変化ないが，赤血球レベルにて低下している．

治療 栄養欠乏性視神経症の治療と同様で，喫煙，飲酒の中止と複合ビタミン製剤の投与，特にビタミンB_{12}製剤の点滴静注は有効と考えられる．

抗腫瘍薬による前眼部・外眼部の副作用

Adverse effects of anti-tumor drugs on the anterior and external segment of the eye

鎌尾知行　愛媛大学・准教授

概念 悪性腫瘍はわが国の死亡率第1位の疾患であり，約30％の人が悪性腫瘍に関連して死亡する．世界的にも2030年までに悪性腫瘍の年間発生数は2,360万人にのぼると報告されており，世界的にも解決すべき重要な疾患である．そのため，近年さまざまな抗腫瘍薬の開発が加速度的に進んでおり，眼の合併症についてもさまざまなものが報告されるようになっている．抗腫瘍薬は，細胞傷害性化学療法，ホルモン療法，分子標的療法と免疫療法の4種の治療薬剤に分けられる．これらの抗腫瘍

表1 細胞傷害性化学療法薬の前眼部・外眼部の副作用

薬剤		副作用			眼症状
		付属器（眼瞼・涙器）	結膜	角膜	
アルキル化剤					
白金錯体	カルボプラチン	眼瞼結膜浮腫	結膜充血, 結膜下出血, 球結膜浮腫	角膜浮腫	刺激感, 眼痛
	オキサリプラチン		結膜炎		
ナイトロジェンマスタード誘導体	クロラムブシル			角膜炎	
	シクロホスファミド		眼瞼結膜炎	角膜潰瘍(2.2%)	眼痛, 瘙痒感(0.9%)
	イホスファミド		結膜炎		
アルキルスルホネート	ブスルファン				乾性角結膜炎, 霧視
代謝拮抗剤					
ピリミジン系薬剤	シタラビン		結膜充血, 結膜炎	点状表層角膜炎	眼痛, 刺激感, 異物感, 灼熱感, ドライアイ, 流涙, 瘙痒感, 霧視
	フルオロウラシル(5-FU)	涙点涙小管狭窄(5.8%), 涙小管線維化, 涙点閉鎖			霧視(11.5%), 刺激感(40〜43%), 流涙(26.9%), 眼痛(36〜39%), 瘙痒感(9%)
	カペシタビン			角膜沈着	刺激感
葉酸製剤	メトトレキサート	眼窩周囲浮腫			灼熱感, 瘙痒感, ドライアイ, 眼痛(0.6〜2%)
プリン類似体	ペントスタチン		結膜炎(26%)		
有糸分裂阻害剤					
タキサン系	ドセタキセル	涙点閉鎖, 涙小管狭窄	結膜びらん		流涙
ビンカアルカロイド系	ビンクリスチン	眼瞼下垂(35%), 兎眼(15%)		感覚鈍麻	
抗腫瘍性抗生物質					
アンスラサイクリン系	ドキソルビシン		結膜炎		眼痛, 瘙痒感(0.9%)
	ミスラマイシン	眼窩周囲蒼白(35%)			
配合剤					
	S-1	マイボーム腺閉塞, 涙小管狭窄・閉塞		角膜上皮障害	流涙(25.3%), 眼痛, 異物感

(Chiang JCB, et al: The impact of anticancer drugs on the ocular surface. Ocul Surf 18: 403-417, 2020 より)

表2 ホルモン療法薬の前眼部・外眼部の副作用

薬剤	副作用			眼症状
	付属器(眼瞼・涙器)	結膜	角膜	
タモキシフェン			角膜混濁	
アナストロゾール	眼瞼炎(75%), マイボーム腺機能不全(42.5%)		点状表層角膜炎(30%)	ドライアイ(35%), 霧視(47.5%), 異物感(30%), 流涙(22.5%), 発赤(15%), 羞明(2.5%)

(Chiang JCB, et al: The impact of anticancer drugs on the ocular surface. Ocul Surf 18: 403-417, 2020 より)

表3 分子標的療法薬の前眼部・外眼部の副作用

薬剤	副作用			眼症状
	付属器(眼瞼・涙器)	結膜	角膜	
パニツムマブ	眼周囲発赤, 流涙, 眼瞼刺激感	結膜炎		ドライアイ, 眼痛(6%)
セツキシマブ	長睫毛症(4%), 睫毛乱生, 眼瞼炎, 眼瞼浮腫, 眼窩周囲紅斑(12%), 睫毛禿, 瘢痕性眼瞼外反	結膜充血, 結膜炎	角膜びらん	ドライアイ, 眼不快感, 異物感
トラスツズマブ	流涙(21%)	結膜炎(2.4%), 結膜充血	周辺部角膜浸潤, 角膜上皮障害	灼熱感, 異物感, ドライアイ(1～10%)

(Chiang JCB, et al: The impact of anticancer drugs on the ocular surface. Ocul Surf 18: 403-417, 2020 より)

薬による前眼部・外眼部の副作用で報告されているものを**表1～3**にまとめた．

治療 治療の基本は，薬剤の変更，中止であるが，休薬できないことも多い．その場合，涙液中の抗腫瘍薬の濃度を下げるために防腐剤無添加人工涙液を頻回点眼したり，炎症に対して低濃度ステロイドを使用したりといった対症療法を行う．角膜穿孔や涙道閉塞，眼瞼外反などの不可逆的変化に対しては外科的治療が必要な場合がある．

抗腫瘍薬による後眼部副作用

Adverse effects of anti-tumor drugs on posterior segment

柏木広哉　静岡県立静岡がんセンター・部長

概念 抗腫瘍薬による後眼部障害は，高度の視力低下をきたすことがある．近年では，タキサン系，分子標的薬，免疫チェックポイント阻害薬(immune checkpoint inhibitor：ICI)などが，注意すべき代表的な薬剤である．「有害事象共通用語規準(Common Terminology Criteria for

表4 有害事象共通用語規準

CTCAE v5.0 MedDRA v20.1 Code	CTCAE v5.0 Term 日本語	Grade 1	Grade 2	Grade 3	Garde 4
10046851	ぶどう膜炎	わずかな(trace)炎症細胞浸潤を伴う前部ぶどう膜炎	1+〜2+の炎症細胞浸潤を伴う前部ぶどう膜炎	3+以上の炎症細胞浸潤を伴う前部ぶどう膜炎；中等度の後部または全ぶどう膜炎	罹患眼の最高矯正視力0.1以下
10047516	視覚低下	−	中等度の視力の低下(最高矯正視力0.5以上または既知のベースラインから3段階以下の視力低下)	顕著な視力の低下(最高矯正視力0.5未満, 0.1を超える, または既知のベースラインから3段階を超える視力低下)	罹患眼の最高矯正視力0.1以下

(有害事象共通用語規準v5.0日本語訳JCOG版より引用, 改変)

Adverse Events：CTCAE) v5.0」**(表4)**, 「がん免疫療法ガイドライン 第2版」が治療の1つの判断基準となる.

症状

❶**ぶどう膜障害** ICIによるぶどう膜炎(前部, 後部, 汎ぶどう膜炎. また原田病に類似した特徴が多い)を生じ, 免疫関連有害事象(immune-related adverse event：irAE)とよばれる. 重症化(難治ぶどう膜炎, 併発白内障)することがある. 特にニボルマブ(オプジーボ®), ペムブロリズマブ(キイトルーダ®)の使用頻度が高い(当院では約80％)が, 近年の報告では, イピリムマブ(ヤーボイ®)の発生率が高い(7.6％)とされている.

❷**網膜障害(漿液性網膜剥離)** タキサン系抗癌薬〔パクリタキセル(タキソール®), アルブミン懸濁型パクリタキセル(アブラキサン®)〕や分子標的薬(MEK阻害薬やBRAF阻害薬)などで生じる. ほとんどの場合休薬で改善する. ICIのぶどう膜炎に併発することもある.

❸**視神経障害** ALK阻害薬クリゾチニブ(ザーコリ®), アレクチニブ塩酸塩(アレセンサ®), ICIで生じる. ICIでは, 不可逆的変化をきたすものもある.

治療

まず処方医と相談する. 視力が0.5以下になった場合や, 患者の日常生活の制限や不安感が強い場合には休薬を勧める. ただし, 腫瘍抑制効果や生命予後の点で, 休薬できない場合も多い. 視力0.5以上であれば, 治療は継続しながら, 副腎皮質ホルモン点眼やステロイドのTenon嚢下注射で経過観察. 著しい視力低下を生じた場合には, ステロイド内服治療を行うこともある. 「がん免疫療法ガイドライン 第2版」では, プレドニゾロン1〜2 mg/kgまたはメチルプレドニゾロン0.8〜1.6 mg/kgとされているが, 主治医と相談しながら対応したほうが望ましい.

シリーズ《眼科臨床エキスパート》
◎「臨床家のための」神経眼科診療の実践書、ついに登場

知っておきたい神経眼科診療

編集　三村　治 兵庫医科大学神経眼科治療学特任教授
**　　　谷原秀信** 熊本大学大学院眼科学教授

眼科診療のエキスパートを目指すための好評シリーズの1冊。難解と言われながらも避けては通れない神経眼科疾患について、近年の診療ガイドラインの整備、神経画像検査・OCTなど診断補助手段の進歩、薬物療法や手術手技の変化などを踏まえ、教科書的な知識ではなく、臨床に直結した実践的な情報を網羅。各項目に「一般眼科医へのアドバイス」を掲載し、明日からの診療にすぐに役立つ。神経眼科診療に携わるすべての人の必携書。

 目次

第1章　総説
　神経眼科疾患の診療概論

第2章　視神経疾患
　I　視神経疾患の診断総論
　II　疾患各論
　　特発性頭蓋内圧亢進症／視神経炎と多発性硬化症／抗アクアポリン4抗体陽性視神経炎／小児の視神経炎／視神経周囲炎／動脈炎性虚血性視神経症／非動脈炎性虚血性視神経症／外傷性視神経症／Leber遺伝性視神経症／常染色体優性遺伝性視神経萎縮／甲状腺性視神経症／鼻性視神経炎／圧迫性視神経症／中毒性視神経症／AZOORとAZOOR complex／浸潤性視神経症／視神経の腫瘍／視神経異形成／半盲と病変部位

第3章　眼球運動障害
　I　眼球運動障害の診断総論
　II　疾患各論
　　核上性眼球運動障害／Fisher症候群／進行性核上性麻痺／上斜筋ミオキミア／眼振／Duane症候群／眼運動神経麻痺／固定内斜視／甲状腺性ミオパチー／外眼筋線維症／外傷性筋ミオパチー／核下性および機械的眼球運動障害の治療

第4章　眼窩・眼瞼・全身疾患
　　眼窩筋炎／IgG4関連眼疾患／肥厚性硬膜炎／眼窩吹き抜け骨折／頸動脈海綿静脈洞瘻／重症筋無力症／傍腫瘍症候群と神経眼科／眼瞼痙攣／片側顔面麻痺／上眼瞼後退症

●B5　頁400　2016年　定価：18,700円（本体17,000円＋税10%）[ISBN978-4-260-02518-8]

 医学書院　〒113-8719　東京都文京区本郷1-28-23　[WEBサイト] https://www.igaku-shoin.co.jp
　　　　　　　　　　[販売・PR部] TEL：03-3817-5650　FAX：03-3815-7804　E-mail：sd@igaku-shoin.co.jp

アルコン ビジョンケア プロフェッショナルサイト
パソコンひとつで、知る、見る、学ぶ。

「アルコン ビジョンケア プロフェッショナルサイト」では
眼科医の皆さまと、先生方をサポートするスタッフの皆さまが
日々直面する課題を解決するのに役立つ、
さまざまな情報・サービスをご提供してまいります。

http://myalcon-vc.jp
※ご利用には会員登録が必要です。

充実したeラーニングコンテンツ
スタッフの皆さまへはコンタクトレンズの
基礎やコミュニケーションスキルなどが
学べるeラーニング学習コースもご用意
しています。

JP-VC-2000093　　©2022 Alcon

20 屈折・調節異常

遠視

Hyperopia, Hypermetropia

四倉絵里沙　慶應義塾大学

概念　遠視とは，無調節状態で平行光線が網膜より後方に結像する屈折状態であり，遠点は眼の後方有限の距離にある．この遠点距離に等しい焦点距離のプラス（凸）レンズにより矯正される．レンズから遠点までが焦点距離 $f(m)$ で，その逆数 $1/f(D)$ がレンズの屈折力であり，遠視度数となる．

遠視を分類すると，成因から屈折性遠視と軸性遠視に分けられる．屈折性遠視の代表例に無水晶体眼が挙げられ，軸性遠視は先天的に眼球の小さなもので弱視のことが多い（遠視性弱視）．遠視の程度からは，調節により良好な視力が得られ，通常の屈折検査では検出されない潜伏遠視と，調節しても良好な視力が得られずプラスレンズの矯正が必要な顕性遠視に分類され，この両者を合わせて全遠視という．

診断　レフラクトメータを用いた他覚的屈折検査が一般的であるが，小児や乳幼児などレフラクトメータでの測定が困難な場合には，検影法やフォトレフラクタを用いる．自覚的には雲霧法によるレンズ交換法や赤緑テストを用いて測定し，最高視力が得られる最強度のプラスレンズを求めるのが一般的である．ただし，小児では，屈折検査時に調節の介入がしやすいため，必要に応じて調節麻痺薬を用いた屈折検査を行う．調節麻痺薬としては，アトロピン硫酸塩水和物やシクロペントラート塩酸塩，トロピカミドが用いられ，遠視の程度などに応じて選択する．

通常，新生児では $+2\,D$ 前後の遠視を有しており，就学前後（6～7歳頃）で正視になる．強度の遠視は弱視や調節性内斜視の原因になるため，全遠視度を測定し早期発見に努めることが重要である．また遠視では，偽視神経炎や網膜血管異常，黄斑部の発育不全，後極部網膜襞形成などを合併していることもあるので，眼底検査も行う．

若年者の遠視では，潜伏遠視の場合通常症状は訴えないが，過度の調節により眼精疲労を訴えることがある．また，高齢者の潜伏遠視では，同年代の正視者と調節力は同程度であるが，潜伏遠視の度数だけ同年齢の正視者と比較し，裸眼の近見障害（老視症状）が早期に出現する．

治療　顕性遠視には眼鏡またはコンタクトレンズを処方する．特に，遠視性弱視や調節性内斜視の場合には原則完全矯正の眼鏡（調節麻痺薬点眼による調節麻痺下の屈折度数の眼鏡）を常用させるが，小児期は視力の発達段階にあるため，眼位や両眼視機能にも留意して対処する．

成人の遠視眼では，近見障害の発現が早まるが，コンタクトレンズ装用者のほうが眼鏡装用者よりも調節への負担が少なく，老視症状の発現が遅くなる．

遠視矯正には，エキシマレーザーによる屈折矯正手術(laser in situ keratomileusis：LASIK)や眼内レンズ(intraocular lens：IOL)による外科的治療も可能である．遠視矯正 LASIK では，近視矯正 LASIK と同様に角膜フラップを作成したあと，フラップ下の角膜実質をエキシマレーザーで切除するが，近視矯正時とは異なり，角膜中央から中間周辺部へいくほど深く切除することにより，角膜屈折力を増加させ遠視矯正を行う．ただし矯正量にも限界があり，術後屈折値の戻りが出現するなど課題もあるため，適応を慎重に見極める必要がある．

近視

Myopia

四倉絵里沙　慶應義塾大学

概念　近視とは，無調節状態で平行光線が網膜前方に像を結ぶか，あるいは眼前有限距離にある点から発散する光線が網膜上に結像する眼の屈折状態である．このような眼前有限位置が遠点であり，レンズから遠点までが焦点距離 f(m)で，その逆数 1/f(D)の屈折力をもつマイナス(凹)レンズにより近視は矯正される．例えば，遠点が 0.5 m の場合は 1/0.5 ＝ 2 D のマイナスレンズで矯正されるため，近視度数は－2 D と表す．

近視は成因により，屈折性近視と軸性近視に大別できる．前者は，水晶体屈折力の増加により無限遠からの平行光線が網膜より手前に結像してしまうために起こる近視であり，後者は眼軸長が伸長するために起こり，眼軸長が 1 mm 伸長すると約 3 D の近視になる．

－3 D までを弱度(軽度)近視，－3 D を超え－6 D 以下を中等度近視，－6 D を超え－10 D 以下を強度近視，－10 D を超えるものを最強度近視とよぶ．

また，性状により単純近視と病的近視に分類される．単純近視は，矯正視力良好で屈折異常以外に視機能や眼底変性など器質的異常を認めず，多くの場合，弱度近視から中等度近視である．対して病的近視は，網脈絡膜萎縮や黄斑出血，後部ぶどう腫などの眼底の変性を認めるため，矯正視力も不良である．

診断　レフラクトメータを用いた他覚的屈折検査が一般的であり，小児や乳幼児などでは検影法やフォトレフラクタを用いる．自覚的には雲霧法によるレンズ交換法や赤緑テストを用いて測定し，最高視力が得られる最弱度のマイナスレンズを求める．小児では調節麻痺薬を点眼し，調節の介入を除いて測定する．

治療　日常生活に不自由な場合，マイナスレンズの眼鏡あるいはコンタクトレンズを装用する．眼鏡やコンタクトレンズの装用が困難な場合は，エキシマレーザーによる屈折矯正手術や，眼内レンズ(IOL)による外科的治療も可能である．水晶体を残したまま IOL を挿入し屈折矯正を行う手術を有水晶体眼内レンズ(phakic IOL)挿入術といい，そのなかで後房型レンズである implantable collamer lens(ICL)は，近視は－19 D まで，乱視は 5 D までと幅広く矯正できることが特徴である．この ICL の中央部分に 0.36 mm の貫通孔をもつ ICL が 2012 年にわが国でも承認され(アイシーエル KS-AquaPORT®)，その登場

により術前のレーザー虹彩切開が不要となり，その安全性から現在主流となっている．

病的近視の合併症にはそれぞれに対する治療を行う．例えば，近視性新生血管黄斑症に対しては抗VEGF(vascular endothelial growth factor)薬による脈絡膜血管新生の治療が，黄斑円孔や網膜分離症に対しては硝子体手術が行われる．

学童期における近視進行予防では，屋外活動が重要であることがわかっている．その他，連続近業(勉強，読書など近くを見る作業)時間を少なくすることや，読書距離を確保することなども近視進行予防に効果がある．これらの生活習慣の改善を除くと，近視進行抑制治療の主流には，オルソケラトロジー，低濃度アトロピン点眼があり，サプリメントや多焦点コンタクトレンズも有効である．ただし2021年3月時点では，近視進行抑制治療に対し保険適用となる治療法はなく，近視罹患児の年齢，近視度数やライフスタイルなどを考慮し，医師の采配に基づいて適切な治療法を取捨選択する必要がある．

付 近視進行抑制
Retardation of progression of myopia

鳥居秀成　慶應義塾大学・専任講師

概念　世界の近視・強度近視の人口が増加しており，強度近視になると緑内障や網膜剥離などさまざまな眼疾患に罹患するリスクが増加することが知られている．そのため強度近視化を防ぐことには異論はなく，近視進行抑制に対するニーズが近年高まっている．コンセンサスが得られている環境因子として，(長時間の)近業は近視進行と，屋外活動は近視進行抑制と関係しているといわれている．

病態　主として眼軸長が長くなり近視が進行するため，近視進行抑制のターゲットは屈折値だけでなく眼軸長の伸長抑制にも主眼がおかれる．

診断　眼軸長・調節麻痺下他覚・自覚屈折値の変化を参考にする．

治療　黒板が見えていないなど，日常生活に不自由がある場合には眼鏡処方が必要であり，低矯正ではなく完全矯正のほうが近視進行は少ないと考えられているため，調節麻痺下完全矯正眼鏡を処方する．

近視進行抑制治療に対し保険適用となる治療法は2022年4月時点ではなく(下記はすべて保険適用外)，医師個人の考え方に委ねられており，筆者自身が有効と考える治療を中心に述べる．まず各治療について解説をし，症例・希望に応じて下記治療を取捨選択する(以下，❶〜❹のエビデンスレベルは，ランダム化比較試験の結果による)．

❶屋外活動　どの年齢・近視の程度でも勧められるものとして，1日2時間以上の屋外活動がある．屋外の光環境(照度や波長など)が重要であることが国際近視学会からも報告されており，近年台湾では国家的政策として1日2時間以上の屋外活動を導入し，裸眼視力低下児童の割合を減少させることに成功している．

❷低濃度アトロピン点眼　0.01％などの低濃度アトロピン点眼がリバウンドも少なく有効と考えられている．ただし近年の報告では，以前いわれていたほどの強い近視進行抑制効果が認められず，また保険適用外使用でもあるためインフォームド・コンセン

ト（IC）を得る必要がある．

❸**オルソケラトロジー** 本治療は寝ている間に特殊ハードコンタクトレンズ（CL）を装用し角膜を平坦化させ，近視を矯正する治療で，0.28 mm/年程度の眼軸長伸長抑制効果がある．ただし「オルソケラトロジーガイドライン」の適応基準として近視度数が−4.00 D までである点，感染のリスクがある点，自費診療である点，などに注意し IC を取得する．それより強い近視で，眼鏡装用と併用しても本治療を希望する患者には，−4.00 D 程度までの近視はオルソケラトロジーで矯正し，残った近視は眼鏡などで矯正する（partial reduction という）方法を提案する．この partial reduction も近視進行抑制効果があるといわれている．また，−3.00 D を超える近視の場合，❷と❸の併用療法は，❸単独療法と眼軸長変化量に差はなかったとする報告があり，無理に❷との併用を勧める必要はない．

成長に伴い近視進行が落ち着いてきたら，オルソケラトロジーレンズ装用者はCL 装用に慣れているため，近視進行抑制効果もある二重焦点CL（0.11 mm/年程度の眼軸長伸長抑制効果）への切り替えをスムーズに行うことができる．

❹**サプリメント** クロセチン配合サプリメントである．基礎研究と少なくとも1つ以上の二重盲検無作為化ランダム化比較臨床試験で短期安全性・有効性が確認されている．ロート クリアビジョン®ジュニア EX として市販されている．

|予後| 一般的に予後は良好であるが，強度近視まで進行した場合にはそれに伴う緑内障，網膜剝離，近視性黄斑症などの眼合併症の有無により左右される．

乱視
Astigmatism

四倉絵里沙　慶應義塾大学

|概念| 乱視とは，眼の経線方向で屈折力が異なるため平行光線が眼内で一点に結像しない屈折状態をいう．主に角膜（前面と後面）や水晶体の屈折要素に起因する．

正乱視と不正乱視に大別でき，前者は対称的な屈折の歪みであるため円柱レンズで矯正できるが，後者は屈折面が平滑でなく不規則なために円柱レンズで矯正できない乱視である．不正乱視の原因は，円錐角膜など角膜形状異常を生じる疾患，角膜混濁，角膜外傷，翼状片などの角膜疾患による角膜不正乱視が主であるが，円錐水晶体や水晶体亜脱臼，初発白内障などによる水晶体不正乱視や，眼内レンズ（IOL）の位置異常に起因する不正乱視もある．

正乱視では，最も強い屈折力をもつ主経線（強主経線）と最も弱い屈折力をもつ主経線（弱主経線）が直交しており，強主経線の方向が垂直の場合は直乱視，水平の場合は倒乱視，斜めの場合は斜乱視という．

また乱視は，主経線の屈折状態によっても分類される．主経線の1つが正視の場合を単性乱視，強，弱主経線とも近視あるいは遠視である場合を複性乱視，1つの主経線が近視で他の主経線が遠視である場合，混合（雑性）乱視と3つに分けられる．

若年者では角膜の直乱視の影響が大きいが，角膜は加齢に伴い直乱視から倒乱視へ変化し，さらに水晶体の倒乱視のため高齢者では倒乱視が増加する傾向にある．

|診断| 正乱視は角膜乱視と全乱視の結

果から判断する．角膜乱視では，同心円のリング照明（Placidoリング）を角膜に投影して生じたMeyer像を用いて，角膜曲率半径や角膜屈折力を測定するオートケラトメータや，角膜トポグラフィなどの角膜形状解析装置によって角膜乱視の度数を測定できる．全乱視は，オートレフラクトメータによる他覚的屈折検査や，放射線乱視表によるレンズ交換法やクロスシリンダー法などの自覚屈折検査で測定される．

角膜不正乱視の詳細な解析には角膜トポグラフィが使用される．角膜トポグラファーは，「フォトケラトスコープ，Placido式角膜トポグラファー（ビデオケラトスコープ）」「スリットスキャン式角膜トポグラファー」および「前眼部光干渉断層計式角膜トポグラファー」に分類することができ，角膜屈折力の分布をカラーコードマップとして表示する．

また不正乱視は波面センサーにより，高次収差として定量的，定性的に評価することができる．

治療　正乱視には，円柱レンズによる眼鏡，ハードコンタクトレンズ，あるいはソフトのトーリックコンタクトレンズを装用させる．眼鏡やコンタクトレンズの装用が困難な場合には屈折矯正手術も選択肢となり，白内障手術時に角膜乱視がある場合には，トーリック眼内レンズの適応となる．

角膜の不正乱視は，通常ハードコンタクトレンズで矯正するが，ハードコンタクトレンズによる矯正が困難となる症例では，全層角膜移植や深層表層角膜移植が必要となる．また，エキシマレーザーによる外科的治療で不正乱視の軽減も可能である．

乱視度数が大きい正乱視の場合，眼鏡で矯正すると経線間の網膜像の倍率が異なり，網膜像の歪みが問題となるため，乱視度は2D以内に収めることが望ましい．それより強い乱視成分は等価球面度数で矯正するほうが，空間知覚を崩さず視力をある程度維持でき，これらの影響は眼鏡よりもコンタクトレンズや屈折矯正手術，IOLでの矯正のほうが少なくなる．

老視

Presbyopia

常吉由佳里　国立病院機構埼玉病院

概念　加齢に伴って進行する調節障害を指す．

病態　近見反応により毛様体筋が収縮して毛様小帯による水晶体への牽引がゆるむと，水晶体が自らの弾性によって形状変化を起こし，前後方向の厚みが増して焦点が近方に移動する．加齢に伴い水晶体の弾性が低下すると，このような焦点の変化が起こらなくなるために老視となる．

症状　遠方矯正下近方視力が低下する．45歳頃から症状を自覚し始めることが多い．

診断　近年の老視治療の進歩に伴って，治療効果の評価のためにも確立された診断基準が求められているが，今のところ広くコンセンサスの得られたものは存在しない．日本の老眼研究会によれば，老視は医学的老視と臨床的老視に分けて定義される．調節が減退する他の疾患を有さず，矯正視力が1.0以上の眼において，片眼完全遠方矯正下で，アコモドメータなどで測定した調節幅が2.5D未満であれば医学的老

視である．アコモドメータによる測定ができない場合には，簡便法として 40 cm 視力 0.4 未満を基準として用いる．臨床的老視は，常用の眼鏡など，日常的な両眼生活視力の下で近見視力障害があり，40 cm 視力が 0.4 未満のものと定義されている．

治療 非観血的な治療としては，近用眼鏡や遠近両用眼鏡が最も一般的だが，近年では多焦点コンタクトレンズも普及してきている．また，白内障手術に用いる多焦点眼内レンズの光学的性能が向上したことにより，多焦点眼内レンズを使用した白内障手術が老視治療としての役割もはたす場合がある．そのほかにも観血的治療として，角膜に多焦点性をもたせる老視 LASIK や角膜インレイ，ピンホール効果により焦点深度を増大させる角膜インレイなどがある．薬物治療については，縮瞳により収差を低減することで焦点深度を拡張し，近方視力を向上させる，というコンセプトで，縮瞳薬をベースにした老視用の点眼薬が研究開発されており，近い将来に普及する可能性がある．さらに，水晶体の弾性そのものを回復させて老視を治療する点眼薬も治験段階のものがあり，将来的に実用化される可能性がある．

術後乱視および不正乱視の矯正方法

Correction of postoperative astigmatism and irregular astigmatism

神谷和孝　北里大学医療衛生学部・教授

概念 乱視とは，経線の方向によって遠方からの光が結像する位置が異なる状態を指し，正乱視と不正乱視に分類される．焦点を結ぶ位置が離れるほど，乱視が強くなり，正乱視に対する矯正として，円柱レンズの眼鏡やコンタクトレンズを装用する．不正乱視は，眼鏡では矯正できないような目の歪みであり，LASIK 後，円錐角膜，外傷後に生じることが多く，ハードコンタクトレンズの装用が有用である．

診断 乱視度数は，通常オートレフラクトメータ・ケラトメータで測定可能であるが，不正乱視の有無は波面センサーや角膜形状解析装置がないと判断が難しい．白内障術後の乱視は，水晶体が摘出されているため，そのほとんどが角膜乱視である．角膜乱視と屈折乱視が大きく異なる症例では，挿入されている眼内レンズの固定位置に問題がないか，トーリック眼内レンズが挿入されていて屈折乱視が軽減しているのではないかを確認する．角膜移植後や LASIK 後の乱視は不正乱視を伴い，複雑な場合が多い．ケラトメータの数値のみで判断するのではなく，波面センサーや角膜形状解析を用いて，不正乱視の有無を確認することが重要である．

治療

■**保存的治療**　一般的に眼鏡やコンタクトレンズで矯正が可能である．眼鏡やソフト

コンタクトレンズは正乱視成分のみの矯正となり、乱視が強い症例では矯正困難となる。その一方、ハードコンタクトレンズ（HCL）は、不正乱視や強い乱視に対しても矯正可能であり、眼鏡やソフトコンタクトレンズで矯正できない症例にも適応となる。その一方、もともと外傷後や円錐角膜など形状不正が強いとフィッティング不良となることや高齢者では装用困難となって脱落することも少なくない。

■**外科的治療** 白内障の術後乱視の外科的な治療については、エキシマレーザー、フェムトセカンドレーザー、輪部減張切開、ピギーバック、軸ずれ補正（トーリック眼内レンズ）、抜糸などが考えられる。詳細については第7章水晶体疾患「白内障術後乱視」項（⇒533頁）を参照されたい。本項では、不正乱視の治療を中心に概説する。

不正乱視の治療としては、HCLの装用が一般的であるが、HCLが装用困難である場合、外科的な治療を考慮することになる。しかしながら、外科的な治療で根治することはきわめて困難であり、不正乱視を少しでも軽減することが目標となる。

❶ **wavefront-guided LASIK** 従来のLASIKは、近視・遠視・正乱視、いわゆる2次収差に対する矯正であったが、波面センサーの導入により、3次以降の高次収差、いわゆる眼鏡で矯正できない不正乱視にあたる部分が計測可能となり、それをもとに高次収差を含めた屈折矯正を行うのがwavefront-guided LASIKである。理論的には、不正乱視をゼロにする治療であるが、実際にはそこまでの効果はない。正常眼ではもともと不正乱視が少ないので、軽減する効果はほぼないが、特に術前不正乱視が大きい症例では、不正乱視を軽減する一定の効果を有する。同様のカスタマイズ照射として、wavefront-optimized LASIKやtopography-guided LASIKなどあり、手術原理や照射パターンなどは異なるものの、ほぼ同様の効果を有する。

予後 角膜手術による乱視矯正は、長期にわたって矯正効果が減弱することがある。加齢に伴い、倒乱視化する傾向にあり、特に倒乱視例では、再手術が必要となる場合がある。wavefront-guided LASIKで追加照射を行う場合は、残存角膜厚に注意する。

調節障害
Accommodative dysfunction

森本 壮 大阪大学・准教授

概念 調節障害とは、年相応の調節力の低下（老視）に比べてさらに調節力が低下している状態であり、近見視力低下、ぼやけ、頭痛、眼精疲労などの症状をきたす。長時間の近業作業、外傷、糖尿病、薬物などさまざまな原因によって生じる。

調節障害は、症状や程度によって以下のような5つの病態に分類される。

❶**調節不全（accommodative insufficiency）**
調節力が年齢相当の調節力よりも低下している状態。これは、老眼による正常な調節機能の低下とは別で、調節障害のなかで最も多い。症状には、近見時でのぼやけ、眼精疲労、頭痛、複視などで、近業作業に関連しており、症状は長期にわたって続く。

❷**調節衰弱（ill-sustained accommodation）**
正常な調節の振幅が時間の経過とともに悪

正面　　　　　　　　　　　　　　　　　調節痙攣

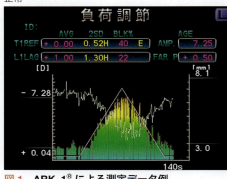
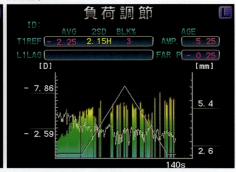

図1 ARK-1® による測定データ例

化することを特徴とする．患者が最初に正常な調節力をもっていたとしても，調節を繰り返すことで調節力が減弱する．調節不全の初期段階ともいわれる．

❸ **調節遅動**(accommodative infacility)　"調節の始動(infacility)の障害"で調節力はあるが，調節刺激と弛緩の両方において，調節反応がゆっくりと変化するのが特徴である．症状は調節不全と同じであるが，近くから遠く，または遠くから近くを見るときに断続的にぼやけて見える．

❹ **調節麻痺**(paralysis of accommodation)　片眼または両眼の調節が麻痺している状態で，いかなる調節刺激にも反応しない．感染症，外傷，中毒，糖尿病などの器質的な疾患と交感神経刺激薬などの薬剤に関連していることが多い．

❺ **調節けいれん**(spasm of accommodation)　調節刺激を超えて調節反応が起こっている状態で，過剰調節(近視化)，輻湊過多，極度の縮瞳を伴うことがある．近見や遠見でのぼやけ，近視化，頭痛，眼精疲労などを引き起こす．

　"調節けいれん"は，"調節過剰"と同義に使われることがあるが，調節過剰は，調節けいれんより穏やかな状態である．心因性と関連している場合も多い．

　診断　問診(近見障害の有無など)，視力検査(遠見，近見)，屈折検査，調節検査などによって診断する．屈折値や瞳孔径を経時的に測定できる機器〔ニデックのオートレフケラトメータ ARK-1®(図1)など〕は診断に有用である．

　治療　原疾患があれば原疾患の治療を行う．屈折異常が未矯正の場合は眼鏡処方を行う．薬物治療として，調節麻痺点眼薬やビタミンB製剤の内服などがある．また，近業作業の軽減やストレスの軽減など環境の改善も行う．調節麻痺や調節けいれんは治療に抵抗性である場合が多い．

不等像視

Aniseikonia

森本 壮　大阪大学・准教授

　概念　両眼の間で物を見たとき，各眼

で知覚される像の大きさや形が違う状態．

左右眼の像の大きさの差が5％を超える不等像視は，両眼融像の障害を起こし，それによって，頭痛，めまい，方向感覚の喪失，眼精疲労，複視，読書困難などの症状がみられる．

不等像視は，原因によって以下に分類される．

❶光学的不等像視（optical aniseikonia） 角膜，水晶体，眼軸長など左右眼で差があることで両眼の屈折異常の差が生じる場合と，屈折矯正手術，白内障手術などによって両眼の屈折異常の差が生じることによって2次的に生じる場合がある．

❷網膜起因性不等像視（retinally induced aniseikonia） 網膜の圧迫，引き伸ばし，または損傷により，網膜が非対称となり，視細胞の間隔が変化することによって，同じ物理的サイズの網膜像が異なる数の視細胞でとらえられ，結果として知覚される像のサイズや形状が変化する．網膜に起因する不等像視の原因には，黄斑上膜，黄斑浮腫，軸性近視，網膜剝離，黄斑円孔などがある．黄斑収縮を引き起こす網膜上膜は，視細胞を圧縮して密着させるため，同じ角度の網膜像でも，より多くの視細胞を刺激するようになり，その結果，巨視症（像が通常よりも大きく見える）が生じ，強度近視，黄斑浮腫のように，視細胞が広い範囲に広がっている場合には，同じ網膜画像でも刺激する視細胞の数が少なくなる（小視症）が生じる．網膜に生じる不等像視は，両眼の像の大きさの全体的な違いと，像の形の局所的な歪みの両方から生じ，重篤な症状を呈する．

診断 患者の自覚症状，不同視の有無，眼底疾患の有無などで診断は可能である．不等像視の程度を評価するために，以下の4つの検査が用いられる．

■不等像視の検査

❶ Pola test 偏光眼鏡を使用して両眼視を分離し，互いに向き合ったコの字型の図形を見せて大きさを比較する方法．

❷大型弱視鏡 種々の図形が考案されており，それらを用いて不等像視を測定することができる．

❸位相差ハプロスコープ（phase difference haploscope） 日常視に類似した環境において，左右各眼の像を分離することにより，不等像視を測定する．装置が大きいため，検査が可能な施設が限られる．

❹ new aniseikonia test 右側に緑色，左側に赤色の一対の半月図形で，赤の半月に比べ，緑の半月の大きさを1％から24％まで大小変化させた図形が表になっており，赤緑眼鏡をかけてこれらの半月図形を見せ，両半月が同じ大きさに見えた番号の数字が不等像視の値を示す．

治療 黄斑上膜や黄斑浮腫など原疾患のある場合は，原疾患の治療を行う．不同視が原因の不等像視に対しては，屈折矯正のためにコンタクトレンズを処方する．眼鏡で矯正を行う場合，ベースカーブ，中心部の厚み，頂点距離，屈折率を調整して網膜像の大きさを調整する．そのほかプリズムレンズ処方やマイナス負荷コンタクトレンズとそれを補うレンズ度数の眼鏡の組み合わせによって，網膜像の大きさを調整する方法もある．

調節微動の高周波成分から眼精疲労・調節異常を視覚的にとらえる、
調節機能・屈折測定 一体型検査機器

オートレフラクトメータ
ACOMOREF 2

オートレフラクトケラトメータ
ACOMOREF 2
K-model

グラフの色と傾きにより、患者様の眼の状態を「見える化」します。

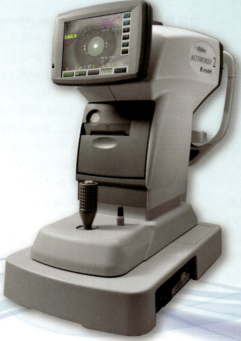

正常眼

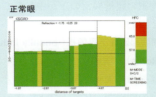

調節緊張症を伴う老視

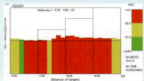

調節緊張症

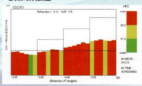

※グラフ：カタログ抜粋。

製造販売元
株式会社ライト製作所
住所：東京都板橋区前野町 1-47-3
TEL：03-3960-2275　FAX：03-3960-2285
HP：http://www.righton-oph.com/jp/

国内総代理店(眼科市場)
株式会社　JFC セールスプラン
住所：東京都文京区本郷 4 丁目 3 番 4 号
　　　明治安田生命本郷ビル
TEL：03-5684-8531　FAX：03-5684-8840
HP：https://www.jfcsp.co.jp/index.html

21 眼精疲労，不定愁訴，心因性眼疾患

眼精疲労
Asthenopia

石川 均　北里大学医療衛生学部・教授

概念　眼精疲労とは，物を見ているだけで目の疲れや痛み，かすみを感じ，頭痛，嘔気，時に嘔吐などを伴う一連の不定症候群を指してよぶ．単なる「疲れ目」とは異なり，休息にて症状が回復しないなど，重篤な状態で器質的，機能的な眼，全身の異常によって生じる．加えて症状発現に際し生活環境，精神的要因なども大きく関与し，診断には注意が必要である．

原因

❶**屈折異常，不適正眼鏡装用**　近視，遠視，乱視をはじめとする屈折異常が原因で眼精疲労を生じることが最も多い．さらに左右の屈折が異なる不同視は，当然眼精疲労の原因となりうる．未矯正の状態で眼を細めたり，不適正な屈折矯正では調節緊張や調節けいれん，逆に調節不全や調節麻痺を生じる可能性もある．これらの調節異常は眼精疲労の大きな原因でもあり，負のスパイラルへと進行する．さらに不適正な屈折矯正は眼位異常を生じることもある．また左右の屈折差が大きく不同視が強い場合は不等像視を生じるので注意したい．

❷**眼位異常**　斜位，斜視ともに眼位異常は眼精疲労の大きな原因である．潜在的に存在する程度で角度の小さい斜位では気づかれないことも少なくない．眼位異常が存在すると複視を自覚することもあり，正位を維持するために頭痛や肩こり時に嘔気を生じることがある．間欠性外斜視，調節性内斜視など治療可能なものも多い．

❸**その他の眼科的疾患**　角結膜疾患，白内障，緑内障などの視力低下，視野異常を生ずる疾患は眼精疲労の原因となりうる．特にドライアイは眼精疲労の原因でもあり，眼精疲労の随伴症状でもあるため症状が悪化することが多い．

❹**眼科手術後眼精疲労**　昨今眼科手術は進歩し，特に白内障手術は屈折矯正の意味もあり著しく増加している．ところが術後眼精疲労を訴える者は少なくない．術前に片眼のみを診察し，眼位や眼球運動，立体視を考慮しない，もしくは患者の生活環境を考慮せず眼内レンズを選択すると生じやすい．時に眼内レンズの交換を余儀なくされることもある．

❺**全身疾患・薬物**　眼科的異常を生じる全身疾患は多いがSjögren症候群，リウマチなどの自己免疫性疾患はドライアイを生じることも多く，眼精疲労の原因となりうる．甲状腺機能亢進症も眼精疲労の原因として重要である．また向精神薬，抗ヒスタミン薬など調節機能を減弱させる薬物は多く，服薬は必ず確認すべきである．

❻**環境要因**　近年のスマートフォン，VDT(IT)作業時間の増加は眼精疲労を加速させる(⇒ 1057頁，「VDT症候群」項を参照)．さらにVDT機器の設置場所，設置条件な

表1 眼精疲労の原因

1. 眼科的要因
   ① 屈折異常(遠視,乱視,不同視,不適正な眼鏡矯正)
   ② 眼位異常(斜視,斜位)
   ③ 調節異常(老視,調節けいれん,調節衰弱)
   ④ 眼科疾患(角結膜疾患,緑内障,白内障,眼底疾患など)
2. 全身的要因
   ① 消化器,心,血管障害など内科的要因
   ② 貧血を代表とする血液疾患
   ③ 甲状腺機能障害など内分泌異常
   ④ 脳,頸部,神経疾患(含む外傷)
   ⑤ 副鼻腔疾患を代表とする耳鼻科的疾患
   ⑥ うつ,不眠などを代表とする心因的,精神的疾患
   ⑦ 薬剤の副作用
   ⑧ その他
3. 環境的要因
   ① 物理的刺激(騒音など)
   ② 化学物質過敏症(ガス,有機溶剤など)
   ③ 家庭,通勤,職場におけるストレス

ども重要である.近年では,閉め切った室内でコンピュータを使って作業することにより,機器内より発生する化学物質,電磁波,また室内のホルムアルデヒドにより身体が過敏となる,シックハウス症候群も眼精疲労を悪化させる要因と考えられている.職場,家庭のストレスなども重要な因子の1つになりうるので注意が必要である.

原因の一覧を表1にまとめた.

症状

❶眼症状 かすみ,ピントのぼやけ,眼の表面・奥の痛み,重い感じ,羞明,乾燥感など多彩.さらに重症化すると瞼が開かない眼瞼けいれんを生じることもある.

❷眼外症状 頭痛,肩こり,嘔気など.

検査・診断 眼精疲労の診断で最も重要なのは詳細な病歴聴取である.診断を確実なものにするためには以下の検査を施行する.

遠近視力検査,調節検査,眼位検査,立体視検査,ドライアイに対する検査が必須.屈折検査はオートレフラクトメータなどを用いた他覚的屈折検査のみならず,自覚的屈折値も測定する.必要であればシクロペントラート塩酸塩(サイプレジン®)点眼による屈折検査も必要である.その後,細隙灯顕微鏡検査,眼底精査と一般眼科的な診察を行う.

治療 適正な眼鏡を使用することがまず治療の基本である.また不同視が大きい場合は眼鏡よりもコンタクトレンズを用いるほうが不等像視に対して効果的である.昨今,屈折矯正手術が大変進歩したので,手術による屈折矯正も考慮すべきである.また50歳を過ぎ,老視が進行すると,紙面のみならずコンピュータ画面上にもピントが合いにくくなるため中間距離での眼鏡も必要となる.白内障術後も各々の希望に合った距離の眼鏡装用を指導する.

眼位の異常は10プリズム程度で軽度のものであればプリズム眼鏡を使用する.角度の大きな顕性の眼位異常では手術が必要となる.特に垂直の眼位異常は角度が小さくとも,融像域が狭いので眼精疲労を生じやすく,治療を考慮すべきである.眼内レンズ挿入眼の眼精疲労は個人の訴えに準じ眼鏡装用を指導するが,挿入したレンズの交換が必要なこともある.さらに近年,ボツリヌス注射が斜視治療に認可され選択肢の1つとなりうる.

保湿剤の点眼,眼周囲の温熱療法は若干ではあるが調節機能を改善し,近方視力の改善が望める.マイボーム腺梗塞に対しても効果があり勧められる.特にVDT作業中は瞬目が減少し,機能的なドライアイを生じるので効果的である.またVDT作

業，読み，書きをはじめとした近方作業後は，適度に体を動かすことも必要である．適度な運動とは軽く汗が出る程度と考えられるが，不可能な場合は体のストレッチだけでも行うほうがよい．「休憩中はスマートフォン」という悪循環は断つべきである．

また身体に全身の器質的疾患が存在するときは当然，原疾患の治療を行うべきである．原因により異なるが眼精疲労に対する点眼，薬物治療の効果は不安定であまり有効ではない．

VDT症候群
Visual display terminals syndrome

石川 均　北里大学医療衛生学部・教授

概念　スマートフォン，コンピュータディスプレイ，テレビゲームなどを長時間，悪条件下で行うことにより，視覚系（眼）を中心とし身体的，精神的なさまざまな症状が出現するものをVDT（visual display terminals）症候群とよぶ．以前，このVDT作業による眼精疲労は一部のオフィスワーカー（VDT作業者）に限られていた．しかし近年のIT（情報技術）の進歩により，本疾患は急激に増加し，その名称もテクノストレス眼症，IT眼症ともよばれ変化してきた．さらに近年のスマートフォンの全世界的な使用増加，3Dテレビの普及により，本症はますます幅広い年齢層に増加する傾向にあると考えられ，スマートフォン過剰使用に伴う，いわゆるスマホ内斜視の増加は社会問題ともなってきている．

VDT症候群の自覚症状は，眼の疲れ，痛み，乾き，かすみ，さらに頸肩腕部や手指のこり，腰痛，だるさ，手足のしびれ，月経異常などであり，精神的症状として不眠，うつなど多彩である．他覚的にはVDT業務中は瞬目（まばたき）の減少が明らかで，オフィスの乾燥も相まって機能的なドライアイを生じ，作業後はむしろ代償性に瞬目の増加をみる．また近見反応（調節，縮瞳，輻湊）は近方視時に3者同時に誘発されるが，VDT作業後はこの共同性が崩れ，3要素の同時誘発に不一致が生じる．上述の眼症状は屈折異常（近視，遠視，乱視）や調節異常（老視），眼位異常（斜視，斜位）が存在するとさらに悪化する．機器から発生する電磁波により角膜障害が発生するとの報告もある．一方ではコンピュータ機器などから発生する化学物質の影響も加わり，症状の複雑性を生むものと考えられている．さらに3Dテレビ視聴時はピント合わせ（調節）の位置は画面上にあるものの，輻湊点（視線）がスクリーン上からずれることにより，浮き上がり感や奥行き感を生じるが，このような現実には存在しない状態が継続することで自律神経系を中心としたさまざまな症状が今後，出現してくるものと考えられる．

厚生労働省においても「情報機器作業における労働衛生管理のためのガイドライン」を詳細に定めて，使用者に対して，労働者の健康管理に配慮するよう求めているので参考にされたい．

検査　問診では仕事の環境やコンピュータ，スマートフォンの使用時間，眼症状以外，不眠などの精神的状態，向精神薬，抗アレルギー薬などを中心とした薬物の服用状態なども詳細に確認すべきである．

❶**屈折検査・視力検査** 正確な屈折値を測定し，適正な眼鏡を処方，装用すべきである．当然視力は遠方，近方視力，両眼開放視力，コンピュータ画面に合わせた中間距離の視力が必要である．また特に症状が重いときはシクロペントラート塩酸塩（サイプレジン®）点眼による測定が勧められる．

❷**眼位検査** prism cover test による遠方，近方の眼位を正確に知るべきである．特に40歳を過ぎると輻湊不全型外斜視（位）や老視の矯正に伴う眼位異常が出現しやすい．一方，若年者での調節因子が関与した内斜視（位）は眼症状のみならず，頭痛，肩こりの原因となるため重要である．当然，角結膜疾患，白内障，緑内障をはじめとした眼科的疾患の有無は確認する．

治療

■**作業環境の改善** 薬物治療を考慮する前に，まずオフィス（作業）環境を整えるべきである．

- 1時間ごとに10〜15分の休憩を入れ，休憩中はなるべく遠くを見るなどに努め，適度に体を動かしたり，ほぐしたりする．
- 通常，眼とスマートフォン，コンピュータの距離は40〜70 cmとする．
- 直射日光を避け，室内の照明は十分に明るくする．視線はやや下向きになるように画面位置を設定する．画面にフィルタなどの反射防止材を貼るものもよい．
- 冷暖房の風は直接当たらないよう，さらに換気に注意する．

■**眼科的治療**

❶**屈折異常の矯正** 屈折異常（近視，遠視，乱視）を適切に矯正する．また調節異常に関して特に40歳以降の老視年齢では，スマートフォン，コンピュータ画面への中間距離用眼鏡が必要である．斜位や斜視などの眼位異常が存在する場合は眼鏡へのプリズム挿入，角度の大きいものに対しては斜視手術も考慮すべきである．

❷**薬物治療**

a. 人工涙液点眼薬

> 処方例
> ソフトサンティア点眼液　1日5〜6回　点眼　保外　一般用医薬品

b. 保湿点眼薬

> 処方例　下記を併用する．
> ヒアレイン点眼液（0.1%）　1日5〜6回　点眼
> ムコスタ点眼液 UD（2%）またはジクアス点眼液（3%）　1日5〜6回　点眼

c. 調節けいれん治療点眼薬 VDT作業後の毛様体筋の過緊張をとるための薬物で，副交感神経遮断薬を点眼し，毛様体筋を弛緩させて緊張をとる．同時に瞳孔も散大するため就寝前に点眼する．

> 処方例
> ミドリンM点眼液（0.4%）　1日1回　点眼　就寝前

d. 眼精疲労治療点眼薬

> 処方例
> サンコバ点眼液（0.02%）　1日3〜5回　点眼

■**筋骨格系の治療** 机，椅子，画面の配置の問題を検討，改善する．軽度の体操，散歩，ストレッチの指導，さらに症状が進んだものには温熱療法，湿布の処方などを行う．改善がみられないときには整形外科医など専門医との連携をとる．

■**精神的問題の治療** カウンセリングや，症状に応じて抗不安薬，抗うつ薬，睡眠薬などの処方を専門医と連携し，考慮する．

おわりに

VDT症候群の診断は，除

外診断が中心となる．そのため基礎疾患やほかの眼科的また全身疾患の発見に努める．最終的に症状が強い者には，当面の間は作業を制限させ，重症の場合は離脱も考慮する．

不定愁訴
Unidentified complaints of the eye

若倉雅登　井上眼科病院・名誉院長

概念　眼の不定愁訴とは，①訴えが具体性に乏しく，しばしば形容的，感覚的な表現である，②訴えが多岐にわたり，しばしば焦点がしぼりにくい，③愁訴に対応した器質的疾患を連想しくい，などの特徴のある患者の訴えで，例を挙げると，「かすむ」「目が疲れる」「眩しい」「しょぼしょぼする」「眼が痛い」「鬱陶しい」「重い」「不快だ」など表現は多彩である．ほかに，視力低下を訴えるが，測定された視力は正常，異物感を訴えるが異物は証明されないなど，患者の訴えに対応する所見が得られないものを筆者は「不明愁訴」と呼称することがある．ここでは「不定愁訴」だけを扱う．

病態　不定愁訴には，必ず説明できる眼科的，神経眼科的所見があるはずだが，不定愁訴に特有の病態が存在するわけではない．愁訴は，多くの場合，①視器の不調，②視覚環境の不適，③心理的不具合の3要素が個人の受忍範囲を超えたときに出現するものと考察している．

症状　ここでは，よく遭遇する眼の不定愁訴として，①かすむ，②疲れる，③眩しい，④しょぼしょぼする（眼の乾燥感や不快感），⑤眼痛，の5つについて取り上げる．

診断

❶**かすむ**　屈折検査，視力，近方視力などで調節，屈折の問題をまず解決し，そのうえで，「かすむ」の原因が眼球（前眼部，中間透光体，眼底）にないか調べる．「かすむ」が実は両眼視機能異常の表現のこともある．以上に当てはまらない場合，輻湊開散，調節，散瞳縮瞳の対応の崩れ，視覚認知の問題など，高次脳機能についても考察する．神経系に作用する薬物が関与する例は少なくなく，特にわが国で睡眠導入薬などとして多用されるベンゾジアゼピン系薬物の副作用には注意したい．

❷**疲れる**　調節屈折の問題や，視器の異常があれば当然疲れるので，眼科医としてはまずそこを検討する．次に眼位，眼球運動，両眼視についても調べる．以上でほとんどの「疲れる」は解決するが，視覚環境の問題，精神疾患（身体症状症，うつ病などや薬物）の影響が隠されていることもある．

❸**眩しい**　羞明は「弱い光でも強く感じてしまう」という心理物理的表現とは限らず，むしろ「痛み」との境界が難しい光過敏，感覚過敏である．角膜から網膜まであらゆる視器の異常で羞明を感じる可能性があるが，白内障など多くの場合は常時羞明を感じることはなく，ある環境的条件で生じる間欠的感覚である．恒常的な高度の羞明は，中枢性羞明である可能性が高く，光を発するもの（画面，照明）を見続けると増強し，身体症状さえ出現することもある．統合失調症，パニック障害，向精神薬服用，眼瞼けいれん，脳脊髄液減少症，小雪（visual snow）症候群などで生じ，視覚関連

高次脳機能障害と解釈できる．

❹しょぼしょぼする　これも雑多な感覚が含まれる．角結膜疾患や，涙液の減少や増加に関する自覚症状であることも少なくない．結膜弛緩症が原因になる場合もあるという．眼瞼けいれんでは多い愁訴の１つである．

❺眼痛　角膜潰瘍など眼表面の異常や高眼圧，眼内の炎症によって惹起されているものは，視診などで把握できる．また，眼精疲労の一症状として眼痛が出現することもある．さらに，三叉神経第１枝の神経刺激症状のこともある．羞明と同様に，眼球自体に異常はないのに，眼球の侵害受容器から三叉神経を経て視床へ投射される経路を介した刺激が疼痛に結びつく例がある（眼球の一過性刺痛など）．眼瞼けいれんや身体症状症もここに属する．非眼球性の疼痛は，中枢性羞明とともに領域のまたがるところで病名や解釈に十分統一性がない．すなわち筆者は眼球使用困難症候群と呼称しているが，中枢性感作症候群，大脳過敏性症候群，視床下部症候群，視覚関連高次脳機能障害など関連する用語があり，視覚系以外の慢性疼痛など感覚過敏が合併しうる．これらの症状を一種の視覚障害ととらえられるのは眼科領域だけなので眼科医は関心をもつべきである．

治療　すべて，調節屈折に対する適切な矯正，眼球に存在しうる原因疾患についての診断，治療が適正になされていることを前提とする．また，各症状の推定されるメカニズムや医学的治療の限界を患者に理解させることは，大変重要である．

❶かすむ　斜位に対して斜位角の半分またはそれ以下のプリズムの治療で改善することがある．高次脳機能障害が推定される場合，自然回復を待つしかない．

❷疲れる　薬物よりも，休息を適切にとることが有効．温罨法も応用される．

❸眩しい　自覚症状に応じた遮光眼鏡の処方が重要．神経系薬物の減量，眼瞼けいれんの場合はボツリヌス毒素治療が一時的，限定的ではあるが改善させることもある．失明に近い状態の症例で羞明を強く訴える例では，次の処方が一過性の改善を促すことがあるが，漫然とは用いない．

処方例
リボトリール錠(0.5 mg)　1〜3錠　分1〜3　食後　保外 効能・効果　ただし，長期投与を避ける

❹しょぼしょぼする　ドライアイを伴っている場合は次の処方がよい．ただし，3か月継続して無効または悪化なら，眼瞼けいれんの存在を強く疑い，専門家に依頼すべきである．

処方例
ムコスタ点眼液 UD(2%)　1日4回　点眼

かすみ感，眼部不快感，また❺の眼痛が睡眠導入薬など神経系薬物の連用が引き金になっていることがある．その場合，ベンゾジアゼピン系やGABA$_A$受容体に作動する薬物の減量，変更が奏効する．筆者は次の睡眠導入薬に変更してもらっている．

処方例　処方中の睡眠導入薬，神経系薬を，下記のいずれかに変更する．
1) ロゼレム錠(8 mg)　1錠　分1　就寝前
2) ベルソムラ錠(成人：20 mg，高齢者：15 mg)もしくはデエビゴ錠(5 mg)　1錠　分1　就寝前

❺眼痛　眼瞼けいれんがあればそれに対する治療を優先する．薬物が原因と推定されれば，減量，変更，中止とする．疼痛性障害では，以下のように，SSRI(selective serotonin reuptake inhibitor)やSNRI(serotonin-noradrenalin reuptake inhibitor)が有効なことがある．いずれも初期に若干の副作用が出やすいので，処方時の説明が重要．

処方例 症例により下記を試みる．

> サインバルタカプセル(20 mg) 1カプセル 分1ではじめ，副作用などの経過をみながら2，3週以内に2カプセル 分2とするのが原則．効果は通常2〜3週以降に出現してくる

予後 不定愁訴は，原因疾患が見つかり適切に対応されれば，半数近くは改善する．しかし，特に眼瞼けいれん，精神疾患，神経系薬物が関与している場合は，愁訴がなかなか改善しない場合が多い．眼球，視覚は高度かつ精密な感覚系であり，その不調は日常生活の不都合に直結するため，愁訴は強く，執拗になりやすい．原因が推定された場合だけでなく不明の場合も，粘り強く症状出現のメカニズムに迫り，かつ患者にそれを理解させ，愁訴を軽減させることが先決である．羞明，眼痛治療は未確立だが，疼痛専門家の協力が得られるとよい．

心因性視覚障害
Psychogenic visual disturbance

大出尚郎　幕張おおで眼科・院長

総説 心理的なストレスが誘因となり視力低下や視野狭窄などの視機能障害をきたす疾患である．心因性視覚障害は，眼心身症と転換性視覚障害(ヒステリー)に大別される．原則として原因となる器質的な疾患を認めない．診断を進めていく過程において，自覚的検査結果と他覚的検査結果に乖離や矛盾を認めることがある．誘因となる心因を明らかにすることは治療を考えるうえで重要で，問診は本人のみならず家族にも個別に行うとよい．眼心身症では明らかな誘因が認められない場合もある．

詐病は，自ら見えているのがわかっていながら「見えない」と虚偽の申告をする場合で，本人にとって何らかの利得が認められる．心因性視覚障害とは厳密に区別しなければならない．両者の鑑別は時として容易でない場合があるので注意を要する．

1 眼心身症

概念　「心理社会的な要因が視機能障害の原因として密接な関連のある病態」と定義される．

具体的には学童期(特に小学校3〜4年)の女児に多い．思春期に入る前の心理的，精神的に不安定な時期に，家庭環境の変化や学校環境の変化があって心理的なストレスを感じると，身体症状として視力低下や視野狭窄を示す．明らかな誘因が特定できない場合もある．視力障害を自覚しているケースより，学校健診などで指摘され，親とともに受診するケースが多い．あくまでも前眼部，中間透光体，眼底および視路に視機能障害を説明できる器質的な疾患が除外されていることが前提．予後は比較的良好である．

成人発症の多くは転換性視覚障害(ヒステリー)で，眼心身症はまれ．

誘因　家庭環境に起因するものと学校環境に起因するものとで7割を占める．原因の特定ができないものが1〜2割程度，その他の原因が1割程度．背景とな

る誘因の解決は心因性視覚障害の治療を行ううえで重要な要素となるため、十分に時間をかけて問診を行い、できる限り明らかにするように努めることは大切である．しかしながら思いもよらないささいなことがきっかけとなっていることもあり，その結果，誘因が特定できないものもある．

❶家庭環境に起因するもの 塾やピアノなどの習い事が誘因となっているもの，弟や妹などが生まれ親との関係の変化によるもの，離婚などによる家庭環境の変化などが誘因となる．患児は，親に対して従順であまり自己主張しない性格，いわゆる「きき わけのよい子」であることが多い．このため塾や習い事などが本人にとってストレスになっていても親にはその素振りをみせずにいることがあり，塾や習い事が患児のストレスの誘因となっていることに親が気づいていないことも多い．

❷学校環境に起因するもの いじめや転校，クラス替えや担任との関係など，さまざまである．親に頼んで学校での様子などについて担任の先生などに話を聞いてもらうとよい．

❸眼鏡願望 誘因の１つに「眼鏡願望」が知られている．小学校３〜４年生によく見受けられる．多くは学校健診にて視力低下を指摘され眼科を受診したところ，通常の視力検査では矯正しても視力が出ずに，トリック法（レンズ打ち消し法）などを行うと正常な視力が得られることがある．小学校３〜４年生ぐらいになると，クラスメイトに眼鏡をかける子が多くなってくるため，眼鏡に憧れる時期があるようだ．このような患児の親はというと「眼鏡をかけないで済む方法はないだろうか」とか「眼鏡はまだかけさせたくない」と主張する．患児は親の気持ちを察してストレートに眼鏡が欲しいとは言わないでいるのだが，これがストレスとなり，視力検査のときに視力が出ずに眼科を受診する．

ここで重要な点は，本人は原因について自覚していないし，眼鏡が欲しくて嘘をついているわけでもなく，本当に見えなくなっているということである．「眼鏡願望」では，時がたてば視力は改善することが多いのだが，ほとんど素通しだとしても眼鏡を処方することですみやかに改善する．正視である場合は，本人も結局眼鏡をかけなくても見えることに気がついて，数か月もすると眼鏡をしなくても視力が出るようになる．一種の暗示療法である．「眼鏡願望」の患児に心因性で器質的な疾患がないからといって，「眼鏡など必要ない」と作らずに様子をみていると遷延化し，レンズ打ち消し法でも視力が出なくなることがある．この場合の心因性視覚障害は，素直に眼鏡が欲しいと自己主張できない患児からの無言のメッセージと受け取り，「できれば眼鏡などかけさせたくない」という親に対して医師が患児の味方になって眼鏡を作ってあげるとよい．

心因性視覚障害の病態を理解するうえで，「眼鏡願望」は非常によいモデルといえる．つまり心因性視覚障害の本質は，患者が訴えたくても訴えることができない心の葛藤がある場合の「自分には訴えたいことがある」というメッセージととらえることができる．しかしながら，この「訴えたいこと」が何なのかを患者本人も自覚していないのである．医師は「見えない」というメッセージから，患者の本当に「訴えたいこと」を患者と一緒に探し，解決に導くことが治療に結びつくと考える．

症状 自覚症状に乏しく，学校健診などで視力低下を指摘され発見されることが多い．初診時の視力は矯正視力が両眼とも0.3以下の強い視力低下であることが多いが，両親に普段の様子を尋ねると，家ではそんなに見えていない素振りはなく，視力がそれほど低下しているとは気がつかなかったと言うこともしばしばある．問診を行うと授業中の黒板の字は見えないが，家ではテレビを普通に見ているなど，場面によって見えたり見えなかったりする．日常生活ではあまり困らないが，視力検査では視力が出ないということがしばしば見受けられる．

合併症・併発症 心因性難聴などほかの身体症状を併発することもある．

診断

■**問診** 心因性視覚障害の診断を進めていくうえで，問診はきわめて重要である．自覚症状の有無，自覚症状がある場合はいつ頃からか，視力低下を自覚したきっかけやどんな場面で見えないか，見え方の変動の有無はないかを聞く．弱視ではないことを確認するために，以前に視力が出ていたかどうかを確認することが重要．家族歴では家族構成や家庭環境なども聞いておく．

心因性視覚障害を疑ったら，本人や家族への問診を通じて原因となるような背景の有無について，さらに詳細な問診を行う．必要に応じて本人と家族とそれぞれ別々に問診を行うと，家族の前では言えないような事実や，本人の前では話しにくいような事実が明らかになることがある．

❶**本人への問診** 家庭環境や兄弟関係，塾や習い事，親子関係などについて聞く．学校関連では，友人との関係，クラブ，担任との関係，いじめなど．楽しいこと，つらいこと，頑張っていることなどについても聞くとよい．

親の前では話してくれなかったり，患児との信頼関係が築かれるまでは話してくれなかったりするので，何度も面接を行う．

❷**家族への問診** 特に両親へのインタビューはいろいろな情報を与えてくれる．まず患児の日常生活の様子や行動から視力低下に見合うものかどうか．どんなときに見えていないと感じられるか．学校環境や家庭環境の変化の有無についての情報のほかに，親のパーソナリティや患児への接し方や考え方も得ることができる．患児が習い事や塾通いをストレスに感じていても，親はそれを認識していない場合もあり，必要であれば親には心因性視覚障害の可能性について説明をし，心当たりを一緒に考えてもらうとよい．

❸**検査員からの情報** 視能訓練士など検査員に検査時の様子について聞く．検査時の態度や会話の内容，協力的であったか否かなどいろいろな情報が診断のヒントとなることがある．医師に話してくれないことを検査員には話してくれることもよくある．

心因を明らかにすることは，治療を進めていくうえで重要なファクターの1つであるが，そうした努力にもかかわらず心因を見出せないケースも多く存在する．「眼鏡願望」のように，親からみればさほど重大な要因とは思われないようなことがきっかけで心因性視覚障害となる場合もあるので，心因の特定は容易ではない．しかしながら，メディカルインタビューを行っていくうえで患児との信頼関係が築かれてくると，それだけで視力が回復してくることもあり，メディカルインタビューに時間を割くことを惜しんではならない．

■**鑑別診断** 心因性と診断され，のちにLeber遺伝性視神経症，視神経炎，頭蓋内腫瘍，良性頭蓋内圧亢進症，線維性骨異形成症，オカルト黄斑症，錐体ジストロフィ，網膜分離症，円錐角膜などの器質的な疾患が明らかになる場合がある．

これは，初診時にトリック法（レンズ打ち消し法）で視力が出た，あるいはらせん状視野であった，網膜電図（ERG）や視覚誘発電位（VEP）などの電気生理学的検査が正常であった，などが診断根拠となり経過観察されていたが，あとになって視神経萎縮が認められてきたり，ERGに異常が出てきたりして，器質的疾患の診断がつく場合などである．したがって心因性という診断を下したあとにも，視力・視野の改善が十分に得られるまでは常に器質的疾患の可能性に注意して経過観察を行うことが大切である．

検査 瞳孔反応，前眼部，中間透光体，眼底など基本的な眼科検査において，視力障害や視野障害を説明できる器質的疾患がないことを確認する．

■**視力** 初診時における視力低下は両眼性で，0.3以下の比較的高度なものが多い．さらに検査を重ねると，不安定で変動する．オートレフラクトメータなどで屈折を何度か測定すると，数ジオプトリーにわたって変動する．暗示をかけたり，レンズ打ち消し法で正常な視力が得られることもある．トロピカミド・フェニレフリン塩酸塩（ミドリン®P），シクロペントラート塩酸塩（サイプレジン®）点眼にて調節能を麻痺させ，ピンホールを用いて視力検査を行うと，安定した視力が得られることもある．OKN（optokinetic nystagmus）を利用した視力評価も有効である．

■**視野** 管状視野やらせん状視野などは本疾患に特徴的な所見である．しかしながら視野はあくまでも自覚的な検査であるので，ほかの他覚的な所見と合わせて診断を行う．

■**両眼視・立体視** 視力低下の程度から両眼視や立体視が困難と思われる症例でも，両眼視機能検査（Fly, Animal, Circleなど）を行うと正常な結果となることがある．

■**OCT検査** 視神経萎縮や網膜の形態的な異常の有無を客観的，定量的に評価するのに有用である．若年者の場合は，正常者データベースが整っていないため読影にはマップのみならず，断層写真画像と合わせて評価をする．

■**電気生理学的検査** 網膜や視神経に器質的な障害がないことを確認しておくことが重要．診断を進めていくなかで電気生理学的な検査は他覚的に機能評価を行ううえで重要である．

❶**視覚誘発電位（VEP）** 心因性視覚障害の鑑別では，視力の程度にかかわらずパターン刺激によるVEPを記録する．基本的に振幅も潜時も左右差なく正常であるが，心因性の患者は詐病と違い検査に協力的で，熱心に刺激視標を見てくれる場合が多く，結果をまとめると正常者より成績がよいことも珍しくはない．

❷**網膜電図（ERG）** オカルト黄斑症や網膜分離症の軽症例などは，検眼鏡的に網膜に異常が認められずに，心因性視覚障害と誤診されることがある．ルーチンに検査する必要はないが，状況に応じて全視野ERGや多局所ERGなどを確認する．

■**画像検査（CT，MRI）** 両眼の求心性視野狭窄で対光反射が正常な場合，両側の後頭葉病変との鑑別が必要となる．心因性視

覚障害と診断され経過観察をされているうちに，次第に視神経萎縮が認められ，画像検査の結果，頭蓋内腫瘍や線維性骨異形成症が発見されるなどの症例報告が散見される．心因性視覚障害の診断を下すに当たり，症状や経過に応じて CT や MRI などの画像検査も十分に考慮する．

治療

■ **治療方針**　心因がわかれば心因の解決，除去に努める．心因性視覚障害の患児では，親と患児との間のコミュニケーションの不足やスキンシップの不足が存在していることが多く，積極的に会話やスキンシップをもつことを指導するとよい結果が得られることがある．患者と医師や視能訓練士との関係も同様で，患者との会話を十分に重ねて信頼関係が築かれ，患者の理解者となることにより改善が得られることも多い．

患者は見えないことに対して予後も含め不安を感じていることがある．この場合はVEPやERGなどの結果を示し，眼としての機能は十分に残っているから，将来見えるようになる可能性は十分にあると説明して不安を取り除くようにする．

プラシーボ点眼や暗示用眼鏡の処方も有効な場合がある．

■ **暗示療法**　視力検査のときにレンズ打ち消し法で視力が出る場合には，暗示用眼鏡の処方が有効であることが多い．特に「眼鏡願望」は親が「わが子に眼鏡をかけさせたくない」場合に多く，親の味方をして眼鏡をかけさせないでいると症状の増悪をきたすことがあるので，患児の味方をして眼鏡を処方するとよい．暗示用の眼鏡は過矯正にならないように注意する．素通しでもよいが，暗示用の眼鏡であることを親には十分に説明をしておく．眼鏡のかけはずしは本人の自由に任せてよく，「見えるようになると自然にかけなくなる」と説明する．

■ **患児・親への対応**　暗示療法などを行う場合，心因性であることを患者本人へは明確には伝えず「検査の結果は悪い結果ではないので，しばらくすれば視力は回復してくるから心配しないでよい」ぐらいにしておく．

逆に心因性の治療には，患児の親の協力が必要であることが多いので，親には診断のついた時点で心因性視覚障害という病気について説明する．患児が嘘をついたりしているわけではないことや，心因となる背景がどこかにあるかもしれないこと，患児とのコミュニケーションが大切なこと，視力が改善するまでは経過観察が必要なことなどを十分に理解してもらうことが，治療を進めていくうえで大切である．

親とのコミュニケーションやスキンシップをはかる方法の1つに，早川による「だっこ点眼法」がある．夜寝るときに親が患児と添い寝をし，その日のことについて会話をしながら点眼を行う．

予後
予後は比較的よいとされる．しかしながら，心因の解決がなされないでいると長期化する例がある．鑑別診断に挙げたように器質的な疾患が見落とされていることもあるので，視力，視野の改善が得られるまでは必ず経過観察を行う．

2 転換性視覚障害（ヒステリー）

概念
「転換性障害（ヒステリー）」項（⇒1001頁）を参照．

誘因
諸々の心的なストレスが誘因となる．眼心身症と違い，視力低下の自覚な

どがはっきりとしており，誘因となる心的なストレスなども問診を行うと自覚されていることが多く，比較的容易に明らかになる．眼球打撲などをきっかけに発症することもあり，片眼発症もまれではない．好発年齢も小児に限らず，成人発症も認められる．

症状 視力障害などの自覚症状を自ら訴えることが多く，片眼性の場合もある．眼球打撲などをきっかけに発症し，外傷性視神経症との鑑別が重要な場合があるが，詳しく問診を行うと，受傷から数日たって視力低下を自覚したり，対光反射に異常がなかったりといったことが本症を疑うきっかけとなる．

診断 診断を進めていく手法は基本的に眼心身症と同様である．

■問診 ストレスの有無を尋ねると，心因と考えられる事象につき自覚している場合が多く，そのために気分安定薬などがすでに処方されていることもまれではない．

■鑑別診断 基本的には眼心身症と一緒であるが，外傷性視神経症や詐病なども鑑別上重要である．特に外傷性視神経症では，治療の決断を受傷直後できるだけ早期に下す必要があるため，診断に迷った場合は外傷性視神経症の治療を優先して行ってよいと筆者は考えている．

治療

■治療方針 心因の解決，除去に努める．心因がはっきりしている代わりに，その内容が眼心身症と比べ複雑な場合も多く，精神科専門医との連携が必要となることもある．最近では精神科的なアプローチを必要とする眼疾患を扱う領域を心療眼科という．

■患者への対応 転換性視覚障害(ヒステリー)の心因性視覚障害では治療を進めていくうえで，器質的疾患がないことや心因性であることなどを患者に告知したほうが効果的なことがある．心因を自覚していることが多いため，告知することにより，心因の解決に自ら取り組むようになる．

交通事故などが原因となっている場合は，心因の解決が困難な場合も少なくない．

予後 心因の解決が得られないと長期化する．特に転換性視覚障害(ヒステリー)の場合，見えないということ自体がストレスから逃避する手段となっていることがあるので，治療に抵抗することも多い．

3 詐病

概念 心因性視覚障害では見えていることが意識されていないのに対して，見えていることを明らかに自覚していながら偽りを述べるのが詐病である．心因性も詐病も器質的な疾患を有しないため，VEPなどの他覚的な検査は正常であり，両者を鑑別することは困難であるが，検査と診察を進めていくと，両者には違いが認められることがある．

診断

■心因性視覚障害との鑑別

❶行動観察 心因性の視覚障害と詐病とでは，診察や検査に対する態度の違いがある．心因性視覚障害では見えるようになりたいという気持ちが強く，検査に協力的である．詐病の場合は逆で，検査にはあまり協力的ではない．固視がキョロキョロ動いたり，落ち着きがなかったりする．結果も再現性が悪く不安定である．診察室での態度もオーバーアクションで，椅子や診察台を手探りで探したりするが，黙って診察券

を差し出すと自然に受け取ったりする．詐病の場合は演技であるから一定のパターンがあるわけではないが，視力に見合った行動かどうかはわれわれ眼科医のほうがわかっているので，詐病の疑いがあるときは静かに相手の行動を観察する．行動の矛盾を指摘することは相手に学習させることになるので，まずは黙って観察をする．

VEPなどによる他覚的検査所見と視力などの自覚的検査所見が一致しないことを説明すると，詐病では次に再検したときに刺激を見ようとしないなどの，つじつま合わせの行動をとることがある．逆に心因性ではそのようなことはなく，VEPなどの検査の再現性はよい．

詐病が疑われた症例で，診察後，病院の外に出るまでの行動を観察すると，それまで杖を突いてたどたどしく行動していたのが，病院を出た途端に杖も使わずにスムースに行動するなど，つじつまの合わない行動からわかることもある．

❷問診　眼心身症では，視力低下を自覚せず「健診などで指摘された」ということも多いが，詐病の場合は「殴られてから見えない」「交通事故後から見えない」など，病識や病歴がはっきりしていることが多い．しかしながら，転換性の心因性視覚障害では事故などをきっかけに発症することがあり，詐病との鑑別が難しいこともある．

■利得の有無と診断書の記載　理由も目的もなく嘘をつく人はいないので，詐病の場合，必ず「見えないことによる利得」が存在する．例えば保険金や慰謝料が目的であったり，身体障害者の診断書が目的であったりする．そのため多くの場合，比較的早い時期に診断書などを要求してくる．極端な場合は自覚症状を言う前に，主訴で「診断書がほしい」と要求してくる場合もある．

器質的疾患が明らかでなければ安易に診断書を書くべきではないが，何の理由もなく拒否することはできないので，このような場合，視力・視野などの自覚的所見とOCT，VEP，ERGなどの他覚的所見が一致しないことを説明し，症状の固定が判断できないこと，回復の見込みがあるため少なくとも3か月〜半年は経過をみないと診断書は書けないことを説明をする．それでも診断書を要求された場合は，自覚的な症状と他覚的な検査所見が一致しないことを明記し，因果関係の有無や予後については言及せずに"不明"とする．

心因性視覚障害では，診断書が書けるかどうかは別として治療のため通院するが，詐病の場合は，診断書の話を持ち出すまでは熱心に受診していても，いざ書いてもらえそうもないと知ると，途端に受診しなくなる．診断書が手に入らなければ時間と金の無駄であることを一番よく知っているのは，ほかならぬ本人であるからである．

ブルーライトと眼

Blue-light and eye

綾木雅彦　慶應義塾大学・特任准教授

　概念　ブルーライトは公式に定義された専門用語ではない．もともとは短波長領域の可視光線が睡眠覚醒に大きな影響があり，研究発達に伴って「青色領域の短波長光」が体内時計に深く関与しているとして1990年代頃から生物学系の学界で使われ

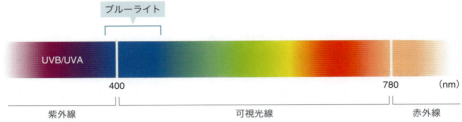

図1 可視光線の波長とブルーライト領域
(ブルーライト研究会 Web サイトから許可を得て転載)

るようになった．波長領域 400 nm 付近の可視光線であり，太陽光にも含まれる光環境の一部である(図1)．一方，短波長光の紫外線も太陽光に含まれるが，発癌性，日焼け，電気性眼炎などの毒性から人体には有害とされる．しかしブルーライト自体の危険性は低く，携帯端末に代表されるディスプレイが発するブルーライトに，いつでもどこでも誰でも曝露する環境になったことが危惧されるべきである．携帯端末は眼からの距離が近く，曝露する光エネルギーが大きく，特に年少者が夜間曝露することによる健康障害が世界的に懸念されている．また，照明光としての白熱電球や蛍光灯から，ブルーライト成分の多い LED への変更が進み，学校，職場，住宅での慢性的影響の有無も今後の課題である．

病態・症状 人体で主にブルーライトを受容するのは内因性光感受性網膜神経節細胞(intrinsically photosensitive retinal ganglion cell：ipRGC)であり，この生物学的事象が臨床症状につながる．ipRGC は緑内障で障害される細胞として知られ，RGC 全体の細胞数の 1% を占め，中心窩には存在せず，眼底全体に分布している．生物学的機能は 1990 年代に解明され始め，460 nm 付近のブルーライトに反応し，その信号は他の視細胞と異なり，視覚野以外の大脳領域にも到達し，羞明や情動などにも関連している．細胞数が少ないため ipRGC の臨床研究はほとんどなされていない．

ブルーライトは，瞳孔反応を起こす光成分であり，縮瞳作用が強く，羞明をきたす．ブルーライトは片頭痛と関連し，ipRGC がブルーライトを受容して中枢神経処理の異常および三叉神経血管系の関与を伴う神経血管性の疼痛症候群を起こす経路が動物実験で示されている．これがスマートフォンなどの携帯端末を近距離で長時間視聴したときの眼精疲労の一因と考えられる．短波長ゆえ光エネルギーが大きく，眼表面の活性酸素を増加させ，ドライアイを悪化させる．角膜水晶体に吸収されず眼底にも到達し，慢性曝露により黄斑障害が発生することが動物実験で示されている．これらのブルーライトの眼への影響はほとんどが動物実験による研究で，臨床的には電子瞳孔計，光干渉断層計，網膜電図を使用した研究が 2010 年頃から始まったばかりである．ブルーライトと黄斑変性との関連についても，2022 年 1 月時点では明確な結論には至っていない．

ブルーライトによる精神神経への影響は

重大な健康問題である．ipRGCからの信号は視交叉上核と松果体を介してメラトニン分泌を抑制している．夜間の不適切な曝露による中枢性の影響は多数の臨床実験があり，睡眠障害，うつ，情緒不安定，学業成績不良などがある．サーカディアンリズム障害にまで進行すると，発癌，代謝異常，高血圧のリスクが増加する．なお，ブルーライトの感受性には個人差があり，曝露しても自覚症状を感じない人も多い．

| 治療 | ブルーライトは体内時計の重要な調整因子であり，適切な時間帯に過剰にならない量曝露することが恒常性維持と疾患予防につながる．ディスプレイ作業がつらいと感じる人には，ブルーライトの遮光を試みる．ディスプレイの光量を下げたり，いわゆるブルーライトカット眼鏡で症状が軽減するようなら度数入りの眼鏡を処方したりする．ブルーライトを減じるソフトウェアが搭載されているディスプレイや遮光フィルムを使用してもよい．夜間にディスプレイを使用する場合には昼間のようなブルーライトの調光とともに，就寝2時間前には使用を控える．

眼疾患と Quality of life
Quality of life in eye diseases

綾木雅彦　慶應義塾大学・特任准教授

| 概念 | quality of life（QOL）は，「生活を物質的な面から量的にとらえるのではなく，個人の生き甲斐や精神的な豊かさを重視して質的に把握しようとする考え方」（広辞苑）とされ，20世紀後半頃から医療者のみならず一般にも広く知られるように

なった概念である．日本でも2003年に健康医療評価研究機構，2011年にQOL/PRO研究会が設立された．眼疾患が全身的健康，寿命，生活，人生に及ぼす影響は大きく，診断や治療の進歩に伴い，客観的所見のみで方針を決めるのではなく患者のQOLを正確に評価して診療を進めることが現代の診療現場では必須になった．

| QOLの測定と指標 | QOLの定量化は患者の主観（patient reported outcome）を記入する質問票で行われる．疾患や目的に応じた質問票が作成され，有用性が検証されている．対象者の負担を考慮し，質問文は平易な用語で構成され5〜10分程度で回答できるものが多い．国際的標準質問票では英語で作成された質問文を翻訳する手順が定められていて，日本語を含む多数の言語に翻訳されて使用されている．回答ごとに点数が割り振られ，算出された総合スコアやサブスコアを診療や統計処理に使用する．以下，実際に使用される質問票を紹介する．

SF-36®，SF-12®，SF-8™は最も代表的，一般的なQOLの指標である．質問項目は全体的健康感，身体機能，日常役割，体の痛み，活力，社会生活機能，心の健康などである．日本人の各年齢層での標準的な数値も公表されている．VFQ（visual function questionnaire）-25，VFQ-11は眼疾患に特化したQOL指標で，眼症状に関連した生活や社会活動上の制限，痛み，精神的健康などの質問がある．眼疾患や治療ごとに白内障（Catquest など），屈折矯正手術〔quality of life impact of refractive correction（QIRC）など〕，ドライアイ〔dry eye related quality of life score（DEQS），ocular surface disease index（OSDI），standard patient evaluation of eye dryness questionnaire(SPEED)など〕に特化した質問票も作成されている．

そのほか，精神心理学的指標も使用される．特に白内障や緑内障などの高齢患者に対し，認知機能をミニ・メンタル・ステート検査(Mini-Mental State Examination：MMSE)，うつ状態を HADS(Hospital Anxiety Depression Scale)，Beck うつ病調査表(Beck Depression Inventory)，うつ性自己評価尺度(self-rating Depression Scale：SDS)などで測定する．全身的健康や寿命と強く関連する指標として，Buysse らの Pittsburgh 睡眠質問票，Lyubomirsky らの主観的幸福感尺度(subjective happiness scale)も QOL 指標同様に患者の健康状態の評価にしばしば使用される．手術などの治療に対しては満足度が測定されるが，標準的な指標はなく，visual analogue scale で 0〜100 の範囲で答えることや，1(最も不満足)，2，3，4，5(最も満足)などの Likert 尺度が各臨床や研究で使用されている．

眼疾患とQOL

❶白内障患者　術前の各 QOL 指標は対照よりも不良で，眼内レンズ手術により VFQ-25，認知機能，うつ状態，主観的幸福度，睡眠の質，運動機能が改善する．手術により視力改善ならびに眼内への光入射が増加して網膜神経節細胞の光受容が改善することが，睡眠などの精神機能の改善に寄与するとされている．眼内レンズ手術の効果を QOL 指標により多角的に評価することは手術適応の決定や術後成績の評価に有用である．

❷緑内障患者　視野障害が強いとうつ傾向と転倒の恐怖が大きくなる．加齢黄斑変性はうつ傾向が強い．屈折矯正手術により QOL 指標と主観的幸福度が向上し，これらは手術満足度と関連がある．

❸強度近視　うつ傾向があり幸福度が低い．

❹ドライアイ　VFQ-25 スコア，DEQS，OSDI，SPEED スコア，睡眠指標，うつ指標が不良で，主観的幸福度が低い．ドライアイは眼病変のみならず精神神経的異常を伴うことがあり，慢性疼痛例には McGill Pain Questionnaire などの疼痛指標も使用される．

22 診察室，手術室での緊急事態に備えて

ショック（特にアナフィラキシーショック）に対する準備と初期治療

Provide against an emergency and initial treatment of anaphylactic shock

松村一弘　滋賀医科大学総合診療部・特任教授

概念　アナフィラキシーとは，アレルゲンなどの侵入により複数臓器に全身性にアレルギー症状が惹起され，生命に危機を与えうる過敏反応で，アナフィラキシーショックはアナフィラキシーに血圧低下や意識障害を伴う場合である．

眼科で日常的に行われているフルオレセイン蛍光眼底造影検査（FA）では，アナフィラキシー様症状やアナフィラキシーショックが生じることがある．その死亡頻度は0.0005〜0.002％であるが，重篤な心疾患での死亡例が報告されており，リスクマネジメントとして，問診のほかに心電図や心エコー検査などのスクリーニング検査も考慮する必要がある．

急変対応に関する想定訓練を平素から多職種で行い，手順や物品管理を確認するoff the job trainingが有効である．

1 初期対応

アナフィラキシー発症時の初期対応の手順を図1に示す．

急な体位変換（坐位や立位への）でバイタルが急変しアドレナリン無効の死亡例が報告されている．急な体位変換による心室への静脈還流量低下が生じアドレナリンが循環しない現象（empty vena cava/empty ventricle症候群）が生じる可能性があるため，アナフィラキシー発症時は，原則として仰臥位にする．

仰臥位になれば，意識，呼吸，循環，皮膚をチェックし（図1①），救急コール（多くのスタッフを集める，救急対応チームの招集あるいは救急隊119番通報）する（図1②）．その際，救急カート〔バッグバルブマスク（BVM）など必要器材を準備〕そしてAEDの手配を依頼する．

2 アナフィラキシーへの対応

診断　診断基準を図2に示す．

皮膚や粘膜症状は必須ではなく，認められない症例も10〜20％あること，発症時期には進行の速さや重症度の最終的な予測は困難であり，数分で死に至ることもあるため継続的な観察・判断・処置が重要である（図1⑧）．

治療　アナフィラキシーショックでの死亡原因の3/4は喉頭浮腫や致死的喘息などの窒息で残り1/4が循環不全である．

❶**呼吸促迫への対応**　酸素投与をする（図1⑤）．喘鳴などが認められた場合，気管支拡張薬の吸入や点滴を行う．2〜3分ごとに口蓋垂や咽頭の浮腫の有無を観察し，嗄声，舌浮腫，咽頭浮腫，呼吸困難時（BVM補助換気でもSpO₂ 90％以上保てない場

①バイタルサインの確認と評価
意識状態，呼吸（気道），循環，皮膚を観察し評価する

②助けをよぶ
人を集め，かつ蘇生チームをよぶかを判断する

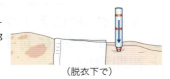

③アドレナリンの筋肉内注射
図2の2あるいは3の症状があるときには，大腿外側広筋にアドレナリンを 0.01 mg/kg〔最大量：成人 0.5 mg（1/2 アンプル），小児 0.3 mg（1/3 アンプル）〕筋注する．モニターを装着することが望ましい

（脱衣下で）

④患者を仰臥位にする
仰向けにして 30 cm 程度足を高くする．呼吸が苦しいときは少し上体を起こす．嘔吐しているときは顔を横向きにする．突然立ち上がったり座ったりした場合，数秒で急変することがある（empty vena cava/empty ventricle 症候群）

⑤酸素投与
必要な場合，フェイスマスクで高流量（10 L/分以上）の酸素投与を行う

⑥静脈ルートの確保
必要に応じて 0.9% 生理食塩液を 5～10 分間に成人なら 5～10 mL/kg，小児なら 10 mL/kg 投与する

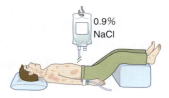

⑦呼吸と脈拍の確認
呼吸をしていないまたは脈拍がない場合，胸骨圧迫法（100～120 回/分，少なくとも 5 cm の深さで）で心肺蘇生を行う

⑧バイタルサイン測定
頻回かつ定期的（2～3 分ごと）に，患者の血圧，脈拍，呼吸状態，酸素化を評価する

図1　初期対応の手順

(Simons FE, et al: World allergy organization guideline for the assessment and management of anaphylaxis. WAO J 4: 13–37, 2011 より一部改変)

1. 皮膚症状(全身の発疹，瘙痒または紅潮)，または粘膜症状(口唇・舌・口蓋垂の腫脹など)のいずれかが存在し，急速に(数分〜数時間以内)発現する症状で，かつ下記a，bの少なくとも1つを伴う．

  さらに，少なくとも右の1つを伴う

皮膚・粘膜症状　　　a．呼吸器症状　　　　　b．循環器症状
　　　　　　　　　　（呼吸困難，気道狭窄，　（血圧低下，意識障害）
　　　　　　　　　　　喘鳴，低酸素血症）

2. 一般的にアレルゲンとなりうるものへの曝露の後，急速に(数分〜数時間以内)発現する以下の症状のうち，2つ以上を伴う．

a．皮膚・粘膜症状　　b．呼吸器症状　　　c．循環器症状　　d．持続する消化器症状
（全身の発疹，瘙痒，　（呼吸困難，気道狭窄，（血圧低下，意識障害）（腹部疝痛，嘔吐）
　紅潮，浮腫）　　　　喘鳴，低酸素血症）

3. 当該患者におけるアレルゲンへの曝露後の急速な(数分〜数時間以内)血圧低下．

収縮期血圧低下の定義：平常時血圧の70%未満または下記

　　生後1か月〜11か月　＜70 mmHg
　　1〜10歳　　　　　　＜70 mmHg＋(2×年齢)
　　11歳〜成人　　　　　＜90 mmHg

血圧低下

図2　アナフィラキシーの診断基準

〔日本アレルギー学会(監)：アナフィラキシーガイドライン．p 1, 日本アレルギー学会，2014より〕

合)は気管挿管の適応である．挿管困難に備え，輪状甲状靱帯穿刺や切開の準備もしておく．低血圧に対して初期輸液として0.9%生理食塩液を投与し(図1⑥)，仰臥位で足を挙上する(図1④)．

❷アドレナリン筋注　アドレナリンの筋肉内投与の適応は図2の2あるいは3である場合で，気管支拡張薬の投与で改善しない呼吸器症状もアドレナリンの適応とされる．心肺停止となる前にアドレナリンを筋肉内投与することが求められる．アナフィラキシーの初期対応において用いる薬物としてアドレナリンの筋注が第1選択薬であることを念頭におく必要がある．

筋肉内注射の場所は通常される上腕三頭筋ではなく大腿外側広筋が推奨される(図

1 ③）．皮下注射はショック状態では吸収・血漿最高濃度への到達が遅延するため推奨されない．

処方例 下記1）を用いる．虚血性心疾患の既往，βアドレナリン遮断薬内服中でアドレナリンに十分な反応を示さない場合には，2）を用いる．

> 1）ボスミン注（1 mg/アンプル） 1 回 0.01 mg/kg（小柄な成人や小児では 1/3 アンプル（0.3 mg），大柄な成人では 1/2 アンプル（0.5 mg）） 筋注
> 2）グルカゴン注 成人：1 回 1 mg，小児 20～30 μg/kg 5 分以上かけて緩徐に静注 5 分ごと あるいは 5～15 μg/分で持続静注

エピペン®の使用も可能．体重 30 kg 以上は 0.3 mg（黄色）のペンを，体重 15 kg 以上 30 kg 未満は 0.15 mg（緑色）のエピペン®を準備する．

a. 準備 携帯用ケースのカバーキャップを指で押し開け，エピペン®を取り出す．オレンジ色のニードルカバーを下に向けて，エピペン®の真ん中を片手でしっかりとグーで握り，もう片方の手で青色の安全キャップを外し，ロックを解除する．

b. 注射 エピペン®を太ももの前外側に垂直になるように持ち，オレンジ色のニードルカバーの先端を「カチッ」と音がするまで強く押し続けます．太ももに押しつけたまま数秒間待つ．エピペン®を太ももから抜き取る．

患者本人以外が投与する場合は，注射時に投与部位が動くと注射部位を損傷したり，針が曲がって抜けなくなったりするおそれがあるので，投与部位をしっかり押さえるなど注意する．

c. 確認 注射後，オレンジ色のニードルカバーが伸びているかどうかを確認する．ニードルカバーが伸びていれば注射は完了（針はニードルカバー内にある）．

d. 後片づけ 使用済みのエピペン®は，オレンジ色のニードルカバー側から携帯用ケースに戻す．

❸**心肺停止への対応** 心肺停止となれば，直ちに胸骨の下半分のところで胸骨圧迫を開始（図1 ⑦）．胸骨圧迫は 1 分間に 100 回以上，120 回を超えないスピードで，深さは 5 cm 以上，6 cm を超えないように行う．圧迫後はしっかり戻すことが重要である．胸骨圧迫 30 回に対して 1 秒 1 呼吸の人工呼吸 2 回を繰り返す心肺蘇生（cardiopulmonary resuscitation：CPR）を開始する．人工呼吸は BVM が届くまでの間行い，感染が考慮される場合胸骨圧迫のみでも可とする．AED が到着すれば直ちに装着する．0.9％生理食塩液で静脈点滴が確保できれば，アドレナリンを投与する．

処方例

> アドレナリン注（1 mg/アンプル） 1 回 1 mg 投与後，0.9％生理食塩液 20 mL で後押しし，20 秒点滴挿入部（四肢に静脈点滴確保時）を挙上する．

アナフィラキシー時と心肺停止時でアドレナリンの投与量が異なることに注意が必要である．

近年心臓もアレルギーの標的臓器であるとされ，アレルギー機序で冠動脈れん縮が生じる Kounis 症候群が報告され，心停止に至った事例もある．発症様式は多様であり，診断には困難が伴う．アナフィラキシーショックが遷延する場合，冠動脈疾患の併発に注意し心電図の変化の有無を確認する必要性がある．

❹**その他** 皮膚，鼻，眼症状に対して H_1 抗

ヒスタミン薬，下気道症状に対してβ₂アドレナリン受容体刺激薬，二相性アナフィラキシー予防に対してグルココルチコイドが使用される．

全自動除細動器（AED）
Automated external defibrillator : AED

松村一弘　滋賀医科大学総合診療部・特任教授

AEDとは　AEDとは心肺停止状態時に用いる全自動除細動器である．除細動の適応となる心電図波形は，心室細動（VF），無脈性心室頻拍（pulseless VT）のみである．

AEDは一般の方でも使用可能で，駅や学校などの公共施設をはじめ，ショッピングセンターなど人が多く集まる場所に設置されている．

脈拍の有無の判断が困難な場合，対象者の意識がなく正常な呼吸をしていないと思われる場合には対象者は心肺停止状態であると判断し，AEDの装着を行う．

AEDの使用方法

❶**必要時の初動と入手**　対象者の周囲の安全確認をし，自身の感染防御を行ったうえで，対象者の意識の有無を確認．意識がない場合，大きな声で協力者を求める．協力者が現れたら，救急コール（多くのスタッフを集める，救急対応チームの招集あるいは救急隊119番通報），救急カート〔バッグバルブマスク（BVM）など必要器材を準備〕そしてAEDの手配を依頼する．次に呼吸と脈拍の確認をし，正常な呼吸をしていないまたは脈拍が触知できない場合，胸骨の下半分のところで胸骨圧迫を開始．胸骨圧迫は1分間に100回以上120回を超えないスピードで，深さは5cm以上6cmを超えないように行う．圧迫後はしっかり戻すことが重要である．胸骨圧迫30回に対して1秒1呼吸の人工呼吸2回を繰り返す心肺蘇生（cardiopulmonary resuscitation：CPR）を開始する．人工呼吸はBVMが届くまでのあいだ行い，感染が考慮される場合胸骨圧迫のみでも可とする．AEDが到着すれば直ちに装着する．

❷**使用**　AED到着後すぐに電源を入れる．蓋を開けることで電源が入るものや，電源ボタンを押す必要があるものがある．電源が入れば音声の指示に従い電極パッドを図示された位置（右鎖骨下と左側胸部）に密着させて装着する．貼付剤がある場合は除去する．体毛が多く貼った電極パッドが浮く場合，電極パッドで除毛し，替えの新しいパッドを除毛したところに貼る．ペースメーカーが装着されている場合ペースメーカーから8cm以上離して電極パッドを装着．乳房が大きい場合は乳房組織を避けるように装着する．未就学児の場合小児用電極パッドを用いるが，ない場合は成人電極パッドを用いる（未就学児かの判断が困難な場合は体格で判断する）．電極が大きすぎる場合は前胸部と背部に装着する．成人に小児用電極パッドを使用してはならない．対象者が濡れている場合は水分をふきとってから電極パッドを装着する．

電極パッドの装着ができれば，AEDの心電図解析が始まるため音声の指示に従い，対象者に触れないようにする．

解析後，音声の指示で除細動が必要となれば，周囲に対象者から離れるよう指示し，周囲の安全確認後除細動ボタンを押す．除細動後は音声の指示に従い直ちにCPRを開始する．

解析後除細動の必要がなければ，音声に従い直ちに CPR を開始する．

2 分ごとに再度解析が行われ，音声指示に従い対応する．

救急対応チームが参集するまで，または救急隊到着まで CPR は継続する．胸骨圧迫者は 2 分または CPR 5 サイクルで交代，または疲労が強ければ適宜交代する．交代は 5 秒以内とする．

CPR 継続中，合目的的な体動，すなわち払いのけるような動作などが出てきた場合，心拍再開の可能性があるため，CPR を中断し脈拍を確認する．

AEDの管理上の注意事項

機械の定期的な動作点検は必要としないが，電池切れや除細動パッドの有効期限の点検は必要である．

機械内部温度が氷点下となる環境で AED が正常に作動しなかった事例があり，使用時に機械内部温度が推奨温度外とならないよう保管場所に注意が必要である．

周術期における循環器疾患管理

Perioperative management of cardiovascular disease

山本 孝　公立甲賀病院・副院長

1 術前の対応

術前評価のポイント

周術期管理において術前評価は最も重要である．これは，潜在する危険度の高い循環器疾患のスクリーニングだけでなく，術中・術後に患者に異変が起こった際，術前の心電図や血圧が把握されていることでスムーズに異変に対して適切な診断，対処が可能となるからである．

❶**問診**　まずは十分な問診が不可欠で，特に胸痛，呼吸苦などについては医療者側から積極的に問診すべきである．さらに，治療中の疾患，既往歴を聴取し，詳細に服薬内容をチェックする．服薬内容から，患者が自ら申告しなかった現疾患や既往症が明らかになることは多々ある．特に，虚血性心疾患(狭心症，心筋梗塞の既往，冠動脈ステント留置の有無など)，心不全，不整脈(心房細動など)などで加療を受けている者は多く，後述の周術期の内服薬の取り扱いや緊急対応が必要となる場合が多いため注意が必要である．

❷**術前検査**　12 誘導心電図はすべての眼手術前に行うべきである．特に糖尿病性網膜症患者では虚血性心疾患の合併が高率であることが知られており，明確な自覚症状がないことも多いため，術前の心電図チェックはきわめて重要である．ST 低下や異常 Q 波，陰性 T 波，左脚ブロック，心房細動，心室期外収縮などを認める場合は術前に循環器内科にコンサルトすべきである．また，血液検査にて血算，凝固，腎機能，電解質，血糖などについても把握しておくべきである．

抗血栓薬(抗血小板薬・抗凝固薬)の扱い

抗血栓薬は抗血小板薬と抗凝固薬に分類される．循環器領域において，抗血小板薬は主に狭心症や心筋梗塞などの虚血性心疾患および閉塞性動脈硬化症の 2 次予防に使用される．アスピリン(バイアスピリン®)，プラスグレル塩酸塩(エフィエント®)，クロピドグレル硫酸塩(プラビックス®)などは冠動脈ステント留置後患者に頻用され，ステント留置からの時期に

よってはアスピリン＋プラスグレル塩酸塩やアスピリン＋クロピドグレル硫酸塩など2剤の抗血小板薬療法（dual antiplatelet therapy：DAPT）が実施される．これらの抗血小板薬は不用意に中止するとステント血栓症などの死に至る病態を招くおそれがあるため特に注意が必要である．抗凝固薬は主に，心房細動での脳梗塞予防や人工弁置換術後などに使用される．これまでワルファリンカリウム（ワーファリン）が使用されてきたが，直接トロンビン阻害薬や第Xa因子阻害薬などの直接作用型経口抗凝固薬（direct oral anticoagulants：DOAC）の使用が増加してきている．DOACではワルファリンコントロールにおけるPT-INRなどの薬効指標はなく，腎機能や年齢によって一定の処方量が決まっている．また，半減期が短いため術前の休止期間がワルファリンカリウムより短期間でよい利点がある．

一般的に周術期の抗血栓薬の取り扱いについては，手術の出血リスクと患者の血栓リスクのバランスで考慮される．白内障手術は日本循環器学会の複数のガイドラインにて低出血リスクに分類されており，抗凝固薬は継続下での実施が推奨されている（ワルファリンカリウムの場合，一般にPT-INR至適治療域は2.0～3.0で，70歳以上の高齢者や脳梗塞の既往がない1次予防では1.6～2.6）．また，抗血小板薬はアスピリン単独であれば継続下での手術が推奨されている．一方，眼手術の侵襲度（出血リスク）によっては術前に抗血栓薬中止を考慮すべき症例もあると考えられる．また，前述のDAPTまたはDAPT＋抗凝固薬を服用している患者などでは，患者側の血栓リスクによって対応も複雑に異な

り，眼科手術が待機可能であれば手術を延期することも推奨される場合がある．したがって，抗血栓薬の休薬を考慮する際は当該科に休薬の可否，休薬期間，再開時期などについての問い合わせが必須である．参考までに，アスピリンおよびプラスグレル塩酸塩では手術7日前，クロピドグレル硫酸塩では手術5日前，ワルファリンカリウムでは手術3～5日前からの休薬が推奨される．DOACの場合は24時間の休薬でよいが，腎機能によって48時間の休薬も考慮される．いずれの場合も，ヘパリンによる置換は推奨されていない．

2 周術期の症状への対応

高血圧への対応　周術期の血圧上昇はまれではなく，普段からの血圧が180/110mmHg以上の場合は，緊急手術の場合を除いて血圧コントロールを優先すべきである．一方で周術期の高血圧は過度の緊張や不安などによる一過性の血圧上昇も多いため，不安を取り除く努力も必要となる．不安が強い患者に対しては，抗不安薬などの使用も考慮する．それでも高度の血圧上昇が持続する場合は，短時間作用型以外のCa拮抗薬などを考慮し，ニフェジピンカプセル内容物などの投与は避けるべきである．

一方，血圧の高度上昇によって心臓，大血管，脳などの標的臓器に急性の障害が生じ進行する高血圧緊急症の場合は，緊急処置および入院管理が必要となる．高血圧緊急症は単に血圧が高いだけの状態ではなく急性の臓器障害を伴っており，高血圧性左心不全による急性肺水腫，急性大動脈解離，高血圧性脳症などが該当する．ニカルジピン塩酸塩やニトログリセリンの点滴静

注などが使用されるが，原則として専門医のいる施設での入院加療が必要であり，専門医との連携のうえでの使用が望ましい．

低血圧への対応　周術期の低血圧として最も多いのは，迷走神経反射によるものである．突然の顔色不良，冷や汗，徐脈，悪心，欠伸などを呈し，時に失神まできたす場合もある．迷走神経反射を疑う場合は，急速輸液に加えアトロピン硫酸塩水和物1アンプル（0.5 mg/1 mL）の静注を行う．患者を仰臥位にし下肢を挙上することはある程度の効果が期待される．それでも改善が乏しい場合は，何らかの重篤な心血管疾患を発症した可能性もあり，すみやかに循環器内科にコンサルトすべきである．緊急の昇圧としては，ドパミン塩酸塩（点滴静注液200 mgバッグ）を患者の体重をもとに3～5γ（μg/kg/分）より開始し，適宜増減する．

虚血性心疾患への対応　患者が胸部症状を訴えた場合は，まず12誘導心電図を行う．そして，術前の心電図と比較することが重要である．心肥大などによる術前からの心電図異常に注意しつつ，新たなST変化を認めた場合は早急に循環器内科へコンサルトを行う．血圧が維持されている場合は，ニトログリセリンの舌下錠やスプレーを行う．新たなST変化を認めなくても症状が遷延する場合は，血圧測定などを行ったうえで循環器内科へのコンサルトを考慮する．

不整脈への対応　周術期に多い不整脈として，期外収縮と心房細動が挙げられる．

❶**期外収縮**　期外収縮は上室期外収縮と心室期外収縮がある．前者は基本的に安全であり，後者も単発であれば緊急の対応は不要である．2段脈，3段脈といった2拍ごと，3拍ごとに期外収縮が出現するパターンも同様の扱いでよい．しかし，心室期外収縮の連発は注意が必要で，特に既往歴および現疾患に虚血性心疾患や心不全を有する患者では循環器内科へのコンサルトを行う．

❷**心房細動**　心房細動は発作性と慢性がある．前者では突然心房細動となり，動悸の自覚症状を訴えることが多い．後者では緊張や発熱などで心拍数が上昇し，自覚症状を訴える場合がある．いずれの場合も血圧が保たれていれば慌てる必要はなく，まず安静および原因を取り除く努力を行う．それでも心拍数が130回/分以上で，患者の自覚症状が強い場合は，Ca拮抗薬やβ遮断薬などで徐拍化する場合がある．しかし，これらの薬剤は心機能に注意が必要なため，眼科医単独で行う場合はジゴキシン注1アンプル（0.25 mg/1 mL）＋生理食塩液20 mLを10分以上かけて静注する方法にとどめるほうが無難である．

❸**その他の不整脈**　一方，心室細動や無脈性心室頻拍に対しては，クリニックであってもその場で心臓マッサージやAEDによる除細動，心肺蘇生を施行しなければならない（⇒1075頁，「全自動除細動器（AED）」項を参照）．

周術期における糖尿病管理
Perioperative diabetes management

卯木 智　滋賀医科大学糖尿病内分泌腎臓内科・講師
前川 聡　滋賀医科大学・名誉教授

周術期における糖尿病管理の重要性

高血糖は，好中球貪食能の低下などにより

免疫機能を低下させ，術後感染のリスクを増大させ，脱水，電解質異常，血管機能障害，血流障害，神経障害などは術後の合併症リスクを増大させる．さらに，侵襲の大きな外科手術は，インスリン拮抗ホルモンやサイトカインの分泌亢進を介して高血糖を助長し（外科的糖尿病），術後に代謝失調を起こすリスクが増大する．眼科手術の場合は，特に術後部位感染が問題になると思われるが，糖尿病は術後部位感染のリスクファクターであること，良好な血糖コントロールはそのリスクを軽減させることが，メタ解析で示されている．

術前の評価　成人における糖尿病有病率は高率であり，術前には必ず糖尿病の有無をスクリーニングする．糖尿病を合併し，血糖管理や合併症の評価が必要と判断したら内科にコンサルトする．術前に，経口血糖降下薬を継続するのか，インスリン治療に切り替える必要があるかの判断が必要である．

血糖コントロール不良の場合は，できるだけ早くコンサルトする．必要な場合は，事前に内科入院のうえ，インスリン治療による血糖管理を行う．糖尿病網膜症がある場合は，急激な血糖コントロールにより，網膜症が悪化することがあるので，時間をかけて緩徐に血糖を下げる必要がある．

血糖コントロール状況は随時血糖値のみで判断してはいけない．糖尿病患者の血糖値は大きく日内変動しており，採血するタイミングによって随時血糖値は大きく変わる．コントロール不良患者であっても，空腹時血糖はそれほど高値ではない可能性がある．必ずHbA1cを同時に測定し評価する．

術前管理　術前コントロールの目標は，①空腹時血糖 100〜140 mg/dL，または，食後時血糖 160〜200 mg/dL，②尿糖は1+以下，または，1日尿糖排泄量が糖質摂取量の10%以下，③尿ケトン陰性，である．

血糖コントロール不良の場合は，手術を延期すべきかどうかの慎重な判断が必要である．特に空腹時血糖 200 mg/dL 以上，食後時血糖 300 mg/dL，または尿ケトン陽性の場合は，手術の延期を勧める．

ただし，侵襲が大きな大手術と絶食時間の短い小手術では，手術延期の判断は異なる可能性がある．白内障などのような低侵襲化された局所麻酔で行う小手術について，このような大手術と同じ基準では判定できない．しかし，眼科手術における血糖コントロールと術後部位感染の関連についての検討は少なく，現在のところ，小手術について，どの程度までのコントロール不良でも安全に手術を行うことができるかどうかの明確な基準やコンセンサスはない．眼科医と内科医が連携をとり，個々の症例で検討するしかないのが現状と思われる．

経口血糖降下薬に関する注意

❶**スルホニルウレア（SU）薬（グリメピリド（アマリール®），グリクラジド（グリミクロン®））**　直接，膵臓β細胞を刺激して強力にインスリン分泌を刺激する薬剤であり，また，作用時間が長いため，低血糖を起こすリスクがある．術中・術後の低血糖を避けるため，術当日にはかならず休薬する．また，高用量のSU薬を内服している患者は，インスリン治療に切り替えておくかどうか事前に検討しておく必要がある．

❷**ビグアナイド薬（メトホルミン塩酸塩（メトグルコ®，グリコラン®））**　脱水，急性循環不全，腎機能障害によって乳酸アシドーシス

を起こすリスクがあるため，手術の前後には休薬する．ただし，飲食物の摂取が制限されない小手術では休薬しなくてもよい．

また，ヨード造影剤を用いて検査を行う際には，造影剤による腎機能低下により，乳酸アシドーシスを起こす可能性があるため，「検査前は本剤の投与を一時的に中止すること．(中略)ヨード造影剤投与後48時間は本剤の投与を再開しないこと」と，メトホルミン塩酸塩の添付文書および日本糖尿病学会の「メトホルミンの適正使用に関するRecommendation」に記載されている．

❸ **SGLT-2阻害薬(スーグラ®，フォシーガ®，ルセフィ®，アプルウェイ®，デベルザ®，カナグル®，ジャディアンス®)** 尿糖排泄量増加に伴って尿量が増加するため，脱水を助長する可能性があること，また，ケトン体を上昇させてケトーシスを悪化させるおそれがあることから，絶食を伴う手術の場合は，術当日に休薬する．

術当日の管理 絶食にするときは，当日の経口血糖降下薬は中止する．短時間の手術で絶食期間が短い場合は，5%ブドウ糖輸液を基本にする．長時間の輸液を行う場合は，糖液の輸液による血糖上昇を防ぐために，輸液内にインスリンを混合しておくのが簡便である．ブドウ糖8gに対して，速効型インスリン1単位の割合で混合する．あまりインスリンの比率が大きいと，血糖値が低下してしまい，輸液ボトル自体を交換しないといけなくなる．

スライディングスケール 周術期で食事摂取ができない患者の血糖コントロールによく使用されている方法である．3〜6時間ごとに血糖を測定し，そのときの血糖値に応じて，あらかじめ指定されたインスリン量を皮下注射する．一見，簡便な方法のようであるが，投与量が画一的であり，高血糖になってからインスリンを投与する方法であるため，医原性の高・低血糖を引き起こす原因になる．安易に使用しないほうがよい．内科医に相談し，使用するときは絶食時だけにとどめ，できるだけ短期間での使用を心がける．食事が開始になったら，食事タイミングに合わせた皮下注射を再開する．

術後の管理 以前は，外科手術後の血糖コントロールは厳格に行うべきだと考えられていたが，最近は，厳格すぎる血糖コントロールは低血糖を助長するため，かえってよくないとの考えが主流になっている．米国糖尿病学会は，随時血糖値140〜180 mg/dLを推奨している．

食事開始時には，通常食が摂取できる場合は経口血糖降下薬を再開する．もともと強化インスリン療法を行っていた場合は，食事開始時に速効型インスリンを通常量で再開する．手術侵襲が大きく，少量の食事から開始する場合や，食事摂取量が不安定な場合は，食事摂取量に合わせてインスリン投与量を調節する必要がある．

腎機能障害，透析患者の管理

Chronic kidney diseases (CKD), Dialysis

荒木信一　和歌山県立医科大学腎臓内科・教授

腎機能の低下した患者では，腎機能の程度に応じた薬剤投与量の調整や造影剤による造影剤腎症の予防などの措置が必要となる．そのため，高齢者，糖尿病や高血圧な

どの生活習慣病患者など腎障害リスクの高い患者の診療では，まず腎機能の評価を行い，個々の腎機能を把握する必要がある．

腎機能評価法　従来，血清クレアチニン(Cr)値により腎機能が評価されてきたが，Cr値は筋肉量に大きく依存するため，筋肉量の少ない女性や高齢者では，Cr値が正常範囲内であっても腎機能が低下している場合もある．2021年2月現在，日常診療においては，Cr値・年齢・性別から推定する推算GFR値(eGFR：mL/分/1.73 m^2)を用いて腎機能を評価する．このeGFR値は，体表面積が1.73 m^2 の標準的な体型に補正して算出される．そのため，薬剤投与量を設定する場合には，体表面積を補正しないeGFR値に変換する必要がある〔体表面積を補正しないeGFR＝eGFR(mL/分/1.73 m^2)×体表面積(m^2)/1.73．体表面積(m^2)＝体重(kg)$^{0.425}$×身長(cm)$^{0.725}$×0.007184〕．また，長期臥床，四肢欠損，サルコペニア合併患者では，筋肉量が減少しているため，Cr値に基づいたeGFR値では，本来の腎機能よりも高く算出されてしまう(腎機能が良好と評価される)．そのような場合，Cr値ではなく，血清シスタチンCに基づくeGFRを算出して腎機能を評価するか，蓄尿によるクレアチニンクリアランスの実測を行うことが望ましい．より正確な腎機能を評価する必要がある場合は，イヌリンクリアランス法による腎機能評価を行う．

治療　腎排泄型の薬剤は，腎機能に応じて投与量を調整する必要がある．例として，処方機会の多い胃酸分泌抑制薬と解熱鎮痛薬について述べる．

❶胃酸分泌抑制薬　腎機能低下患者では，H$_2$受容体拮抗薬の減量が必要となるが，プロトンポンプ阻害薬は腎機能正常者と同量でよい．

処方例　重篤な腎障害あるいは透析患者には下記を用いる．

> 1) ガスターD錠(10 mg)　1錠　分1
> 2) タケプロンOD錠　15〜30 mg　分1(腎機能正常者と同じ)

❷解熱鎮痛薬　非ステロイド性抗炎症薬(NSAIDs)は，腎機能低下や高カリウム血症のリスクを高めるため，安易に投薬するのではなく必要最小限にとどめる．アセトアミノフェンは，相対的に安全とされ処方されることが多いが，その場合も長期投薬は避け必要最小量とし，必ず尿量や腎機能をモニタリングする．

処方例

> カロナール錠(300 mg)　1回1〜2錠　頓用　6時間以上の投与間隔

造影剤検査　eGFR 30 mL/分/1.73 m^2 未満の患者にヨード造影剤を使用する場合，造影剤腎症を発症させないように予防措置を行うことが推奨される．検査前後で生理食塩液あるいは重曹輸液を行い，検査後の尿量と腎機能のモニタリングを行う．また，重篤な腎障害のある患者にガドリニウム造影剤を使用すると，難治性の腎性全身性線維症(nephrogenic systemic fibrosis：NSF)の発症リスクが高まるため，ガドリニウム造影剤は，透析患者・GFR 30 mL/分/1.73 m^2 未満の患者には原則として使用しない．GFR 30〜60 mL/分/1.73 m^2 の患者では，検査で得られる利益がリスクを上回る場合にのみ造影剤の使用を考慮し，使用する場合も造影剤を必要最小量にする．

周術期管理　透析患者を手術する場合，入院・手術予定が決まった段階で，い

つから入院透析が必要かなど透析スケジュール調整と透析に用いる抗凝固薬などについて透析担当医と事前に相談しておくことが必要である．

腎障害リスクの高い患者は，手術による侵襲や薬剤による急性腎障害の発症リスクが高い．必ず術前と術後に腎機能評価を行い，経過中に，Cr 値が 1.5 倍上昇あるいは eGFR が 25％以上低下した場合は，腎臓内科医に相談する．

術中における血圧管理
Intraoperative management of arterial blood pressure

今宿康彦　滋賀医科大学麻酔学・学内講師
北川裕利　滋賀医科大学麻酔学・教授

高血圧は，わが国における有病者数が約 4,000 万人といわれるように，有病率の高い疾患である．血圧コントロール不良状態での手術は血圧の変動をきたしやすい．そのため，術前にコントロールされていない患者は内科を受診させておく必要がある．異常高血圧は，心筋酸素消費量を増大させ，心筋虚血を引き起こす可能性があるため適切な対処が必要である．一方，高血圧症患者は血圧調節能が低下していることが多く，鎮静などで術中低血圧をきたすこともあり注意が必要である．全身麻酔の場合，麻酔科医が血圧管理を行うが，局所麻酔では眼科医が血圧管理を行う必要があるため，局所麻酔中の血圧管理法について述べる．

術中高血圧

❶**抗不安薬として投与する場合**　まず原因を考える．疼痛の場合には局所麻酔が投与できれば使用する．膀胱の充満により血圧が上昇することもよく遭遇する．不安が強いためであれば，深呼吸を促す，声をかけて落ち着かせる，看護師を傍につかせるなどで対処を試みる．抗不安薬，鎮静薬を用いることもあるが，浅い鎮静では体動の原因となることもあり注意を要する．

処方例 下記のいずれかを用いる．1）は比較的安全に用いられるものの効果が弱い．2）は鎮静薬として効果が強いものの，呼吸抑制をきたすおそれがある．鎮静薬は気道確保ができる状況でのみ使用する．

> 1）アタラックス–P 注（25 mg/1 mL/アンプル）　1 回 1 アンプル　緩徐に静注
> 2）ドルミカム注（10 mg/2 mL/アンプル）　生理食塩液 8 mL に 1 アンプルを希釈し全量 10 mL とし，1 mL（1 mg）ずつ静注

❷**降圧のみを期待する場合や即効性を期待する場合**　原因が不明の高血圧を呈し深呼吸などで改善しない場合には，適宜降圧薬を用いる．目標血圧としては，普段の血圧値とする．以前よく処方されていた，ニフェジピン（アダラート®），1 カプセル，舌下投与は急激な血圧降下や反射性頻脈などを引き起こすため現在は禁止されている．

処方例 下記 1）を用いる．一時的には 1）の処方で効果があるが，短時間作用性のため，数分ごとに繰り返す必要がある場合，2）の持続投与を検討する．

> 1）ペルジピン注（2 mg/2 mL/アンプル・10 mg/10 mL/アンプル）　原液を 1 回 0.5 mL 静注
> 2）ペルジピン注（2 mg/2 mL/アンプル・10 mg/10 mL/アンプル）　1 アンプルを 5 倍希釈し，10〜50 mL/時　点滴静注

❸虚血性心疾患の既往があり，術中血圧コントロールの際にニトログリセリン製剤の使用を内科から提案されている場合

処方例
> ミリスロール注（5 mg/10 mL/バイアル）　原液を 1〜10 mL/時　点滴静注

❹血圧上昇のみならず頻脈発作も合併し，心拍数コントロールを中心に降圧をはかる場合

処方例
> オノアクト注（50 mg/バイアル）　生理食塩液 20 mL に 1 バイアルを溶解し，1〜5 mL/時　点滴静注

ランジオロール塩酸塩（オノアクト®）は β 遮断薬であり，心拍数は下がるが降圧効果は弱い．

■**注意**　以上の処方を用いる場合には，過度の降圧にならないように血圧測定を頻回に行う（2.5〜5 分間隔）．処方薬を増量させてもコントロールできない高血圧や頻脈は，可能ならば専門医にコンサルトする．

術中低血圧　術中低血圧に遭遇することは術中高血圧に比べると頻度は低いが，もともと高血圧症患者は血圧の調節能が低下しているので，軽度の鎮静や脱水によっても低血圧をきたしやすい．絶飲食による軽度脱水であるならば，細胞外液の輸液スピードを上げるだけで回復することが多い．

❶脱水や循環血液量の減少が考えられる場合

処方例
> ラクテック注（500 mL）　100〜300 mL 程度　急速点滴静注

心不全患者，高齢者では慎重に投与すること．

❷鎮静などによる血圧低下の場合　一時的に血管収縮薬を投与する．

処方例 血圧とともに心拍数も上げたい場合には α 作用 β 作用両方を有する 1）を用いる．血圧のみを上げ，心拍数は上げたくない場合には α 作用のみを有する 2）を用いるが，反射性の徐脈をきたすことがあり注意する．

> 1）ヱフェドリン「ナガヰ」注（40 mg/1 mL/アンプル）　生理食塩液 9 mL に 1 アンプルを希釈し全量 10 mL とし，1 mL（4 mg）ずつ静注
> 2）ネオシネジンコーワ注（1 mg/1 mL/アンプル）　生理食塩液 9 mL に 1 アンプルを希釈し全量 10 mL とし，1 mL（0.1 mg）ずつ静注

これらの昇圧薬を用いる場合も降圧薬を用いる場合同様，頻回に血圧を測定し（2.5〜5 分間隔），薬物処方を繰り返さなければならないケースでは，可能ならば専門医にコンサルトすることが望ましい．

眼心臓反射　眼心臓反射は三叉神経-迷走神経反応であり低血圧，徐脈，不整脈，時に心停止をきたす．痛みや圧迫，眼球操作，外眼筋牽引などにより誘発される．症状としては徐脈が最も多い．

処方例 下記 1）が第 1 選択であるが，昇圧効果も得たいときには 2）を使用する．

> 1）アトロピン硫酸塩注（0.5 mg/1 mL/アンプル）　原液 0.5〜1 アンプル　静注
> 2）ヱフェドリン「ナガヰ」注（40 mg/1 mL/アンプル）　生理食塩液 9 mL に 1 アンプルを希釈し全量 10 mL とし，1 mL（4 mg）ずつ静注

アナフィラキシー　循環不全，呼吸不全が出現する．局所麻酔薬，抗菌薬，ラテックスなどが原因となる．ショックを疑った場合にはすみやかに原因物質の除去，処方例に従って薬物の手配と同時に専門医に応援を要請する．治療薬の第 1 選

択はアドレナリン（ボスミン®）であり投与をためらってはならない．詳細は「ショック（特にアナフィラキシーショック）に対する準備と初期治療」項（⇒ 1071 頁）を参照のこと．

処方例 下記 1)〜5)を順次投与する．

1) ラクテック注　初期治療として 10 mL/kg（体重）　全開で点滴静注
2) ボスミン注（1 mg/1 mL/アンプル）　0.3 mL　筋注
3) ポララミン注（5 mg/1 mL/アンプル）　1 アンプル　静注
4) ザンタック注（50 mg/2 mL/アンプル）　1 アンプル　静注
5) ソル・コーテフ注（100 mg/バイアル）　2 バイアル　静注

全身麻酔

General anesthesia

今宿康彦　滋賀医科大学麻酔学・学内講師
北川裕利　滋賀医科大学麻酔学・教授

眼科手術において全身麻酔の対象となる者は小児や高齢者，不動化が難しい患者や長時間手術となる場合などである．特に高齢者ではさまざまな疾患を有していることが多く全身麻酔に伴う合併症をきたしやすい．したがって眼科主治医は手術が決まり全身麻酔を依頼する段階で麻酔に関する問題点をまとめておき，場合によっては麻酔科・他科専門医にコンサルトを行う必要がある．本項では，全身麻酔依頼時に注意するべきポイントを挙げる．

術前の検査　安静心電図，呼吸機能検査，血液検査（血算，凝固，電解質，肝腎機能），胸部 X 線など各施設で決められた検査を行う．各検査結果でのポイントを述べる．

❶**心電図**　最近は自動解析の心電図が多く所見を参考にする．虚血性変化（ST 変化），不整脈，伝導障害（ブロック）をチェックする．心電図評価を的確にすることは専門医でなければ難しいので，患者の訴え（胸痛がないか，脈に不整がないか）も併せて評価する．症状のない単発性の不整脈や健常でもよく認められる右脚ブロックであれば特に全身麻酔に問題ない．明らかな心電図異常や胸部症状があるが内科でフォローアップされていない場合には，循環器科受診を行ったうえ麻酔科コンサルトを行う．

❷**呼吸機能検査**　特に慢性閉塞性肺疾患（COPD）などの患者では値を確認する．1 秒量（$FEV_{1.0}$）が 1 L 以下，1 秒率（%$FEV_{1.0}$）が 50％以下を全身麻酔危険性の 1 つの目安とし，呼吸器科と麻酔科に事前にコンサルトを行う．

❸**血液検査**　異常値が出た場合には，時間的余裕があれば再検査が望ましい．異常値があれば，麻酔科にまず連絡をする．

❹**胸部 X 線**　肺野の明らかな陰影，心胸郭比がおよそ 50％より大きいかどうかを目安とし，特にフォローアップされていない場合には内科・麻酔科にコンサルトとする．高齢者の場合，気づかれずに誤嚥性肺炎をきたしていることもあり，胸部 X 線で疑わしい場合には熱型や炎症所見も調べておく．

既往歴・家族歴など　多忙な眼科診療内で問診を確実に行うことは不可能であるので，あらかじめ問診票などを患者に記入してもらう．全身麻酔を管理するうえで，注意が必要なものを挙げる．下記に当ては

まる項目がある場合には，正確に麻酔科へ伝える．

❶既往歴

a. **麻酔歴** 麻酔の経過で合併症をきたした既往の有無．

b. **呼吸器系** COPD（前述の呼吸機能検査を参考にする），喘息（治療中もしくは1年以内の明らかな発作），2週間以内の感冒など上気道疾患，間質性肺炎，閉塞性睡眠時無呼吸症候群など．

手術直前の感冒症状はよく遭遇する．気道の過敏性が上昇するため，感冒改善から2～4週間は全身麻酔を延期することが望ましいと一般的にはいわれている．特に小児では気道過敏性から挿管によるトラブル（喉頭けいれんなど）を引き起こしたり，分泌過多による呼吸状態悪化などがみられるので，緊急性がない手術の場合は麻酔科と協議のうえ延期も考慮する．

c. **循環器系** 循環器内科通院中（虚血性疾患，不整脈，弁膜症，心不全），心臓血管手術の既往．

- ペースメーカーやICD（植込み型除細動器）の植込みなど：ペースメーカーやICDの植込みを受けている患者では，それぞれの器機手帳にあるメーカーに連絡し手術当日対応してもらうよう依頼をしておく．

d. **消化器系** 胃癌術後や食道裂孔ヘルニア，肝障害など．

e. **内分泌系** 糖尿病（HbA1c 8％以上），甲状腺疾患，副腎疾患など．

f. **腎泌尿器系** 血液透析，腎機能障害など．

g. **神経系** 脳血管障害，入院歴のある精神疾患など．

h. **その他** 開口障害，顔面手術の既往，高度肥満（BMI 35以上）など．

i. **アレルギー歴** 明らかな薬剤アレルギー，ラテックスアレルギーやそれを疑わせるキウイやバナナアレルギーなどの有無．

ラテックスアレルゲンと交差反応性が報告されているものとしてキウイやアボカド，バナナなどがある．これらのアレルギーがある場合はラテックスアレルギーに注意する．

j. **予防接種歴** 2週間以内の不活化ワクチン接種歴，4週間以内の生ワクチン接種歴．

予防接種（**表1**）を手術前に受けるケースもよく見受けられる．予防接種に関してはさまざまな意見があるが，副反応が起こりうる期間に麻酔，手術を受けることで有害事象の原因がわからなくなること，免疫抑制をきたすことで抗体産生が不十分になりワクチンの効果が薄れる可能性などが指摘されている．日本麻酔科学会の「周術期管理チームテキスト」では，手術までに少な

表1 主なワクチン

生ワクチン
・BCG
・MR（麻疹，風疹）
・麻疹
・風疹
・水痘
・流行性耳下腺炎（おたふくかぜ）
・ロタウイルス
・黄熱
不活化ワクチン
・DPT（百日咳，ジフテリア，破傷風）
・日本脳炎
・インフルエンザ
・肺炎球菌
・A型肝炎
・B型肝炎
・狂犬病
・HPV（ヒトパピローマウイルス）
・インフルエンザ菌b型（Hib）

表2 術前に休薬を考慮すべき薬剤

	薬剤例と手術前休薬期間の目安	リスク
抗血小板薬 (術中出血が予想される場合)	バイアスピリン®(7日前) パナルジン®(10〜14日前) プラビックス®(14日前) プレタール®(2日前)	術中・術後出血のリスク 休薬による血栓のリスク
抗凝固薬 (術中出血が予想される場合)	ワーファリン(3〜5日前) プラザキサ®(1〜4日前) エリキュース®(1〜2日前) イグザレルト®(1〜2日前) リクシアナ®(1〜2日前)	術中・術後出血のリスク 休薬による血栓のリスク
経口糖尿病薬	メトグルコ®(2日前)	乳酸アシドーシスのおそれ
	その他(1〜2日前)	低血糖のおそれ
気分安定薬	リーマス®(1〜2回分)	筋弛緩薬効果遷延のおそれ
降圧薬　ACE阻害薬	レニベース®(1日前)	麻酔時の血圧低下のおそれ(麻酔科と相談)
ARB	ディオバン®(1日前)	
女性ホルモン製剤	ヤーズ®(4週間前)	血栓のリスク
骨粗鬆症治療薬	エビスタ®(3日前)	血栓のリスク
サプリメント	イチョウ葉エキスなど(数日前)	出血のリスクなど

くとも生ワクチン接種後3週間,不活化ワクチン接種後2日間の間隔をあけることが基準として示されている.

❷家族歴
a. 悪性高熱(全身麻酔による致死的異常高熱)など麻酔が問題となった近親者の有無.
b. 不整脈などによる突然死の有無.

内服薬　看護師や薬剤師の協力のもと,すべての内服薬をチェックする.中止を検討する薬剤を表2に挙げる.降圧薬,抗不整脈薬,冠血管拡張薬,気管支拡張薬などは原則術前も継続となるので問題になることは少ない.

一部の降圧薬は麻酔科と相談する.抗血小板薬,抗凝固薬は休薬に際しヘパリンに変更が必要なものもあり,また休薬自体危険なこともあるため処方医と相談する.

血糖降下薬は周術期に一時的にインスリンに変更が必要な場合がある.血糖降下薬のなかでも特にメトグルコ®などメトホルミン製剤は乳酸アシドーシスの危険性があり,全身麻酔前の休薬が必要である.

サプリメントのなかには出血のリスクを有するものもあり,休薬が望ましい.

抗精神病薬や炭酸リチウムは中止できないことが多いが,その場合麻酔中に循環動態が不安定になることや筋弛緩薬が遷延することがあり,麻酔科に連絡しておく必要がある.

小児の管理
Management of pediatric emergency

高島光平　滋賀医科大学救急・集中治療部
澤井俊宏　滋賀医科大学小児科学・講師

小児に起こりうる診察室・手術室での緊急事態として,主に,①鎮静薬に伴う呼吸

循環抑制，②薬剤によるアナフィラキシーショック，③眼心臓反射による症候性徐脈・心停止，④処置後の安静維持困難が挙げられる．

一くくりに小児といっても，年齢や発達をはじめ基礎疾患や身体的特徴に至るまでバラエティに富む．そのため，患者ごとに起こりうる事態の想定とリスク評価を行い，人員（鎮静に精通した小児科医，小児に精通した麻酔科医・集中治療医・救急医を含む）や物品を準備することが求められる．

1 鎮静薬に伴う呼吸循環抑制

まずは鎮静薬を使用せずに処置可能か模索しなければならない．

例えば，新生児期や乳児期早期にはおしゃぶりやおくるみ，乳児期後期には保護者の付き添いやおもちゃが有効なことがある．学童期以降の場合，インフォームド・アセントやプレパレーションで処置を受け入れることをしばしば経験する．小児だからと説明を疎かにしたり，「何もしない」や「痛くない」といった嘘をついたりしてはならない．

これらは一例に過ぎず，児の年齢や発達，性格に応じて，保護者とも相談しながら対応することが肝要である．

しかし，処置の性質や児の特性上，鎮静が不可欠な場合もある．

鎮静の実際については，2013年に日本小児科学会・日本小児麻酔学会・日本小児放射線学会より発表，2020年に改訂された「MRI検査時の鎮静に関する共同提言改訂版」がコンセンサスとなっている部分もあり，確認されたい．

リスク評価 全身状態のスケールとして米国麻酔科学会術前状態分類（ASA分類），挿管困難の予測するためのMallampati分類などが用いられる．ASA分類で分類Ⅱ以上は合併症のリスクが高くなるため，小児に精通した医師による実施を検討すべきである．

また，基礎疾患や気道閉塞にかかわる身体所見についても把握する必要がある．気管支喘息をはじめ脳性麻痺，高次脳機能障害などは合併症が想定されるため要注意である．21トリソミーやPierre-Robin症候群といった先天奇形症候群では巨舌や小顎，喉頭・気管軟化症を伴うことがあり，マスク換気や気道確保が困難となる．

感冒症状を認める場合には分泌物によって上気道閉塞や誤嚥に至る可能性があるため，検査・処置を延期可能か検討すべきである．

絶飲食時間 嘔吐，誤嚥を考慮して，鎮静前には全身麻酔時のルールに則った絶飲食時間を設けることが推奨される．

- 清澄水（水，茶，果肉を含まない果物ジュース，スポーツドリンクなどの清涼飲料水）：2時間
- 母乳：4時間
- 人工乳，軽食：6時間
- 揚げ物，脂肪の多い食事，肉など：8時間

一方，年少時の場合，低血糖のリスクがあるため，活気不良などの低血糖症状がないか観察を要する．

緊急の鎮静時には最終経口摂取時間を考慮したうえで，患者ごとの対応が求められる．

準備物品

- モニター：動脈血酸素飽和度モニター，呼気二酸化炭素モニター，血圧計，心電

表3 鎮静薬

一般名	商品名	剤型	投与量
トリクロホスナトリウム	トリクロリール®	シロップ(10%)	20〜80 mg/kg(シロップとして 0.2〜0.8 mL/kg)(最大2gシロップとして20 mL)
泡水クロラール	エスクレ®	坐剤, 注腸用キット	30〜50 mg/kg(最大 1.5 g)
フェノバルビタールナトリウム	ワコビタール®	坐剤	4〜7 mg/kg
ヒドロキシジン塩酸塩	アタラックス®–P	注	1 mg/kg
ジアゼパム	セルシン®, ホリゾン®	シロップ, 錠, 散	麻酔前投薬(1〜1.5 時間前)0.2〜0.7 mg/kg(通常 0.5 mg/kg, 最大 10〜15 mg)
		注	0.1〜0.2 mg/kg
		注腸(溶液剤)	麻酔前投薬(15 分〜1 時間前)0.3〜1.0 mg/kg(通常 0.5 mg/kg, 最大 10〜15 mg)
ミダゾラム	ドルミカム®	注	6 か月〜5 歳 　初回投与量　0.05〜0.1 mg/kg 　総投与量　0.6 mg/kg まで(最大 6 mg) 6〜12 歳 　初回投与量　0.025〜0.05 mg/kg 　総投与量　0.4 mg/kg まで(最大 10 mg)
チオペンタールナトリウム	ラボナール®	注	1〜4 mg/kg(呼吸循環抑制が強い)
		注腸(10% 溶液剤)	20〜50 mg/kg

(日本麻酔科学会:麻酔薬および麻酔関連薬使用ガイドライン 第3版, 2019 をもとに作成)

図モニター
- 酸素マスク
- 口腔吸引カテーテル, 気管吸引カテーテル
- 気道確保物品:経口エアウェイ, ラリンジアルマスク, フェイスマスク, バッグバルブマスク/ジャクソン・リース回路, 円坐枕, 喉頭鏡, 気管チューブ
- 蘇生薬剤(すぐに使用できるように配置, 用量などを確認しておく)

鎮静薬　具体例を表3に示す. 内服や坐薬は安全と思われがちであるが, 剤型によらず呼吸循環抑制は起こる.

呼吸循環抑制への対応　呼吸抑制としては呼吸中枢の抑制だけでなく, 上気道閉塞(分泌物貯留, 舌根沈下)や下気道閉塞(気管支喘息発作), 肺実質障害(誤嚥)も起こりうる. 呼吸状態悪化時にはすみやかに酸素投与を行い, 原因を検索, それぞれに必要な介入を行う(体位調整, 吸引, エアウェイの挿入, 気管支拡張薬の吸入, 用手換気, 気管挿管など).

循環抑制についても注意する必要があり, 頻脈や血圧低下時には輸液負荷をはじめとした介入が求められる.

帰宅前の確認事項
- 気道が開通し, バイタルサインが安定している.
- 意識レベルが鎮静前と同等に回復している.

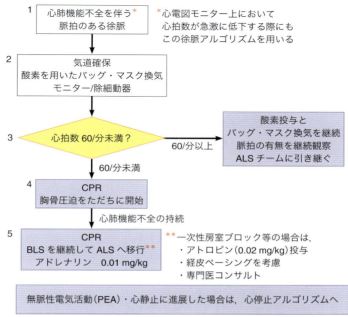

図3 小児の徐脈アルゴリズム
〔日本蘇生協議会(監修):JRC蘇生ガイドライン2020. p191, 医学書院, 2021より転載〕

- むせずに飲水できる.
- 24時間程度はふらつきが残るため注意が必要であることを保護者に伝える.

2 薬剤によるアナフィラキシーショック

対応については成人と変わらないが,アドレナリン筋注量が0.01 mg/kg(最大量0.3 mg)と少ないため10倍希釈液を用いてもよい.

処方例 体重10 kgの児の場合.

アドレナリン注(0.1%) 1 mLに生理食塩液9 mLで希釈して計10 mL(0.1 mg/mL)とし,うち1 mLを筋注

3 眼心臓反射による症候性徐脈・心停止

小児では眼心臓反射が起こりやすく,また,血圧低下や心停止に至りやすい.

症候性徐脈に対してアトロピン硫酸塩静注(0.02 mg/kg, 最小量0.1 mg)で対応することが多いが,日本蘇生協議会「JRC蘇生ガイドライン」の小児の徐脈アルゴリズムに記載されている通り,気道確保と酸素投与,用手換気を怠ってはいけない(図3).

以降も心拍数が60/分未満が持続する場合は,直ちに胸骨圧迫を開始する必要がある.この際,脈拍が触れなくなるのを待つなどして,対応を遅らせてはならない.

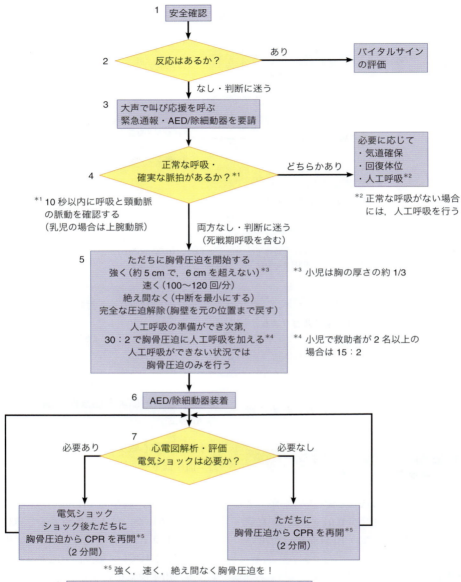

図4 小児一次救命救急処置アルゴリズム
〔日本蘇生協議会(監修):JRC 蘇生ガイドライン 2020, p159, 医学書院, 2021 より転載〕

処方例 体重 10 kg の児の場合．

アトロピン注(0.05%)　0.4 mL　静注

　呼吸停止，脈拍が触れない場合には，すみやかに「JRC 蘇生ガイドライン」の小児一次救命救急処置アルゴリズムに則った対応を開始する**(図 4)**．脈拍の確認部位や胸骨圧迫の深さ，リズム，人工呼吸との比などは成人のそれと異なるため，要注意である．

4　処置後の安静維持困難

　麻酔終了後に麻酔薬の残存や疼痛に伴って不穏状態になり，創部の安静を維持できないことがある．精神運動発達遅滞や自閉症スペクトラム障害の基礎疾患を有する年長児では特に難しい．安静困難の場合は，保険適用の問題で集中治療室への入室が必要となるが，呼吸抑制作用が軽微で鎮痛作用も併せ持つデクスメデトミジン塩酸塩による鎮静も選択肢となる．

眼科臨床エキスパート

最新ガイドライン準拠!
緑内障診療のスタンダードテキスト

All About 開放隅角緑内障 第2版

[シリーズ編集] 吉村長久・後藤　浩・谷原秀信
[編] 山本哲也・谷原秀信

緑内障の標準病型である「開放隅角緑内障」について、臨床に必要な基礎研究・疫学の最新知識から、実地診療の最前線までを網羅。「緑内障診療ガイドライン」は最新の「第5版」に準拠。最新の治療薬、白内障／緑内障同時手術、AIとビッグデータなど最新トピックスも満載。第一線で活躍する執筆陣による単独執筆。エキスパートならではの経験、洞察、哲学を存分に披露した、緑内障診療の新しいスタンダードテキスト。

目次
- 第1章　総説
- 第2章　疫学と基礎
- 第3章　開放隅角緑内障の診断
- 第4章　開放隅角緑内障に対する治療
- 第5章　開放隅角緑内障の生活指導とロービジョンケア

● B5　頁512　2022年
定価：19,800円（税込）
[ISBN978-4-260-04933-7]

 医学書院

〒113-8719　東京都文京区本郷1-28-23　［WEBサイト］https://www.igaku-shoin.co.jp
［販売・PR部］TEL：03-3817-5650　FAX：03-3815-7804　E-mail：sd@igaku-shoin.co.jp

23 ロービジョンケア

ロービジョンケア総論
General theory about low vision care

清水朋美　国立障害者リハビリテーションセンター病院・第二診療部長

概念　ロービジョンケアとは，見え方で困っている人が少しでも生活しやすくなるために支援していくことである．医療法第一条の二には，「医療は，生命の尊重と個人の尊厳の保持を旨とし，医師，歯科医師，薬剤師，看護師その他の医療の担い手と医療を受ける者との信頼関係に基づき，及び医療を受ける者の心身の状況に応じて行われるとともに，その内容は，<u>単に治療のみならず，疾病の予防のための措置及びリハビリテーションを含む良質かつ適切なものでなければならない</u>」と記されている．眼科医にとって，眼の病気を治すことが最大のミッションであることはいうまでもないが，疾患を発見してそれに対する治療を行うだけでは不十分であり，その後のリハビリテーションまで求められているということを改めて認識しておく必要がある．

厚生労働省の調査によれば，身体障害者手帳（以下，手帳）を所持する428.7万人のうち視覚障害は31.2万人であり，全体の7.3％と最も少ない．参考までに，最も多い身体障害は肢体不自由193.1万人であり全体の45.0％を占めている．日本眼科医会の調査によれば，日本のロービジョン者は164万人というデータもあり，むしろ肢体不自由の手帳所持者の数に近い．この数値の乖離には，「視機能が手帳基準にありながら本人が知らずに申請できていない」あるいは「視機能が手帳基準にあることを本人が知っていても本人希望で申請していない」というケースが相当数いることが想定される．手帳は各種社会資源を利用する際の通行手形に相当するものであり，等級が軽いか重いかよりも，手帳があるかないかのほうが大切であり，仮に等級が軽くても手帳があれば受けられるサービスは多い．眼科医としては，「視機能が手帳基準にありながら本人が知らずに申請できていない」例を出さないようにロービジョン患者への情報提供に努めることもロービジョンケアの1つである．

原因疾患と症状・ニーズ　国内の視覚障害原因疾患は，多い順から緑内障，網膜色素変性症，糖尿病網膜症と続く．かつて首位だった糖尿病網膜症は最近まで第2位だったが，さらに第3位まで後退した．緑内障に対して多種類の点眼薬，新たな手術法も開発されているが，変わらず首位のままである．網膜色素変性症は，治験を含めた研究段階ではあるが，新しい治療法が検討されている．いずれの原因疾患も医療の進歩の恩恵を受けているが，仮にこのような治療を受けられたとしても，患者にとっては必ずしも見え方が完全にもと通りになるわけではない．病態を落ち着かせることはできたとしても，見え方に関する症

状が続き，自覚的に困っている症例は案外多い．病態と検査結果のみならず，患者の自覚的な見え方の確認は必ず行い，困っている場合には少しずつでもロービジョンケアを取り入れていくとよい．

原因疾患を問わず，ロービジョン患者の症状として比較的多いのは羞明である．一般の眼科検査ではわかりにくく，本人の自覚が乏しいことも多いが，角膜混濁，視神経や網脈絡膜の萎縮病変がみられる場合には，羞明の有無を一度は確認しておきたい．具体的なニーズとして挙がる代表例としては，読み書きと移動である．特に中心部や下方の視野に暗点や欠損があると少なからず読み書きに支障があると考えられる．緑内障，黄斑疾患，視神経疾患など，幅広い疾患で留意が必要である．仮に視力がよく，手帳非該当程度であっても中心部に近い視野異常がある場合には，読み書きに困っていることがある．移動についての支障は，周辺視野が欠損している場合に自覚しやすい．求心性視野狭窄をきたす場合には，仮に中心視力がよくても周囲の状況を把握しにくく，急に人や車が視界に入ってくるため，移動時に困ることが多い．網膜色素変性症のように夜盲がある場合には，暗いところだとてきめんに動きにくくなる．

クイック・ロービジョンケア　大がかりなロービジョンケア関連の道具や専門職がそろっていなくても，眼科の基本知識プラスアルファで対応可能なロービジョンケアのことである．どこの眼科でも取り組みやすいので，これからロービジョンケアを始めるなら，クイック・ロービジョンケアから手掛けてみるとよい．

例えば，ロービジョン患者に多い症状の羞明だが，この対策として，遮光眼鏡，つばのついた帽子，サンバイザー，日傘などが有効である．遮光眼鏡は，手帳があれば補装具として申請可能である．等級が軽くても，手帳があるかないかで補装具費支給制度のサービスを受けられるか否かが決まるので，患者の希望があれば手続きを進めていく．

特に，障害歴が浅く，身近に視覚障害の人が誰もいない場合には，見えにくくなったらどのように生活ができるのか，関連情報が皆無であり，イメージが湧いていないことがほとんどである．気軽にインターネット検索ができる時代になったとはいえ，正しく，活きた関連情報は意外と入手が難しい．一般的に，「見えないと何もできない」と考えられる傾向が根強く，情報不足のために必要以上に不安を感じている患者や家族が非常に多い．見えにくくなれば，誰でもある程度の不安は感じるもので，障害受容に時間がかかることもあるが，関連情報によって救われることもあるということは知っておきたい．本書別項で述べられるスマートサイト〔⇒1112 頁，「スマートサイト（ロービジョンケア紹介リーフレット）」項を参照〕も有効だが，全国的なネットワークで知っておくと役立つ可能性が高い団体を挙げておくので，必要時には参考にしていただきたい**(表1)**．

本格的なロービジョンケア　従来行われてきた王道のロービジョンケアである．医療以外の教育，福祉とも連携をはかりながら進めていくことになるので，視覚リハビリテーションといったほうがよいかもしれない．患者の視機能や背景によっては，クイック・ロービジョンケアだけでは対応が難しいため，今も変わらず大切である．

表1 ロービジョン関連の主な団体(2022年7月時点)

団体名	概要	URL・二次元コード
日本網膜色素変性症協会(JRPS)	網膜色素変性症患者の団体	https://jrps.org/
日本視覚障害者職能開発センター	パソコンを利用した職能開発訓練を主に対応	https://jvdcb.jp/
日本点字図書館	国内最大の点字図書館．各種補助具の販売もあり	https://www.nittento.or.jp/
日本視覚障害者団体連合(日視連)	視覚障害者自身の団体の連合組織．各種補助具の販売もあり	http://nichimou.org/
認定NPO法人タートル	視覚障害者の就労支援を主に行っている団体	http://www.turtle.gr.jp/
視覚障がい者ライフサポート機構"viwa"	視覚障害者やその家族，視覚障害関係の仕事をしている人たちを対象とした会．若い世代が多く，子育てや就学，就労に関する情報が多い	http://www.viwa.jp/
視覚障害をもつ医療従事者の会(ゆいまーる)	視覚障害をもつ医師やコメディカルの会	http://yuimaal.org/
日本弱視者ネットワーク	弱視者(ロービジョン者)を対象にした会	https://jakumonken.com/
全国社会福祉協議会(全社協)	各地にある社会福祉協議会(社協)の中央組織．各地の社協は地域の患者グループ情報をもっていることがある	https://www.shakyo.or.jp/

自身の眼科で歩行訓練士や社会福祉士のスタッフまでそろっていて取り組める場合もあるが，全国的に数は少ない．仮にこれらのスタッフがそろっていなくても，地域の教育や福祉機関と連携をはかりながら本格的なロービジョンケアを進めていくことも不可能ではないが，すべての眼科で行うにはハードルが高い．

患者への対応例

■ 架空症例

50 歳代男性，正常眼圧緑内障．

視力　$Vd = 0.08(0.2 \times -5.25 D = cyl -1.0 D A \times 180°)$
　　　$Vs = 0.07(0.1 \times -5.00 D = cyl -1.25 D A \times 180°)$

視野　左右眼ともに下方に暗点あり．

眼圧　コントロール良好．

このような患者を診た場合，ロービジョンケア的なキーワードは「50 歳代男性」「左右眼の矯正視力」「視野の下方に暗点」である．50 歳代男性というと，多くは就労世代であり，今の見え方が仕事に影響していないのか確認をしておく必要がある．矯正視力がよいほうの眼でも 0.2 ということは，読み書きに困っている可能性が高い．しかも，視野の下方に暗点があるということはなおさらである．

仕事については，いったん退職してしまうと戻ることは難しいので，本人が就労継続をしたいと考えているのであれば，辞める前に本格的なロービジョンケアを受けるように情報提供をしながら道筋を示していく必要がある．見えないと無理だと思い込んで，退職したあとに本格的なロービジョンケアを始めたのでは遅すぎる．

読み書きについては，眼鏡の再調整，タイポスコープ，照明，文字拡大などの補助具使用や工夫で解決できることも多い．すぐにできることはクイック・ロービジョンケアの範疇で対応できるとよい．

案外このような症例では，手帳，障害年金に該当していることがある．これについては，視覚障害者等級計算機が有用であり活用されたい．筆者の職場である国立障害者リハビリテーションセンター病院眼科（ロービジョンクリニック）の Web サイトからダウンロード可能である（http://www.rehab.go.jp/hospital/department/consultation/shinryo/ganka/ganka-keisanki/）．

患者の心理的背景とニーズの把握

Understanding the psychological background and needs of patients with low vision

新井千賀子　杏林アイセンター・視能訓練士

患者の心理的背景とロービジョンケア

ロービジョンケアやリハビリテーションは障害の受容後に行われるわけではなく，むしろ病気とともに生きていく患者の心理的な変化のプロセスを支援するものである．ロービジョンケア担当者は，患者がどのような喪失感をもち，どのような心理的状況であるかを考慮してケア内容の検討を進める必要がある．特に，喪失感の多くは「ロービジョンや全盲の状態で，人がどのように暮らしているかを知らない」ことで助長されていることが多い．したがってロービジョンケアの介入によって喪失感を軽減することは，その後の心理的な変化のプロセスの支援にもつながる．また，患者

の心理的背景に考慮した対応方法は，効果的なコミュニケーションを促し，隠れたニーズを的確に汲みとることも可能にする．

中途視覚障害者の心理状態については複数のモデルが論じられている．なかでもThomas J. Carroll 著作の『Blindness: What It Is, What It Does, and How to Live With It』に示された20の喪失が引用されることが多い．この喪失のなかには行動，日常生活，文字コミュニケーション，会話によるコミュニケーション，視覚的な楽しみ，余暇活動，就労や職業の目的，経済的安定，などが挙げられている．さらに，個人としての自立や自尊心，周囲の社会的対応の適切さ，などが含まれている．

こうした障害による機能の喪失への反応とその後の適応経過については Elisabeth Kübler-Ross の死別に対する5つの心理的反応と同様のプロセス（否認と孤立，怒り，取り引き，抑うつ，受容）と考えられている．

しかし，必ずしもすべてのロービジョンの患者が上記のような喪失や心理的適応のプロセスをたどるわけではなく，患者個人を取り巻く環境や支援の状況，本人のパーソナリティによってさまざまなバリエーションがある．したがって，ロービジョンケア担当者は，実際の患者それぞれの状況を把握し評価する必要がある．同時に患者本人だけでなく彼らの支援者（家族や友人など）の，本人や障害への態度を把握しておくことも重要である．また，場合によっては精神科や心理職との連携も検討する．

ヒストリーの聴取　患者の心理的背景について把握し共感をもってケアをするためには，医療ヒストリーだけでなく診断までの経緯や，視機能の低下についてどのような経験をしてきたか，これまでの仕事や学業，人間関係や家族，社会的役割などへの影響があったかなどの過去の経験，視覚障害以外の側面（就業中か在学中か，ほかの疾患や障害があるか，家族構成など）についても確認が必要である．このような過去のヒストリーにはあまりうれしくない経験や障害への憶測も含まれ，患者の視覚障害やロービジョンケアへの態度に影響している場合がある．その結果，実際には解決できる可能性があるニーズを隠してしまっていることがある．このようなヒストリーを聴取し潜在したニーズを明確にすることで，より効果的なロービジョンケアの提供を可能にする．

ニーズの把握とQOL評価　患者のニーズは，疾患や身体障害者手帳に代表される障害の程度によって1つに集約されるものではなく，個々の活用可能な視機能，ライフスタイル，年齢などによりさまざまなバリエーションがある．また，患者自身の心理的な状態によっては「どうせ無理だろう」「できないだろう」という憶測から，「何かをしたい」「何かを解決したい」という明確なニーズが顕在化せず落胆や悲嘆だけが現れることもある．このような潜在的ニーズを聞き取るためにはロービジョンケア担当者の技術や，患者の心理状態に合わせた対応が求められるが，構造化したニーズの把握やQOL評価が潜在的ニーズを把握することにも役立つ．

眼科領域で有名なQOL評価としてはNEI-VFQ25（The 25-item National Eye Institute Visual Function Questionnaire）があり日本語版も作成されている．このNEI-VFQは項目数が少ないものも作成さ

れており簡易に評価できる利点がある．一方で，眼科治療のアウトカム指標としては有効であるが，ロービジョンケアのニーズの把握やケア内容の構築の資料としての活用やアウトカム指標としては不足することが指摘されている．

そのため多くのロービジョン患者が抱える問題に特化したQOL評価や日常生活評価が作成されている．わが国では，ロービジョン患者を対象としたQOL評価表（西脇ら，2001），ロービジョン患者の日常生活の課題を把握する「ロービジョン者用日常生活活動評価指標」（小野ら，2020）が作成されている．また，各施設でもニーズを把握する問診票が作成されている．構造化された質問紙は患者のQOLの低下領域や日常生活の課題を明確にするだけでなく，本人が自覚していない潜在的ニーズも把握できる点で重要である．患者の訴えを傾聴するだけでなく，こうした質問紙を利用することでニーズを明確化でき解決課題を患者と共有することができる．

ケア内容の決定とそのプロセスから得られるもの　「どういうケアが必要か？」という相談を通して顕在化しているニーズだけでなく潜在的ニーズを含めたケア内容とその当面のゴールを決定する．「最も優先する内容は何か？」「緊急に行わなくてはならない内容は何か？」という点について相談し，ケアのゴールを患者とケア担当者が互いに共有して明確にする．患者のニーズは，具体的な「何かを実現したい」という明確なものがある場合から，「以前のように見えるようになりたい」という願望までさまざまである．診断直後や病気とどう付き合うかという態度が決まっていない場合には，以前のように戻りたいという気持ちが優先している場合もある．その場合にはその気持ちを否定せず，当面のゴールとして，活用できる視機能の範囲で実現可能なことをケア担当者から提案する．喪失したと思っていた日常生活，余暇活動などを行う能力が完全には損なわれていないという経験は，別のモチベーションを生むことがある．

また，病気のステージや予後など病気についての理解が十分でない場合には，主治医に協力を仰いで説明をしてもらうことも重要である．多くの患者の場合，診断時の説明を十分に理解できていない（診断の深刻さに驚いて頭に入らない）．長期の治療になると，診断時の説明で聞き落としていたことを改めて主治医に尋ねることができずに，知り合いやインターネットの情報に左右されていることがある．このような場合には自分の疾患の状況を最も把握しているのは主治医であることを再確認する必要がある．

患者が明確なニーズを示さない場合でも，次回以降の数セッションにおける当面のゴールを患者とともに決定し，ケア担当者と患者が協力して解決していくという姿勢が求められる．ロービジョンケアが患者と主治医とケア担当者の協力で進められることを確認することが必要である．

ケア担当者の態度　患者の心理的背景とニーズ，それに対応したケア内容の決定との関係について述べたが，ケア担当者のロービジョンや視覚障害に対する態度が患者の心理的な状況に影響する可能性についても考慮が必要である．ロービジョンケア担当者は，共感をもって患者の心理状態を確認する必要があるが，同時に，ロービジョンや視覚障害があっても適切なケアや

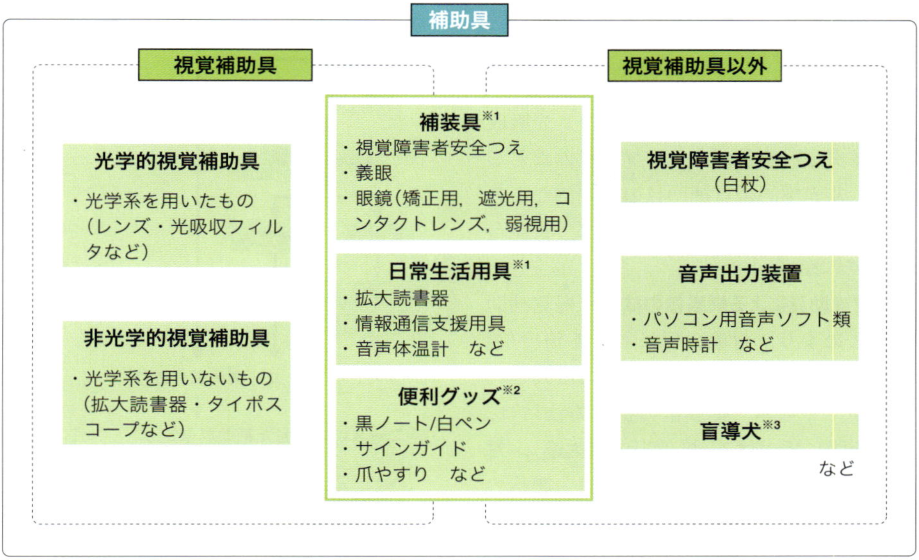

図1 補助具の種類

```
補助具
├─ 視覚補助具
│   ├─ 光学的視覚補助具
│   │   ・光学系を用いたもの（レンズ・光吸収フィルタなど）
│   └─ 非光学的視覚補助具
│       ・光学系を用いないもの（拡大読書器・タイポスコープなど）
│
│   補装具※1
│   ・視覚障害者安全つえ
│   ・義眼
│   ・眼鏡（矯正用，遮光用，コンタクトレンズ，弱視用）
│
│   日常生活用具※1
│   ・拡大読書器
│   ・情報通信支援用具
│   ・音声体温計　など
│
│   便利グッズ※2
│   ・黒ノート/白ペン
│   ・サインガイド
│   ・爪やすり　など
│
└─ 視覚補助具以外
    ├─ 視覚障害者安全つえ（白杖）
    ├─ 音声出力装置
    │   ・パソコン用音声ソフト類
    │   ・音声時計　など
    └─ 盲導犬※3
    など
```

※1 補装具と日常生活用具は，障害者総合支援法に規定されている行政用語．
※2 便利グッズは「ロービジョン関連用語ガイドライン」には含まれていないが，よく使われているもの．
※3 盲導犬は道具ではないが，視覚を補助する役割をもつ．

リハビリテーション，社会的支援を受けることで，病気と共存しながら生きていけることを伝える必要がある．講演会などを通して，機能の低下や進行と折り合いをつけているロービジョンや全盲の当事者の存在を身近に感じることが役立つはずであり，さらに自身の症例経験の蓄積が必要である．

視覚補助具の種類と選定
Types and selection of low vision aids

三輪まり枝　北里大学医療衛生学部・客員准教授・視能訓練士

概念　補助具は，「身体機能の障害を補い，日常生活または社会生活を容易にし，自立と社会参加を可能とするための道具や手段」であり，その種類は多岐にわたる．

補助具の種類について，「ロービジョン関連用語ガイドライン」（日本ロービジョン学会）を参考に図1にまとめた．補助具は視覚を有効活用するための「視覚補助具」と，音声機器などの「視覚補助具以外の補助具」に大別される．

また，補助具のなかに障害者総合支援法に規定されている「補装具（視覚障害者安全つえ・義眼・眼鏡）」や「日常生活用具（拡大読書器・情報通信支援用具など）」も含まれる．本項では「視覚補助具」の特徴および選定方法について述べる．

❶**視覚補助具の種類**　視覚補助具は，光学系（レンズ）を用いた「光学的視覚補助具」

と，光学系を用いない「非光学的視覚補助具」に分けられる．

光学的視覚補助具の代表的なものに，レンズ（眼鏡，拡大鏡，単眼鏡など），光吸収フィルタ（遮光眼鏡など），プリズムなどがある．非光学的視覚補助具の代表的なものに，拡大読書器，タイポスコープ，書見台などがある．

❷**視覚補助具による網膜像の拡大**　視覚補助具などにより，対象の目に対する角度（視角）を大きくすることで網膜像は拡大されて見やすくなる．網膜像の拡大方法には，物体を眼に近づける（接近視・拡大鏡），対象物を大きくする（大活字本など），眼への入射角を大きくする（望遠鏡），像をスクリーンに投射する（拡大読書器など）がある．

A 選定手順

補助具の選定手順の例を**図2**に示す．
❶**保有視機能の評価**　補助具を選定する前に，視力や視野などの保有視機能を正確に評価することが重要である．特に，屈折異常の状態に合わせて適切な矯正を行い，網膜に焦点を合わせたうえで補助具を用いる必要がある．矯正が不十分な状態では，網膜にぼやけたままの像が拡大されるため，補助具が有効に活用できない．また，視野もその状態により，必要とされる補助具の種類が変わるため，正確な測定が求められる（⇒詳細は1章「検査総論」を参照）．
❷**偏心視の確認**　補助具を選定する前に，視野の中心暗点の有無を確認する．中心暗点が生じている場合，中心窩以外の網膜を使って視対象をとらえる「偏心視」が獲得されているかを確認する．獲得されていなければ，視線をずらして中心窩より感度の

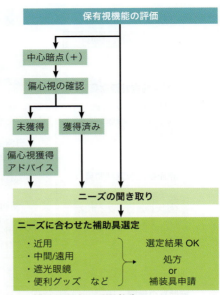

図2　補助具選定の手順（例）

よい網膜領域で対象物をとらえる「偏心視」することで見やすくなることを助言する．偏心視を促しながら補助具を選定することで，必要以上に高倍率なものを合わせることを防ぐことができる．
❸**ニーズの聞き取り**　どのようなことで困っているかという「ニーズ」を具体的に聞き出す．その際，聞き漏らしがないように問診票を使って聞くことが望ましい．また，患者の立場にたって傾聴することが大切である．
❹**ニーズに合った補助具の選定**　ニーズに合った補助具を用途別に選定する．可能であれば貸し出し，その結果，使用感がよければ処方，もしくは障害者総合支援法に規定されている補装具に該当するものは補装具申請する．

B 視覚補助具の種類

1 光学的視覚補助具

代表的な光学的視覚補助具の種類とその特徴を示す**(表 2)**.

❶**眼鏡** 視機能の状態によって一般的な眼鏡(単・二重焦点,累進屈折力レンズなど)でも見やすくなる場合がある.通常の近用加入度数(最大+3.5 D)では見えにくい場合,加入度数を強めることを検討する(例:+5.0 D 加入など).その際,焦点が合う距離が近くなることに注意する(+5.0 D 加入の場合は約 20 cm).

強度の凸レンズを組み入れたハイパワープラスレンズ眼鏡や,両眼視を考慮してプリズムを基底内方に組み込んだプリズム加入レンズがある.さらに網膜像の拡大が必要な場合は,眼鏡枠に専用の拡大レンズを組み込んだ弱視用掛けメガネ式を試す.

❷**拡大鏡** 拡大鏡は基本的に屈折異常を矯正したうえで使用する(特に遠視と乱視).

a. 手持ち式拡大鏡 レンズの diopter を確認し,なるべくレンズの焦点距離で持つように指導する.それは,焦点距離に置かれたレンズからは平行光線が射出され,眼とレンズとの距離に関係なく網膜像の大きさが一定になり,正視・屈折矯正眼では無調節で見ることができるからである.

レンズの周囲にゆがみ(収差)が生じる場合には,レンズの裏表が間違っていないか確認する.

b. 卓上式拡大鏡 レンズは焦点距離よりやや短めに固定されているので,強度の屈折異常が未矯正または調節力が弱い場合は,拡大鏡を通して見える像がぼやける.その際は矯正眼鏡を装用したうえで使用するか,ほかの補助具を検討する.

使用時のうつむいた姿勢がつらい場合は,手持ち式拡大鏡も同様であるが,書見台の併用を勧める.

❸**単眼鏡および双眼鏡** 学校の黒板や駅の表示など,主に中間〜遠方のものを拡大するが,至近距離(約 20 cm)から焦点合わせが可能なものもある.譜面やパソコン画面などを見るときに,小型の単眼鏡を眼鏡に取り付けて使用する場合がある.

- 双眼鏡は,両眼の視力が同じくらいの場合に適している.
- 小児は特に操作指導が必要.
- 高倍率のものは視界が狭く,手振れの影響を受けやすいため,実用性も考慮に入れて選定する.
- 眼と接眼レンズとの距離が離れると視界が狭くなるため,眼鏡を装用して使用する場合は目当てゴムを外側に折り曲げて使う.
- 求心性視野狭窄の場合,使用が困難なことがある.

❹**光吸収フィルタ**

a. 遮光眼鏡(図 3) 羞明(まぶしさ)の軽減やコントラスト改善などを目的として装用する眼鏡で,東海光学(CCP,CCP400),HOYA(RETINEX)を代表として,多種類のカラーがある.

どの波長を何%通過させているかという「分光透過率曲線」が公表されているレンズは,視覚障害者用の補装具として申請が可能である.

帽子やサンバイザーなどを併用することで頭上からの光を防ぎ羞明を軽減できる.

〈選定手順〉

(1) ニーズの聞き取り
- まぶしさを感じる天気や季節,場面など

表2 光学的視覚補助具の例（特徴および使い方のコツ）

型式	写真	特徴	使い方のコツ
眼鏡	矯正眼鏡	・両手が使用できる． ・外見が目立たない． ※補装具申請：眼鏡（矯正用）	累進屈折力レンズは，見たい距離に応じて顎を上下し，焦点の合うレンズ位置を探す．
眼鏡	ハイパワープラスレンズ，プリズム加入レンズ	・眼科の検眼レンズセットで簡単に試すことができる． ・加入度数によって焦点距離が近くなる． ・輻湊が困難な場合は，プリズム加入レンズを使用するか，片眼遮閉して使用する． ※補装具申請：眼鏡（矯正用）	焦点距離が近い場合，照明を背後から当てると暗くなりにくい．
眼鏡	弱視用掛けメガネ式	・主鏡（写真上：遠用約2倍）と近用キャップ（写真下）の組み合わせで倍率を変えることができる． ・高倍率の眼鏡式を希望する場合に適応． ※補装具申請：眼鏡（弱視用掛けメガネ式）	紙面に指を添えたり，用紙をバインダーなどにはさむと視界が安定する．
拡大鏡（手持ち式）		・比較的安価で手に入りやすい． ・倍率が豊富（約1.5〜21倍）． ・小型のものは携帯に便利． ・照明付きあり．	紙面に指を添えると安定する． 目とレンズとの距離を近づけると見える範囲が広がる．
拡大鏡（卓上式）		・焦点が固定されているため小児や高齢者でも使いやすい． ・屈折異常の未矯正などの影響を受けやすい． ・書きものに便利なタイプもある．	屈折異常を未矯正のまま使用すると像がぼやける． 矯正あり　　未矯正
単眼鏡・双眼鏡		・必要倍率を検討する際には，単眼鏡などによる遠方視力表の見え方が参考になる． ※補装具申請：眼鏡（弱視用焦点調整式）	眼鏡を装用して使用するときは接眼レンズのゴムを外側に折り込む（写真下）．

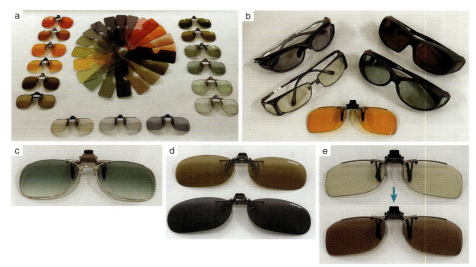

図3 遮光眼鏡
a：遮光眼鏡のカラーの種類．**b**：デザイン各種（フレームなど）．**c**：グラデーションレンズ．暗順応低下などの場合，色が薄いレンズ下部で足下を確認できる利点があるが，羞明が取りきれないこともある．**d**：偏光レンズ（例）．**e**：調光レンズ（例）．室内（上）と屋外（下）でカラーの濃さが変化する．

を具体的に聞き出す．
- 遠見・近見矯正の必要性についても確認する．

(2) レンズカラーの選定
- 実際にまぶしさを感じる場面で選定する（晴天時の屋外，室内PC画面など）．
- 視界が暗くなり過ぎないレンズを選択する．

(3) フレームなどデザインの選定
- 一般のフレーム，クリップ式，周辺からの光の侵入を防ぐサイドシールド付き，オーバーグラスタイプから適したものを選択する．

b. 偏光レンズ 偏光面方向によって入射光線の吸収が異なるレンズ．反射光のまぶしさを軽減する効果がある．

c. 調光（フォトクロミック）レンズ 入射する光量や温度などによって光の透過率が変化するレンズ．明所ではレンズ色が濃くなり，暗所では薄くなるが退色には時間がかかることに注意を要する．

❺**その他の補助具** 縮小レンズ（凹レンズ・単眼鏡を逆向きで使用）は，視野狭窄を呈する比較的視力が良好な場合において，像を縮小させ一度に広い範囲を見る際に有効な場合がある．

2 非光学的視覚補助具

非光学的視覚補助具は，忙しい眼科外来のなかでも簡単に紹介でき，患者に喜ばれるものが多く，なかには手作りできるものもある**(図4)**．以下に主なものを挙げる．

❶**タイポスコープ** 黒色などの紙などで読みたいものの大きさに合わせて作製することが可能で，本などの上に置いて使用する．視野狭窄の場合，行替えの間違いを防ぐ

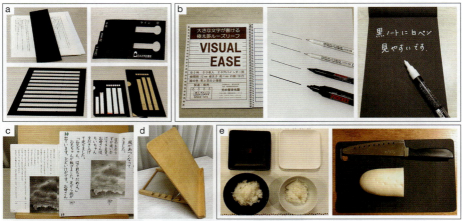

図4　非光学的視覚補助具（例）
a：写真左上から時計回りにタイポスコープ，サインガイド，宛名書き定規セット（（左）ハガキ用・（右）封筒用），レター用スミ字ガイド．b：筆記用具の工夫（罫線が太いルーズリーフ，水性ペン各種，黒ノートに白ペン）．c：通常教科書（左）と拡大教科書（右）との文字サイズ比較（例）．d：書見台（例）．e：ハイコントラストグッズ（例）．

こともできる．
　紙面からの反射を抑えて羞明を軽減させ，コントラストを向上させる効果もある．

❷**大活字本など**　拡大コピーは簡便な拡大方法だが，行間なども広がってしまうことに注意する．
　大活字本は，図書館でも貸し出しが可能で，日常生活用具給付制度の対象．
　拡大教科書は希望者には無償で供与される．

❸**サインガイド**　自筆の署名や捺印をする際に便利．

❹**筆記用具の工夫**　罫線が太いノートや便箋を使用すると書きやすくなる．
　水性ペンは油性ペンと違って紙質による滲みや裏写りはしないので便利．
　黒いノートに白いペンで書くことで読み返しもしやすくなる．

❺**便利グッズ**　ハイコントラストグッズ（白黒まな板や黒い食器など）も紹介すると喜ばれる．黒い茶碗だと白米の食べ残しが確認しやすくなる．
　硬貨を分別して収納できる財布や目盛りが見やすい秤などもある．

❻**照明**　暗くて見えにくい場合は照明を工夫する．照明器具は光量が調整できるもので，光は背後から当てることが望ましい．
　暗順応が低下している場合は，足元を照らす携帯用 LED ライトなども有効．

❼**書見台**　拡大鏡などを使用する際に前かがみにならず，楽な姿勢でよむことができる．特に小児の使用するものは，高さや角度調整が可能で，体重がかかっても動かない滑り止め加工のあるものが望ましい．

❽**拡大読書器**　拡大読書器は，ビデオカメラで写した画像をモニタに映し出す補助具で，据置型と携帯型がある（図5）．

・約2倍から数十倍まで広範囲に拡大できる．

図5 拡大読書器（例）
a：据置型．b：携帯型．音声読み上げ機能付き（左）とピンチ操作が可能なもの（右）．c：電子ルーペ．

- 反転（黒い背景に白文字）などへの表示変換やコントラストの強調が可能．
- 行替えがしやすい線（ライン）や，画面の一部だけを表示することができるマスク機能付きの器種がある．
- 使用前に操作方法について指導することが望ましい．
- 日常生活用具給付制度の対象であるが，詳細は自治体への問い合わせが必要．

a. 据置型 カメラ下の可動式台（XYテーブル）の上に見たいものを置いて使用する．カメラと台との距離が離れているため，「書きもの」「爪を切る」「手芸」などの作業も可能である．アーム式カメラ付きのものは遠方（黒板など）や化粧のときの自分の顔を確認できる．音声読み上げ機能付きの器種もある．

b. 携帯型 小型のものは外出先での使用に便利である．遠近ともに拡大できる機能や「書きもの」が可能な器種もある．近年，「電子ルーペ」という安価なものも販売されている．

❾ **その他の補助具**

a. タブレット端末・スマートフォン iPad®やiPhone®などに搭載された一部の機能は視覚補助に役立つ（⇒次項，「新しいタイプの補助具」項を参照）．

b. 眼鏡型のウェアラブルデバイス（図6）
(1) 暗所視支援眼鏡 HOYA MW10 HiKARI（販売元：ViXion） 暗順応低下の際の暗所視支援眼鏡．低照度高感度カメラでとらえた像を，明るい映像として眼鏡の内側のディスプレイに投射する．暗所でも明るく見え，カラーで表示される．

(2) OrCam MyEye 2（販売元：システムギアビジョン） 眼鏡フレームに取り付け可能な音声デバイス．人工知能を搭載しており，撮影した文字情報を音声で読み上げることができる．そのほかに人の顔や，お札，色，時間なども認識し，耳元のスピーカーで聞ける機能付きのものもある．

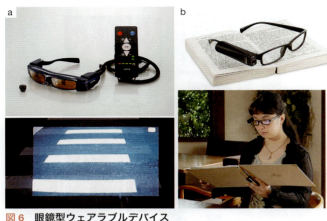

図6 眼鏡型ウェアラブルデバイス
a：暗所視支援眼鏡 HOYA MW10 HiKARI．b：OrCam MyEye 2．

新しいタイプの補助具
New types of orthosis

三宅 琢　東京医科大学・兼任助教

図7 個別最適化された色調，コントラストで本棚の背表紙を拡大
アプリ名：明るく大きく

概念　ここ数年でスマートフォン（以下，スマホ）に代表されるICT（情報通信技術）機器は広く普及し，画像認識機能や音声認識機能などのAI（人工知能）が実装された．これらのICT機器にはアクセシビリティ機能とよばれる障害がある人が使用するための補助機能が存在し，視覚障害者を対象とした情報支援アプリケーションソフトウェア（以下，アプリ）も登場しており，実践的な補助具として機能する．

また ICT 機器を所持していることを前提とした社会インフラサービスも登場し，今後は視覚障害者が生活していくうえでの生活必需品となる．一般機器であるICT機器を新しいタイプの補助具として導入することの意義を具体的なニーズおよび活用方法と合わせて紹介する．

ニーズと活用事例

❶**対象物の視認**　スマホやタブレット端末は背面カメラを利用して，対象物を撮影して任意のサイズに拡大したり，色調やコントラストの調整を行うことで拡大鏡として利用することが可能である**（図7）**．これらICT機器は一般機器であるため外出時に使用する際に心理的抵抗感が小さく，見る意欲の低下を軽減できる．

❷**文字情報の取得**　対象データをデジタル

図8 視覚障害者の視機能と嗜好性に合わせた文字サイズ，書体などの調整や音声での読み上げが可能なアプリ

左：通常の閲覧表示，右：リーディングモードの表示．アプリ名：UDブラウザ

図9 スマホの背面カメラとスマホを固定する台を使用して印刷物の文字情報を音声に変換(a)，折り畳まれた状態(b)

アプリ名：Seeing AI，使用台：よむん台

データで入手することが可能であれば，文字サイズを調整したり音声の読み上げ機能を併用するなどの読書環境の個別最適化が可能である(図8)．

また端末の背面カメラによるOCR(光学的文字認識)機能とテキストデータの音声読み上げ機能を利用して，印刷物の文字認識と音声読み上げを可能とするアプリも存在している(図9)．視覚障害者の読書方法の選択肢を増やすことで，読書意欲を低下させないことが重要である．

❸**さまざまな対象の識別** 画像認識AIの進歩に伴い，スマホの背面カメラを用いてテキストの認識に加えてバーコード認証，人物，紙幣，状況，色情報などを識別し音声に変換する視覚障害者向けの情報支援アプリも存在している(図10)．一般機器によるロービジョンケアは，身体障害者手帳の

図10 スマホの背面カメラと紙幣識別アプリを使用した音声による紙幣の識別
アプリ名：Seeing AI

図12 スマホのカメラを利用した，遠隔での視覚支援
アプリ名：Be My Eyes

図11 コンパスアプリで方角を音声で確認
アプリ名：コンパス

取得の有無に依存しないため軽度の視覚障害者にも導入が可能である．

❹**移動支援** スマホに実装された位置情報を取得することで，スマホは視覚障害者が移動する際の音声ナビゲーションツールとして活用することができる**(図11)**．

❺**遠隔支援** 当事者と支援者が支援アプリをダウンロードすることでスマホのテレビ電話機能を利用して，遠隔で視覚情報の支援を行うアプリやサービスが登場している**(図12)**．

外来診療での情報提供

❶**ニーズの選定** 外来で情報提供を行う際は，多様なニーズのなかでアプリの適応があるニーズを選定する問診を行うため，事前にアプリの種類や活用事例を把握しておくことが適切な情報提供につながる．

最近のスマホではカメラでQRコードを読み込みWebサイトを検索できるため，以下に挙げるような便利なアプリの一覧をQRコードとともに印刷し，外来で患者や患者家族に提供するだけでも有効な情報提供となる．

- 東京都障害者IT地域支援センターWebサイト：便利なアプリ一覧（https://www.tokyo-itcenter.com/700link/sm-iphon4.html）**(図13)**
- 便利アプリの紹介，児童を対象としたICT端末の活用事例の報告書を閲覧できるWebサイト：魔法のプロジェクト（https://maho-prj.org）

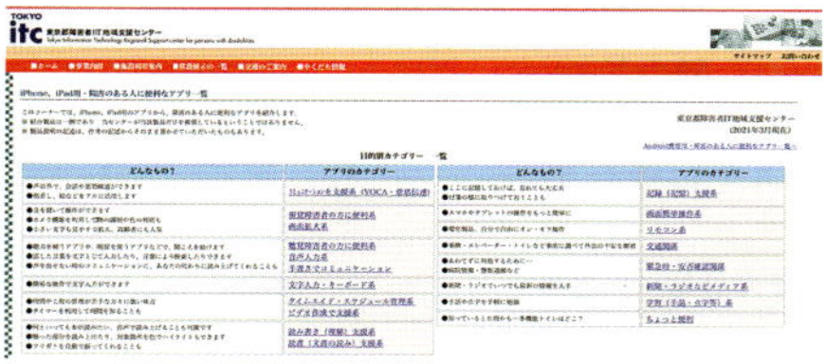

図 13　便利なアプリ一覧
東京都障害者IT地域支援センターWebサイト
〔https://www.tokyo-itcenter.com/700link/sm-iphon4.html
(2021年7月閲覧)〕

❷**体験型の指導**　端末での選定されたアプリの実機体験を通して，患者に意欲の向上が発生するかを確認する．この成功体験を通して患者の意欲と主体性の向上が起こるかを注視し，行動変容につながる場合は導入を勧めることが望ましい．

❸**継続使用**　ICT機器をロービジョンエイドとして継続使用するためには，一般機器であるため家族などの支援者の同席を促して情報提供を行うことが肝要である．また支援者が存在しない場合は，端末を使用する当事者同士や支援者などのコミュニティへ接続するための情報提供も有効である．

公益社団法人NEXT VISION (https://nextvision.or.jp)では，定期的なオンラインでの患者ラウンジ「ロービジョンのつどい」やICT活用における情報支援を行っている．

おわりに　視覚障害者は移動障害を伴う情報障害者と表現されることがある．臨床的な回復が難しい視覚障害者にとって，適切な時期にICT端末などの一般機器による新しい補助具に関する情報提供を行うことは視力低下による困難さや将来失明する可能性への絶望感を軽減し，心理的・社会的回復を促すうえで重要である．

ロービジョンケアに必要な診断書

Medical certificate required for low vision care

加藤 聡　前 東京大学・准教授

概念　眼科医が行えるロービジョンケアの大切な仕事(他の職種ではできない)として，診断書の作成がある．診断書のなかには指定された医師しか書けない診断書と，医師ならば誰でも書ける診断書がある**(表 3)**．ロービジョンケアにおいて眼科医に関連する指定された医師しか書けない診断書の代表的なものとして，「身体障害者診断書・意見書(視覚障害用)」「補装具費支給意見書」「国指定の難病に対する臨床調査個人票」がある．

1 視覚障害による身体障害者意見書

基本は患者の自己申告制であり，医師が身体障害者に該当することを伝えなかったからといって医師の瑕疵とはならない．ただし，患者にはその知識がないことを考慮し，眼科医のみならず，視覚障害に限っていえば視能訓練士からも患者にその情報の糸口を与えることは重要である．時期としては，病状が安定したとき(病状が固定)に行うべきで，手術直後や発症間もない時期の申請は不適切である．

■**身体障害者診断書・意見書(視覚障害用)記入の実際**　身体障害者障害程度等級(視覚障害)は国によって制定されているが，その記入用紙は都道府県により異なる．本項では東京都の記入用紙を参考にして解説する．

表3 指定医のみが書ける診断書

指定医のみ書くことができる
- 身体障害者診断書・意見書(視覚障害用)
- 補装具費支給意見書
- 国指定の難病に対する臨床調査個人票
- 小児慢性特定疾病の医療意見書
- 障害者総合支援法対象疾患

医師ならば誰でも書くことができる
- 障害年金受給のための診断書(眼の障害用)
- 都道府県が単独で行っている指定難病に対する個人調査票
- その他,すべての診断書

表4 視力障害,視野障害の指数計算による統合等級

- 各々の障害等級により指数を求める.
- 重複する障害の合計指数に応じて,等級を認定する.

障害等級	指数	合計指数	認定等級
1級	18	18以上	1級
2級	11	11〜17	2級
3級	7	7〜10	3級
4級	4	4〜6	4級
5級	2	2〜3	5級
6級	1	1	6級
7級	0.5		

❶総括表の記入

a. 氏名,生年月日,性別,住所 書き忘れ,書き誤りのないようにする.

b. 障害名 視力障害 and/or 視野障害(両方のときは視覚障害でも可).

c. 原因となった疾患・外傷名 e.の現症と一致する疾患名もしくは障害名を記入し,最後に当てはまるものに○をする.保険病名ではない.

d. 疾患・外傷発生年月日 疾患の場合,推定日を記入し,不明ならば不詳でも可.外傷なら,発生日を必ず記載する.

e. 参考となる経過・現症 障害固定または障害確定日は必ず記載すること.

f. 総合所見 疾患名,前述した現症と矛盾しない内容で,視覚障害の原因が明確にわかるように記載する.「将来再認定」の欄は必ず記載すること.1級ならば「不要」.一般的には3年後に再認定が多いが,今後の治療により改善する可能性が高いときは「1年後軽度化」とする.

g. その他参考となる合併症状 視覚障害に関連する合併症を記載する.

h. 病院および診療所の名称,指定医師の署名 身体障害者福祉法第15条指定医師が指定された医療機関から発行したものである必要がある.

i. 障害の程度は,身体障害者福祉法別表に掲げる障害に 「・該当する」に○をする.該当しない場合は意見書を発行しない.

j. 障害程度等級についての参考意見 視力障害と視野障害が合併している場合は,等級別に指数が決められており,その合計の指数で認定する(表4).

❷視覚障害の状況および所見(表5)

a. 視力 両眼のうち,視力のよいほうの眼の視力を用いる.

屈折異常のあるものについては,矯正視力を測定するが,この場合最も適正な常用しうる矯正眼鏡またはコンタクトレンズによって得られた視力とする.ただし,矯正不能または医学的にみて矯正に耐えられないものは裸眼視力による.

P(パーシャル)はその段階の視力が得られなかったと考え,一段下の視力とする.0.2Pならば0.1とする.また,視力測定値が0.15の場合は0.1とする.

両眼を同時に使用できない複視は,非優位眼の視力を0として扱う.その他の原因により,両眼同時視ができない場合も,

表5 視覚障害による障害程度等級表

級別	視覚障害
1級	視力の良い方の眼の視力(万国式試視力表によって測ったものをいい,屈折異常のある者については,矯正視力について測ったものをいう.以下同じ.)が0.01以下のもの
2級	1 視力の良い方の眼の視力が0.02以上0.03以下のもの 2 視力の良い方の眼の視力が0.04かつ他方の眼の視力が手動弁以下のもの 3 周辺視野角度(1/4視標による,以下同じ.)の総和が左右眼それぞれ80度以下かつ両眼中心視野角度(1/2視標による.以下同じ.)が28度以下のもの 4 両眼開放視認点数が70点以下かつ両眼中心視野視認点数が20点以下のもの
3級	1 視力の良い方の眼の視力が0.04以上0.07以下のもの(2級の2に該当するものを除く.) 2 視力の良い方の眼の視力が0.08かつ他方の眼の視力が手動弁以下のもの 3 周辺視野角度の総和が左右眼それぞれ80度以下かつ両眼中心視野角度が56度以下のもの 4 両眼開放視認点数が70点以下かつ両眼中心視野視認点数が40点以下のもの
4級	1 視力の良い方の眼の視力が0.08以上0.1以下のもの(3級の2に該当するものを除く.) 2 周辺視野角度の総和が左右眼それぞれ80度以下のもの 3 両眼開放視認点数が70点以下のもの
5級	1 視力の良い方の眼の視力が0.2かつ他方の眼の視力が0.02以下のもの 2 両眼による視野の2分の1以上が欠けているもの 3 両眼中心視野角度(1/2視標による)が56度以下のもの 4 両眼開放視認点数が70点を超えかつ100点以下のもの 5 両眼中心視野視認点数が40点以下のもの
6級	視力の良い方の眼の視力が0.3以上0.6以下かつ他方の眼の視力が0.02以下のもの

現症を明確に詳述することにより,非優位眼の視力を0として取り扱うことが可能なことがある.

乳幼児の場合の視力検査は一般的に3歳時以降だが,明らかな無眼球症やその他の方法で推定可能な場合は3歳未満でも可能である.

b. 視野 視野はGoldmann型視野計,もしくは自動視野計を用いて測定する.Goldmann型視野計の場合は周辺視野角度と中心視野角度より判定する.自動視野計を用いる場合は両眼開放エスターマンテスト視認点数と10-2プログラムにて中心視野視認点数から判定する.詳細については割愛する.視野のコピーを添付する.

c. 現症 現症については,前眼部,中間透光体および眼底についての病変の有無とその状態を記載する.総括表に記載した原因疾患と矛盾しないように書くことが重要である.

2 補装具費支給意見書

持参の身体障害者手帳の記載と異なることもありうる.例えば,身体障害者手帳は2級になっているが,現在の視機能では3級相当のこともあり,その場合もそのままの所見を書く.それによって身体障害者等級が変更されることはない.

補装具の範疇と個数の解釈は自治体で異なる.「『眼鏡』という種目の中には,矯正眼鏡,遮光眼鏡など,それぞれ構造が異なった種類を規定しており,その用途も異なっているため,『眼鏡』という種目の中で複数支給することは可能である」と厚生労働省の補装具費支給に係るQ&Aでは回答されているが,実際の支給状況は全国

表6 国指定の難病

視覚系疾患
- Usher 症候群（指定難病 303）
- 黄斑ジストロフィ（指定難病 301）
- 眼皮膚白皮症（指定難病 164）
- 中隔視神経形成異常症/De Morsier 症候群（指定難病 134）
- 網膜色素変性症（指定難病 90）
- Leber 遺伝性視神経症（指定難病 302）
- 前眼部形成異常（指定難病 328）
- 無虹彩症（指定難病 329）
- 膠様滴状角膜ジストロフィ（指定難病 332）

視覚系疾患ではないが，眼科医が記載することがある疾患
重症筋無力症，多発性硬化症/視神経脊髄炎，Behçet 病，Stevens-Johnson 症候群，Sjögren 症候群，サルコイドーシス　など

で一致していない．原則は1種目1個である．

3 国指定の難病に対する臨床調査個人票

「難病」とは，①原因不明，治療方針が未確定かつ後遺症を残すおそれが少なくない疾患，②経過が慢性にわたり，経済的問題のみならず介護などのため家族の負担が重く，精神的にも負担の大きい疾病と規定されている，③患者数が人口の0.1％程度に達しない，④診断に関し客観的な指標による一定の基準が定まっていることとなっている．

国指定の難病のうち，視覚系疾患と，視覚系疾患でないが眼科医が記載する可能性がある疾患を**表6**に示す．難病に指定されることにより，医療費の軽減や，視覚障害者に該当する程度の視覚障害があれば身体障害者手帳をもっていなくても障害福祉サービス（例：補装具の給付）が受けられる．

4 障害者総合支援法対象疾患

指定難病と似ているが，難病と異なる事項は，「発病の機構が明らかでない」「患者数が人口の0.1％程度に達しない」の2点の要件がないことである．眼科疾患では，円錐角膜と加齢黄斑変性などが該当する．これらの疾患の患者で視覚障害者程度の障害があれば，難病と同様の障害福祉サービスが受けられる．

スマートサイト（ロービジョンケア紹介リーフレット）
SmartSight (Low vision care introduction leaflet)

平塚義宗　順天堂大学・先任准教授

概念　一般に眼科医は，医療から福祉への橋渡しをする部分ともいえるロービジョンケア関連の知識に乏しく，また多忙な日常業務のため，必要な情報を患者に提供できていない．そこで，ロービジョンケアに関心がない，あるいは関心があってもノウハウを知らない眼科医であってもロービジョンケア関連の情報を必要とする患者に確実に提供できるよう考え出されたのがスマートサイトである．

スマートサイトとは，ロービジョン患者が悩みに応じた適切な指導や訓練を受けられる相談先を紹介する簡単なリーフレットを意味する．リーフレットには，近隣のロービジョンクリニックや視覚障害センター，特別支援学校（視覚障害）など視覚リハビリテーションに関して相談可能な施設情報が記載され，1枚のリーフレットを患者に渡すだけで，ロービジョンケアに関す

図 14 東京都ロービジョンケアネットワークリーフレット（スマートサイト）
左：表面．右：裏面．

る情報を入手でき，サービスにアクセスしやすくなることを想定したものである（図14）．

スマートサイトとは，もともとは2005年にアメリカ眼科学会が開始したウェブサイトからダウンロードし利用するロービジョンケア関連情報の集合体のことで，Webサイト内容全体を含めたプログラムそのものを示していた．しかしながら，そのコンセプトを日本に導入するにあたり，便宜上リーフレットそのものを指すことが多くなってきている．スマートサイトという言葉からロービジョンケアやリーフレットを連想することが困難なため，現在「ロービジョンケア紹介リーフレット」と表現することを推奨されている．

現在，ロービジョンケア紹介リーフレット（スマートサイト）は，各都道府県に独自のものが整備されている．日本眼科医会のWebサイト（https://www.gankaikai.or.jp/info/detail/SmartSight.html）からもその多くがダウンロード可能となっているので参照されたい．

利用法と注意点　対象者を見つけてリーフレットを渡すことだけであり，個別に関連施設を探したり利用の手配をしたりする手間はかからず，負担を軽減する仕組みとしても有用である．

対象者は，視力・視野のみでなく，視覚障害のために日常生活に不自由のある状態の患者だが，目安としては，①良いほうの眼の矯正視力0.5未満，②視野に暗点や欠損がある（特に下方），③羞明や複視が強いなどが挙げられる．

手渡すときには注意が必要である．ぶっきら棒に，ただ手渡せばよいというものではない．患者は，本来疾病治療のために眼科医療機関を受診している．渡すタイミングや声かけに注意をしないと思わぬ誤解を受けることもある．

❶**タイミング**　視覚障害者の受傷による心理的衝撃は，ショック期，回復への期待期，混乱期，適応への努力期，適応期の5段階があり，一方向性でなく，行きつ戻りつの複線的経過をたどる．そのため，画一的なケアでは対応が難しい．患者が病状を受容した状態である適応期がスムースに受け取ってもらいやすい時期である．適応期以前に渡されると不本意な気持ちになったり，医師に治療をあきらめられてしまったと，疎外感を感じたりすることもある．一方，渡すことで新たな情報に接し，これが

介入効果となって，心理的に早めに障害受容に至る場合もある．

なお，渡すタイミングが遅すぎると，「前からずっと来院しているのに今さら何ですか？」と思われてしまうこともあり，注意が必要である．

診断がついたとき，自覚症状の悪化を感じて困り始めているとき，精神的負担を感じていると推察されたとき，遮光眼鏡などロービジョン関連の処方を行ったタイミングなど，各々の患者の状況を見極め，信頼関係を築いてから，よいタイミングを見計らって渡すことが重要である．

❷**渡すときの声のかけ方例** 正解はないが，自分なりの声のかけ方を用意しておくとよい．参考例をいくつか示す．

- 「見づらさで生活に不自由を感じたら相談できるところが書いてありますから，一度読んでみてくださいね」
- 「見えにくさに関して○○県では相談できるところがあります．あなたは○○にお困りなので○○に一度電話してみるとよいと思いますよ」
- 「今までは見ることに特に問題はなかったと思いますが，このところ見づらくなってきていろいろお困りだと思います．でも，実は世の中には見えにくい方のための工夫や制度，道具など，たくさん存在します．見づらくても，いろいろな工夫やお作法を知ればずいぶん楽になると思います．まずは，詳しい人に相談してみるとよいです」
- 「新聞や市の広報など，読みにくくなっていないですか？ 現在，病気は落ち着いていて，すごくよく効く治療に関してもまだ少し先になると思いますが，いろんな工夫をしたら便利かもしれませんよ．専門の人に相談してみますか？」
- 「現状では，全然困ってらっしゃらないとは思いますが，このリーフレットに困ったときに相談できるような連絡先がいくつも書いてありますから，お守りとして持っておいてくださいね」

❸**その他の注意点** 同じリーフレットを何度も渡すと，「この先生，私のことしっかり診てくれているのか？」と不安に思わせてしまう可能性がある．忘れないようカルテに渡したことを記載しておく．また，「喜んでいた」「怪訝そうだった」など，そのときの印象も書いておくとよい．

リーフレットは一度渡しておくと，そのときには必要を感じなくても，将来的に有用となることもある．のちに必要性を感じたときに「そういえば，いろんな情報が載ったリーフレットをもらったな」と思い出せるよう，インプットしておくことも効果的である．

リーフレットを渡すことでロービジョンケアが完結するわけではない．リーフレットは，ロービジョンケア関連情報を必要とする患者に手軽に情報提供するための，最も簡単な第一歩に過ぎない．必要な人にいつでも渡せるように手元に置いておこう．

和文索引

① ── でつないだ言葉はそのすぐ上の見出し語につなぐものである．
② 頭がアルファベットではじまるものは欧文索引に配列し，ギリシャ文字・数字ではじまるものは欧文索引の冒頭に並べた．
③ ページの**太字**は主要説明箇所を示す．

あ

アーガイルロバートソン瞳孔 ⇒
　Argyll Robertson 瞳孔を見よ
アイスパックテスト　203
赤ガラス法　198, 201
アカントアメーバ角膜炎　422
悪性高熱症　283
悪性黒色腫　347, **592**
悪性腫瘍，眼瞼　342
悪性緑内障　803
悪性リンパ腫　**953**, 956
朝顔症候群　726
新しいタイプの補助具　1106
圧迫隅角検査　100
アデノウイルス結膜炎　78, **379**
アデノウイルスによる角膜炎
　　　　　　　　　　　　432
アデノウイルス免疫クロマトグラ
　フィ法キット　79
アトピー眼症　390
アトピー性角結膜炎　**389**, 456
アトピー性眼瞼炎　**327**, 390
アトピー性皮膚炎
　　　　390, 514, 516, **965**
アトピー白内障　514
アトロピン　1029
──による散瞳　855
アナフィラキシー　1083
アナフィラキシーショック
　　　　　　　　1005, **1071**
──，薬剤による　1089
アノマロスコープ　219
アピカルクリアランス　24
アピカルタッチ　24
アブラキサン®　1044
アフリベルセプト　265
アマンタジン　1031
アミロイド沈着　463, 799
アミロイド緑内障　799
アルゴン・フッ素エキシマレー
　ザー　313
アルゴンレーザー周辺虹彩形成術
　　　　　　　　　　　　789

アルブミン懸濁型パクリタキセル
　　　　　　　　　　　　1044
アレクチニブ塩酸塩　1044
アレセンサ®　1044
アレルギー性眼瞼炎　326
アレルギー性結膜炎
　　　　　　　　363, **384**, 437
──による角膜障害　456
アレルギー性肉芽腫　282

い

イールズ病 ⇒ Eales 病を見よ
医原性 Brown 症候群　281
石原色覚検査表国際版 38 表　215
萎縮型 AMD　677
異常眼球運動　885
移植片内皮機能不全　504
苺状血管腫　350, 943
一次性 SS　359
一過性黒内障　843
一過性脳虚血発作　843
遺伝子診断　240
遺伝性視神経萎縮　241
遺伝性視神経症　828
イヌ回虫　568
イピリムマブ　1044
異物
　──，角膜　1009
　──，眼窩内　1010
　──，結膜　1008
イムセラ®　1037
インターフェロン　1035
インターフェロン網膜症　1035
インドシアニングリーン蛍光眼底
　造影検査　126

う

渦巻き角膜症　451
うっ血乳頭　**820**, 826, 854

え

栄養障害性角膜潰瘍　424, **428**

エーラス・ダンロス症候群 ⇒
　Ehlers-Danlos 症候群を見よ
エクスプレス　302
壊死性角膜炎　426
壊死性強膜炎　608
エスケープ現象　846
エタンブトール　1038
円蓋部切開　279
円弧状潰瘍　462
遠視　1045
延髄外側症候群　853
円錐角膜　481
──，アレルギー治療　483
──，進行予防　483
延髄障害　878
円錐水晶体　508
延髄病変　853
エンテロウイルス 70　381
円板状角膜炎　426

お

桜実紅斑　999
黄色ブドウ球菌　417
黄斑円孔　157
黄斑円孔網膜剥離　622
黄斑偽円孔　667
黄斑ジストロフィ　719
黄斑疾患　309
黄斑上膜　157, 669
黄斑低形成　922
黄斑部毛細血管拡張症　655
横紋筋肉腫　941, **947**
大型弱視鏡検査　193
大型弱視鏡法　197
大田原症候群　1034
太田母斑　736
オートケラトメータ　53
オートレフラクトメータ　8
オーバー・レフラクション　16
オカルト黄斑ジストロフィ　719
おたまじゃくし状瞳孔　852
オプジーボ®　1044
オルソケラトロジー　1048

か

加圧式眼底血圧計　163
ガードナー症候群 ⇒ Gardner 症候群を見よ
外眼部感染症　390
開散麻痺　867
外斜視
　　——, A–V 型　893
　　——, 感覚性　893
　　——, 間欠性　892
外傷性黄斑円孔　665
外傷性頸部症候群　1026
外傷性虹彩炎　1022
外傷性散瞳　1023
外傷性視神経症　848, **1012**
外傷性前房出血　1020
外傷性白内障　518
外傷性網膜剝離　1018
外傷性緑内障　796
回旋斜視手術　278
回旋偏位　193
外側膝状体の障害　836
外転神経麻痺　873
外麦粒腫　321
開放型骨折, 眼窩　937
開放隅角メカニズムに対する緑内障手術　296
開放隅角緑内障, 水晶体起因性　795
開放性眼外傷　1017, 1018
海綿状血管腫　350, 943
海綿静脈洞症候群　869, **875**
潰瘍性大腸炎　983
化学療法薬, 細胞傷害性　1042
過矯正, 術後眼位の　281
角化棘細胞腫　351
核間麻痺　859
角結膜炎
　　——, アトピー性　389
　　——, 上輪部　399
　　——, 流行性　379
角結膜手術　271
角結膜上皮内新生物　414
角結膜染色法　50, **81**
隔日内斜視　891
核上性単眼上転不全　863
角膜厚　98
角膜移植眼の術後管理　499
角膜移植術　285
　　—— 後の拒絶反応　502
　　—— 後の緑内障　799

角膜異物　1009
角膜炎
　　——, アデノウイルスによる　432
　　——, 風疹による　431
　　——, 麻疹による　431
角膜潰瘍　51, 448, 456
　　——, リウマチ性　461
角膜化学傷　486
角膜拡張症　482
角膜感染症　487
角膜屈折矯正手術　275
角膜屈折力　54
角膜形状解析　53, 58, 482
角膜形状の指数　55
角膜血管新生　453
角膜高次収差　55
角膜厚測定　60
角膜後面沈着物　52
角膜後面膜様物　52
角膜混濁, 代謝異常に伴う　470
角膜糸状物　51
角膜ジストロフィ　241, **471**
　　——, Meesmann　471
　　——, Reis–Bücklers　474
　　——, Schnyder　476
　　——, Thiel–Behnke　474
　　——, 顆粒状　475
　　——, 格子状　474
　　——, 後部多形性　479
　　——, 膠様滴状　473
　　——, 斑状　476
角膜実質の沈着物　464
角膜障害
　　——, アレルギー性結膜炎による　456
　　——, コンタクトレンズによる　454
角膜上皮異形成　51
角膜上皮症　456
角膜上皮障害　425, 448, 454
角膜上皮の沈着物　462
角膜真菌症　420
角膜浸潤　455
角膜新生血管　52
角膜染血症　797
角膜穿孔　52, 487
角膜断層撮影法　61
角膜知覚検査　71
角膜内皮移植 (術)　287, 500
角膜内皮観察法　50

角膜内皮ジストロフィ, Fuchs　477
角膜内皮障害　479
角膜内皮パーツ移植　481
角膜軟化症　495
角膜熱傷　488, 1006
角膜の加齢性変化　465
角膜反射法　185
角膜パンヌス　453
角膜ヒステリシス　69
角膜菲薄化　52
角膜表層穿刺　444
角膜びらん　51
角膜プラーク　456
角膜フリクテン　453, **458**
角膜ヘルペス
　　　328, 390, **424**, 448, 458, 467
角膜辺縁透明変性　485
角膜融解　487
角膜輪部移植　500
核落下　525
下斜筋強化術　281
下斜筋弱化術　280
渦状角膜混濁　470
仮性同色表　215
画像診断　233
家族性アミロイドポリニューロパチー　799
家族性滲出性硝子体網膜症　629, 818
家族性大腸腺腫症　987
家族性ドルーゼン　685
カタル性角膜潰瘍　459
下直筋鼻側移動術　872
滑車神経麻痺　870
滑車部損傷　283
カニ爪様　485
化膿性肉芽腫　353
カフーク　デュアルブレード　297
花粉症　384
下方注視麻痺　862
仮面症候群　345
仮面両側上斜筋麻痺　872
カラーボタン様病変　421
ガラクトース血症　516, **999**
顆粒状角膜ジストロフィ　475
カルシウム塩の沈着　463
加齢黄斑変性　677
加齢性下眼瞼外反症　339
加齢性眼瞼内反　337

加齢性変化，角膜の　465
加齢白内障　512
川崎病　993
眼圧上昇，受傷後早期の　797
眼圧測定　95, 98
眼圧値と変動，測定方法　95
眼窩悪性リンパ腫，左　335
眼外法トラベクロトミー　297
眼窩炎性偽腫瘍　930
眼窩外上方　283
眼窩下壁骨折　283
眼窩下方　283
眼角解離症　912
感覚性外斜視　893
眼窩血腫　938
眼窩骨折　937
眼窩サルコイドーシス　936
眼窩手術　283
眼窩腫瘍とその頻度　939
眼窩静脈瘤　928
眼窩先端部症候群　875
眼窩内異物　1010
眼窩内上方　283
眼窩内壁骨折　283
眼窩部 MRI　827
眼窩蜂巣炎　929
汗管腫　353
癌関連網膜症　770
眼球運動障害
　——, Brodmann による　883
　——, 小脳障害による　884
　——, 大脳障害による　883
　——, 脳幹部障害による　877
眼球陥凹　960
眼球後退症候群　902
眼球電図　206
眼球突出計　201
眼球破裂　1017
眼鏡処方　13
眼鏡に対する検査　16
眼虚血症候群　650
間欠性外斜視　892
観血的周辺虹彩切除術　295, 784
眼瞼悪性腫瘍　342
眼瞼炎　325
　——, アトピー性　327
　——, アレルギー性　326
　——, ヘルペス性　327
眼瞼外反　338
眼瞼下垂　330
　——, 筋原性　330

　——, 腱膜性　330
　——, 後天性　331
　——, 心因性　331
　——, 神経原性　330
　——, 先天性　331
　——, 続発性　331
眼瞼気腫　355
眼瞼挙筋機能測定　202
眼瞼けいれん　328
眼瞼欠損，両先天性　334
眼瞼手術　268
眼瞼腫瘍　340
眼瞼内反　337, 437
眼瞼膿瘍　325
眼瞼皮膚弛緩症　333
眼瞼浮腫　353
眼瞼良性腫瘍　348
眼瞼裂傷　1026
眼軸長測定　38
カンジダ　420
眼疾患と quality of life　1069
患者の心理的背景とニーズの把握
　　1096
干渉縞視力検査　29
眼振　908
眼心身症　1061
眼心臓反射　281, 1083, 1089
眼振阻止症候群　891, 908
眼性異常頭位　895
眼性斜頸　895
眼精疲労　1055
関節リウマチ　589, 590, 977
　——に伴うぶどう膜炎　590
感染性強膜炎　607
感染性心内膜炎　969
杆体1色覚　214
眼底血圧測定　163
眼底撮影　119
眼底スケッチ　114
眼底チャートの描き方　115
眼トキソカラ症　568
眼トキソプラズマ症　565
眼内異物　1024
眼内炎　740
　——, 真菌性　573
眼内手術既往眼　304
眼内浸潤　987
眼内リンパ腫　597
眼内レンズ　522
眼内レンズ混濁　532
眼内レンズ度数計算　43

　——, 屈折矯正手術後の　45
眼内レンズ偏位　530
眼白皮症　921
眼ヒストプラズマ症　569
眼皮膚白皮症　921
眼表面再建術　500
鑑別診断表，ぶどう膜炎の　539
顔面肩甲上腕型筋ジストロフィ
　　881
顔面神経麻痺，左　334
顔面熱傷　1001
眼輪筋反射　846
眼類天疱瘡　402
肝レンズ核変性　999

き

キイトルーダ®　1044
義眼　961
義眼床陥凹　960
奇形　507
器質性頭痛　840
偽樹枝状病変　425
季節性アレルギー性結膜炎　384
基底細胞癌　343
偽乳頭浮腫　821
キノロン耐性菌　417
逆位，乳頭　818
虐待性頭部外傷　923
吸引式眼底血圧計　163
球後視神経炎　822, 848
球後出血　529
球状(小)水晶体　507
急性角膜水腫　482
急性原発閉塞隅角緑内障　782
急性後部多発性斑状網膜色素上皮
　症　577
急性出血性結膜炎　381
急性前部ぶどう膜炎　586, 970
急性帯状潜在性網膜外層症
　　576, 771
急性内斜視　889
急性網膜壊死　554, 743
急性涙嚢炎　368
橋障害　877
共焦点顕微鏡　64
橋性縮瞳　848, 853
強直性脊椎炎　970
共同偏視　860
強度近視性斜視　900
強皮症　589, 980
橋病変　853

強膜圧迫併用眼底検査 115
強膜炎 606
強膜化角膜 496
強膜散乱法 50
強膜穿刺 282
強膜メラノーシス 605
鏡面反射法 50
局所 ERG 225
偽翼状片 406
極部血管炎型，サイトメガロウイルス網膜炎 557
虚血性視神経症 826, **830**
巨細胞動脈炎 994
拒絶反応
　──，角膜移植後の 502
　──，実質型 503
　──，上皮型 503
　──，内皮型 503
巨大角膜 498
巨大乳頭 274
巨大乳頭結膜炎 391
桐沢型ぶどう膜炎 554
筋移動術 **281**, 874
筋強直性ジストロフィ 516
筋緊張性ジストロフィ 880
筋原性眼瞼下垂 330
近見反応 846
近見反応けいれん 867
近視 1046
近視進行抑制 1047
近視性 CNV 703
近視性黄斑症 703
近視性牽引黄斑症 **632**, 703
近視性中心窩分離症 632
近視性脈絡膜新生血管 703
近赤外半導体レーザー 315
近接性輻湊 865
金属沈着 373
緊張性瞳孔 **849**, 854
緊張性輻湊 865
筋電図 204
筋肉内囊腫 934

く

クイック・ロービジョンケア 1094
隅角検査 99
隅角後退 1022
隅角評価 56
隅角癒着解離術 **296**, 786
空間周波数特性 25
駆逐性出血 **528**, 604
屈折異常弱視 906
屈折矯正手術 275
屈折検査，小児の 11
屈折の変化 283
国指定の難病に対する臨床調査個人票 1112
クラックライン 451
グラディエント法 197
クラミジア結膜炎 383
　──，新生児 374
クラミジアトラコマティス 383
クリスタリン網膜症 696
クリゾチニブ 1044
グレア検査 27
クロロキン 1031
クロロキン網膜症 1033

け

経強膜毛様体光凝固術 320
蛍光眼底造影検査 126
傾斜乳頭 819
傾斜乳頭症候群 819
形態異常，瞳孔の 857
形態覚遮断弱視 904
頸動脈海綿静脈洞瘻 926
頸動脈内膜剝離術 844
頸部血管性雑音 843
頸部損傷 1026
けいれん性縮瞳 849
血圧管理，術中における 1082
血液検査 **236**, 827
血液粘性亢進網膜症 761
結核菌 570
結核性角膜実質炎 434
結核性ぶどう膜炎 570
血管腫 943
　──，脈絡膜 594
血管腫分類 944
血管新生，角膜 453
血管新生緑内障 304, **801**
血腫 284
楔状視野障害 837
血小板減少性紫斑病 991
結石，結膜 372
結節性強膜炎 608
結節性硬化症 733, **915**, 943, 1035
結節性多発動脈炎 589, **974**
血栓性血小板減少性紫斑病 992
欠損
　──，虹彩 600

　──，脈絡膜 600
結膜悪性黒色腫 274, **411**
結膜異物 1008
結膜炎 328
　──，アデノウイルス 379
　──，アレルギー性 384
　──，季節性アレルギー性 384
　──，急性出血性 381
　──，巨大乳頭 391
　──，クラミジア 383
　──，細菌性 375
　──，新生児 374
　──，新生児クラミジア 375
　──，スギ花粉性 326
　──，接触性眼瞼 392
　──，単純ヘルペスウイルス 382
　──，通年性アレルギー性 384
　──，乳児 374
　──，ヘルペス性 374
　──，淋菌性 377
結膜下出血 372
結膜下注射 247
結膜結石 372
結膜弛緩症 273, **394**
結膜色素沈着 373
結膜充血 282
結膜上皮内癌 274
結膜侵入 51
結膜スメア 72
結膜切開 279
結膜囊腫 408
結膜浮腫 **371**, 1008
結膜フリクテン 393
結膜扁平上皮癌 274
結膜母斑 411
結膜リンパ管拡張症 409
結膜リンパ腫 413
結膜リンパ囊胞 409
ケラトアカントーマ 351
牽引乳頭 817
検影法 6
限界フリッカ値 222
瞼球癒着 335
顕性潜伏眼振 909
検体の採取 75
原発開放隅角緑内障 775
原発眼内リンパ腫 597
原発性 SR 麻痺 863
原発性下直筋拘束 863
原発性恒常性微小斜視 898

原発性後天性メラノーシス　411
原発性代償不全性微小斜視　898
原発先天緑内障　807
原発閉塞隅角症　789
原発閉塞隅角症疑い　790
瞼板断裂　1027
瞼板内角質囊腫　934
瞼板内角質囊胞　352
瞼板縫合　441
腱膜性眼瞼下垂　330
瞼裂斑　407

こ

抗 AQP4 抗体陽性視神経炎　824
抗 VEGF 薬　264
抗アクアポリン 4 抗体陽性視神経炎　824
抗アセチルコリンエステラーゼ薬による縮瞳　855
光化学障害　766
光覚検査　221
光学式眼軸長測定装置　40
光学的視覚補助具　1101
光学的不等像視　1053
高眼圧症　780
交感神経 α_2 作動薬　255
交感神経 β 遮断薬　254
交感性眼炎　550
後眼部副作用，抗腫瘍薬による　1043
抗癌薬　450
抗菌薬　251
高血圧性眼底変化　753
抗血小板療法　844
膠原病
　——に伴うぶどう膜炎　589
　——に伴う網膜症　762
抗好中球細胞質抗体関連血管炎　983
交互点滅対光反射試験　164
虹彩角膜内皮症候群　805
虹彩欠損　600
虹彩反射法　50
虹彩離断　1023
好酸球性肉芽腫症　955
高次視機能障害　838
格子状角膜ジストロフィ　474
抗腫瘍薬
　——による後眼部副作用　1043
　——による前眼部・外眼部の副作用　1041

甲状腺眼症　984
抗精神病薬，フェノチアジン系　1030
向精神薬による散瞳　855
硬性ドルーゼン　685
交代遮閉試験　187
交代性 Horner 徴候　851
交代性上斜位　894
後天滑車神経麻痺　870
後天色覚異常　215
後天性眼瞼下垂　331
後天性免疫不全症候群　560
後天網膜分離症　630
後頭葉障害　838
高度遠視　705
高度近視に伴う網膜障害　703
後囊破損　523
後発白内障　529
抗微生物薬　251
後部円錐角膜　496
後部型第 1 次硝子体過形成遺残　818
後部強膜炎　611
後部虚血性視神経症　830
後部硝子体剝離　672
後部胎生環　496
後部多形性角膜ジストロフィ　479
後部ぶどう腫　613
高分化型脂肪腫瘍　946
酵母　420
河本式中心暗点計　177
膠様滴状角膜ジストロフィ　473
抗リン脂質抗体症候群　589, 762, 981
コーツ病 ⇒ Coats 病を見よ
コカインによる散瞳　855
コクサッキーウイルス A24 変異株　381
黒色腫，悪性　592
固視検査　184
骨腫　948
固定内斜視　900
孤発性線維性腫瘍　941
孤立性脈絡膜陥凹　683
孤立性脈絡膜血管腫　594
コロイデレミア　717
コロボーマ　508
混合型緑内障　791
混合性結合組織病　589, 762

コンタクトレンズ式眼底血圧計　163
コンタクトレンズによる角膜障害　454
コンタクトレンズフィッティング検査　23
昆虫刺傷　1005
コントラスト感度　25
コントラスト視力　25
コンフォーカルマイクロスコープ　64

さ

ザーコリ®　1044
サーチコイル法　885
細菌性角膜炎　417, 458
細菌性結膜炎　375
　——，新生児の　374
　——，乳児の　374
細隙灯顕微鏡眼底検査　116
細隙灯顕微鏡検査　49, 483
サイトメガロウイルス　430, 800
サイトメガロウイルス角膜内皮炎　430
サイトメガロウイルス網膜炎　557, 743
再発性角膜上皮びらん　442
再発性角膜びらん　474
再発性多発軟骨炎　589, 762, 982
サイプレジン®　1029
細胞傷害性化学療法薬　1042
左眼窩悪性リンパ腫　335
左顔面神経麻痺　334
詐病　1066
サブリル®　1033
サリン　1039
サルコイドーシス　543, 800
　——，眼窩　936
ザルツマン結節変性 ⇒ Salzmann 結節変性を見よ
三角症候群　584
三叉神経・脳血管腫症　734
三叉神経根入口部　841
三叉神経痛　841, 851
三叉神経反射　846
蚕食性角膜潰瘍　460
散弾状脈絡網膜症　745
散瞳
　——，d-クロルフェニラミンマレイン酸塩による　855
　——，アトロピンによる　855

散瞳
　——，海馬鉤ヘルニアに伴う
　　　　853
　——，向精神薬による　855
　——，コカインによる　855
　——，ボツリヌス毒素による
　　　　855
霰粒腫　322
残留水晶体物質による緑内障
　　　　795

し

シールド潰瘍　271, 456
シェーグレン症候群 ⇒ Sjögren
　症候群を見よ
紫外線角膜炎　1011
視蓋瞳孔　849, **854**
自覚的屈折検査　4
　——，ロービジョン検査　30
自覚的斜視角　193
自覚的斜視角定量　193
視覚補助具
　——，光学的　1101
　——，非光学的　1103
　—— の種類と選定　1099
視覚誘発電位　230
子癇　759
子癇前症　759
敷石状網膜変性　618
色覚異常　213
色覚検査　215
色視野測定　175
色相配列表　217
色素残留試験　93
色素失調症　516, **1003**
色素消失試験　93
色素性傍静脈網脈絡膜萎縮　712
色素線条　996
色素沈着，結膜　373
ジギタリス　1037
シクロペントラート　1029
視交叉症候群　835
視索の障害　836
脂質代謝異常症　464
脂質の沈着　464
糸状角膜炎　444
糸状菌　420
視神経萎縮　209
視神経炎　**822**, 826
視神経管骨折　1012
視神経膠腫　951

視神経周囲炎　826
視神経鞘髄膜腫　952
視神経脊髄炎　822, 824
視神経低形成　814
視神経乳頭　208
視神経乳頭形状解析　102
視神経乳頭黒色細胞腫　411
視神経乳頭コロボーマ　813
視神経乳頭腫脹　209
視神経乳頭ドルーゼン　815
視神経網膜炎　827
ジストロフィ
　——，黄斑　719
　——，上皮基底膜　472
　——，錐体　721
ジストロフィン異常症　880
次世代シークエンシング　242
脂腺過形成　352
脂腺癌　345
実質型拒絶反応　503
実質混濁　52
　——，円板状の　477
実質浮腫　52
自動静的視野計　172
自発蛍光撮影　137
字ひとつ視標，Landolt 環の　12
脂肪腫　945
脂肪肉腫　945
脂肪瘤着症候群　899
シポニモド　1036
縞視標コントラスト感度　26
斜筋弱化術・強化術　280
弱視
　——，屈折異常　906
　——，形態覚遮断　904
　——，斜視　905
　——，微小斜視　907
　——，不同視　906
若年環　464
若年性関節リウマチ　979
若年性特発性関節炎　979
若年性網膜分離症　634
視野検査　106, 776
斜視弱視　905
斜視手術　278
遮閉・非遮閉試験　187
遮閉試験　186
斜偏位　864
周期性交代性眼振　909
周期内斜視　890
重金属の沈着　464

周術期における循環器疾患管理
　　　　1076
周術期における糖尿病管理　1078
重症筋無力症　861, **878**
重症涙液(分泌)減少型ドライアイ
　　　　88, **359**
周堤　439
重複水晶体　507
周辺虹彩前癒着　801
周辺部角膜潰瘍，全身疾患に伴う
　　　　461
周辺部顆粒型，サイトメガロウイ
　ルス網膜炎　557
縮瞳
　——，抗アセチルコリンエステ
　ラーゼ薬による　855
　——，ニコチンによる　855
　——，モルヒネ塩酸塩水和物によ
　る　855
　——，有機リン系化合物による
　　　　855
樹枝状角膜炎　424
出血，脈絡膜　603
術後眼瞼外反　282
術後眼瞼内反　282
術後管理，角膜移植眼の　499
術後処方，角膜移植眼の　499
術後の感染症　282
術後瘢痕　282
術後乱視の矯正方法　1050
術中低血圧　1083
樹氷状血管炎型，サイトメガロウ
　イルス網膜炎　557
樹氷状網膜血管炎　744
腫瘍，眼瞼　340
腫瘤　414
循環器疾患管理，周術期における
　　　　1076
春季カタル　**387**, 453, 456
瞬目テスト　329
漿液性網膜剥離　750, 1044
小円形病変　477
障害者総合支援法対象疾患　1112
小角膜　497
松果体腫瘍　854
上眼窩裂症候群　875
小眼球症　582, 804
　—— に伴う続発閉塞隅角緑内障
　　　　804
上眼瞼皮膚弛緩症　333
上強膜炎　605

和文索引

上下斜視手術　278
症候性徐脈　1089
硝子体アミロイドーシス　660
硝子体黄斑牽引症候群　156, **671**
硝子体血管系遺残　728
硝子体混濁　309
硝子体出血　309, **657**
硝子体内注射　249
硝子体網膜症
　―, 家族性滲出性　629
　―, 増殖性　620
硝子体網膜リンパ腫　597
上斜筋強化術　281
上斜筋弱化術　280
上斜筋ミオキミア　872
小切開硝子体手術　308
常染色体優性視神経萎縮　828
常染色体劣性（潜性）ベストロフィ
　ノパシー　719
小児
　―の管理　1086
　―の屈折検査　11
　―の視力検査　11
小児虐待　923
小児発達緑内障　807
小児緑内障の診断フローチャート
　　809
小脳障害による眼球運動障害
　　884
蒸発亢進型ドライアイ　88
上皮角化　51
上皮型拒絶反応　503
上皮基底膜ジストロフィ　472
上皮欠損　51
上皮混濁，渦巻き状，線状の
　　463
上皮性悪性腫瘍　940
上皮性腫瘍　414
上皮バリア機能低下　451
上皮浮腫　51
上方角膜弧状病変　455
上方注視麻痺　862
上方部分視神経低形成　779
静脈奇形　350, **928**, 944
静脈石　929
睫毛重生　339
睫毛内反　337
睫毛乱生　**339**, 437
上輪部角結膜炎　273, **399**
ショック　1071
視力屈折測定　1

視力検査　1
　―, 小児の　11
ジレニア®　1037
脂漏性角化症　349
心因性眼瞼下垂　331
心因性視覚障害　1061
腎機能障害　1080
真菌性眼内炎　573
神経原性眼瞼下垂　330
神経鞘腫　353, **950**
神経線維腫　949
神経線維腫症　732, **949**
神経線維腫症1型　732, 943, **949**
神経線維腫症2型
　　516, 732, 943, **949**
神経皮膚症候群　942
神経麻痺性角膜症　437, **448**
進行性筋ジストロフィ　880
進行性網膜外層壊死　742
滲出型加齢黄斑変性（AMD）
　　158, **677**
尋常性疣贅　351
深視力計　20, 21
新生児クラミジア結膜炎　374
新生児結膜炎　374
新生児の細菌性結膜炎　374
真性小眼球　582, 804
新生児涙嚢炎　367
真性多血症　990
腎性網膜症　758
深層前部層状角膜移植術　286
身体障害者意見書，視覚障害によ
　る　1109
診断書，ロービジョンケアに必要
　な　1109
診断フローチャート，小児緑内障
　の　809
心停止　1089
シンナー　1040
心肺蘇生　1075
真皮内母斑　348
深部層状角膜移植術　500
シンメトレル®　1031

す

髄液検査　827
水晶体位置異常, 後天性　505
水晶体過敏性ぶどう膜炎に続発す
　る緑内障　795
水晶体起因性開放隅角緑内障
　　795

水晶体起因性眼内炎　550
水晶体起因性閉塞隅角緑内障
　　794
水晶体起因性緑内障　794
水晶体欠損　508
水晶体再建術　**295**, 784, 786
水晶体再建術併用　302
水晶体摘出　**295**, 784, 786
水晶体嚢外摘出術　290
水晶体嚢内摘出術　290
水晶体嚢内リング　291
水晶体偏位
　―, Marfan症候群に伴う
　　506
　―, 先天性　506
水晶体融解性緑内障　795
錐体ジストロフィ　721
垂直性眼球運動障害　854
水痘角膜炎　428
水頭症, 乳児の　864
水痘帯状ヘルペス角膜炎　428
水痘帯状疱疹ウイルス
　　327, 428, 554, 563
水痘帯状疱疹ウイルス性ぶどう膜
　炎　563
水平斜視手術　278
水平垂直筋減弱・強化術　280
水平注視麻痺　859
水疱様病変　479
スギ花粉性結膜炎　326
スタージ・ウェーバー症候群 ⇒
　Sturge-Weber症候群を見よ
スティーブンス・ジョンソン症候
　群 ⇒ Stevens-Johnson症候群
　を見よ
スティックラー症候群 ⇒
　Stickler症候群を見よ
ステロイド, 局所　259
　―, 全身　260
ステロイド白内障　517
ステロイド緑内障　792
ステント留置術　844
スフェロイド変性　466
スペキュラマイクロスコープ　61
スマートサイト　1112
スマイルマークパターン　455
スライディングスケール　1080
すりガラス様混濁　439
スリットスキャン型　53
スリット法　49
スルホニルウレア薬　1079

せ

性感染症　383
正弦波格子縞　25
正常眼圧緑内障　778
星状硝子体症　659
青色強膜　605
生殖細胞系列変異　736
成人 Still 病　762
精神感覚性散瞳　846
正切尺角膜反射法　190
生体染色法　50
静的隅角検査　99
生物学的製剤　263
生理的瞳孔反応　845
生理的瞳孔不同　852, 857
生理的飛蚊症　675
赤外線瞳孔計　166
赤色半導体レーザー　315
脊髄小脳変性疾患者　885
雪眼炎　1011
接合部母斑　348
節後性 Horner 症候群　851
接触性眼瞼結膜炎　392
節前性 Horner 症候群　851
絶対的瞳孔強直　166
絶対緑内障　781
線維腫　946
線維性骨異形成症　925
線維柱帯切除術　301
線維柱帯切除術再手術　304
線維肉腫　946
遷延性角膜上皮欠損
　　　　　439, 448, 456, 487
遷延性上皮欠損　451
洗眼　246
腺癌　956
全眼球炎　575
前眼部 OCT　55
前眼部・外眼部の副作用，抗腫瘍
　　薬による　1041
前眼部虚血　282, 856
前眼部形成異常　496, 498
閃輝暗点　839
閃輝性硝子体融解　659
扇形盲　837
穿孔性眼外傷　1017
──に伴う緑内障　796
全自動除細動器　1075
線状病変　468
全身疾患に伴う周辺部角膜潰瘍

全身性エリテマトーデス
　　　　　　　589, 762, 971
全身性強皮症　762, 980
全身熱傷　1001
全身麻酔　1084
全層角膜移植　481, 499
選択的 β_1 遮断薬　1029
選択的レーザー線維柱帯形成術
　　　　　　　　318, 777
前庭神経鞘腫　949
先天眼瞼欠損　911
先天眼振　908
先天上斜筋麻痺　870
先天青黄色覚異常　214
先天性外眼筋線維症　903
先天性眼瞼下垂　331
先天性上斜筋麻痺　896
先天性代謝性疾患と眼疾患　999
先天性鼻涙管閉塞　364
先天性網膜色素上皮肥大
　　　　　　　　746, 987
先天性網膜分離症　634
先天赤緑色覚異常　213, 220
先天全色盲　214
先天停在性夜盲　722
先天梅毒　433
先天白内障　510
先天風疹症候群　498, 920
先天無虹彩症　919
先天無水晶体　507
先天網膜ひだ　749
先天涙点欠損　913
前部虚血性視神経症　830, 995
潜伏眼振　909
前部ぶどう腫　496, 613
腺様嚢胞癌　956

そ

双眼倒像検眼鏡　113
創口不全　526
走査レーザー検眼鏡　143, 147
増殖性硝子体網膜症　620
増殖前糖尿病網膜症　637
増殖糖尿病網膜症　638
相対的瞳孔求心路障害
　　　164, 823, 832, 835, 837, 847
側頭動脈炎　994
側頭葉障害　838
続発小児緑内障　807
続発性 Sjögren 症候群　462

続発性角膜アミロイドーシス
　　　　　　　　　468
続発性眼瞼下垂　331
続発性内斜視　890
続発性微小斜視　898
続発閉塞隅角緑内障，小眼球症に
　　伴う　804
続発緑内障　487
──，ぶどう膜炎による　800
側副血管形成，乳頭部の　816
その他の全身疾患に伴う白内障
　　　　　　　　　515
その他の薬物・毒物による白内障
　　　　　　　　　517

た

第 1 次硝子体過形成遺残　728
タイゲソン点状表層角膜炎 ⇒
　　Thygeson 点状表層角膜炎を見
　　よ
対光-近見反応解離
　　　　165, 849, 850, 854, 867
退行性眼瞼内反　337
対光反射　164, 167, 845
体細胞変異　736
代謝異常　373
──に伴う角膜混濁　470
帯状萎縮　836
帯状角膜変性　466
帯状病変　479
代償不全性上斜筋麻痺　870
帯状ヘルペス角膜炎　429
大動脈炎症候群　757
大脳障害による眼球運動障害
　　　　　　　　　883
楕円瞳孔　853
他覚的屈折検査，ロービジョン検
　　査　30
他覚的視野計　182
他覚的斜視角　194
高安病　757
タキサン系，抗癌薬　1043
タキソール®　1044
多局所 ERG　225
多形型脂肪肉腫　946
多形腺癌　956
多形腺腫　955
多骨性 FD　925
脱分化型脂肪肉腫　946
タバコ・アルコール弱視　1041
多発血管炎性肉芽腫症　589, 983

和文索引

多発消失性白点症候群 576
多発性筋炎 589, 762, **975**
多発性硬化症 849, 862
多発性硬化症治療薬 1036
多発性後極部網膜色素上皮症 580
多発性骨髄腫 989
多目的洗剤 455
単眼上転不全 863
単眼上転麻痺 863
単眼倒像検眼鏡 112
単骨性 FD 925
炭酸ガスレーザー 315
炭酸脱水酵素阻害薬 256
単純性角膜上皮欠損 439
単純性角膜びらん 439
単純ヘルペスウイルス 78, 327, 382, 424, 554
単純ヘルペスウイルス角膜炎 424
単純ヘルペスウイルス結膜炎 382
単純ヘルペス性ぶどう膜炎 563
単純網膜症 637
弾性線維性仮性黄色腫 691
弾性線維性偽黄色腫 995

ち

地図状萎縮 677
地図状角膜炎 424
地図状混濁, 角膜の 474
地図状脈絡膜炎 579
中隔視神経低形成 814
中間部ぶどう膜炎 588
注視麻痺 862
中心暗点計 177
中心性漿液性脈絡網膜症 683, **750**
中心性輪紋状脈絡膜ジストロフィ 599
中心フリッカ値測定 222
中枢神経作用 1039
中枢神経梅毒 849
中枢性 Horner 症候群 851, 853
中等症までの涙液減少型ドライアイ 88
中毒性視神経症 833
中毒性表皮壊死症 489
中脳障害 877
中脳水道症候群 854
中脳瞳孔偏位 853

中脳背側症候群 854
中脳病変 853
チューブシャント手術 777
虫様運動 850
治癒遅延 448
超音波 A モード法 38
超音波水晶体乳化吸引術 290
超音波生体顕微鏡 67
超音波測定法 61
超音波ドップラ血流検査 160
超広角眼底撮影 140, 142
超広角走査型レーザー検眼鏡 140
調節けいれん 1052
調節検査 17
調節障害 1051
調節衰弱 1051
調節性内斜視 888
調節輻湊 865
調節遅動 1052
調節不全 1051
——を伴う輻湊不全 865
調節麻痺 1052
蝶ネクタイ状萎縮 836
直像型前置レンズ 116
直像鏡眼底検査 109
直筋強化術 280
直筋減弱術 280
治療的レーザー角膜切除術 444
沈着
——, アミロイドの 463
——, カルシウム塩の 463
——, 金属 373
——, 脂質の 464
——, 重金属の 464
——, 鉄の 463
——, 点眼薬の 463
——, メラニンの 373
——, 薬剤性 373
沈着物
——, 角膜実質の 464
——, 角膜上皮の 462
沈着輪, 黄色の 464

つ

通水検査 366
通年性アレルギー性結膜炎 384
疲れ目 1055

て

低カルシウム血症 516

低眼圧黄斑症 764
低矯正, 術後眼位の 281
低コントラスト視力 26
低侵襲(性)緑内障手術 297, 777
ディスタントメーター 201
ディフューザー法 50
定量評価, 超低視力の 30
滴状病変 52
テクノストレス眼症 866, **1057**
徹照法 50
鉄の沈着 463
鉄片異物 1009
デブリードマン 443
デュアン症候群 ⇒ Duane 症候群を見よ
テリエン辺縁角膜変性 ⇒ Terrien 辺縁角膜変性を見よ
テルソン症候群 ⇒ Terson 症候群を見よ
デルモイド, 輪部 914
デルモリポーマ 941
デレン 408
転移性眼窩腫瘍 959
転移性腫瘍 940
転移性ぶどう膜腫瘍 595
転移性脈絡膜腫瘍 595
点眼 245
転換性視覚障害 1065
転換性障害 867, **1001**
点眼薬の沈着 463
電気眼振図 206
電気性眼炎 1011
典型 CSC 750
電撃白内障 520
電車軌道状 816
点状表層角膜症 51, 89, 361, **435**, 448, 451, 454
点状脈絡膜内層症 694
テンシロンテスト 203
伝染性軟属腫 969
伝染性膿痂疹 327
点頭けいれん 908

と

動眼神経線維束障害 853
動眼神経麻痺 856, 861, **868**
統計処理法, 視力の 3
瞳孔異常
——, 脳疾患に伴う 853
——, 薬物中毒に伴う 854
瞳孔間距離測定 15

瞳孔緊張症 **849**, 856
瞳孔径 167
瞳孔径計測 47
瞳孔検査 47, 164
瞳孔視野計 182
瞳孔動揺 846
瞳孔の形態異常 857
瞳孔反応検査 164
瞳孔不同 855
瞳孔ブロック 782
── を解消する手術 292
瞳孔捕捉 531
瞳孔膜遺残 601
同時視 193
透析患者の管理 1080
倒像型前置レンズ 118
倒像鏡眼底検査 111
動体視力計 20
頭頂葉障害 838
疼痛性チック 841
動的隅角検査 100
動的視野測定 170
糖尿病 448, 515, 849
糖尿病黄斑浮腫 640
糖尿病角膜症 437
糖尿病管理，周術期における 1078
糖尿病虹彩炎 591
糖尿病乳頭症 826
糖尿病ニューロパチー 854
糖尿病白内障 513
糖尿病網膜症 638
動脈炎性 AION 831
同名性視野障害 838
──, 左右不一致性の 837
兎眼 335
兎眼性角膜炎 446
兎眼性角膜症 437
トキシドローム 854
読書速度測定 31
特発性黄斑円孔 663
特発性眼窩炎症 **930**, 956
特発性眼窩筋炎 932
特発性眼振 908
特発性血小板減少性紫斑病 991
特発性脈絡膜出血 604
特発性脈絡膜新生血管 687
塗抹標本検査 76
ドライアイ
　　　　273, **357**, 363, 390, 437, 495
──, 重症涙液減少型 88

──, 蒸発亢進型 88
──, 中等症までの涙液減少型 88
──, 水濡れ性低下型 88
──, 涙液減少型 462
トラコーマ 383
トラベクトーム 297
トラベクレクトミー 777
トラベクロトミー 777
トラベックスプラス 297
ドルーゼン 685
トルエン 1040
鈍的眼外傷に伴う緑内障 797
鈍的眼球打撲 1020

な

内因性光感受性網膜神経節細胞 846
内頸動脈-後交通動脈分岐部脳動脈瘤 868
内斜視
──, 急性 889
──, 固定 900
──, 周期 890
──, 続発性 890
──, 調節性 888
──, 乳児 887
内臓幼虫移行症 568
内側縦束症候群 859
内麦粒腫 321
内皮型拒絶反応 503
梨子地眼底 996
軟性ドルーゼン 685
軟属腫小体 970

に

肉芽腫，結膜の 274
ニコチンによる縮瞳 855
ニコチン様作用 1039
二次性 SS 359
西田法 874
日光網膜症 766, **1014**
日食網膜症 766
ニボルマブ 1044
乳児血管腫 **350**, 944
乳児結膜炎 374
乳児内斜視 887
乳児の細菌性結膜炎 374
乳頭逆位 818
乳頭血管炎 825
乳頭腫 350

乳頭小窩（ピット）黄斑症候群 724
乳頭ドルーゼン，視神経 815
乳頭部の側副血管形成 816
妊娠高血圧症候群 759

ね

ネオジウム YAG レーザー 314
ネオジウムフェムトセカンドレーザー 314
熱傷 1006
──, 顔面 1001
──, 全身 1001
粘液型脂肪肉腫 946
粘液表皮様癌 956

の

脳回状脈絡網膜萎縮 715
脳幹脳炎 862
脳幹部障害による眼球運動障害 877
脳梗塞 861
脳疾患に伴う瞳孔異常 853
囊腫 934
脳神経外科手術後，角膜症 448
脳動脈瘤 868
脳ヘルニア 869
囊胞性病変 934
囊胞様黄斑浮腫 671
囊胞様網膜変性 618
農薬 1039
ノリエ病 ⇒ Norrie 病を見よ

は

肺炎球菌 417
肺炎球菌性角膜炎 417
梅毒性角膜実質炎 433
梅毒性ぶどう膜炎 572
ハイドロキシアパタイト 466
培養検査 77
培養自己口腔粘膜上皮細胞シート移植 286
培養自己輪部上皮細胞シート移植 286
培養上皮移植 441
白点状眼底 713
白点状網膜症 714
白内障
──, アトピー 514
──, 外傷性 518

——，加齢 512
——，ステロイド 517
——，先天 510
——，その他の全身疾患に伴う 515
——，その他の薬物・毒物による 517
——，電撃 520
——，糖尿病 513
——，発達 510
——，放射線 519
白内障形態別分類 508
白内障手術 289
白内障術後眼内炎 534
白内障術後乱視 533
白皮症 921
剝離除去 443
パクリタキセル 1044
麦粒腫 321
白血病 987
白血病網膜症 988
発達白内障 510
パネル D-15 テスト 217
波面収差解析 32
原田病 547
万国共通カラーコード 115
瘢痕性眼瞼内反 337
反射性涙液分泌量の評価法 86
斑状角膜ジストロフィ 476
パンヌス，角膜 453
反応性関節炎 976
反応性リンパ過形成 956
半波長ネオジウム YAG レーザー 315
反復発作性片側性散瞳 852
汎網膜光凝固術 801

ひ

非開放性眼外傷 1018
ビガバトリン 1033
光干渉断層計 150
光毒性網膜症 766
光による網膜障害 766
非感染性強膜炎 608
ピギーバックレンズ 277
ビグアナイド薬 1079
非光学的視覚補助具 1103
微小斜視 898
微小斜視弱視 907
微小視野測定 178
非侵襲的 BUT 87

ヒステリー 867, 1001, 1065
鼻性視神経症 832
微生物検査 75
非接触型角膜内皮スペキュラー 61
非接触式眼圧計 96
非穿孔性眼外傷（鈍的眼外傷）に伴う緑内障 797
非選択的 β 遮断薬 1029
ビタミン A 欠乏 495
ピット黄斑症候群 724
ひっぱり試験 203
非動脈炎性虚血性視神経症（AION）211, 831
ヒト免疫不全ウイルス 560
ヒドロキシクロロキン 1031
ヒドロキシクロロキン網膜症 1032
鼻内視鏡検査 94
皮膚筋炎 589, 762
飛蚊症 675
びまん性強膜炎 608
びまん性混濁 479
びまん性すりガラス混濁 476
びまん性大細胞型 B 細胞リンパ腫 953, 956
びまん性表層角膜症 455
標準色覚検査表
—— 第 1 部 先天異常用 216
—— 第 2 部 後天異常用 216
表層角膜移植術 **286**, 500
病の飛蚊症 675
鼻涙管閉塞 366
貧血性網膜症 761

ふ

ファリシマブ 265
フィッシャー症候群 ⇒ Fisher 症候群を見よ
フィンゴリモド 1036
風疹による角膜炎 431
封入体結膜炎 383
フェノチアジン系抗精神病薬 1030
フェムトセカンドレーザー，ネオジウム 314
フェムトセカンドレーザー白内障手術 290
フォークト-小柳-原田病 ⇒ Vogt-小柳-原田病を見よ
フォトスクリーナー 13

フォン・レックリングハウゼン病 ⇒ von Recklinghausen 病を見よ
フォンヒッペル・リンダウ病 ⇒ von Hippel-Lindau 病を見よ
副甲状腺機能亢進症 986
副甲状腺機能低下症 516, **986**
副甲状腺疾患 986
複合母斑 348
複視 281
輻湊近点検査 196
輻湊けいれん 867
輻湊検査 196
輻湊反応 165, 168
輻湊不全 196
——，調節不全を伴う 865
輻湊麻痺 866
副鼻腔悪性腫瘍 959
副鼻腔粘液囊胞 934
福山型先天性筋ジストロフィ 881
副涙点 364
フザリウム 420
浮腫 284
不正乱視の矯正方法 1050
フックス虹彩異色性毛様体炎 ⇒ Fuchs 虹彩異色性毛様体炎を見よ
不定愁訴 1059
ブドウ球菌 321, 325
ブドウ球菌性角膜炎 417
不同視弱視 906
不等像検査 196
不等像視 1052
ぶどう膜炎
——，AIDS に伴う 560
——，関節リウマチに伴う 590
——，急性前部 **586**, 970
——，結核性 570
——，膠原病に伴う 589
——，水痘帯状疱疹ウイルス性 563
——，単純ヘルペス性 563
——，中間部 588
——，梅毒性 572
——，免疫回復 562
——による続発緑内障 800
——の鑑別診断表 539
ぶどう膜炎続発緑内障 304
ぶどう膜腫瘍，転移性 595
ぶどう膜障害 1044

部分視神経低形成　779
ブラウン症候群 ⇒ Brown 症候群を見よ
プラケニル®　1032
プラチド型　53
プラトー虹彩緑内障　787
プリズム遮閉試験　187
プリズム順応試験　189
プリズム治療　909
フリッカ視瞳計　180
フリンジ状瞳孔　799
ブルーフリーフィルタ法　83
ブルーライトと眼　1067
フルオレセイン　81
フルオレセイン BUT　87
フルオレセイン蛍光眼底造影検査　126
フルオレセイン染色スコア　436
プルチェル網膜症 ⇒ Purtscher 網膜症を見よ
プレート付きインプラント手術　304
プロービング　364, 367
プロスタノイド EP2 受容体作動薬　258
プロスタノイド FP 受容体作動薬　253
ブロルシズマブ　265
分子標的薬　1043
分層黄斑円孔　668
分離腫　410, 941

へ

平滑筋肉腫　948
閉瞼反応　846
閉瞼不全　333
閉鎖型骨折，眼窩　937
閉塞隅角緑内障，水晶体起因性　794
閉塞隅角緑内障への手術　292
ベーチェット病 ⇒ Behçet 病を見よ
ヘテロフォリア法　197
ペムブロリズマブ　1044
ペルーシド角膜変性　485
ヘルペス性角膜ぶどう膜炎　504
ヘルペス性眼瞼炎　327
ヘルペス性結膜炎　374
ヘルペス性虹彩毛様体炎　800
ベンザルコニウム塩化物　450
片頭痛　839

扁平上皮癌　347

ほ

放射状角膜神経炎　423
放射線白内障　519
放射線網膜症　772
胞状網膜剥離　750
房水流出路再建術　291
蜂巣状混濁，角膜の　474
蜂毒　1005
ポータブルオートレフラクトメータ　12
補助具，新しいタイプの　1106
ポスナー・シュロスマン症候群 ⇒ Posner-Schlossman 症候群を見よ
補装具費支給意見書　1111
ボツリヌス毒素　266
──による散瞳　855
ボツリヌス毒素療法　329
母斑細胞母斑　348
母斑症　732, 942
ホモシスチン尿症　966
ポリープ状脈絡膜血管症　683
ホルネル症候群 ⇒ Horner 症候群を見よ
ホルモン療法薬　1043
本態性進行性虹彩萎縮　805
本態性乳児内斜視　887

ま

マーカスガン瞳孔 ⇒ Marcus Gunn 瞳孔を見よ
マイクロフックトラベクロトミー　298
マイトマイシン C による強膜軟化症　610
マイボーム腺炎　324
マイボーム腺関連角結膜症　469
マイボーム腺機能不全　89, 437
マイボーム腺梗塞　323
マイボーム腺囊胞　352
マイボグラフィ　91
麻疹による角膜炎　431
マッサージ，涙囊部　364, 367
麻痺性橋外斜視　861
マルチカラーレーザー　315
マルファン症候群 ⇒ Marfan 症候群を見よ
慢性 CSC　750
慢性炎症　495

慢性原発閉塞隅角緑内障　785
慢性進行性外眼筋麻痺　881
慢性涙囊炎　368
マントル細胞リンパ腫　953

み

未熟児網膜症　**624**, 818
水イボ　969
水濡れ性低下型ドライアイ　88, 359
ミトコンドリア病　881
脈管奇形　944
脈管性腫瘍　944
脈なし病　757
脈絡膜悪性黒色腫　**593**, 749
脈絡膜血管腫　594
──，孤立性　594
脈絡膜欠損　600
脈絡膜骨腫　596
脈絡膜出血　603
──，特発性　604
脈絡膜腫瘍，転移性　595
脈絡膜滲出　527
脈絡膜新生血管　677, 687, 997
脈絡膜破裂　1019
脈絡膜ひだ　602
脈絡膜母斑　749
脈絡網膜症
──，散弾状　745
──，中心性漿液性　750

む

ムコ多糖症　**470**, 999
ムスカリン様作用　1039
むち打ち損傷　1026

め

メーゼント®　1037
メチシリン耐性黄色ブドウ球菌　417
メチル水銀　1039
メラニンの沈着　373
メラノーシス　373
──，原発性後天性　411
メラノーマ関連網膜症　770
免疫回復ぶどう膜炎　562
免疫クロマトグラフィ　77, **78**
免疫再構築症候群　562
免疫性血小板減少症　992
免疫チェックポイント阻害薬　1043

免疫抑制薬
　——，局所　259
　——，全身　260

も

毛細血管性血管腫　943
網状偽ドルーゼン　685
網膜円孔　619
網膜芽細胞腫　242, **736**
網膜下出血　997
網膜起因性不等像視　1053
網膜血管腫　730
網膜血管増殖性腫瘍　730
網膜格子状変性　616
網膜細動脈瘤　651
網膜色素上皮炎　746
網膜色素上皮剝離　698
網膜色素上皮肥大，先天性　746
網膜色素上皮裂孔　698
網膜色素線条　690
網膜色素変性　706
　——と類縁疾患　242
網膜症
　——，膠原病に伴う　762
　——，白血病　988
網膜障害
　——，高度近視に伴う　703
　——，光による　766
　——，レーザーによる　1013
網膜硝子体手術　307
網膜静脈分枝閉塞症　644
網膜静脈閉塞症　644
網膜神経線維層厚解析法　102
網膜神経線維層欠損　776, 779
網膜振盪　767
網膜中心静脈閉塞症　642
網膜中心動脈閉塞症　995
網膜電図　223
網膜動脈閉塞症　647
網膜剝離，外傷性　1018
網膜変性
　——，敷石状　618
　——，囊胞様　618
網膜裂孔　619
網脈絡膜萎縮斑　569
毛様体解離　1022
毛様体脊髄反射　846
毛様体破壊術　292
毛様体ブロック緑内障　803
モーレン潰瘍 ⇒ Mooren 潰瘍を見よ

文字コントラスト感度　26
モラクセラ　417
モラクセラ角膜炎　418
森実ドットカード　12
モルヒネ塩酸塩水和物による縮瞳　855

や

ヤーボイ®　1044
薬剤アレルギー　450
薬剤起因性角膜上皮障害　437, **450**
薬剤性沈着　373

ゆ

有機リン　1039
有機リン系化合物による縮瞳　855
有水晶体眼内レンズ　276
有髄神経線維　729
融像　193
融像性輻湊　865
融像性輻湊検査　197
誘発試験　98
雪目　1011
揺さぶられっ子症候群　1016
癒着症候群　899

よ

溶血性緑内障　797
羊膜移植　441
翼状片　272, **404**

ら

ライター症候群 ⇒ Reiter 症候群を見よ
落屑様角膜上皮症　456
落屑緑内障　793
落陽現象　864
ラニビズマブ　265
卵黄状黄斑ジストロフィ　719
乱視　1048
ランタンテスト　218
ランドルト環　1

り

リウマチ性角膜潰瘍　461
リウマチ性ぶどう膜炎　591
リグニアス結膜炎　401
リサミングリーン　81
リサミングリーン染色　398

離心率　55
立体視　193
立体視テスト　194
隆起性病変　468
流行性角結膜炎　379
流出路再建術　296
流涙　363
両眼視機能検査　191
両耳側半盲　836
両上転筋麻痺　863
良性間欠性散瞳　856
良性腫瘍　**414**, 940
　——，眼瞼　348
両先天性眼瞼欠損　334
両側眼瞼皮膚弛緩症　333
両側聴神経鞘腫　949
両側聴神経線維腫症　949
緑内障
　——，隅角後退による　798
　——，残留水晶体物質による　795
　——，水晶体過敏性ぶどう膜炎に続発する　795
　——，穿孔性眼外傷に伴う　796
　——，非穿孔性眼外傷（鈍的眼外傷）に伴う　797
緑内障手術，総論　291
緑内障性視神経症　211, 775
緑内障治療薬，総論　252
緑内障点眼薬の副作用，小児における　812
緑膿菌　417, 418
緑膿菌性角膜炎　418
淋菌性結膜炎　377
リング状混濁，老人環様の　477
リング状組織　673
リンパ腫　940
　——，眼内　597
輪部移植　441
輪部機能不全　451
輪部切開　279
輪部デルモイド　274, **914**
輪部疲弊症　494

る

涙液インターフェロメトリ　89
涙液層破壊時間　**87**, 357
涙液層破壊パターン　87
涙液層破綻パターン　358
涙液層別診断　357
涙液層別治療　357

涙液貯留量の評価法　85
涙液評価　58
涙液分泌過多　363
涙液(分泌)減少型ドライアイ
　　　　　　　　359, 462
涙液分泌不全　357
涙液量検査　84
涙管チューブ挿入術　269, 366
涙管通水検査　93
涙管囊腫　934
涙小管炎　369
涙小管断裂　1027
涙小管閉塞　366
涙石症　368
涙腺炎　362
涙腺腫瘍　955
涙腺貯留囊胞　362
涙道検査　92
涙道再建術　368
涙道手術　269
涙道洗浄　247
涙道造影　95
涙道通過障害　363
涙道内視鏡検査　94
涙道ブジー　247
涙道プロービング　93
涙道閉塞　365

涙囊炎　368
涙囊結石　368
涙囊摘出術　270
涙囊鼻腔吻合術　270, 367
　――, 鼻外法　270
　――, 鼻内法　270
類皮腫　410
類皮囊胞　**934**, 941
類表皮囊胞　352, **934**

れ

レーザー隅角形成術
　　　　　295, 318, 789
レーザー屈折矯正角膜切除法
　　　　　　　　　　275
レーザー虹彩切開術　317
レーザー光の種類と特性　313
レーザー周辺虹彩切開術
　　　　　293, 784, 786
レーザースペックルフローグラフィ　161
レーザードップラ網膜血流測定
　　　　　　　　　　158
レーザーによる網膜障害　1013
レーザー光凝固　315
レーザーフレアメータ　65

レーベル先天黒内障 ⇒ Leber 先天黒内障を見よ
裂孔原性網膜剝離　615
裂傷　1017
劣性視神経萎縮　828
レンズの検査　23
レンズメータ　10

ろ

老視　1049
老人環　464, 465
老人性疣贅　349
ローズベンガル　81
ロービジョンケア
　――, 総論　1093
　―― に必要な診断書　1109
ロービジョンケア紹介リーフレット　1112
ロービジョン検査　30
濾過手術　291, **299**
濾過胞評価　57
濾胞性リンパ腫　953, 956

わ

輪通し法　194
ワニの涙症候群　365

欧文索引

ページの**太字**は主要説明箇所を示す.

ギリシャ・数字

β遮断薬（ブロッカー） 1029
γ角 190, 193
κ角 190
λ角 190
2次性頭痛 840
3時–9時ステイニング 455
3D multi vision tester 196
4プリズム base-out 試験 188
5-フルオロウラシルによる強膜軟化症 610
9方向(むき)眼位 194, **198**
100hue テスト 218
360度スーチャートラベクロトミー 298

A

A-AION 831
A-V型外斜視 893
AAU 586, 970
AAV 983
abducens nerve palsy 873
abnormal ocular movements
　—— with brainstem lesion 877
　—— with cerebellar lesion 884
　—— with cerebral cortex lesion 883
absolute glaucoma 781
abusive head trauma 923
AC/A 比測定 197
Acanthamoeba keratitis 422
accessory punctum 364
accommodative convergence and the AC/A ratio 196
accommodative dysfunction 1051
accommodative esotropia 888
accommodative infacility 1052
accommodative insufficiency 1051
ACG 293
acid burn 486
acquired immunodeficiency syndrome 560
acquired retinoschisis 630

ACT 187
ACTA2 遺伝子異常症 818
acute anterior uveitis 586, 970
acute esotropia 889
acute hemorrhagic conjunctivitis 381
acute posterior multifocal placoid pigment epitheliopathy 577
acute primary angle closure 782
acute primary angle closure glaucoma 782
acute retinal necrosis 554
acute syphilitic posterior placoid chorioretinitis 572
acute zonal occult outer retinopathy 771
acute zonal occult retinopathy 576
AD 514, **965**
AD 分類 436
ADDE 88
adenocarcinoma 956
adenoid cystic carcinoma 956
adenoviral keratoconjunctivitis 379
adenovirus 結膜炎 78
adherence syndrome 282, **899**
adhesion syndrome 899
Adie 症候群 850
ADOA 828
AdV 結膜炎 78
adverse effects of anti-tumor drugs
　—— on posterior segment 1043
　—— on the anterior and external segment of the eye 1041
AED 1075
age-related cataract 512
age-related changes of the cornea 465
age-related macular degeneration 158, **677**
AHC 381
Ahmed™緑内障バルブ 307

AHT 923
AIDS 560
　——, uveitis associated with 560
AION **830**, 995
AKC 389
Alagille 症候群 821
albinism 921
ALK 阻害薬 1044
alkali burn 486
allergic blepharitis 326
allergic conjunctivitis 384
ALPI 789
Alport 症候群 516
alternate prism cover test 187
alternating cover test 187
amantadine 1031
amaurosis fugax 843
amblyopia
　——, ametropic 906
　——, anisometropic 906
　——, form vision deprivation 904
　——, microtropic 907
　——, strabismic 905
AMD 158, **677**
ametropic amblyopia 906
Amsler チャート 177
anaphylactic shock 1071
ANCA 関連血管炎 983
anemic retinopathy 761
angioid streaks 690
angiolipoma 945
angle closure glaucoma 293
aniridia 919
aniseikonia 1052
anisocoria 855
anisometropic amblyopia 906
ankylosing spondylitis 970
anterior ischemic optic neuropathy 830
anterior microphthalmos 498
anterior segment dysgenesis 496
anterior segment OCT 55
anterior staphyloma 613

anterior stromal puncture 444
anti-aquaporin 4 antibody-
  seropositive optic neuritis 824
anti-neutrophil cytoplasmic
  antibody 関連血管炎 983
anti-VEGF drug 264
antibacterial drug 251
antimicrobial drug 251
antiphospholipid syndrome 981
AOSD 762
APAC 782
APACG 782
APCT 187
APMPPE 577
APS 762, **981**
aqueous deficient dry eye 88
ArF エキシマレーザー 313
argon laser peripheral iridoplasty
  789
Argyll Robertson 瞳孔
  848, **849**, 853, 854
ARN 554
arteritic AION 831
artificial eye 961
AS **690**, 970
AS-OCT 55
ASI 282
ASP 444
ASPPC 572
asteroid hyalosis 659
asthenopia 1055
astigmatism 1048
atopic cataract 514
atopic dermatitis 514, **965**
atopic keratoconjunctivitis 389
atropine 1029
automated external defibrillator
  1075
automated perimeter 172
autorefractometer 8
autosomal dominant optic
  atrophy 828
Axenfeld 異常 496
axial length measurement 38
AZOOR 576, **771**

B

B 細胞性リンパ腫 413
bacterial conjunctivitis 375
bacterial keratitis 417

Baerveldt®緑内障インプラント
  305
Bailliart 式, 加圧式眼底血圧計
  163
band keratopathy 466
band keratopathy type, corneal
  dystrophy 473
basal laminar drusen 685
BCD 696
BDUMP 770
Behçet 病 **541**, 762
Benedikt 症候群 868
benign eyelid tumors 348
benign intermittent uniocular
  microtremor 872
benign tumor 414
Best 病 719
beta-adrenergic blocking agent
  254
Bickerstaff 型脳幹脳炎 853, 875
Bielschowsky head tilt test
  （頭部傾斜試験） **189**, 871
Bielschowsky 現象 895
Bietti's crystallin,e retinal
  dystrophy 696
biologics 263
birdshot chorioretinopathy 745
blepharitis 325
blepharoptosis 330
blepharospasms 328
Bloch-Sulzberger 症候群
  516, **1003**
blood examination 236
blue-free barrier filter 83
blue-light and eye 1067
blue on yellow perimetry 175
blue sclera 605
blunt eye injury 1020
botulinum toxin 266
BRAF 阻害薬 1044
branch retinal vein occlusion
  644
breakup pattern 87
―― of tear film 87
breakup time 87
―― of tear film 87
Brodmann によるヒト脳表面地図
  883
Brown 症候群 897
bruit 843
BRVO 644

bullous retinal detachment 750
BUP **87**, 358
―― of tear film 87
burn 1001
BUT **87**, 357
―― of tear film 87

C

CA24v 381
canaliculitis 369
carbonic anhydrase inhibitor
  256
cardiopulmonary resuscitation
  1075
carotid cavernous fistula 926
carotid endarterectomy 844
cataract
―― , age-related 512
―― , atopic 514
―― , congenital 510
―― , developmental 510
―― , diabetes 513
―― , electric 520
―― , radiation 519
―― , steroid induced 517
―― , traumatic 518
―― associated with the other
  systemic diseases 515
―― induced by drug and toxic
  substance 517
cataract surgery 289
catarrhal ulcer 459
cavernous sinus syndrome 875
CCF 926
CDI 160
CEA 844
central areolar choroidal
  dystrophy 599
central retinal vein occlusion
  642
central serous chorioretinopathy
  683, **750**
cervical injury 1026
CF 3
CFEOM 903
CFF 222
CH 69
chalazion 322
Chandler 症候群 805
characteristics of various laser
  sources 313

CHARGE 症候群　813
checking contact lens condition　23
Chédiak-Higashi 症候群　922
chemical burns　486
chemosis　**371**, 1008
cherry-red spot　999
child abuse and neglect　923
childhood glaucoma　807
Chlamydia trachomatis　383
chloroquine　1031
choked disc　820
chorioretinopathy
　——, birdshot　745
　——, central serous　750
choristoma　**410**, 941
choroidal coloboma　600
choroidal effusion　527
choroidal folds　602
choroidal hemangioma　594
choroidal hemorrhage　603
choroidal neovascularization　677, 687, 997
choroidal osteoma　596
choroidal rupture　1019
choroideremia　717
chronic cyclitis　588
chronic kidney diseases　1080
chronic primary angle closure glaucoma　785
chronic progressive external ophthalmoplegia　881
CHRPE　**746**, 987
CIN　414
CKD　1080
Claude 症候群　868
climatic droplet keratopathy　466
closed globe　1020
closed vitrectomy　308
CME　671
CMV　430
CMV 網膜炎　557
CMV corneal endotheliitis　430
CNS　321
CNV　677, 687, 997
CO_2 レーザー　315
Coagan's microcystic dystrophy　472
coagulase negative *Staphylococcus*　321

Coats 病　653
Cochet-Bonnet 角膜知覚計　71
Cogan-Reese 症候群　806
collagen disease associated retinopathy　762
collagen disease complicated uveitis　589
collateral vessels at the optic disk　816
color Doppler imaging　160
color examination　213
color vision deficiency　213
combined mechanism glaucoma　791
commotio retinae　767
cone dystrophy　721
confocal microscopy　64
congenital absent lacrimal punctum　913
congenital cataract　510
congenital eyelid coloboma　911
congenital fibrosis of the extraocular muscles　903
congenital hypertrophy of retinal pigment epithelium　**746**, 987
congenital idiopathic nystagmus　908
congenital metabolic diseases and eye diseases　999
congenital nasolacrimal duct obstruction　364
congenital retinal fold　749
congenital retinoschisis　634
congenital rubella syndrome　920
congenital stationary night blindness　722
congenital superior oblique palsy　896
conjunctival concretion　372
conjunctival cyst　408
conjunctival foreign body　1008
conjunctival intraepithelial neoplasia　414
conjunctival invasion　51
conjunctival lymphangiectasia　409
conjunctival lymphoma　413
conjunctival malignant melanoma　411
conjunctival pigmentation　373

conjunctival smear　72
conjunctivochalasis　394
consecutive esotropia　890
consecutive microtropia　898
contact dermatoconjunctivitis　392
contact lens dynamometer　163
contact lens fitting　23
contrast acuity　25
contrast sensitivity　25
convergence insufficiency　865
　—— associated with accommodative insufficiency　865
convergence palsy　866
convergence spasm　867
conversion disorder　1001
corectopia　853
cornea-conjunctiva surgery　271
cornea farinata　465
cornea verticillata　470
corneal allograft rejection　502
corneal and conjunctival staining　81
corneal burn　488
corneal complications induced by contact lenses　454
corneal disorders related allergic conjunctivitis　456
corneal dystrophy　241, **471**
corneal endothelial disorders　479
corneal erosion　51
corneal filaments　51
corneal foreign body　1009
corneal hysteresis　69
corneal intraepithelial neoplasia　414
corneal neovascularization　52, **453**
corneal opacity associated with metabolic disease　470
corneal pachymetry　60
corneal pannus　453
corneal perforation　52
corneal sensitivity test　71
corneal thickness　98
corneal thinning　52
corneal topography　53
corneal transplantation　285
corneal ulcer　51

corneal ulcer associated with
　systemic diseases　461
correction of irregular
　astigmatism　1050
correction of postoperative
　astigmatism　1050
Corynebacterium 属　321
counting finger　3
cover test　186
cover-uncover test　187
coxackievirus A 24 variant　381
CPACG　785
CPEO　881
CPR　1075
CQ　1031
CRAO　995
critical fusion frequency　222
crocodile shagreen　465
crocodile tear syndrome　365
CRVO　642
CSC　683, **750**
CSNB　722
CT　95, 186, 233
curly collagen fiber　474
CUT　187
Cutibacterium acnes　458
cuticular drusen　685
cyclic esotropia　890
cyclopentolate　1029
cyst　934
cystic lesions　934
cystoid macular edema　671
cystoid retinal degeneration　618
cytomegalovirus corneal
　endotheliitis　430
cytomegalovirus retinitis　557

D

d-クロルフェニラミンマレイン
　酸塩による散瞳　855
D4ST1 欠損に基づく EDS　1002
dacryoadenitis　362
dacryocystitis　368
dacryolithiasis　368
dacryops　362
dark adaptation　221
DCT　96
DDEDS　1002
débridement　443
decreased wettability dry eye
　　　　　　　　　　　88

dellen　408
dendritic tail　425
Dennie-Morgan line　326
deposits in corneal epithelium
　　　　　　　　　　　462
deposits in corneal stroma　464
depth perception tester　20
dermatochalasis　333
dermoid　410
――, limbal　914
dermoid cyst　934, 941
Descemet 膜内皮移植術　287
Descemet's membrane
　endothelial keratoplasty
　　　　　　　　　478, 481
Descemet's stripping automated
　endothelial keratoplasty
　　　　　　　　　478, 481
developmental cataract　510
Devic 病　824
diabetes cataract　513
diabetic iritis　591
diabetic macular edema　640
diabetic retinopathy　637
diagnosis of fixation　184
diagnostic and therapeutic chart
　of uveitis　539
diagnostic imaging　233
dialysis　1080
diffuse large B-cell lymphoma
　　　　　　　　　953, 956
digitalis　1037
direct ophthalmoscopy　109
dissociated vertical deviation
　　　　　　　　　　　894
distichiasis　339
divergence palsy　867
DLBCL　953
DM　762
DMEK　478, 481
dome-shaped macula　704
double elevator palsy　863
Down 症候群　821
downgaze palsies　862
DR　637
dragged disc　817
drug for glaucoma　252
drusen　685
dry eye　357
DSAEK　478, 481
Duane 症候群　902

DVA　20
DVD　894
DWDE　88
dynamic contour tonometer　96
dynamic gonioscopy　100
dynamic visual acuity　20
dystrophy
――, cone　721
――, macular　719

E

Eales 病　654
early treatment diabetic
　retinopathy study チャート
　　　　　　　　　　4, 26
eclampsia　759
eclipse retinopathy　766
ectopic pupil　853
Edinger-Westphal 核　845
Ehlers-Danlos 症候群（EDS）
　　　　　　　　498, **1002**
――, D4ST1 欠損に基づく
　　　　　　　　　　1002
EKC　379
electric cataract　520
electric ophthalmia　1011
electro-oculography　206
electromyography　204
electronystagmography　206
electroretinogram　223
Elschnig 真珠　529
EMG　204
endophthalmitis　740
ENG　206
enophthalmos　960
enterovirus 70　381
EOG　206
epiblepharon　337
epidemic keratoconjunctivitis
　　　　　　　　　　　379
epidermoid cyst　934
epiphora　363
epiretinal membrane　157, **669**
episcleritis　605
episodic unilateral mydriasis
　　　　　　　　　　　852
epithelial crack line　451
epithelial defect　51
epithelial dysplasia　51
epithelial edema　51
ERG　223

ERM 157
escape 現象 846
esotropia
───, accommodative 888
───, acute 889
───, consecutive 890
───, cyclic 890
───, infantile 887
essential infantile esotropia 887
essential progressive iris atrophy 805
ETDRS チャート 4, 26
ethambutol 1038
EV70 381
evaluating ocular alignment with a focused light 185
EW 核 845
examination
─── of accommodation 17
─── of lacrimal passage 92
─── of pupil diameter 47
─── of pupil response 164
─── of tear volume 84
─── of VDT eye strain 21
─── of visual acuity 1
exfoliation glaucoma 793
exophthalmometer 201
exotropia
───, A-V type 893
───, intermittent 892
───, sensory 893
expulsive hemorrhage **528**, 604
eye prostheses 961
eye socket depression 960
eyedrops 245
eyelid ectropion 338
eyelid entropion 337
eyelid surgery 268
eyelid tumors 340
eyewash 246

F

Fabry 病 **470**, 516
facial burn 1001
Faden procedure 281
false eye 961
familial amyloidotic polyneuropathy 799
familial exudative vitreoretinopathy 629
FAP 799

far gradient 法 197
Farnsworth-Munsell 100-hue test 218
Farnsworth panel D-15 test 217
fat adherence syndrome 899
FBUT 87
FCE 683
FD 470, 925
FDT 視野計 176
FECD 477
Ferry line 463
FEVR 629
fibroma 946
fibrosarcoma 946
fibrous dysplasia 925
filamentosa 51
filamentous keratitis 444
fingolimod 1036
Fisher 症候群 850, 853, 861, **874**
Fleischer ring 463
flicker perimetry 180
floaters 675
fluorescein angiography 126
fMRI 231
focal choroidal excavation 683
focal ERG 225
follicular lymphoma 956
forced duction test 203
form vision deprivation amblyopia 904
Foster 分類 403
frequency doubling technology perimetry 176
frequency of the orbital tumors 939
frosted branch angiitis 744
Fu 193
Fuchs 角膜内皮ジストロフィ 477
Fuchs 虹彩異色性毛様体炎 551
fundus albipunctatus 713
fundus autofluorescence 137
fundus changes in hypertension 753
fundus photography 119
fungal endophthalmitis 573
fusion 193

G

GA 677
galactosemia 999

Gardner 症候群 987
general anesthesia 1084
genetic diagnosis 240
geographic atrophy 677
geographic choroiditis 579
germline mutation 736
ghost cell 緑内障 798
ghost vessel 433
giant cell arteritis 994
giant papillary conjunctivitis 391
glare test 27
glaucoma after keratoplasty 799
glaucoma secondary to lens-induced uveitis 795
glaucoma surgery 291
glaucomatous optic neuropathy 775
GM_2 ガングリオシドーシス 999
Goldenhar 症候群 914
Goldmann 圧平眼圧計 95
Goldmann 視野計 170
Goldmann-Favre 症候群 662
goldmann perimeter 170
GON 775
gonioscopy 99
gonococcal conjunctivitis 377
GPA 983
GPC 391
gradient method 197
granulomatosis with polyangiitis 983
Griscelli 症候群 922
Grönblad-Strandberg 症候群 691, 996
Guillain-Barré 症候群 875
guttae 52, 477
guttata 52
gyrate chorioretinal atrophy 715

H

Hallermann-Streiff 症候群 516
hand motion 3
Hand-Schüller-Christian 病 955
HCQ 1032
hemangioma 943
hemangiopericytoma 941
hepatolenticular degeneration 999

hereditary optic neuropathy 828
Hermansky-Pudlak 症候群 922
herpes simplex virus 78, 327, 382, 424, 554
herpes simplex virus conjunctivitis 382
herpes simplex virus keratitis 424
herpes varicella-zoster keratitis 428
herpetic uveitis 563
Hertel 眼球突出計 201
Hertoghe 徴候 326
Hess screen test 198
heterophoria method 197
high hyperopia 705
highly myopic strabismus 900
hippus 846
Hirschberg 法 185
Histiocytosis X 954
histo spots 569
Histoplasma capsulatum 570
histoplasmosis-like disease 570
HIV 560
HM 3
homocystinuria 966
hordeolum 321
horizontal gaze palsy syndrome 859
Horner 症候群 851, 857, 1026
how to record the fundus chart 115
HRA 143
HRT 147
HSV 78, 327, 382, 424, 554
Hudson-Stahli line 463
human immunodeficiency virus 560
Hummelsheim 法 874
Humphrey 視野計 172
Hutchinson の法則 328
hydroxychloroquine 1031
hypermetropia 1045
hyperopia 1045
hyperparathyroidism 986
hyperviscosity-related retinopathy 761
hypolacrimia 357
hypoparathyroidism 986
hyposphagma 372

hypotony maculopathy 764
hysteria 1001

I

IC 78
IC-PC aneurysm 868
iCare® TA01i/PRO/IC200 97
ICE 症候群 805
Ice pack test 203
ICI 1043
ICL 276
ICNV 687
idiopathic choroidal neovascularization 687
idiopathic macular hole 663
idiopathic macular telangiectasia 655
idiopathic orbital inflammation 930, 956
idiopathic orbital myositis 932
idiopathic thrombocytopenic purpura 991
IEDE 88
IFN 1035
IgG4 関連眼疾患 933, 956
IgG4 関連 Mikulicz 病 933
ill-sustained accommodation 1051
immune checkpoint inhibitor 1043
immune reconstitution inflammatory syndrome 562
immune recovery uveitis 562
immune thrombocytopenia 992
immuno chromatography 78
immunomodulatory agent, systemic 260
immunosuppressive drugs, local 259
imo 視野計 172
implant surgery with plates 304
implantable collamer lens 276
impression cytology 73
incontinentia pigmenti 1003
increased evaporation dry eye 88
indentation gonioscopy 100
indirect ophthalmoscopy 111
indocyanine green angiography 126
infantile esotropia 887

infantile hemangioma 944
infarct of meibomian gland 323
infective endocarditis 969
inferior rectus muscle 863
infrared pupillography 166
inherited optic atrophy 241
insect bite 1005
inspection for glasses 16
interferometry 29
—— of tear film 89
interferon 1035
interferon retinopathy 1035
intermediate uveitis 588
intermittent exotropia 892
internuclear ophthalmoplegia 859
intramuscular cyst 934
intraocular foreign body 1024
intraocular lens 522
intraocular lens dislocation 530
intraocular lymphoma 597
intraoperative management of arterial blood pressure 1082
intraorbital foreign bodies 1010
intratarsal keratinous cyst 934
intravitreal injection 249
intrinsically photosensitive retinal ganglion cell 846
involutional entropion 337
IOL 522
IOL dislocation 530
IOL power calculation 43
IOL power calculation after refractive surgery 45
ION 830
ipRGC 846
IR 863
iridocorneal endothelial syndrome 805
IRIS 562
IRU 562
ischemic optic neuropathy 830
ISSVA 分類 944
iStent® 299
iStent inject® W 299
IT 眼症 1057
ITP 991

J

Jensen 法 874
JIA 979

JRA 979
juvenile idiopathic arthritis 979
juvenile retinoschisis 634
juvenile rheumatoid arthritis 979

K

Kaposi 水痘様発疹 327
Kawasaki disease 993
Kayser-Fleischer 輪 464, 999
Keith-Wagener 分類慶大変法 756
Kenny 症候群 821
keratic precipitates 52
keratinization 51
keratitis medicamentosa 450
keratoconus 481
keratomalacia 495
keratomycosis 420
kinetic perimetry 170
kinetic vision tester 20
kinetic visual acuity 20
kinking sign 951
Krimsky 法 186
kumquat-like type, corneal dystrophy 473
KVA 20

L

laceration
  ── of canaliculus 1027
  ── of eyelid 1026
lacrimal duct cyst 934
lacrimal gland tumor 955
lacrimal hypersecretion 363
lacrimal probe 247
lacrimal surgery 269
lagophthalmic keratitis 446
Lamellar macular hole 668
Landolt 環 1
Langerhans 細胞組織球症 954
laser Doppler velocimetry 158
laser flare meter 65
laser gonioplasty 789
laser *in situ* keratomileusis 275
laser photocoagulation 315
laser speckle flowgraphy 161
laser speckle flowgraphy system 210
LASIK 275
late staining 451

latent nystagmus 909
lattice line 474
lattice retinal degeneration 616
Leber 遺伝性視神経症 821, **829**
Leber 先天黒内障 768
leiomyosarcoma 948
lens displacement（dislocation, malposition） 505
lens nucleus dislocation into the vitreous cavity 525
lens particle glaucoma 795
lens protein glaucoma 795
lens-induced glaucoma 794
lens-induced uveitis 550
lensmeter 10
leopard spot pattern 583
les syndromes triangulaires 584
lesions in optic tract or lateral geniculate nucleus 836
Letterer-Siwe 病 955
leukemia 987
levator function 202
LGP 789
LHM 668
LHON 829
lid closure insufficiency 333
lid-wiper epitheliopathy 398
light-near dissociation 165, 846, 849, 850, 854, 867
light induced damage on the retina 766
light perception 3
light reflex 845
ligneous conjunctivitis 401
limbal dermoid 914
limbal stem cell deficiency 494
lipoma 945
liposarcoma 945
LIU 550
logarithmic minimum angle of resolution 配列 2
logMAR 検査 30
logMAR 配列 2
lost and slipped muscles 281
low vision care
  ──, general theory about 1093
  ──, medical certificate required for 1109
  ── introduction leaflet 1112
low vision test 30

Lowe 症候群 516
LP 3
LSFG **161**, 210
LWE 398

M

m. m. 3
M-CHARTS 178
MacTel 655
macular dystrophy 719
macular hole 157
macular hypoplasia 922
macular pseudohole 667
Maddox 小杆プリズム法 191
Maddox 小杆法 190
Maddox rod 190
Maddox wing 法 191
maia 178
malignant eyelid tumors 342
malignant glaucoma 803
malignant lymphoma **953**, 956
malignant melanoma 592
MALT リンパ腫 413, 953, 956
management of pediatric emergency 1086
manifest latent nystagmus 909
map dot fingerprint dystrophy 472
Marcus Gunn 瞳孔 164, **847**
Marfan 症候群 966
marginal reflex distance 202
Marinesco-Sjögren 症候群 516
masked bilateral superior oblique palsy 872
MBSOP 872
McCune-Albright 症候群 925
MCTD 762
MDE 989
measles keratitis 431
measurement
  ── of interpupillary distance 15
  ── of marginal reflex distance 202
measuring the angle of deviation 190
medial longitudinal fasciculus syndrome 859
medical certificate required for low vision care 1109

Meesmann 角膜ジストロフィ 471
megalocornea 498
meibography 91
meibomian gland dysfunction 89
meibomian gland related keratoconjunctivitis 469
meibomitis 324
MEK 阻害薬 1044
Merkel 細胞癌 347
metastatic orbital tumor 959
metastatic tumor 595
methyl mercury 1039
MEWDS 576
MG 878
MGD 89
MH 157
microbiological examination 75
microcornea 497
microincision vitrectomy surgery 308
microperimetry 178
microphthalmos 498, 804
microtropia 898
microtropic amblyopia 907
migraine 839
MIGS 297, 777
Mikulicz 病, IgG4 関連 933
minimally invasive glaucoma surgery 297, 777
missing rectus 937
mitomycin C, scleromalacia induced by 610
MIVS 308
mixed mechanism glaucoma 791
Miyake 病 719
MLF syndrome 859
MNREAD-J チャート 31
modulation transfer function 25
molluscum 小体 970
molluscum contagiosum 969
monocular elevation deficiency 863
monocular elevation paresis 863
Mooren 潰瘍 460
Moraxella 属 325, 418
morning glory syndrome 726
morphological classification of cataract 508

motus manus 3
MP-3 178
MPPC 症候群 728
MPPE 580
MPS 455, 999
MRD 測定 202
MRI 234
MRSA 417
MS 治療薬 1036
MTF 25
mucocele 934
mucoepidermoid carcinoma 956
mucopolysaccharidosis 999
mucosa-associated lymphoid tissue リンパ腫 413, 956
Muir-Torre 症候群 346
Müllert 式, 加圧式眼底血圧計 163
multi-purpose solution 455
multifocal ERG 225
multifocal posterior pigment epitheliopathy 580
multiple evanescent white dot syndrome 576
multiple myeloma 989
multiple sclerosis 治療薬 1036
multiple subepithelial corneal infiltrates in adenoviral infection 432
myasthenia gravis 878
Mycobacterium tuberculosis 570
myelinated nerve fiber 729
myeloma-defining events 989
myolipoma 945
myopia 1046
myopic foveoschisis 632
myopic traction maculopathy 632
myxoma 934

N
n. d. 2
NAION 211, 831
nanophthalmos 498, 582, 804
NCT 96
Nd：YAG レーザー 314
Nd：フェムトセカンドレーザー 314
nDSAEK 481
near reflex 846
Neisseria gonorrhoeae 377

neonatal conjunctivitis 374
neonatal dacryocystitis 367
neovascular glaucoma 801
nerve fiber layer defect 776, 779
neurilemoma 950
neurinoma 950
neurocutaneous syndrome 942
neurofibroma 949
neurofibromatosis 732, **949**
neuromyelitis optica 824
neuroretinitis 827
neurotrophic keratopathy 448
new aniseikonia tests 196
new types of orthosis 1106
NF 732
NF-1 732
NF-2 732
NFLD 776, 779
NIBUT 87
NMO 824
NMO spectrum disorder 824
NMOSD 824
non-arteritic AION 831
non-arteritic ischemic optic neuropathy 211
non-contact tonometer 96
non-Descemet's stripping automated endothelial keratoplasty 481
non-invasive BUT 87
normal tension glaucoma 778
Norrie 病 628
NTG 778
numerus digitorum 2
NVG 801
nystagmus 908
nystagmus blockage syndrome **891**, 908

O
OA 921
obj. A 194
objective angle of strabismus 194
objective perimeter 182
obstruction of the lacrimal drainage 365
OCA 921
occipital lobe lesions 838
OCT 150, 208, 776
——, 網膜 156

──, 緑内障 104
OCT アンギオグラフィ 154, 210
Octpus 視野計 172
ocular albinism 921
ocular alignment 185
ocular cicatricial pemphigoid 402
ocular histoplasmosis 569
ocular hypertension 780
ocular ischemic syndrome 650
ocular lateropulsion 853
ocular surface squamous neoplasia 414
ocular torticollis 895
ocular toxocariasis 568
ocular toxoplasmosis 565
oculocerebrovasculometer 163
oculocutaneous albinism 921
oculomotor nerve palsy 868
OCVM 163
OFA 182
OIS 650
one-and-a-half 症候群 859
opacification of intraocular lens 532
open sky vitrectomy 308
ophthalmodynamometry 163
optic chiasmal syndrome 835
optic disc 208
optic disc coloboma 813
optic disc drusen 815
optic disc melanocytoma 411
optic disc pit maculopathy 724
optic disc topography 102
optic disc vasculitis 825
optic nerve glioma 951
optic nerve hypoplasia 814
optic nerve sheath meningioma 952
optic neuritis 822
optic neuropathy of nasal origin 832
optic perineuritis 826
optical aniseikonia 1053
optical breakdown 1013
optical coherence tomography
　──, glaucoma 104
　──, retina 156
optociliary shunt vessel 816, 952
orbital apex syndrome 875
orbital blowout fracture 937

orbital cellulitis 929
orbital hematoma 938
orbital inflammatory pseudotumor 930
orbital sarcoidosis 936
orbital surgery 283
orbital varix 928
organophosphate poisoning 1039
orthosis, new types of 1106
osteoma 948
outflow pathway reconstruction surgeries 296
oval pupil 853

P

PAC 385
pachychoroid 683
pachychoroid neovasculopathy 683
pachychoroid pigment epitheliopathy 683
pachychoroid spectrum disease 683
PACS 790
pagetoid spread 345
palpebral abscess 325
palpebral edema 353
palpebral emphysema 353
PAM 411
PAN 909, 974
panophthalmitis 575
panretinal photocoagulation 801
papilledema 820
papillophlebitis 825
paralysis of accommodation 1052
paralytic pontine exotropia 861
parathyroid disease 986
parietal lobe lesions 838
Parinaud 症候群 849, 854
Parks の 3 段階法 189
pars planitis 588
PAS 801
PAT 189
paving stone degeneration 618
PCR 法 78
PCV 683
peau d'orange fundus 996
PED 439, 698

pellucid marginal corneal degeneration 485
penetrating ocular injury 1017
perennial allergic conjunctivitis 385
periodic alternating nystagmus 909
periodic unilateral mydriasis 852
perioperative diabetes management 1078
perioperative management of cardiovascular disease 1076
peripapillary pachychoroid syndrome 683
peripheral anterior synechiae 801
peripheral uveitis 588
persistent corneal epithelial defect 439
persistent fetal vasculature 728
persistent pupillary membrane 601
PET 231
Peters 異常 496
PFV 728
phacolytic glaucoma 795
phacomatosis 732
phakomatosis 942
phenothiazine antipsychotics 1030
phlebolith 929
phlyctenular conjunctivitis 393
phlyctenular keratitis 458
photic damage on the retina 766
photorefractive keratectomy 275
phototherapeutic keratectomy 444
physiological pupillary reaction 845
PIC 694
Pierre Robin 症候群 516
pigmented paravenous retinochoroidal atrophy 712
pinguecula 407
pingueculum 407
PIOL 597
PION 830
PL 法 12
plateau iris glaucoma 787

pleomorphic adenocarcinoma 956
pleomorphic adenoma 955
pleomorphic lipoma 945
PM 762, 975
PMD 880
PNV 683
POAG 775
POHS 570
Pola test 196
pollinosis 384
polyarteritis nodosa 974
polycythemia vera 990
polymyositis 975
polypoidal choroidal vasculopathy 683
pontine miosis **848**, 853
pontine pupil 853
PORN 742
Posner-Schlossman 症候群 553
posterior capsule rupture 523
posterior fixation 281
posterior ischemic optic neuropathy 830
posterior polymorphous corneal dystrophy 479
posterior scleritis 611
posterior staphyloma 613
posterior vitreous detachment 672
postoperative astigmatism 533
postoperative endophthalmitis 534
postoperative management of keratoplasty 499
PPCD 479
PPE 683
PPS 683
preeclampsia 759
preferential looking 法 12
pregnancy induced hypertension 759
presbyopia 1049
prescription of spectacles 13
presumed ocular histoplasmosis syndrome 570
primary angle closure 789
primary angle closure suspect 790
primary constant microtropia 898

primary decompensating microtropia 898
primary intraocular lymphoma 597
primary open angle glaucoma 775
primary SS 359
prism adaptation test 189
prism corneal reflex test of Krimsky 186
PRK 275
progressive muscular dystrophy 880
progressive outer retinal necrosis 742
proliferative vitreoretinopathy 620
Propionibacterium acnes, 旧 321, 458
prostanoid EP2 receptor agonist 258
prostanoid FP receptor agonists 253
provocative test 98
PRP 801
pseudo Argyll Robertson 瞳孔 **849**, 854
Pseudomonas aeruginosa 418
pseudopapilledema 821
pseudopterygium 406
pseudoxanthoma elasticum 691, **995**
psychogenic visual disturbance 1061
pterygium 404
PTK 444
pulseless disease 757
punched-out lesions 569
punctate inner choroidopathy 694
pupil perimeter 182
pupillary abnormalities associated with drug poisoning 854
pupillary anomalies associated with brain lesions 853
pupillary capture 531
Purtscher 網膜症 773
PV 990
PVD 672
PVR 310, **620**

PXE 691, 995

Q
QOL (Quality of life) 1069
——, 眼疾患と 1069

R
RA 589, 590, **977**
radiation cataract 519
radiation retinopathy 772
Raeder 症候群 851
RAPD 164, 823, 832, 835, 837, **847**
reactive arthritis 976
reactive lymphoid hyperplasia 956
real-time PCR 423
recurrent corneal erosion 442
red glass test 198
refractive lens exchange 277
Refsum 症候群 516
Reis-Bücklers 角膜ジストロフィ 474
Reiter 症候群 976
relapsing polychondritis 982
relative afferent pupillary defect 164, 823, 832, 835, 837, **847**
renal retinopathy 758
retardation of progression of myopia 1047
RetCam 142
reticular pseudodrusen 685
retinal arteriolar macroaneurysm 651
retinal artery occlusion 647
retinal concussion 767
retinal detachment due to macular hole 622
retinal disorders due to high myopia 703
retinal hemangioma 730
retinal hole 619
retinal injury caused by laser 1013
retinal nerve fiber layer analysis 102
retinal pigment epithelial detachment 698
retinal pigment epithelial tear 698
retinal pigment epitheliitis 746

retinal tear 619
retinal vasoproliferative tumors 730
retinal vein occlusion 644
retinally induced aniseikonia 1053
retinitis pigmentosa 706
—— and related diseases 242
retinitis punctata albescens 714
retinoblastoma 242, **736**
retinopathy
——, collagen disease associated 762
—— of prematurity 624
retinoscopy 6
retrobulbar hemorrhage 529
retrocorneal hyaline ridge 433
retrocorneal membrane 52
retrocorneal ridge 52
REZ 841
rhabdomyosarcoma 947
rhegmatogenous retinal detachment 615
rheumatoid arthritis 589, 590, **977**
Rieger 異常 496
RLE 277
ROCK 阻害薬 257
rod-shaped body 474
rolled-up edge 439
root entry zone 841
ROP 624
Rosenthal 線維 951
Ross 症候群 850
Roth 斑 988
Rothmund-Thomson 症候群 516
RP 762
RRD 309
Rubinstein-Taybi 症候群 516
ruptured globe 1017
RVO 644

S

S 錐体 1 色覚 214
s. l. 3
SAC 385
salmon-colored patch 433
Salzmann 結節変性 469
Sanger 法 242
sarcoidosis 543

saw-tooth pattern 474
SBS 1016
scanning laser ophthalmoscope 143, 147
Schaffer 症候群 516
Scheie 分類 756
Schillinger 法 874
Schnyder 角膜ジストロフィ 476
Schwann 細胞腫症 949
schwannoma 950
scintillating scotoma 839
scleral scattering 法 50
scleritis 606
scleroderma 980
scleromalacia
—— induced by 5-fluorouracil 610
—— induced by mitomycin C 610
SEALs 455
seasonal allergic conjunctivitis 384
secondary angle closure glaucoma caused by microphthalmos 804
secondary cataract 529
secondary corneal amyloidosis 468
secondary glaucoma associated with amyloidosis 799
secondary SS 359
sectoranopia 837
segmental optic hypoplasia 779
selective laser trabeculoplasty 777
senile furrow degeneration 465
sensory exotropia 893
sensus luminis 3
septo-optic dysplasia 814
serous retinal detachment 750
setting sun sign 864
sexually transmitted diseases 383
SFT 941
SGLT-2 阻害薬 1080
shaken baby syndrome 1016
simple corneal epithelial defect 439
simultaneous perception 193

simultaneous prism cover test 187
single prism cover test 187
siponimod 1036
situs inversus of the optic disc 818
Sjögren 症候群 **359**, 589, 762
SJS 489
SjS 762
skew deviation 860, **864**
SLE 589, 762, **971**
SLE 疾患活動性指数 973
SLE 網膜症 973
SLEDAI 973
slipped muscle 282
slit-lamp examination 49
slit-lamp ophthalmoscopy 116
SLK 399
SLO 143, 147
SLT 777
small incision lenticule extraction 276
SmartSight 1112
SMILE 276
Soemmerring リング 529
SOH 779
solar retinopathy 766, **1014**
solitary fibrous tumor 941
somatic mutation 736
SP 193
spasm
—— of accommodation 1052
—— of the near reflex 867
spasmus nutans 908
SPCT 187
specular microscope 61
SPGR 法 869
spheroidal degeneration 466
spindle cell lipoma 945
SPK 51, 89, 361, **435**, 448, 451
spoiled gradient recalled acquisition in the steady state 869
SPP-1 216
SPP-2 216
SRD 750
SS 359
SSc 762, **980**
SSOH 779
St. 193
Staphylococcus aureus 417

Stargardt 病　719
static gonioscopy　99
statistical analysis of visual acuity　3
STD　383
stereopsis　193
steroid
　——, systemic　260
　——, local　259
steroid induced cataract　517
steroid induced glaucoma　792
Stevens-Johnson 症候群　489
Stickler 症候群　516, **661**
Stocker line　463
strabismic amblyopia　905
strabismus fixus convergens　900
strabismus surgery　278
Streptococcus pneumoniae　417
stromal edema　52
stromal opacity　52
stromal opacity type, corneal dystrophy　473
Sturge-Weber 症候群　594, 734, **918**, 943
sty external　321
sty internal　321
SU 薬　1079
sub-Tenon injection　248
subconjunctival hemorrhage　372
subconjunctival injection　247
subj. A　193
subjective angle
　—— of deviation with major amblyoscope　198
　—— of strabismus　193
subjective refraction　4
superficial punctate keratopathy　51, 89, **435**, 448, 451
superior epithelial arcuate lesions　455
superior limbic keratoconjunctivitis　399
superior oblique myokymia　872
superior orbital fissure syndrome　875
superior SOH　779
surgery for angle closure glaucoma　292
Swan 切開　280

swinging flashlight test　**164**, 847
symblepharon　335
sympathetic alpha2 agonist　255
sympathetic ophthalmia　550
synchysis scintillans　659
syphilitic interstitial keratitis　433
syphilitic uveitis　572
systemic lupus erythematosus　589, **971**
systemic sclerosis　980

T
TAC 法　12
tadpole-shaped pupil　852
Takayasu disease　757
Tay-Sachs 病　999
tear break-up pattern　358
tear break-up time　357
tear film oriented diagnosis　357
tear film oriented therapy　357
techniques for testing for visual acuity and refraction in infancy and childhood　11
tectal pupil　854
telecanthus　912
Teller Acuity Cards 法　12
temporal arteritis　994
temporal lobe lesions　838
TEN　489
Tenon 嚢下注射　248
tensilon test　203
terminal bulb　423, 424
Terrien 辺縁角膜変性　484
Terson 症候群　**658**, 1016
testing binocular vision　191
testing stereopsis　194
TFOD　357
TFOT　357
thermal burn　1006
Thiel-Behnke 角膜ジストロフィ　474
thinner　1040
thrombocytopenic purpura　991
thrombotic thrombocytopenic purpura　992
Thygeson 点状表層角膜炎　437
thyroid eye disease　984
tilted disc　819
tilted disc syndrome　819
tobacco-alcohol amblyopia　1041

TON　1012
tonic pupil　849
Tono-pen® XL/Tono-pen AVIA®　96
tonometry　95
toxic epidermal necrolysis　489
toxic optic neuropathy　833
Toxocara canis　568
Toxoplasma gondii　565
TP　572
TrabEx +™　297
tram-track sign　816, 952
transient ischemic attack　843
traumatic cataract　518
traumatic glaucoma　796
traumatic macular hole　665
traumatic optic neuropathy　1012
traumatic retinal detachment　1018
Treponema pallidum　433, 572
triangular syndrome　584
trichiasis　339
trigeminal neuralgia　841
Triggerfish®　97
trochlear nerve palsy　870
TSC　733
TTP　992
tuberculous interstitial keratitis　434
tuberculous uveitis　570
tuberous sclerosis　733, **915**
Turner 症候群　498
Two pencil test　194
types and selection of low vision aids　1099
typical mulberry type, corneal dystrophy　473

U
UBM　67
ulcerative colitis　983
ultra-wide field fundus imaging　140
ultrasound biomicroscope　67
understanding the psychological background and needs of patients with low vision　1096
unidentified complaints of the eye　1059
upgaze palsies　862

uveal effusion　582
uveitic glaucoma　800
uveitis
　──, acute anterior　**586**, 970
　──, collagen disease complicated　589
　──, herpetic　563
　──, immune recovery　562
　──, intermediate　588
　──, syphilitic　572
　──, tuberculous　570
　──, varicella-zoster virus　563
　── associated with AIDS　560
　── associated with rheumatoid arthritis　590

V

Valsalva 効果　372
van der Hoeve 症候群　605
van Herick 法　790, 791
varicella-zoster virus　327, 428, 554, 563
varicella-zoster virus uveitis　563
vascular malformation　944
vascular tumor　944
VDT 検査　21
VDT 作業　866
VDT 症候群　865, **1057**
venous malformation　944
VEP　230
vergence プリズム法　909

vernal keratoconjunctivitis　387
version プリズム法　909
VHL 病　735
vigabatrin　1033
visceral larval migrans　568
visual display terminal 作業　866
visual display terminal 症候群　865
visual display terminals　21
visual display terminals syndrome　1057
visual evoked potential　230
visual field test　106
visual field test charts　177
vitreomacular traction syndrome　156, **671**
vitreo-retinal lymphoma　597
vitreoretinal surgery　307
vitreous amyloidosis　660
vitreous hemorrhage　657
VKC　387
VLM　568
VMT 症候群　156
Vogt-小柳-原田病　547
Vogt's limbal girdle　463, 465, 467
von Hippel-Lindau 病　735, **917**
von Recklinghausen 病　732, **916**, 943, 949
vortex keratitis　451
VZV　327, 428, 554, 564

W

Waardenburg 症候群　912

Wagner 症候群　516, **660**
WAGR 症候群　919
Wallenberg 症候群　853
wavefront analysis　32
wavefront-guided LASIK　1051
Weber 症候群　868
Wegener 肉芽腫症　589
Weill-Marchesani 症候群　968
Weiss リング　673
Werner 症候群　516
wide field fundus photograph　142
Wilms 腫瘍　919
Wilms tumor, aniridia, genitourinary anomalies, and mental retardation syndrome　919
Wilson 病　464, 516, **999**
WMS　968
Wolfram 症候群　829
Wong-Mitchell 分類　756
wound failure　526
Wyburn-Mason 症候群　736

Y

YAG レーザー
　──, ネオジウム　314
　──, 半波長ネオジウム　315

Z

Zernike のピラミッド　33
Zinn 小帯断裂　524

広告一覧

（本書掲載順）

掲載社名	製品名	掲載頁
ボシュロム・ジャパン㈱	オキュバイト50＋DX／オキュバイト＋ルテイン	執筆者一覧後
参天製薬㈱	エイベリス	目次前
クーパービジョン・ジャパン㈱	マイデイブランド	目次後
㈱アイネクスト	RetCam Envision	第1章項目前対向
㈱タカギセイコー	700GL	第1章本文後
エコー電気㈱	SM Tube	第4章項目前対向
千寿製薬㈱	アジマイシン	第5章項目前対向
中外製薬㈱	バビースモ	第10章項目前対向
グラウコス・ジャパン合同会社	iStent inject W	第11章項目前対向
日本アルコン㈱	Pro-web	第20章項目前対向
㈱ライト製作所	ACOMOREF 2/K-model	第21章項目前対向
㈱医学書院	書籍広告	各所

本書広告取扱社　㈱文京メディカル　TEL(03)3817-8036

ありそうでなかった、蛍光眼底造影の実践ガイドブック！

蛍光眼底造影ケーススタディ
エキスパートは FA・IA・OCTA をこう読み解く

編 **飯田知弘** 東京女子医科大学教授・眼科学

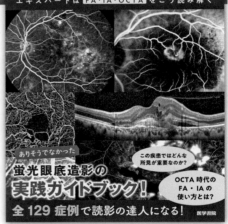

眼循環を評価する際の基本的検査である蛍光眼底造影の読影ガイドブック。
蛍光眼底造影のエキスパートたちが、豊富な症例を交え読影ポイントやコツを解説する。蛍光眼底造影の基本を身につけ、カラー眼底写真、OCT、OCTアンギオグラフィなど他の検査と組み合わせれば眼循環はここまで見える。
これから蛍光眼底造影を学ぶ初学者だけでなく専門医にも必携の書。

● B5 頁312 2019年 定価：9,900円
（本体9,000円＋税10%）[ISBN978-4-260-03841-6]

■目次

総論 蛍光眼底造影読影の基礎知識
総論 蛍光眼底造影とOCTAをつなぐ
1 網膜静脈分枝閉塞症 急性期
2 網膜静脈分枝閉塞症 陳旧期
3 網膜中心静脈閉塞症
4 網膜動脈閉塞症
5 糖尿病網膜症
6 糖尿病黄斑浮腫
7 特発性黄斑部毛細血管拡張症
8 網膜細動脈瘤
9 眼虚血症候群と高安病
10 中心性漿液性脈絡網膜症
11 慢性中心性漿液性脈絡網膜症
12 滲出型加齢黄斑変性 典型加齢黄斑変性
13 滲出型加齢黄斑変性 ポリープ状脈絡膜血管症
14 滲出型加齢黄斑変性 網膜血管腫状増殖
15 萎縮型加齢黄斑変性
16 脈絡膜新生血管
17 Stargardt病とその他の遺伝性網膜変性
18 サルコイドーシス
19 Vogt－小柳－原田病
20 Behçet病
21 多発消失性白点症候群
22 急性後部多発性斑状色素上皮症
23 網膜腫瘍
24 脈絡膜腫瘍
25 視神経乳頭

〒113-8719 東京都文京区本郷1-28-23　[WEBサイト]https://www.igaku-shoin.co.jp
[販売・PR部]TEL：03-3817-5650　FAX：03-3815-7804　E-mail：sd@igaku-shoin.co.jp

唯一無二の本邦オリジナル、前眼部腫瘍アトラスの決定版

眼瞼・結膜腫瘍アトラス

後藤 浩 東京医科大学 臨床医学系 眼科学分野・教授

■本書の特徴
眼腫瘍診療のエキスパートとして長年活躍する著者による、待望の本邦オリジナル前眼部腫瘍アトラス。眼瞼・結膜腫瘍の視診力、診断精度を高めるために、良性・悪性・鑑別疾患の肉眼所見をバリエーション豊かに掲載、パターン別に「疑似体験」が可能。疾患理解につながる病理組織像についても適宜取り上げた。悪性の見逃しや誤診が許されない腫瘍性病変への苦手意識を払拭し、明日からの診療に自信を持って臨むための必携書。

■目次
第1部 眼瞼腫瘍
眼瞼腫瘍の診かたのコツ
【良性腫瘍】母斑／脂漏性角化症／ケラトアカントーマ（角化棘細胞腫）／嚢胞性腫瘍／毛包系腫瘍／汗腺系腫瘍／脂腺過形成／黄色腫（黄色板症）／血管腫／神経線維腫／線維腫／多形腺腫／IgG4関連眼疾患
【悪性腫瘍】基底細胞癌／脂腺癌／扁平上皮癌／悪性リンパ腫／Merkel細胞癌
【鑑別疾患】霰粒腫／腫瘍／涙小管炎／眼瞼外反／伝染性軟属腫／サルコイドーシス／アミロイドーシス

第2部 結膜腫瘍
結膜腫瘍の診かたのコツ
【良性腫瘍】結膜母斑／原発性後天性結膜メラノーシス／眼メラノサイトーシス／輪部デルモイド／デルモリポーマ（リポデルモイド）／乳頭腫／結膜嚢胞／涙腺導管嚢胞（涙腺嚢胞）／マイボーム腺角質嚢胞／血管腫／リンパ管腫／反応性リンパ組織過形成／脂腺過形成／神経線維腫／神経鞘腫／粘液腫／黄色腫／骨性分離腫
【悪性腫瘍】悪性リンパ腫／上皮内癌、扁平上皮癌／悪性黒色腫（メラノーマ）／Kaposi肉腫
【鑑別疾患】化膿性肉芽腫／リンパ管拡張症／球結膜浮腫／眼窩脂肪ヘルニア／肉芽腫／アミロイドーシス／睫毛による涙腺導管炎／石灰化強膜プラーク／結節性強膜炎

● A4 頁176 2017年
定価:**13,200**円（本体12,000円＋税10%）
[ISBN978-4-260-03222-3]

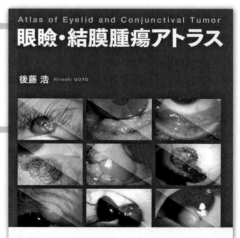

今日、外来で見た腫瘍はきっとこのなかに載っている！
唯一無二の本邦オリジナル
前眼部腫瘍アトラスの決定版
医学書院

医学書院 〒113-8719 東京都文京区本郷1-28-23 ［WEBサイト］https://www.igaku-shoin.co.jp
［販売・PR部］TEL:03-3817-5650 FAX:03-3815-7804 E-mail:sd@igaku-shoin.co.jp

緑内障の「困った症例」への対処法を
百戦錬磨の"師匠"が一手ご指南

緑内障道場
診断・治療の一手ご指南

編集・**木内良明**
広島大学大学院医歯薬保健学研究科
視覚病態学(眼科学)・教授

雑誌『臨床眼科』で好評を博した連載「熱血討論！緑内障道場 診断・治療の一手ご指南」を書籍化。
連載で取り上げた24症例に加え、緑内障診療にあたっての心構えを説いた「門下生心得」や、診療に必須のキーワードや診療のコツなどを読みやすい語り口で紹介するコラム27本を追加。
緑内障の「困った症例」への対処法を、百戦錬磨の"師匠"が手ほどきいたします。

緑内障道場3つの掟
その1 明るく楽しく緑内障を学ぶべし！
その2 道場内は建て前ではなく本音で語るべし！
その3 患者から学ぶ姿勢を大切にすべし！

緑内障診療のコツ、伝授いたします！

目次
- ◆緑内障道場 門下生心得
  門下生心得10か条
- ◆診断基礎
- ◆診断確定後の治療方針
- ◆治療中の疑問
- ◆合併症対策

B5 頁288 2019年 定価：9,900円
(本体9,000円＋税10％) [ISBN978-4-260-03840-9]

医学書院
〒113-8719 東京都文京区本郷1-28-23　[WEBサイト]https://www.igaku-shoin.co.jp
[販売・PR部]TEL:03-3817-5650　FAX:03-3815-7804　E-mail:sd@igaku-shoin.co.jp